The New Encyclopædia Britannica

in 32 Volumes

FOUNDED 1768
15TH EDITION

ENCYCLOPÆDIA Britannica

Encyclopædia Britannica, Inc.
Jacob E. Safra, Chairman of the Board
Jorge Aguilar-Cauz, President

Chicago
London/New Delhi/Paris/Seoul
Sydney/Taipei/Tokyo

The information on this page refers to
The New Encyclopædia Britannica.

First Edition	1768 – 1771
Second Edition	1777 – 1784
Third Edition	1788 – 1797
Supplement	1801
Fourth Edition	1801 – 1809
Fifth Edition	1815
Sixth Edition	1820 – 1823
Supplement	1815 – 1824
Seventh Edition	1830 – 1842
Eighth Edition	1852 – 1860
Ninth Edition	1875 – 1889
Tenth Edition	1902 – 1903

Eleventh Edition
© 1911
By Encyclopædia Britannica, Inc.

Twelfth Edition
© 1922
By Encyclopædia Britannica, Inc.

Thirteenth Edition
© 1926
By Encyclopædia Britannica, Inc.

Fourteenth Edition
© 1929, 1930, 1932, 1933, 1936, 1937, 1938, 1939, 1940, 1941, 1942, 1943, 1944, 1945, 1946, 1947, 1948, 1949, 1950, 1951, 1952, 1953, 1954 1955, 1956, 1957, 1958, 1959, 1960, 1961, 1962, 1963, 1964 1965, 1966, 1967, 1968, 1969, 1970, 1971, 1972, 1973
By Encyclopædia Britannica, Inc.

Fifteenth Edition
© 1974, 1975, 1976, 1977, 1978, 1979, 1980, 1981, 1982, 1983, 1984, 1985, 1986, 1987, 1988, 1989, 1990, 1991, 1992, 1993, 1994, 1995, 1997, 1998, 2002, 2003, 2005, 2007
By Encyclopædia Britannica, Inc.

Printed in U. S. A.

Library of Congress Control Number: 2006921233
International Standard Book Number-10: 1-59339-292-3
International Standard Book Number-13: 978-1-59339-292-5

Britannica may be accessed at http://www.britannica.com on the Internet.

不列颠百科全书

国际中文版

修订版

Encyclopædia Britannica International Chinese Edition

14

中国大百科全书出版社

《不列颠百科全书》国际中文版

● **Ptolemy III** Euergetes **托勒密三世(施主)**(活动时期约公元前246～前221) 马其顿人埃及国王,托勒密二世之子。他重新使埃及和昔兰尼加联合起来,并在对塞琉西王国的第三次叙利亚战争中大获全胜。公元前245年,他与昔兰尼加国王马格斯的女儿贝勒奈西二世结婚。因此,自公元前258年以来一直分裂的埃及和昔兰尼加再度联合起来。他即位和完婚后不久,即入侵科埃莱叙利亚,为其姊——安条克二世的遗孀复仇,他攻击塞琉古二世的军队远达色雷斯,横渡赫勒斯滂(达达尼尔)海峡,并占领小亚细亚沿岸的一些岛屿。但约于公元前245年被阻,停止进击。公元前242～前241年,他被逐出美索不达米亚和北叙利亚的部分地区。翌年终于实现和平,托勒密保有叙利亚的奥龙特斯河地区和安条克,保有小亚细亚的以弗所和色雷斯等地。在埃及内部,他继承父业,继续在法尤姆(开罗西南的绿洲低地)开拓殖民地。修改历法以公元前311年为托勒密世纪的元年。《坎诺普斯法令》认为一年的真正持续时间(365¼日)已得到承认,每4年加1天。但新历法未被群众接受。托勒密避免卷入一直给叙利亚和马其顿带来不幸的战争,他的政策是维持势力平衡,以确保自己国土的安全。临终前他宣布其子为王位继承人,当时埃及的国力达到极盛。

● **Ptolemy IV** Philopator **托勒密四世(爱其父)**(约公元前238～前205) 马其顿人埃及国王(公元前221～前205),治国无能,受宠臣左右。因此,托勒密王朝的叙利亚土地大部分丧失,土著人起义使埃及国内开始动荡不安。据古代作家描述,托勒密荒淫无度,纵酒寻欢,完全受佞幸的包围,其中最著名的为索西比乌斯。在他们怂恿下,托勒密指使谋杀了他的母亲、叔叔和兄弟。随着托勒密最得力的一位指挥官的背叛,埃及在叙利亚–巴勒斯坦的领土科埃莱叙利亚受到塞琉西国王安条克三世的严重威胁。公元前219年,塞琉西国王攻陷一些沿海城市。公元前217年春,托勒密新训练的军队在巴勒斯坦南部靠近拉斐亚的地方获胜,与塞琉西王朝签订和约,塞琉西军队撤出科埃莱叙利亚。战后,他娶其妹阿尔西诺伊为后。托勒密四世同南面邻国保持友好关系。他拒绝卷入希腊各邦的战争,也避免卷入叙利亚的内部斗争。他约于公元前205年11月逝世。他的宠臣秘不发丧,大约一年后,他们谋杀了阿尔西诺伊王后,使年幼的继位人任其支配。

● **Ptolemy V** Epiphanes **托勒密五世(杰出者)**(约公元前210～前180) 马其顿人埃及国王(公元前205起),执政期间埃及丧失了科埃莱叙利亚及其他大部分国外属地。5岁即位,索西比乌斯成为他的监护人。马其顿的统治者和以叙利亚为基地的塞琉西国王觉察到埃及的衰弱,密谋瓜分埃及在亚洲和爱琴海地区的领地。塞琉西国王安条克三世乘埃及混乱,入侵科埃莱叙利亚,托勒密发起反攻。后由罗马外交干预,这场战争才告终止。公元前194或前193年,作为和约的一部分,安条克把女儿克娄巴特拉一世嫁给托勒密为妻。自托勒密五世父亲时开始的埃及国内叛乱一直没有终止。公元前197年,他在尼罗河三角洲同反叛分子作战。虽已成年,仍受监护人控制。他于公元前196年颁布敕令,刻在罗塞塔石碑上;石碑于1799年发现,为研究古代埃及象形文字提供了依据。敕令中指明:豁免债务及赋税、释放囚犯、赦免已投降的反叛者、赐给寺院更多的赠款等,可见埃及土著的势力日大。他约于公元前180年5月突然去世,遗下2子1女,由王后摄政。

● **Ptolemy VI** Philometor **托勒密六世(爱其母)**(活动时期约公元前180～前145) 马其顿人埃及国王,曾试图入侵科埃莱叙利亚,结果却导致塞琉西人占领埃及。在罗马

四德拉克马银币上的托勒密六世像
不列颠博物馆供图

干涉和几次与其兄弟实行共同执政后,他仍能统一王国。托勒密六世与其母共同执政,同罗马保持着友好关系。公元前176年其母去世。公元前173年娶其妹克娄巴特拉二世。公元前170年他与妻子克娄巴特拉二世以及弟弟托勒密八世共掌国政,出兵科埃莱叙利亚,但为塞琉西统治者安条克四世所大败。安条克于公元前170及前168年两次侵入埃及,但在罗马的压力下撤兵。约在公元前164年10月,他被其弟弟逐出亚历山大,逃往罗马求助。于是罗马人分裂了托勒密王国:命托勒密八世往昔兰尼加,将塞浦路斯与埃及分给托勒密六世。托勒密八世不满足于仅有昔兰尼加一地,两次去罗马,要求把塞浦路斯划归他。托勒密六世于公元前154年击败其弟以武力夺取塞浦路斯的企图,但仍将昔兰尼加赐还其弟,并将一个女儿嫁给他,予以粮食补助。公元前155年,叙利亚的塞琉西统治者密谋夺取塞浦路斯,这时叙利亚出现一个觊觎王位者A.巴拉斯。公元前153年,托勒密六世向巴拉斯提供援助,甚至把一个女儿嫁给他。不久,托勒密六世卷入一场战争,巴拉斯战败被杀,他本人坠马摔裂颅骨,数日后身亡。

● **Ptolemy VII** Neos Philopator **托勒密七世(新爱其父)**(?～公元前144) 埃及国王。托勒密六世的次子及其共同执政者,公元前145年继承王位。因年幼,由母亲监护,母亲为共同执政者。其父的军队在叙利亚被击溃,他和母后所得到的支持有限。各反对派迎立托勒密八世即位,将他废黜。翌年,托勒密八世与其母结婚,而将他处死。

● **Ptolemy VIII** Euergetes II **托勒密八世(施主二世)**(?～公元前116) 马其顿人埃及国王。为夺取王位,而使自己臣服于罗马,并鼓励罗马人干预埃及事务。公元前170～前164年与其兄托勒密六世共掌国政,翌年独揽大权。公元前163～前145年为昔兰尼加(在今利比亚)国王。自公元前145年至前116年逝世,除短期被放逐(公元前131～前129)外,一直为埃及的唯一统治者。他与王后克娄巴特拉二世(原托勒密六世的遗孀)的持续争吵引起内战,使埃及经济崩溃。在其统治后期(公元前118),实行广泛改革以复兴国家。公元前117年左右,他发起一次远航探险,经红海及印度洋到达印度,自此埃及开始对香料贸易感到兴趣。

● **Ptolemy IX** Soter II **托勒密九世(救星二世)**(活动时期公元前2世纪～前1世纪) 绰号鹰嘴豆。马其顿人埃及国王(公元前116～前110,前109～前107,前88～前81在位)。与其弟托勒密十世(亚历山大一世)、其母克娄巴特拉三世(即托勒密八世的遗孀)以各种联合形式对塞浦路斯和埃及进行统治后,于公元前88年独揽王权。他设法使埃及摆脱罗马人过多的影响,同时努力发展同东方的贸易。按照托勒密八世的遗嘱,克娄巴特拉三世成为埃及与叙利亚的实际统治者。她喜欢幼子亚历山大,但迫于民意,同托勒密九世联合统治,把幼子派到塞浦路斯去。母子间的潜在不和终于在公元前110年10月爆发,克娄巴特拉将他逐出埃及,把亚历山大从塞浦路斯召回。托勒密曾两次短暂重返埃及,但又第3次逃亡,在塞浦路斯安身。他在公元前107年入侵叙利亚北方。克娄巴特拉逝世(公元前101)后,其弟托勒密十世(亚历山大)成为埃及的唯一统治者。此时,托勒密九世则固守塞浦路斯。托勒密十世不得民心,因而第2次被逐出亚历山大,死于海中。托勒密九世于公元前88年回国,独主埃及朝政。由于没有王后,便将其弟的遗孀(即他的亲生女儿)贝勒奈西三世迎回,同她联合执政。此前不久,上埃及底比斯发生严重叛乱。激战3年后,底比斯投降。当罗马人同黑海王国本都作战时,托勒密九世拒绝援助罗马人。公元前88年罗马人抢劫雅典后,他帮助重建了这一城市。托勒密九世死后,由其女儿及遗孀继承王位。

● **Ptolemy X** Alexander I **托勒密十世(亚历山大一世)**(?～公元前88) 马其顿人埃及国王(公元前107～前88),他在其母克娄巴特拉三世指导下,与其兄托勒密九世交替统治埃及。公元前105年左右,卷入叙利亚的塞琉西王国内战。托勒密十世为托勒密八世之子。其母意欲立他为埃及国王,但遭到亚历山大人民反对。公元前114年,他被派往塞浦路斯任总督。公元前110年,在太后唆使下其兄被逐出埃及,他从塞浦路斯被召回,代其兄成为埃及的共同执政者。公元前109年初,其兄与太后和解,返回埃及为国王,托勒密十世离开埃及,前往塞浦路斯岛为国王。其兄与太后再次发生激烈争吵后,他在公元前107年又被召回埃及共同执政,但

克娄巴特拉三世大权独揽，成为实际统治者。然而太后继续挑起家庭争端，在其兄支持其母同盟者的敌人以后，托勒密十世也卷入了该国的内战。公元前101年太后逝世，战争遂告结束。托勒密十世与其兄言归于好，甚至娶了其兄之女贝勒奈西三世。公元前89年，亚历山大的军队转而反对托勒密十世，他被迫流亡。在叙利亚-巴勒斯坦招募一支雇佣军后，于翌年返回埃及，但当他在亚历山大劫掠亚历山大大帝陵墓以支付军饷时，该城愤怒的民众再次将他驱逐。他在小亚细亚的吕基亚与塞浦路斯之间的海上被杀。他的遗孀原亦伴随他一同流亡，后来返回埃及成为其兄托勒密九世的王后。托勒密十世扩大了埃及土著的权力，但他们要求更大的权力。公元前88年托勒密十世去世，当年在上埃及的底比斯地区发生了旨在建立埃及土著王朝的叛乱，最后被他的前任和继承者托勒密九世镇压下去。

● **Ptolemy XI** Alexander II **托勒密十一世(亚历山大二世)**(约公元前115～前80) 埃及最后一位完全合法继承王位的托勒密国王。他与托勒密九世的遗孀贝勒奈西三世结婚，成为联合统治者，后将其谋害，独揽大权。托勒密十一世是埃及与塞浦路斯统治者托勒密十世(亚历山大一世)之子。其父逝世(公元前88)前后，他被安纳托利亚北部本都国王米特拉达梯六世所俘。逃脱后投奔罗马独裁者苏拉，后又被带到罗马，作为政治上的重要人质留在那里。公元前81年其伯父托勒密九世逝世，遗孀贝勒奈西三世独自掌权后，苏拉将托勒密十一世送回埃及与贝勒奈西结婚。王后坚持独自统治，托勒密不能与她共处，在联合执政19天后将她谋杀。人民热爱王后，因而杀死托勒密为她复仇。

● **Ptolemy XII** Auletes **托勒密十二世(吹笛者)**(约公元前112～前51) 马其顿人埃及国王。其半合法王族身份迫使他完全依赖罗马的支持。在位时期，埃及实质上变成受罗马共和国保护的王国。托勒密家族在埃及最后两位合法成员暴卒后，亚历山大城人民于公元前80年迎立托勒密十二世。尽管人们都知道他是托勒密九世之子，但其母的身份不详。公元前103年，其祖母埃及王后克娄巴特拉三世把他和他的兄弟及托勒密十一世送到科斯去。公元前88年，他和托勒密十一世为本都国王米特拉达梯六世所俘。年轻的托勒密于公元前80年到达叙利亚。据罗马史学家和政治家西塞罗所述，托勒密从叙利亚到达埃及，而他的弟弟则成为塞浦路斯国王。他到达埃及不久，便与可能是他的姊妹的克娄巴特拉五世结婚。

公元前76年，托勒密十二世在亚历山大按埃及的仪式举行加冕典礼。公元前65年，罗马民主派提出托勒密的合法地位问题，并出示一份可疑的托勒密九世(亚历山大二世)遗嘱，其中声称将埃及遗赠给罗马人民。而罗马贵族则反对这一吞并。凯撒接受托勒密的贿赂，通过一项法律确认托勒密的王位。然而在第2年，罗马还是夺走了塞浦路斯。该岛国王未能得到在埃及的兄长支持，便自杀身亡。托勒密担心民众因失去塞浦路斯而起来造反，便于公元前58年赴罗马寻求军事援助，留下王后及长女贝勒奈西四世在埃及摄政。王后逝世后，亚历山大城人民拥戴贝勒奈西四世为唯一统治者而反对他。通过行贿，公元前57年末，罗马元老院通过一项支持托勒密的决议。公元前55年，托勒密许给叙利亚地方长官、庞培的副将奥拉斯·加比尼乌斯一笔巨款，便带领一支罗马军队重返埃及。他复位后立即处决了女儿，因为她是亚历山大城反对派的首领。公元前51年托勒密逝世，死前不久宣布长女克娄巴特拉七世和长子为共同摄政。

● **Ptolemy XIII** Theos Philopator **托勒密十三世(神爱其父)**(公元前63～前47，亚历山大附近) 马其顿人埃及国王。托勒密十二世之子。父王逝世后，与其姐克娄巴特拉七世为埃及的共同执政者。公元前49年，他想保持父王与罗马将军庞培的同盟关系。一个宫廷集团挑起他和意志坚强的姐姐之间冲突，这种冲突日益加深。公元前48年克娄巴特拉七世被国王及其集团逐出埃及后，很快集合起一支阿拉伯军队，围攻埃及东北边陲城市培琉喜阿姆。双方正准备战争之际，庞培被凯撒击溃，逃至培琉喜阿姆寻求避难。当地的宫廷集团为取悦凯撒，下令将其暗杀。不久，凯撒到达亚历山大城，占领了王宫。托勒密和克娄巴特拉均去谒见凯撒。凯撒使托勒密与其姊言归于好。宫廷集团继续制造事端，反对罗马人及其埃及同盟者，率领埃及军队围攻亚历山大城。宫廷集团被消灭后，托勒密接管了埃及军队。但凯撒得到来自小亚细亚城市帕加马的一支援军，挫败了托勒密军队。后来国王被杀，也可能是在企图逃走时溺死。

● **Ptolemy XIV** Theos Philopator II **托勒密十四世(神爱其父二世)**(约公元前59～前44-07) 马其顿人埃及国王(公元前47～前44)。著名的克娄巴特拉七世之弟及共同执政者，据传公元前44年为她所杀，以便为她与凯撒所生之子托勒密十五世(凯撒)继承王位扫清道路。其兄托勒密十三世死后，凯撒起用他与克娄巴特拉为共同执政。公元前46年其姊随凯撒前去罗马。托勒密与她同行，但没有他行踪的记载。凯撒死后，其姊由罗马返回埃及。这时他便死去(或许是其姊指使的)。克娄巴特拉的儿子托勒密·凯撒遂成为女王的共同统治者。

● **Ptolemy XV** Caesar **托勒密十五世(凯撒)**(公元前47-06～前30) 绰号小凯撒。埃及国王(公元前44～前30)。凯撒与克娄巴特拉七世之子，与其母共同执政。在其母去世(公元前30)后，被屋大维(后为奥古斯都皇帝)杀害。虽然一些古代作者可能出于政治原因对他的双亲提出质疑，但克娄巴特拉于公元前46年到达罗马后，凯撒本人曾正式承认此童为其子。当凯撒于公元前44年被暗杀后，克娄巴特拉携子返回埃及。她大概谋杀了其幼弟托勒密十四世，为其子小凯撒登上王位铺平道路。小凯撒于公元前34年出现在亚历山大城，称"诸王之王"，其母则自封"诸王之女王"。公元前31年，罗马三执政者内讧，屋大维击败安东尼后，克娄巴特拉把托勒密十五世送到红海岸上埃及一海港去。后屋大维将小凯撒诱回亚历山大城处死。

Ptolemy **托勒玫**(活动时期127～145，亚历山大) 拉丁语全称 Claudius Ptolemaeus(克劳狄·托勒玫)。又译托勒密。著名的天文学家、地理学家和数学家。生平不详。从他所作的天文观测的日期推断，他活跃于公元2世纪。他的主要研究成果都是在埃及亚历山大完成的。他所发表的地心宇宙体系(托勒玫体系)在天文学中占统治地位达1 300年之久，他在地理学上的影响也持续了相同的时间。他在天文学上的研究成果主要体现在他所撰写的《天文学大成》这部巨著中。这部包含13卷的著作分别论及太阳系和恒星有关的天文概念，是对希腊天文学成果的综合，也是人们了解喜帕恰斯研究成果的主要依据。在《天文学大成》的第一卷中，托勒玫对地球处于宇宙中心静止不动的理论作了许多论证。在前人的偏心圆和本轮均轮理论的基础上，他提出了自己的天体运动的数学模式。他把均轮的圆心取在地球和偏心圆中点的正中，即地球到均轮心的距离和偏心圆中点到均轮心的距离相等而方向相反。本轮中心在均轮圆周上运动，但它的角速度对于偏心圆中点来说才是均匀的。行星则在本轮的圆周上作均匀运动。这一理论可以较好地解释行星视运动的不均匀现象。直到15世纪，更精密的观测使托勒玫的地心体系变得过于复杂，以至它的正确性受到了怀疑并最终被哥白尼的日心体系所取代。托勒玫还是一个第一流的几何学家，在立体几何研究上有许多创见。他还著有《光学》5卷，其中论述了光的折射理论，并首次记载了对不同地平高度处蒙气差现象的研究。由于写成《地理学指南》一书，他也获得地理学家的声望。该书共分8卷，载有如何根据经纬度绘制地图的说明以及用经纬度标明的欧、非、亚3洲某些地方的地理位置。尽管存在种种不足之处，但鉴于它对后人的重大影响，这部书也像《天文学大成》一样，在历史上占有很重要的地位。

Ptolemy Apion **托勒密(阿皮翁)**(活动时期约公元前116～前96) 昔兰尼加统治者，曾使他的国家脱离埃及，并在遗嘱中将其赠送罗马。他是埃及国王托勒密八世的庶出子。据古典文献所载，托勒密·阿皮翁按其父遗嘱领有昔兰尼加。他临终时将领土赠给罗马的动机一直不明。当时，他的两位异母兄弟仍然分治埃及与塞浦路斯，但又不能证明他们与阿皮翁有任何嫌怨。托勒密可能是身后无嗣。罗马接受赠献之后，对该地区未行使权力达22年之久。

Ptolemy of Mauretania **托勒密(毛里塔尼亚的)**(公元前19前，努米底亚～公元40) 北非罗马保护地统治者(公元23～40在位)，曾协助罗马军队镇压努比底亚和毛里塔尼亚的柏柏尔人的叛乱，在引起罗马皇帝卡利古拉的猜忌后被杀。他是埃及著名的克娄巴特拉七世及托勒密王室最后为人所知的后代。其父为努米底亚(大致等于现今阿尔及利亚的一个国家)博学的国王朱巴二世,其母克娄巴特拉·塞莱尼乃罗马三执政者之一的马可·安东尼及埃及女王克娄巴特拉七世之女。托勒密接受希腊式教育后,继承毛里塔尼亚的王位。该地为受罗马保护的一个王国,罗马人将其父从他的本土努米底亚调到这个国家来。公元17年,当努米底亚爆发的一场游击战争蔓延至毛里塔尼亚时,罗马非洲总督调动托勒密的军队前去镇压,终于平定了这场叛乱。为此,托勒密被确认为国王和罗马的盟友。后来罗马皇帝卡利古拉命人将其暗杀。他死后,毛里塔尼亚又爆发一场新的叛乱。此后该国分为两个省。

ptosis 睑下垂 一种眼科病,表现为上睑低垂。既有先天性,也有后天性。先天性睑下垂常为遗传性,患者的提上睑肌缺如或发育不良,并常伴有其他眼肌异常及先天性白内障。后天性睑下垂的通常原因为控制提上睑肌活动的神经外伤或罹病。睑下垂伴有瞳孔过度缩小与眼球异常下陷时,即为霍纳氏综合征。

Pu 濮 中国古代民族。最早见于《尚书·牧誓》。商汤时分布于江汉一带,曾助武王伐纣。春秋战国时楚西南(今滇、黔、川以至江汉流域以西)有许多分散部落,总称"百濮"。无统一君长。其历史演变有多种说法。一说战国时演变为百越,发展为汉藏语系壮侗语族各民族。汉、晋时西南夷中的濮人大多散居在滇南、滇西南和滇东南。与哀牢、百越杂处,有闽濮、裸濮、尾濮等名称。永昌郡周围有称为文面、赤口、黑僰的三濮。诸葛亮定南中,曾将当地濮人"数千落"移徙云南郡(今云南大理、丽江、姚安、大姚、宁蒗、永胜等地,治所在祥云东南云南驿),这部分濮人后来逐渐与当地居民融合。唐、宋时原来与僚人杂居的濮进一步分化。澜沧江、元江以西的三濮又有朴子、蒲人、望苴子等名称。一说发展为南亚语系孟高棉语族各民族,至今布朗族仍自称濮人或蒲人。

pu 朴 又拼p'u。中国道家术语。指本真、本性,也即人的心灵受到经验影响以前的原始状态。在"朴"的状态中没有是非、黑白、美丑的区别。道家希望通过屏绝知识("绝圣弃智")和抑制各种欲望回复到这种状态。道家的主旨是让人的心灵"复归于朴"、返朴归真,回复到"未雕之木"的朴素原始状态。达到这种纯素的心理状态就可以使人和绝对的道统一起来。

P'u-chou(China) 参阅 **Puzhou** 蒲州。

Pu Songling 蒲松龄(1640～1715) 又拼P'u Sung-ling。中国清代文学家。字留仙,一字剑臣,号柳泉居士。淄川(今属山东淄博)人。自幼勤学有文名,深受诗人施闰章、王士禛的赏识。但屡试不第,72岁始成贡生。中年以后,差不多年年外出游学,或作幕宾,或作塾师。家境贫困,阅历丰富,熟悉下层社会生活,写了一些反映民生疾苦的作品。留意采集民间传说逸闻,倾注数十年心血写成短篇小说集《聊斋志异》(Strange Stories from a Chinese Studio)。通行本为16卷431篇。后来续有发现,合计近500篇。小说构思奇妙,或

中国大百科全书出版社供图

借狐鬼精灵写人类社会,或使幽冥地府与现实生活交融,在离奇怪诞中蕴含人生哲理。有说《醒世姻缘传》(A Marriage to Awaken the World)辑著者西周生即蒲松龄。这部100回的长篇小说内容情节和《聊斋志异》中的故事有许多相同处,且多山东方言土语。另有《聊斋诗集》、《聊斋文集》和俚曲《磨难曲》、《墙头记》等14种。蒲松龄还有日用通俗作品多种,如《历字文》、《日用俗字》、《农桑经》、《药祟书》等。

puberty 发身期 人类生理学术语,指由儿童转变为可育成人的过渡阶段或时期。发身期的年龄,由于遗传、环境及其他因素,是因人和因国而异的,但通常在11～16岁之间。在英国和北美家境中等的儿童中,平均发身期女孩以12岁为最多,男孩以14岁为最多。儿童经历发身期各阶段的速度也有很大变异。女孩由第一次出现发身征象到完全成熟这一段时期可由18个月直到6年。男孩也有类似变异,男性生殖器可能需要2～5年才能充分成熟。

男女孩至发身期,身体迅速增长,体形和体内组成也有变化,生殖器官以及标志性成熟的各种特征迅速发育。女孩的第一个可见的变化通常是乳房,乳头胀大,几个月后乳房组织也开始增长。出现少量阴毛,她进入一个相对快速的增长期。卵巢开始分泌雌激素,导致臀部和大腿处的脂肪沉积,于是一个细瘦的女孩逐渐变成丰满的妇女体形。喉也发生轻度结构变化,声音不再像童音(但改变不若男孩之突出)。同时她的肾上腺也制造男性激素,这有助阴毛和腋毛的发育以及躯体的生长。首次月经通常是发身期最后的一件事,这常要在整个发身期已过两年以上之后。在此后两年中月经常不规律;她的激素的正常循环模式尚未建立,排卵也不经常。但最后她的经期和排卵周期终于变得更为规律。男孩第一个发身征象通常是睾丸和阴囊的加速增大,阴囊皮肤也变红和发皱。最早的阴毛可能见于此时或稍晚。一年之后,他的身高增长,其速度和两岁时同样地快。此时阴茎也增长;储精囊、前列腺和尿道球腺也在增长,此三种腺的分泌都加入精液。第一次射精的时间有变异,但通常是在阴茎加速增长开始之后一年左右。和女孩一开始时月经及排卵不规律的情况不同,男孩的生育力自第一次射精起就保持不变。至发身期的最后阶段,即平均在阴毛开始生长之后两年左右,腋窝和面部也出现毛发。不久,胸部和身体其他部分也可能生毛(不过一般体毛的生长大部分是在发身期后开始的)。因男性激素睾丸酮的作用喉部增大和声带加长,声调也改变。有无数因素可推迟成熟过程或阻止正常生长,包括激素障碍、代谢缺陷、遗传情况和营养不足。

pubic louse(*Phthirus pubis*) **阴虱** 又作crab louse。虱的一种,主要见于耻骨部、会阴部,偶见于大腿及腹部的毛中,罕见于其他长毛的部位。体小而宽,长1.5～2毫米。前

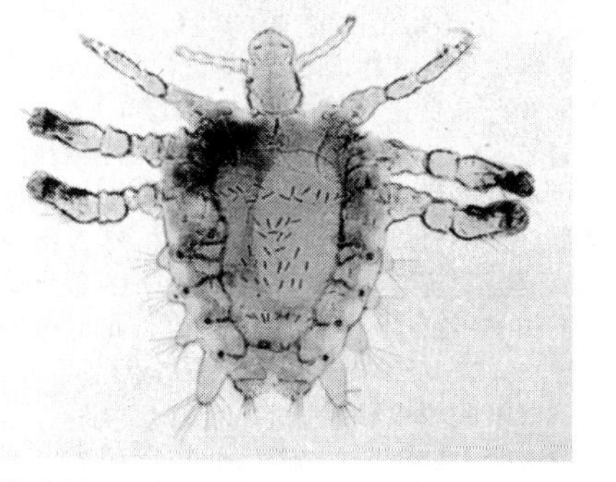

阴虱(*Phthirus pubis*)
供图:William E. Ferguson

足小于中、后足。用放大镜看像蟹故又称蟹爪虱;卵产在毛上,2～3周孵化。其叮咬使皮肤发痒和发炎,可导致湿疹。

public administration 公共行政管理 执行政府的政策和计划的各种活动。近代的公共行政管理常包括决定政府政策的某些责任,但它主要负责政府工作的计划、组织、指导、协调和控制。公共行政管理是一切政府体制共有的一种事务范畴,因为一切国家都需要推行政策的机器。在单一的国家中,公共行政管理由中央和地方政府实行,在联邦体系内,则由行省和州实行。近代的公共行政管理是民族国家从欧洲封建社会中出现的副产品。君主宫廷的权力的增长和集中,需要一套专职的公共行政管理人员从事国家的各种活动。行政管理的思想和实践已经发展成四种模式,即欧洲大陆型、英国型、美国型和苏联型。大陆体系的特点是:法定的官僚机构不受政府变迁的影响,保持持久性和稳定性。英国体系的特点是:精选的官僚受过通才教育,能向大臣提出政策性建议。美国体系的特点是:具有平等性质,行政部门由于政治后台的变换而不稳定,以及官僚的高度的专业化。苏联体系的特点是:权力高度集中于中央,一党控制所有行政机关,以及技术官僚的日益增多。这些体系采取不同的方式改进公共行政管理。由于认为行政程序可能而且应该改进,官僚机构改革已经成为20世纪的中心目标之一。例如,在美国体系中,以才录取的官员人数大量增加;在英国体系中,也致力于从更多的候选人中选拔人才。其他

改进公共行政管理的目标有:开源节流,提高效率,改良行政机构,以预算作为计划、资源分配、联系行政与立法机构和建立责任制的主要工具。

Public Broadcasting Service(PBS) 公共广播社 美国一家私营的和非营利的公司,其会员为美国、波多黎各、维尔京群岛、关岛和美属萨摩亚各公共电视台。PBS向其会员台提供文化、教育和科学方面的、儿童方面的以及新闻和公共事务方面的优质节目。但它自己不制作节目,其节目由各会员台、独立制片人和世界各地的节目制作人制作。PBS总部设在与美国华盛顿(哥伦比亚特区)毗邻的弗吉尼亚州亚历山德里亚。

PBS的340多家非商业性会员台从不同机构领取许可证:由社区机构发给(如纽约州罗切斯特的WXXI台),或由大学当局发给(如俄亥俄州哥伦布的WOSU台,在俄亥俄州立大学注册),或由州当局发给(如南卡罗来纳州教育电视台),或由当地教育部门或市政当局发给(如WNYE台,在纽约市公立学校注册)。为进行协调,以及向这些公共电视台提供服务,PBS于1969年成立。它由35人组成的董事会管理,包括来自会员台的13名专业代表和17名非专业代表,4名台长和PBS总经理一人。其工作部门包括:①全国节目部,提供日常的成人和儿童节目;②成人学习部,提供可给大学学分的电视课程;③初级~中级教育部,向幼儿园到12岁的各级学生提供教学节目;④PBS企业公司,这是一个营利的附属机构,经销货物和劳务,以便为PBS和会员台筹集资金;⑤全国信息公司,向家庭和企业传送高速信息;⑥PBS录像公司,向学校、图书馆和其他公共机构出售、出租和准许放映录像带;⑦PBS节目录像公司,向零售市场经销公共电视节目录像带;⑧PBS技术部,为PBS及其会员台研究和发展技术系统;⑨由PBS各部办的筹集资金的部门,如电视台独立计划部、发展服务部、全国拍卖公司和全国公司资助部等。

美国联邦政府通过公共广播公司以及其他部门和代理机构向全国、地区和当地的公共电视组织仅提供约1/6的经费。约20%的收入来自观众的捐助,将近20%来自州政府。其他收入来自各公司、企业、大学、学院、基金会、地方政府、拍卖行和其他各种各样的来源。

公共电视的许多系列片享有很高的声誉,其中包括:《芝麻街》、《名著剧场》、《大型演出》、《美国剧院》、《美国的大师们》、《美国经验》、《奇异的家庭电影》、《神秘!》、《林肯中心现场直播》、《大都会歌剧院演出》、《流行歌曲之夜》、《诺瓦》、《全国地理特别节目》、《史密森世界》、《大自然》、《幸存者的世界》、《麦克尼尔和莱勒的新闻时间》、《前线》、《火线》、《亚当·斯密的金钱世界》、《旅行》、《旧宅》、《法国厨师》和《节省的食物品赏家》。

public debt 公债 政府应于将来某时付予票证持有人一定金额的债务,特别是由证券证明的债务。公债与私债不同,私债是指个人、工商企业和非政府组织的债务。

国民政府所欠的债通常称为国债,它与州和地方政府机构的公债有区别。在美国,州和地方政府所发行的债券称作市政债券。在英国,地方当局所欠的债务称为市债或郡债,由此区别于中央政府的债务。中央政府的债务常常简称为公债。过去,美国时常将纸币视作公债的一部分;不过近来人们一直将货币视作一种独特形式的债务,部分原因是由于纸币经常不再用金银或其他有内在价值的特定物品来支付了。公债是政府的债务。尽管个人作为纳税人有责任提供基金来偿付公债的本息,但若政府无力偿还公债,个人的财产不能用以还债。同样,在正常情况下,政府的财产也不得扣押用以偿还这些债务。对于主权政府,债券持有人仅能按政府自己规定的条件采取合法行动强迫偿付。

公债可以按许多不同的方法进行分类:①按照到期时间可分成短期公债(不足5年——常常数星期到期)和长期公债(到期时间为5年以上直至无限期);②按发行人的类型可分成直接债务(由政府发行和支持的)、未定债务(典型的是由政府社团或其他准政府团体发行而由政府担保的)或收益债务(由政府商业企业如收费公路、公用事业或转运系统的收入,而不由税收所支持);③按债务的所在地可分成内债(为政府管辖范围内的人们所持有)和外债(为外国管辖范围内的人们所持有);④按照可销性的有无可分为可流通的债券和不可流通的债券(如低面值的美国储蓄债券)。

人们对这类问题进行了许多讨论。如:国债数额增长的安全范围有多大?公债应该如何和何时清偿?公共债务对经济有何影响?甚至还有,政府是否应该借债或是否应该从当时收入中筹措所有的经费?人们一般认为:由于某些原因为当前的筹资而增加税收负担在实际上或政治上行不通时,举债筹资是可取的。例如,为了战争,中央政府可发行公债;为了大型基建项目如公路、学校等等,地方政府可发行公债。公债的水平(即安全范围)各国可不相同,从低于国民生产总值(GNP)的10%到国民生产总值的两倍多。一般认为公共举债可引起经济上的通货膨胀;为此,在经济衰退时期,公共举债常被用以刺激消费、投资和就业。

public defender 公设辩护人 指政府常设的专为被控犯罪的穷人辩护的律师。最先用于美国。公设辩护人与**指定辩护人(assigned counsel)**不同,后者是经法庭指定办理特定案件的私人律师。参阅 **legal aid**。

Public Enemy 人民公敌乐队 美国说唱乐乐队。他们多层次而紧凑的声调和激进的政治态度使之成为20世纪80年代末90年代初最受欢迎、最有争议、也最具影响力的嘻哈乐队。1982年成立于纽约长岛的阿德尔菲大学,由一些主要来自郊区的黑人组成。乐队史无前例地将激进的黑人政治观点融于流行音乐,许多专辑的名称就像是政党对左翼分子的号召:《哟!浪子上镜》(1987)、《只有国民大众能阻止我们》(1988)、《对一颗黑色行星的恐惧》(1990)和《91启示录:敌人攻击黑人》(1991)。《只有国民大众能阻止我们》重新阐述了黑豹党和M.艾克斯的政治观点。他们的歌曲向嘻哈乐和种族政治现状挑战。90年代初,乐队的影响力开始减弱。

public enterprise 公营企业 公营企业是指全部或部分国有的、通过公立机构控制的企业组织。有些公营企业之所以为公有,是因为或出于社会的缘故,人们认为该项服务或产品应由国家垄断组织提供。公用事业(煤气、电气等)、广播、电信及某些方式的运输便是这种公营企业的实例。

虽然在欧洲和其他地方,通常都由公营企业提供这些服务,但在美国,私营企业在遵守严格的法定章程的条件下一般是被允许经营这些服务项目的。在有些国家,诸如铁路、采煤、钢铁、银行和保险等行业由于意识形态的考虑已收归国有,而另外一些工业,诸如武器和飞机的生产,则出于战略考虑由公营部门经营。在共产党国家,大部分工业生产、商业和金融业都归公营。在许多新独立、不太发达的国家中,公营企业成分很大。

在欧洲,盛行的格局是公营企业和私营公司并存的混合经济。20世纪初期在英国,邮政、公用事业、军火生产和伦敦港都属于公营部门;以后又增加了各种形式的公共运输,明显地扩大了国营经济成分的作用。1946～1950年间在工党政府的主持下,将采煤、钢铁、煤气、铁路以及远距离公路运输实行了大规模的国有化。而在撒切尔首相的保守党政府执政期间(1979～1990),许多公营企业又实行私有化。第二次世界大战后的法国政府也采取了类似的广泛的国有化方案,包括银行、保险公司、金融机构以及制造企业,而其中许多后来又被私有化。

美国的公营企业很少;但具有讽刺意义的是,1933年成立的田纳西河流域管理局却是世界上公营企业的一个范例。1970年,原来一直是美国联邦政府一个行政部门的邮政系统,变成了政府所有的公司。

根据定义,公营企业是要为公众利益运作的。这就产生了若干组织上和商业上的问题。一个问题便是:如何在严密的政治控制和充分的管理自主权这两个需要之间进行协调。在英国广泛运用并在世界各地被广泛仿效的公营公司形式,是由英国议会的一项特殊法律所创造的。该法律明确规定这种公司的权力、管理结构以及与政府各机构的关系。作为公司它具有法人实体;其资本由国库提供,但是它应从其正常的商业业务中支付日常开支;其雇员并非公务员,其高层管理人员经常由主管部长任命。另一种在世界各地流行的行政管理形式是国营公司,其实就是由国家全部或部分拥有其股票的普通的股份公司。

从长远来说,公营企业是要做到不负债的,但是它们可能会在价格政策上受到与该目标冲突的政治限制。反过来,出于社会的考虑,它们也可能接受秘密津贴或享受竞争对手得不到的附加的政策保护。这些因素会扭曲公司的正常的商业运营,经常导致在管理上迷失方向。部分是出于这些非商业的考虑,公营企业可能看来效率极低,而且在贸易情况困难的时候，可能就要消耗公共财力。然而要衡量公营企业的效率绝非易事。当它推出能与别的产品相竞争的适合市场销售的产品如煤或钢时，可以采用正常的商业利润标准以评估其效果。在公用事业享受垄断权力的情况下，经济学家已提出诸如本利分析这些概念作为衡量效果的工具。近年来，在发达国家已向许多国营企业提出了既要考虑社会责任又要考虑商业职责的财政指标。

public health 公共卫生 通过有组织的社会活动来实现预防各种疾病、延长人类寿命、增强人民体质、提高工作效率的科学和艺术。为此，其全部努力都旨在改善环境卫生、加强个人卫生教育、控制各种传染病、建立基层医护组织以期能对各种疾病进行早期诊断和早期治疗、完善一种适于维护健康生活方式的社会保障制度。现代公共卫生学的发展离不开其他科学、学科的发展。19 世纪，医学的迅速进步从根本上改变了沿袭已久的公共卫生概念。如科学营养的新概念、临床医学分科的设立、对传染病传播途径的认识和防治实践、医源性细菌感染和医院交叉感染的预防观念和措施等等，都是伴随着同时代问世的生理学、生物化学、巴斯德的细菌学理论、利斯特的消毒法等的发展而建立起来的。实际上，19 世纪末的社会健康服务概念就已经涵括了以上全部理论和实践。维生素、抗生素的临床实用促进了公共卫生学在 20 世纪的发展，但现代公共卫生学概念的建立却是极大地得益于社会学的发展；其中包括对各种疾病的社会普查、统计和建立旨在完善公共卫生事业的各级医学行政机构。公共卫生事业的国际合作能迅速和广泛地达成一致，是因为世界各国对能有效地控制那些世界性传染病的要求极为迫切，还因为对人、畜、植物传染病的检疫工作程序干扰了国际贸易。于是，1851 年以后，在欧美各国首都相继召开了一系列国际公共卫生学术会议。作为会议成果，1902 年，泛美公共卫生局宣告成立，总部设在美国首都华盛顿（哥伦比亚特区）；1909 年，国际公共卫生局在法国巴黎成立；1929 年，国际联盟成立卫生署，总部设在日内瓦。第二次世界大战以后，作为联合国的一个专门机构，世界卫生组织（WHO）在 1948 年宣布成立，总部设在日内瓦，以取代日内瓦的国际联盟卫生署和巴黎的国际公共卫生局。现在，世界卫生组织是全世界唯一的权威性公共卫生机构。

public house 酒店 在英国及其影响所及的地区供应酒精饮料的店铺，只许顾客在店内饮用。早期英国酒店沿用撒克逊地方麦酒店的传统习惯，人们可聚集于该处进行社交和娱乐活动。很多古老的酒店拥有花园及草地球场，并有生产啤酒的作坊。少数早期酒店与现代同行一样有供举办比赛、音乐会、会议及私人聚会的设施。英国最早的私人俱乐部名美人鱼酒馆，由华尔特建立，莎士比亚是其常客。英国都铎王朝时代（1485 ～ 1603），酒店老板的人选需经皇家法令批准，以维护社会安定。一些客栈老板，还担任非官方驿站站长，以保证皇家邮路畅通。17 世纪最初10 年中有的酒店甚至可发行非官方硬币，由老板保证兑换王国货币。19 世纪的最初 10 年，酒店业内部进行了划分，接待不同阶层的旅客。当时一般认为酒店、客栈、酒馆要比麦酒店、啤酒店和酒肆高级些。20 世纪初，英国约有 200 个兼营运输和邮政的酒店，其中个别的已开业约 400 年。这些酒店组成集团，在保险公司管理下，继续在英格兰和威尔士开业。虽然这些酒店一般由酒的专卖许可证持有者拥有和经营，但到 20 世纪早期有不少已为少数几家啤酒厂拥有，或多少与它们有关系。

public international law 参阅 **international law 国际法**。

public opinion 舆论 给舆论下定义有许多困难。简单的定义是，舆论是社会中相当数量的人对于一个特定话题所表达的个人观点、态度和信念的集合体。其最重要部分论述如下。

历史背景 *古代* 虽然直到 18 世纪才使用舆论一词，但和舆论十分相似的现象已经在许多历史时期出现。古代埃及最古老的文字记载之一是一首题为《一个厌倦生活的人同他的心灵的争论》的诗，它指出关于一种舆论完全改变方向的激变：

今天我可以同谁说话呢？
人们是贪婪的……
高贵的精神已经破灭。
所有的人都厚颜无耻……
人们对他的罪恶发笑，
而过去会激怒正直的人……
这里没有正义的人。
地球已交托给恶行者。

关于民众态度的类似说法也可以在巴比伦尼亚和亚述的历史中找到。古代以色列的先知者有时向民众辩护政府的政策，有时则呼吁民众反对政府。这两种场合，他们都要左右舆论。在古希腊，许多人观察到每一件事都仰仗民众，而民众则依靠言语。通过说服人民大众，财富、名声和尊严既可以取得，也可以被剥夺。

广泛地传布消息是形成舆论的必要手段，这已见之于古代罗马。消息传布多数是通过人对人的渠道。公元前 51 年，当罗马政治家西塞罗在西利西亚时，他要求他的朋友凯基利乌斯随时告诉他首都正在发生的一切事。凯基利乌斯答应照办：“如果发生了任何有重要政治性质的事情……我会努力地向你说明它的根源、关于此事的公众舆论以及它走向未来行动的前景。”罗马已有墙报，它由罗马官员们编写并在公共场所张贴，告知公众关于政府的活动和当地的大事。

中世纪 在中世纪的西欧，人民群众生活在传统的农村社会中，多数的活动和态度决定于个人的生活地位；但是类似舆论的现象可以在宗教人士、知识分子和政界人物中观察到。宗教争论、教皇与神圣罗马帝国间的斗争以及王子继位的野心都牵涉到努力进行说服工作去争取追随者和统一支持者的意见。1191 年英格兰主教威廉（伊利的）受到他政敌的攻击，因为他雇用民谣歌手在公共场所颂扬他的功绩，所以“人们在说到他时好像地球上不存在和他相同的人”。皇帝们和教皇间的宣传战主要是通过布道进行的，但手写的作品也起到了一部分作用。

从 13 世纪末开始，可以被卷入时事争论的人群迅速扩大。在世俗人口中，教育不断发展。意大利人文主义的兴起导致一群作家和时事评论员的出现，一些要巩固自己民族国家的王公急切地要求他们效劳。一些作家被邀请担任顾问和外交使节；其他人则被聘作评论员，因为他们有能力左右观点。其中有一位是意大利人 P. 阿雷蒂诺（1492 ～ 1556），据说比起所有其他人来，他更善于诽谤、威胁和吹捧，西班牙的查理五世和法国的弗兰西斯一世都找他帮忙。阿雷蒂诺的同代人、意大利政治哲学家 N. 马基雅弗利曾经写道，王公们一定不要忽视舆论，特别是在分配官职这些事务方面。

15 世纪活字印刷术的发明和 16 世纪的新教改革进一步增加了能够对当代问题形成意见的人数。马丁·路德通过放弃使用只有受教育者看得懂的古拉丁文，同人文主义者决裂，直接转向人民大众。他写道：“我将高兴地将从事伟大事业的荣誉让给其他人，也不会因用德语向未经教育的俗人传教和写作而感到耻辱。”路德的《九十五条论纲》是神学性质的，在违背他的意愿下刊印并在欧洲广泛传布，但他还写过关于反对土耳其人的战争、农民起义和高利贷罪恶等题材的文章。他的有力表述以及来自他的许多世俗与宗教敌对者的强烈反击，导致当时形成对于重要事务抱有各种看法的日益壮大的团体。

在三十年战争（1618 ～ 1648）期间，曾经有人试图广泛地制造和影响舆论。两方面都散发大批宣传品，许多有木刻插图。还通过讲演、布道和面对面的讨论，左右了观点。政府和宗教当局都通过愈来愈严的检查制度来控制不受欢迎的思想的传布并不为奇。教皇保罗四世于 1559 年拟定了第一批禁书名单。法国查理九世于 1563 年颁布法令，非经国王特许，任何作品均不得印刷。

更不显眼但更为重要的是报纸和新闻业已在发展中。从古代起，执政当局和富有的商人已经有过初步的私人新闻手段，但它们对公众是不公开的。到 1500 年，已经可以在欧洲的许多主要城市买到专门的新闻报纸。其中之一是 1514 或 1515 年印刷的、内容包括一位商人叙述葡萄牙人发现巴西的信件的摘记。大约在 1600 年出现了第一批定期出版的报纸，此后迅速发展，虽然经常受到检查制度规定的骚扰。常设的邮政服务于 1464 年始于法国，奥地利帝国则于 1490 年推行，它大大地促进了信息的传布。

近代早期 近代早期的重要新闻中心是金融交易市场。在诸侯的封地推行支付文官薪俸和士兵薪饷后，王公们发现必须借钱。反过来，银行家则需要详细地了解王公们的信用、他们的政治命运情况以及他们在臣民中的声望。所有各种政治与经济的信息汇集到安特卫普、里昂和纽伦堡的贷款中心，这个信息便形成了银行界一般持有的看法。交易所的观点常见之于该时期的文件中。英格兰的伊丽莎白女王被认为消息灵通，因为英格

兰王室的财政代表托马斯·格雷欣爵士和安特卫普交易所保持着经常的联系。

有重要意义的是另一位财政官员，他是近代推广舆论这个名词的第一个人。J.内克是法国革命前夜路易十六的财政大臣，他在其著作中一再提到，公众的信任依靠政府债券持有人和购买者关于王室当局生存力的看法。他也非常关心交易所的观点。但他还注意到其他领域舆论的力量。他曾写道："这个舆论加强或者削弱所有人类的体制。"他认为在政治活动中应该考虑到舆论。当然，他不是关心所有法国人的意见。对他来说，集体形成舆论的民众是能够阅读和写作、居住在城市、消息灵通并且是有钱购买政府债券的人，简单地说，就是资产阶级。

一种发展到中产阶级以外并包括城市群众的舆论，在法国大革命期间形成。这次革命的观察家对于舆论的新现象感到迷惑，经常是恐怖，这种舆论看起来能够推倒当时已经牢固地建立起来的建制：君主政体、教会和封建制度。18世纪后期与19世纪初的思想家提出了舆论的各种定义。最详尽的描述之一是德国诗人C.维兰德于1799年提出的，他密切地观察了法国和西欧其他国家发生的风暴般的事件：

"就我而言，我了解到一种看法逐渐在全体人民中生根，当一部分人以团体的形式进行工作时，他们的看法会产生最大的影响。这样就使这种看法占了上风，人们到处可闻。不知不觉地绝大多数人抱着相同的看法，即使在有些场合下人们不敢高声地表达自己的意见，也可以从越来越响的压抑的咕哝声中觉察出来。然后只要有一个小小的口子进去一点空气，它就会强烈地迸发出来。它会在短促的时间内改变所有国家，使世界的所有部分出现新的面貌。"

当时一位德国哲学家C.加尔弗曾经强调舆论的合理成分："最清楚地了解这个问题的法国作家解释舆论是一个国家的许多人或多数公民所作出的一致判断，这是每一个单独的个人根据他对于某一件事的个人思考或实践知识所得出的结论。"

英国哲学家J.边沁首先以英语进行了对于舆论的详尽讨论，但因难下定义而苦恼，他建议使用这个名词时尊重一般的用法。

舆论的流行概念 虽然对这个题目进行了大量的讨论，学者们还没有对舆论得出一个一致的定义。1925年召开的美国政治科学协会圆桌会议的成员分成了3派：一派认为不相信有舆论这件事；一派接受它的存在，但怀疑他们能够确切地描述它；一派能够提出一个定义。但最后一派仍然不能达成一致的定义。目前虽然很少有学者怀疑舆论这种现象的存在，但描述舆论的歧见至今仍然存在。

这些歧见，部分来源于学者们对于如何研究舆论抱有不同的观点，部分是因为这种现象事实上还没有被完全了解。政治科学家和一些历史学家倾向于强调舆论在政府活动中的作用，特别注意它对政府政策的影响。有些政治科学家认为舆论等于国民的意志。在这种意义上说，在任何时候在一种问题上只能有一种舆论。

社会学家通常更多地强调舆论是社会相互作用和交往的产物。按照社会学的观点，如果没有社会成员对于某一事件发生兴趣，没有他们互相交往，就不会有舆论。许多人可能会抱着相同的观点，但当一个人不知道其他人的意见时，这些观点便不会结合成舆论。交往可以通过报纸、无线电和电视等大众传播媒介或经过面对面讨论进行。不管经过什么途径，人们可以了解其他人对某一事件的想法，会在决定自己的意见时考虑别人的想法。

社会学家提出，在同一时期，人们对于某一问题可能存在许多不同的舆论。一种意见可能占优势，也可能会反映在政府的政策中，但这并不意味着其他有组织的意见不存在。社会学的研究还看到舆论现象发展到政府很少关心或根本不关心的领域。因此，时尚和流行式样是舆论研究者的恰当主题，公众对于影星或一些公司的态度也是如此。

经常出现的情况是公开场合的意见不同于私下发表的意见，但只有前者构成舆论。同样，若干态度——虽然许多人共有——可能根本没有表达出来。例如，在一个极权国家，许多人反对政府，但不敢将他们的想法告诉家人和朋友。在这种情况下，反政府的舆论便难以开展。

在公开场合发表的私人意见可能会成为舆论的基础。举例说，在20世纪30年代以前，美国有不成文的规定，禁止谈论性病，虽然许多人私下对此表示意见。后来，传播媒介讨论了这个问题，舆论研究人员对此提出问题，以前私下发表的意见便成为公开舆论，赞成政府采取行动消除性病的公众情绪也由此发展起来。

一些舆论调查专家赞成将舆论直接和民意测验相联系的定义。舆论因此被说成是同群众对调查问题的答复同义。其他类似的定义是指舆论是民意调查中所发现的意见。如果在实践中广泛应用这种定义，则其缺点就意味着如果在某时某地未进行民意调查，就不存在舆论。包含上述大部理由而更被广泛应用的看法是：对于任何事物的舆论可以认为是某种想象调查或投票的假设结果。

一些主要进行操纵舆论的人，特别是职业政治家和公共关系人员，不停地在描述舆论的含义。美国记者与政治科学家W.李普曼已经观察到在民主国家中有一种趋势，利用舆论制造出不可思议的事情，"这些国家中已经有擅长组织舆论的人，他们充分了解在选举日创造多数舆论的奥秘"(《舆论》，1922)。公共关系机构的从业者关心的不是一般舆论，而是会影响顾主命运的"特定公众"的意见，这些"公众"可能是雇员、股东、政府官员、供应商和潜在的买主。政治家和公共关系人员都对影响行为有兴趣，因此要决定可能影响那种行为所采取的方式与意见。

几乎所有的学者和舆论的操纵者，不管他们如何描述舆论，都会同意舆论至少涉及4个因素：必须要有一件事；必须要有相当一些个人对这件事表示意见；必须在这些意见中间至少有某种一致意见；这种一致意见一定会直接或间接地发生影响。

舆论的形成和改变 民主制度本身便提出许多迫使公民形成意见的事情，要求他们在选举中对不同的候选人作出决定，有时要对宪法修改案和各种其他提案进行投票。假如有相当数量的人愿意的话，几乎行政或立法机构要决定的任何事情都可以成为公众的事情。这些人的态度可能由外界引起或加强，外界影响可能来自一张报纸、一个压力集团或者一个政府机构或官员。一些事情，即使不在任何政府机构权限内，也可能成为公众事件。例如，没有一个机构有权力去决定一个家庭可以有多少孩子或者一个人的头发应该多长，但是对于这些事情的讨论经常会非常热烈，结果产生了广泛的意见。

看法的形成 公共事件一旦认定，一定数量的人就会开始形成对它的看法。如果有足够的人向其他人表示了看法，对这件事的舆论就开始出现。并不是所有人都会对公共事件发表看法；有些人可能不感兴趣，另外一些人则根本不知道。看法的形成会有各种理由。例如，4个人可能都反对提高财产税，但是理由不一。一个人可能原则上不反对高额税，但他因难以支付房屋的抵押借款，所以反对。这种看法起着一种调节或功利的作用，它有利于持有者适应他所处的经济状况。第二个人反对该税可能是因为他不要某一社会集团如穷人或失业者从该税的收入中获益。这样一种看法可能是心理不安全感的结果，可能出于一种愿望，让穷人仍处于贫穷境地，以增强他自己对于贫困集团的优越感。对于这种人，他的看法起着自我保护作用。第三个人反对该税的提高可能是因为他认为政府的活动应该大大地限制。他的看法有一种表达价值的作用，反映了他的全部哲学。第四个人反对增税是因为他知道政府浪费的情况，并且相信只要官员们更合理使用已有的资金，所有必要的服务均可提供。他的看法是决定于他过去所了解的知识和经验。当然可能还有第五个人反对该税是由于上述四种理由。可见，一种似乎相同的舆论可能包括根源于非常不同利益与价值观的各种个人意见。如果一种意见不起上述的一种作用，它就不会形成。一种看法必然对于持有者在某些方面是有用的。

对于某一件事多少人会产生看法以及产生哪一种看法，部分取决于人们已有的知识、看法和价值观，部分取决于他们所处的地位，部分则决定于一些环境因素。至于已有的知识和看法，经常令人惊奇的事是可以发现许多人不知道一些重大事件，因此对它们没有看法可言。例如，在1964年，4个美国人中有1个不知道中国的政府是共产党领导的。在任何时候都会有大约同样比例的人不了解政府政策中的某一重大问题。实际上，在西欧国家中存在着同样的情况。在教育水平较低的国家中，无知的现象或许更普遍。在决定人们对于某一特定问题能否形成看法时，价值观有相当的重要性。如果人们感觉到他们的道德原则或个人哲学同某一件事有关，他们就可能采取一种赞成或反对的立场。

直接的环境因素 在形成看法与意见时，环境因素起着特别重要的作用。最普遍的是来自直接社会环境的影响，如家庭、朋友、邻居、工作场所、教堂或学校。人们经常调整他们的看法以适应他们所属社会集团的

最通行的观点。如果一个自认为是自由主义者的人处在家庭和工作单位的保守主义者中间,较之一个亲友和他抱有同样政治观点的自由主义者更可能改变他的投票趋向。同样的情况是在第二次世界大战中,一些人从一个单位调到另一个单位,他们便会调整自己的观点,以便更密切地适应调入单位人员的观点。

大众媒介 在形成看法时,报纸、无线电广播、电视的重要性一般不如直接的社会环境,但它们仍然是重要的。它们将注意力集中在某些人物和问题上,许多人随之便形成有关这些问题的看法。政府官员们已经注意到他们收到公众的来信是"跟随着报纸的大标题走的",某一特定时期的报纸主题可能会是多数人写信的题材。大众媒介还能够激活和加强隐藏的看法。例如政治看法可以在选举前被激活和加强。在选举运动开始前,选民们可能对于某党或某候选人只有轻度的偏爱,但大众媒介可以把选民鼓动起来,以致使他们不怕麻烦去参加投票,还会捐赠金钱或者用其他方式帮助一个党组织。

大众媒介的另一极其重要的作用是让个人知道其他人的想法,让领导人获得许多听众和读者。通过这种方式可以使舆论包括许多个人意见并向更广大的地区扩散。这表现在下列事实中:欧洲的某些国家中,广播特别是电视的发展已经影响议会制度的运作。在电视机前,全国性选举看起来就像一些候选人或政党为争夺议会席位进行竞争。特别是最近以来,在德国和英国的选举已更多地表现为主要政党领袖间的个人竞争,因为这些领袖出现在电视屏幕上以个人代表了他的政党。法国和美国的电视已被视为加强总统制的有力工具,因为总统可以超越当选的立法代表直接向全国观众呼吁。

即使在发展中国家或媒介受到严格控制的国家内,大众媒介分布不广,口头表达的方式有时也可以在有限的范围内起到报刊与广播的同样作用。在发展中国家内,经常是识字的人向不识字的人读报,或是一大群人聚集在村庄的一部无线电收音机旁收听广播。口头的传说可以经市场或街道将信息传播开去。在重要消息遭到政府扣压的国家中,大量的信息是通过谣言传布的。因此口头的传说有助于发展中国家的舆论形成并且鼓励极权国家中的"地下"意见,虽然较之媒介网密集且不受控制的国家,它的过程较慢而且参与的人数也较少。

利益集团 压力集团或利益集团在涉及它们的事务时,在舆论的形成和散布中也起着重要作用。这些集团可能关心政治、经济或思想问题,并且经常通过大众媒介和口头的方式试图影响看法。在美国、西欧和其他地方,若干较大或较富有的利益集团可以利用广告和公关工作来影响舆论。例如,20世纪60年代后期和70年代早期,在美国就有对美国的东南亚政策的支持者与反对者花费好几十万美元进行广告宣传,还有一些较少的钱被利益集团用于其他公共事务的宣传。在英国,反对英国拟加入共同市场的人们购买了许多广告版面进行宣传。

舆论领袖 在说明重要事件并就有关事件对个人意见施加影响时,舆论领袖起着重要的作用。特别是政治领袖,如果他们决定要引起人们对某事注意,他们能够将一件鲜为人知的事变成一件全国性的事件。舆论领袖动员舆论并使对某一问题基本上抱同一意见的人们消除细节分歧的一个方式是创造或推广信条或口号:W.丘吉尔爵士使冷战这个名词家喻户晓,第一次世界大战中的协约国则在进行一场"结束所有战争的战争"。口号可能是对政治领袖最为有用的工具。信条和口号一旦确切地阐明,就会保持经常的活力,并通过大众媒介传达给广大的群众,同时成为任何特定事件的舆论基石。

舆论领袖并不仅仅限于公共生活中的著名人物。大约每一个集团都会有一些人,周围的其他人会就某些问题寻求他们的指导。例如,一个人会被他的社会集团中的其他人认为他特别擅长于当地的政治,另一人则是外交事务的可信赖的指导者,第三人是购买房屋方面的专家。这些当地舆论领袖在他们的亲友圈子以外一般不为人知,但是他们在舆论形成方面的累积影响是巨大的。

合成影响 虽然一个人的心理构成、个人环境和外部因素如压力集团和舆论领袖都在舆论形成中起着作用,但仍然不能确切地了解某一事件的舆论是如何形成的。公众舆论过程的许多方面尚待探讨。舆论变化的情况也是如此。有些情况可以用事件与环境的变化来说明,其他则比较难于解释。若干问题的舆论是随着事件发生变化。例如对于其他国家的舆论似乎主要根据两国政府间的关系。敌对的看法不会使关系变坏,它们是关系恶化的结果。当人们的看法同他们对当时环境的认识不一致从而不能用以指导行动时,他们便会改变看法。此外,经常发生的情况是,一件事失去了它的重要性,不再引起公众的注意,而新的事件又会作为新的意见的基础出现。但仍然有一些舆论的重大变化难以解释。20世纪下半叶,在世界上的许多地区,对于宗教、家庭、性问题、国际关系、社会福利和经济的看法已经发生重要的变化。在所有这些领域中,有许多重要的问题引起公众的注意,但是舆论的改变难以用某一重大的事件或者事件的综合体来解释。

舆论和政府 许多早期的思想家认为,舆论是一股巨大的力量,统治者必须学会如何加以控制。18世纪法国的哲学家卢梭认为,所有的法律都根据于舆论,但这并不必然地削弱政府的权力。卢梭的观点是"如一个人所做的事是将法律施之于人民,则他必须知道如何左右舆论,并且通过舆论控制人们的热情"。19世纪的德国哲学家黑格尔说,舆论同时包含着真理与谬误,而伟大人物的任务就是将它们区别开来。边沁发现立法者最大的困难是"协调舆论,在舆论错误时加以纠正,把舆论导向最有利于使人听从他的命令的方向"。

同时,边沁和其他一些思想家相信,舆论是对统治者权威的一种有用的制约。边沁要求所有官员的活动都要公开化,这样,一种了解情况的舆论就可以加以检验,正像法庭审理那样:"对于有害地行使政府权力,这是唯一的制约。"一个世纪后,英国的法学家与历史学家J.布赖斯曾经写道,如果政府根据普遍同意的原则行事,就会给一个国家很大的稳定性与力量:"没有必要害怕讨论和鼓动。它可集中它所有的资源来完成它的集体的目标。"布赖斯并不认为群众的意见能够或者必须操纵政府政策的细节,因为多数人没有空暇或者爱好去过问每一个问题的具体情况。群众对于政策会有一个普遍的声调,他们的情绪会引导他们站在公正、荣誉与和平一边。

一些从事于推动国际间了解的人似乎特别乞求于舆论的力量。边沁的"普遍与永久和平计划"(1789)和康德在他的论文《关于持久和平》(1795)中的建议都是根据舆论是爱好和平的、会支持国际和平的信念。主张在第一次世界大战后建立国际联盟的人士也把世界舆论看作是支持联盟的主要力量。联合国教科文组织章程的起草者明显地抱着同样的看法,他们注意到由于战争的根源来于群众的思想,应该在群众的思想中培养产生保卫和平的意愿。

有些学者在承认舆论力量的同时警告说,它可能是一种危险的力量。19世纪法国作家托克维尔提出,如果政府事实上是群众看法的体现者,就可能出现"多数的专制"。其他许多作家则表示关切,而且经常是用一种更极端的方式,他们担心存在着允许政府政策过多地受到舆论影响的危险,而舆论很可能是无知的、缺乏思考的和不稳定的。但是不管认为舆论在一个民主国家中是一种建设性的或有害的力量,没有一个政治家准备公开否认政府应该听从舆论。

近年来政治科学家已较少关心在民主政体中舆论应起什么作用,而更多地注意确定它在现实环境中起什么作用。检查政策形成的许多历史,可以清楚地看到,不可能达成适应所有情况的彻底一致。舆论的作用在每一个事件中都不同。在民主国家中,其表现方式也各不相同。最可靠的概括是:舆论不影响绝大多数政策的细节,但它设置了政策制定者必须遵循的活动范围。这就是说,政府官员通常会寻求满足普遍的要求,或者至少在他们审议时会加以考虑,他们也会试图避免所作的决定公然违背公众的舆论。此外,可以注意到公众舆论和公共政策之间的关系是双向的:政策影响舆论,反之亦然。通常是,决定一旦作出,公众的最初倾向至少是加以接受。舆论在影响当地决策方面似乎特别有效,在建立较好的道路、学校或更多的医院时,官员们感觉到被迫向公众的压力让步。

舆论在国家一级似乎只起着更有限的作用——部分原因是多数人不能了解政府面临的绝大多数问题的复杂性,部分是因为行政权力的增大和作为政策制定者与公众间屏障的庞大政府官僚机构的发展。代议制政府本身也趋向于限制舆论对于特定决定的舆论影响力量,因为一般而言,给予公众的选择权只是同意或不同意选举某一官员。

舆论民意测验 舆论民意测验几乎在一部分人口内对任何问题都能提供相当准确的意见分布情况的分析。如果提出的问题适当,民意测验也能够显示出意见的强度、这些意见的理由以及就该事是否已和其他人进行讨论。民意测验一般不说明持有一种意见的人们是否已构成一个紧密集团，也不会提供关于在发展这种意见中可能起了重要作用的杰出人士的许多信息。但是，虽然有这些缺陷，民意测验是估价关于几乎任何问题的舆论情况的有价值的工具。

舆论研究是从市场研究发展来的。早期市场研究者从人口中采集少量实例，利用它们取得一些信息。如多少人读过某一杂志或听过广播；对于不同的消费品，哪些是人们喜爱的，哪些是不受欢迎的。大约在1930年，商业研究人员和学者都开始试用这些市场调查的技巧来获得关于政治问题的舆论信息。1935年，美国统计学家G.盖洛普开始就美国当时的政治和社会问题进行全国范围的调查。盖洛普民意测验（全名是美国舆论学会）提出的第一批问题之一是“联邦救济和恢复的支出是太大、太小或者适当？”回答是60%抽样调查者说太大，只有9%的人认为太小，而31%的人认为大体适当。

从30年代起，由商业和学术机构进行的民意测验继续在美国加速扩展，在其他地方则发展规模较小。1937年，《舆论季刊》开始出版，后来它成为美国舆论研究协会的机关刊物。国家和地方的民意测验开始在全国许多地方进行，有些是报纸主办的，在一些大学内组建了舆论研究中心。在第二次世界大战前和大战中，美国的政府部门广泛地使用民意测验，特别是农业部、财政部和陆军部。

同时在世界的其他地区，舆论调查的应用也日益增多。30年代后期，在欧洲与澳大利亚建立了美国舆论学会的几个分支机构。第二次世界大战后，在欧洲、亚洲与拉美的不少国家中出现了民意测验机构。

几乎在每一次为预测选举结果而进行的民意测验中，民意测验都成功地预测了选举的结果。有两次是引人注目的失败：一次是1948年在美国，当时几乎所有的民意测验都预测共和党胜利，结果民主党以微弱多数获胜；另一次是1970年在英国，除了一家外，主要的民意测验都预测工党胜利，结果是保守党得到多数票。在上述两种情况中，主要的民意测验并没有显示它同实际结果有很大的偏差，但无论如何是挑错了获胜者。专业的舆论研究者指出，由于可能出现最后一分钟变化及新出现的问题，预测选举结果总是不确的，但无论如何，多少年来它们的记录一直是良好的。

虽然公众的注意力集中在大选前的民意测验上，但大多数的民意测验所关注的则是其他问题，而以大学为基地的舆论调研者一般不进行选举预测。舆论研究的资助大多来自公共机构、基金会和商业企业，它们对于人们是否感到健康、教育和其他需要得到了满足，如何对付种族歧视与吸毒，或者一个行业是否满足公众的要求等问题有兴趣。在报纸或杂志上定期公布的民意测验一般是涉及当时发生的社会问题，而选举只是许多感兴趣的问题中的一个。

民意测验的方法 民意测验包括以下主要步骤：确定一般范围、选定抽样调查部分、制定问题单、访问抽样调查的人、列出测验结果、分析或解释该结果。

一般范围是指在哪一部分人群中进行调查。这个范围并不总是容易确定的。例如需要调查大学生的意见，就需要决定一般范围是只包括全日制学生或还应包括并不是攻读学位的学生。这些人回答的意见对于调查的结果以及可能对于结果的有用性会有重要的影响。

一旦一般范围仔细地确定，接着就是挑选抽样调查部分。如果可能，应选出“基于概率论的随机抽样”。理想的最好方法是给选中的每一个人一个号码，或将他的名字写在一纸条上，将所有的号码或有名字的纸条放在一容器内，彻底地进行搅混，然后不看姓名或号码，进行抽样。通过这种方式，每一纸条都有被选上的同等概率。如果每个人都编了号，利用购来的随机数字表可以得到同样的效果。随机数字可以同一般范围内编号的成员配合起来，直至产生一个需要的抽样。编号的程序经常不太实用，但有少数一般范围已经采用编号，例如某一工厂的所有工人或军队的所有成员。若干最可靠的舆论调查是由军方进行的并不为奇。

在统计上不太可靠的另一个方法是将一般范围内每一个“第几”的成员列入抽样内。例如，如希望研究某一杂志订户的看法，而该杂志有1万个订户，则可从订户单中挑出每一个第10号的姓名，最后所择出的抽样可达1 000人。

当一般范围包括一个巨大的人口且未加编号，同时每人姓名没有列入卡片档案，则上述方法均无法采用。这是市场与意见调查者开始进行大规模调查时面临的情况。因此他们采取了一种较简单的选择“定额抽样”方法。在做定额抽样时，要努力使抽样的特征符合一般范围所具有的特征，这样就会得到一般范围的小型的同样的结果。如果通过最近人口调查在一般范围内的男女比例是49:51，则所选抽样必须反映这个结构。同样的原则还应适用于年龄、收入、教育、职业、宗教信仰、民族出身、居住地区，以及每一个关于调查意见范围的特征。要告诉每一个调查者必须找到并访问具有这些特征的人。

1948年以前，许多调查机构使用定额抽样方法，有些机构现在仍用该法。英国的机构利用定额抽样法准确地预测了1970年议会选举结果。但无论如何，这是一种冒险的方法。在许多国家中，人口调查资料是不完善的或者是不存在的。即使有可靠的人口调查资料，若干可能影响意见研究的特征也不可能列入考虑范围。例如，在绝大多数人口中，不知道有多少素食者，或者有多少性格外向的人和性格内向的人。但是这些特征可能同某一问题的意见相关联。统计学家指出，在定额抽样中，不可能给一般范围的每一个成员确定的被选机会，因此就不能计算出由于机会发生的调查结果的误差范围。在这一类抽样中，访问者需要用他们的判断来选择回答者，而他们的标准可能是不同的。定额抽样的最大优点是在设计和访问工作中花费很少。相反，在一个巨大人口中选择和访问基于概率的随机抽样需要花很多钱。

样本的大小决定于对精确度的要求。在许多情况下，如果经过正确的选择，一个数百人的样本就足够了。例如，一份杂志可能在随机抽样的200名订户中进行民意测验，结果是18%要求更多地刊载小说，62%的人要求更多的当前社会问题的文章。即使每种数字有10%的误差，由于订户已经对杂志的内容提出了相当准确的信息，所以民意测验仍然具有价值。另一方面，一次选举的民意测验较之于杂志更加准确，因为主要的候选人经常相当平均地分占选票。多数情况下，大约1 500例的全国性抽样调查就够了，除非要求在人口中较小集团间进行比较，或者以较小的集团同较大的集团进行比较。在这种情况下，为了将少数集团中的相当一部分人员包括在内，就需有较大的抽样调查。

在解释民意测验的结果方面没有一成不变的规则，因为存在着许多产生偏见或错误的源由。但对于一个进行良好的民意测验，下列“快速估算法”容差是有益的。将一个集团同另一集团进行比较，而较小集团的抽样人数约100时，两个集团的百分比差别大于14，差别就有意义。如较小的集团大于100，由偶然性引起的容差递减，情况大致如下：一个集团包括200例时，允许10个百分点；400例时，允许7个百分点；800例时允许5个百分点；1 000例时允许4个百分点；2 000例时，允许3个百分点。例如，如果一次全国抽样调查中显示27%的大学生赞成志愿军，而不在学校的成年人比例为35%，而抽样调查的学生仅为200，则两个集团间的差别可能就是偶然性的。如果差别大于10个百分点，则学生的观点很可能确实与不在校的人不同。在解释选举的民意测验时，应该算出同样的容差。抽样人数越多，对于每一个候选人的赞同人数差别越大，则预测选举结果的肯定性越大。

问题的措词可能引起比偶然性产生的差别更大。当一个测验题问“你是否赞成对高等教育增加政府资助？”而另一题则问“你是否赞成总统（或总理）建议政府增加对高等教育的资助？”时，比起第一个问题来，第二个问题似乎会得到更多的肯定答复。同样，如果问题有两者择一性质，回答的分布常会不同。问题可能这样措词：“你是否赞成政府对高等教育增加资助，或者你认为现在对高等教育已支付了足够的纳税人的钱？”采取这种形式，收到的肯定答案可能会比只问前半个问题时少。作为一种规律，问题措词的相对细微差别在人们抱有强烈看法时，不会在答案中出现大的变化，但是如果看法并不固定，则细微差别会使他们左右摇摆。因此，舆论的研究者会在一定时期内经常询问完全相同的问题。这样早期的民意测验结果就可以较可靠地同以后的结果相比较。

问题单的拟定像抽样一样，要求高度的技巧。对于具有不同教育水平和背景的人民群众，问题必须明白清楚。问题不应使答复者为难。应按逻辑次序排列。即使是有经验的研究者也认为有必要预先测验他们的问题。他们派出一些访问者去采访一个小型的抽样，询问一些初拟的问题，为了保证问题明确以及得到所寻求的信息，他们会修改问题。

民意测验的问题可以是“被迫选择”或“自由回答”形式。在前者，答问者应回答“是”或“不”，其他情况下可能提供一张准备好的替代答案。即使在这种情况下，许多答问者可能回答“不知道”，或者宁愿选择一个调查者事先未提供的替代答案。自由回答题允许答问者以他自己的语言说明他的看法。例如“你认为今天国家面临的最重要的问题是什么？”

访问也是一个技巧性的活动。一个缺乏经验的访问者会由于提问的方法使答问者的答复带上偏见。他可能引起一些答问者的反感，以致他们拒绝使访问进行下去。他可能没有准确地记录对于自由回答式问题的答复，或者他没有坚持找到指定的答问者。大多数大型民意测验机构在派人出去调查前对访问者进行特别训练，或者同配备有经过训练、具有经验的访问者的访问服务机构签订合约。如果访问工作马虎，则一个好的抽样以及经过试验的问题单仍不足以保证准确的调查。

制表通常由机器完成。为了简化这一过程，大多数问题单事先编码，即在每一个问题和每一个可能的回答的边上都有数字代号。答问者的答复可以迅速地变成数字形式并输入计算机。对于自由回答的问题，一般须将答复按组分类，每一类也有一个代号。类别如何确定能使调查结果产生很大的差别。如果答问者提到吸毒是国家面临的一大问题，这种答复可以用代号归入保健问题或犯罪问题，或同其他有关滥用药物或酗酒问题的答复归为一类。

调查的最后步骤是分析并提出结果。有些报告只显示所谓的边界，即对每一问题作出确定回答的答问者的比例。如果40%赞成一个候选人，50%赞成另一人，10%未定，这些数字就是边界。但一般也提供一些参照图表。例如，参照图表可以显示候选人A的支持者不成比例地来自犹太人集团，而候选人B的支持者则来自爱尔兰人集团。有时一份参照图表会大大改变调查结果的意义。民意调查可能显示一位候选人是黑人选民喜爱的人，另一人则为白人选民拥护。但是如果穷人答问者和富人答问者的喜爱分别分析，其结果可能是绝大多数穷人的确支持候选人A，而候选人B则受到多数富人拥护。因此，可能决定投票意图的最重要因素并不是答问者是白人或黑人，而是他是富人或穷人。

在判断一次调查的全面可靠性时，适当的方法是至少检查8个因素：①主持者的身份以及该机构进行民意测验的可靠性记录；②问题的确实措词；③确定人口抽样时的细致程度；④所选定的抽样规模和方法；⑤“完成率”，即抽样中实际回答的比例（这在邮寄民意测验中尤为重要，经常是回答者不到抽样的一半）；⑥根据全体抽样或部分抽样所得特殊结果的程度；⑦进行访问的方式（通过电话、邮件或面对面）；⑧进行民意测验的时间（干扰的事件经常会使人们改变他们的看法）。

对舆论调查的批评和辩护 对于民意测验已有许多批评。其中包括被提问发表意见的人对于有关问题没有能力判断、民意测验干涉民主进程，以及调查研究引起麻烦并侵犯隐私权。

经常指出的问题是公众中的绝大多数人不熟悉诸如政府税则或导弹防御系统一类复杂政策的细节。因此有人争辩说，调查者一定不要询问这类问题。因为这些调查结果在最好的情况下是无意义的，最坏的情况便会引起误解，其原因是答问者不愿意承认他们对此类问题无知。批评者还提到许多人看法前后矛盾的事实，这在民意测验本身已显示出来。同一个人赞成较大的政府开支，同时他又反对较高的税收。

民意测验者通常承认这些问题的存在，但认为经过仔细的调查程序和适当地解释测验的结果，问题能够解决。在调查中通常包括“过滤”问题，这有助于将一些熟悉某一事件的人同不熟悉的人区别开来。因此，访问可能首先询问：“你已否听到或看到关于政府的关税政策？”然后访问者可以只询问那些回答“是”的人，问他们是否赞成政府提出的政策。有时民意测验包括有助于断定知识的实际问题。例如，“你能否告诉我联合国安理会的否决权是如何运用的？”另外，调查者争辩说，如果人们无知，或者他们的意见前后矛盾，就一定会发现。如果无知或前后矛盾的范围不能确定，就不可能提高信息的水平。

批评者还指出选举民意测验产生“赶潮流效果”——人们愿意站到胜利的一边，当民意测验表明某候选人领先时，人们会转而投他的票。他们抱怨调查损害代议制民主，因为事情应该由选出的代表在最佳的判断和专家论证的基础上作出决定，而不是基于名望的竞争。他们指出，一些条件良好的候选人由于民意测验显示他们获胜的机会很小，可能决定退出竞选，一个在民意测验中落后的候选人难以筹集到竞选活动所需的资金，因为没有资助者愿意为失败者浪费金钱。其他候选人从测验中了解到公众的要求，只想去迎合人们的爱好，而不是根据什么最有利于国家的信念进行竞选。

从事选举研究的人通常同意民意测验会阻止一些候选人，也会抑制竞选活动的资助。但他们还指出，候选人与资助者应该在某些基础上作出他们自己的决定。如果没有民意测验，其他和较不准确的方式会被用来测验公众的情绪；专栏作家和政治评论家仍然会进行预测。至于谈到赶潮流效果，仔细的研究还没有显示它的存在。

批评者和民意测验者都承认的一种弊端是由私人民意测验者向报界泄露片面的或歪曲的结果的做法。一个政治家可能私下同一家研究机构订约，然后将结果只在他领先的地区发表，或者他会发表旧的结果，不说明民意测验的时间，或者他会隐瞒事实，如抽样很少，其结果有很大的误差。

最后，批评者断言，民意测验和市场调查的激增给公众以不应有的负担。要求人们按调查表回答问题就会占去他们一个小时或更多的时间。调查者会长时间地占了他们的电话线或占用他们门口的台阶，有时会提出一些私人事情的问题，它们不是向公众询问的适当题目。至于谈到公众拒绝民意测验，调查者指出，在绝大多数调查中“拒绝”率是很低的。事实上大多数人乐于回答问题。他们还注意到，随着采用小型抽样的方法，任何个人似乎不会被经常访问。

在美国、英国和一些其他国家，已经建议针对民意调查中的这些问题和其他问题立法，但很少已成为法律。调查研究者认为，存在的弊端应该由从事该职业的人来处理，通过教育公众来评价和批评测验结果，而不是由政府加以规定。

public relations 公共关系 别名PR。指寻求或容易受到社会注意的实体同对该实体感兴趣或可能感兴趣的公众之间的情况交流。该实体可能是政治家、演员、作家、企业、政府部门、慈善组织、宗教团体或其他个人或组织。公众的范围可广、可窄，可指某一政党的35～50岁之间的女性选民，也可指某国的全国人口或整个世界的人们。公共关系公司是中间人，可在称为顾客的实体和有关公众之间起作用。使顾客了解公众对其看法是公共关系的要素之一；向公众传递顾客的信息时，要用压缩、扩充等办法以影响公众对顾客的理解，加强宣传的效果，这也是公共关系的要素之一。公共关系这一名词是在20世纪创造使用的，而公共关系的历史却和人类相互交往的历史一样悠久。在近代，公共关系常被批评家当作欺骗和坑人的诡计。19世纪初，美国报纸流行在消息栏内刊登友好的评介以酬谢登广告的客户。这种“免费宣传”的陋习，使设计这类评介文字的“编辑部”大量产生。到20世纪初，纽约及其他大城市中宣传代理人充斥；他们大都是“免费宣传”的新闻记者，知道写动人消息的要素，随心所欲地发挥想象力。后来英、美政府机构开始雇用宣传人员。在美国每个国会议员至少可有一名领工资的新闻秘书。1924年英国帝国交易局开始利用大规模宣传以促进贸易。该局办到1933年，一直被称为“政府公共关系部的原型”。如同美国一样，第二次世界大战期间英国政府各部都任命有公共关系局长。战后大大重视公共关系，10年之间，几乎所有政府机构都建起公共关系班子；更重要的是，公共关系已被公认为企业管理不可缺少的工具，甚至已成为那些受到或可能受到报纸、广播之类宣传工具重视的任何组织的主要组成部分。但是公共关系的技巧（或技艺、诀窍、艺术）过去和现在都没有可一致接受的简单的定义。宣传工具的形式繁多而复杂化就是原因之一。宣传工具有：报纸、杂志、广播、电视，还有各类团体和各种宣传节目发行人的出版物，各式直接邮寄的目录单等等。一家经营能力强的公共关系企业是要制造和维持有利气氛，以推销顾客的产品或劳务。这包括同商人和销售者保持良好关系，把产品宣传送交合适的、可用的宣传工具办理。这也包括利用容易阅读的文章，向有关的贸易或工业团体传播信息。金融上公共关系包括有同本公司股东的关系和同一般投资人的关系。在很大程度上，公共关系工作是充分利用好消息并阻止和防备坏消息。但当灾难落到顾客头上时——如飞机失事、矿场爆炸等，公共关系顾问的任务是同法律顾问磋商，要注意估计形势和损失、收集情况及必要的背景材料，并注意为新闻界提供这些材料和回答问题。当顾客遭到攻击时，公共关系的责任是组织顾客做出反应。有人认为公共关系还应包括有:政府关系(向全国、地方各级议员游说)、工业关系(即劳资关系)、雇员关系和顾客关系。在城镇里,社区关系是个重要成分。在企业管理专门化的时代里,公司管理人员往往不是特别能干的演说家或有才华的非商业语言作家,因此将他们的知识翻译成为非专家们所能理解的演讲,或外行读者能了解的文章,也是公共关系的责任。事实上,公共关系的主要责任可概括为阐释——为顾客向公众阐释,为公众向顾客阐释。这一行业从第二次世界大战以来一直很兴旺,许多大的公共关系商行已经有大公司星河中最灿烂的星星作为老顾客。很早以前,广告商同公共关系无关,现在世界上许多大广告商都设有实力雄厚的公共关系部。许多学院和大学不仅开设公共关系课程,还设立了这项专业。波士顿大学首先在1947年设立公共关系学院,1964年改名为传播学院。

Public Safety, Committee of　救国委员会　法国大革命的政治机构,在恐怖统治时期(1793-09～1794-07)对法国实行真正的独裁统治。在大革命的一次危机中,即法国为内、外战争所困扰时,于1793年4月6日成立了救国委员会,其任务为保卫国家免遭内外敌人的侵害,并监督现有的行政机关。委员最初9名,后增至12名,由国民公会选出,任期1个月,可连选连任。1793年4～7月,救国委员会由G.丹东及其追随者主宰,他们采取温和的和解政策,但未能适当地处理危险的军事局势。7月,这些人为更坚决和更积极保卫革命的人们所代替,其中有M.罗伯斯比尔。从1793年9月至1794年7月,救国委员会除1名委员上了断头台外,其他没有变换。它支配国民公会和依靠雅各宾派的支持控制了法国。

在救国委员会的指导下,对革命的敌人采取了严厉措施,对经济实行战时体制,并且大批征兵。救国委员会的决策由全体委员共同制定,但他们又各有专责:罗伯斯比尔、G.库东和L.de圣茹斯特(称为"三头统治")负责一般政治事务,L.卡诺专管军事,R.兰代专管供应。救国委员会的内部分歧使罗伯斯比尔于1794年7月垮台。从此,委员会的权力局限于外交和军事方面。

public school　公学　又称independent school。英国一种为数较少、培养学生达到中等水平的收费学校。它在捐赠基金及行政管理方面不受国家制度的控制。公学一词从18世纪开始出现,当时某些文法学校的声誉传播到其邻近地区以外。它们开始招收那些家长能支付住宿费的学生,为区别于地方学校而称之为公学。20世纪后期这类学校越来越多地采用"私立学校"这一名称。

有代表性的大的公学,如伊顿、哈罗、温切斯特、威斯敏斯特、拉格比、什鲁斯伯里和沙特豪斯,均系欧洲中世纪或文艺复兴晚期由某个捐助人独自出资创建的学校演变而来。这类靠慈善基金建立的学校几乎无一例外地只收男生,一般是为了培养当地出身较为寒微的男青年。大约自17世纪起,越来越多的上层阶级家庭也将其子弟送到这类学校求学。随着按商业价格交费的学生日见增多,更多的公学转成寄宿学校(不过,也有一些公学如伦敦的圣保罗公学或麦钱特·泰勒斯公学仍为走读学校,另一些公学既收走读生,也收寄宿生)。一般认为公学培养的是准备升入古老的牛津大学和剑桥大学的学生(尽管不论当时或现在并非所有的公学学生都能升入大学),以及将来担任政府公职的学生,这是"公学"这一名称的另一个来源。

公学的课程从一开始就十分强调希腊、罗马经典学科,进入20世纪相当长时间后仍然如此。相反,有组织的体育活动却很晚才发展起来。在此之前,目无法纪的行为经常断断续续地发生,特别是在19世纪初期。19世纪由于不列颠帝国需要行政管理人员,因而产生了许多新的公学。不过,此时的公学已趋向于采用T.阿诺德博士于19世纪30年代在拉格比所建立的一种模式,即强调严格的纪律、公民责任和体育运动。

19世纪后期建立了若干招收女生的公学,同时也建立了若干教派学校或有其他特殊目的的学校,尽管安普尔福思和唐赛德这类天主教学校已经出现了一段时间。在国外,主要在受不列颠文化影响较深的一些国家,也建立了一些称做公学的学校。

公学在英国的影响从历史上看是巨大的。公学所传播的精神气质在帮助建立不列颠帝国方面起了至关重要的作用,对这样少的社会成员直接而集中地反复灌输一种精神气质竟能产生这样全国性乃至国际性的影响,也许这在文艺复兴后的其他国家中是不曾有过的。这种精神气质并非学术性的,而是指在行为、言谈和仪表方面都具有合乎其阶级意识的规范。这种精神气质在19世纪初期到20世纪中期的英国官场生活中树立了一种行为标准。

第二次世界大战结束以来,公学的教育风格和教学内容已有所改变,因为公学已更有意识地加入到为数更多的私立学校的行列中,并且已经与政府办的学校建立了多方面的联系。

现将9所最著名的公学按建校时间先后分述如下:

温切斯特公学,位于汉普郡温切斯特,1382年由温切斯特主教威克汉的威廉批准建立,并于1394年由他开办。

伊顿公学,位于伯克郡的伊顿,1440年由英王亨利六世建立。

圣保罗公学,位于伦敦西部的哈默史密斯,1509年由J.科利特建立并予以资助。

什鲁斯伯里公学,位于什罗普郡的什鲁斯伯里,1552年由英王爱德华六世建立。

威斯敏斯特公学,又称圣彼得学院,位于伦敦西部,原来可能是一所教会学校,1560年由女王伊丽莎白一世重建。

麦钱特·泰勒斯公学,位于伦敦,1560年由伦敦麦钱特·泰勒斯公司资助建立,并由该公司管理。1875年迁至查特豪斯大楼。

拉格比公学,位于沃里克郡的拉格比,1567年由伦敦富商L.谢里夫创办。美式足球的前身橄榄球始于该校(1823)。

哈罗公学,位于伦敦西北的哈罗(或哈罗山),1571年建立。

查特豪斯公学,位于萨里郡的戈德尔明,1611年由T.萨顿建立。1872年该公学由伦敦迁至戈德尔明。

public transportation　公共运输　参阅mass transit 公共交通。

public utility　公用事业　为公众提供某些类服务的企业,包括公共运输(公共汽车、飞机、铁路、机动运货车、管道等)、电话和电报、动力、供热和照明,以及供水、卫生和其他类似的公共服务设施。在多数国家,这种企业是国有和国营的企业;但是在美国,这些企业大都是私有企业并在政府的严密控制下经营。政府必须对公用事业进行控制的传统解释是:这些企业中的生产工艺、传输和销售不可避免地要走向完全或部分垄断——简言之,它们是天然垄断企业。这种垄断趋势是由几种因素造成的:①在特定产业中规模越大越节约;②这种企业通常需要大量的投资;③顾客对这种企业服务的需求无灵活性;④要满足需求高峰必须有超额容量,以及其他各种考虑。鉴于已知的垄断趋势和可能由此带来的垄断价格,一个多世纪以来政府已对某些种类商业实施了控制政策。实际上,控制的目的是保证公用事业为所有提出申请并愿意和能够支付服务费的人服务,保证它在妥善和适当的方式下经营,保证它在同等的条件下为所有的顾客服务,并保证其收费公平合理。在美国,各州都设有制订规章的委员会;联邦政府设置的有州际商业委员会、民用航空委员会、联邦动力委员会、联邦交通委员会和证券交易委员会等。

Public Works Administration(PWA)　公共工程署　美国历史上,推行新政的政府机构(1933～1939),任务是通过修建公路和公共建筑物来减少失业和增加购买力。F.D.罗斯福总统根据《国家复兴法》(1933-06)设立。负责人为总统内政秘书H.L.伊克斯。公共工程署存在期间,共耗资40亿美元,完成了70%的新建教育设施,65%的法院大楼、市政厅和污水处理厂,35%的公共卫生设施和10%的道路桥梁等。当1939年国家开始转入战时经济时,此署逐渐消失。

publican　承办　古罗马的公共事务承包人,他们兴建或维修公共建筑、供应海外军队、征收什一税和关税等。公元前3世纪便已采用承办制度。承办主要来自骑士阶层,在行省和罗马拥有很大权力。在帝国早期,承办的业务受到了减削,他们受到更严密的控制,同时政府迫使他们接受无利可图的合约。在帝国晚期,承办制弃而不用。

publishing　出版业　对书籍、报纸、杂志、小册子等印刷品的选稿、编辑和发行。最初是小规模的、古老的、与法律或宗教有关的行业,现在已经扩展为传播各种信息的庞大的行业。虽然可以说出版工作约在公元前4世纪发明书写时即已开始,但就这一术语的现代意义(向广大读者提供复制文件的工业)来

说，最早是在希腊化时期的希腊、罗马和中国创立起来的。公元105年中国发明的造纸术直至11世纪才传到西方世界，是阿拉伯人于751年从中国人处学得这一技术几百年以后的事。继造纸术之后，西方出版业最重要的技术革新是德国J.谷登堡在1440～1450年间发明的活版印刷术。印刷术迅速传播整个欧洲。竞争越来越激烈。法国到1539年已创设版权图书馆与印刷者行规。英国的印刷业发展比较缓慢。W.卡克斯顿于1474年设立印刷所，为英国印刷业的鼻祖。迄1500年，英国只有5家印刷所而已。此后出版业持续成长，但是直到19世纪，由于引进廉价纸张、蒸汽动力和排字机，出版业才成为一种既有经济效益又有社会效益的真正行业。到20世纪，凸版印刷与计算机排版等新技术的发展，更促进了出版业的革命而有益其成长。识字率与闲暇时间的不断增加，生活的日趋复杂及随之而来的对各种信息的需求，大大促进了出版业的持续发展。

新闻的自由在现代常被视为是理所当然的，但出版业自古以来就必须与检查制度搏斗，至今仍然。罗马教会在几乎与印刷机发明的同时就开始禁止所谓改革家的著作。而各国统治者也实行检查制度。英国在1557年颁布王家特许状保护伦敦图书文具商公会不受竞争的压力。法国于1618年也创立了类似的垄断组织。但到18世纪，由于理性观念风行欧陆，大多数西方国家的检查制度逐渐趋于衰微。尽管问题依然存在，西方世界已普遍承认新闻自由是社会的需要。除检查制度外，出版业还经历了许多内外变化必须适应，其中包括著作权法、著者的版税、文艺代理人的佣金、大众兴趣的经常变化需要新的推销技术、纸面平装书的革命、广播媒介和计算机行业的兴起，以及编辑部在刊登广告者的压力下保持独立的问题。

出版物可区分为两大类：一是定期出版物，或长或短地定期刊行；一是非定期出版物，即一次刊行。定期出版物又可进而分为报纸与杂志两类。报纸通常是大张而不装订的，内容富于高度的时效。杂志的开本较小，通常装订，内容比较专门，并且受时间限制较小。

第一份真正的报纸是1605年在安特卫普出版的，不久报纸的出版遍及欧洲，横越美洲，并到达日本与东方。报纸由于售价远较书籍低廉，发行量很大，而拥有巨大的力量。一些发行人视这种力量为严肃的责任而力求正确报道；另一些发行人，如美国报业发行人W.R.赫斯特则利用耸人听闻的报道和惊人的大标题大搞"黄色新闻"。自1900年以来，报纸的发行已大幅度扩张，在各个国家都可见到新闻的每一阶段发展和形式上的变化，有受国家控制的宣传喉舌型，也有新闻自由型；版面有小张，也有大张。在人口比较稠密的国家，报纸的发行是大企业，历经劳工斗争、合并、联合成大报系以及大报吞并小报等事件。

西方世界的杂志出版业始于1663年德国的一位神学家兼诗人发刊其《陶冶评论月刊》。早期的定期刊物继续这种学术型的路线，但法国在1672年开始有一些较轻松的刊物发行。18世纪时，杂志的发行开始兴盛。英国出现由R.斯梯尔与J.艾迪生主编的《旁观者》，美国费城则有B.富兰克林编印的《综合杂志》。19世纪时，杂志业开始以更广大的群众为供应读物的对象，不只限于有闲阶级。拥有广大读者的杂志的发行量的显著增加，使这些刊物成为良好的广告媒体。广告收入使杂志的售价能像报纸一样低于其生产成本。杂志的内容从19世纪30年代起也变得广泛，从妇女读物到时事评论，从学术文章到大众常识，无所不包。20世纪初期，美国的综合性杂志经历了揭发丑闻的阶段，促成了几项重要的社会改革，但是到1912年，这项运动因经济压力而衰微。1923年创办的《时代》杂志仍坚持负责向大众提供新闻的原则，以简短而有系统地报道世界新闻为宗旨。由H.卢斯和B.哈登创始的这一事业，后来德国(《镜报》)、法国(《快报》)以及其他一些国家都相继仿效。

虽然综合性杂志为群众瞩目的焦点，然而更多的期刊致力于专门业务以及非职业性兴趣，其中包括贸易和技术杂志、各种会刊、政治性杂志以及娱乐杂志。每当一种活动或兴趣相当普及后，就会有出版业者来满足对这方面信息的需求。在出版业的长久历史期间，它传播了由最高尚到最平常的各类文化材料，它对文明的影响是难以估计的。

Publius　普布利乌斯　古罗马人名或姓名中的第一个名字。参阅氏族名、族名或尊称条目。如 Publius Cornelius Scipio Africanus 中的 Publius(参阅 **Scipio Africanus**)。

Pubna(Bangladesh)　参阅 **Pābna 巴布纳**。

Pucallpa　普卡尔帕　秘鲁乌卡亚利省省会。濒临乌卡亚利河。建于1534年。1945年通公路后开始改变闭塞状态。现也通飞机和3 000吨的轮船。为当地农产品销售市场和工业中心。有锯木厂、榨青龙木油厂。有石油管道通瓦努科省的甘索阿苏尔油田。管道终端有炼油厂。人口约220 866(1998)。

Pucará　普卡拉　前哥伦布时期遗址和文化，位于今秘鲁南部高地，地当的的喀喀湖北部湖盆，以马蹄形的石砌神庙著称。石雕和陶器与的的喀喀湖南部湖盆的蒂亚瓦纳科的制作风格相似。根据蒂亚瓦纳科的早期文化层出土普卡拉式的陶器，普卡拉文化显然是蒂亚瓦纳科典型风格的前驱。普卡拉文化的年代一般断为南美文化早中间期的前段(约公元前200～公元200)。

Pucci, Emilio, MARCHESE DI BARSENTO　**普奇**(1914-11-20，意大利那不勒斯～1992-11-29，佛罗伦萨)　即巴尔森托侯爵。意大利时装设计师和政治家。出身于佛罗伦萨富有贵族家庭。曾受过外交专业教育，获得社会科学博士学位。1941年加入意大利空军，第二次世界大战结束后继续服役。1947年《哈泼斯市场》杂志的一位摄影记者注意到他新颖的滑雪装，于是请他设计女滑雪装。他的色彩鲜明、活动方便的运动式便装于1950年首次展出，受到热烈欢迎。他最出名的服装设计是紧身的山东绸"普奇"筒裤，而被广泛模仿的作品中有鲜艳的真丝印花经编连衣裙和女衬衫。普奇也设计内衣、针织服装、泳装和服装零配件，还制作陶器和香水，兼营男式时装设计。他为布兰尼夫航空公司空中服务人员设计的制服，是此类服装最早的设计。20世纪60年代，世界时髦妇女喜穿普奇的印花服装，他的设计在80年代末90年代初再次流行。他曾获许多服装设计奖。普奇从60年代初起是自由党的积极活动分子。1963～1972年成为代表佛罗伦萨选民的意大利议会议员，此后继续任佛罗伦萨市法律顾问。

Puccini, Giacomo (Antonio Domenico Michele Secondo Maria)　普契尼(1858-12-22，托斯卡纳卢卡[意大利]～1924-11-29，比利时布鲁塞尔)　意大利作曲家，歌剧现实主义最杰出

供图：Alinari—Art Resource/美国不列颠百科全书公司

的倡导者之一，实际上可说意大利歌剧史以他为终点。成熟的歌剧包括《绣花女》(1896)、《托斯卡》(1900)、《蝴蝶夫人》(1904)和未完成的《杜兰朵》。

早期生活与婚姻　出身音乐世家，祖辈两百年来曾在卢卡圣马蒂诺大教堂任乐监。5岁丧父，初从其父以前的两个门生学习音乐，并在当地小教堂弹管风琴。1876年在比萨观看G.威尔地《阿伊达》后确信自己的真正天职是歌剧。1880年秋赴米兰音乐学院就读，主要师从著名小提琴家和室内乐作曲家A.巴齐尼和歌剧《焦孔达》的作曲者A.蓬基耶利。1883年7月获得文凭，毕业作品是器乐曲《随想交响曲》，引起米兰音乐界一些权威人士的注目。同年以《群妖围舞》参加独幕歌剧比赛，评委认为此剧不值一提。但在作曲家兼台本作家A.博伊托为首的一些朋友资助下，它于1884年5月首演，一举成功。音乐出版商G.里科尔迪立刻买断版权，但先决条件是必须将歌剧发展为两幕。他还委托普契尼为拉斯卡拉歌剧院创作一部新歌剧，并按月付薪水，从而开始了普契尼和里科尔迪的终生不渝的交往。母亲逝世后，普契尼与有夫之妇E.杰米尼亚尼私奔，先卜居蒙扎，1890年迁居米兰，1891年又移居托斯卡纳的一个渔村托雷德尔拉戈。这个家后来成为普契尼的世外桃源，他在那里一直待到他去世前3年。但是杰米尼亚尼的为人很难相处，脾气暴躁而不温顺，生性好妒，并非理想

的伴侣。他们终于得以在她丈夫死后于1904年结婚。普契尼的第二部歌剧《埃德加》已于1889年上演而未获成功，不过里科尔迪对他的被保护人仍然信心十足，还把他送到拜罗伊特去听瓦格纳的《名歌手》。

成熟的创作与成名 从拜罗伊特归来时，取材于18世纪作家普雷沃著名小说《曼侬·莱斯科》的歌剧方案已经胸有成竹。从这部歌剧开始，普契尼对歌剧的选材都非常慎重，并且花很长时间准备台本。《曼侬·莱斯科》的音乐充满生动的戏剧性，预示了他的几部成熟歌剧《绣花女》、《托斯卡》、《蝴蝶夫人》和《西部女郎》的精妙细腻的歌剧手笔。这4部成熟作品也都是叙述一个动人的爱情故事，完全以女主角为中心，结尾是悲剧性的。4部歌剧都以管弦乐队的简洁流畅的音乐语言来表达。音乐都是脱胎于歌词，与歌词的意义及其所激发的形象紧密相依。1904年2月《蝴蝶夫人》首演失败，可能是因为观众发现它与前几部太多雷同之故。1908年在开罗度夏回托雷德尔拉戈后，普契尼潜心创作《西部女郎》；其首演式于1910年12月在纽约市大都会歌剧院举行，指挥是A. 托斯卡尼尼。演出一炮打响，普契尼的成熟时期于此宣告结束。他承认"写歌剧确非易事"。作为世纪之交典型的歌剧代表人物，他觉得新的世纪正在义无反顾地向前推移，其中的问题已经和他不相干了。他不理解诸如第一次世界大战之类的当代事件。1917年他的歌剧《燕子》在摩纳哥的蒙特卡洛首演后很快被人遗忘。普契尼对同时代的歌剧创作很感兴趣，经常研究C. 德彪西、R.施特劳斯、A. 勋伯格和I. 斯特拉文斯基的作品，由此创作了以3部情趣迥异的独幕歌剧——情节夸张的《外套》、伤感的《修女安琪利卡》和喜剧《贾尼·斯基基》——组成的"三联剧"（1918，纽约）。他的最后一部歌剧《杜兰朵》是唯一以印象派风格写成的意大利歌剧，普契尼未能完成此剧；因患喉癌，遵医嘱去布鲁塞尔进行手术，几天后手执未完成的手稿而逝。1926年4月托斯卡尼尼即按普契尼去世前完成的部分指挥该剧演出。该剧的最后两场由F.阿尔法诺根据普契尼的草稿续成。

成就 普契尼的大部分歌剧都阐明这一主题："凡为爱而生者亦为爱而死。"在处理这个主题时，他对女主人公既充满同情和怜悯，也表现出强烈的施虐色彩；因而他的歌剧既有巨大的感染力，又有很大局限性。普契尼的音乐戏剧风格的主要特点是他能够把自己和他的题材打成一片；每部歌剧都有其独特的氛围。由于他对于平衡的戏剧结构的天赋，他知道歌剧并非从头到尾全都是情节和冲突；它也必须包含一些静止、沉思和抒情的片刻。他为这样的时刻创造了一种独特的旋律类型，热情洋溢、光彩照人，但却有着潜在的忧郁特性。歌剧中的"告别"和"死亡"咏叹调都是这方面的范例，它们也反映了他个人生活中萦回不去的阴郁心情。普契尼对待戏剧音乐的态度，用他自己的话来说就是："歌剧的基础是题材及其处理。"他首先考虑的是把故事营造成一部在舞台上演出的动人的戏剧，他花在这方面的精力不亚于音乐本身。他的歌剧的剧情简单明了，观众即使听不懂歌词，也能立刻明白舞台上发生的一切。普契尼对于自然音体系旋律的理解植根于19世纪意大利歌剧的传统，但他的和声与管弦乐风格表明他也理解当代的发展，特别是理解印象派作曲家和斯特拉文斯基的创作。虽然他赋予管弦乐队以更加积极的作用，他还是赞成意大利歌剧传统的声乐风格，即由歌手承载音乐的负荷。作为一个典型的世纪末颓废派艺术家，他却可以算得上是一位歌剧现实主义的伟大倡导者。

Pucelle, Jean (Jehan)　皮塞勒（1300？～1355？） 卓越的细密画家、书籍装饰画家，以开创书籍页边滑稽图和传统插图画著称。其生平所知甚少。在他的作品中尽管保持着哥

皮塞勒在《祈祷书》（约1325～1328）中的插图画

纽约大都会艺术博物馆供图

特式和法国式的基本特点，但从其对佛罗伦萨和锡耶纳的描绘中可知他曾于14世纪30年代出访过意大利。回到法国后他成为一个书籍装饰作坊的大师并在14世纪上半叶主导着巴黎的绘画。其最著名的作品有在贝尔维尔日课经中所作的杜乔的《圣母子荣登圣座图》的摹本（约1325）和一本《祈祷书》插图（约1325～1328）。皮塞勒善于用滑稽插图给宗教性的作品带上幽默色彩。

Puch'ŏn　富川 韩国西北部京畿道城市，在汉城和仁川之间。1973年建市后迅速发展成汉城的卫星城。主要工业产品有假发、缝纫机、水泥和其他建筑材料、乙烯基产品及汽车。周围地区以产桃著称。人口约821 081（2003）。

Puchta, Georg Friedrich　普赫塔（1798-08-31，巴伐利亚卡多尔兹堡［德国］～1846-01-08，柏林） 德国法学家，以其关于古罗马法律的著作而闻名于世。普赫塔的父亲W.H.普赫塔（1769～1845）是一位法学著作家和地区法官。1811～1816年，年轻的普赫塔在纽伦堡受中学教育，1816年进入巴伐利亚州埃朗根大学学习。取得博士学位后，他于1820年在该校担任学校承认的不领薪教师，并于1823年被聘为额外的法学教授。1828年在慕尼黑被聘为讲授罗马法的正式教授。1835年在马尔堡开设罗马法和教会法的讲座。1837年辞去该职务前往来比锡，1842年在柏林大学继任杰出的法学家F.K.von萨维尼的职位。1845年，普赫塔被任命为国务会议和立法委员会的成员。普赫塔的著作有：《法学汇编教科书》（1838），他在该书中阐释了古罗马法的本质；《制度发展史》（1841～1847），该书清晰地描述了古罗马人的法律的系统发展。其他著作有《习惯法》（1828～1837）和《教会法导论》（1840）。普赫塔的《简明民法论文集》是一本包括38篇论述罗马法中的各部门法的文章选集，在他死去后于1851年出版。

puck　顽皮小妖 中世纪英格兰民间传说中搞恶作剧的仙人或魔鬼。在伊丽莎白时期民间传说中，这个小妖被描绘成一个善于恶作剧的棕仙式的仙人，也被称作"罗宾·古德

1628年书籍《罗宾·古德费洛》中的顽皮小妖插图画

伦敦大学学院民间传说会社图书馆供图

费洛"或"小淘气鬼"。他也是莎士比亚《仲夏夜之梦》的主角之一，自诩能变化形状，使夜行者迷路，煮溢牛奶，吓唬少女，绊倒可尊敬的老妇人等。

pudding　布丁 以质地松、软、厚为共同特点的多种食品。在美国，布丁多为具有牛奶或各种果汁味道的甜食，以玉米淀粉、竹芋、面粉、木薯淀粉、米饭或面包，有时还加鸡蛋制成。个别开胃布丁是蔬菜泥、蛋奶酥类食品或玉米布丁、蛋奶冻等。速煮布丁是一种玉米粥。在英国，布丁是甜食的总称。除美式甜食布丁外，还有将水果包在牛油面壳内煮的，用发酵面蒸的，用混有干果或鲜果的甜生面团或面糊煮的各种布丁。煮制布丁以混有什锦干果、蜜饯、香料、面包屑、板油渣、蛋，并用白兰地或其他种酒提味的圣诞节陈皮梅布丁为最佳（近百年来用葡萄干代替了陈皮梅）。开胃布丁蒸煮均可，在牛油面壳内裹肉（牛排和腰子最常见）、野味、家禽和蔬菜制成。黑白布丁是加入谷物的香肠，以黑色猪血着色。和烤牛肉同食的约克夏布丁是加鸡蛋的烤饼。

Pudong Xinqu 浦东新区 中国上海市辖区。在市境东部，黄浦江以东，长江口西南，南至川杨河以南，与南汇县接壤，是紧靠上海市中心区的一块三角形地区。东濒东海，扼黄浦江出口处和长江入海口。大部分地区都在距上海市中心15千米的半径之内。成陆较晚，历史上行政区划多有变动。明代前为上海县地。清嘉庆十五年(1810)置川沙厅，1912年改厅为县，属江苏省。1950年划入南汇县北部六乡。1958年由江苏省划归上海市。1961年并入原浦东县的高桥、杨思等地。1992年10月国务院批准建浦东新区，以川沙县和上海县三林乡及南市、黄浦、杨浦三区的浦东部分置浦东新区，因地处黄浦江东岸得名。面积523平方千米。属长江三角洲平原，地势平坦，气候温和，土壤肥沃，农业发达。西部是上海重要的蔬菜基地，东部为棉、粮产区，乳牛饲养历史较久。工业主要分布在黄浦江沿岸，自北向南形成一条狭长的工业带，以石油化工、造船、冶金和建材为主，此外机械、轻工、纺织等具有相当基础。水陆交通便利，北部外高桥一带及黄浦江沿岸，有建设深水良港的优越条件，对外运输方便。境内河渠纵横交叉，内河航运发达。黄浦江沿岸码头林立，川杨河、浦东运河和白莲泾均为主要河道。区内建有4个国家级开发区——张江高科技园区、陆家嘴金融贸易区、金桥出口加工区和外高桥保税区。城市道路和郊区公路交织成网。越江交通主要有南浦、杨浦、卢浦和徐浦大桥及打浦路、延安东路两条过江隧道，大大方便了黄浦江两岸的联系。人口1 810 000(2005)。

浦东新区一角
中国大百科全书出版社供图

Pudovkin, Vsevolod Illarionovich 普多夫金(1893-02-28，俄国奔萨～1953-06-30，莫斯科) 苏联电影导演和理论家，以善于用视觉形象表现人物内心世界闻名。第一次世界大战中曾负伤并被俘3年。后对戏剧发生极大兴趣。当看过格里菲思的影片《党同伐异》(1916)后，他志愿入国立莫斯科电影学院，同电影理论家兼导演L.库利绍夫共同致力于研究把镜头通过剪辑和并列而使之表现内在感情的心理潜力。第一部影片是《大脑的功能》(1925)，这是一部关于巴甫洛夫刺激反应学说的教学片。然后他导演据高尔基小说改编的《母亲》(1926)。这部影片显示他如何运用对形象的巧妙剪接(蒙太奇)来表达复杂的思想，例如在一系列表现监狱骚动的场景中间插入一些河面坚冰已被打破的镜头。另外一些重要影片有《圣彼得堡的末日》(1927)、《成吉思汗的后代》(1928)以及有声片《逃兵》(1933)、《苏沃洛夫大元帅》(1941)和《海军上将那希莫夫》(1946～1947)等。他的早期影片常常是把英雄人物放在历史的剧烈演变中加以表现。在他为苏联电影学校写作而最初是在国外于1929年出版的《电影导演论》

伦敦国家电影档案馆供图

(1933)和《电影演员论》(1935)中，他讲述了有关编剧、导演、表演和剪辑的原理。他强调营造气氛，这对别的导演，如好莱坞工于悬念的导演A.希契科克，产生了很大影响。

Pudukkottai 布杜戈代 印度南部泰米尔纳德邦布杜戈代县县城。位于该邦首府马德拉斯南381千米处。有铁路通蒂鲁奇奇拉帕利、马杜赖和贾坦武尔诸镇。有花生和芝麻榨油工业。布杜戈代县面积4 700平方千米。位于维拉尔河三角洲，临孟加拉湾。农业为经济基础，生产稻米、豆类、甘蔗、棉花、芝麻和花生。工业制造纺织品、化肥、精米和锯材。人口：城镇87 952；县1 327 148(1991)。

Puebla 普埃布拉 墨西哥中东部内陆州。位于阿纳瓦克高原东南角，面积33 902平方千米。海拔1 500～2 400米。有由东马德雷山脉形成的许多肥沃谷地。居民一向稠密。无数古迹证明，在哥伦布到达美洲之前，此地操纳瓦特尔语的人已有高度发达文化。西班牙人到来后使其成为经济和宗教活动中心。19世纪起它发展为墨西哥城-韦拉克鲁斯走廊中的工农业区。盛产咖啡、甘蔗、玉米、粮食等。矿藏丰富，有缟玛瑙、金等。有公路和铁路经州首府**普埃布拉**(**Puebla**)横越州境。人口约5 070 346(2000)。

Puebla 普埃布拉 墨西哥中部城市，普埃布拉州首府。1532年建城。位于东马德雷山麓坦荡平川，海拔2 162米，地处墨西哥城(西北130千米)和墨西哥湾港口韦拉克鲁斯(东225千米)之间的通道上，为墨西哥军事要地。在墨西哥战争期间，1847年被美军占领。1862年法军在普埃布拉被萨拉戈萨将军击退。翌年法军占领普埃布拉，直至1867年该城又被P.迪亚斯收复。是一座典型的西班牙式城市，建筑艺术与西班牙要塞城市托莱多相似。大教堂富丽堂皇，用许多缟玛瑙、大理石和黄金装饰。还有圣多明各教堂(1596～1659)、普林西帕尔剧院(1790)等古建筑物。市内设普埃布拉自治大学(1937)。为重要的工农业中心。以缟玛瑙加工、琉璃瓦、棉毛织品、玻璃和陶器著称。1970年建立大众牌汽车装配厂。有铁路、公路和航空线。数次遭受地震破坏，但市中心的许多殖民时期建筑未被破坏。1987年被联合国教科文组织列为世界遗产。人口：市1 271 673；大都会区1 800 000(2000)。

Puebla, Battle of 普埃布拉战役(1862-05-05) 以B.胡亚雷斯为首的墨西哥自由派政府军队与拿破仑三世派往墨西哥建立法国卫星国的军队在墨西哥普埃布拉进行的一次战役。战役以墨方的胜利而告终。在墨西哥全国性节日中称为“五·五”节加以纪念。法国侵略军进军首都的道路被设防城市普埃布拉所封锁。法国将军C.L.洛朗塞兹轻率地下令向瓜达卢佩山的墨军阵地发动正面进攻。墨军在伊格纳西奥·萨拉戈萨将军指挥下击退入侵者，使之损失达1 000人。为了纪念这位保卫者，普埃布拉正式更名为普埃布拉德萨拉戈萨。次年3月法国将军E.-F.福雷在法国援军支持下包围了普埃布拉。冈萨雷斯·奥尔特加将军指挥的近3万守军弹尽粮绝，被迫投降；他们多数作为战俘被押送到法国。1867年4月2日迪亚斯又克复该城，才结束了帝国主义的占领。

Pueblo 普韦布洛 美国科罗拉多州中南部城市、普韦布洛县县城(1861)。邻近阿肯色河和方廷河汇合处，海拔1 430米。1842年建贸易站。1885年建市。19世纪70年代修通铁路后促进发展。附近有煤矿。为阿肯色河谷周围农业灌溉地区的制造业、零售业和卡车运输业中心。国家最大的钢铁厂之一——科罗拉多燃料和钢铁有限公司——设在附近明尼夸。普尔韦洛军火库(1942)在市正东。普韦布洛初级大学(1933)已发展为南科罗拉多大学。阿肯色河上建有防洪工程。距城10千米的上游有座大水库。市西面有圣伊萨贝尔国家森林管理处。人口：市102 121；都会统计区141 472(2000)。

pueblo 普韦布洛 美国西南部普韦布洛印第安人社区(村落)。拥有永久性多层多家住房，系仿照其祖先的悬崖住所(**cliff dwellings**)建成，始建于1300年前后。这种房屋是用晒干的黏土泥砖筑成，泥砖通常为20厘米×40厘米，厚10～15厘米。房高5层，环绕中心庭院构筑，逐层依次缩进，使整幢建筑类似一座锯齿形金字塔，下层房顶即成上层平台。上下层间用木梯经由天花板上的洞口出入。底层以上的大部分房间与邻室有侧门相通；底层房间在地面上没有通外面的门，专供贮藏之用，主要贮藏谷物。每个村落至少有两个常常是更多的地下礼堂(**kiva**)。

Pueblo Incident “普韦布洛”号事件 美国海军情报船“普韦布洛”号及其83名船员于1968年1月23日在北朝鲜的海面上被北朝鲜的巡逻艇俘获。美国认为“普韦布洛”号当时是在公海上，便开始在该地区集结军事力量。同时开始了谈判，双方达成协议，82名船员(有一名因在俘获时受伤而死亡)于1968年12月23日获释。协议中美国承认了入侵，道了歉并保证不再发生类似事件。

新墨西哥州的塔奥人村落
供图：Ray Manley—Shostal/美国不列颠百科全书公司

Pueblo Indians 普韦布洛印第安人 史前阿纳萨齐诸民族的有史时期的后裔(参阅**Anasazi culture**)。住在亚利桑那东北和新墨西哥西北的若干地点，密集定居，名为“普韦布洛”(西班牙语，意为“村”或“镇”)。史前的阿纳萨齐人有很多的地区性歧异，普韦布洛印第安人同样彼此差异很大，不管是在文化上或是在语言上，都是如此。当代普韦布洛人分为东西两支。东普韦布洛人包括新墨西哥州格兰德河沿岸的全部普韦布洛人，西普韦布洛人包括亚利桑那州北部霍皮人诸村落和新墨西哥州西北部的祖尼人、阿科马人及拉古纳人诸村落的人们。普韦布洛人在语言方面歧异很大，分成4个语系，还有若干亚语系。东普韦布洛人分为操特瓦语者与操克雷桑语者两部分。特瓦语与犹他-阿兹特克语略有亲属关系，而克雷桑语则无任何亲属语言。在西普韦布洛人中，阿科马人和拉古纳人操克雷桑语；祖尼人操祖尼语，祖尼语与佩纽蒂语有关；霍皮普韦布洛人大多数操霍皮语，霍皮语属于犹他-阿兹特克语言；只有哈诺人的村落因是由来自格兰德河的特瓦难民组成的，操特瓦语，是个例外。东西普韦布洛人均主要从事农业，但其耕作方式和产权彼此不尽相同。在格兰德河地区，玉米、棉花都种植在河床的水浇田里。现在，男子从事耕作，以前狩猎也是重要生活来源时，妇女多分担农事劳动。格兰德河普韦布洛人很多有专门的狩猎社团在山区猎捕鹿及羚羊，其中住在东部的塔奥人和皮库里斯人的猎手有时到大草原猎捕野牛。各地普韦布洛人中都有集体猎捕野兔活动，妇女则采集野生植物。西部的普韦布洛人因气候干旱而较少务农；霍皮人的情况，更是如此。现代普韦布洛人的社会生活以村落为中心(村落亦为政治单位)，不过他们基本上仍是神权政治。西普韦布洛人组成氏族和家系；氏族设有秘密会社，会社定期举行仪式以祈雨或求福。有一种全部落性的卡奇纳崇拜仪式是为追念远祖举行的，而全部男子会社都负责保卫工作和参加丰产仪式。在格兰德河地区，每村一分为二，号称“夏民”及“冬民”，分别负责村内各项活动；该地的秘密会社主要负责医疗仪式，卡奇纳崇拜仪式则较他处为少。地方性艺术品及手工艺品的生产，在霍皮人中间尤为活跃，纺织和编筐迄今仍很盛行，19世纪90年代中，霍皮-特瓦人恢复了陶器制造。大多数村庄普遍制作银器及绿松石饰物，但银器制造工艺并非土著技术。现代普韦布洛印第安人还惊人地保存了先西班牙殖民时期的生活方式。他们的物质用品中增加了家畜、金属工具、新的作物(如小麦、辣椒等)、现代服装、汽车、无线电收音机和电视。这些变化不可避免地已影响到他们的思想、态度和总的观念。

普韦布洛印第安人陶器：(左)阿科马人的水罐；(中)圣克拉拉人的陶瓶；(右)圣伊尔德丰索人的水罐
丹佛艺术博物馆供图

Pueblo Libre 普韦布洛利布雷 秘鲁利马-卡亚俄都市区西南部普韦布洛利布雷(前称马格达莱纳-别哈)区的社区。主要为中等收入者的住宅区，有许多小公园。许多住宅是现代式的，但有一些是秘鲁摆脱西班牙而独立(1824)前建造的。解放者S.玻利瓦尔和何塞·圣马丁曾在此居住。有国立人类和考古学博物馆和反映当地文化的博物馆。人口：区约82 709(1981)。

Pueblo pottery 普韦布洛陶器 美洲印第安人高度发展的艺术之一，至今依然几乎完全按照公元1050～1300年间古典普韦布洛时期的制作方式生产。普韦布洛陶罐只由部落中的妇女制作，不用陶轮而用手工。把状如“香肠”的陶土长条沿着一块陶土平底逐圈向上卷到预定高度，卷完后把罐子的内壁和外壁压平，使每圈陶土压到一起成为平滑的罐壁，再涂上泥釉，然后磨光、装饰、烧制。图案一般是角形几何图案和花卉鸟兽。配色是多样的，如黑色与黑色相配，或黑色与奶油色相配。

Pueblo Rebellion 普韦布洛起义(1680)普韦布洛族印第安人推翻西班牙人在新墨西哥长达12年之久的统治的起义。1598年新墨西哥殖民化后，爱好和平的普韦布洛族人被强迫信奉天主教，他们传统的祭坛、面具、圣器悉被焚毁。印第安人受到西班牙人法庭的审判和酷刑(绞、笞、断肢、奴役)的折磨。1645年起发生过几次失败的起义。1680年，圣胡安村一巫医领导了由普韦布洛族几乎所有部落参加的大起义。8月21日西班牙人战败溃逃，丢下400具死尸，其中有司铎21人。印第安人洗去基督教洗礼的污渍，废除基督教仪式的婚礼，捣毁教堂，庆贺胜利。自由持续至1692年新墨西哥再次被P.德·巴尔加斯总督征服。

Puelche 佩尔切人 又称根纳金人(**Guennakin**)。已消亡的南美印第安部落。居住在内格罗河和科罗拉多河附近牧草丰富的潘帕斯，并往北延至拉普拉塔河。佩尔切人有自己的语言，但社会和经济特点则与邻近的巴塔戈尼亚人和潘帕人，特别是与特维尔切人相似。对18世纪初佩尔切人引进马以前的情况了解甚少。马的引进使他们的社会结构发生了根本的变化，引起了内战和政治领导的更换以及其他一些新问题。他们迁移时结成100～120人的马队，携带皮帐篷；作战时用长矛和流星锤，并且穿皮衣、戴头盔进行防护。

Puente, Tito 普恩特（1923-04-20，美国纽约州纽约～2000-05-31，纽约） Ernest Anthony Puente, Jr.的别名。美国乐队指挥队长、作曲家，著名拉丁爵士乐音乐家之一。20世纪50年代的出色表演和一连串成功的曼波舞曲使他获得“曼波之王”美誉。13岁就成为职业音乐人，后在朱利亚德音乐学院学习。在马奇托交响乐团实习一段时间后，第二次世界大战期间在美国海军服役。1947年组建自己的乐队。与T.罗德里格斯和P.普拉多等音乐家一道，促进了50年代曼波乐黄金时代的到来。其充沛的精力和动人的舞台形象使他很快成名。他的演唱曲目还加入了拉丁舞曲和古巴黑人音乐的韵律，其中包括恰恰舞、默朗格舞、博萨诺瓦和萨尔萨舞。他还与其他著名的爵士乐手及许多拉美音乐家共同演出，与若干交响乐团合作。他是一个多产音乐家，一生录制了大约120张专辑。他的演出日程也很繁忙，一年演出200～300场，一直持续到去世。他曾将许多拉丁音乐家介绍给美国听众。一生获得很多荣誉，其中五次获得格莱美奖。此外还拍摄了几部影片，包括《曼波歌王》(1992)。

Puente-Genil 蓬特赫尼尔 西班牙南部安达卢西亚自治区科尔多瓦省城市。位于科尔多瓦市以南科尔多瓦—马拉加铁路线上。城市两部分之间由赫尼尔河大桥连接。为农业中心，生产橄榄油、果冻、亚麻和杀虫剂。人口25 615(1981)。

puerperal fever 产褥热 又作 childbed fever。分娩或流产后女性生殖器官受感染而发生的疾病。在不卫生的环境中分娩或施行流产手术每致本病。在多数发达国家，医师必须将分娩或流产后10天体温达到或超过38 °C的病例报告有关当局，然后再尽可能澄清诊断。本病发病部位多在胎盘剥离后子宫腔内遗留的创面，亦可发生于生殖系统其他裂伤创口。病原体侵入后可致败血症、蜂窝织炎、盆腔腹膜炎及弥漫性腹膜炎。疾病的严重程度决定于病原菌毒力、组织抵抗力及患者的健康情况。常见病原菌为酿脓性链球菌、葡萄球菌、厌氧链球菌、大肠埃希氏菌、韦氏梭菌等；破伤风杆菌所致者少见，但极严重。20世纪后半叶，本病在发达国家已极少见，原因为环境条件改善、产科技术改进、磺胺药及抗生素的应用以及酿脓性链球菌毒力和侵袭力的减弱。

puerperium 产褥期 分娩后的调整阶段，一般持续6～8周，待首次排卵并恢复月经时结束。在此期间，产母的生殖系统恢复到孕前状况。产褥期几乎在分娩一结束即开始，妊娠期胎盘产生的雌激素和孕激素水平急剧下降，引起产褥期的变化。到第六周子宫缩回原来的正常大小并回到分娩前的位置，这过程称为子宫复旧。在此期间妊娠子宫增粗增长的肌肉体积缩小，一般到第三周，子宫内膜又重新长成。分娩后乳房开始泌乳。婴儿出生后的第二天，分泌出一种富含蛋白质的初乳，到第二周的中间，初乳逐渐变成蛋白质含量稍低和高脂肪的正常母乳。产褥期的主要医疗问题有：因情感上的失望和不适应产褥期变化而引起的轻微、短暂的抑郁症；因血淤引起的凝血障碍（早期恢复正常活动可以预防）；胎盘滞留引起的出血；以及产褥热（19世纪前产妇死亡的主要原因）等。卫生措施的改进和现代抗生素的应用，已大大减少了产褥热的死亡率。

Puerta del Sol 太阳门 西班牙首都马德里主要广场。1510年前广场上耸立一扇大门，其正面绘有象征太阳的图像，命名为太阳门。在马德里历史上，它一直是市内交通枢纽和文化、经济活动的中心。每年在此举行新年庆祝活动。

Puerto Aisén 艾森港 智利艾森区艾森省省会。临艾森河，位于一深水峡湾的湾顶端。19世纪始有人拓居。现为港口和南面及东面的农业、采矿和伐木区的商业中心。养牛和羊；羊毛为重要商品。旅游业也重要。与蒙特港通航船。与科伊艾克、巴尔马塞达通全天候公路。另有公路越安第斯山进入阿根廷。人口：社区约19 749(1985)。

Puerto Ayacucho 阿亚库乔港 委内瑞拉亚马孙联邦区首府。濒临奥里诺科河。为一地域广阔但人口稀少、产橡胶和巴拉塔树胶地区的贸易中心。人口占亚马孙地区已知人口的2/3左右。20世纪70年代通旱季公路。通国内航空线。人口约35 865(1990)。

Puerto Barrios 巴里奥斯港 危地马拉东北部城镇。临阿马蒂克湾。在20世纪70年代前为全国运输农产品的主要港口。20世纪初外国厂家建成沿海地区至危地马拉城的铁路（通大西洋岸深水港的全国性商业通道），该城镇为这条铁路在加勒比海岸的终点。因不满外资对设施的控制，政府在该市以南10千米的圣托马斯-德卡斯蒂亚(**Santo Tomás de Castilla**)建成国有港口和与铁路平行的公路。该港在1976年地震中损坏惨重。人口24 235(1981)。

Puerto Bello(Panama) 参阅**Portobelo 波托韦洛**。

Puerto Berrío 贝里奥港 哥伦比亚西北部安蒂奥基亚省东部城市。位于马格达莱纳河畔。自1875年建市以来一直是重要交通枢纽和内地农产品和林产品的商业和制造中心。附近有水泥厂和大理石开采场。安蒂奥基亚省的主要河港。运输咖啡、纺织品和来自麦德林工业区的其他工业品。从哥伦比亚中部和北部油田延伸的输油管通贝里奥港、麦德林、卡利及波哥大。为铁路枢纽。有机场。人口21 414(1985)。

Puerto Cabello 卡贝略港 委内瑞拉卡拉沃沃州北部港口城市。濒临加勒比海。在委内瑞拉历史上很重要，是海盗袭击的目标、走私中心和争取独立斗争中的战场。港口水深，设备优良。为商业城市，亦有小型加工业。附近有现代化石油化工厂。该市有公路与铁路通州首府巴伦西亚。为盛产农产品的巴伦西亚盆地的天然口岸。人口约154 000(2001)。

Puerto Carreño 卡雷尼奥港 哥伦比亚比查达特别区首府。为哥伦比亚最东部的城市，奥里诺科河上的重要港口，亦是周围平原地区出产的牛、畜产品、玉米、树胶和松脂的集散中心。有公路通梅塔省省会比亚维森西奥。但在该地区旅行需通过河道和航空线。人口约1 672(1995)。

Puerto Cortés 科尔特斯港 洪都拉斯西北部港市。濒临洪都拉斯湾。建于1524年。1869年迁址改现名。1974年遭“菲菲”飓风的严重破坏，20世纪70年代末已修复。港口有中美洲最好的集装箱装卸设施，承担了全国大部分贸易运输量。主要出口香蕉、咖啡、椰子、硬木、面粉。气候炎热多雨。亦为繁荣的工业中心。有乳品厂、面粉厂、食品加工厂、小炼油厂和热电厂。1977年设立了一个工业区的自由贸易区。有公路和铁路通其他城市。公路通首都特古西加尔巴。机场有国内航班。人口约31 421(1988)。

科尔特斯港一角
中国大百科全书出版社供图

Puerto de Mahón(Spain) **马翁港** 参阅 **Mahon 马翁**。

Puerto de San José 圣何塞港 危地马拉中南部港口城市。濒临太平洋。1853年建港，现为危地马拉第三大港，承卸全国进口货物的一大部分，特别是石油。主要出口货为咖啡、棉花、糖、木材和蜂蜜。为增大吞吐量，该市于1979年开始兴建深水设施。市东的伊斯塔帕为游览地。通公路和铁路。人口约15 125(1989)。

Puerto de Santa María(Spain) 参阅 **El Puerto de Santa María 圣玛丽亚港**。

Puerto La Cruz 拉克鲁斯港 委内瑞拉安索阿特吉州东北部城市。濒临加勒比海。原为一渔村，随着20世纪30年代亚诺斯平原东部石油工业的发展，已成为人口众多、繁忙兴旺的海港城市。安索阿特吉、瓜里科和莫纳加斯三州油田都有管道输原油来该港，此地有庞大储油库和炼油厂。委内瑞拉人口稠密的中央高原地区的工业和日常生活可用到该港的石油。人口199 000(2001)。

Puerto Lempira　伦皮拉港　洪都拉斯东北部城镇。面对卡拉塔斯卡潟湖的主要通道。渔业是该地区主要经济活动，城内有虾类加工厂。潟湖水浅，有沼泽，腹地有茂密丛林，因而无法开辟为港口。有一座机场，为通往全国各地的主要交通线。不通公路。人口约1 910(1988)。

Puerto Maldonado　马尔多纳多港　秘鲁马德雷德迪奥斯省省会。濒临坦博帕塔河和马德雷德迪奥斯河汇流处。海拔256米，地处炎热潮湿的雨林地区。为巴西坚果、橡胶、稻米、甘蔗、木薯等热带作物产区的行政和商业中心。附近有淘金业。当地交通主要靠船只。有公路和航空线通往库斯科。人口约21 200(1990)。

Puerto Montt　蒙特港　智利南部洛斯拉戈斯行政区首府，延基韦省省会和港口。位于太平洋雷朗卡维湾顶端。建于1853年。现为内地农牧业和近海渔业的商业中心。生产谷物(特别是小麦)、马铃薯和牲畜。工业有鱼罐头、制革和锯木。为泛美公路、南北铁路干线以及南至蓬塔阿雷纳斯海上航线的终点。有国际机场。周围有群山密林环抱，且多峰峦湖峡胜景，虽有地震威胁，仍为游览胜地。人口155 895(2002)。

Puerto Padre　帕德雷港　古巴拉斯图纳斯省东北部城市。濒大西洋帕德雷港湾。为内地富庶农业区的商业、制造业中心，也是甘蔗、烟草、水果和畜产品加工中心。有砖厂和锯木厂。附近有盐场、沥青矿和火力发电站。公路通奥尔金市。人口约56 727(1989)。

Puerto Plata　普拉塔港　全称圣费利佩-德普拉塔港。多米尼加共和国西北部城市和港口。临大西洋。1503年由哥伦布建立。为富庶的锡瓦奥谷地对外口岸，输出该国主要咖啡种植区的产品。农业腹地为烟草主要产地，香蕉、甘蔗和奶制品也重要。港口主要装卸烟草、咖啡、可可、蔗糖等。加工业、制造业和渔业均重要。主要产品有巧克力、火柴、奶制品、食品和酒。二级公路通沿海和内陆城市。20世纪70年代末建有国际机场。城西50千米处有哥伦布1493年建立的伊萨贝拉城(即新大陆第一批欧洲人城市之一)遗址。人口约135 600(2004)。

Puerto Presidente Stroessner(Paraguay)　**斯特罗斯纳总统港**　参阅 **Ciudad del Este** 埃斯特城。

Puerto Princesa　普林塞萨港　菲律宾巴拉望省中东部城市。位于翁达湾南岸，是苏禄海上有天然屏障的重要港口。有飞机场。外销产品有椰干、木材、藤条、牲畜等。附近塔格布罗斯村开采朱砂矿，亦生产铬铁。是大型渔业中心，并有锯木厂。设有巴拉望师范学院(1972)和巴拉望国立农业学院(1910)。

市附近有猎物保护区和鸟类禁猎区。人口约92 000(1990)。

Puerto Real　雷亚尔港　拉丁语古名Portus Gaditanus。西班牙南部安达卢西亚自治区加的斯省城镇。该镇位于加的斯湾内港北岸，在加的斯市以东8千米。古罗马时已有此城，可能是加的斯湾沿岸最古老的贸易站。1488年西班牙统治者斐迪南与伊莎贝拉重建该镇时改今名(意为“皇家港”)。现为一海滨旅游地及地区农业中心，有轻工业与造船厂，还有公路与铁路通加的斯和塞维利亚。人口23 931(1981)。

Puerto Rico　波多黎各　全称波多黎各自由联邦。西印度群岛的一个美属自由联邦，实行自治。位于加勒比海北部西印度群岛的中心位置，美国佛罗里达州东南约1 600千米处。面积9 104平方千米。首府圣胡安。波多黎各岛大致呈矩形，东西长约179千米，南北宽约64千米。东海岸外的两个岛屿——别克斯岛和库莱布拉岛——亦为该国的一部分。人口约3 858 806(2002)。

美国不列颠百科全书公司供图

土地　波多黎各为一多山岛屿，平地极少。该岛可分为3个主要地理区：内地山区、北部高原和沿海平原。内地山区名为中科迪勒拉山，其中蓬塔山高达1 338米，为全国最高峰。内地山区的东南部坡度陡峭，北部坡度较平缓，且多被河流侵蚀。北部高原有许多小山横亘其上，接近内地山区处则多小丘与沟壑。沿海平原没有连成一片，特别是在岛的东西两端，有山嘴伸向大海。波多黎各有许多河川与溪流。由于北面山坡降雨量较多，所以向北流的河流较大且数量较多，而南部海岸的河流一年大部时间干涸。低洼的沿海平原分布着一些沼泽、湿地和湖泊。

波多黎各的宜人气候主要是受加勒比海及其暖流的影响。来自东方和东北方带有湿气的海风使这里的冬季降雨频繁。年平均降雨量由南海岸蓬塞的914毫米，至北海岸圣胡安的1 500毫米。低地的平均温度为27 °C；一般说来很少低于19 °C，最高日平均温度32°C，最低16 °C。每年6～11月间可能受到破坏性很大的飓风袭击且常发生地震。埃尔云克山雨林中有兰花和大蕨类植物生长；雨林大部分位于加勒比国家森林境内。加勒比国家森林面积约116平方千米，处于该岛一度极为丰富的热带硬木林保护区。沿岸的棕榈与红树生长茂盛，道路及河流两侧则有大片竹林。波多黎各的野生动物有无毒蛇、蜥蜴、獴(外来动物)及多种鸟类。

除去岛上风景如画的海滩及热带气候外，波多黎各的资源比较贫乏。约有1/7的国土为可耕地，近2/5的土地用于放牧牛羊。铜矿(20世纪70年代初期发现)与镍矿尚待开发。

人民　波多黎各人由许多不同种族的血统混合而成，主要是西班牙人和非洲人。虽然西班牙语和英语均为官方语言，但仍以西班牙语为主。大部分人口为天主教徒。由于实行计划生育和控制人口出生，当地人口出生率已急剧下降。向美国大陆移民有助于减缓波多黎各的人口增长并缓解该岛的人口拥挤现象。人口死亡率已有所下降，这在一定程度上是由于卫生状况的改善。大多数人口居住在沿海低地区。波多黎各已高度城市化，仅圣胡安都市区即有150余万人口。

经济　波多黎各属发展中的自由市场经济。国民生产总值的增长远比人口增长迅速，人均国民生产总值居加勒比海诸国最高之列。制造业、贸易及金融服务业为国民生产总值的主要组成部分，并且是最大的雇主。

农业一度是岛上经济的支柱，现在仅占国民生产总值的极小比例。直至20世纪40年代为止，种植园的糖产量在波多黎各的经济中居主导地位。之后，甘蔗仍为重要作物，但同时也有了多种农产品，如咖啡、烟草、含淀粉的植物、凤梨和柑橘类水果。主要牲畜为牛、猪及家禽。

工业为全岛的主要收入来源。波多黎各的主要制成品包括石化产品、加工食品、服装、纺织品、电气和电子设备、机械及金属制品。主要贸易国是美国。约7/8的出口商品运往美国，其余则运往加勒比地区各国。出口商品包括药品、食品、电气机械和石油。该岛的进口商品大部来自美国，主要有食品、化学品、原油和石油制品，以及运输设备。旅游业也成为收入的一个重要来源。

岛上9/10的电力靠进口石油生产，其余靠水力发电。

波多黎各的大部分公路铺有路面。国内及国际航空服务使该岛的交通极为便利。大部分国际贸易通过海运进行；圣胡安、蓬塞和马亚圭斯是当地主要港口。圣胡安拥有加勒比地区的良港之一。政府收入主要来自所得税、货物税及美国的经济援助。政府支出主要用于卫生、教育和福利方面。

政治与社会状况　波多黎各为美国的自由联邦，其居民亦为美国公民。根据1952年宪法，行政权属于总督，他经直接选举产生，任期4年。两院制立法机构由有27名议员的参议院和51名议员的众议院组成。两院议员皆经选举产生,任期4年。此外,波多黎各在美国国会中有一名无表决权的常驻专员作为其代表,专员由直接选举产生,任期4年。波多黎各的司法系统以最高法院为最高机构,最高法院负责管理由高等法院与地区法院构成的统一的司法系统。各级法官经参议院提名后由总督任命。岛上防务由美国负责。作为一个自由联邦,波多黎各参加了大部分美国联邦社会的福利计划,但其福利水平低于全美国平均水平。

自由联邦的人民健康水平可与美国人民的健康水平相比较。婴儿死亡率远低于该地区的平均水平,平均预期寿命接近发达国家水平,男性为71岁,女性79岁。

教育备受重视,岛上人口的识字率高达90%。小学与中学的入学率很高,接受高等教育的学生分布在大约30所院校里,其中以波多黎各大学最为重要。

文化生活 虽然波多黎各的主要语言为西班牙语,但其文化却是充溢着安的列斯文化、非洲文化、西班牙文化以及北美文化影响的混合物。波多黎各文化学会保存着前哥伦布时期阿拉瓦克(泰诺)印第安人文化的古器物和传统。文学创作繁荣,题材通常以本岛或地区为主。最广为人知的波多黎各作家是19～20世纪的教师及散文家E.M.德·奥斯托斯,其作品为加勒比海地区的社会改革与政治独立指明了道路。音乐演出亦颇广泛,世界驰名的卡萨尔斯节(起源于1956年),成为在圣胡安兴建卡萨尔斯博物馆的起因,以表示对大提琴家P.卡萨尔斯的纪念。其他表演艺术,包括戏剧与电视,亦十分活跃。

历史 波多黎各的早期居民来自佛罗里达南部或南美洲奥里诺科河流域。1493年哥伦布到达该地时,岛上居民为爱好和平的阿拉瓦克印第安人,他们当时正受到好战的加勒比印第安人的威胁。

1508年,庞塞·德莱昂建立了卡帕拉镇,开始从事金矿开采及农业生产。16世纪后期,因遭到英国人及荷兰人的攻击,西班牙人开始在岛上修建坚固的防御工事,但直到18世纪后期,波多黎各大部地区尚未进行经济开发。1830年以后,岛上逐渐发展了建立在3种出口农作物(甘蔗、咖啡和烟草)基础上的种植园经济。19世纪后期,波多黎各开始坚决争取政治独立。1897年西班牙授予该岛以广泛的自治权力。

在次年的美西战争期间,美国军队占领了波多黎各。其后该岛被割让给美国。早期的美国总督企图将波多黎各及其居民美国化,激起岛上许多曾在西班牙统治时期努力争取自治的人民的不满。1917年波多黎各获得有限自治,其岛民被授予美国国籍。

20世纪30年代波多黎各的各政党在该岛未来地位问题上分为两派,一派支持独立,另一派则鼓吹成为美国的一州。1946年美国总统H.杜鲁门任命了第一个由波多黎各当地人担任的该岛总督。自1948年起,历届总督皆由民选产生。1952年建立波多黎各自由联邦。

40～60年代末期间,波多黎各的经济从以农业为基础转变为以劳动密集型的制造业为基础。工人们离开甘蔗田与咖啡种植园,迁入社会服务及劳动条件均较好的城市。

波多黎各独立运动的支持者在美国本土从事零星的恐怖主义活动,甚至企图谋害杜鲁门和扫射美国国会。然而在70及80年代,岛上主要的政治问题不是集中在独立上,而是集中在是继续保持自由联邦的地位,还是寻求成为美国一个正式州的地位。

Puerto Rico Trench 波多黎各海沟 北大西洋海底凹地。大致与波多黎各岛北部海岸平行,在北面120千米左右。长约1 750千米,宽约100千米。西北160千米的密尔沃基海渊是大西洋最深点(8 380米)。

Puerto Suárez 苏亚雷斯港 玻利维亚东端城镇。临卡塞雷斯湖。有塔门戈运河沟通巴拉圭河。重要港口和橡胶、咖啡等当地物产的贸易中心。通铁路和航空线。附近有铁矿和锰矿。20世纪后半期,在圣克鲁斯和巴西边境之间修建了天然气管道,促进了当地的迅速发展。人口9 863(1992)。

Puerto Vallarta 巴亚尔塔港 旧称拉斯佩尼亚斯。墨西哥中西部哈利斯科州西部城市。在班德拉斯湾太平洋岸低地。为该州主要港口,输出香蕉、椰子油、皮革和上等木材。产豆和香蕉,饲养猪、马并养蜜蜂。以水上运动、捕鲨和狩猎著名,为国际游览胜地,因而人口猛增。通公路、海路和航空线。人口149 876(1995)。

Puertollano 普埃托利亚诺 西班牙中南部卡斯蒂莱-拉曼查自治区雷亚尔城省城市。在马德里—雷亚尔城—梅里达铁路线上。附近开采煤、铁、铅、锰和黄铜矿。矿产形成重要的金属冶炼和化工工业基础。人口在20世纪增加了3倍。人口48 747(1981)。

Pufendorf, Samuel, Freiherr von 普芬道夫 (1632-01-08,萨克森塔尔海姆附近多夫开姆尼茨[今在德国]～1694-10-13,柏林) 德国国际法专家、法理学家和历史学家。对德国的自然法哲学影响颇大。1656年去耶拿,在

供图:Svenska Portrattarkivet, Stockholm

那里接触了笛卡儿的方法,同时也研读了格劳秀斯和霍布斯的著作。1658年在驻哥本哈根的瑞典大使家中任家庭教师。瑞典和丹麦之间爆发战争,他被捕。监禁8个月。在此期间,致力于自然法的研究。1660年发表《法学知识要义两卷》,书中发展了格劳秀斯和霍布斯的思想。1661～1668年在海德堡大学文学院任讲座教授,讲授自然法。1667年发表《现在的日耳曼帝国》,猛烈抨击神圣罗马帝国的法律。1668年受聘到瑞典隆德大学讲授自然法。此后20多年是他一生中最有成果的时期。1672年发表关于自然法和国家法的巨著《自然法和万国法》8卷本。书中他抛弃了中世纪神学家的传统偏见,将其学说建立在作为社会生物的人之存在上。他以人类尊严为依据,主张每人都有平等和自由的权利;没有天生的奴隶,主奴关系只有在双方同意的前提下方可存在。他的民法原理、刑法原理和宪法原理都遵循着这一原则。1677年他成为斯德哥尔摩皇家史官。这期间,致力于编写从古斯塔夫二世阿道夫到查理十世古斯塔夫时期的瑞典史。1687年发表《论基督教在市民生活中的地位》。该书指出国家的地位高于教会,同时又维护教会对宗教事务的权威和个人的良心自由。他的理论成为教会主教团管理体制的基础,18世纪得到进一步发展,由此确立了德国的教会与国家之间的关系。1688年他去柏林担任勃兰登堡选帝侯的史官。1694年被封为男爵。18世纪他的许多著作又陆续重新发表。洛克和卢梭向青年们推荐他的作品,宣传他的思想。以后他的思想通过他的信徒在北美也得到广泛传播。

puffback flycatcher (bird) **绒背鹟** 参阅 **wattle-eye** 眼瘤鹟。

puffbird 膨羽䴕 美洲热带地区的䴕形目膨羽䴕科鸟类,30种。因常温顺地停在旷地的树枝上,大头和短颈上的羽毛膨起而得名。习性与其近缘种类鹟䴕相似,但嘴厚,羽毛素

黑面修女䴕(*Monasa nigrifrons*)

绘图:H.Jon Janosik

色,更像伯劳。在斜坡或平地上打洞营巢。广布种有:领膨羽䴕(*Bucco capensis*)长18厘米,分布在南美北部安第斯山脉以东;白颈膨羽䴕(大嘴膨羽䴕,*Notharchus macrorhynchos*)长24厘米,分布自墨西哥到阿根廷。膨羽䴕属(*Malacoptila*)有6～7种,体中等大小,微褐色,面部多有醒目的白色斑点。白须膨羽䴕(巴拿马膨羽䴕,*M. panamensis*)有一种有

趣的习性，夜间用绿叶堵住巢洞的入口。矛修士䴕(矛喷䴕，*Micromonacha lanceolata*)分布于南美北部，是最小的种类。长14厘米，性情温和，羽衣朴素，褐色，故名。栖于森林深处。5种小修女䴕(小尼䴕属[*Nonnula*]，长约13～16厘米)和6种修女䴕(尼䴕属[*Monasa*]，长约20～30厘米)也都是色调暗淡、性情温和的鸟类。

puffer　河豚　又作swellfish或blowfish。又称鲀。鲀科约90种鱼的统称。以在受到干扰后能充气或充水而鼓胀如球而闻名。河豚主要分布于世界暖水及温带海区，但是有

河豚(*Arothron stellatus*)
供图：Douglas Faulkner

些也见于半咸水或淡水中。河豚的皮肤坚韧，通常有小刺；牙愈合呈喙状，上下颌各在中间有一缝。最大种类体长可达90厘米，但多数较小。许多种类有毒，河鲀毒碱是剧毒物质，特别集中在脏器中。虽然这种有毒物质可以致死，但河豚有时供食用。在日本，河豚必须经过细心清洗，由经过特殊训练的厨师烹做。与其近缘的扁背鲀科扁背鲀属(*Canthigaster*)约有12种，俗名尖鼻河豚，身体也能鼓胀，分布于全世界。体型小，吻较长而尖，鼻孔不像其他鲀类那样明显；体色鲜艳，体长不超过20厘米。同某些河豚一样，有时饲养于海水水族箱。

puffin　角嘴海雀　又称瓶鼻海雀(bottlenose)或海鹦(sea parrot)。鸻形目海雀科3种潜鸟的俗称。嘴大，三角形，颜色鲜艳。大群在海边和岛屿悬崖营巢，每窝产卵1枚，常产于一二米深的洞穴中。孵化期约6周。双亲用鱼

普通角嘴海雀(*Fratercula arctica*)
供图：Ben Goldstein—Root Resources

养肥幼雏。喂养6周后，亲鸟舍弃幼雏，让它独自留在巢里，直至变瘦和飞羽长成，自己飞出到海上。以各种海洋生物为食。能连续捕捉多达10条小鱼，横叼在嘴里携带回巢。普通角嘴海雀(大西洋角嘴海雀，北极海鹦，*Fratercula arctica*)产自北极向南至布列塔尼和缅因的大西洋海岸。体长约30厘米。上体黑色，下体白色，具灰色面羽。脚橙红色；嘴蓝灰、黄和红色相间，嘴周围和眼睑皮肤有角质板。角海鹦(*Fratercula corniculata*)是与大西洋种有亲缘关系的太平洋种。有冠角嘴海雀(花魁鸟，*Lunda cirrhata*)是分布更南的太平洋种。体呈黑色，腿和喙红色，脸白色，眼后具有向后弯的草黄色羽毛。

pug　哈巴狗　可能起源于中国的玩赏狗品种，由荷兰商人于17世纪末带到英国。口鼻部扁，尾卷曲很紧，体方形，肌肉丰满，头大，眼明亮色深，耳小而下垂。成年时体高

哈巴狗
供图：Sally Anne Thompson—美国不列颠百科全书公司

25.5～28厘米，体重约6～8千克。被毛短而光滑，标准的颜色为黑色或银色，或杏黄褐色，背部有一黑色条纹，面部黑色如面罩。性机警，对主人忠诚，是珍贵的伴侣狗。

Pugachov, Yemelyan Ivanovich　普加乔夫(约1742，顿河畔济莫韦斯卡亚～1775-01-21[旧历01-10]，莫斯科)　俄国一位重要的哥萨克领导人、著名农民起义(1773～1775)的领袖。不识字的顿河哥萨克，曾在俄国军队中参加七年战争(1756～1763)和对波兰的征讨(1764)。俄土战争期间(1768～1774)，他在围攻宾杰里(1769～1770)后因负伤回乡。伤愈后漫游3年，由于在旅途中听到1772年雅伊克河哥萨克人起义情况，就前往雅茨基城(今乌拉尔斯克)。他在那里以开小差罪名被捕，监禁在喀山，后被判处流放西伯利亚，但他越狱潜逃。1773年6月到达伏尔加河以东的草原。他自称是沙皇彼得三世，下令废除农奴制度，因而得到群众的普遍拥护。追随者有雅伊克河哥萨克人、乌拉尔的矿山工人、农民、教士和巴什基尔人。他计划最后推翻叶卡捷琳娜，首先袭击乌拉尔地区的重要工商业中心奥伦堡(1773攻克)。该地区的地主害怕丧命纷纷逃往莫斯科，叶卡捷琳娜遂派比比科夫将军率兵前去镇压(1774-01)。比比科夫在奥伦堡以西的塔季谢沃村击败普加乔夫。普加乔夫向喀山进发，烧毁这座城市(1774-07)。几天后又被击败。他渡

莫斯科国家历史博物馆供图

过伏尔加河企图到顿河哥萨克人那里补充队伍。曾攻下萨拉托夫(1774-08)，围困察里津(今伏尔加格勒)。最后在那里被苏沃洛夫将军击败(1774-09-03)。普加乔夫在逃亡中被一批雅伊克河哥萨克人出卖，后在莫斯科被处死。

Puget, Pierre　普杰(1620-10-16，法国马赛或附近～1694-12-02，马赛)　又译皮热。最有特色的法国巴罗克雕刻家、画家及建筑师。年轻时曾去意大利旅行(1640～1643)，受雇于壁画家P.达·科尔托纳，为罗马的巴尔伯里尼宫及佛罗伦萨的皮蒂宫作天花板装饰。1643～1656年间在马赛及土伦积极从事绘画，也曾为军舰雕刻巨大的船头雕饰。1656年为土伦市府大厦门道作雕饰；其女像柱上

普杰的《克罗东的米洛》(约1671～1684)
供图：Giraudon—Art Resource/美国不列颠百科全书公司

的人物尽管为罗马巴罗克的传统，却显示出类似米开朗琪罗风格主义作品的紧张和痛苦的表情。这种感情在《克罗东的米洛》(约1671～1684)这类作品中强烈地表现出来，这一作品描绘壮士米洛的手被树桩缠住，受到一只狮子的袭击。普杰在意大利为时达数年，以雕刻为业，在热那亚颇享盛名。这一时期的最佳作品有卡里尼亚诺圣马利亚教堂的《圣塞巴斯蒂昂》。1669年以后主要在土伦和马赛度过，从事建筑设计、船舰装饰及雕刻。《克罗东的米洛》于1683年被送往凡尔赛，另一作品《珀尔修斯和安德洛墨达》1684年在凡尔赛陈列亦颇受欢迎。但他不久便遭到对手们的阴谋陷害，致使其在宫廷之成功为时甚

短。其精致的浅浮雕《亚历山大与第欧根尼》（约1671～1693），一直未能进入凡尔赛；其他原拟送往凡尔赛的作品或被拒绝接受，或被阴谋阻挠。

Puget Sound　皮吉特湾　美国华盛顿州西北部深海湾。从阿德默勒尔蒂湾和惠德比岛向南延伸160千米。经胡安·德富卡海峡和乔治亚海峡通太平洋。胡德水道是其西部的延长部分。是喀斯喀特和海岸山脉之间的考利茨-皮吉特地槽北端海水淹没而成。地槽南端是威拉米特河谷。有许多小河由东注入。湾畔有许多深水良港，包括西雅图、塔科马、埃弗里特和汤森港。为通往阿拉斯加的内航道的起点。有游艇娱乐活动和鲑鱼捕捞业。

Pugin, Augustus Welby Northmore　普金（1812-03-01，英国伦敦～1852-09-14，伦敦）英国建筑师、作家、理论家、文物工作者，英国天主教复兴运动和仿哥特式建筑风格的重要人物。1835年成为天主教徒。他在1836年出版的《对照》中提出贯彻终生的观点：一个社会的质量和性质，同建筑的水准存在着联系。他认为艺术的衰落是宗教改革造成的精神衰落的结果。1837～1840年设计了多座教堂，并因此成为天主教复兴运动的领袖。其中利物浦的圣渥斯沃尔德教堂（1839）成为英国和海外仿哥特式堂区教堂的一种定式。1840～1844年是他创作的盛期，曾设计了斯塔福德郡的圣贾尔斯教堂（1841～1846）、奥尔顿钟塔修理和扩建工程。后期重要作品有他自己的住宅、圣奥古斯丁教堂、上议院的装修以及赫特福德郡圣埃德蒙学院的礼拜堂，均为仿哥特式的代表作。

Puglia　普利亚　又称阿普利亚。意大利东南部一区。范围从西北部的福尔托雷河延伸至萨伦蒂纳半岛顶端的圣玛丽亚-迪莱乌卡角。下设福贾、巴里、塔兰托、布林迪西、莱切5省。总面积19 348平方千米。北部是普利亚台地，西部是纳波莱塔诺山。中部是地势较低的穆尔格高地，东部亚得里亚海滨有狭窄的海岸平原。萨伦蒂纳半岛为莱切、塔兰托和布林迪西低地，以及塔兰托以东和莱切以南的低高原。重要河流是北部的福尔托雷河和奥凡托河。中世纪初由哥特人、伦巴第人和拜占廷统治。在霍亨斯陶芬王朝的帝王统治下最为辉煌，后成为神圣罗马帝国皇帝腓特烈二世的宠地。1860年归属意大利。经济以农业为主。较肥沃的地区和台地种植小麦、大麦和燕麦。再往南多种植橄榄、葡萄、无花果和蔬菜等。烟草为莱切平原的特产。普利亚酒为该国度数最高的酒，常用于调兑其他度数较低的酒。港口多从事渔业。游牧业分布广泛，但随耕地面积扩大，重要性已减小。加尔加诺有铝土矿。小型食品加工业遍布全区。商业和工业集中在区首府巴里（化学品和石油化学制品）以及塔兰托（钢铁）、布林迪西和巴列塔。福贾是全区主要铁路枢纽，有铁路通半岛各地。人口约3 983 487（2001）。

Pugwash Conferences　帕格沃什会议　正式名称为"科学和世界事务会议"，是各国科学家讨论核武器问题和世界安全问题的一系列会议。第一次会议是响应B.罗素、A.爱因斯坦、F.约里奥-居里等杰出科学家的呼吁于1957年7月在加拿大新斯科舍省帕格沃什村慈善家C.伊顿的庄园召开的。以后的会议则是在苏联、英国、南斯拉夫、印度、捷克斯洛伐克、罗马尼亚、瑞典和美国等国召开的。帕格沃什会议最关心的是使许多国家有影响的学者聚集在一起讨论裁军及缓和军备竞赛的办法。冷战期间，该会议是美国和苏联之间开放交流的少数方式之一。其另一目的是讨论科学家对经济发展、人口增长和环境污染等世界问题应负的社会责任。这些会议由帕格沃什组织（由各国帕格沃什小组构成）在主席、秘书长和设在伦敦的选举产生的理事会的指导下主持。自成立以来，帕格沃什运动已发表了一些关于控制军备竞赛和裁军问题的报告，它的发言人称赞这些报告为签订限制核武器发展和试验的国际条约铺平了道路。1995年帕格沃什组织与J.罗特布拉特——帕格沃什创始成员、秘书长（1957～1973）、主席（1988年起）——共同获得当年的诺贝尔和平奖。

Puig, Manuel　普伊格（1932-12-28，阿根廷比耶加斯将军镇～1990-07-22，墨西哥库埃纳瓦卡）　阿根廷小说家、电影剧本作者，以其长篇小说《蜘蛛女之吻》（1976）赢得世界声誉。小时候靠着他能看到的每部美国电影学习英语。1957年赴罗马学习电影导演，曾一度居于斯德哥尔摩和伦敦。回到布宜诺斯艾利斯后，他的电影剧本不受欢迎，他就决定不再将电影业作为唯一的职业生涯。他的第一部小说《里塔·海华丝的叛变》（1968）以半自传式的口吻讲述一个孩子靠从电影中看到的星星上的生活，来幻想逃避潘帕斯草原上的枯燥生活。他利用不断改变的观点，倒叙、内心独白来刻画书中人物的挫折与矛盾心理，他们只能借空洞的电影中的世界和通俗艺术来逃避现实。第二部小说是《染红的小嘴巴》（1969），在风格上沿用了流行于阿根廷的连载小说语言。《布宜诺斯艾利斯案件》（1973）是一部侦探小说，描写人物在性欲受到压抑下的变态行为。《蜘蛛女之吻》是以关押在同一牢房里的一位中年同性恋者和一位革命青年之间的对话为题材的小说。该书公开指责对性和政治的压抑，手法富有柔情诗意，因而大获成功。后期作品包括《天使的耻骨》（1979）和《永远咀咒这几页的审稿者》（1980）。他的较重要的小说被译成十多种语言，他的一些电影剧本曾获多种奖。

puja　普阇　梵语作pūjā，指印度教的礼拜。包括简单家常礼拜和隆重的寺庙礼拜。礼拜的内容因教派、民族、地区、时辰、目的以及所用经籍而不同。礼拜还可以包括钵喇特崎拿（右绕礼）。盛大礼拜可以包括自番利祭和呼摩祭。节日可以举行专门礼拜，如摇神礼或时令游戏。

Pukaki, Lake　普卡基湖　新西兰南岛中部的冰川堰塞湖。面积169平方千米。位于山谷，海拔500米。有塔斯曼、胡克两河注入，其部分水源为南阿尔卑斯山的融雪。集水面积1 355平方千米。湖宽8千米，长15千米。湖水南流入普卡基河。湖口有水闸控制水位，湖水供怀塔基河各水电站发电。

Pukaskwa National Park　帕卡斯夸国家公园　加拿大安大略省最大的国家公园，位于安大略省中部，苏必利尔湖东北岸。建于1971年。面积1 878平方千米，包括加拿大地盾上崎岖的荒原和苏必利尔湖80千米的湖岸，沿岸有许多小岛、水湾和陡崖。公园中小湖星罗棋布，河溪纵横，有各种野生动物，还有大面积森林。发掘出史前印第安人遗物。

Pukou　浦口　中国江苏省南京市辖区。在长江北岸，与南京市下关区隔江相望。辖7个镇、4个街道办事处。面积913平方千米。原属六合县地。明洪武九年（1376）属江浦县，初名浦子口。历为拱卫南京的军事要地，太平军与清军曾激战于此。清末简称浦口。1912年津浦铁路建成通车，以浦口为终点站，辟为商埠。1928年划归南京市管辖。1933年连接沪宁、津浦二铁路的长江火车轮渡通航后，成为南京市长江北岸的转运站，交通运输地位日益重要。1955年8月建浦口区。1968年10月南京长江大桥铁路、公路桥建成通车，由南京北上、南下的列车自此不再经过浦口站。浦口站主要担负北来煤炭列车的卸煤与车辆调度，而浦口港则逐渐扩大为南京港的煤炭、杂货转运码头，成为中国内河最大的煤炭转运基地。浦口区建有高新技术开发区。南京各高等院校新校区也设于此。人口490 000（2005）。

puku　弯齿水羚　*水羚属*（**Kobus**）的一种。

Pula　普拉　意大利语作Pola（波拉）。克罗地亚共和国主要港口和工业中心，科塔尔区首府。有公路和铁路与的里雅斯特、卢布尔雅那相通。位于伊斯特拉半岛南端的普拉湾顶端，港湾宽阔，湾内有海军基地和乌利扬尼克造船厂。公元前2世纪被古罗马帝国征服。2世纪为基督教主教所在地。此后几世

普拉的椭圆形罗马露天竞技场遗迹
供图：Art Resource

纪为拜占廷、法兰克和威尼斯领地。17世纪30年代遭瘟疫，仅几百人幸存。1797年被奥地利占领。1866年成为奥匈海军主要港口与兵工厂。1920年由意大利接管，1947年归克

罗地亚(当时属南斯拉夫)。该镇著名古迹为椭圆形罗马露天竞技场,约建于公元 80 年,可容纳 2.3 万名观众。旧城中心的小山上有一座城堡,现为博物馆。当地制造业生产机械、纺织品、水泥和玻璃。人口56 156(1981)。

Pułaski, Kazimierz　普瓦斯基(1747-03-04,波兰温尼阿里～1779-10-11?,美国南达科他查尔斯顿与佐治亚萨纳之间的海上)　波兰爱国志士和 1768 年波兰反俄起义(巴尔同盟)的英雄,也是美国独立战争的英雄。其父约瑟夫(1704～1769)是巴尔同盟的发起人之一。小普瓦斯基在抗击俄军、保卫別尔季切夫(1768)和琴斯托霍瓦(1770～1771)中战功卓著。他试图将国王斯坦尼斯瓦夫二世绑架至同盟军的军营(1771-10)未果,并被错误地指控阴谋杀害国王。1772 年春普奥联军入侵波兰后,他离开琴斯托霍瓦前往萨克森。后转赴法国。1776 年 12 月,他在巴黎结识美国政治家 B.富兰克林,持其介绍信往见 G.华盛顿将军。1777 年 6 月到达美国,服役于布兰迪万的华盛顿军队中,美国国会任命他为将军和骑兵司令。他曾在日耳曼敦作战,并参加 1777～1778 年冬季的战役。普瓦斯基军团是他在 1778 年组成的一个混合部队,发挥了他在游击战中的经验。1779 年 5 月,他率兵保卫了查尔斯顿。同年 10 月 9 日在萨凡纳受伤,在驶往查尔斯顿的“瓦斯普”号船上去世。

Pulcher, Publius Claudius　普尔喀　参阅 **Claudius Pulcher, Publius** *克劳狄乌斯·普尔喀*。

Pulcher, Publius Clodius　普尔喀　参阅 **Clodius Pulcher, Publius** *克洛狄乌斯·普尔喀*。

Pulcheria　普尔喀丽娅(399-01-19,君士坦丁堡[今土耳其伊斯坦布尔]～453)　罗马女皇。414～约 416 年任其弟狄奥多西二世(408～450)皇帝的摄政,在其弟统治期间一直是个有影响的人物。东罗马皇帝阿卡狄乌斯(383～408)的女儿,414 年 7 月 4 日获得奥古斯塔(皇)封号,开始摄政,其宫廷以极度虔诚和贞洁为特征。狄奥多西去世(450)前不久,她挑选马西安为狄奥多西的继承人,并同意充当他名义上的妻子,以维系狄奥多西王朝的存在。终其一生,她都是一位虔诚的基督徒。451 年 10 月 25 日,她出席了卡尔西顿宗教会议。她在君士坦丁堡兴建了一些教堂,并把其所有财产遗赠给穷人。

Pulci, Luigi　浦尔契(1432-08-15,佛罗伦萨[意大利]～1484-11?,威尼斯共和国帕多瓦)　意大利诗人,以文艺复兴时期的杰出史诗《摩尔干提》而闻名;史诗中法国的骑士故事被赋予佛罗伦萨街谈巷议的喜剧情趣。全诗采取八行体形式,使这一形式成为模拟英雄史诗的游戏之作的标准形式。他多年在梅迪契家族,尤其是豪华的洛伦佐的庇护下生活。洛伦佐先将他介绍给身边的诗人、艺术家,当权后又委以他不同的外交使命。但由于贫穷和困苦,浦尔契约在 38 岁或 40 岁时,不得不在北方一雇佣兵首领 R.桑塞韦里诺手下效劳直至去世。他是一位多产作家,作品均用意大利语写成。杰作《摩尔干提》是一部 23 章的史诗,后增至 28 章,约从 1460 年开始写作,现存最早的完整版本出版于 1483 年。全诗主要是滑稽打趣性质,但有时作者也表达了深挚的感情和对生活的痛切感受。

Pulcinella (puppetry)　参阅 **Punch** *庞奇*。

puli　匈牙利牧羊狗　由匈牙利人(马扎尔人)于约 1 000年前带到匈牙利的小型牧羊狗品种。聪明,健壮,被毛细长,头和嘴鼻部被毛蓬乱;底层绒毛松软,外层被毛较长,内外

匈牙利牧羊狗
供图:Sally Anne Thompson

层被毛缠结如毯状或绳索状。多为暗黑色,稍带灰色或古铜色;也有纯灰或纯白色者。体高 41～43 厘米,体重约 13.5 千克。

Pulicat Lake　布利格德湖　印度南部安得拉邦科罗曼德尔海岸的咸水潟湖。由安得拉邦东南端延伸至泰米尔纳德邦。长约 50 千米,宽约 5～16 千米。地处多沼泽和多沙的安得拉平原。周围地区人烟稀少。产盐和虾。斯里赫里戈达岛将布利格德湖和孟加拉湾隔开。该湖唯一的入海口在布利格德城以北。

Pulitzer, Joseph　普利策(1847-04-10,匈牙利毛科～1911-10-29,美国南卡罗来纳查尔斯顿)　美国报纸编辑和发行人,他促成了现代报业模式的形成,是当时美国最有实力的新闻工作者之一。幼年住在布达佩斯,1864 年移居美国,并参加南北战争。战后去圣路易斯,1868年任德语日报《西方邮报》记者。

美国国会图书馆供图

1874 年买下德语报纸《国家报》。4 年后买下圣路易斯的《快报》和《邮报》的控股,将两报合并为《快邮报》,该报很快成为圣路易斯市的主要晚报。1882 年 10 月,普利策的主要社论撰稿人枪杀《快邮报》的一名政敌,受到舆论谴责,普利策遂转向纽约发展。1883 年购进纽约《世界报》。很快使之成为美国民主党的新闻喉舌,并于 1887 年创办了《世界晚报》。普利策在他的报纸上既采用对政治腐败的揭露和调查性报道,也有令人吃惊的文章、公然的自我宣传以及耸人听闻的报道。为了吸引更多读者他还率先在报纸上增加了连环画、体育报道、妇女时装报道以及图片,使报纸成为既是信息的又是娱乐的载体。《世界报》在与 W.R.赫斯特的《纽约晨报》之间的激烈竞争中,两报竞相使用耸人听闻的报道,鼓动 1898 年的美西战争,由此产生了“黄色新闻”这一名词。普利策因眼疾和神经疾患于 1887 被迫放弃对他的报纸的经营,1890 卸去主编职务,但仍密切监督它们的编辑方针。普利策遗嘱捐款创办哥伦比亚大学新闻学院(1912),并设立权威的普利策奖,自 1917 年起每年颁发一次。

Pulitzer Prize　普利策奖　纽约市哥伦比亚大学授予的多项目年度奖金,授予美国新闻界、文学界和音乐界为公众服务成绩突出和成就卓著者。也颁发奖学金。奖金金额为 50 万美元,最初由报业界巨头普利策捐赠。自从 1917 年起,每年 5 月授奖。这一奖项极为人们珍视。奖金由哥伦比亚大学根据普利策奖金委员会的建议授予,该委员会由大学指定的评判员组成。奖金的数额和类别逐年不同,目前在新闻领域内共颁发 14 项奖,文学领域 6 项奖,音乐领域 1 项奖和 4 个奖学金名额。

正式的新闻领域奖项有:①通过利用其新闻来源,包括社论、漫画和图片以及报道,为公众服务贡献突出的杰出报纸授以金质奖章。②杰出的地方最新现场新闻报道,3 000美元。③在报纸发行范围内,由个人或小组以一篇文章或系列文章形式进行的杰出的调查性报道,3 000美元。④说明一些重要的和复杂的问题的杰出的说明性新闻报道,3 000美元。⑤杰出的独家新闻报道,3 000美元。⑥杰出的国家事务新闻报道,3 000美元。⑦杰出的国际事务新闻报道,包括联合国通讯,3 000美元。⑧文学水平高、见解独特的特写文章,3 000美元。⑨杰出的评论,3 000美元。⑩杰出的批评文章,3 000美元。⑪杰出的社论,3 000美元;评判成就杰出的标准是:不尚侈谈的风格,寓意深远,理由充分,作者所认为的正确方向对舆论有感染力,并对社论作者当年的工作量给以适当的考虑。⑫杰出的漫画,3 000美元;评判标准是:漫画应体现一种明确表达的主题,画面鲜明,图画效果动人,对于有公众意义的某种值得赞扬的事业有促进作用,并对画家当年的全部工作量给以适当的考虑。⑬杰出的黑白或彩色最新消息图片,3 000美元;可以是一张或数张图片、一组图片或一本图片集。⑭杰出的黑白或彩色特写新闻图片,3 000美元;可以是一张或数张图片、一组图片或一本图片集。

正式的文学奖项有:①美国作家的杰出小说,最好是涉及美国生活的,3 000美元。②美国作家的杰出剧本,最好是原作并涉及美国生活的,3 000美元。③杰出的美国历史著作,3 000美元。④美国作家的杰出的传记或自传,3 000美元。⑤美国作家的杰出诗集,3 000美元。⑥美国作家的、不适合收入任何其他类别的杰出的非小说作品,3 000美元。

正式的音乐奖项提名标准:美国人的任何杰出的、当年第一次在美国演出的大型音乐作品,包括室内乐、管弦乐、合唱、歌剧、歌曲、舞蹈或任何其他形式的音乐剧,3 000美元。

每年授予下列普利策奖学金:根据(哥伦比亚大学)新闻研究院全体教员的建议,设立3个奖学金名额,每个奖学金数额为5 000美元,授予3名成绩突出的研究生,使他们可去国外旅行、报道和从事研究;另设立1个奖学金名额,数额5 000美元,授予希望从事戏剧、音乐、文学、电影或电视批评专业的成绩突出的研究生。

Pulkovo Observatory　普尔科沃天文台　俄罗斯的一座天文台,1839年建成于圣彼得堡附近,曾得到沙皇尼古拉一世的赞助。创建人F.G.W.冯·斯特鲁维任该台首任台长。普尔科沃天文台的38厘米折射望远镜制成于1839年,是当时全世界最大的。1878年又制成76厘米折射望远镜,在10年内也是全世界最大的。该台毁于第二次世界大战。战后重建,1954年重新开始运作。

pulley　滑轮　一种简单机械,由轮缘带沟槽的小轮以及跨过沟槽的柔性绳、索、缆、链、带等组成。滑轮可以单个或组合使用,借以传递能量和运动。可用一个或多个自由转动的滑轮来获得机械利益,特别是用来举起重物。滑轮的转轴固定在刚架上,滑轮、刚架、绳索等的组合体叫做滑轮组。据说,阿基米德在公元前3世纪,曾用复式滑轮将一艘船拉上岸。滑轮与杠杆、劈、轮轴、螺旋合称为5种简单机械。参阅 **belt drive; block and tackle**。

Pullman　普尔曼　美国华盛顿州东南部惠特曼县城市。位近爱达荷州界,濒临帕卢斯河南支流。地处一主要小麦产区的边缘。1875年始有人定居,1882年设镇。1888年设市。后发展为北太平洋铁路的主要车站,谷物和牲畜的转运点。城市经济亦获益于市内的州立华盛顿大学(1892)。人口24 675(2000)。

Pullman, George M(ortimer)　普尔曼(1831-03-03,美国纽约州布罗克顿～1897-10-19,芝加哥)　美国实业家和发明家。发明了普尔曼铁路卧车。第一辆普尔曼卧车"先驱者"号由普尔曼和B.菲尔德于1865年发明。卧车内的上铺可以折叠,座垫拉开后可作下铺。1867年成立普尔曼豪华车厢公司,他任董事长,制造卧车,租给铁路公司使用。为了供他的雇员住宿,他在芝加哥市的南面建了普尔曼镇(后来并入芝加哥市)。该镇大部分

布朗兄弟公司供图

迄今仍保持原样。镇上有公共建筑物,如令人赞叹不已的维多利亚风格的佛罗伦萨旅社、用绿色石块建成的教堂以及私人住宅等。这种由家长式统治的公司建成的市镇,是一个引起广泛议论的社会实验。

Pullman Strike　普尔曼罢工事件(1894-05-11～约1894-07-20)　美国历史上大规模的铁路罢工,其结局引起人们对反托拉斯法用来制裁工会活动问题的关注。1893年发生金融恐慌时普尔曼豪华车厢公司削减工资约25%,但因公司所在城镇普尔曼(芝加哥附近)的房租及其他费用未作相应削减,美国铁路工会会员于1894年5月11日发起地方性罢工。公司董事长G.M.普尔曼拒绝把争端提交仲裁后,铁路工会全国委员会(主席E.V.德布兹)号召全国联合抵制普尔曼车厢。27个州和准州的工会分会举行同情罢工,某些地区(以芝加哥为中心)发生暴力行动。7月2日美国司法部长R.奥尔尼弄到一份联邦法官颁发的制止妨碍邮政和州际贸易活动的指令;7月4日G.克利夫兰总统采纳奥尔尼的建议,命令2 500名联邦军开赴芝加哥。罢工于一周内被平息。德布兹被判蔑视法庭和阴谋危害州际贸易罪。这使劳资双方领导人认识到,《谢尔曼反托拉斯法》可以用来制裁工会;而从劳方看来尤为不祥的是:联邦禁令可以用来挫败工会的行动。

pulmonary alveolus　肺泡　肺内位于细支气管末端的小气囊,约3亿个。于此,二氧化碳从血中排出,氧气进入血液。吸气期,空气经支气管流入肺泡。呼气期,含二氧化碳的空气经同样途径排出。大多数肺泡形成丛集的肺泡囊,形似葡萄串,通向肺泡囊的肺泡管形似葡萄的蒂。肺泡壁薄,多毛细血管,气体交换于此发生,气体交换靠弥散作用进行。氧气溶解度低,需要较大的表面积(肺泡表面积约80平方米)及非常薄的肺泡壁方易弥散。网状的弹性纤维和胶原纤维交织在毛细血管之间起支持作用,呼吸时使肺泡壁扩张和收缩。肺泡上皮细胞之间有成群的颗粒肺泡细胞(Ⅱ型细胞),能分泌一层脂质,用于降低肺泡表面张力;若无脂质层,肺泡便会萎陷,要重新扩张需花费很大力量。肺泡巨噬细胞在肺泡腔、肺泡管及细支气管中游移,吞噬异物颗粒,如灰尘、炭末及受损的血细胞等。

pulmonary circulation　肺循环　形成心肺之间闭合通路的血管系统。最先见于肺鱼和具有3腔心脏的两栖类。鳄类、鸟类及哺乳动物的心室分为左右两室,也即是4腔心脏。因此肺循环是完全独立的系统。独立的肺循环始自右心室,去氧血被排至肺动脉;肺动脉在心脏上方分为两枝至左、右肺,进一步分为更小的分枝直到肺泡毛细血管。毛细血管的血液摄取肺泡中的氧气,放出二氧化碳,然后通过逐级增粗的血管直到肺静脉(通常4条,每条连接一个肺叶),最后到左心房。参阅 **systemic circulation**。

pulmonary embolism　肺栓塞　肺动脉或其分枝为栓子所阻塞的一种病理现象。原因多为身体其他部位的血凝块脱落后通过体循环到达肺部阻塞动脉,栓子亦可为脂肪或空气泡之类。

pulmonary emphysema (lung disorder)　参阅 **emphysema** 肺气肿。

pulmonary heart disease　肺原性心脏病　又作 cor pulmonale。一种心脏病。因肺部疾病、肺血管疾病或胸壁畸形而致右心室扩大,最后发生右心衰竭。最常见的原因是肺气肿。此时,肺内毛细血管网进行性受压迫而闭合,导致肺动脉压增高,对右心室的反压增高,使右心室肥大,负担增加,最终导致右心衰竭。若肺动脉的一支被堵塞(如凝血块堵塞)亦可产生同样的后果。肺心病的临床表现为慢性咳嗽、活动后呼吸困难、肺内有哮鸣音、衰弱、易疲劳、下肢水肿、右上腹痛、消化功能紊乱、颈静脉怒张及杵状指。治疗包括应用抗生素以对抗呼吸道感染、应用呼吸机以改善呼吸、限制钠的摄入、投用利尿药和洋地黄等。

pulmonary stenosis　肺动脉瓣狭窄　一种心脏病。特征为肺动脉瓣膜或右心室漏斗部(右心室通向动脉处的漏斗形构造)狭窄。通常为先天性缺陷,可伴发其他先天性心血管畸形。轻者可无症状,重者可感呼吸困难,运动后可致晕厥。听到特征性的杂音即可作出诊断。狭窄严重者右心室负荷增加,引致右心室肥厚,最后可发生右心室衰竭。治疗为手术纠正。

pulmonate　肺螺　腹足纲肺螺亚纲(Pulmonata)动物。陆生或淡水生,少数海生。用"肺"(变态的外套腔)呼吸。有的种类壳小或扁平,蛞蝓无壳。肺螺在解剖上较高等,由于逆捩而身体两侧对称,神经索多不交叉,心耳位于心室之前。雌雄同体。

pulp, paper　参阅 **paper pulp** 纸浆。

pulpit　布道坛　西方教堂建筑中,高起并有栏围护的坛,礼拜时在其上布道。约自9世纪开始,基督教教堂中设有两张桌子,称为读经台,一张读福音书用,另一张读使徒书用。前者渐趋华丽,成为布道坛的前身。13世纪时在意大利的教堂中有正式的布道坛。在十字形平面的教堂中,布道坛设在中堂的北面,有时靠柱子设置,有时设在一个独立的

基座或矮柱上。平面常为六角形或八角形，以一段阶梯上下。有时上面设有华盖，作为具有装饰作用的回音板。英式的布道坛常有二三层，下层供执事用，中层设读经台，上层布道。也有设在室外的布道坛，自教堂内进入。隐修院食堂内供修士进餐时读经用的高起的桌子也称为布道坛。布道坛的形式各种风格都有，所用材料亦因时因地而异，从精雕细刻的石料到形式复杂的熟铁皆有。自从基督教新教教派开始建造教堂以来，布道坛成为读经台不可缺少的部分，位于教堂尽端中央的平台上，面向会众，作礼拜时牧师坐在上边。

米兰市圣安布罗焦教堂内 12 世纪晚期的石雕布道坛

供图：Alinari—Art Resource/美国不列颠百科全书公司

pulque 龙舌兰酒 墨西哥啤酒。一种乳浊状白色饮料，风味像酸酪乳，含酒精约 6%。用龙舌兰汁液发酵制成。将树龄 4～6 年的龙舌兰树花冠切去，留下一盆状空穴，几月后除去四周叶子，引出穴中汁液，不久可重新充满，每日约可采收 15 品脱，直到枯死。汁液含糖约 10%，在桶中发酵数日即成，往往添加陈龙舌兰酒以加速发酵过程。新鲜发酵饮料仍含有悬浮的酵母细胞，无须陈酿即可饮用。有时添加果汁调味。龙舌兰酒是墨西哥低收入居民的一种廉价的碳水化合物、氨基酸和维生素来源。

pulsar 脉冲星 全称射电脉冲星（pulsating radio star）。一种类型的天体，能发射极其规则的射电脉冲，其中几个还有短节奏的可见光激变、X 射线和 γ 射线暴。脉冲星被公认是快速自旋的中子星。中子星乃是几乎整体均由中子组成的极端致密的恒星，其直径仅 20 千米，甚至更小些。当一个称为超新星的激烈爆发星的内核向内坍缩并压挤时，即形成为中子星。恒星表面处的中子衰变成质子和电子。这些荷电粒子从恒星表面释放出，即进入环绕恒星并随恒星自转的强磁场之中。这些粒子被加速到接近光速，便产生称为同步加速辐射的电磁辐射。这种辐射从脉冲星的磁极处以强射束形式被释放出。磁极并不和自转极吻合一致，因此，脉冲星的自转致使射束旋转摆动。每当脉冲星自转一周，射束规则地扫过地球时，地面望远镜即可检测出一系列间断的脉冲。英国剑桥大学的天文学家 A.休伊什和 J.贝尔利用专门设计用以记录射电源快速起伏的射电望远镜，于 1967 年发现了第一个脉冲星。后人继续搜索研究，迄今已探测到 300 多个脉冲星。这类天体的很大一部分都朝向我们地球位于其中的银河系的银道面集聚。虽然所有已知的脉冲星均有彼此类似的特征，但它们的周期长度，即两个相继出现的脉冲之间的间隔，却彼此有很大不同。迄今已观测到的最慢的脉冲星的周期间隔约为 4 秒。而 1982 年发现的最快的毫秒脉冲星的周期是 0.001 55 秒，或 1.55 毫秒，比已知的任一脉冲星的周期都短了许多。这个毫秒脉冲星每秒钟自旋 642 圈。这已接近脉冲星自转速度的极限，因为一个中子星只要自转速度为此速度之 4 倍，就会作为其赤道带离心力造成的结果而飞散崩溃，哪怕其引力十分强大，可使其逃逸速度达到光速之一半。精确的射电脉冲星计时表明，它们的自转正在很缓慢地减速，其典型速率是每年减慢一百万分之一秒。一个脉冲星的今日周期长度和平均减慢速率的比值能给出某种脉冲星年龄量度。这种所谓的计时年龄和根据已知其诞生年份独立推算的脉冲星的实际年龄很好地符合一致。例如，蟹状星云脉冲星是 1054 年观测到的一次超新星爆发过程中形成的，其实际年龄是 900 多年。蟹状星云脉冲星是已知最年轻的一个，其次是船帆脉冲星，它的计时年龄为11 000年。蟹状星云脉冲星和船帆脉冲星的自转能耗失极快，所以它们发射的辐射波长也更短。在光波照片上，蟹状星云脉冲星呈现为蟹状星云中心的一个中等亮度（16 星等）的星。在 1968 年，探测到它的射电脉冲之后，亚利桑那州的斯图尔德天文台的天文学家随即发现，在可见光波段也有完全精确一致速率的光波闪烁。随后，又探测到蟹状星云脉冲星的规则的 X 射线和 γ 射线脉冲。在光学波段，船帆脉冲星则要暗淡得多，平均为 24 星等。它是于 1977 年由设在澳大利亚帕凯斯的大型英澳望远镜，用灵敏探测器，经过专项搜索才观测到的。船帆脉冲星也发射 X 射线，但却没有在这个波段的脉冲。不过，它所发出的 γ 射线倒有规则的脉冲，还是星空中最强的 γ 射线源之一。年龄较老的射电脉冲星的周期减慢的速率要比年轻的慢，脉冲周期也长。此外，根据计时年龄的研究，已测定出脉冲星在历经约1 000万年后，随着其磁场的明显变弱，脉冲星的脉冲终将终止。在太阳附近空间探测出的脉冲星的数目表明，在银河系中活跃的脉冲星要有上百万个。再根据这两个数据可以推论，每 10 年应有一个这类天体诞生。这个诞生率数值则是通常认为形成中子星的超新星的出现率的 5 倍，这很难理解。

pulsating radio source 射电脉冲星 参阅 **pulsar** *脉冲星*。

pulse 脉搏 主动脉瓣开合造成的动脉压波动。在动脉贴近皮肤处用手指压迫皮肤可以触知，在周围肌肉松弛时脉搏更为明显。脉搏在靠近心脏的触脉点处更为清楚，可以鉴别出波形上的不同分段。一般触脉点有颈部的颈动脉，肘内侧的臂动脉和腕部的挠动脉。古埃及人就已知脉搏同心脏活动的关系，而脉搏至今在现代医学中仍是反映心脏功能的重要指征。脉率、搏动力量、心律以及脉波外形都可提供重要的诊断信息，例如强弱脉的规律交替可能表示致命的心力衰竭。但脉搏情况应结合个人病史加以考虑。例如速脉可表示严重心脏病，或无关重要的发热，或仅仅是在剧烈运动之后；缓脉可为头部受伤的后果，但在心功能特优的素有训练的运动员中都属正常。脉率因人和地域而异。成人静止时的正常脉率可为每分钟 50～85，不过男人的平均脉率为 70～72，而女人的为 78～82。婴儿脉率为 110～140；脉率与年俱降，至青年降至 80～90，而老年人的正常脉率可为 50～70。

Pulteney, William 普尔特尼 参阅 **Bath, William Pulteney, 1st Earl of** *巴思伯爵（第一）*。

pulvinated frieze 凸面檐壁 古典建筑中，表面鼓起的檐壁（檐部的中间部分，在檐口之下，额枋之上），常见于爱奥尼亚柱式中。表面饰以绘画或雕刻，有时则完全素白。罗马晚期有凸面檐壁的例子如古罗马的万神庙，文艺复兴时期的意大利建筑师也常加以使用。

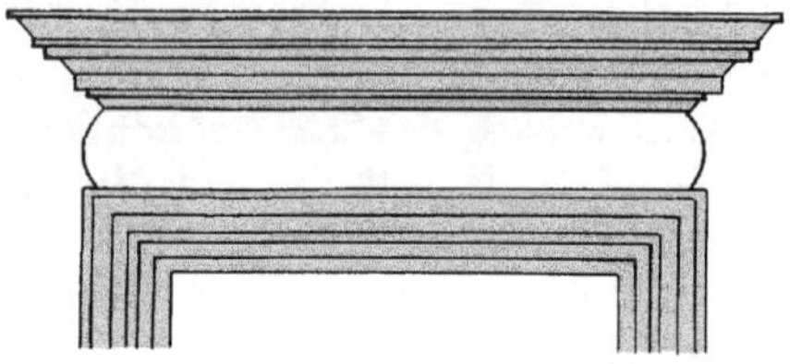

一种罗马式凸面檐壁

Pulzone, Scipione 普尔佐内（约1550，那不勒斯附近加埃塔～1598-02-01，罗马） 又拼 Scipio Polzone。意大利文艺复兴时期画家，早期作品是 16 世纪国际风格的典型。在《圣母升天》（1585，罗马）一画中，其宗教题材的描述风格借鉴了前风格主义、威尼斯画派和锡耶纳画派的技法。他画过许多罗马的贵族和教士。《枢机主教法尔内斯肖像》和《一个骑士的肖像》是其代表作。生平不详，仅知他是雅各皮诺·德尔·孔特的学生。

puma（*Felis concolor*） 美洲狮 又作 American lion, cougar, deer tiger（鹿虎），Mexican lion（墨西哥狮），panther, painter, mountain lion（山狮）或 catamount。大型猫科动物，其体型在新大陆猫科动物中仅次于美洲豹。栖息在

美洲狮（*Felis concolor*）

供图：Kenneth W. Fink—Root Resources

不列颠哥伦比亚到巴塔哥尼亚广大地区的山区、荒漠和丛林等处。许多地区的宗或亚种已被人类消灭，现美洲狮只局限于荒野地区。北美东部的东部美洲狮（*F. c. cougar*）和美国南部的佛罗里达美洲狮（*F. c. coryi*）已濒于绝灭。美洲狮体形优美，毛色变化很大，从浅黄到浅红褐色。耳和尾尖深色，臀部和腹部白色。无长鬣。成年体重 35 ～ 100 千克。雄性体长可达约 3 米（其中 1/3 是尾长），肩高 60 ～ 75 厘米。雌体较小。叫声像家猫而较宏亮。交配时的叫声尖锐刺耳。一年中任何时候都能繁育，雌体一般每两年生育一次，妊娠期约 90 天，每产 1 ～ 5 仔。幼仔身有斑点，好嬉戏，约 2 个月后就开始跟随母兽捕食。2 ～ 3 年性成熟。食性广，在北美洲嗜吃鹿。偶也捕食牲畜。因能捕食其他动物，故有利于防止它们的数量过多，从而保持大自然的平衡。无可靠的伤人报道。人类为获得奖金或娱乐常用猎犬、陷阱等方式捕猎。现在不被视为濒于绝灭的物种。

pumhart（musical instrument）　参阅 **bombard** 邦巴管。

Pumi　普米族　中国少数民族。自称"普英米"、"普日米"、"培米"等。分布在云南兰坪、丽江、维西、永胜、宁蒗以及四川木里、盐源等县。人口 33 600（2000）。语言属汉藏语系藏

普米族妇女
中国大百科全书出版社供图

缅语族羌语支。旧称"西番"、"巴苴"。先世在甘、青、川接壤地区游牧。7 世纪时南迁至四川西昌一带。产良马。13 世纪后陆续迁入云南并定居。主要从事农业，种植玉米、麦类、豆类等。畜牧业仅次于农业。住房为木结构的"木楞房"（又称"木垒子"）。实行一夫一妻制。有姑舅表婚、妻兄弟婚（转房）的习俗。人死后行火葬。火葬者骨灰罐置于本氏族专用岩洞。儿童 13 岁左右行成丁礼。青年在端午节时相约至岩洞点灯聚餐，在山泉瀑布中沐浴。崇拜多神，祭祀祖先，也有人信仰喇嘛教和道教。主要节日有农历腊月初六至初八的"吾昔节"（春节），还有转山会、大十五节、尝新节等。1988 年建立了兰坪白族普米族自治县，在宁蒗县与其他民族建立了 1 个民族乡。

Pumi language　普米语　中国普米族语言。属汉藏语系藏缅语族羌语支。分布在中国云南省兰坪、宁蒗、维西和四川木里、盐源等县，使用人口约 5 万人。分南北两个方言。普米语（兰坪）语音特点：有 43 个单辅音声母：双唇、舌尖中、舌根、小舌塞音各分清、浊、清送气三套共 12 个；舌尖前、卷舌、舌叶、舌面前塞擦音各分清、浊、清送气三套共 12 个；唇齿、舌尖前、卷舌、舌叶、舌根擦音各分清、浊及舌面前清擦音共 11 个；双唇、舌尖中鼻音分清、浊，舌面前，舌根鼻音仅有浊的共 6 个，还有边音、边擦音各 1 个。有 22 个复辅音声母，分两类，一类由前置辅音和基本辅音构成，另一类由基本辅音和后置辅音构成。有 19 个单元音韵母：13 个口元音和 6 个鼻化元音；38 个复元音韵母，包括 34 个二合复元音和 4 个三合复元音。有两个声调：高平和低升。语法特点：词类有名词、代词、数词、量词、动词、形容词、副词、连词、助词、叹词，有较丰富的屈折形态。动词有人称、数、时（将来时、现在时、过去时）、趋向（从下往上、从上往下、面对外方、面对里方、从里往外、从外往里）、态（使动态、交互态）、式（命令式、祈使式）；句子主语在谓语前；宾语在主语后，动词之前；名词代词修饰语在中心词前，形容词和数词修饰语在中心词后；状语在中心词之前。

pumice　浮岩　又称浮石。一种气孔极多的泡沫状火山玻璃，长期作为磨料用于清洁剂、抛光剂和擦洗剂。1945 年以后，进一步用作铁路道碴，并在石工预制件、浇注的混凝土、保温隔音砖以及灰浆里用作轻质骨料。浮岩是火成碎屑岩，在喷发的一瞬间几乎全部是流体，但因冷却得太快，以致于来不及结晶。固结时，溶解在其中的蒸气突然得到释放，使整个熔岩块膨胀起来成为泡沫，并立即凝固。如果熔岩块是在较大的压力下冷却的话，就形成固体玻璃，即黑曜岩；事实上，如果将黑曜岩的碎块放在坩埚里加热直到熔化，当它们溶解的气体被释放时，就转变成浮岩。任何类型的熔岩，如果条件有利时，都可以呈现浮岩状态，但玄武岩和安山岩不如粗面岩和流纹岩那样常呈这种状态产出。许多种浮岩里有各种各样矿物的小晶体出现，最常见的是长石、普通辉石、普通角闪石和锆石。浮岩的孔穴（气泡）有时是圆形的，也可以是长条形的或管状的，这取决于凝固中熔岩的流动情况。产于古老火山岩当中的浮岩，其气孔一般都被渗透水带入的次生矿物填充了。玻璃本身形成线条、纤维和气泡之间的薄的隔壁。流纹岩质和粗面岩质的浮岩是白色的，安山岩质浮岩常常是黄色或褐色的，浮岩状的玄武岩是漆黑色的。由酸性（富含二氧化硅的）火成岩生成的浮岩数量最多，发育最典型；因此，浮岩常与黑曜岩伴生。有用的浮岩产于冰岛、匈牙利、加那利群岛的特内里费岛、新西兰、德国和希腊。美国开采浮岩的地点有落基山各州、太平洋沿岸各州及夏威夷。浮岩以微小的碎屑极其广泛地分布在地球表面上。它存在于覆盖大洋最深部分洋底的一切沉积物中，在深海红色黏土中特别丰富。这些浮岩一部分是海底火山喷发带出来的，但是，它们的存在也可以用下述事实来说明，它们可以几个月地浮在水上，这样就被风和水流散布到大片海面上。长时间以后，它们浸满了水就沉到洋底，在洋底它们逐渐分解并加入到洋底的泥和软泥之中。1883 年喀拉喀托火山大规模喷发之后，浮岩层覆盖了若干千米的海面，在一些情况下，上升到水平面以上 1.5 米。此外，大量破碎极细的浮岩被喷到高空中，随风飘开，最后降落到各大陆和各大洋。

Pumlumon（Wales）　参阅 **Plynlimon** 普林利蒙。

pummelo（tree）　**文旦**　参阅 **shaddock** 柚子。

pump　泵　消耗能量以提升、输送或压缩流体的机械。最早期的那些泵是用来提升水的装置，例如波斯和罗马的水轮以及更为复杂的阿基米德螺旋泵（**Archimedes screw**）。

中世纪的采矿生产导致空吸（活塞）泵的开发，它的许多类型在 G. 阿格里科拉的《金属学》（1556）中有所描述。空吸泵靠大气压力运转；当提起活塞时，造成泵缸局部真空，外面的大气压力将水压入泵缸，并从那里通过排出阀将水排出泵缸。大气压力能独自将水压至约 10 米的最大高度，因此，人们开发出压力泵用以排除较深矿井中的水。在压力泵中，活塞的向下冲程将水经泵缸侧阀门压出，其所达高度仅取决于施给活塞的外力。

泵的分类　按能量传给流体的手段进行分类。基本的手段是①容积排量；②增加动能；③利用电磁力。

一流体可借机械的方法或利用另一流体进行移位。使流体高速旋转或沿其流向施加冲力，可使流体获得动能。为了利用电磁力，被抽送的流体必须为优良的导电体。用来输送气体或使气体增压的泵类称为压气机、鼓风机或风扇。用机械的方法完成泵内容积排量的称为正排量式泵。动力式泵依靠高速旋转的叶轮将动能赋予流体。

概括地说，正排量式泵使较低容积的高压流体运动，而动力式泵则驱使高容积的低压流体运动。

使流体流入泵内需一定的压力，然后才能赋予流体另外的压力或速度。如果入口压强太小，就会发生空化现象（在泵中形成空泡，而在正常情况下，泵中充满液体）。在抽吸管线上液体的汽化是空化的起因。液体携带气泡进入泵内，当气泡来到高压区时就破灭，并带来额外的噪声、振动、腐蚀和冲蚀。

泵的重要性能指标为所需的入口压强，对给定总头（由于压强、速度或高程而产生的每磅流体的能量）的泵缸工作容量，及抽送特定流体的效率百分比。易流动液体（如水）比黏滞流体（如糖蜜）的抽送效率高得多。液体的黏度在正常情况下随温度升高而降低，因此一般在生产实践中，将黏度很大的液体加热，以便更有效力地抽吸它们。

正排量式泵　在每一循环操作中提升给定容积流体的正排量式泵可分为两个主要类型——往复式泵和回转式泵。往复式泵包括活塞泵、柱塞泵和隔膜泵；回转式泵包括齿轮泵、叶形转子泵、螺杆泵、滑片泵和凸轮泵。

柱塞泵是通常使用最古老的一类泵。活塞泵和柱塞泵由一个泵缸及在其中往复移动

的一个活塞或柱塞组成。在柱塞泵中，柱塞穿过固定的包扎密封件并被推入流体；而在活塞泵中，由活塞携带着包扎密封件将流体推出泵缸。活塞向外移动时，泵缸的有效容积增大，流体通过入口单向阀流入泵缸。活塞向内移动时，泵缸的有效容积减小，流体压强增大并通过出口阀被压出泵缸。流体的抽送速率从零(在活塞的换向点)变为最大(在活塞接近其冲程的一半处)。利用活塞的两侧抽送流体，可以减小抽送速率的变化，这种类型的泵称为双作用活塞泵。用多缸活塞泵可以减小抽送速率的脉动。活塞泵的总抽送速率可以通过改变活塞杆的往复速率或活塞冲程的长度而变化。活塞可由蒸汽、压缩空气或液压油直接驱动，通过机械连杆机构或凸轮将驱动轮的旋转运动转换为活塞杆的往复运动。活塞泵和柱塞泵价格高，但却非常可靠和耐用。众所周知，活塞泵可以使用100年以上而无需维修或更换。

隔膜泵的运作类似于活塞泵，只是在其中用脉动的柔韧隔膜代替活塞。它克服了活塞密封件接触被抽送流体的不利条件。同活塞泵一样，流体通过止回阀进入和离开隔膜泵的泵缸。可利用直接同隔膜相连的活塞或流体(例如压缩空气或油)对隔膜进行机械驱动。隔膜泵可提供液体、气体或液气混合体的脉动输出。在不能容许透过密封件出现渗漏物的场合，可用隔膜泵抽送含固体颗粒的液体，以及贵重、有毒、腐蚀性等化学制品。隔膜泵可以长期干运转，而且，大多数这类泵的抽送速率可在操作过程中改变。

最普通类型的齿轮泵(外啮合齿轮泵)示于图1。驱动其中一个齿轮，另一齿轮就会

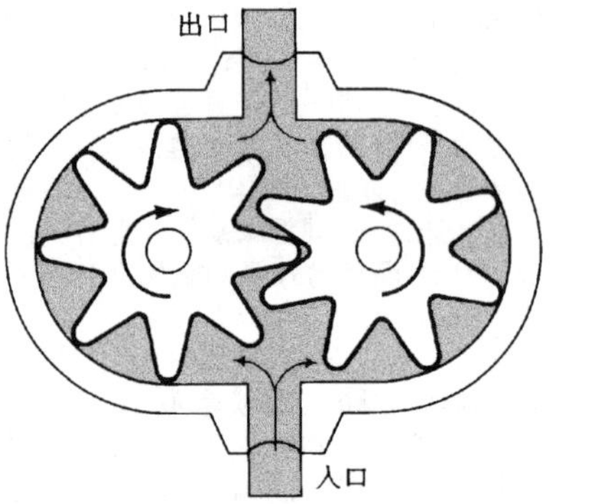

图1　外啮合齿轮泵

不受约束地运转。两个未啮合的齿轮所产生的局部真空，将流体吸入泵中。此流体随后被传送到泵另一侧的旋转齿轮的诸轮齿与固定泵壳之间。当两旋转齿轮啮合在一起时，就引发一个增压，从而将流体压入出口管线。齿轮泵可从两方向中的任一方向排出流体，这要取决于齿轮的旋转方向。

图2中所示的是内啮合齿轮泵。被驱动的齿轮是一个带有内切齿的转子，这些内切齿同一个与转子偏心的空转轮的外切齿啮合起来。固定泵壳的新月状部分隔离空转轮与转子之间的流体流动。齿轮泵可抽送含有蒸汽或气体的液体；由于它靠抽入的液体来润滑内部运动机件，所以不适于单独抽送气体。在特定的转子速率下，其输出恒定，脉动可忽略不计。冲刷和腐蚀使回流液量增加。齿轮泵容易堵塞，因此不宜抽送含固体颗粒的液

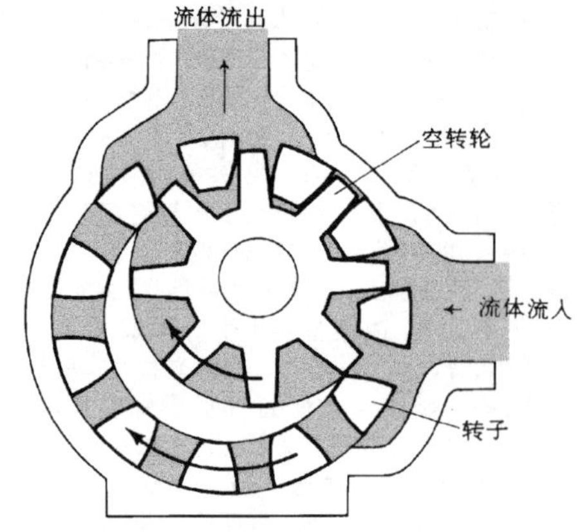

图2　内啮合齿轮泵

体。可是，由于齿轮泵不需止回阀，所以可用来抽送黏度极高的液体。

叶形转子泵的工作原理和外齿轮泵一样，它用转子上的2～4片叶代替轮齿；两个转子都被驱动。叶形转子泵比外啮合齿轮泵的脉动输出大而磨损小。叶形转子型压缩机也用于抽送气体；其每个转子有两片叶。

在螺杆泵中，一螺旋杆转子在固定的泵壳内旋转，泵壳所具形状使得螺杆旋转时在吸入口形成的空腔向排出口运动。当一个空腔形成时，就产生局部真空，从而将流体吸入泵中。此后，这流体在前进的空腔内被输送到泵的另一侧。在泵的排出端，空腔封闭，产生增压，将流体压入出口管线。螺杆泵可抽送含蒸汽或固体颗粒的液体。在特定的转子速率下，其输出平稳，脉动可忽略不计。螺杆泵不需要入口止回阀和出口止回阀，因此可用来抽送黏度极高的液体。虽然螺杆泵体大、笨重且昂贵，但是它坚固耐用，磨损缓慢且使用寿命特别长。

图3中所示的是滑片泵。转子偏心设置。围绕转子曲面每隔一定距离放置一个矩

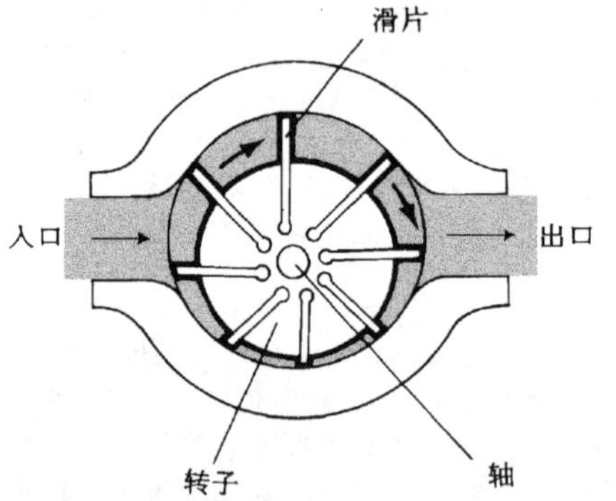

图3　滑片泵

形叶片。每个叶片可在槽中自由滑动，转动产生的离心力将叶片向外甩出紧贴固定泵壳形成密封。转子旋转时，在泵的吸入侧产生局部真空，将流体吸入。流体随后被输送到泵另一侧的转子与固定泵壳之间的空隙中。在排出侧，有效容积减小，压强增大，流体被压入出口管线；抽送速率可随转子偏心度的改变而变动。滑片泵不需要入口止回阀和出口止回阀；可抽送含蒸汽或气体的液体，但不适于抽送含固体颗粒的流体。滑片型压气机用于抽送气体。在特定的转子速率下，滑片泵输出恒定，脉动可忽略不计。它坚固耐用，滑片易于更换，并能自行补偿磨损。在滑片严重磨损之前，滑片泵的抽送能力不受影响。

动力式泵　动力式泵可分为两类——离心泵和反馈泵。在动力式泵中，流体被赋予速度，然后，大部分速度头被转换为压力头。即使第一台离心泵已在1680年前后问世，但20世纪以前，很少有人使用动力式泵。

离心泵包括径流泵、轴流泵和混流泵。径流泵通常属直进式离心泵，其最通用的泵型为蜗壳型离心泵，如图4所示。流体进入

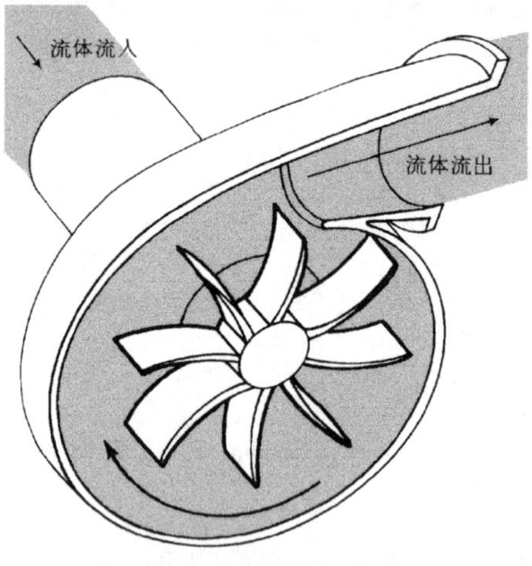

图4　蜗壳型离心泵

泵内贴近高速旋转叶轮的轴部。流体沿径向被甩到泵壳上，产生的局部真空将更多的流体连续地吸入泵内。蜗壳型离心泵坚固耐用、比较便宜、无噪声、可靠，其性能相对来说不受腐蚀和冲刷的影响。它构造紧凑、简单，且不需要入口止回阀和出口止回阀。蜗壳型离心泵可抽送含固体颗粒的液体，但是，当抽送的液体含较多的蒸汽时，就会因出现空化而中断抽吸。当抽送黏度极低的液体时，蜗壳型离心泵的运作最佳；而当抽送黏性液体时，其额定功率显著下降。

另一种类型的径流离心泵是扩散泵，其中离开叶轮之后的流体穿过带有一些固定叶片的环。固定叶片将液体扩散，从而提供一更为受控的流动，并将速度头更有效地转换为压力头。

轴流离心泵的转子是一个螺旋桨。来流平行于轴的方向，如图5所示。扩散叶片位

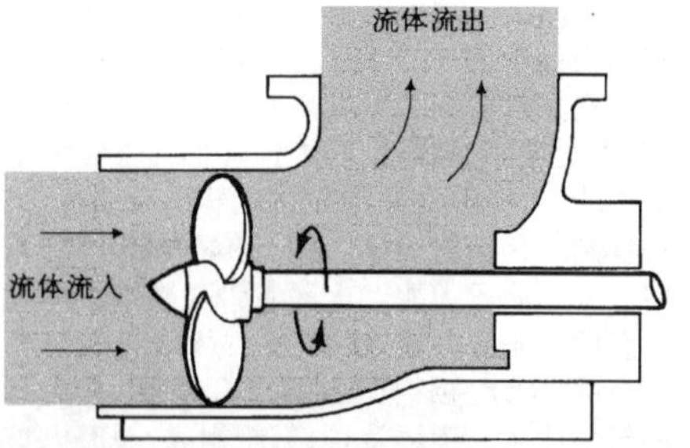

图5　轴流离心泵

于泵的排出口以消除螺旋桨赋予流体的旋转速度。轴流压缩机也用于抽送气体。在混流泵中，流体既沿径向又沿轴向被排出到蜗壳型泵壳内。

反馈泵又称涡轮泵或周缘泵。在泵壳内环形通道中转动的叶轮外缘两侧有很多叶片。流体不从叶梢自由排出而是回流至叶片根部，借流体的多次循环以增大压力头。叶

片与壳之间的空隙很窄，因此反馈泵不能用来抽送含固体颗粒的液体。它可以抽送含蒸汽和气体的液体；实际上，假如它含有的液体足够封闭狭窄间隙，则它就可以抽送气体。反馈泵只适用于抽送易流动的液体。

电磁泵 电磁泵只能用来抽送导电性能优良的流体。将输送流体的管道置于磁场中，让电流横穿过流体，结果流体在流动方向就会受到电磁力的作用。电流和磁场可用多种方法产生。电磁泵和电动机在原理上是相同的。电磁泵可用来抽送冷却核反应堆的液态金属。

其他类型泵 气体升液泵用于从井底提升液体。在图6中，压缩气体被引入接近井

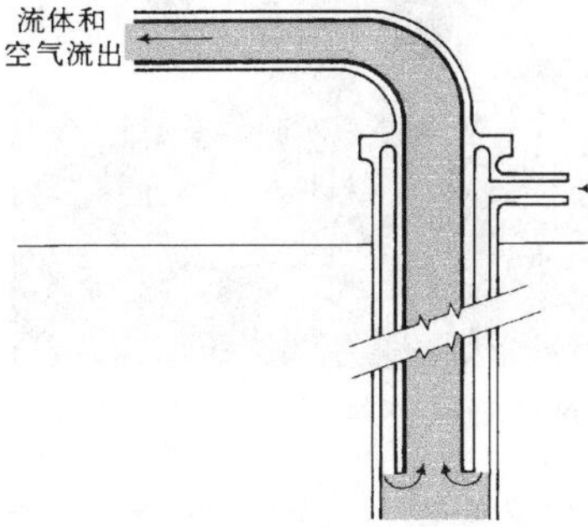

图6 空气或气体升液泵

底的液体中。最终形成的气液混合体比单独的液体轻且更易浮起，因而混合体上浮并被排出。气体升液泵内无运动部件，可用于抽送含固体颗粒的液体。尽管空气或气体升液泵现已很少使用，但是它们曾一度广泛用于抽送水、海水和石油。

在射流泵中，流体穿过文丘里喷嘴（参阅**venturi tube**）并产生导致出现二次流的抽吸。在抽气泵中，水流过文丘里喷嘴并产生曳拉空气的抽吸。蒸汽射流泵广泛用于抽送大体积的低压蒸汽和气体。高速蒸汽进入泵的主体，并将其一些动量传递给经入口管线抽入的气体。蒸汽和气体的混合体进入称为扩压器的主文丘里喷嘴；动能转换为压力能，汽-气混合体被压缩。因而蒸汽中的能量用于压缩气体使其从低压变为高压状态。约自1850年以来，射流泵就已被应用。

水锤泵利用向下流动水流的动能来提高部分水的水位。入口管道中的流水使止回阀关死。就像水锤那样（在水锤中，水流突然停止，产生锤击作用），动能转换为压力能，而且第二个止回阀打开使一些水进入空气室并进而流向排出管道。在入口水管中，压力下降，第一个止回阀重新打开。压缩空气关闭通向空气室的止回阀，进而重复整个循环。在入口管道中流动的约15%的水可被提升，其所达高度为在入口管道中下降高度的5倍。水锤泵产生于18世纪末期，而现在仍被用于一些生活用水系统。

真空泵仅仅是个压气机，它吸入比大气压强低的气体，将其压缩，并在大气压强下排出该气体。由于低压气体的体积大，所以真空泵往往大而笨重。在工业上，广泛利用蒸汽射流泵以获取真空；往复活塞泵和回转叶轮泵也广泛用来产生真空。

Pumpelly, Raphael W. 庞佩利（1837-09-08，美国纽约州奥斯威戈～1923-08-10，罗得岛纽波特） 美国地质学家和科学探险家。以研究和发现苏必利尔湖地区的铁矿和铜矿（1866～1875）而闻名。1859年毕业于德国萨克森州弗赖堡皇家矿业学校，在担任哈佛大学第一位采矿学教授（1866～1875）之前，曾调查了中国的煤矿藏与黄土建造。作为一名地质学家，当时他为许多州服务，也为联邦政府以及北太平洋铁路服务。1884～1889年任美国地质调查局的新英格兰处领导，这期间，他出版了关于格林山地质的重要研究报告。1903年率领一支探险队赴中亚，成果载于一些很重要的专论。其科学著作有《中国、蒙古和日本的地质调查》（1867）、《突厥斯坦的考古与自然地理勘察记》（1905）。他的自传《我的回忆》于1918年出版。

pumpkin 南瓜（大果） 葫芦科植物（*Cucurbita pepo* 或 *C. moschata*）的某些品种的果实。在美国，*C. pepo* 的速生、灌木状（或非蔓生）的小果品种称南瓜（小果）（**squash**），生长季节长且具长蔓的大果品种称为 pumpkin；但该两个种的一些品种均有称为 squash

南瓜（*C. pepo*）
供图：Walter Chandoha

或 pumpkin 者，在美国尤其是如此。这类瓠果一般重4～8千克或更多，淡黄至橘黄色，扁球形、球形至长圆形。果皮光滑，通常具浅沟或肋。果柄硬而木质化，具棱角。*C. pepo* 或称西葫芦，果柄与果实的连接处不膨大。最大的品种称为冬南瓜（最大南瓜，*C. maxima*），果实可重达34千克或更多。南瓜藤极长，单株或2～3株一起种植于小山丘上，间距2.5～3米。南瓜于初秋成熟，冬南瓜的果实在干燥的地方气温在冰点以上时可贮藏几个月。南瓜在北美、英国和欧洲普遍栽培食用（去皮烹食）和用作牲畜饲料。在欧洲主要用作蔬菜；在美国、加拿大，南瓜馅饼是感恩节和圣诞节的一种传统甜尾食；也用作布丁和汤。南瓜在美国还作为万圣节前夕的装饰品，如南瓜灯：掏去南瓜的瓤，刻成人面形，眼、鼻和嘴都镂空，在里面点灯。

pumpkinseed 瓜仁太阳鱼 受欢迎的食用和游钓鱼，太阳鱼（**sunfish**）的一种。

pun 双关语 又称 paronomasia。使用一个语词同时关顾着不同含义或用途的诙谐修辞方式，也用于文字游戏。双关语如同开玩笑和猜谜语一样普通，但也能用于严肃场合。例如J.多恩（John Donne）的《献给圣父的赞美诗》中的四行诗：

But swear by thyself, that at my death thy son
Shall shine as he shines now, and heretofore;
And, having done that, thou hast done;
I fear no more.

其中有两个双关语：son/sun 和 done/Donne。

Puná Island 普纳岛 厄瓜多尔南部海岸外岛屿。位于瓜亚基尔湾的顶端，东有汉贝利海峡，西有莫罗海峡。面积约855平方千米。16世纪为西班牙征服者（包括皮萨罗）的停留地点。原先居民为通贝印第安人。现居民集中在岛东北端的普纳村四周，西南端的萨利纳斯角是供游人垂钓和狩猎的旅游地。人口约5 566（1980）。

Punakha 普那卡 不丹中西部城镇。位于喜马拉雅山脉东部，海拔1 500米，几条小溪在此汇合形成桑科希河。城镇始建于1577年，曾为不丹首都。人口约1 100（1982）。

Punch 庞奇 全名为Punchinello，意大利语为Pulcinella（普尔奇内拉）。提线傀儡和布袋傀儡中最受欢迎的钩鼻、驼背人物，木偶剧《庞奇和朱迪》中的主角。他蛮横，不老实，有仇必报，常与官方作对。其性格来源于罗马小丑和滑稽的乡下佬典型。更近的起源可追溯至17世纪意大利即兴喜剧中出现的丑角人物普尔奇内拉。究竟谁第一个扮演普尔奇内拉还难以肯定，尽管有人认为是17世纪初活跃于表演界的职业喜剧演员S.费奥里洛。在早期的绘画作品中，他被描绘成拖沓、步履蹒跚、笨头笨脑的样子，身穿宽大的白衬衣和又肥又大的长裤。

不久，意大利演员开始在整个欧洲旅行演出，同行的就有表演木偶戏的人。波利谢纳尔是普尔奇内拉这个角色在法国的变种，他于17世纪中叶在法国扎根。波利谢纳尔滑稽、驼背、钩鼻的形象是意大利傀儡人物普尔奇内拉与法国早期的驼背、傻瓜一类传统角色的结合。

G.克鲁克香克绘《庞奇先生》
普林斯顿大学图书馆供图

当第一批意大利傀儡戏演员于1660年查理二世复辟之后来到英国时，那里也存在类似的驼背傻瓜传统角色。两年以后，关于庞奇内洛（Punchinello，不久就缩为Punch）的原始资料便出现在英国人S.佩皮斯的日记中。到1700年，英国的每一出傀儡戏实际上都以

庞奇和他的妻子朱迪(原名琼,也是一著名傀儡角色)为重要角色。旅行演出者夏季把这些戏带给乡间的通宵狂欢(节日),8、9月里又回到伦敦的集市上演出。18世纪早期庞奇成为政治圈子里的著名人物,因为傀儡戏演出人M.鲍威尔在名为《浴盆的第二个故事》(1715)里攻击R.哈利时使用了这个名称。

18世纪90年代,提线傀儡在集市上不受欢迎,人们对"比较谦恭"的布袋傀儡发生了兴趣,而傀儡剧《庞奇和朱迪》正是以这种形式获得了成功。情节尽管有变化,但其主要演员总是经过训练的狗托比、婴儿、医生、黑人仆役、小吏、丑角、绞刑吏、朱迪鬼魂、琼斯先生、赫克特雄马、戴伪善面具的敌人和魔鬼。英国庞奇的鹰鼻、驼背以及爱揍老婆的脾性和无法无天的特点,到19世纪已经成了公认的"庞奇特征"。

20世纪下半叶,在英国有50多位职业傀儡戏演员始终坚持生气勃勃的"庞奇幽默传统"。他的影响还存在于"pleased as Punch"(非常高兴)这样的普通词组之中。

法国傀儡戏角色波利谢纳尔也有类似的历史,可是他的名望在19和20世纪却下降了;并且,作为一个滑稽人物已销声匿迹,他的名字已为"吉尼奥尔"所取代。

与庞奇同源发展而来的其他傀儡戏人物,还有像俄国的彼得罗什卡一类角色。

Pūnch 本杰 又拼Poonch。印度次大陆北部城镇,位于查谟和克什米尔印度控制区内,有公路(经哈吉比尔山隘)通乌里。地区经济农矿并举,既产玉米、小麦、稻谷,又产石油、煤和石灰石。人口14 171(1981)。

Punch 《笨拙周刊》 全名Punch, or the London Charivari(《笨拙,或伦敦的胡闹音乐》)。1841～1992年出版的英国画刊,以刊登讽刺性幽默和漫画著称。早期主编者有H.梅休、M.莱蒙、J.S.科因等,表现激进。早期撰稿人中最著名的是W.M.萨克雷和T.胡德,以及插图和漫画家J.利奇和J.坦尼尔。到20世纪90年代,杂志失去了讽刺力量,读者大量流失,1992年4月停刊。1996年9月重新出版,但经济问题仍然存在,于2002年5月再次停刊。

punch press 冲床 将压力加到装有金属板材工件的模具上,以改变板材大小和形状的机器。模具的形状和结构决定该产品的形状。一套模具有两个部分:即装在冲床上往复运动的凸模(冲头)及固定在床身或砧座上的凹模(冲垫),床身或砧座平面与凸模的运动方向垂直。加工时,凸模压向凹模内的工件。下料模在板材上剪切出适合于下面各道工序的毛坯。这些工序包括成形、弯曲以及拉延。在拉延过程中,金属的塑性流动形成了杯形物件。冲床通常由电动机驱动,通过曲柄、曲拐或凸轮机构把驱动轴的转动变为凸模的往复运动。由于所需的动力是断续的,在驱动轴上装有一个飞轮,以便在凸模空程期间储存能量,在冲压加工时,再将能量传给驱动轴,从而减小所需电动机的容量。参阅 **hydraulic press**。

punchayet(caste government) 参阅 **panchayat 潘查耶特(五人长老会)**。

Punchinello(puppet) 参阅 **Punch 庞奇**。

punch'ŏng pottery 粉青陶瓷 日本称为三岛陶瓷(mishima)。朝鲜李朝早期(15～16世纪)生产的彩绘青瓷。粉青陶瓷是由高丽风格的青瓷演变而成的。其特点是除了青瓷的釉之外,还结合使用了许多创新的表面装饰,包括镶嵌、压印、雕刻、釉雕,以及在最后涂敷的透明釉下面施用白色泥浆(液态黏土)层等。15世纪初,高丽青瓷的镶嵌技术是靠徒手雕刻图形。李朝的瓷器艺人继承了这种技术,不久后,他们又开始采用印模装饰方法,这种方法只需几分钟即可将精细的花卉图案整个地压印出来。有时他们也采用釉雕的装饰手法,把图案刻画在灰白色的泥釉上。而到16世纪,瓷器艺人放弃了图案设计,只是简单地在整个器皿上或部分部位上涂上一层白色泥浆。

punctuation 标点符号 手稿及印刷品中使用的一套标准的符号、间隔及各种排字印刷上的标志,能使词义清楚,能把句子、单词及词类等成分划分无误。标点符号系一种习惯上用以"指明"一篇文字作品之结构,以便把它划分为若干句子或句子之中的若干部分;同时也用来"指明"词的成分,如复合词的连接及一词内诸音节之划分、省略形式及所有格之表示、缩略词以句号标注等等。标点符号可以表示言语中停顿或用语转换的地方,但也可以是一种纯粹的习惯上的字词排列手段而与停顿或语调模式无关。在英语书面语中,"句号"(.)标明一句之尾。"冒号"(:)位于句子的过渡点上。"分号"(;)把不同的子句分隔开来,也用于隔开不同的叙述内容。"逗号"(,)分隔子句、短语及语助词。英语中表示句号、分号及逗号的术语借自希腊语法家的用法,他们最初采用这些符号或描述一个整句,或描述句子的一部分。"破折号"(——)表示不连贯或不规则。"惊叹号"(!)表示吃惊。"问号"(?)表示疑问。"省略号"(')表示一元音或一音节的省略以及表示单词的所有格。"引号"("")或限定引用的词语,或表示应该特别强调或具有特殊意义的词语。一句中的插入成分用各种形式的括号如"方括号"([])或"圆括号"(())表示之。不过,用法及实际使用等方面往往不尽相同。早期欧洲文献中,字母一个接一个书写成行;只是渐渐地才在一行之内把各个单词用空白的间隔予以分开;后来用点植入句子与句子之间作为划分符号,16世纪时小马努蒂乌斯提出了一套正规的标点符号系统。主要符号源于希腊语法家们所用的小点,但常常改变其含义;因此,希腊文献中的问号(;)却变成了英语的分号。

Pune 浦那 又作Poona。印度西部马哈拉施特拉邦城市。位于穆拉河和穆萨河汇流处。为马拉塔人的文化首都,有"德干王后"之称。17世纪成为重要城镇。曾为莫卧儿人和英国人占领,并作过孟买英国管辖区的夏季首府。现为旅游胜地,气候凉爽,有历史和宗教遗迹、博物馆、公园、旅馆和文化名胜。长期以来是印度教育和文化中心,被尼赫鲁誉为"印度的牛津和剑桥"。设有浦那大学

浦那市的浦那大学
供图:Foto Features

(1948)的30多所学院。此外,还设有班达卡尔东方研究所及哈达瓦萨拉科学研究院。印度南方军区司令部也设此。城市周围发展工业,从浦那至孟买、艾哈迈德讷格尔、绍拉布尔和萨达拉等地的公路沿线分布着生产各种产品的大型工厂。原来的城市为住宅和商业区。1961年遭水灾破坏。浦那周围有萨希亚德里丘陵,北部巴拉卡德岭和南部默哈代奥丘陵间为比马河谷。大多数重要的宗教、历史和旅游胜地均坐落在萨希亚德里丘陵。农业产高粱、小米、甘蔗和稻米。人口:市约2 540 069;都会区约3 755 525(2001)。

p'ungsuchirisol 风水地理说 朝鲜宗教名词。指一种土地占卜术。它认为一定地区的自然环境可以影响居民及其后代的命运。它源于中国的风水之说,包含中国的阴阳五行之说的成分。李朝(1392～1910)的创始人李成桂根据僧人建议迁都汉城,就是因为该处地理位置符合风水地理说的全部要求。

Punic alphabet 布匿字母 腓尼基字母(**Phoenician alphabet**)的一种形式。

Punic War, First 第一次布匿战争(公元前264～前241) 又称第一次迦太基战争。罗马共和国和迦太基(布匿)帝国之间进行的三次战争中的第一次战争,以迦太基的失败而告终。建立对科西嘉和西西里两战略岛屿的控制权是这次战争的起因。公元前264年,西西里岛西岸两个主要城市墨西拿和锡拉库萨之间发生争执,迦太基人出面调停,因此在岛上占有一席之地。罗马对这个挑战作出反应,出兵墨西拿,迫使迦太基人撤退。公元前260年,罗马舰队未能取得西西里岛的完全控制权,但打开了通往科西嘉的道路,把迦太基人赶出科西嘉岛。公元前256年,第二支罗马舰队在海上活动,并在非洲大陆建立了滩头堡。迦太基打算投降,但罗马提出的条件过于苛刻,于是在公元前255年,迦太

基以骑兵和大象为核心组建起来的新军对侵犯者发起进攻，将其赶下大海。公元前254年西西里岛战事再起，但在公元前241年以前主要处于僵持状态。是年，一支拥有200艘战舰的罗马舰队使罗马人完全控制了海上航道，并摧毁了西西里岛上迦太基人的堡垒。1年后迦太基投降，割让西西里岛和利帕里群岛，并同意支付赔款。

Punic War, Second 第二次布匿战争（公元前218～前201） 又称第二次迦太基战争。罗马共和国和迦太基（布匿）帝国之间三次战争中的第二次战争，以罗马人取得地中海西部的霸权而告终。在第一次布匿战争结束后的一些年内，罗马从迦太基手中夺取了科西嘉岛和撒丁岛，并强迫迦太基人支付一笔甚至比刚结束第一次战争时所付款项更多的赔款。在哈米尔卡·巴尔卡、其子汉尼拔和其婿哈斯德鲁巴的领导下，迦太基终于在西班牙获得一个新基地，从那里可以向罗马重新开战。公元前219年，汉尼拔夺得伊比利亚半岛东岸的萨贡托。罗马要求他撤军，被迦太基拒绝，于是罗马向迦太基宣战。罗马控制了海路，汉尼拔遂率大军（2万步兵和6 000骑兵）从陆路横越西班牙和高卢，跨过阿尔卑斯山脉，于公元前218年抵达波河河谷平原。罗马军队试图阻止其前进，但未成功，于是汉尼拔占领了意大利北部。公元前217年，在高卢部落增援下，汉尼拔向意大利南部进军。他没有直接进攻罗马，而是进军意大利第二大城市卡普阿，以图煽动平民造反。他赢得几次战役，但他在公元前216年的坎尼战役中歼灭大量罗马军队后，仍没有攻打罗马城。这一失败激起罗马人进行抵抗。由昆克塔托指导实施的英明防御战略是对迦太基人进行骚扰而不直接与之对阵。因此在公元前211年以前，两军在意大利半岛处于僵持状态。公元前211年罗马重新夺取了卡普阿城。公元前207年，哈斯德鲁巴沿着汉尼拔走过的路线跨过阿尔卑斯山脉，率领由利古里亚军团和高卢军团支援的另一路大军到达意大利北部。哈斯德鲁巴向半岛南部进军同汉尼拔会合共同袭击罗马。虽然罗马被战争弄得筋疲力竭，但还是招募并派出一支军队以牵制哈斯德鲁巴。南面的罗马军队统帅G. 尼禄悄悄地绕到北面，在梅陶罗河岸的战役中挫败哈斯德鲁巴。汉尼拔对意大利南部的占领一直延续到公元前203年，然后被调回非洲；意大利在15年内第一次没有敌军驻扎。在长期的大陆作战期间，撒丁岛和西西里岛的战斗也继续不断，这两个岛是罗马的主要粮食基地。迦太基得益于锡拉库萨内部动乱，于公元前215年在西西里岛重新建立其统治，并一直维持到公元前210年。与此同时，在西班牙，罗马军队对迦太基的要塞保持着强大的压力。公元前206年，罗马将军西庇阿在伊利帕的一个决定性战役中获胜，并将迦太基人赶出西班牙。西庇阿取得西班牙的胜利后，决定进攻迦太基的北非本土。公元前204年，他驶往非洲并建立了滩头阵地。迦太基议院提出投降条件，但在最后一分钟却背信撕毁，将其希望寄托在一个最终的战役上。在扎马的决战中，汉尼拔率领的在数量上占优势的迦太基军队被击败。迦太基人接受了西庇阿的媾和条件：迦太基被迫支付赔款，交出舰队，并且将西班牙和地中海诸岛割让给罗马。

Punic War, Third 第三次布匿战争（公元前149～前146） 又称第三次迦太基战争。罗马共和国和迦太基（布匿）帝国之间三次战争中的第三次战争，以迦太基的最终覆灭、人民被奴役及罗马取得地中海西部的霸权而告终。第一次布匿战争（公元前264～前241）和第二次布匿战争（公元前218～前201）使迦太基在政治权力上从此一蹶不振。然而在公元前2世纪其商业发展迅速，招致罗马新兴商人社团的妒忌。公元前150年，迦太基人武装反抗马西尼萨的侵犯，因而正式撕毁同罗马订立的条约，于是一支罗马军队被派往非洲。虽然迦太基人同意献出人质和解除武装作为补偿，但是由于进一步规定他们必须移居到不能进行海上商贸活动的内陆地区，所以发生了叛乱。罗马派军包围了迦太基城，两年不克。但是在公元前147年，前迦太基征服者的养孙西庇阿·埃米利安努斯奉命对该城进行严密封锁，筑墙隔断该城坐落的地峡，并切断其从海外的供应来源。他从港口一侧发动进攻，面对坚决和巧妙的抵抗，终于打开入城通道，经过巷战，夺取了城堡。一座可能超过25万人的城市最后投降时只剩下了5万人，幸存者被卖为奴隶，城市被夷为平地，迦太基的领土也随之成为罗马的一个行省——阿非利加省。

punishment 刑罚 对一个有触犯法律或命令的犯罪行为的人所施加的某种痛苦或损失。刑罚有多种形式，包括从死刑、鞭笞、断肢、监禁、罚金，一直到罪犯在特定时间内又重新犯罪时才判决执行的缓期判决。在原始社会，刑罚是留给受害的个人或他们的家属来实施，并且是报复或报应性的，在量和质上它与罪行的性质和严重程度没有特定关系。尔后逐渐兴起罪行与刑罚相称的观念，反映在"以眼还眼"的格言上。接着是在国家或社区的监控下由个人施加惩罚的阶段；最后，随着法律的发展，国家接替了惩罚的职能，并设置"司法"机构维持公共秩序。在这种体制下，犯罪是针对国家的，而由受害方强行施加刑罚（即私刑）属于非法。即使到了有法律的阶段，刑罚的报复或报应性的特性仍残存下来。但是逐渐地，特别是在贝卡里亚和J. 边沁二位思想家首创开展人道主义运动之后，各种新理论才开始出现。两个主要思想派别结合在一起谴责原始的理论和实践。一方面，报应性原则本身基本上已被保护和矫正原则所取代；另一方面，施加肉体痛苦的刑罚受到了社会公意的反对。因此，肉刑以至死刑之重要地位已远不如前。人们也开始认识到，诸如属于刑法上的陈旧刑罚，已不可能对某种犯罪的特定条件以及该罪犯的特性和环境作出应有的考虑。例如，固定罚金的处罚对富人和穷人就很不公平。现代理论始于18世纪，当时人道主义运动开始宣讲个人尊严并强调个人的理性和责任，结果导致无论在数量上和严厉程度上刑罚都有所减少或减轻，改善了监狱系统，以至首次尝试开展研究犯罪心理以及从改善罪犯的待遇着眼，把他们分成若干组别。后者属于犯罪人类学和犯罪社会学的范畴，因为他们把犯罪看作是人类条件和社会条件促成的结果。依此见解，凡违反法律的人被视为社会进化的产物，而不能把他们的越轨倾向归诸个人独自负责。因此习惯性犯罪被当作疾病来医治。根据这种见解，刑罚只有在下列范围内才被视为正当：①用以暂时或永久除去危害社会的人或作为威慑物以保护社会；②目的是从道德上或社会上使罪犯获得新生。20世纪后半期，许多人反对这种刑罚见解，认为它对罪犯的行为处罚太轻，低估了严厉刑罚的威慑效果和忽视了社会的惩罚权。许多国家的政府支持这种看法，订立了更加严厉的刑法，例如美国许多州针对某些犯罪而采取判处强制性的定期监禁，死刑在美国也已恢复。

Punjab 旁遮普 印度西北部一邦。北邻查谟和克什米尔邦，东接喜马偕尔邦和昌迪加尔直辖区，南依哈里亚纳邦和拉贾斯坦邦，西邻巴基斯坦。昌迪加尔为旁遮普和哈里亚纳的联合首府。旁遮普一字来源于波斯文，意即"五河之地"。由于领土的变化，现仅有萨特莱杰和比亚斯两河在旁遮普境内。旁遮普的历史基础可以说是由班达·辛格·巴哈杜尔修道士奠定的。1709～1710年他成为一名军事领袖，带领锡克部队一举从莫卧儿王朝统治下解放了旁遮普东部。后来锡克人统治了这一地区，建立了强大的王国并增加了更多的领土。1849年旁遮普沦为英国统治。1947年印度独立，旁遮普分属印度和巴基斯坦，比较小的东部划归印度。1966年印度的旁遮普邦又分为两邦，主要说旁遮普语的地区为旁遮普邦，主要说印地语的地区为哈里亚纳邦，昌迪加尔为中央直辖区，包括昌迪加尔城和近郊地区。旁遮普最北部的县划归喜马偕尔邦。旁遮普大部分地区为平原，从东北（海拔275米）向西南（170米）缓缓倾斜。东北部的锡瓦利克山脉，海拔275～920米，山麓地带被密集的季节性气流所切割，形成崎岖不平的地貌。平坦地带则由许多沿河洪水冲积而成，土壤肥沃。属亚热带大陆性气候（半干旱、半湿润型）。夏季酷热，6月平均温度为34 °C，有时高达45 °C。冬季颇冷，1月平均温度为13 °C。夜间温度有时会低到冰点。东北部年降雨量约为1 250毫米，西南部减至360毫米。70%的降水量集中在7～9月。旁遮普是印度唯一锡克教徒占多数的邦（占60%以上）。印度教徒占人口的1/3强。此外还有少数基督教、耆那教和穆斯林。旁遮普语为官方语言，使用最广泛，其次为印地语，约1/3的人居住在城镇。经济以农业和中小工业为主，70%的人务农。旁遮普小麦产量占印度的1/4，其他作物有玉米、水稻、黍类、大麦和豆类，以及棉花、甘蔗、马铃薯和油料作物。大部分土地依靠各种河谷工程灌溉。这一地区自60年代以来农业增产的巨大成就主要归功于所谓的绿色革命，强调采用现代农业耕作技术、新种子、化肥和灌溉。旁遮普缺少矿产资源和燃料资源。工业发展主要与农产品和消费品相联系。主要工业有棉纺织、毛纺织和丝织、制糖、机床、化肥、农机具以及缝纫机、自行车、体育用品、汽车零件、面粉和奶制品等消费品。公路、铁路四通八达。阿姆利则、卢迪亚纳和帕丁达等城市与德里之间有班机来往。旁遮普的锡克教民俗、爱情民歌、战争叙事曲、集市、节日、舞蹈、音乐和文学体现了邦的文化特点。最闻名的建筑是阿姆利则的圣堂,或称金庙,为锡克教最大的庙宇。阿姆利则还有一座著名的印度教庙——杜尔格亚纳庙。在格布尔特拉有一座著名的清真寺。旁遮普的大学有:设在伯蒂亚拉的旁遮普大学,设在阿姆利则的左鲁纳那克大学,设在卢迪亚纳的旁遮普农业大学和设在昌迪加尔的旁遮普大学。此外在霍希亚布尔有维塞维斯瓦兰德吠陀研究学院,还有各种专业学院。面积50 362平方千米。人口24 358 999(2001)。

Punjab　旁遮普　巴基斯坦东部一省。东北与印度查谟和克什米尔邦交界,东邻印度旁遮普邦和拉贾斯坦邦,南连信德省,西依俾路支省和西北边境省,北临伊斯兰堡联邦首都区和自由克什米尔区。为仅次于俾路支的第2大省。人口稠密。旁遮普名称意即"五河之地",为印度河支流杰赫勒姆河、杰纳布河、拉维河、比亚斯河与萨特莱杰河五河的流域。公元前2500～前1500年为印度河谷城市文明时期,据信因雅利安人入侵而告终。公元前约518年,大流士一世统治的波斯帝国吞并旁遮普和信德,该地区进入有文字记载的历史。公元前约322年,孔雀王朝缔造者坎德拉·古普塔把该地区并入印度帝国。公元712年,阿拉伯人入侵下旁遮普,穆斯林第一次渗入印度北部。公元1007～1027年加兹尼的马哈茂德占领旁遮普其余地区。直到公元1526年莫卧儿胜利进入前,为各穆斯林王国统治。在莫卧儿王朝统治下,旁遮普有了200多年的和平与繁荣。然而1738年后,莫卧儿实力下降,1747年拉合尔被弱小的阿富汗统治,标志着进入无法无天和骚动变乱的历史。18世纪后半期锡克教派掌握政权。1849年在奇里安瓦拉和古吉拉特战争中,英国战胜锡克人,占领旁遮普。1947年印度次大陆独立,旁遮普分属巴基斯坦和印度。比较大的西部划归巴基斯坦。现在的省界是1970年确立的。首府拉合尔在东中部,靠近印巴边界。旁遮普地区包括在巴基斯坦境内向南流向的印度河及其4条支流杰赫勒姆河、杰纳布河、拉维河和萨特莱杰河形成的冲积平原,由东北向西南缓缓倾斜,有多种地形:有冲积物堆成的河间高地;有几乎每年雨季都要泛滥的平原,河道经常改变;有老河道的曲流泛滥平原和洪积物覆盖的泛滥平原。北部为穆里、拉瓦尔品第和帕贝丘陵(喜马拉雅山余脉的一部分)。最北部为波特瓦尔高原。旁遮普处于季风气候边缘。气候一般很热,冬夏温差大。平原6月温度为35 °C,1月温度为12 °C。除喜马拉雅山余脉和北部地区外年降雨量很低,由北向南或西南逐渐减少,位于东中部的拉合尔为580毫米,位于西南部的木尔坦仅有180毫米。人口占全国人口的一半以上,主要城市有拉合尔、费萨拉巴德、拉瓦尔品第、木尔坦和古杰兰瓦拉。农民大量流入城市,特别是大城市。居民几乎全部为穆斯林,小部分为基督教徒。旁遮普语是90%的人的母语,主要书面语言为乌尔都语,其次为英语。主要种族有贾特、拉其普特、雅利安、古贾尔和阿瓦。由于人的社会地位的变动,种姓之间通婚和舆论的改变,种姓制度日益淡化。农业是收入和就业的主要来源。大部分地区曾经是荒芜的沙漠,不适合人居住。但20世纪初利用印度河支流兴修灌溉渠网改变了旧貌。居住区从以前局限于北部和东北部扩大到全省。现3/4的耕地得到灌溉。农作物以小麦和棉花为主,其他有水稻、甘蔗、黍类、玉米、油籽、豆类、水果和蔬菜。牲畜和家禽发展也很可观。工业亦较发达,制造业有纺织、机械、电气设备、医疗器材、五金和食品加工。横贯巴基斯坦的南北公路和铁路使拉合尔北通首都伊斯兰堡,南连卡拉奇港。该邦有公路或铁路通印度、中国和阿富汗,邦内主要城市有公路连接。拉合尔机场为国内航线服务。拉合尔设有旁遮普大学、工程技术大学,以及其他学院、博物馆、图书馆和文化中心。面积205 344平方千米。人口约82 710 000(2003)。

Punjab, University of the　旁遮普大学　设在巴基斯坦拉合尔的一所寄宿制大学。附设若干校外学院。原属印度,创办于1882年,接管了当时附属于加尔各答大学的某些学院。加尔各答大学管辖的范围包括印度北部大部分和缅甸一部分。1947年巴基斯坦建国后,拉合尔旁遮普大学放弃在印度境内的学院,这些学院于是归附于在印度昌迪加尔新建的旁遮普大学。原来在拉合尔的大学包括一批学院和研究生院:文学、理工、伊斯兰教与东方文化、法律、商业、医学与牙医以及教育等。授课使用英语和乌尔都语。

Punjab Plain　旁遮普平原　印度西北部的大面积冲积平原。面积约99 200平方千米。范围包括旁遮普邦、哈里亚纳邦、德里直辖区(沙赫德拉地带除外)。地处亚穆纳河(东)、西瓦利克丘陵(北)、拉贾斯坦干旱地带(南)、拉维河(西北)和萨特莱杰河(西南)之间。西与巴基斯坦交界,战略地位重要。旁遮普平原是早期雅利安人的居住地。据印度史诗《摩诃婆罗多》记载,这里是般度族五兄弟与俱卢族交战的战场。该平原除最南端以外均起源于地质上的第三纪,因河流的淤塞作用堆积而成。表面略有起伏,东北高,东南低,海拔由650米降至200米。拉维河、贝阿斯河、苏特莱杰河和亚穆纳河为常年性河流。平原东南部生长热带旱生林。北部山麓地区有热带干旱落叶林。经济以农业为主。平原大部分已开垦,灌渠纵横,种植谷物、棉花、甘蔗和油籽。大工业集中在新德里、阿姆利则、卢迪亚纳、贾朗达尔和昌迪加尔,产品有纺织品、自行车零件、机床、农具、体育用品、松香、松节油和涂料。

Punjābī language　旁遮普语　Punjābī 又作 Panjabi。中部印度-雅利安语,通行于旁遮普地区(拉合尔和阿姆利则周围),现处于印度和巴基斯坦之间。在西部地区,现代旁遮普语正溶入拉亨达语(**Lahnda language**)。旁遮普语为印度宪法承认的14种语言之一。词汇同西印地语非常近似。几乎无文献而且几乎无波斯语、阿拉伯语或梵语借词。使用两种字母:一是源于天城体的拉亨达字母,早已通行于本地;另一是锡克教祖师安格德(1539～1552年在位)创制的果鲁穆奇字母,原用于锡克教经典,现也用于一般交往中。旁遮普语在早期曾传至印度其他地区,甚至传到中国。

puñña　功德　巴利文,指佛教徒(包括僧人和俗人)为了积累业报以求来世幸福而必需的基本德操。人行布施、持戒和禅定,就可以积累功德,功德还可以转授他人。

Punnett, Reginald Crundall　庞尼特(1875-06-20,英格兰肯特汤布里奇～1967-01-03,萨默塞特比尔布鲁克)　英国遗传学家,与W.贝特森一起发现了遗传连锁现象。曾在剑桥大学学习,初研究海生蠕虫的结构,后研究遗传学。在剑桥大学任动物学示教讲师时(1902～1905),参加贝特森领导的遗传研究组。与贝特森接触后支持孟德尔的学说。1905年发表第一本遗传学教科书《孟德尔主义》。他与贝特森一起用家禽和香豌豆做实验,发现了孟德尔遗传学的一些基本过程,包括连锁、性别决定、性连锁以及常染色体连锁的第一个实例。1910年贝特森与他创办《遗传学杂志》,贝特森去世(1926)前一直同任编辑。1912年他成为伦敦皇家学会会员和剑桥大学遗传学教授。第一次世界大战时,食品缺乏,他指出可利用性连锁羽色因子鉴别雏禽的雌雄,从而得以早期鉴别出用途较小的雄雏。这个过程称为性别自动鉴定,在所著《家禽遗传》(1923)中有论述。

Puno　普诺　秘鲁南部省份(1822年成立)。面积72 012平方千米,部分为高原和的的喀喀湖盆地,另一部分为崎岖的山区。印加以前已有人定居,有考古遗迹,尤以的的喀喀湖附近最为集中。居民以印第安人为主,大城市有省会普诺(**Puno**)和交通枢纽胡利亚卡。种植马铃薯、大麦等。牛羊饲养业分布广泛。输出羊毛。重要矿产有银、锑、钨、金、铜等。通泛美公路和铁路。人口约1 263 955(2002)。

Puno　普诺　秘鲁普诺省省会。在的的喀喀湖西岸。海拔3 826米。建于1668年,现仍具有殖民时期的风格。特别是其大教堂(1754年建)。为秘鲁安第斯山区南部商业交

山城普诺市一角
中国大百科全书出版社供图

通中心，经营美洲驼和羊驼毛皮贸易。的的喀喀湖为全世界最高的可航行的湖，湖中有汽船航班。普诺是库斯科和阿雷基帕铁路的终点。通公路和航空线。旅游业重要。设有国立阿尔蒂普拉诺工业大学(1885)。人口约101 578(1998)。

Punt 朋特 古代埃及对红海南岸及其毗邻的亚丁湾海岸的称呼，相当于现埃塞俄比亚和吉布提沿海地区。约公元前2200年，埃及法老佩皮二世(奈弗尔卡拉)曾派兵远征朋特地区。哈特谢普苏特女王(约公元前1472～前1458年在位)曾经去朋特游览，并把所见所闻写在达尔巴赫里她的神殿的墙上。公元前4世纪末，托勒密家族登上古埃及的王位后，希腊人开始与朋特通商。公元前2世纪的希腊历史学家和地理学家阿加萨希德斯曾经观察朋特穴居人的生活习惯。但是，无人真正知道内地的情况。除了阿斯塔博拉斯(特克泽)河等大河和普谢博湖等湖泊外，其余只是猜测。

Punta Arenas 蓬塔阿雷纳斯 智利南部麦哲伦-智利南极区麦哲伦省省会。临麦哲伦海峡，为世界最南的大城市。1849年始建。巴拿马运河通航(1914)前为船只停靠港

蓬塔阿雷纳斯市一角
供图：Reflejo

和加煤站。现为养羊区的服务中心，加工并输出生皮、羊毛和冻羊肉，也出口当地木材和石油产品。附近有火地岛油田，自由港具有吸引力，还驻有海陆空军，故城市发展很快。有地面交通和国际机场。人口116 005(2002)。

Punta del Este 埃斯特角城 乌拉圭东南部城市和海滨旅游胜地。位于伸入大西洋的半岛上。最初，夏季的微风吸引了来自布宜诺斯艾利斯和蒙得维的亚的人。嗣后，新建的旅馆、赌场、坎特格里尔乡村俱乐部、国际电影节使埃斯特角城成为南美洲主要的游乐

海滨胜地埃斯特角城
供图：Walter Aguiar

区。因在此举行1961年泛美经社委员会、1962年泛美外长会议及1967年美洲各共和国总统会议而世界闻名。有公路通蒙得维的亚。人口6 731(1985)。

Puntarenas 蓬塔雷纳斯 哥斯达黎加西部城市。位于伸入尼科亚湾的一长条土地上。为咖啡主要出口港。建成通圣何塞的太平洋铁路后，出口香蕉和咖啡并从美国西岸进口货物，城市地位日益重要。也为该国主要渔港，有鱼罐头厂、冷冻厂和修船设施。建有国际喷气机场。人口约35 166(1988)。

punto a groppo 编结花边 最早的梭结花边(**bobbin lace**)。16世纪时意大利人用编结、交织和打结方法制成流苏边饰，完全不用重坠和线轴。以几何图形为主，有时兼用人物图案。

Punto Fijo 蓬托菲霍 委内瑞拉西北部法尔孔州北部城市。位于帕拉瓜纳半岛西南端。濒委内瑞拉湾。20世纪60年代发展成半岛区的重要城市。由于当地大型炼油厂的建立，该城与蓬塔卡尔东港、阿穆艾港和拉斯彼德拉斯机场形成工业城市群。有输油管道通马拉开波湖油田；大型油轮可停泊在炼油厂前。有公路通州首府科罗和其他城市。人口117 000(2001)。

punto in aria 透空花边 第一种不是在织物上制成的真正的花边。因为针绣挖花花边(**reticella**)越来越精巧，其织物衬地最终便由用大头针别在临时绣衬(如羊皮纸)上的粗线或辫带所取代了。这样制成的花边有其自己的结构。

punto tagliato 参阅 **cutwork** 雕空绣。

punto tirato 参阅 **drawn thread work** 抽纱制品。

pupa 蛹 完全变态昆虫在幼虫和成虫之间的一个发育阶段。化蛹时，幼虫结构解体，成虫结构形成，初次出现翅。蛹皮裂开，成虫咬开一条出路而蜕出；或分泌一种液体将茧软化而蜕出。化蛹过程受激素控制。蝶、蛾

王蝶(*Danaus plexippus*)的茧
供图：Louis Quitt—Photo Researchers

的茧是最常见的蛹期。蠋(毛虫)在茧保护下转变为成虫。茧挂在枝条上，藏在卷叶内、地下落叶层中或洞穴中。有的昆虫以蛹越冬。

Pupienus Maximus 普皮耶努斯·马克西穆斯(164～238，罗马[意大利]) 罗马皇帝。原为名将。238年74岁高龄时被元老院推选与巴尔比努斯共同执政，以反对蛮族人马克西米努斯。他率兵抗击马克西米努斯，巴尔比努斯则留守罗马维持秩序。他在进军途中得悉马克西米努斯已被部下刺死，即班师回罗马。不久当他与巴尔比努斯正要启程远征时，怀念马克西米努斯的禁卫军起来复仇，他们冲进皇宫把巴尔比努斯和普皮耶努斯都拖到街上处死。

pupil 瞳孔 虹膜中央使光线通过的开口。虹膜的肌肉控制瞳孔的大小：瞳孔在强光下迅速缩小，光线变暗时缓慢扩大。注视近物时瞳孔缩小，注视较远物体则扩大。成人瞳孔极度收缩时直径可小于1毫米，极度扩大时可增大10倍。人类瞳孔的大小亦随年龄而稍有变化，青春期瞳孔最大。

pupil 光瞳 光学系统中由反射镜、棱镜、透镜及其组合形成的孔径虚像。图示为两个透镜中间加一光阑而组成的光学系统的情况。透镜Ⅰ的孔径虚像(由物点看去)称为入

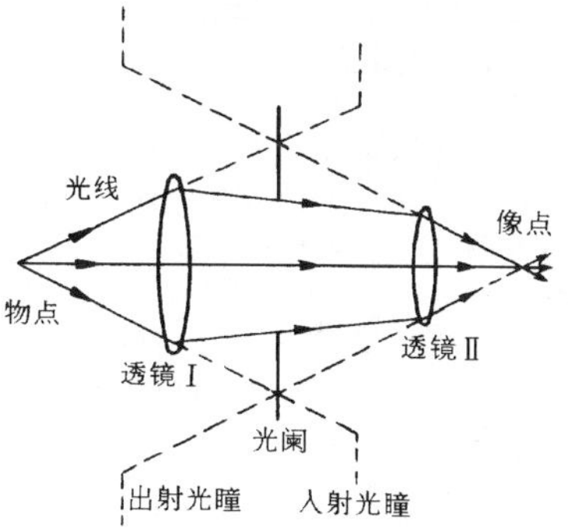

光瞳的光学

射光瞳。实际上，离开物体而通过系统的光量受到入射光瞳的限制，正如实际上受到光阑孔径的限制一样。透镜Ⅱ的孔径像是出射光瞳。一般来讲，每个光学系统都有一个有效孔径和一个由光阑前的所有透镜形成的入射光瞳，而出射光瞳则是由光阑后面的所有透镜形成的。在目视仪器中，出射光瞳落在眼睛的位置。在显微镜和望远镜中，物镜起着孔径的作用，它的像就是出射光瞳，所有达到物镜的光都通过出射光瞳。因此为了充分利用仪器的聚光效能，重要的是出射光瞳不能大于人眼瞳孔的直径。

Pupin, Michael Idvorsky 浦品 (1858-10-04，匈牙利伊德沃尔～1935-03-12，美国纽约州纽约) 美国物理学家，发明沿传输线每隔一定的距离装置加感线圈的方法，使长途电话通信的范围大大扩展。浦品双亲虽知识贫乏，但鼓励他接受教育，1890年浦品成为纽约市哥伦比亚大学的数学物理学讲师。6年后他发现原子受X射线照射会产生次级X射线辐射。他还发明X射线照片短曝光方法。

哥伦比亚大学供图

1901年贝尔电话公司和一些德国电话行业获得他在长途电话上的发明的专利权。他的自传体的著作《从移民到发明家》(1923)获得了1924年度的普利策传记奖。

puppetry 傀儡戏 傀儡应用于某种戏剧演出中。傀儡是一个形象——人、动物、或某种制作和操纵抽象物体——由人而不是由机械帮助移动。傀儡戏起源可能与祭典仪式的魔术同时存在,并且毫无疑问,原始人在创造书写文字之前就制造了傀儡。从群落社会的开端起,傀儡戏就成为此后每种文明的一部分。古代埃及、希腊和罗马对它均有记载;在中国、印度、爪哇和亚洲其他地区,傀儡戏有着古老传统,其起源却无从确定。在人类发展早期,它和由人表演的戏同时产生,并互相影响。后来的基督教堂曾将傀儡纳入圣经剧之中,最后又将它们排除在外,迫使它们流落街头,由流浪艺人继续从一个城镇到另一个城镇表演他们的保留节目,有滑稽戏、低俗喜剧和一连串变化无常的魔幻般的节目。17世纪欧洲出现了撑杆傀儡人物,这是一种人物类型,而不是个别人物,在那不勒斯表现为普尔契奈拉,在法国为波利契奈尔,在俄国为彼特鲁什卡,在英国则为庞奇。18世纪在日本最具风格化的傀儡戏是文乐木偶,由数人同时操纵。这时傀儡戏在欧洲已十分普及,一度巡回演出木偶戏的艺人建立起永久性剧场。南、北美洲也出现了木偶剧院,富人、名人和普通大众均常常去观看木偶讽刺剧和滑稽戏。19世纪的木偶节目表演十分精巧,也常在私人客厅里表演。到1900年,许多木偶节目已被缩编为轻松的歌舞杂耍节目,庞奇和朱迪节目又复活流行。傀儡戏的复活也赢得成年观众,得到一定的成功。20世纪下半叶木偶戏通过电视更加接近广大观众。

傀儡戏演出并不比人戏简单,创造一出傀儡戏往往要花大量时间和劳力。但制成后,却具有节省人力和随意转移演出地点的优点。傀儡的本质是其非人格化,它是一种象征而不是人,这种特点与戴面具的演员或由化装而成面具的演员相同。傀儡戏演出的核心是观众和演员(傀儡)合成一体。由于它本身的局限性,傀儡被看成定型化的艺术,从而使它具有其基本特色:非人格性、不真实性和普遍性。人们在欣赏与现实相去甚远的傀儡时,不可否认,是在观看小型化了的生活并看到了一种魅力和引人入胜的情景,这是人们喜爱傀儡戏的主要原因。观众还对制造和操纵这些傀儡所表现出来的技巧感到兴趣。

傀儡有很多不同的类型,每种都有其特色,但只适于演某些种类的戏剧。不同的傀儡是在不同的文化或地理条件下发展起来的,最重要的傀儡种类有:①布袋木偶。通过伸入其头部和臂部的手指来表演。通常只有腰部以上的形体。②杖头木偶。通过系于它手上或脚上的小棍从下方操纵,全身形。③提线木偶。通过系于其四肢而汇于操纵把上的线从上方进行操纵,全身形。④平面傀儡。两维的,如提线木偶那样从上方操纵,但只能用于家庭娱乐中。⑤皮影傀儡。属平面傀儡,用连杆从下方或用与幕布垂直的连杆进行操纵,还可以通过藏在傀儡身后的线来操纵。也有三维的。⑥其他类型。如日本的“文乐”傀儡、口技演员使用的傀儡、木板提线木偶、“稻草人傀儡”及指头傀儡等。

傀儡戏的演出题材或选自《圣经》,或选自民间故事,或取自英雄人物的世家故事等等。在亚洲,傀儡戏的传统剧目也是半宗教、半民间传说性的。在许多傀儡戏的演出中,音乐伴奏是重要组成部分,它可以制造气氛,使傀儡的动作显得有板有眼,并使主要剧情之间有所延缓,否则傀儡戏就会显得很单调。灯光在傀儡戏的演出中也起重要作用,以前用的是油灯,现在滤光灯的使用使傀儡戏具有令人吃惊的富丽效果。现代,傀儡戏面临很大的困难和巨大的机缘。在西方,傀儡戏的演出入不敷出,往往要靠市政府或地方博物馆的资助才能维持,而且越来越多的人认为它只是一种儿童娱乐。电视看来是傀儡戏演出的理想媒介,它也的确上演过不少傀儡系列剧,如美国的《库克拉·弗兰和奥利》及《芝麻街》等。傀儡戏的未来一定会因不同传统的傀儡戏互相交流、互相补充而得以发展。由国际傀儡戏工作者协会、国际提线木偶联合会举办的国际傀儡戏剧节中,傀儡戏工作者将有机会进行交流和观摩演出。这种国际性的艺术交流活动将有助于地方性的傀儡戏传统得到丰富和发展。

Purāṇa 往世书 印度教经籍的一种,是内容庞杂的通俗著作,内容有神话、传说和世系源流。成书时期早晚悬殊,起源互异。往世书有5个传统主题,即宇宙起源、轮回再造、神灵和圣人的世系源流、伟大时代以及王朝历史。往世书在主题上与《摩诃婆罗多》相联系,并与法论互相印证。以这项内容为核心,吸收公元400～1000年期间的宗教资料,记述习俗、仪式、祭祀、节日、种姓义务、布施、建庙立像、朝觐圣地等等。往世书几乎全部采用叙事联体诗体裁,与叙事诗一样自然流畅,但有些学者认为它们在艺术上逊于叙事诗。

Purandhar, Treaty of 《布伦特尔条约》 (1776-03-01) 马拉塔人帕什瓦(首相)与英国东印度公司最高当局之间签订的条约。是英国人和马拉塔人之间复杂关系的实例。1773年帕什瓦纳拉扬·拉奥死后,其叔拉古纳兹·罗图谋继位。在1775年3月7日的《苏拉特条约》中,东印度公司孟买当局支持他的要求,而以取得萨尔塞特岛和伯塞恩作为交换条件。但是,东印度公司在加尔各答的最高当局不承认这个条约,自派代表重新谈判。结果废除《苏拉特条约》,而签订《布伦特尔条约》。依约,拉古纳兹放弃帕什瓦职位,英国保有萨尔塞特和布罗奇的税收。但伦敦支持孟买当局,1778～1779年孟买当局再度支持拉古纳兹,使纠纷更加复杂。直到1782年,才恢复和平。

Purari River 普拉里河 巴布亚新几内亚河流。发源于俾斯麦岭南坡,流向西南转南,注入珊瑚海的巴布亚湾,为注入该湾的第二大河。全长467千米。上游汇集埃拉韦、瓦吉和图阿3大支流,继而穿峡谷,流经人口稠密的地区,中游为森林覆盖的沿海平原。距河口40千米处的下游分成5条汊道,形成面积2 600平方千米、人口密集的沼泽三角洲。河口上游193千米可通航。

Purba Champāran 东坚巴兰 又作East Champāran。印度东北部比哈尔邦县份。位于恒河中游平原北部,与尼泊尔交界。面积4 334平方千米。茂密的坚巴兰森林主要生长娑罗双和柚木树。冲积平原则散布着榕树、罗望子树、紫荆木、印度楝和椰枣树等。灌溉农业为经济基础,种植水稻、鹰嘴豆、小麦、大麦、玉米、豆类、油籽、甘蔗和黄麻。榨糖厂与碾米厂遍布各地。家庭工业生产土布、虫胶、刺绣品、烟火、银饰、铜器和皮革制品等。黏土和沙为仅有矿产。境内的公路和铁路与可通航的河流平行。县城莫蒂哈里是1917年甘地发动不合作运动的发源地。其他重要城镇有瑟高利、杰吉亚和拉克绍尔等。人口2 425 501(1981)。

Purbeck 珀贝克 英格兰南部多塞特郡一区。在郡的东南角,濒英吉利海峡。面积405平方千米。包括东北缘的普尔港湾,得名于东南部的珀贝克岛。中部属贫瘠的汉普郡盆地,几乎全部是石南丛生的荒地、沼泽和松林。北缘和南部为农牧业区。特伦特和弗罗姆两河流经其中部,并注入普尔港湾。特伦特河口附近的韦勒姆是区首府,另一个城镇是孤立的海滨胜地斯沃尼奇。珀贝克大理石从斯沃尼奇内陆丘陵开采,曾一度供英国建造许多著名的教堂。20世纪70年代中期和后期投产的油田位于韦勒姆的南面和北面,是全国主要海岸油田。有一座原型核能站和有关的研究机构均坐落在区西南角。东北部的胜地城镇普尔多游艇乘客。南部沿岸被划为风景优美区,有海蚀景观。该区以其人口稀少的山岭、与世隔绝的海角和森林及走私者的避难地久为人知。人口约46 100(1998)。

Purbeck Beds 普贝克层 又译珀贝克层。英国侏罗系最顶部的地层单元(侏罗纪约始于1.9亿年前,持续约5400万年)。位于波特兰层之上,代表普贝克阶(侏罗纪的一个世界性标准时间地层单元)。该层岩石变化很大,显示出侏罗纪地理条件的主要更替。有灰岩、泥灰岩、黏土、古土壤层,厚度可达170米左右。在潟湖内沉积了许多不同类型的岩石,有些则是在淡水中沉积。下普贝克层中的古土壤层含有针叶树和苏铁(原始的掌状树)的化石。中和上普贝克层由淡水灰岩组成。此淡水泥灰岩被开采用作建筑石料。泥灰岩、页岩与灰岩成互层，包括含有保存极好的昆虫动物群的著名昆虫层。普贝克层也含有丰富的侏罗纪脊椎动物遗体。

Purcell, E(dward) M(ills)　珀塞耳（1912-08-30，美国伊利诺伊泰勒维尔～1997-03-07，马萨诸塞坎布里奇）　美国物理学家，因与F. 布洛赫分别发现液体和固体的核磁共振（1946），共获1952年诺贝尔物理学奖。核磁共振已经广泛用于研究纯物质的分子结构和混合物的成分。第二次世界大战时珀塞耳在麻省理工学院领导一个研究雷达问题的小组。1946年珀塞耳发展了他的核磁共振探测法，这种方法极精确，也是对美国物理学家I. 拉比发明的原子束法的重大改进。珀塞耳1949年任哈佛大学物理学教授。1952年探测出恒星际空间中性原子氢发出的21厘米波长的辐射。荷兰天文学家H. C. 范德胡斯特在1944年曾经预言这种射电波。他们的研究使天文学家得以确定星系中氢云的分布和位置并测量银河的旋转。1980年，他成为哈佛大学的荣誉教授，同年获国家科学奖。

Purcell, Henry　普赛尔（约1659，伦敦～1695-11-21，伦敦）　巴罗克早期英国作曲家。以所作100余首歌曲、小型歌剧《狄朵与埃涅阿斯》和为莎士比亚《仲夏夜之梦》改编

伦敦国立肖像画陈列馆供图

本《仙后》所写的戏剧配乐传世。普赛尔的生平不详。其父在皇家教堂工作，他也曾在那里担任歌童，并接受最早的教育。1673年嗓子变音后，改任王室乐器管理员助手，1683年升管理员。1677年继M. 洛克而担任查理二世弦乐队作曲师；1679年任威斯敏斯特教堂管风琴师。1682年被任命为皇家教堂三名管风琴师之一。1680或1681年结婚。毕生几乎都在威斯敏斯特教堂度过。后世仅知普赛尔是著名歌曲作曲家，因为在他生前出版了许多歌曲，去世后又一再重版。但是最早证明他的作曲造诣的却是一部器乐作品——一套三至七声部的维奥尔琴幻想曲。有9首四声部幻想曲作于1680年夏，其他的也不会更晚。这里普赛尔是在恢复一种已经过时的曲式，而且写来技巧娴熟，俨然斫轮老手。大概也在同时，他开始写一种更加时髦的器乐——一套由两把小提琴、低音维奥尔琴和管风琴（或拨弦键琴）演奏的奏鸣曲；其中12首奉献给查理二世，于1683年出版，其前言自诩"竭诚模仿最著名的意大利大师"，但是，与意大利风格同时并存的还有大量衍生于英国室内乐传统的东西。

普赛尔在世时，伦敦没有公开的歌剧院，因而在戏剧音乐作曲方面他是英雄无用武之地。他的戏剧音乐大多只是插在话剧之中的器乐和歌曲。实际上他在1689年以前所作戏剧音乐不过尔尔，直至1689年才为切尔西的一所女校创作了《狄朵与埃涅阿斯》，在狭小的框架之内达到高度的戏剧紧张性。自那以后直至去世，他不断应邀为公开的剧院创作音乐，主要有《戴克里先》（1690）、《亚瑟王》（1691）和《仙后》等剧的配乐。在这些作品中普赛尔不仅表现出生动的喜剧意识，而且还显示出他以音乐刻画激情的天赋。他的四声部幻想曲、第一首宫廷颂歌以及第一部戏剧音乐《特奥多西》均作于1680年；有些教堂音乐可能比这更早，但确切的日期已无法肯定。据现在所知，他的大部分赞美歌都作于从1680年至查理二世驾崩的1685年期间。詹姆斯二世和威廉与玛丽在位时皇家教堂的不景气可能是导致他这一时期作品较少的原因，或者也可能是由于他忙于戏剧音乐和颂歌，因而没有时间也无心写作教堂音乐。他的合唱赞美歌的风格极其注重古老传统，而独唱赞美歌则显然受其在皇家教堂的老师P. 汉弗莱的影响，汉弗莱在17世纪60年代中期被派往国外学习时对欧洲大陆的风格有所了解。这后一种作品的最显著特点是采用富于表现力的哀而不伤的朗诵。因为查理二世时皇家教堂的作曲家有权随意支配弦乐队，普赛尔便借此机会在其中加入序曲和里托奈罗，有的庄重，有的活泼。他所有教堂音乐中最刻意经营的作品是赞美歌《我的心在诉说》，于1685年詹姆斯二世加冕典礼时在威斯敏斯特教堂演出，还有1694年为圣塞西利亚节写的《赞美颂与欢呼颂》。

虽然普赛尔的主要创作活动期仅仅只是他生命的最后15年略长一些，他却得以在这段时间里完成大量作品，计有100余首世俗歌曲和约40首二重唱，另外还有为戏剧所配写的歌曲。其中很多都是颇有分量的作品，含有意大利独唱康塔塔风格的宣叙调和咏叹调。他在世俗音乐中广泛应用的得意手法是固定低音（但在赞美歌中却很少用）。早年以后似乎就不再写室内器乐。键盘音乐在他的创作中所占比例更小，有一些组曲和拨弦键琴小品以及少量管风琴曲。除大量歌曲被收入一些声乐曲集外，普赛尔的音乐在他生前出版的很少。他去世后其遗孀出版了一集他的拨弦键琴小品（1696）、为戏剧谱写的器乐（1697）和《赞美颂与欢呼颂》（1697）；出版商H. 普莱福德发行了两卷本的歌曲集，题为《不列颠奥尔甫斯》。1876年普赛尔协会成立，认真着手出版普赛尔全集。这一工作几经中断后于1965年出齐32卷。

Purchas, Samuel　珀切斯（1577，英格兰埃塞克斯萨克斯特德～1626，伦敦）　英国游记和探险作品的编纂者。他继续英国地理学家哈克卢特开始的百科全书式文集的编纂工作，编成《哈克卢特遗作，或珀切斯游记》一书。该书于1625年出版，分为4卷（1905～1907年作20卷出版），其中包括英国人和其他国家探险家所写的航海日志、内陆游记和世界历史。珀切斯曾在剑桥的圣约翰学院和牛津大学学习。先在埃塞克斯，后在伦敦泰晤士河畔的教区任牧师，遇到许多航海者。作为编辑和编纂者，他力求引起公众的兴趣。当时的游记文学以激发英国人投身海外扩张和海外事业的爱国热情为目的，他的集子受到热烈欢迎。珀切斯的编辑才能虽不及哈克卢特，但他编纂的文集常常是与地理史和早期探险活动有关的重要问题的唯一资料来源。

purdah　深闺制度　原意为"屏幕"或"面纱"。肇始于穆斯林而为各界印度教徒所遵行的一种社会风习，即女性不得公开露面，这种风气尤其盛行于印度。深闺制度的实施办法，一是借助于隐身服饰（包括面纱在内）；二是高墙、屏障及室内帏幕。据说深闺制度溯源于波斯文化。7世纪时，阿拉伯人征服现今的伊拉克所在的地区，这种风气便在穆斯林中间流行开来。穆斯林统治北印度后，深闺制度转而又对印度教的习俗产生了影响，于是成为北印度的上层印度教徒普遍采用的一种惯例。英国统治印度期间，深闺制度在少数高度虔诚的穆斯林中间普遍流行，且为他们所恪守而不渝。但在印度教徒中间，这种风气从那时起已大体日趋衰微。许多伊斯兰教国家，目前仍在不同程度上流行着女性深居简出或佩戴面纱的习俗。参阅**harem**。

Purdy, James　珀迪（1923-07-17，美国俄亥俄～2009-03-13，新泽西恩格尔伍德）　美国小说家。其作品研究美国生活方式，表现了人的感情疏远、冷漠和残酷。在俄亥俄州一些小城镇长大，先后就读于芝加哥大学和墨西哥的普埃布拉自治大学。专事写作前，当过翻译、编辑和几年教师。最初的两部作品——《别叫我的真名及其他故事》和中篇小说《63：梦宫》均于1956年出版。这两部书得到D. E. 西特韦尔赞助，在英国出版后，在美国也受到评论界的赞誉。珀迪的小说研究个人之间的关系和家庭生活的影响。《马尔科姆》（1959）写一个徒劳地想弄清自己出身的15岁男孩的经历。在后来的作品，如《侄子》（1960）和《卡伯特·赖特开始行动》（1964）中，他进一步发展了最初在《马尔科姆》中提出的悲哀的世界观。他的三部曲《月光笼罩的河谷中的睡眠者》由《杰里米的幻觉》（1970）、《孤独狂想之家》（1974）和《下面的哀悼者》（1981）组成，探讨美国小镇生活和有害的家庭关系。虽然评论界对珀迪评价不一，但一般认为他是一个有影响的作家，一个有独创性的技巧娴熟的黑色幽默作家。其他作品有小说《我叫伊莱贾·思拉什》（1972）、《在浅墓穴中》（1975）和《你眼中的光芒》（1986），以及几部故事、剧本和诗集。

pure culture　纯培养　只含一种微生物的实验室培养物。通常得自混合培养物，方法是将少量样品（亦可先作多倍稀释）移种到新的无菌培养基，以便使单个的细胞散布在培养基表面。于是每个细胞形成一个单独的菌落，然后把这些菌落分别接种于其他培养基，

即可得到纯培养。采用适合某种微生物而不利于其他微生物的培养基来接种混合培养物，可提高分离纯培养的效率。

Pure Land Buddhism　净土宗　东亚大乘佛教中的重要派别。鼓吹凡虔诚念“阿弥陀佛”的人可以往生极乐世界即净土。此宗信仰以梵文经典《无量寿经》、《观无量寿经》和《阿弥陀经》为依据。据说，法藏比丘立下许多誓愿，其中最重要的是第18愿，即凡念诵其名字者，皆得往生净土。中国净土宗兴起于4世纪，当时僧人慧远（334～416）建斋立誓，6、7世纪时，昙鸾（476～542）和弟子道绰（562～645）与善导（613～681）整理并弘传其教义，他们通称本宗的祖师。净土教义由天台宗僧人传入日本，12～13世纪日僧法然（1133～1212）使之成为独立的宗派。法然强调念佛是进入净土的不二法门。在日本净土宗最大的宗派是真宗，创始人为亲鸾（1173～1262）。净土宗分裂为五个支派，其中两派现仍存在。第一支派镇西派为较大的一派，通常所说净土宗就指此派。第二支派为西山派。时宗是净土宗另一种形式。

pure poetry　纯诗歌　注重探讨语言的基本音乐本质，而不带有叙事或说教目的无寓意诗歌。该词特别指谓E.爱伦·坡的诗歌。G.穆尔（1924年出版《纯诗集》）、C.波德莱尔和T.S.艾略特等人也写过纯诗歌。尝试过这种诗歌形式的诗人还有P.魏尔兰、P.瓦莱里和J.R.希梅内斯等人。

purga　布加风　参阅 **blizzard** 大风雪。

purgatory　炼狱　据天主教教义，人生前犯有未经宽恕的轻罪或已蒙宽恕的重罪以及各种恶习，其亡灵在升入天堂之前，须先经过净化，这种净化的场所称为炼狱。公元前2～前1世纪犹太教内有一种观念，谓人都要为自己的行为受上帝的审判，信徒应当祈祷上帝怜悯亡灵，《新约》间接地提到了这种观念，关于炼狱的教义源出于此。《马加比传》第二卷（《旧约》文献之一，犹太教和新教不承认为正典）有一段说：“但是，假使他寻求在虔敬上帝的情况下睡了的人们的必得的光辉酬报，这就是一种神圣虔诚的想法。因此，他拯救死者，使他们从他们的罪中得救。”（12:45）天主教关于炼狱的教义主要以此为根据。据天主教说，除了上述引语外，《新约》还有其他段落间接提到炼狱。早期教会某些神学家认为，相信炼狱的存在是必要的信条之一。但直到中世纪里昂会议和佛罗伦萨会议以及宗教改革时期的特伦托会议，才把这一信条确定。天主教还认为，在世信徒可借祈祷、施舍、购买赎罪券、禁食、献祭等善功援救炼狱中的亡灵。新教、大多数东派教会如叙利亚教会、聂斯脱利派和一性论等派都不承认炼狱之说。但东派教会大都相信在世信徒祈祷善行可以有益于亡灵。

purge trials　清党审判　又称大清洗。20世纪30年代后期苏联进行的3次公开审判和一系列秘密审判。许多著名的老布尔什维克被判有叛国罪而遭处决或被监禁。法庭提出的所有证据均来自对被告的预审及被告的供词。后来查明，被告是无辜的，案件为秘密警察（内务人民委员部）捏造，供词是在连续不断的拷问和恫吓的压力下作出的。审判成功地清洗了斯大林的主要真正的和潜在的政敌以及批评他的人。审判是30年代把被指控为“人民敌人”的几百万人送去劳动营的广泛清洗的公开的一面。第一次审判于1936年8月开庭，当时G.雅戈达是秘密警察的首脑。主要被告是G.季诺维也夫、L.加米涅夫和I.斯米尔诺夫。他们都是十月革命（1917）和苏维埃政权早期的著名布尔什维克。还有13名被告被控在1932年与托洛茨基合谋组织一个恐怖组织，企图将斯大林赶下台。检察官指责该集团刺杀了S.基洛夫（1934-12），并暗示他们计划暗杀斯大林及其亲密的政治同事。1936年8月24日，法庭判处被告有罪，并下令处决。第二次审判是在1937年1月，N.叶若夫取代雅戈达任内务人民委员部首脑之后。主要被告为G.皮亚塔科夫、G.索科尔尼科夫、L.谢列布里亚科夫和K.拉狄克。他们都是苏维埃政权的著名人物。他们和另外17名被告被控组织了一个“反苏的托洛茨基中心”，宣称该中心与托洛茨基勾结在一起，从事摧毁苏联经济和削弱苏联国防力量的阴谋破坏和恐怖活动。他们被控为德国和日本工作，企图颠覆苏联政府，复辟资本主义。1937年1月30日，他们被判有罪，索科尔尼科夫、拉狄克和另外两名被告被判10年徒刑，其他人被处决。第三次审判（1938-03）是检察官指控N.布哈林和A.李可夫也参加了季诺维也夫-托洛茨基阴谋集团，他们两人是20年代末的重要人物，为当时反对斯大林的右翼反对派的领袖。雅戈达也被指控为阴谋集团成员，另外还有3名为政府要人看病的著名医生。21名被告全部被指控从事了大量的破坏活动和间谍活动，企图摧毁苏维埃政权，肢解苏联，复辟资本主义制度。他们还被指控对基洛夫的死负有责任。雅戈达被指控曾命令3名医生谋杀前秘密警察首脑V.缅任斯基、作家高尔基和政治局委员V.古比雪夫。布哈林被控1918年阴谋策划谋杀列宁。1938年3月13日，除3人外，所有被告都被判处死刑。除了所谓的公开审判外，1937～1938年还对一些高级将领进行一系列的秘密审判。许多著名将领被处决，同时在军队中进行了大清洗。斯大林在清洗中对一些有经验的军事将领的处决，是1941年德军入侵苏联初期苏军抵抗不力的主要原因之一。

Puri　布里　印度东部奥里萨邦东部布里县县城。临孟加拉湾。重要市场、铁路终点和休养胜地。还是著名的印度教圣地，有建于12世纪的札格纳特庙。3.2千米外有所札格纳特花园房屋，每年夏天朝圣者都在此举行盛会。设有两所学院、一个天文台和一处宫殿。有手工业、鱼类加工与碾米等行业。布里县面积10 159平方千米。东部为冲积平原，产稻米；西部为东高止山的丘陵地带。林区产竹和娑罗双木。印度最大湖泊吉尔卡湖大部在该县境内，产大量鱼类。工业有碾米、金属加工和织布等。奥里萨邦首府布巴内斯瓦尔在布里县城内。人口157 610（2001）。

Purí and Coroado　普里人和科罗阿多人　在语言和文化上有密切关系的两个南美印第安部落。根据科罗阿多人的传说，由于两个家族的夙仇才使原来的部落一分为二。他们都居住在巴西马托格罗索州的低地。普里语是科罗阿多语的一种方言，属于大格语群。在18世纪末与白人殖民者接触之前，两部落均在巴西东部海岸附近森林及山地狩猎、采集，无农业及家畜。他们以一个或两个大家庭为一队进行狩猎，成员可有40人左右，由一名长者率领。在殖民压迫下，人口已大大减少；20世纪末期科罗阿多人或许已不足1 000人。他们有萨满教僧，可请求精灵为人治病和占卜未来。

purification　洁净礼　利用仪式以防止被认为不洁、罪恶或不良情况的侵袭。在一个具有强烈的团结意识的社会，如果某个人触犯禁忌，则整个社区都会觉得受到威胁，直到触犯者行洁净礼为止。在生育、青春期、结婚、战争（或流血）和死亡等场合，通常都举行洁净礼。导致污染的因素可能包括食物（如图腾动物的肉）、人（如经期中的女人或贱民）、地方等等。洁净礼可能需要用水（如洗礼）、损伤身体（如割礼）、守斋、祷告和忏悔。

purification, water　参阅 **water purification** 水质净化。

Purification Clique（Confucian group）　参阅 **Qingliudang** 清流党。

Purim　普珥节　英语作Feast of Lots。犹太教的喜庆节日。纪念公元前5世纪犹太人在波斯统治下死里逃生的事迹。情节可能是虚构，见于《旧约·以斯帖记》。波斯国王亚哈随鲁的宰相哈曼恼怒犹太人末底改抗命自恃，向国王进言，力陈犹太人谋反，应予屠戮。奉国王旨意，哈曼掣签决定在阿达尔月十三日下手。末底改之义女、国王的宠后犹太人以斯帖闻讯，冒死求见，建议请哈曼赴宴。席间以斯帖为犹太人求情，指责“恶人哈曼”阴谋屠杀她的同胞。国王下令绞杀哈曼，以末底改继其职。在以斯帖和末底改的请求下，国王允许波斯国全境犹太人于阿达尔月十三日攻击敌视他们的人。大获全胜之余，以斯帖和末底改宣布次日为节日，称普珥节，即掣签节。犹太人每年阿达尔月十三日禁食一天，称以斯帖斋，作为普珥节纪念活动的开始。会堂礼拜中的主要内容是宣读《以斯帖记》。逢此节日犹太人还互相馈赠并周济贫寒。

purine　嘌呤　由碳、氮原子组成双环结构的杂环有机化合物的总称。其中结构最简单的即嘌呤本身，分子式 $C_5H_4N_4$，但并不常见。嘌呤结构存在于许多天然物质中。1776年从尿结石中分出的尿酸，是发现的第一个嘌呤衍生物。1817年又从尿结石分离出黄嘌呤。黄嘌呤及另一嘌呤化合物咖啡因也存在于茶中。鸟嘌呤存在于鸟粪或鸟类、蝙蝠和海豹的排泄物以及尸体中。1891年证实，鸟嘌呤和腺嘌呤是细胞中决定遗传特性的核酸的化学分解产物。19 世纪 90 年代由尿酸合成了嘌呤和几种嘌呤化合物。

Purishkevich, Vladimir Mitrofanovich　普里什凯维奇(1870-08-24[旧历08-12],俄罗斯基什尼奥夫～1920-02,新罗西斯克)　俄国政治家和极右派分子,1905 年参加创建反革命团体“俄罗斯人民同盟”。他是地主,一度担任政府官职,也是第二届到第四届国家杜马的代表。他在杜马中多次发表反犹太人演说,他对君主政体忠诚坚定,而对自由主义者、社会主义者和犹太人却恨之入骨。1908 年普里什凯维奇由于个人原因同“俄罗斯人民同盟”的其他头目发生冲突,另行建立一个“天使长米迦勒同盟”。第一次世界大战期间普里什凯维奇竭力支持俄国参战。他是 1916 年 12 月刺杀拉斯普廷的策划者之一。1917 年 2 月沙皇逊位后,普里什凯维奇曾设法使沙皇家族免遭临时政府的逮捕。十月革命期间他在彼得格勒领导一次反革命阴谋行动,被苏维埃法庭判处监禁,但于 1918 年 5 月获得大赦,移居俄国南部。他在那里与白军合作,出版反苏维埃报纸。后死于斑疹伤寒。

Purism　纯粹主义　立体主义(Cubism)绘画的变种,约 1918 年由法国画家 A.奥尚方和建筑家兼画家 C.-E.让内雷创立。两位艺术家批评立体主义后期的装饰性倾向和怪诞

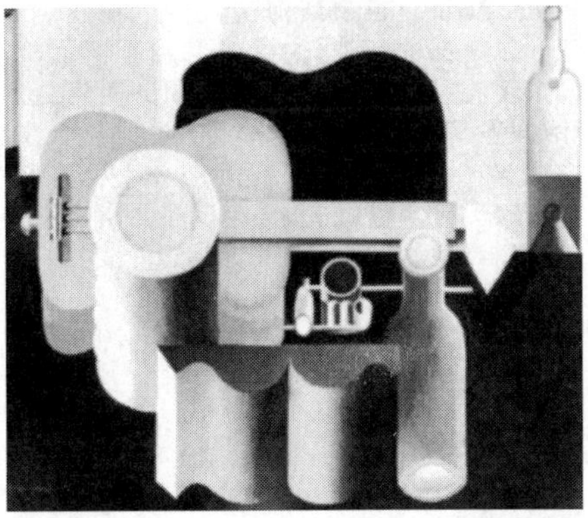

科比西埃的纯粹主义绘画《静物》(1920)
纽约大都会艺术博物馆供图

形式,竭力主张艺术形式应条分缕析,清晰精确和井然有序,以表现现代的机器文明。他们在《纯粹主义》一文中对绘画所下的定义是“一种纯粹的、相互联系的建筑因素的结合物”。这反映在他们形式整洁、纯净和严谨的静物画上。如让内雷的一幅《静物》(1920),在一只瓶颈和桌上其他物品的顶部重复强调出六弦琴的轮廓曲线,而静物的顶端都朝向观众,以此加强其立体感。大小瓶口、烟斗和容器等物的顶端形成圆形主题。色彩结构极纯,只用几种中性颜色(黑、灰、白)和单纯的绿色。油画颜色涂得极其平滑,使物体表面增加了和谐感与冷漠感,创造出“和谐的建筑形式的交响乐”。作为绘画运动,纯粹主义并没有什么追随者。但也有许多画家喜欢其机器文明的美学,如法国的 F.莱热等。

Puritanism　清教主义　16世纪末和17世纪的宗教改革运动,其宗旨是“清除”英格兰圣公会中的天主教“教皇残余”。清教派人士认为,女王伊丽莎白一世在位初期所实行的宗教政策保留了这种残余。英格兰国王亨利八世于 1534 年使英格兰圣公会脱离罗马教廷,后来,在国王爱德华六世在位期间(1547～1553),新教事业发展迅速。但是,在女王玛丽在位期间(1553～1558),英格兰重返天主教,许多新教人士遇害或被迫逃亡。不少人避难于日内瓦,加尔文派已在该地建成一种新型教会的实践模式。伊丽莎白时代(1558～1603)英格兰最著名的两部书:日内瓦《圣经》和福克斯的《殉教者书》也是从日内瓦的经验产生出来的。《殉教者书》谓英格兰是上帝挑选来完成宗教改革事业的国家。1558 年伊丽莎白登位时,这些新教徒人士热烈欢迎,但是她所实行的方针却使要求广泛改革的人士大失所望,他们不能在管理教会的最高机构教牧人员和主教会议中达到目的。“清教派”一词是在 16 世纪 60 年代关于宗教礼服的争论中首先出现的。许多清教派人士争取议会的支持以在英格兰实行长老制教会体制。另一些清教派人士脱离国定教会,另组教会。这两部分人,特别是分离派,受到当局的镇压。英格兰清教派人士既然丧失了改革国定教会的机会,就转而利用讲道、出版小册子和其他方法表达自己的宗教见解并从事社会活动和组织活动。同时,清教主义在贵族中间和议会里都有人支持,而且控制了牛津、剑桥两大学的一些学院和教授。1603 年,信仰加尔文主义的苏格兰国王詹姆斯六世继伊丽莎白一世之位成为英国国王,称詹姆斯一世,清教派重新产生了希望。但是在 1604 年的汉普顿宫会议上,詹姆斯一世竟说:“如无主教,亦无国王”,驳斥了清教派的意见。他们仍处在压力之下。其中一部分人丢了职位,另一部分人勉强顺从而获得职位,还有一部分人不愿折中妥协,逃离英格兰。查理一世(1625～1649 在位)同他的坎特伯雷大主教 W.劳德施加更重的压力迫使人们归顺国定教会,但是清教主义精神继续扩散。后来在 17 世纪 40 年代议会与查理一世之间爆发战争,即英格兰内战,清教派抓住机会要求议会和全国回到与上帝订立的圣约上来。议会召集一批神职人员,要求他们就教会体制问题向议会提出建议。但是威斯敏斯特会议这个机构分裂严重,无法决定如何改革教会体制和规章。此时,击败了保皇军的新规范军唯恐威斯敏斯特会议和议会同国王查理一世达成妥协,使他们为清教派争取到的成果毁于一旦,于是夺取政权,交给他们的英雄克伦威尔。克伦威尔的共和国的宗教政策允许一定程度的多元化,这有利于清教派。激进的清教主义派别纷纷涌现,其中包括平均派、掘土派、第五君主国派和贵格派。1658 年克伦威尔卒,其后清教派中的保守派拥护国王查理二世复辟和经过修改的主教制。然而主张恢复劳德的严格主教制的人占了上风。随之英格兰清教派进入了大迫害时期。在光荣革命时期,英格兰清教派最后一次企图实现关于兼容教会的理想而再一次失败,1689 年的《容忍法》确定了英格兰的宗教政策:即国定教会继续实行主教制,也容忍不从国定教会的派别。T.戴尔把清教派建立圣约社会以实现神圣共同体的理想带到了美洲殖民地弗吉尼亚,但是最大的机遇却在新英格兰地区。马萨诸塞湾殖民地教会体制的最初形式是介乎长老制与分离主义之间的“中间路线”,而在 1648 年新英格兰 4 个清教派殖民地共同通过了《剑桥纲领》,确立公理制。新英格兰清教派按照教会体制组织政府,只有蒙上帝挑选的人才有选举权和治理权。后来出现了第二代居民的问题,他们采用“半约”,允许受过洗礼的、有道德的、信仰纯正的人分享教友的特权。被马萨诸塞湾殖民地驱逐的 R.威廉斯在罗得岛,贵格会人士彭威廉在宾夕法尼亚,都试验了其他形式的清教主义体制。在宗教生活方面,清教派认为,人必须悔改才能得救,脱离有罪状态;上帝决定通过传道揭示救恩;执行救恩的动力是圣灵而不是理性。按照这种信仰,当时安立甘宗的教义和礼仪中的许多内容自然要扬弃。清教派的做法是,强调无固定格式的讲道,取材于《圣经》和日常经验。他们既然强调讲道,也就重视教牧人员的学识。一方面强调悔改经验,另一方面根据加尔文的得救预定论而自居为上帝特选之人,以根本转变历史为己任,这就是清教派人士的特点。

Purity, Brethren of　参阅 Ikhwān aṣ-Ṣafā' 精诚兄弟会。

Purkinje, Jan Evangelista　普尔基涅(1787-12-17,波希米亚利博霍维采[今捷克共和国]～1869-07-28,布拉格)　捷克语作 Jan Evangelista Purkyně。曾译普肯野、浦肯野。捷克实验生理学创始人。广泛研究了组织学、

供图:CTK—Czechoslovak News Agency

胚胎学和药理学,对眼和视觉、脑和心脏功能、哺乳动物的繁殖及细胞组成等方面均提出新的见解。一般认为他最早在德国的大学中把实验室训练与教学结合起来。1819 年获布拉格大学医学博士学位,在该校从事研究工作时发现普尔基涅氏效应(当照明强度降低时,红色物体与同样亮度的蓝色物体相比颜色消褪得更快)。他对人类视觉的研究引起歌德的注意,歌德并可能曾帮助他取得普鲁士布雷斯劳大学生理学和病理学教授的职位(1823～1850)。他在该校创立了世界第一个独立的生理学系(1839)和第一个正式的生理学实验室(称为生理学研究所,1842)。1850～1869 年任布拉格大学生理学教授。1837 年他发现小脑皮质的普尔基涅氏细胞,1839 年发现心室的普尔基涅氏纤维,因享盛

名。在描述动物胚胎时首创"原生质"一词。首次使用切片机、冰醋酸、重铬酸钾及加拿大松脂制备显微镜检查用的组织标本。1829年用实验方法研究了樟脑、鸦片、颠茄和松脂对人类的作用,描绘了洋地黄及颠茄中毒所产生的视觉障碍。1823年认识指纹的鉴定意义,1825年发现生发泡(即普尔基涅氏泡),1833年发现汗腺,1836年指出胰腺提取物能消化蛋白质。

Pūrṇaprajña(Hindu philosopher) **普尔纳普拉吉纳** 参阅 **Madhva** *摩陀伐*。

Purnea 布尔尼亚 印度东北部比哈尔邦东北部城市。位于恒河支流绍拉河以东。为铁路和公路的重要枢纽,农产品贸易中心。有碾米和黄麻加工业。是印度的主要黄麻产区。其他作物有谷物、烟草和油籽。1864年建市,有一所邦立医院。人口171 235(2001)。

Purple Heart 紫心勋章 美国最早的军功勋章,由G.华盛顿于1782年创设,用以奖励在战斗中的英勇行为。据记载,在美国独立战争期间仅有3人获颁此种勋章,都是士官

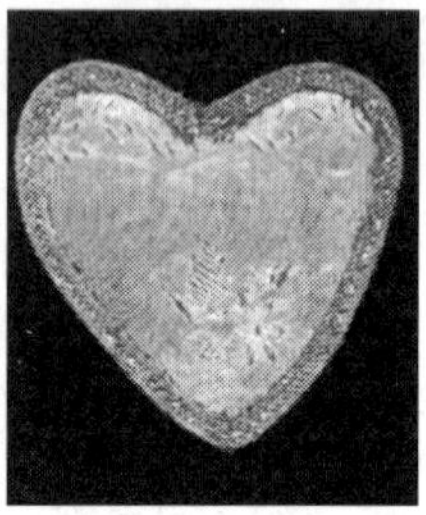

(左)现今的紫心勋章;(右)G.华盛顿创设的原始紫心勋章

(左)新罕布什尔州辛辛那提学会供图;(右)美国陆军部供图

军阶。两枚这种众人羡慕的勋章依然存在。原始的紫心勋章只是一块紫色心形布料缀以银丝边,缝在上衣上而已。它虽然是独立战争的荣誉勋章,却被人们淡忘了将近150年。直到1932年2月22日,华盛顿诞辰200周年纪念时,紫心勋章才再度受到瞩目。紫心勋章现在颁给为国家服务而受伤或阵亡的人(遗赠)。已获该勋章的受伤人员再有功时则颁给一枚榆叶丛束。紫心勋章可算是设计最精美的美国勋章。它是一枚紫色心形徽章,镶嵌青铜边缘,中心为身着大陆军团将军制服的华盛顿侧面半身雕像。背面镌刻着"军功卓著"字样,下面为受领人姓名。

purple medic(plant) **紫苜蓿** 参阅 **alfalfa** *苜蓿*。

purple sail 帆水母 水螅虫纲管水母目帆水母属(*Velella*)漂浮在海洋中的动物。其特征是有一充气的帆状浮囊,下方有具刺细胞的触手、多数生殖个员和一个位于中央的营养个员。

purpura 紫癜 一种皮肤症状,表现为大小不等的出血点,常伴有体腔和组织出血。因止血功能障碍所致,其主要原因有:①小动脉壁受损(血管性紫癜),如坏血病、细菌或病毒性感染、变态反应、遗传(假性血友病);②血小板减少,如血小板减少症、免疫性血小板减少症、红斑狼疮、血小板衰弱症;③凝血因子缺乏,先天性者如血友病、克里斯马斯病、低凝血酶原血症、无纤维蛋白原血症,获得性者见于肝脏疾病后及应用抗凝血药后;④循环中存在着各种抗凝物质(异常的蛋白质,抗体),从而阻碍凝血因子相互作用,见于某些血液病(多发性骨髓瘤、白血病)、结缔组织病、辐射损伤及药物治疗后;⑤纤维蛋白溶解,由于纤维蛋白溶解系统被激活所致,见于妊娠意外、分娩和外科手术。有一种看似矛盾的情况,见于休克、外伤、烧伤时因组织物质进入血流,引起血管内凝血,凝血因子耗竭引起出血,这种情况常见于分娩大出血。紫癜的治疗视病因而异。肾上腺皮质激素对控制血管性紫癜和血小板减少性出血有效;紧急时可输血小板;某些类型的血小板减少性紫癜在其他方法治疗无效时可行脾切除;凝血障碍伴有急性出血时输全血、血浆或患者缺乏的血液成分。

purse(ancient Roman treasury) 参阅 **fiscus** *御库*。

purslane 马齿苋 马齿苋科马齿苋属(*Portulaca*)一些一年生肉质小植物。茎淡红色,匍匐,叶卵形,基部较狭。花小,黄色,在阳光下开放。普通马齿苋(*P. oleracea*)是分布广泛的杂草,其变种家庭菜园马齿苋(*P. o. sativa*)在一些地区(主要是欧洲)有一定程

普通马齿苋(*P. oleracea*)

美国不列颠百科全书公司供图

度的栽培食用。该属植物生命力极强,甚至在干燥的荒地上也能生长良好,连根拔出后,仍能利用其保存的水分开花结籽。蒴果盖裂,种子细小,能长期保存发芽能力。马齿苋树(*Portulacaria afra*)原产于南非,为乔木,高4米,木质软,叶肉质。在加利福尼亚栽作代表性植物,以显示其肉质习性及形小、粉红色、簇生的花朵;亦广泛栽于室内作为盆栽植物。

pursuit racing 追逐赛 自行车运动比赛项目,参加比赛的队或个人分别在椭圆形跑道对侧出发,以超越对手为目的。在熟练选手中间进行比赛,超越对手的情况是少见的,因此,一般的规则是,在最短时期内跑完规定距离者胜;该距离对于职业运动员为5 000米,对于业余运动员为4 000米。团体追逐赛中,领头的自行车运动员先在队前引领队员成一路纵队前进,使得只有这一个运动员用自己前进的动作冲破风的阻力。这一累人的领骑任务定时由每一名队员轮流承担。1939年米兰世界锦标赛设业余和职业个人追逐赛。1958年举行女子个人追逐赛,1962年增加女子团体追逐赛。

Puruhá 普鲁亚人 西班牙征服时期安第斯高地的厄瓜多尔印第安人。虽然高地现在居民仍是印第安人后裔,但他们的语言、文化及部落特征早已消失,因此已无可以确切辨识的普鲁亚民族了。在西班牙征服时期,普鲁亚人务农,种植玉米、豆类、南瓜和甘薯,也进行狩猎。住区分散于山边,房舍为泥墙草顶。普鲁亚人长于纺织,原料有棉花及龙舌兰纤维。男人的服装是一种棉布束腰外衣,为了暖和也披一块毛毯;女人的服饰不明。他们组成颇有凝聚力的封建政体,由当地酋长和一个地区的"王"统治。普鲁亚人认为当地的两座名为钦博拉索和通古拉瓦的火山,是他们神圣的祖先,并向钦博拉索火山进行人祭。

Purūlia 布鲁利亚 印度东北部西孟加拉邦中西部城镇。位于开赛河北岸。重要公路和铁路交叉点与农产品集散中心。有榨油、丝织、棉纺织、藤器与虫胶等工业。附近的开赛河上筑有水坝,提供水库、控制洪水和灌溉。附近还有几处7世纪的耆那教寺庙遗迹。1876年建市,设有布德万大学的4个学院。人口113 766(2001)。

Purus River 普鲁斯河 发源于秘鲁乌卡亚利省南部的河流,由数条源流汇集而成。向东北流经秘鲁热带雨林区和巴西阿克里州,入亚马孙州后,水流转缓,蜿曲向北、东、东北,在马瑙斯汇入亚马孙河上游,称索利蒙伊斯河。河口宽1 200米,河汊多。实际上河道流程为湖泊泛滥区的排水道。全长3 211千米,大部分河段及沿岸许多湖泊均可通航。为全世界河道最弯曲河流之一,河源至河口直线距离远不及河流长度的一半。沿河森林产橡胶。

purusha 原人 梵语作puruṣa,意为"人"或"灵"。印度哲学中的灵魂或自我。印度哲学的大多学派均承认有永恒的、不变的自我,尽管对它的本质及其存在的证明有不同描述。在数论和瑜伽的二元论哲学中,原人与原质(物质)相对立,构成两个本体论的实在。一切生物和无生物,以及一切心理-精神经验都是原质的产物。原人与原质混合即为灵魂的束缚,原人与原质分离则是灵魂的解脱。在吠陀的一个早期创世神话中,宇宙是由原人身体中创造出来的。

Pūrva-mīmāṃsā(Indian philosophy) **前弥曼差** 参阅 **Mīmāṃsā** *弥曼差派*。

Purvachal 东部山脉 又称东部高地。印度东部山脉,延伸约98 000平方千米,横跨阿鲁纳恰尔、那加兰、曼尼普尔、米佐拉姆、特里普拉等邦以及阿萨姆邦东部。在此地区的帕特凯及其他相连山脉(包括阿卡、达夫拉米里、阿博尔与米什米诸丘陵)统称为东部山脉(purva意为"东",achal意为"山")。

这一地区西南与孟加拉为邻，东南和缅甸接壤，东北和中国毗邻。印度史诗《摩诃婆罗多》有数处提及该地区。13 世纪初叶起，该地区由阿霍姆人统治。19 世纪最后 25 年间，为英国人占领。该地区的地质不稳定，有数处断层交会，南北走向各山为趋向西方的平行狭谷遮断。最高峰是大发棒峰，位于阿鲁纳恰尔邦的洛希特区，海拔4 578米。主要河流有洛希特、布里、迪汉、迪永、古希雅拉、古姆蒂、加拉丹、曼尼普尔、蒂绪、楠达莱及瑙尔雅。植物种类甚多，从热带常绿树直至温带常绿树与针叶树，树种计有：橡树、栗树、桦树、木兰、樱桃树、枫树、月桂树及无花果树，竹林分布也很广泛。

借轮作和传统耕作方式种植的作物有水稻、小米、玉米、豆类、芝麻、菜籽、芥末、甘蔗、马铃薯、大麦、小麦、木薯等。家禽和家畜的饲养也很重要。工业以小型家庭手工业为主，生产纺织品、篮筐、木制器皿、弓箭、捕捉机、卧榻、糖、纸、金属器具、传统绣制服装、砖瓦、肥皂、针织品及蜜饯水果。矿物资源有石灰石、褐煤、煤、铁砂、铜矿砂、岩盐、黏土及赭石。主要居民为诺克特、宛乔、唐萨、那加、库基、卢沙伊、拉克尔、查克马及潘尼等族。东北边疆铁路仅穿越部分地区，国家公路只通达因帕尔与科希马两地。因此，该地区大多数行政中心依靠航空联系。

purveyance 王室征发权 在英格兰历史上，指君主和王族巡游各地时低价强购所需物品的特权。从中世纪到 17 世纪，这种做法经常引起民愤。每当国王驾到之前，他的官员就在商场或市集上强行购买物品。除了物品外，还征用马匹、车辆和人工。官员们乘机牟利。《大宪章》(1215)首次限制了这种特权，以后 3 个世纪中也有过一些反对征发过重的法令。但是这种横征暴敛的方法，一直延续到 17 世纪。F.培根在詹姆斯一世召集的首届国会中曾力主废止征发权。共和政体时期停止行使，到 1660 年王政复辟后才将其废除。

Purviance, Edna 珀维安斯(1895-10-21?，美国内华达帕拉代斯瓦利～1958-01-13，加利福尼亚好莱坞附近） 全名 Olga Edna Purviance。美国默片时代的女演员。在三十多部影片中与 C.卓别麟搭档，包括经典短片《流浪汉》(1915)、《安乐街》(1917)、《移民》(1917)和故事片《弃儿的故事》(1921)。1915 年初，珀维安斯入选影片女主角，很快与卓别麟合作第一部影片《通宵》。她总是饰演温柔可爱的金发女郎，与卓别麟饰演的流浪汉形象相映成趣。他们在生活中也是一对恋人，恋情结束后仍是亲密朋友。在卓别麟创作并导演的《巴黎一妇人》(1923)中饰演一名优雅的妓女，并一直是卓别麟影片中唯一的女主角。她与一名石油大亨的绯闻几乎毁了她的演艺事业。卓别麟雇用 J. von 斯滕伯格导演她的影片《海鸥》，但其酗酒影响了表演，而且卓别麟和斯滕伯格在艺术上也有分歧，导致该片未能发行。晚年每月从卓别麟的公司领取少量津贴，最后拍摄的影片是《凡尔杜先生》(1947)和《舞台春秋》(1952)。

Puryear, Martin 普里尔(1941-05-23，美国华盛顿[哥伦比亚特区]～) 美国雕刻家。曾就读于华盛顿[哥伦比亚特区]的天主教大学，1963 年获文学士。毕业后加入和平队，在塞拉利昂边远乡村执教两年。因对塞拉利昂土著手工艺产生兴趣，因而钻研木工技艺，并在斯德哥尔摩学习设计。之后返回美国，进入耶鲁大学，获美术硕士学位(1971)。在田纳西州纳什维尔的菲斯克大学和马里兰大学执教，1978～1990 年到芝加哥的伊利诺伊大学，后迁往纽约。1989 年获麦克阿瑟基金会补助。在非洲和斯堪的纳维亚的经历使他专注于木雕，作品精美、刚毅，表明其各种木工技艺已臻炉火纯青，其雕刻造型之精髓源于自然或文化，却不失其对象物体之真实。作为杰出的雕刻家，他所使用的材料已经扩大到钢铁和花岗岩。

pus 脓 感染性微生物(如细菌)侵入机体引致发炎时形成的稠厚、不透明的通常为黄白色的液态物质。由变质的白细胞、组织碎屑及活的或已死的微生物组成。参阅 **inflammation**。

Pūsa 布萨 印度东北部比哈尔邦中北部城镇。位于布里根德格河西岸。1796 年政府取得这片土地，用于养马，后改作烟草农场。1904 年成为英印政府帝国农业部总部。1905 年建立研究所，下设实验农场和农学院。1934 年大地震后，研究工作迁往新德里。1970 年建成拉金德罗农业大学。人口：布萨及相邻农村122 086(1981)。

Pusan 釜山 韩国最大港口和第二大城市。庆尚南道首府。位于朝鲜半岛东南端。面积 436 平方千米。为内务部直辖特别市，其行政地位与道(省)相等。在高丽王朝时期

釜山市和港口鸟瞰
供图：Knodel—Shostal

(10 世纪至 14 世纪末)称釜山浦。釜山坐落在洛东江江口，隔朝鲜海峡与日本对马岛相望。1876 年对日本开放，1883 年起从事广泛的对外贸易。与日本下关市之间有轮渡来往。有铁路通中国和俄罗斯，有国际机场。1950～1953 年朝鲜战争期间曾为韩国的临时首都。釜山湾内的影岛有吊桥与大陆相连。该岛将全港划分为东西两港，较大的东港为贸易港，较小的西港为渔港。工业有造船、汽车、电力、金工、陶器、化工、造纸及其他各种制造业。胶合板工业在国内占首位。1980 年开始建造地铁。设有两座大学和七座专科院校。东北郊区有海滨浴场和温泉，山区附近有古寺。人口3 664 000(2000)。

Pusey, E(dward) B(ouverie) 皮由兹(1800-08-22，英格兰伯克郡皮塞～1882-09-16，伯克郡阿斯科特隐修院） 英国基督教安立甘宗神学家、学者、牛津运动领袖。曾在德国学

伦敦国立肖像画陈列馆供图

习神学和东方语言，后任牛津大学希伯来语钦定讲座教授。1833 年参加牛津运动，1834 年为《时代书册》撰写论禁食的短文，次年撰写详论洗礼问题的文章。1843 年，在讲道时宣传基督真正临在于圣餐礼上的饼与酒中，引起牛津大学当局的强烈不满，两年内不许他在牛津大学讲道。皮由兹自费在利兹兴建救世主教堂，1866 年霍乱流行期热心救护患者。

Pusey, Nathan (Marsh) 普西(1907-04-04，美国艾奥瓦康瑟尔布拉夫斯～2001-11-14，纽约） 美国教育家、哈佛大学校长(1953～1971)。他使学校的捐赠基金和教学设备都显著增加，并促进人文学科教学。1971～1975 年退休，任梅隆基金会主席。在哈佛大学完成学业(文学士，1928；文学硕士，1932；哲学博士，1937)后，开始教学生涯，在威斯康星州阿普尔顿市劳伦斯学院任实验文科专业助教，后任加利福尼亚州克莱尔蒙特市斯克里普斯学院教师。1940 年回新英格兰，在康涅狄格州米德尔敦市的卫斯理大学发展大学一、二年级人文学科专业，1943 年任该校古典文学副教授。1944 年回劳伦斯学院任院长。1953 年被任命为哈佛大学校长，接替 J.B.科南特之职。正如同他过去在劳伦斯学院的作法一样，他立即致力于扩大哈佛的捐赠基金，成绩卓著。他在提高教员薪金和增加新校舍方面也起了很大作用。20 世纪 60 年代后期的反战抗议活动两度迫使校园关闭，1969 年普西召来剑桥市警察制止学生静坐时，发生

流血事件。

pusher lace 推杆机织花边 19世纪在英格兰诺丁汉用"推杆"织机制成的花边,推杆织机由S.克拉克和J.马尔特于1812年注册

英格兰诺丁汉生产的推杆机织花边
诺丁汉博物馆和艺术陈列馆供图

专利,并于1825年经J.辛耶改进。推杆织机首先生产出回旋式图案的花边。

Pushkar 布什格尔 印度西北部拉贾斯坦邦城镇。为朝圣中心。有5个主要庙宇,均为现代建筑,因其早期建筑已为莫卧尔皇帝奥朗则布(1658～1707年在位)所毁坏。主庙和布什格尔湖供奉梵天。布什格尔湖被认为神圣无比,湖周围有沐浴时下水的石阶。每年有数千人朝圣。人口14 789(2001)。

Pushkin 普希金 1728年称沙皇村,1918年改称儿童村,1937年改今名。俄罗斯西北部圣彼得堡州城市。位于圣彼得堡市南面22千米。沙皇村环绕一座皇族夏宫而建。叶卡捷琳娜一世修建宫殿(1717～1723),后经扩建(1743～1748)和改建(1752～1757)成俄罗斯巴罗克式宫殿。在叶卡捷琳娜二世统治期间又经装修。第二次世界大战中该地遭德国人破坏,现已修复。宫殿花园内有一较小的亚历山大宫殿(1792～1796)和许多楼阁、雕像和纪念碑。宫殿一侧有一所公立中学,俄国诗人普希金1811～1817年在此学习。1937年该市为纪念普希金逝世100周年而更用现名;他就读的学校现为博物馆。1837年从圣彼得堡至沙皇村建成俄国第一条铁路。现设有圣彼得堡农学院。人口约94 000(1994)。

Pushkin, Aleksandr (Sergeyevich) 普希金 (1799-06-06[旧历05-26],莫斯科～1837-02-10[旧历01-29],俄国圣彼得堡) 俄国诗人、长篇和短篇小说家、剧作家,被认为是俄国最伟大的诗人和俄罗斯近代文学的奠基人。1811年进入为贵族子弟办的皇村学校,并开始其文学生涯。早期诗作仿效浪漫派诗人K.巴丘什科夫和V.茹科夫斯基,以及17和18世纪法国诗人的风格,继承了他们的轻快诗的传统。1820年发表浪漫主义诗歌《鲁斯兰和柳德米拉》,该诗以叙事风格写成,采用了许多民间故事和传说。在那些以手稿形式广为流传的政治诗和讽刺短诗中,在受18世纪激进的思想家、作家拉季舍夫的影响写成的《自由颂》(1817)、《乡村》(1819)中,他讴歌自由,成为日后参加十二月党人起义的人们的思想和抱负的代言人,因而于1820年被亚历山大一世流放南俄。他在那里得到的种种印象,为他的一组浪漫主义叙事诗提供了素材。"南方组诗"[包括《高加索的俘虏》(1822)、《强盗兄弟》(1821～1822)、《巴赫切萨拉伊的泪泉》(1821～1823)等]巩固了诗人的声誉。他被赞誉为当时第一流的俄罗斯诗人和19世纪20年代浪漫主义的、热爱自由的一代的领袖。1823年他开始创作长篇诗体小说《叶甫盖尼·奥涅金》。这部小说(至1831年陆续写成,1833年出版)是第一部以现代社会为主题的俄国作品,展示了俄国生活全貌,为19世纪俄国现实主义小说指明道路。1824～1825年普希金被押解到普斯科夫省他父母的领地米哈伊洛夫斯克村,交地方当局监视。在这期间,他写了著名历史悲剧《鲍里斯·戈都诺夫》(1825),它是根据莎士比亚

莫斯科国立特列季亚科夫画廊供图

戏剧的"通俗化原则"写成的,标志着与法国戏剧的古典主义决裂。此外,还完成了长诗《茨冈》(1824)、诗体小说《努林伯爵》(1825)和叙事诗《波尔塔瓦》(1828)。1829～1836年间,普希金的创作才能达到了登峰造极的地步,艺术境界也焕然一新,这时期所写的每一部作品几乎都在俄国文学史上掀开新的一页。1830年秋,他在波尔金诺度过了其整个艺术生涯中最不平凡的几个月,完成了《叶甫盖尼·奥涅金》最后两章,写出叙事诗《科洛姆纳的小屋》、《别尔金小说集》(包括《射击》、《暴风雪》、《棺材匠》、《驿站长》和《村姑小姐》等),还写了长诗《青铜骑士》(1833)及4部小悲剧:《吝啬的骑士》(1830)、《莫扎特和萨列里》(1831)、《石客》(1830)、《瘟疫流行时的宴会》(1832)和许多抒情诗。他的关于普加乔夫起义的长篇小说《上尉的女儿》于1836年发表。1837年,普希金为维护自己和妻子的声誉,在一次由一批有势力的敌人强加于他的决斗中身负重伤逝世。他的创作富有崇高的思想,强调公民的责任,充满肯定生活的气势,深信理智必能战胜偏见,光明必能战胜黑暗,人类的博爱必能战胜奴役和压迫,因而在全世界引起共鸣。他的作品被译成世界所有主要语言的版本,不但最完满地表达了俄国人民的意识,而且具有超越民族障碍的力量和鼓舞作用。

Pushkin Fine Arts Museum 普希金造型艺术博物馆 位于莫斯科,收藏古代和中世纪艺术品以及西欧的绘画、雕刻和版画艺术品,尤以18～20世纪的法国艺术品著称。该馆于18世纪70年代始建于莫斯科大学,藏品由俄罗斯收藏家S.史楚金及I.莫罗佐夫所收集。从1812年起,该馆设在一座新古典主义风格的建筑里。该馆除名称外,同莫斯科的亚历山大·普希金博物馆没有关系。后者专门展出有关这位作家的生平及其时代的文物,并收藏当代文学、肖像以及圣彼得堡和莫斯科的素描和水彩画。

Pushmataha 普什马塔哈(约1765,诺克苏巴河畔[今在美国密西西比州]～1824-12-24,华盛顿[哥伦比亚特区]) 乔克托印第安人酋长。他一味屈从,助长了美国在19世纪初期占领印第安人土地的气焰。1805年被选为酋长之后,即签订《德克斯特山条约》,将乔克托人在亚拉巴马和密西西比两地的许多土地让给白人。1811年肖尼人酋长特库姆塞力图将南部印第安人纳入其反白人的联盟,因普什马塔哈反对而未成。1813～1814年克里克战争期间,普什马塔哈劝说乔克托人与美国政府结盟,在1813年12月23日圣地(埃康诺查卡)战役中战绩卓著。1816及1820年,他又两度向白人出让土地。

Pushtu language 参阅**Pashto language**普什图语。

Pushtun(people) 参阅**Pashtun**普什图人。

pussy-toes 猫爪花 又作pussy's-toes。菊科蝶须属(*Antennaria*)几个种的俗称。矮生,密被灰白色绵毛。原产于北美、南美、欧洲北部和亚洲。典型的猫爪花茎直立,基生叶大,茎生叶较小较少。雌雄异株,头状花序形似猫爪,亦称永久花。兴安蝶须(*A. dioica*)的几个栽培变种被白色绵毛,花序形小,花白

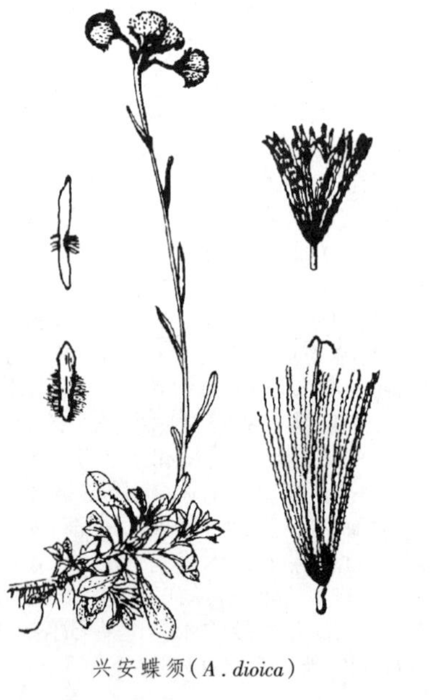

兴安蝶须(*A. dioica*)

至玫瑰色。一些种(包括小猫爪花[*A. neodioica*])雄花极少。车前叶猫爪花(车前叶蝶须,*A. plantaginifolia*)亦称软烟叶,基生叶较长而宽。有几种猫爪花栽培以作干花,少数几种栽于岩石庭园。

pussy willow　飞絮柳　柔荑花序形大、圆柱形、多絮毛的柳树,种类甚多,尤指褪色柳(*Salix discolor*)。参阅 **willow**。

pustular dermatitis　脓疱性皮炎　参阅 **sore mouth** 羊口疮病。

Pusur River　布苏尔河　孟加拉国西南部博多河(恒河)的一条支流。该河在库尔纳城东北从莫图莫迪河分出,向南流 177 千米到孟加拉湾,上游部分称作阿塔拉班基河。

Put-in-Bay　普廷贝　美国俄亥俄州北部渥太华县的村庄。位于南巴斯岛的普廷贝港,在伊利湖马布尔黑德半岛的沿岸,托莱多以东 56 千米处。以 1813 年 9 月 10 日的伊利湖战役中美国小舰队抗击英军分舰队胜利而闻名,当时美国小舰队司令官为海军准将 O. H. 佩里。为此,在方圆 10 公顷土地中间竖起一座高达 107 米、上为露天平台的柱碑以资纪念。又为纪念佩里的胜利和美加国际和平以及两国在边界上不设防而建的纪念碑则竖在村庄外面靠近加拿大的边境线上,完成于 1915 年。该村庄以钓鱼和划船的旅游胜地而著称,在马布尔黑德半岛有飞机和渡船往来于克林顿港和卡托巴岛。南巴斯岛本身为 5.6 千米长和 2.4 千米宽,呈布丁袋形,人们认为普廷贝即由此讹误而来。该岛以其岩洞、寒冷和鱼类孵卵处而闻名。人口约 125(2002)。

putative author　推定作者　在作品中认定的作者;或者不是真正的作者,但被说成是作品的作者。例如,在 W. M. 萨克雷的《纽克姆一家》(1853～1855)一书中,A. 潘登尼斯是叙述者,因而被认定为这本书的作者。W. 科林斯写的《月亮宝石》(1868)中有几位推定作者,因为该书是由故事牵涉到的几个人物所写的书信和文件的汇集。

Puteaux　皮托　法国巴黎大区上塞纳省城镇,巴黎西北郊工业和住宅区。位于塞纳河西岸,塞纳河畔讷伊郊区和布洛涅树林的对面。通过地区高速铁路与巴黎连接。原城防区和戴高乐将军大街建起现代高层建筑,1957～1959 年建起巨大的巴黎展览馆,面积大约是巴黎爱丽舍宫的三倍。生产汽车、印刷品、香水、化妆品和橡胶制品。人口 40 780(1999)。

Putian　莆田　中国福建省辖地级市。位于省沿海中部木兰溪流域。全市地势西北高,东南低。西北部为戴云山向东延伸的支脉,海拔 500～1 000 米,地形破碎,相对高差较大。山脊为北西走向,中部和东部为木兰溪中下游河谷盆地。南及东南部濒临湄洲、平海、兴化三大海湾,沿岸有笏石、莆禧、礓泉三个半岛,近岸有南日、湄洲、乌丘等大小岩礁、岛屿。南日岛为福建第四大岛。市区位于北洋平原,地势平坦,河网稠密。南朝陈光大二年(568)置莆田县。宋置兴化军,为沿海军事要地。元为兴化路,明为兴化府。1913

莆田市的湄洲岛
中国大百科全书出版社供图

年废府存莆田县。1983 年建省辖地级市。辖城厢、涵江、荔城、秀屿 4 区和仙游县。面积4 119平方千米,其中市区2 093平方千米。福厦公路纵贯市境。海运有秀屿港和三江口港,木兰溪下游部分可通航。农业耕作集约化程度较高,农业产量居全省第一。产稻谷、甘薯、甘蔗、花生、黄麻等。甘蔗单产居中国前列。沿溪两岸盛产龙眼、荔枝、枇杷,为福建三大水果的重要产地。20 世纪 80 年代以来,柑橘产量跃增。传统工业以制糖、制盐为特色。莆田糖厂是全省五大糖厂之一,1984 年起,引进外资建立制鞋、啤酒、电子、纺织、拆船、轧钢、机械、建材等工业,形成以轻工业为主的工业体系。工艺品有木雕、牙雕、叶蜡石雕、竹编、藤编等,畅销海外。水运方便,三江口港可停泊 5 000 吨级海轮。名胜古迹较多,湄洲岛上妈祖庙供祀的天后林默娘,为世界航海之神,是"妈祖文化"的发祥地,每年从台湾及世界各地来朝拜的人络绎不绝,现已辟为国际旅游度假区。还有广化寺、梅峰寺等。人口:全市 3 040 000(2005);市区 2 020 000(2004),其中归侨和侨眷近 10 万人。

Putin, Vladimir　普京(1952-10-07,苏联列宁格勒[今俄罗斯圣彼得堡]～　　) 全名 Vladimir Vladimirovich Putin。俄罗斯总统(1999 年起)。曾在国立列宁格勒大学法学院就读,受教于 A. 索布恰克(后为"改革"时期改革派领导之一)。曾任苏联国家安全委员会(克格勃)的驻外情报官达 15 年之久。1990 年回到俄罗斯,担任国立列宁格勒大学校长外事助理。不久,成为圣彼得堡第一位民选市长索布恰克的顾问。他很快就赢得索布恰克的信任,以办事能力强著称。1994 年升任该市第一副市长。1996 年来到莫斯科。1998 年 7 月,叶利钦任命他为联邦安全局局长。不久出任深具影响力的安全委员会秘书。虽然当时几乎没什么知名度,但仍被任命为总理,而叶利钦最后选择他作为总统继承人。他的民众支持率因其对车臣分离主义者的叛乱采取有力的军事行动而快速上升。民众欣赏普京在面临压力时的冷静与果断。1999 年 12 月 31 日叶利钦宣布辞去总统职务,由普京接任。2000 年 3 月,他在俄罗斯总统大选中胜出。正式就任后,他打击腐败,加强对地方的控制,削夺"寡头"的权力。2004 年 3 月,轻松连任总统职位。

Putman, Andrée　皮特曼(1925-12-23,法国巴黎～2013-01-19,巴黎)　原名 Andrée Christine Aynard。法国设计师。在巴黎的于尔斯特学院接受教育并在巴黎音乐戏剧学院学习钢琴,20 岁时获学校最高奖。对学音乐心灰意冷后转而喜爱视觉艺术,尤其对当代绘画极感兴趣。1950 年任《妇女》杂志记者,1952～1958 年为妇女杂志《她》设计专栏,1960～1964 年在《视线》杂志任室内设计编辑。1958～1967 年还在巴黎的独价百货商店担任设计师。自 1968 年开始至 20 世纪 70 年代大部时间在各广告公司和设计部门工作。1978 年创立自己的室内陈设与室内设计公司,并重新推出 30 年代设计师 E. 格雷、M. 福尔蒂尼、P. 沙罗的经典现代主义室内陈设。此外,开始为著名时装设计师设立专卖店。1984 年接受重新装修纽约摩根斯大酒店的委托,力避传统奢华的"庸俗",转而选择简约但充实的舒适格调。随后完成的其他重要设计工作还有德国科隆的圆形水塔酒店和日本神户的兰花俱乐部。此外,还为法国航空协会和喷气飞机进行舱内设计。1987 年入选纽约室内设计名人堂奖,并获法国国家工业创新设计大奖(1995)等许多奖项。后期作品包括电影《枕边书》(1996)的场景设计。1997 年以自己的名字开办一家新公司。2001 年推出皮特曼香水。

Putnam, Emily James Smith　普特南(1865-04-15,美国纽约卡南代瓜～1944-09-07,牙买加金斯敦)　婚前名 Emily James Smith。美国教育家和历史学家。以其对纽约市巴纳德学院学术质量的早期影响而为人们所铭记。1889 年毕业于宾夕法尼亚州布林莫尔学院,后入剑桥的格顿学院学习两年。曾任教于纽约布鲁克林的派克联合学院(1891～1893),1893～1894 年任芝加哥大学希腊语研究员。1894 年受聘出任巴纳德学院(1889 年成立,为哥伦比亚大学的"附属女子学院")第一任院长。嗣后 6 年,为巴纳德学院建立了与哥伦比亚更为平等的关系,从而加强了巴纳德的学术地位,更容易请到哥伦比亚的教授和其他同等资格的学者来巴纳德任教,哥伦比亚的研究生课程、图书馆和其他设施也向巴纳德的女生开放。其时她也讲授希腊文学和哲学课。1899 年与 G. H. 普特南结婚,次年辞去院长职务。1901～1904 年出任政治教育联合会主席,1901～1905 年为巴纳德学院董事。1914 年重在巴纳德学院历史系执教,1920 年在希腊语系执教。1926 年出版研究希罗多德的专著。还翻译出版了《卢西安选集》(1892)、E. 富盖的《怕负责任》(1914)、M. 伯格尔的《马恩河的秘密》(1918)等。她参与成立了社会研究新学院(1919),并在该院任正式讲师(1920～1932)。1930 年从巴纳德学院退休。她在西班牙居住到 1936 年,后在牙买加生活。

Putnam, Frederic Ward　普特南(1839-04-16,美国马萨诸塞塞勒姆～1915-08-14,马萨诸塞剑桥)　美国人类学家。美国人类学学科的奠基人。曾创办美国最早的两所人类学研究中心,一在哈佛大学,另一在伯克利加利福尼亚大学;在搜集4所重要的人类学博物馆陈列品过程中曾有过突出的指导作用。1856年进哈佛学院,1857～1864年任卓越的博物学家L.阿加西兹的助手,1875～1909年出任该校皮博迪美洲考古学和人种学博物馆馆长。领导首批去美国俄亥俄州、新泽西州、西南部以及墨西哥、中美、南美等地的考察队。1887年任哈佛大学人种学教授。1891年着手组织在芝加哥举行的1893年世界哥伦布博览会人类学部的筹备工作。这次博览会所收集的展品,成为芝加哥著名的菲尔德自然历史博物馆的基础。1894年开始,他有一半时间从事纽约市美国自然历史博物馆人类学部的指导工作,并组织杰瑟普北太平洋考察队去亚洲东北部和北美西北部进行考察。1903年到伯克利加利福尼亚大学筹建人类学系和人类学博物馆。一生发表400多篇动物学和人类学文章、报告和随笔,也是《美国博物学家》期刊的创办人和主编。

Putnam, Herbert 普特南(1861-09-20,美国纽约州纽约～1955-08-14,马萨诸塞伍兹霍尔) 美国图书馆学家,他将美国国会图书馆建设成世界知名的机构。1883年自哈佛大学毕业后,又进入哥伦比亚大学研究法律。1886年获律师资格。但是,他的真正的事业却是在图书馆。他于1884～1887年任明尼阿波利斯图书馆馆长,1887～1891年任明尼阿波利斯公共图书馆馆长。1892～1895年在波士顿当几年律师后,1895～1899年任波士顿公共图书馆馆长。1899年被任命为国会图书馆馆长,以后一直担任此职,直至1939年。国会图书馆从原来国会议员的资料查阅库变成全世界巨大的国立图书馆之一,主要是普特南的功劳。他以杰出的行政管理才华,大大扩展了国会图书馆的规模与藏书,又建立许多新的图书服务项目与方法,包括出版参考书目、制订国会图书馆分类法、出版国立图书馆联合书目、建立图书馆之间互借的服务与影印服务,以及印行国会图书馆目录卡。后来,其他国立图书馆纷纷采取其中的许多措施。1898和1904年普特南两度担任美国图书馆协会主席。

Putnam, Hilary 普特南(1926-07-31,美国伊利诺伊芝加哥～) 美国科学哲学家。曾任教普林斯顿大学、麻省理工学院(MIT)和哈佛大学(1965年起)。他在认识论、逻辑、语言哲学以及心灵哲学方面有重大贡献,并以倡导科学的实在论而最为人们所知。他在《理性、真理与历史》(1981)一书中,捍卫"内在的实在论",认为科学真理的界定应该以改进我们的科学理论过程的理想限制为准则。

Putnam, Israel 普特南(1718-01-07,马萨诸塞[美国]塞勒姆村[今丹弗斯]～1790-05-29,康涅狄格庞弗里特) 美国独立战争时期的美军将领。他受的正规教育很少。约在1740年迁居康涅狄格的庞弗里特,后成为富有的农场主。他在法国印第安人战争中一直从军,曾被印第安人俘虏,1759年晋升陆军中校。这时,由于多次在边区历险,他已赢得勇武过人的名声。1775年美国独立战争爆发,他在大陆军中任陆军少将。1775年6月在邦克山战役中立有战功,但在长岛战役中,他统率的布鲁克林师却被击败。1777年5月,他受命负责哈得孙高地的防线,包括蒙哥马利堡和克林顿堡,但他不久即弃守这些要塞,而由英军占领。他因此受法庭审问,但法庭宣布他无罪。1779年12月患中风症,使他停止了现役军职。G.华盛顿等人原先对普特南能担任大陆军统帅寄以厚望,因他曾有与印第安人作战和当时任团长的近乎传奇性的功绩。但普特南作为战术家显然令人失望,在统帅大军时,他不能计划和协调作战。对华盛顿命令的迟缓执行更削弱了他在战场上的战斗力。虽然勇敢、自信、精力充沛,他却未能表现出与其名望相符的将才。1777年以后,华盛顿被迫不再把重要的指挥权交给他。

Putnam, Rufus 普特南(1738-04-09,马萨诸塞萨顿[美国]～1824-05-04,俄亥俄玛丽埃塔) 美国军人和俄亥俄的殖民先驱。1757～1760年,曾参加法国人和印第安人战争,1761～1768年,当机械安装工,此后直至美国独立战争爆发,为农场主和测量员。1775年加入大陆军,任中校。1776～1777年在波士顿和纽约组织炮兵和构筑防御工事。其后于萨拉托加战役中,在H.盖茨将军麾下指挥一个团,战功卓著。1778年在西点构筑新防御工事,1779年投效A.韦恩将军。1783年晋升准将。独立战争结束后,普特南热心从事西部土地的拓殖。1786年参加创立俄亥俄联合公司,旨在获得授与俄亥俄地方的土地,以供独立战争退伍军人拓殖。国会授与该公司土地60.6万公顷,并任命普特南为该公司殖民工作负责人。1788年他率领一小批人殖民于俄亥俄,建立玛丽埃塔镇,这是在西北地区的第一个白人居民点。后来普特南出任俄亥俄地方法官,军衔准将。1796年任美国测量总监,但因不熟谙数学,成绩不佳。1803年被T.杰斐逊总统免职。1802年任俄亥俄州制宪会议代表。

Putnam, Samuel (Whitehall) 普特南(1892-10-10,美国伊利诺伊罗斯维尔～1950-01-15,新泽西兰伯特维尔) 美国主编、发行人、作家,尤以翻译罗曼诸语言作家们的作品而著称。他在芝加哥大学没有读完,即去芝加哥各报社工作,成为芝加哥《晚邮报》文艺评论员(1920～1926)。1927年前往欧洲,以翻译法国和意大利作家们的许多作品来支持他个人创办的出版事业。他创办和主编了评论性杂志《新评论》(1931～1932),该杂志拥有从E.庞德到J.T.法雷尔一批不同流派的投稿者。1933年普特南回到美国,定期向诸如《党派评论》、《新群众》和《工人日报》等左翼报刊投稿,直至40年代中期他的兴趣转移至拉丁美洲和西班牙文学为止。他对E.达·库尼亚的巴西散文史诗《腹地》的权威性英译本,以《腹地的叛乱》为书名于1944年出版;他花了17年时间完成的M.塞万提斯的《堂吉诃德》的英译本于1949年问世后,立即获得高度赞扬。1948年发表对巴西文学史的概论《奇迹般的旅程》。另一部重要著作《巴黎是我们的女主人》(1947),是对20年代末30年代初巴黎美国侨界的现实主义描述。

Putnik, Radomir 普特尼克(1847-01-24,塞尔维亚克拉古耶瓦茨～1917-05-17,法国尼斯) 塞尔维亚陆军司令,在1914年对奥地利作战中取得胜利。1866年开始任军官,1903

供图:H. Roger – Viollet

年晋升将军。1903～1916年任参谋长,并三度任陆军大臣(1904～1905,1906～1908,1912)。在他领导下塞尔维亚军队成为一支技术先进、装备精良和士气高昂的部队。他在两次巴尔干战争中任总司令,1912年10月在库马诺沃、11月在莫纳斯提尔大败土耳其军。1914年8月在采尔山、11～12月在科卢巴拉河畔都给予人数占压倒优势的奥地利军以毁灭性的打击。

putonghua 普通话 中国的官方语言。旧称官话,1911年辛亥革命后改称普通话、国语。以北京语音为标准音,以北方话为基础方言,以典范的现代白话文著作为语法规范。它扬弃北方话中过于特殊的成分,吸收其他方言的有用成分,因此比任何方言更丰富完善。语音特点是:①无浊塞音、浊塞擦音和浊擦音声母;②有卷舌音声母;③只有m、n两个鼻音声母;④大部分地方不分尖团音;⑤儿化韵丰富;⑥复元音韵母较多;⑦一般只有舌尖中和舌根两个鼻音韵尾;⑧大多没有入声韵;⑨一般有四五个声调。1958年中国正式推行《汉语拼音方案》后,普通话得到迅速推广。1982年,《中华人民共和国宪法》明确规定:国家推广全国通用的普通话。

Putoran Mountains 普托拉纳山脉 中西伯利亚高原西北端山地。位于俄罗斯中部克拉斯诺亚尔斯克边疆区。是中西伯利亚高原最高部分,其中卡缅山海拔1 701米。海拔较高处有山地苔原,大部分河谷有针叶林。许多河谷向西朝叶尼塞河和向南延伸没入大湖泊。

Putte, Isaac Dignus Fransen van de 普特(1822-03-22,荷兰胡斯～1902-03-03,海牙) 荷兰自由党政治家。他大力抨击使用强迫劳动以攫取荷属东印度群岛财富的殖民地定植制度,并成功地废除了一些弊端。1849年在爪哇经营甘蔗种植园。1860年返回荷兰,介绍东印度群岛的状况;他力主用直接税取代强迫劳动、用私人企业取代政府垄断。1862年成为自由党议会领袖。1863年任殖民地大臣。1866年任首相。他制订的废除爪哇土地公有制计划遭到强烈反对,被迫辞职。自由党的权力受到挫折,但他在议会中继续为改革而斗争。

puttee 绑腿 又称绷特。小腿裹布或皮革护腿。用褡扣或带子结紧,或用布带盘旋缠绕腿上。"绷特"一字源于印度语paṭṭī,意为"绷带"或"织带"。最初于19世纪后期为英-印军队所用。第一次世界大战中,美、英步兵均用之。

打英国战列步兵团式样绑腿的士兵(图中间的三人)
伦敦帝国战争博物馆供图

Puttenham, George 普登汉姆(约1520～1590秋,英格兰伦敦) 英国廷臣,一般认为他是《英国诗歌艺术》(1589)一书的匿名作者。该书是伊丽莎白时代最重要的评论著作之一。早年生平不详。母亲为T.埃利奥特爵士之妹,其妹嫁给J.思罗克莫顿爵士,而他本人通过与E.温莎夫人的婚姻(约1560)而与其他富有和有影响的家族有联系。可能在国外受教育,1563～1578年游览过佛兰德和其他国家。1546年入剑桥大学,1556年入内殿律师学院。他对法律和公共事务的了解表现于《为伊丽莎白女王与苏格兰玛丽女王一事的关系辩护》,系应女王要求而作并匿名散发,但现存8份手稿中的2份被认为是普登汉姆所写。《英语诗歌艺术》分为3卷:卷一《关于诗人和诗歌》为诗歌辩护和下定义;卷二《关于相称》主要论述作为诗歌艺术的一个不可缺少的形式部分的韵律;而卷三《关于修饰》对使诗句对眼、耳有吸引力的一切下定义。该书的重要性在于,它将英语诗歌作为一门艺术来探讨,而在那个时代这仍是有争议的;它呼吁将"真正的理性"作为诗歌和诗歌技巧的最好评价;以及它强调诗人的创造、模仿和"意象构成"能力,并强调诗的主要目的在于给人以享受而不是教诲。就其对英语诗韵和诗歌类别的论述,及其对范围广泛的英语诗歌的评价而言,它是一部先驱之作。

putting-out system (manufacturing) 包出制 参阅 **domestic system** 家庭包工制。

putto 裸童 指经常在神话、宗教绘画和雕塑中出现的往往有翅膀的裸体胖乎乎的儿童。文艺复兴时期和巴罗克时期尤为多见。最初在希腊罗马艺术中是爱的形象的体现,但在15世纪的意大利绘画中逐渐用于描绘小天使。尤多用于圣母子图。随着15世纪后期古典神话题材的复兴,这一形象通常被用来描绘爱神丘比特。各种神的身边往往画着不少无名的裸童。

多梅尼基诺所作油画《圣哲罗姆最后的圣餐式》(1614)中的裸童
供图:SCALA—Art Resource

putty 油灰 又称腻子。一种黏结材料,以白色碳酸钙粉末和亚麻籽油搅拌后揉成的团状物,用来固定窗玻璃,填塞木制品的缝隙和钉洞等。高级白油灰由85%～90%的白垩粉和10%～15%的亚麻籽油调成。白铅粉油灰含有10%的白铅粉。此外还有铁油灰,红丹油灰等。油灰粉(氧化锡)可用来抛光玻璃、花岗石和金属。原词亦指某些具有塑性的柔软塑料。

Putumayo 普图马约 哥伦比亚南部州。南邻厄瓜多尔,东南连秘鲁。面积24 885平方千米。除西部地势急剧上升至安第斯山地外,余为多森林的低地。普图马约州被认为拥有巨大的石油资源,借输油管将石油从阿西斯港经安第斯山输送到太平洋畔的图马科。该州还有石灰、大理石、煤和其他矿物。稻米、甘蔗、豆类、玉米、香蕉和木薯的产量正稳步增加。该州的首府莫科阿通公路。此外,交通靠河道和航空线。人口约229 798(1993)。

Putumayo River 普图马约河 亚马孙河支流。长1 609千米。发源于哥伦比亚帕斯托附近安第斯山区科查湖,上游称瓜穆埃斯河。东南流经森林密布的平原,经过哥伦比亚阿西斯港后称普图马约河。继续流向东南,穿热带雨林,形成哥伦比亚与厄瓜多尔、哥伦比亚与秘鲁间的大部分边界。于哥伦比亚圣克拉拉进入巴西,称伊萨河;于巴西圣安东尼奥注入亚马孙河。普图马约河几乎全程可通航。为主要运输通道。两岸小河港极多,沿河森林产橡胶。

Putuo Shan 普陀山 中国佛教四大名山之一,著名风景名胜区。又名普陀岛。位于浙江省舟山岛东侧海上。岛形狭长,面积12平方千米。与沈家门港隔海相望。主峰佛顶山海拔290余米,为全岛之巅。普陀山由燕山期花岗岩构成,岩石经风化后多奇峰异石,景色绚丽。气候温和,四季宜人。主要植被为中亚热带常绿阔叶林类型,有稀有树种鹅耳枥树。全岛森林覆盖率在63%以上,珍贵名木达60余种。据史料记载,普陀山始于五代,经历代整修,逐步完善。普陀山素有"海天佛国"之称。名胜古迹有普济寺(前寺)、法雨寺(后寺)、慧济寺(佛顶山寺)及紫竹林、梅福、大乘等庵堂和潮音洞、梵音洞等。有海轮通宁波、上海、沈家门等地。

Puu Kukui 普库库伊 美国夏威夷州毛伊岛西部毛伊县的火山峰。为火奴鲁阿火山带(长29千米)的最高峰,海拔1 764米。普库库伊的破火山口经侵蚀形成了风景优美的伊奥峡谷。

Puvis de Chavannes, Pierre(-Cécile) 皮维斯·德·夏凡纳(1824-12-14,法国里昂～1898-10-24,巴黎) 法国19世纪后期重要的壁画家。在很大程度上独立于当时的艺术主流之外,受到一群风格不同的艺术家和批评家的支持。皮维斯的老师是T.库图尔和E.德拉克洛瓦。他为法国一些城市的市政厅和其他公共建筑物所作的大幅壁画十分著名。他发展了具有单纯造型、有节奏的线条和淡色、平涂、似湿壁画的色彩的艺术风格,来表现寓意性的情节和选自古代经典的理想化的题材。主要作品有为巴黎先贤祠创作的描绘圣热内维埃夫生平的装饰组画,1876年开始构思创

皮维斯·德·夏凡纳绘《穷渔夫》(1881)
巴黎罗浮宫博物馆供图

作,去世后由其学生最后完成;索邦神学院(1887～1889)和市政厅大厦(1893年完成)的湿壁画,以及为波士顿公立图书馆的主楼梯绘制的壁画(1894～1898)等。

Puy, Le(France) 参阅 **Le Puy 勒皮**。

Puy-de-Dôme 多姆山省 法国中部奥弗涅大区省份。由历史上奥弗涅省的北半部和波旁,里昂的部分地区组成。面积7 970平方千米。境内有中央高原几种不同地形区。包括3条主要山系为:①福雷山系及其余脉(在东部边境),有森林和牧场。有多尔河流经。②利瓦杜瓦山系(在阿列河和多尔谷地之间)。③最高山脉多尔山脉(在西南部,海拔最高)。其主峰桑西峰海拔1 885米,是法国中部最高点。各山系之间有北—南流向的河流。气候严酷,冬季漫长,夏季炎热。经济以农业为主。物产有谷物、牲畜和水果等。橡胶、纺织、印刷等行业分布在克莱蒙费朗地区。梯也尔有历史悠久的刀剑制造业。山区矿泉和冬季运动场吸引大批游客。该省以其众多罗马式教堂而闻名。克莱蒙费朗南面的玄武岩热尔戈维高原是高卢酋长韦辛格托里克斯于公元前52年在罗马征服高卢人之战中击败恺撒之地,故为历史名胜古迹。哲学家B.帕斯卡于1623年出生于克莱蒙费朗。该省下设克莱蒙费朗、昂贝尔、伊苏瓦尔、里永和梯也尔5个专区。属克莱蒙费朗教育区。人口约609 817(2003)。

Puya 粗茎凤梨属 凤梨科的一属,产于南美,约120种。多生长于安第斯山脉凉爽、干燥多石的山坡上。茎粗,木质化。叶挺硬狭长,叶缘具刺,莲座状密集簇生。巨粗茎凤梨

智利粗茎凤梨(*P. chilensis*)
供图:H. R. Allen—美国不列颠百科全书公司

(*P. gigas*,或称雷蒙粗茎凤梨[*P. raimondii*])原产于南美北部,高达10米余,花柄高达5.4米。有几个种,如高山粗茎凤梨(*P. alpestris*)和智利粗茎凤梨(*P. chilensis*),栽培于室内作为观赏植物。智利粗茎凤梨的叶可提取纤维,有时用以织渔网。

Puyang 濮阳 中国河南省辖地级市。中原油田所在地。位于省境东北部,黄河下游西北岸。辖华龙区和清丰、南乐、范县、台前、濮阳5县。面积4 266平方千米,其中市区面积255平方千米。春秋战国时卫国在此建都,历时400余年。当时经济繁荣,商业兴隆,相继出现过帝丘(卫国后期国都)、戚城、铁丘、咸城等大商业集镇。卫嗣君五年(公元前320)始称濮阳,因地处濮水以北,故名。秦置濮阳县,为东郡治所。五代晋为澶州。北宋崇宁五年(1106)升为开德府。金皇统四年(1144)改为开州。1913年改为开县,1914年复称濮阳县,属河北省。1949年为平原省濮阳地区行署所在地。1952年平原省撤销后濮阳先后为安阳、新乡地区行署辖县。1983年设市。石油、天然气资源丰富,油区跨越濮阳、开封、菏泽、聊城4市的13个县境。有油气开采及化工、机械、电力、建材等工业部门,主要产品有原油、天然气、液化石油气、润滑油、汽油、柴油、化肥、乙烯、煤炭、建材、轴承、机械等。石油和天然气开采业产值约占全市工业总产值60%。农业发展迅速,已成为全省粮、棉、油的重要产区。有地方铁路西至汤阴,与京广铁路相接。南乐—新县、鹤壁—台前公路纵横市境。交通便利。名胜古迹有颛顼太子墓、子路坟、孔悝城、蒯聩台、孟轲设驿处、汉武帝堵河纪念地——宣防宫旧址、仓颉陵和仓颉庙等。人口:全市3 680 000(2005);市区520 000(2004)。

卑南族丰年祭
台湾中华书局供图

Puyguilhem, Antonin-Nompar de Caumont, marquis de 皮吉勒姆侯爵 参阅 **Lauzun, Antonin-Nompar de Caumont, comte et duc de 洛赞伯爵和公爵**。

Puyi(Chinese emperor) **溥仪** 又拼P'u-i。参阅 **Qing——:清朝帝王**序列下同名条。

Puyo 普约 厄瓜多尔中东部城镇。位于安第斯山东麓,邻近帕斯塔萨河,是埃尔奥连特地区(安第斯山区以东茂密的森林低地)最重要的贸易中心。经济以地方贸易为主。产品有甘蔗、木薯。人口14 438(1990)。

Puyuma 卑南族 中国台湾现存土著民族之一。分布于台东平原,多聚居于台东县的卑南乡与台东市。人口约8 000(1993)。语言属南岛语系印度尼西亚语族台湾语支。因有关始祖的神话不同,该族又分为南王群与知本群,南王群认为其始祖出于竹子,知本群则认为其始祖出于石头。卑南族可能是台东平原的主人,因与汉人接触较早,故后到台东平原的阿眉斯族曾受其统治,"卑南大王"之称即由此而来。卑南族行长女继承制,长女留在家里继承父母的家产,次女以下以及男子均须在婚后离家。所以长女之子女行从母居、丈夫行从妻居的婚姻形式,次女以下则行从夫居的婚姻形式。因此,母女或姊妹似乎比较重要。但若从长女以婚姻为单位的观点看,则母女与姊妹的关系就要为父亲关系所淡化了。因丈夫虽系从妻居,但在家中仍有其地位。所以卑南族不是一个母系社会,而与排湾族有些相似。由于卑南族与汉人接触较早,而且与汉人同住在一个社区内,故较易接受汉人的文化。他们崇拜汉人的神祇,以汉人的方式祭拜其祖先,而且不易接受西方基督教式的文化。这种现象得以维持他们固有的文化理念而继续发展,如祖先祭拜等。

Puyuma language 卑南语 中国台湾省高山族使用的语言之一。分布在台东县的部分地区。使用人口约8 000。语言内部差别较大,分南王方言和其他方言。南王方言使用在台东市南王里;其他方言可分为下槟榔、上槟榔、初鹿、知本、建和、利嘉、太平、美农、宝桑等次方言。卑南语(台东南王里)的语音特点是:有18个辅音,都可以出现在词首、词中和词尾。塞音分清、浊两套,无塞擦音,有卷舌塞音和边音;有i、e、a、u 4个元音;有重音,一般落在多音节词的最末一个音节。词汇的主要特点是:双音节和多音节词为词汇的主要组成部分;有丰富的构词前缀、中缀和后缀,词干重叠也是构词的重要手段;借词主要来源于汉语闽南话和日语。词类有名词、代词、数词、动词、形容词、副词、连词、助词等8类。名词、代词有"格"语法范畴,名词分主格和宾格(属格同形),特指名词有不同的格形式。代词单数和复数都有主格、属格和宾格的不同形式。动词有时(现在、过去和将来)、态(主动态和被动态)、式(陈述式和命令式,均用前缀、中缀、后缀或助词等不同方式表达)等语法范畴。助词有格助词、结构助词和感叹助词3类,有较强的句法作用。句子的基本语序是谓语在前,主语和宾语在后。

Puzhou 蒲州 又拼P'u-chou。中国山西省永济市辖镇。位于省境西南部,西临黄河,东倚中条山地,地处河山间狭窄走廊北口,地势险要。以地濒黄河,盛长蒲草,又当南北向长坂之上,初称蒲坂。相传曾为虞舜的都城。古时城西有蒲坂津,对岸为夏阳津,夹黄河天险相望,为河东与关中间交通咽喉。数千年来,历为兵家必争之地。秦昭襄王五十年(公元前257)在黄河上始作"河桥"。秦置蒲坂县为县治。西汉曾改名蒲反县,东汉复原名。

三国魏至北周(220～581)为河东郡治。西魏(535～556)置泰州后,成为重要城镇。大统四年(538),在此连舟架设了大型浮桥,仍称"河桥"。北周明帝二年(558)为蒲州治。隋开皇十六年(596)改河东县。唐开元八年(720)升河中府,并置中都,几与长安(今西安)、洛阳齐名,为蒲州极盛时期。开元十二年,始建永久性铁索木板桥。桥两端各铸4尊栩栩如生的大型铁牛相牵引,风格十分奇特,始称蒲津桥。宋代以后,随着中国政治中心的转移,蒲州的重要性下降。明清以来,更由于黄河摆动塌岸,部分居民北徙坂上建立新村,部分迁东南5千米的新胜村重建蒲州。同蒲铁路通车后,终端站风陵渡取代了蒲州,故城几无居民。但古城遗址和开元铁牛等古迹名胜尚存至今。重建的蒲州在同蒲铁路线上,人口24 627(2000)。

PVC(chemistry) 参阅 **polyvinyl chloride** 聚氯乙烯。

PW 参阅 **prisoner of war** 战俘。

PWA 参阅 **Public Works Administration** 公共工程署。

Pwyll 浦伊尔 凯尔特神话人物,为风景秀丽的迪维德国(在今威尔士)国王。该国有一口取之不尽的神锅;他是安农即冥工何劳恩的朋友,两人每隔一年零一天即互易形象,并易国而治。

Pyandzh River 喷赤河 普什图语作Āb-e Panj(潘季河)。中亚阿姆河的源流,长1 125千米,为阿富汗与塔吉克斯坦边界的一部分。在兴都库什山脉和帕米尔山脉之间、卡尔·马克思峰的正东南,由瓦罕河(阿富汗)和帕米尔河(阿塔边界)汇合而成。喷赤河水源由冰川融水补给,向西南流,后转北,复折西南,与瓦赫什河汇合为阿姆河。

Pyanopsia 皮亚诺普西昂节 在希腊宗教中,指为阿波罗举行的一个节日。每年皮亚诺普西昂月(10月)的第7日在雅典举行。节日的供物有两种,一种是杂豆粥,一种是缠以羊毛的橄榄枝或月桂枝,树枝四周悬挂着应时水果、糕饼、小罐蜂蜜和橄榄油以及葡萄酒。这两种供物都是乡间巫术的常用物品。人们把供物带到阿波罗神殿,挂在门上。民宅门上也有类似的装饰品。两种供物都和忒修斯出征克里特有关,他曾向阿波罗神许愿,如杀死弥诺陶洛斯(半人半牛怪物)即奉献供物以示感谢。后来他的还愿礼就是一个橄榄枝或月桂枝和皮亚诺普西昂节。

Pyapon 壁磅 缅甸南部城镇。位于仰光西南72千米,临壁磅河,为稻米集散中心,建有柴油机发电厂。周围地区为伊洛瓦底江三角洲的一部分。20世纪初在此开垦冲积沼泽地、种植水稻之举吸引来大批移民。稻米由船运往仰光。人口39 862(1983)。

Pyarnu(Estonia) 参阅 **Pärnu** 派尔努。

Pyat,(Aimé-)Félix 皮阿(1810-10-04,法国维耶尔宗～1889-08-03,圣格拉蒂安) 法国新闻记者、剧作家,1871年巴黎公社社员。在巴黎学法律,后放弃律师职务,成为激进的

巴黎国家图书馆供图

新闻记者。1848年革命期间为激进的山岳派议员。因参加过1849年6月起义被迫流亡国外20年。在瑞士、比利时和英国的社会主义集团中异常活跃。1869年大赦后返回法国。因写了许多煽动性文章而被迫再次逃亡。第二帝国垮台后回到巴黎。1871年2月选入国民议会,他拒绝投票支持同德意志媾和。3月被选入巴黎公社。公社崩溃后,他第3次逃离法国。虽曾被缺席判处死刑,但1880年大赦后获准回国。1888年当选代表马赛的众议员,曾积极反对扬言要发动政变推翻第三共和国的G.布朗热将军。

Pyatakov,Georgy Leonidovich 皮亚塔科夫(1890-08-06,俄罗斯帝国基辅省～1937-01) 老布尔什维克经济学家,在20世纪20和30年代苏维埃政府中占据显要的行政职位。他是斯大林大清洗运动的牺牲者。中学时代便从事革命活动。1910年参加俄国社会民主工党,这时他在圣彼得堡大学学习经济学;不久被学校开除,1914年流亡国外。在1917年二月革命后返回俄罗斯之前,与N.布哈林交往甚密。他很快成为基辅苏维埃执行委员会主席,领导布尔什维克所左右的各党政团体,这些团体在俄罗斯内战期间都力求控制乌克兰。1921年他开始了作为苏联中央政府干练而坚强有力的经济行政官员的长期生涯。1923年任国民经济最高委员会副主席,同年成为共产党中央委员会委员。自1923年至1927年,他是反斯大林的托洛茨基派重要成员,这期间他被开除出党。1928年公开悔过后被重新接纳入党。1930年为最高经济委员会委员,主管全国化学工业,被选为中央委员会委员。1933～1934年为苏联重工业副首脑,1936年之前斯大林继续委任皮亚塔科夫作为工业行政官员,以利用其聪明才智,1936年斯大林将其逮捕。皮亚塔科夫同K.拉狄克一道,是1937年1月第二次清洗审判(或莫斯科公开审判)的中心人物。他承认了各种反党和反苏维埃的活动,于1937年1月被处决。皮亚塔科夫死后,1988年由苏联最高法院予以平反昭雪,清除了一切罪名。

Pyatigorsk 皮亚季戈尔斯克 又拼Piatigorst。俄罗斯西南部斯塔夫罗波尔边疆区城市。位于高加索山脉北麓,濒临波德库莫克河。当地气候温和,多矿泉,为疗养胜地,该城建立在离康斯坦丁诺尔斯卡亚要塞(1780)不远的矿泉附近。因周围有5座小山而称皮亚季戈尔斯克("五山")。19世纪成为贵族休养胜地,吸引着许多艺术家,如俄国诗人M.莱蒙托夫,他于1841年在该市附近决斗时被杀。设有许多温泉医疗保健机构,还有莱蒙托夫临终前住过的房子,及一些天然避暑洞室。有一条小路通向邻近的马舒山。人口约132 200(1994)。

Pycnodontiformes 坚齿鱼目 已绝灭的条鳍纲(Actinopterygii)的一目,含坚齿鱼属(*Pycnodus*),其种类为本目的典型代表,特征为体高而侧扁,从侧面观呈圆形,于侏罗纪

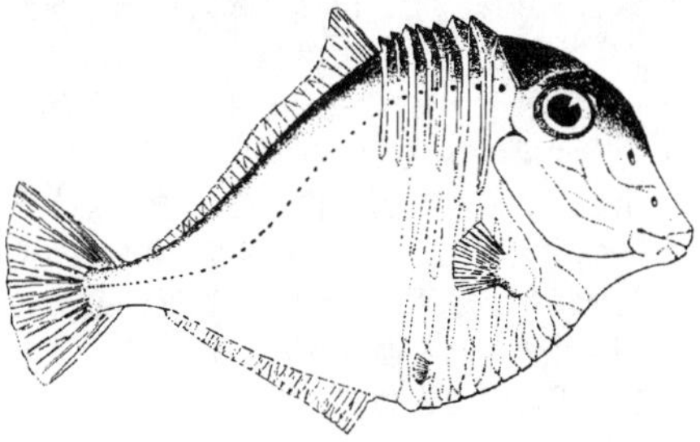

坚齿鱼(*Pycnodus*)

(2.08亿年前至1.44亿年前)的海洋中常见。本目鱼类的喙部向下垂,口小,牙数多,可能适应于以侏罗纪暖海中的珊瑚为食。

pycnogonid 坚殖腺类 参阅 **sea spider** 海蜘蛛。

Pydna,Battle of 彼得那战役(公元前168-06-22) 在第三次马其顿战争中,罗马战胜马其顿的决定性战役。罗马将军保罗斯以巧妙的战略引诱马其顿王佩尔修斯离开他的坚不可摧的阵地而进入彼得那南面的平原。罗马军队冲入马其顿的方阵,双方短兵相接。这样,罗马军队的短刀就要比马其顿的长矛占优势。马其顿人伤亡惨重,佩尔修斯败逃。结果,罗马消灭了马其顿王国,把它分割成4个共和国。

Pyè 卑谬 又作Prome。缅甸南部城镇,临伊洛瓦底江。为贸易中心,有柴油机发电厂。缅甸人称此地为卑谬是为了纪念骠族人的旧都。骠族人是3世纪以后最先进入缅甸的藏缅部落。他们占据了伊洛瓦底江流域,并于7世纪前后在卑谬东南8千米的室里差旦罗建都。8世纪都城失陷后北迁。9世纪后不再有关于他们的历史记载。1907年开始在室里差旦罗(现称摩萨)进行的考古发掘工作揭示了骠族人的独特文化。该城大致呈圆形,有城墙围绕,北部种植水稻。瑞珊都佛塔周围环绕着83座小型镀金寺庙。瑞那端佛塔据信是由创建卑谬的骠族皇后所建造。人口约131 200(2004)。

pyelonephritis 肾盂肾炎 肾实质及肾盂的感染和炎症。是最常见的肾脏疾病,可分急性或慢性。病原常为细菌。急性肾盂肾炎

一般影响肾脏某一特定的区域，而其余部分不受影响。其发病多无明显诱因，但血流不畅及尿路梗阻均可使肾脏易受感染，婴儿因尿道口易被粪便污染，故发病率较高。育龄妇女性交和妊娠时均可能发生尿路损伤，导尿亦可引起感染。急性肾盂肾炎发生时，引流尿液的肾盂、肾盏均可发生炎症；肾组织内可有脓肿形成；一些肾单位的曲管可被破坏。药物治疗 1 ～ 3 周后，感染消退。治愈后在感染处形成瘢痕。但一般仍有足够的健康组织来维持相对正常的肾功能。临床表现通常包括发热、寒战、腰背疼痛、尿频、尿急、肾区压痛、尿内有白细胞及大量细菌。其治疗往往需要应用抗生素来制止细菌生长。若肾脏反复发生细菌感染，如此数年后可形成慢性肾盂肾炎。可能每次感染发作均未引起注意，因而越来越多的组织被破坏，直到肾组织大部分为瘢痕组织所代替，肾功能受到影响。若病变局限于一侧肾脏或肾脏的一个局部区域，则手术治疗后或许能保留一部分肾功能。活动性感染应用抗菌药物治疗。往往在作出诊断时，肾组织已有广泛的不可恢复的破坏。患者最后死于尿毒症、严重的重新感染或由于肾病而继发的心血管疾病。用人工肾或肾移植可延长患者生命。

Pygmalion 皮格马利翁 据希腊神话，他是钟情于阿佛洛狄忒女神的一座雕像的塞浦路斯国王。罗马诗人奥维德在他的《变形记》里创造了一个更加复杂的说法：雕刻家皮格马利翁创造出一座表现他的理想女性的象牙雕像，然后就爱上了自己的作品，维纳斯女神应他的请求赐予雕像生命。该故事成为很多艺术家灵感的源泉，最为有名的是萧伯纳的剧作《窈窕淑女》。

Pygmy 俾格米人 现代人类学术语，专指男性平均身高不足150公分的人种；稍高的被称为类俾格米人。赤道非洲的俾格米诸群体是最著名的，俾格米名称多指他们。非洲卡拉哈里沙漠的桑人（布须曼人）也是俾格米人身材。亚洲所有俾格米人都是尼格利陀人（参阅 **Negrito local race**），这些群体在生物学起源上没有联系。俾格米人从事狩猎和采集，不务农，也不饲养。他们几乎全都与邻近先进民族保持共生关系，并使用后者的语言。住在刚果（金）伊图里森林的著名俾格米人诸群体代表俾格米文化的样板。他们全体被称为姆布蒂人（**Mbuti**），可能是该地区最早的居民。另外，赤道非洲的特瓦人（巴特瓦人）也颇有名，住在刚果（金）的基伍湖周围以及卢旺达和布隆迪的高山和平原上。很多人专门制陶器出卖；有些以打猎为生；还有人充当宫廷乐师和侍从。向西在刚果河以南的沼泽地带住着人口众多的茨瓦人（巴茨瓦人），主要以捕鱼和设陷阱捕捉动物为生。在刚果以北、乌班吉河以西的森林里住着巴宾加人，也是被涵化的类俾格米人的一个群体。再向西行，在喀麦隆和加蓬还有些分散的群体，在体型上甚至更接近真正的俾格米人。

生活在刚果（金）埃普卢河附近的俾格米人
供图：Hubertus Kanus—Rapho/Photo Researchers

pygmy grasshopper 倭蝗 又作 grouse locust。菱蝗科的直翅类棕色、灰色或苔藓绿色昆虫，约 700 种。小型，约 15 毫米长。与真蝗类有亲缘关系，但前翅小鳞片状或全缺，前胸背板向后延伸盖住膜质的后翅。卵单个地产在土壤上的小沟中，而不像蝗虫那样产在地下穴中。在矮草地和泥岸数量多。许多种类有二态现象：既有后翅退化的短翅型，又有后翅有功能的长翅型。无发声器及听器。世界性分布；热带种类最多，且形状多奇特，如有背弓、具刺或脊突等。植食性，但并非重要害虫。长翅菱蝗属（*Paratettix*）用于研究形态及颜色的遗传。

pygmy owl 鸺鹠 又称倭鸮。鸱鸮科鸺鹠属（*Glaucidium*）约 12 种小型猫头鹰的通称。分布于南、北美洲部分地区。亦包括非洲和东南亚的几种称为小猫头鹰的种类。体长仅约 20 厘米。常在白天活动，黄昏猎食，以昆虫、小鸟、爬行类和哺乳动物为食。营巢于树洞中。

鸺鹠（*Glaucidium gnoma*）
供图：Ruth A. Cordner—Root Resources

pygmy sand cricket 蚤蝼 又作 pygmy mole cricket。又称倭沙蟋、倭蝼蛄。蚤蝼科直翅类昆虫，约 60 种。常栖息在湖旁或溪边的潮湿沙质表面。前足适于挖掘，似蝼蛄；后足适于跳跃。成虫最长达 1 厘米，善跳。雄虫无发声器。

pyjamas 参阅 **pajamas 睡衣裤**。

Pyle, Ernie 派尔（1900-08-03，美国印第安纳达纳附近～1945-04-18，琉球群岛家岛）美国新闻记者、第二次世界大战时期最著名的战地记者之一。曾在印第安纳大学学习新

美国陆军部供图

闻，后从事记者和编辑工作，曾任斯克里普斯-霍华德报系流动记者，第二次世界大战前他所撰写的专栏在 200 多家报纸上登载。他对北非、西西里、意大利和法国等战役的报道获得 1944 年普利策奖。他随太平洋美军登上硫黄岛。在冲绳战役中，他在冲绳附近的家岛死于日军炮火。他的专栏文章编辑成书的有：《厄尼·派尔在英国》（1941）、《如此战争》（1943）、《勇敢的人们》（1944）、《最后的一章》（1946）等。

Pyle, Howard 派尔（1853-03-05，美国特拉华威尔明顿～1911-11-09，佛罗伦萨） 美国插图画家、画家和作家，因其所写并作插图的儿童读物而闻名。最初引起注意的是模仿

派尔为《罗宾汉奇遇记》所绘的插图画
不列颠博物馆供图

A.丢勒风格的线条画。他为杂志和书籍所作的插图是世纪之交时期的**新艺术**(**Art Nouveau**)风格的杰作之一。他重述古老的童话,也创作新奇的儿童故事。所写许多由他插图的儿童故事生动活泼,史实精确,已成为经典之作,其中最著名的有《罗宾汉奇遇记》(1883)、《银手奥托》(1888)、《杰克·巴里斯特的运气》(1895)以及他自编的民间故事《胡椒和盐》(1886)、《奇钟》(1888)和《月亮后面的花园》(1895)。后来,派尔画了一些壁画,如给明尼苏达圣保罗的州议会大厅画的《纳什维尔战役》(1906)。由于他对自己的绘画风格不满,他去意大利进修,但不久去世。他在家乡威尔明顿创办有一所免费美术学校,培养出许多有成就的美国插图画家。

pylon　塔门　原指任何纪念性的门楼或塔形构筑物。古埃及人常在神庙入口两旁采用高大石结构,其上有雕刻、线脚和檐口。有时以缩小了的金字塔形式设于坟墓的入口处。在现代构筑物中指任何高大的支承体,如架设电缆的钢塔、桥塔或架设大梁的高大支柱。也可指任何独立的,特别是纪念性的构筑物,如巴黎的亚历山大三世桥上使用的装饰性方墩。

pylorus　幽门　大多数脊椎动物胃末端的圆锥形缩窄部,也是胃和小肠的解剖学标界。其主要功能为:当小肠收缩时,防止肠内容物返流入胃;限制大的食物颗粒或未消化的食物进入肠腔。其内面覆有一层黏膜,可分泌胃液。肌膜厚,幽门括约肌的开放或关闭可使食物通过幽门或保留在胃内。在2/3时间里幽门瓣保持开放或松弛状态,使小量食物通过幽门进入十二指肠。当十二指肠内充满食物时,肠腔内压力增加,促使幽门括约肌收缩,关闭与胃之间的通道。于是十二指肠内的蠕动波驱动食物向下运动。由于幽门瓣较狭窄,即使全部开放时也只有少量经过乳化的食物通过。幽门瓣切除后不致显著影响胃的排空。幽门一词是指幽门瓣部,亦指幽门括约肌上方的那部分胃组织。

Pylos　皮洛斯　现代希腊语作Pílos。希腊3个地方的名称。最重要的是麦西尼亚州皮利亚省省会皮洛斯(又称纳瓦里诺[Navarino])。濒临伯罗奔尼撒半岛西南部纳瓦里诺

皮洛斯出土的公元前13世纪的线形文字乙泥版文书

供图:Emile Serafis

湾、外有斯法克蒂里亚岛作屏障,南有一个较小的皮洛斯岛,上有灯塔和纳瓦里诺战役(1827)纪念碑。1278年法兰克人在此建立城堡。1498～1821年(除两个短时期外)由土耳其统治。关于荷马史诗中内斯托尔王国都城皮洛斯位置的争论,始于约公元前3世纪。1939年,现皮洛斯城北挖掘出公元前1700～前1200年迈锡尼王的殿堂,其规模和位置与荷马史诗中所描写者相似。另两个名皮洛斯的地方,一为埃利斯的皮洛斯,在伯罗奔尼撒半岛西北部皮尼奥斯河畔;一在特里菲尼亚(卡科瓦托斯附近),曾一度被认为是荷马史诗中的皮洛斯。

Pym, Barbara (Mary Crampton)　皮姆(1913-06-02,英格兰什罗普奥斯沃斯特里～1980-01-11,牛津)　英国女小说家。作品内容多为第二次世界大战以后中产阶级上层生

供图:Mayotte Magnus

活。这些文笔优美,针对这一阶层习俗的讽刺性喜剧作品以议论尖锐、心理剖析入木三分为人称道。她先后就读于利物浦的海顿学院和牛津的圣希尔达学院。她从1946年起为伦敦的国际非洲研究所工作,直至1974年退休。工作期间,她主编人类学杂志《非洲》达20余年。皮姆在其小说中避免明显的戏剧性和诉之于感情的场面,而去描写她笔下人物的表面风平浪静的生活,从而刻画人的孤独感以及相应的爱的冲动。她的作品有《一些驯服的羚羊》(1950)、《淑女》(1952)、《一杯祝福》(1958)、《秋天中的四重奏》(1977)和《可爱的鸽子死了》(1978)。《几片绿叶》(1980)、《不合适的恋情》(1982)以及题为《私下观察所得》(1984)的作者的日记、书信则编成一篇自传在她死后出版。

Pym, John　皮姆(1583或1584,英格兰萨默塞特布赖莫尔～1643-12-08,伦敦)　英格兰议会著名议员(1621～1643)。在英国内战第一阶段(1642～1646)促使议会战胜查理一世的策划人。英格兰直到19世纪实行的税收制度主要是他建立的。曾在牛津大学求学,但未获学位。后在中殿律师学院进修,也未取得律师资格。初任地方财务官员。1621年起直到去世每届议会均当选为议员。他是出色的金融家和殖民事务专家。1630年起任普罗维登斯岛公司司库,这一公司的任务是与西属美洲开展贸易。1629～1640年国王企图摆脱议会进行统治,该公司则于40年代联合了议会党的领袖人物(大部分是清教徒)。该公司组织了反对查理征收"造船费"的斗争。1640年8月皮姆参加起草12个贵族要求召开议会的请愿书。1640年11月召开长期议会,皮姆领导的集团控制了下院。他迫使国王查理接受一项规定未经议会同意不得

不列颠博物馆供图

解散议会的法令。后来皮姆集团又提出"大抗议书",陈述英格兰的各种弊端,并要求国王任命议会所信任的大臣,并召开宗教界人士会议以改革教会。这一抗议书在议会中以159票对148票得到通过。皮姆是国王企图加以逮捕的5名议员之一。这5名议员在伦敦城内避难。国王撤离伦敦后他们才胜利地回到议会。无论在英国内战以前或是内战期间,皮姆始终认为应当在国王和议会之间保持权力平衡。他似乎从来没有企图废除君主制度,当然并不是一个民主派,然而却经常利用民众的压力来达到自己的目的。皮姆是个嗓音洪亮的雄辩家,但从不空谈理论。作为议会的策略家,他的才能是无与伦比的。他在激进派与和平派之间保持了平衡。他不依靠政党组织、纪律和命令而使议会保持了3年的团结。

Pynchon, Thomas　平钦(1937-05-08,美国纽约长岛格伦科夫～　　)　美国小说家。他的作品通过黑色幽默和幻想成分的结合来描写在现代社会的混乱中人的异化。1958年在康奈尔大学英语系毕业后,在格林尼治村从事短篇小说写作并着手创作一长篇小说,为时一年。1960年受雇于华盛顿州西雅图市的波音飞机公司,为之编写技术资料。两年后他决定离开这家公司,以全部时间从事创作。1963年,他的第一部小说《V.》获福克纳基金奖,小说讲的是一个异想天开、玩世不恭的荒诞故事:一个中年英国男子寻找一个难以捉摸的名V的女冒险家,她每逢欧洲历史上各关键时期便假以种种伪装出现。他的下一部作品是《49批邮票的拍卖》(1966),写一个女人异想天开地要查明在存在于一个由各个封闭社会组成的世界中既神秘又阴险的特里斯特罗系统是怎么回事。小说是对现代工业化的谴责。平钦的《万有引力之虹》(1973)是20世纪文学的一部力作。故事发生在第二次世界大战后德国某"区",它集中写一个美国士兵漫游各地,搜寻一种秘密V-2火箭,这种火箭据信可以在发射后突破地球的万有引力的阻隔;而这名美国士兵仅是在搜寻这一火箭的许多怪人中的一个。全书充满了由恐惧而生的摆脱不开的幻想、可笑而怪异的形象以及难以理解的数学和

科学语言，这一切都是为了探究人在现代世界中面临的两难处境。为此平钦获全国图书奖。许多评论家认为《万有引力之虹》是一部想象世界末日情景的杰作。平钦的下一部作品《葡萄地带》于 1990 年问世。在他的为数极少的短篇小说中，《熵》（1960）是最为出色的一篇，它结构严谨，其中作者首次使用大量技术语言和科学隐喻。另一篇佳作《秘密整合》（1964）揭示小城镇的褊狭、固执和种族主义。《秘密整合》收在《学得慢的人》（1984）一书中。

pyŏlgok 别曲 又作 changga。朝鲜高丽王朝时代（935 ～ 1392）很盛行的一种诗歌形式。源自民歌，供节日庆典时演出之用，主要由女演员演唱。这些由无名氏写的诗歌大部分主题是爱情，诗中用率直有力的语言表达喜悦和痛苦。特征是每一诗节的中部或末尾都有一副歌。副歌不仅设定了带有诗的音乐性和精神的基调和气氛，还用来连接诗中分离的部分和内容。题名《四季颂》和《冬夜》的别曲属于朝鲜语中最动人的爱情抒情诗。

P'yŏngsŏng 平城 朝鲜西部城市。在首都平壤东北 32 千米处，地处平壤—永兴铁路线上。为新兴城市和科学文化中心，有化工和人造革工业。其大型人造革工厂是 20 世纪后期朝鲜的重点工程之一。

P'yŏngyang 平壤 朝鲜民主主义人民共和国首都。濒临大同江，距黄海朝鲜湾 48 千米。平壤以作为朝鲜最古老城市而闻名。据传说，建于公元前 1122 年。有记载历史始于公元前 108 年，当时中国人在当地建立贸易点。公元 427 年成为高句丽王国都城。918 ～ 1392 年为高丽王朝国都。日本占领时期（1910 ～ 1945）发展成为工业中心。朝鲜战争（1950 ～ 1953）中，城市几乎全部毁于空袭。战后，进行了重建。平壤是重要的纺织和食品加工中心。城市附近的煤矿为工厂提供了燃料，但皮棉、原毛和人造纤维必须靠进口。

平壤市俯瞰

供图：Ron McMillan/Gamma Liaison

市内也有制糖厂、橡胶厂、陶瓷厂和铁路修配厂。主要的商业和金融机构都由政府经营。平壤设有金日成大学、一所医学院和一所培训劳动党干部的共产主义大学。提倡成人教育。市内有许多歌剧院、舞剧院和杂技团，还有许多得到精心看管的公园。该国的主要博物馆和图书馆亦坐落在平壤。名胜古迹有千里马铜像、玉流馆（内有国宴厅）、牡丹峰体育场、大剧院以及重建的高句丽王国时期的庙宇、亭榭和古城墙城门等。市北有著名的中国圣人箕子墓，据说他是该市的奠基者。人口2 741 260（1993）。

pyorrhea 牙槽脓溢 牙根周围组织的化脓性炎症。可累及牙根周围的膜、牙骨质、牙槽骨及牙龈等。参阅 **gingivitis**。

pyothorax 脓胸 胸膜腔内积存脓液的一种病理现象。最常见的病因为炎症自肺部扩散到邻近的胸膜，亦可继发于肺脓肿或某些类型的肺结核。若感染涉及支气管树，则空气可进入胸膜腔。胸膜腔内存有空气和脓液则称为脓气胸。脓胸的治疗包括引流脓液和使用有效的抗菌药物。

pyralid moth 螟蛾 鳞翅目螟蛾科（Pyralidae 或 Pyralidae）昆虫，2 万多种，世界性分布。多数种前翅狭长、后翅较宽，翅展 18 ～ 35 毫米，少数达 75 毫米。色暗淡，但有鲜艳的具金属光泽的斑纹，成虫和幼虫的栖所均多种多样。世界性的仓库害虫包括：紫斑谷螟（*Pyralis farinalis*），幼虫白色，头黑色，在潮湿处所贮藏的或潮湿的谷物或面粉中吐丝作管形茧生活其中。印度谷斑螟（*Plodia interpunctella*），原产于欧洲，现遍布世界大部分地区，幼虫绿或白色，为害面粉、谷粒、干果、坚果和其他食物产品，幼虫织的网内常含其排泄物，玷污被侵害的物质。地中海斑螟（*Ephestia kuehniella*）的幼虫白或粉红色，是贮粮的重要害虫，吐丝作管形网生活其中，侵害小麦、玉米等，将受侵害的谷物和排泄物网在一起。钻蛀性的螟蛾包括欧洲玉米螟、蔗螟及草螟。其幼虫具细长的吻状口器，故其成虫被称为象鼻蛾。欧洲玉米螟（*Pyrausta nubilalis*），是最重要的世界性玉米害虫，也为害其他植物，其中包括大麻、马铃薯和唐菖蒲等；成熟及化蛹幼虫春季见于宿主植物茎中，至夏季化为淡黄褐色的蛾；卵产于叶背，约一周孵化；早期幼虫在宿主外部取食，以后钻入叶、茎和穗内。白色或浅黄褐色的象鼻蛾因生境不同分别称为草蛾、草甸蛾及草地蛾；休息时翅紧贴躯干，故又称近翅蛾。草螟属（*Crambus*，成虫又称草皮结网蛾）幼虫常钻入禾草的根、茎中，在植株基部结丝质网，广泛为害庄稼或草坪。蔗螟属（*Diatraea*）为害甘蔗、高粱、稻和玉米，每年可发生 5 代。其他有趣的螟蛾包括：蜡螟（*Galleria mellonella*）又称蜂螟、蜂窝螟，幼虫常生活在蜂房中，以蜂蜡和幼蜂为食，吐丝作巢，堵塞蜂房的通道，尤以老蜂群或缺乏防卫的蜂群以及贮藏用蜂房受害最多。仙人掌螟（*Cactoblastis cactorum*）可在仙人掌上钻洞，1925 年从阿根廷引入澳大利亚以控制多刺的仙人果。*Laetilia coccidivora* 食介壳虫的卵和幼虫。*Acentropus* 属世界性分布，其幼虫生活于淡水，食水生植物，以皮肤或气管鳃呼吸，或从植物中获得氧气。

（上）墓地野螟（*Pyrausta funebris*）；（上中）欧洲玉米螟（*Pyrausta nubilalis*）；（下中）印度谷斑螟（*Plodia interpunctella*）；（下）紫斑谷螟（*Pyralis farinalis*）

供图：（上）Alexander B. Klots；（中上）E. R. Degginger；（中下）Runk/Schoenberger—Grant Heilman；（下）William E. Ferguson

Pyrame de Candolle, Augustin 皮拉姆·德·康多尔 参阅 **Candolle, Augustin Pyrame de 康多尔**。

pyramid 金字塔 一种雄伟的建筑物。用砖、石材料建造，或表面覆以砖、石。底部为矩形，四面为倾斜的三角形在顶点相交（有时四面为梯形，顶部为平台）。在不同的时代里，埃及、苏丹、埃塞俄比亚、西亚地区、希腊、塞浦路斯、意大利、印度、泰国、墨西哥、南美洲和一些太平洋岛屿上都曾建有金字塔，其中以埃及和中、南美洲的金字塔最为著名。古代埃及的金字塔都是巨型的墓葬建筑，虽然修建的时期从古王国初期直至托勒密王朝结束前后达2 700余年，但是金字塔建筑臻于顶峰的时期是在第3王朝建立至第6王朝灭亡（约公元前2686～前2345）之间，其辉煌宏伟与其年代同样无与伦比。在此期间，金字塔为帝王陵墓的正规型式，它不是一座孤立的建筑，而是一个建筑群体的组成部分。在古王国时期，这一建筑群包括：金字塔本身（其内部有墓穴，四周有一圈建在沙漠高地上的围墙）、紧邻金字塔的仪葬庙以及一条通向尼罗河谷保护神神庙的道路，神庙位于尼罗河谷地的边缘，有时还有一条与尼罗河相通的渠道。在埃及已经发现了大约80座这样的国王金字塔，大部分已残破颓朽，墓中的财宝早已被盗窃一空。金字塔的前身是马斯塔巴——一种在埃及从王朝时代伊始就已成为墓葬形式的建筑，它以泥砖或石头建造的平顶长方形上部结构为特征，墓室很深，有一条竖直的墓道相通。第3王朝的第2位国王左塞曾聘请*伊姆霍特普*（**Imhotep**）为建筑师，首次建造了一座全部采用石料的马斯塔巴，高8米，底部为每边约63米的正方形。最初建成四面垂直的形式，后来在其顶部加建了几层逐步缩小的矩形平台以增加高度。结果，这座位于萨卡拉的宏伟建筑由6层高度不等的台级组成，总高度为60米，底部长120米，宽108米。它被称为阶梯形金字塔，可能是埃及最早的一座石建筑。下部结构为一组错综复杂的地下走廊和房屋，主要部分是一条深25米、宽8米的中心墓道，墓道底部是用阿斯旺出产的花岗岩修建的墓室。阶梯形金字塔高耸在一座由长544米、宽277米的围墙圈成的巨大庭院之中，庭院内还有其他几座石头建筑的遗迹，都是为满足国王在来世中的需求而建的。在萨卡拉以南不远的达舒尔修建的一座造型奇特的建筑物标志着金字塔式陵墓又发展了一大步。这座被称为折角金字塔的陵墓是为第4王朝的斯奈夫鲁建造的，底部为边长188米的正方形，高约98米。它的奇特之处在于它的每面具有两个坡度，在大约一半以上的位置上改变了它的倾角，下部较之上部更为陡峭。与阶梯形金字塔相比，它更接近于一座真正的金字塔。位于美都姆的一座巨大建筑物则是真正的方锥体金字塔，据说也是为斯奈夫鲁建造的。最初，建成一座8层台级的砖石体，后来将每一层台级用石头填实，形成平直的斜面，外表用光滑的石灰岩覆盖，一个呈方锥体的金字塔终于诞生了。现在，这座金字塔虽已坍毁，但残存的3层台级还有约70米高。已知最早的一座按照方锥体金字塔设计建造的陵墓是位于达舒尔的北方石金字塔，有人认为也是为斯奈夫鲁建造的。它的底部边长约220米，高达104米。规模最为宏大的几座金字塔是位于吉萨的为法老胡夫、海夫拉、门卡乌拉等人建造的金字塔（参阅 **Giza, Pyramids of**）。在美洲的金字塔中，最著名的有墨西哥中部*特奥蒂瓦坎*（**Teotihuacán**）的太阳金字塔和月亮金字塔，位于*奇琴伊察*（**Chichén Itzá**）的卡斯蒂略金字塔，以及在安第斯人居留地中的各种印加人和奇穆人的建筑物。美洲金字塔一般用土建造，表面砌石，并且以呈阶梯形、顶部为平台或神庙建筑为特征。太阳金字塔的底部面积为220米×230米，其规模与位于吉萨的胡夫大金字塔不相上下，后者的底部为正方形，边长230米。

Pyramid Lake 皮拉米德湖 美国内华达州西部古拉洪坦湖（约200万年前更新世生成）残迹湖。在皮拉米德湖印第安人居留地内，介于莱克山脉和弗吉尼亚山脉之间。南面有特拉基河注入。为内华达州最大天然湖，长约30英里，宽7～9英里。以产凶猛的鲑鱼闻名，也是濒临灭绝的鲯鳅鱼的栖息地。湖中阿纳霍岛为鸟类禁猎区和白鹈鹕繁殖地。

Pyramid Texts 金字塔文 古埃及宗教文献。多为刻在金字塔内壁上以保佑法老或王后死后幸福的丧仪祷词、颂歌和符咒。萨卡拉地方的第5、6王朝的几座金字塔中都有发现。在这类金字塔中，第5王朝末代法老乌纳斯的金字塔最早闻名于世。

pyramids 金字塔式台球 英式落袋台球。开局时将15只红球摆成金字塔形。各方以白色主球击打红球落袋，每击入1球得1分，得分最多者胜。将主球击入袋内或未击中红球负1分，须另放一个红球。球击入落袋可继续击球，如未能击球落袋即停止击球。金字塔式台球是落袋台球的前身。

Pyramids, Battle of the 金字塔战役（1798-07-21） 拿破仑在战术上作出重大贡献（采用密集师方阵）的一次战役。战场在埃及尼罗河西岸埃姆巴贝（因巴拜）附近。拿破仑的2.5万征伐埃及军与穆拉德贝伊的4万埃及军对阵。埃及人集结于埃姆巴贝附近（吉萨古金字塔在其左侧），大部为乌合的步兵，有作战能力的只有6 000名马木路克骑兵。拿破仑把自己的军队布置成5个师方阵。每个方阵的每一边各有6排纵深的步兵以保护其骑兵和置于中心的辎重。这种方阵可以向任何方向移动或战斗，有效地击退了马木路克骑兵的密集冲锋。然后，法军直攻埃及人的营地，将埃及人驱散，自身只死伤300人。战役结束后，法军还将大批瓦解的埃及步兵击毙、俘获或驱散。

Pyramus（river, Turkey） **皮拉穆斯** 参阅 **Ceyhan River** *杰伊汉河*。

Pyramus and Thisbe 皮拉姆斯和西斯贝 罗马诗人奥维德在《变形记》中讲述的一个巴比伦爱情故事中的男女主人公。虽然他们的父母都不同意他们结合，这对恋人还是决定同时逃走并约定在一棵桑树下相会。西斯贝先到，但是听到母狮的吼声后吓跑了。她在匆忙中丢掉了面纱，面纱被母狮用爪撕得粉碎，狮爪上又恰好沾有牛血。皮拉姆斯认定她已被母狮吞吃，就举刀自刎。当西斯贝回到这里，发现她的爱人在桑树下受了致命伤时，也自杀身亡。传说，从那时起，以前是白色的桑葚就变成了黑色。

pyran 吡喃 由5个碳原子和1个氧原子组成环结构的杂环有机化合物的总称。可能存在2个简单的吡喃化合物，但只有1个是已知的。于1962年制得，并发现它很不稳定。这类化合物中的四氢吡喃是稳定的，是用二氢化物加氢来制备的。糖通常以含有四氢吡喃环的吡喃糖形式存在，典型例子是蔗糖、淀粉、纤维素和糖原中存在的葡萄糖单元。在吡喃酮中，羰基（$>C=O$）取代了吡喃的亚甲基（$>CH_2$）。蟾毒和海葱毒素就是甾族吡喃酮。吡喃鎓盐为有色物质，其吡喃环以正离子形式存在。与吡喃密切相关的黄鲜盐是一种色素，存在于蔷薇、蓝矢车菊以及其他花卉中。

pyrargyrite 浓红银矿 一种含硫盐矿物，为银和锑的硫化物（Ag_3SbS_3），是银的一个重要来源。有时由于它呈深红色，故称为红银矿（参阅 **proustite**）。最好的呈六方对称的结

产自德国弗赖贝格的浓红银矿
芝加哥菲尔德自然史博物馆供图

晶标本产于德国哈茨山脉的圣安得列斯山和弗赖贝格，以及玻利维亚的科尔克查卡。在墨西哥的瓜纳华托和美国爱达荷州的银城附近都开采这种矿石矿物。在美国西部的银矿山中，此种矿物常少量出现，而在内华达州的卡姆斯托克矿脉中有很多这种矿物。其详细的物理性质，参阅 **sulfosalt**（表）。

pyrazine 吡嗪 以4个碳原子和2个氮原子组成的环结构为特征的杂环有机化合物的总称。是生物体或工业上多种重要多环化合物的组成部分。其中结构最简单的即吡嗪本身，为无色、溶于水的固体，分子式$C_4H_4N_2$。实际上，很少制备吡嗪。1888年首次制得吡嗪的六氢化衍生物哌嗪，哌嗪的几种衍生物可用作化学原料。吡嗪类其他化合物有蝶啶、咯嗪和吩嗪。1891年从蝴蝶翅膀中首次分离出的某些色素以及能参与体内的许多化学反应的叶酸都是蝶啶类化合物。核黄素

(维生素B_2)是一种能促进生长的咯嗪化合物。在吩嗪染料大类中,最闻名的有珀金氏苯胺紫(1856年发现的第一个工业合成染料)、苯胺黑以及第一个蒽醌还原染料阴丹士林。

pyrazole　吡唑　以3个碳原子和2个相邻氮原子组成环结构为特征的杂环有机化合物的总称。其中结构最简单的即吡唑本身,分子式$C_3H_4N_2$。天然吡唑化合物目前尚未发现,通常由肼与1,3-二酮反应而制备。很多合成吡唑化合物很重要,如作染料和医药。其中有安替比林,用作镇痛解热药;酒石黄,用作食品黄色色素;苯基保泰松,用作治疗关节炎的消炎药;还有一系列染料,在彩色摄影中作敏化剂。

Pyrenean Mountain dog　比利牛斯山地狗　参阅 **Great Pyrenees** 比利牛斯大狗。

Pyrenees　比利牛斯山脉　欧洲西南部山脉。法国与西班牙两国界山。东起地中海海岸,西止大西洋比斯开湾畔。全长430千米,中部最宽达160千米。自治的安道尔公国地处群峰之中。中段群峰终年积雪,最高点阿内托峰,海拔3 404米。在第四纪冰期,冰川广泛发育,遗留大量的冰斗冰湖和悬谷。北部及西部降雨量较南部和东部为大,亦较有规律。西部谷地栽种玉米、谷物和水果。东部谷地广种橄榄和葡萄。中比利牛斯山受地中海和大西洋气候影响较小,山间谷地冬季长期严寒,主要从事季节性牛羊放牧。

Pyrenees, Peace of the　《比利牛斯和约》(1659-11-07)　法国路易十四与西班牙费利佩四世之间的和约,结束了1648～1659年的法西战争。这通常被看作是法国在欧洲霸权开始的标志。从三十年战争结束至1659年,法、西两国几乎一直处于交战状态。在战争期间,西班牙发现自己也卷入了同英国的战争,因而西班牙君主政权的衰败已十分明显。组成第二次同盟(莱茵同盟)的效果迅速显示:神圣罗马皇帝援助西班牙的一切希望都化为泡影;西班牙在沙丘战役失败后,加快了法、西之间签订和约的进程。根据这个条约,鲁西永和阿图瓦这两个拥有要塞而难以攻克的北方边境地区割让给法国。法国得以有条件地占有阿尔萨斯和洛林。法国在加泰罗尼亚征服的一切土地都归还西班牙。支持西班牙的大孔代受到宽恕。条约还包括路易十四与西班牙公主玛丽·泰蕾莎结婚的重要协议。第二年举行结婚时曾许配妆奁(未付),而公主也宣布放弃她对西班牙王位或财产的一切权利。该和约和这一婚事牢固地促使路易十四成为欧洲最有权势的君主。

Pyrénées-Atlantiques　大西洋岸比利牛斯　1969年前称下比利牛斯。法国西南部阿基坦大区省份。在比利牛斯山脉西端。由前贝阿恩省全境和加斯科涅的部分地区组成。面积7 645平方千米。西濒比斯开湾,东为上比利牛斯省,南与西班牙接壤。山脊最高峰阿尼峰海拔近1 800米。约900米高处有易通行的山口。比利牛斯山西部温湿气候使当地一片青绿。高地放牧牛羊;谷地种植谷物、马铃薯、饲养家禽和牛。波城(省会)、奥洛龙和圣让-皮耶德波尔为集市城镇。巴约讷附近开采盐,伊特克萨苏开采黄铁矿。1951年波城附近发现世界重要天然气储藏之一。大量天然气被用于当地发电、制铝、金属加工、塑料、化肥等工厂。由于这些工业的发展,在拉克附近建立了一座新城镇叫穆朗新城。省内有几处矿泉疗养地。旧渔港比亚里茨为法国主要海滨胜地之一。该省人口大部为巴斯克人,古巴斯克语仍在比利牛斯北部流行。下设3个专区为波城、巴约讷(主要海港)和奥洛龙。上诉法院在波城。学术区以波尔多为中心。人口约614 174(2003)。

Pyrénées-Orientales　东比利牛斯　法国南部朗格多克-鲁西永大区省份。东临地中海,南与西班牙交界,西与安道尔接壤。由前鲁西永省、塞尔达涅(西班牙的塞尔达尼亚)地区和朗格多克省的部分地区组成。面积4 116平方千米。西部有2 921米高的花岗岩卡利峰,其四周有冰川湖和其他超过2 600米的山峰。中南部有壮观的卡尼哥山,沿海有肥沃的鲁西永低地平原。较高山谷地区冬季漫长寒冷。平原夏季炎热干燥,葡萄、水果、蔬菜种植业已移向山谷地区。特产杏、桃、樱桃。所产科比耶尔葡萄酒供当地饮用,而开胃酒却行销全国。卡尼古山区产优质铁矿石。省会佩皮尼昂为旅游中心,四周有轻工业。有海滨胜地和冬季运动场所。下设3个专区:佩皮尼昂、塞雷和普拉德。属蒙彼利埃教育区。人口约411 447(2003)。

pyrethrum　除虫菊　菊科茼蒿属(*Chrysanthemum*)数种植物的通称,原产于亚洲西南部;芳香的头状花序研磨成粉末,可构成杀虫剂的活性成分。这类植物过去被视为单独的一属——除虫菊属(*Pyrethrum*)。典型种为多年生的红花除虫菊(*C. coccineum*),花大,深玫瑰红色,环绕着黄色的管状花,整个头状花序着生在不分枝的茎顶;叶2～3回羽状全裂。现代变种的舌状花还呈现出白、淡紫以及各种深浅的红色。红花除虫菊、白花除虫菊(*C. cinerariaefolium*)与马歇尔氏除虫菊(*C. marschalli*)头状花磨成的粉末,为杀虫剂的主要来源。除虫菊粉的活性物质为昆虫和冷血脊椎动物的接触性毒素,但用作杀虫剂的除虫菊粉浓度对植物及高等动物无害,因此这些杀虫剂应用广泛,以喷雾剂形式用于家庭与畜舍,以粉剂形式用于种植可食植物的农田。

Pyrex　派热克斯耐热硬质玻璃　耐热、耐化学腐蚀并有电绝缘性的玻璃与玻璃制品的商品名称。可用于制造化学玻璃仪器和工业设备如配管、温度计和烤盘。派热克斯耐热硬质玻璃含有硼硅酸盐,其热膨胀仅约普通玻璃(硅酸盐玻璃)的1/3。因此,在遇到温度急剧变化时,它不易破裂。由这种玻璃制成的纤维和编织物具有优良的热绝缘和防火特性。有时也把它称为硼硅酸盐玻璃。

Pyrgos　皮尔戈斯　现代希腊语作Pírgos。希腊伊利亚州主要城镇和首府。位于伯罗奔尼撒半岛西部,地处阿尔菲奥斯河下游农业平原上。外港卡塔科隆位于西面,建于1857年,出口科林斯区无核葡萄干。附近有圣路上的古城镇莱特里诺。通铁路。经常发生破坏性地震。人口约27 248(1991)。

pyridine　吡啶　以5个碳原子和1个氮原子组成的六元环结构为特征的芳香族杂环有机化合物的总称。其中结构最简单的即吡啶本身,分子式C_5H_5N。吡啶用作溶剂,加入乙醇中,使其不宜饮用。吡啶可转变成磺胺吡啶(防治细菌和病毒感染的特效药)、去敏灵和吡拉明(抗组织胺药)、哌啶(用于橡胶加工,也是化工原料)以及防水剂、杀菌剂和除草剂。含有吡啶环结构、但不是由吡啶制取的化合物有烟酸和吡哆醛(两者均为B族维生素)、异烟肼(抗结核药)、尼古丁和其他几种含氮的植物产品。吡啶存在于煤焦油中,在乙醛和氨合成法成功前,这是主要来源。纯吡啶为无色的弱碱性可燃液体、溶于水,有难闻的气味,沸点115.5 °C。

pyrilamine　吡拉明　又作mepyramine。1944年人工合成的抗组织胺药,乙二胺的衍生物,临床最早使用的抗组织胺药之一,用以对抗变态反应中的组胺反应。常用其苹果酸盐,口服给药,为白色结晶,易溶于水。能有效地控制枯草热,急性皮肤反应(如荨麻疹)及接触性皮炎(如接触毒漆藤引起者)。常见的副作用为嗜睡。

pyrimidine　嘧啶　以4个碳原子和2个氮原子组成的环状结构为特征的杂环有机化合物的总称。其中结构最简单的即嘧啶本身,分子式$C_4H_4N_2$。1837～1864年,分离出几种嘧啶类化合物,但直到1868年才认定这些化合物的结构。常见的嘧啶化合物包括:存在于核酸的胞嘧啶、胸腺嘧啶和尿嘧啶,硫胺素(维生素B_1),用于治疗细菌性和病毒性疾病的药物磺胺嘧啶、磺胺甲基嘧啶和磺胺二甲基嘧啶。

pyrite　黄铁矿　又作iron pyrite。一种天然形成的铁的二硫化物矿物。由于其颜色,使外行人以为是发现了金块,故又称愚人金(fool's gold)。其结核曾发现于史前的坟堆中,估计古人是把它作为取火的工具。纯的黄铁矿FeS_2含有46.67%的铁和53.33%的硫;其晶体为等轴晶系。其详细物理性质,参阅 **sulfide mineral**(表)。黄铁矿分布广泛而且可在各种各样的成矿条件下生成。可由岩浆分结作用生成,也可由热水溶液或升华作用生成。在火成岩中,作为一种副矿物出现,在脉状矿床中,与石英和硫化物矿物伴生;也可产于沉积岩中,例如页岩、煤和石灰岩中。在接触变质岩石里,可成为大型矿床。含铜黄铁矿矿床分布广泛,而且往往规模巨大。黄铁矿也常产于喷出岩与片岩或板岩的接触带中或其附近。黄铁矿易于风化成含水氧化铁,即针铁矿或褐铁矿;常见针铁矿依黄铁矿的假象。此种风化作用产生一种特有的黄褐色铁锈或皮壳，如在有铁膜的石英上就可见到。在工业上黄铁矿用来作为硫特别是作为生产硫酸的原料。由于可获得许多更好的铁矿资源，所以一般不把黄铁矿当作铁矿石来利用。多年以来西班牙是黄铁矿的最大生产国，西班牙廷托河的大矿床也是重要的铜的产地。其他重要的黄铁矿生产国是日本、美国(田纳西州、弗吉尼亚州、加利福尼亚州)、加拿大、意大利、挪威、葡萄牙和斯洛伐克。

pyrobitumen 焦沥青 天然的固体烃类物质。与沥青(**bitumen**)的区别是不易熔化和不能溶解。但它受热时产生或转化成沥青状液体或气态石油化合物。焦沥青有沥青质的和非沥青质的两种。前者从石油中制得，质地较硬，比重小于1.25。它们受热时不熔化，而是膨胀和分解。在这些物质中，最重要的是油页岩的组分。其他包括：弹性沥青(因为有弹性，也称矿物胶)，产于英国德比郡的铅矿中；韧沥青，也有弹性，产于美国犹他州东北部；黑沥青，产于加拿大新不伦瑞克的阿尔贝矿；脆沥青，只略能熔化，产于美国的俄克拉何马州的英普逊山谷。非沥青质的焦沥青是由植物质物质分解而成，包括泥煤、褐煤、烟煤、无烟煤以及褐煤页岩和煤页岩。

pyrochlore 烧绿石 复杂的铌、钠和钙的氧化物矿物($NaCaNb_2O_6F$)。它呈褐至黑色玻璃状八面体晶体和不规则块体。钽原子可取代化学结构中的铌原子，因此烧绿石与细晶石[$(Na,Ca)_2Ta_2O_6(O,OH,F)$]形成固熔体系列。其详细的物理性质，参阅 **oxide mineral**(表)。烧绿石产于碱性岩、与碱性岩伴生的伟晶岩、变质接触带以及云英岩中。这些岩石在挪威的斯塔韦恩和卢尔维克，瑞典的阿尔讷，法国梅内的布罗克以及美国缅因州、威斯康星州、加利福尼亚州和科罗拉多州都曾发现。细晶石产于花岗伟晶岩的钠长石带中。

pyroelectricity 热电性 晶体经受温度变化时，其不同部分产生相反电荷的现象。热电性最初发现于石英中(1824)。它只存在于至少具有一个极性对称轴(无对称中心，即相对的两端存在不同的晶面)的结晶的非导体中。晶体中具有相同对称性的各部分将产生性质相同的电荷。在同一点上，温度的相反变化产生相反的电荷，亦即加热时，如晶体在某个晶面上产生正电荷；则冷却时，此晶面将产生负电荷。如果晶体保持恒温，则电荷逐渐消失。对热电性及与之有关的压电性已经用德国物理学家 A.A.孔脱设计的方法作了研究。把磨成细粉的硫磺和铅丹的混合物通过布滤网，吹到带电的晶体上。经过摩擦，硫磺颗粒获得负电荷，于是被吸引到晶体上的正电荷处，而带正电荷的铅丹则到了晶体上的负电荷处。热电温度计可以通过测定由电荷分离感应而生的电压以确定温度的变化。

pyrogallol 连苯三酚 又称焦棓酚、焦性没食子酸或1,2,3-三羟基苯。酚类有机化合物。用作摄影底片的显影剂及制备其他化学品。1786年首次从多种树的虫瘿和树皮中取得的没食子酸中制得。没食子酸与水在压力下加热转变成连苯三酚。连苯三酚是最早使用的显影剂，1832年发现它能快速地把银盐分解成银。连苯三酚的碱性溶液能有效地吸收氧，故可用来测定混合气体的氧气含量。

pyrolite 地幔岩 由大约三份橄榄岩与一份玄武岩组成的岩石。创立这一新名就是用来说明地球上地幔的化学成分和矿物成分的。主要金属元素(除铁外)的相对丰度类似于球粒陨石和太阳光球层。因此，完全有理由假设，上地幔的元素丰度值大致也适用于整个地幔。

pyrolusite 软锰矿 常见的锰矿物，成分是二氧化锰(MnO_2)，它组成重要的矿石。常在强烈氧化的条件下形成。浅灰色至黑色，金属光泽，比重中等，呈被壳、皮壳或纤维产出。软锰矿是其他锰矿石(如菱锰矿)的蚀变产物；也可以是沼泽、湖泊或浅海形成的产物；或是循环水留下的沉积物。德国、巴西、印度、美国、古巴、摩洛哥、加纳及南非等地都开采软锰矿。它被用于钢铁及锰青铜的生产，还用于干电池生产及用作玻璃的去色剂。其详细的物理性质，参阅 **oxide mineral**(表)。

pyromania 纵火狂 一种以经常出现强迫性放火行为为特征的冲动性障碍。该词只适用于通过放火本身可得到性满足或其他满足的放火行为，并不是为获利或报仇而纵火的行为。纵火狂通常为心理变态的一种症状，常常伴有攻击性行为。精神分析的创始人S.弗洛伊德指出，大多数纵火狂者多为有尿床史的男子，并认为纵火狂是由否认本能驱力而引起的多种精神障碍之一，在这种情况下，男子想通过排尿灭火。以后的精神分析学家认为他的解释过于简单。其他人认为纵火狂的原因是一种抛弃的感觉，以及对离去的父亲回转归来的渴望。纵火狂通常在孩童时期开始表现出症状，成年的纵火者仅一小部分确实患有这种疾病。纵火狂者要与自己想放火的冲动斗争，反而使心理紧张程度愈来愈强，而这种紧张只有在屈从于放火的冲动时才能得到缓解。在多次试图控制这种冲动遭到失败后，他们可能会不再抵制这种冲动以求避免心理紧张的产生。这种疾病可以通过以家庭为中心的心理疗法以及抗抑郁药物进行治疗。

pyrometer 高温计 测量较高温度(如炉内温度)的仪器。大多数高温计的工作原理是测量物体的热辐射，其优点是无须与待测的材料相接触。例如光学高温计测量炽热物体的方法是将一根能调整温度并标有度数的白炽丝用目视法与炽热物体相比较。简单的辐射高温计将来自热物体的辐射集中在温差电堆上，由此产生的电压与所截获的热辐射量有关，通过适当的标定，即可将电压换算为该物体的温度。电阻高温计是将细金属丝与物体接触，并将因受热造成的电阻变化换算为物体温度的读数。温差电偶(**thermocouple**)高温计测量与热物体接触的温差电偶的输出，再换算成温度。高温计同测辐射热计和半导体温度计非常相似，皆用于测温学中。

pyromorphite 磷氯铅矿 磷酸盐矿物，铅、氯磷酸盐[$Pb_5(PO_4)_3Cl$]，是铅的次要矿石。在铅矿床氧化带中与方铅矿、白铅矿和褐铁矿一起产出。颜色非常明亮，很重，呈桶形晶体或球状块体。其物理性质，参阅 **phosphate mineral**(表)。在磷氯铅矿结构中，砷和钒常代替磷。所以在自然界中，磷氯铅矿与砷铅矿和钒铅矿混合产出，这些混合物称为固溶体系列，在其各个纯化合物之间有连续的化学变种。磷氯铅矿在结构和性质上是与磷灰石有关的矿物族中的一个成员。

产自墨西哥杜兰戈的磷氯铅矿

供图：Floyd R. Getsinger

pyrope 镁铝榴石 又称波希米亚石榴子石(Bohemian garnet)或好望角红宝石(Cape ruby)。是含镁铝的石榴石(Mg_3Al_2)，透明的可用作宝石。其颜色变化于淡褐红色至淡紫红色之间。漂亮的深红色镁铝榴石通常称为红宝石，并与产地结合在一起命名，例如来自南非的好望角红宝石。镁铝榴石亦用于珠宝工艺品中，例如早先流行的波希米亚石榴子石。

pyrophyllite 叶蜡石 一种非常软的淡色硅酸盐矿物，属碱性铝硅酸盐$Al_2(OH)_2Si_4O_{10}$。这种矿物是某些片状岩石的主要组分。最大的叶蜡石工业矿床在美国北卡罗来纳州，但加利福尼亚州、加拿大及南非也开采叶蜡石。像滑石样的叶片状块体产于乌拉尔和瑞士等地。其详细物理性质，参阅 **silicate mineral**(表2)。叶蜡石长期以来用作石笔和裁缝粉笔，古代中国人用它雕刻小偶像或作装饰品。叶蜡石具有优良的绝缘性能，而且由于它在焙烧时不会液化，所以在耐火用途方面比滑石更大。

pyrosilicate 焦硅酸盐 参阅 **sorosilicate** 孤立双四面体硅酸盐。

pyroxene 辉石 一族重要的硅酸盐造岩矿物，成分变化不定，以富含钙、镁和铁的变种居多。常见的辉石分属两个亚族：① 钙含量低的顽火辉石——铁辉石$(Mg,Fe)SiO_3$

系列；②钙含量高的透辉石——钙铁辉石 $Ca(Mg,Fe)Si_2O_6$ 系列。辉石晶体结构由硅氧四面体的单链组成，每个四面体都与相邻的两个四面体各共用一个氧原子。典型的晶体是细长形的，有两组相交约 90°的良好解理。链间的金属离子是 6 次配位，链分布在对称性不同的两个位置。含钙少镁多的辉石通常具斜方对称，叫做斜方辉石或紫苏辉石，而含钙多的辉石和含钙少、含铁适中的辉石则具单斜对称，叫做单斜辉石或普通辉石。成分介于普通辉石和紫苏辉石之间的，叫易变辉石，是基性火山岩中常见的矿物。从亚微观到可见的片晶连生是常见现象，因为钙含量低和高的两种辉石在固相线以下的温度不相混溶。

在急剧冷却的岩石（如玄武岩）中，辉石成分的变化范围很大，在单个晶粒内就可由早期的富含镁到晚期的富含铁。相反，在缓慢冷却的火成岩和变质岩中，成分变化范围一般都很窄。顽火辉石是上地幔的重要组分。其他少见的辉石有硬玉、霓石（或锥辉石）和钙锰辉石。

pyroxenite 辉石岩 主要由辉石组成的深色侵入岩。辉石岩类数量不多，产于不连续的包体、岩床挤入其他岩层之间的板状岩体、岩盆（具有盆形底的岩盘）、分支状的岩脉、狭窄的岩墙（注入岩石缝隙中的板状岩体）中，以及含二氧化硅不多的侵入火成岩体的边缘上。许多辉石岩都是根据所含主要辉石矿物命名的，例如，产于比利牛斯山的透辉石岩，产于南非布什维尔德的古铜岩。其他的辉石岩还有产在爱尔兰岛东北部唐郡纽里的黑云母辉石岩，加拿大魁北克省的普通角闪石辉石岩，以及苏格兰本莫尔阿辛特山的黑榴石辉石岩。

Pyrrhocorid bug（insect） 参阅 **red bug** 红蝽。

Pyrrhon OF ELIS 皮朗（埃利斯的）（约公元前 360 ～约前 272） Pyrrhon 又拼 Pyrrho。希腊哲学家。皮朗主义即因他而得名。一般认为他是怀疑论创始人。他是阿夫季拉的阿那克萨尔科斯的学生，曾于公元前约 330 年在埃利斯开始教书生涯。他认为任何命题的双方都可以提出相等的论据，所以他把寻求真理看成是一种徒劳的尝试。随同亚历山大大帝远征时，他从印度的托钵僧身上看到一种由于漠视周围环境而取得幸福的办法。他得出的结论是：人们必须对感觉的可靠性"暂缓判断"（实行"悬搁"），而只须按照实在显现的样子生活。皮朗主义在中期和后期的雅典学园十分流行，对 17 世纪欧洲的哲学思想也有很大影响。他的学说留存在弗利奥斯的提蒙

辉 石 类

名称 化学式	颜色	光泽	莫氏硬度	比重	习性	断口或解理面	折射率	结晶系 空间群	备注
霓石 $NaFe^{+3}Si_2O_6$	绿色到浅绿黑色	玻璃光泽	6	3.4～3.6	晶体	一个 87°的良好解理面	$\alpha=1.700\sim1.776$ $\beta=1.710\sim1.820$ $\gamma=1.730\sim1.836$	单斜 $C\frac{2}{c}$	和霓辉石生成固溶体系列，Ca 交代 Na；Fe^{+2}、Mg 和 Al 交代 Fe^{+3}
普通辉石 $(Ca,Mg,Fe,Ti,Al)_2(Si,Al)_2O_6$	褐色，绿色，黑色	玻璃光泽	5½～6	3.2～3.5	短的、厚的板状结晶	一个 87°的良好解理面	$\alpha=1.671\sim1.735$ $\beta=1.672\sim1.741$ $\gamma=1.703\sim1.761$	单斜 $C\frac{2}{c}$	在辉石和透辉石-钙铁辉石系列之间有连续的变异
透辉石 $CaMgSi_2O_6$	白色，淡绿到暗绿（透辉石），褐绿色，暗绿色，黑色（钙铁辉石）	玻璃光泽	5½～6½	3.2～3.6	细长的柱状晶体，粒状或片状块体	一个 87°的良好解理面	$\alpha=1.664\sim1.732$ $\beta=1.672\sim1.730$ $\gamma=1.694\sim1.757$	单斜 $C\frac{2}{c}$	和钙铁辉石生成连续的固溶体系列，其中 Fe^{+2} 交代 Mg；在透辉石-钙铁辉石系列和霓石之间有连续的变异
硬玉 $NaAlSi_2O_6$ （常含 Fe，Ca）	绿色，苹果绿，艳绿色，颜色多样	玻璃光泽	6	3.2～3.4	隐晶质集合体和结核	一个 87°的良好解理面	$\alpha=1.640\sim1.658$ $\beta=1.645\sim1.663$ $\gamma=1.652\sim1.673$	单斜 $C\frac{2}{c}$	富 Fe 的变种有时称暗绿玉，富 Ca 的变种有时称透辉石-硬玉
锰钙辉石 $Ca(Mn,Fe)Si_2O_6$	丁香褐色，浅灰色，绿色	玻璃光泽	6	3.4～3.6	柱状晶体和纤维，处于放射状、柱状或球状集合体中	一个 87°的良好解理面	$\alpha=1.703\sim1.716$ $\beta=1.711\sim1.728$ $\gamma=1.732\sim1.745$	单斜 $C\frac{2}{c}$	
斜方辉石 $(Mg,Fe)_2Si_2O_6$	通常为绿色，无色，灰色，黄色，褐色	珍珠到玻璃光泽	5～6	3.2～4.0	纤维状或片状块体	一个 88°的良好解理面	$\alpha=1.650\sim1.768$ $\beta=1.635\sim1.770$ $\gamma=1.658\sim1.788$	斜方 Pbca	斜方辉石是顽火石 $MgSi_2O_6$ 和铁辉石 $Fe_2Si_2O_6$ 之间连续固溶体系列的名称
易变辉石 $(Mg,Fe)(Mg,Fe,Ca)Si_2O_6$（含 5%～15% Ca）	褐色，浅绿褐色，黑色	玻璃光泽	6	3.3～3.5		一个 87°的良好解理面	$\alpha=1.682\sim1.722$ $\beta=1.684\sim1.722$ $\gamma=1.705\sim1.751$	单斜 $P\frac{2_1}{c}$	
锂辉石 $LiAlSi_2O_6$	常见的为浅灰白色；也有绿色，淡紫色，浅黄色，无色	玻璃光泽	6½～7	3.0～3.2	扁平的柱状晶体（有时达 6 英尺 × 42 英尺）带解理的块体	一个 87°的良好解理面	$\alpha=1.648\sim1.663$ $\beta=1.655\sim1.669$ $\gamma=1.662\sim1.679$	单斜 $C\frac{2}{c}$	

的诗歌里。

pyrrhotite 磁黄铁矿 是红砷镍矿族中的一种铁的硫化物矿物($Fe_{1-x}S$)。其中铁与硫原子的比值不定,但通常是稍小于1。一般产于贫二氧化硅的岩浆岩中与镍黄铁矿及其他硫化物伴生,例如在挪威的孔斯贝格,德国的安德烈亚斯-贝尔格,意大利的特伦蒂诺以及加拿大安大略的萨德伯里。磁黄铁矿的变种——陨硫铁,其成分近似于硫化铁(FeS),是某些陨石的重要组成部分。磁黄铁矿的晶体属于六方晶系。其详细的物理性质,参阅 **sulfide mineral**(表)。

Pyrrhus 皮洛士(公元前319～前272,阿尔戈利斯阿尔戈斯) 伊庇鲁斯国王,曾不惜惨重牺牲取得对马其顿和罗马的军事胜利。"皮洛士胜利"一语由此成为代价惨重的代名词。他的《回忆录》和兵法曾受到许多古代作家(包括西塞罗)的引用和赞扬。12岁即王位,曾与马其顿的德米特里结成联盟。公元前302年的一次起义逼他退位。他曾和德米特里在亚洲并肩作战,并去亚历山大当人质。托勒密和他成为朋友,于公元前297年送他回国。公元前294年他利用马其顿王室纷争取得了帕拉乌厄亚和廷发亚的边界地区以及阿卡纳尼亚、安菲洛奇亚和安布拉基亚。后来他攻打从前的盟友马其顿的德米特里,占领了色萨利和马其顿的西半部,并把雅典从德米特里的包围中解救出来,但在公元前284年又被利西马科斯逐回伊庇鲁斯。公元前281年塔伦托姆请他协助对罗马作战,他率领2.5万人渡海至意大利。公元前280年,他在赫拉克莱亚付出重大代价取得全面胜利。公元前279年他再度忍受惨重伤亡在阿普利亚的奥斯库卢姆打败罗马军队。公元前278年,他跨海到西西里,作为"西西里之王",征服了那里的大部地区。然而他的暴政引起希腊籍西西里人的起义。他在公元前276年(或公元前275年初)返回意大利。公元前275年在贝内文托与罗马军队对阵,受到重大损失。次年打败马其顿的新统治者安提柯二世,马其顿军队拥立他为国王。但他突然离开马其顿对斯巴达大举进攻,企图收复克里奥尼姆斯,未能如愿。夜间在阿尔戈斯街道的巷战中被杀。

pyrrole 吡咯 以4个碳原子和1个氮原子组成的环状结构为特征的杂环有机化合物的总称。其中结构最简单的即吡咯本身,分子式C_4H_5N。吡咯环存在于脯氨酸和羟基脯氨酸等氨基酸和有色天然产物中,如叶绿素、血红素和胆汁色素中。植物产生的碱性有机氮化合物,即生物碱中也存在有吡咯化合物。在血红素和叶绿素中,4个吡咯环连成的更大环系称为卟啉。胆汁色素是由卟啉环分解而成,含有4个吡咯环组成的链。

pyrvinium pamoate 扑蛲灵 红色花青染料,为甲撑双(β-羟基萘酸)盐,医药上用于根治人体的蛲虫感染。优点为一次口服给药即可根治。副作用少而罕见。

Pythagoras 毕达哥拉斯(约公元前580,爱奥尼亚萨摩斯～约前500,卢卡尼亚梅塔蓬图姆) 希腊哲学家、数学家和毕达哥拉斯教团创始人。此组织虽系宗教性的,但

395～410年间制作的硬币状古罗马勋章上的毕达哥拉斯像

巴黎国家图书馆供图

是提出的原则却对柏拉图和亚里士多德的思想发生影响,并促进了数学和西方理性哲学(参阅 **Pythagoreanism**)之发展。公元前532年左右他为了逃避萨摩斯的残暴统治而移居意大利南部,并在克罗顿(今克罗托内)创办一座伦理-政治学园。毕达哥拉斯之学说甚难与其弟子之学说区分。因为其作品均已失传,而这个学派的成员都是一贯不加区别地征引自己老师的教诲以论证自己学说之正确,故尔造成上述状况。然而毕达哥拉斯却被普遍认为曾提出在客观世界中和在音乐中数目的功能方面的重要性这一学说。归到他名下的其他数学原则和发现(如正方形的边和对角线不可通约、直角三角形的毕达哥拉斯定理),可能只是后来由毕达哥拉斯学派提出的。源于毕达哥拉斯本人的大部分智力传统很可能属于神秘智慧,是非科学上的学术成就。

Pythagoras 毕达哥拉斯(生于萨摩斯岛,创作时期公元前5世纪) 著名希腊雕刻家。少年时移居雷基乌姆(今意大利的雷焦卡拉布里亚)。作品有《菲罗克特迪斯雕像》、《阿波罗在特尔斐射杀巨蛇》、《七弦竖琴伴唱的歌者》等。但没有一件可以确认是他遗存的作品。

Pythagorean theorem 毕达哥拉斯定理 又称勾股定理。欧几里得的《几何原本》第1篇47号命题,著名的几何定理:直角三角形的两个直角边的平方之和等于斜边(直角的对边)的平方。或用熟悉的代数式表达为$a^2+b^2=c^2$。虽然该定理长久以来与希腊数学家和哲学家毕达哥拉斯(约公元前580～前500)相联系,但它确实更古老。大约在公元前1900～前1600年,四块巴比伦泥板就已标示出这个定理的一些知识,至少是特殊整数的知识,此处的特殊整数称作符合该定理的"毕达哥拉斯三数组"。又如,林德莎草纸记载的日期从约公元前1650年起,但已知是200年前文件的复制品,这表明古埃及人已知该定理。然而,该定理的最早证明却依然归功于毕达哥拉斯。

根据叙利亚历史学家兰布利丘斯(约公元250～330)的说法,米利都的泰勒斯和他的学生阿纳克西曼德尔把毕达哥拉斯引人数学领域。无论如何,人们已知毕达哥拉斯大约在公元前535年为了进一步做研究曾去埃及游历,在公元前525年波斯的冈比西斯二世入侵期间被俘虏并被送到巴比伦,很可能在返回地中海之前访问过印度。毕达哥拉斯不久在克罗顿(今意大利的克罗托内)创建学园,或用现代词语来说是隐修院(参阅 **Pythagoreanism**),这里的全体成员都要立下严格的保密誓言,几个世纪的一切新的数学成果都归属于他的名下。因此,不但该定理的最早证明无人知晓,而且对毕达哥拉斯确实自己证明了在他名下的该定理也存疑。一些学者认为最早的证明是用图形表示的,很可能是在几个不同的文化中各自独立发现的。

欧几里得的《几何原本》第1篇正于欧几里得的著名"风车"对毕达哥拉斯定理的证明。后在《几何原本》的第4篇中,欧几里得利用相似三角形的面积与其对应边的平方成比例这一命题讲述甚至更简易的论证。显然,欧几里得创作出风车证明使他能够把毕达哥拉斯定理放在第1篇的顶点位置。他尚未论证(如他在第5篇所述)似乎在比例为可通约数(整数或整数比)时才能用它灵巧地处理直线长度的问题。欧几里得面临的这一问题在补充条不可通约数(incommensurables)内有解释。

有创见地提出毕达哥拉斯定理的不同证明和扩展法非常多。欧几里得首先采取扩展法,他亲自在古代受赞颂的定理中表明在直角三角形的各边上画出的对称正方图形符合毕达哥拉斯的关系:斜边上画出的图形的面积等于两个直角边上画出的两个图形面积之和。确定希波克拉底(希俄斯的)弯月的边界的半圆形就是这类扩展法的例子。中国在公元1世纪编纂的《九章算术》(简称《九章》)中提出了几个问题及其解法,涉及已知直角三角形的两个边的长度求另一边的边长。在公元3世纪的《刘徽注》中,刘徽提出了毕达哥拉斯的一种证明;它要求把直角三角形两个直角边(勾和股)上的两个正方形切割成小块,然后把它们重新安排("七巧板方式")使之与斜边上的正方形相一致。虽然他的原图已不存在,但后来的图形表明完全可以把它重现出来。

近4 000年以来,毕达哥拉斯定理使人们感到入迷;现在估计有367种不同的证明,包括希腊数学家亚历山大的帕普斯(活动期约公元320)、阿拉伯数学家和物理学家萨马克尔(简称伊本·克拉赫,约836～901)、意大利艺术家和发明家莱奥纳多·达·芬奇(1452～1519)和美国总统J.加菲尔德(1831～1881)等人的证明。

Pythagoreanism 毕达哥拉斯主义 哲学流派和宗教团体,据传约于公元前525年由毕达哥拉斯所创。

一般特征 对原始毕达哥拉斯主义的性质是有争议的,它所显示的各种不同特征的混合,在内部形成混乱状态。但它以一些具有很大影响的观念而知名。这些观念包括:①数的形而上学观念和包括音乐与天文的实在,从根本上说,其本性是数学的;②用哲学

作为净化心灵的手段；③天界是灵魂的归宿，灵魂有可能超升，与神成为一体；④使用象征，有时是神秘的象征，如四列十全、黄金分割、天体和谐等；⑤毕达哥拉斯定理；⑥要求团体所属成员必须严守秘密和绝对忠诚。这派哲学注重某些内在经验和直觉真理，代表一种以灵魂为指导的主观主义，从而和伊奥尼亚的自然主义相对立，却和一些神秘的宗教，例如俄耳甫斯教义相近似。它们声称通过一种陶醉状态就能洞悉灵魂的本性和其神圣来源。然而毕达哥拉斯主义也有某些方面来自清醒的伊奥尼亚哲学。例如毕达哥拉斯主义者对形而上学、对存在的本性表现出兴趣。他们接受了伊奥尼亚学说的主要之点，即世界由对立物(即湿与干、热与冷等)构成的观点，并且是出于某种无限的东西，而他们又增加了对无限的事物之限制，增加了宇宙中的音乐和谐感。与伊奥尼亚学派的人们一样，他们也从事天文学和几何学的探索。不过这个学派将理性主义的数目论和神秘主义的计数学并在一起，将思辨的宇宙学和迷惘莫测的灵魂论并在一起，于是在毕达哥拉斯主义中，理性主义和非理性主义交织在一处。

古代毕达哥拉斯主义运动的四个时期 早期，从公元前6世纪末到公元前400年；公元前4世纪的毕达哥拉斯主义；希腊化思潮；新毕达哥拉斯主义，从公元1世纪中期到4世纪初。①公元前5世纪初，南意大利许多城市都有毕达哥拉斯教团，政治上坚决反对民主。该世纪中期，暴力的民主革命席卷南意大利各城市，大批毕达哥拉斯党徒被杀死，仅少数幸免。该世纪后半期，毕达哥拉斯派的具体活动不详。“务实派”和“崇学派”可能在此时形成。前者遵守教规、教律，宣扬祖师教言；后者着重科学方面。②公元前4世纪上半期，在崇学派阿尔库塔斯的政治和精神领导下，南意大利新兴城市塔伦图姆成为毕达哥拉斯主义中心。务实派则流亡在各希腊语城邦。阿尔库塔斯的毕达哥拉斯主义和柏拉图学园有密切往来。③约在公元前350年阿尔库塔斯去世后，学派停止活动。而毕达哥拉斯主义的很多论点，如最高的一、无限的双等通过柏拉图学园和亚里士多德逍遥学派传布。④公元1世纪中期，禁欲主义者阿波罗尼库斯建立新毕达哥拉斯学派，自认是毕达哥拉斯的化身。波菲利的学生扬布利科斯创立叙利亚新毕达哥拉斯主义，约在公元300年他综合编写毕达哥拉斯主义文献。新毕达哥拉斯主义主要对毕达哥拉斯式的生活方式和数目神秘主义的伪科学感兴趣。视毕达哥拉斯和阿尔库塔斯为法师。在中世纪，毕达哥拉斯被当作四个高级学科(算术、几何、音乐、天文)的创建人。从文艺复兴以来，有些“毕达哥拉斯”观念(如四个一组、黄金分割及和谐比例)均用于美学，很多人文主义者认为他是精密科学之父。16世纪初期，哥白尼认为他的地球绕日而行之说的体系属于毕达哥拉斯哲学。伽利略也被称为毕达哥拉斯主义者。17世纪的唯理论者莱布尼兹是自认为继承了毕达哥拉斯传统的最后一个大哲学家和科学家。

毕达哥拉斯一些主要观点在历史上的潜在影响很大。例如，将宗教上的秘教和哲学新因素相结合，这表现在相信灵魂的发展可导致实现它的神圣本性，并趋向于获得知识；注意和谐和秩序，并重视限度，认为这即是善；强调形式、比例和数的表达方式之重要性；在伦理学上，注重友谊和谦逊这类德行。

Pytheas　皮西亚斯(生于高卢的马萨利亚；活动时期公元前3世纪)　希腊航海家、地理学家和天文学家。曾从地中海航行到大西洋，在加的斯的腓尼基城(今西班牙的加的斯)停留，可能沿欧洲的海岸线到达布列塔尼半岛顶部，最终到达贝列里姆(今英国康沃尔郡的兰兹角)，在那里访问了古代闻名的锡矿。他宣称曾步行考察了大不列颠岛的大部分地区，并估算该岛周长为6 400千米，这是一个精确的估算。他还估算了大不列颠岛最北端与马萨利亚(马赛)之间的距离为1 690千米，而实际距离则是1 802千米。他访问过一些北欧国家，可能到达过波罗的海的维斯图拉河口，他还谈到距大不列颠北部6天航程的最北方的有人居住的岛屿图勒，它至少已延伸到北极圈内；这个地区可能是冰岛或挪威。他观察敏感，注意到当地由谷物和蜂蜜合成的饮料以及脱粒仓(与地中海地区露天脱粒不同)的使用。他在科学方面的兴趣表现于他在夏至时用日规所作的计算以及向北旅行时对白昼延长现象所作的记载。他还发现北极星并不是真正的极点以及月球对潮汐的影响。

Pythian Games　皮托竞技会　古希腊为崇拜阿波罗神而举行的体育和音乐比赛会，特指在德尔斐举行者。在每两届奥运会之间的第三年8月举行。音乐比赛历史甚为悠久，公元前582年起每四年举行一次，后来又加上赛跑和赛马车等体育运动项目，与奥林匹克运动会媲美。比赛在帕尔纳索斯山上的德尔斐神殿，或者在山下的克里萨恩平原举行。凡希腊人都可参加，优胜者奖给桂冠。

Python　皮松　又译皮同。在希腊神话中，指阿波罗神在德尔斐杀死的一条巨蛇。而所以要杀死它，或者因为它已习惯于自己发布神谕，不许阿波罗神建立自己的神示所；或者因为在阿波罗的母亲勒托怀孕时，它迫害过她。根据最早的记述，这蛇并没有名字并且是女性的，但后来它成了男性的，名字叫皮松(皮托是德尔斐的旧名)。皮松根据传统是该亚(大地)的孩子，而该亚在阿波罗到来之前在德尔斐便有一处神示所。在德尔斐举行的皮托竞技会据说就是由阿波罗创立以庆祝他战胜皮松。

python　蟒　蟒科巨蛇亚科(Pythoninae)的蛇类，20～25种，分布于非洲西部至中国、澳大利亚及太平洋岛屿一带的热带和温带地区。中美洲的双色钩嘴蛇(短体蟒，*Loxocemus bicolor*)有时归入本亚科。蟒无毒，以缢缩的方法杀死猎物。多见于水域附近，有些树栖。均卵生，产卵量取决于身体的长度，一般为15至约100枚。许多种类的雌性孵卵60～80天。性迟钝，驯良。最大的蟒能吞下小山羊、小猪或小鹿，但一般仅捕食小猎物。生活在城镇地区的蟒常捕食鼠类。许多蟒被捕杀而取用其肉和皮。网纹蟒(*Python reticulatus*)体细长，上有斑点；分布于缅甸南部至印度尼西亚和菲律宾一带，常见于城区的河岸附近；体长达8米，可能是世界上最长的蛇，长达9.6米的曾见报道(蚺蛇的重量可大于蟒)；网纹蟒曾在印度尼西亚的萨莱巴布岛上吃过一个14岁的马来男孩，这是少数已经证实的案例之一。印度蟒(*P. molurus*)广布亚洲南部；体粗壮，一般体长不及4米，偶达8米；是流动马戏团耍蛇者喜欢用的蛇类。马来亚、苏门答腊和婆罗洲的短尾蟒(*P. curtus*)或称血色蟒，浅红色。非洲蟒(*P. sebae*)亦称岩蟒，体长达7米。球蟒或称皇家蟒(*P. regius*)，仅分布赤道非洲西部，能将身体紧缩呈球形，头卷在最里边，并以这种姿势滚动，体长1.5米。

皇家蟒(*P. regius*)
纽约动物学会供图

pyx　圣饼盒　基督教中圣餐礼仪式上用以盛圣饼的容器。制作于14世纪前半世纪的被称为戈德思菲尔德的英国圣饼盒以镀金青铜制成，盒体和盖均雕有叶状装饰。另一著名的英国中世纪制品为斯温伯恩圣饼盒(大约作于1310年)是一只配有平盖的小圆盒，银质镀金，并有半透明珐琅的痕迹。现存的少数几只17和18世纪的圣饼盒一般是扁平的圆柱形。

Q

Q 参阅 **Quiller-Couch, Sir Arthur Thomas 奎勒-库奇**。

Q fever Q 热 又称巴尔干流感、疑问热。由立克次氏体属微生物伯内特氏科克氏体引起的急性、自限性、全身性传染病。1935 年 E. H. 德里克首次于澳大利亚昆士兰描绘本病，因许多疑问找不到答案，故称之为 Q 热（Q 即 query——疑问之意）。原来认为本病仅见于澳大利亚的屠场工人、牛奶场工人及牧牛人，后亦见于牧羊人。1944 ～ 1945 年冬，东地中海地区的轴心国及同盟国士兵中发生几次 Q 热暴发，这是已知最早发生于澳大利亚以外的 Q 热暴发。后世界各地均有报告。世界各地的蜱均曾发现自然受染，但蜱在传播及保存本病病原体中的作用未明。某些哺乳动物，如啮齿目动物似为 Q 热病原体的保菌宿主，蜱则在动物间传播本病，人及家畜则偶然受染。人、畜的蜱传 Q 热似不多见。患畜的乳、排泄物，尤其是胎盘、羊水中含病原体，可污染环境及衣服；尘埃飞扬，为人吸入即传播本病；食用患病的牛、山羊的乳或其制品亦可致病。本病潜伏期 2 ～ 4 周，平均为 18 ～ 21 日。发病多急，症状为发热、畏寒、寒战、头痛、肌痛、食欲不振、定向力障碍、多汗等，上呼吸道症状少见而轻，即使有广泛的肺炎亦能用 X 射线检查发现。本病一般不重，预后好，病死率不足 1%，但偶亦可见较重及迁延的病例。广谱抗生素疗效佳。本病与职业有关，对从事易受染的职业者可用伯内特氏科克氏体死疫苗预防本病的发生。

qa 夸 又作 ka。巴比伦尼亚的液量单位，等于各边长度均为 1 手宽（9.9 ～ 10.2 厘米或 3.9 ～ 4 英寸）的立方体体积。这样一个立方体能容纳重量为 1 大米纳（1 千克）的水。300 夸约相当于 302 升（80 美制加仑）。

Qābis 加比斯 又译加贝斯。又拼 Gabès，拉丁语作 Tacapa。突尼斯东南部城镇。地处地中海一片绿洲，濒临加比斯河口，最初为罗马人的贸易中心。在土耳其统治下衰退。在成为法国保护国期间（1881 ～ 1955）略有恢复，建有铁路、公路和港口。现代城市仍是重要贸易中心，附近有捕鱼、水果种植和纺织业。有化工联合企业、铁厂和水泥厂。周围是突尼斯中南部半干旱地区，包括柏柏尔橄榄种植者的故乡迈特马泰和贸易中心哈迈。人口：城镇337 700（2002）。

加比斯镇绿洲中的水塘
供图：A. F. Kersting

Qābūs ibn Sa'īd 卡布斯（1940-11-18，阿曼马斯喀特～　　）阿曼苏丹。先后就读于英国萨福克郡贝里圣埃德门兹和伯克郡的桑德赫斯特皇家军事学院。他父亲赛义德实行独裁统治。1965 年奉召回国，被囚禁 6 年。1970 年在英国支持下，卡布斯接管王宫，将父亲驱逐出去。他立即进行一系列雄心勃勃的现代化计划，其中包括修建道路、医院和学校，建立通信系统、工业以及港口设施。他废除父亲所立的道德法，设立 17 人内阁和市议会制。国家权力依然集中在皇族手中。卡布斯政权面临劳工骚动、财政不稳、技工短缺以及来自佐法尔叛乱分子的威胁等问题。卡布斯使阿曼参加阿拉伯联盟和联合国，加入阿拉伯温和派行列，使阿曼在摆脱孤立状态、取得进步方面卓有成就。

Qacentina（Algeria） 参阅 **Constantine 君士坦丁**。

Qaḍārif, al- 加达里夫 又拼 El-Gedaref。苏丹中东部城镇。在卡萨拉城西南约 200 千米处。海拔 608 米。为周围地区出产的棉花、谷物、芝麻和饲料的贸易中心。西北郊有加什河灌溉工程。建有轧棉、纺织与肥皂厂。公路和铁路通卡萨拉城。居民主要为阿拉伯人、努比亚人和贝贾人。人口191 164（1993）。

Qadarīyah 卡达里派 又译盖德里耶派。伊斯兰教用语，指信奉意志自由说的人。穆尔太齐赖派相信人可以靠自由意志选择善恶，因此也称卡达里派。伊斯兰教一切派别都参加关于人的自由意志与安拉的先定问题的争论，许多派别各走极端，也有一些派别提出折衷理论。卡达里派坚持安拉公义的原则，他们认为，如果人对于自己的行为没有责任，也没有意志自由，安拉就不会审判人的行为。

Qaddafi, Muammar al- 卡扎菲（1942，利比亚苏尔特附近～2011-10-20，苏尔特） 又拼 Muammar Khadafy。利比亚领导人（1970 年起），褒贬不一的阿拉伯政治家。出身于游牧的贝都因农民家庭，1963 年毕业于利比亚大学，1965 年毕业于利比亚军事学院。1969 年 9 月发动军事政变，推翻国王伊德里斯一世，夺取政权。卡扎菲受任为军队总司令兼新政府革命指挥委员会主席。1970 年撤销美英在利比亚的军事基地。同年驱逐了大批土著意大利人和犹太人。1973 年将利比亚的外国石油产业收归国有。卡扎菲还不断试图同其他阿拉伯国家合成一体，但均未成功。他坚决反对同以色列谈判，成为阿拉伯国家中所谓拒和阵线的领导人。他还落下军事冒险主义的名声。他的政府与埃及和苏丹的几次流产政变有牵连，利比亚军队还不断干预邻国乍得的长期内战。1974 年起，卡扎菲提出一种伊斯兰社会主义，表述于他的两卷《绿皮书》（1976，1980）中，包括对许多经济门类实行国有化，以及表面上通过各级人民代表大会、工会及其他群众组织来治理国家的所谓人民政府。卡扎菲还因在国际舞台上一些反常古怪的做法而知名。他的政府资助世界各地的各种革命团体或恐怖组织，包括美国的黑豹党和伊斯兰民族组织、北爱尔兰的爱尔兰共和军。利比亚特工小组刺杀流亡国外的反对派，并涉嫌卷入巴勒斯坦人或其他阿拉伯极端分子在欧洲制造的若干血腥恐怖事件。这些活动使他同美国政府的冲突日益加剧，1986 年 4 月一批以英国为基地的美军飞机轰炸了利比亚的若干目标，炸死炸伤他的若干子女，但他本人幸免。

Qaddish（Judaism） 参阅 **Kaddish 卡迪什**。

qadi 卡迪 又拼 cadi 或 kadi。伊斯兰教法执行官。其职责是根据伊斯兰教法断案。从理论上讲，卡迪可以审理民事和刑事案件，但实际上仅审理财产继承、宗教捐赠、结婚、离婚之类的宗教案件。最初，卡迪只限于处理非行政性事务，如仲裁争端、判决诉讼，但后来其职权范围扩大，要负责管理宗教捐赠，保护孤儿、弱智者以及其他无行为能力者的财产，照料无监护人的妇女的婚姻问题。在所有这些事务中，卡迪的裁定是不可更改的。

Qādirīyah 卡迪里教团 又译戛迪林耶。伊斯兰教神秘主义苏非派教团，由罕百里学派教义学家阿布杜·卡迪尔·吉兰尼（1078 ～1166）创立于巴格达，很可能是苏非派内历史最悠久的教团。起初吉兰尼原意在有限范围内推行他所倡导的宗教礼仪，后来他的众子建成教团，并且使它扩展到北非、中亚和印度等地。这个教团强调慈善、谦卑、虔诚和节制，但组织松散。各地教团可以自行制订祈祷仪式。

Qaeda, al- 基地组织 阿拉伯语作 al-Qa'idah。由本·拉登于 20 世纪 80 年代末组建的基础广泛的伊斯兰军事组织。开始是一个后勤网络，在阿富汗战争期间支持穆斯林与苏联作战，成员从整个伊斯兰世界各地招募而来。1989 年苏联撤出阿富汗后，该组织解散，但继续反对被其领袖所认为的腐蚀伊斯兰政权的事物，还反对外国（即美国）势力在伊斯兰的土地上存在。由于有一批积极的成员和分布在几十个国家里的同情者(有许多是阿富汗战争中的退伍军人),该组织最终在塔利班民兵的庇护下于阿富汗重建了总部(1996年左右)。基地与其他一些伊斯兰极端主义组织联合,它的领导人若干次宣布对美国发动圣战。该组织为全世界的穆斯林民兵建立营地,训练数以万计的人员掌握准军事技能,其属下曾从事大量的恐怖攻击活动,包括破坏美国驻肯尼亚内罗毕和坦桑尼亚达累斯萨达姆的大使馆(1998),以及对停泊在也门亚丁的美国军舰进行自杀性爆炸袭击(2000)。2001 年与基地组织有关的 19 名武装分子发动了 9·11 事件。美国政府的反应是攻击阿富汗的塔利班和基地的军队,杀死并俘获了数以千计的民兵,并迫使其残余势力和他们的领导人躲藏起来。虽然先后抓获了若干名主要成员,但基地组织及其同情者在世界各地继续制造恐怖活动,包括在 2002 年初绑架并残酷地杀害一位美国新闻记者,同年晚期引爆印度尼西亚巴厘岛的夜总会,造成数百人死亡。

Qafsah 加夫萨 又拼 Gafsa,拉丁语作 Capsa。突尼斯中西部城镇,原为努米底亚城镇。公元前 106 年被罗马人摧毁,后由图拉真重建。接连作为拜占廷、阿拉伯、柏柏尔和奥斯曼统治者的首邑。是一盛产水果的绿洲,杰里德湖盐滩所产磷酸盐的主要运输中心。有公路和铁路通斯法克斯港。周围有丰富的磷酸盐矿。居民以游牧民和农民为主。产北非芦苇草、谷物、椰枣和橄榄。人口约 78 000(2000)。

Qagan Us 察汗乌苏 中国青海省柴达木盆地东部重要集镇。青海省海西蒙古族藏族自治州都兰县政府驻地。原为自治州首府。位于柴达木盆地东南缘,察汗乌苏河畔。青藏公路经此。附近有多种矿藏,建有采矿、炼铁等工业。有中等技术学校及科学研究机构多所。

Qaidam Pendi 柴达木盆地 又作 Tsaidam Basin。中国第三大内陆盆地,属封闭性巨大山间断陷盆地。位于青海省西北部。西北倚阿尔金山,北和东北临祁连山,南为昆仑山。面积约 25 万平方千米。盆地西部海拔约 3 000米,东部降至2 600米左右。地貌呈同心环状分布,自边缘至中心由洪积砾石扇形地(戈壁)、冲积-洪积粉砂质平原、湖积-冲积粉砂黏土质平原、湖积淤泥盐土平原有规律地依次递变。西部有许多低山,经强烈风蚀形成大体平行排列的长岗和劣地,也有大片流动沙丘。盆地东南部多冲积-湖积平原。依靠地下水发展灌溉农业,春小麦产量高。发源于四周山地的河流汇集于覆盖有第四系沉积物的盆地中部,形成众多的湖泊和湿地,多为咸水湖或盐湖。"柴达木"蒙古语即盐泽之意。盆地内部矿产资源丰富,素有"聚宝盆"之称。位于盆地中央的察尔汗盐湖是中国最大盐湖,面积1 600平方千米,最厚盐层达 15 米,储盐量约 250 亿吨。盆地总储盐量约 600 亿吨。盆地中部有煤矿、铅锌矿和石油,东部和东南部约有耕地 4.66 万公顷,以产粮食、油料为主。青藏铁路已由西宁通到格尔木。公路网也已初具规模,通达省内各地和相邻的省区。

柴达木盆地的原始梭梭林
中国大百科全书出版社供图

Qain (Iran) 参阅 **Qāyen** 加延。

Qairouan (Tunisia) 参阅 **Qayrawān, al-** 凯鲁万。

Qājār DYNASTY **卡札尔王朝** 伊朗的一个王朝(1794 ~ 1925)。1779 年伊朗南部的统治者穆罕默德·卡里姆汗死后,土库曼卡札尔部落的酋长阿迦·穆罕默德汗(1779 ~ 1797 在位)开始重新统一伊朗。到 1794 年,他消灭了所有的对手。1796 年正式即皇位,翌年被杀。其侄法塔赫·阿里·沙阿继位(1797 ~ 1834),企图保持伊朗对格鲁吉亚和高加索的宗主权,但在两次战争(1804 ~ 1813,1826 ~ 1828)中都被俄国人打败。在他统治下,伊朗与西方的外交接触有所增加。1834 年他的孙子穆罕默德继位后,落入俄罗斯影响之下。1848 年穆罕默德·沙阿去世,其子纳赛尔丁(1848 ~ 1896 在位)继位,他是卡札尔王朝最能干、最成功的君主。在其统治时期,西方的科学、技术和教育方法传入伊朗,国家的现代化开始。他还利用英俄之间的猜忌,以保持伊朗的独立。1896 年纳赛尔丁为一名宗教狂徒所杀,其子穆宰费尔丁·沙阿继位(1896 ~ 1907)。这位软弱、不称职的统治者被迫颁布一部剥夺某些君主权的宪法。其子穆罕默德·阿里·沙阿(1907 ~ 1909 在位)在俄国支持下试图废除宪法,取消议会政府,结果导致失败并失去王位。其子艾哈迈德·沙阿(1909 ~1925 在位)继位时年仅 11 岁,无能力保持伊朗的完整或王朝的命运,在第一次世界大战(1914 ~ 1918)中,俄国、英国和奥斯曼的军队占领伊朗。1921 年 2 月发生政变,礼萨汗变成伊朗的主要政治人物。1925 年 10 月,卡札尔王朝的最后一代统治者艾哈迈德·沙阿被废黜。王朝统治告终。

qalam 卡拉姆芦笔 古代芦笔,原先用于各类书法,现仍在阿拉伯书法中使用。卡拉姆芦笔取芦苇两节之间一段挺直的芦杆,粗细如指,长 20 ~ 25 厘米,浸泡后晒干,将较粗的一端按角度削成类似钢笔的尖,再切开一个吸墨水小槽口。书写不同的字体用不同的笔尖,笔尖的宽度、锐度、角度或凹度以及墨槽的位置各异。军徽中的卡拉姆芦苇后来表示行政人员,以区别于战斗人员,这和一些西方社会中的羽毛笔的作用一样。伊斯兰教有一传说,认为真主最初制出芦笔以便记述未来之事。

qalamkārī textile 快兰卡里织品 一种彩绘织物,17 世纪产于印度各地,以戈尔孔达的产品最为有名,主要用来作祈祷毯、帷幕、床单和床罩。织物的图案主要为了迎合富裕

17 世纪戈尔孔达生产的快兰卡里织品悬挂物局部
供图:P. Chandra

统治阶级波斯化的情趣以及外国商人猎奇和对异域情调的爱好。出口商品按照欧洲商人提供的样品制造。其显著特点是鲜艳夺目的红色。戈尔孔达也生产一些有画和流苏的庙用挂帘,极其优美,主要绘有印度教大神黑天一生事迹。

Qalandarīyah 卡兰达里教团 伊斯兰教神秘主义苏非派托钵僧教团。组织松散,主张废弃教规。这一派人蔑视穆斯林社团的准则,服用药物,举动粗鄙,名声不佳。他们剃发刮脸,不留须,披毛毯或仅着齐腰短衫,四方游荡,视任何举动为合法。此派 11 世纪出现于呼罗珊地区,继而传到印度、叙利亚和伊朗西部地区,16 世纪以前奥斯曼帝国内几次暴乱是此派所鼓起。

Qalat Jarmo (Iraq) **杰尔莫堡** 参阅 **Jarmo** 杰尔莫。

Qalʿat Sharqāṭ (Iraq) **舍尔加特堡** 参阅 **Ashur** 亚述。

Qalāʾūn 卡拉温(?~1290) 又译盖拉温。埃及马木路克苏丹(1279 ~ 1290),他开创的王朝统治埃及长达百年。原是马木路克将领拜巴尔斯的忠实支持者。1260 年拜巴尔斯成为埃及和叙利亚的苏丹后,他迅速擢升。1277 年拜巴尔斯去世后,卡拉温废黜和驱逐其两个儿子,1279 年自任埃及苏丹。1289 年占领十字军的大城市的黎波里。同时清除蒙

古人对埃及的威胁，巩固马木路克人在中东的地位。后在围攻阿卡的战役中身亡。他是个果断的统治者和干练的行政官员，鼓励贸易和公共福利活动，主持建造卡拉温大清真寺。

Qalā'ūn Mosque　卡拉温大清真寺　综合建筑群，包括陵墓、经学院和医院各1座，1283～1285年马木路克王朝第五代苏丹卡拉温在开罗今址营造。医院是马木路克时期最杰出的建筑物之一，现成废墟。陵墓和经学院均由中央走廊进入。在经学院面向麦加的有大量雕刻的墙上，嵌着一个独特的、分成3部分的、类似基督教堂半圆形凹室的拱顶壁龛，而对面墙上的壁龛较小。经学院的另外几侧则为学生宿舍。陵墓有一个小的前

埃及开罗市的苏丹卡拉温陵墓和经学院
供图：A. F. Kersting

室，前室正面涂灰泥并有精美的雕刻。从前室进入陵墓的正方形场地。陵墓的装饰极富丽堂皇，粉红色花岗石柱子的顶端架着拱，支承原来可能是木造的一个圆顶。在整个建筑群中都使用当时罕见的马蹄形圆拱。各建筑物的正面都装饰有垂直、平背、拱顶的壁凹，外观如同诺曼人的教堂。壁凹中装带色玻璃窗。墙顶呈钝锯齿形，上面有雕刻的几何图案。

Qalyūb　盖勒尤卜　又拼Kalyub。下埃及盖勒尤卜省城镇，在尼罗河三角洲顶端，尼罗河右岸，开罗正北。传说用东南几英里处的赫利奥波利斯遗址的材料建成。公元641年首见记载。在拿破仑军队撤出埃及后3年，1804～1805年间，马木路克苏丹的毫无纪律的士兵劫掠了盖勒尤卜。19世纪中期，本哈取代盖勒尤卜成为省会。现保存有数座古老的清真寺，其中大清真寺（1182年建，1735～1736年重修）颇著名。有开罗—亚历山大高速公路经过并为呈扇形通过三角洲的几条铁路的交轨站。当地有棉、丝织业。人口约86 684（1986）。

Qalyūbīyah, Al-　盖勒尤卜　又拼Kalyubia。下埃及一小省份。位于开罗正北，尼罗河三角洲顶端。东北与东部省为邻，西北濒尼罗河支流达米埃塔河。面积1 001平方千米，人口稠密。约有3/5的人口以务农为生。冲积土农田主要由与尼罗河平行的陶菲克运河和东面的伊斯梅利亚运河灌溉。主要作物为玉米、棉花、小麦和三叶草。还有菜园和果园的产品供应开罗市场。本省的矿产资源有

开罗市以北的盖勒尤卜省农田
供图：Robert Holmes

位于开垦区东部边缘的阿布扎拜勒的磷酸盐和玄武岩矿。建有化工厂，生产肥料、硫酸、发烟硫酸及喷雾器。主要城市有省会本哈（**Banhā**）和盖勒尤卜。地处苏伊士-地中海输油管道上的穆斯图鲁德有一炼油厂。人口约3 804 188（2004）。

Qamdo（China）　**察木多**　参阅 **Changdu** 昌都。

Qāmishlī, Al-　加米什利　又译卡米什利。叙利亚东北部城镇。濒临杰格杰盖河，邻近土耳其边界，地处棉花和小麦产区。1926年建为托罗斯铁路一站。因城东80千米的盖拉舒克地区开采石油而迅速发展。有锯木厂和水泥厂。现今该镇不仅是伊斯坦布尔-安卡拉-摩苏尔-巴格达铁路枢纽，并有铁路连接代尔祖尔和阿勒颇。也与阿勒颇和大马士革通国内航班，与土耳其和伊拉克通公路。加米什利是叙利亚东北部地区贸易中心，其交通、贸易及文化诸方面的重要性已超过哈塞克。随亚美尼亚人、亚述基督教徒和库尔德难民从土耳其和伊朗涌入后，该镇居民繁杂，其中还有逊尼派穆斯林、操古叙利亚语的基督教徒和犹太人。人口约210 300（2004）。

qanāt　坎儿井　又作kanat（阿拉伯语），karez（波斯语），foggara（柏柏尔阿拉伯语）。一种古老的供水系统，见于世界各干旱地区。可将冲积扇上游的地下水以及山脉之下的地下水通过长达数千米的一系列隧道引至山脚需水地点供灌溉及作日常用水。坎儿井可能约在2 500年前始出现于伊朗，后传至阿富汗和埃及。目前在伊朗及阿富汗，数千条坎儿井仍供使用，主要用于灌溉。

Qandahār（Afghanistan）　参阅 **Kandahār** 坎大哈。

Qantas Airways Limited　坎塔斯航空公司　澳大利亚航空运输企业，也是英语世界最早设立的航空公司。该公司1920年成立，原名昆士兰和北部地方航空公司。20世纪后期，坎塔斯航空公司的定期航空线已遍布澳大拉西亚（Australasia），并远达旧金山、温哥华、东京、哈拉雷、伦敦和其他欧洲城市。总公司设在悉尼。

Qantîr（Egypt）　**坎提尔**　参阅 **Per Ramessu** 培尔拉美苏。

Qara Qoyunlu（Turkmen tribal federation）　参阅 **Kara Koyunlu** 黑羊王朝。

Qaraism（religious movement）　参阅 **Karaism** 卡拉派。

Qarakhanid DYNASTY　**喀喇汗王朝**　又称伊莱克汗王朝。Qarakhanid又拼Karakhanid。中世纪统治中亚河间地带的突厥王朝（999～1211）。喀喇汗人原属于葛逻禄部落联盟，9世纪开始占有显著地位。伊朗的萨曼王朝瓦解后，喀喇汗人攫取了河间地带。于是，奥克苏斯河就成为两个敌对帝国之间的边界。在这一时期，喀喇汗人开始信奉伊斯兰教。11世纪初，喀喇汗王朝经常发生内讧，后来不得不承认塞尔柱人的宗主权。1140年喀喇汗人归附以中国北部为中心的突厥族哈剌契丹联盟。奥斯曼（1204～1211）重建独立王朝，但1211年为花剌子模击败，喀喇汗王朝灭亡。

Qaraqalpaqstan（republic, Uzbekistan）　参阅 **Karakalpakstan** 卡拉卡尔帕克斯坦。

Qarawīyīn　卡拉维因　摩洛哥境内非斯城的清真寺和伊斯兰大学。卡拉维因清真寺在12世纪就已扩大至现有规模，是北非最大

的清真寺，可容纳约22 000名礼拜者。清真寺的屋顶由 270 根柱子支撑，形成 16 间中堂，每一中堂有 21 个马蹄形拱门。建于 859 年的一所大学以该清真寺为中心，数所学校聚集附近。该大学自中世纪以来成为伊斯兰文化中心。1956 年摩洛哥独立后，对此所大学进行现代化改革，增设法学系并开始招收女生。

qāri'（Muslim reciter） 参阅**qurrā'**诵经人。

Qarluq confederation 葛逻禄联盟 中亚突厥部落联盟。葛逻禄土库曼人起源不详。约 745 年，他们起来反抗当时统治该地区的突固特部落联盟，并与突厥维吾尔和拔悉蜜诸部落联合建立了新的部落联盟。葛逻禄联盟的内部政治组织以双王制为基础。联盟分两支：西支以巴拉沙衮（现在吉尔吉斯斯坦境内）为中心，东支以喀什噶尔（现在中国新疆维吾尔自治区境内）为中心。每支各有部族首领：东支的首领永远称为“狮子”，西支的首领则称为“骆驼”。9 世纪时，西支与伊朗萨曼王朝来往密切。10 世纪末萨曼王朝覆灭后，葛逻禄联盟在河间地带建立了新王朝。

Qarmatian 卡尔马特派 又拼 Karmatian。伊斯兰教什叶派中的伊斯玛仪派的支派。该派自 9 世纪至 11 世纪盛行于伊拉克、也门特别是巴林。9 世纪后半叶该派在伊拉克南部受卡尔马特领导，故名。卡尔马特派的著名活动有：903 ～ 906 年间在叙利亚举事；该派在巴林的两位头领——坚纳比及其子、继位人苏莱曼——屡次入侵伊拉克，并于 930 年洗劫麦加，移走天房克尔白的黑石。参阅**Ismāʿīlīte**。

Qaro, Joseph ben Ephraim 参阅 **Karo, Joseph ben Ephraim** 卡洛。

Qarqār（fortress） 参阅 **Karkar** 甲加。

Qashqāʾī rug 卡什加地毯 Qashqāʾī又拼 Kashgai。卡什加部落的手织铺地用品，是伊朗设拉子地区的地毯中质量最佳的一种。配色最为鲜明，大红、大蓝，有时也用金黄色。卡什加地毯通常采用几何图案，3 个菱形奎心列成一行，大地布满各种小的花饰，包括鸟兽。此种地毯的图案很像高加索地毯，羊毛底布上拴土耳其吉奥狄斯扣，具有拼花图样的效果。

19 世纪晚期的卡什加地毯

供图：Textile Museum Collection, Washington, D.C.

qasida 颂诗 阿拉伯语拉丁字母转写作Qaṣīdah（格西特）。一种诗歌体裁，产生于伊斯兰以前时期的阿拉比亚，存在于整个伊斯兰文学史中，以迄于今。古典颂诗是结构精细的赞颂诗，包括 60 ～ 100 诗行，押单一尾韵，通篇一韵到底，第一诗句的前半句结尾也押韵。实际上，除短长格诗律外，一切韵律皆适用于颂诗。它以简短的序诗开始，称为纳西卜，情绪哀伤，以引起听众共鸣。描写诗人滞留在昔日部落的营区，追忆与爱人共度时的欢乐和离别时的痛苦。据说，乌姆鲁勒·盖斯是第一个使用这种格式写诗的人，别的诗人几乎都效法他。

诗的第二部分为“拉希勒”，用比喻和描写形容诗人的马或骆驼、沙漠中的动物和事变情景以及贝都因人的生活与征战。其中穿插一段颂词或对自己的夸奖。诗的主题是颂扬，常常带有对敌人的嘲讽，放在最后，颂扬自己、自己的部落或保护人。颂诗一向被奉为诗歌艺术的最高形式，被看作伊斯兰教创立以前时期诗人独特的专长。尽管有古典主义倾向的诗人们保持这种体裁，遵守它的严谨格律，但由于阿拉伯人的境遇变迁，这种体裁乃流于矫揉造作的俗套，因而 8 世纪末颂诗开始衰退。穆太奈比在 10 世纪成功地使颂诗一度获得恢复，后由贝都因人继续发扬光大。颂诗也用波斯语、土耳其语和乌尔都语写，并持续到 19 世纪。

Qāsim, ʿAbd al-Karīm 卡赛姆（1914，伊拉克巴格达～ 1963-02-09，巴格达） 又拼ʿAbdul Karim Kassem。伊拉克军官。1958 年推翻君主政权，成为新成立的伊拉克共和国首脑。卡赛姆在巴格达军事学院毕业后，军阶稳步上升，到 1955 年已成为一名高级军官。和许多伊拉克人一样，他讨厌君主政权的社会保守政策和亲西方政策。到 1957 年，他已成为在军队中形成的几个反政府集团的首领。1958 年 7 月 14 日，卡赛姆和他的追随者利用政府所计划的调动军队的机会，举兵控制巴格达，推翻了君主政权。他成为总理，负责领导新的共和国。卡赛姆面临的最大问题是阿拉伯联合问题。1958 年初埃及和叙利亚联合成为阿拉伯联合共和国，在阿拉伯世界引起极大轰动。尽管伊拉克有强烈的泛阿拉伯主义的思想感情，但是卡赛姆决定先以稳定内部为主，然后再考虑与阿拉伯联合共和国的任何一种联合方式。而埃及总统纳赛尔却对卡赛姆的统治不满，企图设法使其倒台。阿布杜勒·萨拉姆·阿里夫是卡赛姆的亲密支持者，也是一个热烈的纳赛尔主义者，他周游伊拉克，大事赞扬纳赛尔。1959 年 3 月，反对卡赛姆的泛阿拉伯主义者在摩苏尔公开发动叛乱。由于大部分军人忠于卡赛姆，叛乱一扑即灭。卡赛姆解除了约 200 名他难以确定是否忠诚的陆军军官的职务。在文职人员中，他不得不主要依靠共产党人的支持，这些共产党人急于寻求一个打击右翼反对派即泛阿拉伯主义分子的机会，同时争取在政府决策中有更多的发言权。卡赛姆抵制了他们的要求，几个月后，又从警察和军队中整肃了共产党人。

卡赛姆作为总理得到的支持越来越少。到了 1960 年，他暂时停止了有组织的政治活动，当他看到文职和军职人员中的左、右翼分子似乎有可能与他的权威竞争时，就对他们都进行镇压。只有陆军支持他的统治。但是在 1961 年春天，库尔德人发生叛乱——库尔德人是一个种族集团，深切知道他们与阿拉伯人的文化差异，而卡赛姆未能履行使他们在伊拉克国家内达到一定程度自治的诺言。由于大部分军队被钳制在这场似乎是无休止和毫无成果的镇压叛乱行动之中，使卡赛姆连他在军队中的支持也受到损害。这种情况，加上反复整肃军队所引起的不满，使一批军官公开起来对抗卡赛姆的政权。1963 年 2 月，阿布杜勒·萨拉姆·阿里夫领导军队中持不同政见者发动政变，推翻了政府并将卡赛姆杀死。

Qaṣr al-Kabīr, Al-（Morocco） 参阅 **Ksar el-Kebir** 凯比尔堡。

Qaṣr as-Saʿīd, Al-, Treaty of 《卡赛尔·赛义德条约》（1881） 参阅 **Bardo, Treaty of** 《巴尔杜条约》。

Qaṣrayn, Al- 卡塞林 又拼 Kasserine。突尼斯中西部城镇。该镇为重要市场、公路和铁路枢纽及附近农业灌区的中心。经济活动有种植橄榄、茅草和生产纸浆。西北的卡塞

卡塞林镇一农场的农民在准备青贮饲料

供图：F. Botts – M. Grimoldi

林山口是第二次世界大战中突尼斯战役的战场。卡塞林周围地区养牛羊和种植谷物。杜拉卜油田有输油管通往加贝斯湾畔的苏海拉。苏拜蒂莱和卡塞林两镇附近有古罗马聚落苏费特勒和西留姆的遗址。人口约78 300（2004）。

Qatar 卡塔尔 全称卡塔尔国。位于波斯湾西岸的一个阿拉伯半岛国家。向北伸入海湾约 160 千米，最宽处约 80 千米。其 56 千米长的陆地国界与沙特阿拉伯和阿拉伯联合酋长国接壤，海岸线全长 560 千米。首都多哈，位于东海岸。面积 11 427 平方千米，人口约 626 000（2003）。

土地 卡塔尔地势基本平坦，从东部缓升至中部石灰岩高原，西海岸为高达 40 米的

丘陵地带。南部地区大多为风积沙漠所覆盖,东南部则以沙丘为主。其他地区也大都多石、多砂且贫瘠,为盐碱滩、沙丘荒漠和干旱平原。在卡塔尔众多的岛屿和珊瑚礁中,位于多哈以东97千米的波斯湾哈卢勒岛作为该国3个近海油田的采油存储地,具有特别重要的地位。

卡塔尔夏季炎热潮湿,冬季温和。7～8月中午的气温可达到40℃,而冬天的温度则在10～20℃之间。冬季夜晚通常较冷,年降雨量约50～70毫米。

卡塔尔的可耕地不到全部国土面积的1%,只有北方生长植物。卡塔尔新的灌溉农业区即位于此处。这里的沙漠植物在春季下雨时短暂开花。该国地下水的矿物质含量较多,不适宜饮用,但可用来灌溉果树和蔬菜。该国现有一半以上的淡水供应依靠海水蒸馏。

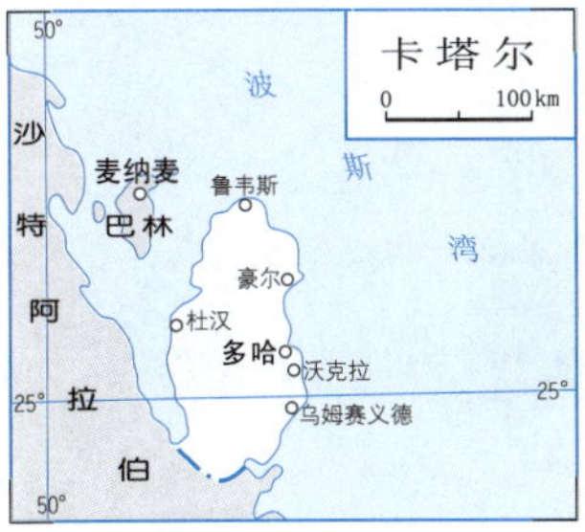

美国不列颠百科全书公司供图

人民　卡塔尔最早的居民是来自阿拉伯半岛中部的游牧民。但现在外来移民工人构成卡塔尔人口的主要部分,大部分人口居住在城市。该国的种族构成包括20%的土著卡塔尔人、25%的其他阿拉伯人、34%的南亚人、16%的伊朗人,其他种族占5%。男女人口比例大约为2:1。大部分人讲阿拉伯语,英语作为第二语言使用也很广泛。大多数卡塔尔人,不管是本地人还是外来移民,都遵守瓦哈比派阐释逊尼派伊斯兰教的指示,但不如邻国沙特阿拉伯那样严格。由于经济上的需求和本地卡塔尔劳工人数较少,该国妇女拥有较多的自由。

首都多哈,从一个渔村发展成一个繁忙的都市中心,拥有大约3/5的全国人口。1939年卡塔尔发现了石油,从而促进另外两个城市的发展,一是西海岸杜汉附近的齐克里特港口,另一个是东海岸的乌姆赛义德。

经济　主要由于石油和天然气的出口,卡塔尔的人均国民生产总值居世界最高之列。政府拥有全部农田并引导卡塔尔的大部分经济活动,而私营经济只参与贸易和小规模的承包活动。石油工业约占国内生产总值的1/3,政府岁入的4/5以上。卡塔尔生产的蔬菜可满足当地大部分需求,但必须进口其他原料食品和加工食品。渔业产品供应当地市场。

卡塔尔的石油产量还不到世界总产量的1%。已探明的储量也很有限,随着石油资源的消耗殆尽,石油生产前景暗淡,天然气将作为卡塔尔经济的长期基础。由于该国各油田的天然气生产将随原油产量的下降而减少,卡塔尔从1991年开始开发近海的广大北方气田(又称西北穹丘)。卡塔尔的年出口值约为进口值的两倍。出口商品主要包括原油和液化天然气(合计约占出口总额的80%)。

石油和天然气的开发促进了乌姆赛义德工业的大发展,现在该地建有一座化肥厂、一座钢厂、几座炼油厂和一座石化工厂。该国大约90%的劳动力为非卡塔尔人。卡塔尔还发展成为波斯湾地区一个重要的金融中心。该国还改善了道路和污水处理系统以保持其经济持续发展。从多哈到赛勒沃附近的沙特阿拉伯边界有一条长105千米的高速公路,为卡塔尔提供了一条与沙特阿拉伯公路系统相连的通向地中海的陆上通道。多哈国际机场有许多家外国航空公司的航班起降。

政体与社会状况　卡塔尔为传统的君主国,1971年宣布独立,终止作为英国的保护国。1970年4月颁布的宪法,宣布卡塔尔为独立的主权国家,行政权赋予埃米尔,由其担任首相之职。之后,该宪法又进行了修改。政府中绝大多数人员为王室成员,其祖先可追溯至古代阿拉伯沙里夫部落之一的贝尼塔米姆。行政部门由大臣会议(或称内阁)及一个由35名任命的成员组成的顾问委员会组成。代表地主、农民和商人利益的顾问委员会负责复议由内阁提交的诉讼案件。1971年制定了民法和刑法,设立了世俗法庭负责审理所有民事和刑事案件。伊斯兰教(沙利亚)法庭则以宗教法规为基础,主要解决个人和家庭纠纷。

石油收入使政府得以彻底改革公众服务事业。教育,高标准的住房和房屋所有权计划,一座大型综合性医院的落成以及对卡塔尔本国人提供从生到死的全面社会福利措施,无一不得益于石油工业的兴旺。

该国对所有居民,不论是公民还是非公民都实行免费教育。公立和私立学校提供初等和中等教育,卡塔尔大学建于1973年,是该国唯一高等学府。

1976年发射的一颗人造地球卫星帮助卡塔尔建立了电信系统。国内有数种阿拉伯文报纸和杂志出版。卡塔尔现在已有电台和电视广播服务以及全自动化传真服务。

文化生活　卡塔尔人仍然固守着贝都因人的传统。部落的传统仍然随处可见。男人们身穿传统的宽大无袖长袍,女人们极少在外面露面,在公众场合她们不但要戴上厚厚的黑色面纱还要戴上面罩。但是由于外籍工人大量涌入,这种守旧风气已受到严重冲击。

历史　几位10世纪的阿拉伯作家在文学作品中首次提及卡塔尔。18世纪当哈里发人(哈里发家族)从他们位于阿拉伯半岛西部和北部的家乡移居到卡塔尔西北部的祖巴拉时,波斯人认为他们是一个威胁,并于1783年入侵卡塔尔。哈里发人击退了他们并将自己的大本营迁移到巴林岛,成为独立的巴林国的统治者,并宣称祖巴拉周围的领土归巴林所有。巴林的酋长们与他们名义上的卡塔尔臣民之间的不和日益增加,1867年爆发了一场全面的战争。巴林人在阿布扎比酋长的帮助下打垮了卡塔尔人,多哈城被彻底击毁。第二年,考虑到这一地区的不稳定以及海盗的频繁出没,英国扶植卡塔尔重要家族的后裔穆罕默德·伊本·萨尼为执政酋长。在英国驻扎官的调解之下,他签署了旨在解决他与邻国之间争端的协议书。

19世纪,奥斯曼帝国作为阿拉伯半岛大部分地区的名义宗主国,从1871年始,就竭力想在卡塔尔驻扎军队。他们这种枉费心机的尝试,导致了1893年的一次武装冲突,在这次冲突中酋长的军队击败了奥斯曼帝国派来的军队。1914年第一次世界大战爆发后,土耳其在波斯湾的影响力也随之结束。1916年11月,卡塔尔与英国订立条约,按照"特鲁西尔诸国"(今阿拉伯联合酋长国)的模式,卡塔尔遂成为英国的一个保护国。此时,海盗,这个曾经困扰该地区数世纪之久的主要问题,也终于绝迹。当时,卡塔尔经济几乎完全依赖于珍珠采集、捕鱼及骆驼饲养。1940年开采出了石油,第二次世界大战后,卡塔尔迅速地实现了现代化。

当英国1971年撤离波斯湾地区时,卡塔尔原计划和邻国巴林一起与"特鲁西尔海岸"的7个酋长国共同组成阿拉伯联合酋长国,但后来巴林和卡塔尔都选择成为分别独立的国家。卡塔尔于1971年9月成为一个主权独立国家,并被接纳为联合国和阿拉伯联盟的成员国。

Qaṭīf Al-　盖提夫　又拼Katif。沙特阿拉伯东北部城镇和绿洲。濒波斯湾,地处盖提夫油田。有油井、油气分离厂、输油管道和大片工人住宅区。1964年建成大型灌溉工程,使这片绿洲成为沙特阿拉伯最大的农业区之一。出产椰枣、苜蓿、稻米、水果和蔬菜。人口约136 200(2004)。

Qatna(ancient Syria)　参阅**Katna卡特那**。

Qattara Depression　盖塔拉洼地　埃及西北部利比亚沙漠的盆地。面积18 100平方千米,包括盐湖和沼泽,在海平面以下133米。在第二次世界大战期间,由于这块盆地军队不能通行,形成了英国人在阿拉曼的防线南端的天然隐蔽所,抵御住了隆美尔元帅领导的德军1942年7月的最后进攻。20世纪70年代末,在洼地南部发现石油。

Qāyen　加延　又拼Qain。伊朗东北部城镇,地处宽广谷地,建于15世纪。主要产品有谷物、藏红花、蔬菜和羊毛。主要工业有毛毡和地毯。加延有大量历史古迹。有土墙围绕,城外为居住区。直到阿拔斯一世(1588～1629)占据之前,属于乌兹别克人。18世纪归阿富汗人统治。人口15 955(1986)。

Qayrawān, Al-　凯鲁万　又拼Qairouan或Kairouan。突尼斯中北部城镇。位于中泰勒东南部半干旱冲积平原上。是伊斯兰教圣城之一。建于670年。800年左右定为马格里布首府。后成为伊斯兰教行政、商业、宗教和知识中心之一。11世纪由于贝都因人的进犯,平原耕作衰落,促进了游牧生活方式。后突尼斯定为首府,凯鲁万即降为一个专为游牧民族的贸易城镇。现为谷物和牲畜贸易、毡毯及手工业中心。有公路和铁路通城东的苏塞城。在四周有土墙的圣城(面积30公顷)内有大清真寺。城外的西迪沙阿卜经

凯鲁万镇附近的西迪沙阿卜经学院外院
供图：A. F. Kersting

学院内有穆罕默德的圣门弟子之一的墓地和建于9世纪直径420英尺的阿格拉比达水库。人口约115 470(2001)。

Qazvīn(Iran)　参阅 **Kazvin** 加兹温。

qedesha　克德沙　古代中东地区许多地方司掌祭祀化育女神阿施塔特或其他神灵的神娼。这种神娼有女性也有男性，在正式祭礼中发挥重要作用。在埃及第19～20王朝(公元前1292～前1075)，人们崇奉的女神名克德舒。一些中层劳动者的碑碣上刻有她的像，裸体，骑母狮或豹，双手握箭。

Qena(Egypt)　参阅 **Qinā** 基纳。

Qeqertarsuaq　凯凯塔苏瓦克　原称迪斯科岛(Disko Island)，又拼 Disco。韦加特海峡西南、凯凯塔苏普(即迪斯科)海湾西北一岛屿，位于格陵兰西面的戴维斯海峡中。岛长130千米，宽32～120千米，面积8 578平方千米，最高点海拔1 919米。有煤、铁矿，东北部丘利萨特周围有少许褐煤矿。岛上最大的居民点为凯凯塔苏瓦克(丹麦语作 Godhavn[戈德港])，建于1773年。该岛最早于984年前后为埃里克所发现。人口约1 067(2002)。

Qeshm　格什姆岛　又拼 Qishm，阿拉伯语拉丁字母转写作 Jazīrat aṭ-Ṭawilah(泰维莱岛)。波斯湾最大岛屿。属伊朗。隔克拉伦斯海峡与伊朗海岸相望。面积1 200平方千米。海岸线曲折，除西北部边缘的沙质海滩和淤泥滩外，一般都是岩岸。岛上几乎全是一些参差不一的平顶丘陵，有些高达270米以上。岛的东南岸有矿盐，并有多处石脑油泉。岛上土地贫瘠，但亦生长谷物、蔬菜、甜瓜和椰枣。有渔业和纺织业。人口约7 600(1985)。

Qeys Island　盖斯岛　在波斯湾，距伊朗本土约16千米。高出海面37米，除少量椰枣树和牧草外几乎无植被。该岛仅在公元1千纪末期有重要性，一度为盖斯王朝所在地。至14世纪地位衰落。岛北岸有古城遗迹。人口1 834(最新统计)。

Qi　齐　又拼Ch'i。公元前11世纪中国西周分封的诸侯国。姜姓。开国君主吕尚(即姜太公)。建都营丘(后称临淄，今山东淄博东

山东临淄齐国古城下水道遗址
中国大百科全书出版社供图

北)。春秋(公元前770～前476)初期齐桓公任用管仲为相进行改革，国力富强，成为霸主。曾以"尊王攘夷"为号召，数次主盟大会诸侯，不断提高齐国威望，成为春秋时期第一个霸主。春秋末年政权逐渐落入田氏手中。公元前386年田和取代吕氏成为齐国君主。传到齐威王时革新政治，国力强盛，开始称王，成为战国七雄之一。此后长期与秦国东西对峙。公元前284年燕国大将乐毅联合五国伐齐，齐败。从此国力衰弱。公元前221年为秦所灭。

qi　气　又拼 Ch'i，英语作 breath 或 force。中国古代哲学术语。通常指微细物质（气体），后来泛指物质，认为是万物生成本原。王充在《论衡》中说："天地合气，万物自生。"张载认为："气不能不聚而为万物。"也指气数、命运。程颢、程颐的《二程遗书》卷18："问：'上古人多寿，后世不及古，何也？莫是气否？'曰：'气便是命也。'"儒家指道德修养，主张养气，《孟子·公孙丑上》："其为气也，配义与道，无是馁也。"道家认为气是呼吸和体内固有的活力，因而主张采用多种方法以便控制体内气的运行，其结果可以求得长寿。

Qi Baishi　齐白石(1863-11-22，中国湖南湘潭～1957-09-16，北京)　又拼 Ch'i Pai-shih。中国近、现代国画家、篆刻家。原名纯芝，后名璜，字渭清，号濒生，别号白石山人。14岁学木工，因雕花手艺出众，名闻乡里。自学诗

中国大百科全书出版社供图

书画印，结识当地文人和画师并得到指点，27岁后兼作画工，以"描容"(绘衣冠像)、绘花鸟草虫维持生活。40岁以后的7年中，曾5次远离家乡，到西安、南昌、桂林、广州等地任家庭画师，得以饱览祖国名山大川，眼界为之开阔，从而在艺术上摆脱了成法的羁绊，而以自然为师。他又勤于篆刻，曾自题为"三百石印富翁"。1917年迁居北京，以治印卖画为生。在好友陈师曾的帮助下，实现了"衰年变法"。在学习徐渭、朱耷、石涛等人的基础上，

齐白石绘《荷花》
中国大百科全书出版社供图

又吸收近代画家赵之谦、吴昌硕等人的长处而自立门户。人物、花鸟、草虫、山水无所不能。菜蔬、虾、蟹均入画，饶有时趣，生活气息浓厚。疏淡浓艳，随意点染，皆得其宜，生意盎然。他将中国传统画论里关于"形"、"神"的论述作了深刻的总结和概括。主张"作画妙在似与不似之间，太似为媚俗，不似为欺世"。中华人民共和国建国以后，被聘为中央美术学院名誉教授，当选为中国文学艺术界联合会主席团委员。1953年文化部授予齐白石人民艺术家荣誉奖状。同年被选为中国美术家协会主席。1956年荣获世界和平理事会颁发的国际和平奖金。1957年任北京中国画院名誉院长。

Qi Gong　启功(1912-07-26，中国北京～2005-06-30，北京)　中国现代书法家、书画鉴定家、文学家。字元伯，一作元白，满族，姓爱新觉罗。少年失学，拜求名师，勤奋自学。曾从戴姜福学文史词章，从贾尔鲁、吴熙曾学绘画后又受业于陈垣。6岁临《九成宫》，11岁学《多宝塔碑》，20岁后学赵孟頫《胆巴碑》，后

中国大百科全书出版社供图

改学董其昌、米芾并杂临碑帖及历代名家墨迹。书法主张师法古人，得其自然灵活之气，注重字体结构。他的书法，结体精严，笔画清朗刚健，风神俊秀，雅俗共赏。又精于古文，在鉴定古书画真伪上有较深造诣，多具独创见解的考证。早年作画颇勤，善山水，风格秀逸。著述有《古代字体论稿》(1964)、《诗文声律论稿》(1977)、《启功丛稿》(1981)、《论书绝句百首》(1990)等。启功长期从事教育事业，曾任辅仁大学附中教员，辅仁大学副教授，北京师范大学教授。又长期兼事文物鉴定工作，先后兼任故宫博物院古物馆和文献馆专门委员、北京大学博物馆系副教授、故宫博物院顾问、中国历史博物馆顾问、国务院古籍整理规划小组组员、国家文物委员会委员、国家文物鉴定委员会主任委员，又任中国书法家协会主席、佛教图书文物馆董事、佛教协会常务理事等职。

Qi Rushan　齐如山(1877-12-12～1962-03-18，台湾)　又拼 Ch'i Ju-shan。中国戏曲作家、理论家。河北高阳人。早年游历西欧，考察欧美戏剧。归国后致力于革新京剧的工作。与中国杰出京剧演员梅兰芳切磋京剧艺术，成为契友。1916～1917年为梅兰芳编排时装戏《一缕麻》、古装戏《黛玉葬花》、《嫦娥奔月》、《千金一笑》等。1931年又与梅兰芳、

中国大百科全书出版社供图

余叔岩、张伯驹等组成"北平国剧学会"，设立国剧传习所，培养京剧新人。编辑出版《戏剧丛刊》、《国剧画报》。论著有《中国剧之组织》、《京剧之变迁》、《国剧身段谱》、《戏班》、《脸谱》、《梅兰芳艺术一斑》、《梅兰芳游美记》等。1948年去台湾继续研究京剧。有《齐如山全集》问世。

Qian Duansheng　钱端升(1900-02-25，中国上海～1990-01-21，北京)　中国政治学家、法学家、教育学家。1919年毕业于清华留美预备学堂，1924年获美国哈佛大学哲学博士学位，同年回国。1924～1952年，历任清华大学、中央大学、西南联合大学和北京大学教授，以及天津《益世报》主笔等职。1952年负责筹建北京政法学院并担任第一任院长。1954年参与中国第一部宪法的起草工作。1983年当选全国人大常委会委员，并任法律委员会副主任委员、外交部法律顾问。他长期致力于法学研究和法学教育事业，在将近70年的教学工作中，培育了大批人才。他认为国家法(包括宪法)是非常重要的部门法，内容丰富，中国早在《尚书》、《春秋》和诸子百家的著作中就有关于国家法的论述；研究国家法，必须对古今中外有关论述和各国革命、立法的历史进行广泛了解和比较，才能取得可信的论断。他接受中华人民共和国高等教育部的委托，组织编译了百万字的有关当代西方政治思想的教材。主要著作有《中国政府与政治》(英文，1950)、《战后世界之改造》(1942)等书，与人合著的有《比较宪法》(1938)、《民国政制史》(1939)等书。译著有《法国的政府》(1934)、《德国的政府》(1934)和《英国史》(1933)等。

Qian Mu　钱穆(1895-06-09，中国江苏无锡～1990-08-30，台湾台北)　又拼 Chien Mu。中国文史学家。原名思鑅，字宾四，曾用笔名公沙、梁隐、与忘、孤云。肄业于前清常州中学。1912年起先后在小学、中学任教，所著《国学概论》于1926年被定为中等学校教科

中国大百科全书出版社供图

书。1930年任教北平燕京大学。1931年转北京大学任教。抗日战争爆发后，赴昆明任教于西南联合大学，后转成都齐鲁大学国学研究所、华西大学、四川大学任教。抗战胜利后，任教于无锡江南大学。1949年赴香港，创办新亚书院，任院长，1964年辞职。其间曾获香港大学、美国耶鲁大学名誉博士学位。1967年到台湾定居，任教于中国文化书院。他强调中国历史独特而长久的传统，倡中国秦以后非封建社会非专制政治说，被公认为现代中国三大史学派别之一——传统史学的代表。1986年以91岁高龄退休。毕生著作颇丰，约80种以上。主要著作有：《国学概论》、《先秦诸子系年》、《中国近三百年学术史》、《国史大纲》、《中国历代政治得失》、《宋明理学概述》、《四书释义》、《两汉经学古今评议》、《中国学术思想史论丛》、《中国史学名著》、《中国思想史》等。

Qian Sanqiang　钱三强(1913-10-16，中国浙江绍兴～1992-06-28，北京)　中国原子核物理学家。其父钱玄同为五四运动期间倡导白话文的著名语言学家。钱三强从小受到良好教育。1936年于清华大学物理系毕业。1937年赴法国留学，在巴黎大学镭学研究所居里实验室和法兰西学院原子核化学实验室接受约里奥-居里夫妇指导，从事原子核物理的研究。1940年获法国国家博士学位。1944和1947年起先后担任法国国家科学研究中心的研究员和研究导师。1946～1948年他和夫人何泽慧以及R.沙士戴勒、L.微聂隆合作，发现铀的三分裂和四分裂现象；根据实验得出能量与角分布的关系；从实验和理论两方面全面论述了三分裂现象的机制。这一工作

中国大百科全书出版社供图

深化了人们对核裂变反应的认识，对裂变机理研究有独特作用。在法期间，他还和约里奥-居里夫人合作，证明用中子打击铀和钍得到的放射性的镧同位素是同一种同位素，这对解释核裂变现象是个有力支持。1943～1944年，他最先从理论和实验上确定了50 000电子伏特以下的中低能电子的射程与能量的关系。他还和G.布伊西爱、M.巴什莱合作，首次测出了镤($^{231}_{91}$Pa)的α射线精细结构。1948年回国，先后任清华大学物理系教授和北平研究院原子学研究所所长。1949年11月中国科学院成立后，历任近代物理研究所副所长、所长，计划局副局长、局长，学术秘书处秘书长，原子能研究所所长、科学院副秘书长、副院长，第二机械工业部副部长，浙江大学校长，中国科学技术协会副主席等职。对组建中国核能科学研究基地，为中国核能科学事业的创立、发展，以及为中国原子弹、氢弹的研制均作出重要贡献。在领导科学院工作中，对建立、健全学术领导，组织与协调重大科研项目等方面作出重要贡献。1955年受聘为中国科学院数学物理学化学部(今数学物理学部)委员。1951年起，当选为中国物理学会副理事长，1982年当选为理事长。钱三强先后发表论文40余篇。1946年获法国科学院亨利·德巴微物理学奖金，1985年获法国总统密特朗亲自签署文件授予的法兰西荣誉军官勋章。

Qian Siliang　钱思亮(1908-01-09，中国河南淅川～1984-09-15，台湾)　又拼 Chien Ssu-liang。中国教育家，有机化学家。1931年毕业于清华大学理学院化学系，获理学士学位。同年赴美国人伊利诺伊大学化学系深造，先后获理学硕士及有机化学博士学位。1934年回国后任北京大学教授。1937年抗日战争爆发后随校迁湖南，受聘为长沙临时大学教授。后长沙临时大学迁至昆明，改称西南联合大学，他继续在该校任教。1945年抗战胜利后，返北京大学任教并兼化学系主任。1949年初到台湾。同年1月受聘为台湾大学教授兼教务长。1951～1970年任台大校长。1964年当选为台湾中央研究院院士，1970年7月任院长。1983年美国伊利诺伊大学授予他名誉科学博士学位。

Qian Weichang 钱伟长(1912-10-09,中国江苏无锡～2010-07-30,上海) 中国物理学家、数学家、教育家和社会活动家。中国科学院院士。

钱伟长父辈以上三代都是乡村教师。家贫,幼丧父,由叔父国学大师钱穆抚养成人。1931年考入清华大学,入物理系,1935年以优异成绩考入清华物理研究院;随导师吴有训研究X射线衍射和稀土原子光谱分析,后

中国大百科全书出版社供图

改攻弹性板壳理论。1939年在昆明考取留英公费生,后因欧战爆发改派加拿大,1940年秋入多伦多大学应用数学系随辛格(J. L. Synge)教授继续研究板壳问题。1941年获硕士、1942年获博士学位。1941～1944年间连续发表了多篇有关弹性板壳内禀理论的论文,用张量分析和微分几何的理论统一了论争多年的各种板壳理论,还提出了各种系统近似理论,其中有关浅壳大挠度非线性方程组是研究各类浅壳稳定问题的基本方程,被称为"钱伟长方程"。1943年春转入美国加利福尼亚理工学院古根海姆航空实验室喷气推进研究所任研究员。1946年返国,任北平清华大学教授,兼北京大学和燕京大学教授。1949年后任清华大学副教务长(1949～1952)、教务长(1952～1958)、副校长(1956～1958)。钱伟长在1950年创建了中国科学院数学研究所力学研究室,1955年发展成为力学研究所,任副所长。1956年筹建自动化研究所,并主持高教部和科学院合办的力学研究班(第一期120人),为中国力学队伍的建设奠定了基础。自1954年起当选为中国科学院学部委员,兼科学院学术秘书(1954～1958)。1956年当选为波兰科学院院士,1987年接受加拿大拉耶逊学院院士荣誉。在1955～1956年制订国家12年科学规划中,钱伟长发挥了重要作用,周恩来总理在总结时称他和钱学森、钱三强为有特殊贡献的"三钱",并任命钱伟长为国务院科学规划委员会委员。1983年起调任上海工业大学校长。1994年改任上海大学校长。他还是上海市应用数学和力学研究所所长。

1949年以来,曾任第一届、第四届全国人大代表,全国政协常委(1981～1987)及副主席(1987～　　),香港特别行政区基本法起草委员会委员(1984～1989),澳门特别行政区基本法起草委员会副主任(1988～1993)。曾多次参加国际学术会议,并主持过两届国际非线性力学会议;曾任《简明不列颠百科全书》中美联合编审委员会编委、《应用数学和力学》(中英文版)月刊主编、中文信息学会理事长,以及国内外多种科学期刊主编或编委。

主要著作有:《中国历史上的科学发明》(1953)、《弹性圆薄板大挠度问题》(1954)、《弹性柱体的扭转理论》(1956)、《穿甲力学》(1984)、《广义变分原理》(1985)、《格林函数和变分法在电磁波计算中的应用》(1989)、《电机强度计算的理论基础》(1992)等,另有科学论文200余篇。

Qian Xian 乾县 中国陕西省咸阳市辖县。位于渭河平原西部,距西安市60多千米。面积994平方千米。唐乾宁二年(895)置乾州,以乾陵而得名。1913年撤州设县。有多条公路干线穿越县境,交通便捷。境内北部为旱原丘陵沟壑,中部为带状平原,南部为黄土台塬。主要河流有漆水河、泔河、漠谷河。农业以种植业为主,有小麦、玉米,并产苹果等。工业以机电、化工等地方工业为主。境内乾陵是唐高宗李治和女皇武则天的合葬墓,建于县北梁山之上,海拔1 047.9米。陵墓依山而筑,气势恢弘,规模巨大。陵下司马道两侧对称排列着百余尊石刻、石碑等,是关中唐代陵墓群中最具代表性的一座。现为中国重点文物保护单位。境内还有靖陵及乾陵陪葬墓10多座,为旅游胜地。人口560 000(2005)。

Qian Xuan 钱选 又拼Ch'ien Hsuan。中国宋末元初(13世纪)画家、诗人、学者。字舜举,号玉潭、蛟川翁、习懒翁等。吴兴(今浙江湖州)人。宋理宗景定间乡贡进士。宋亡不仕,流连诗画,以终其身。擅画人物、山水、花鸟、蔬果。人物师李公麟,山水师赵令穰,青绿山水师赵伯驹,花鸟师赵昌,尤善作折枝。赵孟頫早年曾向他请教。他主张作画要有士气,要摆脱南宋画院习尚,上追唐、五代、北宋人画法。实际上是通过复古以求创新。每遇得意之作,即赋诗题其上,使观者更能了解他的创作意图。如画陶渊明,是因为羡慕他的志芳行洁;画竹林七贤,不画山涛、王戎,是因为他们变节出仕新朝;画蔬果花鸟是表达自己坚贞自守,乐志田园;画《硕鼠图》用以讽刺统治者的残暴无耻。诗情画意,虽不像龚开那样激切、悲愤,但在绘画史上也是比较罕见的。传世名作如:《浮玉山居图》,绿浅墨深,细腻清润;《幽居图》色调清雅,山石勾染不皴,很有装饰味;《陶渊明像》持杖漫游,气调昂然。又如《早秋图》(美国底特律美术院藏),残荷秋虫,奕奕生动,均系高品。他很有学问,黄公望称赞他是"吴兴硕学"。也能诗,有残存的《习懒斋稿》。画面上题诗,是其得意之作。

钱选绘《花鸟图册》(局部)
中国大百科全书出版社供图

Qian Xuesen 钱学森(1911-12-11,中国上海～2009-10-31,北京) 中国现代科学家、世界著名火箭专家、中国科学院院士。原籍浙江杭州。1934年毕业于上海交通大学机械

中国大百科全书出版社供图

工程系。1935年考取清华大学公费赴美留学。初入麻省理工学院航空系,仅1年获硕士学位,后转入加利福尼亚理工学院,师从著名力学家T. von卡门。1938年获航空和数学博士学位后,留校任教并参加卡门所组织的古根海姆航空实验室火箭研究小组工作,成为美国最早的火箭研究机构的主要成员。1943年,他和F. J. 马林纳合作完成研究报告《远程火箭的评论与初步分析》,为40年代喷气推进实验室研制成功地地导弹和探空火箭奠定了理论基础。这些导弹是美国后来采用复合推进剂火箭发动机的导弹的先驱。他在超声速、跨声速空气动力学、薄壳稳定理论方面对航空工程理论有许多开创性贡献。最突出的是提出了跨声速流动相似律,并与卡门一起提出高超声速流的概念,为飞机在早期克服热障、声障提供了理论依据,为空气动力学的发展奠定了重要的理论基础。在高亚声速飞机的气动设计中所采用的公式,是他和卡门提出的。此外,他在球壳和圆柱壳的非线性失稳理论及稀薄气体的物理力学特性研究方面也做出重要贡献。

钱学森是许多交叉学科和横断学科的倡导者。1953年,他首次正式提出物理力学概念,主张从物质的微观规律确定其宏观力学特性;1962年出版了《物理力学讲义》(科学出版社,北京)。1947年著名科学家N. 维纳创立控制论后,50年代初钱学森迅速将它发展为新的学科——工程控制论。他还大力倡导系统工程和系统科学的研究,并用以指导中国导弹武器、航天器的研制。他还倡导思维科学、人体科学的研究。

钱学森是中国导弹、火箭、人造地球卫星研制的主要技术领导人与组织者。1956年2月

17日(他回国仅4个月多)即向中国政府提出《建立我国国防航空工业的意见书》,最早为中国火箭和导弹技术的发展提出极为重要的实施方案,1956年4月起,他负责组建了国防部第五研究院。他先后组织制造试验了中国首枚近程导弹(1960-11-15)、首枚中近程导弹(1964-06-29)、首枚用中近程导弹运载的原子弹的导弹核武器(1966-10-27)、首颗人造地球卫星(1970-04-24发射成功)。他为中国的火箭导弹和航天事业的发展做出了巨大贡献。

钱学森历任中国科学院力学研究所所长,国防部第五研究院院长、中国空间技术研究院院长、第七机械工业部副部长、国防科学技术委员会副主任、国防科学技术工业委员会科学技术委员会副主任、中国科学院数学物理学部委员、中国科学技术协会主席。著作有《工程控制论》(1954)、《星际航行概论》(1963)和《论系统工程》等;论文300余篇。

Qian Zhongshu 钱钟书(1910-11-21,中国江苏无锡～1998-12-19,北京) 又拼 Ch'ien Chung-shu。中国现代作家,学者。字默存,号槐聚。古文学家钱基博的长子,曾在苏州、无锡教会中学读书。1929年考入清华大学,1933

中国大百科全书出版社供图

年毕业。1935年考入英国牛津大学。1937年获副博士学位后,到法国入巴黎大学进修。回国后任昆明西南联合大学外文系教授、中央图书馆外文部总纂、清华大学外文系教授等职。1953年入北京大学文学研究所任研究员。1955年起任中国科学院哲学社会科学部学部委员,专门从事研究工作。后任中国社会科学院副院长兼文学研究所研究员。著有散文集《写在人生边上》(1941),短篇小说集《人·兽·鬼》(1946),长篇小说《围城》(1947),文学评论《谈艺录》(1948)等。《围城》反映抗日战争时期国民党统治区上层知识分子的虚伪、灰暗的精神生活,才情横溢,技巧圆熟,是中国现代文学中的优秀之作,曾被译成英、俄、日等多种文字。《宋诗选注》(1958)被誉为目光独到、阔大严谨的版本。学术著作《管锥篇》富有辨伪和辩证精神,融会中西,贯通古今,突破了许多人文学科的领域,融广博的知识和精卓的见解于一体。

Qiang 羌族 中国少数民族。分布在四川西北部茂汶、汶川、理县、北川、黑水、松潘等县。人口306 072(2000)。语言属汉藏语系藏缅语族羌语支。有南北两种方言。大多兼通汉语。先世是公元前2世纪羌人的冉駹部,分布在今川西北部。后裔繁衍为现代羌族。自称"尔玛"(土生土长的人),说明先世是当地古老居民。明代推行土司制度,清代实行改土归流。以玉米、青稞、土豆为主食,辅以

羌族姑娘
中国大百科全书出版社供图

奶茶、酥油。住房多为石砌平顶碉楼,一般两至三层,中层住人,下层圈畜;高者五至六层为"邛笼",以独木梯上下。男女均着麻布长衫,外罩羊皮坎肩。家庭行一夫一妻制。丧葬行火葬、土葬和水葬,火葬为传统习俗。旧时崇信万物有灵,屋顶奉白石为天神。村寨都有禁砍伐的"神林",每年以羔羊祭献。部分人信仰喇嘛教。节日有"羌历年"、"祭山会"等。1953年建立了阿坝藏族羌族自治州,先后与其他民族建立了21个民族乡。

Qiang language 羌语 中国羌族语言。属汉藏语系藏缅语族羌语支。分布在中国四川省藏族羌族自治州茂汶、汶川、理县等县和松潘县的镇江关一带。使用人口约10.2万,黑水县的5万多藏民也使用羌语。分南北两个方言。羌语(桃坪)语音特点:有39个单辅音音位,包括双唇、舌尖中、舌根、小舌塞音各分清、浊、清送气三套共12个;舌尖前、卷舌、舌叶、舌面前塞擦音各分清、浊、清送气三套共12个;舌尖前、卷舌、舌叶、舌面前、小舌擦音各分清浊共10个,唇齿清擦音主要出现在汉语借词中;有双唇、舌尖中、舌面前、舌根鼻音和边音各1个。有24个复辅音声母,由前置辅音加基本辅音构成的18个,由基本辅音加后置辅音构成的6个。有10个单元音韵母、14个复元音韵母和15个带舌尖中和舌根鼻音韵尾的韵母。有6个声调,即高平、低降、全降、低升、中平和升降。词类有名词、数词、量词、代词、谓词、副词、连词、语气词、叹词、助词10类。有较丰富的形态变化。如单数人称代词有格(主格、宾格、领格);谓词有人称、数、时间(将来时、现在时、过去时)、体(将行体、持续体、已行体、曾行体)、态(自动态、使动态、交互态)和趋向等语法范畴;句子主语在前,谓语在后;宾语和状语在谓语前、主语之后;名词、代词定语一般在中心词之前;数量词组和性状谓词作定语时在中心词后。

羌语南北方言差别较大,主要在语音和词汇上:如南部方言有声调没有重音,北部方言有重音没有声调;北部方言单元音有长短、卷舌和不卷舌的分别,南部方言除少数地方外不分;北部方言的复辅音比南部方言多出三四倍;北部方言有丰富的辅音韵尾,南部方言只有-n、-ŋ两个辅音韵尾。在词汇上有40%的差异。20世纪80年代末创制了拉丁字母形式的拼音文字。

Qiangtang Nature Reserve 羌塘自然保护区 中国高原野生动物自然保护区。位于西藏自治区的北部,北纬32°32′以北地区。1990年建立,面积约为25万平方千米。是中国最大的自然保护区,也是世界第三大自然保护区。该地区为荒寂的"无人区",海拔多在4 300～5 300米,由低山缓丘与湖盆宽谷组成,岩堆雪覆,贫瘠荒凉,寒冷的气候条件只能生长耐寒的多年生矮丛草本植物。在这块土地上生活着丰富独特的野生动物,如野牦牛、藏羚、藏原羚、藏野驴、雪豹、狼、棕熊和岩羊等。1985年由中国林业部、中国野生动物保护协会和美国纽约动物学会合作进行的调查表明,该地区是中国高原野生动物保存最完好的地区,藏羚、藏野驴的种群数量都在万只左右,许多动物种群的生存状况和数量鲜为人知。羌塘自然保护区是世界上所剩无几的野生动物自由王国,它仍是一块神秘的处女地。建立自然保护区是为了让众多的野生动物能够生存下去。

Qianli Jiangshantu 《千里江山图》 中国北宋画家王希孟仅存的一幅青绿山水作品。绢本,设色,纵51.5厘米,横1 191.5厘米,北京故宫博物院藏。画中描写岗峦起伏的群山和烟波浩淼的江湖。依山临水,布置以渔村野市、水榭亭台、茅庵草舍、水磨长桥,并穿插捕鱼、驶船、行路、赶脚、游玩等人物活动。形象精细,刻画入微。山石皴法以披麻与斧劈相结合,综合了南、北两派的特长。设色继承了唐以来的青绿画法,于单纯统一的蓝绿色调中求变化。用赭色为衬托,使石青、石绿颜色在对比中更加鲜亮夺目。整个画面雄浑壮阔,气势磅礴,是一幅既写实又富理想的山水画巨制。卷后有当时蔡京的题跋,证明此画为真迹。作者王希孟18岁入宫廷画院学习,后召入禁中文书库,得到宋徽宗赵佶的亲自传授,半年后创作《千里江山图》。去世时年仅20有余。

Qianlong 乾隆 又拼 Ch'ien-long。参阅 Qing 清朝皇帝序列下 Qinggaozong Hongli 清高宗弘历。

Qiantang Jiang 钱塘江 中国浙江省最大的河流。旧称浙江。源于安徽省休宁县西南,皖、赣两省交界玉环山脉,流经皖、浙两省,于海盐县澉浦长山东南嘴至余姚市和慈溪市边境的西三闸的连线入杭州湾。全长605千米,流域面积4.88万平方千米。新安江水电站以上为上游,新安江水电站至富春江水电站为中游,富春江水电站以下为下游。

主要支流有兰江、金华江（婺港）、分水江、壶源江、浦阳江等。曹娥江旧时也是钱塘江支流，后海岸崩坍，江口下陷，脱离钱塘江而流入杭州湾。钱塘江口平面呈喇叭形，在海宁市附近河底有沙坎隆起，海潮倒灌，受地形收缩影响潮头陡立，形成雄伟壮丽的“钱塘潮”景观，最大潮差达 8.93 米。现已建成新安江、富春江、黄坛口和湖南镇等水库和水电站。钱塘江兰溪以下为主航道，可行驶30～100吨级船舶。

Qiao Shi　乔石（1924-12-21，中国上海～　）又拼 Ch'iao Shih。中国共产党第十三、十四届中央政治局常务委员，第八届全国人民代表大会常务委员会委员长。原籍浙江省定海

中国大百科全书出版社供图

县。1940 年参加革命工作，同年 8 月加入中国共产党。曾任上海中共秘密组织南方中学、光华附中党支部委员、书记，上海中共秘密组织中学区委干事。先后在华东联合大学文学系，淮南华中局城工部调训班学习。1945 年后，任上海中共秘密组织学委中学区委组织委员、中学分委副书记兼组织委员，上海同济大学党总支部书记，上海中共秘密组织学委总交通、新市区委副书记，上海市北区学委书记。1949 年上海解放后，任中共浙江省杭州市委青年委员会宣传部部长、组织部部长、市委青年委员会书记，中共中央华东局青年委员会统战部副部长。1954 年后，任鞍山钢铁建设公司工程技术处副处长、处长，酒泉钢铁公司设计院兼钢铁研究院院长，酒泉钢铁公司陕西工程管理处党委书记。1962～1963 年在中央高级党校理论班学习。1963 年后，历任中共中央对外联络部研究员、副局长、局长、副部长、部长。1982 年 9 月在中共第十二次全国代表大会上当选为中央委员，在中共十二届一中全会上当选为中央书记处候补书记。1983 年兼任中央办公厅主任。1984 年兼任中央组织部部长。1985 年兼任中央政法委员会书记。同年 9 月在中共十二届五中全会上当选为中央政治局委员、中央书记处书记。1986 年 4 月任中华人民共和国国务院副总理。1987 年 11 月在中共十三届一中全会上当选为中央政治局常务委员、中央书记处书记，同月被选为中共中央纪律检查委员会书记。1989 年 3 月兼任中共中央党校校长。曾任中央保密委员会主任，中央社会治安综合治理委员会主任。1992 年 10 月在中共十四届一中全会上继续当选为中央政治局常务委员。1993 年 3 月在第八届全国人民代表大会第一次会议上当选为全国人民代表大会常务委员会委员长。同月任第八届全国人民代表大会常务委员会党组书记。他强调依法治国，把加强和健全社会主义民主和法制建设作为人大常委会的根本任务。

qibla　朝向　又拼 Kiblah。伊斯兰教用语，指麦加天房克尔白所在的方向。穆斯林每日五次礼拜都面朝这个方向。朝向不仅用于礼拜，而且适用于殡葬，死者（包括宰杀的动物）都要面朝麦加埋葬。在清真寺里，壁龛米哈拉布也朝向麦加设置。在穆罕默德迁徙麦地那（622）后不久，可能是沿袭犹太教惯例，他规定耶路撒冷为礼拜朝向。后穆斯林与犹太人关系恶化后，他将朝向定为麦加。

Qiddush　参阅 **Kiddush 圣日前夕祝祷**。

Qifṭ　吉夫特　又拼 Kuft，希腊语作 Coptos（科普托斯）。上埃及基纳省的农业城镇。位于尼罗河东岸大弯曲处。附近东部沙漠的金矿和石英矿过去十分重要，早在第一和第二王朝期间已经开始开采。中世纪时为商队贸易的重要中心。现在主要以城中的遗迹著名。使吉夫特成为重要城镇的经瓦迪哈姆马马特通往红海的著名公路，始自沙漠边缘东部。人口约15 000（1985）。

Qijia culture　齐家文化　又拼 Ch'i-chia culture。中国黄河上游地区新石器时代晚期至青铜器时代早期的一类文化。1924 年在甘肃广河齐家坪发现。主要分布在甘肃、宁夏、青海。其年代约为公元前2050～前1800年。

青海乐都柳湾墓地出土的齐家文化双大耳彩陶罐

中国大百科全书出版社供图

当时已普遍使用小件铜器，包括锥、凿、刀、斧、铜镜和指环等，绝大部分为红铜制品，已出现青铜器。石器以磨制为主，有大量细石器。经济以农业为主，种植粟。家畜饲养发达。陶器多灰色和褐色，大部手制，器类有鬲、斝、盉、甗、夹砂罐、高领双腹耳罐、双大耳罐、豆、碗、杯和双耳彩陶罐等。多数饰绳纹或篮纹，也有附加堆纹、划纹、篦纹和彩纹。房屋多为方形，呈半地穴式，有的地面和四壁涂白灰。宁夏固原的一处齐家文化房基遗迹上有用红色描绘的几何形壁画，是中国史前文化中首次发现的壁画。有公共墓地，每一墓地埋葬数百死者。以单人葬为主，也有男女二人或一男二女合葬墓，其中女子侧身屈肢面向男子，表明已确立男权。随葬物品除铜器、玉石器和陶器外，还有猪下颚骨，最多的一墓达 68 个，表明墓主人生前很富有。

Qilian Shan　祁连山　又作 Ch'i-lien Mountains。中国青海省东北部与甘肃省西部边境的巨大山系。因位于河西走廊之南，又名南山。由多条西北—东南走向的平行山脉和宽谷组成。西端在当金山口，与阿尔金山相接；东端至黄河谷地，全长近1 000千米，面积约20.6万平方千米。最宽处在酒泉与柴达木盆

祁连山风光

中国大百科全书出版社供图

地之间，达 300 千米，自北而南，包括大雪山、托来山、托来南山、野马南山、疏勒南山、党河南山、土尔根达坂山、柴达木山和宗务隆山。山峰多在4 000～5 000米之间，最高峰疏勒南山的团结峰海拔5 808米。海拔4 500米以上的山峰终年积雪，山间谷地也在海拔3 000～3 500米之间。祁连山东段山势由西向东降低，包括走廊南山、冷龙岭与乌鞘岭，大通山与达坂山，青海南山与拉脊山三列平行山系，其间夹有大通河谷地、湟水谷地和青海湖盆。湟水谷地为青海省主要农业区，青海湖为中国最大湖泊，海拔3 200米，湖滨为良好草场。山地共有冰川3 066条，面积2 063平方千米。狭义的祁连山指走廊南山、冷龙岭，平均高度4 000米。前者主峰亦名祁连山，海拔5 547米；后者主峰冷龙岭，海拔4 843米。均有冰川发育。冷龙岭雪线最低，为海拔4 350～4 550米。祁连山区的水系呈辐射-格状：以哈拉湖至东经 99°一带为中心，向四周较低处辐射。又受西北—东南走向的构造控制，顺此方向的河谷长大宽展，横向切穿山脉的河谷成为峡谷。由于北部、东部山地高大，雨雪较多，东部的大通河、湟水等水量丰富，得以汇入黄河而为外流区。北部的石羊河、黑河、疏勒河、党河水量也较多，在山前形成大绿洲。绿洲面积由东向西逐渐减小。祁连山南部比较干燥，以柴达木盆地为基准，高差较小，河流短促。祁连山东部分布有寒温性针叶林，自东向西发育程度衰减，分布高度则上升，计东部为2 500～3 200米，中部为2 700～3 300米，最后以斑块状消失于北大河附近。森林破坏严重，野生动物减少，紫貂等珍贵动物已绝灭。矿藏丰富，镜铁山的铁矿，木里和鱼卡的煤矿，宗务隆山的金属矿都有重要经济价值。1988 年祁连山自然保护区（面积 23 万余公顷）划为国家级自然保护区。

qilin 麒麟 又拼ch'i-lin。中国神话传说中的仁兽。牛尾、马蹄，头上长独角，形似鹿。雄者为麒，雌者为麟。据说麒麟性情柔顺，不践踩生草，不伤害人畜，故称仁兽。今本《竹书

年画《麒麟送子》
中国大百科全书出版社供图

纪年》载麟在黄帝、帝尧时都曾出现，象征帝王仁德上感天心。史书又载，鲁哀公、汉武帝都曾猎获麟。鲁哀公猎获死麟，预兆孔子将死，孔子编《春秋》，叙事便止于获麟；汉武帝猎获白麟，改年号为元狩。司马迁撰《史记》也止于获麟之年。有人以为麒麟即非洲的长颈鹿，可备参考。日语即称长颈鹿为麒麟。

Qilintong 麒麟童 参阅 **Zhou Xinfang 周信芳**。

Qimantag Shan 祁漫塔格山 中国新疆维吾尔自治区和青海省山脉。在柴达木盆地西南边缘。西北—东南走向。西段在新疆维吾尔自治区境内，为东昆仑山的北支。西北部较高，海拔5 000米左右，少数山峰常年积雪。东南段在青海省境内，山势降低，较为干旱。

Qimḥi（Hebrew grammarians） 参阅 **Kimhi, David 基姆希；Kimhi, Joseph 基姆希；Kimhi, Moses 基姆希**。

Qimin Yaoshu 《齐民要术》 英语作Important Arts for the People's Welfare。6世纪的中国农业百科全书。作者贾思勰，山东益都（今青州）人。曾任北魏（386～534）高阳（今山东临淄西北）太守。全书92篇11万字。杂说和注文中部分内容为后人增补。书中论述大田作物、蔬菜和果树栽培、畜牧、兽医、农产品加工等技术，并附有国外引进的栽培植物。《齐民要术》为6世纪以前农业理论和农业技术经验的总结。其中旱地保墒的论述至今仍有很高的实用价值。《齐民要术》现有20余种版本。最早为日本高山寺藏北宋仁宗天圣年间（1023～1031）崇文院刻本，只残存五、

四部丛刊本《齐民要术》书影
中国大百科全书出版社供图

八两卷。现国内通行影印明代（1368～1644）钞本（群碧楼藏本），祖本为南宋绍兴年间（1131～1162）的龙舒刻本。近人石声汉有《齐民要术今释》。

qin 琴 又拼ch'in，chyn。中国拨奏弦鸣乐器。又名瑶琴、古琴、七弦琴。周代已有琴，《诗·小雅·甫田之什》中就有"琴瑟击鼓"的记载。琴身为狭长形木质音箱，宽的一端为头

唐代古琴的正面（左）和背面（右）
供图：Chinese Classical Music Association

部，下面有7个调音轴，叫"轸"；腰部下面有系弦用的两个足；琴面圆而敛，标有13个圆点，指明泛音位置和音位，叫"徽"；琴底平，开有大小两个出音孔，叫"凤沼"、"龙池"。张弦7根，多用五声音阶定弦。音域较宽，音色

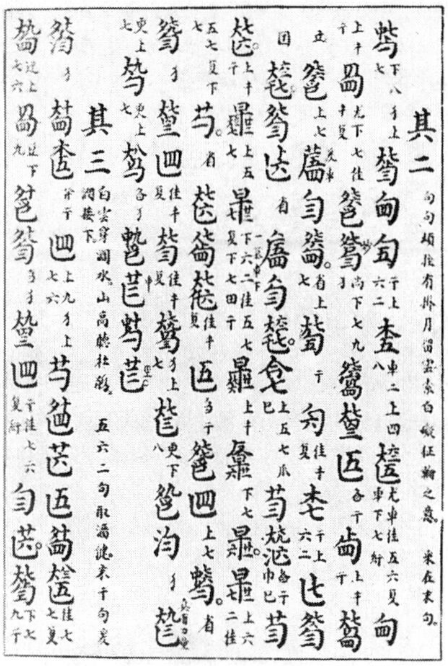

中国古代的琴谱
选自：Mantle Hood，"Music the unknown" in Harrison，Hood，and Palisca，Musicology

丰富。琴是中国古代重要拨弦乐器，用于独奏和伴奏。汉、魏、六朝时用于伴奏相和歌，隋、唐时用于伴奏清乐。演奏时右手弹弦，左手按弦。琴的演奏艺术在长期发展中形成多种流派。许多古代乐曲也赖琴谱保存至今。

Qin——：秦朝帝王 按在位时间顺序排列，并以●为标记。

● **Qin shihuang 秦始皇**（公元前259～前210） 嬴姓，名政。自称始皇帝。中国统一的秦王朝的开国皇帝。秦庄襄王之子。13岁继王位。初由相国吕不韦执政。公元前238年亲政后，镇压太后宠信的宦官嫪毐，免吕不韦相职，任用李斯。自公元前230年至前221年间消灭割据称雄的六国，建立中国史上第一个中央集权的统一王朝。废分封制，改置郡、县。国家大事由皇帝主持，重要官吏由皇帝直接任免。统一法令、度量衡、货币和文字。修建驰道、直道，加强全国交通。

中国大百科全书出版社供图

派兵出击匈奴,筑长城,南定百越,置闽中、南海、桂林、象郡。还销毁民间兵器,焚烧各国史书和民间所藏百家典籍,坑死以古非今的方士儒生460多名史称"焚书坑儒"。在位期间严刑苛法,租役繁重,加以连年用兵,致使民怨沸腾。其子胡亥即位后,对人民压迫剥削变本加厉,社会矛盾激化,不久即爆发大规模农民起义。

● **Qin'ershi Hu Hai 秦二世胡亥**(公元前230~前207) 中国秦朝第二代皇帝。秦始皇少子。曾从中车府令赵高学狱法。公元前210年秦始皇病死后,被赵高和丞相李斯拥立为太子,即位称二世皇帝。即位后任赵高为郎中令。续修筑骊山墓、阿房宫,治驰道,征调材士5万人屯卫咸阳。租赋徭戍极为繁重。在赵高策划下诛戮诸公子和重臣蒙恬等

陕西西安秦二世胡亥墓
中国大百科全书出版社供图

多人。公元前209年陈胜、吴广起义后更加严刑酷法,诛杀李斯,听任赵高专权。后为赵高威逼自杀。

Qin Bangxian 秦邦宪(1907,中国江苏无锡~1946-04-08,山西兴县) 中国共产党领导人之一。又名博古。早年就读于苏州工业专门学校,积极参加政治活动。1925年入上海大学求学。同年加入中国共产党。1926年赴苏联莫斯科中山大学学习。1930年5月回国。1931年4月任中国共产主义青年团中央委员会书记。1931年9月至1935年1月先后担任中共临时中央和中共苏维埃区中央局的主要领导人,在蒋介石发动"第五次围剿"时,他接管了军事领导权,推行进攻中的冒险主义,防御中的保守主义,致使反"围剿"失败。1934年10月参加长征。1935年1月在遵义会议上他的主要领导职务被解除。1936年12月为中国共产党参加"西安事变"的谈判代表之一。1937~1940年,先后任中共中央组织部长、中共中央长江局组织部长、南方局组织部长。1941年在延安创办和主持《解放日报》和新华通讯社。在1945年中国共产党第七次全国代表大会上继续当选为中央委员。1946年2月13日,作为中共政协宪章审议委员会代表到重庆。4月8日,他与王若飞、叶挺、邓发等返回延安途中,因飞机失事于山西兴县遇难。遗有《共产党宣言》等译著。

Qin DYNASTY 秦(公元前221~前206) Qin 又拼Ch'in 中国历史上第一个统一的中央集权的王朝。由战国后期一个诸侯国发展起来,于公元前221年秦王嬴政兼并六国后建立。嬴政自称始皇帝,定都咸阳,进而统一全

陕西出土的秦代大型彩绘铜车马
中国大百科全书出版社供图

国。疆域东、南到海,西到今甘肃、四川,西南至今云南、广西,北到阴山,东北至辽东。政治制度上废封建,立郡县。所制的中央和地方机构大抵皆为后世王朝所沿袭。经济、文化方面,统一文字、度量衡和道路,有利于统一国家的巩固。但赋税繁重,刑政苛暴。公元前209年爆发以陈胜、吴广为首的农民起义。公元前207年赵高威逼秦二世胡亥自杀,立子婴,旋为刘邦领导的起义军所灭。共历二世,统治全国15年。

Qin Guan 秦观(1049~1100) 又拼Ch'in Kuan。中国北宋词人。字少游、太虚,号淮海居士。高邮(今属江苏)人。与黄庭坚、张耒、晁补之合称"苏门四学士"。为苏轼推荐任秘

中国大百科全书出版社供图

书省正字兼国史院编修。后遭新党贬斥,潦倒终身。词多抒写爱情,感怀身世。感情真挚,意境优美,语言典雅,笔法细腻,是北宋词婉约派的代表作家。后期作品尤为凄婉动人。代表作如《鹊桥仙》以牛郎织女七夕相会故事歌颂真挚不渝的爱情;《踏莎行》("雾失楼台")以凄清景色表达伤感情绪,都为传世名篇。有《淮海集》。

Qin He 沁河 又作Ch'in River。中国黄河下游的支流。位于山西、河南两省境内。发源于山西沁源县的霍山。郭道镇以上为上游。郭道镇以下经沁源、安泽、沁水、阳城等县进入河南境内,在河南沁阳接纳丹河后转向正东,在武陟县附近汇入黄河。全长485千米,流域面积1.29万平方千米。沁河下游平原有广阔灌区,隋、唐时已开渠引灌。隋为通济渠,唐改为广济渠。元开浚的广济渠引沁水灌溉济源、沁阳、孟县、温县、武陟5县农田3000余顷。后20余年淤废。1329年左右修复。今济源、沁阳等市的广济河就是当年广济渠故道。1952年修建的人民胜利渠在武陟与卫河沟通,在沁河和黄河汇合处分洪。

Qin Jiushao 秦九韶(活动时期13世纪) 又拼Ch'in Chiu-shao。中国南宋数学家。字道古。四川人。一生多在各地方任官。多才艺,性机巧,精通星象、音律、算术、建筑等。淳祐七年(1247)写成《数书九章》18卷。主要成就是"大衍求一术"(一次同余式解法)和"正负开方术"(数字高次方程的求正根法)。"大衍求一术"同《孙子算经》中著名的"孙子问题"一脉相承。世界数学史中将这项定理称为"中国剩余定理"。一次同余式问题西方直到18世纪才有L.欧拉(1707~1783)等人系统研究。"正负开方术"则继承贾宪(11世纪)、刘益(12世纪)等人的成果,算法与英国数学家W.G.霍纳(1786~1837)算法几乎完全相同,但霍纳算法要晚出五百余年。

Qin Ling 秦岭 又作Tsinling Mountains(秦岭山脉)。横贯中国中部的东西走向山脉,重要自然地理界线。西起甘肃南部,经陕西南部到河南西部,全长1500千米,包括西倾山、岷山、叠山、终南山、华山、崤山、嵩山、伏牛山等。狭义的秦岭主要指陕西省境内的一段,为黄河支流渭河与长江支流嘉陵江、汉江的分水岭。甘肃省境内的秦岭西段山势较低,山峰海拔2000米左右。丛山之间夹有成县、徽县、两当等盆地。嘉陵江上游以东的东秦岭山脉走向为正东西向,褶皱紧密,山体硕大,谷地窄小,山地平均高度2000~3000米左右。主峰太白山海拔3767米,为中国东部超

秦岭风光
中国大百科全书出版社供图

过3000米的少数山峰之一,山顶有古冰川遗迹。秦岭北邻渭河平原,其间有大断裂,为北仰南倾的断块构造。主脊偏居北侧,北坡陡而短,南坡缓而长。水系也不对称。山间多横谷,为南北交通孔道。宝成铁路沿嘉陵江河谷穿过山地。秦岭山地对气流运行有明显阻滞作用。夏季使湿润的海洋气流不易深入西北,使北方气候干燥;冬季阻滞寒潮南侵,使汉中盆地、四川盆地少受冷空气侵袭。因此秦岭成为亚热带与暖温带的分界线。秦岭以南河流不冻,植被以常绿阔叶林为主,土壤

多酸性。秦岭以北为著名黄土高原,1月平均气温在0℃以下,河流冻结,植物以落叶阔叶树为主,土壤富钙质。秦岭山地、白龙江流域尚保存连片森林,并有珍贵动物和植物。佛坪为大熊猫产地之一。商洛地区的核桃、岷县的当归等均以高产优质著称。

Qin Terracotta Warriors and Horses 秦兵马俑 参阅 **Qin tomb** 秦(始皇)陵。

Qin tomb 秦(始皇)陵 又作 Ch'in tomb。中国秦始皇(公元前259～前210)陵墓。在今陕西临潼城东骊山北麓。始皇即位时役使刑徒70万人开始修筑,至公元前210年下葬,历时36年。在两侧墓道中,出土两组大型铜车、铜马、铜人,驾具齐备,装饰华丽。陵园规模宏大,陵丘周围有陵园围墙内、外二重。陵园内外已发现寝殿、便殿、防洪堤、制石作坊等遗址。还发现包括4个兵马俑坑、珍禽异兽坑、石甲胄坑、百戏俑坑在内的近180座各类陪葬坑。秦始皇陵是中国历史上形体最大的陵墓。秦始皇开创的陵园制度对此后历代帝王陵园建筑产生了深远影响。现为国家重点文物保护单位。

Qinā 基纳 又拼Qena。上埃及省份。位于尼罗河谷地的巨大弯曲处,面积1 851平方千米,包括底比斯的著名遗迹,以及国王陵墓谷地,农业人口稠密(每平方英里3 000人以上)。主要产糖(占全国产量的3/5)、扁豆和谷物。伊斯纳附近有丰富的磷酸盐矿,并建有化肥厂。制糖厂分布在哈马迪村、古斯和迪什纳。主要城镇是省会基纳(**Qinā**)、卢克索和伊斯纳。人口约2 876 746(2004)。

Qinā 基纳 又拼Qena。上埃及基纳省城镇和省会。濒临尼罗河以东1.6千米的一条运河。曾与阿拉伯、印度及中国进行过贸易。在奥斯曼时期贸易衰落。第二次世界大战期间及以后,因其地处通往红海沿岸公路终点和作为基纳省省会的地位,加上横跨尼罗河大桥的建成,以及途经该城的上埃及公路得到修缮,使该城再次兴旺起来。开罗—阿斯旺铁路通过该城,东面沙漠中有一军事基地。现在基纳是一个商业城镇和汽车维修服务中心,久以生产行销全埃及的多孔性黏土制成的船只著称。人口171 275(1996)。

qing 磬 中国古代击奏体鸣乐器。石质,古时称为"石"或"鸣球",用以敲击节奏,伴奏歌舞。周代成为祭祀、朝贺、宴享等大典"雅

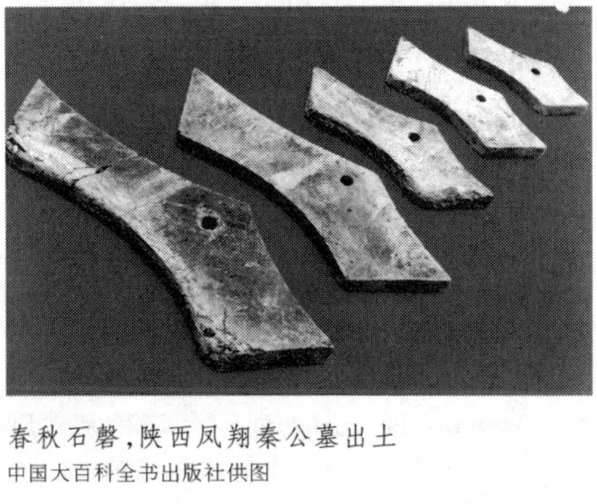

春秋石磬,陕西凤翔秦公墓出土
中国大百科全书出版社供图

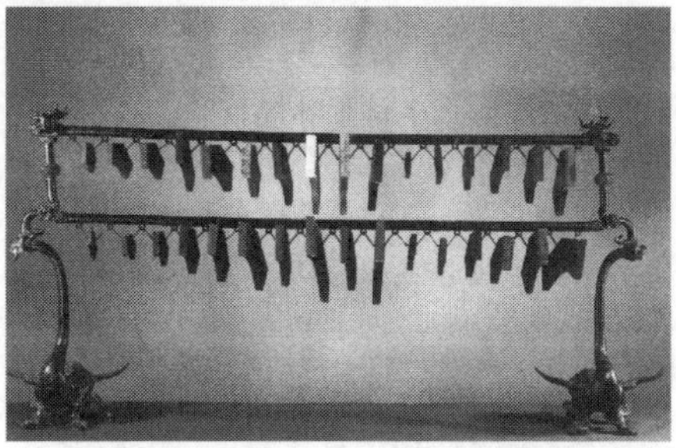

曾侯乙墓石磬,分上下两层,每层两组,湖北随州市(随县)出土
中国大百科全书出版社供图

乐"中的主要击乐器。演奏时悬磬于架上,用物击奏发音。磬有半圆形、曲折形两种,因大小不等产生不同音高。磬可排列组成"编磬"。编磬的枚数不等,均悬于木架上用小木槌击奏。

Qing——: 清朝帝王 按在位时间顺序排列,并以●为标记。

● **Qingtaizu Nurhachi 清太祖努尔哈赤**(1559～1626-09-30) 中国清王朝的创建者。满族。爱新觉罗氏。原为满洲女真族部落酋长。16世纪末统一建州女真各部。1599年命人创制满洲文字。1601年建八旗制,委派子侄和亲属统领。独霸满洲地区采矿权,并在经营皮毛、参茸交易中不断充实经济力量。

中国大百科全书出版社供图

1616年称汗,建后金政权,年号天命,建都于赫图阿拉(今辽宁新宾)。1618年进攻明朝的抚顺,明将李永芳迎降。此后明朝降官日益增多,一般均予重用,成为清朝能入主中原的重要因素。1625年迁都沈阳,称为盛京。1626年2月进攻宁远(今辽宁兴城)时被明将袁崇焕击伤,9月30日去世。清朝建立后追尊为太祖。

● **Qingtaizong Abahai 清太宗皇太极**(1592～1643) 中国清代擘划开国规模的皇帝。努尔哈赤第8子。满族。爱新觉罗氏。1626年努尔哈赤死后皇太极凭借实力取得后金汗位,1627年改年号天聪。仿照明朝制度整顿政府机构,采取任用汉族官吏和知识分子、颁布保护农业法令等措施。废除四大贝勒共理政务旧制,自掌三旗(正黄、镶黄、正蓝),加强统治。1636年改后金为清,称皇帝,年号崇德。又增编"八旗蒙古"和"八旗汉

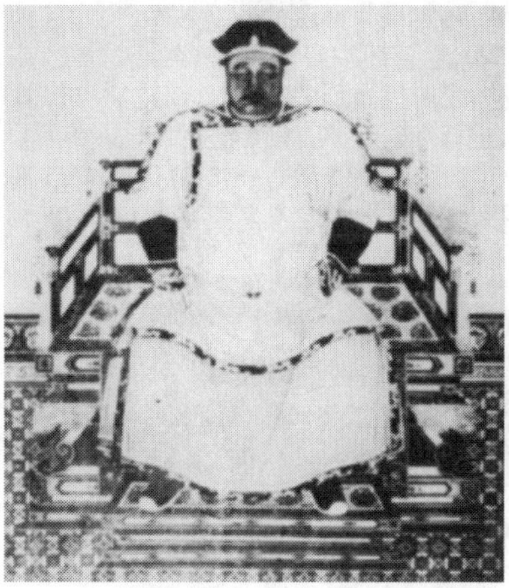

中国大百科全书出版社供图

军",扩大八旗组织。曾屡次对明用兵,在他死后一年,清军攻入明都北京,不久即夺取了全国政权。

● **Qingshizu Fulin 清世祖福临**(1638-03-15～1661-02-05) 中国清朝入关后的第1位皇帝。满族。爱新觉罗氏。皇太极第9子,母后孝庄文皇后。1643年6岁在沈阳即位,

中国大百科全书出版社供图

次年进京,君临全国,年号顺治(1644～1661)。由叔父多尔衮等摄政。1651年多尔衮去世后开始亲政。相继平服西南地区的南明政权和其他反清势力;与蒙古、西藏建立亲盟关系。又颁布大清律,禁止文人结社,加强统治。1661年病死。

● **Qingshengzu Xuanye 清圣祖玄烨**(1654-05-04～1722-12-20) 中国清朝第2位皇帝。满族。爱新觉罗氏。世祖福临第3子。1662～1722年在位,年号康熙。即位时年尚不足7岁,由世祖遗命4位内大臣索尼、苏克萨哈、遏必隆、鳌拜共同辅政。鳌拜结党营私,保守专横。1669年玄烨亲政后逮捕鳌拜,夺回保守势力把持的政权。1674～1681年间平定三藩叛乱。1683年收复台湾,并入福建省。1685～1686年两次派兵驱逐盘踞雅克萨的俄军。1689年与俄国签订《中俄尼布楚条约》,确定两国东段边界,肯定黑龙江流域和乌苏里江流域广大地区为中国领土。1691年于多伦与喀尔喀蒙古王公会盟,喀尔喀蒙古正式归入清朝行政管辖。先后三次出塞亲征,平定准噶尔部首领叛乱。1717年派

军入藏,平定侵入西藏的准噶尔军,稳定了西藏秩序。生平勤奋好学,励精图治。多次南巡北狩,了解民情,考察吏治,调整满汉民族关系,实行恢复生产、发展经济、安定社会的措施。提倡程朱理学。1678年开博学鸿儒科,罗致天下名士,选著名学者朱彝尊等50名入翰林院纂修《明史》。又撰修《康熙字

美国不列颠百科全书公司供图

典》、《佩文韵府》、《全唐诗》、《古今图书集成》等书籍。注意吸取西方文化,聘外籍传教士入宫讲授西方自然科学技术,绘制《皇舆全览图》。康熙帝的文治武功为康、雍、乾盛世奠定了基础。

● **Qingshizong Yinzhen　清世宗胤禛**(1678-12-13～1735-10-08)　中国清朝第3位皇帝。满族。爱新觉罗氏。圣祖玄烨第4子。1722～1735年在位,年号雍正。即位后勤于

清世宗(雍正)的陵寝——泰陵
中国大百科全书出版社供图

政事,奉行康熙帝成法,安定民生,奖励垦荒,发展农业生产,实行摊丁入地,保证赋税收入。对知识分子则屡兴文字狱。1729年建立军机房(后改军机处),取消诸王对下五旗军队的统率权,以加强专制。在西南少数民族地区推行改土归流措施。出兵平定青海和硕特部叛乱,反击准噶尔部骚扰。雍正五年(1727)与沙俄订立《布连斯奇条约》和《恰克图条约》,划定中俄中段边界。

● **Qinggaozong Hongli　清高宗弘历**(1711-09-25～1799-02-07)　中国清朝第4位皇帝。满族。爱新觉罗氏。世宗胤禛第4子。1736～1796年在位,年号乾隆。在位期间多次用兵,统一疆土,使统一的多民族国家得到巩固发展。1755～1757年间两次出兵西北,平定长期割据天山北路的准噶尔部,又平定

美国不列颠百科全书公司供图

南疆回部封建主霍集占兄弟的叛乱,派驻伊犁将军与喀什噶尔参赞大臣管辖天山南北。1766年平定大小金川土司叛乱,废除土司制,改置州县。晚年出兵西藏,驱逐入侵的廓尔喀(今尼泊尔),重新规定驻藏大臣和达赖喇嘛的职权、地位,同时规定金瓶掣签的制度,加强中央对西藏管辖。开设博学宏词科,重视文化事业。1773年开馆编纂《四库全书》,1782年告成,共收书3 457种近8万卷,是中国最大的丛书。但编纂中销毁了1万余部不利清朝的书籍。喜爱艺术,尊重中外艺术家,命西方传教士仿法国凡尔赛宫修建宫殿园林,美化圆明园。1793年在热河行宫接见英国使臣马嘎尔尼,除广州允许通商外,其他海口一律禁止贸易。晚年宠信和珅,使国库日绌,吏治败坏,贪污成风,人民生活日益困苦,全国各地起义不断发生。1796年已在位60年,考虑不宜超过祖父康熙在位61年之限,宣布退位作太上皇。由第15子颙琰(嘉庆)继位。

● **Qingrenzong Yongyan　清仁宗颙琰**(1760-11-13～1820-09-02)　中国清朝第5位皇帝。满族。爱新觉罗氏。高宗弘历第15子。1796～1820年在位,年号嘉庆。即位初政事仍由乾隆帝主持。1799年亲政后,诛杀权臣和珅,力图整顿财政,未见成效。吏治腐败,武备废弛,各地起义接连不断,其中规模较大

中国大百科全书出版社供图

的有1795～1806年湘黔苗民起义;1760～1805年川、楚、陕等5省白莲教起义;1813年山东、河南天理教起义。清政权日趋衰落。

● **Qingxuanzong Minning　清宣宗旻宁**(1782-09-06～1850-02-25)　中国清朝第6位皇帝。满族。爱新觉罗氏。1821～1850年在位,年号道光。在位期间国势已由强盛走向衰落。政治腐败,军备废弛,贪污成风,天灾频仍,到处爆发起义。英国向中国大量输入鸦片,使白银外流,造成"兵弱银涸"的危局。1838年采纳林则徐等建议查禁鸦片。英

中国大百科全书出版社供图

国发动第一次鸦片战争,1842年8月在英国威逼下签订丧权辱国的《南京条约》。1844年又与美国签订《望厦条约》,与法国签订《黄埔条约》。从此中国逐步沦为半殖民地。

● **Qingwenzong Yizhu　清文宗奕詝**(1831～1861-08)　中国清朝第7位皇帝。满族。爱新觉罗氏。宣宗旻宁第4子。1851～1861年在位,年号咸丰。时政治腐朽,内忧外患交

中国大百科全书出版社供图

困。1853年太平天国定都南京,出师北伐,直逼京师。1856年第二次鸦片战争爆发。清廷集八旗绿营兵主力及湘军与太平军作战。对外则妥协投降。1858年英法联军攻占大沽炮台后,咸丰帝派桂良、花沙纳与英法俄美分别签订《天津条约》。1860年英法联军攻入北京,大肆掠劫珍宝财物,焚毁圆明园,文宗逃往热河承德,命弟奕䜣留京求和,同英、法分别签订《北京条约》。第二次鸦片战争中又被迫签订丧失大片领土的中俄《瑷珲条约》和中俄《北京条约》。1861年病死热河行宫。

● **Qingmuzong Zaichun　清穆宗载淳**(1856～1875)　中国清朝第8位皇帝。满

族。爱新觉罗氏。文宗奕詝长子。1862年即位，年号同治。6岁即位后由生母慈禧太后掌权。在位期间依靠湘军、淮军并借助外国军队平定太平军、捻军、回民和苗民起义，并

中国大百科全书出版社供图

在洋务派主持下推行自强、求富的新政，创办工矿企业；还接见西方使节，维持中外和好局面，使清廷危机略为缓和，被旧史家称为同治中兴。

● **Qingdezong Zaitian 清德宗载湉**（1871-08-14～1908-11-14） 中国清朝第9位皇帝。文宗奕詝之弟醇亲王奕譞子。年号光绪。1875年穆宗病死后继位，时年5岁，由慈禧太后垂

中国大百科全书出版社供图

帘听政。1887年亲政。大权仍由慈禧掌握。1894年中日战争中竭力主战。中国战败后面临被列强瓜分危险，光绪在维新派影响下力图有所作为。1898年6月11日下诏变法，起用维新派人物，罢斥守旧官僚。继而颁行新政，是“百日维新”的实际主持者。9月21日慈禧发动政变后被幽禁。1908年11月14日先慈禧一日病死宫中。

● **Puyi 溥仪**（1906-02-07，中国北京～1967-10-17，北京） 中国清代末代皇帝。满族。爱新觉罗氏，字浩然。1908年12月继位时仅3岁。年号宣统，由其父醇亲王载沣监国。1911年辛亥革命后于1912年2月12日退位。清代267年的统治，以及中国两千年的君主统治，至此告终，但仍保留帝号，暂居宫禁。1917年7月张勋拥其复辟失败。1924年废除帝号出宫。次年移居天津。1931年在侵华日军策划下被挟持至东北。1932年3月出任日本傀儡政权“满洲国”执政。1934年3月1日改称满洲帝国皇帝，年号康德。1945年8月15日日本投降后退位，16日被苏军俘获。

中国大百科全书出版社供图

1950年8月移交给中华人民共和国政府。1959年12月特赦释放。1961年3月任全国政协文史资料研究委员会专员。1964年任中国人民政治协商会议第四届全国委员会委员。著有《我的前半生》。

Qing DYNASTY 清（1644～1911） Qing又拼Ch'ing。中国历史上最后一个封建王朝。1616年建州女真族首领努尔哈赤称汗，建立后金政权，年号天命，建都于赫图阿拉（今辽宁新宾），后迁都盛京（今沈阳）。1636年皇太极即皇帝位，改国号为清。顺治元年（1644）清军入关，定都北京，逐步统一全国。康熙帝（1661～1722）时与俄国订立尼布楚条约，划定以外兴安岭为界。其后又击败准噶尔蒙古，使帝国版图进一步扩展。雍正（1723～1735）和乾隆（1736～1796）两帝时经济更加繁荣，手工业兴盛；还聘用天主教士执掌天文历法，或充宫廷画师；瓷器、印刷、绘画艺术都欣欣向荣；文学、经学、史学也蓬勃兴起。国家疆域西到今巴尔喀什湖、楚河、塔拉斯河流域、帕米尔高原；北到戈尔诺阿尔泰、萨彦岭；东北到外兴安岭、鄂霍次克海；东到海，包括台湾及其附属岛屿；南到南海诸岛；西南到广西、云南、西藏，包括拉达克。到18世纪后期版图增为明代的3倍，人口从1.5亿增至3亿，是当时亚洲最强大的国家。19世纪中叶后政局腐败，灾害频仍，民不聊生，国内发生太平天国、捻军等起义，国外则列强纷纷入侵，海疆香港、澳门、台湾、澎湖为英、葡、日割占；东北乌苏里江以东、黑龙江以北，西北今国界以外为沙俄占领；帕米尔高原为俄、英瓜

清帝退位诏书
中国大百科全书出版社供图

分；拉达克为英属克什米尔吞并。1911年孙中山领导的民主革命推翻清王朝，结束了两千多年的君主专制制度。清朝含清太宗皇太极在内，共历11帝，276年。中国史学家通常将清代分为两个阶段：1644～1840年为前期，处于封建社会的末端；1840～1911年为后期，随着西方资本主义势力的不断入侵，中国逐步沦为半殖民地半封建社会。

Qingdao 青岛 又拼Ch'ing-tao，Tsingtao。中国山东省辖地级市。著名的港口城市和疗养、避暑、旅游胜地。位于山东半岛南部，胶东湾东南岸，北靠崂山，南临黄海，港阔水深，终年不冻，是华北天然良港。辖市南、市北、李沧、四方、城阳、黄岛、崂山7区。原辖胶县、即墨、平度、胶南、莱西5县，1987～1990年相继改胶州、即墨、平度、胶南、莱西5县级市，1992年5市划归省直辖，仍由青岛市代管。面积11 026平方千米，其中市区面积1 408平方千米。青岛原是即墨县一小渔村。宋、元后渐为商船停泊之所。明代中叶在附近设“浮山前千户所”以御倭寇。清代贸易渐盛，设有胶州税关。清末建立小型海军基地，修筑工事，布兵设防，战略地位日显重要。光绪二十三年（1897）“曹州教案”后德国强占青岛，翌年强租胶州湾，修筑水港码头，开办工厂。1904年胶济铁路建成，青岛港为起点，同腹地的联系更加密切。1914年日本从德国手

青岛海滨
中国大百科全书出版社供图

中夺取青岛，大肆进行掠夺性经营。1922年中国收回青岛。1929年设青岛特别市。1930年改青岛市。20世纪50年代后工业迅速发展，成为山东省最大的综合性工业城市。拥有机械、纺织、化工、冶金、食品、电子、电力、金属制品、建材等工业部门。所产啤酒久负盛誉，畅销世界各地。水产养殖和海洋渔业较发达，盛产黄鱼、对虾、海带。青岛港是中国对外贸易重要港口和海防要地。有定期班轮与国内沿海各港相通，并与世界数十个国家和地区保持航运联系。204、309国道贯穿境内，济青高速公路已投入运营。因具有显著的海洋性气候特色，温和湿润，气候宜人，为中国疗养胜地。北部的崂山、海滨的鲁迅公园，以及海产博物馆、前海栈桥、海水浴场都是理想的游憩场所。有中国海洋大学、青岛大学、青岛理工大学等高等院校，以及19所海洋科研、教学和管理机构。人口：全市7 310 000（2005）；市区2 480 000（2004）。

Qinghai 青海 中国西北部省份。简称“青”。介于北纬31°39′～39°19′，东经89°35′～103°04′。北、东与甘肃省相邻，东南接四川省，南、西南与西藏自治区毗连，西北与新疆维吾尔自治区接壤，境内有中国最大的湖泊青海湖，省以此得名。面积720 000平方千米，居中国第4位。除汉族外，主要是藏族，其他还有回、土、蒙古、撒拉、满、哈萨克等36个民族。设1个地区、6个自治州、1个地级市、4个市辖区、2个县级市、30个县和7个

自治县。省会西宁市。

自然条件和资源 全省地处青藏高原东北部，4/5的面积是高原。东北部为祁连山地，东段高度达海拔4 000米左右，河谷两岸有较宽的阶地，最东部的湟水、黄河谷地属于向黄土高原过渡的地带。两段不少地方海拔超过5 000米，广布现代冰川。祁连山东南部的青海湖盆地，湖积-冲积平原广阔。西北部为柴达木盆地，是青藏高原上最大的封闭性内陆干燥盆地，面积21万平方千米，周围有祁连山、阿尔金山、昆仑山等环绕，海拔2 600～3 100米。盆地内西北部干旱、缺水、多大风，是以剥蚀地形为主的丘陵区；东北部是一串小型山间盆地；东南部是广阔平原，有许多湖泊和高原盐沼泽；南部是一条绵长的东西向戈壁带，风蚀地形与沙丘广布。柴达木盆地、青海南山以南为广大的青南高原，面积占全省1/2以上。这里河流切割作用不显著，高原面保存完整。有昆仑山、布尔汗布达山、可可西里山、唐古拉山、巴颜喀喇山、阿尼玛卿山（积石山）等，海拔多在5 000米以上，许多峰顶已在现代雪线以上，冰川地貌发育。青海属大陆性高寒气候。日照长，太阳辐射强；冬寒夏凉，日温差较大；降水少而集中，自东南向西北递减；地区差异大，垂直变化明显。年平均气温－6～－7℃，1月平均气温－8～－18℃，7月平均气温4～16℃（夏季气温日较差达15℃左右）。年平均降水量一般在400毫米以下。受地形及孟加拉湾暖湿气流的影响，青海高原东部迎风坡年降水量达557～774毫米。柴达木盆地最少，年降水量仅为14.9～210毫米。省境西北部为内流区，河流多属冰雪补给型，下游多汇注于咸水湖沼。主要有柴达木河、格尔木河。青海湖是咸水湖，面积4 635平方千米，盛产湟鱼。盐湖众多，著名的有察尔汗、茶卡、柯柯等。东南部为外流区，分属长江、黄河、澜沧江3个水系，水力资源丰富。淡水湖泊有80多个，较大的如黄河上游的鄂陵湖、扎陵湖，面积都在500平方千米以上。地下水资源丰富。天然植被自东南向西北逐渐稀疏，青南高原和祁连山区以森林草原为主，柴达木盆地属干荒漠和荒漠草原。高原上产虫草、大黄等名贵药材。食盐储量达500多亿吨，钾盐矿储量约占全国的97%，居世界前列。有中国储量最大的长纤维石绵、镁、锂、溴、碘、天然硫矿等。柴达木盆地除锡铁山有大型铅锌矿外，还是很有希望的石油产区。

沿革 古为西戎地，汉为羌地。汉武帝（公元前140～前87）时在湟中设护羌校尉，实行屯垦，开始发展耕作业。后来曾设临羌等县，并在东汉建安年间（196～219）以西都（今西宁）为治所设西平郡。王莽时在湟中设西海郡。十六国之一的南凉以西平（今西宁）为国都。南北朝时，河西走廊一带战争频繁，交通阻塞，法显、昙无竭、宋云等往返西域都取道青海。北魏在青海湖东部置鄯州，唐代陇右道采防使和陇右节度使曾驻此。以后长期属吐蕃，同西藏地区联为一体，到北宋时再设西宁州。明初，大量汉、回人民在青海东部定居。明代中期柴达木成为蒙古族活动的主要中心。清代分属甘肃、额鲁特部和玉树等土司。除东部湟水流域有种植业外，广大地区仍以牧业为主。1928年正式建省。

经济 青海省是尚待开发的省区之一，畜牧业仍是目前国民经济的重要组成部分，并在全国畜牧业中占有重要地位。日月山以西90%以上的地区是半农半牧区或纯牧区。牧畜以绵羊、牦牛为主，山羊、马次之。全省牦牛近500万头，近中国牦牛数的1/2。耕作业主要集中在日月山以东地区，一年一熟，主要种植小麦和青稞，其次为蚕豆、豌豆、马铃薯。经济作物以油菜为主。1949年以前全省只有8个手工作坊。现在已有纺织（以毛纺为主）、冶金、煤炭、电力、石油、化工、机械、电子、建材等工业。建立了格尔木、德令哈、大柴旦、茫崖、刚察、门源（浩门）、共和等新兴城镇和许多新居民点。西宁市已拥有60多万人口，集中了省内大部分的轻纺和机械工业。

1949年以前青海交通事业落后，仅有公路400千米，主要以牛、马驮运为主。1959年建成了兰青铁路，目前青藏铁路已建成通车，成为横贯全省的大动脉。2004年铁路营业里程达1 100千米。公路建设以西宁为中心，有109、214、215、227等多条国道和省道干线公路连接全省各地，通车里程已达29 000千米（2005）。从西宁经格尔木到拉萨的青藏公路是内地通往西藏的公路干线。民用航空可通北京、上海、广州等国内10多个大、中城市。有青海大学等高等院校及几十所科研机构。人口4 990 000（2005）。

Qinghai Hu 青海湖 Qinghai 又拼 Ch'ing Hai 或 Tsing Hai。又作 Koko Nor 或 Blue Lake。中国最大的内陆咸水湖。在青海省东北部。蒙古语称"库库诺尔"，意为"青色的湖"。由祁连山的大通山、日月山与青海南山之间的断层陷落形成，面积4 635平方千米。湖面海拔3 196米，最大水深28.7米。西北有布哈河注入。湖每年12月封冻，冰期6个月，冰厚0.5米以上。湖中有6个小岛，以老沙岛最大。鸟岛位于湖的西部，面积0.46平方千米，是斑头雁、鱼鸥、棕头鸥、鸬鹚等10多种候鸟繁殖生息场所，数量多达10万只以上。建有**鸟岛自然保护区**（**Niaodao Nature Reserve**）。湖中盛产青海湖裸鲤。滨湖草原为良好的天然牧场。

青海湖鸟岛
中国大百科全书出版社供图

Qinghai Nan Shan 青海南山 又作 Nan Mountains。中国青海省青海湖西南山岭。为青海湖与茶卡湖盆地的分水岭。茶卡东北的最高峰海拔4 681米。橡皮山海拔4 452米。相对高度300～500米。山地较干旱，除海拔3 000～3 300米的阴坡分布小块青海云杉林，阳坡3 400～3 900米出现稀疏祁连圆柏林外，均为山地草原。沿青海湖南岸有公路从黑马河南越青海南山至茶卡盐湖。茶卡盐湖为青海主要产盐区，青藏铁路支线通往茶卡。

Qinghai-Tibet Plateau 青藏高原 Qinghai 又拼 Tsinghai。中国最大的高原。在中国西南部。包括西藏自治区和青海省的全部、四川省西部、新疆维吾尔自治区南部及甘肃、云南的一部分。面积240万平方千米，海拔大多在3 500米以上，也是世界上最高的高原，有"世界屋脊"之称。高原周围大山环绕，南有喜马拉雅山，北有阿尔金山、昆仑山和祁连山，西为喀喇昆仑山，东为横断山脉。高原内还有唐古拉山、冈底斯山、念青唐古拉山等。这些山脉海拔大多超过5 500米，喜马拉雅山有16座山峰超过8 000米。高原被山脉分隔成许多盆地、宽谷。湖泊众多，青海湖、纳木错等都是内陆咸水湖，盛产食盐、硼砂、芒硝等。高原是亚洲许多大河的发源地，长江、黄河、澜沧江（下游称湄公河）、怒江（下游称萨尔温江）、森格藏布河（印度河）、雅鲁藏布江（下游称布拉马普特拉河）以及塔里木河等都发源于此，水力资源丰富。由于地势高，大部分地区热量不足，高于4 500米的地方最热月份平均温度不足10℃，无绝对无霜期，谷物难以成熟，只宜放牧。牧畜以耐高寒的牦牛、藏绵羊、藏山羊为主。4 200米以下的河谷可以种植作物，以青稞、小麦、豌豆、马铃薯、圆根、油菜等耐寒种类为主。雅鲁藏布江河谷纬度低，冬季无严寒，小麦可安全越冬。加以光照条件好，春夏温度偏低，延长了小麦生长期，拉萨冬小麦亩产有1 637斤的纪录。高原上近年新建有不少水电站、煤矿、钢铁厂、化工厂、毛纺厂、造纸厂。随着工业发展，新的工业城市如西宁、拉萨、格尔木、林芝、日喀则等不断形成。目前有川藏、青藏、滇藏、新藏等4条公路。青藏铁路2005年全线通车。民航班机通西宁、格尔木、拉萨。

青藏高原鸟瞰
中国大百科全书出版社供图

Qinghua University 清华大学 Qing hua 又拼 Tsinghua。中国著名高等学府，坐落于北京西北郊的清代皇家园林——清华园。前身为清华学堂，创建于1911年，是清政府用美国退还的部分"庚子赔款"创办的留美预备学校。1925年设立大学部，1928年更名为国立清华大学，设有文、法、理、工4个学院共16个系。1937年抗日战争爆发后举校南迁长沙，次年又迁至昆明，与北京大学、南开大学组成国立西南联合大学。1946年迁回原址复校，并增设农学院，发展成为一所拥有5个学院共26个系的综合大学。清华大学以高水平的师资、浓厚的爱国民主空气以及严谨的学风和朴实的校风而蜚声中外。1949年以后，学校发生了巨大的变化。1952年中国高

清华大学西校门
中国大百科全书出版社供图

等学校院系调整，清华大学成为一所多科性工业大学，被誉为"工程师的摇篮"。20世纪50年代中期起学校逐步调整了学科设置和结构，增设一批高新技术和新兴学科专业。1978年以来恢复和新建理科、文科和经济管理学科，逐步发展成为一所以工科为主，理工结合，兼有人文社会科学学科和经济管理学科的综合大学。1999年中央工艺美术学院并入成为清华大学美术学院。设有理学、建筑、土木水利、机械工程、信息科学技术、航天航空、人文社会科学、经济管理、法学、美术、公共管理、新闻与传播、医学等13个学院54个系。"中西兼容、文理渗透、古今贯通"的治学思想，"自强不息、厚德载物"的校训，"行胜于言"的校风，"爱国奉献、追求卓越"的清华精神，一代代得以传承。清华大学坚持"培养具有为国家社会服务之健全品格的人才"的教育理念，至今共培养了12万余名学生。有58个本科专业，硕士学位授权点159个，博士学位授权点123个，全国重点学科49个，博士后科研流动站27个。有国家重点实验室11个，并正在筹建信息科学与技术国家实验室。有教职工7 800余人，其中中国科学院院士34名，中国工程院院士26名，正高级职务1 200余人。在校全日制学生27 000余名，其中本科生13 000余名，硕士生8 600余名，博士生4 600余名。有来自70个国家和地区的在校留学生及进修生1 300余名。学校藏书400余万册。学校占地面积400余万平方米，建筑面积230余万平方米。出版物有《清华大学学报》、《装饰》、《清华大学教育研究》等杂志。

Qingliu dang 清流党 又拼Ch'ing-liu tang。英语作Purification Clique。又称清流派。清末光绪年间统治阶级内部的一个政治派别。标榜风节，"严义利之分"，以经世匡时为己任，屡上封事，一时遂有"清流党"之称。清流党曾繁衍为前后两代。前清流多北方人，称"北派"；后清流多南方人，称"南派"。前清流形成于光绪初年，即19世纪70年代末。当时，外国资本主义势力恣意侵略中国边疆，民族危机严重。清政府内部腐败，派系斗争愈演愈烈。一部分不掌实权的言官，从维护封建统治出发，上书言事，评议时政，弹劾大臣，使朝廷内外出现"台谏生风，争相搏击"的局面。参与这些活动的主要有翰林院侍讲张之洞、张佩纶、陈宝琛，编修黄体芳、宝廷，以及御史邓承修等，其中以张之洞、张佩纶两人最为驰名。他们与军机大臣李鸿藻关系密切，李鸿藻为打击政敌军机大臣沈桂芬，并使自己在朝廷政争中立于不败之地，对他们极尽笼络和操纵之能事，故时人多称李为前清流的魁首。前清流要求改革弊政、肃整纲纪和兴修水利，尤主张坚决抵抗外国侵略。在沙俄觊觎中国西北，日本侵略朝鲜、琉球以及法国侵略越南等问题上，都提出强硬主张，反对妥协。慈禧太后对前清流暗中放任，间或利用其奏章博取广开言路的名声，达到抑制权臣，强化独裁统治的目的。

大致在1885年（光绪十一年）中法战争结束前后，清政府内部政争出现新的变化，前清流对慈禧太后已失去存在的意义，因而宣告瓦解。从80年代末到1894年中日战争前夕，以日本侵略朝鲜为背景，一部分坚决主张抵抗日本侵略并反对当时弊政的言官和名士，纷纷投靠户部尚书翁同龢门下，形成后清流派。其中以侍读学士文廷式、礼部侍郎志锐和"南通才子"张謇为骨干，国子监祭酒盛昱、刑部主事沈曾植以及翰林院编修王仁堪、黄绍箕、丁立钧、李文田等均为其中健将。且翁同龢为光绪帝师傅，志锐为光绪帝爱妃珍妃兄长，文廷式为珍妃师傅，因此该派属于帝党的一部分。与前清流一样，主张"厉以风节"，反对贪官污吏；敢于揭露弊政，甚至有时还直接指责慈禧太后。在中日甲午战争以前，力主反击日本对朝鲜的侵略，多次斥责李鸿章"避战自保"；黄海海战后，后党趋向对日本妥协时，苦谏要求抗战到底。此外，对当时资产阶级维新派的活动表示同情和支持。1888年，沈曾植、黄绍箕、盛昱曾积极赞助康有为第一次上书光绪帝，1894年，康有为因刊刻《新学伪经考》获罪时，清流诸人又多方搭救。因此，后清流派主要表现为一个开明爱国的集团。中日甲午战争后期，随着帝党的失败，清流派人物或遭革职，或离京南下，或因其他原因销声匿迹。战后，虽仍有人作为帝党成员参加维新变法活动，但清流派已不复存在。

Qingming Shanghetu 《清明上河图》 参阅 **Zhang Zeduan** 张择端。

Qingtongxia 青铜峡 中国宁夏回族自治区县级市。位于银川平原南端，黄河西岸，包兰铁路通过境内。1960年由金积、宁朔两县大部分与中宁县一部分合并置市。1963年改市为县。1984年又改县为市。由吴忠市代

青铜峡市的一百零八塔
中国大百科全书出版社供图

管。面积2 337平方千米。境内水力资源丰富，市区南有青铜峡。1958～1967年在峡口建成大型水利枢纽工程，是以灌溉为主，兼具发电、防洪、防凌等功能的现代化水利设施。建成后使宁夏引黄灌区的供水保证率大为提高。黄河东岸的秦渠、汉延渠以及西岸的唐徕渠都是古老的引黄大干渠。现在两岸新修总干渠，渠首在青铜峡。从青铜峡电站引水，使有效灌溉面积扩大到20万公顷，贺兰山东麓的大片沙荒地也可引河水改造成良田。经济以农业为主，产小麦、稻谷、甜菜、瓜果等。20世纪80年代以来，工业发展迅速，主要工业部门有电力、化肥、炼铝、建材、机械、煤炭等，工业产值居全区第3位。畜牧业较发达。特产柳编、滩羊皮及发菜。名胜古迹有一百零八塔、广武口子沟岩画、牛首山寺群、汉唐古墓群等。人口250 000（2004）。

Qingtongxia Key Water Control Project 青铜峡水利枢纽工程 中国黄河上游以灌溉为主，兼有发电、防洪、防凌综合效益的大型水利枢纽工程。在宁夏回族自治区青铜峡

青铜峡大坝
中国大百科全书出版社供图

市境内。青铜峡长8千米，两侧山岭为牛首山的一部分，宽300～600米；峡谷上游为宁卫盆地（中宁、中卫），下游为银川平原。过去黄河流入银川平原灌区，河水失去控制，汛期渠堤常被冲决，枯水期又常缺水灌溉。1958

年自治区成立时即动工兴建青铜峡水利枢纽,1960年发挥灌溉效益,1967年底开始发电。水利枢纽包括一座长694米、高42.7米的拦河大坝,六个河床闸墩电站,两个渠首电站,七孔溢洪坝,三孔泄洪闸和开关站等。总库容6亿立方米,装机容量27.2万千瓦,年均发电量约10亿千瓦时。枢纽工程的建成结束了青铜峡无坝引水的历史。两条能引水60立方米/秒的灌溉渠道分别流入秦渠、汉延渠、唐徕渠,以及新修建的西干渠、东干渠,灌溉银川平原约20万公顷农田。为宁夏电力网提供60%电力,是宁夏的电力中枢。因黄河泥沙淤积,现库容已不足1亿立方米。

Qingyang 青阳 中国安徽省池州市辖县。位于省境南部,长江南岸平原、圩区与皖南山地过渡地带,辖4个乡和9个镇,面积1 181平方千米。县政府驻蓉城镇。战国为楚的陵阳邑(今陵阳乡),三国吴赤乌年间(238～250)置临城县。唐天宝元年(742)为青阳县,以其在青山之阳得名。境内以低山为主,丘陵与河谷平原、山间盆地交错分布。西南部多山,海拔千米以上山峰有20余座,全县最高的十王峰海拔1 342米。西北部地势较低,多为水田、旱地、河、圩、湖、塘。主要河流有青流河、九华河、七星河以及陵阳河等。年平均气温16.1℃,年降水量1 525.2毫米。无霜期230天左右,一年两熟。农作物有稻谷、小麦、豆、油菜及蚕桑、苎麻、瓜果、药材等。全县有山林3.2万公顷,产松、杉、竹等。矿藏有钼、铜、铁、锰、煤、铅、锌、硫铁、白云石。工业有农机、化肥、采矿、缫丝等。土特产有桐油、生漆、茶叶等。"九华毛峰"、"黄石"茶久负盛名。5条公路干线分别通芜湖、贵池、铜陵、黄山等。乡乡通车,客货运输畅通。水路运输以青通河为主。名胜古迹有中国"四大名山"之一的九华山,属国家重点文物保护单位,1978年起列为对外开放旅游区。人口280 000(2005)。

Qingyuan 清远 中国广东省辖地级市。位于省境中北部,北江中下游,南接广州,北界湖南。辖清城区和佛冈、阳山、清新3县及连山壮族瑶族自治县、连南瑶族自治县,并代管英德和连州2县级市。面积19 015平方千米,其中市区面积927平方千米。西汉元鼎六年(111)置中宿县。隋开皇十年(590)以中宿县及南朝梁所置威正、廉平、恩洽、浮护等县合并为清远县、政宾县。唐武德六年(623)政宾县并入清远县。1988年撤县设市。地势自西北向东南倾斜,西北部属山地丘陵区,石灰岩分布广泛。北江下游谷地河岸平原宽广。东南部为台地平原区。北部石灰岩区农业生产条件较差,主种稻,兼种甘薯、花生、玉米、大豆、烟草、茶叶、水果等。主要用材林和经济林有杉、松、毛竹及油茶、油桐、板栗等。矿产资源丰富,储量大,分布面广,铁、黄金、大理石、稀土、高岭土、方解石、钨、硫磺等有较大开采价值。工业主要有冶金、采矿、电力、化工、建材、机械、轻纺、陶瓷。名胜古迹有蓬莱寺塔、飞霞洞、摩崖石刻等。飞来峡旅游区是广东省主要风景区之一。水陆运输畅通,铁路、公路、水路均可直达广州、韶关。人口:全市3 910 000(2005);市区540 000(2004)。

Qingzhang Tielu 青藏铁路 中国青海省省会西宁至西藏自治区首府拉萨的铁路。途经五道梁、安多、那曲、当雄、羊八井等城镇,跨越昆仑山、唐古拉山、念青唐古拉山,全长1 956千米,是世界上通过冻土地段最长和海拔最高的铁路。其中,西宁至格尔木段(814千米)于1979年建成,1984年正式运营;格尔木至拉萨段(1 142千米)于2005年10月建成,全长,2006年7月试运营。格尔木至拉萨段沿青藏公路全段,其中有550千米路段通过冻土带,有965千米路段海拔高于4 000米(最高点为唐古拉山口达5 072米)。青藏铁路的开通极大地改善了西藏交通条件和投资环境,加强了该地与内地的经济和文化联系,有利于促进区域经济和社会的快速发展。

Qinhuangdao 秦皇岛 又拼Ch'in-huang-tao,Ch'in-wang-tao。中国河北省辖地级市,重要海港、著名旅游城市。位于省境东北部,南临渤海,北倚燕山,东与辽宁省接壤。秦皇岛之名,相传因2 000多年前秦始皇统一中国

秦皇岛北戴河疗养区
中国大百科全书出版社供图

后,巡游途中,由此遣人入海求仙而得名。清光绪二十四年(1898)辟为商埠。20世纪初建成北京至山海关铁路和海港,逐渐成为开滦煤的主要输出港。1948年设秦榆市,翌年改现名。1983年改省辖市,辖海港、山海关、北戴河3区,以及抚宁、昌黎、卢龙3县和青龙满族自治县。面积7 467平方千米,其中市区面积363平方千米。市区大部位于北高南低的滨海冲积平原上,地形平坦。海岸大致呈东北—西南走向,多岩岸,岸边有沙滩。属暖温带半湿润季风气候。秦皇岛港是中国北方著名的不冻港,港阔水深,现有万吨以上泊位17个,是中国重要对外贸易港口之一。进出口货物以煤炭、石油、粮食、木材为主。京沈铁路横贯全境,当华北和东北交通要冲,京秦铁路的修通,使秦皇岛成为晋煤出口重要转运港。公路交通十分便利,102、205等国道和京沈高速公路过境。工业有桥梁制造、建材、造船、机械、煤炭、纺织、食品等部门,山海关桥梁工厂、耀华玻璃厂等一批大型企业,在国内外享有盛誉。名胜古迹有号称"天下第一关"的山海关,是举世闻名的万里长城起点。北戴河海滨风景秀丽,气候宜人,是理想的避暑和疗养胜地。人口:全市2 770 000(2005);市区730 000(2004)。

Qinzhou 钦州 又拼Ch'in-chou。中国广西壮族自治区辖地级市,新兴的海港城市。位于北部湾(东京湾)北端。隋开皇十八年(598)设钦州。元至元十七年(1280)改钦州路。明洪武二年(1369)升钦州府,洪武七年又为钦州。1912年改为钦县。1958年曾建钦北壮族自治县,1964年改为钦州壮族自治县。原隶属广东省,1951～1955年间和1965年起改隶广西,后改名钦州县。1983年撤县设市。1994年升为自治区辖市。辖钦南、钦北2区和灵山、浦北2县。面积10 728平方千米,其中市区面积4 657平方千米。西北为十万大山余脉,东南部是丘陵,南部临钦州湾,钦江、大风江下游为小三角洲,南宁至防城港铁路经此。公路北通南宁,东至北海、湛江,东北往玉林,向西通防城、东兴至越南,南下20多千米是钦州港,水利交通便利。

钦州市盛产水稻、甘蔗、花生、菠萝、柑橙、芒果、香蕉、荔枝、龙眼等。水产品有对虾、大蠔(牡蛎)、青蟹、石斑鱼等四大名产。工业以制糖、建筑材料、食品为主,泥兴陶器古朴典雅,素负盛名,远销30多个国家和地区。新兴的珍珠加工业、香精精制业、保健饮料业欣欣向荣。古迹有冯子材墓和故居、刘永福故居三宣堂、天涯亭等。名胜有茅尾海七十二泾,百余岛屿,草木葱茏,岛间水道如网,青山分立,曲径通幽。人口:全市3 430 000(2005);市区1 200 000(2004)。

Qiongshan 琼山 又拼Ch'iung-shan。中国海南省海口市辖区。位于海南岛东北部,海口市东南部,南渡江下游,濒临琼州海峡,雄踞琼岛门户。南渡江纵贯市境,东西两侧为丘陵、坡地,大部属玄武岩台地。石山、雷虎一带第四纪火山群形态完整,火山碎屑岩上

琼山海瑞墓
中国大百科全书出版社供图

荔枝成林。东北部为冲积平原。长夏无冬的热带季风气候,年平均气温23.8℃,年降水量1 684.5毫米,8～10月常受热带风暴影响。自然植被为灌丛草地。西汉元封元年(公元前110)置瞫都县为珠崖郡治所,初元三年(公元前46)郡、县废。隋大业六年(610)置舍城县,隋末并置琼山县。故城在府城镇南约30千米。北宋熙宁四年(1071)废舍城县,移琼山县治于府城。明清为琼州府。长期为海南岛首府,16世纪起为重要商业中心,素称"琼台福地"。1876年开放通商。后海口港日渐兴盛,取代府城的地位。1950年海南行政公署驻海口市,府城为琼山县治。1994年撤琼山县设琼山县级市。2002年撤琼山市,设立海口市琼山区。面积940平方千米。境内土地肥沃、资源丰富,盛产水稻、甘薯、甘蔗、橡

胶、胡椒、椰子、香茅、水果、瓜菜、畜禽、海淡水产。曲口海鲜、永兴荔枝、石山壅羊是当地驰名特产。矿产有煤、铝、蓝刚玉、硅藻土、矿泉水。工业有卷烟、制糖、铸造、印刷、机械、建材、纺织、造纸、陶瓷、食品、制盐等。琼脂、服装、香精等加工业崭露头角,手工艺品如椰雕、珍珠饰物等生产亦盛。府城是海南岛文化发祥地,有清康熙四十九年(1710)创建的琼台书院(今琼台师范高等专科学校)。文物胜迹众多,有马鞍岭古火山口、东寨港红树林自然保护区、1605年陆陷成海的琼州大地震遗址及海瑞墓。人口330 000(2005)。

Qiongzhou Strait 琼州海峡 中国雷州半岛与海南岛之间的海峡。在广东省西南部。海峡大致呈东西向延伸,面积2 370平方千米。雷州半岛与海南岛北部原为广阔的玄武岩台地,形成时代一致,在第四纪初期发生断陷才形成海峡。峡内水流湍急,冲刷力强,局部水深达120米。海南岛最大河流南渡江是多沙性河流,在流入海峡处形成大片沙质浅滩。琼州海峡为南海交通走廊,北有海安,南有海口、铺前等港。

Qiqihar 齐齐哈尔 又拼 Ch'i-ch'i-ha-erh, Tsitsihar。中国黑龙江省辖地级市,新兴重工业城市。位于省境西部、嫩江中游。年平均气温3.2℃,年降水量428毫米。辖龙沙、建华、铁锋、富拉尔基、昂昂溪、碾子山(为飞地,离市区120千米)6区和梅里斯达斡尔族区,

齐齐哈尔市的扎龙自然保护区
中国大百科全书出版社供图

以及龙江、依安、泰来、甘南、富裕、拜泉、克山、克东8县,并代管讷河县级市。面积43 000平方千米,其中市区面积4 295平方千米。清康熙三十一年(1692)于嫩江东岸卜奎(今齐齐哈尔市旧城区)建卜奎城。康熙三十八年黑龙江将军自墨尔根(今嫩江)移驻于此,开始成为黑龙江地区政治、军事、经济和文化中心。光绪三十一年(1905)置黑水厅。光绪三十三年,建立黑龙江行省,为黑龙江省省会。光绪三十四年升黑水厅为龙江府。1913年降为龙江县。1934年为伪满龙江省省会。1936年析龙江县置齐齐哈尔市(齐齐哈尔为达斡尔语"边城"、"边地"之意)。1945年为嫩江省会,1949年复为黑龙江省省会。1954年黑龙江省与松江省合并组成新的黑龙江省,省会迁哈尔滨,齐齐哈尔由省辖市改隶嫩江专区,1962年复为省辖市。1985年原嫩江地区辖县划归齐齐哈尔市。市区工业发达,以机械、冶金、电力等工业为主,有第一重型机械集团公司、中国北车集团齐齐哈尔铁路车辆(集团)有限责任公司、齐齐哈尔钢厂、华安机械有限责任公司、富拉尔基发电厂、齐齐哈尔糖厂等大型企业。有东北重型机械学院、齐齐哈尔大学等大专院校和30多所科研机构。辖区内克山县为马铃薯主产区,富裕县为中国商品牛基地。市区东南有中国第一个大型水禽自然保护区——*扎龙自然保护区*(**Zhalong Nature Reserve**),有"鹤乡"之称。交通发达,有滨洲、齐平、齐北、富嫩等铁路,以及111、301国道及哈齐高速公路交叉贯穿境内。内河航运每年5～10月沿嫩江上溯嫩江镇,下入松花江抵哈尔滨。有飞往哈尔滨、沈阳、北京等地的航班。人口:全市5 530 000(2005);市区1 430 000(2004)。

Qiryat Shemona 谢莫纳镇 以色列最北部城镇。位于胡拉谷地西北部。镇名意为"八人镇",由纪念附近*特勒亥伊*(**Tel Ḥay**)的8位烈士而来。原为阿拉伯人村庄卡拉萨。1950年建为移民中转营地。后发展起钻石加工、纺织、陶瓷和塑料等轻工业。许多居民在附近的集体居民点从事季节性农业劳动。现为上加利利地区议会所在地。戈兰高地出现以色列居民点后进一步促进其发展。人口约15 700(1985)。

Qishm(Iran) 参阅 **Qeshm** *格什姆岛*。

Qishon River 吉雄河 又拼 Kishon River(基顺河)。以色列北部一条历史上著名的河流,为以色列少数几条常年河流之一。该河由源出吉勒博阿山脉和拿撒勒山的几条小溪和间歇河在埃斯德赖隆平原西部汇合而成,在汇流处建坝拦蓄成有防洪、灌溉、养鱼多种效益的阿加姆凯法尔·巴鲁克水库,经阿卡平原注入地中海的海法湾。吉雄河全长40千米。河口为海法联合港区的一部分,有以色列近海和深海渔业主要基地基顺港。该港建有640米长的货运码头。并为以色列造船公司所在地。《圣经》中多次提到此河(《圣经》中译本作基顺河),其中包括由于该河发洪水,以色列统帅巴拉战胜迦南的将军西西拉之事。

Qishuyan 戚墅堰 中国江苏省常州市辖区。在市区东南11千米,江南运河与三山港交汇处。沪宁铁路和312国道贯穿境内,沿江南运河亦有港口设施,交通方便。辖戚墅堰、先行2个街道办事处及丁堰、潞城2个镇。面积31.58平方千米。原为武进县辖镇,1908年沪宁铁路通车后逐步兴起。1953年划归常州市。是常州市重工业基地。以内燃机车制造、货车车辆制造、电力、钢铁、化工、电子等工业为主。人口80 000(2005)。

Qitaihe 七台河 中国黑龙江省辖地级市,新兴煤矿城市。位于省境东部,倭肯河中上游,完达山、老爷岭、张广才岭交会处的低山丘陵地带。七台河原为勃利县一偏僻山村,1910年发现煤田,称勃利煤田。1958年开始采煤,并修通铁路。1960年成立七台河镇,1961年成立矿务局,1965年设七台河特区,1970年设县级市,1983年改为省地级辖市。辖新兴、桃山、茄子河3区和勃利县。面积6 223平方千米,其中市区面积1 757平方千米。七台河矿务局下有桃山、东风、新建、新兴、新立5个煤矿及机电、洗煤、矿建、建材等辅助工厂。是中国焦煤生产基地之一,煤质优良,被国家列为保护性开采的特殊矿产产地。地质保有储量11.9亿吨。煤矿年生产能力达438万吨,煤种以炼焦煤为主,产品为原煤、洗精煤。采煤机械化程度达76.16%,掘进机械化程度达81.43%。铁路有牡佳线和勃七线通过境内,并有公路通往邻近县市。人口:全市880 000(2005);市区500 000(2004)。

Qiu Chuji 丘处机(1148～1227) 又拼 Chiu Chu-chi。中国金、元时著名道士,全真道七真人之一。字通密,号长春。世称长春真人。登州栖霞人(今属山东)。19岁入道,20

北京白云观内《长春便装行道图》
中国大百科全书出版社供图

岁拜王重阳为师。在陕西磻溪和龙门山隐居苦修多年。1191年回山东后积极参与社会活动,以巧妙手腕周旋于蒙古、金、南宋三国之间。1219年应元太祖成吉思汗之召,率弟子18人远赴西域兴都库什山成吉思汗行营,阐扬道教敬天爱民、戒杀寡欲的要旨,深为成吉思汗敬重,尊为神仙,令掌管天下道教,使全真道此后盛极一时。所创全真龙门派后成为全真教中最大教派。元世祖封他为"长春演道主教真人",元武宗加封"真君"。丘处机著有《大丹直指》、《摄生消息论》、《磻溪集》等。其门人李志常编写的《长春真人西游记》(A. Waley的英译本名为:The Travels of an Alchemist[1931])是研究13世纪中东历史的重要资料。

Qiu Jin 秋瑾(1875-11-08～1907-07-15) 又拼 Ch'iu Chin。中国清末女民主革命家。字璿卿,号竞雄,又称鉴湖女侠。浙江山阴(今绍兴)人。工诗文。1904年赴日本留学,积极从事革命活动,先后参加"共爱会"、"十人会"、"洪门天地会",1905年初归国,加入光复

会。7月再赴日本,入同盟会,被推为评议部评议员和浙江省主盟人。1906年初因反对日本颁布《取缔清国留日学生规则》,愤而回国。1907年1月在上海创办《中国女报》,提倡女

中国大百科全书出版社供图

权、宣传革命。后去绍兴接办大通学堂,联络会党,组织光复军,与徐锡麟分头准备浙、皖两省起义。7月6日徐在安庆仓促起义失败。秋瑾亦于13日被捕,15日就义于绍兴轩亭口。著作辑为《秋瑾集》。

Qiu Ying 仇英(1482或1494～1559或1661) 又拼 Ch'iu Ying。中国明代画家。字实父,号十洲,太仓(今属江苏)人,后移居苏州。出身漆工,后从周臣学画,以卖画为生,刻苦学习,

仇英绘《水仙杏花》
美国史密森学会供图

精心作画,尤工临摹,落笔乱真。擅画人物山水。文徵明称他为"异才";董其昌称他"为近代高手第一,兼有二赵(南宋赵伯驹、伯骕)之雅"。对于仇作的《弹箜篌图》,陈白阳更称赞其"精妙特甚,可谓前无古人矣"。他善于将大家之长熔于一炉,尤其对青绿重彩,深有所得,又受到同时、同地画家沈周、周臣、文徵明、唐寅等的熏陶与启发,作画时无论大幅小幅都是专心一志,务使结构严谨,造型准确,笔力秀健,设色精丽,风格妍雅,所谓"精工之极,又有士气"。水墨、白描,亦所擅长,尤可重视的是巨幅山水如《剑阁图》,虽重彩辉煌,仍能表现出江山雄伟之势。他的作品题材广泛,技术全面,在元、明、清三朝,是一位能将几乎所有画种高度奇妙组合在一个画面之中的卓越的而又罕见的画家。后人将他与沈周、文徵明、唐寅合称"明四家"。画史或将他列入院体画派,实则他的艺术风格,审美情趣,亦蕴含着"文人画"的因素。他还参加过版画创作,明代后期版画艺术的工细宛丽一派,便曾受到他的不少影响。其女号杜陵内史,亦能画。

qiyas 类比 伊斯兰教法学名词,指根据《古兰经》和逊奈演绎出来的法律原则而进行推演。类比与《古兰经》、逊奈、公议共为伊斯兰教法学的四大渊源(参阅 **uṣūl al-fiqh**)。由于扩张中的伊斯兰国家面临许多在《古兰经》和逊奈中未涉及的新问题,类比的使用便成为一种需要并由此得以发展。有些问题通过公议处理,然而,在更多情况下是用类比推演出新律例和信条。

Qiying 耆英(1790～1858-06-29) 又拼 Ch'i-ying。中国清朝大臣。满族。爱新觉罗氏,字介春。满洲正蓝旗人。1838年任盛京将军。鸦片战争中于1842年任广州将军。3月奕经在浙江战败,耆英调署杭州将军,旋任钦差大臣,赴浙江向英军求和。8月与伊里布任全权代表赴南京与英国代表璞鼎查谈判。耆英对西方茫然无知,一味采取妥协退让政策,他完全接受英国提出的条款,签订丧权辱国的中英《南京条约》,割让香港,赔款2 100万银元,开放广州、福州、厦门、宁波、上海5处为通商口岸。1843年再任钦差大臣,于7月22日与璞鼎查在广东虎门签订中英《五口通商章程》。10月8日又签订《虎门条约》,允许英人在中国有治外法权,并享受最惠国待遇。1844年任两广总督兼办通商事务。7月与美国签订《望厦条约》;10月与法国签订《黄埔条约》。1848年被授文渊阁大学士。1850年革职。第二次鸦片战争期间被派赴天津与英法军方交涉,因擅自回京获罪赐死。

Qīzān(Saudi Arabia) 参阅 **Jīzān 吉赞**。

Qobād(Sāsānian king) 参阅 **Kavadh I 喀瓦德一世**。

Qodashim 奎达欣 希伯来文原意为"圣物",犹太教口传律法汇编《密西拿》六个回目中之第五回目。论在耶路撒冷圣殿举行的仪礼和祭祀,共有专论11篇:《牺牲》、《供奉》、《渎神之物》、《头生》、《估价》、《互易》、《绝罚》、《罪愆》、《燔祭》、《尺寸》和《鸟巢》。

Qom 库姆 又拼Qum。伊朗中北部城市。位于德黑兰以南147千米处,跨库姆河两岸。8世纪时为什叶派宗教中心之一。17世纪为一朝圣地,建有金圆顶圣祠。当地大约有10位国王和400位伊斯兰圣人的陵墓。现设有全国最大的神学院,教授伊斯兰法律、哲学、教义学和逻辑学。1979年伊朗军队在库姆向伊斯兰教革命民兵投降。该城也为兴旺的工业中心和地区性石油和石油产品销售中心。恩泽利港-德黑兰天然气管道和德黑

库姆市的金圆顶圣祠
供图:Kurt Scholz - Shostal/美国不列颠百科全书公司

兰-阿巴丹石油管道经过库姆。与德黑兰之间有大炼油厂。纺织业投资的增加和石油化工、水泥、制砖业的建立促进了经济的发展。库姆河上游建有数座水坝。与德黑兰、阿拉克、卡尚、萨韦和亚兹德通公路。横贯伊朗铁路经此。周围地区出产小麦、大麦、油籽、蔬菜、水果和棉花。人口777 677(1996)。

Qomolangma Feng 珠穆朗玛峰 又称埃佛勒斯峰(Everest, Mount)。喜马拉雅山主峰,世界上第一高峰。在中国西藏自治区和尼泊尔王国交界处的喜马拉雅山脉中段,北纬27°59′15.85″,东经86°55′39.51″,海拔8 848.13米。主要由结晶岩系构成。冰川规模大,为低纬度地区现代冰川作用中心。约有冰川600多条,面积达1 600平方千米。冰舌的中上游普遍发育有高大的冰塔,为珠穆朗玛峰地区山谷冰川的特殊形态。珠穆朗玛峰的北、东和西南均有大型冰斗,使珠峰成为高出冰斗底部达3 000米的金字塔形大角峰。在

珠穆朗玛峰北坡
供图:© Art Wolfe - Aperture PhotoBank

珠穆朗玛峰北坡,海拔7 450米处为冰雪和岩石的交界线:其下冰雪皑皑,而上部则因崖壁陡峭,风力强劲,冰雪无法积存而岩石裸露。峰顶附近白天常为云雾所缭绕,似以珠峰为

旗杆而自西向东飘动的旗帜,故称旗云。旗云是世界最高峰特有的气象现象,有“世界最高风标”之称。“珠穆朗玛”为藏语女神名的音译。清康熙五十七年(1718)《皇舆全览图》上记为朱母朗马阿林。1855 年英人主持的印度测量局用前局长乔治·埃佛勒斯爵士的姓氏命名此峰。1952 年中国政府将埃佛勒斯峰更正为珠穆朗玛峰。尼泊尔称萨迦-玛塔。自 1921 年起,不断有人试图征服珠穆朗玛峰,但屡遭失败。直至 1953 年 5 月 29 日,英国探险队的两名队员才第一次从尼泊尔境内的南坡登上珠穆朗玛峰。1960 年 5 月 25 日中国登山队首次从北坡攀登峰顶。1975 年 5 月 27 日中国登山队(其中有一名藏族妇女潘多)再次从北坡登上峰顶,并在主峰顶竖起 3 米高的觇标,首次获取了珠穆朗玛峰高度的精确数据。1988 年 5 月中、日、尼三国登山运动员实现了从南、北坡登顶跨越珠穆朗玛峰的壮举。1989 年建立珠穆朗玛峰自然保护区,面积约 3 000 平方千米。

QSO(astronomy) 参阅 **quasar 类星体**。

Qu Qiubai 瞿秋白(1899-01-29,中国江苏常州～1935-06-18,福建长汀) 又拼 Ch'ü Ch'iu-pai。中国共产党早期主要领导人之一。名懋淼,字秋白。是五四运动时期北京学生运

中国大百科全书出版社供图

动的领导人之一。1920 年参加马克思学说研究会。同年以《晨报》记者身份赴苏俄考察。1922 年在莫斯科加入中国共产党。1923 年回国,任中共中央教育宣传委员会委员,主编党刊《新青年》、《前锋》,同邓中夏一起主办上海大学,任教务长兼社会学系主任。在中共第三至五次全国代表大会上当选为中央委员、中央政治局委员、常委。1927 年主持召开党的“八七”会议,纠正和结束了陈独秀的右倾投降主义错误,确定了土地革命和武装反抗国民党反革命统治的正确方针。1928 年 6 月在中共六大上当选为中央委员、中央政治局委员。随后参加共产国际第六次代表大会,当选为共产国际执行委员、主席团委员及政治书记处成员,任中共中央驻共产国际代表团团长。1930 年 8 月回国,主持召开六届三中全会,纠正了李立三的左倾冒险主义错误,并主持中央工作。1931 年 1 月在六届四中全会上,遭王明一伙打击,被解除中央领导职务。此后在上海同鲁迅一起积极参加左翼文化战线的斗争。在此期间,他致力于介绍马克思主义文艺理论,介绍俄国和苏联的文艺作品,对中国革命文化运动作出了重要的贡献。1934 年 2 月到达瑞金,任中华苏维埃共和国临时中央政府教育人民委员兼苏维埃大学校长,《红色中华》主编。1935 年 2 月 24 日在福建长汀县水口镇小迳村被国民党军逮捕,6 月 18 日在福建长汀县罗汉岭英勇就义。他的译著收入《瞿秋白文集》(14 卷)。

Qu Yuan 屈原(约公元前339～前278) 又拼 Ch'ü Yüan。中国战国时期楚国诗人。楚辞的创立者和代表作者。名平,字原。楚国贵族。早年受怀王信任,为左徒。主张制

台北故宫博物院供图

定法纪,选用贤能,联齐抗秦。受贵族排挤不见用,被流放汉北、江南,最后自沉汨罗。作品有《离骚》、《天问》、《九章》、《九歌》等。《离骚》自叙家世、志趣,揭露贵族昏庸,感叹抱负不伸,而又眷恋楚国,欲去不能。通过瑰丽想象,抒发爱国者的高尚情操。《天问》提出了关于自然现象、宗教、神话传说、历史记载以至社会道德方面许多问题,反映了诗人知识的广博和敢于怀疑探索的精神。《九章》表现对黑暗势力的愤恨和对故乡的思念。《九歌》是据民间祭神乐舞写的歌辞,风格清新优美。屈原作品句式长短参差,比《诗经》四字句更富于表现力,形成楚辞独特的诗体,后人又称之为“骚体”。

quack grass 速生冰草 又作 couch grass 或 quick grass(*Agropyron repens*),即匍匐冰草。早熟禾科一种蔓延迅速的禾草。叶平展,具少量毛,花穗直立。株高 30 ～ 100 厘米。原产于欧洲,现已引种到北温带其他地区作为饲草或防止水土流失。但在耕地中却被视为一种顽固的杂草。其根状茎长,浅黄白色,切断后能生成新株,故必须连根挖出方能铲除。欧洲把匍匐冰草用作家庭药物。其地下茎在荒年可食。

quad 夸德 能量单位,相当于10^{15}个英制热单位(BTU)。它是计算一个国家或全世界能源的简便单位。1 夸德等于2 930亿千瓦小时。按燃料平均发热量,它等于1.83亿桶石油,3 850 万吨煤,或 9 800 亿立方英尺的天然气。

Quad Cities 阔德城 美国一工业联合体,地跨艾奥瓦和伊利诺伊两州,濒临密西西比河。范围包括**罗克艾兰**(**Rock Island**)、**莫林**(**Moline**)、**东莫林**(**East Moline**)和**达文波特**(**Davenport**)。

quadrangle 四方院子 用学校建筑或民用建筑局部或全部围成的长方形庭院,常铺有草坪或种植花木。原为隐修院中供沉思、学习或休息的地方,后为学院所沿用。有时也指院子周围的建筑物。以英国牛津大学和剑桥大学的四方院子最为著名,后为英语国家高等院校建筑广泛模仿。牛津大学新学院的一部分建筑(1386 年完成)被连接起来组成一个统一的整体。这种布局对以后的学院建筑有很大的影响。剑桥大学的冈维尔与凯厄斯学院是最有名的四方院之一,由 J.凯厄斯建造(1565 年始建),并以其中一部分作来展示他在意大利旅行时所见新的文艺复兴式建筑。他用寓意的手法顺序设立了三道进入学院的门:“谦卑门”、“美德门”、“荣誉门”。

quadratic equation 二次方程 数学中,有一个或多个二次幂变量的代数方程。一个变量的一般二次方程是 $ax^2 + bx + c = 0$,其中 a、b 和 c 是任意常数并且 a 不等于 0,它有两个根(不必是不同的),由下面的公式给出:

$$x = (-b \pm \sqrt{b^2 - 4ac})/2a。$$

其中 $b^2 - 4ac$ 是**判别式**(**discriminant**),它给出了关于根的性质的信息。如果画出函数 $ax^2 + bx + c = y$ 的曲线,则它与 x 轴的交点的 x 坐标就是该方程的实根。在二维欧几里得空间 E_2 里,这条曲线的形状是**抛物线**(**parabola**)。在三维欧几里得空间 E_3 里,$ax^2 + bx + c = y$ 表示一个**抛物面**(**paraboloid**)。对于两个变量的情形,一般的二次方程是 $ax^2 + bxy + cy^2 + dx + ey + f = 0$,其中 a, b, c, d, e 和 f 是任意常数,并且 a、$c \neq 0$。判别式 $\Delta = b^2 - 4ac$ 提供了关于曲线的形状的信息。每一个一般的二元二次方程在 E_2 里的轨迹是**圆锥截线**(**conic section**)或它的退化情形。更一般的三个变量 x、y 和 z 的二次方程在 E_3 里代表一个二次曲面。

quadrature 方照 天文学名词,指从地球上看,天体的方向同太阳的方向构成直角时的一种天体方位。在上弦或下弦时的月球可分别看成是处于东方照或西方照的方位。外行星位于太阳以西 90°时是西方照。这时,行星在子夜前后升起,日出前后到达子午圈(通过北天极、南天极和天顶的天球大圆),正午前后下落。东方照时,行星在日没时接近子午圈,约在子夜时下落。行星在两种方照都呈凸相(圆面被阳光照亮一半以上,但不到满相),不过,只有火星才能呈现明显的凸相。

quadrature 求面积 简称求积。数学中,决定平面几何图形面积的过程,其方法是把它划分为已知其面积公式的图形(通常是矩形)的组合并求它们的面积之和。把类似过程用到求立体图形的体积时称为求体积(cubature);用到求曲线的长度称为求长,这时曲

线被划分为一系列已知其长度的直线段。由于函数的定积分等于它的曲线下的图形的面积,因此积分有时也称为求积。

Quadratus, SAINT 夸德拉图斯(活动时期2世纪早期) 已知最早的基督教护教士。4世纪学者优西比乌斯所著《教会史》中只存有夸德拉图斯所著《为基督教辩》一文的片断,关于他的身世缺乏史料。该文在124或129年罗马帝国迫害基督教期间写于小亚细亚,对象是罗马皇帝哈德良。学者认为,该文作者可能是2世纪东派教会教父安提阿的依纳爵和士麦那的波利卡普的门生。据优西比乌斯说,夸德拉图斯之文提出原始的正统派教义,用当年基督为人治病,使死人复活等神迹来证明基督的教导是真理。

quadriceps femoris muscle 股四头肌 大腿前方及两侧的大型肥厚肌群。分4部分:股直肌、股外肌、股中间肌及股内肌。起于髂骨及股骨,下行融合,形成肌腱,包绕髌骨,附着胫骨内上部。功能为伸膝,在站立、行走及几乎所有与下肢有关的动作中均起重要作用。

Quadrilateral 四座要塞防御地区 奥地利统治意大利北部时期,一个由4座要塞组成、相互支援的联合体,分设于曼图亚、佩斯基耶拉、维罗纳和莱尼亚戈,均位于伦巴第和威尼提亚之间。其军事价值使奥地利得以牢固地占领伦巴第地区。四座要塞一名亦曾沿用于类似的要塞群,例如古代尼德兰的那慕尔、列日、马斯特里赫特和卢万要塞群;保加利亚的锡利斯特拉、鲁塞、舒门和瓦尔纳要塞群。

quadrille 卡德利尔舞 流行于18世纪末叶和19世纪的舞蹈。由4对男女排成方形表演。1815年英国贵族从巴黎上流社会舞厅学来的这种舞蹈,由4段或5段"乡村舞"组成,同对舞(**contredanse**)一样。卡德利尔舞着重要求舞蹈者配合默契,跳出种种错综复杂的图案,而舞步并不复杂。每段舞蹈都要跳出几种规定的花样组合,如"拉双手转"——男女舞蹈者互拉双手作回旋;或"夫人链"——女子先自右侧经过,各自伸出左手和各自对面的男伴相携,男子再将她转至自己身旁。卡德利尔舞的伴奏音乐通常为由歌剧旋律编成的乐曲。朗西耶舞为卡德利尔舞的一种变体,流行于19世纪后期,20世纪中期民间舞俱乐部中仍时有表演。

表现北美殖民时期舞会中的卡德利尔舞绘画
贝特曼档案馆供图

Quadruple Alliance 四国同盟 1718年8月2日,奥地利加入英国、荷兰共和国(联合省)及法国原组成的三国同盟,成为四国同盟,以共同阻止西班牙改变《乌得勒支条约》(1713)的条款。西班牙国王腓力五世受其妻伊丽莎白·法尔内塞及其顾问阿尔韦罗尼的影响,夺取对撒丁岛及西西里岛的控制权(《乌得勒支条约》规定,撒丁岛属于奥地利,西西里岛属于萨伏依公国)。由于四国同盟的支持,英国舰队运送奥地利军队至西西里岛,而法国则派兵侵入西班牙北部。根据1720年2月17日签订的《海牙条约》,同盟迫使腓力放弃对意大利的领土要求;萨伏依公爵维克托·阿马戴乌斯二世以西西里岛与奥地利交换撒丁岛。

Quadruple Alliance 四国同盟 1813年由英国、俄国、奥地利及普鲁士最初缔结的联盟。目的在于击败拿破仑;但习惯上认为缔盟日期是1815年11月2日,其时联盟正式延长,以防止法国再度成为侵略力量,并建立实施维也纳会议缔结的和约的机制。四国同意,一旦法国进行侵略,各自将出兵6万人,共同抵抗。更重要的是,四国同意不定期召开会议讨论欧洲问题,并使欧洲政治形势的发展符合1815年和约的各项条款。这一方案为艾克斯拉沙佩勒、特罗保、莱巴赫及维罗纳几次会议予以部分实施。在艾克斯拉沙佩勒会议(1818)上,法国被允许参加会议议程,实际上成为五国同盟。虽然由于害怕法国,旧同盟于1818年11月1日秘密延长,但再未出现联合反法的时机,同盟名存实亡。

Quadruple Alliance 四国同盟 1834年4月22日由英国、法国以及西班牙、葡萄牙两国开明的王权继承者组成的联盟,以反对西、葡两国保守的王权继承者。当时玛丽亚·克里斯蒂娜任西班牙伊莎贝拉二世的摄政王,在第一次卡洛斯战争(1833～1839)中,她联合自由派,共同反对王位觊觎者唐卡洛斯。同盟成功地支持了克里斯蒂娜。在葡萄牙,同盟介入米格尔战争(1832～1834),也成功地支持了玛丽亚·达格洛里亚,将反动的米格尔逐出葡萄牙。英法两国在伊比利亚半岛事务方面的合作关系,因伊莎贝拉与其妹路易莎二人的婚事,到1846年而告决裂。参阅**Spanish Marriages, Affair of the**。

quaestor 度支官 拉丁文原意"审查者"。古罗马最低阶级的正式长官,其传统职责为司库。在帝王统治时期,国王任命具有司法权的度支官处理谋杀案件。公元前509年共和政体肇建,两名原称行政长官的执政官各任命一名度支官担任公库监督人。公元前447年以后,两名度支官每年都由部落议会选举产生。度支官一职成为有野心的青年攀求的初任官位。同世纪后期,法令公告平民亦可担任此职,且将度支官名额增至四人。如果两位执政官在战地,两名度支官担任军需官,另两名留在罗马管理公库的财务。罗马征服意大利时,又增加了4名度支官,负责征税和从占领区招募新兵。每一省的省长设有自己的度支官,掌握军需和负责收税。在各省,度支官有时也执行军事职权。公元前2世纪,担任度支官的最低年龄定为28岁。任期届满后,他们通常会进入元老院。公元前82年苏拉成为独裁者后,度支官的最低年龄提高到30岁,并自然而然进入元老院,其人数亦增加至20人。公元前45年,凯撒把度支官名额增至40人,但皇帝奥古斯都又回复至20人,并削弱此职的权力与责任。到公元4世纪,度支官已经纯属荣誉职务,通常由想要提高社会地位的富人担任。罗马帝国晚期,在君士坦丁大帝治下新设宫中度支官,以取代国内管理机构中的行政长官。此官主持帝国枢密会议,起草法律和对诉状的批示,并负责录用下级参谋官员。

quagga 伯切尔氏斑马 又作 bonte quagga 或 Burchell's zebra。一种非洲斑马(**zebra**)。

quahog 厚蛤 蛤(**clam**)的可食种类。

quail 鹌鹑 鸡形目雉科130种小型短尾狩猎鸟类的统称。类似山鹑,但较为瘦小。旧大陆的95种鹑归于雉亚科(Phasianinae)或另列为山鹑亚科(Perdicinae)。新大陆的鹑(约36种)归于林鹑亚科(Odontophorinae),与旧大陆的山鹑更为近似。鹌鹑喜欢栖息于开阔的野地和灌丛边缘。春季产12枚稍呈圆形的卵,雄鸟可能帮助孵卵。幼雏在第一个夏季与父母共同生活。主要以种子和浆果为食,但也吃叶、根和昆虫。其肉被视为美味,卵亦可食。新大陆鹌鹑类的喙较旧大陆鹌鹑类厚,但无距。北美洲的山齿鹑(*Colinus virginianus*)分布自加拿大南部到危地马拉,约有20个亚种。北美洲的鹌鹑类还包括已广泛引进其他地区的两种狩猎鸟类:加利福尼亚鹌鹑(山谷鹌鹑,珠颈翎鹑,*Lophortyx californicus*)和甘贝尔氏鹌鹑(沙漠鹌鹑,黑腹翎鹑,*L. gambelii*)。两者均有向前弯曲的头羽(雄鸟头羽较大)。在北美分布区更偏东的是鳞斑鹌鹑(蓝鹌鹑,*Callipepla squamata*),体羽灰色具鳞斑,冠羽羽尖白色,是跑得最快的鹑类。高山鹌鹑(羽饰鹌鹑,刀翎鹑,*Oreortyx pictus*),体羽呈灰和淡红两色,羽毛长而直,可能是新大陆最大的鹌鹑,重达500克。中美洲的歌鹑(长爪鹌鹑,*Dactylortyx thoracicus*)鸣声悦耳。墨西哥的长尾山鹑(树鹑,*Dendrortyx macroura*)体长约33厘米,身体各部的比例似松鸡。林鹌鹑是林鹑属(*Odontophorus*)的大型鸟类,是唯一广布于南美洲的雉科鸟类,栖息于森林中。旧大陆鹌鹑类栖息于平原,体小,比新大陆鹌鹑短粗,喙缘光滑,许多种有距。最有名的种类是普通鹌鹑(*Coturnix coturnix*),是欧、亚、非洲最普通的鹌鹑类,也是鸡形目唯一的迁徙种类。小型的鹌鹑(有时归入 *Excalfactoria* 属而不是鹌鹑属)包括东非的蓝鹌鹑(亚当森氏鹌鹑,*C. adamsoni*)体长仅13厘米。印度产倭山鹑通常称为丛林

(上)珠颈翎鹑(*Lophortyx californicus*);(下)普通鹌鹑(*Coturnix coturnix*)

供图:(上)H. Reinhard—Bruce Cokman Inc./美国不列颠百科全书公司;(下)John Tveten

鹌鹑,属于丛林鹑属(*Perdicula*)。

Quʿaiti sultanate　库埃提苏丹国　阿拉伯半岛南部过去的一个半独立国家,现属也门。原为英属亚丁保护国中最大的苏丹国之一。首都是穆卡拉港。领土包括亚丁湾的一条海岸、哈德拉毛的大部分地区及北抵鲁卜哈利沙漠的内陆地区。建于19世纪初。曾与卡迪里苏丹国争夺对哈德拉毛的优势,1918年在英国压力下双方缔和。双方于1967年成为南也门(1990年为统一的也门共和国)的组成部分。该国的经济基础是农业和牲畜饲养,有制革、纺织等工业。

Quaker　贵格会　基督教公谊会(Society of Friends)的别称,该会强调圣灵的指引,废除外表礼仪和神职人员,长期以来积极维护和平、反对战争。据在英格兰开创公谊会的福克斯说,1650年德比法官贝内特"最先称我们为颤抖者,因为我们诵念上帝的话时,他们吓得颤抖"。贵格会一词本来带有嘲笑意味,很可能是指公谊会许多信徒同其他派别的热心信徒一样,在礼拜时全身颤抖并有表露宗教激情的种种体态。此词最初固然有嘲笑意味,但是公谊会信徒也用来指他们自己,他们自称是"被人以嘲笑态度称为颤抖者的上帝子民"。今日称公谊会为贵格会不会引起尴尬。参阅 **Friends, Society of**。

Quaker Foods and Beverages　贵格食品饮料公司　美国食品饮料制造商和销售商,2001年8月百事可乐公司收购芝加哥的贵格麦片公司而成立。为百事可乐公司旗下的一个部门。贵格麦片公司是生产食品杂货、玩具的国际制造商,1901年美国谷物公司(1891年建立)重组并重新命名时建立起来。总部现设在美国伊利诺伊州芝加哥。贵格麦片商标由H.P.克罗韦尔(1855～1944)于1877年申请注册。他是俄亥俄一家谷物加工公司的老板,1891年他联合其他两位谷物加工商R.斯图尔特和F.舒马赫创建了美国谷物公司,该公司是合并7家重要的燕麦加工厂而建成的。到19世纪90年代末期,3人在管理问题上爆发了冲突。开始时,舒马赫将斯图尔特和克罗韦尔赶出了公司;可是2人又在一场股票和代表权之战中排挤掉舒马赫,并在1901年将美国谷物公司改成贵格麦片公司。到了这时,贵格公司开始生产燕麦和小麦谷类食物、玉米片粥、玉米粉、婴儿食品和动物饲料。1922年以前克罗韦尔一直任总裁,以后由斯图尔特之子约翰·斯图尔特继任34年。同约翰在一起工作的有他的弟弟R.D.斯图尔特,他是一位促销的能手。到20世纪末,公司增加了数以百计的食物品种,如"船长克伦奇"早餐谷类食品、"阿姨杰迈玛"糖浆、食品混合料、冷冻华夫饼和薄干饼等。随着20世纪60和70年代公司经营的趋势,该公司实现了多样化,发展到经营化工产品、餐馆连锁店和玩具业。但到90年代初期,贵格公司已将这些资产中的大部分售出,而重新集中力量经营食品。它1983年推出"给他力"运动饮料,1994年收购斯纳普尔(Snapple)公司(一家冰茶和果汁饮料的装瓶商)而闯入饮料市场。贵格公司在英国、法国、荷兰、丹麦、意大利、加拿大、墨西哥、巴西和澳大利亚都设有附属机构。

quaking grass　抖草　早熟禾科凌风草属(*Briza*)约20种纤细一年生或多年生禾草的俗称。其小穗生于长花梗上,遇微风即抖动,故名。原产欧亚。大凌风草(*B. maxima*)、中

大凌风草(*B. maxima*)

供图:Syndication International – Photo Trends

凌风草(*B. media*)和小凌风草(银鳞茅,*B. minor*)栽培供观赏。已归化于澳大利亚、北美和南非的温带地区。

qualitative chemical analysis　定性化学分析　对样品中所含元素或基团进行鉴定的化学分支。定性分析所用技术的复杂程度各异,取决于样品的性质。在某些情况下,仅须确证某些元素或基团存在与否,为此可直接对样品进行特效试验(例如焰色试验、点滴试验)。在更多的情况下,样品是复杂的混合物,为了鉴定所有的组分,必须进行系统分析。习惯上定性分析分为两类:无机定性分析和有机定性分析。无机样品的经典的系统分析是分步进行的。首先是干法初步试验,包括加热样品以检出碳(以出现烟或炭为标志)或水(以出现湿气为标志)等组分的存在,或将样品置于火焰中并观察所产生的颜色。某些元素可利用其特征焰色来鉴定。作完初步试验后,一般将样品溶于水,以备测定阴离子组分(即带负电荷的元素或基团)和阳离子组分(即带正电荷的元素或基团)用。然后相继用不同的试剂处理溶液,使每一试剂分离出一组组分。再相继用不同的试剂处理各组

<table>
<tr><th colspan="7">阳离子分离图解</th></tr>
<tr><td colspan="7">将 HCl 或一种可溶性氯化物(最好是 NH_4Cl)加入未知物中;过滤</td></tr>
<tr><td rowspan="5">沉淀:含铅(Pb)、银(Ag)、汞(Hg)和亚汞的氯化物
$PbCl_2$(白色)、
AgCl(白色)、
Hg_2Cl_2(白色)</td><td colspan="6">溶液:将 H_2S 通入酸溶液;过滤</td></tr>
<tr><td colspan="2" rowspan="3">沉淀:用 NH_4OH、多硫化铵($(NH_4)_2S_x$)和 $(NH_4)_2S$ 处理;过滤</td><td colspan="4">溶液:用 NH_4OH 和 NH_4Cl 中和;过滤</td></tr>
<tr><td rowspan="3">沉淀:含铝(Al)、铬(Cr)和铁(Fe)的氢氧化物
$Al(OH)_3$(白色)、
$Cr(OH)_3$(浅绿色)、
$Fe(OH)_3$(褐色)</td><td colspan="3">溶液:将 H_2S 通入碱溶液;过滤</td></tr>
<tr><td rowspan="2">沉淀:含钴(Co)、镍(Ni)、锰(Mn)和锌(Zn)的硫化物
CoS(黑色)、
NiS(黑色)、
MnS(米色)、
ZnS(白色)</td><td colspan="2">溶液:蒸发并加入 NH_4OH 和 $(NH_4)_2CO_3$;过滤</td></tr>
<tr><td>沉淀:含铜、铅、镉、铋和汞的硫化物</td><td>溶液:含砷、锑和锡的阳离子</td><td>沉淀:含钡、锶和钙的碳酸盐(皆白色)</td><td>溶液:含镁、钠和钾离子</td></tr>
<tr><td>Ⅰ组</td><td>Ⅱa组</td><td>Ⅱb组</td><td>Ⅲa组</td><td>Ⅲb组</td><td>Ⅳ组</td><td>Ⅴ组</td></tr>
</table>

组分,将大组分为小组或单一组分。当分离出一个组分后,进一步确证它的存在并确定其含量(定量分析)。样品可以分为几部分而分别溶解,并对各部分分别采用不同的方法来检验其阳离子和阴离子组分。一个典型的、将阳离子分组的分析图解见表。阴离子的分析更加困难,也不如阳离子那样系统。化合物的有机性质一般可根据它在空气中受热时的表现来识别;固体通常先熔化后燃烧,发出有烟或无烟的火焰,有时会剩下黑色炭渣。有机化合物中通常含有的元素是:碳、氢、氧、氮、硫,偶尔也有磷、卤素和一些金属。对上述每种元素都有特效试验方法。

Quanah(Comanche leader) **夸纳赫** 参阅 **Parker, Quanah** 帕克。

quandong nut **榧档种仁** 榧档树(本地桃,尖檀香,*Santalum acuminatum*)的种仁,可食。尖檀香为檀香科小型灌木状乔木,原产于澳大利亚。该科其他种多供材用,而本种则用其果和种仁。果肉红色,营养丰富,用制果酱、馅饼和印度酸辣酱。种子具硬壳,种仁可食,通常烤食。尖檀香是部分寄生植物,寄生其他植物根上。20世纪后期,澳大利亚的植物学家试图培育出不依赖寄主植物的变种。

Quang Ngai **广义** 越南中部城镇。坐落在顺化东南200千米处的南海海滨。为茶曲河河口湾南岸的小港。有驳船泊位和机场。亦有一所医院。江北有公路穿内地至福江以远。其东北6千米处的朱砂有占婆古国遗址。广义以南3千米处有正洛庙遗址。人口34 402(1989)。

Quang Tri **广治** 越南中部城镇。濒临石罕河左岸。距顺化西北72千米。在国家海岸公路线上。有公路由东河穿越安南山脉至老挝沙湾拿吉。广治以北5千米处的爱子村原是占婆古国的中心。19世纪初期的越南城寨已毁于越南战争(1955～1975)。人口约16 906(1971)。

Quant, Mary **匡特**(1934-02-11,英国伦敦～) 英国青年式样的女装设计师,20世纪60年代英国的"切尔西"装以及超短裙和超短裤的广泛流行都与其有关。曾就读于伦敦的戈德史密斯艺术学院,为颇有名气的女帽和头饰商丹麦人埃里克设计过两年帽子。1957年与丈夫和其友合伙在伦敦开设了一家名叫"市场"的妇女时装用品商店,立即获得成功,不到7年时间,该公司遍布欧美,大量生产她设计的时装,每年产值达几百万美元。

quantification **量化** 逻辑中,把量的符号加于一个命题的谓词或主词。用符号($\forall$ –)或(—)(空白处填充一个变项)标示的全称量词用于表示紧接着的公式对所量化的特定变项的一切值都成立。($\exists$ –)标示的存在量词表示紧接着的公式对于所量化的变项的某些值(至少一个)成立。不同类型的量词可以组合起来。例如,当(ε)和(δ)限制取正值时,如果对于每个ε,总存在这样一个δ:使得每当x到a的距离小于δ时,函数$f(x)$到b的距离将小于ε,那末,b就称为$f(x)$当x趋于a时的极限。或用符号表示为:

$(\forall\varepsilon)(\exists\delta)(|x-a|<\delta\supset|f(x)-b|<\varepsilon)$,

式中垂线标示所围的量是绝对值,$<$标示"小于",$\supset$标示"如果……那么……"即"蕴涵"。已量化的变项称为约束(或哑)变项,未量化的变项称为自由变项。例如在上列表达式中,ε和δ是约束的;x、a、b和f是自由的,因为它们都不是$\forall$或$\exists$的主目。参阅 **propositional function**。

quantifiers, logic of(formal logic) **量词逻辑** 参阅 **predicate calculus** 谓词演算。

quantitative chemical analysis **定量化学分析** 对样品中一个或几个组分的量或百分含量进行测定的化学分支。定量分析包括多种方法,由各种方法的依据概括起来可分为化学方法和物理方法。化学方法是利用沉淀、中和、氧化,或一般说来涉及生成新化合物的化学反应的分析方法。化学分析方法主要有:重量分析(**gravimetric analysis**)和容量分析(**volumetric analysis**)。物理方法则涉及测定某些物理性质的参数,如密度、折射率、光的吸收和偏振、电动势、磁化率以及其他物理性质。分析一个样品常须几种方法配合使用:定性分析是自样品分离和鉴定待测组分;定量分析是测定该组分的含量。分析天平是所有定量分析的基本工具,它用于精确称量样品和沉淀物的重量。对于通常的分析工作,要求天平的感量为0.1毫克。在微量分析中,微量天平的灵敏度为普通分析天平的1 000倍。对于某些特殊的分析,甚至已制得了灵敏度更高的天平。

quantity theory of money **货币数量说** 关于物价水平变化和货币数量变化关系的经济理论。发展后的货币数量说,就是通货膨胀和通货紧缩基本因素的分析。经过17世纪英国哲学家J.洛克、18世纪苏格兰哲学家D.休谟等人所发展的货币数量说,是反对重商主义者的有力武器。他们指责重商主义者混淆和等同了财富和货币两种不同的概念。货币数量说认为,如果一国积累货币只是提高了物价,则重商主义者孜孜以求的贸易"顺差"就会增加货币供应量,却不会增加财富。货币数量说在19世纪自由贸易战胜保护主义中起过作用;19与20世纪期间对经济周期分析和外汇率理论都有过有益的影响。20世纪30年代,当利用货币扩张反对通货紧缩无甚效用时,货币数量说曾受到抨击。20世纪60年代思潮又有回转。战后通货膨胀的经历以及对货币与物价的实际研究,对货币数量说作了某些肯定。据此说,政府为了控制物价并维持充分就业,必须注意货币数量。

Quantrill, William C. **昆特里尔**(1837-07-31,美国俄亥俄州多佛运河～1865-06-06,肯塔基州路易斯维尔) 假名查利·哈特。美国南北战争时期,非正规属于南部邦联军的一支游击队的队长,因1863年8月21日洗劫堪萨斯州劳伦斯自由州要塞而臭名昭著,当时至少有150人被烧死或枪杀。他在俄亥俄州长大,先后在俄亥俄州和伊利诺伊州的学校教书。1857年移居堪萨斯州,初试农耕,不大起劲。1858年西行,远达犹他州,化名查利·哈特,显然以赌博为生。此后返回堪萨斯州教书(1859～1860)。1860年底居住劳伦斯附近,已陷入行窃和凶杀,因盗马而吃官司,并开始东奔西逃的流窜生涯。美国南北战争爆发后,他起初在密苏里州参加南部邦联军,但后来独树一帜,纠集一伙游击队,袭击和抢掠拥护联邦政府各州的城镇和农场。联邦军宣布昆特里尔的掠夺者为非法之徒,邦联军则于1862年8月定他们为正式队伍,授昆特里尔以上尉军衔。1863年8月21日,他那约450人的队伍突然袭击劳伦斯,烧杀抢掠。两个月后,这些掠夺者身穿联邦军制服,在堪萨斯州巴克斯特斯普林斯突然袭击联邦军的一支分遣队,屠杀了约90人。南北战争将近结束时,由于意见不和,昆特里尔的追随者们分裂成小股,继续为非作歹。他本人则于1865年5月进入肯塔基州劫掠时伤重毙命。

quantum **量子** 物理学中能量、电荷、角动量或其他物理量取离散值的天然单位。例如,光在某些方面表现为连续的电磁波,而在亚微观水平上,它是以离散量或量子发射和吸收的。给定波长的光,所发射或吸收的一切量子的能量和动量都相同。这些类似粒子的光包称为光子。其他形式的电磁能,例如X射线、γ射线等等的量子也称为光子。晶体原子层中的亚微观机械振动也同样以量子(称为声子)方式放出和吸收能量或动量。亚微观体系中的一切现象都显示量子化;可观察量只限于由离散值构成的自然集合。如果这些离散值是某一最小恒量的倍数,这恒量就称为可观察量的量子。如普朗克常量h是作用量子,$\hbar$(即$h/2\pi$)是角动量或自旋量子。

quantum chromodynamics(QCD) **量子色动力学** 描述强核力作用的理论。QCD的结构和量子电动力学(QED,即电磁力的量子理论)的相似。在QED中,带电粒子的电磁相互作用是通过质量为零的光子的发射和相继吸收来描述的;在不带电即电中性的粒子间没有这类相互作用。强力看来有类似的特性,它只作用在某些粒子主要是夸克上,将夸克紧缚在原子核的质子和中子内,也同样紧缚于那些较不稳定的奇异形式的物质中。所以,类似于QED,量子色动力学建立在以下概念上:夸克因带有"强荷"而通过强力相互作用,该强荷被命名为"色";其他粒子例如电子不带色荷,就无这类相互作用。

在QED中只有两类电荷,正电荷和负电荷,或电荷和反电荷。在QCD中,为了解释夸克的性状,与电荷相对照,需要三种不同类型的色荷,每一类都能以色或反色出现。三类色荷称为红、绿和蓝,它们类似于光的三种原色,但和通常意义下的颜色没有一点关系。

色中性粒子由两种途径产生。在重子(即由三个夸克组成的粒子,如质子和中子)中,三个夸克的色各不相同,三色的混合物产生一个色中性粒子。另一方面,由夸克和反夸克对组成的介子,其中反夸克的反色中和了夸克的色,很像正、负电荷互相中和产生一个电中性物。

夸克间因交换胶子产生强相互作用。在QED中,交换的光子是电中性的;与之相反,QCD中的胶子也带有色荷。为了使夸克的三色之间全部可能的相互作用都得以实现,必须有八种胶子,每一种通常带有不同类的色和反色的混合物。

因为胶子带色,它们相互间也能作用,这使强力的性状有别于电磁力。在QED中,两个电荷间的距离增加时,相互作用力就减弱(遵循平方反比律);但在QCD中,由色荷发射的胶子间的相互作用阻碍色荷拉开。例如尝试以足够能量从质子中敲出一个夸克,结果却被产生一个夸克-反夸克对所取代,即产生一个介子。

和QED一样,量子色动力学是规范不变量的理论,即它的基本方程在不同的时空点上给出相同结果。QCD方程的基本对称性对应于数学对称群SU(3),或三维特殊酉群,在该群中三维对应于三色。相比之下,QED中的潜在对称性由一维酉群U(1)表示。参阅 **quantum field theory**;**quark**。

quantum computer 量子计算机 利用量子力学阐明的特点增强计算功能的装置。早在1959年,美国物理学家、诺贝尔奖获得者R.费因曼指出电子元件开始达到微观尺寸时量子力学预言的结果就会出现。他建议可用这些结果来设计功能更强大的计算机。量子研究人员特别希望控制重叠现象。在量子力学中,各粒子未必有确定的状态,已经由著名的双缝实验证明,在该实验中一个光子穿过带有两条缝的板时会产生波形干涉图,或者说是所有可能的路径重叠。然而,当一条缝闭合或用探测仪确定光子穿过了哪条缝隙时,干涉图就消失了。因此,量子系统"存在"一切可能的状态,直到测量"破坏"该系统使之进入一种状态。在计算机内控制这种现象就有望大大增强计算能力。传统的数字计算机使用二进制位,或称比特,即可以处于两种状态中的一种状态,这两种状态分别用0和1来表示。例如,4位计算机寄存器可以储存16(2^4)个可能的数中的任何一个。相反,量子位存在从0到1的值的波形叠加;因此,例如4量子位计算机寄存器就可以同时储存16个不同的数。理论上,量子计算机能并行处理很多数值,因此,30量子位的量子计算机比得上能够每秒完成10万亿次浮点运算(TFLOPS)的数字计算机——相当于最快的超级计算机的速度。

在20世纪80和90年代期间,量子计算机的理论在费因曼早期的推论之下有了重大的进展。1985年牛津大学的D.多伊奇阐明了通用的量子计算机中量子逻辑门的结构,1994年美国电话电报公司的P.肖尔发明了用量子计算机把数分解成因子的算法,这台计算机将要求至少有6个量子位(在适度的时间内对大数分解因子则需要更多的量子位)。实用的量子计算机制造出来时,它将摧毁当前以两个大素数相乘为基础的加密模式;量子力学效应提供一种新的安全通信方法作为补偿,此方法称作量子加密。但是已证明很难真正制造出有用的量子计算机。虽然量子计算机的潜能巨大,但各种要求同样严格。量子计算机必须保持其各量子位之间的相干性(称作量子缠结)长久足以完成算法;由于与环境相互作用几乎不可避免(消相干性),还需要发明检测和纠错的实用方法;最后,因为测量量子系统会扰乱其状态,所以必须发展提取信息的可靠方法。制造量子计算机的计划已经提出,虽然有些人论证基本原理,但仍没有人脱离实验阶段。最有前途的三种方法是:核磁共振(NMR)、离子阱和量子点。

1998年洛斯阿拉莫斯国家实验室的I.丘阿纳、麻省理工学院的N.格森菲尔德和加州大学伯克利分校的M.库比内克制造了第一台可以存储数据和输出解答的量子计算机(2量子位)。虽然他们的系统只有几毫微秒的相干性并且从解决有意义的问题的观点来看并不重要,但它证实了量子计算机的原理。他们不肯尝试分离少数亚原子粒子,而宁愿在室温下在水中溶解大量氯仿分子($CHCl_3$)并利用磁场确定氯仿内碳核和氢核的自旋方向。(因为普通碳没有磁自旋,所以他们的解决方案是使用同位素碳13。)于是与外磁场平行的自旋记作1,逆平行的自旋记作0,并且氢核和碳-13核共同被处理为2量子位的系统。除外磁场外,射频脉冲被用于造成自旋状态"倒转",因此造成重叠的平行状态和逆平行状态。这些脉冲进一步用于执行简单算法并检查系统的最后状态。使用有更多的独立可寻址的核的分子就能扩展这种类型的量子计算机。事实上,2000年3月E.克尼尔等人声称他们使用反式丁烯酸制造了一台7量子位量子计算机。但是,许多研究人员对扩展磁技术以达10～15个量子位抱有怀疑,因为这会减小核间相干性。宣告7量子位量子计算机之前的一个星期,物理学家D.瓦因兰和同事在美国国家标准和技术研究所(NIST)声称他们用电磁"阱"陷入4个离子化铍原子的办法制造了一台4量子位的量子计算机。在把这些离子限制为线性排列后,激光器将离子冷却到几乎绝对零度并使它们的自旋状态同步。最后,用激光器陷入粒子,造成4个离子同时全部自旋向上和自旋向下两种状态的重叠。这个方法再次证实了量子计算机的基本原理,但是能否使这个技术上升到实用的范围尚有疑问。另一种可能是基于半导体技术制造量子计算机。离散数目的自由电子(量子位)以通常方式存在于被称为量子点的极小区段内,并处于两个自旋状态之一,这两个自旋状态记作0和1。这种量子计算机虽然有消相干性的倾向,但是它是在得到确认的固态技术上制造出来的,并且呈现出应用集成电路"定标"技术的前景。此外,完全相同的量子点的大量集合很可能用单硅片制造。硅片在控制电子自旋状态的外磁场内操作,两相邻的电子通过量子力学效应进行弱耦合(被陷入)。重叠的金属电极的排列允许单独的量子点寻址,执行算法和推论出结果。这样的系统必须在接近绝对零度的温度下运行,以使环境消相干性达到最小,但它有可能拥有很大位数的量子位。

quantum electrodynamics(QED) **量子电动力学** 研究荷电粒子与电磁场相互作用的量子理论。它不仅用数学描述了光与物质的所有相互作用,而且描述了带电粒子之间的相互作用。量子电动力学是一种相对论性的理论,其中爱因斯坦狭义相对论成为其每个方程不可分的部分。鉴于原子和分子的本质是电磁性的,原子物理学的一切都可以看作是对这一理论的实验检验。量子电动力学的一些最精密的实验是关于μ子性质的实验。例如,这类亚原子粒子的磁矩显示了与理论一致,达到六位有效数字。这样高精度的一致性使量子电动力学成为迄今最成功的物理学理论之一。

1926年P.A.M.狄拉克用他发现的描述电子运动和自旋的方程奠定了量子电动力学的基础,该方程把量子理论和狭义相对论结合起来。量子电动力学于20世纪40年代后期由R.P.费因曼、J.S.施温格以及朝永振一郎各自独立地予以改进并使之完善。量子电动力学以荷电粒子通过发射和吸收光子而相互作用的想法为依据。这些光子传递电磁力,它们都是虚光子,即用任何方式都看不见也探测不到,因为它们的存在破坏了能量和动量守恒。粒子交换的不过是相互作用的"力",因为相互作用粒子在它们释放或吸收光子的能量时,改变的只是其速度和方向。光子还可于自由态发射,在这种情况下可以被观察到。两个相互作用的荷电粒子会出现在一系列愈益复杂的过程中。最简单的过程只涉及一个虚光子,第二级过程则涉及两个虚光子,如此等等。这些过程与所有可能的方式相适应,在这些方式中粒子能通过交换虚光子而相互作用,其中的每一种都可以用费因曼图来表示。除了提供过程的直观图像外,这类图还精确地规定如何计算所包含的变量。每一个亚原子过程在计算上都比它的前一过程要困难得多,并且存在着无穷多的过程。然而,量子电动力学理论证明,过程越复杂(即存在一些附加的虚光子),其出现的概率就越小。对复杂性的每一阶而言,过程的贡献以$(1/137)^2$的因数下降,因而在几阶以后的贡献可略去不计。这个因数称为"精细结构常数",以α表示。它是电磁相互作用强度的量度,等于$e^2/(\hbar c)$,其中e为电子电荷,$\hbar$为普朗克常量(**Planck's constant**)除以2π,c为光速。

由于精细结构常数的细微性及由此引起的高阶贡献量的递减,量子电动力学常称为微扰论。量子电动力学的相对简明性和它的成就使它成为其他量子场论的样板。最后,电磁相互作用作为交换虚粒子的图像已被扩展到强力、弱力、引力理论等方面。参阅 **gauge theory**。

quantum field theory 量子场论 设计用以说明各种亚原子现象的一套物理学原理。这一理论还已应用于物理学的其他分支。为了描述能形成或消灭粒子的高能碰撞等过程,人们曾试图把量子力学原理与相对论原理结合起来。量子场论就是由这种结合形成的。

量子场论的原型是量子电动力学(QED),它描述的是带电粒子以电磁场为媒介的相互作用。该理论认为电力和磁力来源于交换粒子或光子的发射和吸收。它们可以表现为电磁场的扰动,犹如湖中的涟漪是水的扰动。在合适的条件下,光子可能变得完全不含带电粒子;这时,所能探测到的光子就表现为光和其他电磁辐射的形式。类似的,诸如电子之类的粒子则被视为是它们本身的量子化场的扰动。在有些情况下,基于 QED 的数值预测可与实验数据吻合到一亿分之一以内。

物理学家中普遍认为,自然界中其他各种力都可以用类似于 QED 的理论来描述,包括造成放射性 β 衰变的弱力,将原子核组分结合在一起的强力,或许还有各种引力。这些理论统称为规范理论。每一种力的传递都以它自己的一组交换粒子为媒介,各种力之间的差别就反映在这些粒子性能的差别上。例如,电磁力和引力是在长距离上起作用的,它们的交换粒子(光子和引力子)没有质量。弱力和强力是在小于原子核尺寸的距离上起作用的,它们的传递以大质量的交换粒子为媒介,这些粒子在交换过程中只能走很短的距离。

另外还希望所有的力都能被包容在一种单一的规范场论中。在这种统一的理论中,所有的力都具有共同的起源,并可用数学对称性相联系。最简单的结果将会是所有的力都具有等同的性能。对于观测到的各种差异,则用一种称为对称性的自发破坏的机制来说明。

一种电磁力和弱力的统一理论业已得到了不可忽视的实验支持;似乎还可以把这种理论推广到将强力也包括进去。还有一些把引力包括在内的理论,但它们含有更多的臆测成分。

quantum mechanics 量子力学 数学物理学的分支,于 20 世纪创立,它研究及描述分子、原子和它们的组分——电子、质子、中子及其他如夸克和胶子等更深奥粒子——的性质。这些性质包括粒子之间以及粒子同电磁辐射(即光、X 射线和 γ 射线)之间的相互作用。经典力学具有完全确定的性质,即给出力和质量以及初始位置和速度,就能够精确地预言运动客体的未来或过去的性状。但是,在量子力学中,海森伯测不准原理指出,微观粒子的位置和动量是不能同时精确确定的,因此牛顿定律不能适用于原子范围。量子力学定律并不描述粒子轨道运动的细节,它只能给出可能发生的事件及其在不同情况下发生的相对概率。波粒二象性最早是在黑体辐射按波长分布的研究中认识到的,M.普朗克认为(1900)能量的辐射和吸收是量子化的,每个量子的能量是它的频率 v 与普朗克常量 h 的乘积,即:$W = hv$。A.爱因斯坦(1905)引入光量子即光子来解释光电效应,从而使量子的概念进一步确定下来。康普顿散射实验(1923)证实了光子具有反比于波长 λ 的动量 $p = h/\lambda$。L.V.德布罗意(1924)把光的二象性推广到其他粒子,提出了以他的姓氏命名的物质波概念。德国出生的物理学家 W.埃尔萨塞于 1927 年通过晶体实验证实了有关电子衍射现象的预言。接着,德布罗意的波-粒观念被推广到其他粒子(例如质子、氢和氦等原子,以及中子),而且在实验上也得到了它们的衍射图样。在后来的工作中,物理学家把一切物质都看作是具有与德布罗意波相连系的二象性;经典力学的宏观物体的波动性,由于波长过短而无从探测。量子力学在 1925～1930 年间以波动力学(德布罗意和薛定谔)、矩阵力学(M.玻恩和 W.K.海森伯)和变换理论(P.A.M.狄拉克和 E.P.约旦)的形式飞速发展起来。物质波只能得出可能发生的现象和发生的概率。这一与经典力学的严格决定论形成对照的不严格的决定论的观点,已经成为理论物理学的基础。N.玻尔(1913)改进的原子行星模型,成功地解释了原子光谱的规律;其后对更多谱线及其强度的研究,大大地丰富了有关原子结构的知识。E.薛定谔(1926)用几何光学和物理光学的类比,考虑到在力场中运动的经典粒子的动量改变与粒子的德布罗意波长随位置而变化的对应关系,引进了一个表示波幅的波函数 ψ,并给出它的偏微分方程。关于波函数平方 ψ^2 的含义,并不像薛定谔最初所设想的那样表示电子分布于空间的相对密度,而是在单位体积内找到电子的概率,因此称 ψ 为概率幅。W.泡利(1924)发现不相容原理,它不仅适用于原子、分子和固体,而且也适用于遵从费米-狄拉克统计的一切费米子(例如电子以及构成原子核的质子、中子等)。量子力学强有力地推动和促进了化学物理学、原子核结构和粒子物理学、固体物理学等各个分支的研究和发展。关于量子力学的不确定性,有两种对立的见解,以玻尔为首的哥本哈根学派认为这是最后的、基本的,因此力求取得对这种不确定性的更详细的知识;而爱因斯坦所代表的反哥本哈根学派则认为,这是目前知识不完备的结果,将来会有新的基本发现,修改现在的理论而恢复严格的决定性。这种情况一旦出现,将是物理学一场新的革命。

quantum number 量子数 用来标志原子、原子核或亚原子粒子之类物理体系的态的整数或半整数值。量子数所涉及的总是离散(量子化)的和守恒的那些特性,例如能量、动量、电荷、重子数和轻子数,等等。例如,原子内电子的主量子数表示电子的能态以及在离核远近不同处找到该电子的概率。主量子数从 1 开始取整数值。主量子数愈大,能量也愈大,电子可能离原子核愈远。主量子数和另外三个量子数(角量子数、磁量子数和自旋量子数)就足以唯一地表征原子中每个电子的特性。原子核的特性则由另一组量子数表示。

Quantz, Johann Joachim 克万茨(1697-01-30,格丁根附近奥伯谢登[德国]～1773-07-12,勃兰登堡波茨坦) 德国作曲家和长笛演奏家,改进了长笛的机械装置,并著有关于长笛的重要论文。曾任职于拉德堡和德累斯顿;1717 年在维也纳学习对位法,师从 J.策伦卡和 J.富克斯。1718 年成为波兰宫廷教堂的双簧管乐师。几乎与此同时开始吹奏长笛。1728 年成为普鲁士王储的长笛教师。王储于 1740 年即位为腓特烈大帝后,说服克万茨于 1741 年定居柏林,任王室乐师和宫廷作曲家,写有约 300 首协奏曲和 200 首长笛曲。专著《横吹长笛演奏法研究》(1752)多次再版,书中有 18 世纪装饰音和演奏法的珍贵资料。他为长笛加添第二个键,并使笛头一端可以伸缩,以方便调音。

Quanza River(Angola) 参阅 **Kwanza River** 宽扎河。

Quanzhendao 全真道 中国道教教派。于 1168 年创立。因创始人王重阳在山东宁海(今牟平)自题所居庵为全真堂,凡入道者皆称全真道士而得名。教派在道家及唐宋道教钟吕内丹派学说基础上,大量融摄佛教、儒教内容,主张儒、佛、道合一,构成三教合一的道教神学。教义劝人修神炼气成仙,永生仙境,从苦恼人生中求得超脱。道士不婚娶,尚清修,清净不染,使神气合一,返璞归真;并以仁慈为怀,广行济人善事。如此内外修炼,即成为超凡的"真人"。全真道以东华帝君、钟离权、吕洞宾、刘海蟾及创教者王重阳为五代祖师,王重阳 7 位大弟子又分别创立 7 个教派,但各派教义基本一致。13 世纪末至 14 世纪中期全真教盛极一时。元代又与原道教内丹派南宗合流,遍传华南、华北,成为与正一道并峙的道教两大派之一。从 14 世纪后期起该派逐渐衰落。

Quanzhou 泉州 又拼 Ch'üan-chou。中国福建省辖地级市。中国历史文化名城。地处省境东南沿海晋江流域。西半部为戴云山地盘踞,以中低山为主,一般海拔800～1 000

泉州古海港一角
中国大百科全书出版社供图

米,最高峰戴云山海拔 1 856 米。戴云山地势高亢,微向四周倾斜,成为省中部许多河流的发源地。东溪、西溪汇流后称晋江,东流注入泉州湾。东半部为晋江下游丘陵、台地和平原。平原以泉州平原最大。丘陵呈带状向东南延伸入海,形成许多半岛。市区在晋江下游北岸。面积11 244平方千米,其中市区面积 872 平方千米。唐开元六年(718)析南安县设晋江县,并为泉州州治。天祐二年(905)始筑城。五代时扩大城区,栽刺桐为界,又称"刺桐城"。明初以花岗石砌筑,状似鲤鱼,别称"鲤城"。唐代泉州就同非洲和中东各国有贸易往来,是中国海上丝绸之路的始发地。南宋至元代,海外交通更加繁荣,成为世界最大贸易港口之一,当时居住泉州的外国侨民多达万人以上。宋、元、明三代设市舶司,商业繁盛。有专门经营亚非各国珍奇珠宝和香料等特产的珠宝街。手工业发达,泉缎风行阿拉伯各国和非洲。瓷窑林立,以青瓷闻名。宋代造船业发达,成为中国造船中心之一。明代中叶严禁海外贸易及倭寇骚扰,加上泉州港淤塞,海外贸易地位被厦门取代,但仍是历代州府治所。1951年析晋江县及近郊设市。1985年改省辖市。辖鲤城、洛江、丰泽、泉港4区和惠安、永春、安溪、德化、金门5县,并代管石狮、晋江、南安3县级市。属南亚热带湿润气候,年平均气温20℃以上,年降水量1 200～1 600毫米。农产以稻谷为主,甘蔗、花生、剑麻亦为大宗。果品丰富。工业发展迅速,以食品、制糖、纺织、服装、制药、电子、塑料等工业为主。20世纪80年代后期以来,商业、房地产业发展迅速。工艺品历史悠久,技艺精湛,木雕、竹编、制花、刺绣、木偶头、彩礼等畅销世界各国。交通有漳泉铁路、324国道过境,漳泉、泉厦高速公路已建成通车,福厦铁路泉州段正在建设中。古迹以宋代老君岩、东西塔、伊斯兰圣墓最著名,旅游业发达。人口:全市6 660 000(2005);市区970 000(2004)。

Qu'Appelle River　卡佩勒河　阿西尼博因河的支流,在加拿大萨斯喀彻温省南部和马尼托巴省西南部。发源于埃尔博和迪芬贝克湖附近,向东流经几个湖泊和印第安人保留

卡佩勒河谷的农场
美国不列颠百科全书公司供图

地,注入该省边界东16千米处圣拉扎尔对面的阿西尼博因河。全长430千米。河名为法语,意为"呼喊者",据印第安人传说,水中常有鬼怪呼喊。河谷现是小麦产区。萨斯喀彻温省城市里贾纳和穆斯乔濒临卡佩勒河支流瓦斯卡纳河和穆斯乔河。

quarantine　检疫　阻留或约束那些可能已经有过传染病接触史的人或其他生物,一直到可以确认他(她、它)已经没有传染性为止。在疾病控制用语中,检疫和隔离经常混用。不过,从严格意义上来说,隔离是指把病人同正常人分隔开,直至病人不再具有传染性为止。

早期实践　由于人们很早就认识到有些疾病可能有传染性,于是就设计了一些极端措施把病人或整个村落和外界隔绝开来。例如,人们出于对麻疯病的恐惧,广泛采取了《旧约全书》利未记13章中所载的控制措施——把病人同外界隔离开,并清除或烧毁他们的衣物。为防止急性、恶性传染病,如腺鼠疫(在人群中的传播速度极快)的流行,健康人群、村落及社区都会采取断然措施,断绝同疫区的一切人员和物资往来。

14世纪,随着海洋贸易的发展,人们认识到鼠疫是经由商贸船队从地中海东岸诸国带入的,因此,他们开始在威尼斯进行检疫,告令入港船队必须隔离一段时间,听任鼠疫在船内发展,并静待随船人员、货物所携病原自然消散。最初,以30天为期——trentina——30天弥撒,后延长为40天——quarantina——原意是40天停船弥撒,后转意为停船检疫,再后,成为检疫的学名。这一期限的确定据说是因为耶稣和摩西曾在沙漠中与世隔绝了40天。1423年,威尼斯在城市附近的一座孤岛上建立了第一座隔离病院(现专指麻疯病院),又称检疫站。威尼斯人的这种处理方法——威尼斯系统——后来成为一种模式,为欧洲各国广泛采用,也是几个世纪以来,全球检疫控制的基础。

到了16世纪,这一系统中又引入了"检疫凭单"制度:它可以证明,此前,至此船行程中最后一港口为止,此船无疫情;它也是一种船内安全报告,持到岸国有关当局签发的证明,此船可以自由使用该港口,无需隔离检疫。检疫范围除鼠疫外,后来又有扩大,如黄热病(与美国贸易发展有关)和霍乱(与去麦加朝圣有关)。

到了19世纪中叶,检疫程序变得十分混乱:各国对检疫时限的确定有些随心所欲,各行其事;不断有专断检疫规则的事情发生,检疫部门成了官僚衙门;有人借口信件和出版物的消毒和常规检疫进行政治间谍活动;还有人利用职权,行贿受贿、中饱私囊。尤其是给旅客造成了极大的困难,还常常误事。1786年,监狱改革家J.霍华德乘一条检疫凭单不合格的船,从士麦那去威尼斯,使他得以有机会亲身体验所谓"检疫站"的滋味,他的一篇题为《关于欧洲最大的检疫站的情况报告》(1789)的文章,向人们展示了一幅令人沮丧的画面。

国际合作　由于人们对当时的检疫措施普遍感到不满,故于1851年在巴黎召开了第一届国际卫生会议。会议在两个问题上发生争论。在商业贸易方面,那些从检疫中已经获取了大量既得利益的国家,激烈地反对那些主张废除检疫制度的海洋贸易大国;在医学方面,"接触传染学家"和"瘴气传染学家"之间发生了激烈争论,前者坚信像霍乱、鼠疫一类的病是以从人到人的方式传播的;后者认为这些病是通过空气传播的,解决办法是搞好环境卫生,而不是检疫。尽管如此,会议还是在一些重要的原则问题上达成了协议——使检疫程序标准化,但没有对具体办法和规则做出约定。

其后50年间,因为人们对于传染病的流行病学有了进一步的了解,在连续几届国际卫生会议上,人们才在应该明确界定控制措施的极限范围和应废除那些极不合理的检疫程序和限制这两个问题上达成共识。但只是到了1903年,在巴黎召开的第十一届会议上达成的协议,才是会议签发的第一份真正有效的文件。1907年,国际公共卫生署(International Office of Public Health)——国际卫生组织(WHO)的前身——即脱胎自这份文件。(泛美公共卫生署[Pan American Sanitary Bureau]的前身成立于5年前的1902年。)

现代实践　今天,在传染病控制中对人员的隔离措施比过去宽松合理、有节制,仅对某些具体病例采取适当措施。例如,医生会建议那些已被确诊的、尚无症状的白喉杆菌带菌者在用抗生素治疗期间注意隔离;活动性肺结核病人会临时被隔离在结核病院里,以防社会上的易感人群受到结核病传染。不过,后来人们认识到由于各种各样的原因,隔离对于某些通过中间媒介物传播的传染病来说,可能无效,例如蚊子之于黄热病和疟疾。隔离对于鼠疫来说,其重要性在于防止它以人-人方式进行播散,但对于本病的主要传播途径:鼠咬,跳蚤叮无效。有些疾病如布鲁氏杆菌病病人的隔离则属不当,因为此病病因多为人-畜或人-畜产品接触传染。即便对某些病种隔离可能在个案上奏效,但对大面积流行病预防却成效甚微,原因是有些病的典型症状出现较晚,疾病感染后好几天症状不典型(如麻疹);再如脊髓灰质炎病毒感染可造成大量无症状带菌者,他们成了重要的传染源。由于难于识别潜在的感染人群,即便适合隔离,也常常很难付诸实施。

由于人们对传染病的认识的深化,现代检疫措施更科学,更合理了。在单纯检疫概念上的检疫措施,一般用于动物,如控制狂犬病。控制人类传染病的通常办法是监视那些有传染病接触史的人,并尽可能每天向医生迅速报告疫情,但没有行动限制,这类行政命令和其他控制措施已普遍为人们所接受。在某些情况下,现代检疫中也有强制性措施:如接触过伤寒病人者,不准从事食品工作,直至其大、小便的细菌培养转阴为止。曾有过麻疹接触史的易感儿童应在家休息养病而不要去上学,但这种方法早在麻疹疫苗广泛应用之前,就已经不受重视了。植物和植物产品的海关检疫仍按有关国际协议处理。

Quare, Daniel　夸里(约1648,英格兰萨默塞特郡?～1724-03-21,萨里郡克罗伊登)英国钟表制造家,打簧表机件的发明者(1680)。当按下打簧表上伸出壳外的小钉时,这种表能在下一小时和下一刻钟正点时发出音响。他的发明是现代闹钟的先导。他还发明了一种便携式气压计(1695),开始时安装在支架上,后来设计挂在墙上。1671年参加钟表制造家公会,1708年成为该公会的名师,并被任命为国王乔治一世的钟表师。

Quarenghi, Giacomo Antonio Domenico　夸伦吉(1744-09-20,威尼斯共和国罗塔迪马格纳[意大利]～1817-02-18,俄国圣彼得堡)意大利新古典主义建筑师和画家。叶卡捷琳娜二世(大帝)在位期间和稍后,他在俄国营造许多工程项目,声名大著,被称为"全俄罗

斯的伟大建筑师”。夸伦吉为画家之子，先后在贝加莫和罗马学习绘画，在罗马时师从A.R.孟斯和S.波齐。V.布伦纳引导他钻研建筑艺术。1779年经F.格里姆男爵推荐，夸伦吉受女皇叶卡捷琳娜二世聘请前往俄国。他初期接受的重要任务有彼得霍夫的英国宫（1781～1789；现已毁）和埃尔米塔日剧院（1782始建）。这是俄国最早的帕拉弟奥风格的建筑。其他早期建筑工程有证券交易所和国家银行（1789～1796），都是庞然大物，但无特色。他在圣彼得堡的其他作品有：冬宫内的圣乔治厅（1786～1795），涅瓦河上的几座大桥，以及一些学院建筑，包括科学院（1785～1790）、叶卡捷琳娜学院（1804～1807；现萨尔蒂科夫-谢德林图书馆）和斯莫尔尼学院（1806～1808）。在沙皇村的行宫中，夸伦吉设计了浴室、音乐厅、礼拜堂、亚历山大宫和其他一些建筑。夸伦吉设计的新古典建筑物虽然简单，但是有气派，构图清晰而精确。他最喜欢的图样是一个普通的长方块，前面正中为优雅的门廊，有几根柱子和三角楣饰。他的建筑物至今仍为圣彼得堡的市容增添许多愉快和宏伟的气氛。

quark　夸克　被视为物质基本组分的任一种亚原子粒子。和质子与中子组成原子核相似，这两种粒子本身被认为由一些夸克组成。夸克构成全部强子（重子和介子）——靠强力相互作用的全部粒子，把原子核的组分结合起来的正是强力。

根据当前流行的理论，夸克有质量并显示出具有等于量子力学基本单位角动量一半的自旋（即对应于绕穿过粒子的轴转动的内禀角动量类型）。后一性质意味着夸克遵循泡利不相容原理，即不可能有两个相等的半整数自旋的夸克占有完全相同的量子态。夸克看来是真正基本的。它们没有明显的结构，即不可能分割为更小的组分。夸克总是和其他夸克或反夸克组合出现，决不单独存在。多年来物理学家试图用粒子加速器从重子中将夸克打出，以观察自由态的夸克，但至今未获成功。

整个20世纪60年代，理论物理学家都在考虑质子和中子由更小的物质单元组成的可能性，力图说明在实验中观察到的不断增加的亚原子粒子的种数。1961年两位物理学家，即美国的M.盖耳-曼和以色列的Y.奈曼以数学对称群SU(3)为基础，提出了称为八重法的粒子分类体系。1964年，盖耳-曼引入夸克概念作为这个体系的基础。（同年美国物理学家G.兹韦克独立地建立了一个类似的理论，并称他的基本粒子为“爱司”。）盖耳-曼的模型提供了一个简单的图像，其中所有介子都可表示为由一个夸克和一个反夸克组成，而所有重子由三个夸克组成。这模型假定存在不同的“味”以区分三类夸克。这三类夸克现在通常以“上”（u）、“下”（d）和“奇异”（s）来区分。每一个都带分数电荷（即比电子电荷小的电荷）。上夸克和下夸克构成质子和中子，因而都能在普通物质中观察到。奇异夸克作为K介子和各种极短寿命的亚原子粒子的组分存在，这些粒子最初在宇宙射线中观察到，在普通物质中则是找不到的。

把夸克解释为真正的物理实体，面临两个大难题。首先，为使模型行得通，夸克必须具有半整数自旋，但它们似乎同时又背离泡利不相容原理。在夸克构成的许多重子的组态中，常常两个甚至三个全同的夸克不得不处于同一量子态，这是不相容原理所禁止的排列。其次，夸克似乎抗拒使之从它们所组成的粒子中释放出来，虽然结合夸克的力是强的，但夸克似不足以承受由粒子加速器产生的高能电子和中微子的轰击。

这些问题在引入“色”这个概念后得以解决，在量子色动力学（**quantum chromodynamics**）中有系统陈述。于1977年发展起来的强相互作用理论中，“色”这个词和日常生活中的颜色毫无共同之处，只是表示夸克的一种特殊的量子性质。把红、绿、蓝色加之于夸克，负红、负绿、负蓝加之于反夸克。根据量子色动力学，夸克的所有组合必须包含这些虚色的等量混合物，因此，各色互相抵销，使粒子成为无色。例如重子总是由一个红夸克、一个绿夸克和一个蓝夸克结合而成。强相互作用中，色的性质所起的作用类似于电磁相互作用中的电荷。电荷隐含着荷电粒子间光子的交换；类似地，色涉及夸克间的无质量粒子即胶子的交换。正像光子传递电磁力一样，胶子传递将夸克结合在一起的力。夸克在发射或吸收胶子时改变色，而胶子的交换维持了正常的夸克色分布。

当若干夸克紧靠一起时，胶子传递的结合力就会变弱；在约10^{-13}厘米的距离（约为质子的直径）上，夸克可视为自由的。这个条件称渐近自由。当把夸克间的距离拉开时，如将它们从质子中打出那样，结合力就会增强。这和电磁力显然相反，电磁力随相互作用物体之间距离的二次方而减弱。按量子色动力学的解释，当胶子在夸克间运动时，有产生其他胶子的能力。因此，若夸克受到加速粒子的撞击后迅速离开它的同伴，则胶子就会利用从夸克的运动中所汲取的能量产生更多的胶子。夸克间交换的胶子数量越多，夸克间的结合力就变得越强。提供额外的能量以逐出夸克，只会使这能量转换成与原夸克相结合的新的夸克和反夸克。

虽然量子色动力学有说服力地阐明了夸克的性状，并提出了计算夸克的基本属性的方法，但它没有说明同20世纪70年代后期发现的两类重夸克相关联的“粲”味和“底”味。粲夸克（c）和底夸克（b）以及与它们联系的反夸克的发现，是通过产生介子而完成的，这有力地提示了夸克是成对产生的。这个推测引导人们努力寻找提名为“顶”味的第六种类型的顶夸克（t）。根据理论，顶夸克带+2/3电荷；它的同伴底夸克带有-1/3电荷。1995年，费米国家加速器实验室（设在伊利诺伊州巴达维亚）的两个独立的科学家小组报告他们已经发现顶夸克。他们所得结果的加权平均给出顶夸克的质量为176±12吉电子伏（1吉电子伏$=10^9$电子伏）。（其次最重的是底夸克，其质量为4.8吉电子伏。）还必须说明为什么顶夸克比其他基本粒子重那么多，但是顶夸克的存在，完善了流行的自然界的基本结构单元的理论体系。

Quarles, Francis　夸尔斯（1592-05-08受洗，英格兰埃塞克斯罗姆福德～1644-09-08，伦敦）　英国宗教诗人，以用英文写的最著名的纹章书《纹章和象形文字》而为人们所缅怀。

美国国会图书馆供图

曾在剑桥大学和伦敦林肯律师学院受教育。《纹章》（1635）为同类书开创了一种新的类型。每一纹章都包括一幅奇形怪状的版画，一段用华美、玄奥的语言阐释的经文和一首格言诗。因《纹章》极为成功，他又写了一本《人类生活的象形文字》（1638）。1639年合成一本，即《纹章和象形文字》。此书可能是17世纪最流行的书。1640年谋得伦敦编年史官职位后实际上放弃写诗，以便更有利地利用他的笔。第一部散文作品《指南》（1640）是一本极受欢迎的格言集。英国内战时，据说因忠于并写小册子《忠实的皈依者》（1644）为查理一世的立场辩护而受到惩罚。

quarry　采石　为获得石材而在地壳进行的露天挖掘。采得的石材可归类为型材石料（按一定尺寸切割的石块或石板）或破碎石料。以前采石几乎全是生产型材石料，用作建筑材料，故只限于开采具有色泽和组织均匀的岩石（如花岗岩、石灰岩）。被很多接合面或分界线横断的岩石矿床，由于无法取得型材石料而无价值。清除表层后，可开一条切割面或通道，将岩石与固体矿床分离。对于软质岩石，如石灰石和砂石，可使用凿沟机。它是动力驱动的开凿机，能开出宽5厘米、深几米的沟槽。对于坚硬的岩石（如花岗岩）可采用钻短间距孔并切除剩留的孔间岩石的方法。若无地层接合面时，采用在石块下面钻水平孔并将楔子打入孔内的方法，使大部分岩石与采石场地层分离。在开采石灰石时，采出的岩石可能是重达数吨的矩形大块，可进一步切断成合适的石块。采出的石块运送到加工场，锯成板料、型材或车削成圆柱体并经磨光或抛光精加工。破碎石料用作混凝土骨料或用于筑路，石灰石碎料还可用作高炉熔剂和供化工用。采石工艺包括深孔凿岩和爆破岩石成碎块两部分。大量炸药同时引爆，一次爆破可得到多达2万吨断裂石料，再经破碎和筛选成均匀分级的小块。

quart 夸脱 英国法定度量衡制与美国习用度量衡制的容量单位。英制的液量与干量使用同一标准夸脱，等于 1 136.81 立方厘米(69.36 立方英寸)。美制夸脱有两种单位：一种是液夸脱，另一种稍大的为干夸脱。美制 1 液夸脱等于 946.52 立方厘米(57.75 立方英寸)；1 干夸克等于 1 101.41 立方厘米(67.2 立方英寸)。英制与美制中皆为 2 品脱等于 1 夸脱；4 夸脱等于 1 加仑。夸脱最初为中世纪英国的干量单位，其容量大小与现代的夸脱相近。在 G.乔叟的《米勒的故事》(1370)中，夸脱亦作为麦芽酒等液体的容量单位。

quarter horse 夸特马 参阅 **American quarter horse** 美国夸特马。

quarter-horse racing 夸特马赛 又译四分之一英里马赛。美国直道短距离高速马赛。1607 年弗吉尼亚州詹姆斯敦城建成，其后移民即举行这种马赛。原来赛程为 1/4 英里(400 米)，不择场地，道路、林间或街道皆可。有组织的比赛始于 20 世纪 40 年代，主要流行于美国西部，设有赛场约 100 处，赛程为 220 ～ 870 码(201 ～ 796 米)。比赛规则和程序与纯种马赛基本相同，但规定立定起跑，以 1/100 秒为单位计时。参加夸特马赛的马善于迅速起跑，高速奔驰，胜负差距甚小，必须靠照片加以鉴定。

quarter sessions 季审法院 指从前英格兰和威尔士的一种每年开庭四次的法院。这种法院由一位治安法官主持，审理刑事控告以及民事与刑事上诉案件。这个名称还可以指自治市的由一位记录法官或法官主持的季审法庭，该法庭独立于该市所在的郡的季审法院之外。根据 1971 年的“法院法”，季审法院被取消，其任务由一种名叫刑事法院的法院系统担负。季审法院的历史可以追溯到 1327 年，当时爱德华三世在每一个郡任命了维持治安的人员。到 1368 年，他们受权审理和判决提交给他们的刑事案件。1388 年这些治安法官奉命在他们管辖的郡内每年开庭四次。季审法院在 1971 年取消以前，在英格兰和威尔士逐渐拥有审理和判决大部分可诉案件的管辖权。它们的地位处在上有巡回法院下有治安法院之间。在同陪审团一起开庭时，季审法院拥有广泛的刑事管辖权，并且可以审理来自治安法院的民事和刑事上诉案件。

quarter squares 四分之一平方 计算两数乘积的一种方法。两个数的积可表示为它们的和的平方减去差的平方的四分之一，即 $ab = 1/4[(a+b)^2-(a-b)^2]$。在具体的数字计算中，借助于四分之一平方的数表或其他能生成四分之一平方的方法，可把乘法化为加法。奇数的四分之一平方总有一个分数部分 1/4，所以在 a、b 都是整数的情形，应用上述公式时可以不考虑其分数部分。这种方法非常古老，曾经有过许多四分之一平方表，但是很少几种表便于应用。最大的表列出了不超过 200 000 的正整数的四分之一平方。各种各样的机电应用都被提出过。这种方法经常还是有用的和经济的。

quartering (ancient English punishment) 参阅 **drawing and quartering** 肢解。

Quartering Act 《驻营条例》(1765) 美洲殖民史上，英国议会为削减因法国印第安人战争和庞蒂亚克战争而激增的帝国军费，要求美洲殖民地当局为驻守村镇英军提供饮食、营房、燃料和运输工具的规定。事实上，150 年来，筹措军费均由殖民地议会审议批准，不属英议会权限。纽约屯兵最多，特别反对这一条例，由于公开的反抗，法令暂停颁布。《驻营条例》最终于 1770 年失效。

quarterstaff 四一棒 进攻和自卫的武器，长约 2 ～ 3 米不等。中世纪流行于英格兰，一般用橡木制成，两端往往包有铁皮，双手握棒，右手握自下端上量到全长 1/4 处，故名。可用之习演花剑，亦可在习演中代替长矛。

quartet 四重奏 又译四重唱。由四件乐器或四个人声声部组成的乐曲；也指为表演这种乐曲而组成的团体。虽然任何四声部乐曲都可由四人演出，但这个名词主要指弦乐四重奏(两把提琴，一把中提琴和一把大提琴)。它是约自 1750 年以来室内乐中占统治地位的体裁。由它派生的钢琴四重奏、长笛四重奏、双簧管四重奏等通常由三件弦乐器与一件非弦乐器组成；还有混合乐器的四重奏：例如木管或铜管四重奏。声乐四重唱通常由女高音、女低音、男高音和男低音组成，常见于歌剧、清唱剧、教堂音乐以及 J. 勃拉姆斯的《情歌圆舞曲》之类艺术歌曲中。弦乐四重奏在 J. 海顿的作品中得到发展，他的早期四重奏中第一小提琴有独奏色彩，而中提琴则常常重复大提琴的旋律。在作品第 33 号中他使这一曲式臻于成熟的古典主义风格，其织体特点是所有四个乐器平等参与，树立了这一体裁的标准曲式轮廓。

Quarton, Enguerrand 参阅 **Charonton, Enguerrand** 夏龙通。

quartz 石英 广泛分布的由二氧化硅(SiO_2)组成的包括许多变种的矿物。少量杂质，如锂、钠、钾、钛也可能出现。石英从最古老时代起就已引起注意。像水一样透明的石英晶体被古希腊人称作 krystallos，而今对于这一变种更普遍地称作水晶。“quartz”这个名词是一个来历不明的古德语词，1530 年为 G.阿格里科拉首次使用。石英在经济上很重要，许多石英变种是宝石，包括紫水晶、黄水晶、烟水晶、蔷薇水晶。主要由石英组成的砂岩是重要的建筑材料。大量的石英砂用来制造玻璃和瓷器，并在金属铸造中用于铸模。石英在砂纸、喷砂、磨石和砂轮中被用作研磨材料。石英砖是高级耐火材料，在熔炼钙质矿石中作为熔剂。石英和石英玻璃在光学上用来透过紫外线。用于制造光学设备的许多石英，是用中温中压下压力容器中碱性溶液里结晶的方法合成生产出来的。由石英熔制的管道和各种容器在实验室里具有重要的用途。石英纤维用在高灵敏度的称量设备中。石英是地壳中仅次于长石的第二个最丰富的矿物。它出现在几乎所有的酸性火成岩、变质岩和沉积岩中。它在花岗岩、花岗闪长岩和流纹岩这样一些富含二氧化硅的长英质岩石中是主要矿物。它高度地抗风化作用，并趋向于在砂岩和其他碎屑岩中富集。次生石英作为这类沉积岩的胶结物，在碎屑颗粒上形成附生物。称为燧石、火石、玛瑙、碧玉的二氧化硅微晶变种由石英的细网格组成。含石英的火成岩和沉积岩的变质作用典型的是增加石英的数量及其颗粒大小。石英以两种形式存在：①α 石英或低温石英，它在 573 °C 以下稳定；②β 石英或高温石英，在 573 °C以上稳定。在从 α 石英到 β 石英的转变期间，两者与它们组成原子的仅仅是微小的变动紧密相连。β 石英的构造是六方晶系的，具有在晶体中同样常见的左旋对称群或右旋对称群。α 石英的构造是三方晶系的，也具有或右旋或左旋的对称群。在转变温度下，高温石英的四面体晶格架被扭曲，结果形成低温石英的对称形式，原子由特殊的空间群位置移动到较一般的位置。温度超过 867 °C时，β 石英转变成鳞石英，但转变很缓慢，这是因为发生键的破坏并形成较开放的构造。在很高的压力下，α 石英转变成柯石英(**coesite**)。在静止的较高压力下，转变成斯石英(**stishovite**)。这种相在撞击坑已观察到。石英具压电性，当它受到压力或张力时，晶体在棱柱体边部交替产生正负电荷。电荷与压力变化成比例。由于它的压电特性，石英片在测深仪器上用作压力计。正如压力和张力产生相反电荷那样，相反的效应，即交替产生相反的电荷，将引起交替的膨胀和收缩。从石英晶体上切下一确定方位和尺寸的切片就具有这样膨胀和收缩(即振动)的天然频率，其频率是很高的，以每秒钟振动几百万次计。石英的适当切片在无线电、电视和其他电讯仪器中用来控制频率，并作为晶体控制钟。详细的物理性质，参阅 **silica mineral**(表)。

quartz monzonite 石英二长岩 又作 adamellite。含有斜长石、正长石和石英的侵入火成岩(由液体状态凝固的岩石)。在世界各造山带的大型岩基(多半在地表以下很深处的大型火成岩体)中数量很多。石英二长岩与花岗闪长岩的不同之处在于含碱性长石较多，通常含黑云母较多，而含普通角闪石较少；所含斜长石矿物为奥长石，而不是中长石。

quartzite 石英岩 转变为坚硬的石英质岩石的砂岩。与砂岩不同，石英岩没有孔隙，而具有平滑的断口；当受到打击时，岩石穿过砂粒而不是绕过砂粒破裂，产生平滑的断面，而不是粗糙的粒状断面。砂岩转变为石英岩可以是通过来自地下隙间水中的二氧化硅的沉淀来完成的，这些岩石被称为沉积石英岩；而那些在高温高压下由重结晶作用产生的石英岩就是变质石英岩。石英岩呈雪白色，其次为粉红色或灰色。石英岩常常具有细微的棱角状节理，在冰冻作用下碎裂为角砾。石英岩生成的土壤很薄，也很贫瘠，由于风化缓慢，常成为丘陵或山岳。阿巴拉契亚山脉的很多著名山脊就是由高度抗风化的翘起的石英岩层所组成。石英岩这一术语不仅指高的硬度(高固结度)或高"压结"度,而且指石英含量高。含有相当数量的其他矿物和岩石颗粒的类似岩石叫不纯石英岩,恰当的名称是杂砂岩、岩屑砂岩、砂岩等。多数石英岩的石英含量在 90% 以上,有些石英含量为 99%,这是地壳中二氧化硅最大且最纯的富集体。纯石英岩是冶金用和制造硅砖的二氧化硅的来源。石英岩还被开采来作为铺路石块、防冲乱石、筑路碎石、铁路道碴和屋顶保护砂。在显微镜薄片中可以看到,有些石英岩完好地保存着碎屑状结构;圆形砂粒具有保持结晶连续性的石英增生现象,以至于这些颗粒的光学性质与它们周围的物质相同;在一些情况下,氧化铁的线条可以指示原来砂粒的边界。不过许多石英岩曾经受压碎,石英多半具镶嵌结构,即石英由小而不规则的具有交错边缘的结晶碎屑镶嵌而成;如果这些受剪切的石英岩含有呈平行结晶片状的细粒白云母,则这些石英岩变得容易剥裂,而过渡为石英片岩。

quasar 类星体 一种在极其遥远距离处观测到的高光度和强射电的天体。类星体(QSO)一词常常也指具有同种的光学形象但射电宁静的类型相近的天体。类星体的大小尺度不超过 1 ~ 2 光年,但其光度却是直径达 10 万光年的巨型星系的 1 000 倍以上。类星体的超常亮度使之得以在 100 亿光年以外的距离上被观测到。如此大量的辐射却仅来自类星体中心处的一个小区域。许多科学家都认为这种巨大能量产生于以高速运动的气体旋进一个大质量的黑洞。在类星体光谱中可以观测到巨大气体团的外围大气所形成的发射线。这些发射线总是向对应于巨大的多普勒退行速度的红端位移。根据哈勃的宇宙膨胀定律,巨大的速度对应于遥远的距离,不过某些天文学家怀疑如此认定类星体距离的结论。在 100 亿年前,类星体比现在数量更多、光度也更大。最明亮的类星体是 3C273,它和地球的距离是 20 亿光年。射电干涉测量指出,3C273 的射电核以接近光速的速度膨胀。

quasicrystal 准晶体 又称准周期晶体。状态介乎非结晶的玻璃态固体(特殊形态的金属和其他矿石,以及普通玻璃)和具精确点阵的晶体之间的原子型物质。有如晶体,准晶体内含有序结构,但图样难以捉摸,且不在精确规则的区间周期性地重现。准晶体倒像是由两种不同结构集合而成的不重现阵列(相当于由两种不同形式的花砖构成的砖地,它们虽有定向排列,但并不周期性地重现)所形成的三维体。虽然一段时间内对准晶体的存在有所争议,但 1984 年,在美国国家标准局(现称国家标准和工艺研究所,设于美国马里兰州的盖瑟斯堡)和宾夕法尼亚大学工作的研究者却各自独立地发现了第一个准晶体。以后,许多实验室的研究人员继续研究这个有趣的新物质,找到了新的制造方法(包括利用固态间的相互扩散,而无须熔化源物质),并首次制成大到肉眼可见的准晶体,它有从未在晶体学和矿物学中出现的几何形状(三十面体,即一种具有 30 个全等的钻石型面的多面体)。理论学家推测一些准晶体可能有超导体那样的价值。它们的点阵结构似乎比一些晶体更富刚性,它们可能比钢还硬,从而具有制造超硬工具的潜在用途。

Quasimodo, Salvatore 夸齐莫多(1901-08-20,意大利莫迪卡～1968-06-14,那不勒斯)意大利诗人、评论家和翻译家。原是"隐逸派"诗人的领袖,第二次世界大战后成为对现

意大利外交部供图

代社会问题痛加针砭的诗人。1959 年获得诺贝尔文学奖。出身于铁路雇员家庭。原学工程和数学,毕业后成为工程师。自幼喜爱写作,最初追随"隐逸派"诗人翁加雷蒂和蒙塔莱。第一部诗集《水与土》(1930)出版后,逐渐成为"隐逸派"诗人的领袖。1935 年以后放弃工程师工作,在米兰一所音乐学院教意大利文学。后来出版的诗集《消逝的笛音》(1932)、《桉树的芳香》(1933)、《伊拉托与阿波利翁》(1936)等都具有"隐逸派"的象征主义色彩,但也有许多诗抛开个人天地转而注意当代社会问题。在《诗选》(1938)和《夜晚突然来临》(1942)两部诗集出版后,他的"隐逸派"诗歌也宣告结束。第二次世界大战后,他的社会信念体现在他去世前所写的作品《日复一日》(1947)里。在许多诗中追忆了法西斯政权的暴政、战争的恐怖和意大利人所犯的罪行。后来出版的作品还有《无可比拟的土地》(1958),以及其他两部诗集《诗全集》(1960)和《给予和占有》(1966)。从 30 年代中期起直至他去世前,还出版了不少丰富多彩的译作,其中包括一组《希腊抒情诗》(1940),希腊悲剧作家埃斯库罗斯、索福克勒斯、欧里庇得斯的戏剧,拉丁语诗人卡图卢斯、奥维德和维吉尔的诗,莎士比亚的 6 部戏剧,莫里哀的戏剧《伪君子》,以及 20 世纪美国诗人肯明斯和智利诗人聂鲁达的诗。他还编辑了两部意大利诗歌选集,并写了许多重要评论文章,均收集在《诗人、政治家及其他随笔》(1960)一书中。

quasiparticle 准粒子 物理学中指介质中其性状类似于粒子的扰动,也可以把它们看作是一种粒子。可把它类比于一杯啤酒中的气泡:气泡不是实在的独立客体而是一种现象,即啤酒的某一体积由二氧化碳气所取代,但由于啤酒液面与二氧化碳气接触的特性,所以气泡在上升和漂浮过程中,保持其本性。像准粒子那样,它也带有客体的各种特性,如大小、形状、能量和动量。两个气泡能够互相碰撞,准粒子也一样。激子(**exciton**)、声子(**phonon**)、磁振子(**magnon**)和极化子(**polaron**)都是特定的准粒子。准粒子在测定物质的特性时起着重要作用,因此对它们的研究同固体物理学和原子核物理学有着密切的联系。有理由猜测所有粒子其实都是在某种潜在介质中的扰动,因此它们本身也是准粒子。

Quaternary Period 第四纪 为一段地质时期,是地球历史上 11 个纪当中最晚的一个。第四纪继第三纪之后,是新生代的一部分。其界限已定为自 160 万年前至现代。被划分成更新世(**Pleistocene Epoch**,160 万年前至 1 万年前)和全新世(**Holocene Epoch**,1 万年前到现在)。

第四纪的特征是气候在全球规模上有大的周期变化。这些变化引起了北美洲中纬度和欧亚大陆西北部广大地区遭到冰盖的反复侵袭,所以这个纪常被作为大冰期。这次大冰期的开始以一次大规模的气候变凉为标志,现在认为这个时间在前面的第三纪上新世范围内,约 250 万年前。

在第四纪时,世界海洋水位至少在一次冰川扩张期内降低了 100 多米。在最近 170 万年内还发生了影响全球的一系列温暖气候条件和寒冷气候条件之间的大波动。

在陆地上,这些波动同记录在中纬度的陆相地质层序中的间冰期和冰期交替的旋回相对应。这些旋回中的间冰期相对较短(1 万～3 万年),以同今天情况相似的温和气候和植被条件为其特征。全新世被认为是第四纪的最晚的一次间冰期。在长得多的冰期(7 万～8 万年)内,北美洲和欧亚大陆的广大地区以及南美洲南部和新西兰都受到冰川和冰盖大规模推进的影响,或干而冷的冰缘气候的影响,情况同今天加拿大北极地区和西伯利亚许多地区相似。作为这些气候变化的结果,植被带及与其相联的动物群就有了反复的大迁移,特别是在北半球。最近一个冰体扩展时期(3 万年前到 1 万年前)在北美洲和欧洲北部都有明显的标志。已经认出了远在 50 万年以前发生在欧洲、70 万年以前发生在北美洲的更老的、有时范围更大的一次接一次的冰川推进。

在热带和亚热带,冰期-间冰期旋回影响了最高山脉上冰川的扩展和收缩,因而引起植被带高程的位移。不过,热带和亚热带最重要的气候和环境的变迁是与降水量的改变相联系的。潮湿多雨气候与间雨期较干燥气候的交替伴有热带森林、稀树草原、更干燥的植被带之间的界线的位移。降水量的改变被第四纪期间湖面水位的升降清楚地记录了下来——不仅在热带,而且也在其他地区,如澳大利亚、亚洲中部以及美国西部的大盆地等。然而,降水状况的这些改变在中纬度区的冰期-间冰期旋回里并不是明显同步的。第四纪气候变化的内在原因是复杂的,而且现在争论仍然很多。大陆漂移对大洋环流和大气环流的影响、太阳辐射变化的影响以及火山喷发的影响,大概都起了或大或小的作用,但深海沉积物中记录的大波动的周期性确实似乎同地球围绕太阳公转轨道几何形状的长期变化有密切关系。

从生物学看,第四纪的主要特点是人类的进化和扩散。的确,俄罗斯科学家甚至把第四纪叫做人类纪。在更新世早期和中期,人科的早期代表(直立人,*Homo erectus*)从非洲散布到了亚洲和欧洲。现代人(智人,*Homo sapiens*)在最晚的这次冰期中到达了南、北美洲和澳大利亚。第四纪气候和环境的激烈变化引起了特别是哺乳类的迅速演化和绝灭。在最晚的这次冰期将近终了时,北美洲和南美洲以及欧亚大陆上大型哺乳动物的绝灭可能也同当时人类领土的迅速扩大有关系。

Quatre Bornes 卡特勒博讷 毛里求斯岛上的城镇。位于首都路易港西南约14千米。现四郊以甘蔗为主要作物。有一镇议会和一公立医院。有公路连接通往路易港和瓦科阿-菲尼克斯的高速公路。人口约78 096(2000)。

Quattrocento 十五世纪 专指15世纪的意大利文化艺术大事和运动,是早期文艺复兴的重要阶段。"十五世纪"以及其前的"十四世纪"(Trecento)和其后的"十六世纪"(Cinquecento)这些专门名词,有助于确切指出某种流行的风尚。例如,"十四世纪"是说明介于哥特式时期与文艺复兴时期中间衰退的便捷方式,这一时期充满希望和活力,但因1348年黑死病而突告夭折。"十五世纪"是罗马文艺复兴盛期在各门艺术上均取得平衡发展的繁荣昌盛和飞速进步的时期,实际上这一时期是以1401年佛罗伦萨洗礼堂东门的设计比赛为肇端,而以1503年枢机主教G.德拉·罗韦雷被选为教皇尤利乌斯二世为结束。"十六世纪"则划定了一个全然不同的时期,即整个意大利文化结构发生紧张而激烈的变化的时期,指的是宗教改革运动,及西班牙和哈布斯堡王朝在政治上占统治地位以及视觉艺术向风格主义动荡过渡的时期。参阅**Renaissance**。

quay wall 顺岸码头 参阅 **dock 船坞**。

Quayle, Sir Anthony 魁尔(1913-09-07,英国兰开夏郡安斯代尔～1989-10-20,伦敦)英国演员和导演,以在舞台上扮演的古典戏剧角色和在银幕上的成就而著称于世。在皇家戏剧艺术学院短期学习之后,1931年在歌舞杂耍剧中首次登上舞台。1932年成为老维克剧团的一员,并于1936年演出的《乡村妻子》中首次在纽约舞台露面。后随老维克剧团巡回演出,1937年在丹麦埃尔西诺尔演出的《哈姆雷特》中扮演雷欧提斯,1939年在欧洲和埃及演出的《亨利五世》中扮演剧名角色。第二次世界大战期间在军队中服役,担任炮兵少校,1945年退役后重返舞台,参加《情敌》的演出。

魁尔执导过《罪与罚》(1946)和《故态复萌》(1947)等剧。此后成为埃文河畔斯特拉特福莎士比亚纪念剧院导演,为该院执导9部戏剧,并扮演过20多个角色。1956年离开斯特拉特福,此后的舞台剧作品有:在欧洲巡回演出的《泰特斯·安德洛尼克斯》(1957)、导演并在其中扮演摩西的《长子》(纽约,1958)、担任主角詹姆斯·蒂龙的《直到夜晚的漫长一天》(爱丁堡,1958)和1970年在伦敦和纽约演出的《侦探》一剧,他在剧中扮演安德鲁·威克,此剧使他获得多种奖项。

魁尔的电影生涯开始于1948年拍摄的《为无神的恋人跳萨拉班德舞》。他参演的影片大都是历史剧和古装剧,如《格拉夫·斯波的追求》(1957)、《阿拉伯的劳伦斯》(1962)、《一千天的安妮》(1969)、《酸豆树种》(1974)和《天意的谋杀》(1979)。1985年魁尔被封为爵士。

Quayle, Dan 奎尔(1947-02-04,美国印第安纳印第安纳波利斯～) 原名James Danforth Quayle。美国政治人物,1989～1993年任美国副总统。奎尔是报纸发行人之子,1969年取得位于印第安纳州格林卡斯尔的德波大学政治学学士学位,1974年又取得印第安纳大学法学学位,同年取得律师资格。他在法学院期间,曾在印第安纳州政府担任各种职务,1974～1976年又担任家族报纸《亨廷顿先驱报》的副发行人。他在1976年选举中获胜进入美国众议院,1978年连选连任。1980年被选入参议院,1986年又连选连任。1988年8月奎尔被共和党总统候选人布什选中,作为他的副总统竞选伙伴。在副总统任内,奎尔在美国及世界各地到处旅行,执行政治及友好的使命。

Qūchān 古昌 又拼作Kuchan。伊朗东北部城镇。大多数居民是17世纪移居此地的库尔德族后裔。目前许多居民仍然过游牧生活。盛产谷物,有大片葡萄园。古昌城一再遭到地震的严重破坏,目前的城市建于1895年。海拔1 149米,位于从麦什德通往阿什哈巴德(在土库曼斯坦境内)的公路干线旁。人口85 750(1996)。

Que Que(city, Zimbabwe) 参阅 **Kwekwe 奎奎**。

Queanbeyan 昆比恩 澳大利亚新南威尔士州东南部城市。位于澳大利亚首都直辖区(堪培拉)东南,濒临昆比恩河。1838年设镇。1972年设市。因靠近堪培拉,为该州发展最快的城市住宅中心。为附近养羊、混合农业和矿区服务。工业有锯木、建筑、机械制造等。人口约32 690(2001)。

Quebec 魁北克 法语作Québec,加拿大东部一省。北濒哈得孙海峡和昂加瓦湾,东邻纽芬兰,东南则为圣劳伦斯湾和新不伦瑞克,南与美国接壤,西连安大略及哈得孙湾。省会魁北克为加拿大最古老的城市,而蒙特利尔则是全国最大的城市之一。

魁北克的最初居民是3种印第安人:在圣劳伦斯河以北以游牧及渔猎为生的阿尔冈昆人和蒙塔格奈人以及生活在境内西南部的克里人。因纽依特人(爱斯基摩人)稍晚定居于哈得孙湾北,主要靠渔猎为生。1534年,卡蒂埃在加斯佩登陆,即宣称此地为法国领土。但直到1608年,尚普兰在印第安人所称的魁北克地点(现魁北克市)建立第一座欧洲人的建筑,才开始了此一新法兰西殖民地的移民。法国人由于和阿尔冈昆人交易海狸皮毛建立了友好关系,而卷入其与南邻易洛魁人的战争,并引发了在南部定居与易洛魁人友好的英国人间的北美殖民地主权争执,称为法国印第安人战争。1759年英人沃尔夫将军攻陷魁北克市后,法国失去了魁北克的控制权。

1763年的宣言将此殖民地割让给英国,但法国殖民者仍留居此地。在美国独立战争期间,大量亲英分子由南部涌入加拿大,定居在法国人住地的西边渥太华河对岸今安大略省,英裔和法裔人地理上的分界由之奠定。1791年大致以渥太华河为界,将加拿大划分为下加拿大(魁北克)和上加拿大(后来成为安大略)。虽然整个省的乡村人口几乎仍以法裔为主,但强烈反法的英裔商人则集中在蒙特利尔。这些英裔商人在1822年企图取得一项联邦法案,承认英语人口为全国大多数。此举导致了1837年由帕皮诺领导的法语加拿大人的反叛,后者遭到镇压。1841年通过的新联邦法将上、下加拿大合并,1867年通过《英属北美法案》,由新斯科舍、新不伦瑞克、魁北克和安大略4省组成加拿大联邦。法裔加拿大人的民族主义成为加拿大及魁北克政治上的永久特色。

魁北克是一"末端地区",哈得孙湾及哈得孙海峡几乎将它同加拿大其他地区分开。该省可分为3个主要地理区,反映出它的主要地质构造:加拿大或劳伦琴地盾区,人口集中的圣劳伦斯河平原低地及阿帕拉契亚山区。加拿大地盾区占全省面积约80%,人口稀少,矿藏丰富,由3个主要部分构成:森林覆盖、现为观光区的劳伦琴区,泰加丛林区及被永冻层覆盖的冻土区。境内淡水面积达183 890平方千米左右。即使在永冻地区之外,该省气候仍属严寒。白雪在地上停留的时期由蒙特利尔平原的12～13星期至北部圣劳伦斯北岸的23星期。

大多数人口为法裔。由于法裔加拿大人的低出生率和高移出率,人口相对略有减少。其他代表性的民族有英国人、爱尔兰人及数量不断增加的意大利人。印第安人及因纽依特人(爱斯基摩人)则已增加到38 000人以上。

20世纪40年代以前,农业一直是最大部门,但目前已被工业所超越。主要工业有采矿、水力发电和林业。加拿大地盾区拥有世界上最大的矿藏之一,包括铜、金、锌、铁及石棉等,是该省最大的经济潜力。省政府组织了数个公司调查矿产资源,并以提炼和制造刺激其开发,但只有少部分本省矿石在境内加工。1963年所有电力实行国有化,魁北克水力发电公司是加拿大最大的电力生产者。本省的林木加工仅次于不列颠哥伦比亚省,有50种以上的纸浆或造纸植物。该省与加拿大和北美运输总系统的完全融合,也促进了该省的经济发展。

法裔加拿大人的民族运动在文化及政治斗争中得以表现。在帕皮诺、拉封丹、布拉萨及格鲁尔神父等人领导下,魁北克成为法裔加拿大人特殊的"政治之家",政府也负起保卫法国文化的责任。杜普莱西斯和勒萨日两位总理任职时,都在政治上促进了法裔加拿大人的民族主义。魁北克解放阵线在20世纪 60 及 70 年代多次策划暴力事件，包括 1970 年刺杀魁北克劳工部长拉波特。1968 年，勒维克脱离勒萨日领导的自由党，自组魁北克党，主张魁北克独立。1976 年，勒维克的党赢得选举，他以总理身份支持一项在政府及商务上使用法语及减少使用英语的立法计划。勒维克的独立计划在 1980 年的公民投票中失败；他也是唯一反对 1982 年《宪法法案》的总理，但魁北克最高法院拒绝了他行使否决权的要求。不过，魁北克党仍然当政，到勒维克退休后在 1985 年举行的省选举中被自由党击败为止。到 1990 年魁北克民族主义再度兴起。

魁北克省政府为一院制议会，由成人（18 岁以上）普选产生，任期 4 年。议会中多数党的领袖成为总理，并挑选行政会议。代理总督由加拿大总督选择，代表皇室。法官由联邦政府指派，但魁北克民法遵循法国大陆模式。省有自己的警察力量即魁北克警察队。

小学和中学至 11 年级为免费义务教育；在不同的学校中，分别用英文或法文教学。魁北克的大学教育可分为 2 年制的一般教育课程（大学入学必修）及 3 年制的专业、技术及职业课程。设在蒙特利尔的法语的公立魁北克大学有几所校区，包括设在希库蒂米、三河城、鲁安、赫尔及里穆斯基的校区；还包括研究所和成人教育学校及电视教学。

1961 年成立的文化部资助博物馆和戏剧、芭蕾、音乐等团体以及出版书籍。位于蒙特利尔的加拿大国立戏剧学校对传统的或现代的法语、英语及双语戏剧均加以促进。魁北克市则是电影业的中心。魁北克以源自 17 世纪新法兰西的民谣歌唱（香颂）而闻名，著名歌手包括勒克莱尔和维诺尔特。魁北克的作家包括埃贝尔、富尼埃和泰里奥特等法文小说家；里奇勒、科恩及麦克伦南等英文作家。魁北克的法裔画家采用印象主义作风表达政治及文化上的主题。该省的因纽依特及法国传统木刻都很著名，后者可追溯到 17 世纪艺术家装饰教堂内部的成就。该省也以运动——特别是曲棍球、加拿大足球及棒球闻名，拥有大量爱好者。全省面积 1 540 680 平方千米。人口约7 237 479（2001）。

Quebec　魁北克　加拿大魁北克省城市、港口和省会。位于濒圣劳伦斯河同圣查尔斯河汇流处。

圣劳伦斯河畔的魁北克市
供图：Mark Antman/The Image Works

1535 年，法国探险者卡蒂埃在该市发现一印第安人村落。1608 年尚普兰在该市建第一个长期驻地，后发展为毛皮贸易居民点。1629 年被英国人占领。1632 年复归法国，并得以迅速发展。1763 年根据《巴黎条约》归属英国。1791 年成为下加拿大省（后为魁北克省）首府。1832 年设市。1864 年为筹划加拿大邦联的英国北美殖民地会议所在地。第二次世界大战期间，美国总统罗斯福和英国首相丘吉尔在该市两次会晤，部署对欧洲的进攻。尽管为加拿大主要港口，但服务业和机构管理仍是就业者的最大雇主。主要制造业有造纸、谷物加工、卷烟和服装。造船和旅游亦很重要。大多数居民信奉天主教，使用法语。市内有天主教和耶稣新教两种教育体制，分别使用法语和英语教学。拉瓦尔大学及其附属教学机构为文化生活中心。还有音乐厅、大剧院以及众多博物馆和图书馆。主要古迹均为宗教建筑，如皇家广场上的胜利圣母院（1688）、乌尔苏拉会隐修院、神学院、英国圣公会大教堂和天主教长方形教堂等。体育盛行，尤其是曲棍球、棒球、加拿大橄榄球、高尔夫球和在离市几英里的劳伦琴山举行的滑雪运动。圣安娜中心为世界滑雪锦标赛举办场所。每年于四旬斋前夜结束的长达 3 周的冬季狂欢节，以及八月底的省博览会，均为当地重要活动。人口：市 169 076；都会区 682 757（2001）。

Quebec, Battle of　魁北克战役（1759-09-13）　法英北美殖民地争夺战中，J.沃尔夫少将统领的英军决定性地击败蒙卡尔姆侯爵所部法军的战役。1758 年布雷顿角岛上的路易斯堡陷落后，魁北克成为英军的主攻目标。次年 6 月，年轻的沃尔夫率舰 250 只（载英军 8 500名）在圣劳伦斯河布列战阵围攻魁北克，然阻于巉岩壁立的有利防御地形，历时两月未能得手。后沃尔夫探得间道，遂于 9 月 12 日夜密遣 4 000 英军潜渡登陆，逼使法军于亚伯拉罕平原仓皇应战。次日法军全线崩溃，两军统帅俱战死阵前。1760 年蒙特利尔陷落，英国遂取得战争的最后胜利。

Quebec, Battle of　魁北克战役（1775-12-31）　美国独立战争期间，美军攻打英军要塞失败的一次战役。1775 年冬，美国革命领袖从包围波士顿的军中抽出一部分组成远征军，经缅因北上企图夺取魁北克。12 月 31 日，美国 R.蒙哥马利将军和 B.阿诺德上校率领 1 675 人进袭魁北克，被英军击溃。蒙哥马利战死，大批士兵被俘。对加拿大的军事行动迅即中断，1776 年 5 月阿诺德率残部撤回。

Quebec Act　《魁北克法案》（1774）　英国议会通过的一项法案，旨在解决将法国在加拿大的这一殖民地改造成英帝国在北美的一个省而引起的一些主要问题。该法案规定：魁北克政府设总督和行政委员会；总督和行政委员会拥有立法权；允许天主教继续活动，教会仍有权征收什一税；继续采用法国民法，但是采用英国刑法。根据《魁北克法案》的附加条款，将 1763 年宣言中确定的魁北克疆界加以扩大，俄亥俄河与密西西比河之间的地区归魁北克省总督管理，也就是魁北克省的边界向南扩展到俄亥俄河和密西西比合流处，向北扩展到大湖区与哈得孙湾之间的高地。《魁北克法案》被美洲殖民者视为强制性措施，从而成为引起美国革命的一个主要原因。1775 年冬招致反叛的殖民者的军队入侵魁北克。该法案最终成为法裔加拿大人的宗教和司法权利的基础。

Quebec Conferences　魁北克会议　第二次世界大战期间英、美在魁北克召开的两次会议。第一次会议（1943-08-11 ～ 24），代号“四分仪”，美国总统 F.D.罗斯福和英国首相 W.丘吉尔参加，讨论了盟国即将进军意大利和法国的计划。美、英两国战略家关于意大利战役和“霸王作战计划”（诺曼底登陆）的配合问题存在分歧，没有解决，到了后来才在莫斯科、德黑兰和开罗举行的会议上解决的。翌年，罗斯福和丘吉尔又在魁北克会晤（1944-09-11 ～ 16 举行的“八边形”会议）。会议决定西线兵分两路进军德国，以代替协同作战直取柏林。这项决定在战后遭到批评，因为它使苏军占领了德国首都。

Quebec Party（Canada）　参阅 **Parti Qué- becois 魁北克党**。

Quechua　克丘亚人　南美印第安人，住在由哥伦比亚到玻利维亚的安第斯高原地区。他们操克丘亚语。克丘亚语曾是印加帝国的国语，后来变成整个安第斯山区西班牙人和印第安人的通用语。印加帝国在公益服务方面的种种要求，对克丘亚人的传统生活方式影响不大。但在 16 世纪西班牙人征服印加帝国后，克丘亚社会在西班牙人统治下才有剧烈改变。西班牙人实行恩科米恩达（encomienda）制度，即将克丘亚人土地置于殖民地托管之下并要求贡物的制度，使克丘亚人牺牲其自身食品供应而为西班牙人生产不曾种过的作物。西班牙人将克丘亚人集中在比其原住村庄更大和人口更集中的村落中，从而进一步破坏其政治和社会机构。天主教教会更要求克丘亚信徒付出额外的时间和资源。19 世纪西班牙统治结束时，克丘亚人处境已大为改变，许多人已成为大庄园里奴仆。虽然有些人留在山区故乡，但其他人则进入低地的城镇和都市去找职业。21 世纪初，克丘亚人在安第斯山区的穷乡僻壤过着无足轻重的农民生活。他们的宗教信仰是罗马天主教与本族民间信仰的混合体，传统手工艺是纤维和兽毛纺织。由于在操克丘亚语者与克丘亚血统的居民之间，没有人类学上的鉴别之处，其人数在 21 世纪初估计为 1 300 万及 1 600 万。近年来，住在高山的克丘亚人已成为多种生物学和医学研究的主题，目的是了解对高山生活的生理适应性。

Quechuan languages　克丘亚诸语言　南美前印加帝国的语言，现在是安第斯中部地区的主要民族语言。据考古及历史研究，原始的克丘亚诸语言在公元 1450 年以前可能只通行于秘鲁南部高地少数地区，由于印加人征服各地，语言的分布范围迅速扩大。1532年西班牙征服印加帝国时，克丘亚诸语言通行于南美西部地区，其范围从现在的哥伦比亚南部到智利中部，从太平洋沿岸直到亚马孙平原的边缘地带。虽然操克丘亚语的印第安人人口数量仍然很大，而且大多数只会讲一种语言，但因西班牙语是官方用语和教育用语，所以逐渐为西班牙语所取代。有些学者把克丘亚诸语言和艾马拉诸语言一起划为克丘马拉语系。

Quedlinburg　奎德林堡　德国中部萨克森-安哈尔特州城市。濒临博德河，在下哈茨山北麓，马格德堡西南。922年亨利一世在此建城堡，后为萨克森各代皇帝的离宫。为汉

奎德林堡市的圣塞尔瓦蒂乌斯城堡及教堂
供图：W. Krammisch—Bruce Coleman Inc./美国不列颠百科全书公司

萨同盟成员。现存有中世纪城墙、城楼、半木结构房屋和教堂。包括城堡、教堂在内的老城区于1994年被联合国教科文组织列为世界遗产。16世纪的城堡（现为博物馆）俯瞰全市。诗人克洛卜施托克和地理学家里特尔出生于此。现生产染料、精密仪器、机械产品、车辆和纸张。设有植物研究所，该市也是育种、花卉和栽培甜菜的重要中心。人口约23 216（2003）。

queen　女王　参阅**king**国王。

Queen, Ellery　奎因　美国侦探小说作家、表兄弟弗雷德里克·丹奈和曼弗雷德·B.李的笔名，本名分别为丹尼尔·内森（1905-10-20，美国纽约布鲁克林～1982-09-03，纽约怀特普莱恩斯）和曼福德·勒波夫斯基（1905-01-11，纽约布鲁克林～1971-04-03，康涅狄格沃特伯里附近）。两人合写有以埃勒里·奎因为主人公的多达35集的系列侦探小说。丹奈和李最初的合作是为参加侦探小说竞赛而写的一篇规定之作《罗马帽子的秘密》（1929）。它的成功为埃勒里·奎因开辟了前程。又发表了两部侦探小说后，两人成为专职作家。他们轮流设计情节，写关于侦探奎因的故事，并提供线索，以便读者在看到答案以前就可以解决每个案件。奎因的故事被改编成广播、电视和电影。他们两人还使用B.罗斯这个笔名，塑造了第二个侦探德鲁里·莱恩，并以奎因和罗斯的名义展开辩论，使人们都以为是两个不同的作者。丹奈和李还在1941年创办《埃勒里·奎因侦探杂志》，登载了当代一些最优秀的侦探小说。他们编辑了许多文集，包括《101年的娱乐：优秀侦探小说集，1841～1941》（1945）。共同创建了美国侦探小说作家协会。

Queen Alexandra Range　亚历山德拉王后岭　南极大陆的山脉。其柯克帕特里克山高达4 528米。位于罗斯陆缘冰棚西缘的罗斯属地，耸立在干谷与南极山脉的毛德皇后山脉之间，比尔德莫尔冰川将其与毛德皇后山脉分开。该山脉有准平原区，覆盖有14层玄武熔岩流水平岩层的弗拉山就位于该山脉中。1908年为英国探险家H.沙克尔顿发现，并以英国的亚历山德拉王后之名命名。

Queen Anne style　安妮女王风格　英国装饰艺术阶段，始于英国国王威廉三世时期，在安妮女王（1702～1714）当政时期达到鼎盛，而在乔治一世继位后仍然盛行的艺术风格。这时期的家具木料用胡桃木代替了橡木。安妮女王时期家具的最突出特征是家具腿呈动物腿爪样。女王的安乐椅靠背是按照人的后背曲线而制成的薄板。当时盛行茶会，为此

北美殖民时期的安妮女王风格家具：（自左至右）1720～1745年可能产自波士顿的槭木和松木镜子；其下为1730～1740年的郁金香木和松木茶几；1740～1750年波士顿生产的日本漆松木和槭木高款五斗橱；胡桃木纵长背板式样的安妮女王扶手椅
供图：Henry Francis du Pont Winterthur Museum, Delaware

制成一批较小的可移动桌椅和放置瓷器的柜橱。细木镶嵌，镶嵌装饰、饰面和漆器都以与安妮女王时期家具式样相匹配。装饰纹样的典型主题是扇贝壳、涡卷形纹饰、东方人像和动植物图案等。

Queen Anne's lace（*Daucus carota*）　**饰带花**　因其带状白花似安妮女王的饰带，故名。又称野胡萝卜。伞形科二年生植物，是栽培胡萝卜的祖先。株高达1.5米，具刚毛。叶分裂，伞形花序，花白色或粉红色，花序中心有一朵深紫色花。根肥大可食，味辛辣。果具

饰带花（*Daucus carota*）
供图：Peter L. Ames—美国不列颠百科全书公司

棱，有锐刺。偶尔栽培供观赏。原产欧亚大陆，现几乎遍及世界。

Queen Anne's War　安妮女王之战（1702～1713）　西班牙王位继承战争期间，在美洲发生的一次战斗。这是英、法两国争夺北美的第二次军事对抗。战争中，英国给予美洲殖民地的军事援助主要用于防守南卡罗来纳的查尔斯顿地区以及与加拿大接壤的纽约-新英格兰边境。英国的美洲殖民地经常遭受法军及其盟友印第安人的野蛮袭击。1710年英军攻克罗亚尔港，将阿卡迪亚改为英属新斯科舍省。根据《乌得勒支和约》（1713），英国进一步取得纽芬兰和哈得孙湾地区。

Queen Charlotte Islands　夏洛特皇后群岛　加拿大不列颠哥伦比亚省西部岛群。位于阿拉斯加锅柄状地区南面。南北长约280千米，约有150个岛屿，面积9 596平方千米。最大的格雷厄姆和莫尔兹比两岛，形状不规则，海拔约1 200米。群岛地势崎岖，受暖流影响，冬季气候温和。格雷厄姆岛东北角有省立奈

夏洛特皇后群岛莫尔兹比岛多山的太平洋沿岸
供图：John de Visser

昆公园，占地725平方千米。1988年决定，将整个群岛的南半部变成国家公园，保护茂盛的温带雨林。岛上包括海达印第安人在内的为数不多的居民，以捕鱼和放牧为生。人口5 316（1991）。

Queen Charlotte Sound　夏洛特皇后湾　北太平洋东部宽阔的深水湾，向加拿大不列颠哥伦比亚省中西部延伸成锯齿状。北至夏洛特皇后群岛，南达温哥华岛。该湾注入一系列海峡。北有赫卡特海峡。向南逐渐变窄，进入夏洛特皇后海峡，此为穿越温哥华岛和北美大陆至乔治亚和皮尤吉特湾的通道，长100千米，宽26千米。这些连锁的水道为华盛顿州至阿拉斯加州近海航道的一段。向西注入宽阔的海洋。东面有众多岛屿、水湾和峡湾，其中一部分伸向内陆远方。

Queen Elizabeth　"伊丽莎白女王"号　世界上最大的客运班轮之一。1938年下水，在第二次世界大战期间曾用作运兵船。1946年参加定期的横渡大西洋丘纳德航线。该船长314米，宽36米，吃水深度11.6米，总吨位为83 673吨。1968年退役，售出后拟改建为航海大学，但1972年1月在香港改装时起火沉没。它的后继船，"伊丽莎白女王"2号，于1967年下水，1969年首航。设计用于横渡大西洋航行及其他巡航任务。船体长293米，排水量58 000吨。

Queen Elizabeth Islands　伊丽莎白女王群岛　加拿大北极群岛中北纬74°30′以北的所有岛屿，包括帕里群岛和斯弗德鲁普群岛。陆地总面积390 000多平方千米。该群岛在行政上归西北地区和努纳武特地区管辖，1953年命名以向伊丽莎白二世女王表示敬意。

Queen Maud Land　毛德皇后地　非洲以南的南极洲地区。西从科茨地向东延伸到恩德比地。包括马塔公主、阿斯特里公主、朗希尔德公主、哈罗尔王子和奥拉夫王子诸海岸地带。为一荒凉高原。上面覆盖着厚度超过2 400米的冰盖。有一片多山海岸区，当地岩石山峰海拔超过3 600米。毛德皇后地由挪威探险队于1930年发现。1939年被挪威宣称为其领土。1949年成为其属地。以挪威皇后之名命名。有几个国家沿该地海岸建有研究站。

Queen Maud Mountains　毛德皇后山　南极洲中部南极洲横贯山地的一段。从罗斯陆缘冰头部向东南延伸800千米。1911年为挪威探险家R.阿蒙森发现，以挪威皇后之名命名。地势崎岖，散布有冰川。有数座山峰海拔超过4 000米。蕴藏有大量的煤矿。

Queens　昆斯　美国纽约市5个行政区中面积最大的一个(313平方千米)。范围同于纽约州东南部的昆斯县，位于长岛西部。第一个居民点1636年由荷兰人建于弗拉兴湾附近，此后相继建立纽敦(1642)、法罗卡韦(1644)、弗拉兴(1645)和杰梅卡(1656)等居民点。1664年这些移民定居地被英国统治。1683年建县。在19世纪大部分是乡村。1898年昆斯区成为大纽约市的一部分。昆斯伯勒桥(1909)和长岛铁路隧道(1910)的建成，推动了当地的发展。现既为住宅区也是工业区。长岛市周围有大规模制造业，沿伊斯特河有储运设施。纽约市的肯尼迪国际机场和拉瓜迪亚机场，纽约市立大学的几所学院和纽约圣约翰大学的主校园均在该区内。人口1 951 598(1990)。

Queens, Valley of the　王后谷　埃及西底比斯群山中的峡谷，是第19和第20王朝(公元前1292～前1075)的王后、王子墓地。距拉美西斯三世(公元前1187～前1156)陵庙很近。20个已知的经过装饰的陵墓通常有一个入口通道，几个很短的厅堂和一个石棺室。而第18王朝王后的陵墓都没有装饰。

Queen's Bench, Court of　王座法院　在国王统治时，指以前的英格兰普通法的高级法院之一，是从英国御前法庭，即作为御前会议的一部分国王法院发展而来的，也称作Court of King's Bench，随国王所到之处流动。王座法院审理与国王有关的案件或者只能当着国王的面审理的涉及有重大影响的特权人物的案件。它还有权改正所有其他法院的缺点和错误，而在亨利三世统治时期(1216～1272)的内战结束后，则主要审理刑事案件或者准刑事案件。1268年设立了王座法院的首席法官，只是到后来才逐渐地失去与国王的紧密联系而发展成为独立的普通法法院。在1830年财政法院成为三个普通法法院和国会之间的中级上诉法院以前，王座法院对刑、民案件享有最高的和一般的管辖权，同时也对包括民事法院在内的下级法院行使管辖权。王座法院在18世纪末以前也受理来自爱尔兰高等法院的上诉案件。它还通过某些特权令状如人身保护状、调审令、禁止令、履行职责令对官员等人行使重要的管辖权。根据1873年的《司法组织法》，王座法院改为高等法院的王座庭，它由首席法官(现为英国高等法院首席法官)和该庭的24名法官组成。对于来自下级法院的上诉案件，由该庭的二或三名法官组成合议庭进行审理。

Queen's Gallery　女王美术馆　伦敦威斯敏斯特区白金汉宫内的小型公共艺术馆，建于1940年被一次空袭炸毁的私用小礼拜堂遗址上。1962年开馆，旨在使公众更易接触到英国皇室的收藏。除在英国及国外其他地点举办展览外，每年在此大致安排三次展览。皇室收藏始于17世纪中叶查理二世时期。著名藏品包括油画、水彩画、素描、版画以及许多金银器物、珠宝、家具和其他装饰艺术品。其中大部分用于布置各个宫殿，并有许多藏品借给其他国家博物馆。通过观察某些展览可了解藏品范围和品质。其中包括米开朗基罗、A.凡·戴克、小霍尔拜因、卡纳莱托、T.庚斯博罗、G.斯塔布斯等艺术家的画展以及塞夫尔瓷器展和法贝热装饰艺术作品展。

Queen's University at Kingston　金斯顿女王大学　又称女王大学(Queen's University)。位于加拿大安大略省金斯顿的不限定教派、男女生兼收的大学。1841年创立，原名女王学院(Queen's College)，系长老会培训青年牧师之学校。长老会对该校的控制逐渐削弱，依法于1912年终止；以后该校采用现名。现今的女王大学设有文理、应用科学、教育、法律、医学等系。它是在医学、基础科学、工程、人文和社会科学等方面一所主要的研究大学。它有一所著名的图书馆，还有一所档案馆，是加拿大最重要的民间历史档案馆之一。20世纪后期，该校有12 000余名学生。

Queensberry rules, Marquess of(boxing)　参阅 **Marquess of Queensberry rules　昆斯伯里侯爵规则**。

Queensland　昆士兰　澳大利亚东北部的一州，系澳大利亚雨水最多和最热的部分。面积1 727 200平方千米。昆士兰北部和东部临太平洋，南面与新南威尔士州为邻，西南与南澳大利亚州交界，西面与北部地方相连。沿海地区为丘陵地及若干山岳地带。大分水岭纵贯全州，隔开向东流与向西流的河流。内陆地区为广大平原，少数地方间有较低的山岭和丘陵。在东北部沿海雨水最多地带，年均降水量为4 500毫米，在西南部为125毫米。整个昆士兰，夏季雨水多于冬季雨水。但在种植大量小麦及其他冬季作物的东南部，冬季雨水则很重要。东部沿海雨水较多或较为肥沃的部分促使其中若干地区生长茂密的热带雨林和亚热带雨林，以及软材灌丛。近海岸的植被主要为桉树属植物林。离海岸较远的内陆，数量最多的树主要有金合欢属的树，如镰叶相思树、戟状木相思树、无脉金合欢、平展相思树等，其间点缀着大片长满草的平原，还有若干地区生长着一种成团状的多刺的草，称为荒漠鬣刺草。昆士兰的动物多种多样，有70多种有袋动物，600种鸟类，1 600种鱼类。两种卵生哺乳动物，或称单孔目动物，是针鼹和鸭嘴兽。有袋动物包括体积大的红色和灰色的大袋鼠，以及考拉、负鼠、斑袋貂和袋鼠。鸟类包括平原上不飞行的鸸鹋、大群的有色鹦鹉、森林里的鸣禽。鱼类包括淡水的昆士兰肺鱼、各种食用鱼和猎用鱼，以及许多种美丽的礁鱼。绝大多数居民住在昆士兰南部，这一地区约占长达320千米的内陆地，包括达令草地农业区。昆士兰中部的最大城市罗克汉普顿是内地生产的牛肉和羊毛的出口口岸和商业中心。昆士兰还有煤田和铝(铝土矿)矿区。昆士兰北部生产的甘蔗作物约为全澳大利亚产量的3/4。汤斯维尔是内地牧区的商业中心。昆士兰内陆大部分是牧区，而牧场则是最大的唯一资源，养有大批的羊、肉牛和奶牛。作物包括糖类作物、谷类、花生、烟草、棉花及许多温带的和热带的水果、蔬菜。

昆士兰的绝大多数制造业集中在布里斯班，其规模略为超过农村工业，以初级原料加工为主。20世纪60年代末期采矿业发展迅速，主要矿产有铝土、煤、铜、银、铅、锌。罗马生产天然气，穆尼有小型油田。最近几十年旅游业有很大发展。大约2/3的昆士兰雇员、雇工接受州的工业仲裁(即工资和工时由州政府指定的仲裁当局规定)，这一比例大于澳大利亚其他各州。雇工工会中较著名的是规模很大的澳大利亚工人工会，它是一个全国性组织，成员包括从事剪羊毛、放牧、种甘蔗、面粉厂及建筑业的工人。1860～1890年为欧洲人到昆士兰移民的第一时期。在此期间，由于各种热带疾病，死亡率大大高于澳大利亚人的平均死亡率。这些疾病（在当时被认为是亚洲工人和太平洋岛上的工人带来的）最后终于被消灭了。但是这一时期因疾病而产生的恐惧感导致了限制移民的政策实施。1890年以后，昆士兰几乎完全由欧洲工人开发。昆士兰是澳大利亚唯一的实行议会一院制的州。1922年上议院议员投票自行决定将上院取消。对成年人给予普选权，投票选举是强制性的。

6～15岁的未成年人必须接受义务教育。函授学校在本州的边远地区一直占有重要地位，有10 000名以上的儿童，包括学徒，接受这种方式的教育。在布里斯班、汤斯维尔、罗克汉普顿、图文巴及戈尔德科斯特，均设有大学。政府特别关心为60 000名以上的土著居民提供同等的受教育机会。这个数字包括某些托雷斯海峡岛上的居民，他们的祖先是巴布亚人。州政府还发展并协调边远地区的文化工作。昆士兰首府布里斯班有昆士兰交响乐团，规模虽小却颇获好评，被列为高等级。在居住着许多威尔士煤矿工人的伊普斯威奇，声乐十分流行。布里斯班以业余剧团甚多而著名。医学研究机构中有镭研究所，治疗各种皮肤癌。因为南半球的紫外线辐射强度很高，而日光浴又很流行，以致皮肤癌在昆士兰很普遍。皇家飞行医生服务队到边远的农村和移民区提供医疗服务。当欧洲人来此考察时，据说昆士兰的土著氏族居民大约有200人。继荷兰探险者和西班牙探险者之后，J.库克船长曾于1770年将昆士兰海岸地带绘成海图。欧洲人对昆士兰进行彻底考察是19世纪20年代以后的事。在布里斯班、伊普斯威奇及莫顿湾均曾建立对罪犯的监禁地。约在1842年，第一批自由民到昆士兰定居。1859年昆士兰与新南威尔士的一般地区分开。黄金的发现吸引了更多的移民来此，1869年政府颁布了一项慷慨的土地承租方案，进一步鼓励了移民。1901年宣布成立澳大利亚联邦，昆士兰成为联邦的一州。它是首先使投票选举成为强制性的州（1914）。人口约3 178 100（1993）。

Queenston Delta　昆斯顿三角洲　晚奥陶世（4.58亿年前至4.38亿年前）楔形沉积地层。分布在北美东北部的广大地区，在纽约和魁北克省最厚。它由现在阿巴拉契亚山区的一个上升地块供给侵蚀产物，通过河流堆积而成，海岸线向西移动。沉积物的分布向西到达现在的休伦湖区，即离上升高地有800多千米。昆斯顿三角洲得名于微红色页岩组，即昆斯顿页岩。这种页岩是在前进三角洲的向陆前缘以上沉积成的，而在水面以下沉积起来的其他页岩由于未受氧化作用而呈灰色。

Queenston Heights, Battle of　昆斯顿高地战役（1812-10-13）　1812年战争中，美军企图入侵加拿大时遭受重大失败之役。10月13日，美国民兵先遣部队奉S.范·伦塞勒将军命渡尼亚加拉河，驻守昆斯顿高地陡坡，但因美军主力拒不过河支援，遂被英军包围，美军被俘925人。此次败绩和尚普兰湖战斗失利使美国暂时放弃入侵加拿大的打算。

Queenstown　昆斯敦　澳大利亚塔斯马尼亚州西部城镇。位于西海岸山区，昆河河谷。1897年附近莱尔山发现金、银、铜矿后建立。镇内有选矿、冶炼等矿石加工厂。1952年采

塔斯马尼亚州的昆斯敦

供图：B. Brander – Photo Researchers/美国不列颠百科全书公司

用新矿石加工技术前，周围山上树木被砍伐作燃料，烟尘窒息了残存的植物，加上风雨侵蚀，使周围景色荒芜。后植被逐渐恢复。旅游业日益重要。人口2 631（1996）。

Queenstown　昆斯敦　南非开普省东部城镇。是地区的行政和文化中心，有教育机构，特别是招收女生的教育机构和风景如画的公园。昆斯敦镇是繁荣的小麦、羊毛产区和养牛区的集散地。有多种制造业。人口53 656（1996）。

Queiroz, Rachel de　克罗斯（1910-11-17，巴西福塔莱萨～2003-11-04，里约热内卢）　巴西小说家，一个以批判社会现实为写作小说宗旨的作家团体"东北派"的成员。该派成员创作小说常把巴西东北部作为地理背景。她又是巴西全国最受尊敬的妇女之一。她在巴西东北部的半干旱僻远地区一个牧场上长大。她的作品常以周期性的旱灾、盗贼横行、僻远地带盛行的会道门以及她出生地区那些无人关照的人为内容。她的第一部作品《一九一五年》（1930）是写1915年那场使多少人家背井离乡的旱灾，体裁新颖，对在半封建社会里妇女扮演的角色寄予深刻的同情。《若昂·米格尔》（1932）写一个贫穷的白人与印第安人的混血儿在被投入监狱后才得知他酒醉斗殴中杀死的是一个和他同样不幸的可怜虫。她的第三部小说《崎岖的路》（1937）写一个女人有了新的独立意识，不愿按照传统方式生活的故事。《三个玛利亚》（1939）写三个在少女时代便是好友的女人在一修道院开始聚首直到成年的遭遇，揭露了教育制度的落后以及在巴西社会中妇女的发展前途有限的事实。克罗斯还写了两个剧本：《街灯》（1953）写一个富有传奇色彩的绿林好汉和一个抛弃了自己的生活去追随他的女人；《埃及的圣马利亚》（1958）写殉教的圣马利亚的一个传说故事，其背景则改为一个僻远的巴西小城镇。

克罗斯就大众所关心的问题写一些报纸文章，因而赢得了大量读者，这些文章后来结集出版。她在创立杂文这一散文体裁方面起了很大的作用。在她的杂文集中，《猎犰狳的人》（1967）是她20世纪50年代中所写的往事回忆文章的选集。1964年克罗斯任巴西驻联合国代表。她的最后一部小说为《多拉，多拉利娜》（1975）。1977年，她被选为巴西文学院第一个女院士。

Queiroz Law　《基罗斯法》（1850）　巴西国会为使奴隶贸易非法而采取的措施。19世纪中期，英国对巴西施加压力，要它停止西非黑奴的贸易。1847～1849年，有15万黑奴被贩卖到巴西。巴西皇帝佩德罗二世的政府虽不赞成奴隶贸易，但对英国以高压手法制止这种贸易感到不满。在英国军舰扣留了停在巴西港口的一些贩奴船后，巴西国会通过该法，于1850年决定停止奴隶贸易。但巴西的奴隶制直到1888年才废除。参阅 **Rio Branco Law**。

quelea（*Quelea quelea*）　**奎利亚雀**　又作 red-billed quelea 或 dioch。又称红嘴奎利亚雀。雀形目织布鸟科一种淡褐色非洲小鸟。数量大，常毁坏谷物，栖息时会将树枝折断。

粉红色羽毛的雄奎利亚雀（*Quelea quelea*）

供图：Bruce Coleman Ltd.

为控制其种群作了各种努力，用毒药、凝固汽油弹、病原体和电器，但收效甚微。在不到50公顷范围内200万对以上的稠密集群内使用黄色炸药，取得了局部控制的效果。该鸟在灌木地带繁殖，在几英里的范围内每棵灌木或树上有几百个球形鸟巢。由雄鸟（脸黑色，在繁殖季节身体前部粉红色）营巢。每对奎利亚雀孵育二或三只幼雏，幼雏在一年内可能漂游数百英里，并开始繁殖。这种蝗虫似的鸟灾是由于人们开发边远土地、饲养牲畜以及大规模耕种造成的间接的复杂后果。

Queler, Eve　奎勒（1936-01-01，美国纽约州纽约～　）　婚前名Eve Rabin。美国指挥家。是传统上由男性居主导地位的管弦乐指挥领域最早的女指挥之一。幼年就显示出杰出的音乐才华，5岁开始正式学习钢琴，1954年毕业于纽约市音乐艺术高中。1956年进入曼内斯学院，师从指挥C.班伯格。后又师从大都会歌剧院的J.罗森斯托克。自1958年起在纽约市歌剧院参加排练、试奏钢琴，最后成为助理指挥，从中取得不少实际经验。1966年在新泽西州演出的《乡村骑士》中第一次担任指挥。为了获得专业指挥的机会，她于1967年组建了纽约歌剧管弦乐团，可以提

供指挥乐器演奏家和年轻歌手的经验。1971年演出《波佩阿的加冕》和《贝法戈》，1972年演出《威廉·退尔》和《非洲女》等剧目。他们的演出成为纽约音乐界的固定节目。她还常担任客座指挥，是第一位指挥费城、克利夫兰和蒙特利尔交响乐团的美国女指挥家。

Quelimane 克利马内 莫桑比克中东部城镇和海港。位于邦西奈斯河河口附近，濒印度洋。为该地区最古老的居民点之一。1544年葡萄牙人在此建立了贸易站。18、19世纪设有奴隶市场。1761年成为葡萄牙人的殖民地城镇。两年后建市。20世纪初德国人开辟了西沙尔麻种植园。渔业为沿海地区重要行业。城镇为北起莫库巴地区的铁路的终点站。出口茶叶、糖、西沙尔麻、玉米、棉花、烟草、椰干和椰棕。克利马内的椰子种植园为世界上最大椰园之一，占地约20 230公顷，种有椰子树400万株。人口150 116(1997)。

Quelpart Island(South Korea) **奎尔帕特岛** 参阅 **Cheju Island** 济州岛。

Queluz 克卢什 葡萄牙里斯本区城镇和宫殿。位于里斯本西北。17世纪建有里斯本贵族的庄园。以1747～1794年建克卢什宫闻名。1934年发生火灾，克卢什宫部分被

克卢什镇的克卢什宫
供图：Ewing Galloway

毁；后经修复，现仍为举行官方接待活动的场所。人口49 949(2001)。

quenching 淬火 金属物体成型后从高温浸入油或水中进行迅速冷却。通常是为了保持与晶体结构或相分布有关的而在缓冷时会丧失掉的机械性能。淬火一般用于钢件，使之具有高硬度。此外，铜件在常温下经锤击或其他形变而硬化时，可通过加热和淬火恢复到韧性状态。参阅 **annealing；tempering**。

Queneau, Raymond 凯诺(1903-02-21法国勒阿弗尔～1976-10-25，巴黎) 法国作家，创作了20世纪中叶极为重要的散文和诗。曾任《不妥协者》的记者(1936～1938)，随后担任著名的《七星全书》的审稿人，1955年任主编。凯诺自20年代参加超现实主义运动时起，一直保持对文字游戏的爱好、黑色幽默的倾向和对权威的嘲弄态度。在双关语、冷嘲热讽、故意反常的拼写和其他稀奇古怪的语言曲解后面，隐藏着他的彻底的悲观主义和摆脱不了的死亡观念。他的尖刻的笑声回响在表面上明快的童年回忆诗，如1937年的诗体自传小说《橡树和狗》中，以及在他许多哲理诗，如《齐奥》(1943)、《小宇宙起源论》(1950)、《凭你想象》(1952)中。他的小说模式大都类似：从一个熟悉的环境中，或是郊外，或是露天娱乐场，或是巴黎的地铁，显现出一个荒诞世界的景象。这就是《绊脚草》(1933)、《扎齐坐地铁》(1959)、《蓝花》(1965)和《伊卡勒的飞翔》(1968)等书的格式。其中《扎齐坐地铁》是他最著名的作品，1960年拍成电影。作者用从日常的俚语行话直到最高雅的诗文等令人眼花缭乱的语言，描绘那些质朴的人们的生活，不带任何感情。

Quennell, Sir Peter (Courtney) 昆内尔(1905-03-09，英国伦敦～1993-10-27，伦敦) 英国翻译家、编辑、传记作家和评论家，研究拜伦和J.罗斯金的权威。曾在牛津大学求学，并在伦敦从事新闻工作。1930年在东京文理大学任教，但一年后辞去教职返伦敦写作。曾任文艺期刊《康希尔杂志》(1944～1951)的编辑，1951年后任《今日历史》月刊编辑。1991年受封为爵士。最著名的作品有他所译利文公主给19世纪奥地利政治家梅特涅的书信(1948)，评论作品《17世纪诗歌的几个问题》(1933)和关于拜伦、罗斯金、波德莱尔、蒲柏、卡罗琳皇后(乔治二世之妻)、T.莫尔和V.纳巴科夫的评述和传记。他的自传包括《大理石座》(1968)和《荒唐的追逐》(1980)。

Quental, Antero Tarquínio de 肯塔尔(1842-04-18，葡萄牙亚速尔群岛蓬塔德尔加达～1891-09-11，蓬塔德尔加达) 葡萄牙诗人，反对浪漫主义的"科英布拉一代"的领袖人物。出身于贵族家庭。1858～1864年在科英布拉大学攻读法律期间，开始写作早期浪漫主义诗歌《余辉》，以及精美的抒情诗，1872年编成诗集《浪漫的春天》出版。这些诗歌和1865年出版的《现代颂歌》，使他在同学中崭露头角。他写的小册子《良好的判断和健康的趣味》(1865)，抨击葡萄牙文学中死板的形式主义，开始了反对老一代文学的斗争，一直到1871年，那时肯塔尔在里斯本俱乐部组织了一系列"民主讲座"，彻底搞垮了浪漫主义。

里斯本国立现代艺术博物馆供图

离开科英布拉之后，肯塔尔当了一名排字工人，先在里斯本，后来在巴黎(1867)，因而熟悉工人阶级的生活，但失望和疾病迫使他离开巴黎，坐帆船到美国和加拿大旅行(1869)，后返回里斯本，为工人的利益做宣传工作，并参与在葡萄牙建立第一国际的组织工作。由于日益感到不满，同时脊椎病也日益恶化，未能彻底治疗。他放弃了许多心爱的计划，写了他最后的也是最好的一些十四行诗。1881年退居乡间，最后因病痛、失眠和颓唐自杀身死。作为诗人，肯塔尔进行了一些形式方面的革新。他是一位十四行诗的大师。他的《安特罗·德·肯塔尔十四行诗全集》(1886)中的109首十四行诗，记叙了他思想发展过程的历史，既表达了他个人的种种焦虑，也表达了葡萄牙面临19世纪晚期欧洲思潮所产生的更重大的思想意识问题。

Quepolicán (Araucanian chief) 参阅 **Caupolicán** 考波利坎。

Querandí 克兰迪人 南美印第安人，居住阿根廷潘帕斯，在大西洋海岸的布兰科角和普拉塔河西岸科尔多瓦山之间。他们的语言已完全消亡。我们对克兰迪人的情况了解甚少，只知他们与平原游牧民族的类型有某些相似之处。他们以渔猎采集为生，用流星锤狩猎，用网罟捕鱼。马达的引进，改变了克兰迪人的生活，他们能集结较大马队与其他印第安人及西班牙人作战。克兰迪人自1678年以后即从历史上消失。他们不是已全部消亡，就是以潘帕印第安人的名称生存下来。

Queranus OF CLONMACNOISE, SAINT 参阅 **Ciaran of Clonmacnoise, Saint** 西亚朗(克朗马克诺伊伊斯的)，圣。

Quercetanus, Andreas 参阅 **Duchesne, André** 迪歇纳。

Quercia, Jacopo della 奎尔恰 参阅 **Jacopo della Quercia** 雅各布(德拉·奎尔恰)。

quercitron bark 美洲黑栎树皮 黑栎属(*Quercus velutina*)树的内皮，它含有染色物质，用于把羊毛染成鲜黄和鲜橙色。与胭脂红配用可得到特别鲜艳的猩红色。将美国中部和南部所产黑栎树的外皮刨去，露出内皮，然后剥离，捣碎，在加压下用热水处理，再将浸提液沉淀，得到初栎素，商品称黄素。另一种栎皮染料称为红黄素，由栎皮浸提液加稀酸熬煮沉淀而得。用这类染料可把经铝或锡媒染剂处理的毛料染成鲜黄和鲜橙色。

Quercy 凯尔西 历史上的文化区，包括法国西南部的大部分省，诸如洛特省和塔恩-加龙省，相当于原凯尔西区。在高卢-罗马时代，该地区成为卡杜西人的邦，5世纪时为西哥特人占有，6世纪时为法兰克人所据。根据《布雷蒂尼条约》(1360)，法国人将凯尔西让割给英格兰，但在百年战争后期，英格兰人终于在1443年被赶走。该地区后并入法国的吉耶讷行政区。在16世纪的宗教战争中，天主教徒和胡格诺派激烈地争夺凯尔西；在17世纪20年代，凯尔西的主要城镇之一的蒙托邦成为胡格诺抵抗运动的一个主要中心。该地区包括一个干燥的石灰石高原，并不怎么用来从事农业，而是种植了大片橡树(学名Quercus)，即该区地名的来源。1750～1850

年间大建鸽棚，养鸽是为了鸽粪可以作肥料肥田。凯尔西居民多信仰天主教。卡奥尔附近的葡萄园生产一种浓郁的红葡萄酒。大多数人仍操奥克西坦语。

Querétaro 克雷塔罗 墨西哥中部一州。地处中央高原。面积 11 449 平方千米。北部为矿产丰富的山区；南部是起伏不平高原和肥沃谷地。这一地区居住的奥托米-奇奇梅克印第安人在 1531 年被征服，西班牙人在 16 世纪 50 年代开始拓居。1824 年建州。有金、铜、铅、锡等矿藏，主要矿产品有蛋白石和水银。南部低地产水果、谷物、药材和甘薯等。斗牛饲养业也很重要。华雷斯—墨西哥城的公路干线和铁路干线经过该州首府**克雷塔罗**（**Querétaro**）。人口 1 404 306(2000)。

Querétaro 克雷塔罗 墨西哥克雷塔罗州首府。在墨西哥高原。海拔 1 860 米。为典型的西班牙殖民地城市。1996 年历史中心被联合国教科文组织列为世界遗产。由奥托米印第安人建立，1446年并入阿兹特克帝国。

克雷塔罗市的渡槽
供图：W. H. Hodge

1531 年受西班牙控制。殖民时期建筑物有大教堂、联邦宫以及圣罗莎、圣克拉拉和圣阿古斯丁教堂。有一条 5 英里长的渡槽（1726 ～ 1738）。1848 年在此签订《瓜达卢佩伊达尔戈和约》，从而结束墨西哥战争。1867 年胡亚雷斯军队在克雷塔罗击败马克西米连皇帝的军队。1917 年墨西哥宪法在此签署。也是墨西哥国民革命党诞生地（1929）。有墨西哥最早、最大的棉纺厂，还有陶器工厂和农产品加工厂。市内设有克雷塔罗自治大学（1951）。为三条通墨西哥城铁路干线的枢纽。人口：市 536 463；大都会区 787 341(2000)。

Querido, Israël 奎里多（1872-10-01，阿姆斯特丹～ 1932-08-05，阿姆斯特丹） 荷兰自然主义小说家。初为钻石匠，很早就决心与下层阶级保持密切接触。通过观察，他能够精确地反映下层社会的生活方式和语言风格，例如史诗式的四部之作《约旦河》（1914）。在写人们的生活状况时，他明显地表现出社会主义倾向，例如在小说《人们的辛劳》（1903）中，他详尽地描写了亲眼见到的民间疾苦。此外，他还写有历史小说《旧世界》（1919）。

quern 手推磨 古代磨碎谷粒的工具。座架式手推磨结构简单，由一平石板底座和圆形石头构成，用人工操作。其历史则要追溯到新石器时代（公元前5600）。到罗马时代，

庞贝遗址出土的大型手推磨
布朗兄弟公司供图

出现了用奴隶或畜力推动的重型手推磨。公元前 200 年的一种转磨，由中凹的下磨盘和中凸的上磨盘组成，用两头驴拉着转动。在庞贝遗迹中发现了很多这样的大型手推磨，上磨盘装在固定在下磨盘的心轴上，磨碎的谷粒通过下磨盘上的孔流出。

Querneus, Andreas 参阅 **Duchesne, André** 迪歇纳。

Quervain, Marcel Roland de 凯尔万（1915-05-17，瑞士苏黎世～　　） 瑞士冰川学家。以关于雪的变质作用和物理特性的研究成果而闻名。凯尔万先后任瑞士雪和雪崩研究所所长助理（1943 ～ 1950）、所长（1950 年起）和名誉研究教授（从 1969 年起，直到 1980 年退休为止）。他主要对雪崩警报系统和治雪问题的方法上有所贡献。1959 年参加国际格陵兰冰川考察团，在岛上研究了冰盖的层理和结构。1968 ～ 1971 年担任国际科学水文学协会副主席，1975 年当选为国际冰川学会主席。

Quesnay, François 魁奈（1694-06-04，巴黎附近～ 1774-12-16，凡尔赛） 法国经济学家、重农学派的领袖。在任路易十五宫廷御医时对经济学产生了兴趣，60多岁才发表第一部

巴黎国家图书馆供图

有关经济学的著作。他在《经济表》（1758）这一著作中，归纳出他的政治经济学体系，用图表来说明社会各经济阶级和部门的相互关系以及在它们之间支付的流通。魁奈在书中提出了经济平衡的假说。特别重要的是对资本的分析，他把资本视作“预付款”，即在生产开始前要预先积累的一笔财富。预付款还分成固定资本和流动资本。魁奈认为，储蓄可能有害，因为资金不成为投资，很可能破坏支付流通的平衡。他的分析同约两世纪后的凯恩斯的分析相似。魁奈极端相信自然法则学说，他宣称，经济领域中的自由放任是遵从自然法则的，因而体现了神圣不可侵犯的经济秩序。的确他是 19 世纪阶级利益调和论和与之有关的提倡自由竞争会带来社会最大限度满足这一理论的创始人之一。

Quesne, Abraham Duquesne, marquis du 凯纳侯爵 参阅 **Duquesne, Abraham** 迪凯纳。

Quesnel 克内尔 加拿大不列颠哥伦比亚省中南部的城镇，位于克内尔河与弗雷泽河汇流处，在温哥华以北 661 千米。河流及城镇（1864 年以前名为克内尔茅斯）是以克内尔的姓氏命名的，他曾于 1808 年参加弗雷泽的探险队。1862 年卡里布淘金潮时期该居民点扩增。现为广大的伐木、农耕和采矿地区的服务中心，主要工业设施为一胶合板工厂。由于道路的改善，以及城东巴克维尔旧金矿的复原，旅游业得以发展。克内尔也是钓鱼和大型狩猎的基地。1928 年建村，1958 年设镇。人口8 179(1991)。

Quesnel, Pasquier 凯斯内尔（1634-07-14，巴黎～1719-10-02，阿姆斯特丹） 法兰西天

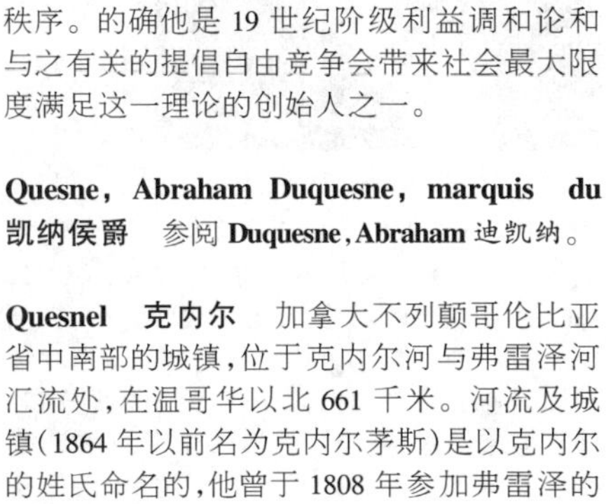

供图：H. Roger-Viollet

主教神学家。在法兰西王路易十四世迫害之下，他领导詹森派，直到该派被教皇谴责为止。1703 年被捕，不久逃往阿姆斯特丹定居。1692 年发表《新约法文版附关于道德问题的反思》,该书是詹森派的重要文献，再度引起詹森派和罗马教廷之间的教义论争，路易十四世介入这场冲突，使局势变得更为复杂。教皇克雷芒十一世在路易十四世的敦促下，于 1713 年发布通谕，谴责前文中的 101 条论点，但凯斯内尔从不承认其学说为异端。他的信件由 A. 勒罗伊编辑出版(2 卷，1900)。

Quetelet,(Lambert) Adolphe (Jacques) 凯特尔 (1796-02-22, 比利时根特～1874-02-17, 布鲁塞尔) 比利时数学家、天文学家、统计学家和社会学家。以将**统计学**(**statistics**)和

布鲁塞尔皇家图书馆供图

概率论(**probability theory**)应用于社会现象而著名。在《论人及其才能的发展》(1842, 1869 年再版时改名为《社会物理学》)中,提出“平均人”的概念作为中心值,人的行为度量在这个中心值周围按照正态概率曲线分布。他还激起了对“道德统计学”的广泛研究。他曾在巴黎天文台研究天文学,并在P.-S.拉普拉斯的指导下研究概率论。曾在布鲁塞尔法律学校、军事学院和博物馆任课。1828 年创办并主持了布鲁塞尔皇家天文台，后任比利时皇家学院终身秘书，并组织了第一次国际统计学代表大会。凯特尔先后为荷兰和比利时政府收集并分析了犯罪、死亡率和其他主题的统计资料，还对人口调查方法做了改进。他还发展了天文、气象和大地测量的在遍布欧洲各地的观测点同时进行观测的方法。他在试图通过统计来发现社会行为的原因时,设想了特定年龄类群的相对癖好(如对犯罪的癖好)。这种思想像他的平均人思想一样,在 19 世纪的社会科学界引起重大的争论。

Quetico Provincial Park 奎蒂科省立公园 加拿大安大略省西南部的荒野公园。在苏必利尔湖西部,连接美国边界。1913 年建。面积 4 744 平方千米。该地原为印第安人、探险者和商人的东西方向通道。19 世纪的道森小道现依稀可见,移民曾由此到达西部草原。在公园内旅游只能乘船沿其1 000多个湖泊及水道航行。园内有印第安人石壁画遗迹,野生动物种类繁多。

Quetlavaca(Aztec ruler) 参阅 **Cuitláhuac 奎特拉瓦克**。

Quetta 奎达 又拼 Kwatah。巴基斯坦俾路支省城市、县和专区。当地仍沿用其古名沙尔或沙尔果德。奎达市为县和专区首府,重要的市场和交通中心。地当西北边境的重要公路、铁路线。1876 年由英人占领。市镇在驻军营地周围逐步发展起来。1896 年建市;1907 年设立军事指挥官和参谋学院。1935 年 5 月发生强烈地震,城市部分被毁,2 万人丧生。现为阿富汗西部、伊朗东部和部分的中亚集市中心。建有棉纺织厂、硫磺厂、焦炭砖厂、热电站和水果罐头厂。设有巴基斯坦地质勘测院、桑德曼图书馆和白沙瓦大学两所学院以及俾路支大学(1970)。为夏季避暑胜地。奎达县北毗邻比欣县,西界阿富汗,东邻锡比县,南接格拉德县和贾盖县。一系列长谷,有比欣洛拉河及其支流流经。河谷地区气候干燥、温和,适于种植葡萄、桃、李子、杏、苹果、梨和石榴。小麦、大麦和玉米为常见农作物;有繁茂的红松和阿月浑子森林。养马业普遍。手工业生产毡子、地毯、丝绣和铜器。奎达专区面积 53 115 平方千米,包括奎达县、比欣县、兹霍布县、洛拉莱县、锡比县和查盖县。东面和北面分别为苏莱曼山脉和多巴加格尔岭。杰曼之南的卡瓦贾阿姆兰山有著名霍贾克山口和 4 千米长的舍拉巴格铁路隧洞。雨水稀少,耕种主要靠地下水、泉水、井水和溪水浇灌。主要作物有小麦、高粱和玉米。开采铬铁矿、硫磺、大理石和石膏。人口:城市 560 307(1998)。

quetzal 绿咬鹃 咬鹃科绿咬鹃属(*Pharomachrus*)几种鸟类的统称。参阅 **trogon**。

Quetzalcóatl 魁扎尔科亚特尔 意译为羽蛇,是古代墨西哥居民所崇奉的重要神祇。公元 3～8 世纪墨西哥中部高原的特奥蒂瓦坎文明中就有羽蛇的形象。当时人们可能以他为草木神,掌管水土,与雨神特拉洛克有密切关系。随着纳瓦语部落自北方迁来,羽蛇崇拜经历了很大变化。在 9～12 世纪的托尔特克文化中,羽蛇成为晨星和暮星之神。在 14～16 世纪的阿兹特克时期,羽蛇被当作祭司的庇护者、历法和书籍的发明者、金匠和其他工匠的保护者来崇拜;他还被等同于金星。该神的形象除羽蛇外,常为蓄须男子,戴面具,上有两管以吹风,头戴尖顶帽。阿兹特克首都特诺奇蒂特兰的魁扎尔科亚特尔庙是一座圆形建筑。此种圆形建筑物最常见于瓦斯特克地区。魁扎尔科亚特尔主管以风为名

墨西哥瓦斯特克文化的魁扎尔科亚特尔石灰岩雕像

纽约布鲁克林博物馆供图

的各日以及教历中第 18 个 13 天周期,他也是分掌一天 13 个时辰的各神中的第九位神。此神兼管学术、文事、书籍,在各神庙所附设培养祭司和教育贵族子弟的学校里特别受崇敬。

Quetzaltenango 克萨尔特南戈 危地马拉克萨尔特南戈省省会。近圣玛丽亚火山山麓,海拔 2 334 米。因海拔高,干季气温可降至零度以下。附近有一古战场,1524 年西班牙人在此击败当地的基切印第安人。1902 年圣玛丽亚火山(现已为死火山)喷发,城市被毁。现为全国第二大城市、沿海地区与高地

克萨尔特南戈市的中美洲公园

供图:Walter Aguiar—美国不列颠百科全书公司

之间贸易的中心和加工业中心(有纺织、面粉、啤酒厂)。设有几所大学。危地马拉许多著名学者、作家和音乐家曾在此居住。有公路和航空线通东面 110 千米的危地马拉城。人口 106 700(2002)。

queuing theory 排队论 又称等待线论。运筹学与管理科学的一个部分，它为服务对象与服务次数不可预知的系统设计适当而经济的服务设备。排队论中采用“顾客”一词代表人或事物，与之相关的是可用某些量来表示的变化因素，例如顾客到达服务点的方式、服务设备如何满足顾客的要求、服务时

间的平均数和变化范围、闲置时间等等。在弄清楚顾客与服务设备两方面的变化因素以后，就可以从经济的角度来设计服务系统。排队论主要是由于实际的需要而发展起来的。在电话服务系统中，为某给定地区设计最合理的电话外线条数，就是排队论中的典型问题。若外线的条数多于最合理的条数，就会大大增加投资；若外线的条数少于最合理的条数，就会造成电路过度繁忙而影响服务。

Quevedo y Villegas, Francisco Gómez de 克维多-比列加斯（1580-09-17，西班牙马德里～1645-09-08，因凡特斯新镇） 西班牙诗人、西班牙"黄金世纪"时期的讽刺大家，作为

伦敦维多利亚和艾伯特博物馆供图

语言大师，在西班牙文学中无出其右。出身豪门显贵。1596～1606年在阿尔卡拉和巴利阿多利德等大学学习，通晓数种语言，23岁时即以诗人和才子闻名。其作品格调不一而足，从纵情声色到虔诚的作品都有，显示了他的复杂性格。他的渊博学识促使他从事撰写论述道德的严肃作品，纵论斯多葛派哲学，以及译述爱比克泰德和塞内加的作品，但他对下层社会的生活和切口也同样熟悉。他的讽刺作品大多针砭时弊，现已不具影响，但他的流浪汉小说《骗子外传》(1626)却成为传世名著。《梦》(1627)是一部描写地狱和死人的幻想作品，表明作者已发展成为能够熟练运用当时新巴罗克艺术风格"警句主义"的大师，这是一种复杂的以双关语和微妙的奇想为基础的表达方式。

Queyras 凯拉 法国西南部普罗旺斯山-蓝岸地区上阿尔卑斯省的吉尔河大阿尔卑斯流域。流域从吉尔河和迪朗斯河汇流处（蒙多凡村附近）向东北方向延伸至阿布列，向东南则达意大利边界，总距离约50千米。这一区域以其植物群而著称（约2 000种），从地中海种类到阿尔卑斯种类都有。其侧面有100多个科蒂安山的山峰，以冬季运动设施而闻名。沿着峡谷边上排列着一些有滑雪度假小舍的村庄。一个名为凯拉背斜谷的小山谷四周皆为石灰石绝壁，约200米高，最狭窄处仅为一线天。凯拉区公园建于1977年，面积达6万公顷。

Quezon (y Molina), Manuel (Luis) 奎松（1878-08-19，菲律宾巴莱尔～1944-08-01，美国纽约萨拉纳克莱克） 菲律宾政治家，独立运动领袖，菲律宾自治领政府首任总统

美国不列颠百科全书公司供图

(1935)。原在马尼拉圣托马斯大学学习法律，1899年辍学参加阿奎纳多领导的反美独立斗争。1901年阿奎纳多投降，他回校复学，1903年取得学位，业律师数年。他相信只有与美国合作，才能使菲律宾取得独立，于是1905年竞选塔亚巴斯省省长，任职两年。1907年菲律宾成立议会后当选为议员。1909年任菲律宾在美国众议院的常驻专员，为菲律宾尽速脱离美国走向独立奔走呼号。1916年为争取美国国会通过《琼斯法案》曾发挥重要作用。该法案保证菲律宾独立，但未规定确切的日期，只给予菲律宾较大自治权和规定，按美国模式成立两院制立法机构。同年，奎松辞去专员职务回国。回国后选入菲律宾参议院，后任议长。1922年成为国民党党魁。他曾为通过《泰丁斯-麦克达菲法案》努力奋斗，这个法案规定菲律宾在制定宪法，成立自治领政府10年后完全独立，成立共和国。1935年他当选为自治领政府总统。他在总统任内改组军队，解决无地农民问题，鼓励开发棉兰老岛，坚决与官员的贪污腐化作斗争，并在马尼拉附近建设新首都（后来称奎松城）。1941年再次当选总统。1942年日本占领菲律宾后，他去美国成立流亡政府，又任太平洋作战会议委员，签署联合国反法西斯国家宣言，并写自传《好的战斗》(1946)。但还没等到菲律宾完全独立，他就因患肺病死去。

Quezon City 奎松市 1948～1976年为菲律宾首都和直辖市。在吕宋岛中部黎刹省，马尼拉东北侧。1939年由菲总统奎松选定，故名。1948年取代马尼拉为首都（马尼拉仍驻有许多政府机关），1976年迁回马尼拉。沿环城公路有轻工业区。市郊有低薪政府工作人员住宅区。圣弗兰西斯科德尔蒙特和卡穆宁为豪华住宅区。库保为交通枢纽和商业中心，亦是阿拉内塔圆形剧场所在地。市内设有菲律宾大学(1908)和马尼拉阿特内奥大学(1859)。其他旅游点有阿基拉尔神父动物园、国家公园、野生动物园和奎松纪念大厦等。人口1 989 419(1995)。

Qufu 曲阜 又拼Chü-fu。中国山东省县级市。中国历史文化名城。中国古代思想家、教育家孔子的故里。位于省境西南部，鲁中低山丘陵区西部泗河流域，焦作—兖州—石臼港铁路线上。面积896平方千米。周初名曲阜邑，为鲁国都。周武王封弟周公旦于此。秦置鲁县，后历为薛郡、鲁国、鲁郡治所。隋开皇四年(584)改名汶阳县，开皇十六年改名曲阜县。原属济宁市管辖，1988年改为省辖县级市，仍由济宁市代管。农产以小麦、高

曲阜阙里

中国大百科全书出版社供图

粱、玉米、棉花、花生为主，产"曲阜香稻"。工业有采煤、化肥、机械、纺织、酿酒、建材等。楷木雕刻历史悠久，技艺精湛，极负盛名。城西有曲阜师范大学。主要古迹有孔庙，是历代祭祀孔子的地方，内有大成殿、奎文阁等著名古建筑。孔府与孔庙毗邻，是孔子嫡裔的宅第。始建于北宋宝元年间(1038～1040)，称衍圣公府。内有大堂、二堂、三堂、六厅、前后堂楼、铁山园等名胜。孔林在城北，是孔子及后裔的墓地，占地200余公顷，周垣7千米，内古木参天，石碑林立。孔庙、孔府和孔林于1994年被联合国教科文组织列为世界遗产。此外还有少昊陵、颜渊庙、梁公林、尼山夫子洞等古迹。人口640 000(2005)。

Qui Nhon 归仁 越南中部义平省省会和港口城市。濒临南海，地处北一南流向的27千米长多浅滩的归仁海湾入口处。1874年，开放对法国贸易。一直到第二次世界大战结束以后，较大型船舶以该港为开敞锚地。1965年，美国人协助改进港口设施，以支援昆嵩高原的军事行动。归仁有公路直达该高原。1977年对港口进行了疏浚，现已能停靠万吨船舶。通过国家海岸公路网和胡志明市（前西贡）—顺化铁路可与其他沿海中心城市相通。行业主要有捕鱼和晒盐业。有一所医院、一家现代化儿科诊所、一所师范学校和一所职业学校。人口约203 300(2004)。

Quibdó 基布多 哥伦比亚城市。年降雨量达到10 700毫米以上，可能超过任何其他赤道地区的雨量。建于1654年，1948年后为省会。现为地区的商业和制造业中心，有金属加工厂、锯木厂、软饮料厂和服装厂。附近有黄金和白金矿，并有一水电站。通河道、公路和航空线。人口约73 653(1999)。

Quibo Island(Panama) 参阅 **Coiba Island** 科伊瓦岛。

Quiché 基切人 又称基切马雅人。居住在危地马拉中西部高地的马雅印第安人。他们在前哥伦布时期已具有先进的文明和高度发展的政治和社会组织。考古遗物表明当时他们已有很大的居民中心和复杂的阶级结构。文字书写的基切人的历史及神话见于《圣书》，该书系1524年西班牙征服后不久用拉丁字母的基切语写成。现在说基切语的人有70万。基切语是马雅语群中最大的一种语言，虽然这种共同语言并不能导致语言使用者产生民族统一感。基切语同邻近的楚图希尔语和卡克奇克尔语（**Cakchiquel language**）有密切关系，这两种语言是其邻近部落的用语。基切人及其邻近诸民族都务农，手工耕作，种植具有中美特点的玉米、豆类和南瓜，也种植草莓和桃等经济作物。住房为茅草屋，建于自己耕作的土地上。织物和陶器是非常普遍的手工制品。服饰常是传统的。他们名义上信仰天主教，却参加村庄的一些宗教团体，这些宗教团体管理教堂并负责该地守护神节日庆祝活动的组织工作。异教的神话和仪式依然普遍流传。参阅**Maya**。

Quiché 基切 危地马拉西北部省份。北邻墨西哥。面积8 378平方千米。居民大部为马雅印第安人，在较高地带从事畜牧业，种植玉米、豆类、马铃薯；在低地种植甘蔗、咖

奇奇卡斯特南戈镇教堂阶梯处的卖木材小贩
供图：Ace Williams—Black Star/美国不列颠百科全书公司

啡、烟草。北部有伐木业。省会为圣克鲁斯-德尔基切（**Santa Cruz del Quiché**）。但该省最著名的城镇是印第安人市场和宗教中心奇奇卡斯特南戈。有数条一级公路。1976年的地震造成许多建筑物被毁，约1 000人身亡。20世纪80年代初期，政府对印第安人的迫害使许多人去墨西哥南部避难。人口约652 022（1995）。

Quiché language 基切语 马雅语系的一种美洲印第安语言，通行于危地马拉西部高地。与它关系最近的语言是危地马拉中部的卡克奇克尔语、楚图希尔语、萨米普尔特克语、西帕卡帕语；关系较疏远的是乌斯潘特克语、波科曼语、波孔奇语、凯克奇语和东马雅语族（参阅**Maya languages**）的其他语言。有时用阿奇语称呼基切语最东部各种方言。基切语主要的古代文献是记载基切人民、王公、英雄们史迹的《圣书》。另有三种西班牙征服前的重要历史著作，类似《圣书》，是在16世纪用西班牙语拼写法写成的。另一本题名《拉维纳尔阿奇人》，是在19世纪首次发现的。基切语像尤卡坦语（**Yucatec language**）一样，有包括清音（p、t、k等）和喉音在内的辅音系列，但是没有浊塞音b、d、g。在语法上，主要用后缀，也用前缀，小品词（用作前置词、后置词、代词、副词等）也用得很普遍。

Quicherat, Jules(-Étienne-Joseph) 基什拉（1814-10-13，巴黎～1882-04-08，巴黎） 法国历史学家和考古学家先驱，19世纪法国学术界的一个重要人物。1835年由巴黎文献

供图：Giraudon—Art Resource/美国不列颠百科全书公司

学院毕业后，在皇家图书馆工作。1871年任母校的院长。他是法国考古学的奠基者之一，曾研究法国中世纪历史，并写出大量著作，另外还编印关于审判贞德和给她恢复名誉的资料五卷（1841～1849）。基什拉死后出版的两卷综合考古研究与历史研究的著作表明了他的渊源广博的学问。

quick grass 参阅**quack grass 速生冰草**。

quicklime 生石灰 钙（**calcium**）的一种碱性无机化合物。

quicksand 流沙 指饱含水的沙失去其支撑能力而具有流体性质时所处的状态。流沙通常见于大河流的河口以及沿河流或海滩平坦地段的洼坑里。水坑被沙部分地充填，沙下面的一层黏稠的黏土或其他致密的物质又阻止了排水。沼泽中沙、泥和植被的混合物，常常起着真正流沙的作用。流沙曾经特别被建筑工程师们认为是一种特殊类型的沙，但现在被判明是任何一种沙都可以呈现的状态，只要这种沙的实际重量暂时或永久由隙间水承担了。有些天然的沙，结构极为松散，以至于只要有脚步之类引起的微小的扰动，就足以使那种松散的结构瓦解而造成“流动”状态，于是就会使人或动物像陷在流体里那样陷进去；但由于这种沙和水的悬浮液，密度超过人体的密度，所以人体不会沉到表面以下。在流沙中，如果挣扎就可能导致失去平衡而被淹死。这种可能性无疑地引起了文学作品中流传的一种迷信，说流沙能置人于死地。

quicksilver 水银 参阅**mercury 汞**。

Quidde, Ludwig 克维德（1858-03-23，德国不来梅～1941-03-05，日内瓦） 德国历史学家、政治家、20世纪最著名的和平主义者之一、1927年诺贝尔和平奖获得者之一。1889～1896年为《德国历史杂志》主编。1890年任罗马普鲁士历史研究所教授和秘书。1892年回慕尼黑，加入德国和平协会。1894年针对威廉二世写了讽刺作品《卡利古拉》，因而犯大不敬之罪被监禁3个月。1907～1919年为巴伐利亚议会自由派议员和议会间联盟成员。1914～1929年任德国和平协会主席。1919年参加民主党，被选为国民议会议员，在议会上为比例选举制而斗争，反对凡尔赛和约。他支持魏玛共和国，主张德国加入国际联盟，反对德国军国主义复活。1924年由于在《星期一世界》刊物上撰写文章反对非法的军事训练而在慕尼黑被捕。1933年离开纳粹德国流亡到日内瓦，在该地一直居住到逝世。发表有若干关于历史、政治包括和平主义问题的著作。

Quidor, John 奎多（1801-01-26，美国纽约塔潘～1881-12-13，新泽西泽西城） 美国风俗画家和工匠。在其大约35件油画中，有17件取材于W.欧文的小说。他还从《圣经》、《堂吉诃德》和库珀的作品中选取题材。他偶尔也画哈得孙河谷的风景。其文学性插图，按照自己的解释去表现。作品中的人物千姿百态，形象夸张，因而富有幽默感，深沉有力。

Quidort, John 参阅**John of Paris 约翰（巴黎的）**。

Quietism 寂静主义 基督教灵修理论之一。谓完善在于灵魂的无为沉静，人应当抑制个人的努力以便上帝充分施展作为。此词通常专指西班牙司铎莫利诺斯所倡导的理论。莫利诺斯是17世纪后半叶在罗马享有盛名的灵修导师。他认为，无为使灵魂返本归真，化为神性，凡是经过这种神秘死亡的人，上帝即唯一的真实体就居住在他的灵魂中并实行统治。人不应当考虑得救、完善或其他目的，只应把一切交托给上帝。人也不必习演灵修常规。教皇英诺森十一世于1687年谴责莫利诺斯的理论，判莫利诺斯终身监禁。寂静主义在信仰上与新教的虔修派和贵格派有相似之处。

quill 羽管笔 又称翎笔，鸟类羽毛空心角质的管，从6世纪起，到19世纪中叶钢笔尖出现时止，羽管笔一直用作主要的书写工具。最坚固耐用的羽管笔是活鸟春季新生的羽毛。人们一般认为只有五根翼外侧的羽毛适合于书写，第二根和第三根最好。使用者特别喜欢用左翼上的羽毛，因为它向外弯曲，便于右手书写者使用。鹅毛是羽管笔的主要来源。比较稀少更为贵重的天鹅毛更受人喜爱。但是，要画细线，乌鸦毛却比前两者都

19 世纪初康涅狄格州斯托宁顿的羽管笔
美国史密森学会供图

好。鹰、枭、隼和火鸡的羽毛，也有人用来制羽管笔。

Quiller-Couch, Sir Arthur Thomas　奎勒-库奇（1863-11-21，英国康沃尔博德明～1944-05-12，康沃尔福伊）　笔名“Q”。英国诗人、小说家、文选家，以编纂《1250～1900 年牛津英国诗选》（1900，1939修订）和《牛津歌谣集》

供图：BBC Hulton Picture Library

（1910）著称。曾在牛顿阿伯特学院、克利夫顿学院和牛津大学三一学院求学，后为三一学院古典文学讲师（1886～1887）。1887 年写成关于康沃尔和海的几部小说的第一部《死人岩》。1887～1892 年在伦敦一家出版公司工作，同时担任《演说家》的助理编辑。他为该刊所写的一些短篇小说后来收入《画圈打叉游戏》（1891）一书，是十多部类似作品的第一部。1892 年定居福伊，这个康沃尔小港以“特洛伊镇”出现在他的小说中。1910 年被封为爵士，1912年被任命为剑桥大学爱德华七世英国文学教授，并同时当选为耶稣学院评议员。《诗集》（1930）是他的严肃诗歌集，《绿色海湾》（1930）收集了他的轻松诗歌。出版的著作还有《论写作艺术》（1916）、《莎士比亚的技巧》（1918）、《文学研究》（3 辑：1918，1922，1929）、《谈读书的艺术》（1920）、《查尔斯·狄更斯和其他维多利亚时代作家》（1925）和《作为平民的诗人及其他文章》（1934）。他以清晰和流畅自如的风格著称。

quillwork　羽毛和硬毛制品　用豪猪毛有时或用鸟类羽毛制的绣制品。从缅因到弗吉尼亚再向西直到落基山脉的美国印第安人常用这种装饰。羽毛制品用于烟草和打火石

加拿大东北部米克马克人制作的饰有豪猪硬毛图案的树皮盒子
丹佛艺术博物馆供图

袋、刀鞘和画笔套、摇篮、护臂、担架带、束腰衣（**tunic**）、衬衫、护胫、腰带、莫卡辛鞋（**moccasin**）、臂环和腿箍带、长袍、马饰和桦树皮容器上。

quillwort　水韭　石松纲水韭目（Isoetales）水韭属（*Isoetes*）蕨类植物。60 余种。多原产于北美北部和欧亚大陆多沼泽、寒冷的地区。形小，叶禾草状或翮状，螺旋排列，具中央导管和 4 个通气道，中有横隔分成数腔，叶基处有叶舌。茎球茎状或块茎状，下面生根，上面生叶。孢蒴大，圆形至长圆形，生于叶舌与叶基间（叶基生有一小而薄的叶舌）。水韭全年或一年的部分时间沉生在水中，少数种为陆生。原产于欧亚的普通水韭（湖沼水韭，*I. lacustris*）和北美的大果水韭（*I. macrospora*）极其相似，均为水生，叶长而尖，坚硬，深绿色，围绕一短粗的基部生长。意大利水韭（*I. malinverniana*）叶较长，螺旋状排列，漂浮在水面。沙水韭（*I. histrix*）是不引人注意的欧洲陆生种，叶窄，长 5～7 厘米，从肥大的白色基部丛中长出，反弯到地面。

Quilmes　基尔梅斯　阿根廷布宜诺斯艾利斯省布宜诺斯艾利斯市东南的大布宜诺斯艾利斯行政区，濒临拉普拉塔河河口湾。建于 1730 年，面积 125 平方千米。东北临拉普拉塔河，东南连贝拉萨特吉和弗洛伦西奥-巴雷拉行政区，西南接布朗海军上将城和洛马斯-德萨莫拉行政区，西北与拉努斯和阿韦亚内达行政区为邻。除首府基尔梅斯外，主要城镇有贝纳尔、埃斯佩尔塔、顿博斯科和圣弗朗西斯科-索拉诺。1806 年英军在该行政区海岸登陆，占领布宜诺斯艾利斯。1826 和 1827 年在基尔梅斯海岸附近的两次海战中，阿根廷战舰击退了巴西军舰的进攻。1871 年萨米恩托总统在基尔梅斯城建立了一个有20 000册藏书的图书馆。1916 年基尔梅斯城设为市，计划作为布宜诺斯艾利斯市的住宅郊区。之后发展起各种工业，包括世界最大酿酒厂之一阿根廷啤酒厂。制造纺织品、铁器和玻璃。有阿根廷运输博物馆。人口：行政区约 550 069（1999）。

Quilon　奎隆　印度西南部喀拉拉邦南部城镇。有数百年历史。为阿拉伯海港口，在邦首府特里凡得琅西北面，通过潟湖航道与阿勒皮、科钦沟通。出口贸易活跃，行业众多。有矿石加工、农产品加工（特别是腰果加工）及其他行业。东北郊区孔达拉有化工、陶瓷和炼铝厂。设有喀拉拉大学 5 所学院。有铁路通北、东、南地区。奎隆县大部为沿海平原，面积4 623平方千米。人口：城镇139 582；都会区362 572（1991）。

quilting　绗缝　一种将两层织物缝合在一起的工艺，通常在两层织物之间填以软而厚的物料。羊毛、棉花或其他填料层可保证绝热；绗缝的针迹使填入物料保持均匀，同时也

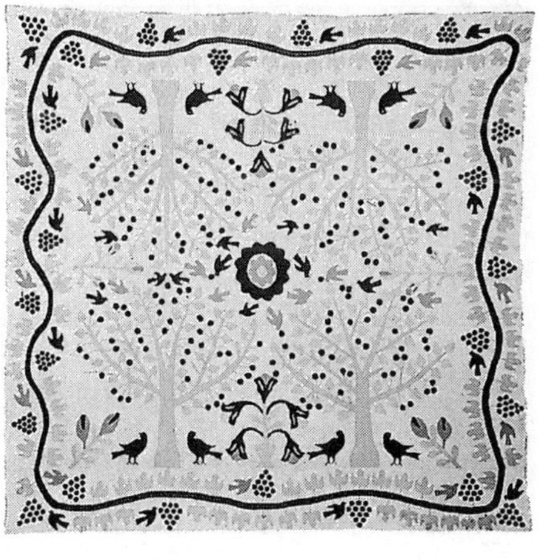

约 1820 年的美国棉被，有樱桃和旅鸫图案及绗缝工艺
芝加哥美术学院供图

能在图案和技术方面表现出艺术性。绗缝在世界许多地方久已用于缝纫，特别是在中国、印度、伊朗、中东和非洲穆斯林地区。绗缝被褥 17～19 世纪在欧洲极为流行，在北美绗缝衬裙和绗缝被也很普遍。被子的外层是由细底布和花布缝合而成，或像拼布工艺连接而成。绗缝 3 米见方的大被子须用框架支撑。可以将两根光滑的木杆固定在 4 把椅子上作为框架，木杆上包有织物，被子衬里的两端的边缘缝在织物上；将棉、毛充填物均匀平整地铺在被里上，然后在上面覆盖被面，将被面和被里的边缘用长针脚缝合。图案用粉笔、铅笔等画在被面上，用连针绗缝。19 世纪中叶缝纫机发明以后，往往都用机器绗缝，失去了作为艺术品的意义。

Quimby, Harriet　昆比（1875-05-01?，大概在美国密歇根科尔德沃特～1912-07-01，马萨诸塞多切斯特湾上空）　美国飞行员，第一个飞越英吉利海峡的女飞行员。1902 年她成为

旧金山杂志《戏剧评论》的撰稿人之一。也为其他报刊杂志撰写文章。1903 年迁居到纽约成为《莱斯利周刊》的戏剧评论家。在 1910 年 10 月观看了在贝尔蒙特公园举办的飞行表演之后，昆比决定学习飞行。1911 年春她参加了飞行学校的课程，8 月 1 日她成为第一个从美国航空俱乐部拿到资格证书（编号 37）的女性。她是全世界第二个获得此类资格证书的女性。在参加飞行的同时还继续给多个刊物投稿。1912 年 4 月 6 日，昆比成为第一个飞越英吉利海峡的女性——驾驶她的“布莱里奥”单翼机从英国的丹佛出发，穿过乌云到达法国的阿德洛。她的这一壮举获得广泛赞扬。同年夏天她飞往波士顿参加哈佛-波士顿飞行集会。1912 年 7 月 1 日，当驾驶“布莱里奥”飞越多切斯特湾时，她失去对飞机的控制，和一名乘客从翻滚的飞机中坠落水中身亡。

Quimby, Phineas Parkhurst　昆比（1802-02-16，美国新罕布什尔莱巴嫩～1866-01-16，缅因贝尔法斯特）　美国精神疗法专家。公认的新思维运动的奠基者，这是一种宗教玄学的巫医疗法，却冠以新思维之名。昆比先用催眠术治病，后来发现也可用暗示启发的方法治病。他认为，百病基本上都是心灵的问题，起于患者的错误信念，所以，发现真理就可以痊愈。昆比的理论严格地讲并不是宗教，但他认为他已重新发现耶稣为人治病的方法。

Quimper　坎佩尔　法国布列塔尼大区菲尼斯泰尔省省会、城镇和港口。在奥代和斯泰尔两河汇合处。曾是古代伯爵都城，与传说中来自英国的国王格拉德隆有关。名胜古迹有哥特式大教堂（13～16 世纪，以第一任主教圣科伦特因名字命名）。有两个博物馆，一为美术馆，一为保存当地布列塔尼文化的博物馆。每年 7 月举行的科务埃节展览各种布列塔尼服装。为一商业城镇和旅游中心，以生产陶器闻名。也有金属加工、乳品、服装和造纸业。人口 63 274（1999）。

Quimper faience　坎佩尔彩陶　一种锡釉陶器，产于法国布列塔尼半岛坎佩尔郊外洛克·马利亚的一家工厂。该厂建于 1690 年。坎佩尔陶器从来没有自己的真正的独特的风格，只是仿造马赛、讷韦尔，尤其是鲁昂的陶器。在设计和技艺方面，也比上述地区的陶器低劣。此厂现仍存在。

Quin, James　奎因（1693-02-24，伦敦～1766-01-21，英国萨默塞特巴斯）　英国演员。他所扮演的法尔斯塔夫在当时被认为是最成功的。1712年在都柏林的斯莫克街剧院首次登台演出。曾在伦敦特鲁里街剧院扮演各种配角。1718 年到林肯律师学院菲尔兹剧院，并一直在那里演出达 14 年之久。1732 年到科文特加登剧院演出获得成功。1734～1741 年，又回到特鲁里街。他的演出风格是朗诵式的，虽缓慢但给人印象极深，而且总是穿着同一套服装。1746 年他在舞台上的统治地位受到采用新演技的演员加里克的挑战，当他

伦敦维多利亚和艾伯特博物馆供图

们一起在科文特加登剧院演出时，加里克占了上风。但奎因对他不怀恶意，后他们成为朋友，并一起在特鲁里街剧院演出。他于 1751 年引退，死后被安葬在当地大教堂的墓地里，墓碑上刻着加里克为他写的墓志铭。

quinacrine　奎纳克林　又称麦帕克林、阿的平。一种合成药，20 世纪 30 年代初为奎宁的代用品用于治疗疟疾。效力较奎宁强。能杀灭红细胞内栖的疟原虫。第二次世界大战期间，许多国家不能从东南亚得到奎宁，该品就成为最重要的抗疟药。该品亦广泛用作驱虫药。特别用于各种绦虫感染。该品以盐酸盐供口服，亦可肌肉注射。副作用包括恶心、腹部挛痛、头痛、眩晕等。

Quinará　基纳拉　几内亚比绍西南部地区。西南濒大西洋，面积 2 920 平方千米。大布巴河自东向西流经该区中部，注入大西洋。境内大部分油棕榈树沿河生长。出产稻米、小米、玉米、高粱和甘薯，放牧牛、绵羊和山羊。区首府福拉孔达有公路通往西南面的圣若昂和东南面的布巴。该地居民主要是比亚法达人。也有巴兰特人和马林克人。人口 35 360（1979）。

quince　榅桲　蔷薇科榅桲属（*Cydonia*）果树。多分枝灌木或小乔木。叶全缘，有小托叶。花大，单生，白色或桃红色，似梨花和苹果花，但有叶状分裂的萼片和多室的子房，每室有许多水平着生的胚珠。果扁圆形或近梨形，成熟果有一枚大的叶状萼片。普通榅

普通榅桲（*Cydonia oblonga*）
供图：Walter Chandoha

桲原产伊朗和土耳其，可能也原产于希腊和克里米亚。古希腊人已知一个普通品种，并将来自克里特岛赛多尼亚（Cydonia）的接穗嫁接于其上，榅桲之属名即来自该地名。果实芳香，生食有涩味，但蜜饯质佳，又可用于炖苹果或烤苹果的调味。果皮金黄色，果肉于烹煮后带粉红色，故制成的果酱及蜜饯等色泽鲜艳。种子含黏液，曾用于医药。日本榅桲为小灌木，花美丽，在冬末春初先于叶开放，因而广泛用作观赏灌木；有的可结大形、绿色芳香的果，不能生食，但可制蜜饯。在美国东北部榅桲曾种于家庭果园，也曾商品化种植，但后来很少种植。在冬季明显的地区，用与种苹果或梨相同的栽培方法，均生长旺盛，在围篱边生长亦佳，且无需精心管理。榅桲与梨树一样易感染凋萎病，也易受介壳虫侵害，这些害虫亦为害苹果和梨，可行休眠期喷药以防治之。

quinceañera　庆祝十五周岁　又作 quince años。墨西哥女孩 15 周岁的庆祝活动，表示她已从童年进入成年。传统的 15 周岁纪念既是宗教活动也是社会活动，强调家庭和社会在青年人一生中的重要性。庆祝活动以女孩和她的家人及教父母参加的弥撒开始。接下来是招待亲友或举行聚会。有食物、音乐和跳舞，女孩由伴娘和侍从陪同。象征性的举动可以包括将玩偶送给妹妹，表示她已告别童年；穿上高跟鞋显示她已准备好成为大人。庆祝活动视家庭经济情况可繁可简。虽然原来庆祝 15 周岁表示女孩已准备结婚，但现代的庆祝活动更像是表示正式约会的开始。有些女孩选择去国外旅行而不是举行聚会，有些女孩则选择不用传统方式庆祝 15 周岁。阿兹特克和玛雅人也有类似礼仪，有人认为 15 周岁纪念或许是源于西班牙人与这个地区土著的交往。此类庆祝活动在墨西哥以外地区也很流行，特别是在美国有大批墨西哥裔美国人居住的地区。

Quincy　昆西　美国伊利诺伊州西部城市，亚当斯县县城（1825）。濒临密西西比河。有桥通密苏里州。1822 年创建。1834 年设村。1840 年设市。曾为帮助奴隶逃往北方和加拿大的“地下通道”的一站。1838 年冬天 39 名摩门教徒到达诺伍之前暂居于此。1920 年后该市工业得以发展。现经济以农业和制造业为主。市内华盛顿公园是林肯和道格拉斯（1858-10-13）第 6 次辩论的地方。设有昆西学院、市立杰姆学院、约翰伍德社区学院和布莱辛医院护士学校。该市的昆尼西比岛公园已发展为游览区。人口 40 366（2000）。

Quincy　昆西　美国马萨诸塞州东部诺福克县城。位于波士顿东南，临波士顿港湾。1625 年莫顿来此建居民点，称其为芒特伍拉斯顿，后称之为梅里芒特。1627 年反清教的莫顿因庆祝五朔节而被驱逐他乡。1792 年该地从布伦特里分出后设镇，改称昆西，以对当地名人昆西上校表示敬意。该地因是名门亚当斯家族故乡而闻名。美国两位总统亚当斯父子的出生地及亚当斯宅邸国家古迹（建于 1731 年）均列入保护范围。在第一联合堂区

教堂(1828 年建)有两位总统及夫人的墓穴。爱国志士汉考克亦出生在原属布伦特里一部分而今为昆西的地方。昆西一度以花岗岩开采业著称。波士顿金斯教堂及邦克山纪念碑均用此地岩石建造。昆西亦是造船中心,但造船厂在 1986 年关闭。如今,昆西的经济以服务业为中心,提供就业机会最多的行业包括金融、保险、房地产。市内有东拿撒勒学院(1900)和昆西初级学院(1958)。1888 年设市。人口 88 025(2000)。

Quincy Plan　昆西计划　又称昆西方法。一种以儿童为中心的循序渐进的实验性教育方法。1875 年由学校监督弗朗西斯·伍·帕克在美国马萨诸塞州昆西采用。帕克摒弃了传统的学校陈规的刻板形式,而围绕着一个核心来安排相互联系的科目,并强调社会化的活动和创造性的自我表现。课程设置包括野外考察旅行、艺术、音乐、手工、科学和体育,其目的在于发展每个儿童的个性。1883 年帕克任芝加哥库克县师范学校校长时,又进一步推敲修订昆西计划,积极活动反对传统学校的教学方法并培养采用现代教育方法的教师。

Quindío　金迪奥　哥伦比亚中西部省份。是全国最小的省,面积 1 845 平方千米。为全国主要咖啡产区之一。其他的作物有香蕉、玉米、甘蔗和豆类。牧业分布广泛。有丰富的

金迪奥省的咖啡种植园
供图:Carl Frank

金、银、铜、石灰石矿藏。省会亚美尼亚位于金迪奥山口西端,一直是重要的运输中心。人口约 535 711(1997)。

Quine, Willard Van Orman　奎因(1908-06-25,美国俄亥俄阿克伦～2000-12-31,波士顿)　美国逻辑学家、哲学家。主张系统的、构成主义的哲学分析。虽然早年曾更多地把逻辑的技术方面强调为哲学的基础,但后期著作却主张把一般哲学问题放在一个系统的语言构架之内进行研究。最初在奥伯林学院和哈佛大学学习数学。其后在布拉格大学由鲁道夫·卡纳普指导进行研究。在牛津大学获文学硕士学位,1932 年在哈佛大学获哲学博士学位。1936～1978 年任哈佛大学讲师和教授。1951 年被推选为美国哲学协会主席。1953～1955 年被推选为符号逻辑协会主席。1970 年接受哥伦比亚大学的巴特勒金质奖章。著作有:《计算系统》(1934)、《数理逻辑》(1940)、《初等逻辑》(1941)、《从逻辑的观点来看》(1953)、《语词和对象》(1960)、《集合论及其逻辑》(1963)、《逻辑哲学》(1970)、《指称之源》(1973)。

Quinet, Edgar　基内(1803-02-17,法国布雷斯地区布尔格～1875-03-27,凡尔赛)　法国诗人、历史学家和政治哲学家。曾对法国发展自由主义传统作出重大贡献。1820年迁

供图:J. E. Bulloz

居巴黎后,放弃对新教的信仰,而专心于德国哲学的研究。1827～1828 年间发表他的第一部翻译作品,即赫尔德的《人类历史哲学大纲》。但不久就对德国哲学感到失望,并震惊于普鲁士民族主义咄咄逼人的性质。1833 年因发表长篇散文诗《亚哈随鲁》而名声大振。在这首诗里,一个流浪的犹太人的传说被用来象征人类多年来的进步。在《宗教的天才》(1842)一书中,他对所有的宗教表示同情,虽然他自己并不信任何宗教。不久以后,他的日益激进的观点使他终于同天主教的学说发生矛盾。1842 年才实现了他的愿望:在巴黎作教授。他在法兰西学院的演说攻击天主教,颂扬法国革命,支持欧洲受压迫的民族,并且提出这样的理论:即宗教是社会中的决定力量。由于他对这些题材的论述激起了热烈的争论,政府于 1846 年进行干预,于是他失去了教授的职位;教士们对此感到满意,学生们却深为沮丧。他为 1848 年的二月革命欢呼,但 1851 年 12 月路易·拿破仑的政变使他不得不先后逃亡到布鲁塞尔(1851～1858),和瑞士蒙特勒附近的韦托(1858～1870)。在《19 世纪的宗教革命》(1857)和《革命》(1865)二书中,他赞成使用武力去对付一个十分强大的教会,甚至衷心希望法国也能信奉新教。在晚年,科学的进步使他颇为倾倒,并且恢复了他对于人类进步的信仰,俱见于《创造》(1870)和《新精神》(1874)中。1870 年帝国垮台后他返回巴黎,次年被选入国民议会,但在他的同事中已没有什么影响。

quinidine　奎尼丁　金鸡纳树皮中发现的一种生物碱,可作药用。有很多与奎宁相同的药理作用,如抗疟作用及退热作用。但主要用作心抑制药。可抑制心肌的可兴奋性、收缩力及神经冲动传导速度。因此可用于治疗多种心律失常,如心房纤维性颤动、心房扑动、心室性心动过速等。常见恶心、呕吐及腹泻等反应。其应用不太安全,故不如洋地黄常用。

quinine　奎宁　金鸡纳树皮中最重要的生物碱,主要用于治疗疟疾。在引入西方医学至第一次世界大战这 300 年间曾为唯一有效的抗疟药。为疟疾的特效药,迄今为止经奎宁治疗的人数比经任何其他药物治疗的传染病患者数都多。奎宁治疟表明,以化学药物与传染病作斗争首次获得成功。奎宁也是结构复杂的金鸡纳生物碱大分子。1944 年在实验室合成,虽然以合成方法生产奎宁并不经济,但这是合成有机化学的经典成就之一。奎宁的作用机制是干扰栖居在红细胞中的疟原虫的生长和繁殖,阻止疟原虫氧化葡萄糖(疟原虫能量的主要来源)的反应。服用奎宁后症状迅速改善,疟原虫迅速从血液中消失。但停药数周后,许多症状消失的患者还会复发,因为奎宁不能杀死红细胞外的疟原虫。由于奎宁不能根治疟疾,人们一直在寻找更好的抗疟药。第二次世界大战期间研制成许多新药,能进行商品化生产,并几乎完全取代了奎宁。其中如氯喹、氯胍等在抑制红细胞内型疟原虫的生长方面比奎宁更有效,伯氨喹啉及乙嘧啶对红细胞内、外型的疟原虫均有作用,因而能根治疟疾和防止疟疾复发。在 60 年代,有几株恶性疟原虫对合成药(特别是疗效较高的氯喹)产生了耐药性,但仍对奎宁敏感,因而世界各地只得又选用奎宁,尽管大剂量服用奎宁有时会产生副作用。奎宁能扩张皮肤小血管,有时用于退热;又可抑制中枢神经系统的某些部分而有镇痛作用。长期用药可致中毒:耳聋、视觉障碍、皮疹、消化紊乱等,或认为接受奎宁治疗的疟疾患者易患黑尿热。

Quinisext Council　第五、六次会议　拜占廷皇帝查士丁尼二世于 692 年在君士坦丁堡召开的普世教会会议,会址在君士坦丁堡皇宫中圆形大厅,故又名圆形大厅会议。这两次会议只涉及法规问题。第五、六次会议拟订 102 项法规,其中不少是针对西派教会的习俗和规定提出的,也表现了东、西两派教会之间的分歧,例如,神职人员独身制就为东派教会所反对,西派教会及教皇未出席会议。西派教会从未完全承认这两次会议所制订的法规。

quinnat　大鳞大麻哈鱼　参阅 **king salmon** 王鲑。

quinoline　喹啉　由1个苯环和1个吡啶环共用 2 个相邻碳原子而组成的双环结构的芳香族杂环有机化合物的总称。苯环含有 6 个碳原子,吡啶环含有 5 个碳原子和 1 个氮原子。其中结构最简单的即喹啉本身,分子式 C_9H_7N。主要用于制烟酸(用于防治糙皮病)和其他化学品。喹啉的制法有几种,合成喹啉的量超过从煤焦油中提取的量。有些生物碱是喹啉类化合物,如奎宁和由金鸡纳树取得的其他衍生物。合成喹啉类化合物有抗疟

疾药氯喹和氨酚喹、长效局部麻醉剂盐酸狄布卡因以及染料花青。

quinone 醌 在六元不饱和环中含有两个紧邻的或被1,2-亚乙烯基(—CH═CH—)隔开的羰基(＞C═O)的环状有机化合物的总称。在少数醌中,羰基可位于不同的环上。

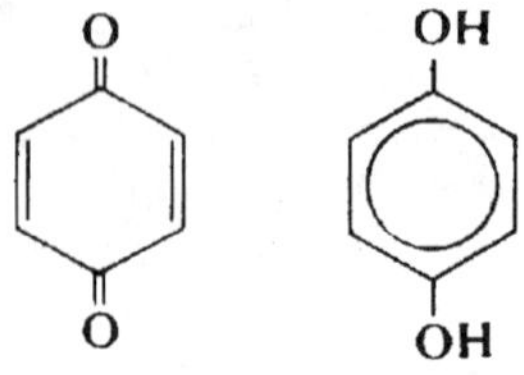

对苯醌 氢醌

醌这个词也可指特定的化合物对(*p*-)苯醌($C_6H_4O_2$)。醌结构对化学结构与颜色关系的理论起着重要作用。醌类化合物作为生物色素而存在,包括诸如苯醌类、萘醌类、蒽醌类以及多环醌类。醌类化合物存在于细菌、某些真菌以及各种高等植物组织中。少数动物如球海胆、蚜虫、紫胶虫和某些蚧含的醌则是从它们所食植物摄取的。维生素K就是一些萘醌,某些酸碱指示剂以及用于织物染色的多种染料也属于萘醌类。醌类通常由芳香族胺类、多元酚类以及多核烃类氧化制成。醌类最重要的特征反应是被还原成相应的二羟基形式。在酸性溶液中,对苯醌能可逆地还原成氢醌($C_6H_6O_2$);该反应的特点是有可测量的电势,此电势值取决于反应介质氢离子浓度及苯醌和氢醌浓度。所谓的氢醌电极含等量对苯醌和氢醌,用于测定未知溶液的氢离子浓度。氢醌主要用作照相的显影剂。对苯醌是具强烈气味的亮黄色固体,微溶于水,熔点约115℃。氢醌是白色结晶体,溶于水和乙醇。参阅 **anthraquinone**。

Quinque Ecclesiae (Hungary) 参阅 **Pécs 佩奇**。

quinsy 扁桃体周围脓肿 又作peritonsillar abscess。急性扁桃体炎的一种少见的并发症,咽喉部由于积脓而肿胀。脓液穿透扁桃体的被膜,蔓延到颈部的疏松结缔组织,并迫使发炎的扁桃体移向咽喉中线。伴有剧痛,影响吞咽和言语,常有高热及全身衰竭。虽然链球菌通常是急性扁桃体炎的病原,但脓液中却不常查见。应及时应用抗生素,有时需要切开引流。

Quintana, Manuel José 金塔纳(1772-04-11,马德里～1857-03-11,马德里) 西班牙爱国主义者、新古典主义诗人,由于他在反抗拿破仑的独立战争期间所写的诗歌、小册子和宣言,受到他的同胞的尊敬。在萨拉曼卡大学学习法律后,前往马德里开业。拿破仑战争期间,十分活跃。费迪南德七世回到西班牙后,在1814～1820年间被囚。后被革命军释放,其后担任未来的女王伊莎贝拉二世的家庭教师,国民教育的负责官员,最后成为参议员。1855年被伊莎贝拉女王封为民族诗人。所著诗歌修词考究,以爱国主义和自由主义为其特点。

Quintana Roo 金塔纳罗奥 墨西哥东南部一州。在尤卡坦半岛东部,东临加勒比海。北岸临墨西哥湾和加勒比海之间的尤卡坦海峡。面积50 212平方千米,气候炎热潮湿,森林茂密。以独立运动(1810～1821)领袖A.金塔纳·罗奥名字命名,这里曾作为政治犯流放地。1974年设州。大部分居民为马雅人后裔。1847年马雅人在尤卡坦起义,后被驱逐到金塔纳罗奥。境内有哥伦布到达美洲前马雅帝国的重要古迹。主要产品为糖胶树胶和少量的椰干。沿海多海绵和海龟。公路、铁路和简易机场的修建使金塔纳罗奥的隔绝状态有所改变。人口约873 804(2000)。

Quinte, Bay of 昆蒂湾 加拿大安大略省东南部安大略湖湖湾。自阿默斯特岛至西端的默里运河长121千米(75英里)。湖湾狭窄,宽1～6英里。湾内港汊交错,风景秀丽。特伦特、莫伊拉、萨蒙和纳帕尼等河在北面注入湾内。湾的顶端通过默里运河与普雷斯克岛湾和安大略湖相连接。经特伦特运河向西北可达乔治亚湾。湖湾周围主要居民点有特伦顿市、贝勒维尔市、德西龙托市和皮克顿市。泰恩迪纳加印第安人保留地在该湾北部沿岸地区。

Quintero, José (Benjamin) 昆特罗(1924-10-15,巴拿马城～1999-02-26,美国纽约) 巴拿马裔美国戏剧导演,纽约市外方内圆剧院的创办人之一。青年时代在巴拿马共和国度过,后到美国洛杉矶接受大学教育。1948～1949年就读于芝加哥古德曼戏剧学校。1948年获南加州大学学士学位。1949年首次执导戏剧,在纽约市伍德斯托克夏天剧场上演威廉斯的《玻璃动物园》。1950年开始在外方内圆剧院正式执导戏剧。1952年导演威廉斯的《夏天与烟雾》,从而奠定了导演声望。以导演过奥尼尔和其他严肃戏剧家的几部20世纪重要剧作而闻名。除舞台剧外,还执导过电影、电视专题节目和几部歌剧。

Quintero, Serafín and Joaquín Álvarez (Spanish dramatists) **金特罗兄弟** 参阅 **Álvarez Quintero, Serafín and Joaquín 阿尔瓦雷斯·金特罗兄弟**。

quintet 五重奏 又译五重唱。由5件乐器或5个人声声部组成的乐曲;也指为表演这种乐曲而组成的团体。正规的弦乐五重奏包括两把小提琴、两把中提琴和一把大提琴。莫扎特创作的6首五重奏曲被认为是他室内乐中最伟大的成就。作曲家兼大提琴演奏大师波凯利尼喜用两把大提琴取代两把中提琴,并用这种组合创作了113首五重奏,又创作12首常规配器的五重奏。钢琴五重奏(通常是钢琴加弦乐四重奏)是作曲家乐于采用的组合,虽然舒伯特的《鳟鱼五重奏》用的是钢琴、小提琴、中提琴、大提琴和低音提琴。长笛、双簧管、单簧管等也各有同4个弦乐器结合的五重奏。声乐五重唱通常由两位女高音、女低音、男高音和男低音组成。

Quintilian 昆体良(约35,伊斯帕尼亚塔拉科嫩西卡拉古里斯纳西卡～96以后,罗马) 又译昆提利安。古罗马修辞学家与教师。所著《雄辩家的培训》对教育理论和文学批评是一重大贡献。出生于西班牙北部,可能受教于罗马,受到当时第一流雄辩家的实际训练。曾任法庭辩护士和教授修辞学。罗马皇帝韦斯巴芗统治时期(69～79)他是第一名领受国家薪俸的拉丁修辞学教师。在罗马皇帝提图斯与图密善统治时期,他成为罗马首席教师。约在88年退休。图密善统治末年,他受托执教两位皇储,获执政官荣誉头衔。巨著《雄辩家的培训》共12卷,出版于他辞世前不久。此书反映了古代后期的教育思想,论述教育的首要目的是造就熟练的演说家。他对教育的言论具有永久价值。他主张教师应因材施教,依据学生的性格与能力采用相应的教学方法,使学生乐于学习和了解游戏与娱乐的价值。他不赞成对学生过于严厉,反对体罚,认为教师对学生应如同父母对子女,只要教育得当,学生对教师就会产生亲敬之情。《雄辩家的培训》强调的另一重点是道德教育。他认为教育的最终目的是发展学生的身心与陶冶学生的情操。其中心思想是优秀的演说家必须首先是优秀的公民;雄辩才能必须有益于公众,必须同善良生活融为一体。其教育思想虽在17世纪以后因崇古思想没落不再起作用,但当代全面发展的教育观点则是从他那里直接继承下来的。所著《长篇雄辩术》和《短篇雄辩术》现仍完整。

Quintillus, Marcus Aurelius Claudius 昆提卢斯(?～270) 罗马皇帝(270)。即位后几个星期死去或被杀。

quinto real 五一税 西班牙在美洲殖民地征收的矿产税,是西班牙从殖民地获利的主要来源。1504年起实行,征收10年,但一直维持到18世纪。1723年税率由1/5几乎普遍减为1/10。1777年各地税率均减为3%,输往西班牙的金属加收2%。尽管官方规定对一切矿产品均征收五一税,实际上仅限对贵重金属和宝石征收。

Quinton, Amelia Stone 昆顿(1833-07-31,美国纽约詹姆斯维尔～1926-06-23,新泽西里奇菲尔德帕克) 婚前名Amelia Stone。美国印第安人改革组织者。生长于一个虔诚的浸礼会家庭。年轻时曾担任教师并在救济院和监狱中从事慈善工作。1874年参加基督教妇女禁酒联合会,并任驻纽约组织人。1877年与牧师R.L.昆顿结婚,定居费城。她与好友M.L.邦尼均认为应开放印第安人保留地,让白人来此定居。于是到处散发请愿书,征集到数千签名,连同昆顿草拟的呼吁书一并递交国会,要求制定联邦印第安人新政策,为印第安人提供教育、法律平等和土地。1883年成立全美印第安人妇女协会,并与其他印第安人权利组织共同发起运动,争取修改印第安人政策。1887年国会颁布《道斯土地分配法》,给予印第安人公民身份并分配保留地。1887年后作为全美印第安人妇女协会主席继续为改善印第安人保留地条件进行游说。1905年退休。

Quintus, Smyrnaeus 昆图斯(士麦那的)(活动时期约 375) 希腊叙事诗人。一部有14卷的六音步诗的著者。该诗叙述了特洛伊城发生的种种事件,从赫克托耳丧葬到亚该亚人洗劫该城后离去的经过(因此被称为《续荷马史诗》)。昆图斯声称,他少年时在阿耳忒弥斯神庙附近放羊,曾得到缪斯神的指点。他的风格单调,语汇与格律墨守成规,但正是由于他的这种毫无特色使其作品有另一种价值,即使人们可以了解到失传史诗(《埃塞俄皮斯》、《小伊利亚特》、《伊利乌珀西斯》)的内容,从而使古典时期的人们了解到有关特洛伊最后日子的情况。

Quionga 基翁加 旧称Kionga。莫桑比克德尔加杜角省村庄,在鲁伍马河南。1886 年德、葡两国同意以鲁伍马河为德属东非(今坦桑尼亚)和葡属莫桑比克之间的边界。但到1892 年,德国人宣称葡萄牙人对德尔加杜角以北地区没有权利。1894 年,德国海军占领了基翁加,并且德国部队占领了腹地"基翁加三角"(约 395 平方千米)。第一次世界大战中,此地再度被葡军占领,根据《凡尔赛和约》,成为葡萄牙从战争中获得的唯一领土。人口:村庄2 456(最新统计)。

quipu 结绳纪事 印加人的一种记事、记数工具。它是一根长绳,长绳上挂着 48 根第二级细绳,第二级绳子上又有各种第三级细绳;细绳上打了结用来表示个、十、百。而在皇室的记事中,还用涂上不同颜色的绳子来表示不同的政府事务,诸如贡品、土地、经济生产率、庆典以及与战争及和平有关的事务等等。结绳纪事作为历史记载而创制和保持不断。不仅马雅帝国首都库斯科的高级官员们(法官、指挥官、大家族中的重要首领)要用这种方法持续记载大事,而且地方指挥官和乡村头人们也要结绳纪事。

Quirino 基里诺 菲律宾吕宋岛中北部内陆省份。面积3 057平方千米。省会卡巴罗吉斯。境内多山。卡加延河上游流经该省。马德雷山脉南部沿基里诺东部边界延伸,中部有卡拉巴略山脉,均为主要木材产地。北部有草原。生产稻米、玉米和烟草。居民为伊富高人和伊隆戈特人。人口83 230(1980)。

Quirino, Elpidio 季里诺(1890-11-16,菲律宾维甘～1956-02-28,诺瓦利切斯) 菲律宾政治领袖,独立的菲律宾共和国第二任总统。1915 年在菲律宾大学得法律学位,后操律师业。1919～1925年任众议员,1925～1931年任参议员。1934 年为菲律宾独立使团团员,前去华盛顿。后当选为新菲律宾自治领政府宪法起草委员会委员,在自治领政府中任财政部长和内政部长。第二次世界大战后菲律宾独立,任罗哈斯政府国务卿和副总统。1948 年罗哈斯去世,由他继任总统。次年当选为总统。他的政府受到共产党领导的胡克运动的严重威胁。1948 年与胡克总司令塔鲁克谈判决裂。塔鲁克公开号召推翻政府。到 1950 年,胡克已经控制吕宋岛的大部分。他起用麦格赛赛任国防部长镇压

美国不列颠百科全书公司供图

起义。在任总统的六年期间,他大力进行战后复兴工作,经济普遍有起色,来自美国的经济援助有所增加。但并未解决社会根本问题,特别是农村问题。他的政府贪污成风,贿赂公行。1949 年大选时,他以舞弊手段当选。麦格赛赛在反腐败问题上同他决裂,于 1953 年选举中将他击败。此后,季里诺隐退。

Quirinus 基林努斯 罗马神话中仅次于朱庇特(**Jupiter**)和马尔斯(**Mars**)的主神。此三神的祭司是罗马最主要的祭司(参阅 **flamen**)。基林努斯与马尔斯相似,一些人认为他无非是马尔斯的另一化身。到了共和后期,他完全同罗慕路斯融合为一。基林努斯节在 2 月 17 日。奎林那尔山上奉祀此神的庙宇是罗马历史最为悠久者。和他共享祭祀的神霍拉以及维里特斯、基林尼等次要神灵也常见于文献。雅努斯(**Janus**)有时也称基林努斯,但两者之间关系不详。

Quiris 奎里斯 罗马公民。在古罗马法中,罗马人用此名称表示他的公民资格,而用"罗马努斯"的名称表示他的政治地位和军人资格。罗马法中的《奎里斯法》载明罗马公民的各种权利。这是一个古老的名称,古代的学者们把它与在罗马的萨宾人、萨宾人供奉的神基林努斯和奎里纳部落联系在一起。这个词专指罗马公民中的平民,据说凯撒平息一次兵变时把兵士们称为"奎里斯"。

Quiroga, Horacio 基罗加(1878-12-31,乌拉圭萨尔托～1937-02-19,布宜诺斯艾利斯) 乌拉圭短篇小说作家。他对人和动物在热带森林里为求生存奋力挣扎所作的富于想象的描写,使他获得西班牙语故事大师的名声。青年时代曾在欧洲游历,其后大部分时间生活在布宜诺斯艾利斯,经常到米西奥内斯省丛林中的圣伊格纳西奥旅行,获取大部分故事素材。起初受 19 世纪美国作家爱伦·坡的恐怖幻景的影响,后受 19 世纪英国作家吉卜林所著短篇小说中丛林背景的影响。基罗加以异国情调的意象描写原始事物和野蛮事物,表达了他认为生活就是无休止地为生存而斗争的观点,例如短篇小说集《林莽故事》(1918)、《宰鸡和其他的故事》(1925)。《阿纳贡达》(1921)被认为是他最好的作品,该书从几个层次(现实的、哲理的、象征的)描写热带丛林中的蛇战。晚年意气消沉,患病期间在慈善医院自杀。

Quiroga, Vasco de 基罗加(1470?,卡斯蒂利亚马德里加尔～1565-03-14,墨西哥乌鲁阿潘) 圣尼古拉斯学院和殖民地墨西哥女子学校创始人。曾在巴利阿多里德大学受司铎教育并受律师训练。在巴达霍斯平衡法院任职时很早以博学赢得声誉,大得主教欢心。1531 年到达墨西哥城于新西班牙第一申诉法院任职,后被任为米却肯主教。他在米却肯为土著居民的福利勤奋工作,为他们寻求世俗的和精神的解脱。为了后一目的,他将宗教著作译成当地语言。除创建学校外,还留下一笔文学遗产,其中包括一册讲道集。

Quisling, Vidkun (Abraham Lauritz Jonsson) 吉斯林(1887-07-18,挪威菲勒斯达尔～1945-10-24,奥斯陆阿克什胡斯堡) 挪威陆军军官。第二次世界大战中德军占领挪威期间,

奥斯陆挪威新闻社供图

他与德国人勾结,因而他的名字成为"卖国贼"的同义词。吉斯林于 1911 年入军界,1918 ～1919 年任驻圣彼得堡武官,1919 ～ 1921 年任驻赫尔辛基武官。他参加先由著名的北极考察家南森,后由国际联盟领导的对俄国的赈济饥荒工作。1927 ～ 1929 年他在挪威驻莫斯科的使团中代表英国利益(当时英俄尚无外交关系)。在他任农民政府(1931 ～ 1933)的国防部长时,曾镇压水力发电工人的罢工运动,因而声名狼藉。1933 年他辞去政府职务,组织法西斯民族统一党,主张取缔共产主义和工联主义。1939 年 12 月他与阿道夫·希特勒会晤,竭力怂恿德国占领挪威。1940 年 4 月德军侵入后,他自立为政府首脑。虽然该伪政权遭到普遍的激烈攻击,在一周后瓦解,但他继续留在占领军政府内,并于1942年2月在德国驻挪威专员J.泰尔波文手下任"首席部长"伪职。吉斯林想使教会、学校和青年信奉国家社会主义,引起挪威人民的强烈反对。他是把1 000多名犹太人关入集中营致死的罪魁祸首。1945 年 5 月挪威解放后被逮捕,以叛国罪和其他罪行被处决。

Quito 基多 全称圣弗朗西斯科-德基多镇。厄瓜多尔的首都。位于皮钦查火山山麓的一个狭窄的安第斯山谷地(海拔2 850米)中。古时是基图王国所在地。基图王国是没有留下历史记录的印第安部落联盟中的最大成员,11 世纪以后由卡拉印第安人君主统

治,1487年并入印加帝国。1534年12月6日征服者皮萨罗占领该城,此后长期为全国的政治、社会、经济中心。现为全国的政治、文化中心。基多是所有南美大陆首都中最古老

基多市独立广场上的基多大教堂
供图:Carl Frank—Photo Researchers

的,保留着很多殖民时代的风貌。许多教堂塔楼与环绕基多盆地的火山群峰交相辉映。市内有宁静的广场、喷泉、陡狭的街道和僻静的花园。1535年在该城建立的艺术学校是南美洲同类学校中最古老的。这标志着在整个西班牙殖民时期宗教艺术运动十分繁荣,留下了新大陆独一无二的彩色木刻和绘画。1908年始有瓜亚基尔—基多铁路通沿海地带。现有一国际机场,通泛美公路。中央大学创立于1769年,全国工艺学校成立于1869年,厄瓜多尔天主教主教大学成立于1946年。基多是全国两个主要工业中心之一,产纺织品、轻便消费品,以及用皮革、木头和金银制成的工艺品。以纳波省油田为起点的横贯厄瓜多尔输油管穿过基多通到埃斯梅拉达斯城。另一条油管从基多通到西南部的瓜亚基尔。每周的印第安人露天集市是基多独特的景致之一。许多小店出售当地手工艺品。人口1 399 378(2001)。

quiz show　智力测验节目　又称智力游戏节目。参加测验的人是从演播室或广播听众中挑选出来的。安排这种广播节目的目的是为了测验这些人的记忆力、知识、灵活性或运气;或者是为了让这些人进行智力竞赛,争夺奖品或奖金。美国的广播电台在20世纪30年代把智力测验节目作为一种听众参加的节目,首次得到普遍的欢迎。智力测验节目的进一步发展是答疑形式的节目。这种节目涉及各种主题,由听众将解答寄给电台。这种节目所取得的成功是如此巨大,以至于出现了几种与此类似的节目;其中流行最广的是儿童智力测验节目。早在50年代初期,美国电视就开始举办智力测验节目,进一步推动了这种节目的普及。电视台举办巨额奖金的智力测验节目是从1955年开始。为了操纵节目奖金的去向,使得智力迟钝的比赛者和不受欢迎的比赛者失败,并让处于劣势的可爱的倒霉者(或是观众最喜爱的比赛者)取胜,智力测验节目的主持人开始偷偷地向一些内定的取胜者透露题目,这种节目也就越来越流行起来。1958年,一名比赛输者控告"二十一"智力测验节目的主持人的不公正做法。纽约大陪审团和国会中负责立法监督工作的一个小组委员会对此进行了调查,证实了这一指控。这一丑闻使得巨额奖金的智力测验节目很快销声匿迹。60年代中期,电视广播网以游戏的形式重新举办智力测验节目。到了80年代,这种节目再度广泛流行起来。

Qujialing culture　屈家岭文化　中国长江中游地区新石器时代文化。分布于湖北省的江汉平原。1954～1955年在湖北京山县屈家岭发现和发掘。年代约为公元前3300～前2600年。当时经济生活以农业为主,兼营渔猎采集,已广泛种植水稻。石器制作水平很高。用切割法备料,通体磨光,然后用管钻法穿孔。器类有斧、锛、凿、刀、镰、箭头等。陶器以灰陶为主,黑陶和红陶次之,多用手制,个别小件陶器用轮制。造型讲求规范化,折腹碗是基本器形,加矮圈足为盘或圈足碗,加高圈足为豆,加三足为鼎。灰陶以素面为主。黑陶上多有几何形朱绘。红陶胎壁很薄,里外施彩,名为蛋壳彩陶。还有一种很富特色的彩陶纺轮,在米黄色底彩上绘各种几何形图案,为其他文化所未见。房屋一般为平地起建,有时台基稍高出地面,墙壁用竹柱和篾编胎骨,外面涂稻糠泥。分间房屋之多在中国新石器时代文化中也属仅见。

Qum(Iran)　参阅 **Qom** *库姆*。

Qumarlêb　曲麻莱　中国青海省玉树藏族自治州辖县。位于省境中南部,巴颜喀拉山南麓,通天河北岸。因境内有曲麻河和莱央大滩而得名。辖1镇5乡,面积50 000平方千米。原为蒙古族游牧地。1940年设星川设治局,1950年更名为曲麻莱设治局。1952年设曲麻莱区,由省直辖。1954年改县,属玉树藏族自治州。县政府原驻色吾沟,1977年迁驻约改滩。地处长江、黄河发源地,地域辽阔,地形复杂,平均海拔4 500米。属高原大陆性气候,多风少雨,干燥寒冷,太阳辐射强,年平均温度在－3.3℃以下,无绝对无霜期。有天然草场200多万公顷,水草丰美,为理想的放

曲麻莱县风光
中国大百科全书出版社供图

牧地。经济以畜牧为主,有大型养马场和驯鹿场,产优质鹿茸和马匹,为"西宁毛"主要产地之一。工业有发电、农机修造、制盐、采金等。有国家重点保护的野生动物麝、白唇鹿、藏羚羊、雪鸡等近20种。产牛黄、熊胆、虫草、麝香等名贵中药。有公路直达省会西宁。古迹有文成公主入蕃故道。人口20 000(2005)。

Qumrān　库姆兰　又拼Kumran。死海西北岸地区。1947年因在该地洞穴中发现《*死海古卷*》(**Dead Sea Scrolls**)而著名。从1949年起,在离死海不足一英里的瓦迪库姆兰

库姆兰艾赛尼教团遗址,死海古卷的发现地
美国国会图书馆供图

河以北库姆兰废墟陆续发现古建筑遗迹,据考证该处是犹太教艾赛尼派一个教团的住地,而死海古卷就是这个教团所使用的经籍。20世纪50年代,法国考古学家罗兰·德·沃在库姆兰主持发掘,发现一个建筑群,占地约260英尺×330英尺(80米×100米)。一个颇具规模的引水系统自瓦迪库姆兰河通至遗址西北角,穿过遗址,通到遗址南部,将水引入8个蓄水池和2个澡堂。遗址东部为主要建筑,长方形,面积颇大(有一边长100英尺以上),它的西北角上有一砖石楼房。楼东一个大房间可能是厨房。楼南发现上层的写经房遗迹。从写经房越过一条长水渠和一个蓄水池,有一个大会堂,可能兼作食堂。紧靠会堂是一个餐具室;另有一个制陶坊、一个磨面房、一个马厩,但只有另外几个房间才可能是居住区。库姆兰附近有一墓地,内葬约1 100个成年男子,还有2处较小的墓地,埋葬约100个妇女和儿童。有些学者认为犹太教艾赛尼派于公元前2世纪中叶在库姆兰建立了一个教团。公元68年,该中心为罗马军团所毁。

Qunayṭirah, Al-　库奈特拉　又拼El-Kuneitra。叙利亚西南部省份及其省会名称。

1967年"六日战争"前范围包括戈兰高地(Golan Heights)和豪兰(Ḥawran)地区西缘，面积1 710平方千米，战后叙利亚控制部分面积不及原有的一半。该省为小麦产区。省会位于戈兰高地一处山谷中。始建于拜占廷时代。19世纪前为商队中途站。20世纪高加索山区穆斯林在此定居，使之成为其文化中心。至20世纪60年代中期成为公路枢纽、地区集市中心和叙军驻扎地，居民2万人。"六日战争"中，1967年6月10日，城镇被以色列军攻占，居民大部逃往国内其他地区。70年代初，原有被废弃建筑全部拆除，以建立以色列新居民点。人口：叙利亚控制区约26 148(1981)；以色列占领区约18 200，其中以色列人5 700(1982)。

Quoc-ngu　越南拼音文字　越南语，意为"国语"，即所使用的拉丁字母文字体系。"国语"于17世纪中叶由葡萄牙传教士设计以拉丁字母拼写体系为基础，增加重音及其他符号以适于越南语特殊的辅音、元音及声调。这一系统进一步由法国传教士亚历山大·德罗德加以修订，最初只在越南基督徒社团内使用，1910年法国殖民政府明令予以推行，现在已在越南普遍使用，而且成为正式书写系统。

quodlibet　集锦曲　几个著名的旋律混合起来的乐曲，不论是同时重叠演奏，还是较少采用的依次演奏，都是为了产生幽默的效果。也可指用不同的歌本中的歌词拼合起来的一首声乐曲。虽然早在13世纪就有将两个或更多旋律同时结合的例子(如经文歌采用一个圣咏旋律和一个世俗曲调)，集锦曲直到15、16世纪才流行起来的。最著名的集锦曲可能是巴赫为拨弦键琴作的《戈德堡变奏曲》(1742年出版)中的终曲。

quoin　隅石　在西方建筑中，房屋的外角上所用的石块。由于在接缝、色彩、质地或大小上都和墙体本身不同，这种隅石既有结构作用又起装饰作用。大多数的隅石都用不同长度的石块有规则地长短交替砌筑。古罗马砖石房屋的外墙角上曾使用此类砌筑方式。在17世纪的法国，隅石多为凸出的粗琢面而接缝处凹入的形式。墙上的洞口(窗、门、拱)也作类似处理。有时隅石也用细琢的光面石，以求与毛石墙形成对比。有时尺寸可能很大，例如在意大利文艺复兴时期的某些府邸中。有些砖建筑中的隅石加刷灰浆，使其洁白，以便和暗色的砖墙形成对比，如英国文艺复兴式的许多庄园宅邸建筑。原词也指房屋的外墙角。

美国费城建于1761～1762年的芒特普莱森特宅邸所用隅石

供图：Wayne Andrews

quoits　投环　一种游戏。将圈投向标棍，套上标棍得2分，较对手所投距标棍近者得1分。圈多为铁质，重约3磅；亦有用绳圈或橡胶圈者。投环是古希腊五项全能运动之一。公元2世纪罗马士兵玩这种游戏。他们像英格兰农民一样，用马蹄铁代替铁圈。在美国，投马蹄铁游戏更加盛行。

quokka　短尾矮袋鼠　有袋哺乳动物沙袋鼠(wallaby)的一种。

quota　配额　又译限额。在特定期间内，政府对进出口商品或劳务实行的数量限制，或(在特殊情况下)价值限制。配额在限制贸易上，特别是在某种商品的国内需求对提高价格并不敏感时，比关税更为有效，因为配额的作用不会被外币贬值或出口补贴所抵消。配额对国际贸易机制的干扰可能比关税更大。对不同国家有选择地实行配额，还能作为实行区别对待的有力武器。关税配额有别于进口配额。关税配额允许免税或按较低税率进口一定数量的某种商品，而超过配额的数量则按较高税率纳税。反之，进口配额对进口的限制是绝对的。某种商品如果按照配额进口的数量比不实行配额时要进口的数量少，则国内价格可能上涨。大规模定量贸易限制是在第一次世界大战期间和战后不久实行的。配额在20世纪20年代间逐渐由关税所取代。1931年法国在欧洲各国中率先采用全面配额制，于是30年代初的大萧条期间又开始了配额保护的另一高潮。第二次世界大战后，西欧国家开始逐步取消定量进口限制，而美国则有加强使用这种限制的趋势。

qupai liantaoti　曲牌联套体　中国戏曲音乐的一种结构形式。古代词曲创作原为"按词配曲"。后来许多优美曲调被沿袭套用，逐渐形成"依曲填词"的创作方法。这些保留下来的曲调如〔点绛唇〕、〔懒画眉〕、〔桂枝香〕、〔一枝花〕等统称为曲牌。各种曲牌构成的唱腔称曲牌体唱腔。由若干曲牌按一定章法组合成套，构成一出戏的音乐。一本戏若干出，即由若干组套曲构成。这种戏曲音乐的构成方法始于12～13世纪的南曲与北曲；至16世纪昆山腔产生而渐趋成熟；16世纪末随着弋阳腔等高腔的勃兴而更加完备、定型。

qūpūz(musical instrument)　参阅 **koboz 科鲍兹琴**。

Qur'ān　《古兰经》　又拼Koran。伊斯兰教经典，伊斯兰教徒认为它是安拉对先知穆罕默德在二十多年期间陆续启示的真实语言。这些启示最初由其信徒背诵记忆，并被用于每日的祈祷礼仪。在穆罕默德生前，虽然已有人进行文字记录，但今天的权威定本则是在第三代哈里发时期汇编成册。《古兰经》具有无上的权威，它是伊斯兰教最根本的渊源和从不间断的精神鼓舞。《古兰经》由长短不等的114章组成。《法蒂哈》即开端一章是简短的祈祷词，其他各章大致按长短次序排列，第二章最长，最后两三章最短。一般较长的各章产生于穆罕默德的活动后期，结果早期降示的短篇列在全书之尾，晚期降示的长篇则列全书之首。在现在通行的《古兰经》版本中，每章之首都含有下列要素：①标题，通常是取自本章中的突出的词，如《黄牛》、《蜜蜂》、《众诗人》等，与全章的内容无关；②以真主称名句，即"奉至仁至慈的真主之名"；③说明本章降示于麦加或麦地那，以及全章节数。有的章首有一个或几个字母，如"塔·新"、"塔·新·米目"、"艾里弗·俩目·米目"等，对其含义一直没有令人满意的解释，有人认为可能是指示章别的简写字，也许具有神秘含义。《古兰经》每节的长短悬殊。《古兰经》经文一般为真主口气，用第一人称。当所载为先知穆罕默德对他弟子讲话时，前面要加上命令词："你说"，用以强调他是奉真主之命讲话。有时也出现戏剧性的形式，即穆罕默德与反对他的人辩论。经常引述先知和《圣经》故事，经文重点不是叙述，而是教诲。《古兰经》所用词汇绝大部分是阿拉伯语，但是也有源出于希伯来语和古叙利亚语等语言的外来语词，由此可见穆罕默德受到犹太教和基督教的影响。《古兰经》的内容难以分类，如把其中材料按年代先后排列，就会看出，不同时期有不同特点。最初几章集中说明真主是世界的创造者，人应当感谢他的恩惠。真主按照人对他的态度施行赏罚。最后审判会突然降临，天园如何幸福，火狱如何痛苦。随后的几章着重指出真主是唯一的，阿拉伯人所奉其他诸神无非是无能的偶像。这一部分有许多论辩之词，其中含义之一是：穆罕默德是自古许多先知之一，这些先知受真主派遣来向本族人民预告最后审判即将来临，更确切地说，穆罕默德是负有神圣使命的众先知中的最后一位。《古兰经》所提到的众先知有《圣经》人物，如努海（诺亚）、穆萨（摩西）、易卜拉欣（亚伯拉罕）、尔萨（耶稣），也有阿拉伯传说中的人物，如胡德、撒利哈。基督教和犹太教教义中的主要人物经常出现，如麦尔彦（马利亚）、翟克赁亚（撒迦利亚）和叶海亚（施洗约翰）以及达伍德（大卫）、素赖曼（所罗门）、阿尤布（约伯）和尤努斯（约拿）。经中还指出，人的命运完全掌握在真主手里，甚至信与不信都决定于真主的意志。“除非真主意欲，否则他们不会信道”（6:111）。但其他经文没有强调此点，似乎人有一定的自由以听先知传教并自行选择善恶。穆罕默德则是警世的先知。最后部分比较重视伦理的训诫。经文规定施舍是信徒应尽的义务，关于仪礼的规定似乎仅限于礼拜。但这一部分中包括关于若干食物的禁忌。麦地那时期降示的各章保持上述体裁，内容集中于新成立的穆斯林社会中的实际问题。有几段启示涉及穆罕默德的军事行动中的某些事件，表扬英勇虔诚的信徒，谴责畏缩不前者。关于仪礼和法律的详细规定频繁出现。经文论及穆斯林社会的组织问题，论及人与先知交往时应注意的事项、婚姻法、财产继承法以及斋戒与朝觐功课等等。经文谴责敌视伊斯兰教的犹太人篡改圣书，背弃克尔白的建立者易卜拉欣（亚伯拉罕）所传之道。诵经师既是研究《古兰经》的专家又是语言学家。阿拉伯语法学在很大程度上是从《古兰经》经文研究中发展起来的。关于《古兰经》的性质，穆尔太齐赖派否认《古兰经》是永恒的，因为如果承认《古兰经》是永恒的，那就是说在永恒的真主之外还另有永恒的事物，从而形成二元论。于是他们宣称《古兰经》是真主所创造。但伊斯兰教正统派拒绝这种说法。在诸如此类的论争中，各派都从《古兰经》中寻找根据。为了正确解释《古兰经》，形成一种专门学科“太甫绥鲁”即古兰经注释学。《古兰经》注释中特别著名的是：①《塔百里古兰经注》，塔百里（839～923）著，内容广泛，集诸家之大成。②《凯沙甫》，扎马赫沙里（1075～1143）著，一度号称典范，作者是穆尔太齐赖派，该书发端冠有“赞颂创造《古兰经》的真主”字样。巴达维（约卒于1280）所编简明经注，通常当作权威著作引用，但它只是《凯沙甫》的缩本。19世纪末期现代主义的出现，《古兰经》注释学更加受到重视。现代主义努力振兴伊斯兰教并使伊斯兰教与西方科学传统中可取之处互相调和，提倡回到列祖的纯洁不朽的伊斯兰教教义上去，因而十分重视解释伊斯兰教教义的最古老而原始的来源。最近新的思想兴起，印度穆斯林学者大毛拉·阿布尔·卡里姆·阿扎德（1888～1958）在所著乌尔都文《古兰经》注释中，提出一些原则。他说：解释《古兰经》，必须结合当时的环境。因此，必须研究古阿拉伯人和其他闪米特族人民的文化和语言。这样可以有助于了解《古兰经》对于受启示者的具体意义。

Quraysh　古来氏　又译古莱什。伊斯兰教创始人穆罕默德出生时期在麦加居统治地位的部落。主要有10个氏族，其中一些因其成员在早期伊斯兰教中居于显要地位而著名，如穆罕默德所属的哈希姆氏族（参阅 **Hāshimite**）以及艾卜·伯克尔、欧麦尔和奥斯曼三任哈里发分别所属的台姆氏族、阿迪氏族和伍麦叶氏族。

Qurayyāt, al-　古赖亚特　沙特阿拉伯西北部北方区西部省份。东北与北侯杜德省交界，东邻焦夫省，南连泰布克省，北与约旦接壤，西临亚喀巴湾。大部地区是岩石和砾石高原，覆盖草地和灌木，可以牧放。锡尔汉谷地历史上曾为从地中海沿岸到阿拉伯半岛中部和南部的重要商路通道。古赖亚特人口稀少。省会奈卜克。人口31 000（1974）。

qurrā'　诵经人　阿拉伯语，单数作qāri'。伊斯兰教指专职诵读《古兰经》的人。在伊斯兰教早期，背记诵读《古兰经》全部经文在虔诚的穆斯林中很常见。《古兰经》古阿拉伯语抄本字迹难辨，因而在读音和词义问题上学者往往需要请教于这些诵经人。9世纪时，诵经者已成为一种被确认的专业人员。诵读《古兰经》的技巧产生出吟诵的声调艺术，便于参加聚礼的穆斯林相对容易地理解经文。各清真寺现在仍设专人诵读《古兰经》，以便向信徒解释启示。在某些阿拉伯国家里，在节日和清真寺聚礼上诵《古兰经》的职务一般由盲人担任。他们自幼学习诵经，并以此为生。

Qutang Gorge（China）　**瞿塘峡**　参阅 **Changjiang Sanxia** 长江三峡。

Qutaybah ibn Muslim　古泰拜·伊本·穆斯林（？～715）　哈里发马立克和瓦利德一世手下的阿拉伯人将军。他对阿富汗和中亚的征服，帮助伍麦叶王朝哈里发达到权力顶峰。704年任呼罗珊总督，后统率五万阿拉伯军队为伍麦叶王朝东征北伐拓展疆土。705年收复下吐哈利斯坦及其首府巴尔赫（阿富汗北部）。他越过奥克苏斯河，征服布哈拉及其附近领土。他还夺取撒马尔罕（710～712）、花剌子模及其首都希瓦（在今乌兹别克斯坦）。715年北征远达中亚，对拔汗那建立起名义上的阿拉伯统治。曾支持阻止苏莱曼在兄长瓦利德死后继哈里发位的计划。苏莱曼继位后，他不敢返回表示效忠。由于部下反叛，他于715年被杀。古泰拜将征服的领土并入王朝版图，他只理军务，但其继位人却传播伊斯兰文化，最后使佛教徒实行伊斯兰化。

Quṭb Shāhī DYNASTY　**顾特卜·沙希王朝**（1518～1687）　印度德干高原东南部戈尔孔达王国的穆斯林统治者。创始人顾利·顾特卜·沙原是巴赫马尼王国东部地区的土耳其人总督。1518年宣布独立，并迁都戈尔孔达。16世纪末，在海得拉巴建新都。这个王国以黄金和钻石出名。其政府是穆斯林军事贵族政府。受波斯的影响较大，苏丹属伊斯兰教的什叶派。1565年参加了推翻维查耶那加尔帝国的战争，其后主要在沿海的卡纳蒂克发展。1687年被莫卧儿帝国吞并。

Quṭb-ud-Dīn Aybak　顾特卜-乌德-丁·艾伯克（？～1210）　印度穆斯林统治的创建者，穆伊兹-乌德-丁·穆罕默德的得力将军。幼年被卖为奴隶，在内沙布尔长大。他为古尔的穆罕默德所有，最初负责管理王室马厩，后来任军队司令。1193年穆罕默德征服德里后班师回呼罗珊，把所占领的印度西北地区交给他统辖。他以德里为基地，横扫恒河与亚木纳河之间的地区，然后把注意力转向拉杰普特依然顽抗的一些酋长。1195～1203年间进攻这些酋长的堡垒。同时，他的副将巴克提亚·卡尔其征服了比哈尔和孟加拉。1206年古尔的穆罕默德被刺，他成为当然的继承者。当时他仍是奴隶身份，但很快获得解放。他与伽色尼的泰-乌德-丁·伊尔杜兹的女儿结婚，并通过其他几次明智的联姻，巩固了自己的统治。他的继承人，女婿伊尔杜德米什在他的基础上建立了德里苏丹国。现存铭文称他为“马立克”（国王）。德里至今还有纪念他的胜利的“顾特卜高塔”。他在一次马球游戏中受伤而死。参阅 **Delhi sultanate**。

Quthing　古廷　莱索托南部村庄。东南和西与南非接壤。经济以农业（小麦、玉米和高粱）和牧业为主。主要收入来自牧业，出口羊毛和马海毛。大部分成年男子外出到南非作工。村内有一所医院，与首都马塞卢通公路。人口：村庄1 992（1986）。

quyi　曲艺　中国说唱艺术的统称。它以多种形式的说和唱作为主要手段，用来叙述故事，塑造人物，反映社会生活，表达思想感情。有的以说为主，如扬州评话、单口相声；有的以唱为主，如山东琴书、苏州弹词开篇；有的说唱并用，如上海说唱、福州伬唱等。大多数曲艺在演唱时均带有适当表情和动作，使用简单道具，不少曲种由唱者兼操乐器伴奏。演出形式有坐唱（如苏州弹词、杭州滩簧）、站唱（如京韵大鼓、山东快书）、走唱（边唱边说边舞或来回走动、如宁波走书、二人转、二人台）、拆唱（演员分脚色行当演唱，类似戏曲的清唱，有时亦穿插第三者口吻的叙表，如苏州滩簧、粤曲、广西文场）、彩唱（简单的化装演唱，如彩扮莲花落、上海独脚戏）。多数曲种以第三人称说唱情节，以第一人称模拟人物。各个曲种都有各自的擅长，有的以叙述曲折故事、刻画生动人物形象、表现细腻思想感情取胜，如评话、道情、弹词等；有的则以讽刺、幽默见长，如流行全国的相声，就以说、学、逗、唱为基本艺术手段。曲艺的唱腔结构可分两类：一类为联结若干曲牌（曲调）成为一套的曲牌联套体，如诸宫调、单弦、四川清音、湖南丝弦、扬州清曲；一类为以一支曲调为主曲反复演唱的主曲体。这类唱腔大多为7字、10字的上下对偶句，随着感情和气氛的需要，在同一基调上加以变化，一般都有若干不同节奏的板式，如京韵大鼓、二人转、湖南渔鼓等。中国曲艺历史悠久。唐代（618～907）已有讲述故事的“说话”，说唱历史、宗教故事和民间传说的“转变”等曲艺形式。到了宋代，“诸宫调”、“唱赚”、“鼓子词”等已颇流行，之后曲种日益增多，曲目不断丰富。由于它流动方便，节目通俗生动，能及时反映人民的理想与愿望，故流传极为广泛，成为中国人民文化生活中的重要艺术形式。

Quzhou 衢州 又拼 Ch'ü-chou。中国浙江省辖地级市。位于省西部，钱塘江最大支流兰江的上游，常山港与江山港会合处。东汉初平三年（192）置新安县，西晋太康元年

衢州名胜烂柯山
中国大百科全书出版社供图

（280）改信安县。唐武德四年（621）置衢州，以境内有三衢山得名。咸通（860～873）中改信安县为西安县。明、清为衢州府。1912年废府，改西安县为衢县。1949年析县城区置衢州市，1951年撤销，1979年复置。1981年衢县并入衢州市。1985年升省辖市，恢复衢县，辖柯城、衢江2区及龙游、常山、开化3县，并代管江山县级市。面积8 837平方千米，其中市区面积2 357平方千米。地处金衢盆地西部，仙霞岭、千里岗山南北夹峙，中为平原。主要河流有常山港、江山港、乌溪江、衢江。农作物以水稻、棉花为主，并为浙江柑橘、木材、油茶籽、乌桕籽、茶叶的重点产区。“衢红橘”为传统名果。市区西南有衢州化工厂，乌溪江上建有黄坛口水电站和湖南镇水电站。江山为浙江水泥生产基地。此外还有机械、钢铁、木材加工、造纸、纺织、陶器、酿造等工业。浙赣铁路横贯全境，公路有杭衢、兰江、衢常等干线。衢江通水运。是浙、皖、赣、闽四省交通要冲。主要名胜古迹有南宗孔氏家庙、烂柯山、太真洞等。人口：全市2 460 000（2005）；市区800 000（2004）。

Qwaqwa 夸夸 又称巴索托夸夸，旧称沃乔斯胡克。南非奥兰治自由邦非独立黑人邦，划定供南部索托人（通称巴索托人）居住。夸夸位于德拉肯斯山脉的一段，为一峡谷，海拔1 675～3 050米以上，是数条河流的源头区，其中包括瓦尔水坝的重要水源埃兰兹河的上游。西南面与独立的莱索托相邻，东南面为纳塔尔省。是南非最小的黑人区，面积为655平方千米。夸夸这个名称的意思是“比白色更白”，源于一座俯临该地区的白色砂岩山。夸夸居住着南部索托人的两个族群——奎纳族和特洛夸族。奥兰治自由邦政府于19世纪70年代与这两个民族的领袖签订和约，将他们安顿在沃乔斯胡克及邻近地区。1926年，奥兰治自由邦把特洛夸族交奎纳族管理。但于1930年使两族分治。1969年两族合并为一个地方政府，两年后该政府由立法议会所取代。1974年夸夸获准自治。1994年的南非宪法废除种族隔离，夸夸重新并入奥兰治自由邦省。夸夸的经济基础是自给自足的农业。种植玉米、高粱、马铃薯、水果及其他蔬菜。该地的工业有砖厂、碎石开采厂、面包厂及家具厂。还开采黏土及粗粒玄武岩。夸夸的绝大部分收入来自在南非的移居契约劳工。普塔代哈巴为夸夸的首府与主要城镇，夸夸现仅有为数不多的南非南部索托人。

R

R. and A. (sports organization) 参阅 **Royal and Ancient Golf Club of St. Andrews** 圣安德鲁斯皇家古老高尔夫球俱乐部。

R.E.M. **R.E.M.乐队** 美国摇滚乐队，20世纪80年代大学摇滚乐队的典范。R.E.M.指做梦时眼球快速运动。1980年成立于佐治亚州阿森斯。1982年推出首张唱片《老镇》时，该地早已是国际闻名的流行音乐胜地。该乐队受到很多乐队的影响，推出的首张专辑是《自由欧洲电台》。乐队史无前例地将非金属摇滚和印象主义民谣结合在一起，推出了很多受乐迷欢迎的专辑。1985年推出的专辑《重建的神话》结合了乐队关于民谣摇滚的理念和制作人J.博伊德的想法。还推出了《落到我头上》和《我爱的人》等单曲，扩大了听众范围。1991年推出的专辑《不合时宜》位居英美音乐专辑排行榜榜首，其中的单曲《失去信仰》尤为轰动。90年代致力于创作节奏缓慢的情歌，推出的专辑有《人民的自动武器》和更喧闹的《怪物》，1996年推出《新高保真冒险》。后来又有实验专辑《向上》。

R Monocerotis **麒麟座R** 麒麟座中的一颗红外星和星云，它的星表编号是NGC 2261。该星(一颗属于金牛座T型变星的矮星)沉浸在亮度急剧变化的物质云中，物质云反射或再辐射来自恒星的光。

R4D (U.S. aircraft) 参阅 **DC-3** DC-3飞机。

Ra (Egyptian god) 参阅 **Re** 瑞。

Ra **"拉"号探险船** 挪威科学家和探险家T.海尔达尔为了证明非洲和中南美两地先民之间可能有文化来往而横渡南大西洋所用的两艘同名的纸莎草小船的船名。第一艘"拉"号船由海尔达尔从纸莎草船流行的乍得湖雇用造船匠在埃及制造，从7个不同的民族各选了1名水手，于1969年5月25日自摩洛哥的萨菲启航。由于缺乏经验，致使"拉"号船在设计和货物装载上有缺点，航行4 800千米后于7月因进水而慢慢沉没。第二艘"拉"号船由的的喀喀湖的艾马洛族印第安人制造，基本上由原来的船员于1970年重新出发探险，用57天(5月17日至7月12日)完成了从萨菲到西印度群岛的巴巴多斯横渡大西洋的航行。

Ra-Shalom **赖夏洛姆** 截至目前为止，已发现的小行星中轨道最短的一颗小行星，它绕太阳一周只需278天。赖夏洛姆1978年由美国行星科学家E.希林发现，位于距地球29 000 000千米的太阳系一区，过去认为这里全无小行星。赖夏洛姆直径约4千米，是亚丁型小行星中最大的一颗。此型为小行星的一类，它们的轨道大都在地球轨道之内。赖夏洛姆颜色灰淡，可能是由含水矿物岩石和少量的碳所组成。

Raab (Hungary) **拉布** 参阅 **Győr** 杰尔。

Raabe, Wilhelm **拉贝**(1831-09-08，不伦瑞克希尔德斯海姆附近埃舍斯豪森～1910-11-15，德国不伦瑞克) 笔名雅各布·科维努斯。德国作家，以描写中产阶级生活的现实主义小说而著称。1849年辍学离开沃尔芬比特尔后，在马格德堡一个书商处当了4年学徒。他在这段时间里阅读了大量书籍。在柏林时期，虽然他在柏林大学听课，但主要成果却是他的颇受欢迎的第一部小说《雀巷春秋》(1856)。1856年回到沃尔芬比特尔，决定终身从事写作。发表了一些长篇小说和几本故事集，均未获得注意。后外出旅行。1862年结婚，定居斯图加特，继续写他最成功的小说《饥饿牧师》(3卷，1864)、《阿布·泰尔凡》(3卷，1868)和《运尸车》(3卷，1870)。这三部作品往往被人看作三部曲，是拉贝悲观主义观点的中心。他在斯图加特未能受到公众的赞赏，因而灰心丧气地回到不伦瑞克。在那里度过他一生的后40年，专门致力于写短篇小说。这些作品现被认为是他最有独创性的作品，比以前的作品少了些悲观色彩。其中以《夹心蛋糕》(1891)为最。

Raaff, Anton **拉夫**(约1714-05-06受洗，波恩附近盖尔斯多夫～1797-05-28，慕尼黑) 德国歌剧男高音歌唱家，当时第一流的歌唱家。年轻时接受教士专职训练获得了一些声乐知识。1736年师事慕尼黑的G.B.费伦迪尼，后又受教于博洛尼亚的A.贝那基。随后几年巡回演唱于佛罗伦萨、威尼斯、波恩、里斯本以及马德里等地。在马德里时，在著名阉伶法里内利指导下工作，并应法里内利的邀请于1759年迁居那不勒斯。其后10年拉夫以第一流男高音歌唱家的身份在那不勒斯和佛罗伦萨的歌剧院度过。1770年回到德国，任职于选侯K.狄奥多尔宫廷。1777年在曼海姆拉夫被介绍给莫扎特，莫扎特还为他重新调整了一支咏叹调。1781年莫扎特的《伊多梅尼奥》在慕尼黑首次上演，拉夫扮演了剧名角色。

Raamses (Egypt) 参阅 **Per Ramessu** 培尔拉美苏。

Rab **拉布** 克罗地亚共和国的亚得里亚海岛屿，为达尔马提亚最北部分。面积91平方千米。海拔最高处408米。300多个淡水泉为岛上居民珍贵的水源。主要城镇拉布是克罗地亚最著名的游览胜地之一。该镇筑于西岸陡峻的岬角上，围以城墙，有3条平行的大街。镇南端有一13世纪的罗马风格大教堂，其独立钟楼被认为是亚得里亚海沿岸罗马式建筑最杰出的代表。它与另外3座钟楼依次成排，坐落在山脊之上，俯瞰旧城。当地有几幢威尼斯贵族所建的历史上有名的宅邸。岛上6个小村的居民以渔业、农业、旅游业及服装业为生。人口8 877(1981)。

Rabʿ al-Khālī, ar- (Saudi Arabia) 参阅 **Rubʿ al-Khali** 鲁卜哈利沙漠。

rabāb **拉巴布琴** 阿拉伯语拉丁字母转写作rabābah。阿拉伯提琴，为历史上已知最早的弓弦乐器，欧洲中世纪的雷贝克琴前身。10世纪史料中首次提及。中世纪和以后的阿拉伯艺术音乐中的重要乐器。当时这个名

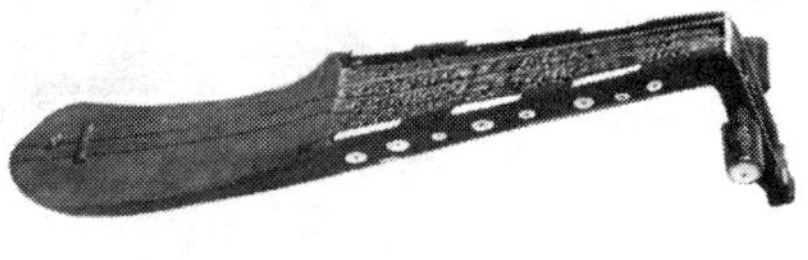

阿尔及利亚的拉巴布琴
纽约大都会艺术博物馆供图

词还泛指任何弓弦乐器。拉巴布琴有一个皮膜的面板，一般有两三根弦，无指板。演奏者用手指按弦。琴的体形多样，以梨形和船形最为普遍，也有扁圆形、梯形或长方形。拉巴布琴是通过两条渠道传到欧洲的。梨形的于9世纪传入拜占廷帝国，称利拉琴，其后向西传播，产生中世纪的提琴。船形的拉巴布琴于11世纪由阿拉伯人传入西班牙，与雷贝克琴一起流传到14世纪。拉巴布一词在中亚部分地区指一种诗琴。

Rabad I **拉巴德一世** 参阅 **ibn Daud, Abraham ben David Halevi** 伊本·达乌德。

Rabah (African Muslim leader) 参阅 **Rābiḥ az-Zubayr** 拉比赫·祖拜尔。

Rabanus Maurus **拉班努**(约780，法兰克尼亚美因茨～856-02-04，温克尔) 又称赫拉班。大主教、基督教神学家、教育家。822年当选富尔达隐修院院长，将该隐修院学校发展为欧洲著名的学术中心。在加洛林王朝，拉班努曾任皇帝洛泰尔一世的政治参议，因此，840年国王路易战胜洛泰尔军时，拉班努只好出走。后来拉班努与路易和解，847年被立为美因茨大主教。在任关心社会福利，850年发生饥荒，许多人得到他的救济。拉班努认为必须通过艺术和科学向莱茵河以东未开化的日耳曼人传教，因此为神职人员和在俗信徒撰写大量著作。他最渊博的著作是《论事物的性质》(又名《论宇宙》)，成书于842～847年，是总结9世纪以前学术史的百科全书，共22卷。约810年他编成《论教士的培养》，主张基督教教士研究文艺。其《语法学》对中世纪逻辑学的发展有所贡献。他对几乎每卷圣经都撰有注释。在拉班努主持下富尔达隐修院修士将2世纪塔提安著希腊文和叙利亚文《四福音合参》自拉丁文转译成德语，并且将古萨克逊语叙事诗《救主》译成德语。

Rabat **拉巴特** 马耳他中西部城镇。在瓦莱塔西面，邻近姆迪纳。罗马时期与姆迪纳同属马耳他岛首府梅利塔。阿拉伯人占领时

期成为姆迪纳的郊区。城镇地下有许多早期基督徒墓窟及几处洞窟教堂和修道院。地处农业地区。现生产葡萄酒和手工纺织品。人口约 12 930(1998)。

Rabat 拉巴特 阿拉伯语拉丁字母转写作Ribāṭ(里巴特)。摩洛哥首都和该国4个皇城之一。濒临布赖格赖格河口,对岸为塞拉(初为罗马人的居民点萨拉)。12世纪由穆

拉巴特市的哈桑塔
供图:Art Resource—美国不列颠百科全书公司

瓦希德统治者创建。1609年后与塞拉同为大批被赶出西班牙的安达卢西亚摩尔人的家园。法国统治时期设为行政首府。独立后定为直辖市(包括塞拉),面积1 275平方千米。沿岸老城有穆斯林古镇和犹太人居住区。北面有一个17世纪的堡垒、一个安达卢西亚花园和穆斯林艺术博物馆。东南有一些历史建筑包括12世纪的哈桑塔。西南有一考古博物馆。拉巴特的现代城区有20世纪50年代建的一所皇宫、1957年建立的穆罕默德五世大学。该市现为纺织业中心,以生产地毯、毛毯和手工革制品闻名。有水果、鱼加工业和砖、石棉制造业。拉巴特有公路和铁路通卡萨布兰卡和丹吉尔。该市还设有国际机场。人口 623 457(1994)。

rabato 拉巴托领 宽竖领,常带花边,用金属丝撑于后颈,16世纪和17世纪早期,男女

约16世纪晚期佚名画家所绘《白金汉公爵第一》中的男子所用拉巴托领
伦敦维多利亚和艾伯特博物馆供图

都用。伊丽莎白一世的画像中常见。也有把拉巴托领倒转穿的,以便支撑飞边皱褶领。拉巴特领比拉巴托领小得多。拉巴蒂纳一类的衣领则下垂过肩,很像披肩。

Rabaul 拉包尔 巴布亚新几内亚新不列颠岛主要城镇。濒临加泽尔半岛辛普森港湾,商业以港口为中心,出口椰干、可可和椰子油。有家具、水泥管、钢建筑预制件和制砖等小型制造业。1910年创建时为德国殖民地首府。1927～1941年是澳大利亚托管地首府。1942～1945年为日军侵占,毁于盟军的轰炸。1950年后重建。该镇为火山环抱,有良好的通信、交通系统,设有国际机场。1994年火山爆发,该城被火山灰掩埋。到20世纪90年代后期,该城基本恢复。人口 17 044(1990)。

Rabaut, Paul 拉博(1718-01-29,法国贝达里约～1794-09-25,尼姆) 基督教(新教)牧师、宗教改革家。曾受神学教育,1738年任布道员。1740年在瑞士洛桑入由考特所建立的一所学院深造,四年后任尼姆教会大会副主席。1745年政府重新迫害新教胡格诺派,拉博被迫隐匿。考特死后他继续领导胡格诺派。法国政府力促他出国,但遭其拒绝,政府迫于舆论,逐渐减轻对胡格诺派的迫害。

Rabban bar Sauma(ecclesiastic) **拉班·巴梭马** 参阅**bar Sauma, Rabban**巴梭马。

rabbi 拉比 希伯来语,意为"我的老师"。经过正规宗教教育,学过《圣经》和《塔木德》而担任犹太人社会或犹太教会众的精神领袖或宗教导师的人。取得拉比身份须经另外一位拉比正式任命,一般都是由师父将拉比证书发给门徒。拉比并不享受特殊宗教地位。自古拉比的培训主要是传授《塔木德》,自从19世纪以来,人们已开始注意培养具有多方面知识的拉比。犹太教内正统、保守、改革三派拉比的职权大同小异。婚礼自然须有拉比参与,但其他典礼则大多不一定需要拉比参加。拉比一般主持礼拜、参加成年礼、丧礼,有时也参加割礼。在离婚案件上,拉比可以参加特别成立的犹太律法裁判庭。拉比也可以讲解教义,必要时也可以规劝或抚慰信徒。拉比对青少年宗教教育负有全责,但除一般督导外,其他职责则视情况而定。现代拉比还参与社会工作和慈善工作,赞助会众所倡导的其他工作。有些拉比只是在履行世俗职务之暇兼职。

"拉比"一词到公元100年已普遍使用,此前也有所发现,形式略有不同,例如,耶稣基督的门徒就称他为拉比(《约翰福音》1:49,9:2)或"拉波尼"(《约翰福音》20:16)。领受薪金的拉比裁判官和不领薪金的拉比教师逐渐出现,主持日常礼拜事宜。到12世纪拉比教师都像今天大拉比一样领受薪金,以便他们摆脱非宗教的职务。中世纪欧洲出现大拉比之职,但他们大多数是由政府委派,因此威信不高。现代以色列国设有拉比院,其中有两位大拉比,一位代表西班牙系犹太人,一位代表德系犹太人,犹太教没有统一的中央拉比院。

Rabbinic Judaism 拉比犹太教 公元70年耶路撒冷圣殿被毁后逐步形成的规范犹太教。这种犹太教遵循法利赛派拉比著作的精神,根据《塔木德》律法著作和评注文献的观点,提出敬神做人的一整套准则,这些准则至今仍为全世界各地犹太人所遵守。

Rabbinical Assembly, The 拉比大会 美国、加拿大、拉丁美洲、欧洲及以色列的保守派拉比组织。1900年创立时名为"犹太教神学院校友会",1940年改组为"美洲拉比大会",1962年取现名并成为国际性组织。该大会推荐拉比到保守派的会众中任职,并倡导保守派犹太教的意旨目标。1985年拉比大会首次投票通过准许妇女担任拉比。其出版物有季刊《保守派犹太教》和几本祈祷书。

Rabbinical Council of America 美洲拉比大会 犹太教正统派拉比组织,几乎所有成员都在美国受过拉比教育。会议的主要目标是倡导犹太教正统派的研究与实践、捍卫世界各地犹太人的基本权利,以及支持以色列国家。它是美洲正统犹太教会众联合会的拉比部,负责监督犹太教食物的制造。1923年初创时称为美洲正统犹太教会众联合会拉比会议,1936年与纽约市拉比神学院(今授业座大学)拉比协会合并后,于30年代改取现名。1943年芝加哥(现在伊利诺伊州斯科基)希伯来神学院校友会加入大会。大会出版两种刊物:希伯来文的半年刊《海多罗姆》和英文的季刊《传统》。1960年赞助出版《安息日及节日传统祈祷书》。

rabbit 兔 兔形目兔科许多种小型哺乳动物的统称。原产于欧洲、新大陆、亚洲和非洲。有几个属,最著名的是穴兔属(*Oryctolagus*,仅旧大陆兔或称欧洲兔[*O. cuniculus*]1种)和棉尾兔属(*Sylvilagus*,约13种)。英语中rabbit和hare两词在美国可以换用,有时引起误解,如受欢迎的比利时兔(Belgian hare)并非野兔,而是家兔的一个品种。兔与野兔在身体结构上无大差异,主要区别是兔初生时裸露无毛,眼不能睁开,需要母体照顾;初生野兔却被毛,发育充分,出生不久就能蹦跳。兔可成群生活,如旧大陆兔,而野兔一般独居。兔通常比野兔小,但某些种,尤其是许多家养品种,体重可达7.25千克。小型至中型的欧洲兔及棉尾兔体长约25～45厘米,重约0.5～2千克。家养的棉尾兔及欧洲兔的寿命可分别达到8～10年和13年。兔耳长,尾短,后腿长,被毛通常为灰或褐色。欧洲兔是最著名的种,也是所有家兔的祖先;原来见于欧洲西南部和北美,但已引入澳大利亚、新西兰和南北美洲。兔的繁殖力极强。主要的繁殖季节2～10月,但几乎终年可以繁殖。雌体生长到8个月时就开始生殖,将分娩时会新挖一个很短的地道,垫以叶子和自己的体毛,用作巢穴。妊娠期约30天。雌体分娩后很快可以重新受孕。每窝可产5～8仔,每年可产数窝。欧洲兔群居,栖于兔穴内,兔穴由许多个体所栖的地道组成。欧洲兔生活于成排的灌木围篱中或灌木丛中,夜

间才敢到田野觅食,以草类和其他植物性物质为食。性温和,胆小。棉尾兔属种类产于北美,因其尾部下侧为白色而得名。是常见的野生兔类,也是受欢迎的狩猎动物,其肉味

(上)欧洲兔(*O. cuniculus*);(下)东部棉尾兔(*S. floridanus*)

供图:(上)Jane Burton/Bruce Coleman Inc.;(下)Steve and Dave Maslowski

美。生活于地道中,通常见于开阔的地带,常栖于人类定居点附近。约有13种,最著名的是佛罗里达棉尾兔(东部棉尾兔,*S. floridanus*),分布范围遍及落基山脉以东的美国各地,生境多样。兔的经济价值颇大。人类大量捕猎兔类,在许多掠食动物的食物中兔类占很大部分。兔可感染图莱里热(兔热病),并可将该病传给人类。在有些地区(典型者如澳大利亚)兔会毁坏庄稼或吃掉牧草,成为严重的害兽。19世纪末兔传入澳大利亚后很快就适应环境,并大量繁殖,逃到野生环境存活下来,在这个大陆上泛滥成灾。在20世纪50年代,人类通过传入传染性黏液瘤病,使兔的增长速度放慢,但这种疾病的影响可能不会持久。兔毛用于毛皮业,也是毡制品的主要原料(参阅 **rabbit hair**)。兔肉味美,常为人类食用。兔在豢养条件下容易繁殖,故为重要的实验动物,用于医学及其他科学实验。欧洲兔在美洲有30个品种和近80个变种,著名的品种有安哥拉长毛兔(主要毛用及肉用)和新西兰兔(供肉用、毛用)及佛兰芒巨兔、银灰兔、丝毛兔、哈瓦那兔、美洲蓝兔等。参阅 **lagomorph**。

Rabbit, William 拉比特 参阅 **Katay Don Sasorith** 坎代。

rabbit hair 兔毛 又作lapin。产自安哥拉兔和各种普通兔的动物纤维。包括起保护作用的粗长外毛和起保暖作用的细绒毛。安哥拉兔毛纤维主要生产于法国和英国,是一种纯白色丝一样的纤维,由于纤细柔软和富有光泽而受到珍视,主要用于高档织物、针织品和毛线。安哥拉兔由家庭饲养,一年剪毛4次,剪下的纤维长度可达8～9厘米,每只兔每年产毛200～400克。普通兔毛包括家庭饲养的白兔毛和较次的灰兔毛,这些低级兔毛是制造毛毡的重要原料,主要采用欧洲、特别法国产的兔毛。普通兔毛也可用于针织品。安哥拉兔毛和普通兔毛纤维都常与其他纤维混合使用,以增加保暖性和柔软性。兔裘虽然较脆,但大量用于制裘工业中,柔软的优质兔裘经过拉直、修剪和染色,可模仿海豹和毛丝鼠等珍贵裘皮。

Rabbula 拉布拉(约350,叙利亚阿勒颇附近钦内什林～约435,埃德萨) 基督教埃德萨主教。他主张改革,在5世纪关于基督论的论争中维护亚历山大正统派教义,反对安提阿的聂斯脱利异端学说。他曾在希腊求学,任官吏,在巴勒斯坦改信基督教后作修士,约411年任埃德萨主教,倡导改革,制订神长修士守则。他先赞成安提阿派,后来仰慕反对聂斯脱利派的神学家西利耳(亚历山大的),将西利耳阐述基督本性的论文,特别是《论正确的信仰》,译成古叙利亚文。

Rabéarivelo, Jean-Joseph 拉贝阿利维洛(1901-03-04,马达加斯加塔那那利佛～1937,塔那那利佛) 马达加斯加作家,非洲最杰出的法语诗人之一,有马达加斯加现代文学之父之称。他主要靠自学得到知识,曾当过伊梅里纳印刷所校对员以维持生计。在他悲剧性地去世之前,写过7部诗集,其中最主要的有《近乎梦想》(1934)和《黑夜的表述》(1935)等。其早期作品仿效19世纪后期法国诗歌、尤其是波德莱尔和一个以幻想派知名的文学团体的诗歌。幻想派创作忧郁的诗歌,表达一种失落空虚之感。他的后期作品更显孤傲,虽保留了波德莱尔的形式感,但也显示了一种更为成熟的个人风格。最后一部诗集《伊梅里纳乡古歌集》于他去世两年后发表,以充满诗意的爱情对话为本,而这些对话又是从马达加斯加乡土传统改编而来。他长期仰慕法国诗人,因此对不能访问法国而失望,再加上他的忧郁气质和吸毒成瘾,被认为是他1937年自杀的几个原因。他在诗中创造的神话世界,是一个由死亡、灾难和异化的幻象主宰的具有强烈个性的世界,只有获救或复活的希望才偶然能冲淡所有这些幻象。

Rabelais, François 拉伯雷(约1494,法国普瓦图～可能于1553-04-09,巴黎) 法国作家和牧师,对他的同时代人来说,他是个医生和人道主义者,对后代人来说,他则是幽默作品《卡冈都亚和庞大固埃》(即《巨人传》)的作者。其父是都兰省富有的地主和有名望的律师。他初习法律,约于1521年受神职,后学医,经过短时间自由开业,1532年任里昂天主教医院医师。这两种职业使他有机会接触并熟练掌握希腊语和拉丁语,为他后来研究古典作品提供了方便,为他的文学创作创造了条件。他的《巨人传》由4部小说构成,取材于通俗的传奇文学、笑剧、骑士故事及古典作品和意大利的文学作品。4部小说的第1部《巨人卡冈都亚之子狄波莎德王,十分有名的庞大固埃的骇人听闻的事迹与勋世纪》于1532年出版。第2部为《巨人卡冈都亚十分骇人听闻的传记》约1535年面世。第3部为《善良的庞大固埃的英雄言行第三卷》于1546年发表。这部是拉伯雷最深奥的作品。第4部是《善良的庞大固埃的英雄言行第四卷》出版于1552年,是他最长的作品。他在小说中大量运用文艺复兴时期的法语,以及从粗俗的戏谑到深邃的讽刺等多种喜剧成分,内容涉及当时的法律、医学、政治、宗教、哲学等知识和伦理范畴内的许多主要方面。拉伯雷对

供图:Cliche Musees Nationaux, Paris

神学、医学,特别是对法律,也有较深的造诣。和享有国际声誉的人文主义者皮埃尔·阿米过从甚密,而他本人渊博的人文主义学识亦为他赢得终身声誉。他是一位伟大、有趣而又世故的作家。

Rabemananjara, Jacques 拉贝马南雅拉(1913-06-23,马达加斯加塔那那利佛～) 马达加斯加政治家、剧作家、诗人。40年代初开始写作,第1部诗集《黄昏进行曲》发表于1942年。曾因参预所谓1947年暴乱的罪名被判处死刑,后虽获缓刑,但他始终为此事感到愤慨。诗集《解毒剂》于1947～1950年写于狱中,出版于1961年,抒发了对自己冤狱的愤懑不平和对未来的政治希望。60年代中期,在重返塔那那利佛担任国家经济事务部长时,已发表5部诗集和几部剧本,其中大多是赞颂祖国历史和文化的作品。他在作品中捍卫并称颂非洲文化的价值观念,尤其是非洲文化与自然的贴近,与祖先传统的联系,以及生活的古老节律。剧作《马达加斯加的神明》(1947)、《诸神会宴》(1962)等,深受广大读者欢迎。他一直是马达加斯加最著名的作家之一。

Rabi, Isidor Isaac 拉比(1898-07-29,奥匈帝国雷马奴夫[今在波兰]～1988-01-11,美国纽约州纽约) 美国物理学家,因发明用原子束和分子束磁共振法观测原子光谱(1937),获1944年诺贝尔物理学奖。由于这个方法产生

的精确测量，才有可能实现原子钟、微波激射、激光以及用于诊断医学中的核磁共振成像。应用磁共振法，可以推断原子核的几种力学特性和磁特性以及核的形状。这个方法

哥伦比亚大学供图

也提供了所有分子束和原子束实验的中心技术。1929 年他在哥伦比亚大学任教，1937 年任物理学教授。1940 ～ 1945 年，在麻省理工学院参加雷达的研制工作，为科学家小组领导人。1946 ～ 1956 年为原子能委员会总顾问委员会委员，任主席 4 年（1952 ～ 1956）。作为联合国教科文组织的美国代表，促进了欧洲核研究组织日内瓦国际高能物理实验室的建立。他还是纽约州厄普顿的布鲁克黑文国家实验室的创立者之一。

Rábida Island　拉维达岛　又称杰维斯岛。东太平洋加拉帕戈斯群岛中一岛屿，在厄瓜多尔以西 965 千米。面积约 3 平方千米。有许多小火山口。岛上无人烟，有一潟湖及火烈鸟栖聚地。

rabies　狂犬病　又称恐水病、瘈咬病。病情凶险的中枢神经系统急性病毒性传染病。各种温血动物均对之敏感，常在家犬或野生食肉目动物之间蔓延，患病动物唾液腺中含本病病毒，借啮咬传播。唾液中的病毒进入伤口后沿神经上行至脑。潜伏期 4 ～ 6 周（范围 10 天至 8 个月）。前驱期的病兽是最危险的传染源，它们外观健康，且对人友好，但稍受刺激即咬人。若见野生动物变得温驯、日间即与人亲近则应疑及本病。犬间狂犬病有甚短的兴奋期，表现为烦燥不安、神经过敏、凶恶咬人，随即精神萎靡、瘫痪。因发声肌肉瘫痪，吠声发生变化，很具特征性。多在 3 ～ 5 天死亡。只表现瘫痪者偶可恢复，亦可无其他症状而突然死亡。人类狂犬病表现似犬间狂犬病。早期症状为伤口出现异常感觉，可能表现兴奋症状后惊厥死亡。但多进入瘫痪期，典型症状为恐水，口渴欲饮时乃至见到水时即发作喉肌痛性痉挛，且反复发作。多于发病 3 ～ 5 天内死亡，伴神经系统症状及恐水者多不治，但 1971 年有 1 例痊愈者。有时仅表现瘫痪，1 周后死亡，偶有愈者。若为病兽咬后立即注血清及疫苗有预防之效，但需肯定确系受染，因疫苗反应之严重有如患病。被病兽咬后伤口应立即用肥皂及水清洗，可以除去大部分病毒。1899 年始用血清疗法，咬伤 24 小时内用之有效。3 ～ 4 天后用之几无效果。从事可能接触病兽的职业者可用疫苗预防，以前疫苗用动物脑组织制备，反应大，可致脑炎。目前以人体双倍体细胞疫苗（HDCV）最好，该疫苗用人体双倍体细胞制备，全程注射 2 次。未经免疫者为病兽所咬，应注血清 1 次，随之用 HDCV 4 次或旧式疫苗 16 次。

Rābiḥ az-Zubayr　拉比赫·祖拜尔（？～ 1900，西非）　穆斯林军事首领，曾在乍得湖东岸地区建立军事霸权。幼年为奴隶，后来从军，在苏丹王侯祖拜尔帕夏麾下服役，后擢升至统帅。1878 年随祖拜尔反叛苏丹埃及行政当局，失败后率领 400 来人逃往中非。他的部下劫掠村舍和部落，如果俘虏愿意入伙，他就给予活命和自由，因此，他扩大了自己的队伍。至 19 世纪 90 年代初，他已经建成一支约 5 000 人的武装力量。1893 年拉比赫攻占乍得湖以东的博尔努地区。他在乍得湖以南的迪夸建都，实行高度集权的统治。他曾多次兴师征伐富拉尼帝国。1898 年有一支法国的分遣队由刚果向北推进，抵达沙里河畔。拉比赫与富拉尼人停战，移兵南下对付新的威胁。1900 年，他的部队在洛贡河畔库塞里与法军遭遇，被法军击溃，他本人阵亡。

Rabin, Yitzhak　拉宾（1922-03-01，巴勒斯坦耶路撒冷［今在以色列］～ 1995-11-04，以色列特拉维夫）　以色列政治家和军事家，作为总理（1974 ～ 1977，1992 ～ 1995），他领导国家走向与巴勒斯坦和阿拉伯邻国的和平。在六日战争（1967-06）期间，任以色列武装部队参谋长。1994 年他与外长佩雷斯和巴勒斯坦解放组织主席阿拉法特同获诺贝尔和平奖。拉宾毕业于塔博尔村的卡多里农业学校，1941 年加入“帕尔马赫”（犹太人防卫突击队）。曾在叙利亚和黎巴嫩参加反对法国维希政府的战斗。在以色列独立战争（1948）期间，曾指挥耶路撒冷保卫战，并在内盖夫与埃及人作战。1953 年毕业于英国参谋学院，并于 1964 年 1 月任参谋长，设想出迅速动员后备力量和摧毁敌人飞机于地面的战略，事实证明这对以色列在六日战争中的胜利起了决定性的作用。1968 年退役，任驻美大使。任内，他与美国领导人建立起紧密的关系并为以色列获得了先进的美国武器系统。因为他主张从在 1967 年战争中占领的阿拉伯人的领土上撤出作为中东全面和平解决办法的一部分，从而招致以色列强硬派的攻击。1973 年 3 月回以色列，积极参与政治活动。12 月以工党党员身份当选议会议员，1974 年 3 月参加梅厄内阁，任劳工部长。1974 年 4 月梅厄辞职，拉宾接任党的领袖，并于 6 月成为以色列第 5 任（也是第 1 位本国出生的）总理。作为以色列的领袖，他同时扮演鸽派和鹰派的角色——与叙利亚达成戈兰高地停火协议，但 1976 年 7 月又命令对乌干达的恩德培进行果敢的袭击，解救被巴勒斯坦恐怖主义分子劫持的以色列和其他人质。拉宾被迫宣布于 1977 年 5 月举行大选，但在竞选运动中，因他与妻子在美国银行开有账户违犯了以色列法律而被曝光，于当年 4 月辞去总理职务并由佩雷斯接替他为工党领袖。1984 ～ 1990 年他在工党-利库德集团的联合政府中任国防部长，对巴勒斯坦人在被占领土上的起义作出强烈的反应。1992 年 2 月，在工党党员的全国选举中，他又重新取得在党内的领导地位。工党于 1992 年 6 月在大选中获胜，他再次出任总理。就任后，他冻结了在被占领土上建立新居民点的行动。他的政府着手与巴勒斯坦解放组织举行秘密谈判，并以缔结以巴协定（1993-09）而结束。协定中以色列承认巴勒斯坦解放组织并同意巴勒斯坦人在西岸和加沙地带逐步实行有限的自治。在一系列的秘密会晤后，1994 年 10 月拉宾和约旦国王侯赛因签署了两国间的全面和平条约。领土让步在许多以色列人中引起强烈的反对，特别是西岸的定居者。1995 年 11 月，当他出席一次和平集会时，被一名犹太极端分子枪杀。

rabob（musical instrument）　**拉波布琴**　参阅 **sarod** *萨罗德琴*。

Rabulist riots　暴徒造反（1838）　在瑞典首都斯德哥尔摩发生的一次群众示威运动。它促使瑞典政府放宽新闻检查，加快了议会政府的进程。所谓“暴徒”是当时瑞典政府对激进派的蔑称。1838 年夏天，当自由主义新闻记者克吕森斯托尔珀以诽谤国王查理十四定罪后，人民群众举行大规模的示威游行表示抗议。尽管有两名示威者被打死，但是，瑞典政府终于被迫放宽了对新闻界的种种限制，显著地加强了瑞典自由派的地位和削弱了王室与保守派势力。

Rabutin, Roger de　拉比旦　参阅 **Bussy-Rabutin, Roger de** *比西-拉比旦*。

Racan, Honorat de Bueil, seigneur de　拉康（1589-02-05，法国尚普马伦～ 1670-01-21，巴黎）　法国诗人，法兰西学院最早的院士之一。拉康的名著《孤寂吟》（约 1618）反映出他对自然的爱以及不愿坚守其师 F. de 马莱伯倡导的诗律，但曾为马莱伯作传。拉康最著名的作品是《田园剧》。该剧有时被称作法国同类作品中的最高典范；1620 年左右在布尔戈涅宫上演，1625 年出版。其他诗作大多是田园诗及宗教诗，两者都保存了早期哀歌体的抒情风格，后来拉马丁的淡淡的忧郁诗风与之一脉相承。退休后所写的复述《圣经》中《诗篇》的诗作，感情真挚，其对《圣经》中《诗篇》原作的喜爱，在当时可谓不同寻常。拉康曾是亨利四世宫廷的一个侍从，曾在军中服役，1639 年退休，回到图赖讷的乡间私宅。

raccoon　浣熊　又称 ringtail（环尾浣熊）。浣熊科浣熊属（*Procyon*）2 ～ 7 种食肉动物的统称。典型种北美浣熊（*P. lotor*）体矮胖，腿短，吻尖，耳小而竖立，尾多毛。全长 75 ～ 90 厘米（包括 25 厘米尾长），重约 10 千克，大的雄体可达 20 千克以上。毛粗而蓬松，铁灰至浅黑带有褐色，眼周有明显的黑色眼圈，尾上有 5 ～ 10 道黑色带状条纹。脚小，特别是前脚细长似人手。浣熊喜欢居于水边的树林，但也适应有人居住的地方，许多个体甚至见

于大城市周围。分布在艾伯塔的北部，经美国大部分地区到南美洲。夜间活动，杂食性，以各种节肢动物、啮齿类、蛙类、果实和其他植物部分为食。豢养时若能得到水，进食前

北美浣熊（*P. lotor*）
供图：Leonard Lee Rue Ⅲ

总是用水“洗”食物。爬树敏捷，常以树洞作窝。天气极寒冷时睡眠时间延长，但不进行蛰伏意义的冬眠。妊娠期 60 ～ 73 天，一窝 1 ～ 6 仔（通常 3 ～ 4 仔）。雌体关心幼仔，照顾幼仔约 1 年之久，即使幼仔开始猎食，以及 2 个月大已经断奶时，母体也要加以照顾。性好奇，聪明，活动有条不紊，幼时可以成为很好的玩赏动物。但长大后性情暴躁。因浣熊喜食鸟卵、幼雏、玉米及瓜类，在某些地区会带来麻烦。人们广泛捕猎（多用猎狗）及用陷阱捕捉浣熊以取其皮及肉。成年浣熊被迫于困境时甚为凶猛，会用爪和牙撕咬。没有猎狗能捕猎到成年的浣熊。浣熊在水里可把敌手淹死。食蟹浣熊（P. cancrivo- rous）体大，与之近缘；分布于南美洲直到阿根廷北部；似北美种类，但毛较短粗。

raccoon dog（*Nyctereutes procyonoides*） **貉** 又称狸。犬科动物。原产于亚洲东部，已引进欧洲。或归入浣熊科。似浣熊脸部有深黑色的斑纹，皮毛浅黄褐色，但尾无环状带纹。四肢短，褐色或黑灰色，体粗壮，耳圆。体长 50～65厘米，尾长13～18厘米，体重约7.5

貉（*Nyctereutes Procyonoides*）
供图：Russ Kinne—Photo Researchers

千克。大多数夜间活动。杂食性，以小动物、鱼、植物和腐肉为食。妊娠期 60 ～ 79 天，一窝 5 ～ 12 仔。其具长毛的皮张在皮毛市场上称“乌苏里貉皮”或“狸皮”。

race 种族 生物学上对具有遗传特征的人种（human species）所作的分类。

全部人类群落（population）中的绝大多数可以分为 9 个大类，即所谓地理种族，与地理区划上洲一级的单元相对应。这些大类区分如下，括号内所注系各大类的历史起源地：欧罗巴（欧洲、中东、北非），亚细亚（东亚、东南亚、中亚），阿非利加（南撒哈拉非洲），印度（亚洲印度次大陆），美洲印第安（北美、南美、中美），澳大利亚（即澳大利亚土著），玻利尼西亚，密克罗尼西亚，美拉尼西亚。大多数地理种族范围内存在亚群，称为地域种族。诸地域种族因社会风习、宗教信仰、地理环境及人口密度之不同而各有其特点。甚至在地域种族范围内还可以区分更小的群体，叫做小种族。某些民族的起源及其种族发展过程目前仍不清楚，日本的阿伊努人就是一例。

如果不根据遗传理论来区分种族群体（group），就会出现很多问题。一个种族群体的环境适应性与另一个种族群体会有明显的不同，而同一个种族群体内的个人之间也往往会有很大的差异。此外，群体的变化要经历很长时期。

表现种族差别的体质特征包括：体重及身材大小，皮肤色素淀积程度，毛发性状及颜色，血液成分，指纹。经过自然选择的进化过程，那些能适应其所在环境的特征便保持下来。因此，大多数种族特点都具备明显的适应其发详地气候和环境的功能。例如：那种称作镰状细胞性贫血的血液状态，主要出现于非洲血统的民族中。有些性状者对疟疾有免疫能力，因为疟疾正是非洲潮热地区的地方病。居住沙漠地区的阿拉伯人鼻道狭窄，正好使吸入的干燥空气潮润，这就优于宽短鼻腔的作用。

贝格曼定律与艾伦定律提出人类生理状态有两种适应环境条件的方式。贝格曼定律认为，体重在温暖地区趋向于最小值，随着气温降低而增加到某一临界线，然后随着气温进一步降低而减少。艾伦定律对体重与气候的关系作出了相似的描述。

现今根据遗传特征区分不同的种族群体，遗传特征可以精确测量和鉴定。通常研究的特征有：血型、氨基酸的分泌和遗传酶缺乏等方面的异同。早期的区分方法为毛发形状及身体测量，现在被认为远远不够科学、可靠，因为个人之间差别很大，环境因素的影响也不容忽视。

医学研究已发现种族与各种身体疾病、血型和先天性缺陷之间的联系。镰状细胞性贫血主要影响非洲血统的民族，而包囊纤维变性则大多出现于欧洲血统的民族。B 型血型在东亚、印度及非洲较为普遍，但在澳大利亚土著中却不存在。阻生的智齿在亚洲人和欧洲人中最为常见。

人类种族处于一种持续流动状态，遗传因子不断地自一个基因库流向另一个基因库。这一过程叫做基因混合，亦称异种混杂或基因流动。基因混合的原因很多，有政治骚乱、人口压力及战争等。一个基因库中的新遗传物质的另一种来源是突变。基因突变出现的速度与一个群落所承受的外来基因渗入性辐射作用的程度成一定比例。经过自然选择，有用的突变基因传诸后代，并且传递频率随时间的推移而增加。

孤立状态，不论是地理上的还是文化上的，都会使种族差别保持不变，并使孤立的群落经过漫长的岁月最大限度地适应当地气候条件及疾病侵害。例如，哥伦布航行到美洲之前，美洲土著居民曾长期处于几乎完全与欧洲人、非洲人及亚洲人的基因库相隔绝的状态，因此他们缺乏对欧洲传来的疾病的免疫力。

群落之间基因差异的另一种解释是被称为基因漂移和始祖效应的诸小样品效应。所谓基因漂移即由于随意婚配而造成的代与代之间基因频率的波动现象。小型群落比大型群落更易受到基因漂移的影响。例如，在大型群落中可以失掉的基因，也许在小型群落中出现。随着小群落扩大而分裂为若干新群体，每一新群体便发展起各自的基因库，它反映出本群体诸始祖的遗传因子的结构，这种现象叫作始祖效应，它也能确立独特的遗传特点。始祖效应可以皮特凯恩岛的资料为证，岛上的大多数居民都是英舰“邦蒂”号上哗变者的后裔。

进化演变过程的一个部分是某些种族死亡而另一些种族诞生。某些基因库彻底消失，另一些基因库则由于迁徙和混杂而在新的群落中散播开来。新的种族也会由于历史、地理、政治联盟、军事行动及经济活动等因素而兴起。例如，在加勒比地区，作为一个特殊种族群体的加勒比印第安人已经完全消失，但新的种族正在该地区形成，那里的个人具有欧洲的、亚洲的及非洲的各种遗传特征。

不存在纯粹的种族，现有全部种族群体都是彻底的混合种族。基因混合的确有助于新的遗传组合，从而增加进化演变的速率。

有人把“种族”一词用于语言群体（如雅利安种族）、民族群体（如苏格兰种族）、宗教群体（如犹太种族），还用于全体人类这个种（人类种族）。但所有这些用法在生物学上和科学上都是没有意义的。然而对人类历史的各个时期都有人作这些类型的区分；此外，种族之间的接触往往也引起冲突。一个群体对另一群体所产生的对立情绪叫作**种族主义**（**racism**）。种族主义在群体之间的差别极其明显的时候就很可能会出现，例如在有语言差别或体质差别的时候。参阅 **geographic race**；**local race**；**microrace**。

race, milieu, and moment 种族、环境、时代 根据法国评论家 H. 泰纳的看法，这三者是产生任何艺术作品的主要动机或决定因素。所谓“种族”，指的是顽强地持续了几千年而遗传下来的气质或性格。所谓“环境”，指的是改变遗传下来的种族气质的境遇或环境。所谓“时代”，指的是过去和现在的文化传统的趋向。根据泰纳的看法，一种文化的文学将表现其人民最敏感、最无防备的动机和心理状态。

race walking (track and field) 参阅 **walking**
竞走。

racemate 外消旋体 两个对映体或互为物体与镜像的不对称分子构成的物质的等量混合物。每一对映体使平面偏振光的偏振平面旋转一特征角度,但每一组分的旋光效应都被另一组分抵消,所以外消旋体无*旋光性*(**optical activity**)。外消旋体这一名称是从第一个被仔细研究的样品外消旋酒石酸衍生的。外消旋酒石酸是等量的右旋和左旋酒石酸的混合物,通常表示为 *dl*-或(±)-酒石酸。把一个光学活性物质转变成相应的外消旋体的过程叫作外消旋化。与此相反,把外消旋体分离成两种对映体的过程叫作拆分。把光学活性化合物外消旋化,在难易程度上大不相同。例如把一个光学活性的饱和烃外消旋化极端困难,而把光学活性的乳酸外消旋化就很容易。然而在所有情况下,可认为外消旋作用的发生是不对称光学活性物质可逆地转变成不稳定、对称的没有光学活性的物质,当这种无光学活性中间体往回转变时,产生这一个或另一个对映体的机会是很有可能是均等的,所以结果得到一个无光学活性的混合物。参阅 **enantiomorph**。

racer 游蛇 游蛇科几种体大、行动敏捷的蛇类的统称。英文原意为赛蛇。蓝游蛇(蓝赛蛇)产于北美洲中部和西部,是缢缩游蛇(黑脊游蛇,*Coluber constrictor*)的几个亚种。

缢缩游蛇(*Coluber constrictor*)
供图:Z. Leszczynski—Animals Animals

体色常为单色,为蓝色、蓝绿色、灰色或浅褐色,腹部常为黄色。东方的亚种称为黑蛇;全身黑色,只有颌和喉部为白色。关于类似的黑鼠蛇,参阅 **rat snake**。所有各亚种的幼体都有斑块或斑点。缢缩游蛇分布于加拿大南部至危地马拉一带。尽管其学名为缢缩游蛇,但实际上它并非用缢缩的方法缢死猎物,而是用盘曲的躯体的重量将猎物(常为小型温血动物)压倒,然后吞咽下去。游蛇体细长,尾尖,眼大,鳞片光滑。有的体长达 1.8 米。日间活动,为行动最快的蛇类之一,每小时可在地上和丛林里游动约 5.6 千米。遭受攻击时摆动尾部,头部侧向运动,反复进攻,可将人的皮肤撕裂。美国西部的*马鞭蛇*(**coachwhip**)的一些色型称为红赛蛇及西部黑赛蛇。

racerunner 赛跑蜥 又称 whiptail(鞭尾蜥)。蜥蜴亚目美洲蜥科健肢蜥属爬行动物。约 50 种。在美国常见,该属为臼齿蜥科中唯一分布美国的属。分布范围从美国向西南方直达阿根廷。体长 20 ~ 40 余厘米以上;棕色或黑色,有黄色斑点或条纹,斑纹在同种间也各不相同。喜栖于空旷地区,某些种类习居于荒漠地带。森林种类则生活在林

斑点赛跑蜥(*Cnemidophorus sacki*)
供图:John H. Gerard

中空旷地和小道上。本属既有有性生殖,有的种又有孤雌生殖;有的种有 3 ~ 4 套染色体(一般动物有 2 套),因而大有研究价值。

Rach Gia 迪石 越南南部金瓯半岛北部港口城市。东北距胡志明市 195 千米,位于迪石湾顶端。原属柬埔寨,为森林覆盖的沼泽。1715 年被置于顺化阮氏领主的保护之下。曾是闻名遐迩的蜂蜜、蜂蜡和珍禽羽毛的交易市场。现为稻米加工出口和草席编织业中心。有迪石运河(该市可能由此得名)与湄公河的主要支流后江相连。市北有嘉隆时期古塔和柬埔寨人建佛塔。市内公园中有纪念 1868 年反法斗争纪念碑。亦有一所医院和商用机场。人口约207 600(2004)。

Rachel, Mademoiselle 拉歇尔小姐(1820-02-28,瑞士蒙普夫～ 1858-01-03,法国勒卡内) 原名埃莉萨·费利克斯。法国古典悲剧女演员。在法兰西喜剧院的舞台上占统治地位长达 17 年之久。早年在里昂和巴黎街头卖唱。I. 桑松很快发现了她的表演才华,并将他从塔尔玛那里学来的表演技巧教授给她。她参加了多次实习演出。17 岁时在法兰西喜剧院扮演高乃依《贺拉斯》中的卡米叶,这是她第一次正式演出,报界和舆论界立

拉歇尔在《菲德拉》中的剧照
供图:Bibliotheque de l'Arsenal, Paris

刻热情赞扬了这位新星。虽然她身高不足 1.5 米,身材瘦小,但她以皇后般的仪态、炯炯的目光和表演中全身心的高度集中主宰了整个舞台。她具有用手势表达思想感情的天才,给剧中的高潮带来了一种狂热的兴奋。她扮演的一些角色还具有一种邪恶的魔力,这一切使她赢得了高度的赞誉。法兰西喜剧院的方针和节目安排逐渐完全被她控制,她根据自己的意图支配了喜剧院所有的人员和设施。她意识到自身才华和吸引力在于扮演古典剧目,因此着重致力于这方面的演出,表演过高乃依的 5 部戏剧、拉辛的 7 部戏剧。在拉辛剧作《菲德拉》中的表演是她表演史上最成功的一页。在别人的说服下,她参加了大众浪漫主义运动,并在雨果、大仲马和缪塞等人的剧作中演出,但是这类剧作中只有斯克里布和勒古韦合写的《阿特利叶娜·勒库弗勒》受欢迎。她曾到英国、奥地利、俄国、意大利、德国和比利时等国作巡回演出。1855 年在美国巡回演出失败。为维持她在艺术界和社交界显赫地位所作的不断挣扎和经常巡回演出而带来的过度疲劳,再加上她的变化无常和众所周知的私生活,终于摧毁了她的健康。死后安葬在巴黎的拉歇兹神父墓地。

Rachidia, Er- 拉希迪耶 旧称苏格堡。摩洛哥中部城镇。位于阿特拉斯山撒哈拉一侧。1916 年至 20 世纪 50 年代中期被法国人占领。是出产椰枣、橄榄和无花果的绿洲和济兹河畔的公路枢纽。建有农业实验站。周围为偏僻的干旱地区。1972 年落成水坝以前居民靠农牧业为生。出产柑橘属水果,开采铅、锌矿。人口 76 759(2004)。

Rachmaninoff, Sergey (Vasilyevich) 拉赫玛尼诺夫(1873-04-01,俄国塞苗诺沃附近奥涅格～ 1943-03-28,美国加利福尼亚贝弗利希尔斯) Rachmaninoff 又拼 Rakhmaninov 或 Rachmaninov。作曲家,俄国浪漫主义传统的最后一位伟大人物,当时第一流的钢琴大师,以其钢琴协奏曲及钢琴与管弦乐队作品《帕格尼尼主题狂想曲》特别知名。

早期生活 父为退役军官,母为将军之女。根据家庭传统,他应该成为一名军官,但其父因冒险金融投机,破产而离家出走。年轻的拉赫玛尼诺夫的表兄、著名音乐会钢琴家兼指挥家 A.西洛蒂觉察到这孩子的能力,建议送他到莫斯科从著名教师和钢琴家 N.兹韦列夫学习钢琴。后又入莫斯科音乐学院接受普通教育和学习音乐理论课程。19 岁毕业时以独幕歌剧《阿列科》获金质奖。作为作曲家和音乐会钢琴家因《升 C 小调前奏曲》(1892 年 9 月首次公开演出)和《C 小调第二协奏曲》(1901 年 10 月首演于莫斯科)两首作品而名声大振。青年时代,拉赫玛尼诺夫经常会因为作品的成败和人际关系的得失而经历感情危机。自我怀疑和情绪不稳定每每使他彷徨颓丧,最严重的一次是由《D 小调第一交响曲》首演(1897 年 3 月)失败引起的(具有讽刺意味的是,在他逝世后许多音乐学家一致赞扬这是他对交响乐文献最杰出的贡献,也是他最别具一格的作品)。在此期间家人带他去精神病医生 N.达尔处就医,人们常说是达尔恢复了拉赫玛尼诺夫的自信心,使他得以重振旗鼓,写出《第二钢琴协奏曲》(该曲题献给达尔)。这首作品的写作标志着他的创作活动的恢复,很快便有一些短小乐曲源源不断地创作出来。

主要创作活动 1905 年革命时,拉赫玛

尼诺夫在大剧院任指挥。在这场革命中他只是一名旁观者，于1906年携带家室去德累斯顿定居。在那里他写了3部主要作品：《E小调第二交响曲》(1907)、交响诗《死之岛》

供图：Bassano and Vandyk，Elliot and Fry

(1909)和《D小调第三协奏曲》(1909)。后者是专门为他的第一次美国巡回音乐会而作的，于1909年11月28日与W.达姆罗施指挥的纽约交响乐团合作演出，为他的备受赞誉的钢琴首演增色不少。在费城和芝加哥，他指挥乐队演奏他自己的最新交响乐曲，同样成绩斐然；在这些交响曲中最重要的是《第二交响曲》。虽然它表现出拉赫玛尼诺夫常有的采用他所熟悉的浪漫主义俗套的倾向，但它却是一部具有深刻感情和令人难忘的主题素材的作品。在巡回演出中，波士顿交响乐团邀请他担任终身指挥，他婉言谢绝，于1910年回到俄国。正是此时，俄罗斯作曲家们在莫斯科分成几个流派，门户之见甚深；一方面是圣彼得堡的"五人强力集团"(巴拉基列夫、鲍罗丁、居伊、穆索尔斯基和里姆斯基-科萨科夫)的拥护者，另一方面则是柴可夫斯基、A.鲁宾斯坦和塔涅耶夫等人的比较保守的信徒们。另外还有一个更小的集团由A.斯克里亚宾音乐的爱戴者组成。在这三个派系中，拉赫玛尼诺夫毫无疑问属于柴可夫斯基一派。他的没有创新的抒情风格，在所作大量歌曲中特别明显，甚至更甚于钢琴作品。拉赫玛尼诺夫的音乐虽然大多作于20世纪，却始终牢牢扎根于19世纪的音乐语汇。实际上他是柴可夫斯基传统的具体化的最后表现——一位在急剧变化和试验的时代中从事创作的浪漫主义旋律作家。拉赫玛尼诺夫重返莫斯科之后的一大杰作是取材于美国诗人坡的诗歌而作的合唱交响曲《钟》。1917年革命后，拉赫玛尼诺夫开始了他的第二次自己强加的流亡——这次是全家到美国，此后终其一生在那里安家。在此后25年中，他生活在一个英语国家，但从未掌握这种语言，也未能彻底适应那里的生活。他同家人住在一起，另有少数几个朋友，几乎是与世隔绝。他怀念俄国和俄罗斯人民；用他的话来说，这是他的音乐的传导媒介。这种离群索居对他的原先丰富的创作力有着毁灭性的影响。他没有再写出什么具有真正独创性的作品，只是把几首旧作重新改写。事实上他几乎是全身心地投入了美、欧的音乐会活动，在这一领域很少有人能与他匹敌。这一时期仅有的巨作是《A小调第三交响曲》(1936)和钢琴与管弦乐队的《帕格尼尼主题狂想曲》。在拉赫玛尼诺夫的作品中，《第二和第三钢琴协奏曲》以及《狂想曲》，至今仍在音乐会曲目中占有一席之地，而且看来会继续保留下去。他的交响曲、声乐曲和独奏钢琴曲已不如以前那么有吸引力，不过他的作品的总的魅力及其绝无仅有的演奏为他在音乐史中留下了光辉的一页。

Racial Equality, Congress of (CORE) **种族平等协会** 美国各种族间的志愿联合组织。建立于1942年，从事用直接行动计划来改善种族关系，并结束种族歧视政策。该组织的计划包括在南方搞好选民登记运动，而在北方则采取干预一系列社会问题的行动。该组织最令人难忘的计划之一是1961年5月派出"自由骑手"跨越南部各州，以检视种族隔离法及其实施情况。到20世纪末，该组织已有来自180多个地方团体的7万多名成员。总部设在纽约市。

racial segregation 种族隔离 一种根据种族或所谓的种族，将人限制在一定范围内的做法，如一定的居住区，一定的机构(学校、教堂)和一定的社会设施(公园、运动场、餐馆、休息室)。种族隔离是统治集团人物谋取经济利益和优越社会地位经常用的手段。近来已被看成主要是白人利用法律的或社会的肤色界限维护其支配地位，但各种征服者(诸如亚洲的蒙古人、非洲的班图人和美洲的阿兹特克人)历史上都曾实行过包括隔离政策在内的种族歧视。种族隔离现象在世界上存在多民族的地方都曾出现过，但那些混血人种为数很多的地方如夏威夷和巴西则不在此例。在这些国家只是偶然出现社会歧视，但是没有法律上规定的隔离。另外在美国南部诸州从19世纪晚期到20世纪50年代，公共设施中法定隔离流行。1964年的民权法案企图在参加联邦政府资助项目的工作上禁止歧视，力求为黑人争取政治和经济权利。法案也包括反对选举、教育和使用公共设施的歧视和隔离的条款。种族隔离问题出现在中非和东非的多民族社会中，但是在南非尤其尖锐，因为20世纪50～90年代，*种族隔离政策*(**apartheid**)是官方政策。

racialism 参阅 **racism** *种族主义*。

Racibórz 拉齐布日 德语作Ratibor(拉蒂博尔)。波兰中南部西里西亚省西南部城市。濒临奥得河上游。为工业城镇和铁路枢纽。1945年后，电工技术、化工、食品加工等工业迅速发展。据传拉齐布日镇在9世纪由斯拉夫族首领拉齐布亲王建立，故得此名。10世纪同波兰合并。13世纪建市。内有地区博物馆。人口59 495(2002)。

Racine 拉辛 美国威斯康星州东南部城市，拉辛县县城(1836)。濒临密歇根湖，在密尔沃基正南40千米处。1834年辟为港口。1841年设村。1848年建市。19世纪40年代，由于改造港口和铁路的通达，工业有所发展，在第二次世界大战中更趋繁荣。现为交通枢纽，经济以制造业为基础，包括化学产品、家庭个人护理产品、农业机械、金属铸造、电力设备、清洁设备、家电、传热设备。印刷出版业也很重要。设有盖特韦理工学院(拉辛)。人口：市81 855；主要都会统计区188 831(2000)。

Racine, Jean(-Baptiste) 拉辛(1639-12-22受洗，法国米隆堡～1699-04-21，巴黎) 法国戏剧诗人和古典悲剧大师。他以卓越的悲剧《布里塔尼居斯》(1669)、《贝蕾妮丝》(1670)、《巴雅泽》(1672)和《菲德拉》(1677)享有盛名。生于巴黎东北约40英里一个执法

供图：Giraudon—Art Resource/美国不列颠百科全书公司

官员家庭。1岁丧母，3岁丧父，赤贫。9岁时由祖母收养，并被送入巴黎附近的皇港隐修院。在那里，他接受了天主教詹森派中杰出学者的教育，攻读拉丁文、希腊文等。1656年皇港隐修院被王室查封，1658年在巴黎攻读法律一年后，在其祖母的侄子处找到一份工作。1661年，又被其外婆家送往南方舅父身边学神学，但他不愿担任神职，两年后返回巴黎从事创作，并与天主教詹森派论战，因该派认为小说家及剧作家是公众心灵的毒害者。此时他唯一认识与文学有联系的人是未来的寓言作家拉封丹。他意识到戏剧是通往成功的最佳之路，旋即与莫里哀合作，由后者上演他的第一部悲剧《忒拜依特或兄弟仇隙》(1664)，次年又上演《亚历山大大帝》，但拉辛对莫里哀的演出风格表示不满，便将剧本交给另一剧团上演。1667年首次演出《安德罗玛克》，轰动一时。该剧表现了拉辛最喜爱的主题之一：悲剧性的疯狂及狂热的爱情。接着，拉辛又写了唯一一部喜剧《讼棍》(1668)及两部悲剧《布里塔尼居斯》(1669)及《贝蕾妮丝》(1670)。《贝蕾妮丝》与高乃依取材于同一历史事件的剧本几乎同时上演，而拉辛以其"简单的剧情"比高乃依更胜一筹，两位剧作家从此绝交。拉辛探索新题材，写出取材于土耳其故事的《巴雅泽》(1672)及描写亚洲暴君和希腊女英雄的《米特里达特》(1673)。1674年，在凡尔赛宫的宫廷盛会上首次演出《伊菲热妮》，大获成功。35岁的拉辛的文学声誉此时登峰造极，被法兰西学院接受为院

士，并取得贵族爵位。1676年出版了他已有的全部剧作。1677年写成《菲德拉》，这是他在巴黎舞台上演出的最后一部最深刻、最富有诗意的悲剧。女主人公受到乱伦的爱情及堕落感的煎熬而万分痛苦。一般认为该剧反映拉辛愧恨背离天主教詹森派原则的内疚心情。在该剧首演前，拉辛退出剧坛，结婚成家，与好友文艺评论家布瓦洛同时被任命为史官，并曾跟随路易十四出征。与此同时，他对自己的作品进行修改，并与詹森派言归于好，给该教派以赞助。他作为成功的诗人剧作家最佳年代为1664～1677年间。1690年被封为国王侍臣，任国王私人秘书。在曼特农夫人约请下，为一新女子学校写出两个剧本，《爱丝苔尔》(1689)及《阿达莉》(又译《亚他利雅》，1691)。在这两个剧本中，他恢复了希腊戏剧的特点，即合唱与宗教题材。《阿达莉》在他生前一直未能上演。1699年去世，按其遗愿，葬于皇港隐修院墓地。1710年皇港隐修院被毁后，遗体迁葬于圣艾蒂安教堂。

racism　种族主义　又拼racialism。一种理论或思想，认为人们在遗传上的体质特征同个性、智力或文化之间有着一种因果关系，从而认为一些种族天生优越于其他种族。

种族主义思想的起源很难明确确定，但最有影响的种族主义思想家之一无疑是法国作家和外交家J.-A.戈宾诺(**Gobineau, Joseph-Arthur, comte de**)，他在19世纪中叶发表了4卷《人种不平等论》，认为白种人优越于其他种族，而在白种人中又以达到高度文明的雅利安人最为优越。戈宾诺最重要的追随者H.S.张伯伦(**Chamberlain, Houston Stewart**)在1899年用德文发表了《19世纪的基础》。张伯伦在英国出生，但一生大部分时间在德国度过，积极参加戈宾诺学会的活动，并与统治阶级关系密切，被称为御用人类学家。他认为条顿人最为优越，条顿人的体质特征大部分是身材高大匀称、头颅颀长，即符合所谓北欧类型。张伯伦认为犹太人是条顿人精神上的异类，虽然他也承认单凭体质特征很难区分犹太人和日尔曼人。还有不少种族主义作家，如德国的L.沃尔特曼、H.F.K.金特，美国的L.斯托达德和M.格兰特，但戈宾诺和张伯伦可算是德国纳粹种族主义理论的思想先驱。希特勒本人就承认深受他们的尤其是张伯伦的理论的影响，给他的政治哲学中的种族主义观点提供了"科学的"依据。因此纳粹把种族主义作为划分"敌人"，团结日尔曼人，鼓吹强烈的民族优越感和自信心，辩解对别族的经济剥削和奴役劳动，争取人们对战争的支持和确信日尔曼人不可战胜等等的宣传手段。

殖民主义虽然不像纳粹主义那样残暴和灭绝人性，但也以种族主义作为其征服和扩张的根据。西班牙人最初到达美洲时，其辩护士们(如F.克维多和J.G.塞普尔维达)便替他们大肆掠夺印第安人土地、草菅印第安人生命的行为找出理由，认为印第安人与西班牙人渊源不同，完全不是同一含义的人类，所以无需把他们当作人类来对待。还有一种"白人责任"的论调，主要是英国人炮制出来并在T.卡莱尔、J.A.弗劳德、C.金斯利，尤其是R.吉卜林的作品中得到文学的体现，把帝国主义说成是向其他愚昧"种族"传播文明的高尚行为。法国人也以"传播文明"作为他们保持庞大殖民帝国的根据。在这些殖民帝国中，肯定有许多个人真诚地相信殖民主义者的动机和行动是高尚的，但伴随殖民主义而来的种族优越感却在殖民地人民中间引起种族仇恨。一些地方出现了一种反转过来的种族主义，即有色人对白种人的敌视。

然而，世界总的趋势是日益摒弃种族主义。许多原殖民地成立的新国家的出现，标志着越来越多有色人种组成的国家在国际事务中发出了独立的声音，就连原来的殖民者也不得不认真倾听。人们还认识到对国内少数民族的态度也对国际关系产生重大影响，因而有必要注重改善整个种族关系。一些科学家如F.博厄斯在人类学方面、G.默达尔等在社会科学方面的著作也帮助揭穿了种族主义的神话。与整个趋势背道而驰的是南非，那里的种族隔离状况自1948年以来日益加强(参阅 **apartheid**)。20世纪50和60年代，种族主义在美国遭到强烈反对，在民权运动的努力下，种族隔离法律和政策被逐渐废除，但种族主义的思想和行为在很多人当中仍然存在。

rack and pinion　齿条和小齿轮　由矩形截面的杆(齿条)和小齿轮组成的机械传动装置。齿条上的齿与小齿轮上的齿相啮合。小齿轮可以是直齿(如图)或斜齿。若是斜齿，其

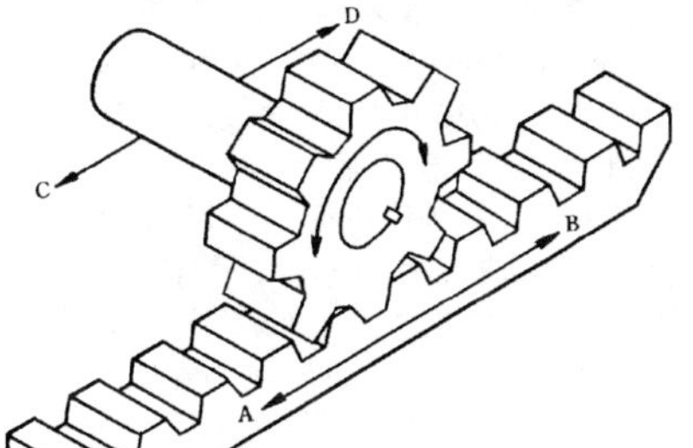

齿条和小齿轮

齿同与小齿轮轴倾斜的齿条上的齿相啮合。若小齿轮绕一固定轴转动，齿条则作直线运动，如箭头AB所示。某些汽车在以这种方式运转的转向机构中就有齿条和小齿轮传动装置。如齿条固定不动，而小齿轮又装在由平行于齿条的导轨所导向的工作台的轴承上，则小齿轮轴转动时，将使工作台平行于齿条移动，如图中箭头CD所示。机床上就用这种方式使工作台快速移动。小齿轮轴常用手柄来转动。

rackets　网拍式墙球　又拼racquets。在四面有围墙的场地上用球拍击球并利用围墙弹球的球类运动。网拍式墙球历史较为悠久，学者一度公认起源于19世纪英格兰的弗利特监狱中的债务犯监房。狄更斯小说《匹克威克外传》(1836～1837)描写囚犯玩网拍式

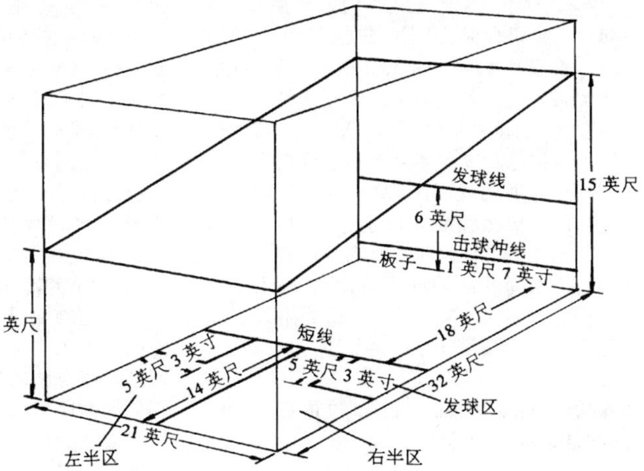

网拍式墙球场地示意图

墙球消磨光阴。目前大多数学者认为网拍式墙球是从网球演化而来。19世纪60年代和70年代网拍式墙球风行于英格兰，此前即已传到加拿大和美国，以及印度、马耳他、阿根廷等地。1890年首次制定正式规则。1928年一支英国队访问美国，参加首次国际网拍式墙球杯比赛，这种比赛目前仍时有举行。在世界锦标赛中占统治地位的是英国选手，美国和印度也有些优秀人才。

网拍式墙球所用的球拍用梣木制作，没有尺寸规定，一般长76厘米，重255克，拍面直径178～203毫米，用羊肠线穿织成网。球直径2.54厘米，重28.35克，表面裹有可更换的胶布。场地一般长18米，宽9米，可供单、双打用，四面有墙，屋顶设有天窗或其他照明设备；印度的球场不设屋顶。墙面和地面均为水泥磨平，以利于球的回弹。前墙、边墙各高约9米，后墙高度减半，其上设有观众席和记分员席。前墙镶有木板一条，其上缘距地面0.68米，为击球边线；距地面2.93米处另有一线，为发球线。场地在距前墙10.92米处用"短线"分割成前、后场。后场又用中线割为左、右两个发球区。发球区内靠边墙处设发球角，发球时必须至少有一脚放在发球角内。

比赛有单打和双打，运动员必须在球落地之前或从地板上第一次弹起后，将球击到前墙击球边线以上(如果是发球，则必须击到发球线以上)，然后弹回场内，双方交替击球，直到一方击球失误为止。球不得落入观众席或碰到屋顶，也不得碰到运动员的衣服或身体。每局15分为满分。只有发球一方才能得分。比分13平时，由接发球一方选择是否再赛5分或3分；比分14平时可选择再赛3分。一局结束后，下一局由最后得分一方发

球。一般每场比赛单打有 5 局,双打有 7 局。

rackett 拉凯特管 又称兰凯特管(ranket)。在音乐中,指 16、17 世纪的双簧木管乐器。管体呈短圆筒形,木制或象牙制,有 6 或 7 个非常狭窄的槽,在管顶端连成一组。有指孔。发声低而闷。音域为 12 度。

racquets(game) 参阅**rackets 网拍式墙球**。

RADA(London) 参阅 **Royal Academy of Dramatic Art 皇家戏剧艺术学院**。

radāʿ 共奶血亲 阿拉伯语,意为"哺乳"。伊斯兰教指共受一个妇女哺育的孩子之间的法律关系。有此种关系的人禁止通婚。在伊斯兰教之前,阿拉伯社会就盛行这种禁律。阿拉伯人把这种哺育关系视同血缘关系。只要有一个人证明就可以判定共奶血亲关系。究竟哺乳到什么程度才产生共奶血亲关系,关于此点穆斯林法学家看法各异。有人认为只要有一次哺乳行为就算数,另一些人则认为至少应有七次,还有一些人认为始终受同一妇女哺乳的孩子才不能通婚。

Radak(Hebrew grammarian) **拉达克** 参阅 **Kimhi, David 基姆希**。

radar 雷达 该词源于"radio detecting and ranging"。利用无线电波发现并测定目标位置、距离、运动速率和方向的电子系统。

雷达系统工作时要对准目标发射电磁波(通常使用微波频率),并接收由该目标反射回来的电磁波。用信号处理器将接收到的回波放大并分析其性质。然后,经过处理的信号被转换成对操作人员有用或对受雷达设备控制的器件(例如高射炮)便于运作的形式。目标的一些信息,如距离、方向、高度等特征,都可在阴极射线管的荧光屏上显示出来;就像在平面位置显示器(PPI)上那样,可提供一幅类似地图般的被雷达波束扫描区域的影像。

雷达有多种类型。每种雷达发射机不仅发射的信号不同,而且接收回波的性质也各异。使用最广的类型是脉冲雷达,其发射机受电键控制而发射既短又强的电磁脉冲,各脉冲间的间隔则较长。脉冲波发射出去后,接收机最早收到从最近物体反射回来的波,继而收到从中等距离物体反射回来的波,接近脉冲间隔的末尾才收到最远物体的回波。经过足够长的时间接收到最远目标的回波后,发射机再发射出另一脉冲,如此循环不已。在雷达应用中,电磁波的速度常用 300 米/微秒表示较为方便。由于雷达波从发射到接收要行经发射机至目标间两倍的距离,因此回波较之发射脉冲每延迟 1 微秒表示雷达设备与目标间的距离为 150 米。要想测得绝对精确的距离,必须把脉冲的间隔定得非常短。假使距离的容差为 4.6 米,则时间间隔必须能测准到 1/30 微秒。电子定时及显示技术对这样的测量精度是轻而易举且十分可靠的。

第二种类型是连续波雷达。在这种技术中,连续地发射雷达信号。由于无法将收到的连续回波与连续发射波中某一特殊部分联系起来,因而不可能从简单的连续波雷达得到距离的信息。但通过测量多普勒频移(由目标运动引起的频率变化)可以求得目标运动的速率。雷达机发射的某特定频率通过天线共用器(令发射机与接收机同时使用一部天线的器件)送到天线,再发射到空中。当发射信号被径向运动着的目标阻断时,反射信号的频率就会发生变化。

虽然连续波雷达不能测距,但调频雷达却能做到。这种技术是在无线电发射信号的每部分都加以某种标记,使接收时能被识别。其方法是连续地改变发射波的频率。接收到回波时,其频率与信号离开发射机那一瞬间的频率有所差异。如果知道了频率的变化率,则频率的差值就能表示目标的距离。

激光雷达是另一种重要的雷达类型。激光雷达发射的是极窄的激光束信号,而且频率极高,约比无线电频率高 10 万倍以上。大多数无线电探测系统发出的频率在几兆赫到 40 吉赫(1 吉赫 = 10^9 赫)内。

雷达的发展可源自德国物理学家 H.赫兹的实验工作。19 世纪 80 年代后期,赫兹证明了无线电波的存在,并演示它和光波有极相似的性质(例如无线电波能被物体反射,正如光波被镜面反射一样)。德国工程师 C.许尔斯梅尔是最早将赫兹的发现应用于实际的。他发明了一台简单的无线电回波器件,用在导航方面,并在 1904 年获得此项的专利权。他研制的类似雷达系统的雏形,由于技术上的各种限制,未曾引起各方面的兴趣。1922 年意大利工程师 G.马可尼对无线电波反射原理作了详尽阐述后,才进一步研究将无线电波反射现象用于探测目的。此后不久,美国海军研究实验室采纳其建议,使用连续无线电波探测通过无线电发射机与接收机之间的船舶。用脉冲波测距的工作原理是 1925 年由 G.布赖特和 M.A.图夫两位美国物理学家在从事电离层的研究时发明的。他们用从电离层反弹回的无线电脉冲,成功地测得地球外的电离层高度及回波反回所用的时间。

20 世纪 30 年代,很多国家包括英、法、美、德、日等都开始研究一种在能见度差的情况下可探测远空飞机和远海船舶的雷达系统。第二次世界大战开始前,英国已设计并制成一种雷达站网络,能对入侵的敌机预先提供警报。到 1939 年晚期,德国已开始制造类似的航空警报地面站,称作 Freya。几年后,英国发明了一种体积很小、可装配在战斗机上专用于截获飞机的雷达;同时美国制成为机枪瞄准用的雷达。此外,英美两国的研究人员在战争期间合作研制成功性能可靠的高功率微波雷达系统,特别适用于自动控制枪炮和远距离截获飞机。

设计雷达系统的一些基本原则到第二次世界大战结束时均已相当明确。自 40 年代晚期以来,雷达的发展包括部件和电路的改进,越来越多地采用由晶体管到极大规模集成(VLSI)电路这种固体电子器件。引进新扫描方法和使用高速数字计算机作信号处理,对提高雷达设备的工作效率和可靠性起了极为重要的作用。所有这些以及其他各种技术的发展导致许多雷达新应用的出现。在军事应用方面,比以往功率更强的发射机和灵敏度更高的接收机的卓越成就已为可对洲际弹道导弹作出早期警报的极远距雷达网络的问世铺平了道路。20 世纪晚期,美国和加拿大联合操作一种称为空间探测及跟踪系统(SPADATS)的雷达网络,用以识别并监控发射进入地球轨道的人造卫星。雷达的其他现代军事应用包括导弹制导和监察(例如侦察机携带的地形显示雷达)。

雷达还有多种多样的民事应用。它已成为商用飞机和海船的重要导航工具。实际上,几乎所有大机场都备有用于监视飞机和精确领航的雷达系统,使航路管理员能随时监视飞机并指导它们的起飞和降落动作,以防止碰撞事故。利用这种雷达系统,还可在能见度恶劣的情况下引导驾驶员将飞机安全降落。更多的各种船只,甚至包括渔轮、游艇,都装备有适于海岸线导航的简单雷达设备。在许多港口岸边都装有大型雷达监视设备,得以眺望港口和近海水域,以便协助船舶航行。雷达操作人员观察船舶在有限海域内的活动情况,随时用无线电话将港口的交通情况通知领港员。

雷达也是研究天体的重要工具。在测距方面,雷达技术不仅比光学方法更加精确,而且还能研究行星和卫星表面的特性。迄今,天文学家已使用雷达足够细致地绘制出月球、火星和金星表面的图像。(参阅 **radio and radar astronomy**)。

受益于雷达的另一科学领域是气象学。利用机载和地面装备的雷达可辅助完成短期天气预报。这种设备能探测到几百千米外出现的风暴,并可跟踪其移近的路线,这是因为云雾、雪花晶体、雨滴和冰雹都能反射出很强的雷达回波。其他各种气象观测(如大气中悬浮的微粒、灰尘以及各种分子)一般都可用激光雷达来进行。

电路和辅助设备不断小型化,已使设计更小的便携式雷达机成为可能。警察使用测量车速的手提连续波雷达枪即属此例。体积更小、重量更轻的一种激光雷达敏感器件是专为用于盲人手杖中而设计开发出来的。

Radbruch, Gustav 拉德布鲁赫(1878-11-21,德国吕贝克～1949-11-23,海德堡) 德国法学家和法律哲学家、法律相对主义和法律实证主义的主要倡导者之一。曾在柯尼斯堡大学、基尔大学和海德堡大学任教,还担任过魏玛共和国政府的司法部长(1921～1922;1923)。他的法律哲学来源于新康德主义,即法律是由道德价值规定并依赖于道德价值的。在这样一个体系中,没有绝对的事物;因此,关于正确和正义的概念不是绝对的,而是与时间和地点以及某个特定的法律程序中当事人各方的价值观念相对的。但是,由于纳粹在德国统治的结果,使他晚年的观点发生了重大的变化。他放弃了相对主义并转向自然法哲学,即承认法律和正义具有某些绝对的、固有的特性。他有很多关于法律理论和法律哲学的著作,其中有《法学导论》(1910)、《法律哲学》(1914)、《英国法精神》(1946)和

《法律哲学入门》(1948)。

Radcliffe, Ann 拉德克利夫(1764-07-09,英国伦敦～1823-02-07,伦敦) 母家姓沃德。最具有代表性的英国哥德式小说女作家。擅长于使阴森恐怖和焦虑悬念的情景充满浪漫主义情调。父亲经商,全家生活富裕和文雅。1787年,她23岁时与报人威廉·拉德克利夫结婚,他鼓励她从事文学活动。拉德克利夫夫人过着一种隐居生活,从未到小说中发生可怕事情的地方去过。她仅有一次去国外旅行,即1794年去荷兰和德国,那时她的大多数小说已经写成。她在《1794年夏的一次旅行》(1795)中描述了那次旅行。她最初的两本小说《艾斯林和邓贝恩城堡》(1789)和《西西里艳史》(1790)是匿名之作。她的第三本小说《林中艳史》(1791)是一部17世纪的法国故事,使她一举成名。接下来的小说《尤道弗神秘事迹》(1794)使她成为当时英国最受欢迎的小说家。书中描述一个孤女奥伯特受到监护人的虐待;面临失去财产的威胁,被监禁在城堡中,但最终获得了自由,并与心爱的人团聚的故事。就在这尤道弗孤堡(高居阴暗而庄严的亚平宁半岛的群山中间)的闹鬼的气氛中发生了许多奇怪可怕的事情。《意大利人》(1797)的出版表明她已达到作家的完美境界。此书不但显示出对话和情景结构有所改进,而且对书中的流氓,一个体格魁梧、性情邪恶的僧人谢多尼所作的心理剖析细致入微,这在她的作品中并不多见。拉德克利夫夫人的诗集(1816)以及去世后出版的小说《布伦德维尔的加斯顿》(1826)都不太成功。拉德克利夫夫人的"恐怖故事"中并没有多少自然的恐怖,一些似乎超自然的因素往往给与一些令人失望的自然解释。她的人物塑造通常很薄弱,她的历史洞察力几乎没有,她的故事中有大量的时代错误和不可能的事物。但她的崇拜者和她一样并不十分计较"写实"或准确。他们酷爱她对自然的浪漫化的观点、对邪恶的暗示以及她那拖得很长的对悬念的描述。司各特称她为"第一位写浪漫主义小说的女诗人"。拜伦、柯尔律治和罗塞蒂等人都对她十分赞赏。她按照小说的敏感性这一传统写作,但又在小说中勇敢地集中写初期浪漫主义的主题,并为司各特以及浪漫派诗人们的更伟大的天才铺平了道路。

Radcliffe, Thomas 拉德克利夫 参阅Sussex, Thomas Radcliffe, 3rd Earl of 苏塞克斯伯爵(第三)。

Radcliffe-Brown, A(lfred) R(eginald) 拉德克利夫-布朗(1881-01-17,英格兰沃里克白金汉～1955-10-24,伦敦) 20世纪英国社会人类学家。曾提出一整套观点和论断,以用于简单社会的社会结构的研究。1906～1908年在安达曼群岛作实地考察,这一工作使他取得了剑桥大学三一学院研究员的资格。1910～1912年去西澳大利亚考察,着重研究亲属和家庭组织。1916年任汤加王国的教育处长。1920～1925年担任开普敦大学社会人类学教授,并且在该校创办了非洲生活和语言学院。所写《安达曼岛民》(1922,新版1948)一书,着重提出他的思想和方法。1925～1931年在悉尼大学任教,曾就理论人类学和应用人类学的研究工作提出了详细的教学大纲。他的理论在《澳洲各部落的社会组织》(1931)一书中得到了精辟的阐述和应用。这部著作涉及当时所知的所有澳洲土著民族,并对有关亲属、婚姻、语言、风俗、土地的占用和所有权、两性关系的模式和宇宙观的大量资料进行了编目、分类、分析和综合。他力图把社会诸现象解释为诸种因素相互适应、融合及整合的体系。1931～1937年拉德克利夫-布朗在芝加哥大学任教期间,曾将社会人类学介绍给美国学者。1937年回到英格兰,在牛津大学任教,直至1946年。后期著作有《原始社会的结构和功能》(1952)和《社会人类学研究法》(1958)。

Raddall, Thomas Head 拉达尔(1903-11-13,英国肯特海斯～1994-04-01,加拿大新斯科舍利物浦) 英裔加拿大小说家,真实地描述了新斯科舍省人的历史、风尚和方言。1913年移民到新斯科舍。起初,写作仅是他的一种爱好,1938年起专事写作。英国作家、当时的加拿大总督J.巴肯曾为他的第一部短篇小说集《河鸟溪的杂色鹬鸟》(1939)作序。第一部长篇小说《英王陛下的北美人》(1942)以美国独立战争时期的新斯科舍为背景。随后出版了几部历史传奇。还出版有《仙女与灯》(1950),描述当代加拿大一无线电台中的生活,及一部历史著作《北方门户哈利法克斯》(1948)。其他小说有《刽子手海滩》(1966)和《普赖德的幻想》(1974)。自传《我年青时》1976年出版。1986年出版短篇小说集《梦想者》。

Radegunda, Saint 拉德贡达(?～587-08-13,普瓦捷[今在法国]) 法国墨洛温王朝国王克洛塔尔一世的王后。后离开国王,成为修女,在普瓦捷建立隐修院。她是墨洛温王朝的第一个圣徒。原为图林根公主。克洛塔尔一世征伐图林根人时,她于531年被俘。她在克洛塔尔宫中受教育,后来嫁给这位国王。她为人虔诚而克制,以致克洛塔尔抱怨他的王后简直是个修女,而不是妻子。拉德贡达虽然地位高贵,但极谦逊,照顾穷人和病人。据传克洛塔尔一世"不公正地"杀害了她的兄弟,也许由于这个原因,她离开丈夫去当修女,并在普瓦捷建立圣十字架隐修院。

Radek, Karl (Bernhardovich) 拉狄克(1885,奥匈帝国加利西亚伦贝格[今乌克兰利沃夫]～1939?) 共产主义宣传家,共产国际的早期领导人,30年代斯大林大清洗的受害者。加利西亚犹太人家庭出身,1901年入波兰和立陶宛社会民主党。参加俄国1905年革命,在俄国监狱关过一年。获释后,在波兰和德国的几家左翼的社会民主党报编辑部工作。1915年出席齐美尔瓦尔得会议时,结识列宁。会后去瑞典出版一种布尔什维克的周报。1918年11月德国发生革命时,他作为俄共中央的代表去协助建立德国共产党。1919年2月被捕。同年12月获释,回到俄国,不久便在共产国际中占有显要地位。1923年代表共产国际到德国协助发动革命。1924年因对德国革命的失败负有责任而被撤销共产国际书记的职务。1927年作为托洛茨基分子被开除出俄共(布),流放乌拉尔山区。1929年拉狄克公开宣布放弃反党观点,得以恢复党籍。此后表示拥护斯大林。1931～1936年任《消息报》编委,写外事评论。1935年还参加宪法起草委员会。1936年10月被指控参与托洛茨基的阴谋活动被捕,1937年1月判处10年徒刑。1939年死于狱中或劳改营。1988年苏联最高法院证实拉狄克被判有罪查无实据。

raden 螺钿漆工艺 日本漆器和木器的一种装饰技术,即把珍珠贝或鲍鱼壳的里层雕刻成各种图案,牢粘或嵌入漆器或木器的表面。螺钿漆器有几种不同的做法。厚贝法包括两种方法,其一是镶嵌:器皿第一次涂漆后,立即把厚贝壳嵌入雕刻好的图案里。经过最后一次涂漆,表面加以打磨,使之光亮。其二是把贝壳胶粘在打底的漆层上,随后涂上粉末状黏土和生漆的混合物,再将表面磨光。薄贝法是以刻刀或针在贝片上刻出纹样,涂两遍漆后,就把这些贝片粘在器皿的表面。第三遍漆涂在贝壳上,然后磨光。这两种技术都是在贝壳的表面刻出细线纹样,有时在贝壳的背面涂上颜色,或用金箔衬里。割贝法是使用表面具有裂纹的薄贝壳。为使贝壳产生裂纹,通常的作法是把它们粘贴在宣纸上,再把宣纸在筷子上卷。莳贝法是把贝壳压成碎粒撒在底层上。日本螺钿始于奈良时代(645～794),当时,厚贝法从中国唐朝引进。把螺钿应用于木器(尤其是紫檀木)盛行于这个时代。到了平安时代(794～1185),螺钿漆器已形成日本民族风格,而且这一技术与莳绘(有金银装饰的漆器)结合使用,相得益彰。在镰仓时代(1192～1333),该项技术达到精美绝伦的程度,但到了室町时代(1338～1573),却突然衰落下去。

Rădescu, Nicolae 勒代斯库(1874-03-30,布加勒斯特～1953-05-16,纽约市) 罗马尼亚陆军军官、政治人物。参加过第一次世界大战。20世纪20年代任驻英国陆军武官。1933年为抗议国王卡罗尔二世的独裁政策去职。第二次世界大战中被德国人关入集中营。1944年8月反法西斯政变成功后,他出任总参谋长。1944年12月2日任总理兼内政部长。1945年3月3日在苏联压力下被解除职务。他到塞浦路斯避难,1947年徙居纽约市。

Radetzky, Joseph, Count(Graf) **拉德茨基**(1766-11-02,奥地利帝国波希米亚特雷布尼斯[今在捷克]～1858-01-05,米兰) 奥地利军事改革家,他在半个多世纪中的显赫战功使他成为一位民族英雄。1784年进入陆军。曾参加1787～1792年的土耳其战争。法国大革命初期在低地国家作战。1796～1797年意大利战役期间,他参加对拿破仑的战斗。1805年以少将军衔在意大利指挥作战。1809年任中将在瓦格拉姆与法军作战。同年任奥地利陆军总参谋长。他努力使军队现代化,但因缺乏经费而不得进行。1813年,他在反拿破仑的盟国会议上,尤其在部署莱比锡大决战中,起过很大作用。1814 年 3 月随盟国君主和显宦进入巴黎,并陪同他们出席维也纳会议。1831 ～ 1857 年任驻意大利北部奥地利帝国陆军司令,其间于 1849 ～ 1857 年任伦巴第-威尼提亚地区总督。1848 ～ 1849 年国民革命期间,他指挥奥军挫败意大利军队并镇压革命,随后在伦巴第-威尼提亚地区实行铁腕统治。

Radewyns, Florentius 拉德温斯(约1350,乌得勒支主教区莱尔丹[今在荷兰]～ 1400-03-24,代芬特尔) 天主教神学家。接受神职后任代芬特尔副主教,在该地与格鲁特共同创办共同生活兄弟会,并继格鲁特任该会会长。1387 年拉德温斯在荷兰兹沃勒附近温德斯海姆村建立温德斯海姆会,采用奥古斯丁会规。

Rādhā 罗陀 印度教神话所传大神黑天在沃林达沃纳牧人中间生活时结识的情妇。她是牧人之妻,却与黑天热恋,成为他坚定不移

吉申格尔绘画中的罗陀与克里希纳,约 1760 年
伦敦维多利亚和艾伯特博物馆供图

的伴侣。毗湿奴教虔诚派认为罗陀象征人的灵魂,黑天象征神的灵魂。

Rādhā Soāmi Satsaṅg 神人谐和派 印度奥秘修行派别,其内部既有印度教徒也有锡克教徒。该派创立于 1861 年,创始人瑟黑布原为阿格拉一银行家,信印度教。他认为,人只有发神之声或念神之名才能充分发挥能力。瑟黑布死后,此派分裂为二。一派仍以阿格拉为中心,另一派则把本部设在阿姆利则附近的贝阿斯河畔。

Radhakrishnan, Sarvepalli 拉达克里希南(1888-09-05,印度蒂鲁德尼～ 1975-04-16,马德拉斯) 印度学者、政治家、总统(1962 ～ 1967)。曾在迈索尔大学(1918～1921)和加尔各答大学(1921 ～ 1931;1937 ～ 1941)任哲学教授,1931 ～ 1936 年任安得拉大学副校长。1936 ～ 1952 年任牛津大学东方宗教和伦理学教授。1939 ～ 1948 年任贝拿勒斯印度教大学副校长。1953 ～ 1962 年任德里大学校长。1946 ～ 1952 年率印度代表团参加联合国教科文组织,1948～1949年任该组织

供图:Camera Press

执行局主席。1949 ～ 1952 年出任驻苏联大使。1952 年回国。当选为副总统。1962 年当选总统。5 年后引退。著作有《印度哲学》两卷(1923 ～ 1927)、《奥义书的哲学》(1924)、《一个理想主义者的人生观》(1932)、《东方宗教与西方思想》(1939)、《关于东方与西方的一些想法》(1955)。试图在教学和著述中向西方人阐释印度人的思想。

radial keratotomy 角膜放射状切开术 通过减小角膜曲率半径以治疗近视和散光(角膜曲面的不对称)的手术。此法是在周边角膜作 4 ～ 8 条间隔相等的放射状深切口,瞳孔上方的中央角膜在手术范围之外。手术后眼内压使变得薄弱的中央角膜向外凸出,使角膜变平,改变了它的折射能力。伤口愈合过程中的收缩也对角膜未手术区产生放射状张力,从而影响角膜曲率。角膜放射状切开术能略为改善视力,使有些轻度近视者不借助眼镜或隐形眼镜也可看得很清楚。然而这一手术改善视力的程度无法预测,部分地依赖于不同患者的恢复情况,所以对这一手术仍有争议。有些已做手术的患者仍需配戴眼镜。手术过程是不可逆的,并可在角膜上留下广泛的疤痕。疤痕在强光下很显眼,还可能影响患者配戴隐形眼镜(在那些仍然近视者)。由于有些病例中反复手术以矫正残留下的缺陷可以取得疗效,而且似乎并未增加首次手术的并发症,所以有些医生建议可分阶段手术,直到视力得到矫正,但这种观点未被广泛采纳。通过多次手术改善视力必然要慎重考虑增加角膜疤痕的问题。

radiation 辐射 或指能量从一个源向外发射并传过周围介质的过程,或指这种过程所涉及的能量。辐射能的熟知实例是光(电磁辐射的一种形式)和声(声辐射的一种形式)。通常都以波来描述电磁辐射和声辐射,其频率和强度均可在很大范围内变动。电磁辐射也常被视为一些离散的能束,称为光子或量子。在很高的频率下,电磁辐射的能量变得与相当大的质量等价,而这时波与粒子之间的区别就变成人为规定的了。放射性元素多以 α 射线、β 射线或其他亚原子粒子的形式发出辐射。

radiation-damage dating 辐射损伤年代测定法 利用放射性物质的电子陷阱内存储的能量引起晶体损伤以测定年代的方法。例如在锆石中,辐射损伤结果是引起颜色改变和晶体常数改变。彻底损伤可引起产生一种蜕晶质矿物(即晶体结构被破坏了的矿物);晶体常数的改变是全部辐射损伤的函数,这种损伤取决于放射性物质的总量及矿物的年龄。因此,锆石内铀、钍含量的测值,同其晶体常数的测值结合起来,就形成了锆石年龄的计量标准。参阅 **fission-track dating**。

radiation injury 辐射损伤 因接受各种电离辐射引起的组织损伤或病变。主要的射线有 X 射线、γ 射线、高能中子射线、高能电子流、高能正电子流等。电离辐射可为自然射线,如镭、钾 40 和碳 14 等放射性同位素;也可以是人造射线,如 X 射线、热核反应、粒子加速器、核爆炸等。辐射损伤的程度和类型取决于射线的种类、穿透力的强弱、受辐射部位、辐射时间和辐射量。细胞再生力强的组织比较容易受到辐射损伤,如皮肤、胃肠道黏膜、骨髓等。辐射可破坏这些组织细胞的母细胞,使这些组织的再生源头枯竭。对消化道或骨髓进行大范围、高强度辐射可致辐射病。辐射后几小时就会出现食欲不佳、恶心、呕吐等早期症状;经过一段没有症状的时间,然后进入主病期。胃肠型辐射病的主病期症状有:发热、腹痛、腹泻、可在几天内使患者严重脱水、虚脱、休克等。骨髓型辐射病的主病期发生较晚,一般要在 2 ～ 3 周后才出现症状,如发热、虚弱、脱发、易感染、出血等。如骨髓损伤严重,患者多死于感染或大出血。某些恶性肿瘤也属于辐射损伤,或曰辐射是一种致癌因素。在原子弹爆炸后的幸存者、大量接受 X 射线者和常年从事放射性工种的工人当中,白血病、乳腺癌等恶性肿瘤的发病率比一般人群高得多,而且与其接受辐射的量呈正相关。辐射致胚胎畸形也非常常见。胚胎组织的再生力极强,故受辐射损伤的程度也极高。这一现象从广岛、长崎战后幸存者的统计数字和从动物实验中得到证实。辐射性胎儿畸形以神经系统畸形为主,如小头畸形、无脑儿、眼发育不全、智力发育迟缓等。妊娠 8 ～ 15 周是最容易引起辐射性胎儿畸形的时期。

radiation pressure 辐射压强 电磁辐射冲击到某一表面而在该表面造成的压强。压强是由辐射所带来的动量产生的。如果辐射被反射而不是被吸收,辐射压强便会加倍。尽管太阳辐射的压强非常之小,但在足够大的面积上却能产生工程技术上具有使用价值的力。计算表明,可以设计出一种"太阳帆",其所受压力足以推进航天飞船。

radiation therapy 放射治疗学 又作 radiotherapy 或 therapeutic radiology。使用放射源治疗或缓解疾病的一门学科。常利用能穿透深层组织的电离辐射,使之与病理细胞发生物理、化学反应进而将其破坏。热灯产生的红外线和紫外线可缓解神经炎和关节炎。放射治疗常用于治疗恶性肿瘤和血液病(如白血病)。过去也曾用于治疗甲状腺功能亢进、痤疮和良性肿瘤,因易产生严重的皮肤病、皮肤

癌等并发症，现已放弃使用。放射治疗分两种：往肿瘤内植入放射性物质和将人体暴露于能产生穿透身体组织的高压射线的外照射源。两种方法都可治疗癌瘤或阻止癌瘤发展。治疗方式的选择很大程度上取决于肿瘤大小和位置、所需放射疗法的性质及患者的具体情况。治疗目的是破坏癌细胞，而对正常健康组织或全身损伤应极少。电离辐射轰击细胞，破坏了细胞生长必需的分子键，从而破坏了肿瘤，但还会伴有某些正常组织的破坏。放射治疗仅对某些肿瘤有效，对迅速生长的癌瘤更易奏效。放射治疗的并发症称为放射病。植入放射性金属线、粒、管、模等常能治疗易接近的相当小的肿瘤。放射源有镭、氡或放射性同位素铯、钴、金、铱、钽等。它们都发射 γ 线，产生较深的穿透力，引起最小的皮肤照射。这些元素应密封在玻璃管、线或针内，以便于插入组织并使辐射均匀分布。可永久性或暂时性植入，其辐射量常为缓慢、持续的，这样在癌细胞遭到破坏时，受损的正常细胞便有充分的时间恢复正常。植入的优点是：可治疗局部肿瘤而不伤害身体其他部位；照射是连续进行的；放射线能对准被照射器官，如膀胱、输尿管或口腔；很少引起畸形和功能障碍。肿瘤小、生长迅速，早期发现则治疗反应最好。外照射必须穿透体表方能达到肿瘤部位，虽更易于治愈较大肿瘤，但也会损伤更多的正常组织。方法为数月内照射约 10 ～ 20 次。通常外照射与手术切除合并使用，不能手术时，可作为单独治疗手段。其优点是能够对体内较深的肿瘤给予大剂量照射，这点是植入法做不到的。

Radić, Stjepan　拉迪奇（1871-07-11，奥匈帝国克罗地亚特雷巴耶沃～1928-08-08，塞尔维亚-克罗地亚-斯洛文尼亚王国萨格勒布）克罗地亚农民领袖，主张克罗地亚在南斯拉夫联邦内实行自治。1904 年组织克罗地亚农民党。1918 年 3 月与萨格勒布民族委员会开始合作，筹建克罗地亚人与塞尔维亚人享有平等权利且承认克罗地亚传统自治的南斯拉夫联盟。1919 ～ 1920 年因与贝尔格莱德当局争吵而被囚禁。1923 年出国寻求支持，翌年失望而归，再度被囚禁。1925 年进入政府工作。接受中央集权制宪法后加入政府，但 1927 年又成为反对派。1927 年与塞尔维亚民主党领导人合作，成立农民-民主联盟，要求改组南斯拉夫为联邦。1928 年 6 月 20 日，在国民议会的激烈辩论中遭人枪击，受重伤后死去。

radical　激进派　政治术语，指要求对部分或全部社会秩序实行激烈变革的分子。这个词第一次被用在政治上是在英国，一般认为 C.福克斯在 1797 年要求实行“激进的改革”时首先使用这个词，改革内容包括大大扩大公民权，直至实行成年男子普选权。此后，激进派一词被用来泛指一切支持议会改革运动的人。在 1848 年前的法国，激进派一词被用于称呼共和派或成年男子普选权的支持者。当时公开主张共和制是不合法的，共和派常常自称为激进派。1869 年后，一个由 G.克列孟梭领导的激进派集团自称是法国革命传统的真正继承人。1881 年他们在蒙马特尔通过了一项政纲，主张广泛的社会改革，并在 19 世纪末建立“激进社会党”。19 世纪的英国激进派遵循的哲学思想是：人们可以通过集体行动支配社会环境，这就是所谓的哲学激进派所持的观点。由于这种思想也是马克思主义社会改革理论的基础，激进派一词后来就用于称呼马克思主义者及其他主张实行激烈社会变革的人，而不再适用于主张渐进主义的改革家。在美国，通常用激进主义称呼任何一种政治上的极端主张，包括左的和右的，前者的例子是共产主义，后者的例子是法西斯主义。被泛称为激进派的美国各种青年运动都同否定传统社会政治价值观有关。

radical　游离基　又称自由基。化学术语。至少含有一个未成对电子的分子。大多数分子含有偶数电子，在分子内把原子连在一起的共价键通常是由键所连结的原子共享的电子对组成。大多数游离基可以看作是正常的电子对键断裂而引起的，每个断裂产生两个独立的本体，它们分别从断裂的键中得到一个未成对电子（其余部分仍保持原子正常的成对电子）。虽然游离基中含有未成对电子，它们仍可以是电中性的。因为游离基有未成对电子，通常都具有较高的活性。它们相互之间或与带有自由电子的单个原子化合生成、电子都是成对的普通分子；或者与完整的分子反应，抽取部分分子的电子以形成自身的电子对，并在此过程中生成新的自由基。在所有这些反应中，每个简单的游离基，由于它们含有未成对电子，所以能与其他游离基或含有一个未成对电子的原子化合。在特殊的情况下，生成两个各含有未成对电子原子的双游离基（总的电子数是偶数），这些双游离基有两倍的化合能力。某些游离基由于其特殊的结构而稳定，在合适的条件下可存在相当长时间。然而大多数游离基，包括像甲基（$\cdot CH_3$）和乙基（$\cdot C_2H_5$）那样简单的游离基，都是瞬息即逝的。

稳定游离基　第一个相对稳定的游离基三苯甲基（式Ⅰ）是 M.冈伯格在 1900 年发现的。这个化合物中心的碳是 3 价的，因此与 3 个取代基化合，而不是 4 个，未共用的电子用一圆点来表示。三苯甲基类的游离基只有在某些有机溶剂中是稳定的，有空气、水或强酸存在时，它们通过不可逆反应快速毁灭。与之有些相似的是通式为 $R_2N—NR_2$ 的芳香肼的氮—氮键断裂生成的游离基，或芳族四氮烷［$R_2N—RN—NR—NR_2$］中的中心氮—氮键断裂生成的游离基。例如，游离基 1,1 -二苯基- 2 -间三硝基苯肼（式Ⅱ）能以稳定的紫色固体存在。类似的游离基例子还有未成对电子在氧上的，如 2,4,6 -三叔丁基苯氧基游离基（式Ⅲ）。

还有另一类稳定的游离基金属羰游离基，用金属钠处理如二苯酮［$(C_6H_5)_2C═O$］这类物质生成有色的 $(C_6H_5)_2C—O^-$。同样，钠与复杂的芳烃化合物如萘反应，把它们转化为深色的游离基离子。最后一类相对稳定的有机游离基是那些含有 >NO基团的化合物。例如二苯基氮氧化物［$(C_6H_5)_2NO$］，它是由二苯基羟氨［$(C_6H_5)_2NOH$］氧化而成。稳定游离基的存在要求结构上具有一定特征。一个极重要的条件如半醌游离基离子（式Ⅳ）所示。它上方的氧原子带负电荷，而下方的氧原子带一个未成对电子。这种安排是人为的，因为如将荷电部分和未成对电子相互交换位置，所表示的仍然是同样的分子。因此，电子在分子中的实际平均分配介于这两种结构之间。这种现象称为离域或共振。根据量子力学，共振将显著地增加物质的稳定性及其存在的可能性。

不稳定游离基　像甲基（$\cdot CH_3$）这样简单的游离基也能存在，并在许多化学反应中起瞬时中间产物的关键作用。1929 年 F.A.帕内特和 W.霍弗迪茨用下述实验首次证实了甲基游离基的存在。将四甲基铅［$Pb(CH_3)_4$］的蒸气与气态氢（H_2）混合，在低压下通过石英管。将部分石英管加热至约 800℃，四甲基铅被分解并在管子的内表面上有金属铅镜沉积出来。分解生成的气体产物能使沉积在管壁较远处冷点的铅镜消失。因为没有认可的稳定分解产物能同样地使铅镜

$(C_6H_5)_3C\cdot$

I

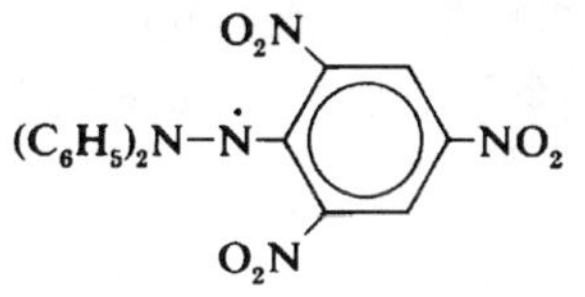

II

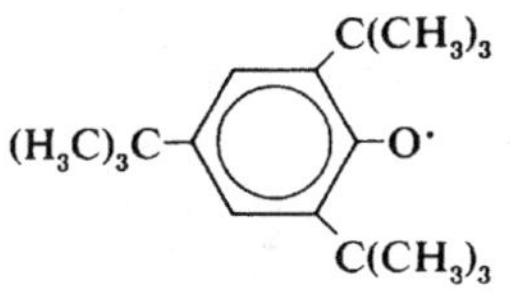

III

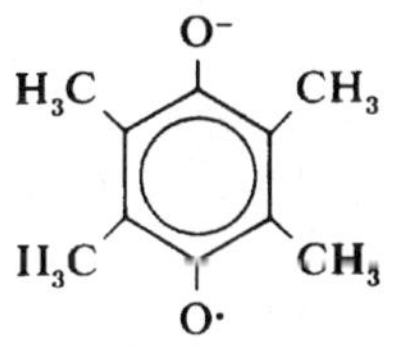

IV

消失，由此推论在高温分解生成的甲基游离基在冷的镜面上与铅反应又生成四甲基铅。由这种方法获得的甲基游离基证明具有高活性和短寿命。它们不仅能与铅和其他金属反应，而且会快速和自发地消失，主要是二聚合生成乙烷（$H_3C—CH_3$）。以后的研究工作极大地发展了在气相中产生活性游离基的技术。已经发现有多种不稳定组分，如乙基（$\cdot C_2H_5$）、丙基（$\cdot C_3H_7$）和羟基（$\cdot OH$），可以由以下几种方法获得：①多种有机和无机物质的光化学分解，②钠蒸气和烷基卤化物反应，③气体低压放电。由双原子分子解离产生的原子也具有这类短寿命游离基的性质，如氯分子（Cl_2）解离生成氯原子（$\cdot Cl$）。各种已知的不稳定游离基通常由它们所进行的反应来证明它们的存在。例如，由四乙基铅［$Pb(C_2H_5)_4$］产生的乙基游离基能使锌镜和锑镜

消失，所产生的锌和锑的乙基衍生物 $Zn(C_2H_5)_2$ 和 $Sb(C_2H_5)_3$ 已被分离出来并用化学方法鉴定。在有的情况下，也可用光谱法鉴定不稳定游离基。闪光光解就是一种重要的技术，用单纯的强闪光产生瞬时的高浓度游离基。瞬态的不稳定游离基也可以用多种方法在溶液中产生。许多分子具有微弱的化学键，典型的是有机过氧化物，在温热的溶液中不可逆分解生成游离基。例如，二乙酰过氧化物（ $CH_3C(=O)—O—O—C(=O)CH_3$ ）能明显地分解，最后大部分生成二氧化碳（CO_2）和甲基游离基。这些游离基又快速与有机溶剂碰撞，往往是夺取氢而生成甲烷（CH_4）和其他产物。许多有机物的溶液用紫外光辐照后，吸收足够的能量使化学键断裂产生游离基。现在认为，事实上大多数光化学过程都包含游离基中间体。在高能辐照下溶液（以及气体）发生的化学变化过程中也包含有瞬态游离基的形成。一般认为游离基是许多高温反应（如燃烧和烃类的裂解）、光化学过程以及其他重要的有机化学反应中的瞬态中间产物，虽然游离基中间产物的浓度一般很低，难以直接检测。甲烷（CH_4）和氯（Cl_2）反应，总的反应产物是氯甲烷（CH_3Cl）和氯化氢（HCl）。光能猛烈地加速反应，包括以下几个表观反应步骤：

$$Cl_2 \longrightarrow 2Cl\cdot \qquad (1)$$

$$Cl\cdot + CH_4 \longrightarrow \cdot CH_3 + HCl \qquad (2)$$

$$\cdot CH_3 + Cl_2 \longrightarrow CH_3Cl + Cl\cdot \qquad (3)$$

$$2Cl\cdot \longrightarrow Cl_2 \qquad (4)$$

氯原子产生于（1），毁灭于（4），反应产物实际上是分别来自第（2）、（3）步反应。因在（2）中消耗的氯原子在（3）中又得到再生，因此一个氯原子能够导致许多氯甲烷分子的产生。这种不断地再生出中间产物的过程称为链式反应，是化学动力学研究的一个重要分支。在许多其他有机分子的卤化反应、制造塑料和合成橡胶的聚合反应以及在氧分子与许多有机分子的反应中，也含有瞬态游离基的类似的链。

游离基的磁性质　游离基的磁性质为检测和研究游离基提供了一个强有力的手段。具有成对偶数电子的分子是反磁性的，也就是说它们被磁体微弱地排斥。因为未成对电子的自旋，游离基是顺磁性的（被磁体吸引），其余成对电子的自旋实际上相互抵消了。研究物质的磁性质就是研究该物质在非均匀磁场中的磁化率，物质的顺磁性程度以它的磁偶极矩来描述。偶极矩的量值对所有含未成对电子的游离基是相同的，能够计算得到，实验也已证实在固态或已知浓度溶液中的游离基的该值为 1.73 玻尔磁子。磁化率测量可以用来证实游离基的存在和测量游离基与其二聚体或歧化产物之间的平衡位置。双游离基有偶数电子，有 2 个未成对电子，也有顺磁性，氧分子（O_2）可能是这类中最简单的例子。游离基的电子顺磁共振谱是检测和研究游离基的另一种方法。按照量子力学，在外磁场的作用下游离基未成对电子的自旋只能有两种取向：一种与外磁场方向一致，而另一种则相反。这两种取向的能量差别极小，其差值与磁场强度成正比，大多数电子处于较低能量的取向。如果将含有游离基的体系置于磁场中并受到电磁辐射（波长极短的无线电波）的辐照，分子中低能态取向的电子吸收与所需能量相当的频率的辐射，使未成对电子的自旋方向翻转向较高的能态。这种现象在顺磁共振吸收光谱中呈现出最简单的单一敏锐的吸收谱线。这种方法的灵敏度是很高的，能检测浓度极低的游离基，最低可达 10^{-7}。在许多有机游离基中，未成对电子与分子中不同原子的核磁矩相互作用，产生较复杂的能级体系，因此吸收光谱由一系列谱线所组成。光谱的特征能鉴定特殊的游离基，也能提供有关它们电子结构的信息。

Radical，Philosophical　参阅 **Philosophical Radical** *哲学上的激进主义者*。

Radical Civic Union　激进公民联盟　西班牙语作 Unión Cívica Radical（UCR）。阿根廷主要中左翼政党。20 世纪大部分时间是庇隆主义正义党的主要反对党。受到阿根廷城市中产阶级的有力支持。成立于 1890 年，旨在反对当时执政的阿根廷保守政府。1912 年参加选举，提出要求重新分配财富的竞选计划。1916 年该党领导人 H. 伊里戈延当选首位民选的阿根廷总统。1922 年其副手阿尔韦亚尔接任。1928 年阿尔韦亚尔被解除党领导职务后，伊里戈延再次当选总统，但 1930 年被保守派发动的军事政变推翻。其后 25 年间该党一直处于反对党地位。1946 ～ 1955 年 J. 庇隆出任阿根廷总统。50 年代该党内部出现分裂，A. 弗朗迪西（1958 年任总统）等人另组建不妥协激进公民联盟，与庇隆主义者合作。反对与庇隆主义者结盟的成员则组建人民激进公民联盟，并在 1963 年的选举中获胜。不久后发生政变，其总统伊利亚被废黜。军人统治结束后，该党一马当先，组成反对政府的民主联盟。1983 年其候选人 R. 阿方辛当选总统，并赢得议会两院控制权。阿方辛（任期 1983 ～ 1989）致力于军队改革，建立稳定的文官政府，鼓励检举前军人集团成员在所谓"肮脏战争"中的反人权罪行。1989 年激进公民联盟在选举中败给庇隆主义者。在 90 年代大部分时间里为反对党。1997 年加入国家团结阵线。1999 年其候选人 F. 德拉鲁阿当选总统，但国内经济衰退，骚乱严重，致使德拉鲁阿于 2001 年辞职。

Radical Democratic Party　激进民主党　瑞士温和派政党。自 1959 年以来一直与天主教民主人民党、社会民主党和瑞士人民党结成执政大联盟。有时又称自由思想民主党。1848 年至 19 世纪末，该党称自由党，在瑞士政治中占支配地位。1876 年在瑞士议会中形成激进民主派别，1894 年正式建党。20 世纪国家选举实行比例代表制，该党实力削弱，但在整个 20 世纪依然发挥政治主导作用。自成立以来一直主张强有力的联邦政府和市场经济，但同时也维护地方政府和少数团体的权力。1959 年之后联邦委员会七名委员中有两名出自该党，一直是瑞士政府中最强有力的政治力量之一。1983 ～ 1995 年成为瑞士最大政党，赢得全国 1/4 选票。即使在 20 世纪 90 年代该党退居第三，且选民赞成更严格的移民与社会政策之际，该党在国家政治生活中依然发挥着主要作用。

radical empiricism　彻底的经验主义　美国实用主义者、哲学家、心理学家 W. 詹姆斯提出的一种知识论和形而上学（存在论）。其理论基础是实用主义的真理论和纯粹经验的原则。它宣称事物之间的关系，至少具有和事物本身同样的实在性，而且这些关系的作用也是实在的。我们要解释世界中的种种冲突与连贯，无需求助于隐秘的基质。詹姆斯将其理论概括为三个部分：①公设。"哲学家可以展开辩论的唯一东西是可用源自经验的条件加以限定的东西"。②"事实的陈述。事物之间的关系（无论是结合的还是分离的）与事物本身相比，同样属于直接的个别经验，不多不少恰好这样"。此点表明彻底的经验主义与 D. 休谟的经验主义不同。③普通结论。"经验的各部分通过关系一个个连结起来，关系也是经验的部分。总之，这个被直接理解的宇宙不需要有外在的、超经验的、连结的支柱，它自身就具有一种连锁的或连续性的构造。"这种知识论导致一种形而上学，拒斥理性主义的超越经验的存在，而正是这种超经验的存在才使得世界呈现一致而谐调。按照詹姆斯的说法，彻底的经验主义与实用主义没有逻辑联系，一个人可以完全反对彻底的经验主义而仍然不失为实用主义者。詹姆斯的有关论著于 1912 年发表，题名《彻底的经验主义论文集》。

Radical Republican　激进派共和党人　美国共和党内的一批党员。他们在南北战争中力图解放黑奴，战后则要求平等对待黑人并给予选举权。共和党在 19 世纪 50 年代成立时，是北方利他主义者、实业家、前辉格党和政治活动家等的联盟。在南北战争前尚未公开提出废除奴隶制时，该党就已聚集一批最积极反对奴隶制的斗士。当 A. 林肯在南北战争中宣布恢复联邦是其目标时，国会中的废奴斗士力图把解放黑奴也作为明确宣布的战争目标之一。1861 年 12 月，由于认为联邦军队表现不佳和解放黑奴进展不大，激进派成立了"联合战争指导委员会"。他们策划把 G. B. 麦克莱伦将军解职，赞成征募黑人入伍。战争中，当南部一些地区被联邦军队占领后，林肯总统就着手进行南部重建工作。激进派于 1864 年以更严厉的《韦德-戴维斯法案》反对林肯的方案，但林肯对该法行使了搁置否决权。林肯被暗杀后，激进派先是欢迎 A. 约翰逊任总统。但当约翰逊立刻提出要继续林肯宽大的重建政策时，激进派便反对他，组织"十五人联合委员会"，以保证国会而非总统对重建的控制，通过了一系列保护南方黑人的议案。激进派共和党人最重要的措施包含在 1867 年和 1868 年的《重建法》中。这两项法规将南方各州置于军政府管制之下，要求实行男公民普选权。然而，尽管存在激进派的方案，白人还是逐渐恢复了对南方各州政府的控制。三 K 党和白山茶花骑士团一类的组织对参加投票选举的黑人的威吓得逞后，继续对南方实行军事占领的热情在北方日趋减弱。

Radical-Socialist Party 激进社会党 法语作 Parti Radical-Socialiste。法国历史最久的政党。1901年正式成立，其历史可追溯到19世纪的"激进"集团。是一个没有严密思想或组织的中间党派，在第三共和国(1940前)和第四共和国(1945～1958)时期为最重要的政党，在第五共和国(1958后)仍有影响。第一个法国"激进"党活跃于1848年革命时期。19世纪70年代，由G.克列孟梭领导的共和党改革派成为有名的激进派，在19世纪末20世纪初的政府中起过重要作用。到20世纪30年代，激进分子开始丧失地盘。第二次世界大战后，激进党的影响进一步缩小。40年代和50年代初，同其他集团组成共和左翼联盟，在议会选举中从未得到11%以上的选票。直到1958年，由于国民议会党派林立，使政治上居中间的激进党变得重要，激进党在第四共和国历届政府中，起了同它的力量不相称的重要作用。1958年在戴高乐将军的第五共和国中，激进党继续丧失选票，另一方面继续处于重要政治地位。1965年激进党支持民主和社会主义左翼联盟共同提出的总统候选人F.密特朗，竞选失败。此后，激进党参加各种中间、中左和中右的联盟。

Radiguet, Raymond 拉迪盖(1903-06-18，法国圣莫～1923-12-12，巴黎) 法国早熟的小说家与诗人，17岁时即写了一部富有远见卓识、文字优美的杰作《魔鬼附身》(1923)，这部作品至今依然是表现少年男子之爱的诗意与反常之处的独一无二的作品。16岁时就震动巴黎，过着第一次世界大战后风行一时的达达派和立体派文艺家的狂乱生活，这些人中有阿波里耐、雅科布、萨蒂以及科克托(拉迪盖的保护人)。最初的一批作品，如诗集《双颊火辣辣》(1920)、二幕短剧《鹈鹕》(1921)以及发表在先锋派杂志上的一些文章，深得朋友们的赞赏。《魔鬼附身》发表后，评论家认为他是新古典主义传统的大师，思想、感情及文字均简洁而谨严。该小说写大战期间一个16岁学生诱奸一个在前线作战的士兵的妻子的故事。那个女人在分娩时死去。故事交织着这位少年作家的温情、残忍和冷漠。作者继此书之后又发表第二部也是最后一部小说《奥热尔伯爵的舞会》(1924)，这是一部明澈、细腻、字斟句酌的作品。拉迪盖的身体早已毁于酗酒与纵欲，1923年死于伤寒。

Radin, Paul 雷丁(1883-04-02，波兰罗兹～1959-02-21，纽约市) 美国人类学家，曾以社会的经济结构、社会组织、宗教、哲学、心理学等为综合基础，构拟出历史上的原始社会的原型；对人类学重要领域诸如文化-个性研究和利用自传性文献方面，都取得开拓性的成果。作为一位有成就的语言学家，对北美诸语言作了描述，并提出着重于语言统一性的分类方案。雷丁的治学观点受美国历史学家J.H.罗宾森及人类学家F.博厄斯影响最大。雷丁于1911年在哥伦比亚大学取得哲学博士学位。1908年在威斯康星州的温内巴戈印第安人中间作首次实地调查，写出《温内巴戈部落》一书(1915～1916)，对他们文化中的几乎每一方面都作了研究。《一个温内巴戈印第安人的自传》(1920；后题名《惊雷》，1926)，是他使用自传文献的典范；《生死之路》(1945)和《温内巴戈人的文化：自我写照》(1949)两书也充分运用了自传文献。雷丁多年来对加拿大地质从事实地人类学考察，并先后在伯克利加利福尼亚大学、芝加哥大学、剑桥大学、布兰代斯大学执教。主要语言学著作是《北美印第安诸语言的语系关系》(1919)。在《原始人的哲学》(1927)和《原始宗教》(1938)两书中，对两种历史上的气质类型作了对比。雷丁的主要理论著作是《人种学的方法和理论》(1933)。雷丁的思想对社会学家L.芒福德、心理分析家C.容、诗人J.C.兰塞姆和哲学家J.杜威等人都有影响。

radio 无线电 泛指以电磁波形式发射和检测通过空间传播的信号。传播路径可以是直线，或经电离层或通信卫星反射。电磁波运动的两个最为重要的性质是波的物理长度和波在一定时间内所重复出现的周数。测量波在每秒内的周数所使用的单位称为赫[兹](Hz)；无线电传播用的频率最高达30吉赫(30×10^9 Hz)。频率越高，则波长越短，因所有无线电波的传播速度均与光速相同(约300 000千米每秒)。

在无线电传输中，把信息加到载波上面，以改变其振幅、频率或持续时间，这一过程叫做调制。振幅调制(AM)在载波的上、下限处产生"旁-带"频，显示出无线电波强度的变化。频率调制(FM)改变无线电波周数，只由于无线电波在频率上发生变化，才能把所要求的信息从发射机传送到接收机。持续时间调制是将某恒定声音传送一段时间，随后关机，然后再重复传送。莫尔斯电码即采用此制式。

自英国物理学家M.法拉第演示了电流产生磁场后，无线电的问世方有可能。1864年，剑桥的实验物理学教授J.C.麦克斯韦用数学证明了在远处可以检测到这些电扰动。他并预言这种电磁能可以波的形式按光速传播。1888年，H.赫兹在短距离上演示成功麦克斯韦对电磁能可传播出去的预言。意大利物理学家G.马可尼在1901年制成完善的无线电系统，在大西洋上发射了莫尔斯电码。

后来，科学家发明了真空管。天线接收到经真空管放大(增强)的无线电信号；于是，比以往微弱得多的信号，如今亦能发送和接收。后来又发现真空管中的电流可以发生振荡。于是一个电子管振荡器能产生频率极纯的无线电波。使用精制的调谐线路，信号的接收质量又得到了改善。在第二次世界大战前一段时间里，为生产质量令人满意的无线电接收机所需的各种元件都得到迅速的改进。各无线电广播台都被指定工作在一定的频率范围内，使它们的信号不至于彼此干扰。其他频率范围则保留给许多别的无线电信号，包括为船舶、飞机助航，对讲传输以及航天和卫星通信用的信号。

战后完成的各种革新，特别是晶体管取代了电子管，印制电路代替了导线，从而大幅度降低接收机需用的功率，并容许采用小型化元件。其他一些进展包括发射和接收设备在声音保真度方面的改善，以及调频立体声广播的完美效果。

radio and radar astronomy 射电和雷达天文学 通过分析天体发射或反射的射电波的能量来研究天体的一门学科。1932年，美国无线电工程师K.G.央斯基在研究远洋电信的无线电干扰时发现宇宙天电干扰源。他认为这是由于星际空间中的电子和离子相互作用造成的。他确定出这种射电源在银河系中心的方向。另一个美国天文学爱好者G.雷伯在30年代和40年代也发现，射电频率辐射都来自银河平面，而且在天鹅座中有一仅次于银河中心方向的极大值。在40年代，有几个国家的天文学家已开始进行射电观测。1945年后，大型天线(即大型抛物面反射天线)、经改进的接收机和数据处理方法以及射电干涉仪(一种信讯号互相干涉或增强以获取信息的设备)的投入使用，使天文学家能够研究暗弱射电源并获得大量有关细节。由于射电波能穿透宇宙空间中气体和尘埃以及行星大气的云层，所以射电天文学家通过射电观测能比用光学观测更清楚地了解隐藏在微粒云层后的银河系区域。通过测量分布于银河系旋臂的冷中性氢云的原子所发出的21厘米波长射电信号，人们对银河系有了更进一步的认识。射电天文学家还发现一些以前未知的天体，如类星体(发出巨大能量的远距星系，能量主要集中在射电频段)和脉冲星(发射高度准确射电脉冲的中子星)。近年来还借助甚长基线干涉仪对这些天体以及与此有关的天体进行了极高分辨率的研究。甚长基线干涉仪是把分置于许多千米以外的多面干涉仪对同一宇宙射电源的观测进行同步处理的一种技术。对一些距离地球较近的天象，如流星尾迹、月球和距离不大的行星，可以向它们发送射电信号并测量其回波。利用并研究这种回波就是雷达天文学的基本任务。它是天文学家掌握的少数几种可以主动进行实验的方法之一，不像其他科学家往往只能单纯进行观测或坐待自然事件的发生才进行观测。1946年，匈牙利和美国的天文学家首次接收到月球的雷达回波。从40年代起就开始用雷达研究流星，在高层大气中，流星会在它后面留下一条能反射雷达信号的电离尾迹。用雷达方法已发现几个用光学方法所不能发现的白昼流星群。

1958年，美国天文学家首次接收到行星(金星)的雷达回波。观测行星反射的雷达回波是一种能准确测定行星距离并由此计算出太阳系其他天体距离的方法。用雷达技术能穿透笼罩金星的浓密云层并揭示金星表面的深谷和高山。金星和水星的自转周期也是用雷达方法才获得可靠测定结果的。月球的射电和雷达研究早在登月之前即已揭示月球表面的类沙性质。此外，射电观测对丰富太阳的认识也做出重大贡献。随着接收装置转向更高的频率，能接收到太阳外层大气以内的深层，使我们得以分层探索。耀斑和黑子都是太阳上的强射电源。

Radio Corporation of America 美国无线电公司 参阅 **RCA Corporation** RCA 公司。

radio direction finder 无线电定向器 又称无线电罗盘。由无线电接收器与定向天线构成的系统,用于测定信号源的方向。通常指校正船舰或飞行器位置的仪器,但也可用来指引航线,或用于军事和探测。这种天线通常为环状,它可旋转并精确定出无线电信号最强的方位,就是已知位置的无线电台的方向。利用几座无线电台的方向与位置,航行者就能通过三角测量确定其船舰或飞行器的位置。不过必须对无线电定向器的读数加以修正,例如计入船舰或飞行器磁场对无线电波传播的影响。

radio-frequency heating 射频加热 应用7万赫以上高频无线电波加热材料的工艺。现有两种射频加热方法。一种是感应加热,这种方法已经证明能够高效地加热金属等导电性较好的材料。另一种是电介质加热,是用于不良导电体材料的。

感应加热 这种方法是把要加热的材料放在高频电磁场中,电磁场由连接在射频发生器上的导体或线圈(称为感应体)产生。在电磁场的激发下,材料中处于感应体电磁场内的区域会产生电流。电流使材料发热。发热量的确切数值依赖于三个因素:①感应电流的大小;②材料的电阻;③材料处于场内时间的长短。在金属加工工业中广泛应用感应加热法来加热金属,以进行硬化、焊接、铜焊、回火和退火处理。感应加热也用来熔化金属和生产高质量的合金。自 20 世纪 70 年代以来,美国物理学家已经把这种射频加热应用于某些类型的实验性聚变反应堆。他们的目的是用这项技术去加热称为托克马克的聚变反应堆内的等离子体。在一个实验系列中,研究人员发现,只要无线电波的频率等于回旋加速器等离子体离子的频率,也即等于离子绕着**回旋加速器**(**cyclotron**)的环形磁场运行的速率,这些无线电波就会加热等离子体。把等离子体加热到约 2 300 万开需要射频能量 600 千瓦左右。

电介质加热 这种方法是把电的不良导体(包括橡胶、塑料和木材等绝缘体)放在变化的高频电磁场中,利用这些材料所生的热来给它们加热。把材料置于两块金属板(电极)之间,金属板连接在射频振荡器上,就形成一个电容器;在材料中发生的电损耗就产生热。感应加热可能引起不均匀加热;电介质加热则不是这样,它能够使被加热物体通体均匀受热。电介质加热有各种各样的用途,在工业中应用尤广。例如,它可以用来烘干木料和石膏墙板,在家具制造中快速加热特殊黏结剂,以及对模铸塑料和玻璃状材料进行预热。此外,广泛用于食物烹调的微波炉也是以电介质加热为基础的。

radio interferometer 射电干涉仪 通过接收并分析天体发射或反射的射频电磁辐射来研究天体的仪器。它是一种射电望远镜,用两副或两副以上的分立天线和一部接收机接收同一波源的无线电波。天线之间的距离可靠得很近,也可相距数千千米。射电干涉仪的工作原理与光学干涉仪相同,但由于无线电波的波长比光波长得多,所以这种仪器的尺寸也就相应地大得多。无线电波在不同时间到达分开的那些天线,其时间差用一可变延时器来调节,使波发生干涉,正像在光学干涉仪中那样。另一种型式是改变天线间的距离以使波发生干涉,这个距离取决于波长及波源的直径。如其余的量为已知,则直径可以算出。如果波源的直径并没小到使干涉仪不能分辨的程度,则那些无线电信号就像光学干涉仪中出现的条纹那样交替地相互加强和抵消。

radio range 无线电定向台 在空中导航中,一组无线电发射台,每台发射一个信号,以供识别和定位。老式的 A-N 型导航信标的工作频率为低频和中频,自 1927 年以来迄今仍主要供私人轻型飞机使用。飞机上只需一台普通的无线电接收机。每一发射台在其辐射图的波瓣内发出国际电码的字母 A(·—)或 N(—·)。在相邻两波瓣重叠的狭窄辐射带上,不同莫尔斯信号中的点和划混合成连续的长声。飞行员听到这种声音,就知他正在向台飞行或背台飞行。如果偏离航线,他根据听到的电码是 A 还是 N,就知道应向哪个方向修正才可回到航线上。现代的甚高频全方向无线电定向台(VOR)同时向所有方向发射两个信号。甚高频无线电定向台发射的信号比低频和中频无线电定向台发射的信号所受日夜交替、天气情况和其他因素的干扰要小。从两个不同的发射台同时向某点发射的信号之间有相位差,飞机上的专用接收设备探测到这一相位差,即可向飞行员显示飞机的方位。与测距设备合用,VOR 可为民航飞机提供一种基本的点对点导航系统。

radio source 射电源 美国无线电工程师 K.G.央斯基于 1932 年首次发现地球大气以外的射电信号,由此导致射电天文学的发展。他经过细致研究后,正确地断定所接收到的信号来自银河中心。1942 年在英国和美国都检测到太阳射电。在地面上可接收波长 1 毫米到 30 米左右(这是能穿透地球大气的无线电波段)的天体射电。由于各类射电源具有不同的频谱,因而可获得有关射电源物理情况的信息。射电望远镜通常是单个抛物面天线或由多个天线组成的干涉仪,后者具有很高的角分辨本领。天体射电源的辐射类型有自由-自由发射、同步加速辐射和中性氢原子辐射等。

太阳射电 有 3 种分量:①宁静分量,即当太阳表面没有黑子和耀斑等活动区时所接收到的射电。它来自色球层和日冕。②缓变分量。它来自黑子上空 10 000 ～ 50 000 千米而截面比黑子大的区域,大部分是温度为 10^6 ～10^7 K 的热辐射。③爆发分量。它来自耀斑区。在米波段的爆发很强,存在几秒或几分钟,噪暴存在几小时到几天。在厘米波段的爆发不太强,存在几分钟至一小时。爆发分Ⅱ、Ⅲ、Ⅳ和Ⅴ型等等。

月球和行星射电 月球射电来自月面下 10 倍波长的深处(例如波长 10 厘米的射电来自 100 厘米深处)。月面中央的昼夜温度变化为 370 ～ 150K。波长 1 厘米的月球射电的昼夜温度变化为 200 ～ 160K。当波长为 20 厘米时,昼夜温度均为 230K。这说明太阳的热能不能穿透月球表层超过 1 米的厚度。水星射电显示昼夜温度变化为 450 ～ 250K。金星射电在波长短于 1 厘米时显示金星温度为 300 ～ 400K。在大于 3 厘米的所有波长上,温度接近 600K,这是金星固体表面的温度。这种高温是由金星稠密大气的温室效应形成的。从火星射电 3 厘米波长观测得出,火星温度为 217K,在较短波长则为(170 ± 10)K,对此差别至今尚无解释。木星射电有 3 个分量:一是木星稠密大气的辐射,各波长的辐射均为 140K;二是木星周围辐射带的同步加速辐射;三是在 8 ～ 30 米波长范围内发生的很强的散在爆发。土星射电在波长几厘米时测得温度为 130K。天王星和海王星射电在波长 3 毫米时的温度约为 100K,在波长 3 厘米时上升到 170K,它们都比日照温度高,这可能是因为它们内部能产生热的缘故。

银河系射电源 射电巡天观测发现银河系内外都存在分立射电源(超新星遗迹、脉冲星、银心、银河星云),整个天空存在银河普遍背景辐射,沿银河平面射电很强,在银极附近最弱。沿银河平面的射电有电离氢的热辐射和非热同步加速辐射,后者又分为来自旋臂的和来自银晕的两种。银河射电还有一种波长为 21 厘米的中性氢辐射。1945 年,荷兰天文学家范德胡斯特曾预言存在这种辐射,1951 年一些天文台果然观测到这种辐射。中性氢的分布与光学旋臂位置一致。高分辨率观测证实,旋臂是由许多中性氢云组成的,云的大小一般为 30 光年,温度为 100K。银河系中还有一种分子射电,1963 年最早发现波长 18 厘米的羟基(OH)射电。虽然羟基密度仅为氢的 10^{-4}～10^{-7},但它却可用来研究星际云。1965 年在猎户座星云和 NGC6334 星云中又意外地观测到银河电离氢区的羟基的微波激射谱线。从 1968 年起,用射电方法新发现的星际分子大量增加。1969 年发现甲醛(H_2CO)是令人惊奇的,因为这种分子包含碳和氧,而这两者在星际空间中的丰度都只有氢的 10^{-4}。到 1982 年已发现 57 种星际分子。这些新发现的星际分子为星际化学这门天文学的新分支奠定了基础。星际化学研究星际分子的形成过程和这些分子在地球生命起源过程中的作用。

河外射电源 1951 年只知道约 100 个射电源,80 年代初已列入射电源表的有 3 万个以上,其中大多数是河外射电源。它们可分为两类:一类与光学星系成协;另一类与类星源成协。正常射电星系在所有射电频率发出的功率为 10^{38} 尔格/秒。特殊射电星系发出 10^{40} 尔格/秒,而类星射电源发出 10^{44} ～ 10^{46} 尔格/秒。射电天文学还对宇宙学研究有贡献。现已观测到普遍的 3K 黑体(热)辐射,这种背景辐射来自天空所有方向,在所有波长上的亮温度约为 3K(更精确值为 2.7K)。这种辐射在宇宙演化论中被解释为宇宙大爆炸时产生的膨胀辐射场的残余。

radio telescope 射电望远镜 由射电接收机和天线系统组成的天文仪器，用以检测由地外辐射源所发射的射频辐射。因为射电波长比可见光波长大得多，因此要获得光学望

英国柴郡焦德雷尔班克的可操纵射电望远镜——洛维尔望远镜
焦德雷尔班克科学中心供图

远镜的分辨率，射电望远镜必须很大。美国伊利诺伊州惠顿的G.雷伯于1937年制作的第一架射电望远镜是可操纵抛物面望远镜。抛物面式发射器将来自辐射源的平行辐射波聚焦到一小的接收天线上。英国柴郡焦德雷尔班克的射电望远镜，其可操纵抛物面天线的直径达76米。波多黎各阿雷西沃的望远镜反射面，是一直径为305米的自然因应光盆。阿雷西沃望远镜还装有雷达发射机，用以研究从行星及其卫星这类天体反射回来的雷达信号。射电干涉仪是由传输线将2个或更多个相隔很远的天线连接起来的。用此仪器的高分辨率，可以确定辐射源的位置、直径，或分辨出两个相距很近的辐射源。相位阵望远镜是由一大群列置在广大地区各不同方位上的小型天线元件组成的，其有效灵敏度和分辨率比单个射电天线相加的结果高得多。美国新墨西哥州索科罗附近由27个天线组成的甚大天线阵系统就是一例。它是目前世界上最大、灵敏度最高的射电望远镜之一。参阅 **telescope**。

radioactive fallout 放射性沉降 放射性物质从大气层向地球上的沉积。参阅 **fallout**。

radioactive isotope 放射性同位素 又作 radioisotope。同一化学元素的若干种质量不同、原子核不稳定的核素之一，其原子核通过以自发地射出α、β和γ射线的形式来耗散过剩能量。每种化学元素有一种或多种放射性同位素。例如，最轻的元素氢有三种同位素，其质量数为1、2、3。但是，只有氢3(氚)是放射性的，而其他两种是稳定的。各种元素的放射性同位素已知有1 000种以上。其中约50种是天然存在的；其余都是人工产生的，是核反应的直接产物或这些产物的放射性子体。放射性核素是各种原子核不稳定的核素，不限于同一元素，它包括所有各组放射性同位素。放射性同位素有许多实用的用途。例如，医学上，钴60广泛用作抑制癌发展的放射源。其他放射性同位素在诊断和研究代谢过程中用作示踪物。当小量放射性同位素加入到相当大量的该稳定元素中时，它的化学性质与普通的同位素完全相同；但是，可用盖革计数器或其他探测器追踪到它。碘131已证明可有效地诊断出脑瘤的部位，测定心血输出量、肝和甲状腺的活动量。医学上另一个重要的放射性同位素是碳14，用于研究构成糖尿病、痛风、贫血和肢端肥大症基础的新陈代谢失常。工业上，各种放射性同位素用于测定金属或塑料板的厚度，其厚度由透过被测材料的放射性强度来指示。它们还可用于取代大型X光机来检验金属部件成品的结构缺陷。其他重大用途包括用作袖珍型电源，如用于心律电子脉冲调节器和太空船中的钚238。在这些情况下，放射性同位素衰变所产生的热量，由热电偶或有关装置转换为电能。

自然界存在的一些重要的放射性同位素

同位素	半衰期(年)	同位素	半衰期(年)
^{3}H	12.32	^{149}Sm	10^{16}
^{14}C	5.715×10^{3}	^{176}Lu	3.8×10^{10}
^{50}V	$>3.9\times10^{17}$	^{187}Re	4.2×10^{10}
^{87}Rb	4.88×10^{10}	^{186}Os	2×10^{15}
^{90}Sr	29	^{222}Rn	3.823天
^{115}In	4.4×10^{14}	^{226}Ra	1599
^{123}Te	1.3×10^{13}	^{230}Th	7.54×10^{4}
^{130}Te	2.5×10^{21}	^{232}Th	1.4×10^{10}
^{131}I	8.040天	^{232}U	68.9
^{137}Cs	30.17	^{234}U	2.45×10^{5}
^{138}La	1.06×10^{11}	^{235}U	7.04×10^{8}
^{144}Nd	2.1×10^{15}	^{236}U	2.34×10^{7}
^{147}Sm	1.06×10^{11}	^{237}U	6.75天
^{148}Sm	7×10^{15}	^{238}U	4.46×10^{9}

radioactive series 放射系 四组独立的不稳定重原子核，通过连续的α和β衰变直到变为稳定的原子核。这四个连续的母核和子核链(图见下页)的首尾都在原子序数高于81号元素铊的那些元素中。每组中的各元素是由α和β衰变形成亲代关系的。钍系、铀系和锕系三组叫做天然系或经典系，是由天然存在的、半衰期可与元素年龄相比的那些不稳定原子核开始的。到1935年，这三个放射性系已经完全弄清楚。第四组是镎系，由镎237开始，它的半衰期是200万年，这个系的各元素都是用核反应人工产生的，在自然界不存在，它们的半衰期比起元素的寿命来是很短的。因为两种有关的衰变过程的结果是质量数不变或者减少4个单位，每个系各元素的质量数都可以用4除，余数为常数，因此，系内各元素的质量数可以用4乘以适当的整数加该系的常数来表示。例如，钍系有时叫 $4n$ 系；镎系叫 $4n+1$ 系；铀系叫 $4n+2$ 系；锕系叫 $4n+3$ 系。钍系从钍232开始，终止于稳定核素铅208。镎系是根据寿命最长的镎237命名的，终止于铋209。铀系从铀238开始，终止于铅206。锕系根据最先发现的锕227命名，从铀235开始，终止于铅207。α衰变(在图中以较长的箭头符号表示)是从不稳定核中放出一个由2个质子和2个中子组成的粒子。这一过程使原子序数和中子数都减少2，质量数(质子和中子总数)减少4。例如，在钍系的开始，钍232通过α衰变成为镭228。β^-衰变(在图中以较短的箭头符号表示)是从不稳定核中放出一个电子和一个反中微子，这二者是中子衰变为质子产生的。这一过程使中子数减少1，原子序数增加1而质量数不变。例如，在镎系的末尾，铅209通过负β衰变为铋209。这四个放射性系都有分支放射(一种给定的核素以不只一种方式衰变)。例如，锕系里的铋211，部分通过负β发射衰变成钋211，部分通过α发射衰变成铊207。

radioactivity 放射性 某些类型的物质所显示的自发地发射能量和亚原子粒子的性能；本质上是个别原子核的一种属性。放射性是法国物理学家H.贝克勒耳于1896年发现的。1898年，法国物理学家皮尔和M.居里发现了自然界中存在的另外两种强放射性元素镭和钋。20世纪初，科学家已普遍承认物质是由原子组成。至1903年，关于放射性过程和辐射的研究使人们认识到原子并不一定是永远稳定的。至1911年，已经知道原子的质量几乎全部集中在占总体积很小部分的核内。1913年出现了同位素这一重要概念。6年后，在实验室实验中实现了嬗变。最后在1934年终于发现，通过人工设法也可以使普通物质发生嬗变。以后人们把不稳定的核素，都称为放射性同位素。放射性核素产生过程的研究，以1939年实现的中子诱发核裂变最富有成效。1941年发现了裂变也可以自发产生。1942年实现了核能的大规模释放。放射性物质以电离辐射的形式发射能量，但其能量发射率连续降低。放射性核素的衰变率用半衰期来表示，即一定量的核素衰变为一半所需要的时间。半衰期的范围从10^9年到10^{-9}秒都有，太长太短都难于测量。放射性衰变过程的产物可能是不稳定的，衰变过程仍继续进行，直到成为稳定核素为止。

放射性衰变形式 ①α衰变 原子核(母核)发射一个氦离子(α粒子)转变为另一种原子核(子核)。子核的原子序数比母核少2，质量少4。例如铀同位素$^{238}_{92}U$的α衰变是变成钍子核和一个α粒子：

$$^{238}_{92}U \longrightarrow ^{234}_{90}Th + ^{4}_{2}He$$

$$Q_\alpha = 4.268MeV(兆电子伏)$$

$$t_{1/2} = 4.51\times10^{9}\ 年$$

Q_α是释放能量，$t_{1/2}$是半衰期。

②β^-衰变 母核发射一个电子，转变为原子序数大1，质量数相同的子核。例如铀的子产物$^{234}_{90}Th$衰变为$^{234}_{91}Pa$。

$$^{234}_{90}Th \longrightarrow ^{234}_{91}Pa + e^- + \bar{\nu}$$

$$Q_{\beta^-} = 0.263MeV$$

$t_{1/2} = 24.1$ 天

$\bar{\nu}$ 是反中微子，它不带电，静止质量为零。

③γ衰变　γ辐射经常是伴随α或β衰变产生的。母核经过α或β衰变，有的是直接跃迁到子核的基态而无γ辐射，有的是全部或部分跃迁到子核的激发态，当子核再从激发态跃迁到基态时就要放出γ辐射。有时从激发态转变到基态是放出一个核外电子，称为内转换电子，内转换过程和放出γ辐射二者发生概率之比称为内转换系数。

④同质异能跃迁　γ衰变过程的半衰期有一个很宽的范围。一般跃迁的时间都小于10^{-9}秒。有些激发态到基态的跃迁都需要很长的时间。γ跃迁的半衰期大于10^{-9}秒的称为同质异能跃迁。这种激发的核素是处于亚稳态，或同质异能态，并认为同质异能跃迁是放射性衰变的一种形式。例如^{238}U衰变链中的^{234}Pa核就有同质异能性：

$$^{234m}_{91}\mathrm{Pa} \longrightarrow {}^{234}_{91}\mathrm{Pa} + \gamma$$

$$Q_\gamma = 0.0698\mathrm{MeV}$$

$$t_{1/2} = 1.17 \text{ 分}$$

核素符号左上角的m表示亚稳态，它表示核同质异能素。

⑤β^+衰变　1930年在核反应人工生成的产物中，发现了β^+衰变(或称正电子发射)和电子俘获。β^+衰变时发射一个正电子和一个中微子，母核转变为原子序数小1而质

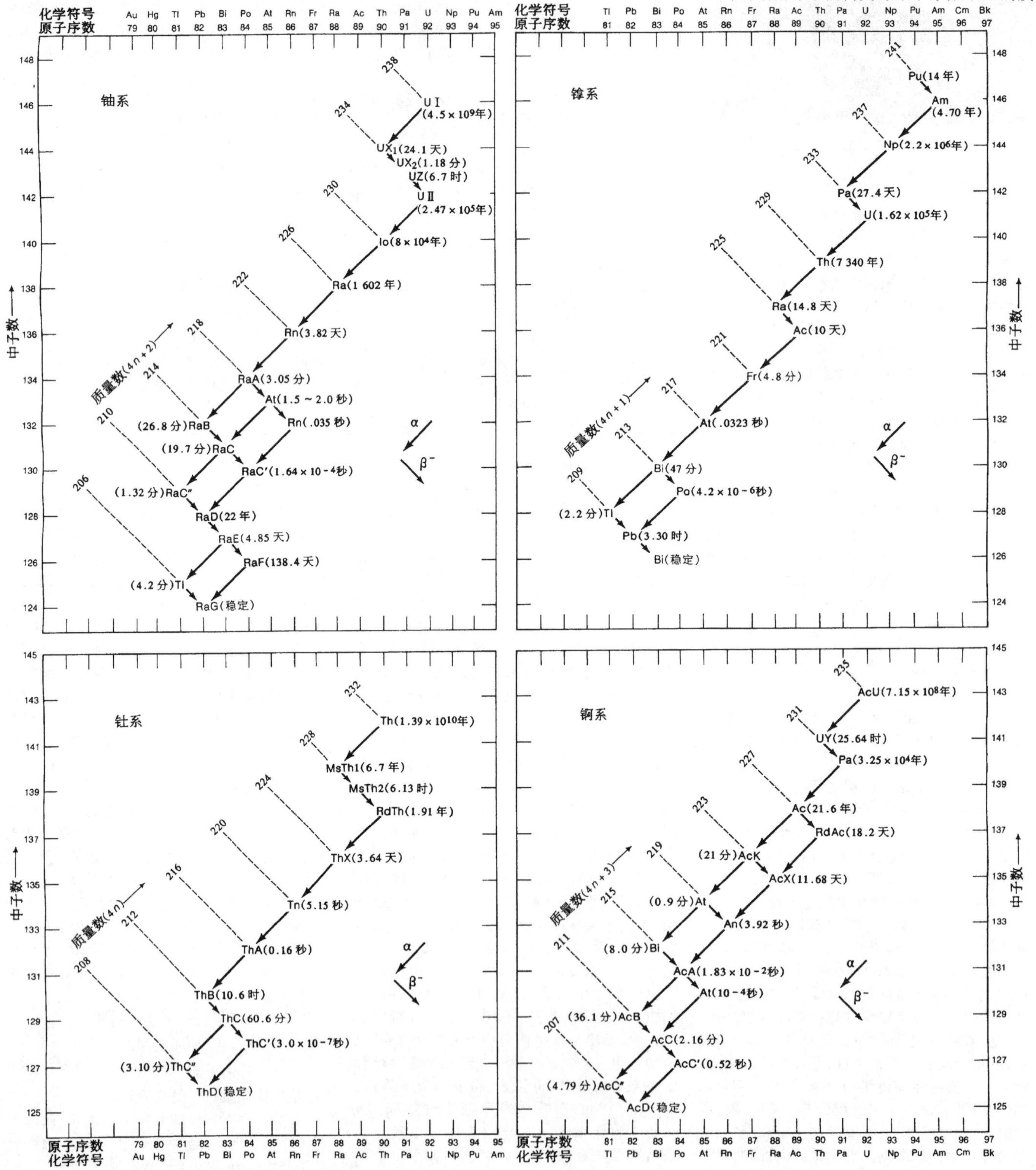

化学元素的4个放射系

镎系元素(右上)的符号具有现代形式，例如At代表砹217(质量数可由斜向虚线读出)。其他3个系中的许多元素符号是在尚不了解同位素的本质时定的，现已废弃，例如钍系(左下)中的钍射气(Tn)现称氡220、钍D(ThD)现称铅208

量数相同的子核。例如

$$^{11}_{6}C \longrightarrow ^{11}_{5}B + e^{+} + \nu$$

$$Q_{\beta^+} = 0.97\text{MeV}$$

$$t_{1/2} = 20.4\text{ 分}$$

⑥电子俘获　电子俘获是原子核俘获一个轨道电子而后衰变的过程。电子俘获(用英文字首 EC 表示)和 β^+ 衰变相似,母核转变为原子序数小 1 的子核。例如 ^{7}Be 核俘获一个内层电子变成 ^{7}Li。

$$^{7}_{4}Be + e^{-} \longrightarrow ^{7}_{3}Li + \nu$$

$$Q_{EC} = 0.8616\text{MeV}$$

$$t_{1/2} = 53\text{ 天}$$

⑦自发裂变　原子核分裂成质量大致相等的两个碎片核。对铀而言,这种过程和占优势的 α 衰变相比仅仅是刚可被探测到,但对某些人工制造的超重核,例如 $^{256}_{100}$Fm,自发裂变就成为主要的衰变形式。这个反应过程如下:

$$^{256}_{100}Fm \longrightarrow ^{140}_{54}Xe + ^{112}_{46}Pd + 4n$$

$$Q = 150 \sim 200\text{MeV}$$

$$t_{1/2} = 2.7\text{ 小时}$$

也可裂变为其他产物。

⑧质子放射性　1970 年发现。激发同质异能态的钴,^{53m}Co,有 1.5% 会发射质子。

$$^{53m}_{27}Co \begin{cases} \xrightarrow{1.5\%} {}^{52}_{26}Fe + p \\ \xrightarrow{98.5\%} {}^{53}_{26}Fe + e^{+} + V \end{cases}$$

$$Q_p = 1.57\text{MeV}$$

$$t_{1/2} = 0.243\text{ 秒}$$

这些形式是放射性的主要类型,此外尚有发射重粒子的 β 衰变过程等,但较罕见。

地球上还存在某些天然放射性,其放射性物质的半衰期极长(约 6×10^9 年),它们在星球上形成后,尚未衰变完。其中著名的有铀 238,铀 235 和钍 232,这些是核工业的基础。另一类天然放射性包括高层大气中宇宙射线轰击而产生的放射性物质,如半衰期为 5 720 年的碳 14、12.3 年的氚、53 天的铍 7 和 270 万年的铍 10。

放射性衰变规律　是一种呈指数衰减的过程,t 时刻的原子数为

$$N(t) = N_0 e^{-\lambda t}$$

式中 λ 为衰变常数,N_0 为时间为零时的母原子数。λ 与半衰期 $t_{1/2}$ 之间有如下关系:

$$\lambda = \ln 2 / t_{1/2} = 0.693 / t_{1/2}$$

$$\tau = 1/\lambda$$

τ 称为平均寿命。半衰期除太长或太短者难以测定外,其余从 10^{-9} 秒到几年的,都可用不同方法从实验上测定。

放射性同位素衰变过程中放出的 α、β、γ 辐射,都具不同程度的穿透性,这种特性在医疗上可用于治疗肿瘤。放射性在工业上最前沿的应用是核能工业,还可用于测定产品的厚度和质量检验。此外,在材料的成分分析上也有广泛的应用。

radiocarbon dating　放射性碳年代测定法
参阅 **carbon-14 dating** 碳 14 年代测定法。

radioisotope　参阅 **radioactive isotope** 放射性同位素。

radiolarian　放射虫　放射虫超纲辐足虫纲原生动物。见于所有海洋上层。多数为球形对称,骨架(壳)小,纹甚精美。壳由硅质组成,有精巧漏空的各种纹样,形成一系列格子

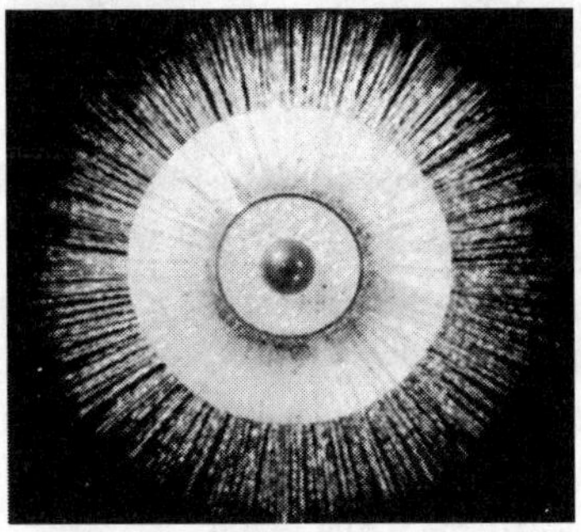

放射虫(玻璃模型)
纽约美国自然史博物馆供图

形板片或疏松骨针。伪足从漏空的骨架中伸出。一个几丁质的中央囊包围着许多核,将细胞质分成两层。外层细胞质有很多空泡,以控制机体浮力。无性生殖方式为出芽、二分裂或多次分裂。一般是骨架分裂,每个子细胞重生其失去的一半。但有些种类则是一个子细胞逸出,形成一个完整的新壳;另一子细胞留在母体的骨架里。放射虫遗留的骨架沉积到海底,形成放射虫泥。每当海底升起变为陆地,放射虫泥即变为沉积岩。硅石沉积物如燧石、黑燧石和磨料硅藻土,均来源于放射虫骨架。放射虫化石最早见于前寒武纪(39.6 亿年前至 5.76 亿年前)。

radiology　放射学　利用各种放射线诊断、治疗疾病的医学分支学科。近年来,放射学所涵盖的学科范围不断扩大。最初仅有 X 射线诊断和利用 X 射线、γ 射线、几种离子射线的治疗技术;而现代放射学概念还包括了放射性同位素扫描、非离子射线技术(如超声波、核磁共振)和肿瘤放疗等。

放射诊断学　1895 年 11 月 8 日,德国物理学家 W.C.伦琴在维尔茨堡大学发现 X 射线。因其能穿透人体组织、能感光照相胶片、并能激发荧光,故在医学诊断方面大有用途。在 X 射线穿透组织时,因体内各种组织的密度不同,故对 X 射线的吸收量也不同,这是 X 射线透视成像的物理学基础。不过,X 射线不能区别密度相近的组织,所以,除骨骼成像还行以外,其他脏器成像的反差都不好,无法分辨。第一次世界大战期间,造影剂(如钡餐)的应用很好地解决了这一难题,一口钡餐就能把胃肠道显示得清清楚楚。它使消化道造影成了 X 射线诊断技术的又一类最佳适应症。现代造影剂几乎涵盖了各种器官结构:血管、心脏、泌尿道……。X 射线技术问世后不久,人们就试图对动态目标作追踪摄影,并很快取得成功。这样,人们从 X 射线平片中看到的不再只是一张照片,而是一种功能过程。但摄影技术不过关和大量 X 射线对人体的伤害严重地制约了这项技术的发展。20 世纪 50 年代,电子影像增强器的发明克服了这一技术难点,X 射线电影摄像技术成为一种技术常规。摄像技术一直是和 X 射线诊断技术保持同步的发展。现代化高速摄影技术和精密的显影工艺不仅能使照相全过程在 90 秒内完成,而且平片乳剂均匀、反差适度、成像清晰。70 年代,英国人 G.豪斯菲尔德和美国人 A.科马克发明了计算机 X 射线体层照相技术(即 CT 扫描)。其工作原理是:当 X 射线从身体的不同角度进入机体时,先测出 X 射线的衰减量,再对数据进行计算机摹拟,以显示出某体层断面的器官结构。CT 扫描可清楚地显示软组织器官,如肝、肾等。CT 扫描是放射诊断学技术的一个突破性进步,并已在世界范围内基本上得到普及。更现代化的影像诊断技术叫核磁共振扫描(MRI)。成像原理是将患者置于一强大磁场中,然后从不同角度向患者发送电磁波。因为在磁场作用下,人体组织的不同构成元素对电磁波的吸收频率不同。然后再对吸收频率的测量结果进行计算机摹拟,显示出某体层断面的器官结构。一项发展中的影像诊断技术是正电子发射体层照相技术(PET),成像原理是追踪正负电子相遇、湮灭时产生的能量发散情况。这些现代影像诊断技术不仅大大增加了影像诊断的安全性,而且明显地改善了成像质量,提高了诊断的准确性。

放射治疗学　放射治疗主要是利用电离辐射的生物效应。人们很早就注意到大剂量的电离辐射可使皮肤发红、起泡、溃疡形成;即便剂量不大,次数太多也不行。于是,有人设想用它来对付像癌之类的病变组织。多年的研究造就了一批放射生物学家。X 射线和镭先后被发现,受 X 射线的影响,镭也迅速地被应用到医学领域。radiotherapy 一词的原意就是指镭疗法。后来发现电离辐射还能止痛,于是就滥用起来。现代放疗主要用于恶性肿瘤的治疗,并已取得长足的进展。这里的关键问题是必须量化放疗,因为在进行放疗时,不可能总是叫上一位物理学家。1925 年在斯德哥尔摩的国际会议上统一了放疗的计量单位——伦琴当量。这样,全世界就有了同一个计量标准,并据此设计出了放射性计量仪。

radiometer　辐射计　用以探测或量度辐射能的仪器,特别指测量红外线辐射能的装置。辐射计因量度及探测方式的不同而有各种类型。依靠升高仪器的温度而发挥功能的仪器,如赫歇耳温度计,称为热探测器。常用的热探测器包括:加热时会产生电压的热电偶;加热时电阻起变化的测辐射热计。原则上可以探测辐射能的单个量子的装置,例如贝克勒耳照相底版,称为量子探测器。光电管是许多现代量子探测器的基本元件。辐射计一词通常专指 19 世纪末期 W.克鲁克斯所发明的一种探测器类型。因它不灵敏又不易校准,所以很少用作科学仪器,但它为今日所使用的较为精确的仪器铺设了道路。克鲁克斯辐射计由一个半真空玻璃泡和一个转子组成。转子装设在玻璃泡内的垂直支柱上;转子带有 4 个轻的水平臂,互成直角地架设在中央枢轴上;转子可自由地在水平面内转动。每一水平臂的外端装有一垂直的金属叶片,金属叶片一面磨光,另一面则涂黑,使一个叶片的磨光面对着另一叶片的涂黑面,依次相继排好。当辐射能射到磨光面上时,大部分的辐射能被反射出去;射到涂黑面上时,大部

分会被吸收，使涂黑面的金属表面的温度升高，涂黑面附近的空气因此被加热并对涂黑面产生压力，使转子转动。

radiosonde　无线电探空仪　装在气球上，测量大气的温度、压强、湿度等，并把这些资料用无线电发回地面站的仪器。使用专门充氢的、用高质量氯丁橡胶做成的气象气球，可以把无线电探空仪升到约达30千米的高度。装在气球上的这种无线电探空仪的最大探测高度约为45千米。探空仪采用两类基本仪表来搜集资料并译成电码发射。机械仪表，通常包括双金属条或拉伸金属丝式温度计、毛发或肠膜式湿度计和膜盒式气压计；电转

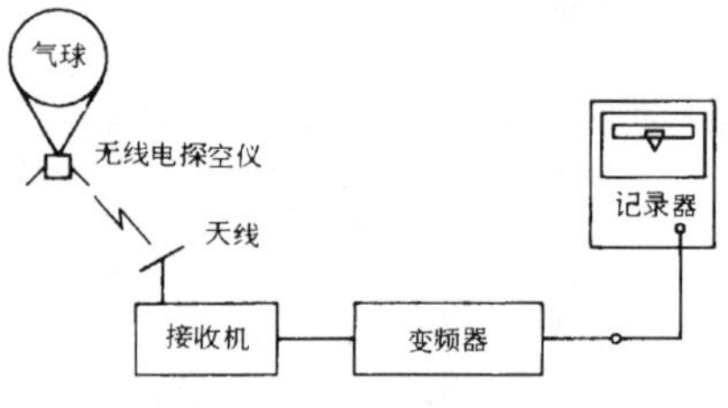

无线电探空系统

换式仪表，用一个能随气压变化的膜盒，带动电门装置，轮流发送温度及湿度的测量数据；温度用热敏电阻测量，湿度用主要由涂有氯化锂的聚苯乙烯细条制成的、对湿度敏感的装置来测量。用经纬仪或自动跟踪天线来追踪无线电探空仪，则可测定风速。

radiotelegraphy　无线电报　用国际莫尔斯电码或其他电码信号进行的无线电通信。作法是按照莫尔斯电码的点、划去调制无线电载波的振幅、频率或相位。在接收机一端用解调器将电码调制还原，并将成组电码转换成相应的符号。在很多情况下，这些符号是用计算机和调制解调器而非用手工电报键生成的。由于无线电报所用的频带宽度窄，故可在有干扰和噪声的情况下用它进行有效的通信，而用无线电话等其他手段却作不到。无线电报用于某些类型的海上船对岸通信（如紧急呼救）、国家航海业务机构用来发布天气和海况快报、地面上固定点之间的点对点通信、业余无线电通信，以及用于不要求信息快速传输的各种特殊业务，如信标、时间信号和远地数据收集等。

radiotherapy　参阅**radiation therapy**放射治疗学。

radish（*Raphanus sativus*）　**萝卜**　十字花科植物。一年生或二年生。栽培食用其肥大肉质根。根的可食部与部分苗茎的形状因品种不同而异，呈球形、长圆形、长柱形至长圆锥形。外表白色、粉红色、红色、紫色至黑色。大小从仅重数克的受欢迎的欧美早熟品种至重达1千克的日本大田型晚熟种（大根）。通常栽培的萝卜在头一年长茎，花白色或有淡紫色脉。角果。春型品种生长快，肉质根小，味淡，脆嫩，硬度中等，易烂。夏型和冬型品种生长慢，肉质根大，味辣，质硬。冬型品种可以贮藏过冬。普通萝卜可能起源于东方。萝卜体积虽大但含热量不高，常生吃，嫩叶可

萝卜（*Raphanus sativus* variety *radicula*）
供图：Ingmar Holmasen

切碎加入色拉。参阅 **wild radish**。

Radishchev, Aleksandr Nikolayevich　拉季舍夫（1749-08-31，莫斯科～1802-09-24，圣彼得堡）　俄国作家，奠定了俄罗斯文学和思想中的革命传统。生于贵族家庭。先后在莫斯

莫斯科国家历史博物馆供图

科、圣彼得堡和莱比锡等地求学。曾任文职官员，广泛接触过社会各阶层人士。在卢梭等人思想的影响下，写出重要作品《从彼得堡到莫斯科旅行记》（1790），以一次假想的旅行为作品结构，描绘自己所见到的社会不公、不幸和残暴。虽然这部作品揭露了农奴制度、专制制度以及书报检查制度的黑暗，但他的本意却是要劝导叶卡捷琳娜女皇，使她了解这些真实情况。孰料时机不巧，该书出版时正值法国大革命如火如荼，拉季舍夫立即遭到逮捕，被判死刑，后改判流放西伯利亚10年。1801年亚历山大一世下令赦免，并被委任起草法律改革的工作。但一年后自杀。拉季舍夫在俄国名声极大，他的思想对后世，特别是十二月党人有很大鼓舞。

Radisson, Pierre Esprit　拉迪松（约1636，巴黎～约1710，英格兰?）　法国探险家和毛皮商，在加拿大同时为英、法服务。1651年来到新法兰西，定居三河城。1652年被印第安人俘虏。后寻机逃跑，去法国，1654年初在拉罗谢尔登陆。同年，他和他的姻兄弟M.C.des格罗塞利埃一同回到加拿大，至西部经商6年。1663年因无特许证而被法国当局没收毛皮并课以罚金。于是，他们便在罗亚尔港转而为英国人服务。后来被波士顿的新英格兰人雇用，向哈得孙海峡航行，在苏必利尔湖附近发现铜矿。他们报告那里盛产毛皮，并于1670年创立哈得孙湾公司。1668年由英王查理二世的堂兄弟鲁珀特亲王供给经费，又进行另一次贸易远征，以寻找西北通道。1674年他和格罗塞利埃在法国驻几内亚和多巴哥的舰队服役。1681年，他成为魁北克的居民，次年率领一支探险队去对付哈得孙湾上的英国人。他再次访问法、英之后，又被哈得孙湾公司雇用，最后由该公司给与退休金。

radium　镭（Ra）　放射性化学元素，周期表Ⅱa主族中最重的碱土金属元素。镭为银白色金属，在自然界不能以游离态存在。镭于1898年由居里夫妇以及他们的助手G.贝蒙所发现。当时居里夫人观察到沥青铀矿的放射性比其所含的铀强4或5倍，并且也不能用她刚从沥青铀矿渣中发现的放射性钋来充分解释。这种新的强放射性物质的性质和钡相似，但由于氯化镭的溶解度稍低，故可用分部结晶法来富集。到1902年才从数吨沥青铀矿渣中提炼出0.1克的纯氯化镭。到1910年时，居里夫人和A.-L.德比埃尔内才制备出金属镭。因镭的所有同位素都是放射性的，从地质时标来说寿命都很短，故原生镭应在很久以前就消失了。因此，在自然界镭仅作为3种天然放射性衰变系（钍、铀和锕系）中的一个衰变产物。最稳定的同位素（半衰期1620年）是铀衰变系产物，其母体是钍230，子体（衰变产物）是氡222。后面的衰变产物是钋、铅、铋和铊的同位素（以前称作镭A、镭B、镭C、镭C′、镭C″、镭D等）。镭的各种用途均与其放射性有关，以前最重要的用途是在医学方面，主要用于治疗癌症，利用镭的子体同位素的γ辐射照射肿瘤。在许多治疗中，镭已被费用较低而放射性更强的人造同位素钴60和铯137所代替。镭和铍紧密的混合物是中等强度中子源，用于科学研究，并在石油地球物理勘探中用于测井。不过对这类应用来说，用其他物质也可代替镭。当镭富集时，就在黑暗中发光。由于这一性质，它一旦与硫化锌糊混合，就可制成手表、钟和仪表刻度盘上用的自发光涂料。但在20世纪30年代发现镭的辐照对健康会造成一系列伤害，日常使用含镭发光涂料的许多工人患有贫血症，有的患骨癌。在认识到镭的毒性大后，就停止了镭在发光涂料方面的应用。在放射性元素的钍衰变系中有两种镭的同位素即天然存在于独居石矿中的镭228（半衰期6.7年）和镭224（半衰期3.64天）。这两种同位素的衰变产物之一是铊208，它发射的γ射线的穿透能力比铋214的还强。由于有复杂的半衰期顺序关系，新提纯镭228的γ射线放射强度在大约4年期间内增高，然后稳步下降。第4种同位素镭223（半衰期11.7天）存在于锕衰变系中。金属镭化学反应性很强，遇水剧烈反应，放出氢气。与空气接触则生成氮化物。在所有镭化合物中，镭均呈+2价，即以Ra^{2+}离子形式存在。硫酸盐$RaSO_4$是已知硫酸盐中溶解度最小的，而氢氧化物$Ra(OH)_2$则是碱土金属氢氧化物中溶解度最大的。镭化合物与相应的钡化合物十分相似，使得这两类化合物很难分离。镭

原子序数 88。最稳定同位素镭 226。熔点约 700 °C。沸点约 1 737 °C。比重约 5。化合价 2。电子组态 2,8,18,32,18,8,2 或(Rn)$7s^2$。

radius 桡骨 解剖学术语,各种陆栖脊椎动物掌朝前时前臂外侧的长骨,内侧者即为尺骨。人类的桡骨较尺骨短。桡骨头呈盘状,上面凹陷,与肱骨相关节;侧面与尺骨相关节。桡骨干上端有粗糙的隆起,称为桡骨粗隆,肱二头肌腱即附着于此。骨间嵴沿桡骨全长,有连接桡骨和尺骨的骨间膜附着。桡骨下端有一突起,即桡骨茎突,可于腕部皮下触及。茎突内侧面为 U 形的尺骨切迹,与尺骨相关节。当手掌转向后方(旋前)时,桡骨的尺骨切迹围绕尺骨头旋转。

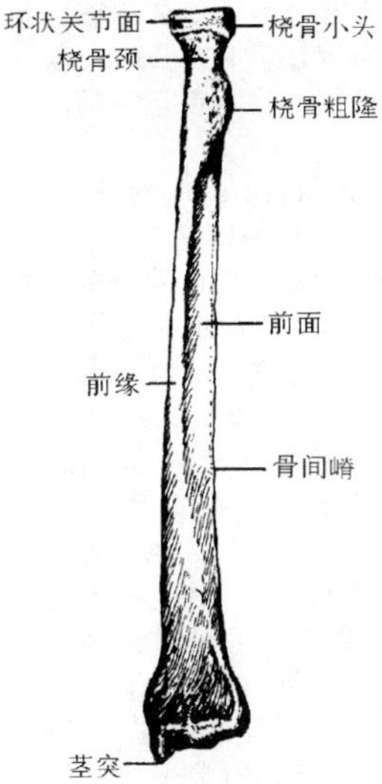

人的右侧桡骨(前面)

radius, atomic 参阅atomic radius原子半径。

radix(mathematics) 参阅 base 基数。

Radlov, Vasily (Vasilyevich) 拉德洛夫 (1837-01-17,柏林～ 1918-05-12,俄罗斯圣彼得堡) 德国学者和俄罗斯政府顾问,对南西伯利亚和中亚突厥诸民族的人种志、民俗学、文化、古代抄本、语言学等方面的知识,曾有重要贡献。19 世纪 50 年代在柏林大学从事东方文化的研究,毕业后在西伯利亚西南部巴尔瑙尔的一所中学任教,在此期间,同萨彦岭和阿尔泰山脉一带的突厥民族有了密切的接触,于是开始了人种学、版本学和语言学的研究。他所搜集的民间传说材料,部分发表在《突厥部落民间文学选辑》一书里,全书共 10 卷(1866 ～ 1907)。此书及其他著作对中亚人种志第一次提出了准确而系统的阐述,确立了对突厥诸民族的科学研究。回到圣彼得堡以后,出版了《来自西伯利亚》(1884)一书,论述北亚和中亚一般人种志,提出把这个地区的文化进化分作 3 个阶段的理论——狩猎、放牧和耕种——并以萨满教为主要宗教。他把中世纪一首维吾尔族长诗译成德语,题名《库达库·比利克》(1891 ～ 1910)。此外,拉德洛夫还编著了一部突厥诸语言比较词典,共 4 卷(1893 ～ 1911),并把对蒙古地区突厥语铭文的研究成果写成专著。作为俄罗斯政府顾问,他主张对中亚诸民族采取开明政策。他也是圣彼得堡人类学和人种志博物馆的主要创建人。

Radnorshire 拉德诺夏尔 威尔士东部历史郡。位于英格兰边境。完全位于波依斯郡。境内为山区及高地,中央是怀伊河形成的谷地。奈顿城外有罗马别墅的遗迹;兰得林多德韦尔斯城附近有罗马城堡旧址。16 世纪英王亨利八世在威尔士境内正式建立拉德诺郡时,该区几乎全部讲英语。今日拉德诺夏尔主要是农业区,养羊业是主要的活动。河谷地带种植燕麦及饲草。众多的集市中心分布在全区,包括该区西部卢格河畔的小城普雷斯登和北部较大城镇奈顿,有锯木、毛纺及农机制造等工厂。19 世纪疗养胜地兰得林多德韦尔斯是郡和区首府。伊兰谷地中一系列水库为伯明翰供水。

Radom 拉多姆 原波兰中东部省份(1975 ～ 1998)。现分属马佐夫舍、罗兹、圣十字省。

Radom 拉多姆 波兰中东部马佐夫舍省城市。为铁路枢纽,行政和工业中心。有博物馆和剧院。现经济以纺织、玻璃、化工、军火、制鞋和食品加工等工业为主。1154 年作为边疆居民点始见记载。位于两大商路交叉点,城镇发展迅速。15 世纪成为王国议会和地方议会所在地。1795 年被奥地利占领,1807 ～1815 年成为华沙大公国行政区首府,后又被俄国控制,1918 年归还波兰。人口 229 699(2002)。

radon 氡(Rn) 化学元素,周期表0族(稀有气体)重放射性气体,由镭的放射性衰变产生。无色、无嗅、无味的气体,比空气重 7.5 倍,比氢气重 100 多倍。气体氡在 - 61.8 °C 液化,在 - 71 °C凝成固体。当进一步冷却时,固态氡发出柔和的黄光,在液态空气温度(- 195°C)下变为橙红色光。由于氡的所有同位素寿命短,且作为氡来源的镭,又为稀有金属,故自然界中氡非常稀少。在接近地表面的大气中含有痕量的氡,这是从含有少量镭(作为不同类型岩石中铀的一种天然衰变产物而存在)的土壤和岩石中逸出的。在 20 世纪 80 年代末期,人们开始认识到天然存在的氡气潜伏着对健康的严重危害。由土壤和岩石产生的气体通过地基、地下室或建筑物的管道渗出,在通风不良的房屋内空气中积累起来。多年来处在这种高浓度氡气中会使发生肺癌的危险大大地增加。当今在美国氡被认为是非吸烟者造成肺癌的唯一的最重要的原因。含有铀矿物的地质结构层上建造的住处中氡量是最高的。供医学和研究用的氡浓缩样品是人工制备的。一般将镭源放入充满水溶液的玻璃容器内,或放在氡可通过的有孔固体中,几天后将积累的氡用泵抽出,经纯化,最后压入小管内。然后封口移出,便制得浓缩氡。氡气管为贯穿 γ 辐射源,其 γ 辐射主要来自氡的衰变产物之一铋 214。这种氡气管已用于放射疗法和射线照相术。天然氡由 3 种同位素组成,这 3 种同位素分别为 3 种天然放射性衰变系列(铀系、钍系和锕系)的产物。由德国化学家 F.E.多恩于 1900 年发现的寿命最长的同位素氡 222(半衰期为 3.823 天)产生于铀系。氡这名称有时专指这种同位素,以便使其与另外两种分别产生与钍系和锕系因而称为钍射气和锕射气的天然同位素相区别。氡 220(钍射气,半衰期 51.5 秒)于 1899 年,首先由英国科学家 R.B.欧文斯和 E.卢瑟福观察到了,他们注意到钍化合物的某些放射性可能会失掉。氡 219(锕射气,半衰期 3.92 秒)与锕一起是在 1904 年由 F.O.吉塞尔和 A.-L.德比埃尔内各自独立发现的。现在已知 12 种以上的人工氡放射性同位素。氡原子最外电子层有 8 个电子,这是一种特别稳定的电子组态,因而该元素化学上很不活泼。但是,氡在化学上并不是完全惰性的。1962 年人们确认存在一种二氟化氡的化合物。而且在化学上该化合物显然比其他具有反应性的稀有气体氪和氙的化合物更稳定。由于氡寿命短和它的放射性能量,因而难于对氡化合物进行详细的实验研究。氡原子序数 86。最稳定的同位素氡 222。熔点 - 71 °C。沸点 - 62 °C。密度(0 °C,1 大气压)9.73 克/升。化合价 0、+ 2(?)。电子组态 2,8,18,32,18,8 或(Xe)$4f^{14}5d^{10}6s^2 6p^6$。

Radowitz, Joseph Maria von 拉多维茨 (1797-02-06,不伦瑞克-沃尔芬比特尔哈茨山布芝肯堡[德意志]～ 1853-12-25,柏林) 普鲁士保守外交家,将军,第一个企图在普鲁士霸权(1847 年起)下统一德意志的政治家,比俾斯麦获得成功约早 20 年。曾在军事学校受教育。1823 年进入普鲁士军队,1830 年任炮兵参谋长。1836 年任普鲁士驻德意志邦联全权军事代表。他开始为改组邦联而努力,欲使普鲁士居于领导地位。1848 年 3 月至 1849 年 4 月,任法兰克福国民议会议员,为极右翼领袖。他提出建立普鲁士领导下的德意志联盟和以邦联形式与奥地利结合起来。遭议会拒绝。拉多维茨虽非内阁成员,却一手操纵外交政策,组成愿意接受普鲁士领导的德意志各邦联盟。1850 年他代表本国出席该联盟爱尔福特议会,要求各邦接受普鲁士的领导,但遭到奥地利、俄国以及德意志其他各邦甚至保守的普鲁士内阁的反对。唯一的支持者是腓特烈·威廉,1850 年 9 月拉多维茨出任普鲁士总理,准备开战,后在俄奥两国的压力下,普鲁士在奥尔米茨屈服(1850-11-29),战争得以避免。拉多维茨于 11 月 3 日辞职。1851 年退休,1852 年又出任军事教育总监。

radula 齿舌 复数形式有二,radulae 或 radulas。除双壳类外软体动物口腔内的角质丝带状结构。为一条可前后移动的膜带,上面有成行成列排列整齐的细齿。可以伸出口外,用以从表面刮取食物。膜带下方有齿舌软骨支持。位于齿舌前方的细齿不断磨损消失,由膜带后部产生新的齿替代。

Radziwiłł FAMILY 拉济维乌家族 波兰立-陶宛一重要王公家族,在波兰-立陶宛历史上起过重大作用。家族第一个著名人物为米科瓦伊一世亲王(1509 年卒),1492 年受封维尔诺的拉济维乌伯爵领主,从此世代相承。同时,他又任立陶宛的首相。其子米科瓦伊二世(1470 ～ 1522)继承父亲的两个职位，力主与波兰保持密切关系。神圣罗马帝国曾赐封他亲王爵位，企图使他改变这一立场。他有3个兄弟：耶日(1480 ～ 1541)于1531年任立陶宛军事指挥官；扬(1522年卒)为特罗基城堡主；沃伊切赫(1478 ～ 1519)是威尔诺主教。耶日的女儿巴尔巴拉(1520 ～ 1551)为波兰国王西格蒙特二世奥古斯特的王后，这就更加强了该家族在立陶宛的地位。扬之子黑米科瓦伊(1515 ～ 1565)1544年起任立陶宛元帅，1550年任首相，翌年为维尔诺的伯爵领主；他反对与波兰在政治上联盟，是该家族的加尔文教派中推动波兰和立陶宛进行宗教改革的第一人。另外几个推动宗教改革的人包括米科瓦伊(1512 ～ 1584，巴尔巴拉之弟)以及他的儿子、几个孙子、两个曾孙亚努什(1612 ～ 1655)和博古斯瓦夫(1620 ～ 1669)，最后两个人是该家族加尔文教派的最后一代，他们都希望立陶宛与信仰新教的瑞典重新联合。而黑米科瓦伊的后代则恢复信仰天主教，并支持波兰的反宗教改革派的政策。在18世纪中，拉济维乌家族的所有伯爵领主、首相和军事指挥官均一贯支持萨克森王朝为夺取和保有波兰王位的战争。直到20世纪，拉济维乌家族在波兰历史上仍发挥重要作用。其中最闻名的为政治家亚努什·拉济维乌(1880 ～ 1967)，他是波兰贵族的首领。

Rae, John　雷(1796-06-01，苏格兰阿伯丁郡阿伯丁～1872-07-12，纽约市)　苏格兰出生的美国经济学家、医生和教师。受教于阿伯丁大学和爱丁堡大学。1822年移居加拿大做过教员，也做过医生，对自然科学颇有造诣，但使他成名的是经济学上的贡献。他提出的经济发展理论，有不少论点受到人们推崇(主要是在他逝世后)。在资本理论中，雷分析了对机械的需求(机械具有正的，但是递减的边际生产率)；还探讨了转化为资本货物的储蓄的供应。在后一方面，他使用了时间偏好概念，分析了不同社会中影响资本积累意愿的社会文化因素。雷的著作对J.S.穆勒和J.A.熊彼特等均有较大影响。

Rae, John　雷(1813-09-30，苏格兰奥克尼群岛斯特罗姆内斯附近～1893-07-22，伦敦)　苏格兰医生和加拿大北极地区探险家。1829～1833年在爱丁堡大学习医。1833年

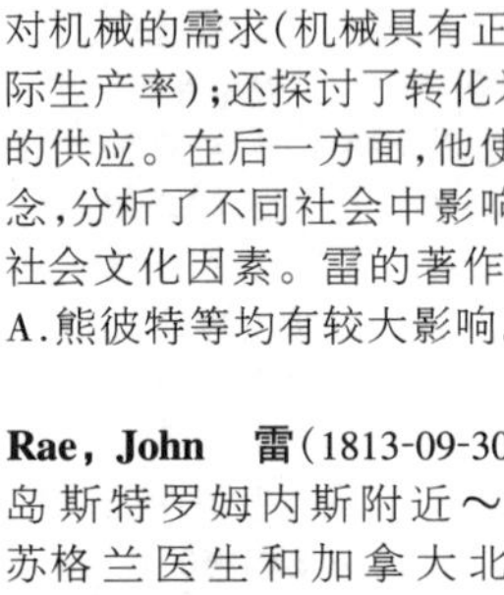

供图：BBC Hulton Picture Library

任哈得孙海湾公司船上医生，每年访问詹姆斯湾(在今安大略)的公司贸易站穆斯法克特里。两年后任商行常驻医生，任职达10年之久。1846 ～ 1847年开始对加拿大北极地区进行4次探险的第一次，测量了科米蒂和里帕尔斯两海湾，证实布西亚是个半岛。回到伦敦后第二次受命为理查森的副手领导去马更些与科珀曼两河之间的内陆寻找(1848 ～ 1849)失踪的富兰克林北极探险队。1849年哈得孙海湾公司派他管理马更些河地区事务。1851年他再率领另外一支探险队寻找失踪的富兰克林，在8个月期间旅行了约8 500千米，并绘制了维多利亚岛南岸1 127千米的地图。雷氏返回伦敦后，又于1853 ～ 1854年再度前往加拿大极地区域探险，测量了布西亚半岛，证实了“威廉王”地是座岛屿。在这次旅行中，雷氏在佩利贝得到爱斯基摩人提供的最新信息说富兰克林探险队成员们是因迷失方向和饥饿而死去。1856年雷氏从哈得孙海湾公司退休，以后主要住在伦敦。1860年和1864年，他参加在英国与美洲之间为敷设电报线而进行的陆上测量工作。雷氏以他非凡的体力和在极地生活的能力闻名于世，在极地考察中他总共走了23 000多英里。1880年被选为皇家学会会员。他的著作有《1846年及1847年北极海域沿岸探险记述》(1850)。

Rāe Bareli　赖伯雷利　印度北部北方邦赖伯雷利县县府、城镇。位于勒克瑙西南部，临赛河。为公路、铁路交会点和农产品贸易中心。工业有农产品加工与手工织布业。有一建于15世纪的要塞和其他古建筑。赖伯雷利县面积4 603平方千米，地处恒河与赛河平原。有大片森林及芒果林和紫金木林。农作物有水稻、小麦、大麦和粟。人口169 285(2001)。

Raeburn, Sir Henry　雷伯恩(1756-03-04，爱丁堡附近斯托克布里奇～1823-07-08，爱丁堡)　18世纪后期19世纪初期苏格兰主要肖像画家。1790年左右为妻子作像，性格刻画精美，简明动人。还为约翰爵士和克拉克夫

雷伯恩绘《麦克纳布》(约 1803 ～ 1813)
供图：John Dewar & Sons Ltd.，Scotch Whisky Distillers

人作双人像，试用不寻常的画法，即光线从被画者头后射过来。嗣后10年又作了数幅精采的肖像，如戏剧式的《约翰·辛克莱爵士》(约1794 ～ 1795)全身像，一身制服的苏格兰高地地主出现在山峦起伏的背景之前，十分富于浪漫气息，并预兆了著名的《麦克纳布》(约1803 ～ 1813)的产生。后者色调稍暗而光照更强。在他从事绘画生涯的最后10年，笔触稍柔和。1812年当选爱丁堡艺术家协会会长，1815年成为皇家学院院士，1822年受封为爵士。之后不久任苏格兰宫廷画师。

Raeder, Erich　雷德尔(1876-04-24，德国万茨贝克～1960-11-06，联邦德国基尔)　德国海军总司令(1928 ～ 1943)。进攻性海军战略倡导者，因其在第二次世界大战中的作用被判犯有战争罪。第一次世界大战时任德国巡洋舰队参谋长，1922年晋升海军少将，3年后晋升中将。1928年任海军总司令，提倡建造潜艇(而这是凡尔赛条约所禁止的)和快速巡洋舰，以满足德国海军的需要。第二次世界大战期间擢升为海军元帅。他首先提出入侵挪威的建议，并亲自督导入侵丹麦和挪威的作战计划和执行情况(1940)。他主张以地中海为主战区，而不是入侵英国和苏联，但未能成功。因在战略方面与希特勒意见相左，1943年1月被解除海军最高指挥权。1946年，雷德尔被纽伦堡国际军事法庭判处终身监禁，因健康情况不佳于1955年获释。

Raedwald　雷德沃尔德(?～616-627)　又拼Redwald。6世纪末至7世纪初英格兰的东英吉利的国王。泰蒂利之子。他一度承认肯特国王艾特尔伯赫特的最高统治权，但似已摆脱了肯特王国的束缚，控制了亨伯河以南除肯特以外的土地。他保护了外逃的埃德温(后成为诺森伯里亚国王)，同当时在位的诺森伯里亚国王艾特尔弗里思在诺丁汉郡雷特福德附近进行了血战。艾特尔弗里思于617年4月战败被杀。

Raemaekers, Louis　拉马克斯(1869-04-06，荷兰鲁尔蒙德～1956-07-26，斯海弗宁思)

拉马克斯1916年4月2日发表的漫画《孤注一掷》，画中描绘德皇和皇太子共同与死神赌命
不列颠博物馆供图

荷兰漫画家，以第一次世界大战时的反德漫画闻名。早期从事风景画和肖像画，1907年首次发表政治漫画。其战时作品真挚有力，在英、法、美等国发挥了振奋人心的作用。1916年以后，为了便于向协约国报界供稿，曾在英国住了几年。第二次世界大战期间也从事漫画工作。

Raetia　腊埃提亚　又拼 Rhaetia。又译雷提亚。古罗马的一个行省，包括现奥地利福拉尔贝格和蒂罗尔二州、瑞士东部各州以及德国巴伐利亚和巴登-符腾堡的部分地区。居民可能为伊利里亚人和凯尔特人混合血统。该地区公元前15年被罗马征服，成为帝国的一部分，因是意大利与多瑙河、高卢和巴尔干之间的交通枢纽而具有重要地位。作为一个边界省份，在日耳曼部落的压力下，其疆界一再变更。到450年，罗马仅控制该省的阿尔卑斯地区。

Raetian language　雷提亚语　前罗马时期居住在德国南部以及意大利、奥地利和瑞士各段阿尔卑斯山地区的古代雷提亚（腊埃提亚）人所操语言，根据一些碑铭而为人所知。有些学者从前认为雷提亚语处于凯尔特语和伊利里亚语中间的地位，也有许多学者现在却认为它是非印欧语系的语言。晚期的雷提亚语碑铭，特别是在意大利北部所发现者，似乎已在某种程度上受过埃特鲁斯坎语的影响。

Raeto-Romance dialects　雷提亚-罗曼语诸方言　参阅**Rhaetian dialects**雷提亚语诸方言。

RAF（United Kingdom）　参阅 **Royal Air Force, The** 英国皇家空军。

Raff, Joachim　拉夫（1822-05-27，瑞士苏黎世附近拉亨～1882-06-24或25，德国莱因河畔法兰克福）　全名 Joseph Joachim Raff。德国作曲家、教师，身前闻名遐迩，但在20世纪晚期几乎被遗忘。1840年成为学校教师，并自学钢琴、小提琴和作曲。早年作曲成果受F. 门德尔松和R. 舒曼影响，后加入F. 李斯特与R. 瓦格纳为首的新德国乐派；1850～1856年在魏玛当李斯特的助手。1856～1877年在威斯巴登任钢琴教师。他几乎是各种体裁的乐曲都写，是一位极其多产的作曲家，被同时代人普遍认为可与J. 勃拉姆斯和瓦格纳分庭抗礼。自1877年直至去世担任法兰克福高等音乐学校校长，备受尊重。作品有交响曲11部、各种乐器的协奏曲、歌剧、合唱和室内音乐以及钢琴曲。

Raffi　拉菲（1835，伊朗帕亚吉克～1888，俄罗斯帝国格鲁吉亚梯弗里斯）　亚美尼亚最负盛名的小说家。1872～1884年任校长和新闻记者。主要小说有《杰拉勒丁》（1878）、《傻瓜》（1880）、《大卫·贝克》（1880）、《金色的小公鸡》（1882）、《火花》（1883～1890）和《撒缪尔》（1885）。另有若干短篇小说和历史文章。他是强烈的民族主义者，对波斯和土耳其境内的亚美尼亚同胞的命运极为关切。作品具有丰富的想象力和叙述技巧。

Raffles, Sir Stamford　莱佛士（1781-07-06，牙买加莫兰特港附近海上～1826-07-05，英国伦敦）　英国在东印度群岛的行政官员、新加坡海港城市的创建者（1819），英国远东殖民帝国的奠基人之一。幼年家境贫困，14岁被迫辍学，进入东印度公司充当雇员供养母亲和4个姐妹。依靠自学，钻研科学，学习数种语言，尤其对博物学颇有兴趣。23岁时在新成立的槟榔屿政府任职。槟榔屿是英国在荷属东印度群岛的立足点，他钻研散居在群岛上的马来亚人民的语言、历史和文化，赢得了印度总督明托勋爵的赏识。当时正处于拿破仑利用爪哇为跳板，企图摧毁和中国交往的英国商船的危险时刻，明托任命莱佛士为代理人进行从海路入侵爪哇的准备工作。由于他杰出的工作，被明托任命为参谋，并随明托航渡爪哇。1811年8月6日远征军安全登陆，经与荷、法军队短期激战占领该岛。明托对他的成功备加称赞，同年9月宣布他为爪哇的代理总督。

伦敦维多利亚和艾伯特博物馆供图

不久明托前往加尔各答，年仅30岁的莱佛士不仅担负起管理爪哇而且担负起管理数百万居民的群岛殖民地的任务。为了改变荷兰殖民地制度，他进行了大量改革，改善了当地土著人民的生活条件。但是改革耗资甚大，对一个以营利为目的贸易公司来说负担过重，因而改革大折。由于健康不佳，妻子亡故，1816年3月被召回国。此后，他虽被选为皇家学会会员，1816年受爵士荣衔，但未能重新取得东印度公司当权者的信任。他再度置身东方事务，在担任苏门答腊西岸明古鲁代理总督时，鉴于荷兰重新控制海峡诸岛推行商业垄断政策，决定另向东南亚发展英国势力。他凭藉深广的东方知识和卓越的口才，使当时印度总督黑斯廷斯相信，为了保障英国贸易，必须马上采取有力行动。1818年12月奉黑斯廷斯之命，在马六甲海峡东面建立前哨基地，开辟了向中国海扩张的通道。1819年1月签约兴建新加坡港。1823年1月正式宣告新加坡为自由港。根据1824年3月条约规定，荷兰放弃对新加坡的一切要求。这时莱佛士健康状况更趋恶劣，1824年返回伦敦，被誉为东方学专家，并资助建立伦敦动物园，当选为第一任园长。

Rafflesiales　大花草目　显花植物的一目，含3科：大花草科（Rafflesiaceae）、软刺花被草科（Hydnoraceae）和帽蕊草科（Mitrastemonaceae），60种。但在有些分类系统中，帽蕊草科不列入本目。本目以严格寄生于其他植物的根或茎上，适应于此种营养方式而生长形式特异等特征而著名。本目大部分植物的营养器官极度退化和变形，植物体变成由细胞组成的细线状，几乎完全生活于寄生植物的组织中，如大花草科；或成为粗壮的匍匐生长于地下的器官，称为假根状茎，如软刺花被草科。均无公认意义上的绿色光合组织、叶、根或茎，但有些种具退化的鳞片状叶。本目植物的花发育良好，大小差异极大，从极微小到极大。阿诺德氏大花草（*Rafflesia arnoldii*）生长在马来西亚深山密林里，寄生于葡萄科粗大的藤本——岩爬藤属（*Tetrastigma*）植物的根部。阿诺德氏大花草的花是已知最大的花，生于地面，肥厚、肉质、裂片5；重量达11千克，直径近1米，花期5～7天，散发恶臭的气味，吸引大量嗜腐肉的蝇类以便传播花粉；淡红或紫棕色有时呈杂色，花蕊在中央杯内。果实为浆果，内含带黏性的种子，可能由食其果实的啮齿动物散播。大花草科多分布在东半球亚热带。包括毛柱草属（*Pilostyles*）22种，*Bdallophytum* 属4种，*Apodanthes* 属5种，大花草属（*Rafflesia*）12种，*Cytinus* 属6种，*Rhizanthes* 属1或2种，寄生花属（*Sapria*）1或2种。与大花草属的大花对比鲜明的是北美西南部沙漠的 *Pilostyles thurberi*，寄生在 *Dalea* 属和豆科的一些灌木种的茎部，在寄主外的部分总长（包括花和柄）仅5～6毫米。软刺花被草科有2属，软刺花被草属（*Hydnora*）产于热带非洲、非洲南部和马达加斯加，12种。*Prosopanche* 属产于南美巴拉圭和阿根廷，6种。该科与大花草科不同之处是具两性花，完全无叶。软刺花被草属，寄生在金合欢属（*Acacia*）和大戟属（*Euphorbia*）植物的根部，*Prosopanche* 属寄生在牧豆树属（*Prosopis*）植物的根部。该科靠甲虫传粉。帽蕊草科仅含一属：帽蕊草属（*Mitrastemon*）2种，亦无叶绿素，寄生于植物根的外部。

阿诺德氏大花草（*Rafflesia arnoldii*）
供图：Edward F. Anderson

Rāfiḍah　拉菲达派　又称拒绝派。广义指反对穆罕默德的两位继承人艾卜·伯克尔和欧麦尔任哈里发的什叶派信徒。但许多穆斯林学者认为，此词特指什叶派中拥护阿里继承穆罕默德的神圣权力而否认艾卜·伯克尔和欧麦尔为穆斯林社团合法统治者的极端分子。也有人认为，拉菲达派与古拉特派和栽德派共为什叶派的三个主要支派。

Rafinesque, Constantine Samuel　拉菲内斯克(1783-10-22,土耳其加拉塔～1840-09-18,美国宾夕法尼亚费城)　博物学家、旅行家、作家,对植物学和鱼类学作出重要而有争议的贡献。在欧洲从家庭教师学习多种语言期间,他广学博览,逐渐对博物学产生浓厚兴趣。1802～1805年去美国旅行,后到西西里任出口商,研究植物和鱼类的自然史,直至1815年回美国。1818年任肯塔基州列克星敦的特兰西瓦尼亚大学教授,不久即成为一名杰出的教师。1825年创立一所植物园。翌年移居费城,在富兰克林学会执教,并抓紧一切机会继续旅行和野游。他认为物种中的每一变种都是"偏离正轨"的,通过繁殖可发展成为一个永久的种。这点在某种程度上先于达尔文的进化论学说。他通过在美国宣传A.L.朱西厄的植物自然分类法(这种方法与林奈描述性的强调繁殖器官的系统明显不同)进一步表明了自己的独立见解。拉菲内斯克在世时,他的科学能力受到公认,但有时他工作不细致,又喜欢建立新属和新种,因此也受到严厉的批评。他一生中广泛旅行,到处采集标本,不停地著书立说。发表950篇有关博物学、银行学、经济学、《圣经》及诗等方面的论著。

Rafsanjani, Hashemi　拉夫桑贾尼(1934,伊朗拉夫桑詹～　)　全名阿里·阿克巴·哈希姆·拉夫桑贾尼。伊朗宗教人士、政治家,1989～1997年任伊朗总统。拉夫桑贾尼是伊朗克尔曼地区拉夫桑詹镇一位富足农人之子,1948年迁居什叶派圣城库姆以求在宗教上深造,1958年成为霍梅尼的门徒,后成为霍贾托利斯兰,这在什叶派里是仅次于阿亚图拉一级的第二高位。拉夫桑贾尼同霍梅尼一样,反对国王巴列维的现代化计划。1962年霍梅尼被驱逐出国,拉夫桑贾尼是在伊朗国内为他筹募资金的主要人物。他自1975～1978年在伊朗国内受监禁,罪名是与左翼恐怖主义分子有牵连。1979年国王被推翻,霍梅尼返国,拉夫桑贾尼为霍梅尼的主要副手之一。他参与建立伊斯兰共和党,参加革命委员会,在革命初期任代理内政部长。1980年当选议员,同年任议会议长。其后9年间在议会中发言起主导作用,逐渐上升而成为伊朗政府中第二号有势力人物。他直接参与指挥伊朗对伊拉克的战争(1980～1990),参与劝说霍梅尼同意缔结1988年8月的停火协定,结束战争。1989年6月霍梅尼去世后,拉夫桑贾尼于7月以压倒多数当选为伊朗总统。伊朗总统本来实权不大,拉夫桑贾尼上任后迅速加强权力,并表现出成功的政治技巧,克服伊斯兰教强硬派的抗阻,推行他的务实政策。他主张缓解伊朗在国际上的孤立状态,恢复与欧洲的关系,作为策略的一部分,利用外国投资和自由企业,振兴伊朗饱受战争摧残的经济。

raft　筏　用圆木或木板捆扎在一起形成的漂浮平台,是船最简单的形式。最早的筏有时用成捆的芦苇做成。多数的筏只能随水飘流。但也可装上桨、帆,在海上作长距离航行。1947年,挪威科学家T.海尔达尔曾乘大型轻木筏"康-提基"号(**Kon-Tiki**)航行,用3个半月从秘鲁驶抵塔布提附近的岛屿。印度的双体筏也适于海上航行。在各种大船上,硬式筏或充气筏都常用作救生艇的补充。充气筏也用于飞机上,以便在水上迫降时用,或空投给海上遇难者使用。

RAG Aktiengesellschaft　鲁尔集团　原称鲁尔煤矿公司(1969～1997)。德国最大的煤业公司,1969年为加强鲁尔区的采煤活动而创立。它提供德国煤总产量的1/10以上。主要的销货市场是钢铁工业。在20世纪70和80年代,世界经济衰退,钢铁生产不振,公司大受影响。该公司现在还为公用事业服务,并同德国电力主管部门签订了长期供货协议。总公司设在埃森。1997年更名为鲁尔集团。到21世纪初,仍是德国主要的煤炭生产公司,在化学、塑料、能源方面也有投资。

rag worm　沙蚕　又作clam worm。多毛纲沙蚕属(*Nereis*)环节动物。多数海产,少数为淡水产。长2.5～90厘米,一般褐色、鲜红或鲜绿。可能是最高级的环节动物,头部

沙蚕(*Nereis*)
供图:Walter Dawn

有锐利可伸缩的颚。身体第1节有两根短触手和4只眼,第2节有4对触手状须。体节数可超过200。除前2节外,各有一对疣足,用于移动。用鳃呼吸。主要食其他蠕虫及海产小动物。临近生殖季节时,多数种类体后部因有精子或卵而膨大。通常在夜间离开海底浅洞穴到近海面处排出性细胞。受精卵孵出球形幼体。有些种在洞内生殖。雌体排卵后即死去,并被雄体所食,由雄体孵卵。有的种雌雄同体,自体受精。北美最常见的种为沼生沙蚕(*Nereis limnicola*),分布于太平洋及大西洋沿岸。绿沙蚕(*N. virens*)可长达80厘米,分布于北大西洋两侧。

Raga (island, Vanuatu)　拉加　参阅**Pentecôte 彭特科特**。

raga　拉加　梵文原意为"色彩"或"激情"。印度和巴基斯坦音乐中的曲调框架,由一组特定的音(通常5～7个)和独特的节奏型构成,供即兴演奏之用。一个拉加的基本组成部分可写成一种音阶形式(上行与下行往往不同)。表演者由于只运用这些音,并有重点地突出这音阶中的某些音级,亦由于用拉加特有的各种方法一音一音地进行,从而创造出与所要表现的拉加相一致的情绪或气氛。不同拉加所唤起的感情,对西欧听众来说,有如大调或小调乐曲所表现的不同情感。但拉加所规定的情绪范围是极其广泛的,印度现在用的拉加有几百种之多(理论上可能有上千种)。对印度音乐家而言,每一首拉加只适用于白天或黑夜的一个特定时刻。拉加的演出通常持续半小时或更长一些时间,它可以是全部即兴演奏,亦可以是将即兴演奏与一首熟记的作品结合起来。参阅 **ālāpa; Carnatic music; Hindustani music**。

Raghunātha Śiromaṇi　罗怙那陀·室罗摩尼(约1475,印度孟加拉纳瓦德维帕～约1550)　印度哲学家,逻辑学家。经过他的努力,作为印度形式逻辑的最高阶段的新正理派分析方法发展到极盛时期。通过他对关系的分析,可以看出与自然现象的抽象密切相关的数的真正性质。他运用形而上学研究复合实在体的否定或不存在。罗怙那陀有关逻辑学的名作是为新正理派创始人群主的《物本性论》所写的一部评注之作,题名《物本性论注疏》。

Raglan (of Raglan), FitzRoy James Henry Somerset, 1st Baron　拉格伦男爵(第一)(1788-09-30,英格兰格洛斯特郡巴德明顿～1855-06-28,俄罗斯克里米亚塞瓦斯托波尔附近)　即F.J.H.萨默塞特。英国陆军元帅。在拿破仑战争期间和以后任威灵顿公爵的军事秘书。1852年任军械长,受封男爵。1854年英国对俄国宣战后,他奉命率兵去土耳其,

伦敦维多利亚和艾伯特博物馆供图

后前往克里米亚。在巴拉克拉瓦战役中(1854-10-25),由于他发布的命令含糊不清,造成英国轻骑兵旅的重大伤亡,而遭致批评。他在盟军再次围攻塞瓦斯托波尔惨败(1855-06-18)后不久死去。拉格伦的名字被用来称插肩袖大衣(raglan sleeve),约始于1855年。

Ragnar Lothbrok　朗纳尔·洛德布罗克(活动时期9世纪)　又拼Regnar(或Regner)Lodbrog。中世纪欧洲文学中的北欧海盗英雄。据盎格鲁-撒克逊编年史记载,他有3个儿子,名叫哈尔夫丹、因瓦尔和胡巴。他们为报杀父之仇,曾率领北欧海盗,于865年入侵东英格兰。在朗纳尔死后数百年间,欧洲文学中围绕着他的名字有很多传说。据丹麦历史学家萨克索的《丹麦史绩》(约1185)所述,朗纳尔是9世纪的丹麦国王,曾多次用兵,包

括与神圣罗马帝国查理大帝的战争。根据萨克索的历史传说,朗纳尔最后被诺森伯里亚的盎格鲁-撒克逊人国王艾拉所俘,扔进蛇坑里死去。12 世纪冰岛的诗篇《克拉库马尔》对他的死作了浪漫主义的描述。关于朗纳尔和他的儿子们的活动,在奥克尼群岛的诗篇《哈塔里基尔》中有所叙述。

Ragnarök 世界末日 古诺尔斯语,一译拉格纳勒克。特指斯堪的纳维亚神话中神和人的末日。全面描述这世界末日的,只有约 10 世纪末的冰岛叙事诗《沃卢斯帕》(即《西比尔的预言》)和 13 世纪 S. 斯图鲁松(1241 年去世)所写的《散文埃达》。根据这两个文献,在世界末日到来之前,是严酷的冬天和道德的混乱。从四面八方迫近的巨人和魔鬼将向诸神发动进攻,诸神将起而应战并英勇战死。太阳行将昏暗,众星消失,大地沉入海中。后来,大地将再次隆起,无辜的巴尔德尔将死而复生,无数正直的人将生活在金顶的厅堂里。对世界末日的概念多种多样。如据一首诗所说,世界之树没有被摧毁,它生出两个人,即利夫和利夫特拉西尔(生命和活力),他们使大地重新繁衍人类。

ragtime 雷格泰姆 一种有推动力的切分节奏的音乐风格,是爵士乐的先导,约 1899 ~1917 年美国流行音乐中最主要的音乐风格。19 世纪最后 10 ~ 20 年中,由密西西比河和密苏里河畔小城镇中低级酒吧间里的钢琴师们发展形成。黑脸歌唱团表演、黑人班卓琴风格和黑人步态舞的切分音舞蹈节奏,以及欧洲音乐因素都对它产生过影响。它以4/4或 2/4 拍的节奏在左手作有规则的重捶与快而富有生气的右手切分旋律相对立,赋予音乐以有力而向前的推动力。被称为"雷格泰姆之王"的 S. 乔普林于 1899 年出版了早期雷格泰姆作品中最成功的乐曲《枫叶雷格曲》。他认为雷格泰姆是古典音乐中的一个持久而严肃的分支,以这一风格创作了数百首短小乐曲、一套练习曲及几部歌剧。其他重要的雷格泰姆演奏家有圣路易斯城的 L. 乔文和 T. M. 特平、新奥尔良的 T. 杰克逊等。

Ragunan Zoological Gardens 拉古南动物园 又称雅加达动物园。东南亚的著名动植物园,位于印度尼西亚雅加达。建立于 1864 年,占地 4 公顷,20 世纪 60 年代末迁至更加开阔的新址。现由印度尼西亚政府经管。拥有约 450 种动物,超过 3 500 只。在 200 公顷的公园场地上展出。动物种类中有猩猩、苏门答腊羚和其他稀有的印度尼西亚动物。

Ragusa 拉古萨 意大利西西里岛东南部拉古萨省省会、城市和主教区。位于锡拉库萨西面,伊尔米尼奥河谷上方海布莱山区。旧下城与新上城中有一斜坡分开。1091 年起拉古萨为一独立伯爵领地的中心,1296 年与莫迪卡独立伯爵领地合并。1693 年旧城毁于地震。新城建在旧址西面,1926 年两城合并。市内宏伟的巴罗克式建筑有大教堂(1706 ~ 1760)和圣乔治教堂(1738 ~ 1775)等。唐纳富加塔宫收藏有绘画。为沥青开采中心。20 世纪 70 年代成为意大利主要石油矿区。有沥青和水泥等制造业。也是农业中心。人口:城市区约 68 850(1990)。

Ragusa(Croatia) **拉古萨** 参阅 **Dubrovnik** 杜布罗夫尼克。

ragweed 豚草 菊科豚草属(*Ambrosia*)杂草,约 15 种。多数种原产于北美。一年生,茎被毛。叶多分裂。花不明显,稍带绿色,聚生成小型的头状花序;雄花生于枝端,头状花序排列成穗状;雌花生于上叶腋。普通豚草即具艾叶豚草(*A. artemisiifolia*),遍布北美大陆,通常高达 1 米,叶薄,对生或互生,分裂甚多。大豚草(*A. trifida*)即三浅裂豚草,原产地在从魁北克到不列颠哥伦比亚并南至佛罗里达、阿肯色及加利福尼亚,高0.9~5米,

大豚草(*A. trifida*)
供图:Louise K. Broman—Root Resources

叶 3 ~ 5 裂。普通豚草及大豚草均为一年生,常变成有害的杂草。夏末产生大量花粉,这些花粉是北美东部及中部干草热的主要病原。因为这些种类为一年生,如果在它们散出花粉之前即彻底割除,则消灭豚草亦不难。

ragwort(plant) 参阅 **groundsel** 千里光。

rahbānīyah 出家制 伊斯兰教教义学名词。关于出家制是否可行,教内众说纷纭。此词在《古兰经》中仅出现一次,即第 57 章 27 节:"我使他(指尔撒即耶稣)的信徒们心怀仁爱和怜悯。他们自创出家制——我未曾以出家为他们的定制——他们创设此制,以求真主的喜悦。"对于此段经文解释不一,但穆斯林一般赞成禁欲苦修,因而同意出家制。又据传先知穆罕默德曾说:"伊斯兰不要出家制。"另据圣训,穆罕默德曾说:"你们不要扰乱真主,真主也就不扰乱你们。有人自扰,真主也就扰乱他们。他们喜欢隐居出家。"据许多圣训学家的意见,这些话是编造出来的,编造者认为伊斯兰教并不禁止出家苦修,只反对模仿基督教徒脱离俗界。

Rahīmyār Khān 拉希姆亚尔汗 巴基斯坦旁遮普省南部城镇。1751 年始建。有公路和铁路与巴哈瓦尔布尔、木尔坦、苏库尔相通。为发展中工业中心。设有一座大型体育馆和旁遮普大学行政学院。主要农作物为棉花、小麦、水稻和椰枣。人口 228 479(1998)。

Rahman, Mujibur 拉赫曼(1920-03-17,印度通吉巴拉~ 1975-08-15,孟加拉达卡) 又名谢赫·穆吉布。孟加拉人领袖,孟加拉国第一任总理(1972~1975),后为总统(1975)。

供图:F. O.—Nancy Palmer Agency

中等地主家庭出身,曾在加尔各答大学和达卡大学学习法律与政治学。虽在少年时因鼓吹印度独立遭到短期监禁,但正式政治生涯则始于 1949 年参加创建人民联盟。该联盟主张和巴基斯坦不连在一起的东部国土东巴基斯坦在政治上实行自治。60 年代后期被捕。他的被捕激起群众暴动,使巴基斯坦总统在东巴基斯坦丧失了威信。1970 年 12 月的选举中,拉赫曼的人民联盟赢得了在国民议会中的多数议席,他要求东巴基斯坦独立。西巴基斯坦派兵去重新控制东部省份,但在印度的帮助下,东巴基斯坦将他们击败。1972 年 1 月孟加拉宣布为独立的共和国,拉赫曼为第一任总理。由于问题日益增多,拉赫曼采取了更加严格的控制,并于 1975 年 1 月出任总统。但仅 7 个月之后,他和他的大多数家人在一次政变中一起被杀。他的女儿瓦吉德夫人政变期间不在国内,幸免于难,于 1996 ~ 2001 年担任总理。

Rahman, Tuanku Abdul(Malayan ruler) **拉赫曼** 参阅 **Abdul Rahman, Tuanku** 拉赫曼(端古)。

Rahman, Tunku Abdul(prime minister of Malaysia) **拉赫曼** 参阅 **Abdul Rahman Putra Alhaj, Tunku** 拉赫曼(东古)。

Rahner, Karl 拉纳(1904-03-05,德国巴登布赖斯高地区弗赖堡~ 1984-03-30,奥地利因斯布鲁克) 德国耶稣会司铎,被公认为 20 世纪天主教最杰出的神学家。他把存在主义的个人人格至上哲学与托马斯·阿奎那的现实主义结合起来,认为人是在上帝的最终决定作用的范围内发挥主观能动性。拉纳于 1932 年受神职。他曾在弗赖堡大学肄业,在因斯布鲁克大学获博士学位,先后任因斯布鲁克、慕尼黑、明斯特等大学的教师。出版的许多书籍强调现代天主教教义与其原始解释之间

的连贯性。主要著作有《世上的灵》(1939)及《传教与救恩》(3卷,1966)等。

Rahr Plains 拉尔平原 恒河下游平原的一部分。在印度东部西孟加拉邦,面积约32 000平方千米。除北部多山外,地势基本平坦。多见娑罗双、金香木、洋槐等落叶雨林和月桂、兰花及巨大藤蔓等植物。北部密林为独角犀、象和老虎的栖息地。帕吉勒提河、达莫德尔河与阿贾伊河流经该区。经济以农业为主,生产谷物、豆类、油籽、水果、蔬菜、槟榔子、椰枣和茶叶。拉尼根杰煤矿及其附近铁矿、铜矿、铅矿、锌矿就近向阿散索尔与杜尔加布尔两个主要钢铁业联合体提供原料。其他工业产品有棉、黄麻、丝织品,以及纸张、药品、化肥、自行车、机车和汽船。杜尔加布尔、阿散索尔、布德万、班古拉、米德纳布尔和苏里为主要城镇,均有公路和铁路相通。

Rahv, Philip 拉夫(1908-03-10,俄罗斯帝国乌克兰库平～1973-12-22,美国马萨诸塞剑桥) 乌克兰出生的美国评论家。与W.菲利普斯合作于1933年创办文学和社会思潮评论刊物《党派评论》。1922年移居美国,曾给《新群众》、《民族》、《新共和》及《新领袖》等杂志撰稿。著有《文学题材短论14篇》(1949)。编辑过许多书,包括《党派评论读本》(1946,与菲利普斯合编)、《欧洲的发现:美国人在旧大陆的经历》(1947)、《美国文学》(1958)、《时髦的职业》(1966),以及H.詹姆斯、L.托尔斯泰和其他作家的短篇小说集。

Rai 拉伊人 又称坎布人(Khambu)。尼泊尔东北部土著部落,居住在阿润河以西孙科西河流经的地区,海拔在1 700～2 300米之间,另有一部分住在不丹的西南部,是基兰蒂民族中人口最多的部落。20世纪末人口约有232 300,属藏-尼血统,操基兰蒂语。他们和林布人及马加尔人给英-印陆军部队的廓尔喀大队提供大半兵源。拉伊人以农业为生,也饲养牲畜,主要种植稻谷、玉米、粟稷。他们在山上开梯田,种水稻,在干稻田里建石砌住房,以谷物和水牛皮与夏尔巴人交换食盐及其他农产品。基本的经济政治单位是亲族集团,其中包括几个族内婚亚支。拉伊人受佛教和印度教双重影响,但是仍保留其传统信仰,礼拜当地的神祇及其同祖先。拉伊人被认为仅在最低种姓之上,在政府兴办各项事业中受惠较少。

Rai (Iran) 参阅 **Rayy** 赖城。

Raiatea 赖阿特阿 南太平洋中部社会群岛的背风群岛中最大岛,属法属波利尼西亚。面积238平方千米。为多山的火山岛。主要居民点乌图罗阿是背风群岛的行政中心和新喀里多尼亚与塔希提之间过往船只定期停靠港,有服务业、轻工业和发电厂。该岛出产椰干、珍珠母、木棉、柑橘、香草和烟叶。人口8 560(1988)。

Raibolini, Francesco di Marco di Giacomo 拉伊博利尼 参阅 **Francia** 弗朗奇亚。

Raichūr 赖久尔 印度南部卡纳塔克邦城市。市内有建于海拔88米高山丘上的宫殿城堡(1294)和要塞(约1300)。1498年为独立的比贾布尔王国首都。现为中央铁路干线上的商业中心。产品有油籽、棉花、肥皂等。设有卡纳塔克大学商学院和德赛学院。人口约205 634(2001)。

Raiganj 赖根杰 又拼Rayganj。印度东北部西孟加拉邦北部城市。临库利克河。为重要农产品贸易中心与黄麻输出中心。有公路通英吉利巴扎尔和迪纳杰布尔(在孟加拉)。碾米为当地重要行业。该地还设有北孟加拉大学的一所分校。人口165 222(2001)。

Raigarh 赖格尔 印度西部历史上著名地区,位于孟买市以南。原为切蒂斯格尔诸邦中的一个王子邦。虽为贡根沿海平原的一部分,但地形起伏。崎岖的横向丘陵从东部西高止山脉的萨希亚德里丘陵的陡坡伸向西部阿拉伯海沿岸的峭壁。沿岸峭壁被间歇河的河谷所分割,大部分农业就集中在这些河谷中。稻米和椰子为主要农产品。沿海渔业与制盐占重要地位。贡根海岸的赖格尔地区早在公元前3世纪就建立了与希腊进行对外贸易的港口。该地区还有好几座古代佛教山洞寺庙,分别在巴尔、戈尔、古达、贡丹、安比乌利,以及象岛上的赛瓦伊山洞。该地区在17世纪成为马拉塔的要塞。20世纪后期人口大量流向孟买,该地区北部迅速工业化。主要工业有纸浆、化学制品与机械等部门。科波利与本韦尔为主要工业中心。阿里巴格是主要城市。著名的马泰兰胜地和拉耶格德要塞(国王要塞)都在这一地区。

Raigarh 赖格尔 印度中部中央邦东部城市。位于默哈讷迪河的支流盖洛河西岸。为前赖格尔王子邦的首府。为主要铁路枢纽。有黄麻缩绒和手工织布业。周围地区的主要农产品为稻米、油籽和豆类,林业和养蜂业也很重要。开采煤、石灰石、铁矿和铝土。人口110 987(2001)。

Raikes, Robert 雷克斯(1735-09-14,英国格洛斯特郡格洛斯特～1811-04-05,格洛斯特) 英国新闻记者、慈善家和主日学校运动的先驱。他的慈善事业是从关怀监狱改革开始

伦敦维多利亚和艾伯特博物馆供图

的。父为印刷商和报纸(《格罗斯特日报》)发行人。1757年,雷克斯接管父亲的生意。他参加监狱改革和医院护理等人道主义事业。他注意到格罗斯特的孩子们在星期日无人照管的情况,于1780年聘请许多妇女在每星期日教孩子们学习课本和教理问答。这一试验极为成功,使他能够在1783年11月3日的《格罗斯特日报》上报道说:本地"每礼拜日已经完全成为天堂"。主日学校运动迅速推广到英国所有地区。1785年成立主日学校协会。主日学校联合会(1803年成立)是雷克斯的工作的直接成果。

Raikin, Arkady Isaakovich 拉伊金(1911-10-24,俄罗斯帝国拉脱维亚里加～1987-12-17) 苏联喜剧演员和杂耍表演者,20世纪苏联最受欢迎和尊敬的幽默大师之一。1935年从列宁格勒戏剧技巧学校毕业之后,拉伊金在国立剧院和杂耍团工作。1939年他开办自己的列宁格勒杂耍和小型讽刺剧剧团,上演朴实的说教剧和讽刺小品(被称作"小型讽刺剧")。许多年里他到苏联各地巡回演出,偶尔也去国外演出,但在1984年之前他一直把列宁格勒作为基地。1984年他把剧团迁至莫斯科,并改组为"讽刺剧团"。拉伊金在他的喜剧中,巧妙地嘲讽了官僚政治、官员的粗暴和腐败、苏维埃机构办事缺乏效力、消费品短缺、政治禁忌、黑市买卖和在苏维埃社会中出人头地所必需的各种日常策略。他使用了幽默小品、滑稽短剧、独白场面及各种模仿。尽管戏的题材敏感,身为犹太人的他又处在反犹时代,他还是得到了民间和官方的一致赞扬。1968年拉伊金得到人民艺术家的头衔,1981年又被授予社会主义劳动英雄称号,这是苏联授予平民的最高奖。

Raikō(Japanese hero) 参阅 **Yorimitsu** 源赖光。

rail 秧鸡 鹤形目秧鸡科100多种身材纤细的沼泽鸟类。形状稍似鸡,翅短圆,尾短,脚大,趾长。除高纬度地区外,遍布全球。体型大小变化很大;小者如麻雀,体长约11厘

弗吉尼亚秧鸡(*R. limicola*)

供图:John H. Gerard from The National Audubon Society Collection/Photo Researchers

米;大者如小鸡,体长约45厘米。栖于稠密的草丛中,鸣声响亮,夜间尤然。许多种是人所爱猎的鸟类,受惊时勉强起飞,飞一个短距离,又落到地面。身体细瘦,便于穿过芦苇和沼泽草丛。体羽主要为暗灰褐色。许多种类具有隐晦的横斑。短嘴种类常被称为田鸡。在美国为人捕猎的有:王秧鸡(*Rallus elegans*)大小如小鸡,红褐色;长嘴秧鸡(*R. longirostris*)色更灰;弗吉尼亚秧鸡(*R. limicola*)红褐

色，体长约 25 厘米；还有黑脸田鸡（参阅 **crake**）；黄田鸡（*Coturnicops noveboracensis*）体小，黑秧鸡（牙买加南美田鸡，*Laterallus jamaicensis*），产于美洲，均数量太少，个体太小（约 15 厘米），人们对它不感兴趣。长脚田鸡（谷地田鸡，*Crex crex*）广布于欧洲。数量虽不多而分布范围更广（伸展到非洲北部）的是水秧鸡（普通秧鸡，*Rallus aquaticus*）体细瘦而有淡红色的长嘴。几个不能飞行的种类分布于离陆地的海岛上：呆秧鸡（伊纳克塞瑟布尔岛秧鸡，*Atlantisia rogersi*）体小，仅见于南大西洋的特里斯坦-达库尼亚群岛中的伊纳克塞瑟布尔岛；新西兰短翼秧鸡属（*Gallirallus*）的两个种（有些人认为只是同一种——南方新西兰短翼秧鸡［*G. australis*］）分布于新西兰，体大小如小鸡。

英语中，同科的蹼鸡和额角秧鸡（水鸡）有时亦称 rail。关于本施氏秧鸡（Bensch's rail，不是真正的秧鸡），参阅 **mesite**。

rail-babbler　木鹟　雀形目木鹟亚科（Orthonychinae）的鸣禽。或归入画眉科或鹟科画眉亚科（Timaliinae）。英语中 rail-babbler 一词亦指头小、颈细、脚长、尾翘起、貌似秧鸡的鸟

蓝腹木鹟（*Eupetes leucostictus*）
绘图：John P. O'Neill

类。木鹟与秧鸡完全不同，脚小，嘴颇似鹟，羽衣基本上为黑色、蓝色或浅红色；见于马来西亚到新几内亚的密林中。

railroad　铁路　一种陆地运输工具。装有凸缘轮的车辆，由机车牵引或自备动力，在两根平行的钢轨上行驶。铁路的特点是车轮在钢轨上的滚动摩擦甚小，因此载重量大，而所需的功率相对较小，毛重 1 吨仅需功率约 1 马力；如用汽车运输则需 10 马力。轨道车辆始于 16 世纪，最早在矿区使用，由人力或畜力牵引，直到 1804 年在威尔士制成第一辆蒸汽机车，才出现了现代铁路。早期的机车受到铁轨的质量差、设备的效率和可靠性低的影响，经工程师 G. 斯蒂芬森等人在轨道材料、设计和技术上改进后，铁路便进入实用阶段。1825 年 9 月开始运营的斯托克顿一达灵顿铁路首先同时行驶客车和货车，利物浦一曼彻斯特铁路于 1830 年采用斯蒂芬森的"火箭"号机车，可认为是进入铁路时代的开端。到 1841 年英国建成的铁路长达 1 300 多英里（2 100 多千米）。19 世纪铁路发展迅速，成为世界各国经济和社会生活中的主要交通工具。多数欧陆国家仿照英国铁轨内侧相距 4 英尺 8.5 英寸（1.435 米）的标准轨距，但俄国和芬兰的轨距为 5 英尺，葡萄牙和西班牙为 5 英尺 6 英寸，美国也采用英国的标准轨距。起先所有的机车都用蒸汽作动力，到 20 世纪中叶柴油-电力机车在多数铁路上取代蒸汽机车。各种不同类型的车辆被用来运输乘客和货物：货车有棚车、高边敞车、底卸车和平车，特种货车有罐车、牲畜车、封闭式底卸车和冷藏车；客车包括座车、餐车和卧车。20 世纪初铁路达到成熟阶段，在世界各工业化国家中陆运大宗货物和大量旅客。但到了 20 世纪中期，特别是在美国，私人汽车用于短途旅行，飞机用于长途旅行，铁路因此丧失其优越地位；不过铁路仍用于在大城市中心区与郊区之间运输大量上下班的乘客，以及在相距 300 英里以内中等距离的城市之间运送旅客。虽然一般货运业务大部分已改由载重汽车承担，但长途运输大宗商品如煤炭、谷物、化工品和矿石等方面铁路仍不失为最佳运输工具。集装箱化的发展，使铁路在加速运输制成品方面具有更高的效率。此外，采用专门设计用于长途运输卡车拖车的平车，也使铁路夺回某些已失去的市场。

Railway Express Agency, Inc.　铁路捷运代理公司　参阅**REA Express, Inc.** REA捷运公司。

Raimar, Freimund　赖马尔　参阅**Rückert, Friedrich** 吕克特。

Raimondi, Marcantonio　拉伊蒙迪（约 1480，意大利博洛尼亚附近～约 1534，博洛尼亚）　别名 Marcantonio。意大利文艺复兴时期铜版画大师。其版画在向整个欧洲传播文艺复兴盛期的风格方面起过很大作用。早期版画《皮拉姆斯和西斯贝》（1505）中的人物、衣饰和布局带有其师弗兰西亚的影响，而风景背景及运用明暗方面则带有路加斯·范·莱

拉伊蒙迪绘《在基督遗体前哀悼的圣母》
芝加哥美术学院供图

登的版画影响。他也在学习丢勒的遒劲线条及其交叉阴影线方面获益。1510 年赴罗马，从事复制拉斐尔、米开朗琪罗及其门徒的作品。其最佳版画如《屠杀大批无辜者》等，是在结识拉斐尔后所作。这些版画保持了拉斐尔的理想化人物形象，但在可以表现自己风格的地方（修饰与阴影，背景与风景），也能精熟自如地运用其雕刀。在摹刻拉斐尔作品的后几年，具有较冷静、粗放地运用明暗及较不受拘谨的设计。

Raimundo, Don　雷芒多（?，法兰西～1152，卡斯蒂利亚托莱多［西班牙］）　英语作 Don Raymond。西班牙高级神职人员。在国王阿方索六世（自 1065 年为里昂国王，自 1072 年为卡斯蒂利亚国王）统治期间，许多法兰西克吕尼会修士在伯尔纳（佩里戈尔的）（1086～1124 年任托莱多大主教）率领下到达伊比利亚半岛，在西班牙教会中推行改革，雷芒多是其中之一。雷芒多于 1109 年任奥斯马主教，伯尔纳死后，雷芒多继任托莱多大主教。托莱多派翻译家可能是在雷芒多的鼓励下涌现的。在他以前虽然已有人向基督徒介绍西班牙阿拉伯学术，但是基督徒所未知的许多重要阿拉伯文和犹太文著作却是他鼓励西班牙学者译成拉丁文的。他个人则专门翻译哲学著作特别是新柏拉图学派著作及犹太诗人、哲学家伊本·盖比鲁勒的名著《生命之泉》。托莱多派翻译家后来与某大教堂合作，连续三个世纪发表作品。他在职期间，西班牙境内的基督教-阿拉伯-犹太文化开始繁荣。

rain　雨　水滴直径大于0.5毫米的液态降水。水滴较小的降水通常称为毛毛雨（参阅 **precipitation**），典型范围内雨滴的浓度一般为每立方米 100～1 000 个，而毛毛雨的浓度一般更大。雨滴直径很少超过 4 毫米，因为当雨滴尺寸增大时会发生分裂。雨滴浓度通常随雨滴直径增大而减小。除非雨很大，雨使能见度降低不如毛毛雨。气象学家根据单位时间内的降雨量将降雨分为小雨、中雨和大雨，分别为每小时小于 2.5 毫米、2.8～7.6 毫米和大于 7.6 毫米。雨滴可能由小水滴碰撞、合并而成，或由降落到近地面暖空气中的雪花和其他冰粒融化而成。夏威夷的怀厄莱阿莱峰受热带东风带的影响，20 年内年平均降雨量为 11 700 毫米，是地球上已知最潮湿的地方。印度梅加拉亚邦的乞拉朋齐受热带潮湿季风的影响，年平均降雨量为 11 430 毫米。对所有的大陆来说，年平均降雨量小于 250 毫米或大于1 500毫米，大致都表明降雨量异常。副热带反气旋的中心区降雨很少，是地球上的沙漠区，有一部分沙漠从未出现过可察觉的降雨。欧洲、南美洲、北美洲东部和非洲中部的大部分地区，年降雨量超过 500 毫米；而除印度和中国以外的亚洲大部分地区，年降雨量小于 500 毫米；从阿拉伯半岛一直延伸到蒙古东北部的一条长舌状地带内，年降雨量不足 250 毫米；澳大利亚中部、北非的大部、西南非的一部以及美国的山间地区、南美洲的中西部和东南部沿岸的部分地区，年降雨量也小于 250 毫米；非洲西海岸位于赤道和北纬 10°之间的部分地区、印度西海岸的条形地区、阿萨姆邦的部分地区、缅甸的沿岸地带、南美洲和北美洲温带的迎风坡，以及热带许多孤立地点的年平均降雨量大于 2 500毫米。5 分钟内大于 30 毫米、1 小时内大于 150 毫米或 1 天内大于 500 毫米的降雨

强度很少见，但偶尔在相应时间内降雨曾达到上述强度的两倍以上。

世界有纪录的异常降雨情况如下：

①1年内的最大降雨量：1860年8月至1861年7月在印度梅加拉亚邦乞拉朋齐（海拔1 313米）降雨量达26 467毫米。

②1月内的最大降雨量：1861年7月在乞拉朋齐的降雨量达9 300毫米。

③1天内的最大降雨量：1952年3月16日在留尼汪岛上的锡拉奥（东经55.5°，南纬27°，海拔1 200米）的降雨量达1 870毫米；1911年7月15日在菲律宾吕宋岛上的碧瑶（海拔1 482米）的降雨量达1 166毫米。

④1小时内的最大降雨量：1907年6月22日在密苏里州霍尔特降雨量为305毫米。

⑤5分钟的最大降雨量：1911年11月29日在巴拿马贝卢港降雨量为63毫米。

⑥1分钟内的最大降雨量：1956年7月4日在马里兰州尤宁维尔降雨量为31毫米。

rain dance 祈雨舞 指为祈求降雨和丰收而表演的宗教舞蹈，从古埃及到20世纪的巴尔干地区许多民俗都有此内容。原始舞蹈多是以祈求生命、健康、丰饶或能力为目的，所以祈雨舞中往往包含性器官崇拜和生育力崇拜的内容。因此，霍皮印第安人祈雨舞中就把活生生的毒蛇衔于口中，作为明显的阴茎的象征。在马雅文化和古埃及文化等农业文化中，祈雨舞十分普遍。公元前2700年所建的埃及古墓中即绘有祈雨舞的场面。祈雨舞往往包括众人围成一圈舞蹈，披挂青绿枝叶、裸体、泼水、拜性器官、利用青年女子旋转扇风等。例如南非安戈尼人祈雨时手持树枝；巴布亚人的神话说，舞蹈时持草叶刺太阳的眼睛可使它蒙上层云。印地安系的苏人舞蹈行进环绕水缸四圈，然后伏地喝缸中水。霍皮人作蛇舞，因为他们相信蛇可将祈祷转达给地下的雨神，这无疑是墨西哥和中美洲的拜蛇之风的遗迹。在东南欧的祈雨仪式中，一群青年女子挨户访问，领队者赤身披树叶与草，在队中旋转而舞，各家主妇往她身上泼水。

rain forest 雨林 一种茂盛的森林类型，多由高大的阔叶常绿乔木组成，通常分布于赤道附近的湿润热带高地和低地。雨林分布的地带年降雨量很高，通常高于1 800毫米（70英寸），气候炎热潮湿。雨林分为两个基本类型，一是热带或赤道雨林，二是亚热带雨林。

类型 ①赤道雨林分布的地区年降雨量1 500～3 500毫米，终年湿度很高。无明显季节变化，温度很高，白昼间一般温度在30°C左右，夜间约20°C。赤道雨林分布在亚马孙河、刚果低地、苏门答腊和一些太平洋岛屿。在赤道雨林边缘海拔逐渐升高的地方，植被类型为山地森林所演替，如新几内亚的高地、喀麦隆的戈泰尔山以及中非的鲁文佐里山。②亚热带雨林分布于南、北纬10°之间的迎风海岸。该处有雨季和干季之分。因有温度和光照的季节变化，其植被不同于赤道雨林。越南、菲律宾、中美洲、加勒比海岛屿、巴西部分地区、马达加斯加都分布有亚热带雨林。亚热带雨林的树木密度和树种均较赤道雨林稍少。③其他雨林类型还有：季风林，大多像常见的热带丛林一样，有显著的干季，植被主要由落叶乔木（如柚木）、密匝的竹丛和稠密的林下灌丛组成。红树雨林见于热带的河口湾和三角洲沿岸。温带雨林主要是常绿乔木和月桂属乔木组成，植被较其他雨林类型低矮和稀疏。这类雨林区气候稳定，气温温和，年降雨量分布平均。

土壤 雨林区的地形复杂多样，从散布岩石小山的低地平原至溪流纵横的高原峡谷。湿润热带区森林常见有肥沃的火山土壤。尽管大多数雨林的土壤往往终年潮湿而发黏，但随地理位置和气候的不同，土壤的营养情况也有不同。含铁量使土壤呈红色或黄色，并分为两种类型：透水性强的热带红壤，易于耕作；砖红壤性土呈明显的层状结构，富含各种矿物质。赤道雨林中，土壤和岩石的化学风化作用强烈，雨林中的风化壳可厚达330英尺（100米）。这类土壤虽然富含铝、铁氧化物、氢氧化物和高岭石，但其他一些矿物质却随着淋溶和侵蚀作用而流失。这样的土壤并不很肥沃，还因为高温高湿条件下，有机物分解很快，并很快地就被饥饿的树根和真菌所吸收。温带雨林中很少水土流失，而在地面覆盖层很少的热带雨林中，水土流失是一个严重的问题。

生物 雨林中植物和动物的发育呈垂直层次状态。最高的植物层（冠层）高100～165英尺。树木多为双子叶植物，具有厚的革质叶和较浅的根系。用以营养的、聚集食物的根部通常只有几厘米深。雨林中的雨水被树叶截留后沿树干流下落入土壤，但大量水分因叶的蒸腾作用而丢失。大多数草食性动物通常生活于冠层的叶枝之间，许多动物善于摆动、攀爬、滑行和跳跃，以寻找食物和逃避肉食性动物。猴、鼯鼠和尖爪啄木鸟等动物栖于树顶，很少降到地面。雨林中的次冠层植物由小乔木、藤本植物和附生植物如兰科、凤梨科及蕨类植物组成，部分植物为寄生性，缠绕在寄生的树干上，其他植物仅以树木作为支撑物。雨林地表面被树枝、细枝和落叶所覆盖。许多种动物在灌木中奔跑、拍翅、跳跃和攀登。多以昆虫和果实为食，少数为肉食性，在浓密的森林层中，动物常借声音而不是观看进行联系，有些动物眼睛很大，这说明他们已适应环境。雨林的地面并不如传说那样不可通行。多数地面除了薄薄的腐殖土层和落叶外多是光裸的。生活于这个层次的动物善于行走和短距离的攀爬，如犀、黑猩猩、大猩猩、象、鹿、豹和熊等。在地表下生活着穴居动物，如犰狳、盲螈，此外土层中许多微生物能将各层动、植物遗留的有机物质分解。地表层的气候异常稳定，因为冠层和低层树枝过滤了阳光和热辐射，减弱了风速，因而雨林中昼夜温度相当均匀。事实上，除鱼类外，所有各类动物均有生活于雨林中的。许多无脊椎动物往往体型很大，如丘蜗牛及蝶。多数动物的生殖季节与食物供应相对应，雨林中食物供应通常充足，但不同地区之间也有季节性变化。气候变化很小，动物不受其限制。不能迅速移动的动物往往有拟态，或夜出觅食，以逃避猎食者。

rain shadow 雨影 地形障碍物（如山脉）的背风面，在该处降水量比迎风面小得多。参阅 **orographic precipitation**。

Rainald of Dassel 赖纳尔德（达瑟尔的）（约1118或1120～1167-08-14，罗马） 德意志政治家、神圣罗马帝国首相、科隆大主教，腓特烈一世（红胡子）在意大利的政策的主要执行人。曾在希尔德斯海姆和巴黎求学。1153年为腓特烈一世派驻罗马教廷使团成员。1156年5月任帝国首相。1158～1164年几次率兵进入意大利，代表腓特烈与各城邦进行谈判。1159年被选为科隆大主教。同年教皇阿德里安四世去世，他拥立伪教皇维克托四世。1163年被教皇亚历山大三世判处革出教门。1164年伪教皇维克托四世去世，他又拥立帕斯卡尔三世，使教廷继续陷于分裂状态。1167年他参加腓特烈远征意大利的战争，在到达罗马时染病身亡。

供图：Bildarchiv Preussischer Kulturbesitz BPK, Berlin

Rainaldi, Carlo 拉伊纳尔迪（1611，罗马～1691，罗马） 意大利巴罗克风格建筑师，17世纪罗马著名建筑师之一，以华丽宏伟的设计作品闻名。多年来与其父G.拉伊纳尔迪（1570～1655）合作设计（参阅 **Rainaldi, Girolamo**）。父亲逝世后，他发展出一种庄严雄伟的建筑风格。他的重要作品多在17世纪60年代完成，其中有：瓦莱圣安得烈教堂的立面（1661～1665），罗马人民广场的圣马利亚圣

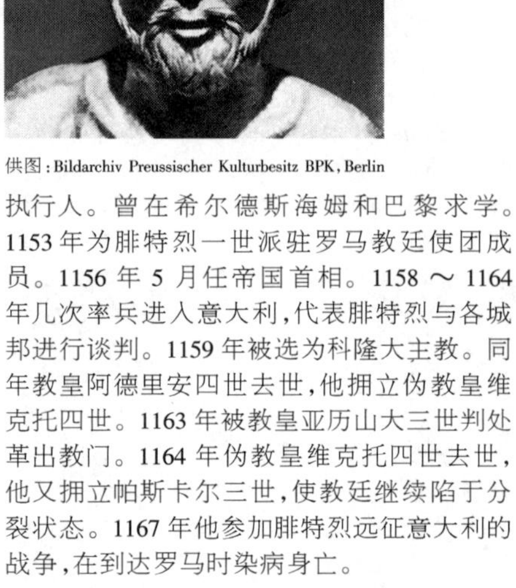

拉伊纳尔迪设计的罗马坎皮泰利的圣马利亚教堂

供图：Anderson—Alinari from Art Resource/美国不列颠百科全书公司

迹和圣山圣马利亚的成对教堂。被世人公认为其杰作的坎皮泰利的圣马利亚教堂（1663～1667），具有意大利北部而不是罗马的影响。立面上所使用的独立柱子，强调垂直线条，也带有意大利北部的传统。他的最后一项重要作品是圣马利亚教堂的后厅与西克斯图斯五世和保罗五世礼拜堂之间连结部分的雄伟立面（1673）。

Rainaldi, Girolamo　拉伊纳尔迪（1570～1655，罗马）　意大利建筑师，具有意大利北部风格主义传统。1602年任罗马总建筑师，1644年任教廷建筑师。最主要的作品是罗马附近卡普拉罗拉的圣西尔维斯特罗教堂。为教皇英诺森十世设计了纳沃纳广场的潘菲利府邸（约1650），1652年为圣阿格尼斯教堂作了第一个设计方案，后由F.博罗米尼完成。他曾被法尔内塞家族请去建造在帕尔马的府邸。还在博洛尼亚建造了圣卢西亚教堂（1623）和圣彼特罗尼奥教堂的拱顶。其子C.拉伊纳尔迪（**Rainaldi, Carlo**）为新巴罗克时期著名建筑师。

Rainallucci, Pietro　彼得罗·拉伊纳卢奇　参阅尼古拉（教皇）项下的**Nicholas（V）**尼古拉（五世）。

Rainborow, Thomas　雷恩巴罗（?～1648-10-29，英格兰约克郡唐克斯特）　英格兰军人和共和主义者，在内战中为议会作战。皇家海军军官之子。1643年指挥"燕子"号军舰。后调到陆军，成为上校。1645年任新模范军团长，参加北安普敦郡内兹比战役和对布里斯托尔与伍斯特的包围战。他是共和派军官的领袖。1648年指挥庞蒂弗拉克特城堡包围战，受重伤后死去。

rainbow　虹　当来自远距离光源的光线投射在水滴（雨、飞沫或雾）上时，可能看到的一系列彩色同心弧。这种现象以日光投射在远处阵雨中的雨滴上时最常见。虹出现在太阳的反方向处，虹的彩色光线是由于光线进入雨滴时的折射和内部反射产生的。各种颜色的光弯曲的角度略有不同，色彩混合的入射光经分离后在雨滴上显现出来。最明亮和最常见的虹称作主虹。其形成是光经过一次内部反射从水滴上显现出来所致。其角半径约为42°，内弧呈紫色，向外依次为紫、靛、蓝、绿、黄、橙和红色。有时可见副虹（也称霓），强度比主虹弱得多，颜色排列相反，其角半径约为50°，位于主虹的外侧。副虹的形成是由于光在水滴内部经两次内部反射。由3次或更多的内部反射形成的高阶虹，非常弱而且罕见。在紧靠主虹内侧，有时出现颜色模糊的光环，称作附属虹，起因是一次内部反射出来的光线又受到干涉效应。

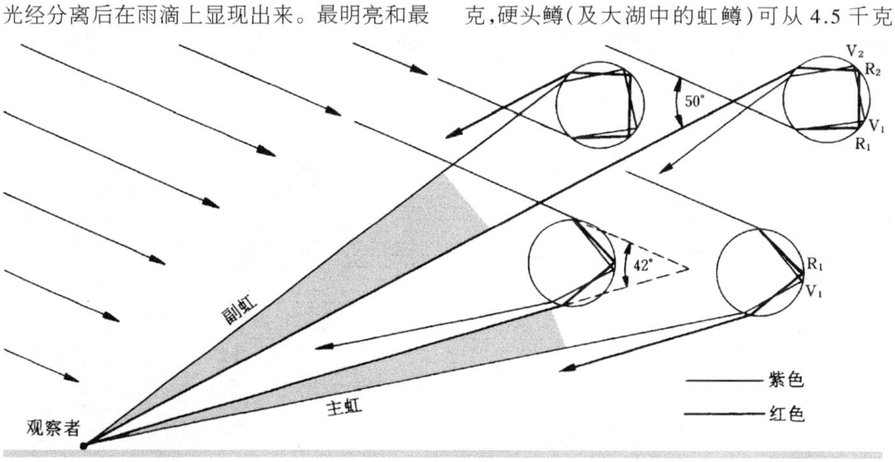

日光经水滴表面折射产生色散
主虹表示光线的各种成分经过一次内部反射，R_1为红色光的反射点，V_1为紫色光的反射点；
副虹的出现是因为光线在R_2和V_2的位置上经过第二次内部反射

Rainbow Bridge National Monument　虹桥国家保护区　在美国犹他州南部的纳瓦霍印第安人保留地境内。近犹他-亚利桑纳州界。1910年设立。占地65公顷。虹状粉红砂岩桥横跨88米宽的峡谷，桥下有溪流。桥长85米。可能是世界最大天生桥。附近植物茂密（包括野兰花和掌叶铁线蕨）。有印第安人敬神时熏黑的石块。20世纪70年代初，格伦峡谷大坝建成，形成了鲍威尔湖，该地交通情况因此有很大好转。

rainbow trout（*Salmo gairdneri*）　**虹鳟**　鲑科鱼类，善于跳跃，上钩后激烈拼搏。已从北美西部引殖到很多国家。栖于湖泊和急流，体色鲜艳。体上布有小黑斑，体侧有一红色带。出海型虹鳟又名硬头鳟，体大，淡蓝色，也是名贵的游钓鱼。虹鳟体重可达2.8千克，硬头鳟（及大湖中的虹鳟）可从4.5千克到超过此重量的一倍以上。另一虹鳟类型爱达荷州坎卢普斯虹鳟，可重13.6千克。

虹鳟（*Salmo gairdneri*）
供图：Appel Color Photography

Raine, Kathleen　雷恩（1908-06-14，英国伦敦～2003-07-06，伦敦）　英国女诗人、学者、评论家。以其神秘主义和充满幻想的诗歌著称。雷恩曾在剑桥大学格顿学院攻读自然科学和心理学。在她的第一本诗集《石与花》（1943）及后来的诗作中充分显示出她准确观察事物和用语精当的天才。她的诗以沉思冥想和热情奔放为特点，描写大自然、人生、死亡和永恒这类普遍的主题。其他诗集有《派瑟涅斯》（1949）、《空山》（1965）、《失去的国土》（1971）、《荒凉海岸》（1973）、《椭圆形肖像》（1977）、《神谕铭心及其他诗歌，1975～1978》（1980）。还有《诗集，1935～1980》（1981）、《存在集：1984～1987年诗录》（1987）、《自传》（1991）、《与神秘事物生活在一起》（1992）以及《诗集》（2000）。她的文艺批评集有《布莱克与传统》（2卷，1968）、《从布莱克到幻想》（1978）、《神的人面像：威廉·布莱克与约伯记》（1982）和《叶芝启蒙》（1986）。雷恩的自传共4卷，分别为《别了！欢乐的田野》（1973）、《未知的土地》（1975）、《狮口》（1977）和《从远处看印度》（1989）。2000年被授予大英帝国骑士勋章。

Rainer, Yvonne　雷纳（1934，美国加利福尼亚旧金山～　）　美国先锋派舞蹈编导、电影导演，她在两个领域的作品通常都强调基本要素的重要性，而不是符合传统的要求。1957年在纽约市学习戏剧。然而对现代舞的兴趣超过演戏，于是到玛莎格雷厄姆舞蹈学校学习，后来师从M.坎宁安。参与创办贾德森舞蹈剧院（60年代先锋派舞蹈的活动中心）。离开贾德森剧院后曾短期成立自己的舞蹈团。她的舞蹈特点是将身体当作无数动作的根源，而不仅仅是感情或剧情的表达手段。她在20世纪70年代初运用的许多基本方式都成为后来现代舞的标准特征。最著名的舞蹈是大型舞剧《心灵是肌肉》的一节"三人舞A"，三个舞者同时做出一系列复杂的旋舞和螺旋舞动作，这个舞蹈被其他编舞广泛吸纳。她编导了40多部舞剧。70年代中期开始将注意力转向电影导演。其早期影片并不遵循叙事传统，而是将现实和虚构、声音和视觉图像结合起来探讨社会和政治问题。导演了几部关于舞蹈和表演的实验电影，包括《表演者的生命》（1972）、《关于这样一个女人的电影》（1974）和《科里斯蒂娜拍照片》（1976）。后期影片有《羡慕女人的男人》（1985）、《恩典》（1990）和《双料谋杀》（1996）。她的影片曾获得多个奖项。1990年获麦克阿瑟基金会奖。

Rainey, Joseph Hayne　雷尼（1832-06-21，美国南卡罗来纳乔治敦～1887-08-02，乔治敦）　美国第一个黑人众议员（1870～1879）。原为奴隶，后来他的父亲赎买全家自由。他受过一点私人教育，后继承父业为理发师。南北战争时期逃往西印度群岛。1865年战争结束后返回南卡罗来纳，1868年出席州制宪会议，后任州参议员。1870年选入美国众议院，连续4次当选，为重建时期任期最长的黑人众议员。他极力促使通过《公民权利法案》，维护黑人及其他少数民族（如印第安人和加利福尼亚的中国人）的利益。1879 年离开众议院后，被任命为南卡罗来纳州美国国内税署署长。1881 年辞职，赴首都华盛顿从事银行和经纪业。

Rainey, Ma　雷尼（1886-04-26，美国佐治亚哥伦布～1939-12-22，佐治亚罗马）　母家姓普里盖特（Pridgett）。美国第一位伟大的黑人布鲁斯女歌唱家，被誉为"布鲁斯之母"。1904 年起和丈夫游方艺人喜剧演员 W. 雷尼一起参加一支歌舞队，在美国南方大篷剧场、埠头营帐和酒吧间巡回演出。整个 20 年代领导自己歌舞团，不时还有 B. 史密斯和多尔西（"佐治亚汤姆"）参加，在南方和中西部的联营剧院表演。1923～1928 年与乡村布鲁斯音乐家以及黑人爵士乐演员录制了 90 余首歌曲唱片。她具有杰出的、带有泥土味的台风。1933 年退休。在佐治亚州拥有并经营两座剧院。

Rainier III　兰尼埃三世（1923-05-31，摩纳哥～2005-04-06，摩纳哥）　摩纳哥公国第 31 任世袭统治者（1949～2005）。波利尼亚克伯爵皮埃尔亲王与摩纳哥公主夏洛蒂之子，1920 年袭母姓。曾在英国、瑞士和法国蒙彼利埃大学留学。第二次世界大战中在法国陆军中服役。战后在巴黎大学学习。1944 年其母放弃继承权，他于 1949 年 5 月 5 日，在其外祖父摩纳哥亲王路易二世临死前即位。1956 年 4 月与美国电影演员格雷丝·凯利结婚（凯利于 1982 年在一次车祸中去世），生有 3 个子女。死后由其子艾伯特继承王位。

Rainier, Mount　雷尼尔山　美国华盛顿州的最高山（4 392 米），属喀斯喀特山脉。位于塔科马市东南64千米处。占地面积260平方千米。山四周环绕有美国除阿拉斯加外最

雷尼尔山国家公园内的雷尼尔山
美国国家公园管理局供图

大的单峰冰川系，41 道冰川从宽阔的绝顶向周围扩展。这是一座休眠火山，最后一次喷发是在 2 000 年以前。1899 年创设雷尼尔山国家公园时划在其范围之内。该山有三个主峰：自由帽、成功角和哥伦比亚山脊。低坡上有浓密的松柏科林木，并以风景如画的高山草原、瀑布、湖泊和大量的野生动物和花草而闻名。英国探险家温哥华于 1792 年 5 月 8 日看到这座山的最高峰，并以他的一位航海家朋友彼得·雷尼尔的姓氏命名。第一次成功地登上顶峰的是史蒂文斯和特朗普（1870-08-17）。这座山是著名的旅游和娱乐胜地。人们有时就用其印第安名字塔科马山来称呼它。

Rainis　莱尼斯（1865-09-11，俄罗斯帝国拉脱维亚瓦尔斯拉瓦内～1929-09-12，拉脱维亚马约里）　亚尼斯·普列克尚斯的笔名。拉脱维亚诗人和戏剧家。其作品以维护民族自由和唤醒社会觉悟而超群出众。1891～1895 年主编《日报》，宗旨在于提高农民的社会觉悟和阶级意识。在马克思主义理论和著作的鼓舞下，开始文学生涯，为争取社会公正和国家自由而斗争。1897 年流放到普斯科夫，后因从事政治活动，又被流放到斯洛博茨克。1903 年回国，参加了 1905 年未成功的革命，后移居瑞士；1920 年拉脱维亚获得独立后，返回故土，受到热烈欢迎，并被选入议会，任教育部长（1926～1928）和国家剧院院长（1921～1925）。第一卷诗集《蓝色夜晚的遥远回声》（1903），显示了他丰富的经历和流亡者的思乡之情。诗集还收有优美的恋爱抒情诗。其他作品以象征主义手法表现了革命斗争。他在戏剧里利用民间故事题材作为政治理想的象征。他还翻译了莎士比亚、席勒、海涅、普希金的作品和歌德的《浮士德》，扩大了拉脱维亚文学语言的词汇。

rainmaking　人工降雨　又称人工造雨。任何一种增加云中降水量的过程。使用固体二氧化碳或碘化银催化过冷却云的技术，为将来大量增加降雨量提供了某种可能性。参阅 **cloud seeding**。

Rains, Claude　雷恩斯（1889-11-10，英国伦敦～1967-05-30，美国新罕布什尔拉科尼亚）　全名 William Claude Rains。美国电影和戏剧演员，以柔美出众的嗓音和优雅、略含讽刺意味的风格著称，善于塑造各种类型的角色。11 岁开始表演，1911 年正式参加演出。第一次世界大战中服役，战后在伦敦参加戏剧演出并取得成功。同时在皇家戏剧艺术学院授课。1926 年在美国巡演《恒久的宁芙》，很快在百老汇出名。后来出演《隐形人》（1933）中的男主角，虽然面部大部分时间被纱布缠绕，但他那邪恶的声音有力地刻画出一个狂妄自大的科学家的疯狂状态。他饰演过各种类型的角色，包括罪犯、贵族、政客、间谍、学者和居家男人，所有角色都塑造得恰到好处。他在《扬帆》（1942）和《斯克芬顿先生》（1944）中与 B. 戴维斯搭档，获得奥斯卡奖提名，并以《史密斯先生到华盛顿》（1939）、《卡萨布兰卡》（1942）和《美人计》（1946）三部经典影片中的表演获得奥斯卡最佳男配角提名。其他著名影片还有《侠盗罗宾汉》（1938）、《海鹰》（1940）和《凯撒与克娄巴特拉》（1945）。20 世纪 50 年代重返舞台，在多部电影中饰演角色直到 1965 年。

Rainsborough, Thomas　参阅 **Rainborow, Thomas** 雷恩巴罗。

Rainwater, James　雷恩沃特（1917-12-09，美国爱达荷康瑟尔～1986-05-31，纽约扬克斯）　美国物理学家，由于参与确定了某些原子核的非对称形状而同丹麦物理学家 A. 玻尔和 B.R. 莫特森共获 1975 年诺贝尔物理学奖。雷恩沃特曾在加利福尼亚理工学院和哥伦比亚大学就读，并于 1946 年获博士学位。第二次世界大战期间，他参加了研制原子弹的曼哈顿工程。1949 年，他开始用公式证明并非所有的原子核都具有球形，这与当时普遍的看法相反。他的这一理论不久即为丹麦物理学家 A. 玻尔、B.R. 莫特森从实验上加以证实。1952 年，雷恩沃特任哥伦比亚大学的物理学教授，其后进行过很有价值的 X 射线研究。他还参加过原子能委员会和海军的研究项目。1963 年，获原子能委员会的 E.O. 劳伦斯物理学奖。

Rainy Lake　雷尼湖　在美国明尼苏达州和加拿大安大略省交界处。长 80 千米，平均宽 8 千米，最宽处 43 千米。面积 932 平方千米。内有 500 多个岛屿。湖水经雷尼河（长 137 千米）向西流入伍兹湖。雷尼河在雷尼湖以下有水电站，为安大略省弗朗西斯堡和明尼苏达州国际瀑布城的木材、纸浆和造纸业提供电力。当地有几个印第安人保留地。

Raipur　赖布尔　印度中部查蒂斯加尔邦城市和首府。14 世纪建社区。曾为切蒂斯格尔土邦的首府。1867 年建市。为食品加工（米、小麦、棉花和油籽）和锯木业中心。有铁路通安得拉邦的维济亚讷格勒姆和维沙卡帕特南港。设有几所音乐学校，一座博物馆和一所肺结核病院及水稻和蚕桑试验场。亦是舒克拉大学所在地。人口605 131（2001）。

Rais, Gilles de　雷（1404-09或10，法国尚比塞～1440-10-26，南特）　法国元帅、布勒通男爵和富有之人。他的名字后来与（法国民间故事中曾杀 6 妻的）蓝胡子联系在一起。早年曾立军功。后任贞德的侍卫，跟她一起参加多次战斗。曾随她到兰斯参加查理七世加冕礼，查理封他为法国元帅。巴黎受攻击时，他仍在贞德左右，贞德被俘后退隐。他的府邸甚至比国王更为阔绰。他搞撒旦崇拜，祈求魔鬼赐予学识、权势和财富。后来，他被指控诱拐、折磨和杀害 140 多个儿童。1440 年 9 月被捕，并交付审讯。宗教法庭谴责他为异端，世俗法庭则判他犯谋杀罪，处以死刑。

raised work　凸绣制品　又称浮雕绣（垫绣）制品。17世纪英国常见的一种刺绣制品，描

1668 年的英格兰小箱，罩有凸绣制品外罩，上绣《旧约》内容的图案
芝加哥美术学院供图

绘圣经和神话中的情节，在人物和花卉图形中用软物填衬绣制成与浮雕相似的图案。用以拼成镜框、首饰盒等的装饰性外罩。往往饰以软物填衬后绣制而成的花卉、果品和人物图案，有时某些细部（如人手）采用蜡制。

Raisen 赖森 印度中部中央邦中部城市。位于温迪亚山山麓。山上有一古砂岩城堡和若干宫殿及一座清真寺。历史上为**马尔瓦**(**Mālwa**)东部的战略重镇。16世纪时是拉杰普特人的城堡，亦是莫卧儿王朝的重要行政中心。每年举行贺宴。原属波帕尔土邦的一个地区。小麦、高粱和棉花为该区主要农作物。开采砂岩。附近桑吉有一建于公元前250年的舍利塔。人口约24 145(1991)。

raisin 葡萄干 某些葡萄品种的干燥果实。制葡萄干所用葡萄早在公元前2000年即植于波斯与埃及，《圣经》（"民数记"第6章第3节）里曾提到摩西时期有干葡萄，而大卫可能在公元前1110～前1070年的某个时候受赠过"一百葡萄饼"（"撒母耳记上"第25章第18节）。早期的希腊人和罗马人用葡萄干装饰礼拜堂，并在运动比赛中当作奖赏。20世纪以前，葡萄干的主要生产国为土耳其、伊朗与希腊；至20世纪中叶，美国已取得葡萄干生产的领导地位，澳大利亚居次。美国的葡萄干业全都分布在加利福尼亚，当地于1851年开始种植用于生产葡萄干的葡萄。制葡萄干的葡萄最重要的品种有以下几种：汤普森无籽葡萄，一种淡黄色的无籽葡萄，在加利福尼亚称为苏丹葡萄；马斯喀特葡萄或称亚历山大德里亚葡萄，在澳大利亚称为"白胖葡萄"，为大种子品种；白哈内波特葡萄（南非）；黑科林斯，小而黑的无籽品种，又称赞特无籽小葡萄、斯塔普希斯葡萄（希腊）或帕纳里蒂葡萄。其他地方性的重要品种包括俄国无籽圆葡萄、罗萨基葡萄、达蒂尔葡萄、莫努卡葡萄与好望角无籽小葡萄。葡萄干也可依干燥的方法（如自然干燥、金黄色漂白、灰汁处理）、上市的形式（如去核的、散装的、带梗的）、主要原产地（如艾伊翁、士麦那、马拉加）、大小等级或品质等级来命名。自然葡萄干在自然情况下靠日光晒干，呈灰黑或灰棕色，保留天然果霜，果皮较粗糙。金黄色漂白葡萄干的制法是将汤普森无籽葡萄浸泡在0.5%的碱液中，并于燃烧硫产生的烟中熏2～4小时，然后放在隧道式烘干机内干燥；呈柠檬黄到金黄色，主要用于烘焙的食品。硫磺漂白葡萄干的前处理与金黄色漂白葡萄干相同，之后置于盘上日晒3～4小时，再连盘堆于荫处继续干燥数周；成品颜色呈蜡黄，奶油黄和淡红黄。苏打浸泡葡萄干（或苏打漂白葡萄干）是将汤普森无籽葡萄浸泡在稀释的热碱液中，但不经硫处理，然后经日晒或烘干机干燥；若迅速干燥，其色呈淡琥珀色至中度棕色，柔软适度，口味温和。油浸葡萄干与灰汁处理葡萄干是将葡萄浸泡在漂着薄层橄榄油的稀碱液中，然后置于盘上直接日晒干燥，颜色呈中度至深度棕色，质地柔软，口味温和。葡萄干为饮食提供绝佳的铁质来源。参阅 **grape**。

raisin tree（*Hovenia dulcis*） **葡萄干树** 又作 honey tree 或 Japanese raisin tree。又称蜜树、日本葡萄干树。即北拐枣、甜枳椇。鼠李科灌木或乔木，原产东亚，其他地区也有栽

葡萄干树（*Hovenia dulcis*）
供图：Douglas David Dawn

培。果实大小和色泽均像无核葡萄干，所以英文名意为葡萄干树。株高约7.5米。叶宽阔广椭圆形，互生，柄长。花小，淡绿色，簇生枝端或叶腋。花落后花柄膨大变红，味甜可食。

Rāj-Nāndgaon 拉杰南德冈 印度中部中央邦城市。位于塞奥纳特河北岸。原为拉杰南德冈土邦首府，1948年与杜尔格县合并。为重要公路、铁路交会点，棉纺织工业中心。主要工业有碾米、榨油和化工。设有拉维尚卡尔大学两所分校。地处肥沃平原，有塞奥纳特河的数条支流流经，经济以农业为主。人口143 727(2001)。

Raja Ali Haji bin Raja Amhad 拉贾·阿里·哈吉·宾·拉贾·阿赫玛德 参阅**Ali Haji bin Raja Amhad, Raja 阿赫玛德**。

Rajagopalachari, Chakravarti 拉贾戈巴拉查理（1879，印度霍苏尔～1972-12-25，马德拉斯） 印度独立后唯一的印度人总督，1959年独立党的创建人和领导者。20世纪20年代初甘地在狱中时，他放弃了有利可图的律师业，主编《青年印度报》。他在印度国民大会党常务委员会工作达20年（1922～1942）。1937～1939年任他的家乡马德拉斯邦（今泰米尔纳德邦）的总理。1948～1950年任印度临时政府总督。1952～1954年再度任马德拉斯邦总理。1959年6月在马德拉斯参加建立独立党，该党基本上是保守和反共的，支持自由企业，主张减少中央政府对各邦的控制。

Rājahmundry 拉贾蒙德里 印度南部安得拉邦城市。位于戈达瓦里河三角洲顶部。河上有印度最长铁路桥之一（2 754米）。1449年被奥里萨王加比莱什瓦拉占领。1757年归英国统治。为稻米、盐和木材贸易中心，亦为工业城市。有造纸厂和冶炼厂。设有安德拉大学若干学院和中央烟草研究所。人口313 347(2001)。

Raja'i, Mohammad Ali 拉贾伊（1933，伊朗加兹温～1981-08-30，德黑兰） 伊朗政治人物，伊朗伊斯兰共和国总理（1980～1981）。出身贫寒，16岁参加伊朗空军，后在德黑兰师范学院获得教师文凭。1960年加入伊朗解放运动，遭伊朗国王巴列维政府的三次逮捕。后为伊斯兰教师协会中央委员会委员，1979年伊朗革命之后任教育部部长。以坚决、果断著称，是神职人员为主的伊斯兰共和党领导成员。1980年8月由议会选为伊朗伊斯兰共和国第二任总理。总统巴尼萨德尔此前提出的三名获选人均被伊斯兰共和党拒绝。巴尼萨德尔认为拉贾伊不宜担任总理。不久两人就内阁成员人选问题发生冲突。9月提名的内阁人选中仅有2/3获议会批准。1981年6月巴尼萨德尔遭解职后，拉贾伊继任总统，巴霍纳尔担任总理。1981年8月30日，拉贾伊、巴霍纳尔及数名其他伊斯兰共和党和政府官员遭炸弹袭击身亡，据信这是反对霍梅尼政权的组织"人民战士"所为。

rājākariya 服王役 锡兰（今斯里兰卡）迄19世纪初实行的土地使用制度。人民如要得到土地，必须先服王役。王役有两种：一是公共工程，如修桥筑路之类；一是根据各人种姓职业而进行的特殊服役。1802年英国驻锡兰总督诺思首次予以废除，代之以一种新的税收制度，但受到锡兰人民反对。诺思的后任重又恢复。1832年这一制度被彻底废除。

Rajang River 拉让河 马来语作 Batang Rajang。马来西亚（婆罗洲西北部）河流。源出伊兰山脉，向西南流至加帛，再向西注入南海。全长563千米。广阔、多沼泽的三角洲包括伯鲁伊特岛，在西里角处有一灯塔。此地区几乎全靠河上运输，远洋轮船可航行130千米到达泗务，吃水浅的船只可再上行160千米；独木舟则仍可继续上行到达其他船只无法到达的伊班内陆地区。沿岸集镇有泗里奎、民那丹、卡诺维特和加帛。河流两岸为该地区仅有的几个农业区域之一。支流包括卡诺维特、恩马、伊兰、巴勒和皮拉等河。

Rājapālaiyam 拉杰巴莱耶姆 印度东南部泰米尔纳德邦城市。位于西高止山东麓。维查耶那加尔统治时期（1336～1565），讲泰卢固语的拉朱居民移居此地，故得名。为手工织布业中心，有棉纺织厂和水泥厂。人口121 982(2001)。

Rājasthān 拉贾斯坦 印度西北部一邦。面积344 239平方千米。西和西北与巴基斯坦接壤。北和东北邻旁遮普邦、哈里亚纳邦和北方邦。东和东南为中央邦。西南接古吉拉特邦。首府斋浦尔。据文物考证，早在100 000年前此地即有人居住。7～11世纪拉杰普特诸王朝兴起，至16世纪达到全盛。阿克巴皇帝曾置拉杰普特诸邦于莫卧儿王朝统治下，但19世纪初成为马拉塔人的属国。后英人战胜马拉塔人，在此建立起统治。该区很快成为印度民族主义和政治活动中心。1950年印度新宪法颁布，成为印度一部分。阿拉瓦利岭从西南部的古鲁峰（阿布山，海拔

1 722米）延伸到东北部的凯德里，形成一条线穿越该邦。其西北面约占全邦面积的3/5，包括印度大沙漠或称塔尔沙漠，气候干旱，土壤贫瘠。东南面地势较高，较为肥沃，自然条件多样化。有丘陵、台地和亚穆纳河盆地。昌巴尔河为境内唯一较长的常年河流。桑珀尔是印度最大的盐湖。境内具有多种气候，从极度干旱到潮湿。除山区外夏季酷热，许多地区平均最高气温达43 °C。有沙暴。冬季气温为20 ～ 24 °C。沙漠年平均降水为100毫米；西南部受阿拉伯海和孟加拉湾夏季季风影响，雨量丰富。人口中有多种民族，拉杰普特人只占少数，但很突出，以尚武自豪。该邦主要操拉贾斯坦语，后由印度语所取代。多数居民信奉印度教，耆那教也占重要地位。另有伊斯兰教以及少数基督教徒和锡克教徒。拉贾斯坦邦人口稀疏。其城市，尤其斋浦尔，人口虽增长迅速，但主要为农村。经济以农牧业为主。20世纪50年代推广灌溉，粮食产量有所增加。产小米、玉米、小麦、大麦、豆类、稻米和油籽。棉花为重要经济作物。羊毛产量居印度首位。工业生产纺织品、化学品、尼龙、精密仪器、电石、烧碱。已发现有石油和其他矿藏包括石膏、银砂、石棉、石灰石、盐和大理石。印度的全部铅和锌的精砂，祖母绿、石榴子石皆产于此。电力大都由邻邦供应，但科塔附近已有核电站。道路建设也在增加。斋浦尔、焦特布尔、科塔、乌代布尔等城市有航空线与孟买、新德里和阿格拉连接。在拉贾斯坦邦很少有一个月没有宗教节日者。印度教徒和穆斯林教徒互相参加对方的节庆日。该邦是外国旅客最喜游的地区。设有数所大学和科技研究所。人口56 507 188（2001）。

拉贾斯坦邦阿梅尔与斋浦尔之间的拉杰普特王朝时期的王宫
供图：A. C. Lyon

Rājasthān Steppe　拉贾斯坦草原　印度西北部拉贾斯坦邦中部偏西的荒原。面积142 000平方千米。此地区在古代相继为孔雀王朝、笈多王朝和瞿折罗-普腊蒂哈腊王朝所统治。后来，在莫卧儿王朝控制之前，由拉吉普特王朝统治。焦特布尔不远处是基岩，类似温迪亚岭的那种基岩；远方向南是默莱尼火山所形成的花岗岩。此地区从东北部的阿拉瓦利岭向东南部的卢尼河盆地倾斜，地形呈斜坡状。卢尼河盆地裸露在砂碛表面的岩石是风化侵蚀的证据。拉贾斯坦草原还不时遭受大范围的山洪切割。卢尼河是唯一的主要河流。内陆流域排水的诸多水道，形成了很多盐湖，诸如迪德瓦纳湖、库奇曼湖、迪格内湖和桑珀尔湖。荒原土壤中饱含大量可溶性盐。家畜（包括小牛、绵羊、山羊和骆驼）的饲养在经济上十分重要。也种植谷类植物、豆类植物（豆荚）、油菜籽、棉花和甘蔗。此地区还经常遭受旱灾和蝗虫灾害。矿物资源丰富（尤其是大理石和盐矿）。同时，也开采石膏、银矿和长石矿。在桑珀尔盐湖有一座硫磺厂。地毯、羊毛织物、糖、水泥、杀虫剂和染料也有生产。格加讷格尔、久鲁、琼丘努和焦特布尔是其主要城镇。

Rājasthānī languages　拉贾斯坦诸语言　印度拉贾斯坦邦及其邻近地区所使用的印度-雅利安语和方言。这种语言主要分为4组：东北部的梅瓦蒂语，南部的马尔维语，西部的马尔瓦尔语和中东部的贾普尔语。其中以马尔瓦尔语分布最广。拉贾斯坦处于东部印地语地区和西南部古吉拉特语地区的中间地带。拉贾斯坦语在印度宪法中未被规定为官方语言。印地语却是官方语言。

Rājasthānī painting　拉贾斯坦绘画　16～19世纪印度西部拉贾斯坦的几个印度教独立邦境内的一种细密画。渊源于印度西部的手抄本插图，后期受莫卧儿绘画的影响。拉

18世纪晚期拉贾斯坦绘画马尔瓦尔画派的细密画，内容是克里希纳为罗陀遮雨
供图：P. Chandra

贾斯坦绘画与莫卧儿王朝的宫廷绘画的不同之处是它的色彩单纯而鲜艳，对人物形象敢于大胆想象而不离常规，背后以风景作衬托。此画派主要取材于印度牧牛神克里希纳和他的亲密同伴罗陀的神话。如同莫卧儿绘画一样，拉贾斯坦画装在盒子里，或贴在簿子上传递着看。人们对拉贾斯坦绘画的研究还不够深入。近年才分清麦华绘画（**Mewār painting**）、本迪绘画（**Būndi painting**）、吉申格尔绘画（**Kishangarh painting**）、马尔瓦绘画（**Mālwa painting**）等画派的不同风格。

Rājasthānī puppet　拉贾斯坦木偶　在印度西北部的拉贾斯坦邦发现的提线木偶。它用一根细绳操纵，这根细绳从木偶头顶穿过操纵者的手直抵木偶一肩，并控制木偶躯体。

拉贾斯坦木偶——玩蛇人与蛇
供图：Foto Features

拉贾斯坦提线木偶所特有的刺耳声是由领头的木偶剧演员用芦笛发出的。提线木偶代代相传，当它不能再用时，就让它在祈祷声中沿恒河漂流而下。它在水面上漂浮时间的长短，表明神对它的裁判。

Rājataraṅgiṇī　《王河》　1148年克什米尔的婆罗门卡兰纳用梵文诗体写成的早期印度编年史书。被公认为同类著作中最好、最真实的一部。其中包括自古至写作当时为止的克什米尔的全部历史。卡兰纳取材极为谨严。他完全置身当时政治斗争的漩涡之外，抱定“记录历史要像法官的判决一样不为爱憎所左右”的宗旨。他的父亲和叔父均在克什米尔宫廷为官，使他可以直接获取当时宫廷斗争的细节。同时，他披阅史诗、《戒日王本行》、《毗诃特本集》、《王家记实》、《伍尔帕伐里》、《帕尔锡凡伐里》、《尼拉马太富兰那》等著作，并查考各种铭文资料，研究钱币古迹、家谱和传说。《王河》包括7 826首诗，分成8卷。就写作风格而言，《王河》有时被认为是一部巨型散文诗，而它巨大的结构魅力使它成为后代历史学家仿效的典范。

Rājauri　拉焦里　在查谟和克什米尔印度控制区西部的城镇，位于印度次大陆北部。1947年普什图人入侵时镇上居民几乎全部被杀。城镇附近有塔塔巴尼硫磺温泉和沙德拉·沙里夫穆斯林朝圣中心。四周大部地处西北-东南走向的比尔本贾尔岭，海拔平均2 745米。杰纳布河为主要河流。农业、采矿业和林业为经济基础。梯田和谷底生产稻米、玉米、拉吉黍、高粱和大麦。人口8 690（1981）。

Rājāvaliya　《王朝史》　17世纪斯里兰卡的编年史书，所述从古代起迄1687年维摩罗达

摩苏利耶二世即位止。这是在英国统治以前用僧伽罗文编写的唯一的斯里兰卡通史。它与该国的其他史书不同，主要讲政治事件而不是讲宗教（佛教）事件。该书文字通俗，历史学家们认为并非出于一人之手。所叙 1359 年以后时期的历史特别有参考价值。

Rājbanśī（people） 参阅 **Koch** 科奇人。

Rājgarh 拉杰格尔 印度中部中央邦西北部城镇。位于奈沃伊河与巴尔伯蒂河之间。1640 年设立。为农产品集散地。设有维克拉姆大学一所分校。人口 14 944（1981）。

Rājgīr Hills 拉杰吉尔丘陵 印度东北部比哈尔邦中部自然地理区。范围包括两条平行的 65 千米长的山脊及其间狭窄谷地。山脊海拔最高点 388 米，一般不超过 300 米。拉杰吉尔村落之南有古代王舍城遗址。城墙绵延 40 千米直伸至山脊处，为公元前 6 世纪所筑。为佛教与耆那教重要圣地。释迦牟尼曾在当地说法和居住；公元前 543 年，在当地七叶窟举行佛教第一次结集，将佛教教义记录下来。谷地四周山上有近代修建的耆那教庙宇。亦有温泉，周围有印度教神庙。

Rājkot 拉杰果德 印度中西部古吉拉特邦中西部城镇。位于卡提阿瓦半岛中部。为重要工商业中心。棉、毛纺织为主要工业。设有拉杰库马学院（1870）和索拉什特拉大学数所学院。为西部铁路上的重要交轨点，连接邦内各大城市。亦有公路和机场。地势起伏，土壤多砾石。有溪流供灌溉。主要农作物为谷物、甘蔗和棉花。人口 966 642（2001）。

rajm 投石 又译射石。伊斯兰教用语，指在麦加朝觐时向恶魔投掷石子之仪式。这是阿拉伯人在伊斯兰教兴起以前所具有的宗教习俗，先知穆罕默德予以保留。大多数穆斯林朝觐麦加都效法穆罕默德当年的做法。伊斯兰教历都尔黑哲月（12 月）10 日朝觐者先在据说当年易卜拉欣以石投晒依陀乃之处投掷七块小石，11、12、13 三日中午先后在米那山谷三个石柱旁各举行投石仪式一次，每次连投七块石子。所用应是天然石子，不得用以大石破碎而成的石子，禁止投掷宝石或金银，以避免浪费和危险。

Rājmahāl 拉杰默哈尔 印度东北部比哈尔邦中东部古城镇。位于恒河西，城镇在拉杰默哈尔丘陵中。1595 ～ 1596 年为孟加拉都城。1608年迁至达卡。1639 ～ 1660 拉杰默哈尔暂时重获其行政管理地位。城内古建筑有1 600年左右建的阿克巴清真寺和 18 世纪建孟加拉行政长官的米尔卡西姆宫。人口 12 426（1981）。

Rājput 拉杰普特人 印度中部和北部，尤其是原拉杰布达纳的父系氏族的土地所有者，有约 1 200 万人。拉杰普特人自称属于刹帝利，但他们之间的地位相差很大，有王公世家，也有种地的老百姓。在西北地方，拉杰普特人有的是穆斯林。拉杰普特人普遍有使妇女与外界隔绝的习俗。以祖先为荣和重视个人荣誉是这个民族的特性。其起源似乎可以追溯到 5 世纪中叶起印度北部和西北部印度社会的大分裂。9 ～ 10 世纪，拉杰普特人在政治上占有重要地位。约 800 年起，拉杰普特人的王朝统治印度北部。在穆斯林征服东旁遮普和恒河流域以后，拉杰普特人在拉贾斯坦的堡垒和中印度的森林里继续保持独立。1568 ～ 1569 年莫卧儿王朝皇帝阿克巴占领吉多和伦滕波尔堡垒后和除麦华以外的所有拉贾斯坦王公们达成和解。他们承认莫卧儿人的最高统治权，保有各自的军政权力。这种安排一直延续到莫卧儿帝国崩溃。1818 年拉杰普特人承认英国为宗主国。1947 年印度独立后，拉贾斯坦的拉杰普特各土邦合并成为拉贾斯坦邦。

Rājput painting 拉杰普特绘画 印度独立的印度教封建邦的艺术，从莫卧儿王朝起著称于世，特点是既有传统又富于浪漫色彩。盛行于 16 世纪和 17 世纪早期，一直延续到 1825 年。共分两个派别，一是拉贾斯坦绘画（**Rājasthānī painting**）或称拉贾斯坦和中印度派；另一是帕哈里绘画（**Pahari painting**）或称喜马拉雅王国艺术。

Rājputāna 拉杰布达纳 又称拉杰瓦尔，是主要构成今拉贾斯坦的一些土邦的总称，意为“拉杰普特人之地”。范围大致相当于今拉贾斯坦邦。由 23 个土邦、一个酋长地、一处庄园和一处英国领地阿杰梅尔-梅尔瓦尔组成，面积 343 328 平方千米。以阿拉瓦利岭为界分为两个地理区。西北部多沙性贫瘠土地，包括塔尔沙漠一部分。东南部地势较高、较肥沃。全区介于印度北部平原和南部高原之间。占统治地位的王侯多数为拉杰普特人，他们是 7 世纪以来进入该地区的军事首领。最大的土邦有焦特布尔，杰伊瑟尔梅尔，比卡内尔，斋浦尔和乌代布尔。1947 年起土邦逐步合并，形成现在的拉贾斯坦邦；东南部一些地区并入中央邦，西南部一些地区划归古吉拉特邦。

Rājshāhi 拉杰沙希 旧称兰布尔博阿利亚。孟加拉国中西部城市。位于博多河北岸。18世纪初荷兰人在此建工厂（贸易站）。1876年建市。现为工业中心，生产丝织品、火柴、木材，以及加工农产品等。设有医院、瓦伦德拉研究博物馆、蚕丝研究所、拉杰沙希大学（1953）以及所属 8 所学院。西北部为起伏不平的巴林德地区。南部为高而灌溉良好的博多河流域。有沼泽洼地可将城市附近积水排出。主要农作物有水稻、黄麻、豆类和甘蔗。全国的蚕丝生产几乎全部集中在该地。其他家庭手工业有金工、木工和制陶。人口 402 646（2001）。

拉杰沙希市的政府学院

供图：Frederic Ohringer from the Nancy Palmer Agency—美国不列颠百科全书公司

Rakaia River 拉凯阿河 在新西兰南岛中东部。源出南阿尔卑斯山莱尔、拉姆齐两冰川，流向东转东南，注入太平洋坎特伯雷湾。全长 145 千米，流域面积 2 600 平方千米。在上游 21 千米的拉凯阿镇有南岛主要铁路和公路通过河桥。下游流域种植谷物。河上捕鲑鱼。在科尔里奇湖有水电站。海班克有运河引朗伊塔塔河水用于水力发电和灌溉。

Rakhmaninov, Sergey（Vasilyevich）（composer） 参阅 **Rachmaninoff, Sergey（Vasilyevich）** 拉赫玛尼诺夫。

Rakka（Syria） 参阅 **Raqqah, ar-** 拉卡。

Rákóczi, Ferenc, I 拉科齐一世（1645-02-24 ～ 1676-07-08，匈牙利马科维加） 匈牙利马扎尔人贵族子弟，1670年反哈布斯堡王朝起义领袖。特兰西瓦尼亚公爵拉科齐二世之子。其父死后，未能即位。1666 年与克罗地亚总督兹里尼的女儿伊洛娜结婚。4 年后，参加兹里尼为推翻哈布斯堡王朝在匈牙利和克罗地亚的统治而进行的斗争。起义遭到镇压，兹里尼被斩首，他因交纳赎金而免于一死。

供图：Magyar Nemzeti Muzeum, Budapest

Rákóczi, Ferenc, II 拉科齐二世（1676-03-27，匈牙利博尔西～ 1735-04-08，土耳其罗多斯托） 特兰西瓦尼亚公爵。贵族家庭出身。其父领导过反哈布斯堡王朝的起义，他在强烈的爱国主义环境中长大。1688 年被带到维也纳，接受奥地利式的教育。1694年回国。

布达佩斯美术博物馆供图

在匈牙利贵族的鼓舞下，他决心为匈牙利的独立而斗争。在向法国请求帮助时，被中间人出卖。后被逮捕，由于妻子的营救，才脱狱远遁。他在波兰旅居 2 年。1703 年回国，领导农民举行库鲁茨起义。起初取得一定的成功。但是，1704 年英奥联军在布伦海尼海姆战役获胜后，他已再无夺取最后胜利的可能。不过在匈牙利，斗争一直坚持到 1711 年。1704 年，特兰西瓦尼亚人期待恢复独立，选他为大公。在与利奥波德一世皇帝和解无望，寻求法国、俄国援助失败后，于 1711 年 2 月出国流亡。他在土耳其度过晚年。

Rákóczi, György, I　拉科齐一世(1593-06-08～1648-10-11，匈牙利沙罗什保陶克)　特兰西瓦尼亚公爵。倡导新教，为匈牙利取得宗教自由，并使其公国成为实际上的独立国家。特兰西瓦尼亚公爵席格蒙德(1607～1608 在位)的幼子。1630 年 11 月 26 日被选为公爵，继续执行前任的反哈布斯堡王朝政策。1644 年同瑞典结盟，向奥地利皇帝斐迪南三世宣战。在《林茨和约》(1645)中，他为匈牙利新教徒争得宗教自由，并获得匈牙利西部的领土。其首府久洛费赫瓦尔(今罗马尼亚阿尔巴尤利亚)成为新教的一个重要中心。

Rákóczi, György, II　拉科齐二世(1621-01-30，匈牙利沙罗什保陶克～1660-06-07，匈牙利特兰西瓦尼亚瑙吉瓦劳德)　特兰西瓦尼亚公爵，曾汇编公国法律，但其外交政策导致土耳其人重建对特兰西瓦尼亚的霸权。1648 年继承父位。1656 年参加瑞典国王查理十世进攻波兰的战争，指望当选为波兰国王。这一行动触怒对特兰西瓦尼亚拥有宗主权的奥

布达佩斯国立塞切尼图书馆供图

斯曼帝国。土耳其人命令属臣把特兰西瓦尼亚军队赶出波兰。1657年，拉科齐率兵仓皇撤退。同年，特兰西瓦尼亚议会罢免其公爵职位。1658 年复职时恰逢土耳其人武装入侵，他于 1660 年 5 月在焦卢战役中负重伤。

Rákosi Mátyás　拉科西(1892-03-14，塞尔维亚阿达～1971-02-05，苏联俄罗斯联邦高尔基城)　匈牙利共产党统治者(1945～1956)。早年参加社会民主党。在俄国度过一段铁窗生活后，于 1918 年回国，此时已是共产党员。在库恩·贝拉的短命的共产党政权(1919)中，他曾任社会主义生产部人民委员。但匈牙利的反革命势力得胜后，他被迫逃往莫斯科。1924 年被派回国重建匈牙利共产党，翌年被匈牙利当局逮捕，判处 8 年半徒刑，刑期从逮捕之日算起。刑满释放后再度被捕，1934 年被判处无期徒刑，但于 1940 年被允许去莫斯科。1944 年随苏军回匈牙利，任匈牙利工人党(共产党)书记，在新建的国家安全警察

供图：Magyar Munkasmozgalmi Muzeum, Budapest

(AVO)的支持下，很快把政治权力集中到自己手中。他是一个坚定的斯大林主义者，1949～1953 年为党的最高首脑(1952 年起又为部长会议主席)。斯大林去世之后，他于 1953 年 7 月不得不把部长会议主席的位置让给具有改革思想的纳吉。但他仍任党的书记，1955 年还能够促使纳吉去职。次年，莫斯科为了安抚他曾经触犯过的南斯拉夫领袖铁托元帅，才免除他的一切党内职务。由于长期坚持斯大林主义和听命于莫斯科，他在国内大失人心，1956 年 10 月布达佩斯爆发革命时，他再次逃往苏联。

Rakovski, Georgi Sava　拉科夫斯基(1821，鲁米利亚科泰尔～1867-10-20，布加勒斯特)　保加利亚革命领袖、作家，是一位反对土耳其统治、为祖国解放而奋斗的坚强战士。16 岁参加反抗土耳其人的起义。克里米亚战争期间，他在保加利亚秘密组织武装暴动。被捕后判处死刑，后越狱逃至塞尔维亚、罗马尼亚和俄国，继续为保加利亚的解放事业奔走，并出版杂志，号召祖国同胞起来革命。他的领导第一次给予保加利亚独立运动以真正的动力，特别是他的新闻和文学工作，鼓舞了很多青年投身于民族解放事业。

Rakovsky, Khristian Georgiyevich　拉科夫斯基(1873-08-13，保加利亚科泰尔～1938 以后)　保加利亚革命家。早年在罗马尼亚从事革命活动，后加入俄共，成为苏俄重要的政治人物。保加利亚革命家 G.拉科夫斯基的孙子。在法国取得医学学位，并以英萨罗夫的笔名为《火星报》和《真理报》撰稿。后在罗马尼亚组织社会党，两次被捕入狱。1917 年 5 月加入俄共(布)。十月革命后当选俄共(布)中央委员会委员，1919 年任乌克兰人民委员会主席。后因主张非俄罗斯民族集团自治，与斯大林意见相左，十二次党代会上又因此引起严重分歧，于 1923 年调任苏联驻伦敦代办。1926 年任苏联驻法国大使。1927 年 12 月因支持托洛茨基的观点被开除出党，流放到哈萨克斯坦。1934 年拉科夫斯基宣布放弃自己的观点，翌年恢复党籍，在卫生人民委员部中当局长。1938 年大清洗时被捕，被判处 20 年苦役。据信，他可能死于苏联劳改营。

rakshasa　罗刹　印度教神话中的一类妖魔。他们能随意变成各种动物或妖怪；女罗刹能变成美女。他们在黄昏尤其是上弦前数日黄昏时，本领最大，日初即逃。他们憎恶人间的祭祀和祈祷。罗刹之王十首*罗波那*(**Rāvaṇa**)最能肆意为祸。女罗刹布怛那用自己毒乳汁喂婴儿黑天，意在害死黑天，但黑天竟将她吮吸而死。罗刹也有较善良者，有些类似夜叉；另一些类似与天神为敌的阿修罗。

raku ware　乐陶器　日本铅釉陶器，原是 16 世纪在京都专门为茶道创造的。和以前的陶器完全不同，它代表了一种故意抛弃现有的形式而达到一种新型美的尝试。器皿的造型极为简单：小底座的广口直筒碗。由于乐陶不使用陶轮成形，而完全用手工制作，因此每件产品都明显地带有制作者个人手艺的特点；件件都似乎是独特的创作。釉的颜色有深褐色、浅橘红色、稻草色、绿色和奶油色。最值得注意的事是制作乐陶器的工艺：它不是在冷窑中加温和烧成，而是将涂好釉的陶

19 世纪(?)江户－明治时期的乐陶器——麻点裂纹釉茶碗

安大略皇家博物馆供图

器放在热窑中仅约一小时，然后拿出来放在气温中强行急速冷却。这一步骤使陶器受到极强的应力，在全部陶釉上，有时是陶器本身上产生出独特的效果。还原烧成的过程是把热陶器放在易燃的物质中除去表面的氧层，这个过程增加了意想不到的外观和戏剧性的釉面变化。偶然性和制作方法是乐陶艺术的主要因素。

Rakushisha　落柿舍　参阅**Mukai Kyorai** *向井去来*。

Ralbag　拉尔巴格　参阅 **Levi ben Gershom** *列维(本·格尔绍姆)*。

Ralegh, Sir Walter　参阅 **Raleigh, Sir Walter** *雷利*。

Raleigh　罗利　美国北卡罗来纳州首府，韦克县县城(1771)。位于教堂山和杜伦东南 40 千米处。与其他两个城市构成了该州主要的城市区之一，即科研三角区。1788 年选定城址，1792 年北卡罗来纳首府从海滨西迁时建城。州政府大厦(1840)被认为是希腊复兴建筑的杰出典范，州政府广场周围是州机关办公楼。该市现为教育中心，设有北卡罗来纳州立大学(1887)、肖大学(1865)、梅雷迪斯学

罗利市的州议会大厦

供图：North Carolina Department of Natural and Economic Resources

院(1891)、圣奥古斯丁学院(1867)、圣玛丽学院(1842)及和平学院(1857)等高等院校。北卡罗来纳艺术博物馆亦设在此。该市为州内东部零售货物运输中心和批发地，也是食品批发销售中心。工业产品包括通迅设备、电子设备、计算机和食品加工等。亦是纺织品和化工品的研究与发展中心。市内设有几家保险公司国内总部或地区公司。美国第17任总统A.约翰逊1808年诞生于此，其故居成为历史名胜。人口：市276 093，罗利-达勒姆都会统计区1 187 941(2000)。

Raleigh, Sir Walter　雷利(1554?，英格兰德文巴德利索尔特顿附近海斯巴顿～1618-10-29，伦敦)　Raleigh又拼Ralegh。又译罗利。英国探险家和作家，女王伊丽莎白一世的宠臣。1585年被封为爵士。后被女王继位者詹姆斯一世指控谋反，囚于伦敦塔，终被处死。1569年在法国宗教战争中参加胡格诺派作战。后就学于牛津奥里尔学院(1572)和中殿律师学院(1575)。1580年参加镇压芒斯特省

不列颠博物馆供图

爱尔兰人反叛。因坦率批评英国对爱尔兰的政策，引起女王伊丽莎白注意。1583年女王赐予他伦敦斯特兰德大街的达勒姆旅馆的部分租借权，在该处他拥有酒业执照(1583)和各色绒面呢出口(1585)的垄断权，他还担任过科尼什锡矿的主管、康沃尔郡的海军上尉、德文郡和康沃尔郡的海军中将和议院议员。1587年任女王侍卫长。他最后得到的皇室任命是泽西岛(海峡群岛的一座岛)总督(1600)。1592年瞒着妒忌的女王结了婚，因生了儿子，事情暴露，他和妻子一道被关进伦敦塔。不久获释，但从此失宠。雷利生性傲慢，爱挥霍，名声不好。耶稣会小册子指控他是无神论者。他敢于直言，哲学上倾向于怀疑论。他曾认真学习数学以便用于航海，也学习过化学和医术。他和女王的决裂，使他的活动天地扩展了。1584～1589年他试图在今美国北卡罗来纳建立殖民地。1595年率领远征队到圭亚那，沿奥里诺科河航行到西班牙殖民帝国的腹地。之后，出版《圭亚那的发现》一书(1596)。西班牙文件及印第安的故事使他相信南美洲内地有座“黄金城”，他的确找到一些金矿，但没有一处金矿足以使他能够进行殖民开发。1596年随埃塞克斯伯爵远征西班牙失败。1597年远征亚速尔群岛。雷利敌视西班牙的政策，为主和的英王詹姆斯(1603～1625在位)所不取。由于政敌作祟，1603年被指控阴谋推翻国王而判处极刑。后缓刑，监禁在伦敦塔。1616年获假释后，经英王准许再次去圭亚那远征，允诺在不冒犯西班牙的前提下开发金矿。由于其下属烧毁一处西班牙居民点，英王根据1603年原判于1618年将他处死。自从1603年公众一直对雷利表示同情。1618年后，他的作品被搜集起来出版。遗著有约560行诗歌，诗中称女王为月亮女神，指责她寡情，这可能是影射1592年囚禁之事。还有一些散文以及《最后雪耻之战》(1591)和《世界史》(1614)等书。《世界史》是他最后的著作，写于伦敦塔，从创世纪写到公元前2世纪。

Raleigh, Sir Walter (Alexander)　雷利(1861-09-05，伦敦～1922-05-13，牛津)　苏格兰作家、评论家。当时牛津大学的一位知名人物。1889～1900年任利物浦大学现代文学教授，此后任格拉斯哥大学英语教授，1904年任牛津大学第一位英国文学教授。他是一个才华横溢、有鼓动性的谈话者和讲演者，成为1894年才创立的牛津英语流派的中心人物。所著《风格》(1897)、《华兹华斯》(1903)、《莎士比亚》(1907)、《约翰逊六论》(1910)等书说明，他不是一位严谨的学者而是一个文雅的评论家，明察秋毫而又不吹毛求疵、统观全篇而不寻章摘句。1911年被封为爵士。

Rallidae　秧鸡科　鸟类的一科。包括秧鸡(**rail**)、骨顶鸡(**coot**)、田鸡(**crake**)和水鸡(**gallinule**)等。

rally　汽车拉力赛　长距离汽车竞赛项目。在指定公路上进行的汽车赛，驾驶员和领航员要尽力在各检查点之间按事先确定的时间表行进。赛前，比赛路线一般向选手保密。这种比赛始于1907年的北京至巴黎拉力赛(路程约12 000公里)。蒙特卡洛拉力赛于1911年首次举行，其后除战时外不断举行，起点不固定。第二次世界大战后拉力赛在欧洲和其他地方十分盛行，并举行了国际比赛。经常举行的最长拉力赛是1953年创办的东非萨法里赛，路程为6 234公里。仅举行过一次的最长距离拉力赛是1977年伦敦-悉尼赛，路程达31 107公里。关于各种国际汽车拉力赛的优胜者，参阅**Sporting Record**：Automobile racing。

Rally for the Republic　保卫共和联盟　俗称戴高乐派。法语作Rassemblement pour la République。法国政党，1976年由J.希拉克建立。该组织是戴高乐派联盟的直接继承者，多年来以各种名称进行活动，在戴高乐总统(1958～1969)和蓬皮杜总统(1969～1974)任期内，对第五共和国的政治生活举足轻重。其前身可追溯到1947年，当时戴高乐组织了法国人民联盟。后来，阿尔及利亚独立问题引起了法国的危机，戴高乐成为能够解决这个危机的唯一人物，并以此取得了政权。他的支持者结合成3个主要政团，其中“保卫新共和联盟”是最重要的政团，它在1958年大选中获胜。1962年保卫新共和联盟和劳工民主联盟的左翼戴高乐派组成联盟，1967年合并了其他分裂出去的小集团。1968年大选后，这个政团名为共和国民主人士联盟，一直沿用至1976年。在1974年的大选中，该党的总统候选人落选，戴高乐派的希拉克乃在德斯坦总统手下任总理，但1976年在人事问题的冲突中辞职。他以保卫共和联盟的名义，重新组织戴高乐派，并牢牢地加以控制。20世纪80年代，保卫共和联盟实力增长，希拉克被任命为总理(1986～1988)。1995年，希拉克被选为总统。2002年，保卫共和联盟与自由民主党，以及法国民主联盟的大部分合并，组成法国人民运动联盟，在2002年成功确保了希拉克的连任。

Ralov, Kirsten　拉洛夫(1922-03-26，奥地利巴登贝维恩～1999-05-30，丹麦哥本哈根)　母家姓Gnatt。丹麦舞蹈家、芭蕾舞教师、丹麦皇家芭蕾舞团艺术指导。初在维也纳学舞，不久随父母到哥本哈根。1928年与其兄P.格纳特同入丹麦皇家芭蕾舞学校。1940年入丹麦皇家芭蕾舞团，为该团主要演员之一，直至1962年。曾上演多部该团前艺术指导A.布农维尔创作的芭蕾舞剧，并因此于1952年受封为丹麦国旗级爵士。曾在世界各地巡回演出，传播布农维尔的舞蹈技巧及哑剧表演艺术。1977年，由于丹麦皇家芭蕾舞团艺术指导F.弗林特辞职，他与H.克龙斯塔姆共同担任艺术指导。在他们的指导下，舞团日益兴旺，并于1979年访问中国，1980年访问美国。

Ralph of Coggeshall　拉尔夫(科吉舍尔的)(?，英格兰剑桥郡～1227以后)　12世纪末、13世纪初英格兰编年史家。科吉舍尔的西多会修士。1207～1218年任隐修院长。他续编该院已有的《英格兰编年史》(起自诺曼人征服英格兰的1066年)，撰写1187～1224年的部分。他还编写了1066～1223年的简略编年史，并在1162～1178年续编了R.尼格尔(据信是格洛斯特副主教)的编年史。

Ralston Purina Company　罗尔斯顿-珀瑞纳公司　原美国公司，曾为全世界主要宠物食品和家畜、家禽及其他动物的饲料制造商之一。此外，该公司还生产豆制品、罐头海味、谷类食物、饼干、糖果、蘑菇、加工的家

禽肉等。它所经营的项目已涉及非食品的企业,包括工业园。总公司在密苏里州圣路易斯的棋盘广场,因此用棋盘为主要商标。公司1894年成立,数度易名。多年来,产品逐渐多样化,行销全美国。1957年开始在国际市场进行销售。20世纪90年代退出饲料业务。通用磨坊公司于1997年收购了其早餐谷类食品业务。2001年11月,与雀巢合并成立了雀巢普瑞纳宠物食品公司。

ram 撞角 固定在战舰舰首,用以撞毁敌船之金属物。可能是公元前1200年时,由埃及人最先发明的,但到腓尼基、希腊和罗马的桨帆并用战舰(一种海船,主要靠桨推进)上才强调其重要性。在19世纪中叶的海战中,撞角重新被采用,尤以美国内战时期和1866年奥意战争中使用最多。撞角安装在蒸汽机铁甲舰上,能有效地对付木帆船。但随着海军武器的改进和广泛使用金属船体,撞角很快就过时了。

Ram, Jagjivan 拉姆(1908-04-05,印度阿拉附近昌德瓦～1986-07-06,新德里) 印度政治家、印度最下层的贱民种姓的代言人。出身于贱民家庭,是贱民种姓接受高等教育的第一人。进入贝拿勒斯印度教大学和加尔各答大学学习(1931年获理学士学位),1931年加入甘地的国大党。1935年协助建立为贱民获得平等而斗争的全印最下层人民联盟。30年代后期当选在比哈尔邦政府中任职,并协助组织农村劳工运动。40年代初期因政治活动而两度入狱。1946年成为尼赫鲁临时政府中最年轻的部长。他任劳工部长直至1952年。此后历任交通部长(1952～1956)、运输和铁道部长(1956～1962),以及运输和交通部长(1962～1963)。拉姆支持英迪拉·甘地竞选总理,她于1966年接替夏斯特里成为总理后,拉姆被任命为劳工、就业和安置部长(1966～1967),后任粮食和农业部长(1967～1970),1970年任国防部长。在任国防部长期间,印度帮助建立了独立的孟加拉国。1974～1977年拉姆任农业和灌溉部长。虽然他最初支持甘地总理于1975年宣布的紧急状态法,但于1977年与其他5位官员一起辞去内阁职务,组成一个新党。在当选总理的计划遭到挫折后,他再度任国防部长(1977～1979)。他任议会议员直至去世。

Rām Allāh 拉姆安拉 巴勒斯坦中部城镇。1967年的六日战争后归以色列所辖西岸地区。该镇东临比拉镇,北近耶路撒冷,位于犹太山区顶部,海拔872米。夏季气候凉爽,长期为阿拉伯人的休养胜地。周围地区物产丰饶,以油橄榄和葡萄种植业为主。比尔宰特大学建于1924年。该镇自古为定居地,有大希律时期的砖石结构遗迹,但早于十字军时代的完整建筑物全已无存。城南的特勒米斯高丘内有层叠的古代居民点遗迹沉积层,可能是《圣经》中常提的米斯巴遗址。人口18 017(1997)。

Rām Dās 罗姆·达斯(1534,印度旁遮普拉合尔～1581,戈因德瓦尔) 又名巴伊·杰塔。印度锡克教第4代祖师。他在莫卧儿帝国皇帝阿克巴赠给他的土地上兴建圣地,邀请工商界前往该地定居,使该地逐步形成城市,初名罗姆达斯普尔,后改称阿姆利则。他与前几代祖师一样,敦促皇帝惩治贪污,并资助慈善事业。

Ram Mohun Roy(Indian reformer) **拉姆·莫恩·罗伊** 参阅 **Roy, Ram Mohun** 罗伊。

Rām Rāiyā 罗姆·拉伊派 由叛离印度锡克教的一部分人所成立的教派。该派是祖师哈尔·拉伊(1630～1661)的长子罗姆·拉伊的后人。北方邦台拉登一带,即当年莫卧儿王朝皇帝奥朗则布赐给罗姆·拉伊的土地上,尚有该派谒师所若干处。此派和锡克教其他各派之间的主要分歧在于对自第一代教祖以来各教主的继承法统问题。

Ram Singh 罗姆·辛格(1816,印度旁遮普派尼～1885,缅甸丹老) 印度锡克教哲学家和改革家。最先倡导以不与英国人合作、不用英国货、不为英国人服务等手段对英国进行政治斗争。出身于小农家庭。1836年,他20岁时参加锡克教土邦主兰季特·辛格的军队。3年后,兰季特·辛格去世,他的军队和政权濒于瓦解。罗姆·辛格痛感英国势力强大而锡克教软弱,决心以恢复锡克族的尊严为己任。他在难陀利派中推广新的习俗。因为他们经常狂呼,该派后来称为呼神派。该派比锡克教其他各派更为强调生活作风,更加接近最初几代祖师所教导的原则。1863年他准备采取重大举动,当时呼神派将到锡克教圣城阿姆利则谒见他,由他宣布自己是哥宾德·辛格祖师转世,要成立呼神派的卡尔沙教团。英印警察进行干涉,使他长期不能离开本村。年复一年,推翻英国统治的预言落空,该派发生内乱,又自知无力抗击英国,遂攻击穆斯林。大批锡克教武装部队攻击马莱尔戈德拉的穆斯林村落,许多锡克教徒被英国人俘获。英国人意识到这种行动不同于一般土匪骚扰,而是旁遮普叛乱的发端,就用野蛮方式处置呼神派:把被俘人员绑在炮口上,开炮轰成碎片。此后,罗姆·辛格曾请求俄国支援他驱逐英国人,俄国因不愿冒开衅于英国之险而予以拒绝。他先被监禁,后被流放到仰光,以政治犯身份度过近14年。

Rāma 罗摩 印度教所崇奉的重要神灵之一。体现武士精神和懿行美德。印度古代传说中有三个罗摩,即持斧罗摩、大力罗摩和罗摩占陀罗,但通常所说的罗摩专指毗湿奴的第七化身罗摩占陀罗。历史上可能确有罗摩其人,他可能是一位部族英雄而经过神化渲染。他的事迹,《摩诃婆罗多》讲得很简单,《罗摩衍那》叙述极为详细。罗摩和毗湿奴的另一化身黑天都是14、15世纪印度各地流行的守员专奉运动中最普遍的崇拜对象(参阅 **Rāmānanda**)。崇奉黑天是仰慕他机智多谋、风流多情,而崇奉罗摩则是仰慕他富于理智、行为端正和品德高贵。罗摩的塑像站立,左手持弓,右手执箭。罗摩像旁多有其妻悉多、异母所生的爱弟罗什曼那和忠仆大额神猴哈奴曼的塑像。在绘画里,罗摩肤色黝黑,服饰华丽,头戴尖顶王冠。

印度中央邦5世纪的《罗摩衍那》浮雕,森林中的罗摩、罗什曼那和哈奴曼
供图:P. Chandra

Rama 拉玛 暹罗国王的谥号。按年代顺序分列于后,并各以●为标记。

● Rama I 拉玛一世(1737-03-21,暹罗大城～1809-09-07,曼谷) 暹罗国王(1782～1809)。却克里王朝(**Chakkri dynasty**)的创立者。宫廷高官之子,有中国血统。1766～1767年缅人入侵时,他在叻丕里省当首席法官。1767年大城沦陷后,他成为北方省大臣。在此后10年间,他主要领兵打仗,赶走缅人,并建立对老挝、柬埔寨和马来北方诸邦的宗主权。1782年首都发生叛乱,他从柬埔寨班师回国,于4月6日登上暹罗王位。他迁都曼谷,对所有公务机构进行全面革新,召开宗教会议勘定佛教经典,并编纂了泰国第一部完整的法典(1805)。他在印度支那半岛中部建立军事霸权,还大力扶持文学发展,把印度史诗《罗摩衍那》译成泰文。他即位后的名称是普拉佛塔约法·朱拉罗克,拉玛一世是后世瓦栖拉兀所上的谥号。

● Rama II 拉玛二世(1768-02-24,叻丕～1824-07-21,曼谷) 暹罗却克里王朝的第二代国王(1809～1824)。在他统治下,国家与西方重新开展交往活动。他是个天才诗人和剧作家,所著《伊瑙》将一个民间故事改编为剧本。

● Rama III 拉玛三世(1788-03-31,曼谷～1851-04-02,曼谷) 暹罗国王(1824～1851),曾使暹罗和西方达成第一次暂时和解。在位期间尽力扩大暹罗疆域。拉玛二世的长子。早年主管外贸和外交工作。1824年即位。由于富有外交经验,他顶住了英国伯尼使团(1826)提出的要求,缔结了与西方开始正常贸易而无损于国家独立的条约。在19世纪30～40年代,他主要关心老挝和柬埔寨问题,极力阻止越南的殖民活动。鉴于其弟蒙库(**Mongkut**)对王位的强烈要求,他没有指定继承人。在王国即将和西方发生对抗的时候蒙库继承了王位。

• **Rama IV 拉玛四世** 参阅 **Mongkut** 蒙库。

• **Rama V 拉玛五世** 参阅 **Chulalongkorn** 朱拉隆功。

• **Rama VI 拉玛六世** 参阅 **Vajiravudh** 瓦栖拉兀。

• **Rama VII 拉玛七世** 参阅 **Prajadhipok** 巴差提朴。

• **Rama VIII 拉玛八世** 参阅 **Ananda Mahidol** 阿南达·玛希敦。

• **Rama IX 拉玛九世** 参阅 **Bhumibol Adulyadej** 普密蓬·阿杜德。

Ramaḍān 赖买丹月 伊斯兰教教历九月，是斋戒的圣月，即斋月。《古兰经》第2章第185节载，"赖买丹月中，开始降示《古兰经》，指导世人"。根据伊斯兰教法，在赖买丹全月，每日从黎明到黄昏不得饮食或行房。赖买丹月的开始和结束由教法当局根据可靠见证人见到新月的报告予以宣布，因此逢阴天可能推迟或延长斋期。赖买丹月持斋是伊斯兰教的五功之一。

Rāmadatta (Hindu philosopher) 参阅 **Rāmānanda** 罗摩难陀。

Ramādī, ar- 拉马迪 伊拉克中部安巴尔省省会。濒临幼发拉底河。在哈巴尼亚湖西北。1869年创建。成为穿越沙漠去安曼和大马士革的商路起点后日趋繁荣。该镇于1955年筑成横跨幼发拉底河的水坝。人口约470 000(1997)。

Ramadier, Paul 拉马迪埃(1888-03-17，法国拉罗谢尔～1961-10-14，罗德兹) 法国第四共和国第一任总理(1947-01～11)。在巴黎大学获法学博士学位后任巴黎上诉法院法官。1919年当选为德卡兹维尔市长，从1928～1940年，连续当选为国民议会议员。1936年在布鲁姆内阁任公共工程部长。1938～1940年在肖当和达拉第两届内阁中任劳工部长。第二次世界大战期间拉马迪埃拒绝支持维希政府，而为抵抗运动工作。1947年当选为法兰西第四共和国的第一任总理，他遂组成中左联合政府，但他的政府无力对付战后的一系列危机，包括食品短缺、劳工骚乱、印度支那人民对法国殖民统治的抵抗、共产党与联合政府中其他成员的争执等。他的政府因失去支持而倒台。1952～1955年任国际劳工局局长，1956年一度在摩勒内阁中任财政部长。

Ramakrishna 罗摩克里希纳(1836-02-18，印度孟加拉邦胡格利～1886-08-16，加尔各答) 印度教名人。出身于清贫的婆罗门家庭，几乎没有受过正规教育，一生讲孟加拉土话，不懂英语与梵文。罗摩克里希纳23岁娶5岁幼女婆罗达-提毗，因为他坚持独身，一直未同居。婆罗达-提毗日后也被罗摩克利希纳派尊为神，称为神母。罗摩克利希纳抵制性和金钱的诱惑，认为性欲与金钱使人无法在灵性上大彻大悟。他反对种姓制度，否定社会上一切人为的畛域。他认为印度教所奉兴灭之女神时母是天神的最高化身。他隐居于居处附近林中苦修。1866年罗摩克里希纳开始探讨伊斯兰教，据说曾见穆罕默德显圣。后又研究基督教，也曾见耶稣显圣。他断言，各教本质相同，俱为真理。他没有著作，门徒将他的言论汇编成集，出版数卷。他

供图：Information Service of India, London

认为神无所不在。罗摩克里希纳派中央机构设在加尔各答，向世界各地派出传教士。其大弟子辨喜曾代表印度教参加1893年芝加哥世界宗教会议。

Ramakrishna Mission 罗摩克里希纳教会 印度宗教团体。辨喜(**Vivekananda**)于1897年在加尔各答创立该会，目的在于传播印度教圣人罗摩克里希纳的教义并改善印度人民的社会状况。罗摩克里希纳本人曾接受过基督教、伊斯兰教和其他宗教的教育，他充分信仰印度教关于万教同归的观念。在20世纪80年代，该教会在美国设有13个分会，同时在孟加拉国、新加坡、斐济、斯里兰卡、毛里求斯、法国、瑞士、阿根廷和英国有常设机构，这些机构不从事社会服务工作，仅宣传罗摩克里希纳的教旨。在印度国内，该教会办有近90处学院，各中心站则进行各种慈善活动，如医疗、教育、出版和救济。

Ramalho Ortigão, José Duarte 拉马略·奥尔蒂冈 参阅 **Ortigão, José Duarte Ramalho** 奥尔蒂冈。

Raman, Sir Chandrasekhara Venkata 拉曼(1888-11-07，印度特里奇诺波利～1970-11-21，班加罗尔) 印度物理学家，其工作促进了印度科学的发展。因发现光通过透明物质时波长发生一定变化而获1930年诺贝尔物理学奖。1917年任加尔各答大学物理学教授，研究光在各种物质中的散射，1928年发现物质被单一频率的光束照明时，在以与原来方向成直角射出的光束中，含有表明该物质特性的其他频率。这种拉曼频率，等于该物质的红外频率，是由光与物质之间的能量交换引起的。1929年被封为爵士，并于1933年转到班加罗尔的印度科学研究所，任物理学部主任。1947年任该地拉曼研究所所长，1961年成为宗座科学院院士。对当时印度每

供图：Information Service of India, London

个研究所的建立几乎都作了贡献，创办了《印度物理学报》和印度科学院，训练了成百上千的学生在印度和缅甸各大学和政府里担任要职。

Raman effect 拉曼效应 光受分子所散射而引起波长的改变。当单一波长的光束穿过纯净、无尘、透明的化合物样品时，有一小部分光沿不同于入射光的方向散射。大部分散射光的波长不变，但有一小部分光的波长不同于入射光的波长，这就是拉曼效应的结果。1928年C.V.拉曼发现了这一现象，故而得名。如果把入射的单色光看作是可与样品的分子碰撞的粒子或光子(其能量与频率成比例)组成的，那也许最容易理解拉曼散射，大多数碰撞是弹性的，光子在散射时能量与频率都不变。可是有些碰撞是非弹性的，即分子要给光子以能量或从光子取走能量，因此散射伴随着能量的增、减以及频率的加大或减小。频率移动是有关散射分子的量子跃迁的能量的量度。在摄谱仪中，这种能量的移动表现为除了与发射与吸收相关的线外一些明晰的谱线。拉曼效应很微弱；对于液体化合物，受影响的光的强度只有入射光束的1/100 000。拉曼谱线的图样是特殊分子类的标识，其强度与光路中的散射分子数成比例。因而，拉曼光谱可用于定性和定量分析。与拉曼频移相应的能量由散射分子的不同转动和振动态间的诸跃迁能量构成。除简单的气体分子外，纯粹的转动移位很小，难以观察。在液体中，转动受到阻碍，没有发现离散的转动拉曼线。大多数拉曼效应方面的工作是关于振动跃迁的，对于气体、液体和固体，振动跃迁给出较大的可观察的移位。常压下气体的分子浓度低，所产生的拉曼效应也就非常微弱，因而研究得更多的是液体和固体。

Ramana Maharshi 罗摩那大仙(1879-12-30，印度马德拉斯马杜赖～1950-04-14，蒂鲁文纳默莱) 原名文卡塔拉曼·艾耶尔。印度教哲学家和瑜伽师。在主张神人同质论和幻论方面与商羯罗齐名。17岁通过灵性经验提出一种伺法，其步骤是：突然感到死亡的恐怖，于是静卧，想象身体已变成僵尸。按照传

统的非此非彼法，自问："我是谁?"又自答："不是身体，因为它正在腐烂；不是心思，因为头脑也要随尸腐烂；不是人格，也不是感情，因为这些也将随着死亡而消失。"他苦求答案而达到三昧极乐世界，随即抛弃财产，剃发，离乡隐居于阿鲁纳恰拉山。

Rāmānanda 罗摩难陀（约1400～约1470） 又作 Rāmānand 或 Rāmadatta。印度北部地区婆罗门，在宗派传承上是哲学家兼神秘主义者罗摩奴阇的第五代传人，也是罗摩难陀派的创始人。此派主张对世尊毗湿奴的化身罗摩大神奉行守贞专奉的崇拜模式。罗摩难陀青年离家出走，然后定居于贝拿勒斯修行，学习吠陀经典、罗摩奴阇哲学和瑜伽之术。学成后，周游各地弘传教义，与门徒共饮食，不论种姓。因此，罗摩奴阇世系中的其他人联合起来孤立他，不同他共饮食，不愿受他的玷污。罗摩难陀一怒而脱离罗摩奴阇世系，另立罗摩难陀派。他的第一批12个门徒中，至少有一名妇女、还有低级种姓出身的人（一名皮匠、一名理发匠等）和一名穆斯林（神秘主义者迦比尔）。罗摩难陀的教义与罗摩奴阇的教义内容相似，只是排除了种姓间共饮食的禁忌和所有宣讲教义及经典必须使用梵语的严格规定。罗摩难陀在阿格拉和瓦拉纳西（即贝拿勒斯）用印地语讲道，以利广传，因为只有高种姓才懂梵文。现在罗摩难陀派在印度北部仍有许多寺院。

Rāmanāthapuram 拉默纳特布勒姆 印度东南部泰米尔纳德邦拉默纳特布勒姆县城镇。生产纺织品和珠宝。设有马杜赖-卡马拉吉大学两所分校。拉默纳特布勒姆县面积12 578平方千米，范围包括泰米尔纳德邦南部沿海平原的一部分和**拉梅斯沃勒姆**（**Rāmeswaram**）岛。由于西高止山与斯里兰卡岛山地阻挡季风，当地气候极为干旱。依靠水池灌溉生产辣椒和棉花供输出。城镇有棉纺织业和水泥工业。最大城镇为拉杰巴莱亚姆、维鲁杜讷格尔和加赖古迪。锡沃加西的烟火产量占全国的9/10。历史上英国建公路和轮渡网经拉梅斯沃勒姆至锡兰（今斯里兰卡）。有公路由马杜赖通北部各地。县府为马杜赖。人口：城镇52 879；县1 144 040（1991）。

Rāmānuja 罗摩奴阇（约1017，印度斯里佩伦布杜尔～1137，斯里兰格姆） 印度南部地区印度教神学家、哲学家、灵修界思想家。早年从耶达伐婆罗迦夏学习商羯罗派的不二论。该派否认有位格的神的存在，与他的信仰格格不入。罗摩奴阇与师父分离后在异象中目睹毗湿奴神和神妇吉祥天女，遂首倡每天在当地礼拜。后在康齐伐罗多罗阇寺任祭司，鼓吹凡渴望解脱轮回之苦者，不应追求无位格的梵，而应追求有位格的神毗湿奴所体现的梵。他在哲学方面强调：人在寻求终极真理的过程中必须进行推论思索；现象世界是真实的，提供真实的知识；日常生活中的便通对于灵修既无损害，也不抵触。他在讲解脱的道理时，承认人有守贞专奉本尊的强烈愿望，从而把民间宗教信仰与哲学探索相结合，为守贞专奉的作法找到理论根据。罗摩奴阇承认物质、我、神三者的真实存在。他同商羯罗及其他吠檀多派神学家一样，承认上述三者最终融合为"不二"，但是他认为这种

12世纪的印度坦焦尔区毗湿奴神庙的罗摩奴阇青铜像

供图：Institut Français d'Indologie, Pondicherry

不二乃是神经过物、我两者的作用而受到制限的不二，因此他的学说通称制限不二论。最早的主要著作是《梵经注》，晚期著有《薄伽梵歌注》。

Ramanujan, Srinivasa 拉曼纽扬（1887-12-22，印度埃罗德～1920-04-26，贡伯戈讷姆） 印度数学家，对数论有贡献，包括发现分拆函数的性质等开创性工作。拉曼纽扬在15岁时获得G.S.卡尔所著《纯粹与应用数学初阶成果纲要》（2卷，1880～1886）。该书收有约6 000条定理（全是1860年以前的资料），启迪了他数学上的天赋。在验证书中卡尔所列结果后，拉曼纽扬更进一步提出了自己的定理和构想。1903年他获得印度马德拉斯大学的奖学金，翌年却因专注于数学而忽略了其他学习，失去这份奖学金。

拉曼纽扬在失业状态和穷困的生活中继续他的研究工作，但在1909年结婚之后开始寻求长久性的工作，在会见政府官员R.拉奥后终于如愿以偿。拉奥深为他的数学才能所动，曾一度资助他的研究工作。然而，拉曼纽扬却不愿倚靠施舍生活而去马德拉斯港务企业当文书。1911年拉曼纽扬的第一篇论文发表在印度数学会杂志上。他的天才渐为人们所赏识，1913年他开始和英国数学家G.H.哈代通信，因而得到马德拉斯大学的特别奖学金和剑桥大学三一学院的赠款。克服对宗教的异议后，拉曼纽扬于1914年前往英国，由哈代私下指导，并和他合作进行一些研究。

拉曼纽扬的数学知识非常丰富，且多半出于自修。虽然他几乎完全不知前人所发展的理论，但对连分数的精通是当时无论哪位数学家都无法与之相比的。他研究出黎曼级数、椭圆积分、超几何级数、ζ函数的函数方程式以及由他自己提出的发散级数理论。然而，他的知识不够完全也同样惊人。他对双周期函数、二次型的古典理论或柯西定理茫然无知，对于如何作出数学证明的概念也非常模糊。他虽然才华横溢，但他的许多关于素数理论的定理却完全是错误的。在英国期间，拉曼纽扬的研究取得进展，尤其是在数的分拆方面。他的多篇论文在英国和欧洲学术刊物上发表，1918年成为第一位获选为伦敦皇家学会会员的印度人。1917年拉曼纽扬患结核病。好转后于1919年返回印度，次年去世。拉曼纽扬虽非世界名人，却被数学家们公认为继L.欧拉（1707～1783）和K.雅可比（1804～1851）之后举世无双的卓越天才。

Ramapithecus 腊玛古猿属 化石灵长类的一个属，测定年代为中新世晚期或上新世早期，并被认为是现代人类最老的直系祖先。最早是G.E.刘易斯于1932年在印度北部的西瓦利克山脉中的古老堆积物里发现的，其代表只有颌骨碎片和牙齿。刘易斯发现的是上颌骨右侧的一块碎片，其形状近于人类而不近于猿类。由于这块颌骨当时是唯一的这类发现，所以古生物学家拒绝对其给予鉴定。1961年，L.利基和M.利基夫妇发现了同刘易斯的发现极为相似的一具上颌骨和下颌骨的几部分。利基发现的化石，测定年代为1 400万年前。在亚洲、非洲和欧洲发现的其他颌骨和牙齿显示：腊玛古猿属是现代人类最早的直系祖先，生活在距今约1 500万年到800万年前。建立这个提法的论据在于腊玛古猿属牙齿和颌骨的特征。这些牙齿和颌骨恰好介于猿类的和人类的之间。人类的颌骨呈抛物线形，或半圆形，而猿类的则呈多少有些见方的U字形。腊玛古猿属的颌骨略呈圆形，而且不像猿类那么向外突出。最重要的区别在于犬齿的大小和形状。猿类的犬齿长而外露，向下伸出，易于撕开食物，而人类的犬齿则趋于扁平的，而且长度不超过其他牙齿，所以更适于咀嚼和磨碎食物。腊玛古猿属的犬齿，虽然形状仍然有些像猿类的，但其长度并不超过其他牙齿。猿类的门齿比人类的宽，而且上牙之间有齿隙给较大的门齿留出余地。腊玛古猿属的下门齿小，而且上牙之间没有齿隙。此外，腊玛古猿属的牙釉质比猿类的厚得多。构成腊玛古猿属与猿类之间差别的牙齿结构方面的改变，与生存环境不同所引起的改变相联系的。资料证明，猿类和早期类型的腊玛古猿属主要生活在森林里，那里有多汁的软食物，只需要撕拉。腊玛古猿属的晚期种类主要生活在开阔的草原上，那里提供的食物比较坚硬、有韧性、纤维素较多，需要磨碎和咀嚼。D.皮尔比姆在20世纪80年代初期推论出下述假说，认为那据说是"旁遮普腊玛古猿"（*Ramapithecus punjabicus*）的遗体，实际上属于猩猩类的一个进化的祖先。

Rama's Bridge（India and Sri Lanka） **拉马桥** 参阅 **Adam's Bridge** 亚当桥。

Ramat Gan 拉马特甘 以色列中西部城市。在特拉维夫-雅法以东的沙龙平原。1921年创建，1950年设市。现为特拉维夫-雅法大都会区最大卫星城，城内有优美的住宅区、大片园林（包括国家公园）及容纳5万观众的大运动场。这里生产巧克力、柑橘果脯及柑橘精、纺织品、建材及香烟等，还是以色

列的钻石交易中心。人口约 126 600(2003)。

Ramat ha-Golan(Syria) 参阅 **Golan Heights** 戈兰高地。

Ramathibodi I 拉玛铁菩提一世(1315-03-10 ～ 1369,大城[今在泰国]) 大城王国的创立者和第一代国王(1351 ～ 1369)。早期情况不详,据推测他与华富里侯国的统治家族有关系,并与暹罗中部的乌通国的公主结婚。约 1347 年他继承乌通的王位,将首都东移 50 英里至湄南河的一个岛上,在那里建立阿瑜陀耶城,即人们通称的大城。大城曾为暹罗首都 400 余年。1351 年 3 月 4 日拉玛铁菩提建大城王朝,占有以大城、华富里、素攀武里为中心的湄南河河谷的大片土地。他很快使暹罗成为该地区的强国。从登基开始,他就鼓励波斯人和中国人到暹罗经商。大城后来之所以繁荣,部分原因是由于它是一个国际贸易港口。拉玛铁菩提功垂后世的成就在于奠定了暹罗法律制度的基础。1350 ～ 1359 年间他所编纂的法典一直沿用到 19 世纪。

Ramatirtha 罗摩提陀(1873,印度旁遮普省米拉利瓦拉[今在巴基斯坦]～ 1906-10-17,阿格拉-乌德赫联合省代赫里[今在印度]) 印度教名人。青年时就学于拉合尔的福尔曼基督教会学院和公立学院。1895 年任福尔曼基督教会学院数学教授。经过与孟加拉苦行者辨喜会见,更加潜心研究宗教,立志宣传不二论吠檀多。他与他人共同创办乌尔都文杂志《阿利夫》,所著论吠檀多的文章多见于该刊。1901 年抛弃妻儿隐居于喜马拉雅山中。返回拉合尔后,又出发前往日本和美国访问。他鼓吹"先解放个人,再解放全人类"。他一方面有奥秘修行倾向,另一方面又主张以西方科技解决印度的社会和经济问题,同时他一贯支持各种形式的公共教育。

Rāmāyaṇa 《罗摩衍那》 印度两大史诗中较短的一部,另一部是《摩诃婆罗多》。《罗摩衍那》是诗人蚁垤用梵文所写,成书时间可能不早于公元前 300 年。全本包括约24 000对对句,分成 7 篇,叙王室宗人罗摩生于阿逾陀国王宫中,从众友仙人受业,在遮那竭国王为女儿悉多选婿而举行的比武大会上拉开湿婆神弓而得悉多为妻。他因遭人暗算而丧失王储身份,遂与妻子和异母弟罗什曼那一起退居森林,度过 14 年流浪生活。楞伽岛魔王罗波那派金鹿引诱罗摩和罗什曼那离开悉多前去追赶,趁机将悉多劫往自己的都城。悉多坚决拒绝罗波那的百般殷勤,罗摩兄弟设法营救她。他们历尽艰险与猴王须羯哩婆结盟,在神猴哈奴曼和罗波那亲弟维毗沙那的支援下进攻楞伽岛。罗摩杀罗波那,救出悉多。据较新的版本,悉多接受火的验证,以洗不贞之嫌。他们回到阿逾陀城后,罗摩得知臣民依然怀疑悉多不贞,便把她弃在森林之中,她在森林中遇见蚁垤仙人(据说即《罗摩衍那》的作者),在他的净修林中生下罗摩的两子。两子成年后,全家团聚,悉多再次声明自己清白,然后呼吁地母收容她,于是为大地所吞没。这部史诗在印度享有盛誉,朗诵它被认为是一件功德无量的事情。它的许多俗语译本本身就是具有巨大文学价值的作品,其中包括甘班的泰米尔文译本,克里蒂巴斯的孟加拉文译本,以及杜尔西达斯的印地文译本《罗摩功行录》。罗摩的故事也以各种不

《罗摩衍那》原文本一页
华盛顿弗里尔美术馆供图

同的形式传遍了整个东南亚(特别是柬埔寨、印度尼西亚和泰国);诗中的英雄和《摩诃婆罗多》中的般度兄弟,成为爪哇-巴厘传统戏剧、舞蹈和皮影戏的主人公。在印度尼西亚的许多纪念性建筑上,例如在东爪哇的帕纳塔兰,都刻有《罗摩衍那》故事的浅浮雕。

Ramazan DYNASTY **拉马赞王朝** 统治安纳托利亚南部丘库罗瓦地区的上库曼王朝(约 1352 ～约 1610)。1352 年,创建者拉马赞获得埃及马木路克苏丹的承认。曾试图推翻马木路克的宗主权,失败后约于 1418 年由马木路克直接控制。1485 ～ 1490 年奥斯曼-马木路克战争中,拉马赞公国对于奥斯曼人具有重要的战略意义。1514 年公国的君主马哈茂德被马木路克人废黜,遂投靠奥斯曼苏丹谢里姆一世。次年谢里姆一世在叙利亚击败马木路克,使马哈茂德重新治理拉马赞公国。约 1610 年,拉马赞公国并入奥斯曼帝国。此后,拉马赞王朝成员在亚洲和巴尔干的奥斯曼行省担任总督。

Ramazzini, Bernardino 拉马齐尼(1633-11-03,摩德纳公国卡尔皮[意大利]～ 1714-11-05,威尼斯共和国帕多瓦) 意大利医学家、公认的工业医学的创始人、早期的流行病学家。研究过职业病,倡导采取措施以保护工人健康,终于使关于工厂安全和工人补偿的法令获得通过。描述了山黧豆中毒(1690)和疟疾(1690 ～ 1695)在意大利的暴发。坚决主张用金鸡纳树皮治疗疟疾,认为这是医学史上一次革命性事件,彻底推翻了加伦用泻药治疟的理论。1713年著《工人的疾病》,这是

供图:Archiv fur Kunst und Geschichte, Berlin

第一本全面论述职业病的著作,列举了在 52 种职业中,工人会遇到的刺激性化学物质、粉尘、金属及其他腐蚀性物质对健康可能造成的危害。

Ramban(Jewish scholar) **朗班** 参阅 **Naḥmanides** 拿马尼德斯。

Rambert, Dame Marie 兰伯特夫人(1888-02-20,俄罗斯帝国波兰华沙～ 1982-06-12,英国伦敦) 本名西维亚·兰巴姆,又名米里亚姆·兰巴赫。英国芭蕾舞女导演、团长和教师,英国现存最古老的芭蕾舞团兰伯特芭蕾舞团的创始人。作为体态律动学的创始人 E.雅克-达尔克罗兹的学生,1913 年应邀向 S.佳吉列夫的俄罗斯芭蕾舞团成员传授律动学训练技术。通过授课,她影响了 V.尼任斯基为《牧神午后》和《青之祭》所设计的引起争议的舞蹈。在佳吉列夫舞团时,师从著名的

供图:Houston Rogers

芭蕾舞教师 E.切凯蒂,后参加佳吉列夫的伴舞队。她在伦敦继续进修芭蕾舞。1917 年把自己第一部芭蕾舞剧搬上舞台。1918 年和剧作家 A.杜克斯结婚并成为英国公民。1920 年她应用切凯蒂的教学方法建立了一所芭蕾舞学校。1926 年上演了由她的学生 F.阿什顿(后成为世界著名编舞之一)编导的第一部芭蕾舞剧。1930 年她协助创办了对英国芭蕾舞起很大促进作用的卡玛戈学会,还建立了芭蕾俱乐部,1935 年改名为兰伯特芭蕾舞团。作为兰伯特芭蕾舞团的团长,她提倡试验,力求使每一个舞蹈演员或每一部芭蕾舞剧的风格得到充分发展。她给予诸如阿什顿、A.图德、A.霍华德、F.斯塔夫、W.戈尔和 N.莫里斯等英国青年舞蹈编导以大力支持,并在伦

敦他丈夫拥有的墨丘利剧院上演他们的作品。在兰伯特芭蕾舞团初露头角的舞蹈家中包括P.阿盖尔、M.劳埃德、P.范普拉阿齐、S.吉尔摩、C.弗兰卡和H.莱恩等,他们全都由于对角色的处理富有个性而出名。她还扶持过一些美术设计者如S.费多罗维奇、H.史蒂文森和一度曾是芭蕾俱乐部舞蹈演员的W.查普尔。她主要依靠英国的舞蹈家、编导和美术设计者,因此有助于消除英国人对外国芭蕾舞艺术家的普遍偏爱。由于她在创建英国芭蕾舞方面的作用,1954年获得不列颠帝国勋章,1962年被封为不列颠帝国贵夫人。她是《墨丘利剧院的舞蹈家们:兰伯特芭蕾舞团的故事》(1960)的合著者之一,《乌兰诺娃:她的童年和学生时代》(1962)一书的翻译者。

Rambler, The 《漫步者》 1750～1752年由出版商J.佩恩每周两次在伦敦发行的一种价值两便士的活叶刊物,每期刊登一篇不署名的文章,总共发表这类期刊文章208篇,其中除5篇外,全为S.约翰逊撰写。约翰逊的用意是作为一个道德家他应意识到自己对改善这个世界的责任,因此文中涉及的主要是生活中的失意、理想的受挫。这些文章的重要意义还在于表明了约翰逊对文学本身的态度:它不是要给人娱悦,而是要给人启示。文中大多只是超然的一般评论,很少涉及当时的事件或文学,但确实反映了当时英国社会和文学的状况。约翰逊写作这些文章的直接目的是为了挣钱糊口,但这份刊物销售得不好,不过在1753年修订再版成书时却立即大受欢迎。在这份刊物的带动下出现了一些类似刊物,其中较著名的有:J.霍克斯沃思的《冒险者》(1752～1754)、E.穆尔的《世界》(1753～1756)、G.科尔曼和B.桑顿的《鉴赏家》(1754～1756)和H.麦肯齐的苏格兰文刊物《镜子》(1779～1780)。

Ramboldini, Vittorino del 兰博尔迪尼 参阅 **Vittorino da Feltre** 维多里诺(费尔特雷的)。

Rambouillet 朗布依埃 法国北部巴黎大区伊夫林省城镇,位于凡尔赛西南。城旁有著名的城堡和大片森林,是巴黎人喜爱的旅游点。城堡建于1375年。1547年弗兰西斯

朗布依埃镇的城堡

供图:P.Salou—Shostal/美国不列颠百科全书公司

一世在此狩猎时死去。1783年路易十六买下城堡,扩大花园,为妻子修建牛奶场;他在花园里建的试验养羊场现仍在饲养著名的朗布依埃细毛羊。拿破仑一世和查理十世被流放前都在城堡里居住过。城堡现为法国总统的夏宫。罗马时代的森林占地130平方千米,是伊夫林广阔森林的一部分,从巴黎向南延伸至奥尔良。该地有电机制造业。人口21 136(1982)。

Rambouillet 朗布依埃绵羊 一个绵羊品种,1786年和1799年,法国政府从朗布依埃的国家羊圈中选择几百只最好的西班牙美利奴绵羊育成本品种。1840年开始输入美国。该品种在美国通过进一步选择育种成功地适应了广大绵羊生产者的多种需要。朗布依埃绵羊盛产于美国西部牧场,该地区的绵羊占美国绵羊生产的2/3。朗布依埃绵羊是体格最大的细毛绵羊,脸和四肢白色,脸部羊毛遮盖较多,在一些个体中甚至达到挡住眼睛的地步,不过选配已经减轻了这个问题。每只朗布依埃绵羊剪下的毛较多。在良好的饲养条件下,羔羊6～9月龄即可达到令人满意的上市体重。常使雌朗布依埃绵羊与中毛和长粗毛的公羊杂交以产生优质的上市羊羔和强壮具浓密美观中羊毛的母羊。

Rambouillet, Catherine de Vivonne, marquise de 朗布耶侯爵夫人(1588～1665-12-27) 17世纪上半叶对法国文学的发展产生重大影响的贵妇人。出身贵族家庭,12岁时与C.当热纳,即后来的朗布耶侯爵结婚。由于对亨利四世宫廷的粗俗气氛产生反感,又为层出不穷的政治阴谋所恼,她在市内住所,即朗布耶府,创立了专为文学界社交聚会的沙龙,在此,贵族和文人平等相处。法国古典主义文学之所以明显相同,似应归功于她的沙龙和她的模仿者的影响。沙龙强调思想和表达方式的细腻和雅致,终于产生了莫里哀在《可笑的女才子》中嘲笑的那些过火之处。但她的沙龙毕竟为正确而优美的法语提出了一个标准,沙龙的参加者学会了探索人类心理的艺术,这构成了法国古典文学的基础。

rambutan(*Nephelium lappaceum*) **红毛丹** 又拼rambotan, ramboetan, ramboutan或rambus-

红毛丹(*Nephelium lappaceum*)

供图:W.H.Hodge

tan。即韶子。无患子科乔木,高10.5～12米。原产马来西亚,在产地作为果树栽培。果卵状,鲜红色,外被长软刺,大如小鸡蛋,味酸可口。

Rāmcaritmānas 《罗摩功行录》 梵文叙事诗《罗摩衍那》的一种印地语方言的改写本,又译《罗摩功绩之湖》。中世纪重要印度教文学著作,对现代印度教有重大影响。这部诗歌是由16世纪诗人**杜尔西达斯(Tulsīdās)**所著。该诗表现热爱有位格之神的感情,叙述罗摩、悉多夫妻和罗摩之弟罗什曼那的德行,树立伦理典范。

Ramé, Maria Louise 拉梅 参阅 **Ouida** 韦达。

Rameau, Jean-Philippe 拉莫(1683-09-25受洗,法国第戎～1764-09-12,巴黎) 巴罗克末期的法国作曲家,现以其拨弦键琴音乐最为著名,但生前亦为知名音乐理论家和歌剧作

供图:Snark International

曲家。父在第戎各教堂弹奏管风琴达42年之久,但却希望儿子有朝一日坐上律师的宝座,而不是担任管风琴师。拉莫却决定追求音乐生涯,并于18岁时赴意大利。翌年开始在法国中部各个城市(阿维尼翁、克莱蒙、第戎和里昂)接受一系列管风琴师的任命,其间曾在首都短暂逗留,但巴黎显然并未马上就对这位乡里乡气的管风琴师产生好感,尽管他曾在那里出版了一组优秀的A小调拨弦键琴套曲《拨弦键琴曲第一集》(1706)。这些作品显示出当时著名管风琴师兼拨弦键琴师L.马尔尚的有益影响,拉莫对马尔尚的演奏赞赏备至。约1715年回到克莱蒙,匆匆忙忙签订了一份在大教堂任职29年弹奏管风琴的合同,接着便安顿下来,全面地钻研音乐和声的基本理论而形成一家之言。他抨击传统和声理论,理由是"古人(他把16世纪意大利的G.扎利诺等比较近期的作家也列为古人)以旋律作为和声规则的基础,而不是以和声为起点,但和声是先出现的。"他凭直觉把自然泛音列作为研究的基础,探索出一套和声体系,成为20世纪大多数和声教科书的依据。1722年在巴黎问世的《和声论》终于使他成名,于是他一心向往回到首都。返回巴黎后,拉莫开始了活跃的新生活。第二卷拨弦键琴曲集《拨弦键琴曲及运指法》(1724)取得

的成就比第一卷大得多，他成为一位受人欢迎的拨弦键琴教师。此后有一次应邀为博览会剧院创作戏剧配乐，为他日后发展成为戏剧作曲家撒下了种子。1725年两个北美路易斯安那殖民地印第安人的表演启发他写了他最优秀也是最知名的作品之一《蛮子》，该曲后用于他的歌剧芭蕾舞剧《华丽的印第斯》中(1735年首演)。翌年42岁的拉莫与一位19岁的歌手结婚。她将参加他的几部歌剧的演出。

这时拉莫的最有影响的社会关系是法国最大富豪之一、也是有史以来最伟大音乐庇护人之一的普卜利尼哀。拉莫应聘主持普氏的优秀私人管弦乐队达22年之久，并教授这位财主的才华横溢而又富于乐感的妻子；最后全家迁入普氏在城里的宅邸，夏天则在帕西的别墅避暑。在普卜利尼哀与他妻子分居后，庇护人和作曲家之间的田园诗般的关系逐渐告一段落，拉莫遂为更年轻的先锋派作曲家K.斯塔米茨所取代。不过，能进入普卜利尼哀的圈子，使他得以与诸多文学界名人有所接触。佩尔格兰神父后来成为拉莫的第一部而且在很多方面是他的最优秀歌剧《希波利特与阿里西埃》的台本作者。该剧于1733年春在普卜利尼哀宅邸首演，然后又于同年秋天和1734年分别在歌剧院和宫廷演出。当时最著名的法国作曲家A.康普拉曾经说过："这部歌剧中的音乐足够能写10部歌剧，此人将会使我们所有的人黯然失色。"在某些人听来，其中的音乐确实太多。那些听惯了吕里歌剧的人对拉莫歌剧中的错综复杂的配器、紧凑强烈的有伴奏的宣叙调和富丽而往往是不协和的和声感到困惑。但拉莫本人却在《华丽的印第斯》的序言中坦诚地表达了他对这位前辈的倾慕之情，声称他曾试图加以仿效，但决不是"依样画葫芦"。确实，拉莫歌剧中的每一招一式，至少是在技术上，几乎都能在吕里那里找到先例。不过，拉莫的作品的内容、丰富的戏剧性对比、华丽的管弦乐段落、尤其是无往而不在的那种郁郁忧思和没精打采的田园式的长吁短叹，把他置放于一个不同的世界，即路易十五的洛可可世界。

大思想家伏尔泰出席了《希波利特》的首演式后曾挖苦拉莫"不幸而比吕里懂得更多音乐"。但不久他就来到拉莫身边，为他写了一个精彩的台本《参孙》。该剧被查禁，名义上是由于宗教原因，实际上则是因为有人阴谋反对伏尔泰，其音乐已佚失。他们二人合作的另两部内容空洞的宫廷娱乐剧《光荣的殿堂》和《纳瓦拉的公主》(均为1745)却得以留存，后者还经卢梭压缩改写为《拉米尔的节庆》(1745)。卢梭、达朗伯以及其他一些与狄德罗的《百科全书》有联系的作家开始时都是拉莫的热心爱好者。但是，到了18世纪50年代中期，随着他们对意大利音乐的兴趣日益浓厚，他们逐渐反对拉莫。拉莫也像别人一样喜爱新的意大利音乐，但是他以这一风格创作的作品却未见独特之处。拉莫创作生涯的顶峰跨越的时间很短，上从1748年的以8天时间一蹴而就写成杰作《皮格马利翁》和上演另外6部歌剧，下至1754年的为未来的路易十六出世而作《俄赛里斯的诞生》。在这以后，随着现在通称"古典风格"的音乐风格的盛行，他的声誉降低。观众宁要和声简朴朗朗上口的曲调，而不喜欢拉莫的深沉的感情和巴罗克末期的富丽的和声。

Ramée, pierre de la (French philosopher) 参阅 **Ramus, Petrus** 拉米斯。

Ramenskoye 拉缅斯科耶 俄罗斯西部莫斯科州的城市和区中心，位于莫斯科东南面。19世纪20年代建有俄国最早的棉纺织厂之一，迅速发展为工业村。1926年设市。现为纺织和机械制造中心，及莫斯科的一个郊外住宅区。拉缅斯科耶的教育设施有卫生学校及工学院。人口约88 800(1991)。

Rameses 参阅 **Ramses** 拉美西斯。

Ramesseum 拉美西姆 埃及国王拉美西斯二世(约公元前1279～前1213)的陵庙，建在尼罗河西岸底比斯。以17米高的拉美西斯二世坐像闻名。此庙奉祀阿蒙神和已故的国王。庙墙有一半残存，上面装饰有反映卡叠什战役、叙利亚战争和敏节的浮雕。

Rāmeswaram 拉梅斯沃勒姆 印度东南部泰米尔纳德邦东南部岛屿。为"亚当桥"(连接印度和斯里兰卡的一串珊瑚岛)的组成部分。岛上有建于17世纪的拉梅斯沃勒姆神庙。

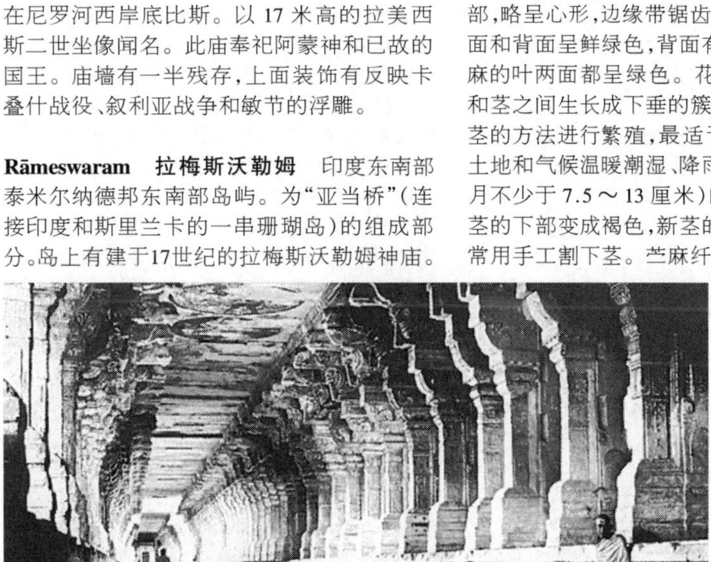

拉梅斯沃勒姆神庙的横断式走廊

供图：Syndication International Ltd.

神庙为四角型建筑，长305米，宽198米，有一30米高的楼塔。其显著特征是213米长的拱柱大厅，与装饰华丽的横断式走廊相连，可能是达罗毗荼建筑的最典型范例。是仅次于瓦拉纳西的印度教圣地。

ramie 苎麻 荨麻科荨麻属植物，所产纤维是韧皮纤维(**bast fibre**)的一种。中国的白叶苎麻和马来西亚的绿叶苎麻均为纤维作物。史前期以来，苎麻一直在亚洲东部地区栽培，苎麻布在古埃及已被利用，在中世纪时已闻名欧洲，北美印第安人曾利用苎麻制绳。苎麻纤维亦称中国草，苎麻织物称夏布或中国亚麻布，18世纪初即从东亚出口到西方，20世纪30年代以前，苎麻产品的商业性生产在西方并无重要地位。由于苎麻纤维的牢固和

苎麻(*Boehmeria nivea*)

供图：Walter Singer

耐用等性质都合于要求，被誉为具有很大潜力的纺织纤维。苎麻是多年生植物，长有几根高1.9～2.4米的主茎。叶生长于茎上部，略呈心形，边缘带锯齿。白叶苎麻的叶上面和背面呈鲜绿色，背面有白色绒毛，绿叶苎麻的叶两面都呈绿色。花浅绿白色，在叶柄和茎之间生长成下垂的簇。通常用分割地下茎的方法进行繁殖，最适于在排水良好的沙土地和气候温暖潮湿、降雨均匀分布(平均每月不少于7.5～13厘米)的条件下种植。当茎的下部变成褐色，新茎的尖已出现时收割。常用手工割下茎。苎麻纤维的制取方法是用手工或机械把表皮和相黏结的纤维从茎上剥下，浸泡在水中，使表皮和纤维分离。每个纤维细胞很长，平均13～15厘米。苎麻纤维色纯白，有光泽，能吸湿并易于染色，强度高于亚麻、棉或羊毛。苎麻织物易洗涤，在湿态强度增大，不皱缩，不变形。苎麻纤维织物干燥快，且随着洗涤次数的增加而更加平滑有光泽。苎麻能抵抗霉菌和其他微生物的侵蚀，在阳光下长期曝晒不变色。但苎麻在纺织上的用途有限。抽取及清洗苎麻纤维的费用昂贵，主要因为需要经过许多步骤：刮净，捶击，加热，洗涤，或使用化学药剂，才能使原纤维与有黏性的树胶或树脂分开。纤维脆而缺乏弹性，纺纱困难；纤维间缺乏抱合力，纺成的纱线表面多毛，故不便于织造。纤维利用程度的扩大有赖于加工

方法的改良和发展。苎麻用于制造工业缝纫线、垫衬材料、渔网和滤布等,常和其他纤维混纺,作家具用和穿着用织物。短纤维和下脚料可造纸。中国的苎麻产量最多,主要出口日本和欧洲。其他生产国有日本、菲律宾和巴西。

Ramillies, Battle of 拉米伊战役(1706-05-23) 西班牙王位继承战争中,马尔伯勒公爵战胜法国人的一次战役。这一胜利导致英荷联盟占领西属尼德兰的整个北部和东部。战斗在那慕尔(今比利时)北13英里的拉米伊村进行。一方由马尔伯勒公爵指挥的6.2万盟军,另一方由维勒鲁瓦公爵德讷维尔率领的6万法军。法军遵照路易十四的命令,抢先进入拉米伊平原,错误地将其兵力部署在4英里长的高地上,中心位于拉米伊和奥弗斯两个村庄。盟军向法军左翼发起猛烈进攻,迫使维勒鲁瓦公爵从中路抽调兵力增援。由于地处沼泽,骑兵无法支援,马尔伯勒公爵停止进攻。这一翼有半数人马在没有被法军察觉的情况下,运动到中路,支援盟军对法军的最后总攻。这次进攻造成法军伤亡或被俘约1.7万人,到了第二天早上,法军被彻底击溃。盟军伤亡约5 000人。此后数周,有许多城镇落入盟军之手,但他们未能调整战略以进一步打击法军,此次表面上是决定性的胜利却未取得和平协议。

Ramiro 拉米罗 统治者之名。按国别分列于后,并各以●为标记。

阿 拉 贡

● **Ramiro I 拉米罗一世**(? ~ 1063-05-08) 阿拉贡王国的第一代国王,1035年即位。他是纳瓦拉国王桑乔三世的私生子。父王在世时,他就统治阿拉贡这片领土,后来根据父王的遗嘱,他被立为阿拉贡的国王。1045年,由于兄长冈萨洛去世,他又将兄长的领地兼并。拉米罗从摩尔人手中夺取了一些领土,并迫使韦斯卡、萨拉戈萨和莱里达的摩尔人国王向他纳贡。

● **Ramiro II 拉米罗二世**(? ~ 1154) 阿拉贡国王(1134 ~ 1137)。他是桑乔五世拉米雷斯的第三子。拉米罗二世在幼年时期曾进隐修院,并任巴瓦斯特罗的主教。但他成年后违背自己的宣誓,不但结了婚,并且接受了阿拉贡王位。他把女儿佩特罗尼利亚许配给巴塞罗那的拉蒙伯爵贝伦格尔四世的儿子。1137年拉米罗二世退位,将其王位让给女儿和女婿。

莱昂和阿斯图里亚斯

● **Ramiro II 拉米罗二世**(? ~ 951,莱昂王国莱昂城) 基督教西班牙的莱昂和阿斯图里亚斯国王(931 ~ 951),他几次打败穆斯林西班牙的科尔多瓦哈里发的军队。他是国王奥多尼奥二世的次子。长兄阿方索四世放弃王位后,由他即位。944年,他与哈里发拉赫曼三世谈判达成一个为期5年的停战协定。但是,他未能把冈萨雷斯所领导的卡斯蒂利亚独立运动镇压下去。

ramjet 冲压式喷气发动机 工作时没有重要运动件的一种喷气发动机。它靠向前运动吸进空气,用特殊形状的进气通道把空气压缩,供燃烧之用。当喷入发动机的燃料被点燃之后,燃烧就自持下去。与其他喷气发动机一样,向前的推力是来自向后喷出炽热废气的反作用。冲压式喷气发动机在马赫数为2(声速的两倍)或更高时工作得最好。由于冲压式喷气发动机不产生静推力,因此需要用某种手段在高速下发射。完全以冲压式喷气发动机为动力的第一架法国造的勒杜克0.10型飞机,就是在1949年4月21日由另一架飞机发射的。参阅 **turbojet**。

Ramkhamhaeng 兰坎亨(1239?~1298?) 暹罗中北部速古台王朝第3代国王,他使王国成为13世纪东南亚最重要的泰人国家。他于1279年即位时国土只有几百平方英里。此后20年中,通过外交和打仗,他把自己的势力扩大到今日老挝的万象和琅勃拉邦,西至缅甸的印度洋海岸,南至马来半岛的那空是贪玛叻。他只行使宗主权,而不直接统治这些地区。他以小乘佛教上座部的信仰把它们团结起来,仇视原先的统治者——柬埔寨的吴哥王国。在兰坎亨王的治理下,速古台成为暹罗文化的摇篮。速古台的青铜雕极有水平。学习中国技术制成的陶瓷品是泰国国际贸易中重要的出口商品。已知的大部分兰坎亨事迹来自他本人在1292年用泰语刻的铭文。铭文将他描绘成一位家长式的统治者,臣民之父,对所有人都公正开明。他热心而慷慨地支持佛教,促进贸易,并与邻邦的统治者交友。1834年重新发现这篇铭文后,他被视为泰国的一位民族英雄。

Ramla 拉姆拉 以色列沿海平原城市。位于特拉维夫-雅法东南,为巴勒斯坦地区唯一由阿拉伯人兴建的城市。公元716年建城,为巴勒斯坦地区首府。第一次十字军东征时期被十字军攻占并设防。1187年被撒拉丁夺取并拆毁城防。14世纪起该市发展为贸易中心。1799年为拿破仑军队指挥部驻地。1947年11月29日根据联合国分治决议划入拟议中的巴勒斯坦阿拉伯国,后被外约旦阿拉伯军团占领。1948年7月12日复被以色列人攻取,市内阿拉伯基督徒居民多逃亡,战后犹太移民迁入。现居民中有阿拉伯人,并设有独一无二的犹太-阿拉伯友谊联合会。该市现为主要公路和铁路联运点。有水泥、

拉姆拉市大清真寺的白塔
供图:William Greene—Photo Researchers

胶合板及电气元件工业。市内名胜有大清真寺白塔、拿破仑住室、加米凯比尔大清真寺和圣海伦娜池。人口约58 600(1995)。

rammed earth 夯土 把土夯实作为建筑材料,世界各地都曾用过。在所有土建筑物中用夯土建造的房屋是最耐用的,可做成砌块,或在原地一层一层地夯筑成整垛墙。做砌块时,把土在箱形的模子内夯实。筑整垛墙时,把两块竖起的平行木板作模板,用螺栓加以固定并保持一定平行间距,土在模子内分层夯实。当下段模子夯满后,模板上移并叠合在下段墙基上,再加土夯实,直到预定的高度。所用的工具有:铁头夯、带滚筒的模子、风动夯、液压夯和大量生产的土块夯压机。所用土必须砂土多黏土少,比例通常为7:3,实际施工中,外加10%的水。夯土的特点是抗压强度高。墙厚至少为30厘米,是一种热容量高的墙体,即使昼夜气温有较大的波动,室内温度也极少变化。为使它有更好的耐久性,墙面可涂灰泥、沥青、亚麻籽油等。筑墙用土常加进水泥和沥青作稳定剂以提高抗风蚀性。

Rammohan Roy (Indian reformer) **拉姆莫恩·罗伊** 参阅 **Roy, Ram Mohun** *罗伊*。

Ramo, Simon 拉莫(1913-05-07,美国犹他盐湖城~) 美国工程师,对电子学有重大贡献,是美国发展洲际弹道导弹(ICBM)计划的首席科学家(1954 ~ 1958)。1936 ~ 1946年在纽约州斯克内克塔迪通用电气公司研制电子显微镜、微波传输和探测设备。1946年受聘于加利福尼亚库尔弗的休斯飞机公司,研究火控、雷达、导航、计算机及其他飞机电子系统。他还指导研制曾经在朝鲜战争中使用的猎鹰族空对空导弹系列,它们成为歼击机的主要武器。1953年和他的同伙D.E.伍尔德里奇工程师一起离开休斯飞机公司,他们得到汤姆森产品公司的资助创办了拉莫-伍尔德里奇公司。4年内,该公司在研制宇宙神、大力神及美国民兵式洲际弹道导弹方面担负主要任务;另外,在50年代后期及60年代广泛用于防御、研究及进行宇宙探索的各种导弹也由这家公司研制。1958年拉莫-伍尔德里奇与汤姆森两公司合并成汤姆森-拉莫-伍尔德里奇公司,后简称为TRW公司。拉莫任TRW的董事直到1985年。此外,拉莫还在几所大学里教过书,并在政府下属许多委员会担任职务。

Ramon Berenguer 拉蒙·贝伦格尔 巴塞罗那诸伯爵之名。按年代顺序分列于后,并各以●为标记。

● **Ramon Berenguer I 拉蒙·贝伦格尔一世**(1023或1024 ~ 1076-05-26,巴塞罗那? [西班牙]) 巴塞罗那伯爵(1035 ~ 1076)。其父贝伦格尔·拉蒙一世(1018 ~ 1035)将其土地分给3子。1049年桑斯(或称桑乔)、1054年吉廉(或称威廉)相继放弃他们的继承权并交给其长兄。从此3块土地重新合并。拉蒙·贝伦格尔一世牢固地控制毗邻的安普里亚斯和帕拉

斯诸郡，以扩大其领土。他的主要政绩是召开地方议会，并授权议会讨论和选择罗马法及中世纪法律中适用于加泰罗尼亚的条款，汇编成册，颁布实施，此即著名的法典——《巴塞罗那习惯法》(1064～1068)。

● **Ramon Berenguer II　拉蒙·贝伦格尔二世**(约1053～1082-12-05，加泰罗尼亚巴塞罗那与赫罗纳之间)　巴塞罗那伯爵，1076～1082年与其孪生兄弟贝伦格尔·拉蒙二世共同执政。他们继续执行其父拉蒙·贝伦格尔一世的政策，加强防务，并向占领地区移民。1082年拉蒙·贝伦格尔二世在前往赫罗纳途中的一片树林里被暗杀，可能被其弟所害。其弟贝伦格尔·拉蒙二世后来因此被冠以"弑兄者"的绰号。他独自掌权后，便卷入西班牙穆斯林的内战，于1091年夺回塔拉戈纳。贝伦格尔·拉蒙二世执政到1097年，在一次意在确定他是否有弑兄罪的格斗中输掉后，便参加十字军，前往耶路撒冷，大概在1097年或1099年死于该地。

● **Ramon Berenguer III　拉蒙·贝伦格尔三世**(1082～1131，巴塞罗那[西班牙])　巴塞罗那伯爵，在其统治期间(1097～1131)，独立的加泰罗尼亚达到历史上最强大时期，船队遍布地中海西部并在比利牛斯南部至普罗旺斯之间获得新的领地。他在普罗旺斯亦称拉蒙·贝伦格尔一世。他是拉蒙·贝伦格尔二世之子。叔父贝伦格尔·拉蒙二世参加十字军后继承爵位。最初几年，击退逼近巴塞罗那城的穆拉比穆斯林军队。此后开始对外扩张。1111年占领贝萨卢郡，1112年与普罗旺斯的杜斯结婚，又获得普罗旺斯郡。1114～1115年与比萨人联合远征巴利阿里群岛。捣毁摩尔海盗的基地，解放了数千名基督徒奴隶。此后巴塞罗那、马赛、热那亚及比萨之间，商业繁荣。1116年取海路至罗马向意大利各国求援，并想获得教皇许可在西班牙进行圣战，但一无所获。1117年继承了位于比利牛斯山区的原塞尔达尼亚郡。

● **Ramon Berenguer IV　拉蒙·贝伦格尔四世**(约1113～1162-08-06，皮耶德蒙特圣达尔马佐镇[意大利])　巴塞罗那伯爵(1131～1162)，普罗旺斯摄政(1144～1157)，阿拉贡大公(1137～1162)。拉蒙·贝伦格尔三世长子，继续进行其父的反对西班牙穆斯林的圣战，并向阿拉贡王国求援。在同阿拉贡人谈判中，与国王拉米罗二世的女儿和继承人佩得罗尼利亚订婚，1137年8月11日完婚，三个月后拉米罗二世逊位给女儿和女婿，拉蒙·贝伦格尔四世从而成为最后一代巴塞罗那伯爵，同时从1137年起又兼阿拉贡统治者。其弟死后，他任普罗旺斯摄政王，称拉蒙·贝伦格尔二世，直至其侄成年(1157)。通过战争，他从摩尔人手中夺得托尔托萨(1148)、莱里达、梅基嫩萨和弗拉加(1149)以及普拉德斯和休拉纳(1153)，最终确定了加泰罗尼亚公国的疆域。

Ramón y Cajal, Santiago　拉蒙-卡哈尔(1852-05-01，西班牙佩蒂利亚-德阿拉贡～1934-10-17，马德里)　西班牙组织学家。因证明神经元是神经结构的基本单位，而与C.戈尔吉共获1906年诺贝尔医学或生理学奖。曾任巴伦西亚大学描述解剖学教授(1884～1887)、巴塞罗那大学(1887～1892)和马德里大学组织学和病理解剖学(1892～1922)教授。1903年改进了戈尔吉氏硝酸银染剂，1913年研制成一种金染剂，用以研究胚胎和幼小动物脑和脊髓的微细结构。有了这些神经特异性染剂他得以测定视网膜的微细结构，查明灰质和脊髓内神经细胞的结构和相互联系，而且这些染剂对脑瘤的诊断也有很大意义。1920年，西班牙国王阿方索八世下令在马德里建造卡哈尔研究所，他在该所工作直到去世。他关于神经结构的著作甚多，如《神经系统的退变和再生》(2卷，1913～1914；1928)。

Ramos, Fidel　拉莫斯(1928-03-18，菲律宾林加延～　)　菲律宾军事领袖、政治家总统(1992～1998)。曾在美国纽约州西点军校和美国伊利诺伊大学接受教育。之后参加菲律宾军队，在朝鲜和越南服役。1972年马科斯总统(他的表兄)任命他为菲律宾保安军司令，同年晚些时候，马科斯强制实施军事管制法，由拉莫斯负责执行，保安军逮捕了数千名持不同政见者。1981年拉莫斯任武装部队副参谋长。在1986年的总统选举中，马科斯不顾选举中出现的大规模舞弊现象，宣称取得了胜利。选举后，拉莫斯和国防部长恩里莱支持马科斯的竞争对手科拉松·阿基诺。他们的反戈在民众中间激起了"人民力量"运动，迫使马科斯流亡。阿基诺夫人担任总统期间，拉莫斯任军队参谋长(1986～1988)和国防部长(1988～1991)，平定了数次企图推翻阿基诺夫人政府的军事政变。1992年5月，拉莫斯接替阿基诺夫人当选为总统。作为总统，他面临的问题是：经济衰退，政治腐败以及共产党暴动者及军队中的反叛分子对政府的威胁。

Ramos, Graciliano　拉穆斯(1892-10-27，巴西克夫兰古洛～1953-03-20，里约热内卢)　巴西地区小说家，作品描写东北地区农村的贫穷生活。一生大部时间生活在该地，在回忆录《童年》(1945)中，描述了他家在干旱严重地区的挣扎和他自学成才的故事。1934年出版著名小说《圣贝尔纳多》，描写一个种植园雇工使用欺骗甚至谋杀的手段，成为种植园主。1936年瓦加斯政变之前，他因共产党嫌疑被捕。释放后，定居里约热内卢，任教育督察。1938年发表小说《枯竭的生命》，描写旱灾中一个家庭逃向神秘的乐园——城市。1945年加入巴西共产党。

Rampal, Jean-Pierre(-Louis)　朗帕尔(1922-01-07，法国马赛～2000-05-20，巴黎)　法国长笛演奏家，他使长笛作为一种音乐会乐器而占有新的突出地位。曾随在马赛音乐学院任教的父亲学习。起初学医，后转入巴黎音乐学院。他以长笛演奏为职业是在维希歌剧院管弦乐队(1947～1951)开始的，后任巴黎歌剧院首席长笛演奏家(1956～1962)，1968年成为巴黎音乐学院教师。除进行国际巡回演出外，还从事教学和编订巴罗克时期作曲家的作品。他特别热衷于室内乐，1945年创立法国木管五重奏团，1953年创立巴黎巴罗

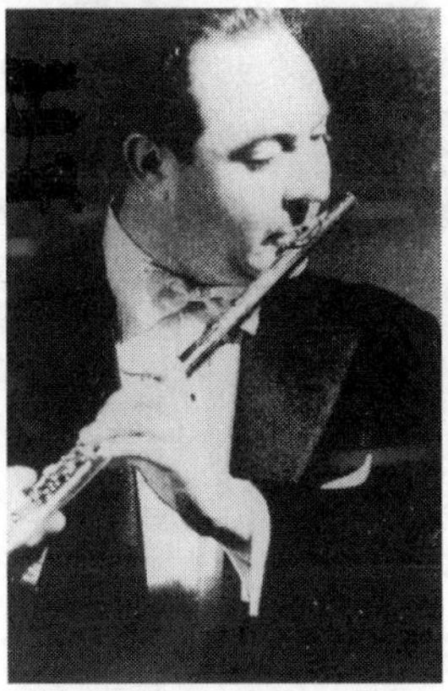

中国大百科全书出版社供图

克合奏团。后又开始对指挥发生兴趣。他的声望主要来自其大量录音。他对18世纪音乐的权威性表演、他的技巧的得心应手、发音的干净利落、音调细致微妙的控制，博得人们的喝彩。专为他写作品的有A.若利韦和F.普朗克等人。朗帕尔的自传《音乐，我的所爱》于1989年出版。

rampion　牧根草　桔梗科牧根草属(*Phyteuma*)约40种多年生植物。原产于地中海地区，见于向阳的旷野和草甸。该属植物花和芽簇生，形长，角状。圆头牧根草(*P. oribiculare*)花深蓝色，15～30朵组成一个顶生头状花簇，下有一轮苞片状叶；株高约45厘米；茎生叶无柄，狭窄，基生叶具长柄，广椭圆形，从匍匐的初生主根上长出。穗牧根草(穗状花序牧根草，*P. spicatum*)花穗长圆形，花淡黄白色。本属有些种栽培作庭园观赏植物。英语中rampion一词又指牧根草样风铃草(*Campanula rapunculus*)，其根、叶似芜菁，可以做沙拉。

冠毛牧根草(*P. comosum*)

供图：A to Z Botanical Collection—美国不列颠百科全书公司

Rampolla, Mariano　拉姆波拉(1843-08-17，西西里波利齐～1913-12-16，意大利罗马)　天主教高级神职人员。1887年任枢机主教，两个月后被教皇利奥十三世任命为教廷国务卿。他注意当时政治状况和社会状况特别是共和主义和社会主义思潮的兴起，他根据这种观点，为利奥十三世1891年通谕确定基本

供图：Publifoto

内容，强调政府和雇主对工人阶级负有义务。1903 年利奥十三世去世，许多人预料拉姆波拉会即位，但因奥地利皇帝弗兰西斯·约瑟夫扬言要予以否决而未能实现。新教皇庇护十世登位后任命拉姆波拉为圣职部部长。

Rāmpur　兰布尔　印度北部北方邦西北部城市。濒戈西河，是铁路与公路的交叉点。为农产品交易中心，有制糖、制造、棉纺等工业。城内有拉扎学院及邦立图书馆。人口 281 549(2001)。

Rampur Boalia(Bangladesh)　**兰布尔博阿利亚**　参阅 **Rājshāhi** 拉杰沙希。

Ramsay, Allan　拉姆齐(1686-10-15，苏格兰拉纳克郡利德希尔斯～1758-01-07，爱丁堡)　苏格兰诗人、古代文学研究者。当时大多数苏格兰作家都已英格兰化，但他仍坚持苏格兰诗歌传统，用苏格兰语写诗并保存早期苏格兰诗人的作品。彭斯尊其为在当代诗歌中使用苏格兰语的先驱。约 1700 年定居爱丁堡。1701 年习艺做假发。1712 年结婚。同年协助创立詹姆斯党人的文学社团“安乐俱乐部”。笔名初为艾萨克·比克斯塔夫，后改为加文·道格拉斯，均使人联想起奥古斯都时代

苏格兰国家肖像画陈列馆供图

的英语和中世纪苏格兰的影响。他很快享有以英语和苏格兰语写作的多产诗人的声誉，他的许多诗模仿古典风格和传统的韵律格式，有时也苦心孤诣地改变文风，以投当时爱丁堡新古典派所好。在幽默讽刺诗中，他大量运用苏格兰语。他虽非专业研究训诂及版本的学者，但由于辑录和出版 R.亨利森、W.邓巴和其他中世纪后期苏格兰作家的诗作，有助于保证这些作品得以传世，并间接促进了该世纪晚些时候对苏格兰诗歌和歌曲的更精确校订。1721 年出版他自己的诗集，包括若干首戏仿挽歌体诗作，以及贺拉斯的《颂歌集》的苏格兰语译文。1728 年出版第二卷，一部有独创性的田园喜剧《和善的牧羊人》(1725)，因为用的是苏格兰语而效果极佳。J.盖伊的《乞丐的歌剧》(1728)的出版激励他将该剧改编为歌谣剧(1729)。他收集的古老的苏格兰歌曲、诗歌及谚语，大部分收入《茶桌谈薮》(3 卷，1724～1737)、《常青集》(2 卷，1724)和《苏格兰谚语》(1737)。《寓言和故事》(1722～1730)载有拉封丹和拉莫特的苏格兰语译文。他创办了英国第一个流动图书馆(1726)、教授绘画的圣路加学院(1729)和一座剧院(1736～1739)。拉姆齐 1740 年退休，但去世之前一直很活跃。

Ramsay, Allan　拉姆齐(1713-10-13，苏格兰爱丁堡～1784-08-10，英格兰肯特多佛尔)　苏格兰籍画家，18 世纪最著名的英国肖像画家之一。曾在爱丁堡受基本艺术训练，后到

拉姆齐绘《罗伯特·曼纳斯夫人》，约 1756
苏格兰国家肖像画陈列馆供图

伦敦，在瑞典肖像画家 H.许辛手下工作(1734)。1736～1738 年在意大利学习，其风格曾受 F.因佩里亚利和 F.索利梅纳的影响。1739 年定居伦敦后很快就成为一名著名的肖像画家。他的许多名人肖像画所具的风格比乔舒亚·雷诺兹爵士的大肖像画还要早。1767年任乔治三世的宫廷画家，主要画一些皇室肖像。晚年编写政治小册子、研究古典艺术和交谈。

Ramsay, Bertram Home　拉姆齐(1883-01-20，英国伦敦汉普顿考特王宫～1945-01-02，法国图叙斯-勒-诺布尔附近上空)　英国海军军官。1899 年成为英国皇家海军候补少尉。第一次世界大战中指挥驱逐舰。两次世界大战期间既在军中服役又任教于海军战争学院(1927～1929)和帝国国防学院(1931～1933)。1935 年升任海军少将，1938 年以中将军衔退役。第二次世界大战爆发后任多佛海峡港口司令。1940 年 6 月法国北部的盟军溃败后，负责组织英国远征军从敦刻尔克撤退，共撤出英军士兵及其他盟军士兵约 338 000 人。为此受封为爵士。其后两年间曾数次指

美国不列颠百科全书公司供图

挥重大两栖进攻。在 A.坎宁安领导下帮助组织舰队，掩护美军在北非登陆(火炬行动，1942-11)，并在盟军对西西里的两栖作战中指挥英军登陆(1943-07)。1943 年在盟军进攻法国北部的霸王行动中担任海军总司令。1944 年 6 月 6 日盟军诺曼底登陆后一个月内指挥舰船运送 100 万盟军士兵登陆法国。之前不久升任海军上将。在飞往布鲁塞尔会见英国陆军元帅 B.蒙哥马利途中因飞机失事丧生。他的 1944 年的日记被编辑成《反攻之年》于 1994 年出版。

Ramsay, Fox Maule　拉姆齐　参阅 **Dalhousie, Fox Maule Ramsay, 11th Earl of** 达尔豪西伯爵(第十一)。

Ramsay, James Andrew Broun　拉姆齐　参阅 **Dalhousie, James Andrew Broun Ramsay, Marquess and 10th Earl of** 达尔豪西侯爵和伯爵(第十)。

Ramsay, Sir William　拉姆齐(1852-10-02，格拉斯哥～1916-07-23，英国白金汉郡海威科姆)　英国化学家，因发现氖、氩、氪、氙 4 种惰性气体而获 1904 年诺贝尔化学奖。他是海德堡大学德国分析化学家 R.本生的学生(1871)，1880～1887 年在英国布里斯托尔大学及 1887～1913 年在伦敦大学任化学教授。早期研究生物碱(从植物中得到的复杂化合物)的生理作用，确定了它们与吡啶的关系，吡啶是一种含氮的有机化合物，其化学结构与苯十分相似。他与 J.希尔德证实了分子表面能不随温度改变速率而改变的 R.厄缶的定律。当 1892 年英国物理学家瑞利勋爵请求化学家们解释为什么从化合物中所得氮的原子量比大气中游离氮的原子量轻时，拉姆齐推断，由大气分出的氮，总是被一种至今尚未发现的较重的气体所污染。拉姆齐和瑞利设计了保证从空气中完全除去氮和氧的方法后，在 1894 年发现一种后来称作氩的化学惰性的气态元素，它约占大气的 1%。第二年，拉姆齐从钇铀矿中分离出氦，因而成为第一个分离出这种元素的人。后来他在 1903

年证明氡这种最轻的惰性气体在镭放射性衰变中不断地放出。这一发现对核反应的现代理解具有决定性的重要意义。氦和氩在元素周期表(元素按照其原子量和化学性质有次

供图:BBC Hulton Picture Library

序的排列)中的位置表明,至少还应有3种惰性气体存在。1898年,拉姆齐和英国化学家M.W.特拉弗斯在低温、高压下,从液化空气中分离出被称为氖、氪和氙的元素。1910年拉姆齐在镭的放射性衰变产物中检测出最后一个惰性气体,当时称为镭射气,现称为氡,因而他得到发现整整一族元素的极好的声誉。1888年拉姆齐被选为皇家学会会员,1902年被封为爵士。著有《无机化学体系》(1891)、《大气中的气体》(1896)、《现代化学》(两卷本,1900)、《物理化学研究导论》(1904)和《元素和电子》(1913)。

Ramsden, Jesse 拉姆斯登(1735-10-06,英格兰约克郡哈利法克斯～1800-11-05,萨塞克斯布赖顿) 英国精密工具设计领域中的先驱。幼年时当过裁缝学徒,1758年跟一名数学仪器制造工学艺。1762年在伦敦自己经营企业。他设计了很精确的圆和直线的分度机,生产出天文台使用的高精度的六分仪、经纬仪和地平经圈,还造出了气压表、流体压强计、分析天平和其他仪器。1786年被选入皇家学会,1795年获科普利奖。

Ramses 拉美西斯 又拼Rameses或Ramesses。埃及国王之名,按年代顺序分列于后,并各以●为标记。

● Ramses I 拉美西斯一世(活动时期公元前14世纪) 埃及国王(公元前1292～前1290在位),第19王朝创建人。可能出身于埃及三角洲东北部非王室的军人家庭,深得第18王朝末代国王霍伦希布的宠爱。霍伦希布无嗣,在去世前不久任命拉美西斯一世为共同摄政王。公元前1292年拉美西斯一世继承王位,不久即任命其子塞提一世为共同摄政王。拉美西斯一世在位期间,完成底比斯供奉阿蒙神的凯尔奈克大庙第2座塔门及其通道的装饰工作,这座庙宇是前代国王建造并装饰了一部分的。他还修建凯尔奈克神庙的柱廊大厅,并在公元前1290年去世前不久开始进行装饰。根据铭文的记载,他在位约1年另4个月。死后葬于底比斯王陵谷中一座仓促修建的小陵墓中。

● Ramses II 拉美西斯二世(活动时期公元前13世纪) 绰号拉美西斯大王。埃及第19王朝第3代国王(公元前1279～前1213),在位之久在埃及历史上居第2位。除了他同赫梯人和利比亚人进行战争外,以其宏大的建筑规划和埃及各地到处可见的他的巨大雕像而闻名。其父塞提一世在位时,即授以摄政身份,并令其随军作战,从而使他获得治国和作战的经验。由于他家族的故乡在尼罗河三角洲,为了对亚洲作战有一个方便的基地,拉美西斯建造了一座完整的住宅城,称比-拉美西斯,这座城有花园、果园和湖泊,以其美丽的布局而闻名。城内分4个区,每个区有自己的神祇。拉美西斯即位后第一个公开行动

底比斯公元前1250年的拉美西斯二世花岗岩雕像
不列颠博物馆供图

就是到南部首都底比斯参加宗教活动奥佩特节,归途中又参拜了俄赛里斯神。即位第4年,他率兵北进以收复失地。首先征服叙利亚南部几个反叛的地方君主,并在贝鲁特附近的凯勒卜河畔立碑记载这次战役。翌年远征,目标是卡叠什的赫梯人。拉美西斯大军沿海岸道路前进。越过巴勒斯坦和黎巴嫩,抵达特里波利附近的阿莫尔之南时,他派出一支特别行动队去加强海港西米拉的安全,然后到卡叠什与主力会合。他率4个战车和步兵师,每师约5 000人的主力部队向奥龙特斯河前进。途中,俘虏的两名赫梯探子向他提供假情报说:赫梯主力部队在北面的阿勒颇。拉美西斯遂以为卡叠什城内只有守备部队。当他率军抵达城下时,方知赫梯军队在城后埋伏。赫梯人派出2 500辆战车,每辆车上乘3名士兵。埃及军队仓促应战,秩序大乱,幸而西米拉特别行动队及时赶到,配合主力部队挽回了危局。卡叠什战役埃及人虽取得战术上的胜利,最后仍控制着战场,但战略上未能攻占卡叠什。次日双方都无力继续战斗,遂同意停火,埃及军队返回家乡。关于这次战役的详情及叙事诗铭刻在埃及和努米底亚的神庙壁上、书写在纸莎草上,这是法老时代少有的几次有详细记载的战役之一。由于未能攻占卡叠什,埃及在国外的威望大大低落。南叙利亚和巴勒斯坦北部的一些小国纷纷造反。拉美西斯在位的第8或第9年,占领了加利利和阿莫尔的一些城镇。或许在第10年突破赫梯人的防线,征服了卡特那和图尼普。在又一次进军中侵入亚历山大勒塔和卡尔基米什之间的科德地区。在间断16年的敌对行动后,公元前1258年与赫梯作为两个平等大国缔结和约。此后两国建立友好联系。公元前1245年拉美西斯同赫梯国王长女联姻,后来可能还娶了另一位赫梯公主。此外,拉美西斯对内盖夫、摩押和埃多姆发动过惩罚性征讨,对利比亚人进行过战争。他在位的后期没有战事。

若以国王建造庙宇的数目来衡量埃及的繁荣程度,拉美西斯二世时代是最突出的。因而19世纪的埃及学家称他为“大王”。拉美西斯在卢克索的尼罗河西岸为他父亲修了一座陵墓,也为自己修了一座,现称拉美西姆。在努比亚,他至少建造了6座神庙。关于拉美西斯的个人生活,知道的甚少。他第一个妻子可能是奈费尔塔里,其陵墓在王陵谷甚为有名。他还有一些王后和嫔妃,子女多达100多个。拉美西斯的统治标志着埃及帝国权力达到最后的顶峰。他虽然在卡叠什受挫,但仍是一个优秀军人。埃及国家十分繁荣,这表明他是一位良好的行政长官,他一定是一位很得民心的国王。以后的人们把他视为国王的典范。

● Ramses III 拉美西斯三世(?～公元前1156,埃及底比斯) 埃及国王(公元前1187～前1156)。他在3次反抗外国侵略的大战中保卫了国家,从而保证他在位时长期太平无事,晚年发生内部骚乱和一次未遂的政变。埃及第20王朝创建人塞特纳赫特(公元前1190～前1187在位)之子。即位时,埃及刚从全国内战中恢复元气。他即位后第5年,利比亚各部族联合一起,借口法老干涉他

公元前1187～前1156年的花岗岩棺盖上的拉美西斯三世雕像
剑桥菲茨威廉博物馆供图

们酋长的继承问题,入侵西三角洲。在这次西三角洲战役中,利比亚人被彻底击败。过了两年和平时期,又出现另一次更危险的入侵,海上民族从水陆两路进攻埃及。拉美西斯的陆军在巴勒斯坦阻止敌人前进;敌船被诱入三角洲纵横交错的水路后,陷入困境。埃及防止了北方人的征服。但是两个入侵的民族在巴勒斯坦海岸上定居。接着两年多太平无事。他在位的第11年,利比亚部族联合起来渗入西三角洲。他被迫发动另一次战争,俘获利比亚人酋长,将敌军击溃。在这次冲突后,他能够重新把埃及社会按职业分成

各个阶级，并结束在西底比斯哈布城建造的包括神庙、宫殿、城市在内的大综合体工程。他还在凯尔奈克建造大底比斯庙综合体。他鼓励经营工商业，派水上商队前往非洲索马里海岸的朋特，并开发西奈铜矿，还可能开发过埃及南部努比亚省的金矿。在他统治的中期，国家繁荣。后期，曾出现行政上的困难和一些阴谋活动。当他的统治即将结束时，他的一个妃子由于想让自己的儿子继承王位而阴谋暗杀他。这个阴谋不知怎样泄露了，可能并没有得逞，因为阴谋分子们都遭到了审讯。他在位32年，王位由王储拉美西斯四世继承。

• **Ramses IV　拉美西斯四世**（？～公元前1150）　埃及国王（公元前1156～前1150），在国内外局势日益恶化的情况下，通过规模宏大的建筑计划，设法维持埃及的繁荣。即位后曾编写一篇冗长的文件（《哈里斯纸莎草书》），记载父王奉献神明的供品，为子求福的祷祠，以及在位时期的主要情况。拉美西斯四世的不同寻常的称号，以及他过分信奉神明，都表明他继承王位并不正常。即位后不久即宣布实行大赦和进行规模宏大的建筑计划。在位第1年，曾对上埃及库普图斯东部瓦迪哈马马特粗砂岩采石场进行勘查，并重新进行开采，以获得建筑用的石材。次年，采石工作又有新的开展，并立即开始修建王陵。第3年又进行规模最大的采石工程。派出3支采石队（每队8 368人），其中5 000为军人。由阿蒙神的祭司率领。他在西底比斯达尔巴赫里建造两座巨大神庙宇，并继续装饰父王在凯尔奈克修建的阿蒙神庙综合体。他还在埃及全国各地留下很多铭文。一份纸莎草文书透露了在他统治期间的一些问题：在今阿斯旺附近的埃利潘蒂尼，一批官员从事广泛的犯罪活动，10年未受惩办；阿蒙神的祭司以权谋私；在巴勒斯坦，只有西奈铜矿仍在埃及的控制中。他执政6年后去世，所进行的工程项目大都没有完工。继承人拉美西斯五世很可能是他的儿子。

• **Ramses V　拉美西斯五世**（活动时期公元前12世纪）　埃及国王（公元前1150～前1145），很可能是被继承人废黜后，患天花去世的。拉美西斯四世的继承人，可能是他的儿子。在位期间，阿蒙神的祭司势力日益增长。正如第4年的一份关于土地勘测和税赋估定的重要文件（《威尔布尔纸莎草书》）所证实的，一个阿蒙神的高级祭司控制埃及很多土地，并通过他那担任税务长官和管理无数庄园的儿子操纵国家的财政系统。拉美西斯五世继续修建父王在西底比斯达尔巴赫里开始兴修的大神庙。这座神庙后来可能成为他自己的丧葬纪念物。他死后，他的尸体到新国王即位后第2年才得以埋葬。埃及的葬礼一般需要70天。因此，这位国王不是在废黜后死去，就是死时陵墓尚未建成，其继承人不得不推迟入葬时间。他的木乃伊头部留下一大伤痕。

• **Ramses VI　拉美西斯六世**（活动时期公元前12世纪）　埃及国王（公元前1145～前1137），可能是在一次王位斗争中废黜前王之后夺得政权的。证据表明：他可能是第20王朝最后一个杰出的统治者拉美西斯三世的孙子。他可能在宫廷政变中登位，即位后对于王室另一支的两个前代国王显示出敌意。他僭取他们的纪念物，甚至还霸占前王拉美西斯五世的陵墓。尽管王室内争，许多高级官员和阿蒙神高级祭司仍然掌权。他至少在位7年，没有修建什么建筑物。他霸占前王陵墓以后，王室陵墓的工人人数减少了。他还是在西奈开采铜矿的最后一代国王。他的继承人是其子拉美西斯七世。

• **Ramses VII　拉美西斯七世**（活动时期公元前12世纪）　埃及国王（公元前1137～前1129）。主要根据几份重要的经济纸莎草文书了解其在位情况。有两个文书述及他在位时期的事件：一个是行船日志，另一个是把税粮运到底比斯的帐目。一个文书表明：阿蒙神的广大地产遍及全埃及，征集大量的税粮送往底比斯神庙。另一个文书表明：拉美西斯七世在位期间，物价上涨超过第19王朝和第20王朝的水平。他在位第4年初，粮价猛涨，超过以前粮价两倍。同时，这两件文书也表明当时经尼罗河来往上下埃及的交通是畅行无阻的。拉美西斯七世在位7年。在底比斯王陵谷为他挖掘的墓穴中仍停放着他的空石棺。

• **Ramses VIII　拉美西斯八世**（活动时期公元前12世纪）　埃及国王（公元前1128～前1126），他的短暂统治文献记载极少。一些现代历史学家把这个国王放在拉美西斯七世之前，因为按照西底比斯马迪纳特哈布法老神庙中发现的拉美西斯三世的后代名单，他的名字出现在拉美西斯六世的名字后边，这就意味着他是拉美西斯六世的直接继承人。然而，仔细研究这一时期的经济文献，以及人所共知拉美西斯七世为拉美西斯六世之子这一事实，证明拉美西斯八世系在拉美西斯七世之后进行短暂的统治的旧说是正确的。在底比斯王陵谷中没有发现他的墓葬。

• **Ramses IX　拉美西斯九世**（活动时期公元前12世纪）　埃及国王（公元前1126～前1108），在位期间民间一些严重问题困扰着埃及。高级祭司阿孟霍特普在底比斯行使全部宗教职能和许多政府职能。拉美西斯九世几乎经常待在尼罗河三角洲的都城中。他在位的第8年，利比亚两个部落的强盗开始骚扰底比斯地区。5年后，这些掳掠者使西底比斯的工作全部陷于停顿状态；后来，他们又渗入了东底比斯。在几年中，政府常有数月不发口粮给墓地工作人员，有些工人则盗墓。谷价仍很高。业已证明，拉美西斯九世在位共19年。

• **Ramses X　拉美西斯十世**（活动时期公元前12世纪）　埃及国王（公元前1108～前1104），在位时期前朝的骚乱仍在继续。他在位的情况，只有一年（第3年）由在西底比斯发现的一部日记可加以证实。这部日记表明：陵墓建造工人长期怠工，一是利比亚人经常出入这个地区，一是不按时向工人发放口粮。根据一项记载，工人甚至断然违抗大臣亲自发布的命令。日记中经常提到的阿蒙神高级祭司可能是活到下一代国王在位期的阿孟霍特普。

• **Ramses XI　拉美西斯十一世**（活动时期公元前12～前11世纪）　埃及国王（公元前1104～前1075?），第20王朝末代国王。他在位期间，阿蒙神高级祭司和努比亚总督多次发生内战。在位后期，上下埃及都建立了新王朝。当他在位期间，西底比斯的许多居民住在马迪纳特哈布的拉美西斯三世的陵庙中。有时没有阿蒙神的高级祭司——甚至高级祭司阿孟霍特普也被停职8个月。随着高级祭司的倒台，底比斯社会四分五裂，近于无政府状态，盗墓成为司空见惯的事，甚至数十人结伙深入王陵谷进行活动。成群结队的盗匪由东底比斯跨过尼罗河前来掠夺。在尼罗河西岸的第19王朝和第20王朝的祠庙都被祭司们和墓地工人偷盗一空。在这一片混乱中，军队里出现一个新领袖赫里霍尔。拉美西斯十一世在位第19年开始时，赫里霍尔重建社会秩序，并成为阿蒙神的高级祭司。不久，他僭取早年平哈西所拥有的称号，甚至还为自己增加大臣的头衔。在底比斯空斯庙中，赫里霍尔实际上攫取全部王室的头衔。拉美西斯十一世至少统治埃及27年之久，他在底比斯的陵墓一直不曾完工，也始终未曾用过。由此，埃及过渡到两个新的独立王朝。

Ramsey　拉姆西　英格兰剑桥行政郡亨廷登区的堂区和城镇。属亨廷顿历史郡。为沼泽区西南边缘农区的服务中心。在10世纪本笃会隐修院周围发展起来。该隐修院曾是

拉姆西镇的圣托马斯教堂
供图：A. F. Kersting

英国早期学术中心，有希伯来文图书馆；1536～1539年隐修院解散后，领地封给O.克伦威尔的祖先R.克伦威尔。人口7 577（1991）。

Ramsey, (Arthur) Michael, Baron Ramsey of Canterbury　拉姆齐（1904-11-14，英格兰剑桥郡剑桥～1988-04-23，牛津郡牛津）　圣公会坎特伯雷大主教（1961～1974）、神学家、教育家、基督教归一运动倡导者。他于1966年3月与天主教教皇保罗六世会晤，这是天主教会与圣公会双方首脑自1534年两教会决裂以来的创举。他曾在剑桥大学马格达伦学院学习，1928年受神职。1961～1968年任世

界基督教协进会主席。1974年退休。

Ramsey, Norman Foster　拉姆齐(1915-08-27，美国华盛顿[哥伦比亚特区]～2011-11-04，马萨诸塞韦兰)　美国物理学家。他因开发使原子从一个能级转移到另一能级的技术而获1989年诺贝尔物理学奖金的一半。另一半授予W.保尔和H.G.戴默尔特。他发明的称为分离振荡的电磁场方法，可用于对时间和频率的精确测量。拉姆齐在纽约哥伦比亚大学学习物理学，1940年在该校获博士学位；1954年在剑桥大学获科学博士学位。40年代在多所大学任教后，1947年在哈佛大学任教，1966年成为该校的希金斯物理学教授。1949年，拉姆齐把原子送入两个分离振荡的电磁场中，完善了研究原子结构的方法。由此在原子束中引起的快速能级跃迁所产生的干涉条纹能够提供原子的构造和性状的重要数据。当和微波振荡器同步时，原子的振荡也能用来极准确地测度时间的推移，从而奠定了现代铯原子钟的基础，铯钟树立当代的时间标准。50年代中，拉姆齐协助开发了氢微波激射器，它是激光器的微波发射亲属。

Ramsgate　拉姆斯盖特　英格兰肯特行政和历史郡萨尼特区城镇。在东海岸。449年盎格鲁-撒克逊人由此上岸入侵。597年圣奥古斯丁由此登陆传教。18世纪中叶发展成为港口。20世纪肯特煤田的开采更增加了贸易往来。曾是著名的海滨胜地。城镇机场有租机飞行服务。从佩格韦尔湾有定期气垫船通法国。人口37 895(1991)。

Ramu River　拉穆河　旧称奥蒂林河。巴布亚新几内亚最长河流之一。源出东南部的克拉特凯岭，西北流经中部大洼原，在最后100千米向北流程的沼泽地带与主要支流索盖拉姆河相汇，于塞皮克河口东南32千米处注入俾斯麦海。全长640千米。该河常发洪水并改道。沿岸主要居民区是敦普、本迪和阿滕布尔。不通航。上游凯南图有水库和水力发电厂，向高地供应电力。

Ramus, Petrus　拉米斯(1515，法国皮卡第屈茨～1572-08-26，巴黎)　拉丁语名，法语名为Pierre de la Ramée。法国哲学家、逻辑学家和修辞学家。曾先后在屈茨和巴黎的纳瓦拉学院学习，1536年取得文学硕士学位。他在巴黎的勒芒学院和万福马利亚学院(他在这里同奥多玛洛斯·塔莱乌斯[即奥美尔·塔隆]在一起工作)讲授一种改订本的亚里士多德逻辑学。在他的影响下，塔莱乌斯依据他改编亚里士多德的《伦理学》时所用的原则，改编了西塞罗的修辞学。这些革新活动使巴黎大学正统的亚里士多德派哲学家大为愤怒，以致他们唆使弗兰西斯一世于1544年查禁他的改订逻辑学方面的作品，并禁止他再教这一课程。由于洛林的枢机主教夏尔的影响，1547年亨利二世取消了对他的禁令。1551年被任命为法兰西学院的钦任哲学与雄辩术教授。1561年前后，改信新教，因而晚年是在学术方面的和教会方面的敌人对他日益激烈的迫害中度过的。在圣巴托罗缪惨案爆发后两天，他被雇佣的刺客暗杀。他认为逻辑就是辩证法，因此他忽视了逻辑作为一种探索方法所起的传统作用。但他强调另一种传统看法，即逻辑是一种论争的方法，它的两部分是：①构思，即为证明论题而发现证据的过程；②排比，告诉人们如何把构思的材料组织起来。拉米斯在哲学和修辞学领域的影响十分深远，他的逻辑学在16和17世纪的欧洲极为流行。著作甚多，其中广为传诵者有《逻辑范畴》(1543)、《亚里士多德观察法》(1543)、《逻辑学》(1555)及《逻辑学两卷集》(1556)。

Ramusio, Giovanni Battista　赖麦锡(1485-07-20，威尼斯共和国特雷维索[意大利]～1557-07-10，帕多瓦)　意大利地理学家，编纂出有重大影响的游记集《航海旅行》(1550～1559)。集中收有所编马可·波罗游记及摩尔人利奥(非洲的)的《非洲地理历史》。1515年任威尼斯元老院秘书，1533年任十人议会团秘书。在人文主义者G.弗拉卡斯托罗建议下，1520年前后开始收集、研究各种地理资料和文献。其主要合作者有弗拉卡斯托罗、枢机主教P.本博和制图员G.加斯塔尔迪。《航海旅行》第一卷写非洲(1550)；第三卷介绍美洲(1557)；第二卷讲亚洲(1559)，该卷第一次将赖麦锡列为编纂人。

Ramuz, Charles-Ferdinand　拉缪(1878-09-24，瑞士屈伊～1947-05-23，洛桑附近皮伊)　瑞士小说家。所写人同自然作斗争的故事是现实主义的，富于诗情，并具有一些寓言意

伯尔尼瑞士国家图书馆供图

味，使他成为20世纪瑞士法语区最杰出的作家之一。他生长于城市，中产阶级文化的继承人，却宁愿用一种刻意简朴和土俗的语言来描写乡下农民。第一次世界大战前，他在巴黎度过了几年，同巴黎的画家和诗人有来往。但是，当他返回瑞士时，并没有沾染时髦的巴黎文学风气。拉缪在40～60岁期间，写下了使人难以忘怀的作品。他的典型题材是山民或村民，描写他们如何同灾害或神秘力量作斗争。在《山上的恐怖》(1925)里，年轻的村民不怕命运的挑战，毅然在被诅咒的山地牧场上放牛。拉缪的作品中很受读者欢迎的还有《世上的美》(1927)和《德博朗斯》(1934)等。

Rana　拉纳　挪威北部诺尔兰郡拉纳海峡和北拉纳峡湾周围的地理区域，以拉纳河口的工业城镇穆村为中心。沿河为挪威南北交通的唯一公路和铁路。该地有多个矿区，农业和渔业亦为重要经济活动。内斯纳和海姆内斯贝格是主要渔港。拉纳境内多山，有许多河流、湖泊和奇形怪异的洞穴。人口：城市区约19 703(1998)。

Ranade, Mahadev Govind　拉那德(1842-01-18，印度尼帕德～1901-01-16，浦那)　印度马哈拉施特拉的基帕冯婆罗门种姓的一员，孟买高等法院法官、著名历史学家，曾积极参加社会和经济改革运动。在孟买担任法官的7年间，他献身于在童婚、寡妇再嫁和妇女权利等方面的社会改革工作。1866年任孟买埃尔芬斯通学院历史讲师后，专门研究马拉塔人的历史。马拉塔人是一个尚武的印度教种族集团，曾建立独立的马哈拉施特拉王国(1677～1818)。1900年，拉那德出版了《马拉塔人强国的兴起》。由于极力要求英国政府在印度实行工业化和国家福利计划，拉那德被称为"印度经济之父"。他是以改革正统印度教社会风俗为宗旨的"祈祷社"的早期成员。1887年他创立印度全国社会会议，经常在年会上发表关于社会和经济改革的意见。

Ranaivo, Flavien　拉奈伏(1914-05-13，马达加斯加阿里武尼马穆～1999-12-20，法国特鲁瓦)　抒情诗人，深受马达加斯加民谣及歌曲形式，特别是通常表达爱情的一种诗歌体对话的影响。还担任过若干重要的政府职务。他在情报部门工作到1945年，后改行从事新闻工作到1952年，然后又回到政府部门工作，主要是在教育部门。出版过三卷诗集：《影子与风》(1947)、《我的终生之歌》(1955)和《回归教会》(1962)。翻译成英语后以《F.拉奈伏诗歌作品》之名结集出版(1970)。曾跟随J.-J.拉贝阿利维洛将传统的马达加斯加诗歌翻译成法语。拉奈伏使用的语言明快，有时粗鲁带有俚语，这反映出激励他的方言传统。

Ranak　拉纳克　参阅**Krochmal, Nachman**克罗克马尔。

Rancagua　兰卡瓜　智利中北部奥伊金斯区首府和卡查波阿尔省省会。建于1743年。1814年10月2日在此进行的兰卡瓜战役是智利独立战争中重要战役之一。铁路交通便利，促进了该城工商业的发展。工业有牛肉加工、谷物磨粉、水果和蔬菜罐头制造、汽车装配，以及冶炼埃尔特尼恩特(世界最大铜矿之一，在该城东面40千米处)所产铜矿石。人口：城市区约202 067(1999)。

Rancé, Armand-Jean Le Bouthillier de　朗塞(1626-01-09，法国巴黎～1700-10-27，索利尼拉特拉普)　法兰西天主教神职人员。1644年任特拉普西多会隐修院院长，竭力整顿西多会。他的改革影响甚广，1678年获教廷批准。他刚正不阿，对门徒身心教育严格，除要求他们厉行清贫外，禁止他们修饰边幅，而且坦率斥责戒律较宽的其他修会，因而引起反感和激烈争论。朗塞反对学术研究，主张隐修人员只能进行祈祷和体力劳动。

Rance River　朗斯河　法国西部河流。源出梅内山岭。全长97千米。流经迪南，在

英吉利海峡布列塔尼海滨的圣马洛形成河口湾。河口湾有世界上第一个大型潮汐发电站(1967),利用洪水和落潮来发电。

ranch 大牧场 在草原地区放养和繁育牛、绵羊或马的畜牧场,规模通常较大。这种放养方式起源于欧洲的畜牧业技术进入新大陆辽阔草原的时期。西班牙殖民者在殖民初期就把牛、马带到阿根廷和乌拉圭的潘帕斯草原及墨西哥的牧地,这些牛、马的放牧方式很快就扩展到现在美国西南部的地区。19世纪初,大牧场成为北美牧区的主要经济支柱。随着东部牧区的不断开垦耕种,牧牛人不得不向西部寻求新的牧场,大牧场在美国本土也变得更为重要。在这期间出现了*牛仔*(**cowboy**),实质上牛仔就是牧场工人,他们骑着马从一个营地到另一个营地,在无栅栏的公共牧场上放牛。牛群每半年集拢一次,以便为牛犊打烙印和分离阉牛。阉牛都被赶到北部和东部去育肥屠宰。南美潘帕斯草原上的牛马自由游荡了一个多世纪,起初*加乌乔*(**gaucho**)人独自猎获大群半野生的牲畜,以后随着土地被圈,潘帕斯草原面貌的改变,他们成了土地所有者的雇工。美国1862年的《宅地法案》导致了许多草地农场的建立,它们在19世纪后期扩大成为西部的大牧场。巡回畜牧业在19世纪80年代达到高峰,当时在草原放牧的牛群数以百万计。牧场过多、1886～1887年罕见的严冬、检疫法令的颁布、铁道竞争的加剧,以及有刺铁丝网的设置均遏止了牛群北移及牛牧区的兴盛。到了20世纪20～50年代,美国畜牧业几乎全部处于停滞状态。大牧场继续存在,这些企业虽然经历了分割时期,但在20世纪后期的社团农业中似乎仍能保证前途安全。大牧场这种经营方式于19世纪后期引入澳大利亚、新西兰和非洲部分地区,至今仍是这些地区重要的经济活动。

ranch house 牧场式住宅 矮屋顶单层住宅,平面为开敞的长方形,很少按常规划分不同生活用区。当美国西部的移民放弃了最初的圆木屋、草泥房和窑洞后,建造了无地下室

建于1957～1958年的芝加哥市郊牧场式住宅

供图:Hedrich-Blessing Photo

的只有一两间房的木构架小房。后常随人口增加和生活宽裕而增建,形成一系列并联的开敞式大房间,每间都有阳光照射,并与室外相通。20世纪20年代这种住宅发展成为一种新型的住宅,有时称作联排式住宅,其平面为长条形,在第二次世界大战后的建房高潮中特别流行。

Rānchi 兰契 印度东北部贾坎德邦首府。濒苏伯尔讷雷卡河,为比哈尔邦夏都和棉、茶贸易中心。为主要铁路和公路枢纽。工业生产丝绸、虫胶和大型机床。1869年设城镇区。设有兵营和镭、虫胶研究所以及两所精神病院。为国家煤炭开发公司、重型机械制造公司和印度斯坦钢铁公司以及兰契大学所在地。大学成立于1960年,有法学院、医学院和师范学院。地处兰契高原,西北部为平顶高山。主要出产稻米。有苏伯尔讷雷卡河、森克河、北科埃尔河和南科埃尔河流经。开采铝矾土、石灰石和瓷土矿。人口846 454(2001)。

Rancho Cucamonga 兰乔-库卡蒙加 美国加利福尼亚州南部圣贝纳迪诺县城市。为"内陆帝国"地区的一部分,位于洛杉矶中部以东60千米处圣加布里埃尔山东端附近的冲积平原上。原居民为通瓦(即加布列莱诺)印第安人,1769年G.波尔塔拉带领的西班牙探险队来到此地。1839年为T.塔皮亚的赠与地。1858年雷恩斯夫妇买下库卡蒙加牧场,并于1860年在此安家。其宅院后经修复列入国家历史文物保护单位名册。1870年组建库卡蒙加公司的旧金山商人购得此地。1887年修通铁路后分成三个社区:库卡蒙加、阿尔塔-洛马和埃蒂万达。1977年设为兰乔-库卡蒙加市。经济以种植柑橘、橄榄、桃子为主,还有葡萄园。城市大部分为住宅区,有一些制造业、航天工业以及零售业。长久以来该地一直为运输中心,有小路和公路通过。1883年建立社区学院,此外还有雷德兰斯大学和拉凡尔纳大学分校。每年在此举办葡萄丰收节(始于1939年)。城市以北是圣贝纳迪诺和安赫莱斯国家森林。人口127 743(2000)。

Rancho Grande National Park(Venezuela) **兰乔格兰德国家公园** 参阅**Henri Pittier National Park** *亨利·皮蒂尔国家公园*。

Rancholabrean stage 兰乔拉布尔阶 北美更新世重要的时间地层单元(更新世开始于大约250万年前与170万年前之间,终止于约1万年前)。位于欧文顿阶之上,因洛杉矶富含动物化石的兰乔拉布尔地点而得名。兰乔拉布尔在时间上明显包括:伊利诺伊冰期、桑加蒙间冰期和威斯康星冰期(即影响到北美的最后一个主冰期)。兰乔拉布尔动物群包括许多现代类型,如臭鼬、蝙蝠、美洲野牛、啮齿动物、河狸(包括巨型的)、熊、羚羊和鹿,以及绝灭动物猛犸象、乳齿象、剑齿虎。向南还发现有貘、树懒、西貒和犰狳。该动物群在美国广泛分布。很多化石的保存状态极好。兰乔拉布尔期末,北美哺乳动物群的数量和种类都大幅度减少。这可能与环境变化有关。有人推测人类到达北美对此动物群的广泛绝灭负有责任。但似乎人类不可能有足够的数量或者有技术使得所有动物都绝灭,不过,人类可以给那些已大量衰减的和易被其捕食的物种以决定性的打击。

rancidity 酸败 食物和其他产品中的不饱和脂肪被空气氧化而产生难闻气味和难吃味道的状态。当含脂肪物质暴露于空气中时,其不饱和成分转化为氢过氧化物,然后分解为挥发性醛、酯、醇、酮和烃类,其中有的带有难闻气味。奶油由于上述过程和水解而酸败,释放出挥发性、有恶臭的酸类,特别是丁酸。饱和脂肪如牛脂等有抗氧性,在常温下很少发生酸败。

rand 兰特 南非货币单位。1兰特等于100分。南非储备银行是唯一有权发行铸币和纸币的银行。铸币面值由5分～50兰特不等。纸币面值由10～200兰特不等。在

南非200兰特纸币(反、正面)

美国不列颠百科全书公司供图

种族隔离时期,纸币印有白人政权统治人物的形象。20世纪90年代初和平转变为完全民主政治以后,纸币即印有彩色野生动物形象,包括犀牛(10兰特纸币)、象(20兰特纸币)、狮子(50兰特纸币)、水牛(100兰特纸币)和豹(200兰特纸币)。铸币上有各种动植物形象,用南非的各种语言来表示该国的名称。南非1921年前使用英镑,1921年起改用南非镑,1961年采用兰特,2兰特兑换1镑。

Rand, Ayn 兰德(1905-02-02,俄罗斯圣彼得堡～1982-03-06,美国纽约州纽约市) 俄罗斯出生的美国女作家。所著小说非常畅销。表现了她的客观主义哲学,即认为一切真正成就都是个人能力与努力的结果,自由资本主义最适合于发挥才干,自私是美德,而利他主义却是罪恶。她对传统犹太教和基督教的道德观的颠倒,赢得了追随者的崇拜。1924年毕业于彼得格勒大学,1926年到美国,在好莱坞写电影剧本。1931年,入美国籍。第一部畅销小说《源泉》(1943)描写了一

个建筑师的利己主义和天才战胜了胆小怕事的传统主义和循规蹈矩的社会风气。另一部畅销书是寓言式的《阿特拉斯耸肩膀》(1957),描述一次反集体主义罢工的故事,把科学幻想小说和政治信息结合在一起。她还

供图:Random House, Inc.

写了些非小说性作品阐述其信念,如《艾恩·兰德的哲学》(1961),还编有《客观主义者》(1962 ～ 1971)和《艾恩·兰德书信》(1971 ～ 1976)两个期刊,提出她的观念。

Rand, Paul 兰德(1914-08-15,美国纽约布鲁克林～ 1996-11-26,康涅狄格诺沃克) 美国美术设计师,独具特色的美国现代派的开拓者。1937 ～ 1941 年为《绅士与服饰艺术》杂志担任艺术指导。他吸收了包豪斯建筑学派、构成派、立体派、风格派、未来派等欧洲艺术和设计理念及其形象化词汇。认为线条、形状和颜色可成为视觉交流中传递信息的标记和符号,同时也是艺术作品的基本要素。1941 ～ 1954 年担任 W.H.温特劳布广告公司的艺术指导,提倡广告制作图文并茂,创意深刻而诱人。20 世纪 50 和 60 年代,美国的广告公司借助于美术设计师创作当代商标和与之相符的图形规范,兰德一举成为这种形象化识别系统的杰出倡导者。他所设计的商标随处可见,包括威斯汀豪斯电气公司、美国广播公司和 IBM 公司的徽标。他的公司年报设计也颇具影响。兰德的职业生涯长达 70 年,其美术设计、教学(1956 年在耶鲁大学任教)和思想影响着几代美国设计师。主要著作有《设计思想》(1947)、《设计师技巧》(1985)、《设计、形式和混乱》(1993)和《从拉斯科到布鲁克林》(1996)。

Rand, Sally 兰德(1904-01-02,美国密苏里埃尔克顿～ 1979-08-31,加利福尼亚格伦多拉) 原名海伦·古尔德·贝克。美国女演员及舞蹈家,以跳扇舞和气球舞闻名。她十几岁在堪萨斯城当合唱队女队员,开始表演生涯。20 世纪 20 年代在歌舞杂耍、林林兄弟马戏团及电影中演出,并不出名。30 年代初期在芝加哥夜总会演出期间,她以几根鸵鸟羽毛制成大扇子而新创个人的裸体表演。在 1933 年芝加哥世界博览会上,她在一个宣传表演中饰戈黛娃夫人,并在《巴黎街道》这一精彩节目中充当舞蹈演员。她在那里随着 C. 德彪西《月光》及 F. 肖邦的《升 C 小调华尔兹》等曲调跳扇子舞,因而轰动一时,并确定了此后 30 余年的前程。她后来又创出另一种使用 5 英尺大的弹性气球的舞蹈。兰德的表演生涯一直持续到 74 岁,始终保持与其

供图:Granger Collection, New York City

年龄不相称的娇嫩面孔和苗条身材。

Rand Daily Mail 《兰德每日邮报》 原在约翰内斯堡出版的英语报纸。它反对南非的种族隔离,但由于财政上的亏损,于 1985 年停止出版。《兰德每日邮报》于 1902 年创办,是大众新闻的先驱,刊登图片和漫画,以及娱乐性专稿,并改进版面编排。后来该报反映自由主义小党进步党的观点,以广泛反对政府的政策而著称。60 年代《兰德每日邮报》不顾政府对该报施加越来越多的限制,率领报界对南非监狱状况和南非生活的其他方面进行抨击。到它停刊时,其读者总数中2/3为黑人。

Rand McNally and Company 兰德-麦克纳利公司 美国出版和印刷地图、地图集、地球仪和旅客指南的公司,总部设在伊利诺伊州斯科基。公司由威廉·H. 兰德和安德鲁·麦克纳利于 1856 年创建,1873 年合并,是美国从事这一业务历史最悠久的公司。发行的第一份出版物是一家铁路公司 1868 年的年度报告,第一份地图于 1872 年发行。《企业地图集》,现名为《商业地图集和销售指南》于 1877 年开始发行。1894 年成立教科书部,出版《兰德-麦克纳利小学地理教科书》;1900 年出版目录上增加儿童读物。1908 年发明汽车后,出版第一本公路指南。兰德-麦克纳利公司在 20 年代初开始出版《古德学校地图集》,现名《古德世界地图集》,这是学校地理教科书的先驱著作。20 世纪后期主要出版物为地图、地图集、地理和旅行书籍、参考指南、儿童读物、成人非小说类文学作品和教科书。该公司也是一家著名的商业印刷公司。

Randall, John Herman, Jr. 兰德尔(1899-02-14,美国密歇根大急流城～ 1980-12-01,纽约州纽约) 美国历史学家和哲学家,写了一系列受到高度重视的哲学史著作。曾在哥伦比亚大学受教于历史学家 C.A.比尔德和 J. H.鲁宾逊。1921 年开始在该校教书;1922 年获哲学博士学位。第一部重要著作《西方思想》(两卷,1924;修订重版后改名为《现代思想的形成》,1926)被认为是 20 世纪最佳哲学史之一。他使用的方法是重新组织历史经验与传统,以及时间和条件,从而导致了某些哲学体系的产生。按照同样的方针,他的《现代的哲学事业》(两卷,1962 ～ 1965)对 17 和 18 世纪时将科学同化到传统的解释性框架中去的历史背景作了分析。在《亚里士多德》(1960)中,他再次把亚里士多德的思想置于原来的历史背景之中,并为现代人引申出它的含义及有关事物。他论述亚里士多德哲学在现代科学发展中的作用的另一著作为《帕多瓦学派和现代科学的出现》(1961)。其他著作有《西方宗教中知识的作用》(1958)、《自然和历史的经验》(1958)、《柏拉图》(1970)、《达尔文以后的哲学》(1977)等。

Randall, Samuel J(ackson) 兰德尔(1828-10-10,美国宾夕法尼亚费城～ 1890-04-13,华盛顿[哥伦比亚特区]) 美国众议院议员,连任近 30 年,在任众议院议长(1876 ～ 1881)时制定众议院规则并加强了议长的作用。民主党人。历任费城市议员(1852 ～ 1856),宾夕法尼亚州参议员(1858 ～ 1859)。以后参加南北战争。1862 年兰德尔首次当选为美国众议员,连选连任直至逝世。他曾任众议院拨款委员会主席。1875 年他又为宾夕法尼亚州民主党领导人。1880 年选举中共和党人赢得众议院多数,兰德尔失去议长职位,后因反对民主党内多数主张的保护性关税政策,失去对党内的控制力。

Randall-MacIver, David 兰德尔-麦基弗(1873-10-31,英国伦敦～ 1945-04-30,美国纽约州纽约) 英国出生的美国考古学家、人类学家。曾就读于牛津大学,1899 ～ 1901 年参加 F.皮特里领导的埃及阿拜多斯遗址的发掘,开始其考古生涯。在南罗得西亚(现津巴布韦)进行津巴布韦遗址发掘之后,于 1906 年写成《中世纪的罗得西亚》,提出该遗址诚系非洲起源,年代属中世纪。他的观点被后来的考古研究所证实。1907 ～ 1911 年率领考古队进入埃及和苏丹。1911 ～ 1914 年在美国地理学会图书馆任职,第一次世界大战中任文职军官。1921 年定居罗马,专门从事意大利考古,著有:《维兰诺瓦人和早期埃特鲁斯坎人》(1924)、《意大利铁器时代》(1927)和《罗马人以前的意大利》(1928)。第二次世界大战中协助美国作战部努力保护意大利文物免遭破坏。

Randburg 兰德堡 南非德兰士瓦的住宅城镇。1962 年设镇,无重工业。轻工业有印刷厂、风琴制造厂、小型机械制造厂。已发展为一园林城市,有许多公园。克莱因朱克斯凯老式汽车博物馆收藏有各种老式汽车。人口 74 347(1985)。

Randers 兰讷斯 丹麦奥胡斯州城市,位于日德兰半岛东部古曾河河口,奥胡斯市西北。1086 年首见记载。1302 年设市,并在欧

洲中世纪成为重要市场和基督教会中心。1340年丹麦民族英雄N.埃布森在该市暗杀了荷尔斯泰因的暴君格哈得伯爵。市内现仍存有几座中世纪商店。生产铁路车辆、手套、啤酒、熏猪肉、农业机械和乳制品。人口约55 358(1992)。

Randfontein　兰德方丹　南非德兰士瓦省城镇。在约翰内斯堡以西。位于兰德方丹金矿(1889年首次开采)中央。1929年成为单独的城镇区。到20世纪80年代工业区和住宅区有很大扩展。继续开采金矿,还从金矿石中提炼出铀。有食品加工和纺织业。居民主要是黑人。人口43 763(1985)。

Randolph　伦道夫　美国马萨诸塞州东部诺福克县的城镇(乡),位于波士顿以南24千米处。1710年始有人定居,时名科恰托(以科恰托印第安人命名),在1793年另行设建制之前属布伦特里的一部分。城镇以大陆会议第一任主席佩顿·伦道夫的名字重新命名。后发展成为制鞋中心,但现在主要是住宅区,有零售业和服务业,也有一些轻工制造业。它是玛丽·威尔金斯·弗里曼的出生地,她在这里写下了许多有关新英格兰乡村生活的书。1899年在镇上建立了一所波士顿聋哑学校。面积27.2平方千米。人口30 963(2000)。

Randolph, A(sa) Philip　伦道夫(1889-04-15,美国佛罗里达克雷森特市～1979-05-16,纽约州纽约)　工会活动家和民权运动领导人,坚持不懈地献身于为美国黑人社会争取正义和平等的斗争。卫理公会牧师之子。1911年迁居至纽约市哈林区。晚上就读于市立大学。1912年和欧文共同创建职业介绍所,并试图通过这介绍所把黑人工人组织起来。1917年美国参加第一次世界大战后,这两人创办杂志《信使》,1929年后改名为《黑人劳工》。该杂志要求在军事工业和军队中招募更多的黑人。战后在纽约市兰德社会科学学院授课。作为社会党候选人参加竞选,结果落选。1925年创建卧铺车列车员兄弟会并任主席,开始组织这一部分黑人工人,并在美国劳工联合会(AFL)有一半分会机构禁止吸收黑人为会员的情况下,带领他的工会加入了美国劳工联合会。尽管遭到反对,还是成功地建起第一个黑人工会。1937年这个兄弟

劳联-产联新闻社供图

会与普尔曼公司签订了第一份重要的契约。第2年,为了抗议美国劳工联合会未能与其内部的种族歧视进行斗争,带领他的工会脱离美国劳工联合会,加入新组建的产业工会联合会(CIO)。然后又回到联邦政府中及与联邦政府签订契约的产业部门中的黑人就业问题上来。他警告罗斯福总统,他要带领成千上万黑人向华盛顿进军示威。罗斯福总统于1941年6月25日发布第8802号行政命令,禁止在国防工业和联邦机构中实行种族歧视,并且建立公平就业实施委员会。第二次世界大战后,创建非暴力的平民反抗军队种族隔离团。结果,杜鲁门总统于1948年7月26日发布第9981号行政命令,禁止在军队中实行种族隔离。1955年美国劳工联合会和产业工会联合会合并时,他被任命为联合会副主席和最高行政会议成员。为了反对劳联-产联内部的种族歧视,他与别人一道组织美国黑人劳工理事会,并且出任第一任主席(1960～1966)。他于1941年进行的活动引起了反响。他担任为谋求工作和自由向华盛顿进军的指导。1963年8月28日,20万以上的人来到首都示威游行,支持为黑人争取民权的政策。两年后,他创立伦道夫学院,供黑人社会领导人研究贫困的原因。因患慢性病,他于1968年辞去卧铺车列车员兄弟会主席职务,并从公共生活中隐退。

Randolph, Edmund Jennings　伦道夫(1753-08-10,弗吉尼亚威廉斯堡[美国]～1813-09-12,弗吉尼亚克拉克县)　美国律师,在起草和批准美国宪法时有重要贡献。在G.华盛

弗吉尼亚历史学会供图

顿的内阁中先后担任司法部长和国务卿。在威廉与玛丽学院上学后随其父学习法律,其父当时是弗吉尼亚殖民地的御用律师。1776年在美军围攻波士顿英军期间,年轻的律师伦道夫曾短期担任华盛顿将军的副官。他被选入1776年弗吉尼亚制宪会议,并在一个起草权利宣言和州宪法的委员会任职。弗吉尼亚议会选举他为该州司法部长,"大陆会议"代表(1779～1782),弗吉尼亚州州长(1786～1788),并率该州代表团出席安纳波利斯会议(1786),参加制宪会议"细节委员会"起草第一个宪法的工作(1787)。他认为各州与个人的权利未得到充分保障,拒绝在宪法最后草案上签名。然而,在1788年弗吉尼亚代表大会上,他却利用自己的影响力促批准宪法。1789年华盛顿总统任命他为司法部长,1794年1月2日又继T.杰斐逊任国务卿。当时正值英法两国交战,伦道夫肩负着与法国保持友好关系的微妙任务。他还为1795年与西班牙签订《平克尼条约》铺平了道路,该条约规定了密西西比河的自由通航。

Randolph, Edward　伦道夫(1632-07-09受洗,英国肯特坎特伯雷～1703-04,弗吉尼亚[美国])　英国皇家代理人,海关关员和美洲殖民地官员。伦道夫曾担任过各种公私职务,1676年3月,贸易大臣命他去马萨诸塞传达皇家指示,要求殖民地政府派代表到英国,就费尔南多爵士和梅森船长后裔的申诉作出答复,他们要求为他们对缅因和新罕布什尔的权利主张提供赔偿。伦道夫与马萨诸塞官员们的关系甚为不洽,回到英国后呈递了一份报告,对海湾殖民地官员违反帝国政策极尽挑剔之能事。1678年任全部新英格兰的关税征收官与督察。他将总部设在波士顿,但殖民地对他的权威普遍反对,以致他几次返回英国,要求撤销马萨诸塞的特许状。1684年宣布特许状取消后,伦道夫曾受命担任新英格兰自治领的各种高级职务。他在新成立的皇家政府任职,直至1689年4月该政府被推翻。伦道夫曾被监禁数月,但威廉三世命令将其释放并送回英国。他在1691年被任命为全北美海关总督察,又返回殖民地。伦道夫走遍大陆殖民地、西印度群岛及巴哈马群岛,试图迫使人们顺从英国的贸易法律,但收效甚微,极受反对。1700年回到英国,支持议会内的一项反对特许状及特许殖民地的运动。这项努力未获成功,1702年他又回到弗吉尼亚。

Randolph, John　伦道夫(1773-06-02,弗吉尼亚乔治王子县[美国]～1833-05-24,宾夕法尼亚费城)　美国政治领袖,积极支持州权主义,反对中央集权政府。1799年进入美国众议院,政治升迁极速,1801年任众院赋税委员会主席,国会中的杰斐逊派共和党人领袖。他很有辩才,讽刺辛辣,在C.卡尔霍恩之先提出州权理论,反对建立国家银行、保护关税、联邦资助兴办国内事业(如公路和运河)和联邦干预蓄奴等,但他在遗嘱中解放了自己的奴隶。由于在1804～1805年主持弹劾最高法院法官S.蔡斯一案失败,又因反对T.

华盛顿科科伦艺术馆供图

杰斐逊总统吞并佛罗里达的立场,伦道夫脱离了杰斐逊共和党。1820年伦道夫东山再起,代表南部种植园主反对密苏里妥协案(规定在北纬36°30′线以北西部地区蓄奴为非法)。在1824～1825年总统选举中,伦道夫斥责H.克莱支持J.Q.亚当斯竞选,因而与克莱进行决斗(结果均未受伤)。1825～1826年一度任美国参议员,3年后参与起草弗吉尼亚新宪法草案。1830年杰克逊总统派他出

使俄国，因健康不佳，他到职仅数周即返国。

Randolph，Peyton 伦道夫（1721，弗吉尼亚威廉斯堡［美国］～1775-10-22，宾夕法尼亚费城） 美国大陆会议首任主席。毕业于威廉与玛丽学院，1744年成为弗吉尼亚律师。4年后担任该州英王代理人，同年当选为州议员。作为上层社会的一员，他自视为英国王室，同时又是弗吉尼亚同事们的代言人。他不赞成殖民地人民反对《印花税条例》的激烈行动。在革命前与英人的争论中，他态度温和，举止小心，但是他的爱国心使他逐步变得激进起来。1773年担任弗吉尼亚州通讯委员会主席，1774年率领由7人组成的该州代表团出席大陆会议首次会议，被推选为会议主席。翌年在费城因中风去世。

Randolph，Thomas（military commander） **伦道夫** 参阅 **Moray，Thomas Randolph，1st Earl of 莫里伯爵（第一）**。

Randolph，Thomas 伦道夫（1605-06-15，英格兰北安普敦郡纽纳姆-坎-巴德比～1635-03，北安普敦郡布拉塞维克） 英国诗人、剧作家。曾运用亚里士多德逻辑创作出一种独特的喜剧。曾在威斯敏斯特学校和剑桥大学就读，在两校均享有能用英文和拉丁文写诗的美名。本·琼森认他为"儿子"。大学时所写《阿里斯提普斯》（又名《快活的哲学家》）和《自负的小贩》两部喜剧曾在剑桥大学演出，出版于1630年。《阿里斯提普斯》写一场关于浓啤酒和白葡萄酒各自优点的争论，剧中充满亚里士多德的逻辑术语和他从古典文学中学到的双关语。《妒忌的情人》（1634）在剑桥大学为查理一世演出过，很受欢迎。1630年上演的《缪斯的镜子》开始和结束均为假面戏，共15场，每场描写亚里士多德认定的一种罪恶。1651年出版据阿里斯托芬的《财神》改编的喜剧《好啊，诚实！》。伦道夫29岁去世。著名的诗有献给琼森的3首诗。死后出版的一部诗集（1638）收入《缪斯的镜子》和《阿敏塔斯》。

random walk 随机游动 概率论中以下述问题为基础的一种**随机过程**（**stochastic process**）：给定作随机运动的点沿某个方向移动某个距离的概率（对每一步都是一样的），确定这些点的可能位置。醉汉走路就是一个典型的例子，在这里一个点从欧几里得平面的原点开始，在每个单位时间中移动单位距离而运动的方向在每一步都是随机的。这个问题是要找出在某个固定时间之后这个点离开原点的距离的概率分布。很多经济学家认为股票市场的短期波动就是随机游动。

Randstad 兰德斯塔德 荷兰中西部的工业和大都会区。为一片泥炭及黏土低地。范围包括希尔弗瑟姆、阿姆斯特丹、哈勒姆、莱顿、海牙、鹿特丹等国内主要工业城市，分布呈半月形，跨南荷兰、北荷兰和乌得勒支三省。至公元1300年当地已有许多居民点，沿海河岸筑起护堤。15世纪工业增长，该地区发展迅速，主要港口多德雷赫特出口荷兰砖、亚麻布、蔬菜和制染料用西洋茜草。1600～1900年阿姆斯特丹和鹿特丹之间大片浅海被排干开垦。该地区各城市生产汽车、机械、化工品、电器、印刷品、纺织品。鹿特丹港货物装运量居世界首位。海牙为该国政府机构驻地。阿姆斯特丹为名义上首都和金融文化中心。各城市为四周地区所产花卉、谷物和牲畜的销售中心。部分地区有森林。全区公路、铁路四通八达。阿姆斯特丹、鹿特丹和希尔弗瑟姆建有飞机场。

Ranelagh 拉内拉赫 伦敦切尔西区泰晤士河畔的前旅游胜地。在切尔西皇家医院以东。1742年开放，1805年关闭。该地产后被皇家医院购买。

rangaku 兰学 德川时代后期（18世纪晚期～19世纪）日本人为了掌握西方科学技术，曾经努力学习荷兰语文。后来，把西方科学技术统称为兰学。1639年德川幕府开始实行锁国政策，与欧洲各国断绝往来达150年之久。只有长崎湾内设有一处荷兰商馆。因此，日本人就把荷兰语当作学习西方科学技术的唯一工具。兰学的学术传统加强了19世纪后期和20世纪日本对西方的广泛响应。兰学家们编纂荷日字典和出版荷兰文的书籍，研究欧洲的医学、军事、地理和政治。

Rāngāmāti 兰加马蒂 孟加拉国东南部吉大港山区城镇。傍戈尔诺普利河。有公路和内河轮船与吉大港相通。兰加马蒂既是碾米和棉织中心，也是农业市场。该地还设有医院和吉大港大学的行政管理学院。人口36 405（1981）。

Ranganathan，Shiyali Ramamrita 阮冈纳赞（1892-08-09，印度马德拉斯希亚利～1972-09-27，迈索尔班加罗尔） 印度的图书馆学家和教育家，在印度被视为图书馆学之父，但他的贡献对全世界发生影响。曾在希亚利的印度高级中学、马德拉斯基督学院（1913年获数学学士学位，1916年又获硕士学位）及赛德贝德师范学院受教育。1917年到门格洛尔公立学院任教，1920年在哥印拜陀公立学院，1921～1923年在马德拉斯大学的管辖区学院任教。1924年受聘为马德拉斯大学的图书馆长。他为了担负这一职务，前往英国伦敦的大学学院进修。1925年回马德拉斯正式就职，直至1944年。1945～1947年在瓦拉纳西（贝拿勒斯）的印度大学担任图书馆长及图书馆学教授。1947～1954年在德里大学任教。1954～1957年在苏黎世从事研究及写作。1957年返回印度，任乌贾因的维克拉姆大学客座教授，直至1959年。1962年创建班加罗尔的文献研究训练中心，成为该中心的主管，直到去世。1965年，印度政府授予他图书馆学国家研究教授的称号。他对图书馆学主要的技术贡献是分类及索引理论，其《冒号分类法》（1933）体系现已被全世界的研究图书馆广泛使用，并促进杜威十进制分类法等旧方法的改善。后来他又发明了查找主题索引条头的"连锁索引"技术。其他作品包括《分类编目规则》（1934）、《图书馆分类法绪论》（1937）、《图书馆分类法理论》（1938）、《图书馆分类法大纲》（1945）、《分类法与国际文献管理》（1948）、《分类法与流通》（1951）及《标题与典籍》（1955）。人们普遍认为，他的《图书馆学五律》（1931）明确叙述了图书馆工作的理想模式。他曾为一个国立的和几个邦立的图书馆系统拟定计划，创办和主编几种杂志，并积极参加许多专业协会的活动。

Rangao language 参阅 **Rengao language 楞高语**。

range 射程 在放射现象中，粒子从放射源穿过物质所行经的距离。射程决定于粒子的种类、初始动能、穿经的介质以及其他决定射程的特殊情况。射程一词特别适用于描述带电粒子，如电子和α粒子。带电粒子减慢速度的主要原因在于把动能耗散于从吸收介质的原子中打出电子（电离），或者使电子在原子内升到较高能级（激发）。α粒子沿着近乎直线的路径前进，因为它比逐渐消耗它能量的电子重几千倍。它的射程通常总是从放射源到电离停止发生处按直线来量度的。电子射程的测量则不同，因为辐射出来的电子被吸收介质的原子中的电子偏折，形成不规则的路径。电子的射程可以取作给定方向上的最大的穿透距离，也可以取作介质把全部电子停止下来所需的最小厚度。初始能量相同的带电粒子在同一介质中的射程略有不同，称为射程歧离。由于粒子能量按一系列离散值损失掉，所以要围绕一个相当于最概然射程的平均值作统计性的涨落。例如，α粒子和其他初始能量相同的带电粒子在射程上显示微小的不规则变化。在同一介质中，电子比同能量的α粒子的射程大，因此就有较大的穿透能力。粒子的初始能量愈大，射程也愈大。

range finder 测距仪 测量从仪器到某个选定的点或目标的距离的任何一种仪器。光学测距仪通常分为两类：双像型的和体视型的。双像测距仪主要用于照相机和测量。它由装在镜筒两端的各一套透镜和棱镜配置组成，镜筒中部有一个单目镜。这种仪器能让使用者通过校正因从两个分离的视点观察而产生的**视差**（**parallax**）来瞄准目标。镜筒两端各有一条视线，量出两线所成的夹角，即可确定目标的距离；夹角越小，距离越长，反之亦然。体视测距仪的工作原理基本相同，并与双像测距仪相类似，只是它有两个目镜。体视测距仪的设计使它能更有效地瞄准移动目标。自20世纪40年代中期以来，在大多数军事目标测距操作中都以雷达取代了光学测距仪。这种非光学测距装置是靠测量无线电脉冲到达目标、反弹并回到原地所需的时间来测定距离。1965年以后发展起来的激光测距仪也像雷达一样，是靠测量电磁波从发射到接收所需的时间来测定距离，不过它不用无线电波，而是用可见光或红外光。激光测距仪可以测量长达0.62千米的距离，精度为0.5厘米。在测量崎岖的地形，远处的点不得不选在岩石和丛莽之间时，这种仪器特别有用。

rangeland 牧地 又作range。有天然草本或灌木植被覆盖，可供家畜或野生食草动物取食的大面积地区。植被类型包括高草草原、干草原(矮草草原)、荒漠灌丛地、灌木林地、稀树草原、浓密常绿阔叶灌丛与冻原。可同时经营放牧及木材生产的温带及热带森林，亦被视作牧地。因此，牧地约占全球陆地面积的40%～50%。

牧地有别于牧场，前者的植被是天然存在者，后者则系人为建立；前者的管理主要通过控制食草动物的数量，与后者经由播种、灌溉及施肥作较集约的农业经营不同。北美大平原、乌克兰、阿根廷部分地区、匈牙利部分地区的高草草原，原是理想牧地，但因这些地区太适宜农耕而未留作牧地。故牧地便往往局限于农业的边际或次边际地，或完全不宜于永久农耕的地区。不论是人为或闪电引起，火是牧地植被的重要调节因子。火会烧掉乔木、灌木及灌丛，使草无须与前者作过多的竞争即能迅速繁荣滋长。若人为地消除荒漠灌丛地、稀树草原或林地的周期性火灾，则常致乔木与灌木占优势，而草本植物几乎不能生存。

牧地管理是一个专门领域，其目标在于保护并改善土壤、水、植物与动物等基本牧地资源，以确保持续生产。除为家畜与野生动物提供食料外，牧地还可提供木材、矿产、自然美景与游乐机会。现代牧地管理利用多用途概念，同时管理所有牧地资源，借经常的监测与调整，提供有形、无形的产物，使地主与大众获得最大的满足。其管理成效有赖牧地科学，这是综合植物科学、动物科学、生态学、气候学、土壤学与水文学等的一门知识。牧地对放牧与其他用途会作出什么应答，可依牧地科学积累的牧地生态系功能知识预测，而电子计算机模拟的数学模型又有助于该知识的积累。

具体而言，牧地管理作业集中在给定牧地上允许放牧动物的数量、放牧持续时间与放牧季节的调节上。所放牧动物数必须仔细调节，以免过度放牧耗尽既有的草。过度放牧确是牧地管理上最棘手的问题，会减少食料的生产；裸露土壤，使土壤密实、晒干与流失；减缓水分渗入土壤；增加水的径流与泛滥；使植被组成发生不利的变化。过度放牧几乎使各大洲的广大牧地成为不毛之地，如下撒哈拉非洲的萨赫勒地区，过度放牧直接使撒哈拉沙漠向南扩张许多英里。牧地条件的恶化，已成为许多发展中国家最严重的农业问题。参阅**grassland**。

ranger 别动队员 在美国的军事用语中，指一种经过特别训练的士兵，分成小组进行活动，对敌占区进行突然袭击。别动队起源于英国和印第安人的战争(1756～1763)，当时英国人组织熟悉森林的人和神枪手进入森林执行侦察、掩蔽和骚扰等任务。美国独立战争期间，英美两国军队都雇用别动队组成完整的轻装步兵团。墨西哥战争(1846～1848)期间，几个连的得克萨斯别动队组成团，执行联合勤务，既作常规骑兵，又当执行侦察、巡逻和袭击任务的别动队。1901年，别动队成为常设执法机构。得克萨斯别动队在1935年同州公路巡逻队合并，隶属州公安部。美国在第二次世界大战中有6个别动队，他们在敌后进行凶猛的突然袭击，执行爆破和情报收集任务。由于任务完成得出色，别动队于1950年成为步兵空降别动队，并作为美国步兵师的组成部分。1916年美国内政部还在国家公园管理局建立了一支国家公园别动队，其职责为保护森林及野生动植物，执行公园的规则(这一点具有警察的权力)以及为旅游者提供方便。1905年美国农业部森林局也建立了别动队。森林别动队在防止和扑灭森林火灾方面发挥了重要的作用。

Ranger “徘徊者”号探测器 美国国家航空和航天局于1961～1965年发射的不载人航天探测器系列，共9枚。“徘徊者”计划代表国家航空和航天局最早对月球探险的意向。“徘徊者”4号(1962)是美国第一个击中月球并按计划在月面上坠毁着陆的航天器。“徘徊者”7号、8号、9号(1964～1965)发回1.7万多张高分辨率月球照片，有许多照片是在坠毁前离月球300米处拍摄的。

Rangi Hiroa, Te 兰吉·希罗厄 参阅**Buck, Sir Peter (Henry)巴克**。

Rangitata River 朗伊塔塔河 在新西兰南岛中东部。由克莱德、哈夫洛克两河(源出南阿尔卑斯山)汇合而成。穿朗伊塔塔峡后东南流121千米，在蒂马鲁东北64千米注入太平洋坎特伯雷湾。下游穿过坎特伯雷平原时，分为许多相互交错的河道，一般都很浅，不能航行，而在洪水时则连成一片。朗伊塔塔峡峡口有转向水道将部分河水引向东北至拉凯阿河畔的海班克用于发电和灌溉。

Rangitikei River 朗伊蒂基河 在新西兰北岛西南部。源出凯马纳瓦山脉东坡，向南转西南，在旺阿努伊以南97千米处注入塔斯曼海南塔拉纳基湾。全长240千米。流域面积3 190平方千米。有肥羔羊、奶牛饲养业。主要居民点有乌蒂库、芒阿韦卡、奥欣艾蒂和布尔斯。

Rangoon (Myanmar) 参阅**Yangôn仰光**。

Rangoon River (Myanmar) 参阅**Yangôn River仰光河**。

Rangpur 朗布尔 孟加拉国西北部城市，傍克克特河。为工业中心，以产棉毯、卷烟和雪茄著称。1869年建市。有拉杰沙希大学的8所公立学院，以及技术、农业研究机构和初等师范学校。有两座公园和两座图书馆。四周地区为广阔冲积平原，大部分可连续耕种。境内铁路四通八达，运输当地所产黄麻、稻米、糖、棉丝织品等。人口251 699(2001)。

Ranidae 蛙科 无尾目的一科。400多种。除南极洲外，各大洲皆有分布。其成员俗称真蛙。多数在水中产卵。卵发育成蝌蚪再经变态发育为成体。最常见者为蛙属(*Rana*)。体大可食的北美的牛蛙亦归此属。参阅**牛蛙(bullfrog)**，**普通蛙(common frog)**，**绿蛙(green frog)**，**豹蛙(leopard frog)**，**沼泽蛙(marsh frog)**，**美洲狗鱼蛙(pickerel frog)**，**林蛙(wood frog)**。

Raniero (pope) **拉涅罗** 参阅**Paschal II帕斯加尔二世**。

Ranjit Singh 兰季特·辛格(1780-11-13，印度布德鲁汗或古杰兰瓦拉～1839-06-27，拉合尔[今在巴基斯坦]) Ranjit又拼Runjit。印度旁遮普锡克王国缔造者和国王(1801～1839)，人称“雄狮”。马哈·辛格的独生子。1792年继承父位为锡克部落苏克尔切卡的酋长，管辖今巴基斯坦的克杰兰瓦拉市及其周围的村庄。1799年7月占领旁遮普的首府拉合尔。1801年自立为旁遮普国王，以锡克联盟的名义治理国家。一年后占领印度北部最重要的贸易中心和锡克人的圣城阿姆利则，以后又吞并散处于旁遮普的锡克人和帕坦人的小国。但他的东进计划受到英国人的阻挠。1809年被迫与英国人订约，确定以萨特莱杰河为其东部边界。此后，辛格将野心转向北部和西部的帕坦人(阿富汗人)。1818年夏，他占领木尔坦，6个月后攻克帕坦人的要塞白沙瓦，1819年7月终于把阿富汗人赶出了克什米尔谷地。至1820年他已巩固了对萨特莱杰河和印度河之间整个旁遮普的统治。辛格的征服活动都是依靠由锡克教徒、穆斯林和印度教教徒组成的军队进行的。他的指挥官和内阁成员也来自不同的宗教团体。1820年开始实行军队现代化，聘请外国军官为他练兵。这支现代化的旁遮普军队在西北边界战役中发挥了很大作用，1834年他兼并克什米尔东部的拉达克。1837年在白沙瓦击退阿富汗人的进攻。1838年英国驻印度总督奥克兰勋爵与辛格达成协议，重扶沙阿·苏查登上喀布尔的王位。兰季特·辛格率兵经开伯尔山口进入喀布尔，胜利完成任务。翌年病死于拉合尔。

Ranjitsinhji Vibhaji, Sir, Maharaja Jam Saheb of Nawānagar 兰吉特辛吉·维伯哈吉 印度板球运动员、土邦主。参阅**Nawānagar, Sir Ranjitsinhji Vibhaji, Maharaja Jam Saheb of纳瓦纳加尔**。

Rank (of Sutton Scotney), J(oseph) Arthur Rank, Baron 兰克(1888-12-22或23，英格兰约克郡赫尔～1972-03-29，汉普郡温切斯特) 英国工业家，后来成为英国主要的电影发行人和世界主要的电影制片人之一。早在20世纪30年代，为了帮助循道公会主日学的教学，开始从事宗教电影的摄制工作。1935年他的英国全国电影公司摄制了该公司的第一部商业性电影即《潮流的转变》，故事发生在约克郡的一个渔村。同年同C.M.伍尔夫一起创办了电影发行总公司，在英国发行环球影片公司的影片。1941年兰克已拥有英国三大电影放映网中的两大放映网。1946～1962年任兰克组织公司董事长，1962～1972年任总经理。60年代后期，公司从制片转向旅店业和其他营利的企业。1957年晋升为贵

兰克组织公司供图

族。由 A.伍德撰写的传记《兰克先生》于1952年出版。

Rank, Otto **兰克**(1884-04-22,奥地利维也纳～1939-10-31,美国纽约市) 原名罗森菲尔德(Otto Rosenfeld)。奥地利心理学家。把精神分析理论扩展到传奇、神话、艺术和创造力的研究方面,并提出焦虑性神经症的基础是个体出生期间的心理创伤。兰克出身贫苦,就读于中等专业学校。白天在机器厂做工,晚间练习写作。读 S.弗洛伊德《释梦》后,受激励而写成《艺术家》(1907)一书,试图用精神分析原理来解释艺术。这本书引起了弗洛伊德对他的注意,弗洛伊德帮助他进入维也纳大学。1912年他获该校博士学位。在大学学习期间,他用O.兰克的笔名发表了《英雄诞生的神话》(1909)、《诗歌与传奇中的乱伦主题》(1912)等书,试图表明俄狄浦斯情结怎样为诗歌和神话提供丰富的主题。兰克曾担任维也纳精神分析学会秘书和会议记录的编辑者。1912～1914年负责编辑《国际精神分析杂志》。1919年创办一家出版社,专门出版精神分析书籍,直到1924年一直任社长。1924年出版《出生时的创伤》,造成兰克与弗洛伊德及其他维也纳精神分析学会成员之间关系的破裂,为此他被开除会籍。书中提出,婴儿从子宫内出生到外部世界这一变化,能引起婴儿严重的焦虑,这种焦虑可表现为焦虑性神经症,并持续至成人期。许多学会会员认为这点与精神分析概念相冲突。1926年兰克与他们完全决裂后,在美国和欧洲(主要是巴黎)执教、行医,1936年定居纽约。30年代,兰克提出意志是人格发展中的主导力量这样一个概念,他认为对于控制及使用一个人的本能驱力,意志能成为积极的力量(弗洛伊德视这种驱力为人类行为的动机因素),因此,精神分析的实施过程中患者的抗拒行为就是这种意志的表现,而不是固有的消极因素;他试图将此用于引导患者的自我发现和发展,而不是像弗洛伊德派精神分析家那样企图消除患者的这种心理。无疑,兰克试图把他的所谓"出生创伤"学说当作整个心理学的基石的做法,严重地背离了科学精神;但他强调人的发育和自我实现过程,以及用精神分析理论解释艺术和神话的著作,还是有影响的。

Ranke, Leopold von **兰克**(1795-12-21,萨克森图林吉亚维厄[德意志]～1886-05-23,柏林) 德国19世纪伟大历史学家。其治学方法和教学方法(他第一个开设历史研究班)对西方史学有很大影响。1865年封为贵族。出身于虔诚的路德宗牧师和律师的家庭。在舒尔普福塔寄宿学校就读后,入莱比锡大学学神学和古典作品,由于研究古典作品而对历史产生浓厚的兴趣。1818～1825年在法兰

柏林国家博物馆供图

克福当中学教师。兰克史学著作的典型特点是他关心广泛性并钻研特定的时期。1824年出版《拉丁民族和条顿民族的历史,1494～1514》。附在书上的论文《对近代历史学家的批判》表明对传统作批判性分析是历史学家的基本任务。1825年在柏林大学任副教授,1834～1871年任教授。1834～1836年发表《16和17世纪罗马教皇的教会和国家》。该书描述教廷不仅是教会机构,尤其是有影响的世俗机构,它至今是叙事史的一部杰作。他在1832～1836年间刊印《历史-政治杂志》两卷,其中大部分文章是他自己所写。他企图从一种历史的观点解释各个时代的冲突,实质上是要证明法国革命不可能,也不应该在德意志重演。他认为历史是由各人、各民族和各国家分别发展起来的,综合在一起形成文化的进程,而从15世纪晚期以后的欧洲历史可以证实他的论点。他觉得社会和政治的原则必须根据不同民族的特点而有所变化。自由派以为兰克过于献身国家,保守派则嫌他不够教条主义。因此,他回到史学著述,以期实现历史客观性这个理想。1839～1847年出版《德国宗教改革史》,1847～1848年出版《17和18世纪普鲁士史》,1852～1861年出版《16和17世纪的法国史》,1859～1869年出版《17世纪的英国史》,均为多卷本。兰克在19世纪后半期声名最著,他成为当时最重要的历史学家。1865年封贵族。1882年成为枢密院顾问。1857年退出政界。1871年退出社会生活。他不相信俾斯麦的政策,但是欢迎德意志帝国的成立。尽管身残,他在82岁时开始撰写他自认为最伟大的著作,即一部"世界史"(9卷,1881～1888),直写到15世纪,实际上是部欧洲史。

ranket(musical instrument) **兰凯特管** 参阅 **rackett** 拉凯特管。

Rankin, Jeannette **兰金**(1880-06-11,美国蒙大拿米苏拉附近～1973-05-18,加利福尼亚卡梅尔) 美国国会第一个女议员(1917～1919;1941～1943),强有力的女权主义者,终

美国国会图书馆供图

生的和平主义者,社会改革与选举改革运动的战士。兰金大学毕业后,于1909年在西雅图开始从事社会工作,积极参加争取妇女选举权的运动。1916年选入美国众议院。兰金提出使妇女摆脱丈夫束缚而独立享有公民权的第一个法案,并支持政府举办妇幼卫生教育。她直言不讳地主张孤立主义,是1917年投票反对对德宣战的49名国会议员之一。这一不受欢迎的立场使她在1918年失去了共和党参议员的提名,以无党派资格竞选失败。1940年兰金再次当选为众议员。1941年12月7日日本偷袭珍珠港后,兰金作为投票反对对日宣战的唯一议员,激起了公愤,从此结束了她的政治生涯。60年代她在佐治亚州创办了自给自足的妇女"合作自耕农场",并又积极参加和平运动,号召妇女要求美国停止干涉越南。1968年1月15日,她以87岁的高龄率领5 000名妇女,称为"珍尼特·兰金大队",奔赴国会山前举行示威,反对印支战争。

Rankine, William John Macquorn **兰金**(1820-07-05,苏格兰爱丁堡～1872-12-24,格拉斯哥) 苏格兰工程师和物理学家,热力学特别是蒸汽机理论的奠基人之一。在 J.B.麦克尼尔指导下受过土木工程师的训练。1855年主持格拉斯哥大学土木工程和力学的维多利亚女王讲座。他的最初的科学著作之一是关于火车车轴金属疲劳的论文(1843),文中提供了新的设计方法。他编著的《应用力学手册》(1858),使建筑师和设计工程师受益匪浅。其经典著作《蒸汽机及其他原动机手册》(1859),在蒸汽机理论系统化方面做了首次尝试。他设计出一种热力学循环(称兰金循环),可作为各种蒸汽动力设备特性的一种规范,使用的工作介质是冷凝蒸汽。在土力学方面,他对于地压及挡土墙稳定性的研究,特别是他的论文《有限纵向扰动波的热力学理论》取得了显著成就。

Rankine cycle **兰金循环** 热机(如蒸汽机)中流体(如水)的压强和温度变化的一种理想循环序列,由苏格兰工程师 W.J.M.兰金于1859年提出,被用作衡量蒸汽动力装置性能的热力学标准。在兰金循环中,热机的工质需要经历四个连续的变化:定压加热,液体转变为蒸气;可逆绝热膨胀,做功;定压冷

却，蒸气凝结成液体；可逆绝热压缩，将液体泵回锅炉。

Ranks, Table of　官阶表（1722-01-24）　俄国陆海军和文职人员的官阶，共分 14 个级，由彼得大帝制定。官阶表制度是以个人才能和表现，而不是以家庭出身和血统为晋升的根据。凡是达到 8 级以上的人都能成为世袭贵族。官阶表在失去专有权和高官世袭权的旧贵族中引起不满，稍作修改后，官阶表沿用到 1917 年。

Rann of Kutch（India and Pakistan）　参阅 **Kachchh, Rann of** 卡奇沼泽地。

Rannoch　兰诺赫　苏格兰格兰扁山脉中的一个地理区。境内有兰诺赫湖和兰诺赫高沼，兰诺赫湖是塔姆尔-埃里赫特水力发电系统的一部分，高沼的东北部是一个自然保护区。

Ranong　拉廊　泰国南部城镇。位于马来半岛西海岸。拉廊城是班巴占河口湾的渔港。缅甸位于其西北。东面为高地。拉廊亦在锡矿区内。人口约18 000（1990）。

Ransier, Alonzo J.　兰西尔（1834-01-03，美国南卡罗来纳查尔斯顿～1882-08-17，查尔斯顿）　美国南部重建时期的黑人众议员。黑人自由民出身。1865 年南北战争结束时兰西尔担任选举登记员，翌年参加南卡罗来纳共和党第一次大会。1870 年作为共和党候选人竞选副州长成功，1872 年当选为出席共和党全国代表大会的代表。作为公认的查尔斯顿黑人社会的代言人，兰西尔于 1872 年选入国会。在众议院中，他为通过全面完整的公民权利法案而积极活动，支持高关税、反对增加联邦官员薪水等。兰西尔竞选第 2 任众院议员时失败。

Ransom, John Crowe　兰塞姆（1888-04-30，美国田纳西珀拉斯凯～1974-07-04，俄亥俄甘比尔）　美国诗人、评论家，第一次世界大战后开始的南方文学复兴的重要理论家，他的

甘比尔凯尼恩学院供图

《新批评》一书（1941）成为 20 世纪中期这个有影响的批评学派名称的来源（参阅 **New Criticism**）。曾就读于田纳西州纳什维尔的范德比尔特大学。1914 ～ 1937 年间在该校教英语，是“逃亡者”（**Fugitive**）集团的领导人。这是一个诗人组织，曾出版一份有影响的文学杂志《逃亡者》（1922 ～ 1925），对南方及南方的地区传统抱有共同信念。他也属于该派中的重农派。1937 年至 1958 年退休，在俄亥俄州甘比尔的凯尼恩学院执教，在该校创办并编辑（1939 ～ 1959）文学杂志《凯尼恩评论》。文学研究著作包括《不打雷的上帝》（1930）和《世界的躯体》（1938）。在后者中，他提出诗歌和科学提供不同但同样有依据的关于世界的知识。此外还有《诗与散文》（1955）和《搜索：散文选（1941 ～ 1970）》（1972）。诗作集为《冷与热》（1924）和《被囚的两绅士》（1927）。此后只发表了 5 首诗，《诗选》（1945）获全国图书奖。

Ransome, Arthur (Michell)　兰塞姆（1884-01-18，英国约克郡利兹～1967-06-03，曼彻斯特）　英国儿童探险小说的作者。所著作品以其高度的文学性及对儿童的感受和想象的详尽而有趣的描述著称。毕业于拉格比学校，曾在出版社工作。第一次世界大战时成为战地记者。十月革命前后，曾几次到俄国采访，还曾涉足中国、埃及和苏丹。根据这些经验，他写出《老彼得的俄国故事》（1916）和《拉肯德拉号的首航》（1923）。其他作品包括《燕子和亚马孙人》（1931）、《信鸽邮政》（1936）、《我们不愿出海》（1937）、《米西·李》（1941）和《捕鱼闲话》（1959）。《阿瑟·兰塞姆自传》出版于 1976 年。

Rantoul　兰图尔　美国伊利诺伊州中东部尚佩恩县村庄。1854 年通伊利诺伊中部铁路后有人定居。1869 年设村。20 世纪经济几乎完全依附于附近的沙努特空军基地。基地建于 1917 年，是美国空军最早、最大的技术训练中心。已于 1993 年关闭。后在附近建成宇航博物馆。农业（玉米和大豆）是经济支柱。人口 12 857（2000）。

Ranunculaceae　毛茛科　毛茛目的一个科。约 50 属，1 900 种，多为草本，广布于温带和亚热带地区，在热带大多生于高海拔地区。叶通常互生，无柄，并可为单叶或多裂，基部常具鞘。花常有 2 ～ 5 枚离生萼片，辐射对称或不规则。花瓣离生，通常 5 枚或少于 5 枚（有时多枚）。雄蕊和雌蕊通常多数，离生。

毛茛科黑种草属的草本植物黑枯茗（*Nigella sativa*）
供图：George Whiteley—Photo Researchers

该科有许多受欢迎的野生花卉和观赏植物，如银莲花、毛茛、飞燕草、驴蹄草、铁线莲和獐耳细辛。

Ranunculales　毛茛目　显花植物的一目，含 8 科，167 属，近 3 000 种。毛茛目包含短命的一年生草本、寿命长短各异的多年生草本和寿命长的灌木和木本攀缘植物。毛茛目的种类栖于各种不同的生境，包括淡水、沼泽、草原、森林及山地牧场，分布于从热带气候至极地气候的条件下。许多种类栽作庭园观赏植物。毛茛科为本目最大的科。其种类主要为草本，分布于温带和亚热带地区。许多著名的野生和栽培花卉属于毛茛科。毛茛属（*Ranunculus*）的种类开鲜黄色的花，分布范围甚广。马蹄草属（*Caltha*）的种类俗名沼泽万寿菊、牛粪花或王杯花，生长于大西洋两岸的潮湿地带。耧斗菜属（*Aquilegia*）的种类也属北美最美丽的野花之列。银莲花属（*Anemone*）包括原产北温带的野银莲花以及栽培品种。铁线莲属（*Clematis*）包括草本植物及半木本攀缘植物，其中包括栽作庭园观赏植物的大花藤本。飞燕草属（*Delphinium*）又称翠雀花属，包括一些一年生植物和多年生植物，栽以观赏其极为艳丽的花朵。嚏根草属又称铁筷子属（*Helleborus*），包括黑嚏根草（*H. niger*），该种俗称圣诞蔷薇，原产于南欧，常栽于北方的庭园，以观赏其仲冬开放的花。乌头属（*Aconitum*）的种类为北方山区耐寒的多

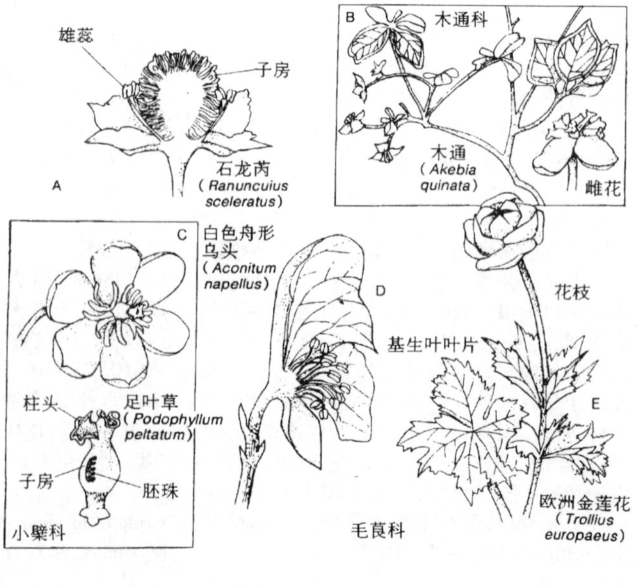

毛茛目几个科的植物

年生植物，因有毒性，又称狼毒；凶猛乌头（*A. ferox*）包含已知最剧烈的毒素之一。小檗科包括草本和灌木，生长于世界大部分温带地区。大部分种类属于小檗属（*Berberis*），该属植物为灌木。许多栽培的灌木种类株形美观，多刺，为常绿植物，花黄色，浆果红色。防己科的大部分种类为木本攀缘植物，分布于热带森林，但若干属的分布范围扩展到北美和日本的温带地区。普通防己即加拿大蝙蝠葛（*Menispermum canadense*），与本科其他种类的种子均为半月形，这是本科的特征。毛茛目的种类在结构上差异甚大，但也有一些共同的特征：为草本或质软的木本；叶通常互生，无托叶；花瓣和萼片通常螺旋状排列；雄蕊多数，亦螺旋状排列；心皮多数，离生，螺旋状排列或轮状排列成一圈；均含有生物碱。果为蓇葖果、瘦果、浆果或核果。种子散布方式依果实类型而异。多肉的浆果为鸟兽所食后，种子借以散布。干果中的种子则以较为被动的方式散布。有些种子有具刺的突起，借以依附在兽类的被毛上。另一些种子具翅或有冠毛，借风力散播。有几个属的果似荚果，受风吹时逐渐将种子散落出。

Rao, P. V. Narasimha　拉奥（1921-06-28，印度安得拉邦格里姆讷格尔～2004-12-23，新德里）　国大党（英）领袖，1991 年 6 月～1996 年 5 月任印度总理。拉奥在海得拉巴邦奥斯

供图：AP/Wide World Photos

曼尼亚大学，以及在孟买和那格浦尔的大学学习，获理学士和文学士学位。作为国大党的一名积极分子进入政界，为争取从英国的统治下获得独立而斗争。1957 ～ 1977 年任安得拉邦议会议员，支持英迪拉·甘地于 1969 年从国大党组织中分裂出来。1962 ～ 1973 年在安得拉邦政府中担任不同的部长职务，包括从 1971 年起担任首席部长（或邦长）职务。在担任后一职务期间，他执行革命的土地改革政策，并保证卑贱阶级能够参与政治。从 1972 年起，他代表安得拉邦地区当选为人民院（印度议会）议员，在甘地及其子和继承者拉吉夫·甘地的政府中担任不同的部长职务，主要是外交部长（1980 ～ 1984，1988 ～ 1989）。除政治活动外，拉奥还是一位公认的杰出学者，他曾任安得拉邦泰卢固语学会主席（1968 ～ 1974），精通 6 种语言，翻译印地语的诗和歌词，并用印地语、马拉塔语和泰卢固语撰写小说。在拉吉夫·甘地于 1991 年 5 月遇刺身亡后，国大党选择拉奥为其领袖。6 月普选后，他成为印度第 9 任总理。拉奥随即开始调整印度的基本政策，废除贾瓦哈拉尔·尼赫鲁和两个甘地遗留下来的不灵活的社会主义经济结构。他的经济自由化政策促进了印度的工业增长和外商投资，但也带来了预算和贸易赤字，激化了通货膨胀。在他执政期间，印度教原教旨主义首次成为全国政治中的一大重要力量。1992 年，印度教国家主义者摧毁了一座清真寺，激起了印度教教徒和穆斯林之间的暴力冲突。腐败丑闻严重影响了国大党，该党受欢迎程度日益下降，在 1995 年的选举中失去了几个主要的邦政府。拉奥在 1996 年 5 月的大选中失败。

Rao, Raja　拉奥（1909-11-21，印度莫索尔［今卡纳塔克邦］哈桑～　　）　印度作家。曾用英语创作长篇小说和短篇小说。出身于印度南部一个有名望的婆罗门家族，青年时代在海得拉巴的尼扎姆学院就读，19 岁时赴法国求学，先后在蒙彼利埃大学和巴黎大学攻读文学和历史。他的处女作是一部长篇小说，书名《甘塔镇》，出版于 1938 年。此书以描写印度独立运动为其主题。1939 年拉奥自法返印。此后在战争年代主编刊物并参加地下抗英活动。第二次世界大战后，他来往于印度和法国之间，居无定处，到 1965 年，才在美国定居，执教于奥斯汀的得克萨斯大学，任哲学教授。拉奥的第二部长篇小说《蛇与绳》（1960）出版于 1960 年，叙述一个年轻的婆罗门知识分子同其妻子在印度、法国和英国追求一种心灵上的真理过程，构思奇巧，富于哲理性，行文却不无空泛、晦涩之点。但此书运用东方与西方之对话，以烘托其哲学内涵，终不失为一部佳作。其他长篇小说有：《猫和莎士比亚：一个发生在印度的故事》（1965），此书是一部讽喻作品；《基里洛夫同志》（1976），这个长篇毋宁说是一部对共产主义进行检验的文学之作；《象棋大师和他的招数》（1988），书中主要描写来自不同文化背景的人们寻求他们的同一性。拉奥的短篇小说有《进退两难的母牛及其他》（1947）和《警察与玫瑰》（1978），两个选集中包括英语作品和法语作品各若干篇。

Raoult, François-Marie　拉乌尔（1830-05-10，法国富尔内昂沃佩～1901-04-01，格勒诺布尔）　法国化学家，提出关于溶液的定律——拉乌尔定律。用该定律可以测定可溶性物质的相对分子质量。1867 年起在格勒诺布尔大学任教，1870 年任教授，直至逝世。约在 1886 年他发现水溶液冰点的降低与溶解的非电解质物质的量成正比。这个发现表达为拉乌尔定律。该定律指出，当某一物质溶解于液体中时，液体的某些性质（如蒸气压、沸点或凝固点）的变化，在溶剂分子数一定的情况下，与溶解物质（溶质）的分子数成正比。虽然只有少数真溶液才严格地遵守该定律，但它为溶液理论的发展奠定了基础。符合拉乌尔定律的溶液称为理想溶液。

Rapa Nui　拉帕努伊岛　参阅 **Easter Island** 复活节岛。

Rapacki, Adam　拉帕茨基（1909-12-24，奥匈帝国加利西亚利沃夫［今乌克兰利沃夫］～1970-10-10，波兰华沙）　波兰社会主义者和经济学家。第二次世界大战后参加共产党。在任外交部长时，以提出建立欧洲无核区的"拉帕茨基计划"出名。他是波兰合作运动发起人马利安·拉帕茨基之子，曾在法国和意大利求学。在组织社会主义青年团时十分积极。他参加波兰军队抗击入侵的德军，1939 ～1945 年被囚于战俘营。1948 年加入波兰统一工人党。先任高等教育部长（1950 ～1956），后任外交部长。他一方面在联合国支持苏联的各项政策并支持其他共产党国家的立场，一方面又竭力与西方保持公开的外交、文化以及贸易关系。1957 年 10 月 2 日他向联合国大会提出所谓的"拉帕茨基计划"，因而成为著名人物。1968 年 12 月 20 日，他由于拒绝支持在学生骚乱之后所采取的反犹太人措施而被解除外交部长职务。

Rapallo　拉帕洛　意大利西北部利古里亚区热那亚省城市。位于热那亚城东南面，拉帕洛湾头的东部海岸。964 年首见记载。1917 年在此举行协约国会议。1920 年意大利与南斯拉夫、1922 年苏联和德国的友好条约在此缔结。1956 年设市。现保存有 15 世纪城堡和 12 世纪教堂。附近的蒙塔莱格罗神殿十分著名。为兴旺的游览地，以气候宜人、旅馆优良而闻名。经济以旅游业为主，也生产枕头花边、橄榄油、纺织品、水泥和特种钢等。人口：城市区约27 073（1991）。

rape（*Brassica napus*）　**油菜**　又作colza。十字花科一年生植物，原产欧洲，植株高30厘米余，直根细长。叶光滑，蓝绿色，具深圆齿，茎上段的叶基部抱茎。总状花序，花四瓣，淡

油菜（*Brassica napus*）
供图：Ingmar Holmasen

黄色。长角果圆形，有短喙，含多粒种子。粗制的菜籽油可用于烹调、润滑、制肥皂和人造黄油，或用作灯油。菜籽油中的饱和脂肪含量在食用油中最低，故 20 世纪晚期菜籽油在烹调中的用量增加，精制的菜籽油用作润滑油。菜籽还可饲鸟。榨油后的残渣可用作饲料。

rape　强奸　指一个男子，未经女方同意而使用暴力或暴力威胁，或使用欺诈手段，和妇

女进行性交的行为。强奸一词也可以指强行鸡奸，其受害者也可以是另一个男子或儿童。按心理学的说法，强奸被认为是一种泄忿和一种生理机能的病态表现。虽然这是一种性伤害，但与其说是一种性欲行为，不如说是一种侵犯行为。

在绝大多数社会里，强奸都被认为是一种严重罪行，尽管所持的理由不尽相同。在许多非洲部落，强奸是要科以大笔罚金的，因为这被认为是对财产权的一种侵犯，妇女不是属于父亲就是属于丈夫的。

在过去和现在的家长制社会里都存在着社会认可强奸的情况。一些古老的民族通常都强奸被征服部落的妇女。在有些美洲印第安人部落，对犯通奸的妇女，由受侵犯的丈夫组织 20 个或更多的男子对她进行强奸是法定的惩罚。

在英国，按照习惯法，强奸被认为是重刑罪，直到 1861 年《惩治侵犯人身法》规定处终身监禁以前，强奸犯都要处以死刑。美国成文法中构成这种犯罪的要素是和习惯法的规定一样的。各州规定的妇女有效承诺年龄一般在 14 ～ 18 岁之间。

诱奸一词指的是，在大多数国家，法律上禁止男子对儿童或任何其他被认为对性交在身体上或其他方面所产生的后果缺乏了解之人进行的性行为。但是，关于这种缺乏了解的限定往往过分。因为，如前所述，所谓儿童可能指的是一个大到 18 岁的人。同意是没有多大意义的，诱奸可能与上文所说暴力侵犯的类型有极大的不同。对犯罪者的控告常常不是由受害人提出，而是由受害人的父母或监护人提出来的。诱奸一词还可能指那些对处于从属地位的雇员或被监护人诱使发生性行为（如在法国）。

同性强奸——即男子间的强行鸡奸——是常在监狱和拘留所里发生的问题，其内容不仅只有偶尔揭发出来的同监犯人被多人野蛮地轮奸，而且包括惯常发生的较弱犯人，在明的或暗的暴力威胁之下向较强的同监犯人屈从。而由于禁止男犯人和女犯人接触，这就比在另外的情况下更容易发生同性性行为（据随机估计，在监犯人人数的 20% ～ 60% 通常有同性恋行为），并且往往很难把这类强奸和经过同意的性交行为区别开来。

对强奸的心理反应多种多样，但通常包括不同程度的羞耻、屈辱、迷惘、恐惧和愤怒。受害者们说他们有一种永久的玷污感，不可能再觉得自己清白，经常被一种易受伤害的感觉所笼罩，并且有一种对生活无能为力的麻木不仁。很多人都对罪行发生地区产生恐惧，常为被跟踪的感觉所困扰，或对一切性关系产生恐怖。另外一些人则经历长时间的睡眠和饮食习惯失常或无法正常工作。心理创伤的持续期因人而异；大多数人甚至在经过大量的辅助治疗之后，也还是在许多年里感受到它的后果。

Raphael　拉斐尔　《圣经》和《古兰经》中的天使长之一（汉文《古兰经》作“伊斯拉非来”）。《旧约》外典《多比传》载，拉斐尔化为人形，取名亚萨利亚（意为“雅赫维帮助”），陪同多比冒险出行，战胜恶魔亚司马提。据说“只有七位圣使（天使长）可以转达众圣的祈祷并能亲见神圣上帝的荣貌，拉斐尔是其中之一”（《多比传》）。据伪经《以诺书》载，拉斐尔是“司掌众人之灵的天使”，其任务是“挽救被天使（堕落的天使）玷污的大地”。使长共有七位，但知东西两派教会都尊拉斐尔为圣人，他的瞻礼日是 10 月 24 日。

拉斐尔绘《雅典学院》（1508 ～ 1511）

供图：Erich Lessing/Art Resource，New York City

Raphael　拉斐尔（1483-04-06，乌尔比诺公国乌尔比诺～ 1520-04-06，教皇国罗马［意大利］）　意大利文艺复兴鼎盛期的绘画和建筑大师。以他所绘的多幅圣母像以及在罗马梵蒂冈中巨大人物画作品最为知名。其作品形式明晰，构图自然，在视觉上达到了新柏拉图派所要求的人的磅礴气势的理想。父亲是不知名画家。幼时起从父接受美术和人文知识教育，对后来的发展起很大作用。约在 1495 年到佩鲁贾，在著名的温布里亚画家佩鲁吉诺画室学习，同时作为助手帮助完成各项订货。佩鲁吉诺宁静雅致的风格和人文主义思想都影响了拉斐尔，拉斐尔的第一件作品《圣处女的婚礼》（1504）就是受佩鲁吉诺《授天国之钥于圣彼得》（1481 ～ 1482）的启发而作的。拉斐尔在早期作品中已显示出独特的风格。1504 年来到佛罗伦萨，面对着马萨乔以来的文艺复兴伟大传统，艺术视野大为开阔，他广泛地吸收前辈大师和同时代艺术家的成就。在 1505 ～ 1507 年所画圣母题材中，达·芬奇的影响尤为明显。他运用达·芬奇明暗处理的技法来表现人物和场景，而不再用生硬的线条勾划，塑造出圆润、柔和的人物形象，体现了单纯而诚挚的感情。在《基督下十字架》（1507）中，他将达·芬奇和米开朗琪罗的风格融为一体。尽管拉斐尔的绘画没有他们那种深刻的哲理和悲壮的激情，但清新、宁静而又流露出感情的艺术形象却使他成为最受欢迎的画家。到 25 岁已经完全确立了自己的美学原则。1508 年到罗马，应教皇尤里乌斯二世的要求为梵蒂冈宫绘制大型装饰壁画。这组壁画显示出拉斐尔辉煌的才能，其中最有名的是《圣礼的辩论》和《雅典学院》。在《雅典学院》中，柏拉图和亚里士多德在现代建筑的环境中进行哲学讨论，拉斐尔想说明柏拉图思想不断发展的历史延续性。这项工作一直到 1517 年才由他的学生最后完成。拉斐尔在此期间还接受了各种各样的订货，有建筑设计、壁画、肖像画和挂毯、瓷盘设计等。1514 年，教皇利奥十世要求他主持圣彼得教堂的建造工作。拉斐尔为西斯廷教堂作的《西斯廷圣母》（1513?），甜美抒情的风格平衡了米开朗琪罗西斯廷教堂天顶画雄伟激荡的力量。作为一个人文主义者和柏拉图主义者，以其哲学观念贯穿于艺术而在罗马声名远扬。他最后一幅画是《基督显圣容》（1517 年订货），画中蕴藏着不安的感觉，像是预见到新时代的来临，在构图上已具有巴罗克艺术的倾向。1520 年 4 月，拉斐尔在罗马逝世，年仅 37 岁。

Rapid City　拉皮德城　美国南达科他州西部城市，彭宁顿县县城（1877）。在布莱克山东边缘，临拉皮德河。1876 年在布莱克山区的淘金热中始有人定居。1882 年建市。现为该地区的商业、文化、交通、教育和医疗中心。旅游业是当地经济的基础。林业和矿业也很重要。制造业包括电子产品、木制品、水泥、珠宝。主要农业活动包括牛羊养殖。也生产小麦、燕麦、干草。金融和商业活动、牛肉加工、分销也对经济有所贡献。1885 年创办南达科他矿业、技术学院，1941 年建国立学院。城内有地质博物馆、苏族印第安人博物馆、交通运输博物馆和历史博物馆，还有空军基地和联邦苏族印第安人疗养院。附近有**拉什莫尔山国家纪念碑**（**Mount Rushmore National Memorial**）、恐龙公园、疯马纪念地（参阅 **Crazy Horse**）、州立卡斯特公园。该地每年 8 月举行狂欢节。人口:市约59 607;都会统计区约88 565(2000)。

rapid transit 城市高速铁路 大城市区域内的地区性电气化铁路系统。建于地下的称地下铁道(**subway**),建于高出地面或街面的栈架结构上的叫做高架铁路(**elevated transit line**)。参阅 **mass transit**。

Rapier, James T. 拉皮尔(1837-11-13,美国亚拉巴马弗洛伦斯～1883-05-31,亚拉巴马蒙哥马利) 美国黑人种植园主和劳工组织者,美国南部重建时期由亚拉巴马人选美国众议院。父亲是富裕的种植园主。求学于加拿大蒙特利尔学院、苏格兰的格拉斯哥大学和田纳西的富兰克林学院。南北战争后回亚拉巴马种植棉花。从参加亚拉巴马共和党第一次代表大会时起开始政治活动。1867年参加该党为修订州宪法而召开的大会。1870年就任州务卿。1872年赢得国会议员席位,在国会中支持通过1875年《民权法》。1874年竞选连任失败,回亚拉巴马州从事劳工组织工作。在他所办的《蒙哥马利哨兵》上发表支持劳工的社论。

rapier loom 剑杆织机 由手指状的剑杆将纬纱从织机的一侧经过经纱的梭口传到另一侧的无梭织机。一类剑杆织机只用一根长的剑杆越过织机幅宽将纬纱送到另一侧,另一类剑杆织机两侧各有一根小剑杆,一根剑杆将纬纱送到梭道的一半处,再由另一侧的剑杆把纬纱引出梭口。

RAPP 拉普 “俄罗斯无产阶级作家联合会”的简称。1928年由苏联的各种无产阶级作家团体组成。拉普在阿维尔巴赫的领导下,于1929年获得正式批准,其纲领是把苏联第一个五年计划规定为创作的唯一主题。由于拉普独断专行,结果产生了根据上面委派的任务而写作的呆板的文学作品,于是官方在1932年来了一个大转弯,取消拉普,成立一个兼收并蓄的苏联作家协会。

Rapp, George 拉普(1757-11-01,符腾堡伊普廷根[德国]～1847-08-07,美国宾夕法尼亚伊科诺米) 德裔美籍禁欲主义者,虔敬主义拉普派(又称哈莫尼派)的创始人,该派在美国曾设有几个公社。拉普为了表示反对信义宗理性主义并躲避迫害,于1803年与其子率大约600名信徒移居美国。1805年在宾夕法尼亚州哈莫尼城成立第一个“平等社团”。1814年迁到南印第安纳州择宜于栽植果树的土地定居,建哈莫尼村,村民共800人。拉普俨然为家长,管束村民甚严。后来拉普派将地产转售给英国空想社会主义家欧文。欧文将该地易名为新哈莫尼。1825年拉普又率信徒在宾夕法尼亚州建立伊科诺米(今安布里奇),兴旺一时。拉普死后,该村迅速衰落。1906年拉普派解散。

Rappahannock River 拉帕汉诺克河 美国弗吉尼亚州河流。源于蓝岭山脉切斯特山口附近,流向东南,经过弗雷德里克斯堡(航运起点和潮水头部),注入切萨皮克湾。全长341千米。主要支流是拉皮丹河。美国南北战争有几次战役沿拉帕汉诺克河进行。此外其早期印第安人(阿尔冈琴人)和殖民者的居住点、磨坊遗址及通航运河与航闸等表明该河在历史上占有重要地位。

rapparee 矛兵 指爱尔兰战争(1689～1691)中正规军投降后,任何采用游击战方法抵抗英军的民族主义者。因他们使用短矛(爱尔兰语称 rápaire),故名。矛兵神出鬼没,一度使英军束手无策。但因英军具有优势兵力,又切断爱尔兰的国外援助,终于扑灭这一反抗运动。

Rappoport, Solomon Zanvel (Jewish writer) **拉波波特** 参阅 **Ansky, S.** 安斯基。

rapporteur 汇报法官 在法国民法中,指给法院其他法官就当前案件提供书面报告的法官。他草拟书面报告,陈述当事人的辩论情况,详细说明争论中出现的事实问题和法律问题,并列举有关问题的证据。该职务源出于欧洲中世纪的教会法院,在13世纪末,巴黎大理院也曾设置过这一职务。起初,汇报法官不是法院的成员,但到了1336年,他们就完全有权像法官一样参加决策程序了。该职务是在大理院派侦查人员出访证人搜集证明材料时出现的。因为搜集了许多材料,需要经过分析整理以后,才能提供给其他法官。而汇报法官就是专门从事这种分析整理工作的,但这一职务原来由法院的法官轮流担任。后来,汇报法官获得了很大权力。研究审议案件汇报的活动是秘密进行的,作判决也不必列举出作判决的理由。只是到了16世纪才连侦查人员搜集的证据也向诉讼当事人公开。法国大革命期间通过立法,废除了上述不公正的做法。汇报法官必须在法院开庭时提出他的分析材料,随后还发表在法律案件汇编上。在法国最高法院,汇报法官是法院的成员,他负责审查诉讼记录、确定有争议的问题和解决的办法,并介绍法院其他人员的处理意见。到19世纪中叶,汇报法官已开始在自己的汇报中引证以前的判决。在德国,帝国枢密法院(神圣罗马帝国最高法院)的汇报法官,职责与法国的相类似。他分析证据和法律问题,并向法院全体作介绍;遇有重大案件,则委派两名汇报法官负责处理。案件汇报及其讨论是秘密进行的,作判决也不必提出他们所持的理由。然而到了17世纪,开始发表一系列的法律判决报告,在这些报告中,除了有各个法官的投票和意见之外,还列举出法律上的论据和汇报法官提出的结论。

raptor 攫禽 猛禽的同义词,但有时则仅指鹰、鹏、隼等隼形目鸟类。参阅 **bird of prey**。

raptures of the deep (medicine) **深水销魂** 参阅 **nitrogen narcosis** 氮麻醉。

Raqqah, Ar- 拉卡 又拼Rakka。叙利亚北部城镇。滨幼发拉底河,在该河与拜利赫河汇流处以西。古时该地先后为希腊城市和罗马要塞和集镇,阿拉伯人统治初期再度兴盛。9～10世纪阿拉伯天文家巴塔尼曾在此观测天象。13世纪遭蒙古人毁坏后渐趋衰败。后由其郊区拉菲卡取代。1968年泰巴盖大坝动工以来,该镇再度发展为日益重要的集市中心。人口约229 100(2004)。

Raqqah ware 拉卡陶器 穆斯林陶器,于9～14世纪产于叙利亚的拉卡地区。坯体为白色,微显浅黄,表面涂有硅质釉,有时纹样呈浮雕状,设计粗犷,常采用棕色虹彩和釉下

13世纪的拉卡陶碗,釉色蓝绿,饰漆黑纹案
伦敦维多利亚和艾伯特博物馆供图

蓝、黑颜料装饰。釉面有不透明的,也有透明的,常呈蓝、浅绿或青绿等色调,但也有清澈釉和用锰着色的紫色釉。发掘出的完整的制品很罕见。

Rarámuri (people) **拉拉穆里人** 参阅 **Tarahumara** 塔拉乌马拉人。

rare-earth metal 稀土金属 由钪(原子序数21)、钇(原子序数39)和从镧至镥(原子序数57～71)15个镧系元素组成的一大类化学元素。稀土本身是这些金属的氧化物,原来认为它们十分稀有或这些氧化物的混合物通常共存在一起,如最早发现的稀土——氧化钇(1794)和二氧化铈(1803)。不是所有的稀土金属都如早期估计的那样稀有。丰度最大的铈几乎比地壳中铅的含量多3倍。丰度最小的铥(人工制备的钷除外)也比银、金或铂的含量多。而且发现许多稀有金属存在于陨石、月球和太阳中。许多其他星球的光谱表明,这些星球上稀土金属的含量事实上比太阳系的大。地壳中稀土元素从不以游离金属的形式存在。在自然界不存在单一元素的

稀土元素

	符号	原子序数		符号	原子序数
钪	Sc	21	钆	Gd	64
钇	Y	39	铽	Tb	65
镧	La	57	镝	Dy	66
铈	Ce	58	钬	Ho	67
镨	Pr	59	铒	Er	68
钕	Nd	60	铥	Tm	69
钷	Pm	61	镱	Yb	70
钐	Sm	62	镥	Lu	71
铕	Eu	63			

纯矿物，它们所有的矿物都由各种稀土元素的混合物和非金属所组成。独居石和氟碳铈矿是稀土金属的主要矿物资源。根据物理性质曾经认为稀土元素彼此不太相似。例如镥的熔点(1 663°C)与镧的熔点(920 °C)有较大的差别，以及镱和铕在1 000°C的蒸气压比镧和铈大百万倍。尽管如此，稀土金属特别是原子序数 58 ～ 71 的元素具有一些共同的特性。铈、镨、铕和钕在空气中都 易受侵蚀。少量非金属杂质会特别加强这种性质(例如钙或镁存在时，轻镧系金属被侵蚀会快得多)。稀土元素由于其原子结构的相似性，所以在化学性质上非常相似。它们原子的最外层都有 3 个电子，因此在化合物中都呈 3 价。它们与非金属元素直接化合，生成极稳定的硼化物、碳化物、氧化物和其他各种二元化合物。

rarefaction　稀疏　声学中，纵波在传播或运动的一个周期中的一个区段，另一区段为压缩。例如，音叉的股在空气中振动，紧挨音叉股的空气层就受到音叉初始运动的压缩。当音叉股向反方向弹回时，就留下空气减压区，这就是稀疏。一系列的稀疏与压缩就构成由声源发出的纵波运动。

Raritan River　拉里坦河　全部位于美国新泽西州境内的最大河流。由南北两条支流在萨默塞特县西部汇成，基本流向东南，经萨默维尔、邦德布鲁克和新不伦瑞克等地注入大西洋的拉里坦湾。全长约 120 千米。新不伦瑞克以下可航行，并经抽运向斯普鲁斯伦水库和朗德瓦利水库供水。

Rarotonga　拉罗汤加岛　南太平洋库克群岛最大岛屿，面积 67 平方千米。在新西兰东北 3 400千米处。为火山岛，内地山势崎岖，四周为在古老的珊瑚环礁上覆盖有长年沉积

拉罗汤加岛上的特曼加山
供图：Douglas Baglin

物的平原。1789 年英轮"邦蒂"号的反抗分子曾到此。岛上图帕帕山谷的古庙台基等迹象表明很久前就有人居住。该岛有阿拉梅图亚古道和现代公路平行环绕。主要港口阿瓦鲁阿为库克群岛首府。经济以出产柑橘、菠萝、椰子和香蕉以及轻工业为主。1973 年开通国际航线，旅游业逐渐兴起。岛上有医院、中等专科学校和师范学院。人口9 678(1986)。

Ra's al-Khaymah　哈伊马角　阿拉伯联合酋长国成员国。由阿曼岬两处地带组成。北部与阿曼苏丹国同处吉巴勒角半岛。濒临波斯湾，海岸线长约 56 千米。南部(内陆)地带同北部隔有富查伊拉酋长国的突出部分。哈伊马角的两部分同 10 个政治单位(8 个属另外 6 个酋长国中的 5 个，2 个属阿曼苏丹国)接壤。总面积约 1 700 平方千米。首都和唯一城镇是哈伊马角城。16 世纪后期葡萄牙人曾在此修建堡垒，1622 年被波斯人逐出。荷兰人亦曾对该地区进行商业渗透，但于 18 世纪中叶撤离。19 世纪英国成为在波斯湾的主要西方国家。1971 年英国离开波斯湾时，哈马伊角与伊朗因大小通布岛归属问题发生争端。1971 年 11 月 30 日伊朗军队登陆大通布岛，遭到哈马伊角警察武装抵抗。但伊朗仍占据该岛。半数居民从事农业。哈伊马角城附近沿海一带种植卷心菜、洋葱和番茄以及椰枣、烟草、香蕉、柑橘，产品供当地消费并出口迪拜等酋长国。石油勘探尚无结果，矿藏开发前景有限。接受沙特阿拉伯、科威特以及姊妹国家阿布扎比和迪拜的资助。1964 ～ 1972 年，国家收入大部来自印制纪念邮票。哈伊马角镇古时为港口，最近有所发展。有水泥厂、石灰厂和炸药厂。与迪拜城和沙迦城通铺面公路，有国际机场。人口约 195 000(2003)。

Ras Algethi　帝座　又名武仙座α(Alpha Herculis)。为一红超巨星，其直径或许比地球的轨道直径还大。它位于武仙座，亮度约 3 星等，还有亮度变化。帝座的外文名取自阿拉伯文短语，意为"跪拜者之头"，属于阿拉伯的星座名。

Ra's Musandam (Oman)　拉斯穆桑代姆　参阅 **Musandam Peninsula 穆桑代姆半岛**。

Ra's Naṣrānī　纳斯拉尼角　1982年以前称沙姆沙伊赫；希伯来语、英语称所罗门湾。埃及西奈半岛东南部小海湾和海角。1967 ～ 1982 年被以色列人占领。历史上长期无人居住。位于亚喀巴湾狭窄入口，战略地位重要。以色列独立战争(1948 ～ 1949)之后，埃及在此设置大炮；1956 年西奈战役时这些军事设施为以色列占领。1957 ～ 1967 年由联合国紧急部队守卫。1967 年 6 月的六日战争后，以色列重新占领该地及其周围地区，直至 20 世纪 80 年代以色列军队撤出西奈半岛为止。以色列政府已将纳斯拉尼角发展为游乐和旅游地，埃及又将其附近的机场改为民用。1971 年建成从海湾通往埃拉特的公路。新城镇奥菲拉建于 1972 年。

Ras Shamra　拉斯夏马拉　位于叙利亚西北部的考古场所，有乌加里特(**Ugarit**)古城市遗址。

Ras Tafarian　参阅 **Rastafarian 拉斯塔法里教徒**。

Ras Tanura　拉斯坦努拉　沙特阿拉伯东部港口。濒临波斯湾，位于一小半岛的顶端。

拉斯坦努拉的炼油厂
供图：Herbert Lanks—Shostal

20 世纪 30 年代附近发现石油后由阿-美石油公司兴建。现为波斯湾各地输油管的主要终点。现代化港口能停泊最大型油轮。建有炼油厂、储油库等设施。阿-美石油公司在此办有工业培训学校和医院。

rasa　味　梵语：意为"本质"、"品味"或"味道"。字面意为："液"或"汁"。"美味"这个概念，或者说任何艺术作品的本质要素，在梵语文学中只可暗示，不可描述。它是一种静的抽象。其中人类感情的本质布满了实体化形式的周围世界。"味"的理论是可能由生活在公元 500 年左右的哲人-祭司婆罗多创立的。修辞学家、哲学家阿毗纳瓦笈多(约公元 1000 年)又加以发展。他把这个理论应用到各种戏剧和诗歌中。根据婆罗多的理论，人类的感情主要包括欣喜、大笑、悲伤、愤怒、活力、害怕、厌恶、英勇和惊愕。所有这些感情都可以用静的形式更换成各种"味"：引起性欲的、滑稽的、可怜的、愤怒的、可怕的、讨厌的、神妙的和寂静的。这些"味"组成了审美体验的各个组成部分。

rasbora　波鱼　鲤科波鱼属(*Rasbora*)约45 种群栖热带淡水鱼类的统称。多见于东南亚，但少数种原产于非洲。性活泼，体细长，下颌突出。有几种养为观赏鱼。最常见的红

哈乐根波鱼(*R. heteromorpha*)
供图：Gene Wolfsheimer

波鱼(哈乐根鱼或哈乐根波鱼，*R. heteromorpha*)为 4 ～ 5 厘米长的浅红色小鱼，体侧各有一楔形黑斑。

Rasch, Albertina　拉希(1896，奥地利维也纳～1967-10-02，美国加利福尼亚好莱坞)奥地利出生的美国舞蹈家、编导和教师。20 世纪 20 和 30 年代间，她的舞团即在百老汇歌舞剧和好莱坞电影中闻名。曾在维也纳歌剧院芭蕾舞学校学习，1911 年成为纽约马戏剧院首席芭蕾舞女演员。1923 年开办一所

芭蕾舞学校，1924年又建立了几个知名的艾伯蒂娜·拉希姑娘舞蹈团中的第一个。在上演几个F.齐格飞的轻松歌舞以及G.怀特的《丑剧》后，她创作了许多百老汇歌舞剧，包括《三个人的伙伴》(1930)和M.哈特的《没有人知道的贵妇》(1941)以及若干电影。在她施加影响之前，音乐剧和电影中的舞蹈原是作为主要演员的陪衬，通常很简单，重点放在富丽堂皇的剧装和演员动作一致的集体舞蹈。她的舞蹈设计与戏剧故事结合得更为紧密，是容许个别演员在百老汇改变舞谱的先驱者之一。她把古典芭蕾舞技艺融合在精湛的舞蹈动作中，要求舞蹈演员具有芭蕾舞经历以提高舞台上和电影中舞蹈的技术水平。

Rasgrad(Bulgaria)　参阅**Razgrad**拉兹格勒。

Rashba　拉什巴　参阅**Adret, Solomon ben Abraham**阿德雷特。

Rashbaz　拉什巴兹　参阅**Duran, Simeon ben Zemah**杜兰。

Rashi　拉希(1040，香槟特鲁瓦～1105-07-13，特鲁瓦)　又名拉比·什洛莫·伊扎基。著名的中世纪犹太教《圣经》及《塔木德》评注家。拉希把解经的两种基本方法——词义法和非词义法——结合起来；他对于《塔木德》的评注标志着《塔木德》评注学的一个转折点，他的著作今日在犹太人中间仍然是学习圣经时代或后圣经时代犹太教义的入门。拉希还著有悔罪诗，其主要内容是：流亡生活的严峻现实和令人慰藉的得救信念。他的圣经评注语言生动，字面解释和灵活解释两法兼用。从12世纪维多利亚派直至方济各会学者尼古拉(1270～1349)的圣经研究，都深受拉希解经法的影响。而尼古拉的评注也是《圣经》詹姆斯国王钦定英文译本的根据。拉希的作品对现代圣经评注及译文修订仍有影响。他习惯用通俗语言解释含义不清或过于专门的词语，此种实例在他的著作中有3 000多条。因此，他的著作又是研究古法兰西语的重要资料。拉希关于《塔木德》的注释深入浅出，便于初学；逐字解释文句，引导学者明了技术性问题和实质性问题，解决语言上的难点并提出标准结论。

Rashīd(Egypt)　**拉希德**　参阅**Rosetta**罗塞塔。

Rashīd, ar-　拉希德(?～1672，摩洛哥马拉喀什)　摩洛哥阿拉维(费拉里)王朝的创建者(1666)。他以武力填补萨阿迪王朝崩溃后留下的有半世纪之久的权力真空，那时敌对的苏非派传教士与不同的酋长国统治者之间在各地区进行宗教战争。他的哥哥穆罕默德在位30年，一直试图在摩洛哥东北部建立一个公国。1664年，毛拉伊(贵族)拉希德继承了哥哥的职位。他谋杀一名富有的犹太人获得经费后，便雇佣阿拉伯与柏柏尔人组成武装力量，控制摩洛哥东部，并在俯瞰大西洋平原的里夫山区的一个峡谷里的塔扎设立临时首府。1666年，他的军队冲出峡谷，攻陷强大的迪拉教派首府非斯。拉希德自立为苏丹，正式建立阿拉维王朝。他从非斯进军征服北方，掠夺迪拉隐修院并夷为平地，又从统治迪拉的传教士手中夺得摩洛哥大西洋沿岸地区的控制权。然后他将注意力转向西南，于1669年占领马拉喀什，随后征服苏斯地区和小阿特拉斯山区。他残酷无情地摧毁各宗教兄弟会的权力，并将全国大多数敌对部族强制统一于一个王朝之下。毛拉伊拉希德奠定了现代摩洛哥的政治基础。但是，他尚未巩固其统治，即因意外事故死去。他把征服阿特拉斯山区的敌对的柏柏尔人和从欧洲列强手中夺回主要海港控制权等问题都遗留给弟弟伊斯梅尔(Ismāʻil)去解决了。

Rashīd ad-Dīn　拉希德丁(?～1192)　第三次十字军期间伊斯兰教阿萨辛派(什叶派中的伊斯玛仪派)叙利亚支派的首领。他在叙利亚北部的迈斯亚夫要塞设立司令部，西方人称他为"山中老人"。他经常派遣门徒暗杀敌人，因而为人所惧。他曾几次试图杀死反对什叶派中的伊斯玛仪派的阿尤布王朝君主萨拉丁。

Rashīd ad-Dīn　拉希德丁(1247～1318)　波斯政治家和历史学家，著有《世界全史》。他原属犹太哈马丹家族，后改信伊斯兰教。1298年被合赞汗任命为宰相。他的史书取材范围很广，包括非穆斯林的世界。关于蒙古和中国的历史，系根据蒙古帝国高官的口述和蒙古人的记录；关于印度的历史，系根据一位来自克什米尔的佛教徒的口述；关于罗马教皇和皇帝的历史，则根据一位天主教修士的口述。其中有很重要的几章叙述在合赞汗统治下伊斯兰国家的社会和经济状况，以及在拉希德丁本人的建议下所进行的朝政改革。

Rashīd Riḍā, (Muḥammad)　拉希德·里达(1865，叙利亚～1935，叙利亚)　叙利亚学者。曾受传统穆斯林教育，攻读伊斯兰教义学和阿拉伯语。早期受穆斯林改革主义、民族主义思想家穆罕默德·阿布杜和哲马鲁丁·阿富汗尼著作的影响。1898年创办《灯塔报》，毕生主编该报。偶尔参与叙利亚和埃及的政治。他痛感穆斯林国家落后，认为落后是忽视伊斯兰教真正教理的结果。他认为，根据正确理解，伊斯兰教义中包含有关谋求今生和死后幸福的一切原理，而进行积极努力以改善信徒的物质生活基础，乃是伊斯兰教义的实质。他号召阿拉伯人在科学技术方面同西方竞赛。关于穆斯林社会的政治生活，他主张统治者尊重宗教人士的权威，在制订政策时向他们请教。在其他重要方面，他赞成伊斯兰教屈就现代的要求，比如，先知穆罕默德禁止放债取利，而他则认为，为了有效地抑制西方资本主义的渗透，穆斯林应当允许收取利息。他主张穆斯林团结起来以实现政治复兴和文化复兴。

Rashidun　拉什顿　指伊斯兰教国家最初的4个哈里发：艾卜·伯克尔(632～634)、欧麦尔(634～644)、奥斯曼(644～656)和阿里(656～661)。在伊斯兰教历史上，他们被称为正统哈里发。他们在相继29年的统治中，承担了穆罕默德除先知外的一切职务：作为"伊玛目"，他们主持清真寺的祈祷；作为海推布，他们每星期五登台讲道；作为信士们的长官，他们则指挥军队。正统派的哈里发国家从里达战争(632～633)开始，到第一次穆斯林内战(656～661)告终。它把穆斯林的国土扩张到伊拉克、叙利亚、巴勒斯坦、埃及、伊朗和亚美尼亚。它还采用了伊斯兰教历，确定了具有权威性的《古兰经》定本。由于对阿里的继承权问题发生激烈的争论而分裂成逊尼和什叶两大派别。

Rashnu　拉什努　琐罗亚斯德教的正义之神。他与真理之神密特拉和虔顺之神斯拉奥沙一起决定亡魂的命运。拉什努站在报应桥上，凡要过桥的亡魂，他都要在密特拉和斯拉奥沙的帮助下，用金秤衡量他们生前的行为，分别予以发落。

Rasht　拉什特　又拼Resht。伊朗中北部城市，濒临萨菲德河的一条支流，在里海以南24千米。17世纪俄国向南扩张时成为吉兰地区主要城市。第一次和第二次世界大战中几次为俄国占领，此后经济衰退。城市周围是稻田和已部分开垦的林区。大多数房屋是二层木质楼房，红瓦屋顶。拉什特是行政和文化中心，是稻米、茶叶、花生和蚕丝的重要市场和加工中心，也生产肥皂、玻璃、刮脸刀和麻袋。1962年在萨菲德河上建成一座大坝。该地有公路通里海的恩泽利港(前巴列维港)、德黑兰、大不里士等地。另有一机场。人口417 748(1996)。

Rašín, Alois　拉欣(1867-10-18，奥匈帝国波希米亚内哈尼采[今在捷克共和国]～1923-02-18，捷克斯洛伐克布拉格)　捷克政治家，捷克斯洛伐克共和国缔造者之一。原为捷克

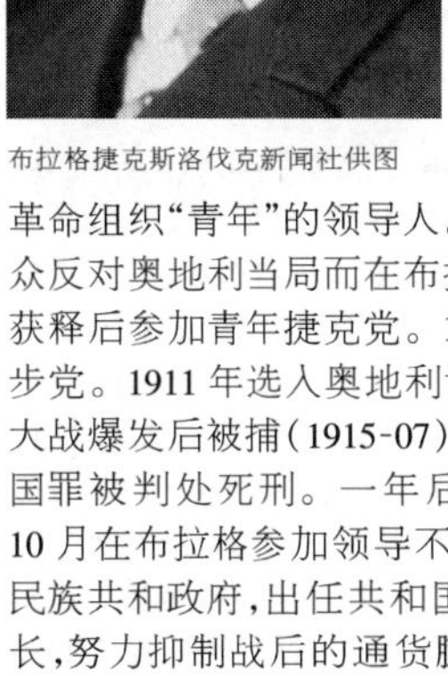

布拉格捷克斯洛伐克新闻社供图

革命组织"青年"的领导人。1893年因发动群众反对奥地利当局而在布拉格被捕。1895年获释后参加青年捷克党。1899年建立激进进步党。1911年选入奥地利议会。第一次世界大战爆发后被捕(1915-07)，1916年6月以叛国罪被判处死刑。一年后得赦免。1918年10月在布拉格参加领导不流血的革命，建立民族共和政府，出任共和国的第一任财政部长，努力抑制战后的通货膨胀。1923年1月被一共产党革命者枪击，后因伤致死。

Rask, Rasmus (Kristian)　拉斯克（1787-11-22，丹麦布赖因德奇尔德～1832-11-14，哥本哈根）　丹麦语言学家、比较语言学主要奠基人。1818年，他最先证明，日耳曼诸语言中单

哥本哈根皇家图书馆供图

词的辅音是按照某种规律与其他印欧语同义词的辅音有所不同，如英语的 father, acre 在拉丁语中则为 pater, ager。拉斯克所观察的现象后来被证明是比较语言学的一条基本定则（格里木定律）的基础，这一定则在 1822 年由雅各布·格里木提出。拉斯克自 1808 年起担任哥本哈根大学图书馆助理馆员，在该大学长期工作。1811 年出版第一部系统的古冰岛语语法（1979 年出版其英译本）。在冰岛逗留期间（1813～1815）掌握当地语言，研究当地文学、生活方式和风俗习惯，写成其成名之作《古代北方语或冰岛语起源研究》（1818）。该书主要对斯堪的纳维亚诸语言同拉丁语和希腊语的关系进行了考察和比较。拉斯克最先指出，凯尔特诸语言（包括布列塔尼语、威尔士语及爱尔兰语）属于印欧语系，而巴斯克语和芬兰-乌戈尔语则不属于印欧语系。他确立了古代北方语对哥特语的关系以及立陶宛语对斯拉夫语、希腊语及拉丁语的关系。虽然他于 1816 年前后把主要注意力转向印度语，他仍然在 1817 年出版了盎格鲁-撒克逊语语法，并编辑了冰岛语两大文学作品《诗歌体埃达》和《散文体埃达》（1818）。1816 年他开始旅游，历访斯德哥尔摩、圣彼得堡，最后到伊朗。他搜集到的波斯文手稿成为丹麦的国家级文物珍品。1820 年继续旅游到印度及锡兰，1923 年回到哥本哈根，携带有许多巴利语和僧伽罗语手稿以及其他语言的手稿。此后，拉斯克历任文学史教授（1825）、大学图书馆馆长（1829）及东方语言教授（1831）。后期著作有《西班牙语语法》（1824）、《弗里斯语语法》（1825）及其他语言的语法。拉斯克精通 25 种语言和方言，据认为他一生所研究过的语言多达 50 种。

Raskob, John Jakob　拉斯科布（1879-03-19，美国纽约州洛克波特～1950-10-15，马里兰森特维尔）　美国金融家。因扩展 E.I.杜邦公司和通用汽车公司而闻名。1898～1900 年在三家企业中任秘书，不再跟随约翰逊公司总经理 P.S.杜邦。1902 年杜邦任 E.I.杜邦公司司库时，他继续充任其助理。12 年后，继杜邦任公司司库，后又升任副总经理。早从 1908 年开始他和杜邦就对通用汽车公司握有股权，直到 1915 年二人已拥有足够的股权使杜邦成为该公司的董事长，拉斯科布成为董事。1918 年杜邦任总经理，他被任命为财务委员会主席。由于他领导财务得力，该公司销售额及利润大为增加，股票所有人基础也迅速扩大。拉斯科布相信购买通用汽车公司股票的人增多，购买该公司产品的人也会增多。为了进一步刺激销售，他创建通用汽车承兑公司，以利汽车销售中融通资金。通过该公司，销售商可为汽车存货筹措资金，也可向顾客提供消费信贷。除杜邦公司外，他还担任其他公司董事。1928 年他脱离通用汽车公司，出任民主党全国委员会主任，后参与建造和管理当时的世界最高楼帝国大厦。

Raskol　分裂　特指17世纪俄罗斯正教会内部在礼拜仪式改革问题上发生的分裂。数百年间由于教士和信徒文化水平低，俄罗斯教会的仪礼越来越偏离希腊正教会仪礼。俄罗斯正教会牧首尼康不顾众人反对，于 1652～1667 年发起运动，主张消除这些差异。人数众多的传统派抑制这种改革，他们后来称为分裂派或旧礼仪派。

rāslīlā　拉斯利拉　印度北部的民间舞剧。主要流行于北方邦，内容取材于印度神话中牧神克里希纳的故事。无论是在独舞或群舞场面都结合着歌唱、吟诵和乐器伴奏。

Rasmussen, Halfdan　拉斯穆森（1915-01-29，哥本哈根～2002-03-02）　丹麦的社会抗议诗人，又是位出色的打油诗作家。20 世纪 40 年代后期所写的诗反映了"冷战"时期人们的悲观和绝望情绪。《向生活屈服》（1948）和《一个经历过九月的人》（1949）是对整个政治制度和意识形态的否定，他在诗中大胆地为个人发表不同政见和持怀疑态度的权利和必要性陈述己见。他的最后信念之一是尊重生活、扶助弱者和苦难的人。在诗集《期望》（1951）中的教诲诗《世代》里，他刻画了美国在广岛投下原子弹以后人们的绝望和不安心情。他的诗歌风格是传统的、朴素的而有独特的节奏。此外，他有时还写儿童诗和打油诗，大受读者欢迎。

Rasmussen, Knud Johan Victor　拉斯穆森（1879-06-07，格陵兰雅各布港～1933-12-21，丹麦根措夫特）　丹麦-爱斯基摩探险家和人种学家。在他完成当时乘狗拉雪橇穿过美洲

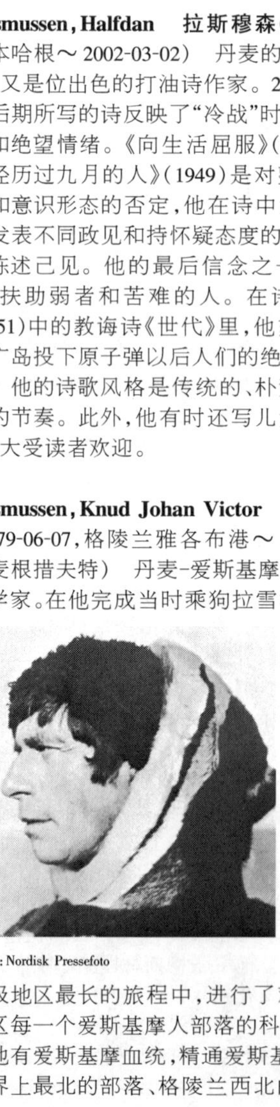

供图：Nordisk Pressefoto

北极地区最长的旅程中，进行了对这片广大地区每一个爱斯基摩人部落的科学研究。由于他有爱斯基摩血统，精通爱斯基摩语，曾在世界上最北的部落、格陵兰西北的极地爱斯基摩人中过冬（1902～1904）。他研究了在格陵兰西部放牧驯鹿的可能性（1905）。以后又有两年在极地爱斯基摩人中生活，并于 1910 年在格陵兰西部的图勒建立了一个永久试验站，目的是给居民提供一个贸易中心和一个探险基地。他在 1912 年与三个同伴从图勒向东北海岸横越了格陵兰冰盖。在 1916～1918 年的探险中，测量了格陵兰的北岸。1919 年到达格陵兰东岸的昂马沙利克收集爱斯基摩人的故事。1921 年 9 月 7 日，在乌佩纳维克开始大规模考察，计划访问从格陵兰到白令海峡的每一个爱斯基摩人部落。在调查了加拿大东北部之后，于 1923 年 3 月 4 日登上横贯北美大陆的旅途，1924 年 5 月 23 日到达阿拉斯加的巴罗角。沿途追溯了爱斯基摩人的迁移路线，并观察了爱斯基摩文化的基本单元，他写了《穿越美洲北极地区》（1927）记述此次探险。他在以后从图勒出发的考察中，对格陵兰东南部进行了地图学、考古学和人种学的研究，有大量文学著作，包括游记、翻译的爱斯基摩人神话与歌曲，以及科学著作如《由北极海域去格陵兰》（1919）。

rasorite　斜方硼砂　参阅**kernite**贫水硼砂。

raspberry　悬钩子　蔷薇科悬钩子属（*Rubus*）灌木。老普林尼曾提及野生悬钩子。J.帕金森在《天堂》（1629）一书中亦提及悬钩子的红色、白色及无刺品种，其栽培约于其时开

黑悬钩子（*Rubus occidentalis*）
供图：Grant Heilman

始。悬钩子果实多汁液，有红、紫、黑诸色（稀为橙、琥珀或淡黄色），聚合果，小果易与果心分离，而果心留在植株上。与之近缘的黑莓的果心和果实不分离。悬钩子属的悬钩子组可能起源于亚洲东部；原产地已知有 200 余种。英国栽培有 10 000 英亩红悬钩子。苏格兰的生产中心是布莱尔高里地区，英格兰的生产中心是赫里福德郡及伍斯特郡、肯特郡。美国种植约 11 000 英亩。以红悬钩子、黑悬钩子种植最多，紫悬钩子种植较少。主要产地为马里兰、新泽西、纽约、密歇根、明尼苏达、华盛顿及俄勒冈等州。悬钩子在英国有时与其他果树混合栽植，株距 0.45 米，行距 2～2.5 米。在美国很少与其他果树混合种植。红悬钩子靠亲本植株根上长出的新枝条繁殖；可用约 7.5 厘米长的根插条迅速培植新品种。黑色和紫色品种的茎呈拱形，用枝端压条繁殖，通常在夏末把切下的枝条埋入约 5 厘米深的土层，翌年初春把生根的枝端挖出种植。黑色新品种也可用带叶芽的枝条扦插以加快繁殖速度。红悬钩子的茎杆通常

用木桩或棚架支撑，红色和黑色悬钩子的茎杆越粗壮，产果量越高。果含铁和维生素 C，通常加奶油或冰淇淋作餐后水果生食。悬钩子果酱和果子冻极受欢迎，也用作发面点心的果酱心及利口酒调味品。

Raspe, Henry　拉斯佩　参阅 **Henry Raspe** 亨利·拉斯佩。

Raspe, Rudolf Erich　拉斯佩（1737，德国汉诺威～1794，爱尔兰凯里郡马克罗斯）　德国学者、冒险家。以《闵希豪生男爵的冒险》一书闻名。曾在格丁根和莱比锡大学学自然科学和语言学。1767年在卡塞尔任兰德格拉夫的图书、宝石和钱币收藏馆的管理员。他对莪相（假定的在苏格兰"发现"的史诗的作者）发生兴趣，对于珀西的《英诗辑古》也颇感兴趣，因此获得学者声誉，1769年被选入英国皇家学会。1775年，他开始盗窃兰德格拉夫的收藏品，为了逃避逮捕逃往英格兰。因手头拮据，匿名发表一本故事集。据说，这些故事均为吹牛大王闵希豪生在旅俄期间口述，幽默诙谐，极为夸张。拉斯佩在格丁根结识这位男爵，但这些故事很少真正出自他的口述。1786年和1788年诗人 G.A. 毕尔格把拉斯佩的故事翻译成德文，并增补一些篇幅。1847年德林在他写的毕尔格传里揭示，拉斯佩是原著的作者。由于在一桩与苏格兰采矿业有关的骗局中受到牵连，他于1791年逃亡爱尔兰，后死在该地。

Rasputin, Grigory Yefimovich　拉斯普廷（1872?，俄罗斯帝国西伯利亚秋明附近的波克罗夫斯科耶～1916-12-30，彼得格勒［圣彼得堡］）　原名格里戈里·叶菲莫维奇·诺维

供图：Photo Harlingue—H. Roger-Viollet

克。沙皇尼古拉二世和皇后亚历山德拉宫廷中的一个有权势的宠臣。原为西伯利亚农民，以占卜和浪荡出名。在年少时，当地村民就赐给他一个姓——"拉斯普廷"（意即淫棍）。他在19岁结婚，不久即去希腊阿陀斯山和耶路撒冷朝圣。两年后作为一个神秘而圣洁的人在波克罗夫斯科耶村重新出现，以具有治病和预言未来的非凡本领闻名。1903年到圣彼得堡，很多上流社会人士热情接待这个有一双明亮眼睛和非凡治病才能的肮脏农民。1905年，拉斯普廷被引进皇室。1908年当他表演了为年轻的阿列克谢减轻病痛的能力时，在皇室中大受欢迎，俄国皇族把他作为一个亲密而可靠的朋友。亚历山德拉竟尊崇他为上帝派来挽救他的儿子、罗曼诺夫王朝以及俄罗斯专制政体的神人。拉斯普廷在皇室中经常保持谦恭、谨慎和神圣的农民姿态，但一走出宫门，立即恢复从前的浪荡习惯，他宣扬与他进行肉体接触能净化灵魂和治疗疾病，借此骗到不少妇女，而且企图诱奸其他许多女人。到1911年，他的行径已成为轰动一时的丑闻。总理大臣斯托雷平曾向尼古拉报告拉斯普廷的劣迹，沙皇赶走了拉斯普廷但皇后亚历山德拉又把他召回，"神人"依然得到宠信。1915年以后，拉斯普廷的权力在俄国宫廷达到了顶峰。第一次世界大战期间，尼古拉二世亲率大军开往前线，留下亚历山德拉掌管朝政。拉斯普廷成了她的私人顾问，其影响大到从任命教会官员至选拔内阁大臣。1916年，一群极端保守分子密谋除掉拉斯普廷使君主制摆脱丑闻。他们请拉斯普廷在12月29～30日夜里到尤苏波夫亲王家里吃子夜茶。拉斯普廷吃了点心，喝下了毒酒。当他还没有死的时候，急得发狂的尤苏波夫向他开了一枪。拉斯普廷支持不住，但是还能跑到院子里，杜马代表普里什凯维奇在那里又向他开了一枪。然后他们把他捆起来，塞到涅瓦河的一个冰窟窿里，他终于溺死水中。

Rassam, Hormuzd　拉萨姆（1826，奥斯曼帝国美索不达米亚摩苏尔［今在伊拉克］～1910）　亚述学家。1845～1851年给著名英国亚述学家 A.H. 莱亚德作助手，参加尼姆鲁德（伊拉克豪尔萨巴德）和尼尼微考古发掘，其间曾就读于牛津大学。莱亚德进入政界后，拉萨姆在1852年继之为不列颠博物馆发掘古物。1853年在尼尼微发现著名的亚述国王亚述巴尼拔的猎狮浮雕。不久又发现亚述皇家图书馆残存书籍，其中有古代《吉尔伽美什史诗》的大部分和一块刻有亚述巴尼拔王朝纪事的赤陶三棱柱。其后曾数年从政。1876年再次成为不列颠博物馆的美索不达米亚发掘督导。1878～1882年取得重要收获。在距摩苏尔约24千米处的巴拉瓦特丘墟发掘出撒缦以色二世宫殿，发现巨大青铜宫门两扇。他对美索不达米亚研究所做最大贡献是1880年发现雕刻着纳布阿帕尔-伊丁王的一块石碑，证实沙玛什太阳神神庙即在西巴尔城中。其后一年半中挖出环绕神庙房舍170间以及刻有铭文的陶土圆柱印章和泥板文书四五万件。拉萨姆在《亚述和尼姆鲁德地方》（1897）一书中对其工作多有记叙。

rasse　小灵猫　亚洲小型兽类，灵猫（civet）的一个种。

Rassemblement pour la République　参阅 **Rally for the Republic** 保卫共和联盟。

Rastafarian　拉斯塔法里教徒　又拼 Ras Tafarian。拉斯塔法里教的信徒，该教是流行于牙买加和其他几个国家一部分黑人中间的一种政治-宗教运动。该教崇拜前埃塞俄比亚皇帝海尔·塞拉西一世，他在未登位之前称塔法里亲王（Ras［亲王］Tafari），教名由此而来。该教以这位皇帝为神、弥赛亚、黑人的大救星。该教认为，黑人是以色列人转世，因为有罪，上帝惩罚他们，叫他们受邪恶劣等的白人统治，他们终必被遣返真正故乡地上天堂非洲，强迫白人为他们服役。这种信仰最先在1953年公诸于世，源起于几位独立的先知，特别是20世纪初由贾维领导的"重返非洲"运动。构成拉斯塔法里教的各群体反对牙买加-欧洲式的文化和基督教奋兴运动，他们一面期待迁徙，一面发展自己的特征。自从20世纪50年代初起，拉斯塔法里教信徒人数增加，成分复杂化。大家仍然认同非洲，但是不再那样强调遣返，开始倒向黑人政治强硬派或以《旧约》为根据而吸收非洲形式的宗教奥秘主义。该教在生活方式方面讲究食物禁戒（通常是素食），不梳理头发胡须，并吸大麻。

Rastatt and Baden, treaties of　拉施塔特和巴登条约（1714-03-06及1714-09-07）　神圣罗马帝国皇帝查理六世同法国签订的几项和约。它们结束了皇帝要继续西班牙王位继承战争（1700～1714）的企图，其他各邦已在《乌得勒支条约》（1713年始）中媾和。查理六世以个人的名义在拉施塔特媾和；半年之后，以帝国各邦的名义在瑞士巴登媾和。在这些条约里，查理六世放弃了对西班牙王位的要求，但事实上并未同西班牙媾和，也不承认波旁腓力五世为西班牙国王。技术上同西班牙的战争状态持续到1720年。法国承认皇帝为米兰、托斯卡纳、那不勒斯、尼德兰南部和萨丁尼亚等西班牙前领地的统治者。皇帝收复了布赖萨赫、凯尔和莱茵河以东的弗赖堡；为此，他将斯特拉斯堡和阿尔萨斯割让给法国，并同意法国的同盟者、巴伐利亚和科隆的选侯恢复他们的领土。这种解决办法，如同最后达成总解决的《乌得勒支条约》一样，成为下一代欧洲国际关系基础的一部分。

Rastell, William　拉斯泰尔（1508，英格兰沃里克郡考文垂～1565-08-27，布拉班特公国卢万［今在比利时］）　英国出版商、律师和文人。他编辑并出版了他的舅父托马斯·莫尔的著作，也出版了 J. 海伍德仅存的剧本。1525年拉斯泰尔去牛津求学，未获学位，便在父亲处当抄写员和印刷工，1529年自建印刷所。1535年莫尔被处死后，他和莫尔的女儿把莫尔在伦敦塔里写的信和手稿抢救出来。1532年在伦敦林肯律师学院学法律。1539年当律师。1549年任学院司库。同年，因爱德华六世推行新教政策，流亡卢万（比利时）。玛丽女王即位（1553）后返回伦敦。1557年将莫尔的英文作品付印，并出版自己的重要法学著作《法令大全》（1557）及《案例汇编》（1566）。所写莫尔传现仅存零星片断。1558年任高等法院法官，伊丽莎白女王执政期间，再度流亡卢万，并于1565年在该地出版莫尔的拉丁文著作。

Rastenburg Assassination Plot　拉斯滕堡暗杀密谋　参阅 **July Plot** 七月密谋。

Rāṣṭrakūṭa DYNASTY **拉喜特拉库塔王朝** 约 755 ～ 975 年统治印度德干及其邻近地区的印度教王朝。属拉塔鲁尔王族世系，很可能起源于达罗毗荼族农民。操坎纳达语。这一王朝曾击败遮娄其王朝（**Cālukya dynasty**），建立德干帝国，其疆域从马尔瓦直到坎奇。有一个穆斯林旅行者把拉喜特拉库塔王朝的统治者称为世界四大帝王之一（其他三个是哈里发、拜占廷皇帝和中国皇帝），可见这一王朝在当时的重要性。国王克利希那一世（约 756 ～ 773 在位）在埃洛拉修建盖拉沙岩庙。阿默伽瓦尔沙一世（约 814 ～ 878 在位）是坎纳达语最早的诗篇《卡维罗阇玛尔伽》的作者之一。而其他国王则擅长征战。德鲁瓦一世征服根格沃迪的恒伽人，击败孟加拉国王和普拉蒂哈拉国王。因陀罗三世（914 即位）攻占根瑙杰城，使王朝的势力达到顶点。克利希那三世占领坎奇和泰米尔平原的大部（948 ～ 966 或 967），武功超过因陀罗三世。在柯迪迦·阿默伽瓦尔沙四世时代（968 ～ 972），首都遭受洗劫，王朝开始苟延残喘，直到约 975 年为遮娄其所灭。

Rasūlid DYNASTY **拉苏勒王朝** 埃及阿尤布人放弃阿拉伯半岛南部地区之后，统治也门和哈德拉毛的穆斯林王朝（1229 ～ 1454）。拉苏勒原是土库曼人，给阿拔斯哈里发当信使。其子阿里曾任阿尤布王朝的麦加总督，后来成为也门的统治者。其孙伊本·阿里（1229 ～ 1250 在位）在宰比德（也门）建立王朝，称欧麦尔一世。他后来迁往内地山区，以萨那为拉苏勒王朝的首府。虽然汉志（阿拉伯半岛西岸）从 1252 年起为埃及马木路克王朝的属地，但欧麦尔仍统治着圣城麦加。此后两个世纪，也门一直是繁荣富强的穆斯林国家。1258 年拉苏勒王朝的统治者冠以哈里发的称号。同中国、印度和锡兰保持着政治上和贸易上的联系。亚丁港的开放促进了国际贸易的发展。但是到 14 世纪中叶，由于麦加发生动乱，马木路克人以此为借口干预拉苏勒王朝的内政。15 世纪初，艾哈迈德·伊本·伊斯梅尔（1400 ～ 1424 在位）使王朝一度中兴。但他死后不久，由于内部动荡、奴隶造反和瘟疫流行，王朝加速覆亡，也门遂由塔希尔王朝控制，到 16 世纪被奥斯曼征服。

rat **大鼠** 啮齿目鼠科家鼠属（*Rattus*）动物的统称。共 500 余种。似小鼠，但较大，毛色深，鼻尖，足及尾裸露。英语中 rat 一词亦泛指许多分属其他科的中等大小的啮齿动物，如 bamboo rat 为竹鼠，属于竹鼠科；cane rat 为蔗鼠，属于蔗鼠科；kangaroo rat 为更格卢鼠，属于更格卢鼠科；rice rat 为稻鼠，属于仓鼠科。通常“大鼠”一词指黑家鼠（*Rattus rattus*）和褐家鼠（挪威家鼠，*R. norvegicus*）。两种均富攻击性，活泼，杂食性，适应性和繁殖力强；几乎伴随人类布满全世界；感觉特别发达；善攀爬、跳跃、打洞及啃咬，故能进入许多其他动物难以到达的地方。它们生后 3 ～ 4 个月即可生育，一年产仔多达 7 窝，每窝 6 ～ 22 仔；破坏了大量珍贵的家禽、猎物、庄稼、存粮，又能直接或间接传播 20 种以上疾病。黑家鼠又称屋顶鼠、亚历山大鼠、攀鼠、灰家鼠。头和体长约 20 厘米，尾更长些，尖鼻和尖耳约占头长度的一半；背面为深灰或浅褐色，腹

挪威家鼠（*R. norvegicus*）
供图：John H. Gerard

面为灰或灰白色，善攀缘和跳跃。褐家鼠又称仓家鼠、码头鼠、阴沟鼠，与黑家鼠的区别在于耳较小，体更粗壮，尾短于头和体长（18 ～ 25 厘米）。通常为褐色，但也可能是灰、白、黑或杂色。实验用大鼠就是由褐家鼠驯化的白化种。与黑家鼠相比，褐家鼠善于挖洞和游泳，比黑家鼠大，适应性更强。当这两个种栖息在同一地区时，各自占用不同的生境，如在建筑物里，褐家鼠喜占下层，黑家鼠却居楼上。最有效的控制大鼠的方法是保持环境卫生，建筑物能防鼠，以及诱捕、毒杀和烟熏。

rat-bite fever **鼠咬热** 又称螺菌性鼠咬热、鼠毒。是最先在日本描述的小螺菌引起的回归型传染病。人被患鼠咬伤而受染。伤口常迅速恢复，但经 5 ～ 28 天潜伏期后突然发病，伤口炎症复发，形成溃疡，附近淋巴结肿痛，寒战，高热，皮疹，各项症状可自行消退，但数日后又再发。大部分病例梅毒血清试验假阳性。取病损部或局部淋巴结材料涂片查见病原体即可确诊。青霉素、链霉素、金霉素、土霉素均有疗效。参阅 **streptobacillary fever**。

Rat Buri（Thailand） 参阅 **Ratchaburi** 叻武里。

rat kangaroo **鼠袋鼠** 袋鼠科长鼻袋鼠亚科（Potoroinae）9 种有袋动物的统称。分布于澳大利亚和塔斯马尼亚。或单划为一个独立的科——长鼻袋鼠科（Potoroidae）。与其他袋鼠的区别在于颅骨和泌尿生殖器的结构不同以及犬牙大。其大小如兔，甚至更小。栖息

赤褐鼠袋鼠（*Aepyprymnus rufescens*）
供图：Graham Pizzey—Bruce Coleman Inc.

在林下灌草层中。夜出寻食草、块茎和地下蕈类，有的也吃蛴螬和蠕虫。短吻鼠袋鼠（草原袋鼠属[*Bettongia*]），4 种，鼻浅红色，耳短。2 种长吻鼠袋鼠又名长鼻袋鼠（长鼻袋鼠属[*Potorous*]），具短尾和尖脸。赤褐鼠袋鼠（*Aepyprymnus rufescens*）是鼠袋鼠中最大者，臀部有不明显的污白色条纹；尾长达 35 厘米以上。昆士兰的麝鼠袋鼠（麝袋鼠，*Hypsiprymnodon moschatus*）是袋鼠科唯一尾部裸露及后足保存第一趾的物种，或独立列为麝袋鼠亚科（Hypsiprymnodontinae）。

rat opossum **鼩负鼠** 又作 selva。又称塞尔瓦负鼠。南美新鼩负鼠超科（Caenolestidae）几种有袋哺乳动物的统称。共 7 个种，与负鼠科（Didelphidae）一起构成有袋超目的

鼩负鼠（Caenolestidae）
绘图：Don Meigahan

新大陆支系。有 46 ～ 48 枚牙齿，上耻骨长并与骨盆相连。成体无腹袋。毛厚而软，呈灰褐色。鼩负鼠属（*Caenolestes*）的 5 个种均栖息在厄瓜多尔和玻利维亚的云雾林和高谷中；秘鲁鼩负鼠（*Lestoros inca* 或 *Orolestes inca*）分布于秘鲁的类似地区；智利袋鼠（*Rhyncholestes raphanurus*）栖息于智利的海岸森林。新袋鼠的生活习性尚不清楚。

rat snake **鼠蛇** 游蛇科锦蛇属（*Elaphe*）爬行动物。40 ～ 55 种。分布于北美、欧洲和东至菲律宾的亚洲地区。多栖于林地和农舍周围。猎捕鼠类并以缢缩的方法绞杀之。亦食

黄鼠蛇（*E. obsoleta*）
供图：John H. Gerard from The National Audubon Society Collection/Photo Researches—美国不列颠百科全书公司

卵。有的种类食家禽，有时称为鸡蛇。有的种类在树林中捕捉鸟类，腹部具适应攀爬的脊鳞。鼠蛇体型大，无毒，卵生，运动缓慢而驯良。自卫时摆动尾部，从肛门腺里排出一种难闻的液体，并能竖起身体向敌害冲击。美国东部的黑鼠蛇（*E. obsoleta obsoleta*）体长一般约 1.2 米，最长的可超过 2.5 米；黑色，颏和喉部苍白色，似黑蛇（参阅 **racer**），背部

的鳞片略呈脊棱形。黄鼠蛇（*E. obsoleta*）其他几个宗分别为棕黄色、灰色、黄色、微红色或褐色，有的带斑块或斑点。玉米锦蛇（*E. guttata*）分布于新泽西和佛罗里达至犹他州和墨西哥东北部一带；东部地区的种类为黄

极长锦蛇（*E. longissima*）
供图：Anton Thau—Bavaria Verlag

色或灰色带有黑边的红色斑纹，常称红色鼠蛇；西部的种类为淡灰色而具黑边的褐色或深灰色斑纹。狐蛇（狡猾锦蛇，*E. vulpina*）主要分布在威斯康星至密苏里的农田；头部浅红色，背部淡黄色或淡褐色，带有醒目的黑色斑纹，腹部黄色而有黑色方格图案。四线锦蛇（*E. quatuorlineata*）为欧洲最大蛇类之一，体长可达 1.8 米；分布于意大利至高加索和土耳其；淡灰色，背部和体两侧各有两条斑纹。埃斯科勒庇俄斯蛇（极长锦蛇，*E. longissima*）无花纹，色深，原产于欧洲东南部和小亚细亚；在古代献给医神埃斯科勒庇俄斯，目前在德国和瑞士尚有隔离种群，是罗马人运到疗养地的个体的后代。地中海地区东部至高加索一带的豹纹蛇（*E. situla*）身上有圆形红色大斑纹。亚洲东南部两种身体细长略呈绿色的鼠蛇——葱绿锦蛇（*E. prasina*）及尖头锦蛇（*E. oxycephala*）——皆树栖而不下地面。印度的铜头蛇是三索锦蛇（*E. radiata*）。亚洲东南部的东方鼠蛇（黑网乌梢蛇，*Zaocys carinatus*），可能是游蛇科最大的蛇，有一条体长达 3.7 米。印度鼠蛇（大鼠蛇、滑鼠蛇，*Ptyas mucosus*）体长可达 2.5 米多。

rat-tail（fish） **鼠尾鳕** 参阅 **grenadier** 长尾鳕。

Ratana church **拉塔纳会** 20世纪新西兰毛利人的宗教和民族政治势力。1943 ～ 1963 年期间，新西兰议会中分配给毛利人的 4 个席位全部由该会成员占有。该会创建人拉塔纳原是以务农为生的基督教循道宗信徒，据说多次见异象，能给人祈祷治病。毛利人慕名从各地前来听他传教，他主张在《圣经》所介绍的独一上帝指引下重整道德。1920 年组成这个跨教派的教会。毛利人对新西兰政府许多举措不满，拉塔纳会使他们产生新的希望，促进各部族之间的团结。拉塔纳会结合政治活动与宗教信仰，从 1922 年起提出候选人参加竞选。直到 1931 年拉塔纳会候选人才当选，该会与新西兰工党联合终于成为一支政治力量。该会也有许多白人信徒。

Ratchaburi **叻武里** 又拼 Ratburi 或 Rat Buri。泰国西部城镇。位于曼谷西面，临夜功河，是内河港口，曼谷—新加坡铁路上一站，周围地区的商业中心和服务中心。有史前文物、岩洞绘画和古老佛寺等。以手工涂釉瓷器出名。矿产有萤石和锡。农产品有稻米、蔬菜。有淡水鱼捕捞和加工业。人口约 46 414（1988）。

ratchet **棘轮** 传递间歇性转动或仅容许转轴作单向旋转的机械装置。如图所示，臂 A 和棘轮 B 绕轴 O 转动。棘爪 P 可在臂中滑动，并借弹簧 S 维持在最低点。如果臂 A 摆动一个角度 α，棘爪可使棘轮依反时针方向

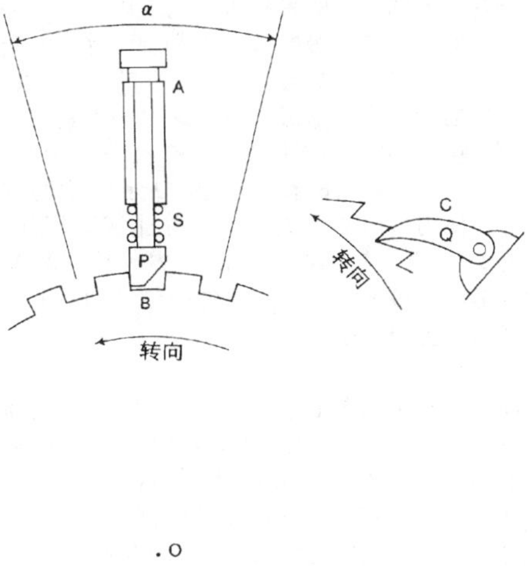

棘轮机构

间歇地转动；若臂 A 依顺时针方向转动，棘爪的斜面滑过轮齿，就不会使棘轮转动。如果棘爪转半圈而使其斜面位于左方，则臂的摆动将使棘轮仅能朝顺时针方向转动。此类型的换向棘轮用于套筒扳手，在扳手处于无法转满圈的位置时可以轻易地旋转或松开螺栓。它们亦用于机床工作台上，以作出间歇的进给动作（工件运动）；其棘轮装在带动工作台的螺杆上，曲柄驱动臂，转动曲柄可改变 α 角度。在钟、表之类的靠发条驱动的机构中，其棘轮装置 C 如图右所示。当上发条时，棘爪 Q 就绕固定轴转动并滑过尖轮齿，并防止轮子沿顺时针方向转动。虽然带有棘爪和齿轮的棘轮最普遍，但仍有其他类型，例如借助单向离合器间歇地转动轮子的摆动构件。

Ratclyffe, Thomas **拉德克利夫** 参阅 **Sussex, Thomas Radcliffe, 3rd Earl of** 苏塞克斯伯爵（第三）。

ratel（*Mellivora capensis*） **蜜獾** 又作 honey badger。鼬科獾形动物，因嗜吃蜜而得名。栖息在非洲和亚洲南部森林覆盖地区。体粗壮，皮厚，成体肩高为 25 ～ 30 厘米，体长约 60 ～ 77 厘米，尾长 20 ～ 30 厘米。耳退化；体背面灰白色，腹面、脸和腿黑色，两种颜色界线分明。穴居，夜出活动，前爪有力，向内弯曲用以挖洞。以小动物、果实及蜂蜜为食。它跟随黑喉向蜜鸟（*Indicator indicator*）的叫声寻找蜂蜜，蜜獾打开蜂巢取食蜂蜜，接着向蜜

蜜獾（*Mellivora capensis*）
供图：Paul Popper Ltd.

鸟也获得剩下的部分。蜜獾有力，大胆，但能养得很驯服，好嬉戏，一窝 2 仔。

ratfish **鼠鱼** 银鲛（**chimaera**）类某些鲨鱼的通称。

Rathayātrā **乘车节** 印度节日。届时把神像载在车上，列队通过街道，使限于种姓或教派而不能进入神殿的印度教徒瞻仰尊像。神车精雕细刻，但高大笨重，由几百名信徒牵

印度布里的乘车节
供图：Vidyavrata

引。以奥里萨的布里和孟加拉西部什里兰布尔奉祀化身为札格纳特（**Jagannātha**）的黑天大神的乘车节最为著名。

Rathbone, Basil **拉思伯恩**（1892-06-13，南非约翰内斯堡～ 1967-07-21，美国纽约州纽约） 英国演员。1911 年首度登台，之后在伦敦及纽约扮演重要角色。1924 年起他开始在好莱坞电影中现身，通常饰演浪漫多情的角色。因为嗓音独特、骨瘦如柴，他也在数部 T. 鲍尔与 E. 弗林主演的惊险传奇电影当中饰演坏蛋。他因为主演 1936 年《罗密欧与朱丽叶》和《如果我是国王》（1938）赢得赞赏，不过直到在由《巴斯克韦尔庄园的猎犬》（1939）开始的一系列电影中担纲演出福尔摩斯后，才声名大噪。

Rathbun, Mary Jane **拉思本**（1860-06-11，美国纽约州布法罗～ 1943-04-04，华盛顿［哥伦比亚特区］） 美国海洋动物学家，以奠定甲壳纲的分类学基础知识而闻名。1881 年因其在美国渔业委员会任职之兄 R. 拉思本的劝说，她志愿参加马萨诸塞州的伍兹霍尔海洋研究中心的工作。她对海洋生物的兴趣日增，1884 年受美国渔类委员会的雇用帮助对

藏品进行组织及分类。1886 年到华盛顿国家博物馆海洋无脊椎动物部工作，1907 年任馆长助理。1891 年起，她开始撰写科学论文，主要是关于甲壳纲动物区系，先后共发表 158 篇，其分类学著作涉及近代及古代海洋动物。生态学者及其他动物学者均长期借助于她的丰富资料。她的名作是有关方蟹科、蜘蛛蟹科、黄道蟹科和尖口蟹科等 4 部专题著作，于 1918 ～ 1937 年间由国家博物馆出版。

Rathenau, Emil　拉特瑙(1838-12-11，普鲁士柏林～1915-06-20，日尔曼帝国柏林)　德国实业家，欧洲电气工业发展初期的领袖人物。1883年创建德意志爱迪生公司，购买T.A.爱

供图：Archiv fur Kunst und Geschichte, Berlin

迪生在欧洲的专利权制造产品。该公司于 1887 年改名为通用电气公司。1903 年与德国著名工程师 W.冯·西门子创建无线电器材公司（亦译“德律风根公司”）。拉特瑙是在德国第一个生产工业用铝的人。

Rathenau, Walther　拉特瑙(1867-09-29，柏林～ 1922-06-24，柏林)　德国政治家、工业家、哲学家。第一次世界大战期间曾在战争基础上组织德国的经济。战后，任建设部长和外交部长，推动德国根据凡尔赛和约履行义务，开始赔款，并摆脱在外交上的孤立。德国通用电气公司(AEG)开创者之子。他完成学业后，曾在德国工业部门担任各种行政职务。第一次世界大战爆发时，他任通用电气公司总裁，劝说政府在陆军部内设战时物资局，并于 1914 年 8 月至 1915 年春任该局局长。此后，他经营企业和从事写作。战后他协助创建中产阶级的德国民主党，主张与德国社会民主党合作。1921 年 5 月，他参加维尔特政府，出任建设部长，主张把德国根据凡尔赛和约履行义务的政策作为欧洲复兴计划的一部分。1922 年 1 月 31 日改任外交部长，他与苏联订立拉帕洛条约(1922-04-16)，以重建两国的正常关系并加强经济联系。拉特瑙的外交胜利虽然受到许多德国人的赞扬，但也触怒了西方协约国与国内的极右派。他身为犹太人更遭极端民族主义者憎恨。他在上班途中被右翼狂热分子暗杀。拉特瑙的全集于 1918 年问世。

Rathke, Martin H(einrich)　拉特克(1793-08-25，普鲁士但泽[今波兰格但斯克]～ 1860-09-03，柯尼斯堡[今俄罗斯加里宁格勒])　德国解剖学家、胚胎学家。最先描述哺乳类和鸟类胚胎的鳃裂与鳃弓。1839 年第一个描述了发育成垂体前叶的胚胎结构（今称拉特克氏囊）。在家乡行医 10 年后，任多尔帕特大学生理学教授，后又任柯尼斯堡大学动物学和解剖学教授(1835)。他认为陆生动物胚胎鳃弓是祖先动物鳃的退化器官，但还认识到鳃弓的演变决定了后期鳃血管发育的途径。他还倡导研究海洋动物学。1855 年当选为皇家学会会员。

Ratibor (Poland)　**拉蒂博尔**　参阅**Racibórz 拉齐布日**。

Ratich, Wolfgang (educational reformer)　参阅 **Ratke, Wolfgang 拉特克**。

rating rule　等级规则(帆船赛)　用来区分各种不同设计的帆船级别的规则。目的是使它们能在较平等的基础上进行比赛。制定等级规则时要考虑船的长度、宽度、排水量、帆的面积以及其他影响航行速度的因素。根据 1906 年通过的国际规则，等级采用米制。到 20 年代后期，6 米、8 米和 12 米级的船被广泛使用。1958 年恢复美洲杯比赛时，用的是 12 米级帆船。但第二次世界大战以后其他等级已被废弃而代之以统一设计的小型而经济的各级帆船。

rationalism　唯理论　一种哲学观点。唯理论者主张理性是知识的主要源泉和检验标准。他们认为实在本身具有内在的逻辑结构，因而存在着理智可以直接把握的真理。唯理论者历来反对经验主义，因为经验主义者认为一切知识来源于感觉经验，并由经验检验。唯理论者则认为理性可以超越感觉范围，把握具有确定性和普遍性的真理；他们反对主张奥秘知识的各种体系，不管它是来自神秘的经验、启示，或是来自直觉。唯理论与各种非理性主义也是对立的。

唯理论的历史　*古代哲学中认识论的唯理论*　西方第一个强调理性的哲学家毕达哥拉斯把形而上学的唯理论归结为“一切都是数”。唯理论者巴门尼德认为世界是一个静态的整体，其变化与运动乃是幻觉，或甚至是自相矛盾。他的学生芝诺进一步从数字论证运动为不可能。柏拉图提出“理念”。他说的理念有时指一类事物的共同属性，有时指一种理想、一种本质；它们构成一个有秩序的体系，这体系既是永恒的、可理解的，又是善的。柏拉图的继承者亚里士多德对唯理论的主要贡献在于他的演绎逻辑学，这种逻辑学被认为是理性解释的主要工具。此后，在长达 1 800年的时间里，唯理论哲学未曾出现重要的东西。值得提到的只有 13 世纪的 T.阿奎那、印度哲人商羯罗（活动时期在 800 年左右）及中国的朱熹(1130 ～ 1200)。

现代哲学中认识论的唯理论　第一个现代唯理论者 R. 笛卡儿立志将数学的严密性与清晰性引入哲学。其著名的“我思故我在”达到了这一点。B.斯宾诺莎和 G.W.莱布尼茨继承了他的方法，都同意事物的结构可以通过先验的思维得到认识。他们不同于笛卡儿之处在于他们的出发点。斯宾诺莎从“实体”出发，导出了他的整个体系；他所说的实体不是他自己的存在，而是宇宙的存在。莱布尼茨区分了必然真理与偶然真理。对于经验之外的知识如何可能得到的问题，康德在《纯理性批判》中作了回答。他认为他的这一回答使哲学中产生了一次哥白尼革命。人们之所以确信逻辑与数学对所有经验都有效，只是因为它们的构架就存在于自己的心灵中；它们是从心灵深处发出的用以整理感觉材料的形式。至于人们赖以整理感觉的理性秩序是否表现了物自体的秩序则无法知道。因此，康德的唯理论就极为类似一种深奥的怀疑论。彻底的唯理论思想家 G.W.F.黑格尔试图突破这种怀疑论。他认为哲学家的信仰一定是：现实是合理的，合理的必然是现实的。唯一可以完全满足思想的是一种既包罗万象，又是各部分互相关联的一种体系。作为唯心论者，黑格尔还认为宇宙构成的一个整体就是一个单一的绝对精神。类似的唯理论代表还有英国的 F.H.布拉德利和 B.博赞基特，美国的 J.罗伊斯。

伦理学的唯理论　它认为行为的是非善恶最后应由理性来判断。这方面可以康德为代表。20 世纪最有影响的伦理学唯理论是英国的两位道德学家 H.拉什德尔和 G.E.穆尔所主张的理想功利主义。他们两人都是目的论者。

宗教的唯理论　就基督教的启示而言，在中世纪已有了宗教唯理论的传布。持怀疑主义的阿伯拉尔曾指出由教会司铎当作真理代代相传的许多信仰有许多矛盾，他并对这些信仰提出许多疑问。伟大的中世纪思想家 T.阿奎那虽认为许多非理性所能懂的教条只有信赖权威的解说予以接受，但他相信大部分启示的真理是理性所能理解和论证的。从这一点说，他可算是个唯理论者。宗教唯理论直到 16 ～ 17 世纪才盛行。此时，它主要采取科学的和哲学的两种形式。天文学先驱和现代力学奠基人伽利略认为，自然是始终受像数学那样精密的规律所支配的；他说：自然之书“是以数学形式写成的”。他的地球绕太阳运行说得到牛顿等人的证实，这是理性和启示真理之间的冲突中唯理论的一次决定性胜利，标志着唯理论历史上的一个转折点。笛卡儿的唯理论，与其说是科学探索的结论，不如说是哲学怀疑的结果。他将通过他的“自然之光”所看到的“我思”的自明性作为其他一切知识的理想，将“自然之光”提高到宗教方面的最高裁判地位，因而使教会为之感到不安。

宗教唯理论的四次高潮：①英国的自然神论。自然神论者承认上帝的存在，但摒弃超自然的启示。②法国的伏尔泰是第二次高潮的重要人物，而狄德罗是他的支持者。这次高潮探讨原罪问题，促使自然神论的衰败，最后与导致唯物主义无神论的潮流合流。③在黑格尔的影响下，第三次宗教唯理论高潮发生在德国。④达尔文的《物种起源》于 1859 年发表后，在维多利亚时代的英国掀起了宗教唯理论的第四次高潮。《物种起源》这部著作是对基督教《圣经》一次挑战。战斗进行了几十年，直到进化论为人们普遍接受后，这场战斗才告结束。

对认识论的唯理论的挑战　唯理论在

19世纪受到J.S.穆勒的经验主义的挑战。穆勒认为一切先验的必然之事都是虚幻的，先验命题仅仅是高度概括的经验陈述。在20世纪，对唯理论的最大挑战来自牛津经验主义者A.J.艾耶尔及逻辑实证主义者R.卡纳普。和穆勒不同，他们承认先验知识，但否认这种知识在哲学上的重要性。他们认为先验命题是语言的、约定的、分析的。现代唯理论者对逻辑实证主义的挑战作了下述回答：①实证主义者混淆了实在的定义与字面的定义。②实证主义者混淆了思维习惯与语言习惯。③有些先验命题是分析的，但有许多不是分析的。

rationing　配给制　政府一般在战时、饥荒或其他紧迫情况下，对稀缺资源和消费品进行有计划与限制性的分配政策。它有多种形式。①非正式配给制，在正式实行限制前劝告用户减少其消费量，或由供应者在分配稀少物品时采取单独的行动；②按用途配给制，禁止将商品用于较次要的用途；③定量配给制，限制物品的供应时间，或对用户限制商品的供应数量；④定值配给制，对不能标准化的商品，限定用户的购货金额，在限定价值范围内自行选购；⑤点配给制，对各种商品均规定其“点”值，并给各消费者分配以一定的“点”数。

Ratisbon（Germany）　**拉蒂斯邦**　参阅**Regensburg** 雷根斯堡。

Rätische Alpen（Europe）　参阅**Rhaetian Alps** 雷提亚山脉。

ratite　平胸鸟　胸骨扁平如筏的鸟类。没有用以扩大飞行肌肉固着面积的龙骨突起，因此不能飞行。包括一些古今最巨大的鸟类，如象鸟和恐鸟（**moa**）。现存的平胸鸟包括鸵鸟（**ostrich**）、鸸鹋（**emu**）、鹤鸵（**cassowary**）、美洲鸵鸟（**rhea**）和几维（**kiwi**）。

Ratke, Wolfgang　拉特克（1571-10-18，德国荷尔斯泰因维尔斯特～1635-04-27，萨克森爱尔福特）　Ratke又拼Ratich或Ratichius。德国教育改革家。特别在语言教学改革方面起先锋作用，其成就为夸美纽斯的工作奠定了基础。曾就学于汉堡，并在罗斯托克大学攻读神学。1600～1603年在维尔斯特学习语言，特别是希伯来语。以后8年在阿姆斯特丹任私人教师，开始发展新的教学方法；此教学方法主要以弗朗西斯·培根的从特殊到一般的归纳推理概念为根据。由于在荷兰未能赢得官方对自己思想的支持，遂返回德国。1612年在法兰克福帝国国会上，他极力主张高等教学用语要以本族语取代拉丁语。1614～1622年他先后试图在奥格斯堡、克滕和马格德堡建立他的教育学体系。但所有这些实验都失败了，想要对教育保持控制的天主教会的敌意是原因之一。他虽未能将他的思想付诸成功的实践，但他制定的一套重要改革原则却对教育做出了重大贡献；各种各样的继任人都成功地运用了所有这些原则。这些原则是：通过经验和试验去学习而不是死记硬背；从具体到抽象前进；掌握一个概念之后再学另一概念；学习要通过重复；熟练掌握本族语之后再试图学外国语。1633年拉特克突患中风，两年后去世。他的教学方法对夸美纽斯及后来的教育改革家影响很大。

Ratlām　勒德拉姆　又拼Rutlām。印度中部中央邦西部城镇。是主要铁路交会点。为农产品贸易中心和重要工业城镇。有棉纺织、丝织、制糖、榨油、手织机织布、制陶、制箱、制伞和制鼻烟壶等行业。曾为勒德拉姆土邦首府。古迹有大君宫殿和若干耆那教寺庙。设有维克拉姆大学两所学院和音乐学校等。周围地区位于马尔瓦高原，属默希河与昌巴尔河流域。种植棉花，其他农作物有小麦、玉米和甘蔗等。开采温迪亚砂岩。人口221 267（2001）。

Ratnāgiri　勒德纳吉里　印度西部马哈拉施特拉邦西南部城镇。位于阿拉伯海岸。曾为比贾布尔王朝首府。1818年归英国管辖。设有海洋生物研究站。为贡根沿海港口之一，是旅游胜地。东靠西高止山萨赫亚德里丘陵。丘陵地区降水量大，湍急的水流形成贫瘠高原之间的肥沃谷地。主要农作物为水稻和椰子。20世纪70年代发展起水果和腰果种植。沿海地区以渔业为主，特别是在勒德纳吉里镇。森林出产优质柚木。开采铁矿与铝土矿。铁经雷迪港出口。该区的非农业必需品需仰赖孟买。大批劳动力亦流往孟买。人口：城镇47 036（1981）。

Ratnapura　拉特纳普勒　斯里兰卡西南部城镇。位于科伦坡东南，傍格卢河。葡萄牙人在丘陵上建一碉堡俯瞰全城。拉特纳普勒是斯里兰卡宝石（红宝石、蓝宝石、猫眼等）主要产地。由穆斯林匠人加工。有宝石博物馆。也产石墨。城镇有铁路通科伦坡，有公路连接斯里兰卡其他地区。人口约40 000（1982）。

Ratnasambhava　宝生　大乘佛教所奉五位自生佛之　。参阅**Dhyāni-Buddha**。

Raton　拉顿　美国新墨西哥州东北部城市，科尔法克斯县县城（1897）。位于桑格雷-德克里斯托山拉顿山口南端。近科罗拉多州界，临旧圣菲小道。1871年始有人定居。牧牛人用作水源地。通铁路后于1880年建镇，1891年设市。后发展为煤和牲畜转运点。市东约48千米处有卡皮林山国家保护区和弗尔萨姆文化遗存（**Folsom complex**）的史前文物发掘地。人口7 282（2000）。

Ratramnus　拉特拉姆努斯（？～约868，西法兰克王国科尔比）　神学家、司铎、修士。850年应西法兰克国王查理二世的要求，着手撰写《论主的身体和肉》、《论得救预定》两书。他在第一部书中指出，圣餐礼的饼与酒经神职人员祝圣后虽仍保其外状不变，但已成为纪念基督身体和血的奥秘象征。其中含有只能为信者感受、并只能在信者身上发挥效用的能力；简言之，饼与酒象征基督的身体和血。1050年韦尔切利会议下令销毁此书，1059年拉特兰会议谴责此书，但两次会议都将此书误为爱尔兰哲学家、神学家埃里金纳所著。残存的抄本日后对新教神学家颇有影响。此书流传甚广，1559年被天主教会列为禁书，1900年解禁。《论得救预定》指出，人犯罪并非上帝预定，但人得救则是上帝预定。

rattan vine　阿拉巴马勾儿茶　鼠李科木本攀缘植物。参阅**supplejack**。

Rattazzi, Urbano　拉塔齐（1808-06-20，意大利王国亚历山德里亚～1873-06-05，意大利弗罗西诺内）　意大利皮埃蒙特律师和政治家。他在意大利共和国早期担任过许多重要的内阁职务，包括首相；他的模棱两可的政策使他与意大利英雄加里波第发生冲突并最终导致他下台。1848年当选为撒丁国会议员。此后10年担任过几个部长职务，并与卓越的首相加富尔关系密切。尽管激烈地反对教会干预政治和被认为缺少原则，他在加富尔死后出任首相。当时加里波第建议攻占被法国人占领的罗马，拉塔齐起初批准这次冒险行动，后来又改变主意并派军队去阻止加里波第，在随后的阿斯普罗蒙特山战役（1862）中加里波第负伤。舆论的谴责迫使拉塔齐辞职。1867年拉塔齐再次被要求担任首相，加里波第在他的默许下再次进军罗马，而他又再次改变主意并下令逮捕加里波第。在面对是选择逮捕加里波第的志愿军还是选择由他本人入侵罗马时，拉塔齐辞职了。

Ratti, Ambrogio Damiano Achille　（pope）　**拉提**　参阅**Pius XI** 庇护十一世。

Rattigan, Sir Terence（Mervyn）　拉蒂根（1911-06-10，伦敦～1977-11-30，百慕大哈密尔顿）　英国剧作家、佳构剧大师。曾在哈罗公学和牛津大学三一学院求学，早期两部闹剧《没有眼泪的法国人》（1936上演）和《当太阳照耀的时候》（1943上演）均获成功。剧本《温斯洛男孩》（1946上演）是一部根据真实故事写成的剧本，写皇家海军学院一年轻学员被诬告偷窃，获纽约评论家奖。《分开的餐桌》（1945上演）一剧可能是拉蒂根的最著名作品，写生硬地强加于人的社会习俗所导致的孤独与沮丧。《罗斯》（1960上演）是一部探讨T.E.劳伦斯（阿拉伯的）生平的作品。《留给国家的遗赠》（1970上演）回顾了纳尔逊勋爵生平的内心和个人的侧面。最后一部剧作是《著名的讼案》（1977上演）。拉蒂根的剧作受到某些批评家的冷遇，认为它们缺乏刺激和迎合要求不高的中产阶级的情趣。但他有几部剧本严肃地探讨了社会和心理主题，他的剧作始终表现出他坚实的写作技巧。1971年因对戏剧事业的贡献被封为爵士。拉蒂根还写有许多电影脚本，如《黄色的罗尔斯·罗伊斯汽车》（1965）和《再见吧！奇普斯先生》（1968）。

rattle　哗啷器　打击乐器。把共鸣声良好的物体连成一串，放在一个滑动的框子里或封闭在一个容器内，当摇晃时，这些物体相互碰击发音。在许多社会里，哗啷器是与神奇的力量以及宗教仪式相联系的。吊着的哗啷器（贝壳、骨片、蹄骨或类似的东西穿成一串系在跳舞的人身上）是最早的一种乐器，同葫芦和哗啷管一起，出现在史前期。哗啷葫芦主要是仪式乐器。在不产葫芦的地方，以篮篓、木头、陶土等材料制作类似的乐器。用于拉丁美洲民间舞蹈乐队中的哗啷葫芦叫卡巴萨，另一种叫马拉卡斯，是中南美民间乐器。球形铃是在中空容器内装一个能哐啷作响的物件，金属铃铛便是它的一个家喻户晓的变体。

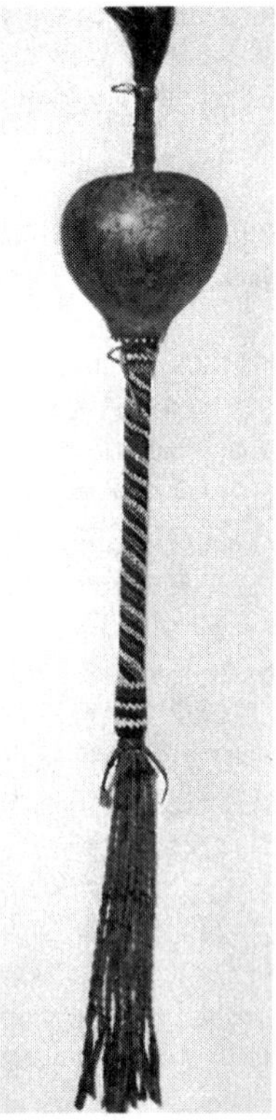

19 世纪夏延人制作的葫芦哗啷器

供图：U.S. Department of the Interior, Indian Arts and Crafts Board, Southern Plains Indian Museum and Crafts Center

rattlesnake　响尾蛇　蝰蛇科响尾蛇亚科（Crotalinae），约 30 种产于新大陆的有毒蛇统称。其特征为尾部具响环，摆动时发出声响。响尾蛇为颊窝蝰蛇。两眼与鼻孔之间各有一具热感受能力的小窝，有助于捕捉猎物。响环由疏松连接的若干角质环片组成，估计是一种警告器，响环每次蜕皮便增加一节，成体一般有 6 ～ 10 节。响尾蛇有 2 属：侏响尾蛇属（*Sistrurus*），包括北美侏响尾蛇（米西索加响尾蛇）及倭响尾蛇（*S. miliarius*），体小，头顶上有 9 块大鳞片；响尾蛇属（*Crotalus*）的体型大小不一，因种而异，但头顶上的鳞片多较小。北美洲最常见的是美国东部和中部地区的木纹响尾蛇（带状斑纹响尾蛇，*C. horridus*）、美国西部几个州的北新大陆草原响尾蛇（绿响尾蛇，*C. viridis*），以及东部菱形背纹响尾蛇（*C. adamanteus*）和西部菱形背纹响尾蛇（*C. atrox*）（两者为响尾蛇中体型最大的种类）。

响尾蛇分布在加拿大至南美洲一带，通常在干旱地区，体长差别较大，如墨西哥几个较小的种只有约 30 厘米，而东部菱形背纹响尾蛇可达 2.5 米。少数种有横条纹，但多数种为灰色或淡褐色，带有深色钻石形、六角形斑纹或斑点；有些种类为深浅不同的橘黄色、粉红色、红色或绿色。鉴定种类有时不易。多数种类的响尾蛇捕食小型动物，主要是啮齿类动物；小型响尾蛇或年幼的响尾蛇主要以蜥蜴为食。响尾蛇所有种类皆为卵胎生，通常一窝生十几条。与其他蛇类一样，响尾蛇既不耐热又不耐寒，所以炎热地区的种类昼伏夜出，白天躲在各种隐蔽处，冬天群集在岩缝中休眠。响尾蛇皆为毒蛇，对人有危险。随着对蛇咬伤的治疗不断改进以及一些民间疗法的抛弃（许多民间方法给被蛇咬伤者带来更大的危险），响尾蛇咬伤已不再像以前那样威胁人类的生命。尽管如此，被响尾蛇咬伤仍是一件严重和痛苦的事。毒性最大的是墨西哥西海岸响尾蛇（王冠响尾蛇，*C. basiliscus*）和热带（或南美洲）响尾蛇（*C. durissus*）；两者的毒液对神经系统的毒害更甚于其他种类。美国毒性最大的是菱形背纹响尾蛇。

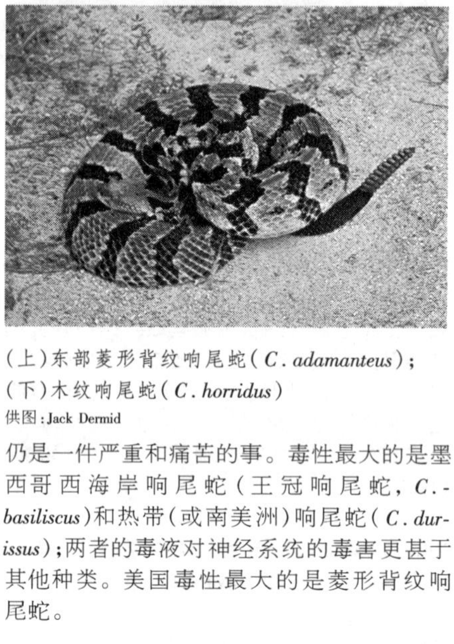

（上）东部菱形背纹响尾蛇（*C. adamanteus*）；（下）木纹响尾蛇（*C. horridus*）

供图：Jack Dermid

Ratzel, Friedrich　拉采尔（1844-08-30，巴登卡尔斯鲁厄～1904-08-09，德国阿默兰）　德国地理学家和人种史学家，对这两门学科在现代的发展有重大影响。他首次提出"生存空间"的概念，认为人种与其生成的空间环境有关。虽然他指出，一个国家总要根据其适当的能力扩大或缩小其范围，但后来德国纳粹政权对"生存空间"论的滥用，主要导源于瑞典政治学家 R.克吉伦对拉采尔学说的解释。拉采尔早年攻读动物学。1869 年发表评论达尔文的文章。1874 ～ 1875 年作为《科隆日报》记者周游北美和中美给他留下深刻印象，并为他的许多主张提供了一个坚实的基础。后半生在慕尼黑工业大学（1875 ～ 1886）和莱比锡大学（1886 ～ 1904）任教。主要研究人类迁徙、文化影响，以及人类与其自然环境诸多因素之间的关系。他虽受达尔文进化论和德国动物学家海克尔的影响，但对他们观点中的机械论却持批判态度。晚年主要研究哲学。主要人种史著作有《人类史》（3 卷，1885 ～ 1888）。在《人文地理学》（第 1 卷，1882、第 2 卷，1891）中论述人口分布与移民和环境的关系，以及环境对个人和社会的影响。拉采尔的其他著作有《地球与生命：比较地理学》（1901 ～1902）、《政治地理学》（1897）和一篇美国政治地理研究论文（1893）等。其论文《生存空间论》（1901）是生物地理学的研究成果，但常常被认为是地缘政治学的发端。

供图：Archiv fur Kunst und Geschichte, Berlin

Ratzenhofer, Gustav　拉岑霍费尔（1842-07-04，维也纳～1904-10-08，去欧洲途中海上）　奥地利军人、军事法理学家、社会学家、社会进化论者。他以为社会是一个互相冲突的种族集团的世界，同时，社会学可以引导人类的各类人种进入各种高级形式的联合。曾在中学短期肄业，1859 年参加奥地利军队，从一名军官候补生扶摇直上，到 1898 年升任陆军元帅兼维也纳最高军事法庭庭长，迄于 1901 年。任此职时，对社会科学发生兴趣。在其平步青云的军旅生涯之后，著有有关哲学、社会学及政治学等方面的 6 种论著。其政治学及社会学主要阐述人类互相结合的类型的发展问题。他把社会现象归纳为化学的、物理学的和生物学的关系，发现人类的基本动力存在于其生物学的本性之中，而把达尔文的"适者生存"的学说用于社会学研究，认为，每一个人都将按照这种基本动力及类似的基本兴趣而行动，这样便在人类相互影响的过程中，确立一种"绝对敌性"的状态。他对人类结合类型的进化怀有特殊兴趣，这使他感到，大型集体的不断进化过程，是由不太复杂的社会单位在冲突中形成的。他选择不同的种族集团作为分析的单位，从而相信那种"绝对敌性"中的冲突，是人类相

供图：Bild-Archiv, Osterreichische National-bibliothek, Vienna

互影响关系中最根本的东西。拉岑霍费尔著有《政治的性质及目的》(3 卷,1893)、《社会学知识:社会生活的实证哲学》(1898)、《实证一元论及一切现象的一致原则》(1899)、《实证伦理学:道德责任之实现》(1901)、《智力之批判》(1902)及《社会学:人类相互关系之实证理论》(1907)。

Rau, Sir Benegal Narsing　拉奥(1887-02-26,印度迈索尔卡卡拉或门格洛尔[今卡纳塔克]～1953-11-29,瑞士苏黎世)　杰出的印度法学家,帮助起草了缅甸宪法(1947)和印度宪法(1950)。作为印度在联合国安理会中的代表(1950～1952),在安理会建议给南朝鲜以武装援助时(1950-06),他正担任该会主席。后来他是朝鲜战争停战委员会的委员。拉奥毕业于马德拉斯大学和剑桥大学,1910 年进入印度文官界。在修订了印度全部成文法法典(1935～1937)后,他被任命为位于加尔各答的孟加拉高等法院法官(1939)。他的关于印度法律的著作包括一部著名的对宪法案例的研究报告和一些关于印度人权的论文。他曾短期(1944～1945)担任查谟和克什米尔邦首席部长。从 1952 年 2 月至去世,他是海牙国际常设法院的法官。在被选入该法院之前,他被认为是联合国秘书长候选人之一。

Raub　劳勿　西马来西亚(马来亚)中部城市。在中央山脉东麓。19 世纪 80 年代创建时为开采金矿的居民点。1889 年澳大利亚金矿公司开始在此采金。主要金矿于 1962 年关闭。但小规模采金仍在继续。现居民主要种植水稻和蔬菜。住宅区集中在附近山坡上。仍保留有内地城镇少见的殖民地时代的建筑。人口约 20 940(1991)。

Rauma　劳马　芬兰西南部图尔库波里省城市。濒临波的尼亚湾。位于图尔库西北偏北。1442 年首见于官方记载。至 19 世纪末叶,已建有全国最大的帆船队,载运木材出口。旧市政厅建于 1776 年,现改为博物馆,展览中世纪以来素负盛名的劳马花边。现为主要港口,仍出口大量木材和木制品。建有全国最大的干船坞之一。劳马有铁路通往波里和坦佩雷。人口:城市区约37 418 (1999)。

Rauschenberg, Robert　劳申伯格(1925-10-22,美国得克萨斯阿瑟港～2008-05-20,佛罗里达凯普蒂瓦)　原名米尔顿・劳申伯格。美国画家和版画艺术家。早期作品开波普艺术运动的先河。第二次世界大战期间在美国海军服役时参观了一家艺术博物馆后,开始对艺术略有所知。1946～1947 年在堪萨斯市立艺术学院学习绘画,并改名罗伯特,因为这叫起来更有艺术味,其间还在欧洲短期学习。1948～1950 年到北卡罗来纳州黑山学院在包豪斯大师 J. 艾伯斯的指导下学习,并参加了纽约艺术学生联合会。他在 50 年代初期最早的画作是一系列垫衬皱褶报纸的全白或全黑的画面。在其后的作品中,开始探索以可口可乐瓶子、路障和鸟类标本等物体制作所谓"混合画"的可能性。1955 年他参加了默斯・坎宁安舞蹈团,起初担任服装和布景设计师,后来成为技术指导。他还和作曲家 J. 凯奇合作,创作了几个戏剧作品。50 年代

劳申伯格的混合画《编组图案》(1959)
斯德哥尔摩现代博物馆供图

后期起,他尝试使用报章杂志上的照片作画。他设计了一种方法,用溶剂把影像直接移置到画布上。1962 年左右,他借用 A. 沃霍尔的丝网模版技术,把照片上的影像印在大幅画布上,加深图像,并以类似抽象表现主义的笔触大勾大抹,把这些影像在结构上统一起来。这些作品取材于美国近代史和大众文化,以其精妙的构图和其中所画物体的空间关系而著称。在这个时期,他的绘画比早期的混合物更具纯版画因素(如《脚踏车》[1963])。但到 70 年代,他转而在丝绸、棉织品和稀松棉布上,乃至在布、纸和竹的立体结构上以东方技法印制版画。从 70～90 年代,他专心致力于石版术和其他制版技术。他继续通过商业印刷媒介取材进行创作,但开始更多地依靠自己的摄影技术。他的有些作品明显受到中国、日本和墨西哥等国家的艺术家影响。

Rauschenbusch, Walter　劳兴布施(1861-10-04,美国纽约罗切斯特～1918-07-25,罗切斯特)　基督教社会福音派领导人、神学教授。1886 年 6 月在纽约市第二德裔浸礼会受按立为牧师,亲眼见附近贫民的疾苦,又听取经济学家亨利・乔治为竞选市长而提出的社会福利纲领。浸礼会青年布道员威廉斯和施米特两人对他影响更大,三人共同组成耶稣会,扩充后改名为天国兄弟会。该会所办月刊《争取权利》于 1889 年 11 月创刊,以促进基督教社会主义纲领的制订。1891 年劳兴布施赴德国学习一年并访问英国,该刊遂停刊。他在英国研究费边社会主义。1897 年任罗切斯特神学院教师。1902 年任该院教会史教授。1907 年出版《基督教与社会危机》一书,从此被公认为美国社会福音派的主要代言人。

Rauwolfia　萝夫木属　又拼 Rauvolfia。夹竹桃科的一属。约 85 种,灌木或乔木,原产于世界热带地区。花小,通常白色或绿白色。许多种的根含蛇根碱(利血平),最先发现于印度种蛇根木(*R. serpentina*),用于治疗高血

萝夫木属植物(*Rauwolfia caffra*)
供图:L. J. Watcham

压和作为安定药。萝夫木属的有些种可作为观赏植物。

Ravaisson-Mollien, Jean-Gaspard-Félix Lacher　拉韦松-莫利安(1813-10-23,法国那慕尔～1900-05-18,巴黎)　法国哲学家。他的著作对19世纪的天主教世界有广泛影响。

供图:Cliche Musees Nationaux, Paris

曾被任命为几个公共图书馆的总监(1839～1846;1846～1853),随后又担任高等教育总监直到 1880 年。主要哲学著作有:《论亚里士多德的形而上学》(2 卷,1837～1846)、《论风习》(1839)、《19 世纪的法国哲学》(1868)。

Rāvaṇa　罗波那　印度教神话中的十首魔王。他诱劫罗摩之妻悉多,最后为罗摩所败,这是叙事诗《罗摩衍那》所载的主要事件。罗波那统治楞伽国(据说即今斯里兰卡),放逐

1720 年左右的《罗摩衍那》故事绘画中的十首罗波那
俄亥俄州克利夫兰艺术博物馆供图

兄弟俱毗罗。印度北部地区民间每年举行游行，其高潮是表演罗波那失败故事并焚烧巨大的罗波那像。据说罗波那有十头二十臂，拉贾斯坦一带所出《罗摩衍那》故事画绘有罗波那挟悉多飞走、罗波那与罗摩交战、罗波那与众谋臣开会等回目。常见的雕塑作品显示罗波那摇撼吉罗娑山，湿婆用脚趾稳住此山，把罗波那镇在山下一千年。

Ravel, (Joseph-) Maurice　拉威尔（1875-03-07，法国西布雷～1937-12-28，巴黎）　瑞士巴斯克裔法国作曲家，以其所作《博莱罗》（1928）、《为一位逝去的公主而作的帕凡舞

供图：French Embassy, Press and Information Division, New York

曲》（1899）、《西班牙狂想曲》（1907）、芭蕾舞剧《达佛尼斯与克洛埃》（1912年首演）和歌剧《儿童与魔法》（1925）中的音乐技艺和完美的形式与风格著称。出身艺术家庭，父为瑞士人，母为巴斯克人。童年即表现出明显的音乐才华，其父对此鼓励有加。1889～1905年就读于巴黎音乐学院，学习期间创作了几首他最著名的作品，包括《为一位逝去的公主而作的帕凡舞曲》、钢琴《小奏鸣曲》和《弦乐四重奏》。所有这些作品，尤其是后两首，展示出拉威尔的整个创作所特有的令人惊讶的完美风格和技巧。他的早期作品几乎和成熟期的作品同样成熟，这在作曲家中并不多见。在音乐学院3次竞争人人向往的罗马大奖，都因评委中几位极端保守的成员认为其作品"过激"而落选，引起一场轩然大波。包括罗曼·罗兰在内的一些有自由主义思想的音乐家和作家都支持拉威尔，结果音乐学院院长杜布瓦不得不引咎辞职，由拉威尔的作曲老师、作曲家福莱接任。

拉威尔其实并非革新音乐家；他在很大程度上满足于运用当时约定俗成的曲式与和声手法，仍然是植根于调性概念的。但是他运用和处理传统音乐语汇的手法非常富有个性和特点，因此完全有理由说他营造了自己独特的语言。他以一系列杰作丰富了钢琴音乐文献，从早期的《水之游戏》（1901年完成）和1905年的《镜》到《夜之幽灵》（1908）、《库伯兰之墓》（1917）及两首钢琴协奏曲（1931）。纯管弦乐作品以《西班牙狂想曲》和《博莱罗》最为知名，表现出他的无懈可击的高超配器技艺。但是他的创作生涯中的高潮是其与俄罗斯演出经理佳吉列夫和法国作家科莱特的合作，为前者的俄罗斯芭蕾舞剧团写了杰作《达佛尼斯与克洛埃》，而后者则是他的最著名歌剧《儿童与魔法》的台本作者。他在歌剧方面所作的唯一的另一次努力是卓越的讽刺剧《西班牙时刻》（1911年首演）。作为歌曲作家，拉威尔以富于想象力的《自然界的历史》、《马拉梅诗三首》和《马达加斯加歌曲》而为世人瞩目。

拉威尔的一生基本上顺顺当当，始终未婚，虽乐于与少数几个挚友交往，但他主要过着半归隐的生活。1928年开始其为期4个月的加拿大和美国之行，同年又赴英国接受牛津大学荣誉音乐博士学位。生命的最后5年患失语症，不但从此未能再写一个音符，而且丧失语言能力，甚至连签名都不行。他的真正的悲剧也许在于：这时他仍保留着像以前一样活跃的音乐想象力。旨在缓解脑血管血栓的手术没有成功。斯特拉文斯基和其他一些知名音乐家与作曲家参加了他的葬礼。对拉威尔而言，音乐是一种宗教仪式，有它自己的规律，应该与外部世界隔绝开来，未经许可的入侵者休想人内。当与拉威尔同时代的俄国作曲家斯特拉文斯基将他比之为"最完美的瑞士钟表匠"时，事实上他可能是在赞扬他本人也非常重视的那种错综复杂而又精密准确的特点。

raven　渡鸦　鸦科（Corvidae）鸦属（*Corvus*）数种喙厚、羽衣黑色的鸟类的统称。体型较乌鸦为大。普通渡鸦（*C. corax*）是最大的雀形目鸟类：体长可达66厘米，翅展可达1.3米（某些喜鹊和琴鸟的长度可超过普通渡鸦，但身体较小）。虽然渡鸦外形似乌鸦，但喙要厚得多，羽衣更为蓬松，尤其喉部的羽毛。渡鸦的羽毛有光泽，具蓝色或紫色虹彩。白颈渡鸦（*C. cryptoleucus*）产于北美西部，颈羽

普通渡鸦（*Corvus corax*）
供图：E. Breeze-Jones—Bruce Coleman Ltd.

的基部白色。其余的渡鸦产于非洲、南亚及北美，有些种具白色或褐色斑点。从前渡鸦大量分布于北半球，现仅分布于更荒凉、不受干扰的区域。是最耐寒的鸟类之一，栖于北方冻原和针叶林，以及贫瘠的山地和荒漠。视力敏锐，谨慎。E.A.坡的诗《渡鸦》使渡鸦名垂千古，在此以前很久，普通渡鸦差不多在世界各地均被视为凶兆——死亡、瘟疫和疾病的象征，但其聪明和无畏的习性亦使它赢得一定程度的尊敬，一些民族的神话中渡鸦起着出色的报信者的作用，就是证明。渡鸦与其他鸦科鸟一样，嘈杂、行动积极、杂食性，以啮齿动物、昆虫、谷粒、鸟卵等为食。特别在冬季，渡鸦为食腐动物，食腐肉、死鱼和垃圾。渡鸦能发出多种多样的鸣声，包括喉部发出的呱呱声、格格声以及尖锐的金属样的tok声。普通渡鸦通常独栖，但可聚成小群而觅食。渡鸦的求偶飞行十分壮观，包括高飞翱翔和各种复杂的空中动作。巢用粗糙的枯枝筑成，衬以毛发或撕碎的树皮，外观粗糙，体积大，直径可达1.5米，可筑于悬崖或大树顶上。雏鸟在巢内停留约一个月。若未离巢的雏鸟被捕捉饲养，渡鸦可成为有趣的宠物，能学会模仿少数单词。据记录，有一只笼养的渡鸦活了69年。

Raven, Simon (Arthur Noël)　雷文（1927-12-28，英国莱斯特郡莱斯特～2001-05-12，伦敦）　英国小说家、剧作家和新闻记者。最重要并因此而知名的作品是系列小说《为了忘却的施舍》，包括《富人报应迟》（1964）、《地位低下的朋友》（1965）、《提出实质》（1974）、《幸存者》（1976）、《皮卡第的玫瑰》（1980）和《少量财产》（1980）等12部。描绘了20世纪中叶英国社会的上层阶级。他根据20世纪小说家A.赫胥黎的作品《针锋相对》和19世纪英国小说家A.特罗洛普的作品《我们现在的生活方式》（1875）和《帕利瑟一家》改编的电视剧，以及根据F.唐纳森的《爱德华八世》改编的《爱德华与辛普森夫人》分别于1968、1969、1974和1978年上映，也拥有广大观众。雷文曾就读于萨里的查特豪斯公学和剑桥大学国王学院。其他作品有长篇论文《英国绅士》（1961）和自传《草地上的影子》（1982）。

Raven cycle　雷文故事　一组关于骗子、善变者的口头传说，主要流行于阿拉斯加至不列颠哥伦比亚之间的西北太平洋海岸的印第安人当中。这些传说将雷文描写成一个神话人物，一个时而聪明、时而愚蠢的鸟人，贪婪、好色，导致许多暴力和色情事件。故事开始讲一个男孩的诞生和他早期的经历，包括勾引其姑母（有时代之以天主之女）以及他逃往天空以避随后发生的洪水；其子雷文降生在尘世，为一酋长收养，成年后把大地从一块黑暗、贫瘠和凶猛怪物出没之地变成动物和人类栖息的布满江河、湖泊和山脉的世界。他后来巡游各地，将它们的自然环境的外观变成现在的样子，经常是通过欺骗手法做到的。其后产生的许多故事包括雷文变为女人去捉弄一个男子；将灼热的石块放进一怪物喉中，把它杀死；以及他扮演的"笨拙的主人"角色。在其他地理区域，水貂、冠蓝鸦或狐狸取代雷文成为类似传说的主角。

Ravenna　拉韦纳　意大利东北部艾米利亚-罗马涅行政区拉韦纳省省会。位于龙科河与蒙托内河交汇处附近的低地平原上，距亚得里亚海10千米，有运河与之相通。拉韦纳为历史重镇，5世纪时是西罗马帝国都城，后（6～8世纪）为东哥特王国和拜占廷意大利都城。

古代拉韦纳距亚得里亚海比现在近，它位于淤积的潟湖上。当地最早的居民可能是公元前1400年从阿奎莱亚南迁的意大利人。传说最初为埃特鲁斯坎人，后为高卢人。公

元前 191 年被罗马人控制。由于该地是意大利东北沿岸少数良港之一,所以成为重地。古罗马皇帝奥古斯都在距该城约 5 千米处修建克拉西斯港,至公元前 1 世纪成为亚得里亚海罗马舰队的基地。

拉韦纳的狄奥多里克陵墓,约 520 年
供图:SCALA—Art Resource, New York City

402 年蛮族入侵的危险使西罗马皇帝霍诺留被迫将宫廷从罗马迁至拉韦纳。此后直至 476 年西罗马帝国灭亡一直为其都城。因此该地建有许多宏伟的纪念碑,为之增辉。438 年升格为总主教教区。476 年西罗马帝国灭亡后成为意大利第一位蛮族统治者奥多亚塞(476 ～ 493 在位)的都城。493 年奥多亚塞又将该城让给东哥特国王狄奥多里克(493 ～526 在位),狄奥多里克遂将该城定为东哥特王国的都城。但在 540 年被伟大的拜占廷将军贝利萨留占据,此后成为帝国的总督管区。

作为拉韦纳总督辖区的都城,该城是拜占廷在意大利统治的行政中心。7 世纪初所辖范围包括从拉韦纳以北至罗马以南的一条斜长地带、亚平宁半岛最南端和沿海的几块飞地。726 年后,由于叛乱和入侵,总督管区解体。约在 751 年拉韦纳落入伦巴底人之手,754 年又被矮子丕平三世统治下的法兰克人占领。757 年,丕平三世将拉韦纳交给教皇,但当地的大主教们仍保持着近乎君王的权力。

12 世纪中叶拉韦纳部分地区在短暂地争取独立之后,于 14 世纪和 15 世纪初由罗马涅地区的贵族波伦塔家族统治。1441 年威尼斯开始直接统治拉韦纳,但 1509 年,该地又归属于教皇国。在拉韦纳战争中,1512 年该城被法国人占领,但很快又被夺回。此后除了几次小的中断以外,一直由教皇统治。1859 年,拉韦纳宣布与萨丁尼亚王国合并。1861 年成为意大利王国。

今日拉韦纳既是农业又是工业城市。主要工业有石油和天然气精炼、化肥、合成橡胶和油籽加工。

拉韦纳的古罗马建筑和克拉西斯的港口都没有留下任何遗迹,但拉韦纳却以其 5 ～ 8 世纪基督教古迹的质量和数量而闻名。拉韦纳曾为西罗马帝国都城达 250 年之久,而且曾为东部(拜占廷)帝国进入的主要港口,其艺术和建筑反映出罗马建筑形式与拜占廷镶嵌画及其他装饰的融合。

拉韦纳现存的最早遗迹之一是加拉·普拉西狄亚陵墓,由霍诺留皇帝的妹妹加拉·普拉西狄亚建于 5 世纪。其建筑技术是西方的,但其拉丁式十字交叉布局,筒形穹窿和中央圆顶都是典型的东方形式。陵墓内整个上部表面均以蓝色为底并覆有镶嵌画。

在亚利安东哥特国王狄奥多里克(526 年卒)统治时期所建的纪念物中,给人印象最深的是他的陵墓。这是一座两层建筑,顶部覆盖一块直径为 11 米的单块石灰石圆顶。圣阿波利纳尔新教堂也是狄奥多里克所建,原为一亚利安大教堂,570 年改成天主教教堂。该教堂有富丽堂皇的镶嵌画,描绘基督布道、奇迹、受难和复活的情景,是现存这类图画中最古老的,具有很大的学术价值。该教堂还有做工精细的描绘男女圣徒举行仪式的镶嵌画。

圣维塔尔教堂是拉韦纳拜占廷艺术的杰作,于查士丁尼皇帝统治时期建成。该教堂在东哥特王后阿玛拉珊萨(535 年卒)时期由埃克尔西乌斯主教兴建,于 547 年举行奉献仪式。这座八角形建筑用大理石建造,上为一红褐色圆顶,是西欧拜占廷建筑和装饰的最佳典范之一。教堂内祭坛上著名的镶嵌画受君士坦丁堡同类作品的很大影响,描绘的是《旧约》和《新约》中的人物,以及当时拜占廷的统治者和天主教的传教士。

拉韦纳现存的其他遗址有以下几处:①克拉塞的圣阿波利纳尔教堂,535 年开工,549 年举行奉献仪式。它有一独特的圆形钟楼(870 ～ 878),是意大利用马约利卡陶瓷作装饰的最早范例。教堂的中殿有漂亮的柱头,东面的半圆形后堂有做工精细的镶嵌画,描绘的是基督变容。②圣方济各教堂有一小型附属建筑,内有意大利诗人但丁的墓地。③传福音者圣约翰教堂在第二次世界大战中几乎全部被毁,现已大部修复。④拉韦纳最老的教堂主教教堂原建于 370 ～ 390 年,但在 1733 年被毁,后立即重建。主教教堂旁边有一个八角形的浸礼堂,内有 5 世纪精细的拜占廷镶嵌画。

拉韦纳的国立文物博物馆设在圣维塔尔教堂的回廊内,有古典的和基督教初期文物的重要收藏,包括碑铭、画像、陶器、牙雕和其他雕刻,以及雕刻精美的石棺。富奥利港的圣马利亚教堂建于 1069 年后,在第二次世界大战中被毁,此前它是拉韦纳仅存的欧洲中世纪后期的重要建筑。当地还有从威尼斯统治时代起的一些宫殿和一座名为罗卡布兰卡莱奥内的要塞。人口 134 631(2001)。

Ravensbrück 拉文斯布吕克 德国纳粹女集中营,位于柏林以北 80 千米的旅游胜地菲尔斯滕堡附近的沼泽地中央,靠拉文斯布吕克村。1938 年建立,原设计关押 6 000 人,第二次世界大战结束时已超过 3.6 万人。约有 5 万妇女因劳动过度、生活环境恶劣死于该营。有些犯人被用于医学试验,如 1942 ～ 1943 年间选择若干犯人使罹毒气坏疽或细菌性炎症,然后进行一系列"治疗",结果不是死亡便是残废。1944 年,还利用犯人进行骨移植及截肢试验。该集中营的屠杀方法不断变化。最初是从背后枪决,后将女犯送往 T4 计划屠杀中心或奥斯维辛杀害。也有一些女犯被注射毒素而死。1945 年 1 月底或 2 月初,有大约 2 200 名妇女死于菲尔斯腾堡的毒气室。1945 年 4 月初,该集中营开始撤离,24 500名囚犯开始了死亡之旅。盟军攻入时,德国囚犯被释放,500 名妇女被转移给红十字会。苏联军队在 4 月 29 ～ 30 日解放了该集中营,当时,仍有 3 500 名女囚幸存。

Ravensburg 拉芬斯堡 德国西南部巴登-符腾堡州城市。濒临舒森河,在康斯坦茨湖(博登湖)的北面。12 世纪建立并设建制。1276 ～ 1802 年为神圣罗马帝国的自由市。14 ～ 15 世纪有一个兴旺的贸易公司。现保存有古要塞及其梅尔萨克城楼(1350)、中世纪建的市政厅和圣约多克教堂等古迹。生产玩具和机械。图书出版业很重要。人口约 48 476(2003)。

Ravenscroft, George 雷文斯克罗夫特 (1618 ～ 1681) 英国玻璃制造商、燧石玻璃的发明者。这种玻璃质量沉重,在塑性状态下吹成器皿,具有鲜明的色泽和浓郁的阴影。

雷文斯克罗夫特制作的玻璃器皿——圆筒形有柄大杯,约 1674 ～ 1680 年
伦敦维多利亚和艾伯特博物馆供图

他受玻璃销售商公会的委托,进行使用本国原料制造玻璃的实验,因为会员们不满意已有玻璃器皿的质量,希望英国不依赖外来的玻璃原料和制成品。1674 年,他获得一项酷似水晶的优质玻璃的专利权,原料配方包括他称之为"结晶燧石"的透明黑色燧石(一种坚硬石英类矿物)。以后他发觉这种产品在制成后几个月内易于失去透明度,就在配料中加进铅(通常用铅丹),生产出更重、更细致、颜色更深、折射率更大的玻璃,这种玻璃制成的空心器皿用拇指和食指一弹,就会产生共鸣。他在新法制造的器皿上,盖上刻有他家族盾形纹章的鸦头小玻璃印章作为标志。这种新的坚固耐久的玻璃的销路,逐渐超过了易碎的威尼斯玻璃。制造这种玻璃的新技术,代替了生产威尼斯玻璃的老方法。他在 7 年专利权期满后数天就逝世了。其他玻璃制造商立即开始制造燧石玻璃。

Ravenscroft, Thomas 雷文斯克罗夫特(约 1583, 英国萨塞克斯? ～约 1633, 伦敦?) 作曲家。以他的社会歌曲及诗篇配乐集闻名。1607 年获剑桥大学音乐学士学位。1618 ～ 1622 年任基督慈善学校音乐总监。其《诗篇全集》(1621)包括100多首有韵律的诗篇曲调,颇受欢迎。他亲自为其中半数的旋律配置和声,有些版本至今仍在采用。流行音乐的历史学者对他的世俗音乐作品甚感兴趣。《帕麦丽亚》(1609)一书包括了100首追唱曲和轮唱曲,在同类歌曲集中它是最早出版的选集。《独伊特罗美丽亚》(1609)有31首歌曲,其中包括脍炙人口的《三只瞎老鼠》。理论著作《扼要谈论集》(1614)中附有更多的特性小曲。他的宗旨是取悦于世俗的中产阶级听众,他们与那些欣赏牧歌或埃尔曲的有教养的上层人士大相径庭。

Rāvi River　拉维河　印度西北部和巴基斯坦东北部河流。发源于印度喜马偕尔邦喜马拉雅山脉,向西北偏西流经昌巴于查谟和克什米尔分界处转向西南,沿两国边界流80余千米进入巴基斯坦旁遮普省,流经拉合尔于格马利亚附近转向西流,在艾哈迈德布尔锡亚尔之南注入杰纳布河,全长约725千米。河水灌溉沿岸大片土地。上巴里河间地运河完工于1878～1879年,灌溉拉维河以东大片土地。印巴两国在1960年达成协议,解决了两国多年来因河水发生的争端。下巴里河间地运河于1917年完工,全部在巴基斯坦境内。

Rāwalpindi　拉瓦尔品第　巴基斯坦北部旁遮普省城市,1959～1969年为巴基斯坦首都。位于博德瓦尔高原,在现国家首都伊斯兰堡西南14千米处。拉瓦尔品第(意为拉瓦

拉瓦尔品第市的商业街区

供图:Art Resource—美国不列颠百科全书公司

尔人的村庄)建在古代信奉瑜伽的拉瓦尔部族村落的遗址上。据鉴定,遗址上的若干废墟是加吉普尔或加杰尼普尔古城留下的,该城在公元前是巴特蒂部落的首都。14世纪蒙古人入侵时,拉瓦尔品第遭到毁坏,加哈尔首领真达·汗重建此城,为之命名并延用至今。1765年,锡克教信徒和冒险家米尔卡·辛格占领此城,并邀请人们从杰赫勒姆和沙赫布尔地区来此定居,拉瓦尔品第的地位迅速提高。1849年被英国吞并。通往列城的水道将拉瓦尔品第与市内的永久军事基地分开,而通往穆里的公路线上,一座卫星城拔地而起。拉瓦尔品第是重要的行政、商业和工业中心,建有铁路机车厂、煤气厂、炼油厂、锯木厂、铸造厂、酿造厂及轧棉、针织和纺织厂,还生产鞋类、革制品、陶器、新闻纸和帐篷等。每年4月举办马市。1867年,拉瓦尔品第被合并为市,市内有阿尤布国家公园、利亚卡特花园、综合技术学校、警察训练学校、军事医学院以及旁遮普大学的几所学院。此处还是巴基斯坦陆军司令部所在地。拉瓦尔品第为通往克什米尔的通道的起点,与白沙瓦、拉合尔有干线公路、铁路和航空线相连,与卡拉奇通火车和飞机。城市周围地区主要生产小麦、大麦、玉米和粟等农作物。附近库朗河上的拉瓦尔水坝于1961～1962年建成,为拉瓦尔品第和伊斯兰堡提供水源。在古代,此地是犍陀罗的一部分,曾并入波斯帝国的阿开民王朝。拉瓦尔品第市西北沙德里附近的废墟,已证实为古城塔克西拉。市南曼基亚尔为公元前3世纪的佛塔遗址。人口1 406 214(1998)。

Rawdon-Hastings, Francis　罗顿-黑斯廷斯　参阅 **Hastings, Francis Rawdon - Hastings, 1st Marquess of 黑斯廷斯侯爵(第一)**。

rāwī　歌人　阿拉伯文学中的职业诗歌朗诵者。歌人以说唱传统形式保存了伊斯兰以前时期的诗歌,直至8世纪这些诗歌被记录下来为止。一个乃至数个歌人追随某一诗人,记诵他的作品;然后,歌人在广大听众面前朗诵或讲解诗人的作品。这样的依附关系往往变为师徒关系,某些歌人一旦掌握诗艺之后,也就独立成为诗人。这些歌人以他们非凡的记忆力享有盛名,后来形成一个独立的阶层。当8世纪在伊拉克形成巴士拉与库费两大语言学派之后,学者们把歌人当作废弃不用的古代语言和诗歌风格的保存者。这种凭借歌人记忆保存诗歌的方式极不完善,伊斯兰以前时期的诗歌往往有变动、遗漏,有不可靠的增加和诗行前后调位。有一个以上抄本的早期诗歌就有明显的文字差异,还有不同诗歌中的某些部分被串在一起了。最著名的一些歌人,如哈马德·拉维耶和海莱夫·艾哈迈尔被认为是随意处理原诗文的人,被称为聪明的伪造者。因此,对伊斯兰以前时期诗人的任何诗歌的可靠性进行仔细考证是完全必要的。

Rawlings, Jerry J.　罗林斯(1947-06-22,加纳阿克拉～　)　加纳军事和政治领袖,两次(1979,1981)推翻政府,夺取权力。他在第2次执政期间(自1981年起)使加纳政治上得到了稳定,经济上管理良好。罗林斯之父为苏格兰人,母为加纳人。他曾在阿奇莫托学院及泰希的军官学校学习。1969年获加纳空军少尉衔,后成为空军上尉和特等驾驶员,精于特技飞行。1979年6月,罗林斯和其他下级军官领导军事政变成功,宣称目的是肃清军队和社会生活中普遍存在的腐败现象。他和他的武装部队革命委员会统治了112天,在此期间,前国家元首阿昌庞将军和阿库福将军受到审判后被处决。继而罗林斯向一个自由选举产生的文职总统利曼交出了权力。利曼立即解除了罗林斯的军职。但罗林斯仍然很有人望,在公众集会中吸引大批听众。经过两年软弱的文人统治,加纳的经济状况进一步恶化。罗林斯于1981年12月31日推翻了利曼政府,指责它把国家引向"经济全面崩溃"。罗林斯成立了一个临时国民防卫委员会作为新政府,囚禁了利曼和另外约200名政治家。民间各处成立了"人民防卫委员会"和工人委员会来监督工厂的生产。当这些举动和其他的民众措施到1983年已清楚地显出并无效果时,罗林斯一反其原来的路线,采取了保守的经济政策,包括取消补贴和价格管制,以减少通货膨胀,将许多国营公司私有化并进行货币贬值以刺激出口。这些自由市场措施很快使加纳的经济得以恢复,到90年代初,加纳已是非州国家中国民经济增长率最高的国家。1992年加纳举行了1979年以来的第一次总统选举,罗林斯获得的选票比其对手多两倍。

Rawlings, Marjorie Kinnan　罗林斯(1896-08-08,美国华盛顿[哥伦比亚特区]～1953-12-14,佛罗里达圣奥古斯丁)　美国短篇和长篇小说家,她创立了佛罗里达边远林区的地方文学。1918年从麦迪逊的威斯康星大学毕业后做过10年记者,期间写了一些小说,但没有成功。1926年访问佛罗里达,迷上了那里的景色。1928年移居佛罗里达州,专心致志写小说,作品终于打开了销路。短篇小说《一个年轻的姑娘》获1933年欧·亨利纪念奖。第一部长篇小说是《在南方的月亮下》(1933),紧接着是《金苹果》(1933)。使她成名的作品是《一岁崽》(1938),获1939年普利策奖。她的作品取材于周围的人和周围的地方,虚构的成分不多,主要是生动的事实报道。它们描写了佛罗里达本地人的情况和他们面对不断的挫折从不气馁的精神,很有感染力。她的作品因对佛罗里达景色的迷人描写赢得了广泛的赞扬。其他作品还有《克罗斯小溪》(1942)和《暂居者》(1953)。前者是一部神秘的自传性著作。

Rawlins　罗林斯　美国怀俄明州中南部城市,卡本县县城(1886)。在大陆分水岭以东,海拔2 059米。1868年通铁路时建立。1874年,当地生产的颜料"罗林斯红"远运外地。后成为铁路分段站及周围畜牧、林业和采矿区的供给中心。并为去附近国家森林旅游者的休息站。1886年设为市。20世纪50年代成为将加斯山区的铀运往北方的重要转运站。设有州监狱。市东10千米的辛克莱尔设有炼油厂。人口约8 839(1999)。

Rawlinson, Sir Henry Creswicke　罗林森(1810-04-11,英国牛津郡查德林顿～1895-03-05,伦敦)　英国军官、东方学家,曾释读大流士一世贝希斯敦铭文的古波斯语部分,由于铭文用3种语言以楔形文字刻写,为释读美索不达米亚楔形文字提供了线索,从而大大扩展了对古代中东的了解范围。1827年罗林森作为一名军校学生被派往印度,在英国东印度公司任职。在1833年罗林森与其他英国军官赴伊朗整编伊朗国王的军队,由此对波斯古迹发生强烈兴趣,立志释读贝希斯敦的楔形文字铭刻。两年后,罗林森发表铭文前两段的译文(1837)。由于英国和伊朗发生

冲突，他被要求离开这个国家。尽管如此，罗林森还是于1844年重返伊朗并获得铭文的巴比伦文字部分的拓片，结果发表了《贝希斯敦波斯楔形文字铭文》（1846～1851）一书，包括全部译文、语法分析及注释，其一切成就都

不列颠博物馆供图

证明这是关于古代波斯及其统治者的最有价值的信息。1857年前又与其他学者合作成功地释读了美索不达米亚楔形文字。开拓出了解古巴比伦和亚述以及有关许多《圣经》历史的道路。不久他即成为英国驻巴格达的领事（1843）。他将自己所搜集珍品赠予不列颠博物馆（1849～1851），并继考古学家H.A.莱亚德之后为博物馆搜集古代雕塑。1855年，他辞去当时的东印度公司职务，受封为爵士并被授予公司的钦命董事的职衔。罗林森两度被选为下议院议员（1858和1865～1868），1859年赴德黑兰任驻伊朗公使。另著有《巴比伦及亚述楔形文字铭刻注解》（1850）和《亚述史纲》（1852）。

Rawls, Betsy　罗尔斯（1928-05-04，美国南卡罗来纳斯帕坦堡～　　）　美国高尔夫球女运动员。17岁起打高尔夫球，1950年作为业余运动员在美国女子公开赛中获亚军。1951年转为职业运动员，当年获公开赛冠军。1953、1957和1960年蝉联。截至退出球坛时，她在女子职业高尔夫球协会主办的比赛中共胜55场，获胜场数名列第三。1961～1962年任女子职业高尔夫球协会主席。1975年为比赛大会主任。先后在1952和1959年参加女子职业高尔夫球协会主办的巡回表演赛，奖金收入超过其他任何选手，1959年的收入创当时的最高纪录。

Rawls, John　罗尔斯（1921-02-21，美国马里兰巴尔的摩～2002-11-24，马萨诸塞剑桥）　美国哲学家。曾先后在康奈尔大学（1962～1979）和哈佛大学（1979年起）任教，著作主要涉及伦理学及政治哲学。在《正义论》（1971）中，他提出了另类的功利主义的观点，引出了对正义的迥异定义。他宣称若人们在"无知的借口"背后不得不选定正义的原则，即会限制他们认知自己在社会中所扮演的角色，而使得他们不去寻求利益的最大化，取而代之的是保护自身自由、防卫自己以免得到可能最坏结果。因此他们仅会制裁那种只对最坏情况有益的不公平（如财富上），因这种不平等对激励所有人的利益是必须的。

Rawson　罗森　阿根廷丘布特省省会。濒临丘布特河口。1865年由威尔士移民建立。以当时阿根廷内政部长G.罗森（1821～1890）姓氏命名。现有小型渔场设施。附近有海滩。人口22 493（2001）。

Rawsthorne, Alan　罗斯索恩（1905-05-02，英国兰开夏哈斯灵登～1971-07-24，剑桥郡剑桥）　英国作曲家。以结构精美的管弦乐曲和风格朴实婉约的室内乐最著名。曾就读于皇家曼彻斯特音乐学院（1926～1930），又在柏林师事E.佩特里（1930～1931）。早期作品满纸线形对位，表现出P.兴德米特对他的影响。风格一贯保持坚实的对位基础，节奏锋利，旋律流畅，调的中心感强。作有交响曲3部，协奏曲8部及声乐曲等。

Ray（Iran）　参阅 **Rayy** 赖城。

ray　魟　鳐目（Batoidei）的软骨鱼，与鲨鱼近缘，均属软骨鱼纲，又称鲨纲，鳐目包含300～350种。魟与鲨不同之处为体扁平，盘形，5对鳃孔和口通常位于身体下侧；与鲨不

牛鼻鲼（*Rhinoptera bonasus*），一种刺魟
绘图：Richard Ellis

同之处还有胸鳍巨大，翼状，生于身体及头的侧面，鳃孔上方。许多魟的游泳和呼吸方式与鲨不同，以胸鳍为运动器官借以推进身体；用位于头背面的喷水孔吸水（而非经口）进行呼吸。魟的尾部一般细长，许多种类的尾有一至多个尖锐而有锯齿的毒刺，螫人可致疼痛。魟主要为海生，广布于所有大洋。许多种类栖于海底，游动缓慢。魔魟（蝠鲼）以浮游生物及小动物为食；其他则以各种小鱼及无脊椎动物为食，有时会破坏有重要商业价值的贝类养殖场。除鳐类外，多数或全部魟均产幼鱼。体内受精，雄体腹鳍边缘特化为交尾器官——交接器，用以将精液注入雌鱼体内。魟可分为以下几个类群：电鳐、锯鳐、鳐，以及各种魟（属于几个不同的科，尾细长，鞭状，具刺，泛称刺魟或鞭尾魟）。电鳐（电鳐亚目[Torpedinoidei]）的特征为头及胸鳍间有成对的大型发电器官，借以发出强大的电流以自卫或杀死猎物。电鳐的皮肤光滑无鳞；头、躯干或胸鳍形成圆形盘状，尾短而粗壮。已知20种栖于温暖海域，有些种重量达90千克。其他所有不具发电器官的魟类，通常皮肤粗糙，常具坚硬的刺。锯鳐属于锯鳐科（Pristidae），具细长的吻部，其两侧有一系列坚硬的齿。已知暖海中有约6种，常出现于多沙的海岸和河口。鳐属于鳐亚目（Rajoidei），宽大的胸鳍延伸到吻部并向后延伸而突然终止于细尾的基部。与其他魟类不同，鳐为卵生。卵形大，椭圆形，外壳革质，色深，四角各有坚韧的尖角，用以固定于海草或其他物体上。鳐类无刺魟特有的具倒刺的细长的棘。分布最广的种类属于鳐科（Rajidae）的鳐属（*Raja*）。其余的魟类构成鲼亚目（Myliobatoidei），包括魟科（Dasyatidae；鞭毛魟）、燕魟科（Gymnuridae；蝴蝶魟）、裸尾魟科（Urolophidae；刺魟）、鲼科（Myliobatidae；雕魟）、蝠鲼科（Mobulidae；蝠鲼、鬼魟或披肩魟）及牛鼻鲼科（Rhinopteridae；牛鼻鲼）。这些科的魟类均具细长、鞭状的尾，尾上通常有一个带倒钩并与毒腺相连的刺。该刺能致严重的损伤，尾部挥动时该刺能成为危险的武器。几乎所有这些魟类均栖于温暖的海域，少数几种刺魟生活于南美的河流中。

犁头鳐与魟近缘，或列为单独的目——犁头鳐目（Rhinobatiformes），或列为鳐目的一个亚目——犁头鳐亚目（Rhinobatoidei）。参阅 **devil ray；electric ray；guitarfish；sawfish；skate；stingray**。

Ray, Charlotte E.　雷伊（1850-01-13，美国纽约州纽约～1911-01-04，纽约伍德赛德）　美国教师、第一位黑人女律师。曾在华盛顿（哥伦比亚特区）黑人青年教育所学习，1869年在霍华德大学执教并研究法律，1872年获学位。同年在哥伦比亚特区开业为律师，成为该区第一位女律师，也是在美国取得律师资格的第一名黑人妇女。雷伊在华盛顿成立法律事务所，但由于种族偏见严重，使她难以开展业务。1879年返回纽约市，任公立学校教师。

Ray, James Earl　雷（1928-03-10，美国伊利诺伊奥尔顿～1998-04-23，田纳西纳什维尔）　美国人，暗杀小马丁·路德·金牧师的凶手。原为抢劫犯，曾多次入狱。1967年4月越狱潜逃，翌年4月4日在田纳西州孟菲斯市，当金牧师从汽车旅馆的房间中走出时，他从毗邻的公寓窗口开枪把金打死。6月8日在伦敦希思罗机场被英国警察捕获。押回孟菲斯市后，判刑99年。1977年6月曾越狱潜逃，两天后被捕获。

Ray, Jean　雷（1887-07-08，比利时根特～1964-09-17，根特）　Jean Raymond Marie De Kremer的笔名。还用过笔名John Flanders。比利时小说家、短篇小说作者和记者。以用法语和佛兰芒语撰写犯罪小说和恐怖、荒诞故事著称。1919～1940年当记者。1925年出版短篇小说集《威士忌的故事》。这部小说集揭示了他独特的描写技巧、幽默的风格和营造凶险气氛的能力。他对科幻小说的兴趣在《巡航在暮色中》（1932）一书出版后才为人所知。该书用生动的词汇引入了"第四维"这个主题。曾服刑。出狱后生活艰辛，为了谋生，他坚持不懈地写作。1933～1940年为一个杂志写长篇连载小说，共刊登了约100期。小说主人公H.迪克森被称作"美国的福尔摩斯"。他用笔名或不署名。再次露面时用笔名J.雷。第二次世界大战期间及战后写出了他最好的作品，开设了一家出版公司。他基于对童年的记忆及神话写成的《玛尔珀丘斯》（1943）被认为是现代哥特派荒诞小说的经典。这部小说1972年被拍成电影，由O.韦尔斯主演，比利时导演H.库梅尔执导。他还尝试写过仿乔叟的叙事文《最后的坎特伯

雷故事集》(1944)。

Ray, John　雷(1627-11-29,英格兰埃塞克斯布莱克诺特利～1705-01-17,布莱克诺特利)　Ray又拼Wray(1670年前)。17世纪英格兰杰出的博物学家、生物学家,对分类学的

伦敦维多利亚和艾伯特博物馆供图

进步作出巨大贡献。1635～1672年与博物学家弗朗西斯·维拉格比到威尔士和康沃尔考察,以后又到欧洲大陆研究生物的自然史。他确定种为植物分类的基本单位,此种做法沿用至今。

生平　雷出身于铁匠家庭,到附近的布伦特里上文法学校。雷很幸运,在成长过程中得到天时地利,该处有一笔基金用以支持贫困学生进剑桥大学。1644年考入剑桥大学的圣凯瑟琳学院,1646年转入三一学院。他到剑桥的时机很好,联系了一批经常一道进行解剖和化学研究的朋友。他在必修课程方面取得很好成绩,1648年获得学士学位;以后数年内被选为三一学院研究人员;以后13年中在修道院般的学院里过平静的生活。他一连多年的幸运在王政复辟时期到了头。虽然他不是一个活跃的党人,但在精神上却是彻头彻尾的清教徒,拒绝按划一法案的要求宣誓。1662年他失去研究员职位。在随后作为博物学家43年中,他富裕的朋友,大部分是他在三一学院教过的学生,给了他支持。1660年他发表第一本著作(生长在剑桥大学附近的植物名录)起即开始博物学家的生涯;为编此名录他工作了九年,在无导师帮助的情况下自学了博物学。将剑桥地区的植物研究完后,开始考察不列颠其他地区。1662年被三一学院解职已迫在眉睫时他与弗朗西斯·维拉格比到威尔士和康沃尔考察,这是他生活的转折点。维拉格比出生于沃里克郡一个富裕的家庭,在三一学院上学时就被雷对博物学的热情所激励。现在两人同意开展生物全部自然史的研究,雷负责植物,维拉格比负责动物,维拉格比对雷的物质支持是无保留的。此协议的第一个成果就是1663～1666年在欧洲大陆的旅行,这使雷大大扩展了关于动物和植物区系的第一手资料。两个朋友回到英格兰后,就着手进行约定的工作,雷差不多总住在维拉格比在米德尔顿的家中。1670年雷发表《英格兰植物名录》。1672年维拉格比突然去世,雷决定独自完成两人制订的计划,将此视为自己神圣的任务:他靠维拉格比留给他的60英镑年金和担任维拉格比孩子的家庭教师所得薪金生活。1676年他以维拉格比的名字发表《维拉格比鸟类学》,虽然雷对此书的贡献至少与维拉格比一样多。雷正在以维拉格比的名义编写《鱼类志》时,1685年维拉格比的母亲(这个家中仍支持他的人)去世,而维拉格比的遗孀从来不喜欢雷和他的工作,此时立即将他逐出其家。雷完成以维拉格比的名字编写的《鱼类志》后,她拒绝资助此书的出版。最后该书的出版得到皇家学会(雷是会员)的资助。同时,雷回到布莱克诺特利乡下老家。1673年他在维拉格比家中与年轻的家庭女教师M.奥克利结婚,婚后11年无生育,后生下四个女儿。女儿们为父亲收集毛虫和蝴蝶供鉴定和分类。雷在后辈科学家中结交了许多朋友。他在年过花甲之年,住在乡村小屋里,不能说贫穷,但也不富裕,得不到足够的书籍,并为腿痛所苦,却写出难以置信的大量作品。

重要的作品　雷从不停止对植物的研究。1682年发表《研究植物的新方法》(1703年修订版改名为《研究植物的完美方法》),对植物分类作出贡献,坚决认为重要的是要区别单子叶植物和双子叶植物。他确定种是植物分类的基本单位,这种观点沿用至今。在《研究植物的新方法》一书的基础上他写成三大卷的巨著《植物志》(1686～1704年间陆续发表)。发表头两卷后他急于建立一个完全的自然系统。为此他编写了不列颠和欧洲植物的概要,一本《鸟类和鱼类概要》(他逝世后1713年出版)和一本《四足动物概要》(1693)。他在生命的最后10年中大部分时间进行开创性的昆虫研究,其研究成果发表于遗著《昆虫志》中。在他所有的工作中他都致力于分类系统的整理。他试图在所有结构特征(包括内部解剖)的基础上而非单一特征的基础上建立其分类系统。他坚持肺和心脏的在分类上的重要性,有效地建立了哺乳动物纲,并按是否存在变态将昆虫分类。虽然在达尔文的时代以前真正自然的分类系统不可能实现,但雷的系统离这个目标较同时代人的完全人为的系统近得多。在18世纪,林奈得以在伟大先行者的基础上作出许多贡献,雷也是这些先行者中的一个。他的工作还远不止于此。他总是坚称"神学是我的专业",17世纪90年代他发表了3卷论宗教的著作。他最流行、影响最大的著作是《从创世工作中看上帝的智慧》(1691),该书论述自然宗教,要求将他的生物学知识做充分的安排,认为生物的结构与功能是互相协调的,这必须由无所不能的上帝来完成。所有17世纪杰出的科学家都接受这种意匠论,这意味着一种自然的静止观点,甚至在整个19世纪这观点也妨碍着进化观点的发展。雷在写作《昆虫志》时去世,时年77岁。

Ray, Man　雷(1890-08-27,美国宾夕法尼亚费城～1976-11-18,法国巴黎)　美国达达派和超现实主义派摄影家、画家和电影摄制者,以其在各个领域中的许多技术上的创新而著名。1915年,雷与法国艺术家杜尚合作,发明许多新技巧,形成了纽约的达达派。与杜尚一样,雷也开始创作"现成艺术品",就是用现成的商品拼凑为艺术品。他最出名的"现成艺术品"《礼物》(1921),是在一个熨斗的底部粘上一排平头钉子。他还做过用喷枪在玻璃板上喷画的实验。1921年,雷移居巴黎,和一群以勃勒东为首的超现实主义艺术家和作家来往。为了给绘画筹措资金,他开始从事摄影,并不断试验,摸索怎样拍摄"不用照相机"的照片,称之为"光影图像"。他用平面的和立体的各种不透明程度的物体,放在感光纸上,然后进行曝光与显影,即成为"光影图像"。1922年,他出版了一本光影图像集《愉快的田野》。1929年,他还发明"中途曝光"技术,即在显影过程中,用闪光使照片或底片进行曝光,使一部分影像成为负像,一部分成为正像。雷是第一个为了美学的目的而运用这种技术的人。在20世纪20年代和30年代,雷给巴黎的文化名人都照过像,在摄影方面名声大振,致使他的主要绘画作品如《天文台时间——情侣们》也显得湮没无闻。然而,在人像摄影中,他仍继续进行实验。他把一个拍摄对象拍成一幅有三对眼睛的照片;在《安格尔的小提琴》中,他用一对 *f* 形的剪纸叠印在一张裸体女性背部的照片上,使这个女人成为一把小提琴的样子。同时,他继续创作"现成艺术品",其中有一个是一只节拍器,摆上贴有一个眼睛的照片,名为《要被毁掉的东西》(1923)——1957年被反达达派的暴徒们所毁掉。他还把光影图像的技术应用于电影,用盐、胡椒、平头钉和别针来制成图案。

Ray, Nicholas　雷(1911-08-07,美国威斯康星拉克罗斯～1979-06-16,纽约州纽约)　原名Raymond Nicholas Kienzle。美国电影编剧和导演,他早期拍摄的低成本影片《他们的夜生活》(1948～1949)、《谁家的门都敲》(1949)和《约翰尼·吉塔》(1954),显示出他大有发展前途。曾在芝加哥大学学习建筑学和戏剧,30年代中期开始执导。他在纽约市与J.豪斯曼和E.卡赞一起工作。1944年卡赞把他带至好莱坞任影片《生长在布鲁克林的一棵树》的助理导演。已在雷电华影片公司拍摄影片的豪斯曼,使他获得机会导演了他的第一部影片《他们的夜生活》,这是他早期探索暴力和青年逆反心理的典型作品。雷的《孤独的地方》(1950)是一部评述好莱坞社会的备受赞扬的影片,而《养子不教谁之过》(1955)则是一部描述中产阶级青少年犯罪的影片。后者由迪安主演,评论界赞扬雷对被父母忽视的青少年作出富于同情心的描述。雷在拍摄影片《杰西·詹姆斯的真实故事》(1957)的过程中,与好莱坞的电影制片厂发生冲突。他随后的影片,著名的如《野蛮的无辜者》(1959)、《王中之王》(1961)和《北京55天》(1963),有的部分是在欧洲和加拿大拍摄的。此后,雷试图在南斯拉夫导片,在纽约州立大学任教,并花了数年时间拍摄影片《我们无法再回家》。他是达到正片长度的纪录片《我在这里是个陌生人》(1974)的主题人物。他还同德国制片人W.文德斯合作拍摄影片《水上闪电》(1980),这是一部记录他最后的日子和死亡的半纪录性影片。

Ray, Satyajit　雷伊(1921-05-02,印度加尔各答～1992-04-23,加尔各答)　印度电影导演,

他将传统的孟加拉文学和书画刻印艺术的常规做法加以现代化，融于如三部曲《大路之歌》(1955)、《不可征服的人》(1956)和《阿普的世界》(1959)等影片之中。

供图：Camera Press

雷伊出身于艺术世家，祖父是一位著名的画家，父亲于1923年去世，其作品现已成为孟加拉经典之作。这个未来的导演在加尔各答管辖区学院完成中学学业后，被指定从事科学研究工作。但由于受到孟加拉语诗人、他家世交泰戈尔的影响，他转而研究艺术，在森蒂尼盖登国际大学学习泰戈尔讲授的课程。

1941年泰戈尔去世后，雷伊回到加尔各答。他希望以绘制插图作为他的职业，遂进入一家广告公司工作，不久成为美术指导(广告界于1971年为他的影片《有限公司》提供布景)。1945年当他为孟加拉语作家班迪奥帕迪亚雅的作品绘制插图时，他产生了当一名电影制作家的想法。在与正在印度拍摄影片《河》(1951)的法国大导演J.雷诺阿接触后，他的这一兴趣倍增。他计划把班迪奥帕迪亚雅的作品改编成电影，但遇到了种种障碍。制片人对把这样重大的责任委托给一个新手犹豫不决，特别是雷伊希望雇用未经专业训练的人来拍摄，并且不采用印度影片中普遍采用的那种故事形式来表现孟加拉农民的生活和风土人情。7年后，即1952年，由于朋友们的帮助，他募集到了资金开始拍摄影片。除了摄影师米特拉外，其余所有投入这一冒险之举的人都从未拍过电影。3个月后小量资金即告罄。经过长期谈判之后，西孟加拉邦政府同意提供必需的资金来拍摄这预期中的三部曲的第一部。

《大路之歌》的影片于1955年完成，获得了巨大的成功。亚洲公众欢欣鼓舞，为影片具有的意义而欢呼，第二年该片在具有高度权威性的法国戛纳电影节上获奖。这一成功确保雷伊获得拍摄三部曲的其他两部所需的资助。《不可征服的人》获得1957年威尼斯电影节"金狮"奖；《阿普的世界》于1959年拍摄。在这些影片中，雷伊以东方狄更斯的风格，描绘了孟加拉儿童阿普从少年到成年的故事。影片节奏徐缓，始终充溢着介于梦幻与现实之间的抒情气氛。

在拍摄《不可征服的人》与《阿普的世界》之间，雷伊拍摄了两部风格截然不同的影片：《哲人石》和《音乐室》。阿普三部曲完成之后，立即拍摄了一部描写泰戈尔的生活和工作情况的大型纪录片，于1960年上映。1961年，为纪念这位诗人诞辰100周年，他将泰戈尔的三部小说分篇组合在一起拍成一部电影，片名为《三个女孩》。其西方译本片名为《两个女儿》。

1960年雷伊拍摄了影片《女神》，该片对变化中的世界难以破除的迷信作了有力的描写。1962年拍摄影片《肯钦真加峰》和《国家》，1963年拍摄影片《大城市》，1964年拍摄《寂寞的妻子》。在雷伊后来的影片中，以《远方的雷声》(1973)和《棋手》(1977)最为著名。前者是一部关于1943年孟加拉大饥荒的惊天地泣鬼神的影片；后者是他的第一部印地语影片。《古比与巴卡历险记》(1969)的寓言性续篇《钻石王国》于1980年上映。他最后的影片有：《家与世界》(1984)、《人民的敌人》(1989)和《树枝》(1990)等。

雷伊通常很少要他的演员排练，特别是未经专业训练的演员更是如此。他重视表演的自发性，通常喜欢对一场戏只作一次拍摄，而不喜欢"重拍"。关于对他的作品提出的节奏缓慢的批评，他辩解说，影片的节奏是生活方式的反映，他所要表演的生活正是如此。1992年3月，他获得奥斯卡终身成就奖。

ray spider　球体蛛　蜘蛛目球体蛛科动物。有多种。以织圆锥形的网而著名。体长多数不到3毫米，常见于溪边或潮湿地区。网有3或4束丝向外辐射延伸，蜘蛛从网的中心拉出一根蛛丝到附近树枝上，使网呈圆锥形。有昆虫粘在网上时，蜘蛛便把由它拉紧的中央丝放松，使网恢复原位而把昆虫捉住。

Rayburn, Sam　雷伯恩(1882-01-06，美国田纳西罗恩县～1961-11-16，得克萨斯博纳姆)美国民主党领袖，任众议员48年零8个月(1913～1961)，创了历史纪录，其中有17年任议长。雷伯恩在农场长大，早年在得克萨斯州博纳姆教书，并当律师。1907～1913年任州议员，1911年被选为州众议院议长。1912年选入美国众议院，连选连任25次。作为众议院有权力的州际和对外贸易委员会主席(1931～1937)，雷伯恩是罗斯福新政纲领的主要设计者。他是《铁路控股公司法》等6部重要法律的共同起草人之一。1937年雷伯恩当选为众议院民主党领袖，1940年9月任议长。他是罗斯福总统及其后3届总统所信任的顾问。1961年因身体衰弱退休。

美国国家档案馆供图

Rayganj(India)　参阅 **Raiganj** 赖根杰。

Rayleigh (of Terling Place), John William Strutt, 3rd Baron　瑞利(特林普莱斯的)男爵(第三)(1842-11-12，英国埃塞克斯莫尔登兰福德格罗夫～1919-06-30，埃塞克斯威特姆特林普莱斯)　原名约翰·威廉·斯特拉特，1873年在其父死后继承了瑞利男爵的称号，然后住在特林普莱斯。英国大物理科学家，

日内瓦国际电信联盟供图

在声学和光学领域做出了根本性的发现，为流体中波的传播理论奠定了基础，因成功地从空气中分离出了惰性气体氩而获得1904年诺贝尔物理学奖。瑞利于1861年入剑桥大学三一学院，1865年以文学士毕业，在数学荣誉学位考试中获优一等(最高荣誉)，这一荣誉预示了他后来的成功。他早就对物理科学的实验和数学两方面表现出了浓厚的兴趣。他的名著《声学原理》讨论了弹性固体和气体的振动及共振问题；第一卷于1877年出版，次年出版第二卷，集中讨论了介质中声的传播。他生前对该书作过一些修订。在他身后，该书不断重印，成为声学文献中第一流的经典之作。他早期写过关于电磁学、颜色、声学和衍射光栅的论文。其中意义深远的是他对天空呈蓝色的理论解释，他认为那是由于日光被空气中微粒散射的缘故。由这理论导出的瑞利散射定律成为研究波传播问题的经典。1879～1884年任剑桥大学卡文迪什实验物理学教授。无论是指导学生，还是完成精确确定电学标准的严格的研究计划，瑞利对他在大学中的职务都非常严肃认真。由皇家学会出版的一系列经典性的论文，就是这一时期雄心勃勃的工作的成果。瑞利最大的科学贡献是发现并分离出稀有气体氩，19世纪80年代，他在对气体密度的精密测量过程中，发现从空气中分离出来的氮的密度比从化合物中得到的氮略大一个固定值。他认为这种差异可能是由于空气中存在迄今尚未发现的成分造成的。经过长期和艰难的实验，他终于在1895年分离出这种气体，并命名为氩。1905年被选为皇家学会主席。瑞利选择研究项目的特点是兴趣十分广泛。他不惯于长期将全部注意力集中于某一个问题，而是常常将精力分散于多种不同的课题，诸如光学、声学、电学或流体力学等。他喜欢同时从事几个研究项目，但却从不出错。在其全部经历中，他的工作一贯是高质量的，这既表现在他卓越而严谨的实验技巧方面，又表现在他写作的清晰和准确方面。他不仅扩展和巩

固了在物理科学的重要分支方面的已有知识，又开辟了重要的新的研究前沿，特别是在声学和流体动力学方面。晚年他成为英国物理学界的泰斗，1908 年接受剑桥大学名誉校长职位，直到去世。他保持自己的思维能力直至最后，在他 1919 年 6 月 30 日辞世之前 5 天，仍在撰写科学论文。

Rayleigh scattering 瑞利散射 半径小于辐射波长约 1/10 的粒子对电磁辐射的色散。为纪念瑞利勋爵而命名。他于 1871 年发表论文论述这一现象。太阳光被大气中气体的分子散射时，散射的角度是与波长的 4 次幂成反比的。所以蓝色光(可见光谱中的短波)的散射波光，要比红光(长波)强得多。这造成在阳光照射的天空出现碧蓝色，因为在不朝着太阳光方向的其他方向上，只能看到散射光。瑞利诸定律也预言了散射光强度随方向而变化，其中的一个效果是，从单一粒子的向前和向后散射图样完全对称。它们还预言了散射光的偏振。

Raymond 雷蒙 法语作 Raimond。统治者之名，按国别分列于后，并各以●为标记。

安　条　克

● **Raymond 雷蒙**(1099～1149-06-29) 安条克公爵(1136～1149)，成功地抵制了拜占廷皇帝约翰二世对这个公国建立控制的企图。法国中西部普瓦捷伯爵威廉七世之子。1135 年耶路撒冷拉丁王国国王富尔克要求他与安条克女继承人康斯坦斯联姻。他在 1136 年 4 月到达安条克，与 9 岁的康斯坦斯结婚，从而成为安条克的统治者。拜占廷帝国很早就想取得安条克。1137 年 8 月约翰二世来到安条克，迫使雷蒙同意用安条克交换阿勒颇周围的土地——如果能从穆斯林手中夺过来的话。约翰和雷蒙与穆斯林交战，无所获。约翰隆重地进入安条克，但雷蒙巧妙地保住了城堡，约翰不久离去。1142 年 9 月约翰进军叙利亚。雷蒙阻止了拜占廷军队进入安条克。约翰旋死去。雷蒙趁此进军北方的西利西亚，被击退。1143 年拜占廷的军队劫掠安条克的北郊，拜占廷的舰队袭击这个公国的海岸。1145 年雷蒙访问君士坦丁堡，与曼努埃尔一世媾和。1148 年春，法国国王路易七世参加第二次十字军，访问了安条克。雷蒙力促路易攻打穆斯林领袖努尔丁的叙利亚北部基地阿勒颇。但由于宗教原因，路易攻打更接近耶路撒冷及圣墓的地方。1149 年，雷蒙在与努尔丁作战时阵亡。

图　卢　兹

● **Raymond IV 雷蒙四世**(1041 或 1042，法国图卢兹～1105-02-28，特里波利附近[今在黎巴嫩]) 绰号圣吉尔的雷蒙。图卢兹伯爵(1093～1105)与普罗旺斯侯爵(1066～1105)。1102～1105 年征服并统治特里波利，遂被承认为特里波利的雷蒙一世。初任伯爵时，为罗马教廷改革运动的一位虔诚的世俗领袖。1095 年参加第一次十字军。1098 年从土耳其人手中夺取安条克。1099 年占领耶路撒冷，但他拒绝代表十字军登耶路撒冷国王位，而把这个职位让给戈弗雷公爵，并与戈弗雷公爵共同击退埃及法蒂玛王朝对耶路撒冷的进攻。1100 年开始遏止安条克公国向南扩张。他在特里波利附近彼勒兰山建造一个城堡，死于该地。

● **Raymond VI 雷蒙六世**(1156-10-27～1222-08，法国图卢兹) 图卢兹伯爵(1194 年起)。他最初容忍朗格多克地方的清洁派异端；可能为了表示悔罪，于 1209 年参加了征讨他们的十字军。后为保全自己的领地而不得不与另一次十字军作战。他曾失去自己的领地(1215)，后在阿拉贡人帮助下又收复了图卢兹(1217)及大部领地。他是第 5 代雷蒙伯爵之子、法国国王路易七世之侄、英国国王理查一世的姻亲。他两次被革出教门，死后不准行基督教葬礼。

● **Raymond VII 雷蒙七世**(1197-07，法国博凯尔～1249-09-27，米约) 图卢兹伯爵(1222 年起)。他不仅继承其父的伯爵称号，而且不得不继续处理因十字军讨伐清洁派异端而引起的问题。由于未能镇压清洁派，他被革出教门(1226)，被剥夺领地，遭到法国国王路易八世的入侵。1242 年雷蒙同英国国王亨利三世结盟，反抗路易九世。但亨利战败(1242-10)迫使雷蒙投降。根据《洛里斯条约》(1243-01)，法国对图卢兹的权力大大增强，图卢兹事实上脱离法兰西王国而独立的地位被永远剥夺。晚年，他以从事修建城堡驰名。

特　里　波　利

● **Raymond I 雷蒙一世** 参阅 **Raymond IV** (Toulouse)雷蒙四世(图卢兹)。

● **Raymond III 雷蒙三世**(约 1140～1187-07，特里波利) 特里波利十字军国伯爵(1152～1187)，两度任耶路撒冷拉丁王国的摄政王(1174～1177；1184～1185)。1152 年父雷蒙二世被暗杀后袭伯爵位。他几次参加对穆斯林的战役，1164 年被俘，1172 年获释。1174 年为耶路撒冷新国王鲍德温四世充当摄政。后于 1187 年在战争中受伤，退隐特里波利不久死去。

Raymond OF PEÑAFORT, SAINT 雷蒙德(佩尼亚福特的)，圣(约1185，巴塞罗那附近佩尼亚福特～1275-01-06，巴塞罗那) 多明我会修士，曾在博洛尼亚学习教会法，自 1218～1221 年在该地任教，著《教会法要览》(未完成)和《格拉蒂安教令集注释》(未发表)。1222 年回到巴塞罗那，加入多明我会，撰写供告解司铎使用的教会法手册《告解案例大全》，在中世纪后期被广泛使用。1230 年奉教皇格列高利九世召唤，到罗马任教廷小教堂告解司铎，并受委托汇编《格拉蒂安教令集》刊行之后教皇所颁布的规章法令，这部《格列高利教令集》于 1234 年正式颁行；在 1917 年教会法典公布以前，该汇编一直是天主教会法典之一。次年修订发表《告解案例大全》，增加婚姻法内容。1236 年回到西班牙。他曾创办学校，向在突尼斯和西班牙境内穆斯林独立王国穆尔西亚活动的传教士讲授阿拉伯语和希伯来语。

Raymond OF POITIERS 雷蒙(普瓦捷的) 参阅 **Raymond**(Antioch)雷蒙(安条克)项下的 **Raymond** 雷蒙。

Raymond OF SAINT-GILLES 雷蒙(圣吉尔的) 参阅 **Raymond** (Toulouse)雷蒙(图卢兹)项下的 **Raymond IV** 雷蒙四世。

Raymond, Alex(ander Gillespie) 雷蒙德 (1909-10-02，美国纽约新罗谢尔～1956-09-06，康涅狄格韦斯特波特附近) 美国连环漫画家，以创作优秀的惊险连环漫画著称。曾在纽约市华尔街一经纪事务所工作。1930 年，参加金氏特稿辛迪加，与侦探小说作家 D.哈米特一起创作连环漫画《特工人员 X－9 号》。1934 年，画星际探险连环漫画《闪光戈顿》和惊险连环漫画《吉姆丛林》。第二次世界大战期间，在美国海军陆战队任新闻发布官和战事连环漫画家。1946 年作连环漫画《浪子柯尔比》。雷蒙德的画以技法优秀闻名，尤以运用阴影娴熟见长。

Raymond, Don 参阅 **Raimundo, Don** 雷芒多。

Raymond, Henry Jarvis 雷蒙德(1820-01-24，美国纽约莱马附近～1869-06-18，纽约市) 美国新闻记者和政治家。《纽约时报》主要业主及第一任主编(从1851年起)。他在提高当

美国国会图书馆供图

代报纸的文风和格调方面做了很多工作，在共和党的组成方面也起了显著作用。1840 年为 H.格里利的《纽约人》周刊工作，1841～1848 年在纽约《论坛报》工作，1851 年创办纽约《每日时报》(1857 年改名为《纽约时报》)。《纽约时报》与其他报纸利用当时派系互相仇视进行煽动的做法不同，基本上不刊载过于带感情的文章，不宣扬极端主义人物。美国南北战争期间(1861～1865)，雷蒙德任随军记者。1856 年为共和党匹兹堡全国代表大会起草了著名的《告人民书》。1864 年起草了林肯总统政纲的绝大部分。1864～1866 年任共和党全国委员会主席。1865～1867 年被选入众议院。任期满后未被再提名，仍积极从事新闻工作。

Raymond Berenger (counts of Barcelona) 参阅 **Ramon Berenguer** 拉蒙·贝伦格尔。

Raymond Terrace 雷蒙德特雷斯 澳大利亚新南威尔士州东部城镇。位于纽卡斯尔以南，亨特河东岸，邻近此河与威廉斯河汇合处。建于19世纪30年代。19世纪40年代成为运输羊毛的重要河港。1937年并入斯蒂芬斯港郡。附近地区出产柑橘、蔬菜、乳品和木材。经太平洋公路通悉尼。轻工业有人造丝厂和纤维板厂。附近托马戈有炼铝厂。人口7 548(1981)。

Raynal, Guillaume-Thomas, abbé de 雷纳尔神父(1713-04-12，法国圣热涅～1796-03-06，沙约勒) 法国作家和宣传家，他曾竭诚为法国大革命建立讲求理智的风气。以两部

巴黎国家图书馆供图

历史著作成名，一部写尼德兰(1747)，一部写英国议会(1748)，文笔平庸，但读者很多。1750～1754年主编政府赞助的文学杂志《法国信使》从而赢得人们的尊重，在社会上取得一席之地。最重要著作是6卷本的欧洲在印度和美洲的殖民史(1770)。据传，其中许多精采的篇章是由百科全书派哲学家狄德罗执笔。该书极受欢迎，1772～1789年间出了30版，在后几版，其激进语调更为显著。1774年该书被天主教会列为禁书，1781年当局将其流放，并命令将该书焚烧。1784年准其回法国，但不得进入巴黎。该禁令于1790年撤消。他虽然在1789年被选进总议会，但由于反对暴力，大革命初期就拒绝为总议会工作。他后来声明放弃激进主张，并在1791年5月向国民议会(总议会的后继机构)呼吁仿效英国实行君主立宪制。他的财产后被国民议会没收，死于贫困。

Raynald OF CHÂTILLON(French crusader) 参阅 **Reginald of Châtillon** 雷金纳德。

Raynaud's disease 雷诺氏病 主要发生于年轻妇女的一种疾病，表现为受冷或情绪激动后手指的动脉痉挛，结果双手指尖先变苍白，继之发绀，并常发冷、麻木、出汗、疼痛、活动笨拙。若发作持续时间较长，则可累及手、足其他部位。以上表现并发于其他疾病时称为雷诺氏现象，多仅累及一只手或一二根指头。该病的处理包括保护手指以免受冷。并发症包括溃疡形成、手指的脂肪及皮肤萎缩。参阅 **acrocyanosis**。

Raynouard, François-Juste-Marie 雷努阿尔(1761-09-18，法国布里尼奥勒～1836-10-27，帕西) 法国戏剧家和罗曼语语言学家，在大革命和拿破仑时期的政治中曾起过作

供图：Harlingue—H. Roger-Viollet

用。他受过律师培训，1791年被选入立法议会。1793年因政治原因被投入监狱。罗伯斯比尔失败后，于1794年获释。同年出版第一部剧本。在普罗旺斯从事法律工作后于1803年返回巴黎。1805年第2部剧本《圣殿骑士》获得很大成功。但是，他的《布卢瓦等级或吉斯公爵之死》(1810)却因触犯拿破仑被查禁。1815年拿破仑在滑铁卢战败以后，雷努阿尔退出政界，潜心研究法国中世纪的行吟诗人。这方面的著作成为他最重要的成就，并有最深远的影响。

rayon 人造丝 又称人造纤维、嫘萦。由植物纤维素加工成的人造纤维的统称。属再生纤维，制造时纤维素先转化成液状化合物，然后还原成纤维素纤维。软木或棉短绒的纤维素经过化学处理制成溶液，从微小的喷丝孔中压出，这个过程称为纺丝。纺出的长丝在空气中干燥或用化学方法凝固，有时将长丝切成等长的短纤维，然后捻合成纱。人造丝中应用最广的黏胶丝发明于1892年，先将原料制成片状，经过处理成为黏稠的纺丝溶液，其染色性虽好，但常在纺丝液中加入颜料着色(原液着色)，并可在溶液中加进消光剂。黏胶丝强度和伸长性能大都接近尼龙，弹性则较低；易吸湿，吸湿率可达13%，吸湿后纤维膨化，强度下降；185～205 °C时分解，易着火，暴晒在日光下强度逐渐下降，但颜色不变。黏胶丝能用弱碱溶液洗涤，在强碱中强度下降，常用的干洗剂不损伤纤维。黏胶丝适应多种用途，吸湿性能好，穿着舒适，外衣内衣都适用，也可制作地毯和家具布以及轮胎帘子线和外科手术用材料等。强力黏胶丝是在纺丝后立即进行高倍拉伸制成的。铜铵丝在1890年发明，用铜铵溶液溶解纤维素制成的纺丝液纺制而成。强度和性能与黏胶丝相近，直径较小，更像真丝。干伸长率为10%～17%，湿伸长率为17%～33%，随拉伸倍数和拉伸时间不同，弹性回复率在20%～75%之间。吸湿率约12.5%，易燃烧，在150 °C左右开始分解。铜铵丝的价格较黏胶丝贵，富有光泽，手感柔软，悬垂性好，常用于织造轻薄的织物和缎子。

Rayong 罗勇 泰国南部城镇。位于泰国湾东北岸，曼谷东南。是一个渔港，市内有木薯粉加工厂。产木薯、水果、橡胶。附近海滨旅游业日益发展。人口106 585(2000)。

Rayonism 射光主义 俄国艺术运动，由M.F.拉里奥诺夫创始，代表俄国抽象艺术的一个最初发展阶段。拉里奥诺夫于1909年画出第一幅射光主义作品《玻璃》，并于1912年拟就射光主义运动宣言(第二年发表)。他在解释这种综合立体主义、未来主义和俄耳甫斯主义的新绘画风格时说，这种艺术"注重的是由不同物体反射的光线相互交错而组成的空间形式"。拉里奥诺夫和N.冈察罗娃作品上的放射状线条，酷似未来主义绘画中有力度的线条。1914年二人前往巴黎，该运动遂告结束。

Rays, Gilles de 参阅 **Rais, Gilles de** 雷。

Raytheon Company 雷锡昂公司 美国一主要的工业公司，主要制造商用飞机和特殊用途飞机、防御系统以及防御用和商用电子产品。是美国第三大国防供应商。公司创立于1922年，名为美国电器公司，制造电气部件。不久改名雷锡昂股份公司。1928年与在其后建立的雷锡昂制造公司合并。1959年改现名。1956年该公司将无线电、电视部门出售给艾德米勒尔公司。1971年将通信、计算机和影像等业务合并组成统一的经营部门。该公司的电子产品、研究和开发的主要顾客是美国政府。除防空导弹系统外，公司还生产雷达情报系统、火灾和气候控制设备、空中交通控制设备、通信系统和电子武器，并开发电子数据处理及微型电脑系统。也出售飞机，提供能源服务、重型建筑设备、教科书等。总部在马萨诸塞州列克星敦。1991年波斯湾战争期间，公司生产的爱国者导弹得到了全世界的关注，公司在美国以外的销售额有了巨大增长。为了建立在防御电子产业方面的领导地位，公司购买了克莱斯勒公司的防御电子业务和飞机改装业务(1996)，以及得州仪器和休斯电子公司的防御业务部门(1997)。同时也剥离了数个非防御业务，包括阿曼纳制冷公司。

Rayy 赖城 又拼Ray，Rai。古代波斯称拉格哈(Ragha)。伊朗从前的大城市之一，古城遗址在德黑兰东南的现代城市沙赫尔雷伊东郊。公元前3千纪该地即有居民点。在琐罗亚斯德教文献中，赖城为一圣地。641年被阿拉伯穆斯林占领；8世纪时为重要城市，在西亚只有大马士革和巴格达可与之相比。多数建筑物是用砖做材料，并用蓝色彩陶作装饰。该市地位12世纪因激烈的教派争吵而削弱。1220年，几乎全部被蒙古人毁灭。居民遭到屠杀，大部幸存者迁往附近的德黑兰，荒弃的赖城旋即成为一片废墟。现以生产装饰性艺术丝织品和陶器著称。

Rayy ware 赖城陶瓷 又译拉伊陶瓷。在德黑兰附近拉伊地区发现的一种伊斯兰风格的陶瓷制品，始于12世纪。其精美的米纳伊(一种低温釉彩)绘饰尤具特色。其典型特征是器物制作精细，雕刻粗犷，偶有透雕，釉面晶莹，采用无光颜料和剪影画法进行装饰。

Razak bin Hussein, Tun Abdul (Malaysian prime minister) 参阅 **Abdul Razak bin Hussein, Tun Haji** 拉扎克。

Razgrad 拉兹格勒 保加利亚东北部城镇。临白洛姆河。为保加利亚最大的抗菌素制造地。还生产水泥、瓷器、玻璃等,又是生产粮食、蔬菜、木材的农业中心。有古清真寺、罗马碉堡遗址。当地博物馆有出自以上遗址的精选文物。人口约 51 277(1987)。

Rāzī, ar- 拉齐(约865,波斯赖城[今在伊朗]～923 或 932,赖城) 拉丁语作 Rhazes。著名炼金术士及伊斯兰哲学家,伊斯兰世界最伟大的医师。出生于波斯的赖城。据说他在学医前已是炼金术士。曾在赖城及巴格达任主要负责医师。正如当时的一些知识分子一样,他曾受许多小朝廷君主的庇护。他自视为伊斯兰的苏格拉底及希波克拉底。他的两本最重要的医学著作是《曼苏尔书》(为赖城的君主曼苏尔·伊本·易司哈各写成,12 世纪有拉丁文译本,从而在西方闻名)及《医学集成》,该书概括地论述了希腊、叙利亚、早期阿拉伯及一些印度的医学知识。他的全部著作中均融合了自己的见解及经验。其他医学论文尚多,其中包括著名的《论天花及麻疹》(已译成拉丁文、拜占廷希腊文及各种现代语言)。其哲学著作久被忽视,直到 20 世纪它们的重要性才重新得到赏识。虽然他自称是柏拉图的信徒,但一贯和柏拉图的阿拉伯注释者如法拉比、阿维森纳及阿沃鲁埃斯意见不同。他可能熟习希腊原子论哲学家德谟克利特的阿拉伯译文,并在自己关于物质构成的原子理论方面采取了相似的看法。其自传与其说是记述他的生活事件,不如说是借此宣扬其哲学观点的一本作品。《拉齐斯的精神物理过程》则是一部广为流传的伦理学著作,也是一部重要的有关炼金术研究的著作。

Rāzī, ar-(Muslim theologian) **拉齐** 参阅**Fakhr ad-Dīn ar-Rāzī** 法赫尔丁·拉齐。

Razin, Stenka 拉辛(约1630,俄罗斯顿河畔济莫韦斯卡亚～1671-06-16[旧历 06-06],莫斯科) 俄国东南边境一次大规模哥萨克和农民起义(1670～1671)的领袖。出身于顿河

不列颠博物馆供图

哥萨克的一个小康之家。早年经常看到逃亡的农奴从波兰和俄罗斯跑到顿河哥萨克地区,他们寻找土地,企图在哥萨克的富裕村庄中定居,因而引起紧张的局势。1667 年拉辛自愿充当一小群无地的新来者和冒险家的首领(盖特曼),在顿河上游建立一个新的哥萨克村庄。此后 3 年,他对俄罗斯人和波斯人的居民点进行大胆的袭击,夺取运送沙皇物资的一个伏尔加河大船队,攻克雅伊克河(今乌拉尔河)上的雅伊克城(1668),从海上进攻和摧毁波斯在里海沿岸的杰尔宾特、巴库和拉什特等穆斯林居民点,并且打败波斯国王派来讨伐他的舰队(1669)。拉辛威名大振,财宝无数,他返回顿河,1670 年开始对伏尔加河沿岸的沙皇堡垒城市进行新的袭击。他带领约 7 000 名哥萨克,攻下察里津(今伏尔加格勒)和阿斯特拉罕。他和部下严厉惩处贵族和军官、把地方政府改为哥萨克人自治组织之后,又溯伏尔加河向前进军。拉辛鼓动农民和下层城市居民参加他的起义,反对贵族和官僚(但不反对沙皇)。他在攻克萨拉托夫之后,率部(其时已有 2 万人)向辛比尔斯克(今乌里扬诺夫斯克)进发。这时,他的起义已经扩展到整个伏尔加河地区,向顿河和顿涅茨河流域、甚至俄国一些中央省份蔓延。沙皇阿列克塞(1645 ～ 1676 在位)对拉辛的胜利大为震惊,遂派巴里亚京斯基亲王率兵去救援辛比尔斯克。亲王的军队受过西欧兵法的训练,彻底击溃了拉辛的没有训练、没有纪律和装备很差的队伍(1670-10)。拉辛逃往顿河。但在 1671 年 4 月 24 日被效忠沙皇的哥萨克擒获,交给沙皇当局。拉辛被押解到莫斯科,经过严刑拷打,在红场上凌迟处死。沙皇的军队烧毁起义者的村庄,处死起义者的领袖们,把起义镇压下去,起义的最后一个据点阿斯特拉罕在 1671 年 12 月降服。拉辛的起义军由两种不同的人员组成:哥萨克和农民。前者为无政府主义思想所鼓舞,后者为对农奴制的憎恨所激励。俄国和苏联的历史学家在记述俄国历史时倾向于把拉辛降到较次要的地位,但在民间,拉辛被人民当作一位英雄,歌颂拉辛和他的功绩的无数民歌和传说使拉辛万古流芳。

Razmara, Ali 拉兹马拉(1901,伊朗德黑兰～ 1951-03-07,德黑兰) 又拼 ʻAlī Razmārā。伊朗军官、政府官员,1950 ～ 1951 年任首相。1925 年毕业于法国圣西尔军校。在礼萨·汗(后为国王巴列维)统治时期到库尔德斯坦和拉雷斯坦地区从事绥靖工作,1938 年任德黑兰军官学院院长。曾撰写波斯军事史等书。1944 年盟军占领伊朗时期,被穆罕默德·礼萨·巴列维提升为将军,被责令重组军队。两年后,出任参谋总长,调遣中央政府部队赴阿塞拜疆地区监督选举,致使当地苏维埃政府垮台。1950 年 6 月任首相。因主张富人为国家承担更多负担而树敌众多。虽受到平民方面的巨大压力,但仍反对伊朗石油工业国有化。1951 年 3 月 7 日在苏丹清真寺外被极端宗教组织"伊斯兰自我献身者协会"成员暗杀。不久,摩萨台当选首相。

razor 剃刀 锋口锐利的修面器具,也用于理发。史前窑洞壁画表明,蚌壳、鲨鱼齿、磨快的燧石都曾用作修面工具,有些原始部落至今仍用燧石。公元前 4 世纪埃及墓葬中发现纯金的及铜的剃刀。18、19 世纪,英国刀具工业中心设菲尔德精巧地制成配有带装饰手柄的锐利钢剃刀。1740 年 B. 亨茨曼第一次炼出硬质坩锅钢,后来为法国人采用。1828 年设菲尔德制成一边有保护的刀片,这是安全刀片的前身。同时美国出现锄形安全剃刀。20 世纪初,K.C. 吉列将锄形刀架与双边可替换刀片合成一体。60 年代初有些国家开始制造不锈钢安全刀片,可延长使用寿命。流行的双面刀片后来遇到廉价的卡式插入刀片的有力竞争。早在 1900 年电动剃刀已在美国获得专利,但第一种适于商业制造的电动剃刀由美国退役陆军上校 J. 希克设计并于 1928 年获得专利。1931 年投放市场后立刻出现了多种不同的设计,但都有一个用小马达带动的、可分为两部分的刀头。外刀头有一系列狭长孔,用以夹住胡须,内刀头则为一套剪切叶片。不同之处只是叶片的形状和数量以及刀头的外形等。

razor-billed auk(*Alca torda*) **刀嘴海雀** 又作 razorbill。产于北大西洋的黑白两色的海鸟,生有坚实、侧扁的尖嘴。体长约 40 厘米。是海雀科(鸻形目)最大的现存种。与已

刀嘴海雀(*Alca torda*)
供图:Wolfgang Lummer

绝灭的**大海雀**(**great auk**)亲缘最近。能潜入深水,以鱼及贝类为食。繁殖于北大西洋沿岸,有些种可向南迁徙到地中海。

razor clam 蛏子 双壳纲竹蛏科海产贝类。在英国,指剑蛏属(*Ensis*)和竹蛏属(*Solen*)的种类。常见于潮间带的泥沙中(尤其在温带)。壳窄长,剃刀状,长可达约 20 厘米。斧足大而活跃,故蛏子能在洞穴中迅速上下移动,受惊时很快缩入洞内。以短水管摄食海水中食物颗粒。有的种可借水管喷水而作短距离游泳。

razor fish 剃刀鱼 参阅 **shrimpfish** 虾鱼。

razorback whale 长须鲸 参阅 **fin whale** 鳍鲸。

RCA Corporation RCA 公司 1919～1969 年间称美国无线电公司。美国电子及广播的企业集团,隶属通用电气公司。1919 年通用电气公司为收购美国马可尼无线电报公司而创立美国无线电公司(RCA)。1926 年 RCA 公司建立全国广播公司,由其接管无线电广播活动,并企图将其关键技术掌握在美国人手中。该公司 1946 年将黑白电视机投入市场;4 年后试制出彩色电视机,于 1954 年引进市场。RCA 在军事、空间电子及卫星通讯方面也很活跃。1986 年美国通用电气公司以 60 余亿元巨资收购 RCA,1987 年通用电气将 RCA 的消费者电子制造业务售给一家法商汤

姆逊-布兰特公司。总公司设在纽约市。

RCMP 参阅 **Royal Canadian Mounted Police 皇家加拿大骑警队**。

RDX 旋风炸药 Research Department Explosive 的缩写。又作 cyclonite、hexogen，正式名称为环三亚甲基三硝胺，又称三亚甲基三硝基胺、六素精或 T_4。一种强力炸药。由德国 H.亨宁在 1898 年发明，但直到第二次世界大战时才被多数的交战国采用。RDX 比较安全价廉，美国和加拿大研究出一种秘密工艺流程，大量生产 RDX。RDX 是由英国命名的，美国也用。德国称它为六素精，而意大利称它为 T_4。RDX 是硬质白色结晶体，不溶于水，仅微溶于某些其他溶剂。它对撞击很敏感，主要的非军事用途是起爆雷管。常与其他物质混合以降低其敏感度。

Re 瑞 又拼 Ra 或 Phra。古埃及宗教所奉祀的太阳神，创造宇宙万物，是埃及最重要的诸神之一。他白昼乘坐太阳船横跨天空，夜间乘坐另一船驶过阴间去战胜恶神阿佩皮，

古埃及第 19 王朝时期壁画中的瑞(中)和鸟神
供图：Andre Held

次日再兴。在宗教艺术作品中瑞从覆盖原始丘陵的混沌海洋中升起，创造自身和其他八神。起初，太阳神大都形状如隼，而且与何露斯融合为一。到第 4 王朝(约公元前2575～约前 2465)，瑞上升到领导地位。瑞与其他多神融合，于是出现了瑞-哈拉赫蒂、阿蒙-瑞、塞贝克-瑞和赫农-瑞等名称。其他神的特点影响了瑞自己，瑞-哈拉赫蒂头如隼，这种形象是由于他受了何露斯的影响。瑞的崇拜中心原在昂(赫利奥波利斯)，他的势力从该地向四外扩充。从第 4 王朝起，国王称“瑞之子”，登位时所上尊号中包含“瑞”字。瑞既是玛亚特之父，因而是宇宙间光明和正义的最终本源。在底比斯，到了第 11 王朝末期(约公元前 1980)，瑞与阿蒙发生了联系，称阿蒙-瑞，阿蒙-瑞在1 000多年间一直是万神之主，万神之王，国王的保佑者。太阳教的最大转变发生在新王国时代(公元前 1539～约前 1075)。短暂的阿马纳时代(公元前1353～约前 1336)，发生的重大改革，把对于瑞的崇拜简化，改为拜一轮红日阿吞。在新王国时代，对于瑞的信仰与对于冥间之王俄赛里斯的信仰互相调和。

Ré Island 雷岛 法国西海岸滨海夏朗德省比斯开湾的岛。与大陆上的拉帕利斯和拉罗谢尔之间隔佩尔蒂布勒通的浅水域(最窄处 3.2 千米)，并与两地通渡轮。20 世纪 70 年代在岛和大陆间建桥。岛长 29 千米，宽 3～5 千米，面积 85 平方千米。地势低，土地肥沃，尤适于种植早熟蔬菜，龙须菜尤为著名。有葡萄园。沿海有盐场和牡蛎养殖场。主要胜地是北岸圣马丹港和拉弗洛塔渔港。岛上有中世纪圣洛朗隐修院的遗迹。人口 11 396(1982)。

REA Express, Inc. REA 捷运公司 美国公司，它所经营陆上和空中捷运业务量曾占全美国第一位。该公司办理包裹、银钱和货物的运输，包括收货和交货。1918 年美国政府接收全国各大捷运公司的业务和资产，建立美国铁路捷运公司。1928 年 86 家铁路创立铁路捷运代理公司，该公司于次年购买了美国铁路捷运公司。40 年后，一批公司官员握有控制股权，遂于 1970 年改公司名称为 REA 捷运公司。由于管理不善，又受到铁路和航空公司职员兄弟会罢工的影响，和美国邮局和联合包装运输公司的竞争，公司遭到严重经济损失，于 1975 年宣告破产。

reactance 电抗 电学用语，当电流方向或大小变化时电路或部分电路对电流所呈现的阻碍作用的量度。沿导体流动的稳恒电流(方向不交变)所受导体的阻碍作用，称为电阻而不是电抗。当导体传输交流电时，除了电阻外还有电抗。直流电流在达到稳定前或失去稳定后的一瞬间，例如当开关关闭或开启时也出现电抗。电抗有两种：感抗和容抗。感抗同载流导线或线圈周围的磁场有关。在这种导体(或感应器)中的交流电产生交变磁场，而交变磁场又影响感应器中的电流以及感应器两端的电压。感应器实质上阻碍电流变化，使电流的变化滞后于电压的变化。随着激励电压开始减小，电流仍逐步增大，当电压改变方向时，电流趋于最大值。当电压在反方向增加到最大值时，电流减小到零。随后电流反向，并且在与电压相同的方向上逐步增大，直至电压再次下降到零。感抗是对电流阻碍作用的量度，与交流电的频率 f 和感应器的电感(用符号 L 表示，它和电感器的尺寸、线圈安排及周围的介质都有关系)成比例。感抗 X_L 等于 2π 乘以电流的频率和导体的电感，即 $X_L = 2\pi fL$。感抗用欧姆表示，频率的单位为赫，电感的单位为亨。而容抗则与彼此由一绝缘介质隔开的两导电表面(极板)之间的变化电场有关。这样一组导体(即电容器)实质上阻碍其极板之间的电压或电势差的变化。电路中的电容器使交变电压滞后于交变电流，从而阻碍电流流动。这种关系与感应器所引起的相反。容抗是对这种阻碍作用的度量。它与交流电的频率及电容器的电容(用 C 表示，它和电容器的尺寸、极板的安排及板间的绝缘介质有关)成反比。容抗 X_C 等于 2π、电流的频率及电路的电容三者乘积的倒数，即 $X_C = 1/(2\pi Cf)$。容抗的单位为欧姆，电容的单位为法拉。因为感抗 X_L 使电压超前于电流，容抗 X_C 使电压滞后于电流，故总电抗是两者之差，即 $X = X_L - X_C$。电抗的倒数 $1/X$ 称为电纳，电纳的单位是欧姆的倒数，称为姆欧。

reaction, heat of 反应热 为了保持所有物质在化学反应过程中处于同一温度所必须加入或除去的热量。如果反应体系所在容器中的压力保持恒定值，所测量的反应热也代表伴随反应的一个热力学量焓(即热函)的变化。也即用反应终止时与反应起始时存在的物质之焓的差来表示。因此，恒压下测定的反应热也可称为反应焓，用符号 ΔH 表示。如果反应热是正值，表示反应是吸热的；如果反应热是负值，就是放热反应。推算和测量化学变化中的热效应，对于了解和应用化学反应是很重要的。如果反应体系所在的容器是没有热量流入或流出的热绝容器(绝热状态)，反应的热效应根据体系中物质的具体情况而表现为温度的增减。反应热的精确值对于化学过程所用设备的正确设计是很必要的。因为要对所发生的每个反应都测定其反应热是不现实的，而且因为对于某些反应甚至那样的测量是根本行不通的，所以，通常总是由汇编的标准热学数据通过适当组合来估计反应热。这些数据一般都是以标准生成热或燃烧热的形式列出。标准生成热定义为：1 摩尔的化合物由处于通常最稳定物理状态(气、液或固态)的组分元素在 25 °C、1 大气压下形成时，所吸收或放出的热量。元素的生成热被人为地指定为零。同样，标准燃烧热被定义为：在 25 °C、1 大气压下，1 摩尔的物质在过量氧气中燃烧所放出的热量。由测得的生成热和燃烧热，根据盖斯热加和定律可以计算反应热。

reaction rate 反应速率 化学反应进行的速率，以单位时间内产物生成的量或反应物消耗的量来表示。对由两种化合物 X 和 Y 生成产物 Z 的反应，方程式为：

$$X + Y \longrightarrow Z$$

反应速率可用 Z 浓度增加的速率或用 X 或 Y 浓度降低的速率表示。表示反应速率的数学符号为 dc_Z/dt、$-dc_X/dt$ 或 $-dc_Y/dt$，式中 c 代表浓度(单位是摩尔/升)，其下标表示物质的种类，数学符号 d/dt 是某一数量随时间变化的速率(对时间的导数)。化学反应速率取决于反应物的性质和化学变化的类型。通常，离子(带电的微粒)的结合或分离过程进行得非常快，而有共价键生成或断裂的反应慢得多。对一组给定的反应物，其反应速率则因反应体系的温度、压力及反应物的用量而不同。通常，化学反应随反应物的消耗而逐渐减慢。有时，加入某种本身并不是反应物的所谓催化剂，能够加快通常情况下速率很慢的反应。反应速率常数或比速率常数是化学方程式中的一个比例常数。它表示化学反应速率和反应物浓度之间的关系。若 r 表示反应速率，k 通常表示反应速率常数，$f(c)$ 是反应物浓度的表达式，则联系这些参数的方程式为 $r = kf(c)$。倘若反应速率是由两个因素决定的，其一是反应分子存在的数量，另一因素是分子的类型和所处的状态，则速率常数便是描述后者的参数。预言、测量和解释反应速率是化学的一个分支——化学动力

学的课题。

Read, Sir Herbert 里德(1893-12-04,英国约克郡柯比穆尔赛德马斯科茨格兰奇[今在北约克郡]～1968-06-12,约克郡莫尔顿[今在北约克郡]) 英国诗人和评论家。20世纪

供图:BBC Hulton Picture Library

30～60年代的英国现代艺术运动的主要宣传者和阐释人,以无政府主义哲学观点批判性地研究社会、艺术和文学等方面的问题。在农村长大,他在《天真的眼光》(1933)中记述了他的童年,后来与其他自传性作品收入《相反的经历》(1963)一书。先在银行工作,后入利兹大学求学。第一次世界大战期间任步兵军官3年。1919年出版第一部诗集《赤膊的战士》。1926～1966年间出版几部《诗集》,他的诗常以战争和失去的童年为主题。他是20世纪40年代人称"新启示"派诗人中一个重要的有影响人物。战后,在伦敦维多利亚和艾伯特博物馆工作。1931～1932年在爱丁堡大学任教,1933～1939年编辑《柏林顿杂志》月刊。1953年被封为爵士。他在艺术和文学理论方面的重要贡献是在《现代诗的形式》(1932)中指出有机形式和抽象形式的区别。赞成有机形式,而不喜欢抽象形式。里德的论著有《当代艺术》(1933)、《艺术和工业》(1934)、《艺术和社会》(1936)、《美育》(1943)、《现代艺术的哲学》(1952)。他的《英国浪漫主义诗歌研究》(1953)恢复了浪漫主义诗人的声誉。他对艺术在学习中的重要性的强调影响了英国的教育,而他对功能主义的支持则影响了英国的设计。

Read, Opie (Percival) 里德(1852-12-22,美国田纳西纳什维尔～1939-11-02,伊利诺伊芝加哥) 美国新闻工作者、幽默作家、小说家、讲演家。擅长以简朴幽默的文笔描写肯塔基州、田纳西州和阿肯色州的生活。读了B.富兰克林的自传后受到鼓舞,他当过印刷工人、记者、编辑,最后主编小石城《日报》(1878～1881)和《阿肯色旅行者》(1882),后者是一个幽默文学周刊,1887年迁至芝加哥。他的著作包括《莱恩·甘塞特》(1888),一个描写美国南部的故事;《朱克林一家》(1895),售出了一百多万册;《我的年轻主人》(1896),描写美国南北战争。自传《我记得》发表于1930年。

Reade, Charles 里德(1814-06-08,英国牛津郡伊普斯顿附近～1884-04-11,伦敦) 英国作家。所著小说极其愤慨地揭露了当时社会上的种种不平。但他最主要的作品《修道院和家庭》(1861)是一部出色的历史传奇,写埃拉斯穆斯神父的故事。早年在伦敦合伙经营小提琴业务,自己也是一名提琴演奏者。1843年获律师资格,但从未开业。1851年任牛津大学马格达伦学院副院长,但只是一个闲职。他写有40部剧本,虽然在写作和上演

伦敦国立肖像画博物馆供图

剧本方面花费了许多时间和金钱,但是人物刻画得很粗糙,而且都是粗俗的情节剧。他写了14部长篇小说,表现了他的人道主义和对社会问题的关切。《亡羊补牢未晚》(1856)批评监狱的生活条件;《现金》(1863)揭露精神病人(特别在私人精神病院)所遭受的虐待;《设身处地》(1870)描写工联主义者的恐怖活动;与D.鲍西考尔特合写的情节剧《奸诈》(1868)揭穿"棺材船"中的骗局并使舆论倾向于支持S.普利姆索尔后来提出的安全措施。

reader 参阅 **lector** 诵经员。

readerly and writerly 利读和利写 文学文本相对的类型。由法国评论家R.巴尔特在著作《S/Z》(1970)中加以界定。他用"利读"和"利写"两词把直截了当而无需费力理解的文本和意思不够浅显而需要读者费力理解的文本区分开来。根据他的说法,利读的文本代表着人物及事件容易辨识的世界,其中人物及其行为可以理解。G.艾略特和A.本涅特等人的小说属于利读的文本。利写的文本就像J.乔伊斯的《尤利西斯》和W.福克纳的《喧哗与骚动》,是自我意识强的文学作品,其特点是强调语言的精心雕琢。

Reader's Digest 《读者文摘》 总部设在美国的月刊杂志,发行量居世界一切期刊之冠。1922年创刊,最初仅刊载一些从其他刊物摘录的有新闻和娱乐价值的文章。由D.W.华莱士夫妇按低成本方式创办的这一袖珍本杂志迎合了广大读者趣味。自1934年起开始发表流行书籍的节录。后来,创办人华莱士以委托方式为《读者文摘》组稿,将它们售与其他刊物,然后再由《读者文摘》刊登,华莱士付重印版税。这种做法受到一些刊物编者的攻击,《读者文摘》渐渐转为主要发表自己组编的原著稿件。华莱士本拟将它办成不偏不倚的刊物,但还是有人批评它反映了出版者的基本上属于保守派的观点。不过它的发行量稳定增长。到20世纪后期该刊在全世界以15种语言出版39个版本,总发行量达2 800万册。

Reading 雷丁 英格兰伯克郡的城镇和区("自治市"),在伦敦以西61千米。该城是一铁路枢纽,东通伦敦,北达中部地区;又有肯尼特河及埃文运河(通往巴斯和布里斯托尔)使之从水路与泰晤士河连接。城镇位于肯尼特河与泰晤士河汇流处。早在871年,雷丁已是丹麦人一宿营地点。12到16世纪之间,修道院与新兴的商人行业公会不断在当地争夺特权。17世纪中叶英国内战时该城受到严重破坏。到了17世纪,该城贸易,主要是服装业,开始衰落。18世纪该城主要经营麦芽酿酒。第一份城镇特许状是1253年亨利三世颁发的,其后的统治者加以确认和详述。沿用到1835年的政府特许状是1639年查理一世时期颁发的,此特许状规定设市长一人以及高级市政官和自治市议员若干人。星期六举行的集市可上溯至亨利三世统治的年代。1121年亨利一世修建的本笃会修道院的遗址在公园中。此修道院曾位列全英格兰第三大修道院。亨利三世解散了修道院,改建为宫殿。此宫殿毁于英国内战战火。牧师会礼堂中的一块匾上写着著名的中世纪轮唱曲"夏天来了"("Sumer isicumenin",又译"春天

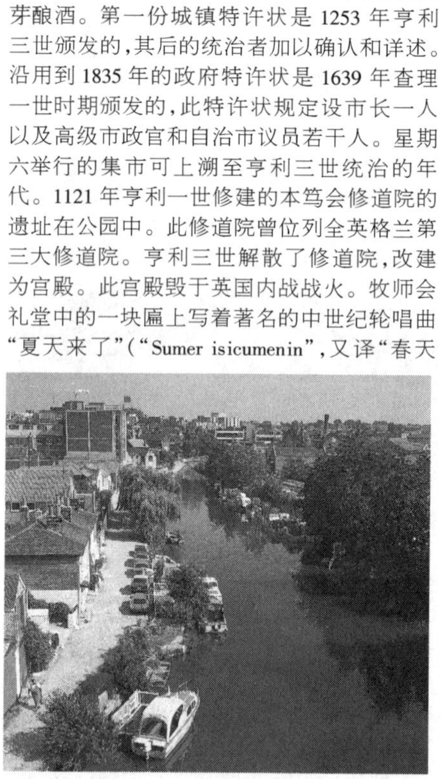

肯尼特河畔的雷丁镇

供图:J. Allan Cash Photolibrary, London

来了")是一位僧侣1240年在此创作的。亨利一世(1135年卒)之墓有一石碑。遗址旁边是雷丁监狱,王尔德在此写下一封长信,经过修改后出版,名为《从深处》(De Profundis),其后又写出长诗《雷丁监狱之歌》。雷丁为一农业中心,以苗圃所产球茎植物闻名。其他著名行业有饼干制造与酿酒等,但更重要的是印刷、铸铁、机械工程和计算机等工业,还有陶器制造业和砖厂,河边有造船厂。1892年创办大学学院,附属于牛津大学,1926年从牛津分出,成为独立学院,该院对农业、园艺和乳品业的研究具有特殊重要性。区面积40平方千米。人口约147 800(1998)。

Reading 雷丁 美国宾夕法尼亚州东南部城市,伯克斯县县城(1752)。东南距费城82千米,濒临斯库尔基尔河。1748年兴建。1783年设自治镇。1847年设市。18世纪末工业开始发展。斯库尔基尔河和尤宁运河的通航及费城—雷丁铁路的建成推动了工业的发展。19世纪90年代低座自行车生产兴隆。

约1900年出现纺织和织袜业。现有服装、砖、电子设备、特种钢材、油漆、铁路设备、糖果、汽车零件等产品。设有奥尔布赖特学院(1856)、阿尔弗尼亚学院(1958)和宾夕法尼

雷丁市附近的D.布恩故居
供图：Jane Latta—Photo Researchers 美国不列颠百科全书公司

亚州立大学伯克斯分校(1958)。佩恩山位于一个1 100公顷公园中心，山高396米，顶上有形状怪异的塔和瞭望台。附近的库茨敦每年举办具有当地传统的民间节庆。人口：市81 207；都会统计区373 638(2000)。

Reading, Rufus Daniel Isaacs, 1st Marquess of　里丁侯爵(第一)(1860-10-10，英格兰伦敦～1935-12-30，伦敦)　即R.D.伊萨克斯。政治家、英国最高法院院长、外交家。1887年取得律师资格。1904年以自由党人身份选入下院。1910年任检察总长。1912年成为第一个取得内阁席位的检察总长。1913～1921年任最高法院院长，曾审理爱尔兰爱国志士罗杰·凯斯门特爵士的叛国案(1916)。第一次世界大战期间致力于加强英美关系并任英法代表团团长，与美国谈判5亿美元的战争贷款。1914年封男爵，1916年封子爵，1917年受封伯爵。1918～1919年他在担任驻美国大使的同时，还保留最高法院院长的职务。

供图：Lady Reading

1921～1926年在印度民族主义汹涌澎湃的时候，他出任印度总督。1921年监禁两名穆斯林领袖，1922年又将圣雄甘地下狱。他还使用武力镇压莫普拉人(马德拉斯管辖区的穆斯林分裂主义分子)和旁遮普的锡克教反叛者。他一度(1931年8月～11月)在麦克唐纳的联合政府中任外交大臣。

Reading Company　雷丁公司　美国宾夕法尼亚、纽约和特拉华州境内的铁道企业。1833年接收几条已建的铁路，组成费城-雷丁铁路公司。该公司为宾夕法尼亚煤矿运煤，有所发展。19世纪70年代它收买该州煤矿的30%。雷丁公司于1896年成立，是费城-雷丁铁路公司和费城-雷丁煤铁公司的控股公司。1923年雷丁公司将费城-雷丁铁路及其所收购的一些辅线合并，本身成为实际营业的公司。主要由于运煤量减少，1971年雷丁公司被迫破产清算。1974年联邦法院宣布它无法改组，其铁路资产大多于1976年由联合铁路公司收购。

ready-made　现成取材作品　经选定而指称为艺术品的日常用品；这个名称由法国艺术家杜尚新创。他的第一件现成取材作品，是在凳子上装有一只车轮的《自行车轮》(1918)，以此反对过分强调艺术品的重要性；并通过取材于大批生产的普通产品，力图打破艺术作品至高无上的观点。这种违反审美原则的姿态使杜尚成为当时达达派的首领之一。

Reagan, Ronald W(ilson)　里根(1911-02-06，伊利诺伊坦皮科～2004-06-05，加利福尼亚洛杉矶)　美国第40任总统(1981～1989)，以保守的共和党思想著称。里根为鞋类销售员之子，1932年毕业于伊利诺伊州尤里卡学院后，在艾奥瓦州担任广播电台体育播报员。1937年踏入漫长的电影演员生涯，共参加过50部左右的影片演出，其中著名的有《罗克尼传》(1940)、《金石盟》(1942)及《仓猝的心》(1950)等。1947～1952年和1959～1960年两度担任电影演员公会主席，配合打击传闻存在于美国电影业中的共产党势力。

里根的演艺生涯于50年代走下坡，遂在通用电气公司(又译奇异公司)担任巡回发言人，并主持电视节目通用电气剧场(又译奇异剧场，1954～1962)。在此期间，他从自由派民主党人转变为保守派共和党人。1966年以共和党员身份，当选加利福尼亚州州长，1970年再度当选。其两届州长任期(1967～1974)内，只在颁布他的行政计划方面有适度的成功。

1968年曾不太热心地争取共和党总统候选人的提名，但1976年认真地想夺取福特总统受提名的资格，也未成功。1980年赢得共和党总统提名，在随后的竞选中提出保守的政纲，以乐观亲和的态度鼓吹美国的传统价值。里根获51%的选民投票，击败卡特的41%，获得压倒性的胜利。里根就任总统不久便遇刺受伤。1981年3月30日，他遭25岁的游民小欣克利开枪重创，但以惊人的速度完全康复。

里根采用供应经济学政策，提议在大幅增加军事经费、锐减非国防性开支的同时降低税收，认为这样可以造成经济快速增长，因此增加的政府岁入(借由扩大税收所得的基准)终将平衡联邦预算。1981年国会通过他的大部分提议，大幅削减非国防性开支，批准降低个人所得税及企业加速的折旧税额减免。经济政策的结果好坏参半。虽然里根任期内通货膨胀率降至3.5%左右，经济在1982年衰退后也有稳定的增长，减税却造成连年庞大的预算赤字，1981～1986年间美国的债务因而倍增。

里根开始整建美国有史以来最大的和平

美国不列颠百科全书公司供图

时期军备。1983年曾提议依据颇受争议的战略防卫计划来建造一套美国战略防卫系统。在外交方面，他采取强硬的反共立场，以极端谨慎的态度勉强与苏联进行限制战略武器谈判。外交政策的主要成就包括1983年美军侵入加勒比海小岛格林纳达，解散当地的马克思主义政府，以及1988年与苏联领袖戈尔巴乔夫召开的最高级会议，两人签署了限制中程核导弹的中程核武器条约(INF Treaty)。

里根在两届总统任期内，与其夫人南希·戴维斯·里根(原名安妮·弗朗西丝·罗宾斯)获得美国民众的喜爱。他动人的个人特质使本身具有的与大众沟通的才华更加洋溢。1984年里根竞选连任，对手为自由派民主党人蒙代尔。里根获得压倒性胜利，以59%的选票击败蒙代尔的41%。1985年他签署了强制政府削减支出的立法，以求在1991年平衡联邦预算。他继续力求增加国防支出，同时反对增税以减少政府持续赤字的提议。他的简化和修正联邦税则的提议经国会大幅修改后，才于1985～1986年间通过。里根退休后回到家乡洛杉矶，撰写自传(1990)。1994年，在一封致美国人民的公开信中披露了自己患有老年痴呆症的事实。

里根政府曾运送军火给伊朗激进的伊斯兰教原教旨主义政府一事，于1986年末暴露。运送军火的行为显然是要使伊朗借其影响力促成黎巴嫩贝鲁特的恐怖分子释放扣留的美国人质。不久获悉，国家安全委员会(白宫咨询机构)的高层官员曾将伊朗军火交易的部分所得秘密转给美国支持的尼加拉瓜反政府军，后者反抗的目标为本国马克思主义的桑地诺主义者政府。这些事实的揭发曾一度严重削弱里根的声望和执政权威。但对于里根数百万的支持者来说，里根永远是促使冷战结束，帮助美国恢复自信的杰出总统。1998年，国会和克林顿将华盛顿哥伦比亚特区的国家机场重新命名为罗纳德·里根华盛顿国家机场。

reagin　反应素　又称亲同种细胞性抗体或普劳斯尼茨-屈斯特纳氏抗体。天然过敏患者血清及皮肤中的一种抗体，正常人血清中仅少量存在。成分为IgE。不耐热，不能通过胎盘屏障，寿命远较其他抗体为长。能被动转移给他人；因此，过敏的供血者偶可通

过输血使无过敏反应的受血者于短期内发生与之相同的过敏现象。参阅 **allergy**；**atopy**。

Reagon, Bernice Johnson 里冈(1942-10-04，美国佐治亚奥尔巴尼～) 婚前名 Bernice Johnson。美国黑人音乐家和史学家。作曲范围包括非洲灵歌以及富有战斗性的民权运动歌曲。1959 年进入奥尔巴尼州立学院，在那里攻读音乐，并开始涉足政治活动。1961 年与学生非暴力协调委员会(SNCC)成员在一次抗议游行中遭到逮捕，进而被学校暂令停学。翌年，回到佐治亚州亚特兰大的斯佩尔曼学院攻读音乐，但同年离校，加入"学生非暴力协调委员会自由歌手"团体。1966 年推出首张个人专辑，1967 年录制第二张。随后她研究美国的非洲传统歌曲、故事并组织民俗庆典巡回表演。后成为黑人民族主义的活跃分子，以"团结歌手"成员的身份写下她最有战斗性的歌曲。在斯佩尔曼学院完成非西方历史的学业后，她迁居华盛顿哥伦比亚特区，成为特区黑人戏目剧院的声乐总监。1973 年她组织乐队"摇滚甜心"，共有 4～6 名女子不等，表演无伴奏合唱，范围很广泛。靠着独特的声音，她们到处巡回演唱，并录制许多专辑。1975 年获霍华德大学历史学博士学位。1974 年开始以文化史学者身份在史密森学会工作。1983 年晋升为美国国家历史博物馆馆长。1993 年被任命为美利坚大学杰出历史学教授，1994 年成为史密森学会荣誉会长。曾以各种不同职务参与电视制作并获奖。

real 雷阿尔 巴西货币单位。1 雷阿尔(复数 reais)等于 100 分。巴西中央银行是唯一有权在巴西发行纸币和铸币的银行。铸币面值由 1 分至 1 雷阿尔不等。纸币面值由 1 至 100 雷阿尔不等。纸币正面除 10 雷阿尔外都有象征该共和国的雕像，10 雷阿尔纸币则是葡萄牙航海家 P.A.卡布拉尔的形象，通常认为他是第一个发现巴西的欧洲人；反面印有野生动物形象，包括鹤(5 雷阿尔纸币)，巴西国鸟金刚鹦鹉(10 雷阿尔纸币)和豹(50 雷阿尔纸币)。20 世纪，主要由于通货膨胀的压力，巴西被迫对其货币制度作出多次改革。从殖民地时代起至 1942 年，巴西货币为里斯，1942 年以克鲁赛罗取代。后又经过几次变革，80 年代中期采用克鲁扎多，不过经济更不稳定，最后将其废除。货币制度又经几度兴废，直至 1994 年采用雷阿尔取代此前短命的克鲁赛罗雷阿尔(1993～1994)。

Real, Cordillera 雷亚尔山脉 又称东科迪勒拉山脉。玻利维亚两大山系之一。北起比尔卡诺塔峰，南抵圣弗朗西斯科山口，绵亘 1 200千米。东邻亚马孙盆地，西界阿尔蒂普拉诺高原。山区有较高的巴耶斯山间谷地(2 500～3 500米)和较低的永加斯谷地(1 000～2 000米)两个自然地理区。主山脉由拉巴斯、特雷斯克鲁塞斯、阿萨纳克斯、弗赖莱斯、奇查斯和利佩斯 6 条较小山脉组成；后者向西南延伸，最终使雷亚尔山脉与玻利维亚另一山系西科迪勒拉山脉连接起来。其中拉巴斯山脉最高，最高点伊延普峰海拔 6 421米。

real analysis 实分析 分析学的一个分支，它依赖于或本质上取决于实数系。分析学是数学的一个主要学科，同它并列的是：数学史与数学基础，代数学，组合与数论，几何学，拓扑学，以及应用数学。在广度上，分析学是最大的，它包含许多几乎是独立的分支。

起源与分析的概念 希腊数学主要是几何，它虽已开始了分析的某些长期性课题的研究，但分析学有生命力的创造在 1600 年前后开始。那时分析学的发展和力学、理论物理学紧密结合，基础物理刺激数学的课题大都是分析学的。微分学与积分学、*常微分方程*(**ordinary differential equation**)、*变分法*(**calculus of variations**)就是来自力学，傅里叶级数来自声学与热力学，*复分析*(**analysis, complex**)来自光学、流体动力学和电学，而*偏微分方程*(**partial differential equations**)来自弹性力学、流体动力学和电动力学；甚至*概率论*(**probability theory**，按分类它属于分析)虽然来自赌博问题，但在 19 世纪也从统计力学与热力学中吸取了演绎发展的力量。几何学研究空间和结构，拓扑学研究位置变形，代数学研究加减乘除等运算的一般性质，算术研究整数的加法与乘法性质。分析学也是研究特殊的运算，这就是微分法与积分法。说得更贴切些，它是从许多方面来研究数学的无穷，例如无穷多、无穷大、无穷小、无穷接近以及无穷可分等等。它最初的研究对象与基本概念是：无穷序列、无穷级数、函数、函数的*连续*(**continuity**)性质、函数的微商、函数的积分(最后两者都通过极限来定义)。微商是最主要的概念，无论对分析学或者对人类的认识来说，都是最有创造性的概念之一。没有它就不可能真正表示物理学中这样一些基本概念，如速度、加速度、密度、梯度等等，甚至波动方程就不存在，而物理学将会整个地改变面貌。

科学中一切明确的具体的信息都是定量的，它可以用通常的实数表示。每一个物理量都由一个或几个实数来量度，而所有这些数都来自同一的数系。没有这个基点，物理学中就没有什么守恒律，例如能量守恒就无法叙述甚至无法想象。空间的延伸、时间的间隔、声音、颜色、触觉、印象、情感等等，所有一切最后都得定量地估值。科学中的公式、等式、不等式的深刻意义只有通过解释才获得生命。可传递的信息也都是数，不管它们是记录在图表上、穿孔卡片上或磁带上。古希腊人没有引进实数系统；但在公元前四五世纪，他们知道了$\sqrt{2}$是无理数，还研究过数π。通过阿基米德的工作，人们知道了许多面积、体积和重心的计算，这些结果可以看成 17 世纪积分学的先驱。希腊人还知道实无限与潜无限的矛盾。厄里亚的芝诺关于阿基利斯追乌龟的悖论反映了这一点。部分地为了反驳这个悖论，19 世纪数学家 G.康托尔发展了*集合论*(**set theory**)，这不仅加固了分析学的逻辑框架，并且很快地给整个数学带来了革新。1637 年法国哲学家和数学家 R.笛卡儿奠定了*解析几何*(**analytic geometry**)的基础，它把几何的事情都归结到数，并且孕育了变数与函数的概念。17 世纪后期，当 I.牛顿和 G.W.莱布尼兹引进了微商并建立了微积分学和力学的基础时，发展达到了顶峰。19 世纪，拓扑学、代数学和算术开始成为数学中的独立学科，但分析学仍然是多产的并占统治地位。直到 20 世纪，拓扑学和代数学才开始取得接近于分析学的地位。同时，这些主要学科之间的界线也在不断变化。1930 年以后，一方面分析开始渗入几何与算术之中；另方面拓扑与代数又为分析提供更合适、更近代的构造模式。进一步，数字计算机把某种代数化注入到了分析中，机器的构造与编码问题包含着逻辑代数，而来自分析的计算上的作业中则必须把极限过程换成某种最多步数的逼近过程。

实数系 人类早就有了实数的概念，这是为了要表示几何量(如长度、面积、体积等)和物理量(如重量、温度等)。这些量的特征是：①可以相加；②可以分细，甚至可以无限分细。后者粗略地显示了实数系的连续性，它不像整数系那样是离散的。为了用数表示量，首先需要选定一个单位(常用数"1"表示)，然后与这个单位相比，是整倍数的量就用整数表示；这时作为量的比的整数就可以引进乘法。为了有可能进行减法与除法，引出了有理数系。1871 年左右，G.康托尔和 R.戴德金用不同的方法通过有理数定义实数，事实上他们的定义是等价的。这样的定义满足了几何量(如长度等)和物理量(如重量等)的一切数学要求：它们可以进行加减乘除(除数不为 0)运算，这些运算满足某些基本规律；它们还有大小次序，而且任意单调上升的有界序列 $x_1 < x_2 < x_3 < \cdots$ 永远以一实数为极限。实数系可以扩充到复数系和超复数系。

函数和微分学 函数的概念是指：假设给定实数的两个集合 X 与 Y，如果对 X 中的每个 x，都存在 Y 中唯一的 y 与之对应，就说 y 是 x 的一个函数，记作 $y = f(x)$，其中 f 便指所说的对应关系。17 世纪，人们把函数理解为公式，即一些基本的函数如 $x, x^2, \sin x, \operatorname{tg} x, e^x, \ln x$ 等经过运算所给出的表达式。如果这些表达式包含无穷次运算，就可以得到无穷级数，其中两种最重要的就是*幂级数*(**power series**)和傅里叶级数。

对函数 $f(x)$，作差商 $[f(x_0 + h) - f(x_0)]/h$，其中 x_0 是一个固定的实数，而 h 是一个异于 0 的变数，它趋向于 0。如果在这个极限过程中，这个差商无限接近于某一个实数，那么称这个数为函数 $f(x)$ 在 x_0 处的微商，记为 $f'(x_0)$ 或 $\mathrm{d}f(x_0)/\mathrm{d}x$。微商的几何意义是曲线的切线斜率，可用以研究函数的图像的性质。微商的重要物理应用是瞬时速度，它是刻划运动规律的一个基本量。由微商的定义可以推导出一套简便易行的微分演算。

测度与积分学 测度(**measure**)问题在日常生活和科学中都经常遇到，例如曲线的长度、曲面的面积、立体的体积、物体的质量或电荷、随机事件的概率等的量度，都与之有关。人们对这个问题的认识的历史变迁，促

成了测度概念的发展，大致可以分成如下几个时期。

①经验时期　公元6世纪前，古巴比伦人和阿拉伯人计算过三角形、梯形和圆的面积，以及棱柱体和圆柱体的体积。

②希腊时期　公元前6世纪至前2世纪，阿基米德为计算面积和体积而发展和利用了逼近方法——*穷竭法*(**exhaustion, method of**)。

③不可分元素说时期　从1615至1670年，先是德国天文学家J.开普勒计算出关于面积和体积的80多个新结果。他用的是直观的“无穷小”推理，例如，把圆看成无穷个顶点在圆心的无穷小三角形(称为圆的不可分元素)的和。接着B.卡瓦列里、B.帕斯卡、P. de费马等人得到了相当于 x^n、$\cos x$、$\ln(1+x)$ 等的积分公式。代数的发展、解析几何的建立以及运动学的研究，为抽象提供了动力和工具。最后I.巴罗发现了微分与积分的联系。

④微积分学时期　这一时期从1670年到19世纪初，以牛顿和莱布尼兹创立微积分学为开始。牛顿研究力与运动的关系，以流数(即微商)为原始概念，把求流数作为第一个基本问题，而用几何形式处理积分，以求一个其流数为已知的流量(即反微商、原函数或不定积分)。莱布尼兹受帕斯卡的影响，认为微商就是切线斜率，而积分则是“全体线的和”。由17世纪末直至18世纪，微积分学取得了极其丰富的结果，成了强有力的工具和富有成果的方法。

⑤分析时期　从1923年A.-L.柯西通过极限定义微商和积分开始。柯西首先注意到积分的存在性问题。1854年B.黎曼在G.达布的工作的基础上给出了积分存在的充分必要条件。1872年G.康托尔在研究三角级数唯一性的例外集的构造时，提出了近代集合论，它带来了“伟大的数学革命”。这时期测度问题的性质发生了很大的变化，新的问题是要对尽可能大的一类集合定义它们的测度。人们曾试图用“外容量”的办法定义测度，缺点是没有可加性(所谓可加性是指两个不相交集合的并集的测度等于该两个集合的测度之和)，这不符合日常生活及科学的经验。后来G.皮亚诺和C.约当引入“约当容量”，它具有可加性，但分析中最重要的一类集合如有理数集或很一般的开集，都没有容量。

⑥拓广时期　从1898年开始，É.波莱尔把测度的思想推广到比较广和比较抽象的集合类，并且平行地把积分的思想推广到比较广和比较抽象的函数集，直到这两种思想汇合起来。他首先在 σ 域引入波莱尔测度，就给出开集的测度，然后把它们推广到包含开集在内的最小 σ 域，即对有限与可数并及交的集合运算是封闭的集合类。这样定义的测度是可加的。1902年法国数学家H.L.勒贝格综合前驱者约当和波莱尔的想法，创立了近代测度与积分的有力工具——勒贝格测度与勒贝格积分。他跟约当一样用外测度与内测度，但是把有限覆盖改为可数覆盖，他把 $f \geqslant 0$ 的积分定义为 f 曲线下图形的勒贝格测度。勒贝格测度很简单地使波莱尔测度完备化，因为可以证明，每一个勒贝格可测集必是一个波莱尔可测集加上一个勒贝格测度为0的集合。勒贝格的测度和积分的概念也紧接着被许多人用不同的观点加以处理和推广，并在1930年前后推广到了抽象空间和抽象函数。最重要的事实是，测度和积分的概念为微分方程、边值问题、遍历理论、概率论、群论、位势论及调和分析提供强有力的工具，应用不断扩大。

real and personal property　物的财产和人的财产　英国习惯法中对财产的基本分类，大致相当于民法中不动产和动产的分类。按照习惯法，大部分土地和固定附着物(如永久性建筑物)所有权被列为物的财产所有权。而土地租赁权，连同有形动产所有权(货物、牲畜、金钱)和大多数无形物所有权(如股票、债券或银行存款)则列为人的财产所有权。人的财产也称“动产”，可以进一步再分为人的动产(有形动产和无形物所有权)和物的动产(人的土地财产所有权，其中租赁权最为重要)。人的动产又可以进一步细分为有体动产(有形动产所有权，包括牲畜、商品、货物)和无体动产(无形物所有权，包括期票和诉讼权)。关于人的财产和物的财产的区分现在虽然还在存在，但在英美法系中已经不像过去那么重要了。

Real Cuerpo de Minería　矿业公会　西属美洲殖民地矿业主组成的同业公会。1777年根据王国政府法令在新西班牙总督辖区(墨西哥)建立，旨在改组采矿业，并为改进技术提供资金。公会制订了新的矿业条例，于1783年经国王查理三世批准，以后在危地马拉、新格拉纳达(哥伦比亚、委内瑞拉和厄瓜多尔)、秘鲁和智利也曾实行。直到19世纪末期，该条例一直成为大多数西属美洲国家矿业法的基础。条例包括矿业的经营、财政和法律等方面。公会的中央裁判所设在墨西哥城，由总裁一人、理事长一人和副理事长三人组成，均由各矿区的代表选举产生，有一定任期。各矿区设地方裁判所，由矿主和经营人选出的代表组成。中央裁判所对西班牙殖民地的整个矿业负行政责任，又是一个银行的董事会(该银行向矿主提供贷款，以便改进矿业，但事先需经有能力的工程师考察)。从1973年起，它还负责审理来自地方裁判所的有关矿业的上诉案件。公会会员享有以下特权：负债时不受拘捕，会员自己及其直系后代有获得文职及教职的优先权。矿主们还可以低价得到必需的物资，他们可以强迫任何失业者，主要是黑人、下等梅斯蒂索人(西班牙人和印第安人混血后裔)和罪犯在矿上服劳役。公会设有矿业学校，以提高采矿和冶金知识水平；这所学校的毕业生都受到良好的训练，但他们常常发现他们受到抱有成见的矿主的反对，反对他们所学过的理论。该校造就的许多人后来成为独立墨西哥的领导人。因为矿业在新西班牙具有重要的意义，公会成为极有影响的组织，在它的会员中间煽起了一股对传统的政府机构的仇恨。尽管公会不是一个缺乏效力的组织，但由于它的会员没有相互合作，在工艺和作业方面所希望作出的改进并没有完全实现。

real number　实数　数学中能表示为无穷十进小数的量。实数用于测量连续变化的量，例如体积和时间。它不同于由计数而产生的自然数1,2,3,…。实数也有别于复数。包含符号i(或 $\sqrt{-1}$)的复数可用于简化那些例如发生在电学现象中的效应的数学解释。实数包括有理数(正整数、负整数、正分数、负分数)和无理数。无理数可以表示为不循环的十进小数；而有理数通常表示为循环十进小数，例如 $\frac{1}{6}=0.166\,66\cdots$ 和 $\frac{2}{7}=0.285\,714\,285\,714\cdots$，即在十进小数中有一个数字或一个数字节不断重复。而像0.424 424 442 444 42…这样的十进小数，没有有规律的重复的数字或数字节，因而是无理数。最熟悉的无理数是代数数，它是整系数代数方程的根。例如，方程 $x^2-2=0$ 的解 $\sqrt{2}$ 就是代数(无理)数。有些数，如 π 和 e，不是任何整系数代数方程的解，因而被称为超越(无理)数。这些数通常可以表示为按某一规律确定的分数的无穷和。实数的重要的数学特征是它的完备性。也就是说，每一个有上界的实数集必有一最小的上界(上确界)，而这一性质是有理数所不具有的。例如，所有平方小于2的有理数集就没有最小上界，因为 $\sqrt{2}$ 不是有理数。无论有理数，还是无理数都有无穷多个，但是无理数的“无穷”比有理数的“无穷”还要多些。也就是说，有理数可以同无理数的子集配对，而无理数却不能同有理数的子集配对。实数类一般能扩大到包含第一个*超限数*(**transfinite number**)。第一个超限数用希伯来字母ℵ(阿列夫)表示，它等于全体整数的个数。

real tennis　庭院网球　又作court tennis或royal tennis。用拍击球的一项体育运动。起源于中世纪，以后几乎完全被草地网球所取代。尽管草地网球仍沿用庭院网球的网球名称和计分方法，但是现在世界上庭院网球场地已不到30个。球场设在室内，四周墙壁面积不规则，用梨形球拍击球，球用布制成，比草地网球使用的球硬得多。房顶是斜的，球网两端1.5米高，中间0.9米高。世界锦标赛由卫冕者和挑战者争夺冠军。埃切巴斯特自1938年起为庭院网球世界冠军，一直保持至1954年61岁退休时为止。

在伦敦女王俱乐部内举行的亨利·利夫杯庭院网球比赛

供图：Sport and General Press Agency Ltd., London

realgar 雄黄 砷的重要矿石，呈红色或橙色，含有砷和硫。通常是矿脉中的少量组成矿物，与雌黄伴生。雄黄长期暴露于阳光之下，可分解成雌黄。中国人曾利用雄黄作为雕刻材料，但是这些东西在阳光下也会变质。它呈单斜对称的柱状晶体。详细物理性质，参阅 **sulfide mineral**（表）。

产自美国内华达州格切尔的雄黄
芝加哥菲尔德自然博物馆供图

realism 现实主义 在文艺方面指绘画、小说、戏剧和电影对自然或当代生活的准确而详尽的描述。虽然在过去的文学艺术中也常有详尽描述日常生活的形象和场面，如荷兰的风俗画或乔叟和莎士比亚的作品，但直到19世纪中叶，现实主义才在法国作为一种美学原则被提出。法国的现实主义倡导者反对古典主义和浪漫主义这两方面的学院主义风气，认为必须在文艺作品中表现现代生活，使作品更加生动有力，还主张把过去认为在高级艺术中不应有立足之地的某些社会阶级和题材作为创作素材。但他们的观点也有分歧：一派认为要采取不偏不倚的纯科学态度，另一派则主张应对下层社会和工人阶级抱满腔热情的态度。现实主义队伍中的这一分裂至今依然存在，它反映了在现实主义一词的使用上与美学观点相关的基本哲学问题。在哲学方面，现实主义是指一种信念，即认为物质现象的存在不以人类对它的观察为转移，科学的目的是解释物质世界本身，不涉及任何观点。这种理想即使作为一种科学方法，也很难做到。在艺术中，貌似的真实也有赖于观点。一般来说，像巴尔扎克、福楼拜和左拉这样的作家，是文学上的现实主义倡导者，他们主张科学地，不带先入为主的偏见地对当代生活进行观察，并主张在描述所观察到的东西时尽量做到直截了当，不偏不倚。

绘画 G.库尔贝是公开自称为现实主义者的第一位画家。其巨幅油画《画室》（1854～1855，巴黎罗浮宫藏）曾为1855年万国博览会所拒绝，因此画家特地在该展览会入场处附近设立了一个大帐篷，以“现实主义，G.库尔贝”为题展出了该画和其他作品。库尔贝同时在一份声明中宣称，他认为绘画是一种看得见、摸得到的艺术。其《奥尔南的葬礼》（1849，罗浮宫藏）和《石工》（1849，米兰私人收藏）等画，曾在1850～1851年的沙龙展出，以其朴实无华的真实性而引起公众和评论家的极大关注。库尔贝作为一个忠实的社会主义者，也曾试图使这些作品具有促进社会变化的作用。他和其好友，无政府主义者P.J.蒲鲁东共同持有艺术对人的智力发展具有革命激励作用的思想。库尔贝的风格和题材是建立在巴比松派画家开辟的基地上的。英国画家康斯太布尔的风景画1824年曾在巴黎展出，也许在这些作品的影响下，T.卢梭、C.杜比尼以及其他画家于19世纪30年代初在法国的巴比松村定居，以便忠实地描绘当地的风光景物。J.F.米勒后来也加入他们中间，他是最早描绘农民劳动者的画家之一，他画的农民庄严雄伟。米勒出身于农民家庭，他对农民的满腔同情，甚至颂誉备至的描绘，使人们对法国农村生活产生深刻的印象。与现实主义传统关系密切的法国第三位画家是H.杜米埃，他是典型的城市画家。他在巴黎的贫民窟和街头找到了他画中的那些工人阶级男女主人公以及卑鄙无耻的律师和政客。他和库尔贝一样，也是满腔热情的革命者，用漫画技巧直接为政治目的服务。他主要是以其题材和政治观点而被归为现实主义画家。不论客观现实主义还是社会现实主义，早期都在费拉德尔菲亚有所反映，例如W.哈尼特和J.皮托的笔触细腻的静物画，T.伊肯斯以科学为根据的解剖性习作以及“垃圾箱派”的早期活动。R.亨利、W.格拉肯斯、G.卢克斯、J.斯隆以及其他画家都曾在费城画过报纸插图，直到1900年改画纽约市的经济公寓里的劳工大众。20世纪60年代后期，现实主义开始复苏，当时的倡导者是画家P.珀尔斯坦和“照相派”现实主义画家C.克洛斯与R.埃斯蒂斯，他们采用了属于一种高度分析性艺术的形式，其着重点还是在于形式和结构，而非任何感情或社会方面的内容。

小说 在尔后的现代文学艺术发展阶段，现实主义者曾在下列四点上摇摆不定，这就是客观性与社会性的对立、个性与共性的对立。然而，没有多少人如俄国小说家L.托尔斯泰这样走向极端，他在临终前否定自己著名的现实主义小说《战争与和平》和《安娜·卡列尼娜》，声称一首简单的农民颂神歌曲都比欧洲大部分音乐和文学作品，包括莎士比亚和贝多芬的作品在内，更能有效地增进博爱的理想、对上帝的热爱和纯朴。托尔斯泰的文艺理论虽然带有宗教色彩，但却标志着“社会现实主义”的到来，后来苏俄就采取了这种功利主义的美学，用现实主义风格达到社会目标和群体的一致，把科学的自然主义和个人主义说成是西方资产阶级文化的特性。实际上，大部分所谓现实主义者都在上述四点上下左右摇摆，其程度视各自不同的个性、所处时期、地点和从事的文艺形式而定。对于有些文艺形式，如音乐、舞蹈和诗歌，现实主义并不合适。另一方面，现实主义美学观点的兴起使小说这一艺术形式发展很快。小说写作的灵活性及其散文风格，非常适合结合环境对人进行细致的刻画。和法国19世纪现实主义小说家处于同一时期的作家有英国的C.狄更斯和A.特罗洛普，俄国的I.屠格涅夫、F.陀思妥耶夫斯基和托尔斯泰。20世纪初，美国的T.德莱塞在他描绘美国生活的悲观主义小说中又充满强烈的宿命论观点，而爱尔兰作家J.乔伊斯则使现实主义进一步向心理学领域深入发展，力图在作品中再现思想的内在演变过程。这些19世纪和20世纪初的伟大现实主义作家，为20世纪J.T.法雷尔、W.福克纳等人的小说提供了哲学和创作形式的基础。

戏剧 现实主义写作方法也很适合戏剧。19世纪斯堪的纳维亚剧作家H.易卜生冲破了戏剧方面的陈规俗套，首创暴露戏剧，通过揭露在中产阶级生活方式深处长期潜在着的问题，使中产阶级的家庭生活内幕突然暴露于光天化日之下。诸如维多利亚时代男子的伪善（《玩偶之家》）和性病遗传（《魔鬼》）之类题材，在舞台上被诉诸公开讨论。爱尔兰剧作家G.萧伯纳的《巴巴拉少校》和《人与超人》这类剧作，把在舞台上议论社会问题和关系更大大推进了一步。许多20世纪英美剧作家，如A.米勒、J.奥斯本等人，继承易卜生和萧伯纳的现实主义传统，进一步以社会问题为创作题材，并有所发展。

电影 电影艺术与20世纪的戏剧和文学一样，出于题材乃至更多地出于结构的需要，也多依靠19世纪的现实主义传统。然而，对于电影的性质来说，一种介乎生活与虚构物之间的现实主义非常合适。这类电影在意大利称为“新现实主义”，在法国有时称为“真实电影”，往往由非演员担任主角，在影片中加进一些根据实况摄制的片断。这类影片的代表作是在第二次世界大战以后R.罗塞利尼拍摄的《伙伴》和德西卡拍摄的《偷自行车的人》。

realism 实在论 实在论一词首次出现于19世纪初叶。它广泛运用于文学、艺术、美学和哲学等不同领域。在所有这些领域中它都强调真实的存在或与真实存在的关系。就最广泛的哲学意义上说，把任何一种不依人的观察和思考为转移的存在作为人的知识对象的观点都可称为实在论。与唯心主义者相反，实在论者认为对象是独立于精神的一种存在。然而对实在论的解释却有显著差异：它的对象可以是个别事物，可以仅仅是事物的特殊性质，也可以是事物的属和种。

实在论面临的一个主要问题就是如何区分个人的、公众的和本体论的客体。个人的客体是一种纯粹的论据，仅仅作为认识者个人内部经验中不可解释的条款；公众客体是精神具体化为与他人精神共同享有的时间、空间的客观概念形式，它是精神按照概念构成的对象；本体论的客体就是康德的“物自体”。虽然实在论者和唯心主义者都承认认识者超越于个人客体，但对公众客体和本体论客体之间的关系则看法不同：一方面，实在论者认为，在公众客体中可感知的物质的圆、黄、硬等在一定程度上是本体论的物自体的实际性质；另一方面，唯心主义者则认为公众客体只是一种现象，从其中绝对推断不出作为基础的本体。实在论反对唯名论、概念论、唯心主义、现象主义、感觉论、约定论等哲学流派。

实在论这种哲学观念在西方思想中有悠久的历史。柏拉图强调本质或形式的独立和超然的存在。斐洛把柏拉图的形式存在置于上帝的精神中。奥古斯丁和中世纪以安塞姆为代表的奥古斯丁传统继承了这一看法。在中世纪,实在论者对事物的本质曾从三方面予以详尽的研究:①存在于感性事物中;②存在于精神中;③绝对地存在于自身之中。笛卡儿的“我思故我在”论题提出了如何从哲学上把握思想之外的物质世界的问题。笛卡儿和洛克都承认感觉的外在根源,但缺乏彻底的哲学论证。因此C.布费尔以及后来的苏格兰的实在论者就明确地依靠常识来作为接受世界的客观存在的手段。

20世纪初,詹姆斯、罗素、G.E.穆尔等人强烈地反对康德的主观主义和占统治地位的唯心主义。此时哲学家们开始用实在论作为他们的思维方式,用以反对唯心主义。1910年,由哥伦比亚大学的W.P.蒙塔古教授和哈佛大学的R.B.佩里教授等签名的一篇文章《六个实在论者的纲领》出版。随后,由多人执笔的《新实在论》(1912)出版。新实在论捍卫已知事物的独立性。另一种类型的实在论在1920年出版的《批判的实在论文集》中反对新实在论。针对新实在论的一元论他们提出了认识论的二元论,认为在知觉时,认识的客体和实在的客体在数目上是两个。因此就有了表象的实在论和直接的实在论:在表象的实在论看来,知识所直接面对的是心灵对外界客体的表象;在直接的实在论看来,知识所直接面对的则是存在于认识之外的事物。朴素的实在论毫不犹豫地相信现实事物完全与人类对它们的认识相一致。

今天,有些哲学既不自称为实在论,也不根据实在和认识的关系来给实在下定义,但也常被称为实在论。例如亚里士多德主义、托马斯主义、斯各脱主义、语言哲学等都属这种哲学。

realschule　六年制中学　德国的中学。这种学校强调实用,到18世纪中期演进为六年制学校,以代替九年制大学预科。它以实用课程(自然科学、化学)及利用化学实验室和生产木材、玻璃的车间而闻名。六年制中学成为其他国家教育改革家的楷模。1859年,根据入学时间长短和课程难易,六年制中学分为第一和第二两种类型。第一类型的六年制中学为九年制,设宗教、拉丁语和现代语言、历史和地理以及数学和自然科学等课程。1882年,这种学校的名称正式改为实科大学预备学校。第二类型的六年制中学为六年制,不学拉丁文。随着实科大学预备学校的设立,学制延长到九年。

Ream, Vinnie　里姆(1847-09-25,美国威斯康星麦迪逊～1914-11-20,华盛顿[哥伦比亚特区])　美国雕塑家。1861年定居首都华盛顿。1863年师从C.米尔斯学习雕塑。因雕刻几位国会议员及其他杰出人物的半身像而受到赞赏。1864年为林肯总统雕半身像,大获成功;1866年为国会大厦圆形大厅雕塑与林肯同尺寸大理石像,成为受联邦政府如此重托的第一位妇女。在巴黎短暂逗留期间师从L.博纳学艺,并创作G.多雷和亚森特神父的半身像。在罗马向L.马约利学习,与G.布兰代斯关系尤为密切。同时还为F.李斯特和红衣主教安东内利雕半身像。1871年1月她的白色大理石林肯雕像在国会大厦揭幕。虽有缺乏生气和技艺欠熟练等批评,但仍以质朴自然而备受好评。1875年1月与多位名家竞争为D.G.法拉格特海军上将塑青铜雕像中获胜。1881年4月该雕像在华盛顿法拉格特广场揭幕。1878年5月与R.L.霍克西结婚。1863～1867年完成许多名人肖像。曾顺从丈夫意愿放弃雕塑工作多年,但晚年仍为艾奥瓦州长S.柯克伍德和塞阔雅雕像(1906;1912～1914)。两雕像均安放于国会大厦雕像大厅。

reamer　铰刀　圆柱形或圆锥形的回转切削刀具,用来对钻孔、镗孔或铸孔进行扩孔和精加工,使其达到精确尺寸。铰刀不能用来开孔。所有铰刀都具有纵向排屑槽(一般为8条),可为直槽或螺旋槽。利用在工具侧面排屑槽之间锋利的脊刃进行切削,或切削发生在铰刀刀片的削刃上。排屑槽可使切屑排出,并让冷却液和润滑液到达刃口。铰刀分机用铰刀和手动铰刀两类。机用铰刀常用于钻床、车床和螺丝车床上。铰刀有直柄或锥柄;手动铰刀略带锥度,便于铰刀引进,并有带方尾的直柄,以便安装扳手。当需要把铰孔再扩大十分之几毫米时,则用可调铰刀。可调铰刀是纵向裂开的,旋转其端部的调节螺钉,即能改变铰刀的直径。铰刀可用高碳钢、高速钢和硬质合金来制造。

Reaney, James Crerar　雷尼(1926-09-01,加拿大安大略斯特拉特福附近～2008-06-11,安大略伦敦)　加拿大诗人、剧作家。他描写安大略省小镇生活的作品,超越其表现的内容而进入象征和幻想的领域。1959年获多伦多大学博士学位,1960年创办文学杂志《入门》,并担任西安大略大学的英语教授。他的作品包括抒情诗集《红心》(1949)、田园牧歌12首《荆棘衣》(1958)、诗剧集《双领鸽及其他剧本》(1962)、讽刺诗《安大略省伦敦的死亡舞蹈》(1963)、《诗集》(1972)等。他的《苹果酱和其他剧本》(1973)是一部儿童剧集。雷尼后来以旅行日记形式写有评论加拿大戏剧生活的《海里漂流的14只桶》(1977)。

reanimation rite　复生礼　埃及宗教礼仪,施之于死者的塑像或尸身或庙中神像,其中重要的是要把死者的口张开,以便他将来能够呼吸和饮食。据说经过这一仪式,塑像或尸身就有了生命和能力,可以享受日常祭祀。

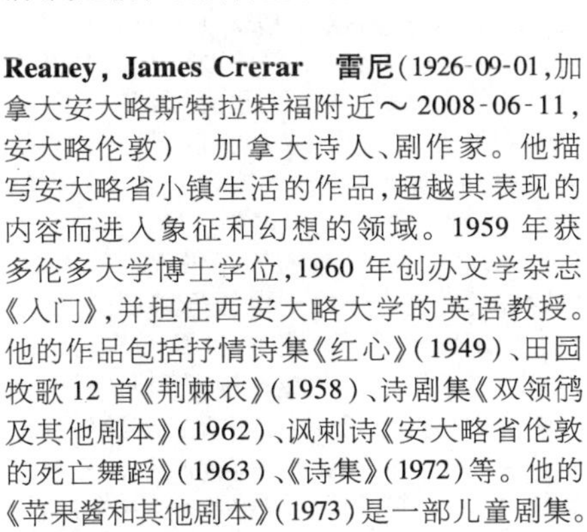

《死者书》中的复生礼画面
不列颠博物馆供图

reaper　收割机　收割谷物的农业机械。早期的收割机只能简单地收割谷物和把割下的谷物零散地卸下,而现代的收割机则包括收获机、联合收获机和割捆机,它们还能进行其他收获作业。1800年,英国把收割机的专利颁发给J.博伊斯。19世纪30年代,美国的J.贝利取得了割草机专利,O.赫西和C.麦考密克发明了带有护刀器和往复式(前后移动)切割刀具的收割机。赫西在1833年首先获得这项专利,而麦考密克的收割机具有分禾器以便分开切下的和直立的谷物,其旋转式拨禾轮能把切割下的谷物推放到收割机尾部,以便撇到地上并随后打成捆。C.W.马什和W.W.马什在1858年首次获得第一个成功的收获机专利,他们的机器能把切割下的谷物推到帆布输送带上,送到打捆箱进行打捆,但仍缺少机械打捆装置。参阅**combine**。

早期的收割机
国际收割机公司供图

reason　理性　哲学名词,进行逻辑推理的能力和过程。严格地说,理性是与感性、知觉、情感和欲望相对的能力(经验主义者否认它的存在),凭借这种能力,基本的真理被直观地把握。这些基本的真理是全部派生的事实的原因或“根据”。康德认为,理性通过统摄原则把知性提供的概念综合为统一体。康德把提供先天原则的理性称作纯粹理性,并将它和专门与行为活动相关的实践理性区别开来。在形式逻辑中,推理从亚里士多德起就分为演绎的(从一般到特殊)和归纳的(从特殊到一般)两种。在神学中,理性有别于信仰,它是或者以发现的方式,或者以解释的方式来对待宗教真理的人类理智。对理性的使用界限,不同的教会和思想的不同时期有不同的规定。总的来说,现代基督教,尤其是新教教会趋向于容许理性有广阔的范围。但是,仍把神学的终极(超自然的)真理作为信仰领域予以保留。

Réaumur, René-Antoine Ferchault de　列奥米尔(1683-02-28,法国拉罗谢尔～1757-10-17,圣于连-迪泰鲁克斯)　18世纪初期法国科学家和最著名的昆虫学家,曾领导多方面的研究工作。1710年,受法王路易十四委托负责编写一部法国工业与自然资源资料汇编。他还制定了列氏温标,发明列氏寒暑表,改进钢铁冶炼技术,发现小龙虾失去的附肢的再生现象。1720年他修建了第一座连接式炼铁炉,这种工艺至今仍是熔炼灰铸铁的最经济的、也是常用的方法。1734年发表《昆虫志》(1734～1742)的第1卷。此书后来又出版5卷,虽未完成,但仍为昆虫学史上的一部划时代之作。他还研究过中国瓷器的化学

供图：Giraudon—Art Resource/美国不列颠百科全书公司

成分，于1740年提出所谓列氏瓷的配方。1752年他分离出胃液，研究了它在食物消化中的作用。

Réaumur temperature scale 列氏温标 法国博物学家R.-A. F. de列奥米尔（1683～1757）于1730年制定的温标，规定水的凝固点为零度，在标准大气压下的沸点为80°。列氏温标曾一度广泛应用，到19世纪后期实际上已经废弃。

Rebaptizer 参阅 **Anabaptist** 再洗礼派。

rebate 回扣 在收到商品或劳务全部付款后退回其中一部分的款项。19世纪，回扣常被用作价格斗争的武器，大实业家常用回扣缓和与同行竞争以保持或扩大自己势力。他们秘密地给大主顾以回扣而其他买主无从知晓。19世纪，铁路企业常用回扣作为价格歧视的工具。在美国，标准石油公司所接受的回扣是它在石油工业中获得垄断地位的主要因素。另外，有些回扣常用作促使顾客采取良好行动的一种正当鼓励。例如，欧洲的不动产公司给买主回扣，鼓励他改良土地，从而提高毗邻的、尚未售出的土地的价值。所谓"延期回扣"或"独家惠顾回扣"是易腐物品、某些劳务和耐用消费品的大卖主常给的回扣，接受回扣的买主必须同意在一定期限内——通常为6～12个月，只从支付回扣的卖主购买某种商品或劳务。

rebato(collar) 参阅 **rabato** 拉巴托领。

rebec 雷贝克琴 欧洲中世纪和早期文艺复兴时期弓弦乐器。最初称鲁贝贝琴，大约11世纪由同类的阿拉伯拉巴布琴演变而来，后随穆斯林文化传入西班牙。雷贝克琴像拉巴布琴一样，有扁浅的梨形琴体，面板为木制，并且加了指板。3根弦按相隔5度定弦（例如，g-d′-a′）。中世纪的雷贝克琴显然是高音乐器，但到15世纪末，已制出体积大小不同、从高音到低音的乐器。16世纪，雷贝克琴类乐器为维奥尔琴所代替。高音雷贝克琴一直沿用到18世纪，成为舞蹈教师用的袖珍小提琴。利拉琴与其巴尔干民间乐器的变体"古斯拉琴"以及"加杜尔卡琴"都同雷贝克琴近似。

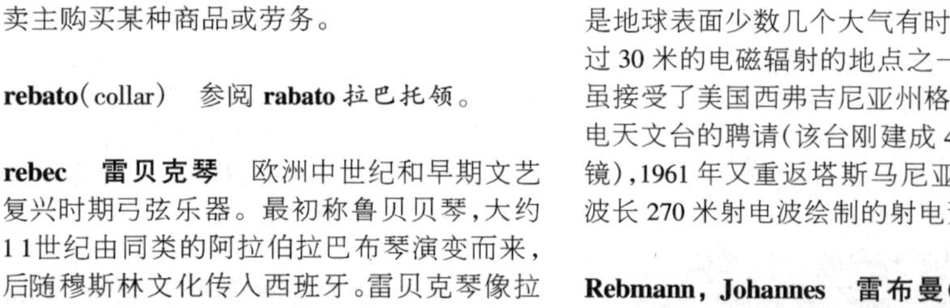

1962年制作的现代雷贝克琴

供图：Howard M. Brown

Rebelo, Jorge 雷贝洛（1940，葡属东非洛伦索－马贵斯～ ） 非洲诗人、律师、新闻工作者。在葡萄牙科英布拉大学求学，曾任莫桑比克解放阵线新闻秘书，编《莫桑比克革命》杂志。克拉韦里尼亚被称为"莫桑比克诗人"，雷贝洛则以"莫桑比克革命诗人"著称。他的诗可以视为莫桑比克独立斗争的编年史，武装斗争的号召，以及战争中流血和苦难原因的阐述。作为一名赞歌咏唱者，尤其是一名歌颂正义战争的游击队诗人，他抚慰、激励并动员自己的战友。他的诗被选进很多诗集，如《葡语非洲文学》（1967）及《子弹开花时》（1972）。

Reber, Grote 雷伯（1911-12-22，美国伊利诺伊惠顿～2002-12-20，澳大利亚塔斯马尼亚） 英国天文学家和无线电工程师，他建造了世界上第一架射电望远镜，对射电天文学的早期发展起了极重要的作用。射电天文学为研究宇宙开拓了一个全新的前沿阵地。当无线电工程师K.央斯基于1932年发现来自恒星的射电信号时，雷伯就着手改进他的短波无线电接收机，以便能收到星际无线电波。起初遭到失败，但他于1937年建成了一架直径为9.4米的碗状天线，这是第二次世界大战前世界上唯一的一架射电望远镜。1942年他绘制了高频短波信号的第一张天空射电图，同时发现有些区域的射电信号特别强，而在该区域却没有任何明显的目视天体与之对应。1947年他把射电望远镜迁到斯特林，并在华盛顿（哥伦比亚特区）任微波实验研究部主任。1951年他在夏威夷建成一架新射电望远镜，用来绘制低频长波（1.5～4.4米）信号的天空射电图。1954年去澳大利亚塔斯马尼亚岛，参加联邦科学与工业研究组织。该处是地球表面少数几个大气有时可透过波长超过30米的电磁辐射的地点之一。1957年，他虽接受了美国西弗吉尼亚州格林班克国立射电天文台的聘请（该台刚建成43米射电望远镜），1961年又重返塔斯马尼亚，帮助完成用波长270米射电波绘制的射电天图。

Rebmann, Johannes 雷布曼（1820-01-16，符腾堡盖林根～1876-10-04，斯图加特附近科恩塔尔） 传教士和探险家，是从印度洋沿岸进入非洲内地的第一个欧洲人。他与克拉普夫发现乞力马扎罗山和肯尼亚山，并为英国人伯顿、斯皮克和利文斯敦去东非探险铺平道路。1846年起到东非沿海各部落传教。1848年5月成为第一位望见乞力马扎罗山的欧洲人。他所绘制的非洲内地的尼亚萨湖略图，促使人们对尼罗河源头及非洲大陆中部水系进行科学考察。

rebus 暗示标志 代表某词或某音节的物体图形，读物体名称的读音与该词或该音节相似。也可以将几个图形组合起来或连续排列以暗示某一词组或句。还可以用字母、数字、音符或特别选用的词组成句子，是为文字暗示标志。复杂的暗示标志则兼用图形和字母。暗示标志可以传达直接含意，特别是用于告知或教育文盲，也可以故意隐瞒用意，只告知解密人，或用于迷惑和取乐。图画文字中有一种早期形态的暗示标志。那些难以绘成图画的抽象单词，便以同音物体的图形来表达，这在埃及和早期中国的象形文字中是常见的。古希腊和罗马钱币上的图形暗示城市名称，中世纪的纹章用标志暗示姓氏，宗教艺术和宗教建筑上用标志暗示箴言。在远东，特别是中国和朝鲜，暗示标志常用以表达吉祥的祝愿。在欧洲，暗示标志往往见于家训、私人印章、拼合文字、藏书印签以及谜语等文娱项目。用IOU代表I owe you（借据），是极常见的英文暗示标志。19世纪中叶以后，美国盛行增减谜面字母以形成另一词或一名称的字谜。这种图形字谜广泛用于为了推销商品而举行的竞赛。

Recaizade Mahmud Ekrem（Turkish author）**雷贾伊扎德·马哈茂德·艾克雷姆** 参阅 **Ekrem, Recaizade Mahmud** 艾克雷姆。

recall 回忆 又称提取、再现。心理学术语。指自发地记起或重现以前经历过、学习过的事物，比如一首诗、一个老朋友的容貌以及词汇、观念、图像间的自由联想。回忆测验长久以来一直是实验心理学研究人类记忆过程的主要方法。参阅 **eidetic image; recognition**。

Récamier, (Jeanne-Françoise) Julie(-Adélaïde), dame de 雷卡米耶夫人（1777-12-04，里昂～1849-05-11，巴黎） 极有魅力和机智的法国沙龙女主人。她的沙龙吸引了19

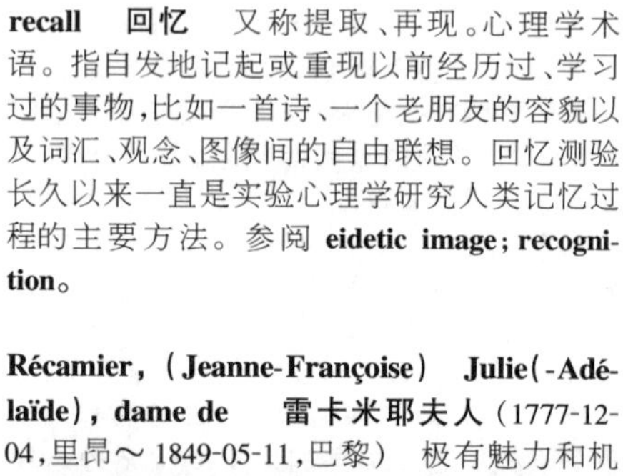

J.-L.大卫绘《雷卡米耶夫人肖像》（1800）

供图：Giraudon—Art Resource/美国不列颠百科全书公司

世纪初期巴黎政界和文坛的重要人物。父亲是个殷实的银行家。她曾在隐修院受过教育。1792年来到巴黎她父亲处，与一富有的银行家结婚。她的沙龙不久就成为政界和文艺界头面人物的聚会之地。保王党人及其他反对过拿破仑政府的人成为她的常客。1805年,拿破仑的政策使她的丈夫在财产上受到损失,同年拿破仑下令将她流放外地。她先同她的好友斯塔尔夫人住在日内瓦,后于1813年前往罗马,随后又去那不勒斯。1815年拿破仑在滑铁卢战败后,她回到巴黎。1819年她的境遇虽已大不如前,但仍然维持她的沙龙,继续在巴黎一个旧隐修院接待来客,在后来的年月,法国作家和政界人士夏多布里昂成为她经常的伴侣,也是她的沙龙中的核心人物,他在那里朗读自己的作品。

recapitulation theory　重演律　参阅 **biogenetic law** 生物发生律。

receivership　涉讼财产的监管　法律用语,指经法院委派一人为破产案产业管理人,负责收集、保管某些特定的资产,并按法院的授权对这些资产进行分配。严格地讲,涉讼财产的监管本身一般说来并不是诉讼的目的,而是达到其他某种主要目的的一种中间的和附属的步骤。其主要的目的可以是在判决财产归谁所有之前保存该财产,也可以是清算该资产并对该清算资产的收入分配给有权领受的各方。涉讼财产的监管可以是全面的,它包括个人、合伙或公司的全部资产,也可以是特殊的,仅包括具体涉及诉讼的财产。一般说来,即使监管是全面的,也无权停止公司的执照。破产案产业管理人(在法国和德国分别为管理人和经理人)处理资产的权力以法律规定或法院判决为依据,但实际上,破产案产业管理人的权限往往取决于财产的性质。例如,若管理的财产是未经改良的地产,产业管理人的权力也许只不过是交税;若管理的财产是一所公寓,产业管理人的权力可能包括管理、收取房租和签订租约。如果法院认为,为了有关各方的利益,该产业应予以清算时,它可以授权破产案产业管理人按法院的标准,即用拍卖的方式出售该资产。参阅 **liquidation**。

receptor　感受器　把得自环境或生物体内部的某种刺激转化为神经冲动的一个或一群特化的细胞。神经冲动协助生物体安排将要产生的行为或生理变化。感受器常有附加结构,使其能有效地执行功能。感受器和附加结构组成感觉器官。脊椎动物的眼就是一种光感觉器官,网膜的杆细胞和锥细胞就是一个个光感受器。某一特定感受器通常只对某一种刺激(如声、光)起反应,并且只对狭窄的变动范围有反应。昆虫的一种化学感受器可能只对一种化合物起反应。感受器可以概括地按其起反应的刺激类型分类(光感受器、化学感受器等)。也可根据刺激来源划分:对生物体外面的刺激起反应的是外感受器;对生物体内部刺激起反应的是内感受器。

recession　经济衰退　经济周期活动中较不严重的低潮。特征是生产和就业的下降,并影响到家庭收支的减少。衰退期间生产量之所以下降是由于消费者减缩购买耐用物品,由于企业减缩添置机器设备和降低商品库存。它也许对库存的影响最大,因为商人不仅在衰退阶段停止增加存货,还主动动用库存去满足生产订单的需要,因此存货减少就对产量有双重的影响。衰退是否会发展到严重而持续的萧条,要取决于许多情况,如前期繁荣阶段中信贷的范围和性质;政府对挽回经济下降趋势所实行的货币金融政策的能力,存在过剩生产能量的大小等等。

recessiveness　隐性　遗传学术语,在一对等位基因中,其中一个基因因另一基因的显性作用而不能得到表达的现象。亦即两等位基因影响同一遗传特征,但隐性基因决定的性状只存在于基因型中,而不能在表型中被观察到。隐性这概念既用于其效应被掩盖的基因,亦指具有隐性基因表达的生物体。参阅 **dominance**。

Rechabite　利甲人　以色列教派中的保守、苦修派别,得名于约拿达之父利甲。约拿达是公元前9世纪北朝以色列王耶户的同盟者,积极反对崇拜迦南人的丰产神巴力。利甲人的来历不详,但据《历代志上》第2章第55节载,他们与基尼人有关。基尼人于公元前10世纪被犹大王国所同化。据较晚近的犹太传统,利甲人与担任祭司的利未人通婚。

Rechitsa　列奇察　白俄罗斯戈梅利州城市,列奇察区首府,第聂伯河港口。始建于12世纪。1796年成为首府。现有家具和机械制造业。包括制钉厂和制管厂。1964年第聂伯河左岸发现新油田后成为石油工业中心。20世纪70年代末油田石油产量开始下降。人口约71 400(1998)。

recidivism　累犯(行为)　导致无数次被捕和入狱的长期犯罪行为的倾向。对美国和欧洲监狱、感化院和拘留所年收容量所作的研究,表明关押的犯人中,约有半数到三分之二曾在同一监狱或其他监狱服过刑。不可回避的结论是,犯罪人口很大程度上是由犯罪已成习惯的人们构成的;此外,监所对于改变他们的基本行为模式显得收效甚微。虽然累犯的比率比一切犯人都高,但它的最大比率是在因小罪判刑的人中,例如流氓、酗酒、卖淫、扰乱治安。比起严重罪行来,这些更可能是由于整个生活方式引起的,或者与之有关。因此其根本起因很难以监禁来根治。

Recife　累西腓　巴西东北部伯南布哥州首府,大西洋海港。位于卡皮贝里比河和贝贝里比河汇合处。支流交错,桥梁众多,有"巴西威尼斯"之称。在16世纪第二个25年,伯南布哥管辖区中富有的葡萄牙殖民者在奥林达过着豪华的生活,当时累西腓只是进口货物和出口蔗糖的抛锚地。1561年遭法国海盗袭击,1595年又遭英国人袭击。1630年被荷兰人占领,一直控制了24年。该城在拿骚的J.莫里斯的统治下一度繁荣。1710年当地居民发起暴动,反抗奥林达的权贵,这次暴乱被称为"小贩之战",因为累西腓的小商人企图组建自己的城市区。1823年,累西腓成为伯南布哥省省会。铁路、公路、水路和航空交通发达,通往巴西各地。机场有国际和国内航班。里约热内卢、圣保罗和米纳斯吉拉斯的各大银行及美国、法国、意大利公司均在此设有分支机构。高等学校有伯南布哥联邦大学(1946年建立)、联邦农业大学(1954)和公教大学(1951)。还有交响乐团、音乐学校、戏剧公司及全国著名的伯南布哥业余剧团和民众剧团。民间节日活动丰富多彩,具有浓郁地方特色。人口约1 421 947(2000)。

reciprocity　互惠　国际贸易中相互在关税税率、进口配额或其他商业限制方面所给予对方的优惠待遇。互惠意指这些优惠待遇不得扩大到与缔约双方订有商业条约的其他国家。互惠协定可在国家或国家集团之间达成。互惠合乎逻辑的发展,就成为一个完整的关税同盟(如欧洲经济共同体),并通过不断增加相互特许权以消除存在于各参与国间关税和其他方面的限制。《关税及贸易总协定》成员国,有义务给与所有其他成员国以最惠国待遇,在某种情况下可不必缔结互惠条约。

récit　叙述　简洁的长篇小说,通常只有一条故事脉络。有意识使用这种文学形式的作家中有A.纪德。他写的《蔑视道德的人》(1902)和《窄门》(1909)就是采用此种形式。这两部小说有意把故事脉络写得简单,但极具讽刺性。书中以第一人称出现的讲故事的人以看似不会冒犯人的怀旧来揭示生活中与生俱来的道德上的模棱两可之处。

recitative　宣叙调　又译朗诵调。单旋律独唱曲(即有伴奏的独唱歌曲)的风格,强调说白的节奏和重音。作为单旋律独唱曲的最早的重要形式,宣叙调发展于16世纪末,以与16世纪复调的或多声部风格的合唱音乐形成对比。最早的歌剧几乎完全由宣叙咏叹调组成。在17世纪晚期的歌剧中,感情主要由咏叹调宣泄倾吐,而宣叙调则用来进行对话和推动剧情发展。在清唱剧和康塔塔中它也起着促进叙述的作用。宣叙调有两种主要的发展。一种是清宣叙调,是按歌词的重音,以自由节奏诵唱,其曲调近似语言,只用几个不同的音高,通常用大提琴和拨弦键琴发出的简单和谐的音来伴奏。另一种是伴奏宣叙调,有较严格的节奏和比较复杂的、往往是管弦乐队的伴奏。由于它是在剧情发展的重要时刻出现的,因此在性格上具有更强烈的感情。其曲调更为抒情并常用来作正式的咏叹调的过渡。

Recklinghausen　雷克灵豪森　德国西部北莱茵-威斯特伐利亚州城市。在鲁尔工业区北缘。为莱茵-黑尔讷运河河港。原为撒克逊村落。1236年设建制。1316年加入汉萨同盟。19世纪发现煤矿,后工业迅速发展。旧城中心区和许多公园保存下来。名胜古迹有圣彼得教堂(1276)、恩格斯城堡(1702)和中世纪要塞遗迹等。每年六七月举办鲁尔艺术节。生产焦炭、化工品、机器、金属和纺织品等。人口约123 144(2003)。

Recklinghausen, Friedrich Daniel von 雷克灵豪森（1833-12-02，德国居特斯洛～1910-08-26，斯特拉斯堡） 德国病理学家。以1882年及1891年分别对两种均称为雷克灵豪森氏病的疾病的描述而闻名（这两种疾病为神经纤维瘤病及囊状纤维性骨炎）。1855～1861年在柏林大学师从R. 菲尔绍。后曾在几所大学任病理学教授。他精确描述了结缔组织中的毛细淋巴管（雷克灵豪森氏管，1862）和糖尿病患者胰脏中发现的结石（1864）。1889年将组织（特别是肝脏）中铁沉积过多的代谢性疾病命名为血色素沉着症。

Reclus, (Jean-Jacques-) Élisée 雷克吕斯（1830-03-15，法国圣大福伊～1905-07-04，布鲁日附近图罗特） 法国地理学家、无政府主义者。因写有《新世界地理》一书于1892年获巴黎地理学会金质奖章。曾在蒙托邦的新教大学就读。后去柏林在C.里特尔指导下攻读地理。参加过1848年共和运动。1851年政变失败后被迫离开法国。1852～1857年周游英伦诸岛、美国、中美洲和哥伦比亚。回法国后潜心研究地理，1867～1868年出版解释地球生命现象的《地球》（两卷）一书。1869年出版《小溪的历史》。在德国围攻巴黎期间（1870～1871），因参加国民卫队守卫巴黎公社于1871年4月被捕。原判终身流放，经欧洲科学家向政府呼吁，1872年1月减刑，改判长期放逐。游历意大利后定居瑞士的克拉朗。其巨著《新世界地理、地球与人类》（19卷，1875～1894）附有大量地图和插图，论说出色，有不朽的科学价值。1879年遇赦回国。1892年在布鲁塞尔任比较地理学教授。

recognition 再认 一种记忆形式，即当再次遇到以前经历过的事物时，觉得熟悉。在这种情况下，只有这种刺激再现时，才出现正确的反应；如果没有这种刺激，也就不出现。比如人们常有见到一张熟悉的面孔，却回忆不起他的名字。再认现象说明人们对各种经验成分的保持和遗忘是有选择性的。19世纪后期以来，实验心理学家使用对再认的控制测验来探究人类的记忆过程。

recognizance 保证金 英美法律用语，指当事人（具保人）在法官或治安法官面前承担义务，保证其在不履行某项规定的行为时缴纳一笔款项。如果他未能履行要求他履行的行为时，可以通过适当的法律程序收取这笔款项。最常使用保证金的情况是刑事诉讼中的保释。通常，任何因犯罪被捕的人，如果向法庭缴纳一笔保释金，可以在审判前暂时获释，有时还可以在定罪后、上诉前暂时获释。在一般情况下，他用金钱或财产作为保证。如果不要求保证，就说是被告"自行具结"获释。参阅 **bail**。在民事诉讼中，可能要求一方的保证金足够支付费用（即败诉一方必须付给胜诉一方所花的诉讼费用的金额）。

recoilless rifle 无坐力炮 第二次世界大战中研制的几种反坦克武器的统称。重量轻，由1～2人操作。通过向后排出部分火药气体消除后坐力。缺点是初速低，射程短。

recombination 重组 遗传学术语，指母方和父方的基因在形成配子（性细胞）时的重新组合。重组是减数分裂中的正常现象，在自然界中随机发生。交换可增加重组，在交换过程中称为连锁群的基因顺序被打乱，将要分离的成对染色体间发生了部分交换。这样，尽管在减数分裂中产生的正常子细胞能保持亲代细胞遗传物质的一半（即单倍体），但重组的结果会发生持续的变异：任何两个子细胞不可能完全一样；任何一个子细胞在遗传组成上也不会和亲代细胞一样。重组的实验研究对了解遗传机制起了重要作用，帮助科学家画出染色体图，辨认出连锁群，指出某些遗传异常的原因，并将基因从一条染色体移植到另一染色体以人工制造重组。由于重组可能造成新的可能致病的生物体，人工重组被一些科学家认为是危险的和不道德的。

recompression chamber (medical technology) **复压室** 参阅 **hyperbaric chamber 高压舱**。

Reconquista 复地运动 中世纪西班牙和葡萄牙境内的基督教国家为从穆斯林（摩尔人）手中夺回被侵占的领土而进行的一系列斗争。这种斗争据传自718年左右开始。但直到11世纪，才真正开始反摩尔人的运动。经过一系列斗争之后，到13世纪中叶，基督教的国家已经统治伊比利亚半岛的大部分地区。只有西班牙南部以格拉纳达为中心还保留着一块穆斯林飞地，直到15世纪末。许多史家认为，后来西班牙人强调宗教上的同一性、异端裁判所的强大势力以及大批驱逐摩尔人及犹太人后裔的政策，可溯源于中世纪这一十字军式的斗争。

Reconstruction 重建时期（1865～1877） 美国历史名词，南北战争期间和战后的一段时期，这一时期所要解决的是南部邦联11州重新加入联邦所引起的政治、社会、经济等问题。早在1862年，林肯总统就为路易斯安那州、田纳西州、北卡罗来纳州委派了临时军事长官。翌年又在新占领的各州采取重建政府的初步措施。激进派共和党人认为总统计划忽视了社会和经济的重建，并对执行当局的宽宏大度表示忿怒，于是在国会通过一项严峻的《韦德-戴维斯法案》（1864，**Wade-Davis Bill**），但被总统搁置否决了。1865年林肯遇刺后，A.约翰逊总统继续奉行林肯的温和政策。1866年6月国会通过了规定黑人有公民权的宪法第14条修正案。南方大多数州纷纷抵制，并实行许多压制和迫害黑人的反动措施。对此，北方于1866年国会选举中以激进派共和党人取得大胜相对抗。1867年国会通过《重建法案》，开始了历时10年的"激进重建"，它把南方尚未归返联邦的10个州（田纳西州在1866年已归返联邦）分为5个军区，实行军管。在1868～1870年间，这些州陆续归返联邦并接受了宪法第14条修正案。新成立的州政府一般均由共和党控制，执政者为黑人、提包客（北方流徙到南方的人）和南方佬（与黑人和提包客合作的南方人）的联盟。在南方白人保守分子眼中，这些归返到联邦中来的原南部邦联各州的共和党政府，是由外部强加给他们的人为的产物，一直进行对抗，他们尤其嫉恨国会建立起来的**被解放黑奴事务管理局**（**Freedmen's Bureau**）。这种嫉恨后来发展为各种秘密的恐怖组织，如三K党、白山茶花骑士团等等。南方保守派利用欺骗、暴力和恫吓等手段，重新控制了他们的州政权。到1877年联邦军队最后全部撤出时，民主党又在各州普遍重新掌握政权。1900年左右，许多美国历史学家炮制了一种"黑人是低劣种族"的理论。他们把重建时期的政府看成是由于北方的报复性和政治经济控制欲而形成的腐化渊薮。后来，另一派历史学家指出：在那个时期，确实推行了一些建设性的改革，如改组法院，改进司法程序，建立公立学校制度，规定更加切实可行的征税方法等。但是重建也加剧了种族歧视问题。学术界认为在重建时期最根本的失败是在南方没有实行土地分配，以致未能提供给新获得政治权利的黑人公民以适当的经济地位。

Reconstruction Finance Corporation (RFC) **复兴金融公司** 1932年1月美国国会通过创设的政府机构。其目的是对铁路、金融机构和商业公司提供财务援助。由于1932年7月通过的《紧急救济法》，其业务范围扩大到了包括支援农业及州和地方的公共工程的资金融通。复兴金融公司曾打算成为一个独立的非政治性的机构，其早期的业务活动并未受到多大干扰。可是，当公司作用日益增长并开始承担分配巨额款项职责时，就逐渐被卷入政治旋涡。1948年开始的国会对复兴金融公司的各种调查，揭露出公司广泛的贪污腐败，并根据参议院银行与通货委员会建议，公司1952年实行改组。艾森豪威尔政府为了限制政府卷入经济事务，终于将该公司撤销。1953年的《复兴金融公司清理法》结束了其放款权力；到1957年其剩余的职能，均移交给其他机构接管。

Reconstructionism 重建主义 美洲犹太教中的一派，成立于1922年。他们认为，犹太主义本质上是带有宗教性的文明，其中宗教内容无非是这种文明的人道主义和自然主义的体现。他们否认超然的上帝同他的选民立约的说法，因而不相信《圣经》是在上帝启示之下著成的。重建主义的基本理论始见于拉比卡普兰1934年所著《作为一种文化的犹太教》。卡普兰认为，犹太人如要生存于今日世界特别是美国，必须重视具有悠久历史的本民族文化传统，在这个基础上重建自己的生活。照卡普兰看来。犹太人要强化自己的民族特点，应珍惜本民族传统中的一切共同要素，如语言、艺术、礼仪等。但是犹太人也必须学会容忍多样化，使犹太人生活内容更加丰富。他们必须承认日新月异、推陈出新的精神，因为它反映活力和发展，这就是说，犹太人可以一方面积极从事具有犹太民族色彩的种种活动，另一方面与其他民族和睦相处。而且，也可以鼓舞其他民族接受普世人类一家等犹太传统理想，从而促进世界自由、公义和和平的事业。重建主义者强烈拥护以色列国，但并不以它为全体犹太人的理想故乡，而以它为犹太文明的摇篮，全世界犹太人的中心。重建主义者大多来自保守派和改革派。《重建主义者》双周刊于1935年创刊，由犹太文化重建主义基金会主办。

record office 参阅 **archives** 档案馆。

record player (sound reproduction) 参阅 **phonograph** 留声机。

Recorde, Robert 雷科德(约1510，威尔士彭布罗克郡滕比～1558，英格兰伦敦) 16世纪英国的医生和最重要的数学家。雷科德在1531年被任命为牛津大学万灵学院研究员。后执教于剑桥大学，1545年在剑桥获医学学位后，任爱德华六世和玛丽女王的御医。实际上是他创立了英国的数学学校，并首先把代数介绍到英国。他是最早用英文撰写数学著作和天文学著作的人。写的数学教科书在英国使用了一个多世纪。他最早的名著是一本通俗的算术书《学问的基础》(约1542)。在其天文学教科书《知识的城堡》(1551)中赞成哥白尼的地球绕日理论。1551年写成的《通往知识之路》是欧几里得《几何原本》的删节本。其最有名的著作也许是《智慧的磨刀石》(1557)，在该书中他首先提倡使用等号(=)。雷科德死于监狱中。入狱原因不明。

recorder 记录官 义译记录法官。在英美司法体系中，指一位由市、郡(县)或其他行政单位任命负责保管法律档案记录的官员。在美国，这个名称是指负责保管某些档案记录的政府官员，例如文契记录官。但在英格兰和威尔士，它是指都铎——斯图亚特王朝期间各城镇的季审法院中最初在审判时担任记录后来对提交季审法院的刑事案件负责单独预审的记录法官。1971年的"法院法"取消了季审法院，该记录法官的管辖权转移到刑事法院。记录法官参加审判由刑事法院三级中心审理的刑事案件，并审理来自治安法院的上诉案件。1971年以前，英格兰和威尔士的记录法官的条件要有5年高级律师的资历。1971年以后，无论是高级律师或初级律师均可担任记录法官，但需有10年的资历。另外，这个称呼有时候还被用来代表英国各地的刑事法院法官。

recorder 竖笛 在音乐中，指塞笛类管乐器，与哨笛关系密切。从1919年重新使用以来，许多竖笛都由英国乐器制造家A.多尔梅什按照18世纪初巴罗克时期的设计制造：圆筒形的头管接合处有一部分堵住，以便把气引向冲击下面的锐边，这塞子称为"音栓"。体管为锥形，最低部分做成一个分开而可以连接的足管；有7个指孔和一个拇指孔。最下面的两个指孔排列成双，当放开一个指孔时，发出的音比两个孔盖住时高半音。高八度的音是用"挤压"拇指孔(弯曲拇指在拇指指甲上留出窄缝)得到的。较大的竖笛有一个或更多的键。竖笛的大小有以下几种(音名是指最低音的音名，c′＝中央C)：c″调高音竖笛；f′调中音竖笛；c′调次中音竖笛；f调上低音竖笛。中音与次中音竖笛按记谱的音高发音；高音竖笛的发音比记谱高八度。上低音竖笛的音乐用低音谱表记写，发音也是高八度。竖笛是14世纪根据早期的同族乐器改进而制成的。最初的教课书由德意志理论家S.维尔东(1511)和意大利器乐家S.加纳西(1535)所写。巴罗克时期的曲目差不多全是中音竖笛用的(在当时称作普通笛)。18世纪中叶以后，竖笛废弃不用，直到现代才恢复使用。

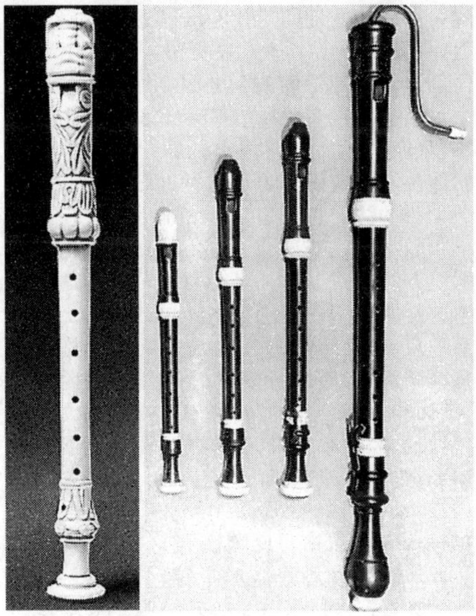

(左)17世纪的法国象牙竖笛；(右)P.J.布雷桑于18世纪制作的一组竖笛
(左)纽约大都会艺术博物馆供图；(右)格罗夫纳博物馆供图

records 参阅 **archives** 档案馆。

Recovery of Taiwan 台湾光复 1945年抗日战争胜利后台湾省重归中国版图。1895年，日本强迫清廷签订《马关条约》，占领台湾。1941年12月9日，中国政府发布《国民政府对日宣战文》，废止《马关条约》。1943年11月26日，美、英、中三国签署的《开罗宣言》规定：战后东北、台湾和澎湖列岛应归还中国。1945年7月26日，美、英、中三国签署的《波茨坦公告》，再次确定了台湾和澎湖列岛等应归还中国。日本无条件投降后，中国国民政府决定由陈仪任台湾省行政长官兼警备司令，主持接受当地日军的投降。10月25日，中国战区台湾省受降仪式在台北市公会堂(今中山堂)举行。日本原台湾总督兼第十方面军司令官安藤利吉向陈仪递呈投降书。至此，日本占领中国台湾省50年的历史正式结束。

Rectification Campaign 整风运动 又称延安整风运动。中国共产党在1942～1945年对党员普遍进行的马克思列宁主义教育、整顿党内作风的运动。这次运动是从延安开始的，其他各地陆续进行。其目的是反对当时党内存在的主观主义、宗派主义和文风上的党八股。主观主义表现为教条主义(一切从定义、公式出发，崇尚书本，轻视实践，不从实际出发的思想作风)和经验主义(片面扩大经验作用，只拘泥于局部经验，不重视理论的思想作风)两种形式。整风主要是克服这种主观主义。宗派主义是主观主义在组织关系上的表现，它妨碍党的团结统一和党与非党群众的团结。党八股是主观主义、宗派主义在宣传和文字上的表现，它是一种死板的、形式主义的文风。整风的方法是组织党员在学习中共中央指定文件的基础上，开展批评和自我批评，总结自己的工作，肯定成绩，找出存在的问题，着重分析产生错误的原因，提出改进的办法。方针是"惩前毖后，治病救人"，达到既弄清思想，又团结同志的两个目的。毛泽东后来把这种方法概括为"团结—批评—团结"的公式。在延安整风运动中高级干部对党的历史进行了深入讨论，在中共六届七中全会上通过了《关于若干历史问题的决议》。经过三年整风运动，广大党员深刻认识主观主义的危害，摆脱了王明"左"倾错误的影响，掌握了马克思列宁主义原理同中国革命具体实践相结合的原则。这对于中国共产党能够领导民主革命取得全国胜利起了很大的作用。这种通过批评和自我批评来解决党内矛盾、分清是非、增强党的统一团结的整风方法，后来在党内曾多次运用。

rectifier 整流器 将交流电转变成直流电的器件。它可以是电子管(真空型或含气型)、断续管、固体器件或机械装置。许多设备如无线电接收机、电视接收机和某些电力设备在工作时都需要直流供电。如果只利用交流电的一个极性来产生脉动的直流电，则这种过程称为半波整流。如果利用交流电的两个极性来产生一连串的单向脉冲，则这种过程称为全波整流。

Recto, Claro Mayo 雷克托(1890-02-08，菲律宾蒂昂～1960-10-02，罗马) 菲律宾政治家，"菲律宾第一"运动的领导人，该运动攻击美国在菲律宾实行"新殖民主义"。1913年在圣托马斯大学获得法律学位。1919年入众议院，任议会内民主党领袖。1931年进入参议院。1933年参加国民党。次年作为菲律宾独立使团团员去华盛顿。后任宪法会议议长。1935～1936年任最高法院副法官。1941年再度任参议员。第二次世界大战日本占领期间，曾参加拉乌雷尔的政府。1949和1955年两度任参议员。在麦格赛赛任总统期间(1953～1957)，他因反对美国对菲律宾的控制而闻名。他要求取消给予美国特别贸易优惠的贝尔法案；要求承认菲律宾对美军基地的所有权；提出一揽子国有化法案，对所有大企业包括外国企业实行国有化。他反对麦格赛赛在外交方面过分屈从美国的利益，如使菲律宾参加东南亚条约组织、承认南越吴庭艳反共政府等。1957年退出国民党，参加民族主义公民党，主张外交上保持中立，经济上保持独立，不以美国利益为转移。1957年竞选总统失败。

rectocele 直肠膨出 直肠向阴道后壁突出的疾病。当支持直肠和阴道后壁的肌肉和结缔组织变弱时(通常由于重复分娩或增龄)，直肠就会突出使阴道后壁脱垂。直肠膨出常与肠疝(小肠向阴道方向突出)同时发生。若肠疝或直肠膨出范围不大，可多年无严重症状；但较大而严重的直肠膨出则会产生骨盆部不适、骨盆部塌垂感，以及排便困难。肠疝和直肠膨出都可用外科手术矫正，将小肠或直肠推回原处，并重建骨盆部肌肉，使小肠或直肠的位置维持在该处，同时阴道壁也恢复正常形状。

rectum 直肠 大肠的终末段，粪便排出前在此存积。人的直肠与乙状结肠相连续，长13～15厘米，下接**肛管**(**anal canal**)。在直肠与肛管交界处有一块与之相垂直的肌肉组织

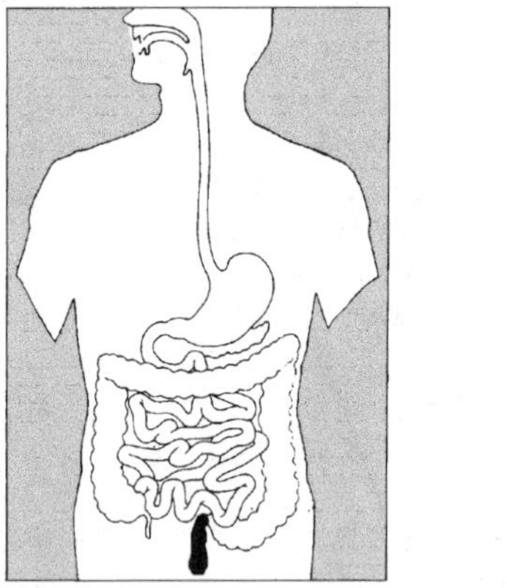

直肠

片，称为盆膈，在这两段大肠之间形成一个缩窄部分。直肠黏膜上有2～3块永久性的横襞（休斯顿氏瓣），具有支持肠内容物的功能，并将直肠内腔大致分为3～4室。直肠外壁有一层纵肌，收缩时可使直肠缩短。不能消化的食物残渣在排出体外之前，停留在乙状结肠内。粪便进入直肠时，肠壁扩张予以容纳。当直肠腔内的压力增加，直肠壁受到刺激，发出神经冲动传递到肛管、胸壁和腹壁肌肉及延髓，从而产生便意。参阅 **defecation**。

Recuay 雷夸伊文化 前哥伦布时期文化及其遗址，位于今秘鲁高原地区北部瓦伊拉斯谷地斗牛场的雷夸伊附近。年代为南美文化早中间期（约公元前200～公元600），与附近北部海岸的莫切文化同时。雷夸伊文化以其三彩纹陶器著称，纹饰系附贴于容器上的小型人像和美洲虎、美洲驼等动物图像。其石刻则与普卡拉文化和蒂亚瓦纳科文化接近。

recursive function 递归函数 逻辑学和数学中一类基于某种概念或某一性质的单变量或多变量函数或表达式。它是由一个过程确定的，这一过程通过反复使用某一给定的关系或程序运算于函数的已知值而产生函数的值或信息。递归函数的理论是由20世纪的挪威人、元逻辑的先驱T.A.斯考伦作为避免所谓关于无穷的悖论的一种方法而发展起来的；当把“一切”应用于取遍无穷类的函数时，在某些上下文中会出现悖论；递归函数由于不考虑实在的无穷类而规定了函数的范围，所以不会出现悖论。递归可以用像“人”或函数“x 是人”这样一些熟悉的概念直观地说明。人们可以不通过“人”的特征、品性等来定义这个概念或函数，而可以说：“亚当和夏娃是人；他们的任何后代是人；他们的后代的……后代的任何后代是人。”这里提到了函数“x 是人”的两个值，并给出了不断由它们得到函数的其他值的熟悉的关系；通过用这个关系回推或者说“递归”若干步回溯到亚当和夏娃的方法，可以推出函数“x 是人”的一切值。函数或概念中的这种递归性与被称作数学归纳法的过程有密切的联系，它在逻辑学和数学中占有重要地位。例如“x 是逻辑系统 L 的公式”或“x 是自然数”常常是递归地定义的。把这些函数与纯粹的程序运算联系起来，对已给定的公式或数反复地施行这些程序运算，最终可使它们与列举的函数值（例如与作为公式的“P 和 Q”，或者与作为自然数的零）联系起来，这样就可避免因函数取遍无穷类而导致出现悖论。

Recurvirostridae 反嘴鹬科 鸻形目的一科，涉禽，含7种。体形中等，长29～48厘米。其特征是腿极长，头较小，喙细长。本科最知名的种类有**反嘴鹬**(**avocet**)、**鹮嘴鹬**(**ibisbill**)及**长腿鹬**(**stilt**)。

recycling 再循环 参阅 **materials salvage 废物利用**。

red algae 红藻 红藻门藻类，约3 000种。绝大部分海产，见于热带和亚热带海岸附近，常附着于其他植物。原植体有丝状、分枝状、羽状或片状。细胞间连以纤细的原生质丝。除叶绿素外，尚含藻胆素类色素（藻红素和藻蓝素），故常呈红色或蓝色，叶绿素被掩盖。红藻的生殖细胞不能运动。雌性器官称果

珊瑚藻属（*Corallina*）红藻

供图：William H. Amos—Helen Wohlberg, Inc.

孢，由单核区（功能如卵）和受精丝（顶端的延长部分，用以接受精子）构成。精子囊单生一个不活动的雄性配子——不动精子。重要的食用红藻（如紫菜、掌状红皮藻）煮熟后仍保持其色泽及胶体性质。工业上，角叉菜属（*Chondrus*）红藻作为明胶的代用品用于布丁、牙膏、冰淇淋及保藏食品中。珊瑚藻属（*Corallina*）的某些种与珊瑚一道在形成珊瑚礁与珊瑚岛的过程中起重要作用。主要由江篱属（*Gracilaria*）和石花菜属（*Gelidium*）红藻制备的琼脂是细菌和真菌培养基的重要成分。

Red Army 红军 俄语作Krasnaya Armiya。1917年布尔什维克革命后共产党政府所创建的苏维埃军队。此名于1946年废弃。

1917年革命爆发以后，俄帝国陆、海军与沙俄其他帝国机构均告解体。1918年1月28日（俄历1月15日）人民委员会颁布一道法令，招募志愿兵创建工农红军。第一批部队凭借革命热情作战，于1918年2月23日奋战纳尔瓦和普斯科夫两地的德军，战绩辉煌，这一天遂定为苏联陆海军节。同年4月22日，苏维埃政府下令未雇用雇工的工人和农民参加强制性军事训练，这就是红军的起始。红军的缔造者托洛茨基自1918年3月起任陆海军人民委员，至1924年11月被解职。红军成员全部自工农群众中征募而来，它也立即面临须创建一个能干可靠的军官团之难题。托洛茨基动员前帝国陆军军官来解决这个难题，但他警告他们如要背叛或逃亡，他们的家人将被扣押作为人质。至1921年红军中这类军官约达5万名，除少数例外，都一直效忠苏维埃政权。政治顾问或政治指导员配属在各个部队以监督军官可靠与否，并在军中展开政治宣传。随着战事的持续，短期军官训练学校开始培养出一批政治上较可靠的青年军官。1925～1933年这段期间，红军中共产党党员的人数比率由19%增加到49%，军官中党员人数增加得更多。只有少数留用的帝国军官仍在军中服役。此外，所有的指挥官都毕业于苏联各军事学院及军官训练学校，这些学校只接纳共产党推荐的学员。

1937年5月一场激烈的整肃波及了所有反对斯大林领导的人，这也使得军官团元气大伤，红军的士气和战斗力大为降低。6月12日，陆海军第一副人民委员M.N.图哈切夫斯基元帅和另外7名红军将领被控勾结日本和德国、密谋出卖苏联，全部被处决。主管政治教育的第二副人民委员Y.B.加马尔尼克将军自杀身亡。其他许多将军和上校或被革职或发配到强迫劳动营，也有遭双重处分的。此时苏联政府因日本侵入中国及德军重整军备而感到不安，开始增强其武装部队。1934年这些部队已有94万人，到了1936年约达130万人，1939年增至160万人，有87个步兵师和32个骑兵旅。

第二次世界大战结束，苏联武装部队有1 136.5万名官兵。根据苏联军事作家N.A.沃兹涅先斯基的说法，当时苏联炮兵为1941年的5倍，坦克为15倍，飞机为5倍。然而自1945年底开始复员，几年间武装部队已削减到不足300万人。

1946年苏联武装部队名称中的“红”字被除去，因而原称“红军战士”的苏联军人自此以后即简称为“士兵”。苏联军队的纪律向来严格，处罚亦严苛。第二次世界大战期间，一些处罚营中有勒令自杀的任务。不过，1960年军中采用了新的规章，纪律乃至惩罚都不似往日严厉。军官开始经常运用劝导，并且负责加强部队的政治意识，因而结束了军事指挥官和政治委员对军队的二元控制。革命的“红军”时代至此名实俱亡。

Red Army 赤军 日本恐怖主义组织，由两个极左的派别于1969年合并组成。从1970年开始，它搞的几起主要的恐怖活动有：劫持日本航空公司的数架飞机，在特拉维夫卢德机场进行大屠杀（1972），以及强占驻外使馆。赤军内部各派之间严重的勾心斗角，

导致其好斗分子于 1972 年将其 14 个成员处死。赤军的组织始终很小，但其恐怖活动持续不断。进入 20 世纪 90 年代赤军的活动仍断断续续地进行。

Red Army Faction 红色军团 联邦德国左翼恐怖集团，1968 年组成，其俗称"巴德尔-迈因霍夫帮"，由早期两个头目的名字构成。成立之初即在联邦德国从事抢劫银行、安放炸弹、纵火、绑架、谋杀等恐怖活动。到 20 世纪 70 年代中期，红色军团已成为一国际性恐怖组织，偶尔也与巴勒斯坦恐怖集团合作。1976 年两名巴德尔-迈因霍夫帮的游击队员参加了巴勒斯坦人劫持法国航空公司一架喷气客机的行动，由此导致以色列人袭击乌干达恩德培机场的事件，该两名德国人被杀。红军军团在 70 年代初至少有 22 名核心成员，其中大部分人包括迈因霍夫在内，都曾于 1972 年夏之前遭到监禁；巴德尔在 1970 年逃出监禁，而 1976 年又落入法网。1976 年迈因霍夫在牢房自缢，其余 3 人包括巴德尔在内，则于 1977 年 10 月 18 日在牢房饮弹而亡，估计为自杀。他们的死发生在联邦德国突击队在索马里摩加迪沙解救一架被劫持的汉莎公司飞机的次日。以后红色军团继续其恐怖活动并组成一些分散的小组。1989 ～ 1990 年民主德国共产党政权垮台后发现，许多逃亡的该军团分子在民主德国受到原共产党政权的秘密警察的庇护和支持。1992 年宣布结束其恐怖主义活动，一些残存的武装分子被逮捕和审判。1996 年，数千名该组织的支持者参加了迈因霍夫去世的周年纪念会议。该组织在 1998 年正式解散，而对组织成员的逮捕和审讯仍在继续。

Red Baron, The 红色男爵 参阅 **Richthofen, Manfred, Freiherr von** 里希特霍芬。

Red Basin (China) **红色盆地** 参阅 **Sichuan Pendi** 四川盆地。

red bat(*Lasiurus borealis*) **红蝠** 即北方蓬毛蝠。蝙蝠科的北美独居蝙蝠，主要栖息于多树地区。长约 10 厘米(包括 5 厘米的尾长)，重 10 ～ 15 克，翅窄，耳圆而短。毛长，栗色到赭色不等，毛梢白色。飞行迅速有力。有时自高而下盘旋，或在树叶间搜索昆虫。红蝠是迁徙种。有别于其他多数蝙蝠之处为一胎生 4 仔。

red-billed quelea (bird) **红嘴奎利亚雀** 参阅 **quelea** 奎利亚雀。

red blood cell 参阅 **erythrocyte** 红细胞。

Red Bluff 雷德布拉夫 美国加利福尼亚州北部城市，蒂黑马县县城(1857)。临萨克拉门托河。在拉森火山国家公园以西 80 千米、萨克拉门托西北偏北 185 千米处。19 世纪 40 年代始有人定居。19 世纪 50 年代发展为河港。1876 年设市。现为萨克拉门托河上游谷地的农牧产品集散中心。木材工业亦重要。每年举办著名的雷德布拉夫牛市(1 月)和集市(4 月)。人口13 147(2000)。

Red Brigades 红色旅 意大利语作Brigate Rosse。意大利极左派的秘密恐怖组织，20 世纪 70 年代起即因绑架、谋杀、破坏而臭名昭著。自称其宗旨是破坏意大利国家，为"革命无产阶级"领导的马克思主义暴动创造条件。红色旅创始人是 R.库尔乔。他最初于 1967 年在特伦托大学成立了一个左派思想小组，致力于研究马克思、毛泽东、格瓦拉等英雄人物。1969 年与激进分子玛格丽塔·卡哥尔结婚之后，移居米兰，并聚集了一批志同道合的狂热分子。1970 年 11 月他们进行一系列恐怖活动，宣告红色旅的存在。1971 年开始绑架活动，1974 年开始暗杀。1978 年红色旅绑架并杀害了前总理莫罗。虽然当局在全国拘捕了数百名嫌疑恐怖分子(包括库尔乔本人)，但暗杀事件仍时有发生。1981 年 12 月，美国驻北大西洋公约组织官员 J.多齐尔准将被红色旅劫持，扣押了 42 天之后，被意大利警察从帕多瓦的一个暗藏处安全营救出来。在其最盛时期的 70 年代，据信红色旅有 400 ～ 500 名专职成员，1 000 名定期协助行动成员，还有几千名提供经费、交通运输和隐避所的支持者。从 70 年代中警方系统地搜捕了许多红色旅领导人和普通成员，到 80 年代末该组织已基本被摧毁。但一个自称红色旅的组织声称对 90 年代发生的几起暴力袭击负责。

red bug 红蝽 又作 stainer，firebug 或 pyrrhocorid bug。异翅目红蝽科(Pyrrhocoridae)昆虫。300 多种。常见。多生活在热带和亚热带。体卵圆形，色鲜艳，红色。长8～18毫米。群居性，有些种有二型性，如无膜翅红蝽(*Pyrrhocoris apterus*)分为有翅和无翅两型。棉红蝽属(*Dysdercus*)是北美及印度棉花的破坏性最大的害虫之一，吸液汁，其排泄物把棉铃染红。一度在棉花植株行间或柑橘树的行间放置小堆的甘蔗以诱捕红蝽，再用热水杀之。目前防治这种害虫的方法是喷洒粉剂或液剂。但并非所有红蝽都是害虫，如印度的光红蝽属(*Dindymus*)的幼虫吃白蚁，成虫吃苍蝇。

红蝽(*pyrrhocoris apterus*)
供图：Sven Samelius

Red Bull Theatre 红牛剧院 伦敦克拉肯韦尔上街的公共剧院。由 A.霍兰建于约 1600 ～ 1605 年之间，以观众粗俗和爱吵闹而著称。常客为邻近喜欢看戏的一批无赖，其中几人因在剧院进行"明显的流氓活动"而于 1610 年在米德尔塞克斯法庭受审，这种流氓骚乱在该剧院十分普遍。在红牛剧院演出的第一个剧团是安妮女王供奉剧团，它在此一直演到 1617 年。1625 年红牛剧院进行扩建。至英联邦成立以前，它可能是被用来演出木偶戏和进行秘密活动的场所。王政复辟时期，剧院重新开放，基利格鲁的剧团在这里演出。1663 年剧院停止使用，1665 年被拆毁。

red cedar 红柏 柏科多种常绿乔木的俗名。尤指西方红柏(巨柏[**giant arborvitae**])和东方红柏(**eastern red cedar**，即弗吉尼亚刺柏)。

Red Cloud 红云(1822，美国内布拉斯加准州普拉特河畔～ 1909-12-10，南达科他青松岭乡) 美国奥格拉拉-特顿-达科他族(苏人)的主要首领，成功地抵制了美国政府把博兹曼小道延伸到蒙大拿准州新发现的金矿的企图。原名马皮瓦·卢塔。以骁勇善战而博得族人的爱戴。为了保护主要的猎区，从 1865 年起率领苏人和夏延人顽强阻挡美国政府修筑从拉勒米堡(今怀俄明)沿保德河通往蒙大拿的道路，并拒绝一切谈判的建议。经过两年的"红云战争"，美国终于同意撤回全部驻军，放弃一切筑路计划。1868 年 4 月签订《第二个拉勒米堡条约》以后，红云放下武器，到内布拉斯加"红云乡"定居。但是，许多族人(包括他的儿子在内)耻于与白人和解，继续从事战斗。红云在信守和约的同时，极力捍卫印第安人的文化，不断批评联邦政府的政策，1878 年他率苏人移居"青松岭乡"，多次去首都华盛顿陈述自己的观点。后来信奉基督教，取名约翰。

Red Cloud 雷德克劳德 又译红云乡。美国内布拉斯加州南部城市，韦伯斯特县县城。在里帕布利肯河沿岸，哈伦水库东面。1872 年设市，以最后一名率领特顿-苏族印第安人作战的首领的名字命名。后为奶品产区的服务点。有干酪和肉类加工厂。该市以获得普利策奖金小说家 W.凯瑟(1873 ～ 1947)的故乡闻名，她以该市作为她的许多小说的背景。开拓者纪念馆和教育基金会博物馆收藏有她的信件、早期版本和家庭纪事。她童年时期的住所经修缮成为历史遗迹。人口 1 204 (1990)。

red corpuscle (biology) 参阅 **erythrocyte** 红细胞。

red crab 红蟹 太平洋黄道蟹的一种，与邓杰内斯蟹(**Dungeness crab**)近缘。

Red Cross and Red Crescent 红十字会和红新月会 全称 International Movement of the Red Cross and Red Crescent，1986 年前称 International Red Cross(国际红十字会)。慈善机构，几乎在世界各国都设有分会。初创时旨在战时照顾伤员，后来成为一般地预防灾难、救济难民的机构。在和平时期，它的活动包括急救、事故预防、水上救护、培训护士助理和助产员、维持妇女儿童福利中心和医疗站、血库以及其他多种服务设施。红十字会是基督教国家所用的名称,名义上由这些国家提供资助;红新月会(1906年在奥斯曼帝国坚持下采用此名)是穆斯林国家所用的名称。红十字会由瑞士慈善家J.-H.杜南特首创。他于1859年6月在索费林诺战役中组织了对奥地利及法国伤员的紧急救护。在1862年出版的《索费林诺记事》一书中,他倡议在世界各国建立志愿救援团体。1864年出现了第一批这样的组织。1864年的日内瓦公约是首次达成的有关红十字会的多国协议,它责成签字国政府救护所有的战争伤员,不管是盟友还是敌人。后来这条公约经过了修正,并达成了一些新的协定:保护海战伤员协定(1907)、保护战俘协定(1929)及保护战时非军事人员协定(1949)。红十字会和红新月会的世界性组织包括红十字国际委员会、红十字会红新月会协会以及各国的红十字会和红新月会。红十字国际委员会是由25名瑞士公民组成的独立机构,总部设在日内瓦。战争时期,这个委员会在交战国之间以及各国红十字会之间充当调停者。红十字国际委员会还访问战俘营里的战俘,向他们提供救济物资、通信条件,并协助了解他们亲属的情况。红十字会红新月会协会在日内瓦设有秘书处,它帮助提供灾难救济,并协助发展各国的红十字会组织。

red deer **赤鹿**(*Cervus elaphus*) 即马鹿。偶蹄目鹿科动物,原产于欧洲、亚洲和非洲西北部,已引进新西兰。栖于林地,雌雄分群而居,到繁殖季节,雄鹿互相格斗争占雌鹿。体

雄赤鹿(*Cervus elaphus*)
供图:Leonard Lee Rue Ⅲ—Annan Photo Features

大,肩高约1.2米。毛浅红褐色,冬季加深,变为浅灰褐色,腹部颜色较淡,臀部浅色。雄鹿角长,每年增加一叉,分叉可达10个以上,12个分叉者称"皇族",14个分叉者称"威尔逊"。很久以来,人们猎杀赤鹿为乐或取食其肉。赤鹿有多数亚种,《红皮书》中都已列为濒于绝灭的动物。

Red Deer **雷德迪尔** 加拿大艾伯塔省中部城市。濒临雷德迪尔河。位于卡尔加里至埃德蒙顿中途。1891年铁路修通后,火车站周围建立社区,发展为乳品加工及销售中心。周围有油气井。雷德迪尔学院建于1964年。由此可通往西尔万湖游览区。城内有盖茨湖。1913年建市。人口58 134(1991)。

Red Deer River **雷德迪尔河** 加拿大艾伯塔省南部河流。为南萨斯喀彻温河主要支流。源出加拿大落基山,流向东北转东南,过萨斯喀彻温省界8千米注入南萨斯喀彻温河。全长724千米。沿河有雷德迪尔市和德拉姆黑勒市,又有现已灭绝的巨大爬行动物遗迹的省立恐龙公园。

red dog(mammal) 参阅 **dhole** 豺。

Red Dog **红狗** 又称比大小的扑克牌赌戏(high card pool)。在美国特别流行。这种游戏不需要什么技巧,玩牌的人只需决定对每一手牌下多少赌金即可。玩牌人数2～10人皆可,使用一副标准扑克牌,A为最大。每人把议定的赌金放在一个罐子里,用切牌或其他方式选出庄家,再由庄家发牌,每次发1张,分给每人4张牌。坐在庄家左手边的人看牌后依据自己手中的牌下注,赌注不得少于议定的赌金,也可以增加到罐内赌金的总数。然后庄家亮出牌墩面上的第一张牌,如果玩牌者手里的牌与亮出的牌花色相同,且牌点更大,他就赢得同他下注相等的金额,否则他就要把下注而输掉的钱放进罐内以增加罐内的赌金总数。庄家按顺时针方向进行下去,让每位玩牌的人和他自己重复这个程序。手上的牌玩完后,按顺时针方向把庄传给下一个人。如果罐内的赌金总数已经超过任何玩牌人下注的能力,或者超越预定的最大限额,可以劈开旧罐启用新罐。波兰的红狗,又称司蒂奇或波兰拉胡克,与上述游戏类同,它显然最早起源于波兰。玩法是庄家拿出一定数额的钱当作共博的赌注,玩牌人各自下注。每人发给3张牌。

Red Earl **红色伯爵** 参阅 **Gloucester, Gilbert de Clare, 8th earl of** 格洛斯特伯爵(第八)。

Red Eminence, The **"红衣主教"** 参阅 **Richelieu, Armand-Jean du Plessis, cardinal et duc de** 黎塞留。

red-figure pottery **红彩陶器** 希腊陶器(**Greek pottery**)的一种类型,盛行于公元前6世纪末至公元前4世纪末。在这一时期,大多数较为重要的陶瓶都是以这种风格或较早期的黑彩风格绘饰的。黑彩陶器上的人物是用光泽的黑色颜料以剪影方式画在橘红色的器表,而细部则大多以刻线的方式来表现。在红彩风格中,装饰的人物轮廓仍用黑色勾画,轮廓以外填为黑色衬底,而将人物保留为原来的红色;细部不用雕刻而用绘画,因之能够更为生动地显现人物的神态、行为,尤其是表情。人物色调层次广,透视感好。大多数希腊陶器上的装饰着重于叙事而不是装潢,这样一些技术特点具有极为重要的意义。红彩陶器可粗略地分成两个时期:第一时期,公元前530～前480年;第二时期,公元前480～前323年。在早期的红彩陶瓶上,绘画主题有英雄业绩和酒神节的狂欢,也有日常

约公元前490年布赖格斯画匠制作的红彩陶杯(细部)
供图:J.E.Bulloz

生活;细部则用黑色勾描,或涂以浓淡不同的黑色,使涂处呈棕色。当时的艺术家业已掌握了前缩法,并且能够表现出第三个维度而与器物的二维表面并不相悖。第二时期陶瓶的特色是较为俗丽,人物细部用白色,有时也用黄棕色、金色和蓝色描绘。主题及其处理手法常带浮浅和感伤情绪,技巧上对自然写实主义和深度透视的尝试反而破坏了陶瓷造型的内在特点,把陶瓷器皿降为仅是绘画的依托,使其内在的美学价值不过是一堵画壁画的墙壁或一块画架上的画布。至第二时期末期,陶瓷的红彩装饰艺术衰败了,最后从希腊中东部地区逐渐消失。

Red Flag Canal(China) 参阅 **Hongqi Canal** 红旗渠。

red flyer **红飞袋鼠** 袋鼠(**kangaroo**)中最大的一种。

Red Fort **红堡** 印度旧德里城的莫卧儿城堡。墙用红色沙岩石砌成,故名。堡内有皇宫、花园、军营及其他房屋。17世纪中期营造,迄今仍为旅游胜地。在旧德里城还有一个早期的红堡,是11世纪建造的。有古德布清真寺。

Red Guards **红卫兵** 汉语拼音作Hongweibing。中国"文化大革命"(1966～1976)初期以青年学生为主体建立的群众组织。1966年5月29日由北京清华大学附属中学部分学生发起。8月1日毛泽东向他们去信表示热烈支持,并于8月18日在天安门首次接见检阅红卫兵。从此,红卫兵运动席卷全国。至11月底毛泽东先后8次检阅了1 100多万红卫兵和师生。毛泽东以为可以用红卫兵为武器去和被认为是修正主义的倾向和官僚作风做斗争,参加红卫兵组织的多数青年也自认为是从事革命活动,但实际上红卫兵在全国到处串连,煽动造反,在政治、经济、文化等

各方面造成极大破坏。许多红卫兵组织为破坏分子所利用。1967年中共中央多次发出停止红卫兵串连、要求学校“复课闹革命”的指示。1968年以后大批红卫兵和知识青年分

长春市的红卫兵与革命青年踏上赴北京的“长征”之路

供图：Eastfoto

散到农村进行劳动锻炼，学校逐渐恢复正常，红卫兵运动基本结束。许多参加过红卫兵组织的青年经过曲折的道路逐步觉悟，对“文化大革命”从怀疑、观望到进行抵制。

red heifer　纯红母牛　希伯来语作para adumma。古代犹太教所用祭牲。必须是没有残疾，未曾负轭，毛色纯红的母牛。此牛屠宰后投火中焚烧，以此使接触死尸的人恢复洁净。某些战利品和战俘，也可以用此法予以净化（《民数记》19）。祭司先用指头蘸此牛的血弹洒，然后把牛的尸体与香柏木、牛膝草、朱红色线一起焚烧。骨灰须在洁净地点用清水在陶器中调匀，将此骨灰膏洒在众人身上，大家得到洁净。

Red Jacket　红外套（1758？，纽约卡诺加～1830-01-20，美国纽约布法罗塞内卡村）　塞内卡人酋长，印第安原名为奥特金尼，当酋长后称萨戈耶瓦瑟。由于常穿红外衣，得此英语名字。在美国独立战争时期，他站在英国一边。1779年被J.沙利文将军的美军击败，试图与美军单独议和，为此被他的同胞认为懦夫。1786年在印第安人一次会议上运用能言巧辩的才干，才保住酋长地位。1787、1788和1790年在表面上反对出卖土地给美国人，却秘密签订让予土地的协定。以后他似乎真的反对白人对塞内卡风俗、宗教和语言的影响。19世纪20年代由于酗酒放荡而声誉下降，1827年被部族头人会议免去酋长职务。后来他本人保证改过自新，加上美国印第安人事务官员的说项，得以恢复原职。

red maple（*Acer rubrum*）　**红花槭**　又作swamp maple（沼泽槭）或scarlet maple（猩红花槭）。槭科高大乔木，栽培作为遮荫树和秋天的赏叶植物。原产于北美东部，是产地最常见树种之一。红花槭树干笔直，高27米余。枝条直立或开展，随着树龄的增长而变为红褐色。幼嫩树皮光滑，呈灰色，以后逐渐起皱，呈鳞片状，黑色。先于叶开放的花、叶柄、秋叶和冬芽都带红色。叶3～5浅裂，下表面灰白色。翅果小，成对，黄色到红色。木材可制家具、地板和胶合板。树汁中可提取少量的槭糖浆。因红花槭能忍耐坚实、潮湿的土壤和城市污染，常种植于城市内。有几个栽培变种因树形美观（金字塔形、圆球形或柱形）、秋叶颜色诱人而种植于风景区。

red munia（bird）　**红文鸟**　参阅**avadavat** 梅花雀。

red oak　赤栎　一组北美观赏和材用灌木和乔木，壳斗科栎属（*Quercus*）红栎组或亚属（*Erythrobalanus*）植物的通称。叶尖端有刚毛，槲果有被毛的壳斗；种子有苦味，历两季方成熟。黑栎（**black oak**）、活栎（**live oak**）、柳栎（**willow oak**，包括水栎、月桂叶栎、覆瓦栎）和针栎（**pin oak**）都属于这个组。赤栎一词又专指两种重要的材用树：北方赤栎（红栎，

北方赤栎（*Quercus rubra*）

供图：Karl Maslowski—Photo Researchers

Quercus rubra）和南方赤栎（西班牙栎，*Q. falcata*）。北方赤栎常种作观赏植物，乔木，生长迅速，树冠圆头状广阔开展，高约25米，偶达45米。叶被毛，长圆形，有7～11个浅裂片，长度至少20厘米，上面暗绿色，下面黄绿色，秋天变橙红色，经冬不落。槲果长约3厘米，有一浅壳斗托住基部。南方赤栎为观赏植物，根系深，树干短；叶有两种类型：一种具3个顶裂片，另一种具5～7个深裂片，顶部的裂片进一步全裂。两个类型的叶均长约18厘米，上面深绿色有光泽，下面锈色而被毛，秋天变橙色至橙褐色。樱桃树皮栎或沼泽赤栎，是南方赤栎的一个变种，树形高大，可达36米；叶有5～11个浅裂，叶长23厘米；树皮灰褐色至黑色鳞片状，似黑樱桃。是珍贵的材用树。猩红栎（*Q. coccinea*）、纳托尔氏栎（*Q. nuttallii*）和舒马德氏栎（*Q. shumardii*）也是北美东部和南部珍贵的材用树。猩红栎是常见的观赏树，树干短而突然变细，叶有近圆形的弯缺口，入秋叶色鲜红。纳托尔氏栎树干细长，树冠常是金字塔形，除槲果长圆形具有条纹外，余皆与猩红栎相似。舒马德氏栎是低地乔木，高达23米；树冠稀疏；树干直而少岔枝；叶有7～9个浅裂。马里兰栎（*Q. marilandica*）是北美东部一种沙质土壤的覆盖树，高约9～15米，叶端阔，先端有3个浅裂片，上面深绿色有光泽，下面锈色而被毛。得克萨斯赤栎（*Q. texana*）高约10米，可视为舒马德氏栎的较矮变种。在木材贸易中，所有赤栎组种类的木材均称为“赤栎”。

Red River　雷德河　又称南雷德河。源出美国新墨西哥州东部高平原。东南流，经得克萨斯州、路易斯安那州至巴吞鲁日西北面分叉，部分河水注入阿查法拉亚湾和墨西哥湾，另部分注入密西西比河。20世纪中期，在奥尔德河上兴建洪水调控系统，雷德河不再成为密西西比河的支流。流域面积241 000平方千米。雷德河全长2 080千米，其中的一半流程形成得克萨斯-俄克拉何马州界。其主要支流有雷德河北支流、凯厄米希河、利特尔河、布莱克（沃希托）河、皮斯河、萨尔弗河、威奇托河和沃希托河以及博德考与塞普里斯牛轭湖。自路易斯安那州纳基托什以上航道，早期受浮木阻碍。19世纪30年代曾对260千米航道进行清理，1873年又进行一次。河口至阿肯色州西南的河段（725千米）虽可通航，但一年只有几个月可通行吃水1.2米以上的船只。航运大部集中在最下面56千米河段。距河口1 168千米处建有丹尼森水坝（1944），形成了特克索马湖。支流上有许多用于治洪和水力开发的水库。

Red River　红河　越南北部主要河流。源出中国云南省中部（称元江）。流向东南穿过狭窄的深谷，经东京区，最后经河内注入北部湾（东京湾）。全长1 200千米。泸江和黑水河两大支流分别从左、右岸汇入后，水量剧增，全年径流不稳定，雨季时高达每秒9 500立方米。该河因流经红土地带时夹带大量泥沙，水呈红色，由此得名。红河三角洲长150千米，宽80千米，面积约7 000平方千米；为人口稠密、农业发达地区。海防为河内的外港，在三角洲的北侧。

Red River Campaign　雷德河战役（1864）　美国南北战争期间，联邦军为夺取路易斯安那、阿肯色和得克萨斯等几个重要产棉州而发动的战役，但没有成功。1864年春，联邦军的N.班克斯将军率领一支远征军沿雷德河上溯，夺得路易斯安那州德鲁西堡和亚历山德里亚城，但R.泰勒将军率领的南方联盟军在曼斯菲尔德进行抵抗，并于4月8日击败联邦军。南方联盟军固守此地，得以占据全区，直至战争终了。

red river hog　红河猪　非洲有蹄哺乳动物。薮猪（**bush pig**）的一个亚种。

Red River Indian War　雷德河印第安战争（1874～1875）　据认为以和平方式安置在俄克拉何马和得克萨斯保留地内的几个印第安部族所发起的武士起义。1867年的《梅迪辛洛奇条约》把阿拉帕霍、夏延、科曼切、基奥瓦和卡塔卡等印第安部族置于保护地内。许多武士们不愿过这种被监禁的生活，于是袭击白人旅行者和定居者。在1874年的一次袭击中，有60个白人丧生。1874年秋，美国政府派W.T.谢尔曼将军率领的步骑兵3 000

人，围剿雷德河流域的印第安人。印第安人拼命抵抗。经 14 次激战，印第安人弹尽粮绝，始退返保留地内。

Red River of the North　北雷德河　流经美国北部和加拿大马尼托巴省南部的河流。向北流，长 877 千米(其中 710 千米河段为北达科他-明尼苏达州界)，流域面积 104 118 平方千米。注入温尼伯湖(加拿大)。河谷曾为阿加西冰湖湖底，现为北美最富庶农区之一，产谷物、马铃薯、甜菜和牲畜。河口附近水闸可使船舶通航至沿河主要城市温尼伯(加)、格兰德福克斯(美)和法戈(美)。主要支流有怀尔德赖斯、夏延、彭比纳和阿西尼博因河。

Red River Settlement　雷德河移民区(1811～1836)　在阿西尼博因河河口附近的雷德河两岸的加拿大定居点。塞尔扣克第五代伯爵、苏格兰慈善家托马斯·道格拉斯于 1811～1812 年建立。哈得孙湾公司授予他在雷德河和阿西尼博因河流域的 30 万平方千米的土地。这个移民区正式名称为阿西尼博亚(**Assiniboia**)。1836 年前，该移民区由塞尔扣克勋爵及其继承人任命的总督和议会管辖。1870 年该地成为马尼托巴省一部分。

Red Rock River　雷德罗克河　密苏里河三源头之一杰斐逊河(**Jefferson River**)的一段。

Red Rum　红兰姆酒(1965～1995)　英国越野赛马。1973、1974 和 1977 年 3 次获英格兰全国大赛冠军，打破先例。1973 年在骑师弗莱彻驾驭下创 9:01 $\frac{9}{10}$ 秒的纪录。1978 年退出马赛。

red salmon　参阅 **sockeye salmon** 红大麻哈鱼。

Red Sea　红海　阿拉伯语拉丁字母转写作 al-Baḥr al-Aḥmar。非洲东北部和阿拉伯半岛之间的狭长海域。面积约 450 000 平方千米。红海由埃及苏伊士湾向东南延伸到曼德海峡，长约1 930千米。曼德海峡连接亚丁湾，然后通往阿拉伯海。红海最宽处为 306 千米。西岸有埃及、苏丹、埃塞俄比亚，东岸有沙特阿拉伯和也门。在北端，红海分成两部分：西北部为水浅的苏伊士湾，东北部为亚喀巴湾，水深达 1 676 米。苏伊士运河连接苏伊士湾和北面的地中海，使红海成为欧洲与亚洲之间的交通航道。北纬 25°～ 16°之间，红海的中央部分的海底地形十分崎岖，这里的主要海槽复杂多变，海岸线参差不一，最深处达 2 920米。北纬 16°以南，因珊瑚礁海岸的大面积增长，使可以通航的航道十分狭窄，某些港口设施受到阻碍。在曼德海峡，要靠爆破和挖泥两种方式来打开航道。没有任何河川之水注入红海，沙漠地带雨量稀少。年蒸发量高达 2 000 毫米以上。但这一蒸发量的损失可以用由亚丁湾通过曼德海峡东部水道流入的海水来弥补。红海地区发现有 5 种主要类型的矿藏资源：石油沉积、蒸发沉积物(由于升华沉淀作用而形成的沉积物，如岩盐、钾盐、石膏、白云岩)、硫磺、磷酸盐及重金属沉积物，均在主要深海槽底部的淤泥中。

red shift　红移　一个天体的光谱向长波(红)端的位移。通常认为它是多普勒效应所致，即当一个波源(光波或射电波)和一个观测者互相快速运动时所造成的波长变化。美国天文学家 E.P.哈勃于 1929 年确认，遥远的星系均远离我们地球所在的银河系而去，同时，它们的红移随着它们的距离增大而成正比地增加。这一普遍规律称为哈勃定律，它成为星系退行速度及其和地球的距离之间的相关的基础。这就是说，一个天体发射的光所显示的红移越大，该天体的距离越远，它的退行速度也越大(参阅 **Hubble's constant**)。红移定律已为后来的研究证实，并为认为宇宙膨胀的现代相对论宇宙学理论提供了基石。60 年代初以来，天文学家发现了称为类星体的天体，它们的红移比以前观测到的最遥远的星系的红移都更大。各种各样的类星体的极大的红移使我们认为，它们均以极大的速度(即接近光速的 90%)远离地球而去；还使我们设想，它们是宇宙中距离最遥远的天体。参阅 **quasar**。

Red Shirt Movement　红衫运动　又称上帝的仆人。1930 年印度西北边境省阿卜杜勒·迦法尔汗所发起的支持印度国大党的运动。迦法尔汗为普什图人，崇拜甘地。他的信徒穿红色衬衫，人称红衫党。1937 年选举时，国大党在红衫党的支持下获多数选票。1947 年印巴分治时，西北边境省经公民投票加入巴基斯坦。此后迦法尔汗鼓吹普什图人独立，要在巴基斯坦和阿富汗的边境地区成立一个独立的普什图国家。巴基斯坦政府镇压了这一运动。红衫党活动被禁止。

red snow　红雪　因衣藻属(*Chlamydomonas*)、针丝藻属(*Raphidonema*)和各种硅藻大量繁殖而表面呈玫瑰红至血红色的冰雪。在日照极微、气温低于冰点很多时，这些藻类处于休眠状态。在所有雪地植物区系中，红雪植物分布最广，最为著名。

red spider　红蜘蛛　又称叶螨、蛛螨(spider mite)。蜱螨亚纲(Acari)叶螨科的植食螨类。以室内植物及重要农业植物(包括果树)的叶和果实为食。从卵到成体约需 3 周。成螨长约 0.5 毫米。与名称不符，并非所有种类都为红色，有些种类为绿、黄或褐色。在植物上结一疏松的丝网，所以有时误认为是小蜘蛛。植物受害严重时，叶子完全脱落。其抗杀虫药的能力日益增强，因而难以防治。研究了另一些防止侵染的方法，其中以利用掠食性的相似植绥螨(*Phytoseiulus similis*)效果最好。

red sprites and blue jets　“红色精灵”和“蓝色喷流”　在雷暴上部的闪光以及在其下方的雷雨云中伴随的普通闪电。两者的起因不明。“红色精灵”趋向于在高度 40～90 千米的广大区域内同时产生，这个区域涵盖了大部分的中间层(大气层中高度 50～80 千米的区域)以及电离层 D(高度 70～90 千米)；在低光度摄像记录中呈微红色，并且其底部有游动的蓝色须状物。“蓝色喷流”以较慢的速度(大约每秒 100 千米)在雷雨云的顶部以狭窄的蓝色光锥形式扩展。

Red Square　红场　莫斯科的中心广场。红场和克里姆林宫于 1990 年被联合国教科文组织列为世界遗产。自 15 世纪末克里姆林宫城墙竣工后，红场长期是俄国和苏联的社会和政治活动中心。红场曾经有过各种名称，17 世纪后半叶取今名。一直是商业中心区，周围建筑物还有不同时期建造的教堂、莫斯科第一个公共图书馆、大学、剧院和印刷厂。红场曾是处死刑、游行、暴乱、检阅、演说的地方。面积 7.3 万平方米。位于克里姆林宫正东面，莫斯科河以北。广场与克里姆林宫宫墙间有一道护城河。广场北面有国家历史博物馆(建于1875～1881)，南端矗立着有 8 个塔楼的圣瓦西里大教堂(建于 1555～1560 年)，东侧为百货公司大楼(建于 1889～1893

莫斯科红场上的蒙福者圣瓦西里大教堂

供图：© Robert Houser/Comstock

年),西侧有列宁墓(1930 年建成)。列宁墓两侧宫墙下还有其他一些坟墓。1930 年,红场卵石地面改为石块地面,1881 年立在红场中央的米宁与波扎尔斯基纪念碑被转移到圣瓦西里大教堂前面的现今位置,以便于检阅和游行。在苏联解体前,每年五一节和 11 月 7 日(伟大十月社会主义革命节)在广场上举行游行纪念活动。

red-tailed black shark　红尾黑鲨　鲤科鱼,野鲮(**labeo**)的一种。

red tide　赤潮　由甲藻(腰鞭毛虫类)引起的海水变色,每随甲藻的周期性大量增殖而出现。此时有毒物质释放到水中,能致鱼和其他海洋生物于死命。赤潮普遍出现于温暖海洋。1947 年佛罗里达沿海出现一次赤潮,原因是短小裸甲藻(*Gymnodinium brevis*)每升海水中达到 5 000 万个,海水从绿变黄到琥珀色,成千上万的鱼类死亡。1968 年英国诺森伯兰海边出现赤潮,无数海鸟死亡。在加利福尼亚和葡萄牙海边出现过相似的赤潮,由多角漆沟藻(*Gonyaulax polyedra*)引起。毒素释放入海水,刺激人的呼吸系统;海边休养所有时会因浪花飞溅将毒物释入空气中而停止使用。

Red Volta River　红沃尔特河　西非河流。发源于布基纳法索(前上沃尔特)瓦加杜古西北面。向东南偏南流约 320 千米,在加纳上部地区的甘巴加陡崖附近汇入白沃尔特河。红沃尔特河坡度较缓(每千米约 40 厘米),流域降雨量较少。主要沿河城镇是卡加奥。

redback　红背蛛　黑寡妇(**black widow**)蜘蛛的澳大利亚名称。

redbird　参阅 **cardinal** 红衣主教雀。

redbird cactus (*Pedilanthus tithymaloides*) **红雀仙人掌**　又作 devils backbone 或 shoe

红雀仙人掌(*Padilanthus tithymaloides*)
供图:G.R.Roberts

flower。即红雀珊瑚。大戟科肉质植物,非真仙人掌类。原产于佛罗里达至委内瑞拉,有时在热带岩石庭园中栽培观赏,在北方盆栽。某些品种的茎形状扭曲,故又称魔鬼脊骨;花均着生枝顶,花下有一轮雀形的红色苞片,又称鞋花。茎高 1.2～1.8 米,多无叶,损伤时流出大量乳状液;几个品种的叶杂色或红色。

Redbridge　雷德布里奇　英格兰伦敦外围自治市。属于埃塞克斯历史郡。面积 56 平方千米。部分在大伦敦东北边缘。主要为住宅区。有近 295 公顷的埃平森林、伍德福德的大学宿舍区和作为大伦敦主要郊区购物中心之一的伊尔福德。旺斯赫德和伍德福德议会选民自 1924 年起至 1964 年均由 W.丘吉尔代表。人口约238 635 (1998)。

redbud　紫荆　豆科紫荆属(*Cercis*)的灌木或小乔木。原产北美、南欧和亚洲。早春时先于叶开花,花紫红色,艳丽,簇生于老茎上,广泛栽培以供观赏。叶心形到近圆形,初张

加拿大紫荆(*C. canadensis*)
供图:Kenneth & Brenda Formanek—美国不列颠百科全书公司

开时为青铜色,迅即变绿,秋天变黄。加拿大紫荆(东部紫荆,*C. canadensis*)高达 12 米,是最耐寒的种;花玫瑰紫色,分枝优美,故广为栽培观赏,也有白花变种。中国紫荆(*C. chinensis*)的栽培品种常为灌木。原产地中海地区的西亚紫荆(*C. siliquastrum*)常称为犹大树;据说出卖基督的犹大在这种树上自缢身死,之后由于血或羞耻,其白花变红。

Redcar and Cleveland　里德卡-克里夫兰　原蒂斯河畔兰包尔。英格兰北约克地理郡单一自治市,属约克历史郡。在蒂斯河南侧米德尔斯伯勒和多岩石的海岸线之间。延海岸的博尔比有英格兰最高的海岸峭壁(180 米)。同时向内陆延伸至北端丛林覆盖的克利夫兰山。单一自治市的西北部临蒂斯河口处有埃斯顿、南岸、格兰奇汤、拉肯比和雷德卡,是蒂赛德都会区工业化程度最高的区域。有现代化钢铁厂(拉肯比和雷德卡)、石油化工厂和其他制造设备。蒂斯河口湾的泥滩已被广泛开垦清理,为工业和港口的装备提供宽广的场地,包括炼油厂和国际海港蒂斯港。直接通过管道传送来自北海的石油,进行提炼。南部和东部为大片郊区,风景优美。海滨胜地索尔特本和内地集市城镇吉斯伯勒是理想的住宅城镇。面积 241 平方千米。人口 138 300(1998)。

Redcliffe　雷德克利夫　澳大利亚昆士兰州东南部住宅和游览城市。位于雷德克利夫半岛。其南、东、北面分别为布拉姆布尔湾、莫顿湾和迪塞普申湾。1921 年设镇。1959 年设市。有铁路和霍尼布鲁克公路通布里斯班。布拉姆布尔湾上有该国最长堤道之一,长1⅔英里。有捕捞对虾和鳕鱼等渔船队。人口 42 223(1981)。

Reddie, Cecil　雷迪(1858-10-10,伦敦～1932-05,英格兰)　英国教育改革家。在发展循序渐进的教育中起过重要作用。曾就学于德国格丁根大学,当时该地正实施循序渐进的教育理论,他受到很大影响。1883 年在英格兰加入激进的新生活联谊会,决定建立一所以社会主义原则为基础的男校。1889 年在英国德比郡阿波茨霍姆开办的这所学校,尽管并非明确的社会主义性质,它的课程却为循序渐进的教育树立了一个新标准。雷迪将精深的学习和缜密的个人教学与体育活动、体力劳动、娱乐以及艺术结合起来。整个欧洲都模仿阿波茨霍姆,而以德国受影响最深。包含雷迪的回忆录和教育理论在内的《阿波茨霍姆》一书于 1900 年出版。

Redding　雷丁　美国加利福尼亚州北部城市,沙斯塔县县城(1888),在萨克拉门托河谷。建于 1872 年。1887 年设建制。原为农产品和矿产品转运站。第二次世界大战后伐木业和旅游业成为经济支柱。沙斯塔三一国家森林管理处设此。现为附近游览区的服务中心,旅游点包括沙斯塔-威士忌城-克莱尔恩格尔湖和水坝、特里尼蒂阿尔普斯原野和拉森火山国家公园。人口:城市 80 865;都会统计区163 256(2000)。

Redding, Otis　雷丁(1941-09-09,美国佐治亚道森～1967-12-10,威斯康星麦迪逊附近)　美国歌手和歌曲作者,20 世纪 60 年代最伟大的灵乐歌手之一。50 年代末加入小理查德曾待过的乐队。他模仿小理查德,创作出第一首成功之作《呼喊巴马拉马》。后来加入 J.詹金斯的乐队,成为主要成员。他的歌声充满激情,具有强大的力量和不可抗拒的真诚,其名曲有《我爱你已经太久了》(1965)、《尊重》(1965)、《满足》(1966)和《发-发-发-发-发(悲伤的歌曲)》(1966)。在他的率领下,乐队成了节奏与布鲁斯发展史上与 R.查尔斯和 J.布朗所在乐队齐名的有影响乐队。1967 年他转向灵乐。1967 年 12 月 10 日,他和乐队成员乘坐的包机在威斯康星湖坠毁。去世后最经久不衰的作品《坐在海湾的码头上》成为他唯一登上音乐排行榜榜首的歌曲。1968 年,他的另外 3 首作品《快乐的歌》、《阿门》和《爸爸有了一个崭新的袋子》都登上排行榜。1989 年入选摇滚乐名人堂。

Redditch　雷迪奇　英格兰伍斯特行政、历史郡一个城镇和自治市。在埃文河的支流阿

罗河谷。面积54平方千米。以生产针、鱼钩和弹簧闻名。亦生产自行车和摩托车。1965年被规划为新城镇以接纳伯明翰市过剩人口。人口约76 700(1998)。

redemption 救赎 参阅 salvation 救恩。

Redemptorist 赎世主会会士 天主教教士与无神品修士团体赎世主会(Congregation of the Most Holy Redeemer)的成员,1732年由利古奥里创立于意大利那不勒斯附近的斯卡拉镇。赎世主会初成立时,受到那不勒斯王国政府的刁难,后设法迁往教皇国,并于1749年获教皇本尼狄克十四世批准,从此方能顺利开展工作。在20世纪70年代初,赎世主会在世界各地都有活动。该会修士以各种方式向贫民传教,协助教区工作,并主持定期灵修活动,随军传教并提倡道德神学研究。

rederijkerskamer 修辞院 中世纪荷兰剧社。这种剧社以当时法国戏剧团体(*puys*)为模式,于15世纪从法国边境迅速传入佛兰德和荷兰。它们的组织最初十分民主,后来得到贵族人士的资助,并有一个指派的领导者、几名助手、一个领薪金的经理和一名小丑。像行会一样,它们有自己的名称、口号和徽章,奉市政当局之命,在地方宗教或世俗节日期间演出节目。这时的戏剧大部分已从教士手中转到俗民手中;世俗主题的出现也使演出时不得不在教堂外面搭建舞台。修辞院还组织全国性节日,节日期间举行戏剧和诗捆比赛,获胜者均可得奖。杜尔兰特写的道德剧《埃尔克利克》(约1485)是这一时期最佳作品之一,曾获奖,后改写成剧本《普通人》而蜚声英国。16世纪末,许多修辞院堕落成劣等诗人相互吹捧的场所,这种状况加上禁止公共集会和宗教骚乱的新法律,遂导致修辞院的衰落。

Redfield, Robert 雷德菲尔德(1897-12-04,芝加哥～1958-10-16,芝加哥) 美国文化人类学家,研究民间社会和城市社会关系中的文化变化和社会变化过程,多年来也是这方

美国芝加哥大学供图

面的主要人种学家。1923年的墨西哥之行,使他放弃法律专业而从事人类学研究。1926年再到墨西哥实地考察。1927年在芝加哥大学任教。1928年获得哲学博士学位。实地研究结果发表在《特波茨兰,一个墨西哥村庄》一书(1930)中。1930年成为华盛顿市卡内基学会的副研究员,此后16年一直领导该会在尤卡坦和危地马拉的实地考察工作。1934年任芝加哥大学人类学教授和社会科学院院长。与墨西哥人类学家A.V.罗哈斯合著《昌克姆:一个马雅人村庄》(1934),收集马雅当代文化的调查材料,并提出30年代人类学的一个新课题——文化移入问题。他对一个部落社区、一个农村、一个省城以及尤卡坦的首府梅里达作了比较,写成《尤卡坦的民间文化》(1941),提出一种理论上的连续性,以说明一个地处偏僻的小型社区,在发展成为一个人群杂居的大型社会时,是如何涉及社会变化和文化瓦解的渐进过程的。1948年再到昌克姆后,看到所发生的变化,写成《一个选择进步的村庄》(1950)。后来曾去中国和印度访问,对当地文化进行研究,提出了他有关文明的概念,认为文明就是相互依存、共同存在的"伟大"与"渺小"的诸传统文化体系。他的这些观点曾在《小社区》(1955)及《农民社会和文化》(1956)两书中加以阐述。他长期在芝加哥大学任教,直至病逝。晚年开始对诸文明的多学科进行比较研究工作。其妻M.P.雷德菲尔德曾在1962～1963年把他的论文汇编为《雷德菲尔德论文集》2卷出版。

redfish(*Sebastes marinus*) **红鲉** 即海平鲉。又称鲈鲉。鲉形目鲉科重要商品食用鱼,产于北大西洋欧美沿岸。在美国也称为大洋鲈或玫瑰鱼,在欧洲又称挪威鳕。是多

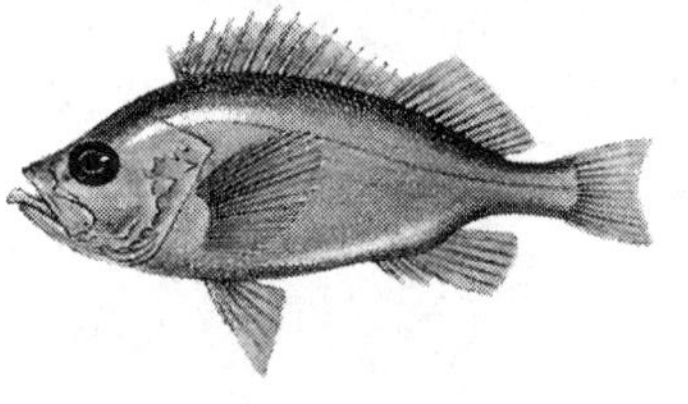

红鲉(*Sebastes marinus*)
绘图:Tom Dolan

种红色鲉类鱼中的一种。形似鲈,口大,眼大,头上及颊部均有多数棘刺。为常见种,可长达1米。其近缘种有东方的食用鱼奥斯顿氏平鲉(*S. owstoni*)和欧洲的胎生平鲉(*S. viviparus*),即挪威鳕,二者亦均呈红色,可长达25厘米左右。

Redford, (Charles) Robert 雷德福(1937-08-18,美国加利福尼亚圣莫尼卡～) 美国电影演员及导演。1959年首次在百老汇登台演出,以《裸足佳偶》(1963;1967年拍成电影)一炮打红。金发英俊的雷德福随后开始出现在60年代末期许多电影里,包括与P.纽曼合演的卖座巨片《虎豹小霸王》(1969)及《骗》(1973)。此外他也曾演出《候选人》(1972)、《猛虎过山》(1972)、《天生好手》(1984)、《大阴谋》(1976)、《走出非洲》(1985)及《桃色交易》(1993)。他首次执导的作品则是《普通人》(1980,获奥斯卡奖),后来还导演了《豆田战役》(1988)、《大河恋》(1992)、《益智游戏》(1994)及《马语者》(1998)。1980年雷德福创办了圣丹斯协会,支持年轻电影工作者的创作,到90年代圣丹斯电影节已经成为美国独立电影公司的主要展示渠道。

Redgrave, Sir Michael (Scudamore) 雷德格雷夫(1908-03-20,英国格洛斯特郡布里斯托尔～1985-03-21,白金汉郡德纳姆) 英国戏剧和电影演员。1934年在利物浦轮演剧目剧院开始从事戏剧表演,后继续在老维克、埃文河畔斯特拉特福和国家剧院扮演莎士比亚、易卜生和契诃夫的经典戏剧角色。也在现代戏剧作品《家庭团聚》(1939)和《大门之虎》中担任主角。1938年拍第一部影片《贵妇失踪案》。其最佳影片是《悲悼》(1947),此外还拍了《认真的重要》(1952)、《再见,奇普斯先生》(1969)和《尼古拉斯和亚历山德拉》(1971)。著有若干关于表演的书籍。1959年由于他在戏剧艺术中的贡献,由伊丽莎白女王授予爵士称号。1935年他与女演员R.肯普森结婚。他的两个女儿也成为著名的演员。

Redgrave, Vanessa 雷德格雷夫(1937-01-30,美国伦敦～) 英国女演员。迈克尔·雷德格雷夫的女儿,1958年首次在伦敦登台演出,并且因在《皆大欢喜》(1961)中饰演罗莎琳获得赞赏。她在《摩根》(1966)、《爆炸》(1966)、《凤宫劫美录》(1967)、《绝代美人》(1968)、《苏格兰女王玛丽》(1971)及《茱莉亚》(1977,获奥斯卡奖)等影片中的表演让她广受全球影评肯定,也被视为世上最伟大的女演员之一。虽然她激进的左翼政治思想饱受抨击,特别是在巴勒斯坦问题上,她在舞台与大银幕上的演出仍然屡受好评。她近期的作品有《波士顿人》(1984)、《此情可问天》(1992)和《达洛韦太太》(1998)。她的妹妹琳恩(1944出生)也是在伦敦及纽约两地著名的舞台剧演员,以演出经典保留剧目著称。琳恩在银幕上的杰出成就包括《乔治女孩》(1966)、《钢琴师》(1996)及《众神与野兽》(1998)。

redhead(*Aythya americana*) **红头潜鸭** 鸭科的一种北美洲潜水鸭。受欢迎的狩猎鸟类。繁殖在不列颠哥伦比亚省至威斯康星州的沼泽间,向南远到尤卡坦半岛越冬。繁殖期雄鸟头红褐色,圆形,背灰色,胸和尾色深;雌鸟通身褐色。在飞行时两性翅膀后面均可见到浅灰色条纹。营巢于紧靠水边的高大的植丛中,有些雌鸟将卵产于其他鸭科鸟的巢中。红头潜鸭不易受惊,但常与警觉性高的美洲赤颈鸭一起觅食,从而受益。在东方因半咸水沼泽受破坏,其喜食的植物减少,红头潜鸭的数量已下降。

Redi, Francesco 雷迪(1626-02-19,意大利阿雷佐～1697-03-01,比萨) 意大利医师、诗人,证明腐肉中的蛆并非自然发生,而是来自苍蝇在肉上产的卵。哈维在关于生物发生的著作中推测,昆虫、各种小虫及蛙等小动物并不像当时一般认为的那样是自然发生的,而是由小得看不见的种子和卵产生的。1688年雷迪读到这些论述后进行了一次试验:准备了一系列装有不同肉块的曲颈瓶,其中半数封闭、半数敞开;后来的实验中又将半数曲颈瓶敞开,半数用纱布覆盖,以使空气进入。结果全部曲颈瓶中的肉块都已腐败,但只有敞

开而未加覆盖，苍蝇可以自由进入的那些瓶中，肉块才生了蛆。这是最早的有对照的生物学实验之一。虽然雷迪正确地得出蛆来自苍蝇产的卵这个结论，但令人惊奇的是，他仍然认为，五倍子虫和肠道寄生虫是自然发生的。雷迪著有诗作《巴库斯在托斯卡纳》。

Reding, Aloys 雷丁（1765～1818，瑞士施维茨） 瑞士政治家和军事英雄，一度任昙花一现的海尔维第共和国的国家元首。他在西班牙军队中服役几年以后回到瑞士，参加本国人民反对法国侵略者的斗争。1798年率兵固守申德莱吉和罗坦图姆，但最后被迫投降。在法国的新卫星国家海尔维第共和国的政治中，他拥护旧的邦联制度，而坚决反对法国的影响。1801年10月政变后当选为州长。作为州长，他坚决要求修改宪法，但被拿破仑否决。在1802年4月17日政变后，他被任命为叛乱政府的首脑（1802-08～09），但随后被法国军队监禁起来。后来，在拿破仑的新瑞士邦联政府中，雷丁一般只参加施维茨州的政治活动。

Reding, Ital 雷丁（?～1447） 瑞士政治家，在瑞士邦联最初两次内战（1439～1440，1443～1450）中，他指挥对苏黎世的作战。1412～1444年任施维茨州州长，使该州从奥地利皇帝手中获得在瓦尔德施塔特、马尔希和屈斯纳赫特的司法权。他在对苏黎世作战中，虽然年事已高，但是亲临战场。1444年5月率兵围攻格赖芬塞的要塞，一般认为他应对屠杀被俘的守军的事件负主要责任。

redingote 骑装式外衣 紧身外衣。18世纪末和19世纪初流行，男式为宽下摆，短腰身，双排扣。由英国式骑装演变而成。女式为前襟自上至下结扣的紧身服装。19世纪

着骑装式外衣的男子，摘自《时装图谱》
纽约公共图书馆供图

中叶，骑装式外衣则指妇女白天穿（起初专为散步时穿着）的一种服装，紧腰身，腰部至下摆长而宽，衣领为翻领、打褶领或为大平领。也指那些前襟自上至下结扣的其他外衣。

rediscount rate（banking） **再贴现率** 参阅 **discount rate** 贴现率。

Redjang（people） 参阅 **Rejang** 勒姜人。

Redjedef 拉杰德夫 又称杰德夫拉。埃及第4王朝（约公元前2575～约前2465）的第3代国王。拉杰德夫是大金字塔的建造者胡夫国王第2个王后所生。原王储卡瓦卜娶女继承人希太费蕾斯第二为妻，显然比他父亲先去世。胡夫死后，拉杰德夫娶希太费蕾斯第二为妻，任国王。但因他出身王室旁系，所以他的王位可能是篡夺来的。因为有证据表明其他声称有权继承王位的王子们试图把他推翻。拉杰德夫在吉萨北部的阿布鲁韦斯开始修建一座金字塔，大小和吉萨的曼库拉金字塔相似，但从未完工。现已发现外层的花岗石块和带有花岗石柱的祠庙的残余部分。国王还在阿布辛拜勒神庙附近的努比亚（今苏丹）开采闪长岩矿，在神庙处出现他的名字。他在位8年后暴卒，死因不明。反对派拥立海夫拉继承王位，海夫拉被认为是胡夫的合法继承人。很可能就在那时，拉杰德夫修建的金字塔被劫掠一空，变成了采石场，今天只剩下几块石块了。

Redl, Alfred 雷德尔（1864-03-14，奥地利勒姆伯格～1913-05-25，维也纳） 1907～1912年间奥地利陆军情报首脑，同时充当沙俄在奥地利的重要间谍。出身贫寒，青年时代浪迹四方，学了多种语言。他的才智使他在奥地利军中成为情报头子冯·吉斯尔将军的宠儿。1900年晋升为反情报部队的头目。1902年充任俄国间谍，这一转向的细节无人详知。1902～1913年间他将所能搞到的一切情报全都送给俄国人：密码、信件、地图、照片、军事命令、动员计划、奥地利境内铁路公路情况等，同时又利用假证据诬告同事为俄国间谍，以及出卖俄国小间谍等手段，为自己树立擅于反间谍活动的声誉。1912年任驻布拉格第8军团参谋长。1913年3月邮件检查官截获两个信封，内装大笔现金，为俄国和法国在第三国的情报机关所发出。此款在严密监控下交付，雷德尔最后出面认领了。他承认有叛国行为，于是在写了致其兄弟和冯·吉斯尔将军的短信后自杀。

Redlands 雷德兰兹 美国加利福尼亚州南部圣贝纳迪诺县城市。位于洛杉矶城区以东100千米处。位于圣贝纳迪诺河谷西南角。由3 000米以上的诸峰环绕。1881年创建。1888年设建制。原为柑橘包装集散地。现为圣贝纳迪诺-里弗赛德-安大略住宅区和工业区的一部分。设有雷德兰兹大学（1907）。1819年的圣加布里埃尔传道会教堂现已修复。人口63 591（2000）。

Redlich, Joseph 雷德利希（1869-06-18，波希米亚戈丁～1936-11-12，维也纳） 奥地利政治家和历史学家。犹太大工业家之子。曾在维也纳大学学习法律和历史。1906年在该大学任宪法教授。1907～1918年为奥匈帝国议会议员。1917年6月受命组阁，试图进行宪政民主改革，但因战后帝国的重组而失败。他留在维也纳拒绝从政，仅在1931年一度任财政部长。主要著作是《奥地利国家和帝国问题》（1920～1926）。

Redmond 雷德蒙 美国华盛顿州西北部金县城市。位于西雅图东北26千米处，濒临萨马米什河。1871年始建，为农耕、捕鱼和伐木中心。因当地鱼类丰富，故起初称萨蒙堡（意为"鲑鱼堡"），后更名为雷蒙德。20世纪60年代初期建成跨越华盛顿湖的大桥，市区开始沿萨马米什河谷扩张。70年代微软、任天堂等几家高科技公司在此设立总部。进入21世纪雷德蒙已成为该地区发展最快的城市之一。人口45 256（2000）。

Redmond 雷德蒙 美国俄勒冈州中部德舒特县城市。位于大盆地边缘喀斯喀特山脉东麓丘陵之前，濒临德舒特河。1904年由先驱者雷德蒙夫妇建立。1911年铁路修通后，发展为牛和木材的运输服务中心。当地的罗伯茨国际机场在第二次世界大战时期曾是雷德蒙陆军航空兵基地，现为俄勒冈州中部三县的一个商业机场。人口13 481（2000）。

Redmond, John (Edward) 雷德蒙（1856-09-01，爱尔兰韦克斯福德郡巴利特伦特～1918-03-06，伦敦） 爱尔兰民族主义党领袖。毕生致力于商议爱尔兰自治问题。1881年选

伦敦国立肖像画陈列馆供图

入下院，他就任、发表处女演说、被除名均发生在24小时之内，以此创下一项纪录。1882年去澳大利亚，1884年去美国向同情爱尔兰事业的人士募捐。他是巴涅尔的热烈崇拜者。1890年11月巴涅尔离婚丑闻发生后，爱尔兰民族主义党分裂为两派，他成为巴涅尔派的领袖。1891年选入议会，他的口才和论点使许多英国人支持爱尔兰自治。1917年参加爱尔兰立宪代表会议。1918年前往伦敦，因病辞去党的领导职务。

Redon, Odilon 雷东（1840-04-20，法国波尔多～1916-07-06，巴黎） 具有诗人的敏锐和想象力的法国象征派油画家、石版和铜版画家，作品沿着两个不同的方向发展。其版画创作表现鬼怪幽灵，表现幻想甚至死亡的主题，是超现实主义与达达主义运动的先驱。其油画和粉笔画主要画静物、花草，得到马蒂斯和其他画家的赞许，把他看作重要的色彩家。雷东曾在J.-L.热罗姆指导下学画，还从R.布雷斯丹学习版画，后者对他影响很大。指导他石版技法的是H.方丹-拉图尔。

他在美学上主张发挥想象而不依靠视觉印象。参加过象征主义画家的社团。1879年开始制作石版画，共创作了近200幅画页，总的标题是《在梦中》。献给诗人埃德加·爱伦·坡

巴黎图片档案馆供图

的组画(1882)，可说是视觉造型的诗篇，展现了诗人痛苦的内心世界。在雷东的富有想象力的创作中，关于有翼的精灵和凶猛可怖形象的描绘与戈雅有明显的联系，他曾创造过组画《向戈雅致敬》(1885)。在创作《圣约翰受启示》这组版画时，雷东开始致力于油画和色彩素描，绘制富有感情的花卉画稿和浮现、沉浸在幻想中的头像。他善于把粉色和有强烈刺激性的色彩统一在画面中，虽然其创作与印象派画家之间有一定的联系，但他既反对印象派，也反对写实派，认为两者都是感性的。

redondilla　首尾韵四行诗　西班牙的一种诗节形式。由属于扬抑格音步的四诗行组成，通常每行八个音节，韵脚结构为a b b a。韵脚结构为a b a b的四行诗歌有时也称作首尾韵四行诗，不过通常称作隔行押韵的四行诗。16世纪以来首尾韵四行诗在卡斯蒂利亚语的诗中极为普遍。该词源自西班牙语redondo，意为"圆形的"。

Redondo Beach　雷东多比奇　美国加利福尼亚州南部洛杉矶县城市。濒临圣莫尼卡湾。位于帕洛斯弗迪斯半岛(南)和赫莫萨比奇(北)之间。1892年设建制。原为洛杉矶商港。后发展为海滩游乐场所。现为洛杉矶地区的"卧城"。有防浪堤护卫的金港有现代码头和小船坞设施，建有很多商店、饭店，成为旅游胜地。人口63 261(2000)。

redox reaction(chemistry)　参阅 **oxidation-reduction reaction** 氧化-还原反应。

redshank　红脚鹬　鸻形目鹬科2种旧大陆海滨鸟类的统称。腿长而呈红色。普通红脚鹬(*Tringa totanus*)体长约30厘米，腿橙红色，上体淡褐或灰色，腰和翅后缘白色。嘴向上翘，淡红色，嘴尖黑色。繁殖于冰岛、英国、欧洲大部、中东和亚洲温带(分布范围可到喜马拉雅山脉4 500米高处)，营巢于潮湿牧草地。越冬地点由非洲到菲律宾。稍大些的鹤鹬(*T. erythropus*)有赤褐色的腿，嘴直、红色，嘴尖褐色。繁殖期体羽黑色；越冬期为灰色。

普通红脚鹬(*Tringa totanus*)
供图：Ingmar Holmasen

繁殖区横跨欧亚的亚极带，越冬区自地中海至南亚。

redstart　红尾鸟　旧大陆的雀形目鹟科红尾鸲属(*Phoenicurus*)鸟类(约11种)，或新大陆的12种在外形、行为上略近似的鸟类。旧大陆的红尾鸟体长14厘米。因尾红色而得

(上)普通红尾鸟(*P. phoenicurus*)；(下)美洲红尾鸟(*Setophaga ruticilla*)
供图：(上)Stephen Dalton—Natural History Photographic Agency；(下)Hal H. Harrison from Grant Heilman—美国不列颠百科全书公司

名，经常摆动尾部。习性似鹟。普通红尾鸟(红尾鸲，*P. phoenicurus*)在整个欧亚大陆温带繁育，雄鸟上体灰色，面及喉黑色，胸浅红色，尾红褐色。新大陆的红尾鸟即林莺(**woodwarbler**)，属森莺科。美洲红尾鸟(普通红尾鸟，橙尾鸲莺，*Setophaga ruticilla*)在加拿大到美国南部一带繁殖，在美洲的热带地区越冬；雄鸟主要呈黑色，翅和尾有红斑纹。另一种色彩鲜明的红尾鸟是亚利桑那南部到尼加拉瓜的彩色红尾鸟(*S. picta*)，雌雄均主要呈黑色，腹部亮红色，翅上及尾侧有大白斑；巢杯形，用草筑成，筑于地上，常在陡岸的地上。彩鸲属(*Myioborus*)的10个热带种同样色彩鲜艳。

Redstone, Sumner　雷石东(1923-05-27，美国马萨诸塞波士顿～　)　原名Sumner Murray Rothstein。美国传媒公司维亚康的决策人。曾在波士顿私立拉丁学校就读，后进入哈佛学院，1944年获文学士学位，又进哈佛法学院，1947年获法学士学位。先后在华盛顿和波士顿开业当律师，1954年进入其父亲的全国娱乐公司(NAI)，1967年出任该公司总裁和首席执行官。在他的领导下，全国娱乐公司成为美国最大的电影院线之一。他在郊区购物中心附近兴建新的电影院，并成功获得首轮电影放映权。此后他开始收购电影制片厂的大量股权。1977年订购了二十世纪-福克斯电影制片厂的2.5万股股票。1987年购下维亚康有线电视网的控股权，成为维亚康的总裁。之后的15年内，他又采取一系列收购行动。拥有控股权的公司有：黑人娱乐电视公司(BET)、音乐电视网、联合派拉蒙网络(UPN)和西蒙与舒斯特出版公司。另外还拥有中央喜剧电视网和百事达公司的大部分股票(2004年又用股票资产分派的办法将这些股票售出)。1993年购入派拉蒙电影公司。1999年维亚康以370亿美元的价格购入哥伦比亚广播公司(CBS)，这是当时娱乐圈内最大一次兼并。此次兼并使得维亚康一举成为与美国传媒巨头时代华纳公司和迪斯尼公司相匹敌的公司。

reducción　并居区　在拉丁美洲殖民地，由教会或国王批准建立的印第安人居住区，目的在于促使印第安人皈依基督教，保护他们，教他们更好的耕种方法和简单的手工艺。印第安人则必须在严格的制度下生活，为各种农业企业劳动。最著名的并居区是由耶稣会传教士在巴拉圭建立的。在巴拉圭河与巴拉那河之间的地区，以及在位于巴拉那河与乌拉圭河之间的阿根廷的米西奥内斯省和科连特斯省，他们在1610～1767年使约70万印第安人改信了基督教。其中有约15万人分住在30个并居区。在巴西的圣保罗地区和以南也有类似的印第安人居住区。

reduced mass　折合质量　物理学与天文学中为在振动或转动的二体系统中简化运动的数学描述而引入的一种假设质量的值。这种系统可以是宏观尺度上的，如地-月系统，也可以是微观尺度上的，如双原子气体分子。这种二体系统中每个物体都有各自单一的质心(参阅 **gravity, centre of**)，但是两物体间的相互吸引力形成了一个平衡的惯性系，这惯性系有着第三个质心，位于沿轨道运行的两个物体的质心之间的某处。这一公共的质心就是折合质心，折合质量等于两个质量的乘积除以两个质量的和，是个假想值，它总是小于其中较轻物体的质量。

reductio ad absurdum 归谬法 逻辑学中的一种反驳形式,用以证明矛盾的或荒谬的结论是按照前提推出的逻辑上必然的结果。有一种归谬法又称间接证明法;它通过否定一个命题会导致与其他某些先前已经证明或已被肯定的命题发生矛盾,从而证明这个命题能成立。在普通言语中,归谬一词是指趋于荒唐可笑程度的反面事物。

reduction 归约 在三段论或传统逻辑中,重新排列三段论或论证形式的一个或两个前题中的词项,使之表现为不同的格的方法;亦即中项或重复项的位置改变——通常转换成一种较好的格式。亚里士多德将第一格作为最主要的,其中中项(M)处于下述格式之中:

M = P
S = M
S = P

S 和 P 分别为结论的主项和谓项;因此,他把第二、三和四格的三段论都归约为第一格。例如,第二格三段论

所有的 A 都不是 B
每一个 C 都是 B
所有的 C 都不是 A

可归约为第一格的三段论,只要把第一个前提等价地换位为"所有的 B 都不是 A"。人们之所以希望进行归约,乃是基于这样的认识:只有第一格的三段论才是完全不证自明的。然而,也可以选择归约为其他格。

reduction 还原反应 使原子或原子团所具有的电子数增加的一类化学反应的总称。被还原物质获得的电子是由另外一种被氧化的物质提供的。参阅 **oxidation-reduction reaction**。

reduction division (biology) 参阅 **meiosis** 减数分裂。

reductionism 还原主义 哲学中的一种观点。它认为每种东西都是一种更为简单的或更为基本的东西的集合体或组合物。凡表示这类东西的词句都可以用表示更为基本的东西的辞句来解释或下定义。因此凡认为物体是原子的集合体,或认为思想是感官印象的组合体,这样的观点都属于还原论。20 世纪哲学家们主张的还原论有两种很普遍的形式:①逻辑实证论者认为涉及存在事物或事体状态的词句都可以按照直接观察到的对象或感觉素材来解释或下定义,所以任何事实的陈述都等于是某一套从经验上可以证实的陈述。他们特别认为科学上的理论实体都可以按照能观察到的物体来下定义,所以科学规律等于若干观察报告的组合。②科学统一性的支持者认为特殊科学,例如生物学或心理学,其理论实体都可以用某种更基本的科学,例如物理学的理论实体来解释或下定义;或者说,这些科学的规律都能用更为基本的科学规律来解释。逻辑实证论的还原论也蕴含着科学的统一性,因为各门科学可根据观察对象定义理论实体正是一切科学定律的共同基础。由于难以描述科学中理论陈述与观察陈述的不同特征,还原主义已不被广泛接受,但一门科学能否还原到另一门科学的问题仍在争论之中。

Redwald (Anglo-Saxon ruler) 参阅 **Raedwald** 雷德沃尔德。

redwood (*Sequoia sempervirens*) **红杉** 又称红木。杉科常绿针叶材用乔木,分布于美国俄勒冈西南到加利福尼亚中部,见于海拔 1 000米以下的沿海雾带。红杉有时又称沿海

红杉(*Sequoia Sempervirens*)
供图:Shostal—美国不列颠百科全书公司

红木,以区别于山红木(巨杉[**big tree**])和日本红木(日本柳杉[**Japanese cedar**])。欧洲商业中的红木是苏格兰松。红杉高达 90 余米,是现存的最高树种。树干基部膨大,基部上方直径可达 4.5 米,偶达 6 米。红杉成熟需 400 ~500 年,某些红杉树龄已达 1 500 多年。其主枝上的叶鳞片形,螺旋状排列,贴生于枝上;侧枝上的叶针状,开展,排列成 2 行。老树下部的枝条脱落,露出无桠枝的圆柱状树干。锯断的树桩于锯断表面下方能长出小枝。以种子进行自然繁殖,但种子萌发率较低。红杉树皮淡红棕色,纤维质,具深沟,老树的树皮可厚达 30 厘米以上,可抗虫、抗真菌,抗火。树基部形成厚实的板状根,树干上长有半球形的树瘤。木材普遍用于建筑业和制作家具等。树瘤割下可制作碗、盘、胶合板及镟制艺术品。

Redwood City 雷德伍德城 美国加利福尼亚州城市,圣马特奥县县城(1856)。位于圣弗朗西斯科湾西岸雷德伍德河口。原为港口,有造船、伐木和制革业。1866 年设建制。现代化深水港设施使它随圣弗朗西斯科湾地区的发展而发展。现主要是居住和商业区,有一小型工业基地,并发展出一个与硅谷相关的高科技中心。设有卡尼亚达学院(1968)。人口 75 402(2000)。

Redwood National Park 雷德伍德国家公园 在美国加利福尼亚州西北角。1968 年建。边界 1978 年有改变。内有原始红杉树林,其中一棵高达 112 米,是世界上最高的红杉。有长 65 千米、风景优美的太平洋海岸。面积44 569公顷。

reed 苇子 几种高大水生禾草的俗名,尤指早熟禾科芦苇属(*Phragmites*)的 4 个种。常见种普通芦苇(水生芦苇、南方芦苇,*P. australis*)分布于从极地到热带的湖泊、沼泽、湿地和河流边缘。叶宽,株高 1.5 ~ 5 米,花序羽状,茎挺硬光滑。早熟禾科称为苇子的

普通芦苇(*P. australis*)
供图:Grant Heilman—美国不列颠百科全书公司

植物还有巨苇(芦竹,*Arundo donax*)、海芦苇(海香蒲,*Ammophila arenaria*)、芦苇金丝雀草(金莲花香蒲草,藕草属[*Phalaris*])和苇草(拂子茅属[*Calamagrostis*])。刺香蒲(刺果芦苇,黑三棱属[*Sparganium*])和苇豆蔻(香蒲属[*Typha*])不属早熟禾科。苇子茎长久以来用作建房材料及编篮筐、制箭杆、笔和乐器(见簧乐器[**reed instruments**])等,还可获取纤维素成分。

Reed, Sir Carol 里德(1906-12-30,英国伦敦~ 1976-04-25,伦敦) 第二次世界大战后英国最卓越的电影导演之一。于 1952 年被封为爵士。1924 年进入剧院演戏。1930 年成为影片对白导演,1935 年成为正式导演。有关煤矿工人生活的《众星睽视》(1935,根据 A.J.克罗宁的小说改编)和神秘的惊险片《夜车》,奠定他的声望。在第二次世界大战中,由于一系列得奖的半纪录性影片,例如从成千上万英尺真实的战斗纪录片综合而成的《真正的光荣》,他的声望进一步提高。里德最大的成就是 40 年代末的 3 部惊险影片:根据 F.L.格林小说改编的影片《虎胆忠魂》(1947)和 2 部根据 C.格林小说改编的影片《倒下的偶像》(1948)和《第三人》(1949)。后期影片《奥立弗!》(1968)获得奥斯卡金像奖。

Reed, John 里德(1887-10-22,美国俄勒冈波特兰~ 1920-10-19,莫斯科) 美国诗人、冒险家。他那革命作家和活动家的短暂一生使他成为一代激进知识分子的英雄。出身于波特兰一个富有家庭,1910 年毕业于哈佛大学,1913 年开始为社会党人的《群众》报写文章。1914 年,报道墨西哥革命战争,把他的印象写成《起义的墨西哥》一书(1914)。他由于组织罢工和为罢工辩护而多次被捕,很快成为激进领袖,并参加建立美国共产党。为《大都会杂志》报道第一次世界大战,并写成《东欧的战争》(1916)一书。他成了列宁的亲密朋友,亲眼目睹 1917 年的俄国布尔什维克革命,在他最著名的一本书《震撼世界的十日》(1919)中加以报道。1919 年美国共产党和共产主义劳工党分裂,里德成了后者的领导人。后因叛国罪被起诉,逃到苏联,死于斑疹伤寒;与其他布尔什维克英雄一起埋在克里姆林宫墙

旁。他死后,共产党在美国各城市组织了许多里德俱乐部、作家和艺术家协会。

Reed, Stanley F(orman)　里德(1884-12-31,美国肯塔基梅斯维尔～1980-04-03,纽约亨廷顿)　美国最高法院大法官(1938～1957)。曾在弗吉尼亚大学和巴黎大学攻读法律。1912～1916年在肯塔基州议会任职,第一次世界大战期间在陆军情报局工作。1929年胡佛总统任命他到联邦农场局任职。1932年罗斯福总统任命他为复兴金融公司的法律顾问,参与新政的一些紧急的财政措施。1935年出任美国司法部副部长,负责向美国最高法院陈述政府在有争议的新政纲领上的论点。1938年被擢升为最高法院大法官。他在当时的经济争端问题上与最高法院的自由主义多数派站在一边,但是他对分权问题的解释却是一个传统主义者。在"沃尔夫诉科罗拉多州"案(1949)和"欧文诉加利福尼亚州"案(1954)中,他同多数派大法官一起投票,认定用非法手段获得的证据可以采纳;而他在"亚当森诉加利福尼亚州"一案中最后一次表示的意见,认定《权利法案》中所作的保证只适用于联邦政府而不适用于各州。

Reed, Thomas B(rackett)　里德(1839-10-18,美国缅因波特兰～1902-12-07,华盛顿[哥伦比亚特区])　美国共和党领袖,曾担任美国众议院议长(1889～1891,1895～1899)。

美国国会图书馆供图

1865年进入律师界,1868年选入缅因州众议院,两年后选入州参议院。1877年选入美国国会。1882年参加众议院法制委员会,1889年任众议院议长。1890年2月通过"里德规则":凡是出席众院的议员皆须投票;出席而不投票,亦要算在法定人数之内。这一改革树立政党负责的原则,对美国政治制度是一大贡献。但是反对党猛烈攻击他独断专行,称他为"沙皇里德"。1899年共和党政府对古巴和夏威夷实行扩张主义政策,里德表示反对。他辞去众院职务以示抗议,回纽约当律师和从事写作。

Reed, Walter　里德(1851-09-13,美国弗吉尼亚贝尔罗伊～1902-11-22,华盛顿[哥伦比亚特区])　美国军医、病理学家、细菌学家,以对黄热病的研究著名。曾在弗吉尼亚大学学医。1875年入美军陆军医务队。1896年奉命调查军队中流行的伤寒病,报告中提出一些新见解。1899年开始研究黄热病。19世纪,人们认为黄热病通过患者的被褥衣物传播。1881年C.J.芬莱提出黄热病可能由昆虫传播,但未能证实,1896年G.圣阿雷利宣称分离出黄热病的病原菌。1899～1900年里德、J.卡罗尔、A.阿格拉蒙特证明该菌只

贝特曼档案馆供图

是继发感染的病原菌。1900年,哈瓦那的美军军营中暴发黄热病,里德奉命带领卡罗尔、阿格拉蒙特、J.W.拉齐尔前往研究。他决定进行实验以验证昆虫媒介的说法。1900年7月27日卡罗尔为受染蚊实验性叮咬后罹患黄热病。拉齐尔偶遭叮咬而染病身亡。11月里德在新建的拉齐尔营房进行对照实验,证明黄热病系由带纹覆蚊(后称埃及伊蚊)传播;将患者血液注入志愿者体内亦可致病。1901年2月W.C.戈尔加斯以里德的研究为根据在古巴进行了一次卫生运动,90天内即消灭了哈瓦那的黄热病。里德后回国任教。华盛顿的陆军总医院即以他的姓氏命名。

reed instrument　簧乐器　在音乐中,用口吹或其他方法使气流从气室通过而振动簧片(薄苇片或金属片),从而在一个封闭的空气柱(簧管)或开放的空气中(通常为活动簧片)产生声波而发声的管乐器(气鸣乐器)。簧管可分单簧与双簧两种。后者(例如肖姆管)产生较早。簧管依从管的音响学原理:管的长度决定音高,管体的形状影响音色。管风琴的雷加尔管例外,它仅仅起一个影响音色的共鸣器的作用。击簧本身决定音高,就像活动簧片一样。活动簧片可从框架的材料刻制而成,一端连在框架上;亦可以是一个连在框架上的单独叶片。它的长度和厚度决定音高。它在复杂乐器中的应用起源于古代东南亚,十字军东侵时传入欧洲。由于活簧乐器在开放的空气中引起音响的振动,所以在分类上归入自由气鸣乐器。古代的击簧如今仍在欧洲、亚洲的农民簧管、号笛和风笛中继续使用。它在欧洲艺术音乐中的运用始于17世纪末,在实验中导致产生了单簧管。古代的双簧片用在希腊的奥洛斯管和它的前身,后来用在从地中海地区向东一直到中国的肖姆管类型乐器中。单簧管、双簧管和其他簧管乐器同长笛一起,统称木管乐器。参阅**wind instrument; woodwind**。

reed organ　簧片风琴　金属簧片在风的压力下而振动发音的键盘乐器的通称。通常指有活动簧片而没有音管的乐器。这类乐器有簧风琴(**harmonium**)、美国式簧风琴(**melodeon**)等,它们与正宗的管风琴不同。有一种小型管风琴即雷加尔管风琴(**regal**)亦可算是簧片风琴一类,它具有击簧和管共鸣器。

reedbuck　小苇羚　偶蹄目牛科小苇羚属(*Redunca*)3种体形优美的羚羊的统称,栖息在非洲撒哈拉以南许多开阔地区和疏林中。独栖或成小群。奔跑时竖起尾巴,露出毛蓬

东非小苇羚(*R. redunca*)
供图:Norman Myers—Photo Researchers

松的白色腹部。普通小苇羚(南方小苇羚,*R. arundinum*)和东非小苇羚(*R. redunca*)常生活在水边。山地小苇羚(*R. fulvorufula*)生活在多岩的山区。小苇羚肩高60～90厘米,双侧耳下各有一个光秃的腺体区。雄体有角,角先向后弯曲,至末端突然转向前方,毛短,背部灰至褐色,腹部色较淡。

reedfish　芦鳗　与多鳍鱼(**bichir**)近缘的鳗状非洲鱼。

reedling(*Panurus biarmicus*)　**苇雀**　又称bearded tit(文须雀)。通常划归文须雀科(雀形目)的鸣禽,但实际上亲缘关系未确定(参阅**Muscicapidae**)。生活在从英国到亚洲

苇雀(*Panurus biarmicus*)
供图:Ardea Photographics

东部的苇草丛生的沼泽地。长约16厘米,雄鸟有淡淡的红、黄和灰色,并有可竖起的黑髭,故名文须雀;雌鸟色暗淡,且无黑髭。喙小,与近缘的鹦鹉嘴雀的喙完全不同。

Reeds, Plain of　里兹平原　参阅**Thap Muoi Plain**同塔梅平原。

Reedsport 里兹波特 美国俄勒冈州西南部道格拉斯县城市。位于太平洋沿岸安普夸河河口附近、与史密斯河交汇处。1912 年由 A.里德建立，后发展为造船和木材运输中心。壳类水生动物养殖是该市现代经济支柱。俄勒冈沙丘国家游乐区总部设于该市。该市以东 5 千米为迪恩河麋鹿观赏区，有珍稀的罗斯福麋鹿、海狸鼠、黑尾鹿及候鸟。此地的自然史和早期定居区是安普夸探索中心的展览重点。人口4 378(2000)。

reef, coral 参阅 **coral reef** 珊瑚礁。

Reefsen, Jacob van 参阅 **Revius, Jacobus** 雷维厄斯。

reel 本 电影术语，一个有辐条支撑和中间有轴的轻质圆框，按原来设计可以装入约 1 000英尺的 35 毫米电影胶片。电影发明初期，每本影片约放映 10 分钟，影片的长度以本数表示，有"单本片"、"两本片"或更长的影片。电影专利公司(1909 ～ 1917)在 1909 ～ 1912 年试图垄断电影业时曾限定影片长度为一或二本，据说是由于观众不能欣赏更长的影片，于是电影的本数在美国成了一个有争议的问题。1912 年多本的影片被广泛接受，成为大家熟知的所谓"故事片"。现在这一术语已失去原来的时间含义，因为现代放映机的片盘可以装入 2 000 ～ 3 000 英尺的 35 毫米胶片，而所谓小电影则往往把整部影片装在一个片盘内。

reel 里尔舞 一种民间社交舞蹈。起源于凯尔特族。该舞是乡村舞的一种变体。舞者一会儿在原地跳动，一会儿移动舞步，相互交替。里尔舞可由两对或若干对表演。乐曲为

J.格兰特绘《用客人礼金举办的婚礼》(1836)中的里尔舞

供图：J.R.Freeman & Co.Ltd.

明快的 2/4 拍或 4/4 拍，并通常由连续的 16 分音符组成。苏格兰里尔舞早在 16 世纪就出现了。17 世纪受长老会影响，除在苏格兰高地外，这种舞已见不到了。1700 年后这种舞在苏格兰低地又再度出现。流行的里尔舞包括爱尔兰的 16 只手里尔舞，苏格兰的里尔舞——莫莉的婚礼舞和佩思公爵舞。

Reelfoot Lake 里尔富特湖 位于美国田纳西州西北部、莱克和奥拜恩两县之间边界上的浅水湖。在蒂普顿维尔附近。由 1811 ～1812 年的地震形成，面积 60 平方千米，平均深度为 1.5 米。与四周林地同被辟为州立公园和野生动物保护区。有里尔富特河流经。

Reese, Lizette Woodworth 里斯 (1856-01-09，美国马里兰巴尔的摩～ 1935-12-17，马里兰巴尔的摩) 美国女诗人。其作品刻画了她童年时期在农村的生活。1873 年开始在马里兰州威弗利的圣约翰新教圣公会的堂区学校执教；后继续在巴尔的摩公立学校教英语，直至 1921 年退休。她写抒情诗的天赋在第一部著作《一枝山楂花》(1887)中就已显露；1891 年出版《一把熏衣草》。描绘手法新颖、形式简洁、感情真挚，完全屏弃了传统的多愁善感的写作手法，预示了 20 世纪的抒情风格。最著名的诗篇是十四行诗《泪》，1899 年发表在斯克里布纳公司出版的杂志上，后被收入各种诗文选。出版《诗选》(1926)后又出版了几卷诗集及两部回忆录：《一个维多利亚时代的村庄》(1929)和《约克道》(1931)。小说《沃里斯》在其去世后于 1936 年出版。

Reeve, Tapping 里夫(1744-10，纽约布鲁克黑文～ 1823-12-13，美国康涅狄格利奇菲尔德) 美国法律教育家和法学家。在 1784 年前后创立了利奇菲尔德法律学院，这是美国第一所法律学院。(在此以前，美国的法律训练只能通过学徒获得。)直到 1798 年，该校只有他一位教师，和雇用的一位助手。到 1833 年停办时为止，该院共培养约 1 000 名法律专业毕业生。其中有政治家 J.C.卡尔霍恩、教育家 H.曼和美国最高法院法官 L.伍德伯里。他是一个狂热的联邦主义者，曾为一家联邦主义的报纸撰写政论，其中一篇由于诽谤杰斐逊总统而被起诉(最后被驳回)。曾任康涅狄格州高级法院法官(1798 ～ 1814)和该州最高法院的首席法官(1814 ～ 1816)。

Reeves, William Pember 里夫斯(1857-02-10，新西兰利特尔顿～ 1932-05-16，伦敦) 新西兰政治家，任劳工部长期间(1891 ～ 1896)起草了劳资调解和仲裁法(1894)，并提出了当时最进步的劳工法典。早年任律师和新闻记者。1885 年主编《坎特伯雷时报》，1889 ～ 1891 年主编《利特尔顿时报》。1887 年进入议会。1891 ～ 1893 年任教育、司法和劳工部长。其后 5 年间曾提出 14 项关于厂矿条件、工作时间、工资以及童工和女工的规定。他制定的劳资调解和仲裁法是新西兰对劳资纠纷实行强制性仲裁的第一部立法，并影响了澳大利亚采取类似立法。1905 ～ 1908 年任新西兰驻伦敦高级专员。1908 ～ 1919 年任伦敦经济政治学院院长。1917 ～ 1931 年任新西兰国家银行董事长。

reference frame 参考系 又作frame of reference。动力学中象征性地附于物体上的刻度线系统，用以描绘点相对于物体的位置。例如，点在地球上的位置就可用纬度和经度来描述。动力学中参考系就是由原点引出的轴所构成的坐标系。平面运动中点的位置可以用两种方式来表示：①点到平面上互成直角的两条线的距离(直角坐标)或②由原点到动点的直线长度和直线与固定轴的夹角(极坐标)。三维运动可以用三个直角坐标来描绘，也可以用原点与动点连线的长度和两个角来描绘(球坐标)。这两个角一个相当于经度，另一个相当于纬度。在所有情况下，由原点到动点的连线都叫作点的位矢。点运动时位矢的量值与方向都在变化，点的速度就由这些变化来确定。严格说来，牛顿运动定律只有当坐标系的原点选在太阳系的中心，也就是把原点选在"固定的"恒星上时才适用。这样的参考系叫作牛顿参考系，或惯性参考系。任何以恒速对惯性系移动而不转动的刚性轴，这些定律也适用，这就是牛顿相对性原理。由于地球的转动，它对太阳有加速度，所以定在地球上的坐标系就不是惯性参考系。虽然解决大多数工程问题时，把地基参考系假定为惯性系也能得到令人满意的精度，但在有些应用中，如回转罗经，地球的转动就不能忽略。当一个物体相对于地球运动，而一个点又相对于这个物体运动时，要描绘该点的位置，把参考系定在运动物体上往往是方便的。例如行驶中的汽车，其发动机的活塞相对于汽缸体的运动就比它相对于地面的运动更值得注意，而发动机活动部件间的相对运动又比它们对汽缸体的运动更重要。选在对地球有转动的物体上的参考系不是惯性系，要应用牛顿定律，就必须引入一些附加的虚拟力，其中包括离心力和科里奥利力(Coriolis force)。

referendum and initiative 全民公决和创制权 选民对政府政策或立法法案表示意见的方式。全民公决可分强制性的和选择性的。法令或宪法规定某些立法行动须由公民投票予以批准或否决，这种投票称为强制性全民公决。例如在美国大多数州里，立法机关提出的宪法修正案均须交付强制性的全民公决。应一定数量选民的要求，对立法机关通过的某项法律举行公民投票进行表决时，这种投票则称为选择性(或特许性)全民公决。这种表决可以推翻立法机关的行动。强制性和选择性全民公决应与自愿的公民投票相区别，后者是立法机关要求选民决定某项争端，或为进行舆论测验而进行的。创制权使一定数量的选民可以对法案或宪法修改提出公民投票的要求。创制权有直接的(由一定数量选民支持的提案被直接交给公民投票表决)或间接的(提案被交送立法机关)。在美国，采用这些投票方式主要是作为一种手段，以便约束政党投票机器的权力，纠正立法机关滥用职权和纠正硬性立法的不完善之处。欧洲若干国家以及英联邦国家的宪法也都列有全民公决和创制权的条款。法国和意大利第二次世界大战后的宪法规定修改宪法须经强制性全民公决。在爱尔兰和澳大利亚，对宪法的一切修改，都须经全民公决。在亚非的一些国家里，宪法条款的规定意在提倡公民参政，但是其所谓全民公决和创制权更多具有支持政权或政策的公民投票的性质。

reflection 反射 当波投射到不同介质边界时，至少有部分波突然改变方向返回原介质的现象。规则反射遵循简单定律，即入

射波的传播方向与反射平面的垂线之间的夹角(入射角)等于反射波的传播方向与该垂线之间的夹角(反射角)。在粗糙或不规则边界的反射是漫射。表面材料的反射率是这种材料的反射波能量与入射波能量的比值。

reflex　反射　在生物学概念中,反射活动指的是生物体能对各种刺激产生相应的、形式稳定的、直接的、即时的、方式简单的行为反应;反射活动广泛存在于结构复杂的动物中。非条件反射是胎盘哺乳动物固有的、经长期进化而遗传下来的一种最佳适应环境能力的反射形式,多为同种属动物所共有。简单的反射如咀嚼反射、吞咽反射、瞬目反射、膝跳反射、搔反射;复杂的有跨步反射、直立反射、猫的翻正反射、基本的性反射等。因为许多复杂的共济型肌肉运动方式都是源于简单的非条件反射,所以非条件反射活动实际上是动物本能行为的基础。

人类也有许多不同类型的非条件反射。有的是属于神经反射弧中的传出运动效应,如调节肌肉运动以适应感觉信息;有的是对定位空间感觉的平衡效应;有的效应器是各种内脏,如消化系统等。仅眼睛的非条件反射就有:①在感知视野中的某物体时,两个眼球总是同时、同方向地转动,头也常常一起转动;②在视网膜聚焦成像时,眼内肌的自动舒缩活动;③瞳孔反射是指视网膜的感光量越大,瞳孔越小;④瞬目反射是指强光或机械刺激时的眼皮闭合反应。

反射的最简单和最基本形式,现在被看作是其理想机制反射弧的功能。它由五部分构成:感受器、传入神经、中枢、传出神经、效应器。不过,由于每个反射弧都与无数的弧外神经元联系,所以在大多数情况下,各种基本的生理过程远非这么简单、这么直接。由于神经系统的整合作用,高级动物的行为应被看作是一个整体,它体现了一种多个反射弧之间的协调(而不是算术和),因此,也就越少遗传色彩、越少刻板形式,越多机动灵活、越多环境适应。"条件反射"之所以成为可能,就是因为在上述神经系统"整合"作用的影响下,许多自动的非条件反射变得不那么"遗传"、不那么刻板了,或是表现得更灵活、更适应了。俄国生理学家I.P.巴甫洛夫的实验显示:如果在给狗喂食的同时,再给它以铃声刺激,狗的唾液腺就会有唾液分泌。经过多次强化后,单用铃声刺激就可以使狗分泌唾液。这样看来,动物行为不一定非要通过那些固定的、遗传的反射弧不可,只要你愿意,无论什么刺激都可以让狗分泌唾液,这至少在理论上是讲得通的。

Reform Bill　改革法案　指1832、1867和1884～1885年成为立法的旨在扩大议会下院选民并使下院的代表权更加合理的英国议会法案。

第一个改革法案主要是为了将选举权从贵族和缙绅控制的小市镇转到人口密集的工业城镇。后两个法案则是为了通过把选举权从拥有财产的上层人士扩大到并不富有却更广泛的居民阶层而使代表权更加民主。第一个法案提出时,传统的农村地区与新兴工业城市之间的代表权极不公平。如伯明翰和曼彻斯特等工业中心竟无代表,而许多实际上已无人居住的农村地区,即所谓的"腐朽选区",和由一个地主或贵族操纵选举的"口袋选区"却继续选举议员。人烟稀少的康沃尔郡可选44名议员,而人口超过10万的伦敦仅有4名。第一个改革法案由首相格雷伯爵授权J.拉塞尔在1831年3月提出,下院以一票多数同意、但在上院未获通过。10月,经修改后的法案由下院通过,但又遭上院否决,引起公众不满。在法案第三次被上院拒绝后,1832年5月格雷建议国王威廉四世授权加封50名或更多的自由党人为贵族,以便上院有足够的多数通过该法案。国王开始拒绝,格雷以辞职相威胁。国王令威灵顿公爵组阁失败,方同意格雷之议,加封贵族。同年6月这一法案在上院通过,成为法律。有56个英格兰选区完全取消代表;康沃尔郡的代表减为13人;新建42个英格兰选区。工人阶级和下层中产阶级虽仍无代表权,但新兴的中产阶级参加了责任制政府,从而平息了可能引起革命的政治动荡。

1867年的第二个改革法案主要出自托利党人迪斯累里之手。这个法案使许多城镇工人得到选举权,选举者人数增加到93.8万人。

1884～1885年的第三个改革法案将选举权扩大到农业工人。1885年的议席重新分配法将选举权平均到每5万选民有1名议员。选民数增加了两倍,为实行男性普遍选举权铺平了道路。

Reform Judaism　犹太教改革派　犹太教的一个宗教性运动。此派排除犹太教许多传统信仰、律法和习俗,其理由是,它们并非上帝直接启示,因此,假如与改变了的社会、政治和文化条件的新时代不能相容,即不必坚持。改革派与正统派对立,不承认《圣经》以及《塔木德》等口传著作中所规定的礼仪、律法和习俗的权威性。1801年在俗犹太人雅各布森(1768～1828)在德国不伦瑞克的塞森地方创立革新学派。1810年他在该地主持第一次改革礼拜,有成年人和儿童参加,不用希伯来语而使用德语;允许男女混坐,有唱诗班和风琴伴奏。雅各布森制定男女少年的坚振礼以代替传统的男童受诫礼。原礼拜词中关于作为个人的弥塞亚的词句一律删除。1815年雅各布森在柏林主持改革礼拜,从此,犹太教改革派礼仪又传到丹麦、汉堡、莱比锡、维也纳和布拉格。改革运动的主要思想家之一是盖格(1810～1874)。此外霍尔德海姆(1806～1860)怀疑表面仪式是否有价值,主张大事简化传统礼仪。他们两人都认为犹太教应是生气勃勃、不断发展而符合时代精神的宗教。自德国移居美国的魏斯(1819～1900),于1841年在南卡罗来纳州查尔斯顿成立改革小组,在美国推进犹太教改革派的发展。1937年,早期犹太教改革派的若干基本原则经受重大修改。当年,改革派众拉比开会,会后发表哥伦布(俄亥俄州)纲领,提倡传统习俗和仪式,主张使用希伯来语礼拜。在20世纪后半叶,美洲拉比中央会议继续讨论如何更好地继承改革运动的精神,刊行适合时代的新祈祷书,并研究有子女而无配偶者参加会众问题以及妇女在会众的地位、妇女可否担任拉比,如何对待同性恋爱等问题。

Reform Party　改良党　又称改良运动。上加拿大(今安大略)和滨海各省的政党。1837年后不久甚闻名。在下加拿大(今魁北克)称为爱国者党。改良党人主张省议会应由选举产生,并提出省督下面的官员和顾问应对这种民选议会负责。有些改良党人积极参加1837年反对政府的叛乱,但有些改良党人根本不支持叛乱。1842～1843和1848～1854年,由改良党人在当时的加拿大省(即由上、下加拿大联合成的加拿大东、西区)任政府总理。到19世纪50年代,改良党人分裂成温和派和激进派,后者称*晶砂党*(**Clear Grits**)。J.麦克唐纳政府得到许多温和派改良党人支持,而晶砂党则成为后来自由党的核心。

Reform Party(New Zealand)　**革新党**　参阅**New Zealand Political Reform League** *新西兰政治革新联盟*。

Reforma, La　革新运动　墨西哥1854～1876年进行的自由主义政治和社会革命,主要领导人为B.胡亚雷斯。1854年发表"阿尤特拉计划",号召推翻独裁者L.德圣安纳。1855年圣安纳下台后,颁布《胡亚雷斯法案》,废除教士和军官的特权。1856年颁布《莱尔多法案》,命令教会出售不用于宗教活动的土地。1857年制订自由主义的宪法,废除世袭爵位和教士的特别审判权。1858年,教士、军官和地主策动内战。结果,自由派政府赢得胜利。1859年颁布《革新法案》,无偿没收除教堂以外的教会财产,把没收教会的土地分成小块,给予无地的农民。土地改革政策明显失败,因为到这一时期结束时,大地主的人数和财富有增无减,而无地农民的情况更加恶化。1867年胡亚雷斯重新当选总统。到1872年逝世为止,他一直极力推行自己的纲领。他的继承人塞瓦斯蒂安·莱尔多·德特哈达遇到保守派日益强烈的反对,导致波菲里奥·迪亚斯于1876年发动军事政变。

Reformation　宗教改革运动　16世纪西派教会中所发生的宗教革命,其主要领导人是路德和加尔文。它产生了深远的政治、经济和社会影响,基督教三大支之一的新教(在中国通称基督教)由此建成。中世纪末期天主教世界情况复杂。许多世纪以来,教会,特别是罗马教廷,深深卷入了西欧的政治生活。由此而产生了阴谋诡计和政治控制,加之教会权力日盛,财富增加,造成了教会的精神力量的瓦解。发售赎罪券和圣物的盛行以及神职人员的腐化既剥削虔诚的信徒,又进一步破坏教会的精神权威。早在1517年以前,中世纪教会内部的改革家,如方济各、韦尔多、胡斯和威克里夫已讲到过教会生活中的弊端。在16世纪,伟大的人文学家伊拉斯谟(鹿特丹的)大力鼓吹进行开明的天主教改革,抨击教会内的道德败坏和庸俗迷信,主张效法至尊导师基督。这些运动表明,在1517年10月31日即万圣节前夕路德在维滕贝格万圣教堂大门上张贴《九十五条论纲》以前教会内部已有人要求改革(1517 年 10 月 31 日在传统上被认为宗教改革运动的开始)。路德说,他之不同于过去的改革家者在于,他们抨击教会生活中的腐败,他自己则直捣问题的神学根源——教会歪曲了关于救赎和恩宠的教义。路德是维滕贝格大学的一位牧师和教授,指责教会把本来是上帝无代价赐予的恩宠与一整套免罪罚和善功纠缠在一起。他在《九十五条论纲》中抨击关于免罪罚的一套说法,力陈教皇无权控制炼狱,关于圣人善功的教义在福音书上并无根据。路德关于教会的伦理及神学改革的思想的关键在于:《圣经》是唯一的权威;人称义是因信而不是凭善功。他虽然无意与天主教会决裂,但是不久就同罗马教廷发生了对立。1521 年路德在沃尔姆斯议会上受审,终于被绝罚。从此,本来一开始是内部的改革运动,变成为西方基督教世界的分裂。德意志境内的宗教改革运动很快就出现了许多派别分立,其他改革运动也不听路德节制。茨温利在苏黎世建立基督教神权政府,实行教会与政府共同侍奉上帝。在因信称义的核心教义上,茨温利与路德意见一致,但是对于圣餐,茨温利的理解更为激进。天主教讲变体论,谓圣体圣事中的饼和酒实际上变成了基督的身体和血。路德驳斥了这种说法,他讲同体论,谓基督的身体以物质形式存在于圣餐的饼与酒中,因为基督是无所不在的。茨温利则认为,圣餐不过是纪念基督的死并宣示领圣餐者的信仰。路德不愿随他走到这种地步。茨温利周围的人们中又出现了比他还激进的派别。这些激进改革家属于所谓宗教改革运动的左翼,他们认为,《圣经》的权威必须不折不扣地运用。他们不愿接受他们认为违反《圣经》的学说,在婴儿洗礼问题上与茨温利决裂;因而被称为再洗礼派。瑞士的再洗礼派效法福音书中所载耶稣的榜样:拒绝宣誓,不参军,鼓吹严格的政、教分离,主张有形的教会应由成年信徒组成,他们以守戒律的新生活,有别于世人。新教的另外一个重要派别是加尔文宗,它的倡导人是加尔文,故名。加尔文原是法兰西的一位律师,改奉新教后逃出法兰西。他于 1536 年在巴塞尔出版他的《基督教原理》的第一版,它是宗教改革运动的第一部内容广泛而系统化的神学专著。加尔文同意路德的因信称义学说,但是,路德强调律法与福音的严格区别,加尔文则在基督教社会中为律法找到了更积极的位置。加尔文在日内瓦实验他的关于蒙上帝特选之人组成严守戒律的社会的理想。在加尔文的强有力的领导下,教会与政府为了"上帝的荣耀"合为一体。经过整个 16 世纪,宗教改革运动也传播到欧洲其他国家。16 世纪中叶,信义宗控制了北欧。东欧各国国王懦弱,贵族强大,城市稀少,而且宗教多元化由来已久,因而培育出了更为激进的一些派别。西班牙和意大利成为反宗教改革运动的重要中心,新教从来没有在这两国得到立足之地。在英格兰,宗教改革运动的根源首先是政治而不是宗教。教皇克雷芒七世不批准英格兰国王亨利八世离婚,亨利八世一怒而否定教皇的权威,于 1534 年建成圣公会(安立甘宗),由国王任最高首脑。但是由于亨利八世改组教会,因而英格兰也在宗教方面开始推行了一些改革,例如编订了《公祷书》。在苏格兰,诺克斯领导建立长老会,最终使苏格兰与英格兰的联合成为可能。诺克斯曾住日内瓦,受加尔文影响甚深。

Reformation Day 宗教改革运动纪念日 路德于 1517 年 10 月 31 日在德国维滕贝格教堂门上张贴《九十五条论纲》,后世基督教新教遂以 10 月 31 日为宗教改革纪念日,纪念宗教改革运动的开始。欧洲信义宗控制地区的教会纪念宗教改革运动的日期起先并不一致,有路德诞辰(11 月 10 日)、路德逝世纪念日(2 月 18 日)、《奥格斯堡信纲》提出纪念日(6 月 25 日)等。宗教改革运动一百周年纪念活动集中于 10 月 31 日。在一百五十周年纪念时(1667),萨克森州选侯约翰·乔治宣告此日为该州宗教改革运动纪念日。德国信义会和美国一些准州的教会逐渐援此为例,以 10 月 31 日或该日以后或以前的星期日为宗教改革运动纪念日。在操英语的信义宗信徒中,使用《信义会礼拜书》(1948)的教会以 10 月 31 日为宗教改革运动纪念日,使用《礼拜书和赞美诗集》(1958)的教会也以该日为宗教改革运动纪念日而又可能以该日以前的星期日为宗教改革运动主日。纪念此日的礼拜仪式色为红色。归正宗和福音派许多教会也纪念这个日子,其形式通常是举行特别礼拜,突出宗教改革运动及其影响。

reformatory 感化院 对青少年进行处置、训练并使其改恶从善的改造机构。感化院有两种类型:一是为学龄少年犯办的寄宿训练学校;一是监禁年龄在 16 ～ 25 岁之间已犯有罪行的青年犯人的机构。早期感化院,当初旨在改造犯罪青年,但并没有达到预期的目的,许多依旧像少年监狱一样,纪律严厉,待遇很差。感化院,或者像人们经常称呼的那样,叫作"改造训练学校",曾经根据多种不同的教养理论来管理。早期的方法是企图用纪律改造犯人。比较新近的方法是强调教育、个人心理治疗、群体治疗和再度社会化。虽然强调军事训练、惩罚性体操和"士官生"训练法等旧办法已经声名狼藉,但哪一种方法更有效果,现在各派学说还很少有一致的看法。但是,他们对监犯出狱后的照顾的重要性却取得了一致意见。

Reformed church 归正宗 产生于16世纪宗教改革运动的基督教(新教)古典派别之一。起初,凡经过改革的教会都称 reformed 或福音派,以区别于原封未动的天主教会。1529 年以后,这些教会在圣餐问题上发生了大争论,路德的追随者自称信义宗(路德宗),归正宗则指加尔文派(一度也指英格兰圣公会)。归正宗大多数教会在教会行政方面采用长老制,于是具有英国背景的加尔文派教会遂自称长老宗。因此,现代归正宗源起于欧洲大陆的加尔文派教会,而后者现仍保留归正宗这一名称。

Reformed Church in America 美国归正会 17 世纪北美洲新尼德兰(今纽约)的荷兰殖民地成立的教会。荷兰归正会是在北美洲成立的第一个有欧洲大陆背景的归正宗教会,在荷兰统治新尼德兰时期是该地法定教会。1664 年英国占领新尼德兰,保证不控制荷兰归正会并允许该会继续受阿姆斯特丹荷兰归正会长老监督会管辖。18 世纪初荷兰归正会分成两派,殖民地派要求在较大程度上摆脱阿姆斯特丹长老监督会,在礼仪中使用英语,就地建校培训教牧人员,赞成奋兴运动。但保守的荷兰派则主张保持荷兰的控制和影响。不久殖民地派取得优势。1771 年两派重新联合。美国独立战争后,该教会完全独立,通过新章程(起草于 1784 ～ 1792),1867 年改名美国归正会。19 世纪中叶大批荷兰人迁居美国,该教会信徒人数大增。

Reformed Church of France 法兰西归正会 法语作 Église Reformée de France。法国基督教会。1938 年成立。由产生于 16 世纪宗教改革运动期间及其后的若干教会联合而成。宗教改革运动初期,新教在法兰西进展缓慢,而法兰西天主教会内部的改良运动则早已出现。在路德发难之前,法兰西人文学家已十分注重《圣经》研究,要求净化教会的呼声日益增高。法兰西宗教改革运动后来一度发展迅速。但自 1562 年起多年内战,基督教胡格诺派时胜时负。1685 年法兰西国王路易十四废除保障胡格诺派信仰自由的《南特敕令》,新教徒再遭迫害,25 万多胡格诺派信徒逃禁逃往德国、荷兰、英格兰、瑞士及美洲。留在法兰西者只能转入地下,1789 年法国革命时才充分恢复权利。1905 年法国宣布教会一律与政权分离,各教会自此实行自养。基督教信徒希望联合,于是全国四个会派自 1933 年开始协商,1936 年通过共同信仰宣言,1938 年成立法兰西归正会。

Reformed Church of Hungary 匈牙利归正会 匈牙利语作 Magyarországi Református Egyház。匈牙利基督教会,是 16 世纪宗教改革运动的产物。马扎尔人(匈牙利人)在神圣罗马帝国全境分布颇广,将归正宗信仰带到各地。第一次世界大战后,由于 1919 年凡尔赛条约的执行,匈牙利归正会被分割为二,一半留在新建的匈牙利境内;另一半划在别国统辖区,寄人篱下。1948 年共产党在匈牙利取得政权,归正会未反抗新政府并服从所规定的种种限制。

Reformed Churches in The Netherlands 尼德兰归正会 荷兰语作 Gereformeerde Kerken in Nederland。尼德兰基督教新教第二大教会,成立于 1892 年,由基督教归正会和拥护荷兰神学家、政治家克伊波的若干归正会合并而成。合并后有所发展,参加政治活动,兴办教育,出版书刊,在国内颇有影响。

Reformed League 归正会联合会 德国基督教归正宗各教会于 1884 年在马尔堡组成的自愿联合机构,其宗旨是援助归正宗各教会,在德国维持归正宗传统。当年归正宗许多牧师和长老在该地集会,纪念宗教改革家茨温利诞辰 400 周年,组成该联合会。归正会联合会创办宗教期刊,并建立培训归正宗教牧人员的教育机构。在纳粹执政时期(1933～1945)和第二次世界大战期间,归正会联合会与宣信会协同工作。宣信会是德国新教人士为了抗拒纳粹控制教会而成立的教会。在第二次世界大战之后,归正会联合会通过了新章程,继续在归正宗各教会中间发挥重要作用。德国福音派系统中的归正会大都参加归正会联合会。

reforming 重整 化学术语。使烃的分子结构重新排列以改变其性质的加工技术。这种过程往往用于改进低质汽油的燃烧特性。热重整是把低级石脑油置于高温高压下,使其分子转变为辛烷值较高的分子。催化重整则采用催化剂,通常为铂,以得到类似的结果。将石脑油与氢混合,加热并通过一系列装有催化剂颗粒的高压反应器,得到高辛烷值汽油。

refraction 折射 波从一种介质进入另一种介质时,由于波速改变使波传播方向变化的现象。例如,波在深水中传播较浅水中快;如果海波由斜方传向海滩,波中距海滩较远的部分要比较近的部分运动得更快,波便要转变其运动方向直至与海岸线垂直为止。声波在热空气中的速度比在冷空气中的大。夜间,湖面上的空气冷却了,于是所有向上传播的声音都会被上层仍较暖的空气折射下来。因此,在水面上夜间比白天可听到更远处的声音。组成光的电磁波,在穿过两种透明介质的边界时,由于速度的改变而发生折射。把一根直棍的一部分浸入水中,并在不与水面成90°角的方向去看,则直棍看来像是弯折的。单一波长的或单色的光线,从空气进入玻璃即发生折射,折射程度取决于光在空气和玻璃中的速度,而速度又与波长有关。日光是由多种波长组成的,这些波长合在一起是无色的;在进入玻璃棱镜时,不同波长的折射不同,使它们分散开来,像彩虹一样。

refraction, double(optics) 参阅 **double refraction** 双折射。

refractive index 折射率 当光线由一种介质进入另一种介质时发生弯折的量度。如果

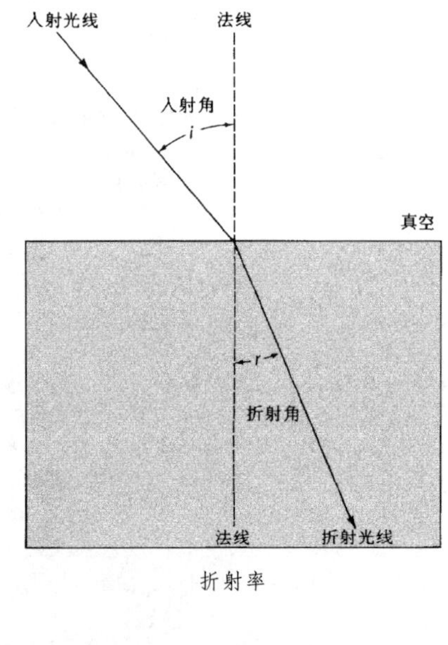

折射率

i 为光线在真空中的入射角(见图),r 为折射角,折射率 n 的定义是入射角的正弦与折射角的正弦之比,即 $n = \sin i/\sin r$。折射率还等于给定波长的光在真空中的速度 c 除以它在物质中的速度 v^*,即 $n = c/v^*$。黄光(波长为589纳米)的折射率如下:空气,1.000 2;水,1.333;冕牌玻璃,1.517;重火石玻璃,1.655;钻石,2.417。折射率随波长的变化是透镜中色差的根源。X射线的折射率略小于1。这表示X射线由空气射入玻璃时将偏离法线,这与光线折射时趋近法线不同。在这种情况下,公式 $n = c/v^*$ 正确显示X射线在玻璃或其他材料中的速度大于真空中的速度。

refractory 耐火材料 在高温下不损坏不变形的材料,用于建造坩埚、焚化炉、绝热层和工业用炉,特别是冶金炉。耐火材料有多种形式,如不同形状的模制砖(参阅 **firebrick**)、散粒材料、就地加湿集料夯实的塑性混合物、由干集料和黏结剂组成加水后能像混凝土一样浇制的可铸料,以及砌砖用的砂浆和水泥。根据用途在化学上分为酸性的、碱性的或中性的。硅石(由砂或石英岩制成)、锆石(极耐热材料)和耐火黏土(由焙烧高岭土取得)是酸性的;菱镁矿石和白云石是碱性的;氧化铝含量高的耐火材料、莫来石、铬铁矿、碳化硅和碳素是中性的。碳素在不与氧气接触的地方,是一种极好的耐火材料,例如用作高炉的炉膛。在建造熔炼炉的衬砌时,若炉渣属酸性,衬砌必须用酸性材料,炉渣属碱性,衬砌必须用碱性材料,这样才不会起化学反应,从而避免炉渣侵蚀。大多数耐火材料是氧化物。非氧化物碳化硅在高温下的强度极高,但一旦硅石护层剥离,硅与碳在含氧大气中都要被烧毁。理想的耐火材料,在炉温下的抗压强度要高,热导率要小,膨胀系数要低。耐火绝缘砖接近于这类理想材料。核电厂需要某些特殊类型的耐火材料。许多在高温下有良好的化学和物理稳定性的材料(如高熔点的氧化物、碳化物、硫化物和氮化物)曾经过试验和采用,但至今仍无任何一类可广泛应用。

refractory brick 参阅 **firebrick** 耐火砖。

refrain 迭句 在一首诗中,通常是在诗节末尾,不时重复出现的短语、诗句或一组诗句。在古埃及的《死者书》中,人们已看到迭句,迭句在原始部落的歌谣中是常见的。它们出现在多种多样的文学中,如古希伯来、希腊和拉丁诗歌、民谣、文艺复兴时期和浪漫派的抒情诗。3种常见的迭句是:一人以上吟诵的合唱诗,重复的整节诗和在全诗中不规则地出现的重复词。迭句可以是完全相同的重复,也可以在每次重复时在意义或形式上略有变化。

refrigeration 制冷 去除密闭空间或物质里的热量以降低温度的方法。在工业化国家和发展中国家的富饶地区,制冷主要用于低温贮藏食品,从而抑制细菌、酵母、霉菌的败坏作用。许多容易腐烂的产品经冷藏后可保存数月甚至数年之久,而其营养、香味损失无几,外观改变不大。较发达的国家还普及了使人清凉舒适的空调制冷设备。

在机械制冷系统出现以前,古代人如希腊人和罗马人,从山上运来冰块以冷藏食物。富有的人家在地下挖掘雪窖,用木料和干草绝热以贮存冰块。像这样堆放的雪和冰可保存数月之久。直到20世纪初,冰块贮存法一直是制冷的主要方法,目前仍为一些地区所沿用。印度和埃及曾采用蒸发冷却法,当液体迅速蒸发(沸腾)时便急骤膨胀,其上升的蒸气分子动能突然大增,增加的能量大部分取自蒸气的周围环境,从而使周围环境的温度降低。同理,在热带地区的寒夜里,若将水置于浅盘内,即使气温未降至冰点以下,但当水急骤蒸发时,浅盘内亦可结冰。同样,对蒸发条件加以控制,则可制成大的冰块。

利用气体急骤膨胀时的冷却作用,是当今制冷的主要方法。虽然蒸发冷却的技术早在几世纪之前即为人所知,但直到19世纪中叶才发现机械制冷的基本方法。1748年,W.卡伦在格拉斯哥大学所演示的使乙醚进入部分真空的容器中沸腾,是最早知道的人工制冷。但他却未将实验结果实用化。1805年美国发明家O.伊文思设计了第一部使用蒸气而非液体的制冷机,但他从未能制成实物;倒是另一位美国医师J.戈里于1844年制造出类似的机械。

商用制冷机据信是由美国的商人A.C.特文宁于1856年率先采用。不久,澳大利亚人J.哈里森研究戈里和特文宁所使用的制冷机,并将蒸气压缩制冷法引入酿造业和肉类包装工业。1859年法国的F.卡雷研制出较为复杂的制冷系统。与早先用空气作为冷却剂的蒸气-压缩机械不同,卡雷的设备包括急骤膨胀的氨(氨的液化温度比水低很多,膨胀时可以吸收更多的热)。卡雷的制冷机被广泛使用,而蒸气-压缩制冷法迄今仍是最普遍使用的方法。

虽然氨的使用颇为成功,但它有严重的缺点:当它泄漏时,味道难闻且具毒性。制冷工程师一直在寻找可取的代用品,直到20世纪20年代才发展出数种合成制冷剂。其中最著名的一种取得专利的商品名称为氟利昂。在化学上,它是将甲烷(CH_4)的4个氢原子用2个氯原子和2个氟原子取代,制成无色、毒性极小的二氯二氟甲烷(CCl_2F_2)。

现代蒸气-压缩制冷系统的基本组件是压缩机、冷凝器、膨胀装置(可能是阀门、毛细管、发动机或涡轮机)和蒸发器。首先将气体冷却剂压缩(通常用活塞),然后经由管道送入冷凝器。在冷凝器里,充满蒸气的蛇管通过循环空气或水池,以去除压缩空气的部分热能。冷却后的蒸气再流经膨胀阀,进入低压区;当蒸气膨胀时,便自周围环境或所接触的介质吸收所需的膨胀能。蒸发器的冷却方式有两种:使蒸气与冷冻区相接触而直接将该区冷却;或先冷却另一介质(如水)以取得间接冷却的效果。在大多数家用冰箱中,蛇管和蒸发器与食物室里的空气直接接触。最后过程是将热气体抽入压缩机。

60年代,开始将半导体的某些特性应用到商品制冷机中。其中最重要的是以法国化学家J.珀耳帖命名的珀耳帖效应,他于1834

年观察到，流经两种不同金属接头的电流往往会使接头冷却。若用由碲化铋之类的半导体制成接头，则珀耳帖效应之大足以供商用。

refugee 难民 指一切越出国境而不再受原籍国政府保护的流离失所的非自愿的移民。19 世纪以前，出入国境无需护照和签证，申请庇护的权利得到普遍认可和尊重。历史上虽有过多次移民浪潮，但直到 19 世纪末各国封闭国界之前，不存在所谓难民问题。到 20 世纪 20 和 30 年代，给予政治庇护的传统大为恶化，部分是由于对人们的苦难日渐冷漠，部分是由于难民数量大增。

许多世纪以来，难民的流动多系由于宗教和种族压迫而起。例如，15 世纪末西班牙驱逐犹太人，南特敕令于 1685 年取消后胡格诺派逃离法国，20 世纪 30 年代犹太人逃离德国、奥地利和苏台德区（在今捷克共和国境内）。

近代常见的政治难民的流动则是由于政府对少数持异议者的迫害而不时发生。1917 年俄国革命及其后的国内战争（1917 ～ 1921）造成 150 万反对共产主义的人的出走。1915 ～1923 年间有 100 多万亚美尼亚人逃离土耳其属小亚细亚；1936 ～ 1939 年西班牙内战爆发后有数十万保皇派逃往法国。20 世纪 50 年代发生了朝鲜战争（1950 ～ 1953）、匈牙利事件（1956）、古巴革命（1959）等事件，导致 100 多万难民的逃亡。从 1945 年至柏林墙建立的 1961 年，有 370 多万难民从东德逃往西德。

若干次大规模难民流动是因国土划分而起。第二次世界大战中德国战败后，有 1 200 万原居住于一些欧洲国家的德裔人口被迁往领土缩小且划分为东西两部分的德国。1947 年印度和巴基斯坦分治，使印度教徒离开巴基斯坦，伊斯兰教徒离开印度，迁移人数达 1 800 万之多，是历史上规模最大的移民。1971 年孟加拉国成立，又使约 800 ～1 000 万人一时成为难民。1948 年巴勒斯坦分治，由于新立国以色列与周围阿拉伯国家的军事对峙，使巴勒斯坦阿拉伯人几乎全部逃离家园。庞大的欧洲殖民帝国的解体也使成十上万的英国人撤离非洲和亚洲，法国人撤离北非和印度支那，意大利人撤离利比亚，荷兰人撤离印度尼西亚。

黑非洲人历来在其各部族区域间自由流动，20 世纪 50 年代出现新兴主权国家后，国界成为人口流动的障碍。由于内外势力的争斗和部族间的敌视，非洲难民从 1968 年的 86 万人增加到 1992 年的 677.5 万人。随着越南南方被共产党军队攻占，1975 年以后出现了大批越南难民。20 世纪 80 和 90 年代初，难民主要出现于阿富汗，阿富汗战争（1978 ～ 1992）使 600 多万难民涌入邻国巴基斯坦和伊朗。伊朗还收留了因海湾战争（1990 ～ 1991）而逃离家园的 140 万伊拉克难民。阿拉伯-以色列冲突迄今未获解决，20 世纪 90 年代初，巴勒斯坦难民人数已达 250 万以上。1991 年以来，欧洲的政治动荡也形成了大批人口流动。例如南斯拉夫的解体使流离失所的人数在 1992 年中达到约 200 万人。

对难民的国际救援活动始于 20 世纪 20 年代。1921 年国际联盟任命挪威人南森为难民事务高级专员，并开始发放所谓国联护照（“南森护照”）。其他难民救济机构有：政府间难民委员会（1938 ～ 1947）、联合国善后救济总署（1947 ～ 1952）和 1950 年成立的联合国难民事务高级专员办事处。世界各地还成立了一些非政府的志愿性救济组织。

refuse disposal system 垃圾处理系统 收集和处理社会固体废物的工程。对这些系统的开发和经营通常称为固体废物管理。虽然社会上已经有了一些垃圾处理的成套方式，但是直到近代才认为固体废物管理是一项公共卫生和福利服务。随便堆放垃圾是几个世纪来疾病的主要根源，不管是通过水源或饲养场的传染，还是昆虫、鼠类和其他疾病携带者的食物源的传染。因为经常用未经加工的泔水来喂养猪，使猪染上旋毛虫病之类的疾病，然后再传染给人类。在 20 世纪初，英国开始加热处理泔水来防止这类疾病的传染。现代社会的工业化造成人均产生垃圾的量剧增，20 世纪 70 年代后期，仅在美国人均每年产生的垃圾就有 22.7 ～ 26.3 吨。工业化还带来了废物的新品种，尤其是有毒的化学物质和放射性物质，如果处置不当将对公共卫生和安全造成极大危害。已经发生过几例事件，由于有毒化学物质的任意处理或分解，造成整个居民区被污染和被迫撤离。部分垃圾来自往公路上随意扔弃的杂物或任意堆放、抛弃的废物，如毁坏的汽车、过时的电冰箱等。美国每年这类废弃物的总量估计有1 530 万立方米。

垃圾的收集通常可以用人力把每个家庭的垃圾袋收集在一起或用机械掏清每个居民区的垃圾箱，装到备有垃圾捣碎机的卡车上并使卡车满载。然后将垃圾运到垃圾场，最实惠的设计场地是将垃圾填埋地下。与将垃圾暴露式露天堆放不同的是，地下填埋垃圾是将垃圾倒入深沟，用推土机平整、压实，再盖上一层土。当埋入的垃圾达到满容量并经几年后，可用作休闲场地。很多城市已采用短期的垃圾填埋场，当然，垃圾要转运到人烟稀少的地区。已经证明，焚烧法是一种令人满意的垃圾处理方法，所用的场地小或无需填埋。可燃烧的垃圾运到工厂巨大的焚烧炉中，通过两级燃烧使垃圾燃烧完全。为保护大气的质量，要净化排气。如果使燃烧产生的热能得到利用，将会降低处理系统的成本。这种类型的工厂已在慕尼黑、法兰克福、巴黎和蒙特利尔等地运行。把垃圾排放到水中会造成水污染，对生物物质构成威胁。为此，从长远考虑应禁止用大型平底船将垃圾抛入海中的做法。一个相对有效和安全的将有机物垃圾排放到水中的方法，是将食品粉碎机与家庭或食品加工厂的污水排放系统相连。虽然这种方法只有少量水排到公共污水系统，但会增加固体物质的量，必须经污水处理工厂处理。对于可利用的废旧物资（如金属、玻璃和新闻纸等）的回收再生，始于第二次世界大战期间，在 20 世纪 70 年代初又在某种程度上再度兴起。美国有些州已经通过法律要求保存饮料容器（退容器可退钱），并已收到了减少在路边乱扔废物的效果。已经建立起各种废品回收公司，例如用回收纸做成的产品已经很普遍了。

regal 雷加尔管风琴 便于携带的小型管风琴。通常只有一排簧管，它的击簧上盖有小共鸣器，发出鼻音的嗡嗡声。由演奏者或其助手鼓动风箱（一或两个）压送气流以使音

17 世纪的瑞士雷加尔管风琴
布鲁塞尔乐器博物馆供图

管发声，风箱连在乐器上。16 世纪和其后有所谓圣经雷加尔管风琴，不用时可折起像一本大书，故名。雷加尔管风琴在文艺复兴和巴罗克时期流行甚广，既可作独奏乐器，又可用于合奏。C.蒙特威尔地在他的歌剧《奥菲欧》（1607）的阴间一场中曾指定用雷加尔管风琴伴奏铜管乐器。英国国王亨利八世拥有 17 架不同尺寸和调的雷加尔管风琴。具有不同音色的雷加尔管虽然由于共鸣器较短而使调音不稳定，但还是在较大管风琴中得到应用。雷加尔音栓常奏出独奏线条。用于早期巴罗克管风琴以及整个 19 和 20 世纪管风琴的人声混合音栓，就是属于雷加尔管风琴族的。雷加尔管风琴在 20 世纪下半叶曾有小批生产，以应专门按原样演奏早期音乐的合奏团体的需要。这些琴已用电动吹风机代替手拉风箱。

regal moth 角蠋蛾 又作 royal moth。鳞翅目角蠋蛾科昆虫，仅分布新大陆。曾归为天蚕蛾科（Saturniidae）的一个亚科——角蠋蛾

胡桃角蠋蛾（Citheronia regalis）
供图：Ray Glover—The National Audubon Society Collection/Photo Researchers

亚科(Citheroniinae),但它的触角仅一部分羽状,翅型和翅脉都与天蚕蛾不同。胡桃角蠋蛾(*Citheronia regalis*)的幼虫称为山核桃角魔毛虫,貌凶恶但不伤人,绿色,有黑刺,头后有尖端黑色的红刺,主要吃胡桃、山核桃和柿树的叶。成虫前翅橄榄灰色,有黄色斑点,翅脉红色;后翅浅红橙色,有黄色斑纹。帝国犀额蛾(*Eacles imperialis*)翅和体黄色,有紫色至褐色的斑纹。其幼虫绿色,有稀疏的白色长毛和黄色的角,头褐色。茴大蚕蛾属(*Anisota*)的幼虫具条纹,如具绿条纹的槭茴大蚕蛾(*Anisota rubicunda*),具粉红条纹栎茴大蚕蛾(弗吉尼亚茴大蚕蛾,*A. virginiensis*)和具橙纹栎茴大蚕蛾(*A. senatoria*)的幼虫,危害槭、栎、桜等树。

Régence style　法国摄政时期风格　从路易十四时期家具庞大的直线形式向发端于路易十五时期的洛可可风格过渡的装饰艺术。这个风格盛行的时间包括18世纪头30年,即腓力二世德·奥尔良公爵在法国摄政时期。此时出现的装饰风格是对路易十四宫廷浮华奢侈的强烈反应。“小沙龙”的出现是与过去举行隆重庆典的国家大厅的奢华排场相对抗的表现形式,这种沙龙需要更便于移动的小家具,而这类家具又要求更高超的手艺和完美的设计。摄政时期家具避免了笨重的雕凿图案,而代之以单调的曲线形的图案,尤以流利的带形或弓形线条环绕的簇叶和花束最为通行。家具用胡桃木、花梨木和桃花心木这

法国摄政时期风格的书房模型(约1720)
芝加哥美术学院供图

类木材作为铺面,对比之下显得富丽风雅。有的椅子和桌子的腿使用略微弯曲装饰面,雕刻成女人半身像形式。带抽屉的橱柜和写字台,都体现出一种新颖而富于个人情调的生活内容,也在这一时期引进使用。

Regency style　英国摄政时期风格　威尔士亲王乔治摄政时期和19世纪初英王乔治四世统治时期的装饰艺术,止于1830年。对希腊罗马古代艺术的兴趣是其主要表现和主要动力与源泉,设计师从中借鉴建筑与装饰的要素。热衷于古典艺术结构的单纯和细节

英国摄政时期风格的圆形大厅模型(前景),可能是基于约翰·索恩爵士的设计;以及英国摄政时期风格的书房模型(后景),仿照1767年R.亚当为伦敦肯伍德府邸所作的设计
芝加哥美术学院供图

的明朗,比18世纪的新古典主义或同时的法兰西帝国风格更盛,更严格要求以考古学的角度对文物作出解说。由1798年拿破仑出征埃及所引起的对埃及题材的浓厚兴趣,成为英国摄政时期风格所向往的一部分题材。英国摄政时期风格的变化还表现在中国题材的再度流行。宫廷出现了摹拟竹子的中国式绘画,以及“日本式”描金黑色漆器,尤以亲王主持布置的布赖顿宫最为著称。另一倾向是对法国家具,尤其是带黄铜镶嵌图案的家具的兴趣。英国摄政时期风格的晚期倾向是对哥特式的热衷,预示了维多利亚风格的到来。

regeneration　再生　生物体的某部分失去后,伤口处长出新结构的过程。有些生物可以长出全部丧失的结构,但大多数生物只能做到伤口愈合;伤口愈合是一种组织水平的再生现象。再生是一切生命系统的基本特征。在生物体的整个生命过程中,身体的组织和器官不断地被更新,不过这主要发生在细胞水平,例如肠上皮的每个细胞的寿命可能只有几天。再生与生殖有许多相同之处,如植物中常见的营养繁殖,也是再生的一种方式。在进化过程中再生潜能并未改变,但发生再生现象的水平(细胞、组织或器官)却在改变。再生能力常被视为一种适应现象,再生能力在各物种中的分布却似乎毫无规律。不过有些事例肯定具适应功能,如不少蜥蜴在临敌逃逸时可自断其尾随后再生一新尾。某些生物并不再生出失去的器官,而是残留部分代偿性增大。如人的肝脏被切除3/4后,剩余部分会增大到与原肝脏质量相等,以恢复其作用。再生的组织,还可能是由另一种组织经化生作用变化而来。再生有多种形式。植物和低等动物常由原有组织重新组合生出失去的部分,这称为变形再生。高等动物结构复杂,一般都在切割处先长出芽基进而再发育成失去的部分。芽基细胞系由伤口下各种特化组织经脱分化作用演变而来的外形相近的细胞,它们向前增生,其后的细胞则视所处部位分别再分化为肌肉、软骨等不同特化组织。一般说来,芽基细胞带有原来细胞的痕迹,例如附肢芽基移植到背部仍然生出附肢。再生是有极性的,总向身体中心的远侧方向生长。极性的决定可能与体内代谢梯度有关。例如扁形动物被横截为前后两段时,若先用药物减低前段组织的代谢率,则后端本应生长尾部此时却长出头部。再生需有必要的条件:存在有创伤;原生组织残留部分或相邻组织可提供芽基细胞;有外力刺激。刺激物常由神经系统提供。节肢动物附肢的再生需要蜕皮激素,而原生动物的再生则需要有细胞核。促使再生更重要的因素是功能上的迫切需要。原生动物的再生能力很强,但只有带细胞核的细胞碎片才能再生。维管植物的生长机制与再生有相似处,尖端分生组织被截除后,茎部的分生组织即活动起来长出新枝,这称为重建作用。若将腔肠动物水螅切碎,然后搅乱这些碎片,它们还会长到一起,并再生出一个完整的水螅体。涡虫的再生是逐次进行的,头长出后刺激咽部生长,随后再生出其他器官;存在前面的部分时后面的部分才能再生。但每一部分也控制本身,不让其过量生长。环节动物再生能力不等:水蛭不能再生出失去的环节;但蚯蚓和许多海产环节动物(多毛类)可以向前和向后再生。节肢动物容易再生出腿、爪或触角。节肢动物的再生都与蜕皮有关,因此再生只在幼虫期才会发生。鱼类身体的一些部分可再生,如鱼鳞、鳃丝,而以鳍的再生能力最强,但这需要神经的供应。蝾螈、蝌蚪再生附肢的能力很强,蝌蚪变成蛙后,即失去这种能力。蜥蜴能再生出尾。鸟可以再生羽毛,但至今未发现鸟断肢后再生。哺乳动物不会再生腿和尾,常见的是鹿角每年再生;兔外耳穿洞后,即从伤缘长出新的皮肤和软骨,直到穿洞被缩小或完全封满为止。

Regensburg　雷根斯堡　又称拉蒂斯邦。德国东南部巴伐利亚州城市。在多瑙河右岸,雷根河汇入处。为重要的文化、商业、工业中心,铁路、公路交通枢纽,多瑙河通航起

点的繁忙港口。老城区原是凯尔特人村落，后成为罗马人要塞和军营。要塞的北门和部分城墙保存至今。530年为巴伐利亚公国都城。后成为加洛林王朝都城。1245年成为巴伐利亚公国唯一帝国自由城市。12～13世纪异常繁荣。17世纪三十年战争中被帝国军队占领，1809年遭法军破坏。1810年归属巴伐利亚。天文学家约翰内斯·开普勒

雷根斯堡市跨多瑙河的斯泰诺内·布吕凯石桥及圣彼得大教堂
供图：Toni Schneiders—Bruce Coleman Inc./美国不列颠百科全书公司

1630年在此去世。画家阿尔特多费尔（1538年卒）是本市的设计师和顾问。横跨多瑙河的斯泰诺内·布吕凯石桥（1135～1146）为中世纪建筑的杰作。市内壮观的贵族官邸（12～14世纪）风格独特。圣彼得大教堂（1275～1524）是本州最重要的哥特式教堂之一。这个教堂的男童唱诗班颇为有名。其他名胜古迹有罗马式圣埃梅拉姆教堂和市政厅（14～15世纪，内有帝国会议大厅［约1350］，1663～1806帝国议会举行会议场所）等。市内有雷根斯堡大学（1962）。生产电子设备和汽车等。为去巴伐利亚林山旅游的基地。人口约128 604（2003）。

Regent diamond　摄政王钻石　又称皮特钻石（Pitt diamond）。呈现浅蓝色的多面形琢型的宝石，曾是法国王冠宝石中的优质宝石。1701年在印度发现，粗料重410克拉。它被英国驻马德拉斯总督托马斯·皮特爵士购得。皮特曾在伦敦《每日邮报》上发表了一封信，反驳有人说他偷窃此宝石的谣言。这宝石被切割成141克拉的长方形琢型，被称为“皮特钻石”。1717年此钻石被法国摄政王奥尔良公爵购得，因此有今名。1792年此钻石与其他王冠宝石一同被盗，但又追回。拿破仑一世曾将此宝石镶在其刀柄圆头上。此宝石从1887年起陈列在罗浮宫博物馆中。

Regent's Park　里根特公园　又译摄政公园、里真茨公园。伦敦中心区主要公园之一。占地188公顷。原为亨利八世狩猎林地之一部分，后专供皇室消遣。1838年向公众开放。其内、外环路两侧多精美建筑，现多为政府办公室或伦敦大学所属机构（包括贝德福德学院和考古学会）。在内侧环路上有玛丽女王花园和露天剧场。北侧伦敦动物学会动物园于1828年开放。西缘有湖泊和伦敦清真寺。园内多处供各种运动会使用。

Reger, Max　雷格尔（1873-03-19，德国巴伐利亚布兰德～1916-05-11，莱比锡）　德国作曲家和教师，以巴罗克形式的管风琴作品著称。他是最后一批在19世纪音乐传统中注入新生命的作曲家之一。曾在魏登学习。1890～1893年在松德斯豪森和威斯巴登学习并教授钢琴、管风琴和音乐理论。1901年时已是慕尼黑一位得到社会承认的作曲家、钢琴家和教师。1907年任莱比锡音乐学院作曲教授和莱比锡大学音乐总监。1911年在迈

中国大百科全书出版社供图

宁根任宫廷管弦乐队指挥。除管风琴作品外，雷格尔也创作合唱和管弦乐作品及室内乐和歌曲，最著名的管弦乐作品有《勃克林组曲》、《莫扎特主题变奏曲和赋格曲》、《古风格组曲》，以及用贝多芬和希勒主题写的一些变奏曲。他还写了一首钢琴协奏曲和一些无伴奏小提琴奏鸣曲，3首中提琴独奏的组曲和其他作品。他的管风琴作品有《坚固堡垒幻想曲》和《巴赫幻想曲和赋格曲》等。他对A.奥涅格和P.兴德米特这样一些作曲家很有影响。

reggae　雷盖　始于20世纪60年代中期的一种牙买加流行音乐与舞蹈风格，与美国黑人和北美的流行音乐以及摇滚音乐因素相结合而形成传统的非洲-牙买加雷盖。它是牙买加底层人民的音乐，反映社会上的不满情绪和拉斯塔法里亚教运动，后者强调回归非洲和尊崇埃塞俄比亚皇帝海尔·塞拉西为神。其配器以奏出极大音量的电低音提琴为特点，另外用一个由管风琴、钢琴、鼓以及专弹节奏的电吉他组成的合奏乐队奏出短小的固定低音乐句，并把节拍分为紧-松相交替的模式。牙买加人移居到哪里，哪里就演奏雷盖。主流派的白人摇滚乐师亦受其影响。

Reggio, Nicolas-Charles Oudinot, duc de（duke of）　**雷焦公爵**　参阅**Oudinot, Nicolas-Charles 乌迪诺**。

Reggio di Calabria　雷焦卡拉布里亚　意大利南部港口城市，雷焦卡拉布里亚省和1971年前卡拉布里亚区的首府。墨西拿海峡港口，与西西里岛墨西拿隔海峡相望。约建于公元前720年。公元前387年被叙拉古人占领。公元前270年落入罗马之手。后先后属西哥特人、哥特人、拜占廷、萨拉森人、诺曼人、西西里王国和那不勒斯王国等。现为大主教区和大主教管辖地。其罗马-拜占廷式大教堂为重建作品，有古希腊、罗马遗迹。国家大希腊博物馆收藏有大量考古珍品。有轮渡通西西里岛的墨西拿，有铁路通那不勒斯，有航空线通罗马和巴勒莫。为海港和旅游胜地。为香水和药品业提供香柠檬精和茉莉香精。工业规模不大，但产品种类繁多，有生丝、水果罐头、橄榄油、家具和机械等。人口：都市区179 617（2000）。

Reggio nell'Emilia　雷焦艾米利亚　意大利北部艾米利亚-罗马涅区雷焦艾米利亚省省会、城市。位于帕尔马东南面，波平原南缘附近的克罗斯托洛河滨。公元前2世纪建于古罗马艾米利亚大道上，曾为伦巴第公国的中心。12世纪初为独立社区。1859年并入皮埃蒙特。著名建筑有大教堂、帕尔梅贾尼美术馆、诗人L.阿里奥斯托诞生地（1474）和故居，以及许多15～16世纪宫殿。重要的农业中心。生产葡萄酒、帕尔马乳酪和肉类。有电器、水泥和药品工业。为白里米尼和博洛尼亚通往米兰的铁路和公路枢纽。人口：城市区约143 664（2000）。

regiment　团　在大多数国家的陆军里，团由一名上校指挥，为了便于作战指挥而编成连、营或中队。早在1558年，法国的骑兵部队就称为团。团这个词是由拉丁词regimen派生出来的，原词是指征集、装备和训练军队的一套法规。由于一个团有自己的特征、旗帜、纹章、独特的军服和识别标志以及历来的战绩，所以成为本团士兵效忠、自豪和发扬团结精神的中心。在美国早期的军队里，和当时欧洲各国的陆军一样，一个团一般辖10个连。在19世纪初叶，拿破仑把法国陆军的团编成3个营，其中两个用于作战，一个留在营房里招募和训练新的部队。后来，E.卡德韦尔把英国步兵的团改编为两个营，一个营驻在国内，另一个驻在海外。美国陆军在1901年采取一个步兵团辖3个营的编制，团则编入师。在第一次世界大战、第二次世界大战

和朝鲜战争中均采取这种编制。

Regina 里贾纳 加拿大萨斯喀彻温省省会和最大城市。在该省中南部。最初为猎人宿营地。1857 年,探险者帕利瑟船长到此,称该地为沃斯卡纳。1882 年加拿大太平洋铁路连接此地,改称里贾纳。同年起为西北地区行政中心。1905 年定为新组建的萨斯喀彻温省省会。第二次世界大战以后很快发展成为附近农业区的运输、制造与分配中心。也是铁路和公路枢纽。有大型飞机场。经济以石油、天然气、钾碱提炼和食品加工等业为主。萨斯喀彻温小麦联营所为世界最大的谷物经营协作机构之一,总部设在里贾纳。其他工业有钢材、农具、通信设备、油漆和建筑材料。沃斯卡纳中心是繁华区。在环绕沃斯卡纳湖的公园式区域里有圆顶立法大厦、自然历史博物馆、诺曼·麦肯齐美术馆、迪芬贝克家宅和里贾纳大学。郊区有派厄波特等几个印第安人保留地。市区西北 30 千米处有拉斯特山湖游览区。1903 年设市。人口:市 178 225;都会区 192 800(2001)。

Reginald OF CHÂTILLON **雷金纳德**(?,法国卢万河畔沙蒂永～1187-07-04,巴勒斯坦加利利[今在以色列]) 又拼 Raynald。安条克公爵(1153～1160),1147～1187 年间十字军主要人物之一,停战期间他对穆斯林商队的袭击导致耶路撒冷拉丁王国被摧毁并失去大部领土。1147 年前往圣地,先后为耶路撒冷国王鲍德温三世和安条克女公爵康斯坦斯服务。1153 年与康斯坦斯结婚,成为安条克公爵。为人蛮横粗暴。在拜占廷皇帝曼努埃尔一世唆使下,曾进攻亚美尼亚的西利西亚。后来又与西利西亚的索罗斯二世和好,共同攻打拜占廷的塞浦路斯。1159 年曼努埃尔给予回击。翌年他被穆斯林俘获,一直拘留至 1176 年。获释后回耶路撒冷。因康斯坦斯已死,1177 年又与外约旦领主的遗孀斯蒂芬尼结婚,因而成为卡拉克与蒙特利尔公爵。他所获得的这些新据点控制了穆斯林商队的路线。1181 年夏,他因违反 1180 年与萨拉丁的协定,抢劫穆斯林商队而引起战争。他把 5 艘战船开入红海封锁穆斯林的港口,后被埃及舰队歼灭。1186 年年底再次破坏协定,抢劫有萨拉丁姊妹在内的商队。又爆发一次战争。1187 年他在海廷战役中被俘,因拒绝成为穆斯林,可能是由萨拉丁亲自斩首。

Regino VON PRÜM **雷吉诺**(?,上洛林施派尔河附近阿尔特利斯[德国]～约 915,特里尔) 又称 Reginon。天主教会的预备修士,德国编年史家。曾撰写几部教会著作及一部从基督诞生到 10 世纪初期的编年史。贵族出身。892 年当选为隐修院院长。最有名的著作是《编年史》两卷:第一卷叙述从基督诞生到 718 年的时期,摘录自前人的编年史;第二卷叙述 741～907 年的时期,是他根据编年史、书信、口头传说和个人记忆的材料写成。

Régio, José 雷吉奥(1901-09-17,葡萄牙孔迪镇～1969-12-22,波塔莱格雷) José Maria dos Reis Pereira 的笔名。葡萄牙诗人、小说家、剧作家和文学评论家。被普遍认为是 20 世纪前半叶葡萄牙造诣最深的文学名人之一。在科英布拉大学上学期间出版了《上帝与撒旦的诗》(1925)。大学毕业后一直担任高中教师,先在波尔图,后在波塔莱格雷。他写的长篇小说、话剧和短篇小说因强调人物性格描写和对善恶的探索而闻名。作品有深刻内省的特点,反映了他关注人类对物质世界的疏远以及人们对上帝的探求。其长篇小说《长着驴耳朵的王子》(1942)和话剧《贝尼尔德,或贞女母亲》(1947)最具代表性。1945～1966 年间写成 5 卷长篇家世小说《老房子》。

Regiomontanus 雷乔蒙塔努斯(1436-06-06,美因兹大主教管区柯尼斯堡[德国]～1476-07-06,罗马[意大利]) 约翰·米勒(Johann Müller)的笔名。德国天文学家和数学家。三角学在欧洲的复活并取得进展主要是他的功

供图:Bildarchiv Preussischer Kulturbesitz BPK, Berlin

劳。他的笔名是从柯尼斯堡(königsberg,意为国王山)拉丁化而来的。11 岁即入莱比锡大学。1450 年到维也纳师从奥地利数学家 G. 波伊尔巴赫。他帮助波伊尔巴赫校订托勒玫的天文学著作。由于拉丁文本的托勒玫著作是从阿拉伯文翻译而来的,其中错误百出,波伊尔巴赫便决定由希腊文原稿翻译新本。波伊尔巴赫死后,雷乔蒙塔努斯继续其未竟的工作,并于 1461 年去罗马学习希腊文,又从希腊难民(君士坦丁堡于 1453 年被土耳其人攻陷后逃离的)那里收集手抄本,还参考了托勒玫的主要著作《天文学大成》的希腊文本。1463 年终于完成这项工作。5 年后回到维也纳,匈牙利国王马蒂亚斯·科尔温召他进宫校订希腊手抄本。3 年后他在纽伦堡定居,一个富有的贵族 B. 瓦尔特为他提供了一所住宅、一个工具房、一个观测所和一台印刷机。瓦尔特成为他的学生和资助人,1472 年协助他完成对该年出现的大彗星的观测。雷乔蒙塔努斯主要是一位出色的数学家,1464 年写就《论各种三角形的五部书》。这是平面和球面三角学的第一部现代论述,所用的表现方法适用于各种三角问题,而且用了代数技巧来简化解法。他也是欧洲最先讨论亚历山大(约公元 250 年)的丢番图(Diophantus)代数的人物之一。1474 年发表《航海历书》,书中载有天体在数年内每日的位置。翌年(1475),教皇西克斯图斯四世召他到罗马,听取他关于改革儒略历的意见,并任命他为雷根斯堡的主教。他未到任即去世。据说是死于瘟疫,但更可能是为敌手所害。

region 区域 有内聚力的地区。根据一定标准,区域本身具有同质性,并以同样标准而与相邻诸地区或诸区域相区别。区域是一种学术概念,是通过选择与某一特定问题相关的诸特征并排除不相关的特征而划定的。区域不同于地区(area)。地区是一个更广泛的概念,指地球表面一部分。地区的边界是任意的,是根据方便划定的。区域的界限却是由地球表面这个部分的同质性和内聚性决定的。区域可以由单个或几个特征来划定,也可以按照一个地区人类居处的总情况来划定。社会科学中最普遍的特征是民族、文化或语言(如普罗旺斯),气候或地貌(如田纳西河流域),工业区或都市区(如鲁尔区),专门化经济区(如北美洲产棉带),行政单位(如不列颠诸标准行政区域)以及国际政治区域(如中东)。区域这一概念,近来用于对许多国家的及国际的公共项目之分析、计划及管理等方面。区域主义或区域意识,是区域这一概念的意识形态相关语,就是由区域之内的那种认同意识发展起来的,在进行许多历史的、政治的及社会学的分析研究时非常重要。

regional development program 地区开发规划 政府为在经济停滞或大部分人长期失业的地区鼓励开发产业和经济而制定的规划。采取的措施可有:对迁入该地区的私营产业给予贷款;补助和减税鼓励;在发展动力、照明、运输和卫生设施方面给以协助;对厂房修建和扩建的选址、定位给以不同程度的集中控制。第二次世界大战以来,多数工业比较发达的国家,都采取了某种类型的地区开发规划。鼓励工业迁入开发地区最普通的方法是:对在本地区重建或扩建的企业提供补助、贷款或贷款保证。例如法国,不仅已给予贷款、利息津贴和免费的场地,还根据投资额大小和投资所创造的工作多寡而发给津贴。日本将国有土地供私营产业开发使用。德国、荷兰、美国、英国和日本的地区开发计划都享有贷款和利息补助。英国、瑞典和法国在工厂修建和扩建的选址、定位上都保持一定的集中管理。例如:在英国,新的大型产业项目基地须经贸易部批准。法国、日本等一些国家,都对在偏僻地区或乡村投资的公司提供各种减税鼓励。

Regionalism(visual arts) 参阅 **Social Realism 社会现实主义**。

régisseur 导演 法语,同 manager。法国、俄国、德国和意大利剧院对戏剧导演或舞台监督的通称。其职责包括指导一出戏的艺术表演和协调、指导演员排练,全面负责戏剧演出的技术和经济问题。其地位与美国戏剧中的"导演"(*director*)和英国戏剧中的"演出人"(*producer*)相同。在芭蕾舞中,这种导演负责协调演出人、舞台技术人员和管弦乐队的活动;处理剧团的财政;并对巡回演出的一切工作进行安排。在电影中,他的职责很像英国和美国体制下的助理导演,主要是负责服装、布景、道具的管理。起初这种导演的作用是舞台监督,到 19 世纪末,随着舞台结构日益复杂,演员和剧作家不再直接导演他们的作

品，舞台监督成为导演之下另外的职员，导演则负起导演和监督整个演出的广泛职责。

Registan（Afghanistan） 参阅 **Rīgestān** 雷吉斯坦。

regium donum 王室赠金 英国宗教史名词。指每年从国家款项中拨出赠给爱尔兰长老会牧师和不列颠非圣公会的各教会牧师的补助金。1690 年起源于爱尔兰，当时英格兰国王威廉三世赠金给北爱尔兰长老会牧师，嘉奖他们拥护他反对原国王詹姆斯二世，此后遂成定例，但于 1869 年停止发放。在英格兰，王室赠金始于 1723 年，每年发给 9 名非圣公会教士，由他们分配给长老会、浸礼会及独立教会的贫苦牧师或牧师的遗孀，1851 年停止发放。

Regla 雷格拉 古巴哈瓦那省北部城市。19 世纪为走私活动中心。现为哈瓦那市的工业郊区。为重要港口和铁路终端站。有铸造、炼油、造船等工厂和船坞、仓库。有鞋类、肥皂、食品和软饮料制造业。人口 41 179（1989）。

Règlement Organique 《组织规程》 英语作 Organic Statute。俄国于 19 世纪强加给摩尔达维亚和瓦拉几亚的一部宪法，它引入了一种经过选择的政治制度，同时也建立起波雅尔（贵族地主）在政治和经济上的绝对的寡头权力。1829 年俄罗斯占领了名义上宗主于奥斯曼帝国的摩尔达维亚和瓦拉几亚（后来的罗马尼亚的核心）。次年成立一个波雅尔委员会起草新宪法。它分别于 1831 年 7 月和 1832 年 1 月成为瓦拉几亚和摩尔达维亚的基本法，并于 1834 年由土耳其政府批准。《规程》规定在两个公国中各建立一个专门委员会，主要由波雅尔组成，包括中产阶级的某些成员，从当地的上层贵族中选举大公。并成立立法议会，由波雅尔的代表组成。《规程》除把大部分政治权力授与波雅尔外，还确定波雅尔是土地的所有者，减少农民使用的土地。农民还被强制束缚在各自的村庄里。尽管《规程》在 1848 年两公国的起义中面临挑战，但起义失败后仍被认可。波雅尔的权力一直保持到 1856 年俄国的保护结束。

Regnar LODBROG（Viking hero） 参阅 **Ragnar Lothbrok** 朗纳尔·洛德布罗克。

Regnard, Jean-François 勒尼亚尔（1655-02-08，巴黎～1709-09-04，法国格里永堡） 法国戏剧家，为继莫里哀之后最成功的戏剧家之一，常公开模仿莫里哀剧作的风格和令人解颐的旨趣。生于富家，年轻时游踪甚广。曾被阿尔及利亚海盗劫掠并被囚禁 7 个月，直到 1679 年被家属赎回，其经历和印象为他后来的几本书提供了素材。1683 年被任命为法国财政大臣，连任 20 年。从 1688 年起，开始致力于写作，先是为逗留巴黎的意大利喜剧团搞创作，后则为法兰西喜剧院创作剧本。他以轻松流畅的剧作风格一反过去的道德说教，描绘出了一个五光十色、灯红酒绿的颓唐

供图：H. Roger-Viollet

社会。他最关心的是尽可能经常地引起观众的笑声。最著名的剧作有《赌徒》（1696）、《遗产继承人》（1708）和《小夜曲》（1694）。

Regnault, Henri-Victor 勒尼奥（1810-07-21，法国艾克斯拉沙佩勒～1878-01-19，欧特伊） 法国化学家和物理学家，以研究气体的性质闻名。在吉森跟 J. von 李比希学习后，

供图：Boyer—H. Roger-Viollet

相继在里昂大学、巴黎综合工科学校（1840）和法兰西学院（1841）任化学教授。其 4 卷本化学著作于 1847 年出版。在任塞夫尔陶瓷厂厂长期间（从 1854 年起），他继续其科学研究工作。在普法战争期间（1870～1871），其实验室被毁，儿子亨利（画家）被杀。他为大量的物理测量设计了仪器，并且细心地重新测定了许多固体、液体和气体的比热。勒尼奥证明了没有两种气体的膨胀系数完全相同，并且证明了适用于理想气体的玻意耳定律，对真实气体只能求出近似值。在发明空气温度计时他测定了汞的绝对膨胀。他还设计了比重计。

Regnault de Saint Jean d'Angély, Michel-Louis-Étienne, Comte 勒尼奥伯爵（1761-11-03，法国皮萨耶圣法尔若～1819-03-11，巴黎） 法国督政府和拿破仑一世帝国的行政官。"百日"结束（1815）时，他劝告拿破仑第二次逊位。1789 年任总议会（三级会议）及以后改称的制宪议会议员，不为人注目。由于反对雅各宾派，他在恐怖统治时期被捕（1793），后逃脱。1796～1799 年在意大利和马耳他担任行政官。在雾月 18 日政变中，他支持拿破仑。帝政时期，他任内政大臣，并帮助制定1807年的商法法典。"百日"期间任

巴黎国家图书馆供图

参政院副院长，支持拿破仑采取开明政策。第二次复辟后，他在流亡中度过余年。

Regner LODBROG（Viking hero） 参阅 **Ragnar Lothbrok** 朗纳尔·洛德布罗克。

Régnier, Henri(-François-Joseph) de 雷尼耶（1864-12-28，法国翁弗勒尔～1936-05-23，巴黎） 20 世纪初法国最重要的诗人。出身于一个古老的诺曼底家庭，原拟投身外交界，但在巴黎学习法律期间，在象征派诗人影响下，于 1885 年发表第一部诗集《明日》。后又发表《田园和神圣的游戏》（1897）、《泥土勋章》（1900）、《生翅膀的凉鞋》（1906）。1896 年与著名诗人埃雷迪亚的女儿玛丽结婚。后来玛丽自己也成为诗人，以热拉尔·杜维尔为笔名发表诗篇。在岳父影响下，雷尼耶放弃早期那种自由不羁的风格，倾向于古典形式。但仍接近象征主义者。他也写了大量小说，回忆过去的日子和地方，尤其缅怀 14 世纪和 18 世纪的意大利和法国，其中有《双重的情妇》（1900）、《爱的恐惧》（1907）、《女罪人》

供图：H. Roger-Viollet

（1912）、《爱之旅行》（1930）等。雷尼耶有着贵族的气派和趣味，在世纪交替之时，成为法国知识界的重要人物，1911 年当选为法兰西学院院士。

Régnier, Mathurin 雷尼耶（1573-12-21，沙特尔～1613-10-22，鲁昂） 法国讽刺诗人。作品以铿锵有力的法语口语写成，模仿贺拉斯、尤维纳利斯、阿里奥斯托和龙萨，既不拘泥，又有新意。他以亚历山大体诗描绘他那个时代的典型人物，有声有色，栩栩如生。作品《玛赛特》（1609）充分显示了他的天才，堪与莫里哀的《达尔杜弗》相媲美。作为一个敏锐的评论家，雷尼耶猛烈抨击马莱伯关于诗必须严格符合古典的和唯理的标准的理论。他是诗人德波尔特的外甥，曾充当弗朗索瓦·

德·茹瓦约斯枢机主教的秘书,并于1583年随往罗马,因生活放荡,未得升迁。约于1605年回到法国,接受德波尔特的庇护,1609年任沙特尔大教堂司铎,晚年大部时间在瓦兹河畔阿涅尔一隐修院中度过。

Rêgo Cavalcanti, José Lins do(Brazilian writer) **雷戈·卡瓦尔坎蒂** 参阅 **Lins do Rêgo Cavalcanti, José** 林斯·多·雷戈·卡瓦尔坎蒂。

regressive tax 累退税 课税基数增大时税率降低的一种税。在税收中,通常认为税率递减是不可取的,因为它使穷人支付的税款占其收入的百分比远大于富人。尽管人们力图避免税率递减,然而,某些税收,特别是比例税,实际上总要成为累退的。例如,消费税和营业税,由于其税率结构不变通常被认为是累退的。收入降低,则所纳税款占其收入的百分比反而升高。一些税收的主要来源如烟、酒、汽油的营业税,均被认为是最大的累退税。财产税常被认为是累退税。另外,财产估价人低估高价财产的价值较低估低价财产的价值,情况更加普遍,这就增大了财产税的累退性。

Regulators of North Carolina 北卡罗来纳改革者协会(1764～1771) 美洲殖民史上,北卡罗来纳边疆各县为抵制苛捐杂税,惩治贪官而成立的自卫组织。当时,北卡罗来纳东西部间的经济和社会差异导致产生地方主义。东区控制着殖民地政府,甚至县政府也被保王派的总督任命的地方官员所掌握。西部的边区人民受到苛捐杂税的盘剥,积怨日深,他们拒绝纳税,惩罚贪官。但是,这些改革者的起义终于在1771年5月16日的阿拉曼斯一役中,被W.特赖恩总督镇压下去,许多边民逃往田纳西。这段痛苦的经历使得许多协会成员在美国独立战争中站在英国一边。

regulatory agency 管理机构 根据立法法令设立的独立的政府委员会,负责给私营经济部门的特殊活动或营业规定规章制度并负责实施。管理机构的活动不受行政部门的监督。由于制定的规章具有法律效力,他们的部分职能实际上是立法活动;但是在实施制定的规章时,对违章者可以调查并作出裁决,因而也负有司法职责,通常由一名准司法官员执行,这个官员不属于法院系统。由于商业和贸易问题日益复杂,特别在20世纪更是如此,因而管理机构已经成为促进公平交易和保护消费者利益的得力手段。管理机构的概念首先出现于美国,而且它主要是美国的一种机构。第一个是州际商业委员会(ICC),1887年由国会设立,负责制定铁路规章(后又制定汽车运输、内河航运和石油公司的规章),因为当时人们相信,一个由专家组成的委员会较国会更熟悉铁路的特殊问题,常设的委员会比选举产生的机构更能保持政策的连续性,能把有效管理所需要的立法和司法职能结合起来。而且,独立的委员会能够做到不偏不倚和无党派性,这也是公平管理的必要条件。州际商业委员会是政府为管理各种行业所采取的第一个步骤,它的职能可以代表所有管理机构的情况。随着政府加强对其他行业的管理,出现了以ICC为模式的其他管理机构,如联邦贸易委员会(FTC,1914建立)、联邦通讯委员会(FCC,1934建立)、证券交易委员会(SEC,1934建立)等。较晚近的有就业机会均等委员会(EEOC,1964建立)、环境保护局(EPA,1970建立)、职业安全健康署(OSHA,1971建立)、消费品安全委员会(CPSC,1972建立)和核管理委员会(NRC,1975建立)。管理机构采用委员会体制,任期固定且较长。例如联邦储备委员会成员任期为14年。这些委员会由总统任命,但与总统任期错开,使总统不能通过他的任命突然改变这些机构的性质。在美国以外的其他国家,管理机构的职能多由正规行政部门承担,在公用事业和公共交通方面则常通过实行国营来管理。

Regulus 轩辕十四 又称狮子座α(Alpha Leonis)。黄道星座狮子座中最亮的恒星,也是全天最亮的恒星之一。目视星等约为1.35等。Regulus之名出自拉丁文的帝王一词,反映出古代信仰中,它是一个有重要占星意义的星。

Regulus, Marcus Atilius 雷古卢斯(活动时期公元前3世纪) 罗马将军和政治家,其生平受到传奇的大事渲染,被罗马人视为坚韧不拔的楷模。公元前267和前256年两度任执政官。曾在西西里东南海面上击败迦太基舰队,并率兵登陆非洲。在阿迪斯重创敌军,要求敌军无条件投降。但迦太基人继续作战,公元前255年竟击败罗马军队,将雷古卢斯生俘。根据传说,他在迦太基过着囚徒生活,直至被假释送回罗马,以缔结和约或交换俘虏。他督促元老院拒绝迦太基人的一切条件,并在假释期满后回到迦太基,在那里被拷打致死。上述说法在历史上无确证。

Rehan, Ada 里恩(1857-04-22,爱尔兰利默里克～1916-01-08,美国纽约) 原名Ada Crehan。19世纪末美国最出色的女演员之一。以饰演莎士比亚戏剧和一些欧洲喜剧闻

美国不列颠百科全书公司供图

名。14岁时首次在新泽西州纽瓦克演出《穿越大陆》。后陆续在路易斯维尔、奥尔巴尼、巴尔的摩各专业剧团演出,并于1875年在纽约首演《纯种马》。其后四年间一直担任配角。1879年加入A.戴利的剧团,出演E.左拉的《小酒店》,不久成为该剧团首席女主角。与该剧团合作长达20年之久,直到1899年戴利去世。她饰演的角色超过200个,其中包括许多莎士比亚的戏剧和若干由欧洲的喜剧改编的美国舞台剧。在当时舞台剧的"四巨头"中属第一,是戴利剧团的核心人物。在伦敦、巴黎和欧洲其他国家首都的演出也同样受到好评。她饰演最成功的角色是1887年1月在纽约首演《驯悍记》中的凯瑟琳。其他获得好评的莎剧角色还有罗莎琳德、比阿特丽斯、维奥拉和鲍西娅。1893年成为戴利伦敦剧院的合伙人。1892年6月在纽约首演丁尼生勋爵的《绿林好汉》,她在其中饰演玛丽安。1894年在伦敦主演的《第十二夜》获得空前成功。1896年在旧金山参加巡演,其戏剧生涯随着戴利在巴黎去世而终结。1900年之后重新复出,1905年在纽约作最后一次演出。

Rehnquist, William 雷恩奎斯特(1924-10-01,美国威斯康星州密尔沃基～2005-09-03,弗吉尼亚州阿林顿) 又译伦奎斯特。美国第16任首席大法官(自1986起)。1948年毕业于斯坦福大学。1952年获斯坦福法学院法学学位后,任最高法院R.H.杰克逊大法官的法律书记员。1953～1969年他在亚利桑那州菲尼克斯执律师业,其间活跃在共和党保守派之中。1969年,尼克松总统任命他为司法部分管法律咨询的副部长,他在职时坚决支持大幅度扩大警察权,并常敌视民权立法。1971年10月,尼克松总统提名雷恩奎斯特担任美国最高法院大法官。在参议院委员会举行为期颇久的听证会中,自由派分子试图使此项提名失败,最后参议院于1971年12月以68票对26票批准了对他的提名。1972年1月,他就任最高法院大法官之职。70年代及进入80年代期间,精力充沛、口齿伶俐的霍恩奎斯特成为最高法院保守派少数集团的中坚。其精练的法律意见以及几乎在所有法律问题上采取的一贯保守立场,促使里根总统于1986年6月提名他接替即将退休的W.E.伯格出任最高法院首席大法官。同年他的提名案获参议院批准。作为首席大法官,他极大地减少了最高法院的案件处理量,提高了效率。在里根任命的其他法官的支持下,他带领最高法院限制了国会扩大联邦权力的能力,减少了平权措施。

Rehoboth 雷霍博特 纳米比亚中部城镇。在首府温得和克以南约84千米。位于雷霍博特河两岸。海拔1 385米。原由科伊科伊族的纳马人居住。1844年由传教团用《圣经》中名称雷霍博特命名。1864年因旱灾、饥荒和战争,传教团撤出。1870年欧洲人和纳马人的穆拉托人后裔(巴斯特人)从开普殖民地移居到此。1884年德国人占领整个地区作为殖民地。第一次世界大战中雷霍博特被南非占领。有公路干线经过。现为当地乳牛和绵

羊集市中心。镇上还有羊毛加工业。人口 21 654(1991)。

Reḥovot 雷霍沃特 以色列中部城市,在特拉维夫-雅法西南偏南的沿海平原,地处国内最丰产的柑橘属水果种植带中心。1890 年由华沙犹太人创建,1950 年设市。现有水果加工、塑料、药品及金属制品工业。1934 年犹太复国主义领袖、以色列第一任总统和著名化学家 C.魏茨曼在此建住宅、花园并创办研究所,1944 年更名为魏茨曼科学研究院。人口约83 200(1994)。

Reich 帝国 德语,同Empire。泛指下述德意志人或德意志的帝国:*神圣罗马帝国*(**Holy Roman Empire**);普鲁士霍亨索伦王朝领导的第二帝国(1871 ～ 1918);纳粹德国的第三帝国(1933 ～ 1945)。参阅 **Germany**。

Reich, Wilhelm 赖希(1897-03-24,奥匈帝国加利西亚多布尔兹西尼卡[今在乌克兰]～ 1957-11-03,美国宾夕法尼亚刘易斯堡) 维也纳心理学家。他研究出一套心理分析方法,强调整体的个性结构而不是个别的神经症症状。但因他曾参与"性政治运动"以及他发展了一套伪科学系统"性力术",这些事掩盖了他早期的精神分析工作。他在柏林精神分析学院受训,并于 1924 年加入维也纳精神分析学院。他在《性高潮的功能》(1927)一书中声称,达到性高潮的能力,即"高潮潜能",是一个健康人的必要条件;如果不能通过性高潮而宣泄压抑在内的性能量就会导致成人神经症。这个著作把他引入性政治运动;这个运动想结合极端左翼的政治推崇性教育和性自由的主张。赖希于 1933 年离开德国,在斯堪的那维亚国家教书,后于 1939 年在美国定居。在《个性分析》(1933)一书中,赖希指出个性结构可以用来作为一种保护性铠甲,使人们发现不了内在的神经症。他认为,潜抑的情感可以表现为肌肉紧张,而这个精神和躯体的铠甲可以通过直接手法处理或让患者自己意识到这种紧张而得到克服。赖希用这种方法治疗用更正统的精神分析方法无法处理的神经症患者。1934 年赖希的政治观点和对性的看法使他同精神分析运动决裂,此后他专门研究"性力术",要测定"性力元",一种他认为是激活神经系统的宇宙能的单位。他认为精神疾病是因为缺乏性力元,为了治疗,他把病人放在一种特制的柜中,称为性力柜。他出租性力柜用于治疗多种疾病,包括癌症,不过他也让病人告诉医生自己正在使用这种器械。他的实验以及变性力柜为商品的做法使他同美国当局在 50 年代初发生冲突;后被判藐视法庭罪并卒于狱中。

Reichenau 赖谢瑙 德国西南部巴登-符腾堡州温特湖中的小岛。温特湖为康斯坦茨湖(博登湖)西部的小湾。该岛长 5 千米,宽 1.6 千米。有 2 千米长的堤道通湖岸。属康斯坦茨市。以岛上一座 724 年所建本笃会隐修院闻名。该隐修院 9 ～ 11 世纪为德国西南部的艺术和文学中心,它的著名神学院造就出许多主教和大主教。1803 年起停止宗教活动。为湖上游览地,生产鲜花、水果和葡萄。2000 年,该岛因为其隐修院建筑和在欧洲艺术史中的重要地位被指定为联合国教科文组织列为世界遗产地。人口约 4 562(1991)。

Reichenau, Walther von 赖谢瑙(1884-10-08,德国卡尔斯鲁厄～ 1942-01-17,苏联乌克兰波尔塔瓦附近飞行中) 德国陆军元帅。第二次世界大战中率军攻占华沙(1939)并指挥第 6 集团军在西线穿过比利时完成大包围(1940)。炮兵将军之子。1903 年继承父业参加炮兵部队。第一次世界大战期间在德国总参谋部任职。纳粹上台之初为希特勒的亲信。1939 年在波兰战役中晋升中将。1940 年 7 月因在法国指挥闪击战有功擢升陆军元帅。1941 年秋在乌克兰战役中,曾指挥德军战胜由布琼尼统率的苏军,但 11 月为铁木辛哥元帅所败,被赶出罗斯托夫。1942 年 1 月 17 日一则伯尔尼电讯称:他在飞返德国就医途中死于中风。

Reichenbach(Poland) **赖兴巴赫** 参阅 **Dzierżoniów** *杰尔若纽夫*。

Reichenbach, Georg von 雷亨巴赫(1772-08-24,德国巴登杜拉赫～ 1826-05-21,慕尼黑) 又译赖兴巴赫。德国天文仪器制造家,第一个制造子午仪(或称中星仪)——一种设计特殊的望远镜,当某一天体越过子午圈(仪器所在的经度)时,用来同时测量天体越过的时间及其与中天的夹角。1796 年从事制造精密仪器中常用的等分器,用以精确标记相等的间隔。1804 年,他成为慕尼黑一家仪器制造商务的创办人之一,并于 1809 年,在他的协助下,于贝内迪克特博伊伦建立一所光学工厂。1819 年他为德国天文学家 F.贝塞尔制造了一种中星仪,把测定经度和时间的经纬仪与装在墙上测量天顶的仪器两者结合起来。这种结合以前虽有人试验过,但未被采用,经雷亨巴赫改制才获得普遍应用。

Reichenbach, Hans 赖兴巴赫(1891-09-26,德国汉堡～ 1953-04-09,美国加利福尼亚洛杉矶) 德国哲学家和教育家(曾在柏林大学和美国加利福尼亚大学任教)、维也纳小组主要代表和逻辑实证主义柏林学派创始人。逻辑实证主义运动认为逻辑的陈述所揭示的只是先验的思想范畴和语言的基本结构,并非主要用来描述物质世界。在对概率论、归纳理论和科学的哲学基础所作的逻辑上的解释方面,他作出重大贡献。1938 年赴美国,协助编辑《统一科学杂志》(原名《认识》)。著有《符号逻辑原理》(1947)和《科学哲学之兴起》(1951)。

Reichenbach Falls 赖兴巴赫瀑布 瑞士中部伯尔尼州赖兴巴赫溪的瀑布。是阿尔卑斯山最大瀑布之一,有 5 级小瀑布,总落差 200 米,最著名的是上、下赖兴巴赫瀑布,落差约 90 米。兴建水电站后影响了瀑布的景致。

Reichenberg(Czech Republic) **赖兴贝格** 参阅 **Liberec** *利贝雷茨*。

Reichskammergericht 帝国枢密法院 指神圣罗马帝国在 1495 ～ 1806 年帝国崩溃期间的最高法院。自中世纪早期开始,最高法院一直就是宫廷法院(Hofgericht),它由皇帝亲自主持并有一批陪审官参加审判。宫廷法院与皇帝人身紧密相关,皇帝出国,它就停止活动;皇帝驾崩便宣告解散。到 15 世纪,由于皇帝失势,他的宫廷法院也就不获臣民信任,1450 年以后就不再开庭。1415 年,成立了枢密法院与宫廷法院并存,并于 1450 年取代了后者。枢密法院仍是国王的私人法庭,由国王或其代表主持。不过,这一新法院的全部成员都是国家官员,即神圣罗马帝国枢密院的顾问。一般地说,凡是有法律素养的枢密院顾问都参加审判。由于他们一般都是民法(罗马法)学者,因此,这个法院倾向于按罗马法行事,从而导致了 15 世纪末德意志的接受罗马法。但是,到了腓特烈三世(1493 卒)统治的最后几年,枢密法院被弃置不用,创立一个新的更加有效的法院成为当务之急。结果,1495 年在帝国瓦姆斯议会上成立了帝国枢密法院。帝国枢密法院与原来的枢密法院不同之处在于,它不是皇帝的私人法院,而是帝国的官方法院,由帝国支付费用,所以不依皇帝的意志为转移,不依赖其金钱。皇帝任命首席法官和 2 名(后来是 4 名)元老庭庭长,首席法官必须是高级贵族。皇帝任命一定数目的法官,其余占多数的法官由组成帝国的各邦提名。起初,有半数法官是罗马法学者,半数是骑士;到 1555 年以后,骑士也必须精通罗马法。法院先设于各地,1527 ～ 1689 年设于施佩耶尔,后改在韦茨拉尔。这样就完成了德国接受罗马法的最终进程。法院的构成使它不可避免地必须采用罗马法。这样的构成为帝国各邦所仿效。罗马法不仅是中央的法律,而且成为地方的法律。帝国枢密法院的管辖范围由成文法和惯例逐渐确立。它包括扰乱社会治安案件、非法监禁案件、有关国库的诉讼、有关违反皇帝敕令和帝国议会通过的法律的案件、有关帝国直接佃户或不同领主所属臣民之间的财产纠纷,最后还包括对帝国直接佃户的控告(但刑事控告和有关帝国封地问题除外,因为这些问题由枢密院受理)。帝国枢密法院在民事方面是领主法院的上诉法院,在刑事方面则只是部分领主法院的上诉法院,即那些拥有不得上诉特权的领地(例如选帝侯领地)除外。

Reichstadt, Napoléon-François-Charles-Joseph Bonaparte, Herzog von 赖希施塔特公爵(1811-03-20,巴黎～1832-07-22,奥地利申布伦) 又称拿破仑(二世)。拿破仑一世皇帝和玛丽-路易丝皇后的独生子。出生时称为罗马国王。3 年后法兰西帝国崩溃,母后把他带到布卢瓦(1814-04)。拿破仑逊位时,又把他带到外祖父奥地利皇帝弗兰茨一世的宫廷里。由于《巴黎条约》(1817)禁止他继承其母在意大利的领地,他另获奥地利的赖希施塔特公爵称号(1818)。但是,梅特涅却不准许他积极参加政治活动,只是利用他作为同法国交易的筹码而已。1830 年法国查理十世被推翻,但他已患肺结核病,无法利用这个机遇。

Reichstag 参阅 **Diet** 帝国议会。

Reichstag fire 国会纵火案 1933年2月27日夜柏林的国会大厦被焚，是建立纳粹党独裁政权的关键性事件。普遍认为，这一事件是由新成立的纳粹政府策划的，目的在于转移舆论，陷害政敌，并行使非常时期的权力。1932年11月德国举行选举后，希特勒出任总理，但是纳粹党在选举中并未获得压倒多数。于是，他取得内阁同意定在1933年3月5日进行新的选举。与此同时，宣传部长戈培尔策划纵火阴谋，即由卡尔·恩斯特率领10个特务，从国会议长兼希特勒政府首席部长赫尔曼·戈林的官邸中的隧道进入国会大厦。然后再由戈林进行官方调查，将纵火的罪责推到共产党人身上。人们认定的纵火者是荷兰人马里努斯·范·德尔·卢贝。一些人声称他是被纳粹分子带到犯罪现场的。另一些人认为没有证据表明纳粹共谋此罪行，希特勒只是利用了卢贝的独立行动。纵火案至今是不断辩论和研究的问题。1933年2月28日，即纵火案发生的翌日，随着颁布一项"保护人民和国家"法令，废除对政治、个人和财产的一切宪法保护，希特勒的独裁统治遂开始。虽然在后来的选举中纳粹党人仍未获得绝对多数，但他们却驱迫国会在1933年3月23日通过一项《授权法》，将国会的全部立法权交给帝国内阁，从而批准独裁制度。

Reichstein, Tadeus 赖希施泰因（1897-07-20，波兰弗沃茨瓦韦克～1996-08-01，瑞士巴塞尔） 瑞士化学家。因对肾上腺皮质激素结构、功能的研究而与P.S.亨奇、E.C.肯德尔共获1950年诺贝尔生理学或医学奖。他独立地研究了类固醇，尤其是肾上腺皮质激素。1936年描述并命名了"F物质"（后证明即美国肯德尔的化合物E，或称可的松）。他曾于苏黎世受教育，1930年后在苏黎世联邦理工学院有机化学系任职，1946～1967年任巴塞尔大学有机化学教授。除对激素的研究外，还以合成维生素C而闻名，大约同样时间（1933），W.N.霍沃思及其同事在英格兰也取得这一功绩。赖希施泰因1968年获英国皇家学会的科普利奖章。

Reid, Forrest 里德（1875-06-24，爱尔兰贝尔法斯特～1947-01-04，唐郡沃伦波因特） 爱尔兰小说家、评论家，很早即受H.詹姆斯的影响。最著名的作品是描述童年和青年时代的小说和一部引人注目的自传《背叛者》（1926）。在剑桥大学获得学位后，定居贝尔法斯特并在那里度过一生的大部分时间。所著其他小说有《布雷克内尔一家》（1911；1947年全部改写为《丹尼斯·布雷克内尔》）、《黑暗之后》（1912；1937年修改为《彼得·韦林》）、《春之歌》（1916）、《春天的掠夺者》（1919）和三部曲《斯蒂芬大叔》（1931）、《后退》（1936）、《年轻的汤姆》（1944）以及《布赖恩·韦斯特比》（1934）。此外，还写有研究专著《叶芝》（1915）和《德拉·梅尔》（1929）。

Reid, Sir George Houston 里德（1845-02-25，苏格兰伦弗鲁约翰斯通～1918-09-12，伦敦） 澳大利亚总理（1904～1905）。1894～1899年任新南威尔士总理，执行经济复苏计划和自由贸易制度，并开征赋税以打破土地垄断。在首届联邦议会（1901～1904）中，他是主张自由贸易的反对党领袖。1904年联合迪金的自由党击败工党，成立联合政府。1905～1908年在议会中为反对党领袖。1909年受封为爵士。1910～1916年任驻伦敦高级专员。1916～1918年为英国议会议员。著有自传《回想录》（1917）。

Reid, Harry Fielding 里德（1859-05-18，美国马里兰巴尔的摩～1944-06-18，巴尔的摩） 美国地震学家和冰川学家。1911年提出了关于地震机制的弹性回跳说。迄今仍为人们所接受。1896年起任位于巴尔的摩的约翰斯·霍普金斯大学动力地质学教授，直到1930年以荣誉教授衔退休。早期主要研究冰川构造、成分和运动。后致力于地震和地震记录仪表的研究。首先证明地震是断层作用的结果，而不是断层作用的原因。对1906年旧金山地震所写的分析，是加利福尼亚州地震考察委员会的报告——《地震的机制》的一部分。

Reid, Thomas 里德（1710-04-26，苏格兰金卡丁郡斯特朗～1796-10-07，格拉斯哥） 苏格兰哲学家。反对休姆的怀疑论的经验主义，而主张一种"常识哲学"，后来又有一个苏格兰学派赞同这一哲学。先在阿伯丁的马歇尔学院研究哲学，后来在新马哈尔任长老派牧师（1737～1751）。从此终生对休姆的哲学感兴趣。评论休姆的第一篇文章《依据常识的原则探讨人的心灵》（1764）是他在阿伯丁国王学院任职时（1751～1764）写的，系先前

苏格兰国家肖像画陈列馆供图

四篇毕业演说的扩充（1937年经W.R.汉弗莱斯编订为《哲学演说集》）。经过长期研究，他认识到休姆的怀疑主义与常识是不相容的，因为人的行为和语言的使用提供了大量证据足以说明确实存在着一个物质世界，以及个人在不断的变化之中始终与这个物质世界保持一致。但由于找不出休姆论据上的漏洞，他就把休姆的"观念理论"认定为错误的主要根源。他不同意这样一个看法，即观念是思想意识的直接对象，而代之以知觉的观点。根据这一观点，感觉"提示"物质的对象。他认为这一含混的说法解决了问题。1785年的《论人的智力》一书进一步展开了他对休姆的认识论的批判，而《论人的能动力量》（1788）则保卫了理性主义的伦理学，以反对主观主义的思潮。这两部书都对20世纪的英国哲学家产生了影响。

Reid, Whitelaw 里德（1837-10-27，美国俄亥俄齐尼亚附近～1912-12-15，伦敦） 美国新闻记者、外交家、政治家。1872年任《纽约论坛报》主编和发行人。该报当时为美国最有影

美国国会图书馆供图

响的报纸。1889～1892年任美国驻法国公使。1892年代表共和党竞选副总统失败。1905～1912年任美国驻英大使。里德在美国南北战争时任战地记者，1868年进入《纽约论坛报》，负责关于普法战争（1870～1871）的特稿，并使作家马克·吐温为该报撰稿。在编辑方针方面，他虽然反对采用耸人听闻的手法，却主张美国采取领土扩张的外交政策。美西战争结束时他作为美国和谈代表团成员争得美国保留全部菲律宾领土。

Reidy, Affonso (Eduardo) 雷迪（1909-10-26，巴黎～1964-08-11，里约热内卢） 巴西建筑师、巴西现代建筑运动的先驱。1930年毕业于里约热内卢国立美术学院。为里约热内卢教育与卫生部大厦（1937～1943）设计组的成员，参加这项设计的还有科比西埃。主要作品多是大型建筑，如博物馆、剧院、学校、办公楼等。备受赞誉的佩德雷古柳住宅区（1947～1955）以运用起伏地形著称，埃梅斯剧院（1950）亦令人赞赏。最引人注目的设计是里约热内卢的现代艺术馆（1954年始建），另一重要作品是里约热内卢职工保险基金大楼（1957～1962），在钢筋混凝土的格栅上安置了可以调节方向的铝质遮阳板，立面异常动人。

Reigate and Banstead 赖盖特和班斯特德 英格兰东南部萨里行政、历史郡一区（自治市）。在大伦敦南面。面积129平方千米。为住宅区，有开阔空地、园林、游乐场和室外运动场地。有人工挖掘的大隧道，可能属于中世纪时的赖盖特城堡，第二次世界大战期用作防空壕和仓库。生产化工品、革制品和药品。首府赖盖特。人口约120 200（1998）。

Reign of Terror (France) 参阅 **Terror, Reign of** 恐怖统治。

Reilly, Sidney (George) **赖利**(1874-03-24,帝俄乌克兰敖德萨～1925-11-25,莫斯科) 原名 Sigmund Rosenblum。替英国取得波斯石油特权及德国海军机密的间谍。有关他的许多传奇式故事可能是他自己编造的。敖德萨一名犹太医生的私生子,1890～1893 年在维也纳学习化学,后前往巴西。他在亚马孙河流域与几个英国陆军军官结交,1896 年他们将他推荐给伦敦的英国情报机构。1899 年改名西德尼·乔治·赖利。赖利隶属英国秘密情报局,据说他曾先后交送俄国在巴库的石油开发、横贯西伯利亚铁路的进展、荷兰对南非布尔人的援助(1899)、波斯石油开发(1902)以及俄国在中国东北旅顺港建造的海军防御工事等情报。据传闻,1905 年他化装成法国里维埃拉的教士,在法国激烈竞争下,诱骗波斯石油权持有者达西把石油权卖给英国,使英国在日后的能源供应方面大为受益。赖利担任一家德国造船公司在俄国圣彼得堡的代理处的经理时,似乎能获知德国发展海军五年计划的细节,在第一次世界大战爆发前 3 年期间,他向伦敦提供了这项情报。1914 年起,他在纽约市购买军火以供应协约国军队,并协助遏阻德国人对供应协约国军队的美国工厂的破坏。赖利返回欧洲后,经常去德军后方执行任务,据他自己说,他曾参加有德皇威廉二世亲自出席的一次参谋本部会议。1918 年 5 月赖利去莫斯科,企图颠覆布尔什维克政权,但是由于计谋泄露,他不得不逃走。人们认为此后他可能去过俄国数次,1925 年 9 月又一次越过俄国边境时被捕,据说遭到处决。

Reimarus, Hermann Samuel **赖马鲁斯**(1694-12-22,德国汉堡～1768-03-01) 启蒙时期的哲学家和文学家。因其自然神论而知名。他的学说是:人的理性可以达到比以启示为基础的一些宗教更加切实的一种宗教。1727 年被任命为汉堡大学预科(或称预备学校)的希伯来语与东方语言教授。这时他的家成为一个文化中心和学术与艺术团体的集会场所。第一部重要哲学著作是《论自然宗教的主要真理》(1754),此书从自然神论的角度论述了宇宙论、生物学-心理学和神学等方面的问题。在《理性学说》(1756)中他反对基督教传统的启示信仰。其主要著作《为上帝的有理性的崇拜者辩护》历时20年完成,并且有意不在他生前出版。莱辛从赖马鲁斯的子女那里得到此书的若干片断并在他自己的《论历史与文学》(1774 和 1777)中以"卫理书稿残卷"的标题发表。"残卷"的发表引起了一场所谓"残卷之争",自由派和保守派都对之进行了批评。1787～1862 年间又有几位作家发表了此书的另一些片断,其中有些是匿名发表的。赖马鲁斯因其对耶稣生平的论述而知名。他认为耶稣不过是一个满脑子救世主幻想的凡人;死后他的门徒将其尸体偷走并藏匿起来,使他起死回生。赖马鲁斯除创世之功外不相信任何神迹,他认为人类社会生存所必需的伦理学说无需启示之说的帮助,也可以为理性所认识。

供图:Archiv fur Kunst und Geschichte, Berlin

Reims **兰斯** 法国东北部香槟-阿登大区马恩省城市。位于巴黎东北偏东,临韦勒河和马恩-埃纳河运河。地处葡萄和香槟酒产区。市西南有兰斯山。当地13世纪建圣母大教堂为法国最漂亮的哥特式教堂之一,第一次世界大战时曾遭极大破坏,后大部分修复。壮观的 3 世纪凯旋门是该城罗马时代仅存遗迹之一。公路交通便利。兰斯的河港是法国最重要港口之 。兰斯与埃佩尔奈同为香槟酒产区的工业中心。其他工业有飞机制造、汽车设备制造、食品加工和服装制造等。传统的羊毛业是由路易十四的财政大臣 J. B. 柯尔贝尔于 17 世纪时促进的,柯尔贝尔就是兰斯人。1962 年建立一所大学。5 世纪,法兰克国王克洛维在兰斯接受雷米主教的洗礼;为纪念此事,后大多数法国国王都在此受洗或受职,如查理七世于 1429 年在贞德到场参加时在此加冕。1945 年 5 月在此签署第二次世界大战德国投降书。人口 187 206(1999)。

兰斯市的圣母大教堂

供图:Paul Almasy

Reims Cathedral **兰斯大教堂** 又称兰斯圣母院(Cathedral of Notre-Dame at Reims)。位于法国巴黎东北偏东韦勒河畔的兰斯市。自 1223 年路易八世至 1825 年查理十世,共有 25 位法国国王在此加冕,其中包括 1429 年圣女贞德参加的查理七世加冕。始建于 1211 年,由大主教 A. de 安贝尔主持,J. 多尔贝设计,模仿 1194 年前后始建的沙特尔大教堂,意在替代 1210 年遭焚毁的一所教堂。其主建筑由 4 位建筑师负责监造,历经 80 余载始建成。扩建及装修工程又持续数个世纪。大教堂融合了多项建筑新技术,总长 149.2 米——比沙特尔大教堂约长 8 米,内部长 138.7 米,中殿 115 米。西面的双塔高 81 米。东端的多角室差不多与耳堂等宽(61.3 米),有 5 个私人祈祷室,形成一个紧凑的统一体。其走廊和楼座的窗型以及西部和中央入口,乃至十字耳堂正面配套的圆花窗,几乎完全相同,加强了建筑的一致性。教堂装饰华丽,有精美的石雕和彩花玻璃窗,是法国哥特式建筑全盛时期的艺术杰作。包括原圣雷米修道院和大主教管辖区的圣安托万宫在内的大教堂古迹 1991 年被联合国教科文组织列为世界遗产。第一次世界大战中曾遭炮轰受损严重,后基本修复。

Reims-Douai Bible **《兰斯-杜埃圣经》** 参阅 **Douai-Reims Bible**《杜埃-兰斯圣经》。

rein orchid **玉凤花** 又作 rein orchis, fringed orchid 或 fringed orchis。兰科玉凤花属(*Habenaria*)植物的统称,约 100 种。地生,产于两半球的亚热带和暖温带地区,见于草原、沼泽地、森林和沙丘。该属的花唇瓣基部有一距,许多种的唇瓣流苏状。根结节状或肉质,其顶端生一芽,芽的生长期达一年,老株死后,芽在第二个生长季节发育成新植株。北美产的种类通常称流苏兰和沼泽兰。

玉凤花属(*Habenaria*)植物

供图:Clarence Postmus—Root Resources

reincarnated soul boy **转世灵童** 藏传佛教中活佛继承制度。源于佛教灵魂转世和轮回受生的思想。始于 13 世纪噶举派。格鲁派兴起后,也采用转世制度。活佛死后,寺院上层通过占卜、降神等仪式,寻觅在活佛圆寂的同时出生的若干婴童,从中选定一个"灵童"作为他的转世,继承其宗教领袖地位。这个灵童称为"转世灵童",是已故活佛的转世。乾隆五十七年(1792)规定用"金瓶掣签"法选定在理藩院注册的大活佛的转世。中小寺庙有声望的喇嘛,则可自行寻觅"灵童"作为转世,继承其活佛地位。

reincarnation **转世** 又作 transmigration 或 metempsychosis。又称轮回。宗教和哲学名词,指灵魂再次或多次投生而成为人或动物,间或也会成为植物。信转世的宗教主要是亚洲宗教,特别是产生于印度的印度教、耆那教、佛教和锡克教。它们共同信奉业报说，即因果说，都认为今生之业来世报应。在印度教教义中，轮回是无穷的，直至灵魂通过"我"与"梵"的统一而达到解脱为止。耆那教相信绝对灵魂"梵"的存在，业报经过轮回多次积累，直至灵魂通过修行特别是"不害"（慈悲为怀，不害众生）求得解脱而上升到宇宙之巅。佛教虽否认不变的、实体的灵魂的存在，但相信灵魂业报轮回，相信通过修行和禅定达到涅槃即一切欲望寂灭的境界。锡克教讲的轮回基本上同于印度教的观点，但认为经过多次轮回转世灵魂将在末日审判以后被神所融合。

reindeer 驯鹿 又作caribou。偶蹄目鹿科驯鹿属（*Rangifer*）的北极动物，在某些极地地区已被驯养。直到不久以前分布在从斯匹次卑尔根岛和斯堪的纳维亚半岛直到东西伯利

雄驯鹿（*Rangifer*）
供图：Jen and Des Bartlett—Bruce Coleman Inc./美国不列颠百科全书公司

亚一带。有的原产于北美洲，但这些种群称为北美驯鹿。北美驯鹿分为冻原和泰加林中的北方北美驯鹿（或称瘠地北美驯鹿）和加拿大森林中的林地北美驯鹿两个类型。两者均为狩猎对象。皮及鹿角均受珍视。运动家还区分出第三个类型，称山地北美驯鹿。或认为所有驯鹿都是一个种，即*R. tarandus*；或将其分成几个种。雌雄都有角，这与一般现存鹿类不同；雌体的角较小而简单。角本身很长，在主干和向前伸出的额叉上各有一些分叉。肩高0.7～1.4米，体重可达300千克。驯养种的驯鹿较小，大如驴。驯鹿体粗壮，有大的侧蹄，使脚能在雪地或柔软的地面上覆盖较大面积。被毛从灰白至几乎黑色，多为浅灰或浅褐色；腹部颜色较浅。毛厚，外层为硬而易断的粗毛，内层为浓密的绒毛。善游泳，结群，在夏栖地和逾冬地之间作季节性的迁徙。数量现已大为减少。秋天繁殖，雄体为争夺配偶而猛烈格斗。妊娠期7个半月，每胎产1～2仔。冬季主要食物是石蕊属（*Cladonia*）地衣，因此这种植物一般称为驯鹿藓，它们用脚把雪刨去才能得到食物。夏季食物包括青草和嫩枝。驯鹿的主要天敌是人、狼、猞猁和狼獾。拉普人用驯鹿拉车、载物，食其肉、乳，并取其皮毛作帐篷、靴子和衣服。在西伯利亚，驯鹿也用于载物和乘骑。

Reindeer Lake 赖恩迪尔湖 加拿大北部的湖泊。跨越萨斯喀彻温和马尼托巴两省边界，靠近针叶林生长的北界。海拔337米，面积6 650平方千米，长245千米，宽达56千米，形状不规则，湖中有很多小岛。有许多条河流注入该湖。南有拦水坝，湖水溢出后注入丘吉尔河支流赖恩迪尔河。现在为捕鱼和垂钓中心。沿岸居民点有布罗谢（马尼托巴）、绍森德和基努绍（萨斯喀彻温），后者同马尼托巴的矿业城林莱克有公路相通。

reindeer moss（*Cladonia rangiferina*） 驯鹿藓 又称驯鹿石蕊。一种灌木状地衣，盛产于北极陆地。直立，分枝多，高可达8厘米，覆盖大片地面，为驯鹿、驼鹿、北美驯鹿和麝牛的主要食物。在斯堪的纳维亚曾用于制造酒精，但由于它生长速度不快（每年生长3～5毫米），难以获得足够的驯鹿藓。在春秋天气凉爽而湿度较高时，生长最快。

reindeer sacrifice 驯鹿祭 旧石器时代晚期和中石器时代北欧人和亚洲人所奉行的一种巫术仪式。这种仪式标志着一年狩猎季节的开始，主要把一只小雌鹿淹没在湖里或池塘里，或埋在地里，以祭祀他们的狩猎之神。把这些雌鹿淹在水中或埋在地下，可能表明史前人认为狩猎之神居于地下。私人物品也常常抛入水中或埋在驯鹿一旁，这大概是每日祭祀活动的遗迹。中石器时代的猎手，在特殊情况下，还在举行祭仪的池边，立一祭杆，上系老驯鹿头及角，进行祭祀。

Reinecke, Carl (Heinrich Carsten) 赖内克（1824-06-23，汉堡附近阿尔托纳～1910-03-10，莱比锡） 德国钢琴家、作曲家、指挥家和教育家，通过自己的作品和教学在19世纪末致力于保护古典传统。随其父学习之后，曾进行几次巡回演出。1851～1854年在科隆音乐学院教对位法和钢琴。1854～1859年在巴门、1859～1860年在布雷斯劳大学任音乐总监。1860～1895年任布业会堂管弦乐队指挥，1860年起任莱比锡音乐学院钢琴和作曲教师，同时还继续坚持每年一度的巡回演出。1897年任莱比锡音乐学院院长，是当时最有影响的音乐家之一。出自他门下的有格里格、H.里曼、A.沙利文和F.韦恩加特纳等人。作有管弦乐作品（交响乐、协奏曲和序曲）、钢琴曲、声乐曲以及室内乐、舞台音乐等。

Reiner, Fritz 赖纳（1888-12-19，布达佩斯～1963-11-15，纽约市） 匈牙利出生的美国指挥家，以指挥交响乐和歌剧时的精确而熟练的技巧闻名。与芝加哥交响乐团关系密切，1953～1962年任该团音乐总监。曾在布达佩斯皇家音乐学院学习，并与许多欧洲小歌剧院合作。1914～1921年任德累斯顿皇家歌剧院指挥。1922～1931年任美国辛辛那提交响乐团首席指挥。1931～1941年任费城柯蒂斯音乐学院歌剧系与管弦系系主任。1938～1948年、1948～1953年先后任匹兹堡交响乐团和纽约市大都会歌剧院音乐总监。特别擅长指挥德国古典和浪漫派作曲家，特别是勃拉姆斯和R.施特劳斯等人的作品。

Reines, Frederick 莱因斯（1918-03-16，美国新泽西帕特森～1998-08-26，加利福尼亚奥兰治） 美国物理学家，40年前与其同事C.L.小考恩共同发现称为中微子的亚原子粒子，因此而与发现另一种基本粒子τ子的M.L.佩尔共获1995年诺贝尔物理学奖。就读于新泽西州霍博肯的史蒂文斯理工学院（1939年获理学士，1941年获文学硕士）和纽约大学（1944年获博士）。1944～1959年间在新墨西哥州洛斯阿拉莫斯国家实验室从事粒子物理和核武器研究，1951年监督为检验核武器而在马绍尔群岛进行的一系列实验。在发现中微子之后，于1959年就职于俄亥俄州克利夫兰的凯斯理工学院（后为凯斯西部储备大学）。1966年后在欧文加利福尼亚大学任教授，1988年退休。1980年被选入美国全国科学院。20世纪30年代W.泡利首先提出中微子假设，后经费米给予命名，但因其尺寸微小，多年都没有探测到。20世纪50年代初，莱因斯和考恩即着手探测这种粒子，先在华盛顿州里奇兰的汉福德机械厂，后在南卡罗来纳州的萨凡纳河实验室。在他们的实验中，核反应堆向由水和氯化镉配成的400升溶液中发射中微子。当一个中微子与一个氢核（质子）相撞时，二者即相互作用而产生一个正电子和一个中子。正电子被溶液慢化并被一个电子所破坏而产生光子，光子即被闪烁探测器记录下来。同样，中子也被慢化并为一个镉核所破坏而产生光子，这批光子也被记录下来，但时间比前一批晚数微秒。因此，两次冲击的记录彼此隔开，就证明了中微子的存在。莱因斯后来又在地下建造了其他的中微子探测器，并参与开创中微子天文学领域。

Reinhard, Hans 赖因哈德（1755-02-20，苏黎世～1835-12-23，苏黎世） 苏黎世政治家。1787～1795年任苏黎世政务秘书，1795～1798年任巴登城监守官，1796～1801年任赫尔维蒂共和国的苏黎世新市府委员，1800～1801年任主席。1802年代表苏黎世前往巴黎与拿破仑商讨瑞士邦联改组问题。在法国统治时期，他两次出任瑞士国家元首（1807、1813）。从法国统治下解放后，4次出任瑞士议会主席（1814～1815，1816，1822，1828）。1803～1830年任苏黎世自治市市长。曾率领瑞士政府代表团出席维也纳会议，在会议中为瑞士的完全独立进行斗争。

Reinhardt, Ad 莱因哈特（1913-12-24，美国纽约布法罗～1967-08-30，纽约州纽约） 全名阿道夫·弗雷德里克·莱因哈特。美国各种抽象风格的画家，对20世纪60年代的极简抽象派美术家影响很大。1931～1935年在哥伦比亚大学学习美术史。1937～1947年为美国抽象艺术家团体成员。50年代初用单色作画，最初是红色，后来是蓝色，最后是黑色，仅画几乎无法辨认的抽象形象，使作品无内容和含义。他对绘画方向所起的影响主要是通过艺术论战。他建议画家不要讲求结构、笔法、轮廓、构图、色彩明暗、空间、时间、比例、运动和主题。他本人则实际上完全放弃了架上绘画的艺术形式，并称自己晚期作品为"终极绘画"。1950年与R.马瑟韦尔合作出版《美国现代艺术》。1975年出版了《阿

道夫·莱因哈特作品选》。

Reinhardt, Django 莱因哈特(1910-01-23,比利时利贝谢斯～1953-05-16,法国枫丹白露) 吉他演奏家,双亲均为吉普赛人。公认为少数几个有真正创造性的欧洲爵士音乐家之

供图:*down beat* Magazine

一。儿童和青年时期在法国和比利时到处流浪,学小提琴、吉他和班卓琴。1928年,一次大篷车火灾使他失去左手两个手指的功能,但未损害他那惊人的吉他演奏才能。1934年任法国爵士音乐俱乐部五重奏小组副领队,该小组的许多唱片都是鉴赏家的珍藏品。1946年随埃林顿管弦乐队作唯一的一次对美国的访问演出。在演奏生涯的大部分时间中多以摇摆风格出现,至30年代这种风格风靡一时。他对爵士乐的最深远的影响在于引用了以旋律性即兴演奏为基础的独奏形式。他的无与伦比的即兴演奏(特别是那些慢速的片段)往往是吉普赛和爵士乐音响的奇妙而有趣的结合。他的许多吉他作品被改编成管弦乐作品,其中包括《云》和《我梦中的庄园》。C.德洛内为他写的传记《迪詹戈·莱因哈特》于1961年出版。

Reinhardt, Max 赖恩哈特(1873-09-09,维也纳附近巴登～1943-10-31,纽约市) 原名马克斯·戈尔德曼。最早的戏剧导演之一,作为一位重要的富有创造性的艺术家,曾在柏

纽约公共图书馆供图

林、萨尔茨堡、纽约和好莱坞工作,赢得广泛的承认。他帮助创立起一年一度的萨尔茨堡戏剧节。

戏剧的发现 生于犹太教家庭,幼时喜爱木偶戏。其父母对戏剧很陌生,但对于儿子向往维也纳戏剧演员的心愿却表示同情,允许儿子辞去枯燥的银行职员工作,到令他兴奋的戏剧学校学习。虽则他被证明是个性格抑制的演员,需要戴上胡须和化上浓妆方能显示他的才干,他仍在该地赢得名望并在萨尔茨堡获得朋友。1894年他受O.布拉姆之邀加入柏林的德意志剧院,并以赖恩哈特为舞台艺名。他从布拉姆那里学到很多东西,但从不曾完全屈从于布拉姆演剧中的自然主义。1902年进入小剧场,导演他的首部戏剧王尔德的《莎乐美》。

事业高峰期 1903年与布拉姆分道扬镳,接管新剧院,他的事业因此迅速发展。到1904年底他已导演42部戏剧,而1905年导演的莎士比亚戏剧《仲夏夜之梦》则最能体现其早期天才。此剧演出具有迅速、轻松、欢快并能抓住观众的特色,一反过去莎剧演出只是一心致力于枯燥而虔诚的莎剧台词朗诵的惯例。

这位青年导演一夜之间变成名人。为想对德意志剧院进行艺术指导,他不得不拥有剧院所有权。他以100万马克买下德意志剧院,在32岁时达到他事业的顶峰。他彻底改建这所剧院,在舞台布景设计方面使用最新技术,并开办一所附属戏校,还买下剧院旁边一家酒店,设立一座小剧场,专演与观众交流密切的、他名之为"室内剧"的剧作。从1907年起,他率德意志剧院到欧洲各地和美国巡回演出。1911年在伦敦首次演出《奇迹》一剧,随后又在欧洲许多城市和美国纽约演出此剧。此剧是他最富丽堂皇和富有特色的代表作,参加演出的演员、乐师、舞蹈者及工作人员达两千多人,不用戏剧对白,将现代戏剧与宗教仪式结合一体,蔚为壮观,是一种最初意义上的纯戏剧。

如果说赖恩哈特在《奇迹》演出中是重新创造了一个古代的统一体,那么同样重要的是他也赋予许多古代伟大剧作以新的生命 。1910年他上演索福克勒斯的《俄狄浦斯王》,从而开始了第一次大规模重演两千多年前希腊古典戏剧的活动。他一共导演过22部莎士比亚戏剧的演出,1913～1914年演出季里曾将其中10部戏搬上舞台,并少用或者不用布景。1911年执导R.施特劳斯《蔷薇骑士》的首演,给歌剧引进现代观点。数年之后,他协助创建萨尔茨堡戏剧节,1920年在该城市天主教堂广场上演出霍夫曼斯塔尔的《普通人》,使人们对欧洲中世纪戏剧产生兴趣。在他的支持下,萨尔茨堡戏剧节成为每年一度的节日。

返家并流亡国外 第一次世界大战期间赖恩哈特仍坚持他的事业,丝毫未放松对艺术和观众的责任感。1920年后退出德意志剧院,偶尔的合同演出除外。他归隐故乡,在奥地利购置一座城堡,企望在故乡找到他已在国外获得的尊敬。他的家园成为国际知名人士的聚会地,但敌人却不让他享受归乡的宁静,于是他经常来往于柏林、维也纳和萨尔茨堡,1933年纳粹上台时他幸而在国外。在给纳粹政府的一封信中典型地表现出他自负、嘲讽、摒弃政治和先见之明。他将自己的剧院主权留给德国人民,他认为私人经营这样的戏剧机构的时代已经过去了;并且预见到将来如没有国家支持,要经营任何这样的文化企业都是不可能的。他在欧洲工作一段时间之后于1938年移居美国,在好莱坞开设一个工作室,并将《仲夏夜之梦》拍成电影。晚年疾病缠身,未留遗言。

评价 赖恩哈特是位实用主义者,对20世纪变化的戏剧演出事物的合理性具有本能的感觉。在他之前,导演的观念只是略具雏形,到了他才具体地得以体现。像他所十分喜爱的悲剧情节一样,他的生活也是起伏甚大,既升到过事业成功的顶峰,又跌落到无家可归、过流亡生活的境地。他的作品总结了在他之前的所有戏剧,并且为后来的戏剧开辟了新的前景。

Reinheim 赖恩海姆 德国萨尔州萨尔布吕肯附近村庄,因1954年在这里发现异常丰富的凯尔特人墓葬而闻名。该墓可能为当地公主墓,是迄今发现的拉坦诺(**La Tène**)文化早期墓葬中最著名者之一。在木制墓室中发现了大量青铜器和金器,其中有手镯、指环、领圈和诸如酒壶、面罩等其他随葬品。墓及文物的年代可能为公元前4世纪早期,证明某些凯尔特妇女能获得财富和荣誉这些史实。

Reinkens, Joseph Hubert 莱因肯斯(1821-01-03,普鲁士布尔柴德[今在德国亚琛]～1896-04-01,德国波恩) 德国基督教老公会主教、历史学家。老公会是由反对第一次梵蒂冈会议(1869～1870)所颁布的教皇永无谬误教义而脱离天主教教会的人士组成的。莱因肯斯受绝罚后,于1871年参与发表作为老公会教义之本的《纽伦堡宣言》,被推举为老公会第一任主教。

Reinmar von Hagenau 赖因马尔·封·哈格瑙(?～约1205) 德国诗人。他的诗纤美、精巧,最后使古典的或"纯粹的"情歌(中古高地德语情诗)得以精湛洗练。本为阿尔萨斯人,后成为维也纳巴奔堡公爵的宫廷诗人。瓦尔特·封·德尔·福格威德为其弟子之,后成为他的敌手。赖因马尔的押韵诗的纯清,节奏的均匀,以及排斥可能触犯高雅感情的任何词语的爱挑剔的癖好,使他被同代人当成"夜莺"来崇拜。他经常以单相思为题材。在许多据说是他所作的诗歌中,只有30首被认为是他的真作。

Reinsurance Treaty 《俄德再保险条约》(1887-06-18) 俄德秘密条约。1887年,由于奥匈帝国与俄国争夺巴尔干势力范围,致使德俄奥"三帝同盟"瓦解后,由德国首相俾斯麦商定此项协定。条约规定,如缔约国任何一方与第三国发生战争时,则另一方必须保持中立;但如德国对法作战或如俄国对奥作战时,上述条款则不适用。俾斯麦曾将德奥1879年盟约文本拿给俄国驻德大使看,以使对方理解条约最后一点。但德国将赞同俄国在巴尔干及东鲁梅利亚(今保加利亚南部地区)的势力范围,并支持俄国将黑海划归自己的势力范围,以换取俄国的友好关系。1890年此约未再续订,法俄同盟迅即形成。

Reis, Johann Philipp 赖斯(1834-01-07,德国黑森-卡塞尔盖尔恩豪森～1874-01-14,德国腓特烈斯多夫) 制作第一架电话机的德国物理学家。曾在法兰克福上学,从商数载后,1858年开始在腓特烈斯多夫任教,进行电学实验,研制助听器。这使他对用电传送声音发生了兴趣。1861年前,他设计了一架能传送乐音的电话。声能与电能互换这个早期尝试,已由A.G.贝尔更进一步加以推进,并于1876年解决了用电传送言语的问题。

Reischauer, Edwin O(ldfather) 赖肖尔(1910-10-15,日本东京～1990-09-01,美国加利福尼亚拉霍亚) 美国历史学家、外交家、教育家,亚洲问题(特别是日本问题)的主要专家。父母为美国传教士。17岁以前生活在日本,精通日语,熟谙日本的文化与风俗习惯。后返美深造,就学于奥伯林学院(文学学士,1931)和哈佛大学(文学硕士,1932)。后来入巴黎大学(1933～1935)、东京大学(1935～1936)、京都大学(1937～1938)学习,并在中国从事研究。1939年获哈佛大学博士学位(专攻远东各国语言)。1939～1942年在哈佛大学任讲师,后到美国陆军部(1942～1943)和美国军事情报局(1943～1945)工作。第二次世界大战后,他到国务院远东司任职。后又回到哈佛大学任远东语言教授(1946～1950),但不久以后即任日本历史教授(1950～1961,1966～1981),并在这个职位上成为全国知名的教育家。赖肖尔长期坦率地批评美国对亚洲文化特别是对日本文化的无知,他觉得对西方来说,这方面是极为重要的。他发表学术著作,举办教育讲座,以促进美国对日本文化的了解。赖肖尔坚决认为,由于对亚洲事务缺乏了解,直接导致美国在该地区政治上的失败。他得到一个使其理论付诸实践的机会,那就是1961年J.F.肯尼迪总统在《1960年美日共同安全条约》的骚乱之后,任命他为美国驻日本大使。他的任命获得巨大成功,这在很大程度上是由于他在日本人中的个人声望。当他辞职(1966)的时候,他已经做了大量工作以增进美日两国的关系。赖肖尔写过多部著作,还翻译过中国和日本的著作。在他写的书中有《东亚:伟大的传统》(与费正清合著,1960),该书被认为是一部传世之作;《近代的转换》(1965),《日本:一个民族的故事》(1970)、《日本人》(1977)和《1907～1982年的日本社会》(1982)。

Reiske, Johann Jakob 赖斯克(1716-12-25,普鲁士策尔比希～1774-08-14,莱比锡) 18世纪欧洲著名的阿拉伯文学学者,他对所著《阿布费德穆斯林年鉴》(5卷,1754)的评注,奠定了欧洲对阿拉伯历史研究的基础。赖斯克颇受腓特烈大帝、德国戏剧家兼剧评家G.莱辛及许多外国学者的推崇,但似乎也曾引起其赞助人与有可能成为同僚的人的恶感,因而在1758年获任莱比锡一学校校长职位之前,一直以卖文为生,所得甚微。他潜心钻研希腊文学(包括拜占廷文学),不亚于对阿拉伯文学的研究。他曾编辑卷帙浩繁的希腊文学家的作品集,包括普卢塔克的作品集

供图:Archiv fur Kunst und Geschichte, West Berlin

(1774～1779)。但后人认为他为此所写的评注较之他的编纂工作更有价值。他也因创立阿拉伯钱币学而知名。

Reisner, George Andrew 赖斯纳(1867-11-05,美国印第安纳印第安纳波利斯～1942-06-06,开罗) 美国考古学家,多次在埃及和努比亚(尼罗河苏丹)领导考古发掘,发现希太费蕾斯王后(吉萨大金字塔建造者胡夫[基奥普斯]之母)陵墓。1897～1899年赖斯纳参加国际专家组,为开罗埃及博物馆大量埃及学馆藏文物分类。1899～1905年率领加利福尼亚大学赫斯特考察队赴吉夫特等地探索前王朝时期和古王国早期墓地,编辑《赫斯特医学古代文献》(1905)。曾任哈佛大学埃及学副教授(1905～1914)和教授(1914～1942)、波士顿美术博物馆埃及馆馆长(1910～1942)。1907～1909年间在吉萨勘察了平顶金字塔和门卡乌拉(迈塞林努斯)金字塔,发现其雕像甚多,著有《迈塞林努斯》(1931)。1916～1923年在努比亚考察麦罗埃各金字塔,并出土纳帕塔神庙和埃及第25王朝(努比亚王朝)坟墓。赖斯纳最后发表的著作为《吉萨陵墓史》(1942)。

Reiss, Winold 赖斯(1886-09-16,德国卡尔斯鲁厄～1953-08-29,美国纽约州纽约) 美国艺术家。以其所绘美国印第安人和黑人的肖像著称。曾就读于慕尼黑的艺术学校,按新艺术风格学习作画。1913年,他带着对印第安人和广阔西疆的浪漫理想离德赴美。1919年为蒙大拿州黑脚部族画肖像。他在这一时期所作的彩色粉笔画是以敏锐和具有同情心的手法捕捉个人的特征,并不失更有普遍意义的人的尊严。1920年旅居墨西哥,画工人和革命者的肖像。1924年他应《测绘艺术》杂志之邀,绘制纽约市哈勒姆区的居民肖像以获取哈勒姆文艺复兴的精神。他所绘的主题中有那些目光远大的人物,如J.W.约翰逊、W.E.B.杜波依斯、C.卡伦、L.休斯和Z.N.赫斯顿。为表现哈勒姆文化的节奏和张力,他还尝试一种更为抽象和有棱角的风格,如钢笔画《哈勒姆夜景》(1924)。后来为大北铁路公司画了一系列日历中的印第安人像。他的作品不但记录了文化转型中的民族,也为他的主题人物画出了尊严。最著名的作品可能是他1933年完成的为辛辛那提联合铁路车站圆顶大厅设计的马赛克壁画。

Reiter syndrome 赖特综合征 该病特征是关节炎、有时发生眼部和泌尿生殖系统炎症,或者性病或胃肠感染引起的黏膜炎。是各种感染因素如衣原体、弯杆菌、志贺氏杆菌等细菌引起的免疫反应。但其发生机制未明。已经证实一个遗传因子HLA－B27是该病的易感因素。关节炎发生在人体多处关节,特别是膝、踝和足的部位。大多数病例关节疼痛持续几个月且会复发。偶尔有严重并发症,如心脏损害,死亡病例少见。最初感染选用抗菌素治疗,目前尚无预防方法。

Reith (of Stonehaven), John Charles Walsham Reith, 1st Baron 里思(斯通黑文的)(1889-07-20,苏格兰金卡丁郡斯通黑文～1971-06-16,爱丁堡) 英国现代型式的公有而独立的企业的创建人。第一次世界大战期间,常驻美国从事军需品采办工作。自1922年起任英国广播公司总经理,1927～1938年任董事长。在此期间,他发展了无线电广播,使其遍及于不列颠诸岛;创办了帝国短波广播业务和世界上第一个高清晰度电视广播业务(1936)。1927年被授予爵士。1938年任帝国航空公司的董事长,次年将该公司与英国航空公司合并组成英国海外航空公司,自任新公司的董事长。第二次世界大战期间,任过内阁大臣及其他职务。当其任联邦电信委员会这一新机构的主席时(1946～1950),整顿了英联邦的有线与无线电信系统。1950～1959年任殖民地开发公司的董事长,并在其他商业与工业董事会中任职。晚年任格拉斯哥大学校长(1965～1968)和派驻苏格兰国教会全国会议的高级专员(1967～1968)。自传有《乘风而去》(1949),续集有《装上踢马刺》(1966)。

Reitsch, Hanna 赖奇(1912-03-29,德国希尔施贝格～1979-08-24,美因河畔法兰克福) 德国飞行员,为20世纪居领先地位的女飞行员。她在30年代接受训练时,原意成为飞行巡回传教士。后来她成为德国第一位获得机长执照的女性、第一位直升机女驾驶员及第一位女试飞员。第二次世界大战期间,她曾担任德国各种类型飞机的试飞员,包括发射火箭的Me262型喷气式战斗机及V-1火箭发动机的原型机。战争期间,除战斗任务外,她几乎执行过各种任务,成为第一位获得"铁十字勋章"的德国女性(1942)。战争结束前夕,她被派赴一个志愿的飞行员敢死小队,在柏林地下碉堡中,她是最后见到希特勒的人员之一。1945年4月下旬,她驾驶最后一架德国作战飞机飞出柏林。随后她被美军俘虏,拘禁15个月。在此期间,她曾就在柏林地下碉堡时期所观察到的希特勒意志"完全崩溃"的情形,作过详尽的证词。赖奇一共创下40余项有动力与无动力飞行的续航时间与高度纪录。她是第一位驾驶滑翔机飞越阿尔卑斯山的人;她最后一项滑翔机纪录是1979年在美国创造的。1962～1966年间,她在加纳的阿克拉的国立滑翔学校指导飞行。自传《飞行是我的生命》于1951年出版。

Reiyū-kai 灵友会 日本在家宗教组织。奉日莲宗教义。1923年由久保角太郎和小谷

喜美(女)创立。1944 年久保角太郎死后,小谷喜美继续领导该会。该会在第二次世界大战前后达到极盛时代。从该会陆续分出 7 个教团,其中发展最快的是立正佼成会。灵友会强调敬祖,相信"本尊"(即日莲宗主要经典《妙法莲华经》的经名标记)灵验。灵友会不设专职神职人员,由一般信徒自愿在信徒家中主领"法座"(讨论会)。

Reizei Saburō(Japanese painter) **冷泉三郎** 参阅 **Okada Tamechika** 冈田为恭。

Rejang 勒姜人 又拼Redjang。居住在印度尼西亚苏门答腊南部明古鲁省的部落,其地在穆西河上游。属原始马来亚种,20 世纪末人口约有 23.8 万,讲马来-玻利尼西亚语系的方言勒姜语,其书面形式源于印度,是在接受伊斯兰教及引进阿拉伯字母之前的产物。勒姜人属于有地域性、以亲属关系为基础的社区;分成 4 个主要的、具有共同的神话般祖先的父系氏族。实行族外婚制,一夫多妻制已不存在。勒姜人种植水稻、旱稻、烟草和咖啡。现在也有人在本地的金、银矿上做工。他们原来信仰万物有灵,现在已成为穆斯林。现在仍流行向火山献祭食物及米饭的习俗。

Rejlander, Oscar G(ustav) 雷兰德(1813～1875-01-18,伦敦) 瑞典画家和摄影家,他模仿当时的绘画进行拍摄,力图把摄影提高为一种艺术。定居英国后,从 1853 年起开始从事摄影工作。通过叠印,他的许多作品达到了所寻求的绘画效果。最著名的作品《两种生活方式》,是 1857 年制作的一幅感伤性的寓意作品,用 30 多张底片组合印制而成,曾在 1857 年的曼彻斯特艺术珍品展览会上展出,被维多利亚女王买去,赠给王子艾伯特。雷兰德拍摄的一套关于面部表情和身躯姿态的照片,被达尔文用于《人类和动物的表情》(1872)一书中。

Rejment, Władysław Stanisław 参阅 **Reymont, Władysław Stanisław** 莱蒙特。

rejoneo 刺牛 斗牛的一种形式。主斗牛士称为"扎枪手",骑在一匹训练有素的马上,手持一种装在竿子上的短而宽的刀刺杀公牛。刺牛有时称为葡萄牙式斗牛术,因为骑在马上搏杀牛是葡萄牙人斗牛的主要特色。每次表演时,通常在传统斗牛之前用类似的方式进行刺牛。公牛被放进场内,由扎枪手的助手手执斗篷徒步逗弄,然后由扎枪手表演惊险复杂的马上特技,亲自引牛绕场走,先把"刑罚之刀"刺入牛身,然后再将"刺牛小镖"(带刺的小镖)扎入牛的肩膀及颈部。这些表演与传统持矛骑马斗牛士相似,唯扎枪手的马不配鞍垫。骑手在刺牛过程中须尽可能接近虽已磨钝但仍极危险的牛角,同时又要保持马和自身的安全。"刺牛小镖"与地上斗牛用的倒钩矛类似,骑手以单手握两支或双手各握一支镖,从鞍上探身刺进牛背。如双手握镖,则只靠双膝控马。有时骑手也使用一种长约 15 厘米的"玫瑰刺刀",这种刺刀因一端系着一朵布制玫瑰而得名。刺这种刀时骑手的身体须大幅度地偏离马鞍,当马身非常接近牛角之际,刀从牛角上方刺入。这一动作极为惊险壮观。最后要杀死牛时,需使用"致命之刀"。这种刀刃约比先前所用刀刃长一倍,要插在牛的肩胛骨之间,与斗牛士用剑刺死牛的方式相同。从马背上刺死牛不易,故扎枪手或他的助手可能不得不在地面上手持剑与斗篷来结束牛的性命。

relapsing fever 回归热 由数种疏螺旋体引起的传染病,以重复出现的急起急退的发热为特征。1867～1868 年德国细菌学家 O.奥伯迈尔在患者血液中发现本病病原,1873 年公布了这一发现。在回归热患者发热达高潮时取血置暗视野显微镜下易查见病原体,发热间期则不能查见。这种现象及回归热的症状表现与螺旋体的抗原性变化有关。当患者对致病螺旋体产生免疫时,新的变异型螺旋体又出现,引致症状回归。回归热依传播方式分两型:①虱传播型回归热病原为回归热螺旋体(*Borreliarecurrentis* 或称 *B. obermeieri*),由人虱在人与人间传播,但非通过叮咬或虱粪传播,而是搔痒时压碎虱体,将带病原体的虱内容物抓入微细创口。本病发病急,高热持续约一周,继之体温骤降并伴以大汗,间歇一周,患者已大为好转,但高热又重复出现,如此反复 1～2 次。可侵犯中枢神经系统,致轻微的神经症状。病死率 6%、饥馑时若发生流行则病死率可达 30%。②蜱传回归热由钝喙蜱属借叮咬或其他方式传播,传染源为某些啮齿动物,受染蜱 5 年不吸血仍有传染性,螺旋体又可传至卵、幼虫体内,使具传染性。本型回归热症状与虱传回归热相似,而发热时间较短,症状可再发 12 次,但严重程度递减。病死率为零。青霉素及其他抗生素治疗有效。若用量不足则停药后每可再发,可能螺旋体潜匿脑中,药物浓度在该处不足以杀灭之,停药后即侵入血流,引致再发。

relative aperture 相对孔径 光学系统的聚光本领的量度。按有关仪器的类型,相对孔径用不同方式表示。显微镜的相对孔径称为数值孔径(NA),等于在物点处孔径的对角之半的正弦乘以物体与物镜之间介质的折射率。对于物体可能离得很远的双目镜、望远镜和照相透镜,相对孔径取为物镜的焦距对入射光瞳的直径之比。有时候照相机镜头的相对孔径可以表述为一个简单的比(例如 1:4.5)或更常用的是它的 f 数:$f/4.5$。两种情况下,若为一焦距为 180 毫米的透镜设定这一相对孔径,则其光瞳直径为 40 毫米。

relative density 相对密度 参阅 **specific gravity** 比重。

relative humidity 相对湿度 空气中实际水气压与饱和水气压之比,通常用百分率表示。参阅 **humidity**。

relativistic mass 相对论性质量 在狭义相对论中所研究的运动物体所具有的质量。在狭义相对论以前的物理学中,质量为 m、速度为 v 的物体的动量 p 和能量 E 用公式 $p=mv$ 和 $E=E_0+\frac{1}{2}mv^2$ 来表述,式中"静止能量" E_0 的数值不能由理论确定。在狭义相对论中,相应的 p 和 E 的公式是 $p=mv/\sqrt{(1-v^2/c^2)}$ 和 $E=mc^2/\sqrt{(1-v^2/c^2)}$,式中 c 为光速,即每秒 30 万千米;m 为物体的静止质量,即物体在静止时所测得的质量。把物体的相对论性质量 m_R 规定为 $m_R=m/\sqrt{(1-v^2/c^2)}$ 有时很方便。因为这样一来,对具有各种速度的运动物体而言,物体的动量和能量取下述简单公式:$p=m_Rv$ 和 $E=m_Rc^2$。当物体的速度接近光速时,相对论性质量变成无穷大,因此,不论给物体输进多大的动量和能量,它的速度也总是小于 c。

relativity 相对论 物理学名词,物理学定律和测量结果是否和如何随观察者运动状态的不同而改变的问题。这一术语的明确出现是在德国物理学家 A.爱因斯坦的论著中。他的狭义相对论(1906)和广义相对论(1916)是现代物理学史重要的里程碑。

关于相对论的经典性说明以运行中的火车为例。假设一列火车正在沿直线行驶,它相对于地面上某固定点的速度为 100 千米每小时。另有一乘客正以相对于列车 3 千米每小时的速度在车内向前穿行。乘客相对于地面上一点的速度是多少?一个近乎直觉的明显答案是 103 千米每小时。在经典力学中,只要两个参考系彼此是在作匀速的相对运动,通过一些非常简单的运算(称为伽利略变换),就可以把速度和距离之类的量从一个参考系变换到另一个参考系。在电动力学中,情况就不是这样。

如果用穿行于列车内的一条光线代替上述乘客,则光线相对于地面一点的速度就不是简单地等于光线相对于列车的速度加上列车相对于地面的速度。实际上,光相对于两个参考系的速度是相同的。1887 年 A.A.迈克耳孙和 E.W.莫雷的一组著名实验首先对这一事实做了经验性演示。该实验证明,沿所有方向的光速都相同,并且相对于任何参考系都相同,而与参考系的运动状态无关。这一惊人的事实有几层重要的含义。正如在伽利略变换中一样,没有"真正的"或优先的参考系("绝对静止的参考系")。但是,要想使光速在真空空间内对于所有非加速的观察者都相同,就得作更为复杂的运算,把一个非加速参考系中的度量变换到另一个参考系中。这类运算涉及对光速的明显参照,称为洛伦兹变换。这类变换意味着,在一名与钟表作相对运动的观察者眼里,钟表会显得比与它们成相对静止的观察者所看到的走得慢些。设一个运动物体上有两个标记,另有一个与观察者成相对静止的点,若长度是以两个标记行经该点的时间差来度量,则该物体的尺寸会沿其运动方向按着透视的法则缩短。

当所考虑的是日常物体的或者甚至是大多数天体的速度时,上述的这些效应是微乎其微的。但是,在亚原子粒子尺度上,它们就变得明显,并已得到证实。亚原子粒子还表现出另一种相对论性效应:当它们被加速到光速的一个相当大的比例时,其质量会增大。这一效应来源于光速的极限特征,并隐含着狭义相对论的最熟悉的结论:物质与能量等价,由熟知的公式 $E = mc^2$ 表示。式中质量的能量当量为质量乘以光速的平方。

狭义相对论的另一层含义是,必须把宇宙设想为一个兼具空间和时间量纲的连续统。换言之,在时空连续统中,事件之间的纯空间间隔的概念是含混不清的。任何一个这样的距离,运动状态不同的观察者都会测量出不同的结果。同理,两次事件之间逝去的时间也依赖于观察者的运动,而非一个固定的数据。不过,有一种同时包括空间项和时间项的间隔度量称为区间,它是不变的,即所有观察者的计算结果都是相同的,与他们的运动无关。

这些基本概念从实质上概括了狭义相对论,该理论提供了一个框架,可以把物理学的事件和定律变换得适应于任何作匀速运动的参考系(或所谓的惯性参考系)。当所涉及的速度远低于光速时,洛伦兹变换就简化为伽利略公式,经典的牛顿力学复归统治地位。

广义相对论论述引力问题以及非匀速(加速)运动问题。爱因斯坦在他的一次著名的思考实验中证明,处于引力场中的惯性参考系和加速的参考系是无法区分的。即:当一名在封闭的太空舱中的观察者发现自己在向下压座椅时,他说不清究竟是他和太空舱都是静止在一个引力场中,还是他和太空舱都在受到加速度作用。从这条等价原理出发,爱因斯坦对引力作了一种几何解释:质量或集中能量的存在,在时空连续统中造成局部曲率。该曲率的作用是使物体的惯性路径不再成一直线,而是某种形式的曲线(轨道)路径,这一加速度就是所谓的引力。

爱因斯坦建立了一个单一的场方程,它既能描述时空中的空间在任一点的曲率,又能描述该点的能量或质量。他赋予每个这样的点一组 10 个函数,称为度量张量,用以描述空间在该点的几何性能,包括曲率;再用另外一组 10 个函数,称为能量-应力张量,来规定空间在该点的物质内容。这个方程与自由落体沿最短程线(从本质上讲,在时空发生弯曲的地方,两点之间的最短距离并非直线)运动的规律,共同构成广义相对论。通过一些适当的简化假设,爱因斯坦的场方程就简化为牛顿的引力定律。后者可认为是低速和弱场下的一个特例。

广义相对论曾得到多种方式的实验验证。该理论的预测之一是,当光线在太阳那样的庞大物体附近通过时会发生弯曲。这一预测早已在 1919 年的一次日蚀过程中获得证实。它还成功地解释了水星的一次运行异常,该异常与牛顿理论的解释是相悖的。广义相对论的其他一些预测尚待完全证实,包括引力波和黑洞的存在。据认为,这些黑洞是由于巨大的恒星坍缩为极小而又极致密的物体而形成的,其引力场是如此之强,致使光都不能从中逸出。

relaxation phenomenon 弛豫现象 在物理学和化学中有关对系统施加的外应力与系统响应之间的时间延迟效应。它可以出现在核、原子和分子系统。化学家和物理学家用弛豫效应研究只经历几分之一秒的过程。当一平衡的核、原子或分子系统遭受如温度或压强急剧升高等突然的物理变化时,系统需花费时间在新的条件下重新平衡。这段时间,称为弛豫时间,能提供对于原子和分子结构以及化学反应速率和机理的了解。弛豫现象是由组成系统的原子和分子的能量在核、电子、振动和转动等能态之间重新分配所引起的。此外,弛豫还可以包含反应物和产物的浓度比之间的转换。可以通过测定弛豫效应研究的典型反应是一个四氧化二氮气体分子离解成两个单体二氧化氮气体分子(或由两个单体化合成前者),即可用下式表示的反应:

$$N_2O_4 \rightleftharpoons 2NO_2$$

在标准压强和温度下,由这两种气体构成的系统将大约包含 80%(用质量表示)四氧化二氮。但当系统受到温度或压强突然变化的干扰时,气体最后将达到一个新的平衡浓度以适应新的条件。通过确定弛豫时间,可能推知二氧化氮化合成四氧化二氮的反应速率,也可推知逆反应的速率。用于研究弛豫现象的一种重要技术是温度跳跃法,即通过突然改变温度使一系统的平衡破坏,然后观察反应物浓度随时间变化的函数关系。升高温度的一种方法是使电流通过样品放电;另一种方法是对系统施加超声辐射。弛豫现象还对核磁共振(NMR)谱有重要意义。NMR 是化学家用于识别和探索物质分子结构的一种分析技术。用这种技术检测时,样品被放置在强磁场中。待测材料中的某些核像微小磁棒一样随磁场而排列起来。但当向系统添加更多的能量(例如,以无线电波的形式)时,核就"蹦跳"到一个不同的高能取向。这种现象对化学家是有用的,因为分子内处于不同结构布局的核要蹦跳就需接受不同的、离散频率的无线电波,因而把整个频率范围的无线电波施加给样品,就可以将被吸收的频率与材料的结构特征联系起来。这种技术的灵敏度取决于被激发的核消耗对其附加的能量并回复到原来在外磁场作用下的低能取向所用的时间和方式。NMR 扫描的结果可制成无线电波谱图用来显示哪些频率被吸收或发射,并从而表明哪些结构族和原子出现在样品中。被化学家广泛使用的另一种分析技术,电子自旋共振(ESR)谱,具有类似的作用。

relaxin 松弛素 妊娠期间卵巢产生的一种激素,可引起骨盆、宫颈的扩张和松弛,抑制子宫的肌肉收缩,避免发生自然流产,亦可刺激乳房腺体的生长,增加子宫内的含水量。这种激素只存在于妊娠妇女体内,在胎儿娩出后 24 小时,活性即消失。

relay 继电器 借助一个电路(励磁电路)的电流变化去对另一个电路(继电器电路)的电流进行遥控或自动控制的电磁装置。比如在螺线管(**solenoid**)中,铁心在受到励磁作用时将发生运动,从而使开关或断路器断开或闭合。许多继电器是用来作为保护装置的。

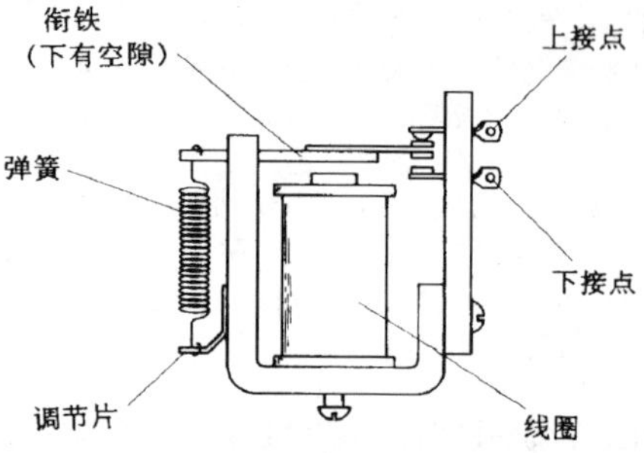

通用继电器

用得最早的继电器可能是老式的电报继电器。在这种继电器中,励磁电流迫使衔铁运动,衔铁上的触点进而接通收报机电路。在早期设计的计算机中,继电器是一种重要元件,后来被速度更快的真空管所取代;其后晶体管又取代了真空管。继电器还用来控制铁路的区截信号;当火车通过时,由于车轴的短路作用,原先通了电的继电器失去了能源而重新释放。目前用得最广的是电话继电器。图中所示是一个典型的通用继电器。

relay race 接力赛跑 田径运动之一。比赛全程分为几段(通常 4 段),每段由本队一名队员进行,跑完一段时要在接力区内将接力棒传递给本队的下一名运动员。通常各段

接力赛跑中的交接棒
供图:AP/Wide World

距离相等:奥运会接力赛跑项目有男女 400 米(4 × 100)和 1 600 米(4 × 400)。接力棒在 1912 年奥运会首先采用,是用木或塑料制成的空心圆管。各段起跑线前后各 10 米处有一条与跑道边缘垂直的线,两线之间即为接力区。根据 1964 年修改过的规则,在 400 米和 800 米短距离接力赛中,接棒运动员可预跑 10 米,但必须在接力区内接棒。游泳也有接力赛,类似田径运动接力赛,但选手不传递接力棒,只须等前一选手触摸池壁即可离台入水。有 4 × 100 米和 4 × 200 米自由泳接力赛、4 × 100 米混合泳接力赛等。参阅 **Sporting Record**: Athletics; Swimming。并参阅 **Olympic Games**。

Reles, Abe 雷勒斯(约1907,美国纽约州东纽约～1941-11-12,布鲁克林科尼艾兰) 绰号绕弯路的小家伙。美国凶手和黑帮匪徒。1940～1941 年成为著名的向警方告密者。雷勒斯的父母是奥地利犹太移民,他的绰号是照他所崇拜的一个匪徒偶像取的。1940 年

他34岁时已罪行累累，被捕42次，其中6次是因杀人罪，6次服有期徒刑。1940年3月22日，他再次被捕后由于害怕被控告杀人罪，开始向布鲁克林地区检查官W.奥德怀尔告密。他揭发了他所属的一个全国性组织（众所周知的“暗杀公司”）是专门从事受雇杀人的，其首领有L.“莱普克”·布查尔特和A.阿纳斯塔西亚。他向当局提供了几十个时间、地点和人名，揭发出约70件未破案的暗杀事件，都是根据暗杀公司的“合同”干出的。经过起诉，数名黑帮杀人犯被送上电椅，1940年布查尔特被判刑。但在阿纳斯塔西亚受审判前，雷勒斯的使用价值已完结。他住在科尼岛半月旅馆内，并由18名警察分为三班守卫，但尽管这样，1941年11月12日上午，他还是从窗口坠楼身亡。

relic 遗物 宗教名词，狭义指圣人的遗体，广义则包括圣人生前曾接触的物品。基督教（主要是天主教）和佛教崇拜遗物。天主教认为，崇拜遗物可以增益圣人的荣耀。崇拜遗物的人可能期望圣人恩眷，但并不是人人如此。最早的有关遗物的记载说，从保罗遗体上得到的手帕能治愈疾病。在中世纪，历次十字军行动期间，大量遗物自东方涌入欧洲，其中杂有伪造品，来历也不见得光明，但追求神奇遗物的风气有增无已。东正教重圣像而不重遗物，但分圣体时所用的台布总被看作圣物。新教反对遗物崇拜。伊斯兰教也崇拜教主和其他圣人的遗物。但是伊斯兰教教义学家经常谴责遗物崇拜和参谒圣人陵墓的活动。早期佛教教规肯定遗物崇拜。《大般涅槃经》说，释迦牟尼遗体火化之后的舍利分给印度八个部族珍存。此外，高僧和英雄遗物也受崇拜。藏传佛教则崇拜活佛遗物。印度教十分强调拜像，但不崇拜遗物。

relict landform（geology） 参阅**residual landform** *残余地形*。

relief 继承领地税 欧洲封建时期，死去的封臣的继承人向领主交纳的一种继承税。到加洛林王朝时代（8～9世纪），这种税在欧洲大陆已经成为一种惯例。其数额或者由领主恣意决定，或者由双方协议决定。一个关于领地税的公正合理数额的概念逐渐形成，通常相当于封地的一年收入。

relief 救济 指因自然灾害、战争、经济动乱、经常失业或其他难以自给的情况，对有经济需要的某些人所给予的公共或私人的援助。在整个19世纪，灾难救济多半通过迅速组织起来的地方委员会进行食品、衣服、医务的紧急捐助并为群众提供避难处所，时常还有来自其他社区或国家的自愿捐助的金钱和物品。19世纪60年代为援助战争受害者而组织国际红十字会；20世纪，灾难救济成为该会的主要活动之一。在英国伊丽莎白时期，就开始有由于天灾以外的原因，在经济上进行公共救济的规划。这些早期的来自公共基金的济贫物品，其特点是条件限制很严。从早期开始一直到20世纪，人们对向健壮劳动者给予援助具有强烈的反感。按当代的理解，救济通常指给予那些无条件取得特别援助或社会保险福利的穷苦居民的公共援助，其中有货币，也可以有实物。参阅 **social welfare program**。

relief 浮雕 凸出平面的三度空间雕刻，兼有绘画和雕刻两种艺术的要素。15世纪意大利雕刻家多那太罗和L.吉贝尔蒂，以及埃及美术家和哥伦布以前的美洲美术家们都突

浮雕：（上）雅典卫城公元前5世纪的《雅典娜哀悼》中浮雕；（下）雅典帕台农神庙公元前5世纪的《拉庇泰和半人半马怪》高浮雕

供图：（上）Alinari—Art Resource/美国不列颠百科全书公司；（下）不列颠博物馆

出绘画的要素，其作品为浅浮雕，即在背景上刻出凸度很小的物像。与之相对的为高浮雕，如古希腊和印度的浮雕，几乎接近圆雕，雕刻凸度至少超过雕像周线的一半或一半以上，有些部分可能完全从底面分离出，使雕像几呈立体形。中浮雕则处于浅浮雕和高浮雕二者之间。后期哥特式、文艺复兴时期以及巴罗克式雕刻的共同特点，则是在同一雕刻上有各种不同的凸度，前景中的形象非常凸出，接近于脱离背景而独立，背景形象则为浅浮雕。另一种可以说是古埃及所独有的浮雕，称为凹刻浮雕，所雕刻的形象凹入刻件的表面，四周框以一条十分明显的垂直刻进的轮廓线，使刻件具有强有力的明暗线条。还有一种浮雕称极浅浮雕，为多那太罗所首倡。这是一种全靠运用光线的明暗取得视觉效果的浅浮雕。

relief etching 浮雕蚀刻法 参阅**anastatic printing** *凸版印刷法*。

relief printing 凸印 在版画制作中，用印版表面经过雕刻或蚀刻后留下的阳纹印出图像的印刷术。凸版版画的制作有*木版画*（**woodcut**）、锌版画（参阅 **anastatic printing**）、*麻胶版画*（**linocut**）以及*金属镌刻*（**metal cut**）。

relief printing（commercial printing） 参阅**letterpress printing** *凸版印刷*。

relief stone sculpture of Han dynasty 汉画像石 中国西汉晚期至东汉末盛行的模拟绘画或浮雕的石刻。一般刻在石室墓、石祠堂、石棺的壁上。技法有阴线刻、凹面刻、

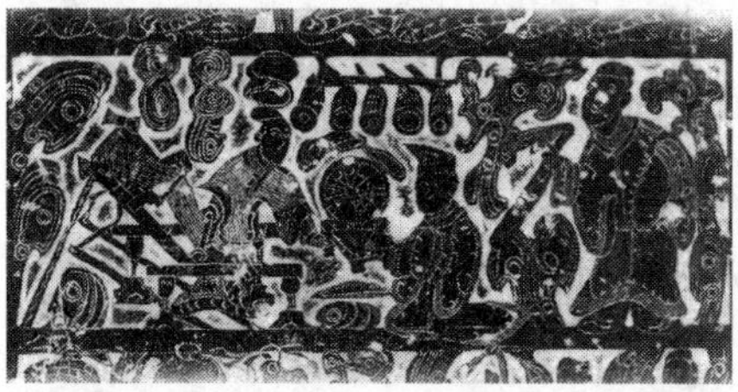

江苏泗洪曹庄出土的东汉纺织画像石（拓片）

中国大百科全书出版社供图

减地平面阴刻、浅浮雕、高浮雕和透雕。题材大都表现主人身份、经历、生活，还有经史故事、神仙怪异、瑞应图、天象、建筑装饰图案等，是研究汉代社会历史的宝贵资料。这类石刻在河南、四川、湖北、山东、苏北、安徽、浙江、陕北、晋西北的墓葬中多有发现，其中最著名的有山东肥城的孝堂山祠堂画像和济宁的武梁祠堂画像，为国家重点保护文物。

religion 宗教 人类与他们奉为神圣、精灵之间的关系。宗教通常被认为由人对上帝、众神或精灵的关系组成。崇拜大概是宗教的最基本的因素。但是道德行为、正确信仰以及参加宗教团体也是由信仰者和崇拜者所实践的、由宗教圣人与经典所支配的宗教生活的组成因素。

Religious Science 宗教科学派 美国宗教派别，为霍姆斯（1887～1960）所创立。霍姆斯于1927年在洛杉矶创办宗教科学与哲学学院，该学院的一部分毕业生根据霍姆斯的主张成立一批教会。1949年，在霍姆斯勉强同意下，宗教科学派成立。该派现有两个分支：宗教科学归一会与宗教科学国际，后者规模较小。宗教科学归一会出版《精神科学》杂志，销行甚广。宗教科学派与新思想派一样，基本上讲一元论。他们认为，最终的实在是唯一普在精神；个人精神是这个普在精神的一种表现形式，宇宙是它的物质形态，人、自然以及作为他们的真正本体的上帝，从根本上是善的。对于这种至高同一性的冥顽无知，形之于外则是罪恶。人心如果有创造性的信心并自知与无限同一，就有无穷无尽的力量，人心所想就会实现。这种运用人心的方法称为“肯定性的祈祷”。如果将此法用之于诊治心身疾病等特殊目的，则称为“灵性疗心法”，其效果则称“显示”。宗教科学派

培训教牧人员和开业的精神灵性疗心法技师。

religious syncretism 宗教融合 不同宗教信仰和习俗的汇合。宗教融合在希腊时代(约公元前 300 ～公元 300)最为活跃,其实例有诺斯替教,它是一种二元宗教,把东方各种秘教、犹太教、基督教和希腊宗教哲学观念熔于一炉。正统基督教虽然也受到其他宗教的影响,一般对宗教信仰同化持否定态度。宗教融合的实例在东方有摩尼教和锡克教。前者是由 3 世纪先知摩尼融合基督教、琐罗亚斯德教和佛教而成的二元宗教;后者是 15、16 世纪之交印度宗教改革家那纳克融合伊斯兰教和印度教成分而成的宗教。它们都在当地受到主要宗教的抵制。在 17 世纪,德意志新教神学家加里斯都为了调和该国境内新教各派别的分歧,发动一场运动,受到正统基督教首脑人物的鄙视,斥之为宗教融合。

relish 风味小菜 与主菜的质地和风味不同的或刺激性的配菜。与主菜一起食用,以增进食欲,但量很小。通常是酸味的蔬菜丝、酸的或甜酸的水果,也可以是加香辛料的酱汁。印度尼西亚和马来西亚的*辣虾酱*(**sambal**)、印度的*酸辣酱*(**chutney**)和朝鲜的辣泡菜等是当地人民每餐必食的风味小菜。意大利伦巴第地方的特产——芥末水果,是一种将水果在蜜糖中腌渍后加芥末提味的风味小菜。美国宾夕法尼亚州荷兰移民食谱中的"七甜七酸"是传统的风味小菜,其中好几味配料是公众喜爱的食品,如酸黄瓜、洋葱、甜菜、酸苹果、西瓜皮、酸辣泡菜、中国酸菜等。

Relizane 埃利赞 又称伊吉勒伊赞。阿尔及利亚西北部城镇。在米纳河附近。街道宽阔,有公园,具典型法国风格。四周多花果园,灌溉区面积 12 000 公顷。产谷物、葡萄和棉花。经销牲畜、羊毛和出名的卡拉东方地毯。天然气管道的供气站,为公路和铁路枢纽。人口:城市区约83 864(1987)。

Relizian Stage 雷利兹阶 北美太平洋沿岸中新世重要的时间地层单元(中新世始于2370 万年前,终止于 530 万年前)。位于绍赛斯阶之上,路易斯阶之下。由加利福尼亚州雷利兹峡谷被研究的露头而得名。雷利兹阶可细分为两个次级单元或称为带,代表较短的时段,并以特殊有孔虫微体化石的存在为其特征。该阶可与欧洲等地的布尔迪加尔阶相对比。

rem 雷姆 用于人类的辐射剂量(例如由 X 射线造成的)单位,为英文 Roentgen equivalent man(人体伦琴当量)一词的缩写。1 雷姆的辐射所引起的生物学伤害与 1 拉德 X 射线或 γ 射线所引起的程度相同。雷姆先前的定义欠明确,故于 1962 年重新定义,以明确生物相对有效性(RBE)一词在放射生物学和辐射防护中的用法。1 雷姆等于国际计量单位制中的 0.01 希沃特。参阅 **roentgen**。

Rema 雷马 参阅 **Isserles, Moses ben Israel** *以瑟利斯*。

Remagen 雷马根 德国西部莱茵兰-普法尔茨州城市。在莱茵河左岸,波恩的东南。原为罗马帝国的里科马根要塞。现仍保存着一座 12 世纪城门和其他古迹。第二次世界大战中 1945 年 3 月英美军队由此进入德国。沿莱茵河畔建有许多旅馆。出口当地著名的阿波里纳里斯矿泉水。人口约 14 375 (1989)。

remainder 残余权 英美法律名词,指某人对他人的财产享有的一种未来的权益,当某一事件发生时,该项财产即归其所有。这种未来的权益的享有人就称为残余权人。法律承认两种残余权:确定的残余权和不确定的残余权。在设定时,残余权人就存在并且是确定的,无须有任何条件再去确定他,这样,归某人终身享有的财产在他死亡时就归于某个活着的第三者,该第三者对该财产就享有确定的残余权。但是如果归某人终身享有的财产在他死亡时将归于他的继承人,则归于其继承人的权益是不确定的残余权,因为在他死亡之前,并不确切地知道究竟谁是他的继承人。

Remak(Hebrew grammarian) **雷马克** 参阅 **Kimhi, Moses** *基姆希*。

Remak, Robert 雷马克(1815-07-26,普鲁士波森[今波兰波兹南]～ 1865-08-29,德国巴伐利亚基辛根) 德国胚胎学家、神经病学家。他发现了早期胚胎的 3 个胚层,并予命名(1842)。还发现了无髓神经纤维(1838)和心脏的窦房神经细胞(雷马克氏神经节,1844)。同时首创以电疗法治疗神经病。曾在柏林大学师从著名生理学家 J.米勒,并因关于神经组织细微结构的重要学术论文而获得医学博士学位(1838)。由于当时普鲁士法律禁止犹太人教学,他只能作为米勒实验室的一名无酬的助手继续从事研究工作,并以行医为生。1843 年,他直接向弗里德里希·威廉四世申请从事教学工作,但遭到拒绝。同年 11 月到柏林舍恩莱恩慈善医院的实验室继续从事神经组织的研究,并开始研究 3 个胚层在不同组织和器官的发育过程中所起的作用。由于他在学术上成绩卓著,1847 年终于成为柏林大学第一个犹太人讲师。他的研究成果很晚才为人们部分承认,1859 年升为副教授。

remanent magnetism 剩余磁性 又称古磁性(paleomagnetism 或 palaeomagnetism)。是由地质时期岩石形成时的地球磁场方位造成的岩石中的永久磁性。是关于极移和大陆漂移的古地磁学研究的信息来源。剩余磁性可来自几种自然过程,通常称为天然剩余磁性,而最重要的则是热剩余磁性。其产生机理是在火成岩中形成的磁性矿物冷却到居里点以下时,各个矿物中的磁畴按地球磁场方向排列,从而永久记录下了当时磁场的方向。第二种机制是,当小粒磁性矿物沉入沉积基质时就产生了碎屑剩余磁性。这个假说认为,在沉积岩最后固结以前,在小磁性矿物沉积过程中,它们是按地球磁场排列定向的。这样产生的磁性显然经过后来的岩石风化和固结作用都保持住了,尽管对这些过程的详情还未研究透彻。岩石获得剩余磁性至少还有两种途径:①由非磁性矿物形成的岩石,通过化学作用变化而获得磁性矿物,这些新形成的矿物,将在地球磁场上获得剩余磁性;②冷却后的火成岩最终会通过一种称为黏滞性磁化作用的过程获得剩余磁性。这几种剩余磁性间的差异是可以测定的,因而特定岩石的磁化史也是可以解释的。

Remarque, Erich Maria 雷马克(1898-06-22,德国奥斯纳布吕克～ 1970-09-25,瑞士洛迦诺) 德国小说家。主要由于著有《西线无战事》(1929)一书而知名。这部小说也许

供图:Bavaria-Verlag

是描写第一次世界大战最著名和最有代表性的作品。雷马克 18 岁被征入伍,在战斗中多次负伤。《西线无战事》的情节是描述士兵刻板的日常生活,他们除战壕生活外,既无过去,也看不见将来。它的书名,即战报中公式化的语言,很能体现那冷漠和简洁的风格,表现了每日的战争恐怖。其中对道德的冷漠态度和爱国的词藻形成令人震惊的对比。该书出版后立即在国际上获得声誉,1930年根据它拍成的美国电影也同样获得成功。它的续篇《归途》(1931)描写 1918 年德国的崩溃。1932 年雷马克离开德国,前往瑞士。1933 年他的书被纳粹党查禁。1939 年他流亡美国,1947 年加入美国籍。第二次世界大战以后,他定居在瑞士的马焦雷湖旁的波多龙科,直至去世。他的其他几部作品多写两次大战过程中欧洲政治动乱的牺牲者,有些获得很大的成功,并拍摄成电影,如《凯旋门》(1946)。

Rembang 南望 印度尼西亚爪哇中爪哇省城市和县。位于泗水西北部 160 千米。是爪哇海的主要港口,有公路和铁路与西南面的古突士和三宝垅,东南面的炽布和泗水连接。出口石油制品 、柚木、橡胶、花生、稻米和木薯。居民大多数是爪哇人,有一些马都拉人;大多信奉伊斯兰教。华人大部分从事商业。有碾米、花生加工、肥皂和提炼石油等工业。手工业有木雕、纺织、编绳、编织草席和编制篮子。印度尼西亚第一位女权运动者卡尔蒂妮之墓在南望附近,现已成为一个全国的朝觐地。人口:市 63 151;县 442 594 (1980)。

Rembrandt Harmenszoon van Rijn **伦勃朗**(1606-07-15,荷兰莱顿～1669-10-04,阿姆斯特丹)　在现代大多数观察者眼里,伦勃朗·哈尔门兹左恩·范·赖恩仍然是17世纪荷兰绘画的同义语,他的艺术已为世人所共

伦勃朗自画像,约1661～1662年
供图:Iveagh Bequest, Kenwood House

知。然而今天构成其艺术标志的圣经题材绘画和自画像在当时却不是典型的荷兰绘画;他的同时代人更为普遍地创作风景画、静物画,或者日常生活场景的风俗画,而这些从未引起伦勃朗太大的兴趣。伦勃朗当时获得的最大声誉是17世纪30年代阿姆斯特丹最受人欢迎的肖像画家,但他甚至还在有生之年即被年轻的对手超越,其中包括他自己的几个学生。他另一个主要的成就领域是蚀刻铜版画。伦勃朗在世时他的版画要价就很高,而其精熟的艺术技法则对数百年来的版画家产生了经久不衰的影响。

如果说有什么特质代表这位伟大艺术家的作品,尤其是年轻时代的作品,那就是有雄心与欧洲最杰出的艺术家一争短长,特别是与来自附近城市安特卫普的鲁本斯。但是,荷兰的时尚潮流和伦勃朗本人的秉性似乎挫伤了他不少的雄心,使他在晚年益发孤立和独具个性。野史传言伦勃朗曾被阿姆斯特丹的主要资助人拒之于门外,这是事实,不过其不得意有个渐变过程,且并不彻底。然而,由于持久的孤独,伦勃朗形成了特有的人格独立,沉默的人物一直是伦勃朗艺术的核心题材,在观者与画面之间形成了一种相互之间的对话感,这一点至今仍然是伦勃朗之所以伟大和受人欢迎的基础。

早年在莱顿　伦勃朗的青年时期经历并无助于解释其艺术的衍变或个性。艺术家于1606年7月15日生于大学城市莱顿。其父H.G.范·赖恩是磨坊主,家道殷实;其母N.范·祖特布鲁克一家为面包师,但更为重要的是当时莱顿已信奉新教,而这一家仍是天主教徒。伦勃朗的父亲是家中唯一成为加尔文教徒而不再是天主教徒的家庭成员。据艺术家在世时莱顿一部编年史(奥勒斯著,1641)所载,伦勃朗被送往一所拉丁学校,后来直接进入当地的大学,这是荷兰建立的第一座大学(1575),为重要的学习中心。但因为这位年轻人秉赋倾向于艺术,遂于1619～1622年间随当地画家J.I.范·斯瓦年堡当学徒。范·斯瓦年堡的作品于今已很难见到,他的艺术似乎对伦勃朗没有留下太多的影响,但他也是位天主教徒,这可能影响了他决定收他为徒。此外,范·斯瓦年堡的父亲也是莱顿一位极为成功的画家,曾培养过鲁本斯的老师范·费恩。因此,这位导师为年轻的伦勃朗提供了许多潜在的关系。

但是伦勃朗接受的主要训练来自阿姆斯特丹画家P.拉斯特曼(1583～1633),他曾居意大利(1603～1606),回到阿姆斯特丹后成为圣经、神话和历史题材绘画的重要画家。伦勃朗虽说只在1623年前后就学于拉斯特曼半年左右,但他完全接受了老师的教诲。他从拉斯特曼那里学到了用大幅画面描绘崇高题材的重要性,认真注意全身人像的古代服装、戏剧性姿势和构图安排。伦勃朗最早的作品包括《圣斯蒂芬被囚》(1625)、《阿伽门农面前的帕拉米迪斯》(1626)和《阉人受洗》(1626),显然在主题和绘画模式上均衍生自拉斯特曼。比如《阉人受洗》的题材拉斯特曼就曾于数年前(1623,卡尔斯鲁厄)画过一件横幅;伦勃朗则将这一题材于《使徒行传》的场景改画成竖幅,但仍保留了多数相同的人物、服装和附属景物,不过被浓缩成了更紧凑、更具戏剧性光影效果的整体。另两张在主题和形式上相接近的作品就是拉斯特曼1622年的木板画和伦勃朗1626年的更密集的相同题材竖幅木板画,《巴兰的驴和天使》。近人的研究将《圣斯蒂芬》和《帕拉米迪斯》与伦勃朗年轻时在莱顿接受当地人文主义者P.斯克里维里厄斯的订件相联系,此人的财产中即有伦勃朗的两件大画;关于这些作品的早期资助人的其他情况今天则无从得知。

伦勃朗的早期绘画中已经反映出这位艺术家有雄心与欧洲一流的画家相抗衡。他不仅专注于最高深、道德上最严肃的题材,而且还追求拉斯特曼和在罗马的画家如德国移民A.埃尔斯海默的作品所特有的有历史依据的画面背景和服装。这些早年作品中还可以明显地看出伦勃朗已开始迷恋具有戏剧性效果的个人反应和光影效果。这些因素甚至成了他后来10年中的艺术的主要组成部分。尤其是在伦勃朗接触到来自乌得勒支附近的一群艺术家后,他便开始仿效其强烈的明暗画法。这批乌得勒支艺术家以G.范·洪特霍斯特为主,刚从罗马归来,他们的艺术不仅在当地深受欢迎,在北欧诸国的王宫里亦倍受青睐。因此,伦勃朗在创作宗教题材作品如《圣母进殿》(约1627～1628)或《在埃莫斯的基督》(1628)时,就极力追摹埃尔斯海默、卡拉瓦乔和此时的范·洪特霍斯特等人绘画中的光线和人物姿势的戏剧性效果,并且努力稳固地跻身国际艺术界。对伦勃朗这一时期的自我看法的估价,可从小幅但具戏剧性效果的《画室中的青年画家》(约1629)中得到明证。画中是一位艺术家的模糊的全身像,他正背墙而立,前景的画架上是一幅巨大的木板画。这张木板画只能看到背面,且模糊不清,只有前端边缘闪着亮光。整体效果就是在创作过程中进行大胆的对比。

伦勃朗至17世纪20年代末已经是一位知名的艺术家,这从奥兰治王子的秘书C.惠更斯自传里关于1629～1630年的一段著名记述中可得到参证。惠更斯认为伦勃朗及其在莱顿的好友和同僚J.利芬斯(1607～1674)是前途无限的艺术家而给予特别赞赏。伦勃朗因其对题材本质的洞察及其小幅作品的效果而倍受颂扬。特别是1629年的木板画《犹大交还三十块银币》被认为是描绘动态姿势和情感的范例,堪与意大利甚或古代最优秀的作品相媲美。惠更斯的主要遗憾是伦勃朗和利芬斯从未去意大利进一步向古代大师们学习。

利芬斯只是在近些年才开始受到与伦勃朗相当的注意,尽管这两位艺术家的艺术生涯有许多年是先后发展变化的。利芬斯也曾从莱顿前往阿姆斯特丹跟随拉斯特曼当了两年学徒(1618～1619)。也许正是利芬斯的先例才导致伦勃朗随拉斯特曼学习,而利芬斯对他的影响也一直是根本性的。也许正是通过利芬斯,伦勃朗才接触到乌得勒支的绘画,并对他的艺术产生了影响。17世纪20年代末,利芬斯的艺术与伦勃朗甚为接近,以致于学者们至今仍对一些木板画的正确归属问题争论不休。例如,利芬斯的《捕获参孙》(约1627～1628,阿姆斯特丹)似乎启发了伦勃朗的《捕获参孙》(1628),但两幅作品又都是仿效鲁本斯曾画过的同一题材(1610,伦敦),并且均以铜版印刷品流传于整个欧洲。同样,伦勃朗和利芬斯在拉撒路的复活这一题材上始终保持着画家的对话:先是伦勃朗于1630年左右画了一幅木板画(洛杉矶),接着利芬斯于1631年创作了一幅油画(布赖顿)和一幅铜版画,最后是伦勃朗于1632年左右创作了一件杰出而富戏剧性效果的大幅铜版画。伦勃朗甚至还将几幅作品的年代标法提前,以使之显得早于利芬斯相同的作品。然而,利芬斯于1632年前往英格兰,他极可能在那里与凡·戴克相熟,后者的艺术改变了他的艺术方向,后来又使他在返回阿姆斯特丹之前于1635～1644年间在安特卫普从事艺术创作生活。

同样出于创作历史题材绘画的雄心,伦勃朗和利芬斯都曾试验头像习作(荷兰人称之为"特罗尼斯")。这些人物通常戴着怪异的女式帽,姿势和光线效果均富于戏剧性,但不是肖像画。这些形象更像是为了创作大幅历史画中的人物头像而准备的原型或习作。许多作品中画有相同的模特,19世纪时认为是伦勃朗之"父亲"或"母亲"的肖像,其实都是这类头像习作,画中尤其注意对材料、光线、面部表情或特征的表现。早期许多自画像似乎也是这类头像程式的变体画,伦勃朗在画中直接运用自己的形象特征来代替模特,画自己身着戎装或时装的形象:羽饰礼帽、金项链或甲胄。伦勃朗后来在莱顿时于1630～1631年创作了无数先知和使徒形象(包括1630年的生动的《耶利米》),画中一再毫无变化地出现过几个年长的模特的头像;这类绘画至17世纪60年代他的最后10年中才停止创作。

伦勃朗在早年即已受到学生和追随者们的注目。他的第一位弟子是G.道,此人仿效的是伦勃朗艺术中的另一种绘画类型,即风

伦勃朗绘《雅各向约瑟的儿子们祝福》(1656)
供图:Staatliche Kunstsammlungen, Kassel, W. Ger.

俗画,或者说是对日常活动的描绘。伦勃朗在其1626年的《音乐课》中即已创造了这样的场景,这幅作品还兼带描绘了古代服装并暗示了纵情声色的欲望。道亦是莱顿人,一位玻璃雕刻师之子,1628年成为伦勃朗的学生,一直以这类题材为主,但他的作品暗含有严肃和道德说教之意,作品在极小尺寸上进行类珐琅画的精巧技法受到收藏者的高度赞誉。

在引起了海牙宫廷中颇有影响的惠更斯的注意后,伦勃朗又与奥兰治王朝发生联系,主要是亨利王子;他曾于1632～1633年为王子画过两幅基督受难场面的作品,《上十字架》和《下十字架》(均藏慕尼黑),另有一幅索尔姆斯公主肖像,以与洪特霍斯特的亨利像互成一对。两幅基督受难画是惠更斯为王子订购的,这两幅画均与鲁本斯的一幅作品关系密切。鲁本斯此时是欧洲的主导艺术力量,他以颇有修养的外交家和绘画高手的身份而在王侯宫廷倍受优遇。因此,为自己的王侯资助人赶超鲁本斯的《下十字架》对于伦勃朗来说是在艺术上坚持己见的最高行为。伦勃朗1633年根据自己的作品创作的铜版画甚至也是追仿鲁本斯。伦勃朗的两幅基督受难像有一个突出的特点,即他将自己的容貌特征赋予画中的人物;在《上十字架》中他甚至采用了流行服装和强烈聚光以强调画家本人对内容的参与,其意图也许是为了表现他自己沉思默想的精神。

伦布朗致惠更斯谈及这两件受难像的信件至今仍被保存,这些信件记载了他于1636～1639年的第二个艺术创作期,其间他又为亨利创作了3件作品。这些信件还记载了惠更斯和王子逐渐不再迷恋伦勃朗,但其中有一封信中伦勃朗谈到了自己的艺术目标,颇为珍贵。这封信中突出的是艺术家发誓要让他的宗教题材绘画引发出"最崇高、最自然的情感"。在这一点上,他很接近鲁本斯,后者亦热衷于唤起力量、戏剧性效果和情感。相比之下,伦勃朗的作品不太具有鲁本斯作品的英雄主义色彩和美感,而是强调富有戏剧性效果的夜景光线、卑微的人物形象以及宗教人物内心的活生生的反应。这些基本上也是惠更斯对伦勃朗早期作品加以赞誉的因素,并且一直是他17世纪30年代宗教艺术的活力所在。

早年在阿姆斯特丹 1631年末伦勃朗移居阿姆斯特丹。他在这座城市已经拥有一位画商H.厄伊伦伯格,而他在宫廷中的前景则被洪特霍斯特的优势所遮断。于是,资本主义之都、实为一个城邦的阿姆斯特丹的繁荣不可抗拒地牵引着伦勃朗。多少是通过厄伊伦伯格的举荐,伦勃朗很快成为阿姆斯特丹最受青睐和收入甚丰的肖像画家之一。他已经能够打动他所寄居的这座城市的统治者们,即那些构成政治势力和影响核心的商人贵族。伦勃朗早年成功的标志就是他接受《尼古莱·杜尔普医生的解剖学课》(1632)的订件,该画是用以纪念一年一度的由主讲或主要外科医生向该城的外科医生同业公会进行解剖示范的活动。伦勃朗这件大幅群像因为摆脱了将群像画成一排相同的头像的陈规画法而一直受到人们的充分赞誉。他运用金字塔式的构图和令观者的注意力集中于实际讲解过程本身的富有戏剧性效果的光线,从而赋予题材对象以活力。同时他又赋予画中听者的面部以丰富多样的注意力表情,并赋予人物面部以相同的暗示性图画心理,这种做法后来一直是他的艺术的标志。这些相同的特征中有许多亦可见于他到达阿姆斯特丹之后不久绘成的单人或夫妇肖像中。伦勃朗在莱顿时很少画肖像,但在阿姆斯特丹的头4年中却接受了50件左右的肖像画订件,并且大多数作品的酬金甚高。由于杜尔普不仅是位外科医生还是市参议员和阿姆斯特丹市政委员会成员,因而在该城的统治集团中是一位有影响的人物。伦勃朗的画商厄伊伦伯格也受市政官员的欢迎,伦勃朗主要和他生活在一起并与他结成了商业伙伴关系。伦勃朗所画的肖像人物中有许多(如马顿·洛登,1632)似乎都是宗教保守者的门诺派教徒,他是通过厄伊伦伯格认识这些人的,而这些人又与阿姆斯特丹的统治阶层有密切联系。

伦勃朗在阿姆斯特丹的头10年还为荷兰不少宗教领袖人物画过肖像:抗议派人物约翰尼斯·厄伊腾博格特(1633年的木板画和1635年的铜版画),加尔文教人物爱利森(1634)和门诺派教徒科尔内利斯·安斯洛(1641年木板双人肖像和铜版画)。最后一位人物是著名的传教师,伦勃朗对他的刻画强调了门诺派对口头谈话的依赖。他的人物描绘总是从图画艺术的传统难题入手,不借助任何口头或书面的文字去表现活生生的生活,似乎正是回答了17世纪荷兰最伟大的诗人冯德尔在诗中所说的那种挑战:

> 太对了,伦勃朗,画出科尔内利斯的声音!
> 他的可视形象不再要紧。
> 无形之物在这里得以形成,
> 要看见安斯洛,先要闻其声。

不过,除了早先这些年在阿姆斯特丹创作的肖像画和无数的双联肖像画以外,伦勃朗显然也渴望像鲁本斯那样被人承认为神话题材和圣经故事画家。他在迁离莱顿前后曾创作内容最为广泛的神话题材组画,最早一幅是《安德罗米达》(约1630),画中所强调的是一种悲怆凄楚之情,而不是这位裸体受害者的美貌或英雄气概。大幅的《冥王与冥后》(约1632)显然是在两幅基督受难像问世的同时为亨利而作,作品的尺寸和狂热的激情说明了与鲁本斯画风的关系,尽管精练的画法本身仍旧回到了收G.道为徒弟时的莱顿时期。然而,更为典型地反映伦勃朗试图减弱神话色彩的倾向的,是他对《欧罗巴的被劫》(约1632)或《加尼米德的被劫》(1635)等题材的处理方法。前一幅画中,围合出荷兰一座港口景色的海岸线前画有一群衣着怪异、比例很小的女人;后一幅画面中更是平淡无奇,画着一个哭泣的步履蹒跚的孩童而非俊美的神话少年。不仅描绘了巨鹰抓起孩童升向铅灰色的天空,而且画出了受惊男孩由于恐惧而尿流如注的细节。画家好像几乎是在煞费苦心地破坏此类作品中惯有的美好和庄重,似乎热衷于嘲弄而非尊重古典遗产。这幅作品作为类神话故事是否对基督教精神与神性的结合持有新柏拉图主义的含义,作品所体现出来的不恭敬态度是否更接近题材本身的同性恋传统,对此学者们至今仍有争议。

伦勃朗的神话题材杰作于一年后问世,即《达那厄》(1636)。画家又一次避免了对这一题材作标准的公式化处理;画中未作标志着朱庇特以化身降临的金光或金币雨,而是简单地将女主人公置于丰富而明亮的光线之中。《达那厄》也因此而成为伦勃朗最精彩的裸体人物之一(17世纪50年代重画)。他笔下的这位年轻女子正在满心希望地等待着即将来临的情人,无心顾及上方被缚的悲伤小爱神。前文曾提到这件大幅绘画是他自愿赠送惠更斯的礼物,并且在他的多封信件中提到:"我的主人,把这幅画挂在强光下作远距离欣赏,它就能达到最佳效果。"

如果说伦勃朗的神话题材作品反映了他

向反陈规旧套方向的转变，那么他的圣经题材作品则呈现出了广泛多样的主题和内容。这些画包括许多出自《旧约》的不寻常题材，取自《士师记》或《但以理书》中的参孙的故事。这类作品中有大幅的《伯沙撒的宴席》（约 1635），充满了东方服饰、戏剧性的姿势和恐怖的面部表情。（另外，画中精确的希伯来语正字法证明了伦勃朗曾通过另一位宗教领袖、泛基督教主义和千禧年说的作家梅纳塞·本·以色列而与阿姆斯特丹的西班牙籍犹太人发生了联系。伦勃朗还于 1636 年为梅纳塞蚀刻过一幅铜版肖像。）伦勃朗的《献祭以撒》（1635，藏圣彼得堡）同样充满了活力，天使的突然介入使亚伯拉罕的手僵直不动了，决定命运的刺刀悬在半空中，画面场景具有摄影快照的特点。引人注目的是彼得堡这幅画在慕尼黑有一幅稍有改动的相同作品，模糊地署有“伦勃朗修改并覆画”，这说明文献中记载的厄伊伦伯格工作室复制自存作品的行动很可能就是复制伦勃朗于 17 世纪 30 年代自己所存留的作品。

伦勃朗 17 世纪 30 年代作品的另一特点就是以圣经为题材的费力的蚀版画得到了发展。他在这方面的动向在 1633 年根据自己为亨利创作的作品而绘制的《下十字架》中已见端倪；17 世纪 30 年代中期，伦勃朗和厄伊伦伯格似乎还曾雄心勃勃地想以很高的代价创作一系列大幅蚀版画。其中一幅《基督在彼拉多面前》（1636）事先就用棕灰色的油画草图作了精心的构造（1634）。另一幅油画草图《施洗约翰布道》（约 1634）却始终未能转变成一幅版画。画中废墟背景下身着华丽服装的众多人物依然令人想到拉斯特曼的绘画模式（拉斯特曼于 1633 年去世）。另一幅不同凡响的蚀版画即 1634 年的《向牧人传报》好像是在夸示作者掌握了丰富的深色调的技巧。此处伦勃朗又一次融入了荷兰的本土因素而将牧羊人变为牧牛人，这些人在满身光泽的天使出现时显得惊慌失措。伦勃朗在画中故意颠倒明暗关系，典型地说明伦勃朗的蚀版画后来所具有的实验性特点。画中人形和亮部凸现于浓重的深色线条之间，这多少是借助了邻近的亮点，同时又运用擦画棒实际擦涂线条而获得了这种效果。这种技巧造成了暗中透亮的效果，成为伦勃朗晚年最为生动的一些宗教版画的标志。

据文献记载，伦勃朗几位最优秀的学生于 17 世纪 30 年代末都集中在阿姆斯特丹：来自克莱沃的 G.弗林克、哈灵根的 J.巴克尔和多德雷赫特的 F.博尔。特别是弗林克，他很可能曾为收藏者复制过伦勃朗的几件作品，或是曾在工作室中与伦勃朗进行过合作。不过，在后来许多年中，伦勃朗的学生们主要还是模仿他创作历史画、肖像画和头像作品的程式。

伦勃朗于 1634 年 6 月 22 日结婚，新娘萨斯基亚·厄伊伦伯格（1612 年生）是 H.厄伊伦伯格的堂妹、吕伐登市长之女。萨斯基亚随身带来的不仅是丰厚的嫁妆还有贵族的地位，因此这次婚姻对伦勃朗来说在社会地位上实质性地上升了一步。伦勃朗结婚之时，他与海牙宫廷的关系达到了顶峰，所以这两位配偶之间可以说是门当户对。萨斯基亚的

伦勃朗绘《坐着的裸女》
中国大百科全书出版社供图

一位表兄，也是两人初见时她的监护人，是旧正会牧师 J.科尔内利斯。1646 年的铜版画西尔维乌斯遗像因配有视错觉的椭圆形外框而显得格外生动，成为伦勃朗最为动人的肖像画之一。不过，还是萨斯基亚本人成了他 17 世纪 30 年代最多的单幅肖像中的主题。伦勃朗让她身着神话故事中的服装，特别是缀满鲜花的花神服装（1634），以及外形特别考究的装束。不过他也喜欢在一些描绘悠闲自在的家居生活的作品中以她为描绘对象，如画她倚靠窗口或躺卧在床上。有些生平的不幸事件使得描绘她在床上情景令人心酸：萨斯基亚曾失去过 3 个孩子，1641 年才产下儿子蒂图斯，她本人又于一年后去世。

伦勃朗结婚后，他的潜力似乎发挥到了极点，他在 17 世纪 30 年代的自画像中溢满了自信和一帆风顺的情绪。这一势态的顶点就是 1640 年创作的在结构上稳如金字塔似的自画像，此画从提香所画据称是诗人阿里奥斯托的肖像画中借取了手扶栏干而作漫不经心状的姿势，又从拉斐尔描绘典型的宠臣卡斯蒂利奥内的肖像画中借取了华丽的服装和金色的和谐色调。这两件作品当时通过繁荣的阿姆斯特丹艺术市场得以传播，证实了伦勃朗回答惠更斯的话：他不需要到意大利去向大师们学习。此外，这幅模仿文艺复兴范本的作品不仅说明了伦勃朗成功地吸收了各种形式，也体现了拉斐尔、提香以及在时间上最近的鲁本斯等人渴望得到优遇的心理。如他先前创作安斯洛的肖像画那样，伦勃朗在 1639 年也为这幅自画像制作了一件石版作品。

如果说天鹅绒的贝雷帽和镶皮毛的外套使伦勃朗看上去像个有成就的人，那么伦勃朗和萨斯基亚一幅独到的双人肖像则似乎是对其生活的讽刺和反射（约 1635 ～ 1636）。此处也有一幅铜版画在题材上与这幅绘画相呼应；但在 1636 年的铜版双人肖像中，伦勃朗将自己画成正在作画状，边画边抬头看着观者。在德累斯顿所藏那幅画中，萨斯基亚坐在衣着华丽的伦勃朗的腿上，伦勃朗则一边手持啤酒壶，一边转过身来冲着画外傻乎乎地咧着嘴笑。画中小酒店的背景显然是因为沉迷于时下流行的“阿卡狄亚式的”时尚而将时髦的女郎表现为高级妓女的形象（也是花神的又一化身，伦勃朗曾以萨斯基亚为模特），同时又是依据绘画传统中浪子与酒馆妓女的题材。值得注意的是，这对男女奢侈的衣冠与卡塞尔所藏萨斯基亚侧面像的华丽服装相呼应，但此处对散漫生活以及与浪子故事一样的未来忏悔的暗示，多少也含有自我嘲讽的意味。

似乎是出于强调德累斯顿那幅双人肖像画中所体现的奢华消费，伦勃朗于 1639 年在约登布莱街购买了一座大型住宅。（此宅现仍称为伦勃朗邸宅，如今存有他的许多蚀刻版画作品以为纪念。）同一年，伦勃朗画了一幅等身大小的肖像画，据认定是安德烈斯·德·格雷夫，其兄是阿姆斯特丹的头面贵族科尔内利斯·德·格雷夫，其父是新任市长雅各布·德·格雷夫。科尔内利斯的内弟、同样也是贵族的弗朗兹·班宁·柯克是城市卫队的首领，这个卫队后来委托伦勃朗的一份订件可以说是他最辉煌也是最著名的绘画作品之一：即被人戏称为《夜巡》的群像画（藏阿姆斯特丹）。

《夜巡》的确切题目应该是《弗朗兹·班宁·柯克上尉的民兵队》。该画创作于 1640 ～1642 年间，是为克洛文尼厄斯多伦即城市民兵队的火枪手支队（另有石弩手和弓箭手）新建的大厅而设计的 6 件类似的民兵队群像之一。另两件群像由伦勃朗的学生弗林克绘制，第三件据信出自仿造者巴克尔之手。《夜巡》中的模特儿大多邻近居住在阿姆斯特丹的布店区，都是些殷实的人们，其首领是班宁·柯克和中尉鲁伊登勃赫。这两位即是这件大幅作品的亮部前景中大踏步地引导巡视队的那两位人物。与 10 年前的解剖学课群像画一样，伦勃朗的这件民兵群像亦不同于其他荷兰肖像画，他将整个场面统一于单一而富有活力的行动。画中的民兵团正从一座大型的凯旋门前走来，似乎正准备出发执行一件特殊任务，这使人联想到上个世纪末荷兰革命时期的光辉时光。这幅画究竟是不是为了纪念具体某个仪式活动，如法国皇太后玛丽·德·美第奇于 1638 年 9 月凯旋入城（这是年轻的荷兰共和国头等重要的国家人事之 ），学者们对此持有争议。无论如何，民兵连的行为引得人们对过去把守城门的武装卫队与如今由市民保护该城的独立和特权进行一番比较。伦勃朗在他这幅最大的绘画作品中（左边曾被大面积地裁去；原有尺寸约为 $4\frac{1}{2}\times 5$ 米）即是这样将历史和肖像、动作与描绘融合为一体的。在此过程中，他实现了真正的荷兰绘画传统中鲁本斯在绘制当朝王子们的骑马像时所获得的那种同样的辉煌。

试验与探索 萨斯基亚去世和 1642 年完成《夜巡》这两次相反的经历成为伦勃朗的生活和艺术生涯中的分水岭。他在政府中的各种关系至 17 世纪 30 年代末已变得毫无意义了；而在 40 年代的 10 年中，无论是他的肖像画模特还是记载中对他作品的拥有者，都没有了他 10 年前突然来到阿姆斯特丹时所享有的那种种显要的社会地位（只是后来于 1646 年向海牙宫廷呈交过两件宗教绘画）。传说伦勃朗的资助人曾因他在像《夜巡》这样

的作品中的大胆创新而遭受损失；虽说这纯属传闻，但却说明对精益求精和细节描绘的兴趣（尤其是肖像画）恰恰有悖于伦勃朗本人一贯的偏好。如果说他在早年的肖像画及后来在莱顿创作的历史画中乐于细致入微的描绘，那么伦勃朗此时意在尝试更为大胆的画法和深色背景下更为强烈的阴影效果。他的追随者，主要是博尔、弗林克和巴克尔，比他们的老师更为成功也更受人欢迎，甚至受到最高层保护人的资助。

1640 年前后与伦勃朗在一起进行创作活动的另一群天资聪慧的弟子们有：阿姆斯特丹人 G.范·登·埃克豪特（1621 ～ 1674）、后来成为代尔夫特主要画家的 C.法布里蒂厄斯（1622 ～ 1654）以及多德雷赫特的 S.范·霍赫斯特拉滕（1627 ～ 1678），他后来多以其艺术理论著名，撰有《高级绘画导论》（1678）。他们各自根据老师所选主题而作出各自不同的变化，或加重历史群像画的色彩（埃克豪特），或使画面背景稍明亮而尝试多种透视效果（法布里蒂厄斯），或进行幻真画法实验（霍赫斯特拉滕）。

伦勃朗在 17 世纪 40 年代的艺术从总体上看没有太大的起色。要衡量这一点，只要将他在前后数十年内创作的风景画作一比较即可看出。30 年代，伦勃朗主要的风景作品均采用绘画作品的形式，通常是画些风雨天空和古木枯树。这些描绘野外自然的作品继承了以鲁本斯几幅情节性的风景画为代表、在荷兰艺术中以 H.塞赫尔斯为代表的风雨野景的传统。然而在 40 年代初，伦勃朗却越来越多地转向更具地方色彩和荷兰情调的景物形象，并且更多的是创作些素描和蚀刻版画风景而不是描绘此类景物的油画。这一时期的风景画包括绘制的《石桥风景》（约 1641）、描绘阿姆斯特丹地平线的细线蚀刻画、铜版画《风车》（1641）及几幅铜版画《小屋》（1641/1642）。铜版风景的高峰要数 1643 年创作的《三棵树》。画面左上部阴霾的天空产生了他的绘制风景画中所特有的戏剧性明暗对比效果，而山坡上轮廓分明的树木则对平坦的荷兰乡村景色是一种地形上的补充，画面景色中点缀着微小的风车和正在劳作的人物形象（包括右上方孤独的艺术家，他正在山顶上画速写！）。这是一件具有大师风范的作品，其中的微妙烟云部分反复用干刻法进行重绘。

历来的研究中有一种老生常谈的说法，即断言伦勃朗在素描和铜版方面向风景题材的转变说明他渴望找到一种宁静的方法来替代生活中遭受的压力。不过，这些作品倒更像是意味着一种市场策略上的转变，即摆脱他在 17 世纪 30 年代的平静日子里大量创作的肖像画和历史题材类作品。此时的伦勃朗在创作圣经故事时，总是略去早先曾迷恋过的《旧约》内容，而偏爱圣婴或基督传道之类更为常见的主题。其中有些画，如 1648 年的《基督在埃莫斯》（巴黎藏），已经证明了伦勃朗后来的精神状态中冷静的尊严和人的脆弱，但是其他很多画都有数幅变体画存世，其中有不少无疑是其助手们的摹本，比如埃克豪特。另外还有相当一批画描绘的是多愁善感的年轻女郎或带须的老者的独幅人物画，但已失去早年人物画中的那种力度，也没有那样精湛的绘画技巧。

这一贫乏的绘画阶段中，涉及伦勃朗在 17 世纪 40 年代活动的文献也相对很少。有限的例外也是记些不幸的事。尽管伦勃朗在 1646 年那幅铜版画中对萨斯基亚从前的监护人西尔维乌斯极尽死后的赞美，厄伊伦伯格家族仍然就伦勃朗对萨斯基亚财产的接管提出法律上的质询。此外，伦勃朗还与蒂图斯的奶妈海特海·迪雷之间发生暧昧关系，但至 40 年代末她控告伦勃朗违背了与她结婚的诺言。这 10 年可谓度日如年并且结局很坏，先是伦勃朗用现款清了帐，后来是海特海进了教养院，并于 1656 年早逝。

以肖像画的重要意义和伦勃朗作品中铜版肖像的相对稀少而言，这位艺术家在 17 世纪 40 年代末和 50 年代创作了一系列惊人的友人和助手铜版肖像，这件事本身一定具有深刻的意义；这些画像为：风景画家 J.阿瑟莱恩（约 1647）、犹太医生 E.博努斯（1647）、版画商 C.德·容（1651）、都市拍卖商 P.哈林格（1655）和药房老板 A.弗朗森（约 1657）。这些铜版画中有些作品实质上是出于人际关系缘故而作，可从伦勃朗于 1656 年申请破产这一事实中得到明证，如艺术收藏家的弗朗森曾在伦勃朗经济危机时援助过他，而哈林格大概是 1655 ～ 1656 年冬负责伦勃朗财产的拍卖人。但是，这些作品令人感兴趣的不仅是有关人物的生平，而且是因为它们属于伦勃朗的铜版画中最丰富也最复杂的作品。尤其是《扬·西克斯》，画法精到细腻，柔和的暗部反复用干刻法制作出最微妙的细部效果，只在画有高贵的年轻男子站立一旁的满目光亮的窗户时才露出画纸本身泛光的白色。10 年之后，这同一种带有窗户的画面程式又出现于弗朗森的铜版画像中。博努斯的肖像画中亦可看出对暗中求明效果的相同运用。许多这类肖像画中原图版上的无数细部都经过反复的刻绘，以求得最终的效果；蚀刻和干刻并用，再加以打磨，以改变画面人物和景物的线条或色调效果。

宗教题材的铜版画在伦勃朗 17 世纪 40 年代末和 50 年代初的作品中亦占有越来越重要的位置。最大一幅、也是最著名的宗教铜版画因其高昂的价格而被人称为《百盾版画》，此画的创作时间跨度很大（约 1643 ～ 1649）；画中充分体现出伦勃朗铜版技巧和试验的无比丰富。画中题材亦如他在 40 年代的许多绘画作品一样，是基督的各种活动——治愈病人、收容孩童及向群众布道。所占墙面如同《夜巡》或他在 17 世纪 30 年代创作的人物众多的圣经故事画（如 1634 年的《疑惑的多马》）一样巨大。在这张将近 30 × 40 厘米的大幅版画中，不同局部的制作技巧存在着巨大的变化，产生了一系列的明暗效果、描绘性细部或大部以及叙述性的中心主题。在整个构图的中央是高大的基督形象，几乎消失于暗色墙面前精心绘制的圣光环之中。伦勃朗根据同一个模特画过许多基督面部的草图，这个模特可能是邻里间的一位犹太青年男子；这些草图的复制品无疑为 17 世纪 30 年代的头像用于同一目的，即用做圣经故事画的原型；而伦勃朗 1656 年的藏品清单中就有 3 件这样的头像，其中两件为他所作。1648 年的《基督在埃莫斯》中的基督亦是同样的形象，只是画中安静而反省的使徒形象代替了《百盾版画》中的人群。

宗教故事中的人性成分越来越为这位艺术家所关注，而他最能打动人的画中有几幅即是 17 世纪 50 年代初用铜版画创作的。铜版画《基督布道》（约 1652）亦称《小墓》，似乎是对《百盾版画》的一种补充，表现的主题相同，但画面空间更为紧密、结构也更严谨，现在看上去只是深陷而灰暗的干刻细部。其他铜版画都极好地反映出伦勃朗运用暗部塑造人物的艺术魅力。早年圣经题材的探索性版画中多有戏剧性的场面，如 1634 年的《向牧人传报》；与此截然不同的是，这一时期的此类作品多表现反映宁静的内心世界的忧郁而沉思的场景，如《牧羊人的崇拜》（画中有灯，约 1654；夜景，约 1652）。这些夜景画大多是以个人的领悟去表现神的启示，并且常常围绕圣婴基督或受难基督选择题材，如《基督下葬》（约 1654）和《下十字架》（约 1654），再有就是色调昏暗的《圣母进殿》（约 1654）。此外，伦勃朗还创作了两幅巨大的蚀刻版画，他在 17 世纪 50 年代中期把它作为一种沉思默想的练习而几乎是从不间断地反复制作，结果是越来越多地集中注意基督的形象以及画面场景中的精神性内容——其代价就是没有了早年版画创作中的那种丰富的叙述性描绘。这两件版画所描绘的也是基督受难的关键时刻：《三个十字架》（1653，4 个版）和《被示众的基督》（1655，6 个版）。多数学者认为伦勃朗《三个十字架》的创作一直持续到 1660 年左右，此后他即完全丢弃了这种最为普及也最易掌握的绘画媒介，只是 1665 年唯一的肖像画订件是个例外。

伦勃朗在 17 世纪 50 年代的其他主要绘画活动就是继续用版画和油画表现他对风景的兴趣。大多数的蚀刻版画仍然描绘带有山墙小屋和农场建筑物的荷兰当地的乡村景色，但也有一些是表现他再次感兴趣的宏伟的或如画的建筑物，如高塔或方尖碑。蚀刻画的杰作即是 1651 年的长方形全景画，称为《金光闪闪的田野》；这片田野景色实际上是 C.泰兹在哈勒姆附近的私人田产，此人曾在 12 年前将住宅售予伦勃朗，因而也是他的债权人。与 10 年前表现阿姆斯特丹优美的地平线景色一样，这幅版画通过比例大小、色调变化（包括前景丰富的干刻效果）和弧线形透视方法，获得了极为微妙的空间渐变的视觉效果；其宽阔的画面幅式是以蚀刻版画的形式模仿诸如霍延这样的艺术家创作的荷兰风景油画中所运用的绘画模式。伦勃朗在风景画中（《风车》、《有废墟的河岸风景》），将深蓝的天空与意大利风格的荷兰风景画家更为精心的画面结构相结合；其中一位画家阿瑟莱恩还是他于 1647 年左右创作的一幅蚀刻肖像画中的人物。

在相隔将近 10 年的空白之后，伦勃朗于 17 世纪 40 年代末重又画起了自画像，其中包括他最后一幅铜版自画像，表现他自己正在窗边作画，周围背景是深暗的阴影（1648，5 个版）。这幅画中的形象比 1639 年那幅洋洋得意的朝臣形象稍胖一些，但这幅自画像及为其友人和资助者的画像可能说明他对此重新有了信心。就在肖像画主顾开始回头的同时，伦勃朗也画了一些自画像，其中最著名者就是 1652 年创作的大幅 3/4 身像。

伦勃朗在 17 世纪 40 年代的艺术并没有启迪许多学生或追随者，虽说多德雷赫特的 N. 马斯（1634 ～ 1693）在 50 年代初仍拜他为师，并且用泛红的色彩模仿他描绘老少女性形象的单个人物作品类型，但目的是用于对其行为进行道德说教。

从 1653 年起的有关文献记载表明伦勃朗的经济状态已然每况愈下，他在将大部分财产转让给蒂图斯后于 1656 年申请破产。因为要对他的财产进行拍卖，所以在清理财产之前于 1656 年对其收藏品列出了一份清单。据研究分析，他的藏品中不仅有他自己的大量作品，包括很多风景和动物画，而且还有其他艺术家的大量版画和素描，多是裱贴在书册之内。伦勃朗收藏的荷兰大师中最主要的是塞赫尔斯和利芬斯，而佛兰德斯人 A. 布劳尔、荷兰人 J. 波切利斯和许多意大利艺术家亦在其列。其他各类藏品中包括自然物品、东方珍品和武器，这与当时贵族阶层百科全书式或称艺术与自然奇迹藏室（为一种私人博物馆）的收藏传统有关。伦勃朗因为这一点以及他绘画作品中多样的题材和早年在莱顿时所受的教育，而被人视为兴趣广泛、见多识广、博学而颇有抱负的人物。

最后的岁月 伦勃朗的声名远扬荷兰境外。他的《凝视着荷马胸像的亚里士多德》（1653）即是为西西里人鲁福创作的。想象出来的古典题材，即将哲学家、诗人和王子的世界结合于一件作品之中，这似乎是伦勃朗自己的主意。这件作品不仅因为透过阴郁的黑暗而闪发出自身内在的光芒，而且也显示出伦勃朗极擅于描绘沉思状态中的人物头像。1600 年，鲁福要求再画一幅姊妹作，伦勃朗即将《亚历山大》与《荷马》（1663，只有残部存世）一起呈送。

伦勃朗在晚年接受了一件重要的大型订件，即绘制另一堂由扬·戴曼博士讲授的解剖学课（残部，1656）。著名的《布商行会的理事们》（1662）是他最后一幅群体肖像画，是为与《夜巡》中所画的火枪手连关系密切的抽样调查官们绘制的。这件作品充满了伦勃朗其他群像画中所具有的那种生动活泼气氛，但更多地遵循了这类绘画布局中对群集而均衡的数排特定姿势的头像所采取的常规画法。

不过，阿姆斯特丹当时最壮观的订件是为新建的富丽堂皇的市政大厅创作的绘画作品，但这些订件却给了伦勃朗圈子内的人物，如利芬斯、波尔，特别是弗林克，并没有给伦勃朗本人。伦勃朗唯一的机遇是《朱利厄斯·西维利斯的反叛》（存残部，1661 ～ 1662），描绘荷兰人反叛古罗马人的英勇瞬间，在画中表现为昏黄烛光前的夜宴宣誓。伦勃朗在这幅画中画入了主要的反叛者、独眼的朱利厄斯·西维利斯及其粗野的一伙，此画在 1662 年才大体完成，但从未支付酬金，可能是因为它没有弗林克和波尔的作品中所见到的那种应有的英雄气概。这样，在成功地完成了与以前的学生们共同分享的克洛文尼厄斯多伦民兵连的订件的 20 年后，伦勃朗却在故城主要的装饰作品的成功和奖赏方面输给了他们。

伦勃朗确实曾与人共度了他的晚年：亨德丽吉·施托费尔斯（约 1615 ～ 1663）继迪雷之后成为他生活中的伴侣，她甚至还比萨斯基亚更多地成为他描绘的题材。1654 年《拔示巴》中的全身裸体像通常被认为是亨德丽吉的形象，并且与她众多的肖像和习作相吻合（如 1655 年的《沐浴的女子》）。1654 年，在她生下女儿科尔内利亚之前不久，亨德丽吉被教会公会正式指责为过着罪恶的生活。与此同时，已经将伦勃朗的财产划归自己名下的蒂图斯成为他无数肖像画中的主人翁，一直到他于 1668 年的 27 岁生日前夕先于其父而亡。

尽管经济拮据，又缺少重要的订件，伦勃朗在其创作的最后 10 年中还是能够鼓足余力创作出那些充满生命活力的作品，至今为人们所热爱。他重画圣经故事题材，但是赋予其在《亚里士多德》中已经了然的那种肖像式的静止的人格力量。以《雅各向约瑟的儿子们祝福》（1656）为起始，家庭场面成了他的绘画主题，《浪子回头》即是一例。这幅晚年作品至伦勃朗去世时尚未完成，画中阴暗的人物似乎是借助自身的光亮才从昏暗的背景中隐现出来，每个人的眼神中透露出冷静的内省活动。有些作品过分类似肖像画，致使其宗教的本性被淹没甚或失却；《犹太新娘》（约 1664，藏阿姆斯特丹）即是一例，画中丈夫与妻子温柔的拥抱，盖过了画得很模糊的人物形象身上奇异而富丽的朱红色服装。17 世纪 60 年代末创作的一幅罕见的身着时髦服装的家庭肖像（藏不伦瑞克）酷似阿姆斯特丹的一对夫妇，令人怀疑《犹太新娘》中的这对夫妻并非出自圣经故事，而是披着历史伪装的双人肖像，就像《夜巡》中火枪手们的肖像。

个人的孤独和内心的痛苦构成了伦勃朗其他历史人物画的主要含义：如《彼得不认基督》（1660）和《卢克丽霞》（1664，1666）。1661 年创作的一系列半身肖像似的使徒像，尤其是《扮作使徒保罗的自画像》（1661），成为伦勃朗的作品中当代人物与历史题材之间的交接点。这些作品的绘制时间与出售给西西里人鲁福的《荷马》和《亚历山大》同时，是历史人物画中头像画法的最高典范。

在晚年这段时间中，伦勃朗因为财运不济而无力撑持一座大的工作室，也不可能聚拢一群学生。可是，多德雷赫特的海尔德（约 1645 ～ 1727）在初期接受霍赫斯特拉滕的训练之后于 1660 年左右与伦勃朗一起度过了至少两年光景。海尔德在 17 世纪 60 年代主要也是运用伦勃朗的画法创作半身的历史题材画像，其《扮作画家宙克西斯的自画像》（1685，藏法兰克福）被认为与伦勃朗晚年所作的微笑自画像（约 1668 ～ 1669，藏科隆）有关，画中老态龙钟的艺术家似乎是在嘲笑自己的命运和身边表情严肃的人物。

伦勃朗在生命的最后 10 年中并非没有肖像画的主顾，他最为动人的肖像画中有几件即是此时所作。画中那种静默和移情也曾被他用于圣经故事题材的单个人物画中。他的模特当中有富豪特里普家族，亦来自多德雷赫特，原为波尔的主顾。伦勃朗于 1639 年曾为埃利亚斯·特里普家族中的母亲和女儿画过肖像，1661 年又为埃利亚斯之兄雅各布以及他的妻子玛格丽特·德·海尔画像。伦勃朗晚年作品中的模特除了仿古画家莱雷斯（1665）和好友、宗教诗人 J. 德·戴克（1666）之外，多数已不为人知。有一些精彩却无题的类似作品（尤以纽约和华盛顿为多）和一幅家庭群像（藏不伦瑞克）可以看出运用调色刀造成的丰富而厚实的色彩效果。

伦勃朗生命中的最后 12 年是自画像的丰产时期。除了在 1661 年的使徒系列画中以自己的面部来画圣保罗之外，伦勃朗还在这一时间前后画了另一幅更大的半身自画像（肯伍德府藏），画中他手持画板，背景是两个大圆弧，以表明他已掌握了几何学（也可能用荷兰制图法传统绘制的世界地图的两个半球）。他在最后一年即 1669 年中还创作了两幅油画。第一幅（藏伦敦）表现了他成熟之初的乐观向上的神气；第二幅（藏海牙）画他头戴早年头像画中的那顶怪异的缠头巾，以冷静而近乎冷酷的直接画法记录下他松弛的面部肌肉中闪烁着的坚定目光。

伦勃朗于 1669 年 10 月 4 日去世，葬于阿姆斯特丹西教堂。

声誉 由于当时的人们偏好明了易懂的构图和英俊俏丽的画中人物，因此伦勃朗甚至在有生之年即被自己的弟子们，特别是弗林克和波尔所超越。有一段雄心勃勃的时期他极力追赶拉斯特曼、洪特索斯特和鲁本斯，此后伦勃朗放弃追逐国际潮流，不过他从未丢掉以圣经内容为题材的严肃主题。伦勃朗因其精神的品质而倍受人们颂扬，而他的艺术可见出与正统的加尔文教徒以及门诺派教徒、抗议派教徒乃至宽容的阿姆斯特丹城中的犹太人之间有着联系。虽然他享有格拉夫圈子中的贵族阶层的庇护，并且一生中画过很多重要的群体肖像，然而他的艺术在 17 世纪 30 年代以后从未占据过阿姆斯特丹人时尚的顶峰，但也从未被他人完全超越过。

伦勃朗绝不能被人真正遗忘，19 世纪的艺术家更是急于对他进行重新认识，他们在伦勃朗的作品中为自己对独立的形式手段的浪漫主义追求和对个性和情感描绘的实验找到了共鸣。伦勃朗的蚀刻版画对后来运用这一艺术手法的实践者产生了重要影响，如 17 世纪热那亚的 G. 卡斯蒂廖内和 18 世纪威尼斯的 G.B. 提埃坡罗；19 世纪中叶蚀刻版画复兴时，伦勃朗的蚀刻画重又变得十分重要。他但求自然不重华美的做法恰好与画家库尔贝的信条相一致，后者追求的是“现代”而反对法国学院派的训练。伦勃朗因此而被称为浪漫主义的英雄——即追循自己的内心灵魂的人。

现代人对伦勃朗的评价依据的是几位重要学者的说法。他们争论不休的是究竟哪些作品属于伦勃朗本人，哪些应该归于他的学生、追随者、摹仿者或后世的伪造者。实验室中的科学研究又补充了得出这些结论所需要的资料。但是近年来对伦勃朗学生们的研究说明他们的个性更为鲜明突出，同时也表明他们在伦勃朗画室工作时与伦勃朗的确切关系很难弄清。对伦勃朗画室工作方法的研究是一件极为关键的工作，它将有助于分别出哪些是真正的伦勃朗的绘画或素描，哪些是伪作，哪些看上去至少局部有他学生们的笔迹。这后一类作品——包括以前定为伦勃朗的作品但尚未完全肯定归于他的学生所作——仍将成为以后若干年中学者们研究的主体内容。

将伦勃朗的作品纳入更庞大而悠久的视觉传统，是近年来学术研究中的一个课题；研究表明，伦勃朗宗教题材的许多作品依据的是前人的范例，尤其是荷兰的版画。另外，研究者对荷兰绘画传统中不太为人所知的为市政大厅、宫殿和富裕的资助者创作的装饰历史画进行了分门别类；依照这一传统来看，伦勃朗的作品似乎根本不是什么怪异之物。

最后，有关伦勃朗与其资助者及当时阿姆斯特丹的政治、经济和社会结构之间的关系的重要发现，使人们洞察到这位艺术家在他那个时代的文化中所扮演的角色。现在我们可以将伦勃朗的成就与其对手和同道如利芬斯、弗林克和波尔的成就作一番比较，既要考虑资助者和社会地位问题，同时也需引证现代人对他们各自的非凡成就所作的评价。从这一层意义上看，伦勃朗本人既是收藏家又是意大利和荷兰的古代艺术的学子，这一点就具有更深刻的含义，它打破了长期以来关于这位孤独天才的神话。

因此，伦勃朗当今的形象与他生平环境密切相关，他的创作方法、所偏爱的题材以及荷兰城市文化中的资助办法均可略见一斑。伦勃朗的创造力和独特的个人敏感力不容否认，这是他受人欢迎的基础，但是现代人的兴趣集中在伦勃朗和他的艺术对17世纪荷兰的意义，因为只有将他的成就与同辈艺术家的成就作一比较，我们才能够真正了解这位受人爱戴的荷兰艺术大师的伟绩。

Remembrance, Day of (Judaism) **纪念节**
参阅 **Rosh Hashana** 岁首节。

remembrancer 纪事官 英国从中世纪起设置的官员，专司汇编各种备忘录档卷，从而也提示税务法庭（国王的法庭之一）的贵族官员们迫切应办的事务。一度曾设3名纪事官各司专职，19世纪初废除两名，现仅有1名国王（或女王）纪事官。纪事官原来负责收取国王应得的罚金和借款。1859年后成为税收法庭的法官助理。根据1873年的《司法组织法》，纪事官归属最高法院。1925年后，这个职务由高等法院的高级法官助理担任，其职责包括与遴选郡长、接受伦敦市长宣誓和一年一度检查造币厂发行的硬币等有关的事务。

Remigius OF REIMS, SAINT **莱米吉乌斯（兰斯的），圣**（约437～约533-01-13，法国兰斯） 法语作 Saint Remy。兰斯主教。他劝化法兰克国王克洛维一世信奉基督教，大大促进基督教在法兰克境内的传播。莱米吉乌斯22岁受神职，经常与克洛维一世通信。经过他的劝化，克洛维一世表示愿意信教，随后由莱米吉乌斯在兰斯为克洛维一世本人和他的众将领施洗礼。

Remington, Eliphalet 雷明顿（1793-10-28，美国康涅狄格萨菲尔德～1861-08-12，纽约伊里昂） 美国武器制造商和发明家。出生于纽约州一家铁匠店。1816年他制造了一支燧发枪，由于射击准确，邻居纷纷订购。不久他的铁匠店主要制造猎枪和步枪枪管。1828年他在伊利运河畔兴建一家大工厂。他和儿子菲罗在枪械的制造方面有不少创造，如：校直枪管的方法、切削枪托的车床和美国第一支铸钢钻孔步枪枪管等。1847年他为美国海军制造了第一批后膛装填的步枪，他创办的雷明顿兵器公司，向美国政府大量提供了用于南北战争（1861～1865）和两次世界大战的轻武器。

Remington, Frederic 雷明顿（1861-10-04，美国纽约州坎顿～1909-12-26，康涅狄格州里奇菲尔德附近） 美国油画家、插图画家和雕刻家，以写实手法描绘美国西部生活著名。曾在

雷明顿的青铜雕塑《牛仔》（1895）
供图：Joslyn Art Museum, Omaha, Neb.

耶鲁大学艺术学院和纽约艺术学生联合会学习美术。后从事插图艺术，专门描绘印第安人、牧童、士兵、马群和平原生活的景象。在美西战争时期，曾任战地记者和随军画家。其创作特点是善于捕捉迅速变化的动作和表现细节。

Remiremont 勒米尔蒙 法国东部弗朗什孔泰大区孚日省城镇。临摩泽尔河。四周为有林木高地。公元7世纪，附近山上建立隐修院和女隐修院。910年，匈牙利人入侵，将修女们赶到勒米尔蒙，这是在法兰克国王别墅四周发展起来的城镇。修女在欧洲君主资助下富裕起来并因女隐修院院长成为神圣罗马帝国的女名人而拥有很大权力。法国大革命期间，隐修院和女隐修院被查封。女隐修院院长宅邸内现有市政厅，曾于1752和1871两次重建。工业有纺织、服装、刺绣、铜铁铸造、金属加工和酿造等。人口9 068（1990）。

Remizidae 攀雀科 雀形目的一科，8种，包括攀雀（吊巢山雀）类，通常还有金雀。或归为山雀科的一个亚科。本科鸟类形似长尾山雀（长尾山雀科[Aegithalidae]），但尾较短，嘴较薄，常生活于水边。攀雀（*Remiz pendulinus*）见于欧亚大陆河边灌丛和沼泽，其分布

攀雀（*Remiz pendulinus*）
绘图：Murrell Butler

无规律；长11厘米，淡褐色，头稍白，面部黑色如面罩状；雄鸟筑袋状的两室巢，由植物的茸毛或绵状毛黏合而成，悬在树枝尖端或芦苇叶下，故攀雀又称吊巢山雀。金雀（黄头小山雀，*Auriparus flaviceps*）长10厘米，深灰色，头淡黄，见于北美西南部干燥灌丛地，以多刺的细枝营球形巢。

Remizov, Aleksey Mikhaylovich 列米佐夫（1877-07-06[旧历06-24]，莫斯科～1957-11-26，巴黎） 俄国象征派作家。其作品对1917年革命前后的俄国作家有很大影响。出身贫寒，早年曾在莫斯科街头流浪。在莫斯科大学读书时，因参加学生运动被捕，并流放外省。1905年定居圣彼得堡，开始参加象征派的文学团体，在杂志上发表文章。1909年出版《伊凡·谢苗诺维奇·斯特拉季拉托夫的故事》，获得声誉。这部描写外省生活的佳作，具有他一贯的写作特点：奇异怪诞，想入非非。他写过许多描写城市和外省生活的小说，也有些小说取材于民间故事和传说，或者利用回忆录和日记。他的散文多用口语，朴实无华。列米佐夫在革命和内战时期的作品（如《哀俄罗斯土地的残破毁灭》，1921）虽然爱憎分明，但不问政治。1923年去巴黎继续写作，直到逝世。

Remonstrant 抗议派 荷兰基督教会中信从阿明尼乌观点的一派。他们于1610年向联省议会提出抗议书，申述他们同严格的加尔文主义的分歧。这一派现在仍很有势力，他们的开明派神学观点已对荷兰归正会及其他派别发生重大影响。

remora 印鱼 又作 sharksucker 或 sucker-fish。又称鲫。鲈形目䲟科8～10种海鱼的统称，以能吸附在鲨鱼或其他海生动物或远洋船体上遨游而闻名。依靠头顶上扁平的卵圆形吸盘吸附，吸盘似从背鳍鳍棘部分转化而来，形成数目不等的成对横板。印鱼体细长，色深，长30～90厘米。生活于全世界较暖水域。摄食“寄主”的食物残渣，在某些情

印鱼(*Echeneis naucrates*)和其“寄主”豹斑鲨
供图:Douglas Faulkner

况下像清洁夫一样,吃其“运输者”体外的寄生物。

Remscheid 雷姆沙伊德 德国西北部北莱茵-威斯特法伦州城市。在贝尔吉施地区中部,伍珀河畔。11世纪末首见记载。1808年设市。1929年将伦内普等邻近城镇并入。市内有许多有趣的石板屋,其中一座辟作博物馆。X射线发现者伦琴生于伦内普,建有伦琴纪念馆。该城还有工具博物馆和表演艺术场所。城东南阿尔特河上有德国最早的拦截供饮用水的水坝(1891)。擅长工具制造,有机械、电子、化学工业。旅游业也很重要。人口约117 717(2003)。

Remsen, Ira 雷姆森(1846-02-10,纽约市~1927-03-04,美国加利福尼亚卡梅尔) 美国化学家、大学校长、糖精发现者之一。曾就读于哥伦比亚大学(1867年获医学博士学位)、德国慕尼黑大学和格丁根大学(1870年获博士学位)。在德国蒂宾根大学做R.费蒂希的助手(1870~1872),开始研究纯化学。返美后成为巴尔的摩的约翰斯·霍普金斯大学化学教授(1876~1913)、化学实验室主任(1876~1908)、校务委员会秘书(1887~1901)和校长(1901~1913)。引进许多德国实验方法,强调大学应成为科学研究中心。创办并主编《美国化学杂志》(1879~1913),在其中发表文章,首次介绍他与一名学生发现的一种新的甜味化合物(后称糖精)。

Remus(Roman mythology) **雷穆斯** 参阅 **Romulus and Remus** 罗慕路斯与雷穆斯。

Remy, Saint 参阅 **Remigius of Reims, Saint** 莱米吉乌斯(兰斯的),圣。

ren 仁 又拼jen,英语作benevolence。中国儒家学派的重要道德规范,孔子思想体系的理论核心。孔子以爱人为仁,有亲亲、尊贤等涵义。也泛指品德素养,包含恭(庄重)、宽(宽厚)、信(诚实)、敏(勤敏)、惠(慈惠)等内容。还作为施行善政的标准。《礼记·大学》:“为人君,止于仁。”近代谭嗣同的《仁学》把仁视为天地万物的根源。这些论述已离开了孔子关于仁的学说本意。

Ren Bishi 任弼时(1904-04-30,中国湖南湘阴塾塘乡[今属汨罗市]~1950-10-27,北京) 又拼Jen Pi-shih。中国共产党主要领导人之一,中国共产党第七届中央政治局委员。无产阶级革命家、政治家。出身于一个乡村教师家庭,曾就读长沙明德中学、湖南第一联合县立中学。1920年8月加入中国社会主义青年团。1921年5月赴莫斯科东方劳动者共产主义大学学习。1922年初加入中国共产党。1924年秋回国,担任中国社会主义青年团江浙皖区委委员,任教于上海大学。1925年1月当选为团中央执行委员,任组织部主任。积极领导青年参加“五卅”爱国运动。7月任团中央总书记。10月任中共中央军事运动委员会委员。1927年5月出席中国共产党第五次全国代表大会,当选为中央委员。同月,主持团“四大”,当选为团中央执行委员,继续任团中央总书记。同陈独秀右倾错误作斗争。国共合作破裂后,8月7日出席在汉口召开的中共中央紧急会议,积极主张土地革命,在会上当选为中共临时中央政治局委员。

1928年中共六大在莫斯科召开期间,任主持国内工作的中央临时政治局常委。中共六大继续当选为中央委员。1928年和1929年,先后两次被捕,受严刑折磨,坚贞不屈,后经营救出狱。1930年先后任中共长江局委员、湖北省委书记、武汉市委书记。10月任苏区中央局委员、苏区革命军事委员会委员(次年4月到职)。1931年1月出席中共六届四中全会,当选为中央政治局委员。3月率中共中央代表团赴江西苏区,当选为中华苏维埃共和国执行委员,任苏区中央局副书记,兼组织部长及党校校长。1933年任中共湘赣省委书记,湘赣军区政治委员。中央苏区第五次反“围剿”失败后,1934年7月奉命率红六军团撤离湘赣苏区,突围西征,为中共中央和中央红军战略转移探路,任中共中央随军代表、红六军团军政委员会主席。10月底,到达贵州印江木黄与贺龙率领的红三军会合(会合后红三军恢复红二军团番号),共同开创湘鄂川黔边革命根据地,任红二军团政治委员。中共湘鄂川黔边临时省委书记兼军区政委。1935年11月和贺龙等率红二、红六军团主力突围长征,1936年7月在四川甘孜与红四方面军会合。同月,根据中革军委命令,以红二、红六军团及红三十二军组成红二方面军,任政治委员,和朱德、刘伯承等一起坚定地拥护以毛泽东为代表的中共中央,维护党的团结,同张国焘的分裂行为作斗争,力促红军三大主力胜利会师。10月任中国抗日红军前敌总指挥部总政治委员。12月任中央革命军事委员会主席团委员。

抗日战争爆发后,红军改编为国民革命军第八路军,任中共中央军委华北分会委员,八路军政治部主任,和朱德、彭德怀等率八路军开赴山西前线抗战。1938年3月,代表中共中央赴莫斯科向共产国际系统地汇报中国抗战形势与中国共产党的工作和任务,阐明以毛泽东为代表的抗日民族统一战线的正确路线,取得了共产国际的理解和支持。1940年3月回国,参加中共中央书记处工作。1941年9月任中共中央秘书长,协助毛泽东领导整风和大生产运动,并受中央委托主持《关于若干历史问题决议》的起草工作。1943年3月和毛泽东、刘少奇组成以毛泽东为首的中共中央书记处。1945年在中共七届一中全会上当选为中央政治局委员,书记处书记,和毛泽东、朱德、刘少奇、周恩来组成以毛泽东为首的中共中央书记处。解放战争时期,和毛泽东、周恩来一起转战陕北,协助毛泽东指挥全国解放战争,制定中国共产党的土地政策和开展土地改革工作。

1949年初,指导建立中国新民主主义青年团,被推选为团中央名誉主席。11月赴苏联就医。1950年5月回国。其主要著作收入《任弼时选集》。

Ren Bonian 任伯年 参阅 **Ren Yi** 任颐。

Ren Mei'e 任美锷(1913-09-08,中国浙江鄞县[今属宁波]~) 中国地理学家。中国科学院院士。1929年毕业于中央大学地理系。1936年入英国格拉斯哥大学学习地貌

中国大百科全书出版社供图

学,1939年获自然科学博士学位。回国后,先后任浙江大学史地系教授、复旦大学史地系主任、中央大学地理系教授。20世纪50~80年代曾任南京大学地理系主任,并兼任过中国科学院南京地理研究所所长。曾任中国地理学会副理事长,现任中国海洋学会副理事长、国际地质科学联合会海洋地质委员会委员。1980年当选中国科学院学部委员。1986年获英国皇家地理学会最高荣誉奖章——维多利亚奖章。长期从事地貌学、海洋沉积动力学和喀斯特研究,向中国介绍了欧美地理学思想,并探讨过中国自然区划问题。主要论著有《建设地理新论》(1946)、《中国自然地理纲要》(1979、1985)、《岩溶学概论》(与刘振中合著,1983)等。

Ren Xinmin 任新民(1915-12-05,中国安徽宁国~) 中国火箭专家,中国试验通信卫星工程总设计师。1934年考入中央大学化学工程系,卢沟桥事变后转入重庆兵工学校大学部造兵系。1940年毕业后,任兵工署21厂技术员、兵工学校大学部助教、讲师。1945年6月赴美留学,入密歇根大学研究院,先后获机械工程硕士和工程力学博士学位。1948年应聘为布法罗大学讲师。1949年8月回国。先后在华东军区军事科学研究室任研究员、哈尔滨军事工程学院教授、教研室主任、系副主任等职。1956年奉调筹建国防部第五研究院,历任总体研究室主任、液体火箭发动机设计部主任、研究所所长和研究院副院长。

作为中国的导弹和航天事业的开创者之一，他主持制定了液体火箭发动机的研制规划和实现规划的技术途径。1964 年自行研制成中近程导弹。后又领导研制成中远程运载火箭使用的大型液体火箭发动机，保证了中远程导弹按期制成。1965 年起，担任研制中国第一颗人造地球卫星的运载火箭——“长征一号”的总负责人，1970 年 4 月 24 日，用“长征一号”火箭首次成功地发射了中国的第一颗人造卫星。以后，作为研制部门的总负责人，参加了各种卫星的发射和回收工作。中国的试验通信卫星工程包括“长征三号”运载火箭、“东方红二号”通信广播卫星、发射场、跟踪测量控制系统、通信地面站等 5 大系统，任新民作为总设计师，不仅亲自参与运载火箭和液氧-液氢发动机的研制工作，还直接参加卫星的跟踪测控、发射场的系统等重大技术关键问题的讨论和决策。1984 年，中国首次发射成功一颗试验通信广播卫星并定点成功。此后，他又作为技术总负责人指挥了三颗实用通信广播卫星的成功发射。1990 年 4 月，他指挥用“长征三号”火箭成功发射了“亚洲一号”通信广播卫星。1975 年以来，任新民历任第七机械工业部副部长，航天工业部总工程师、航空航天科学技术委员会主任。中国宇航学会一、二届理事长。1980 年当选为中国科学院技术科学部委员。

Ren Yi　任颐（1840，中国浙江山阴[今绍兴]～1896，上海）　又拼 Jen I。中国清代画家。初名润，更名颐，字伯年，号小楼（晓楼）。青年时迁居萧山。父任鹤声，号淞云，善画，

任颐绘《苏武牧羊》
中国大百科全书出版社供图

尤善写真。少从家学，花卉喜学宋人双钩法，人物、山水无所不能。曾受教于任熊（渭长）、任薰（阜长）。白描传神，笔意颇近陈洪绶。后见八大山人画，更悟用笔之法。年未及壮，已名重大江南北。久寓沪上，鬻画以终。他继承“外师造化，中得心源”传统，主张“丹青来自万物中”。学传统，工整谨严，点拂不怠，并能“以己意广之”，又曾对实物写生，故能融西法于传统画法之中，自成风貌。所作人物画题材广泛，具有浓厚生活气息，虽传统题材，亦能赋予新意和时代的风貌。画肖像尤传神，人物特征、个性跃然纸上。花鸟画善于创造情景交融的意境，画面生意盎然。所画鸡鹤雀燕、花卉草木，变化丰富，情景和谐，构思巧致。同代画家虚谷说他“笔无常法，别出新机”。花卉赋色或秾艳或淡雅，皆清丽动人，吴昌硕赞为“如风露中折来，百读不厌”。

Renaissance　文艺复兴　紧随中世纪之后欧洲文明的一个新时期，通常认为其标志在于对古典学术和价值观产生浓厚兴趣。在此期间，发现、勘查了新的大陆，哥白尼的天体学说代替了托勒密的学说，封建制度衰落，商业兴盛，发明或运用了造纸、印刷、指南针以及火药这类技术革新。而对当时的学者和思想家来说，在经历了一个漫长时期的文化凋敝和停滞之后，古典学术和智慧重新获得了新生。15 世纪学者用中世纪一词，指介乎希腊罗马古典世界的衰亡与 15 世纪初这一古典世界再次被发现之间的一个阶段。其实，此前彼特拉克已谈到有一个漫长的文明的黑暗时期。中世纪行将结束，特别从 12 世纪开始出现了一系列社会、政治和文化方面的变化：包括罗马天主教会和神圣罗马帝国越来越无力提供一个稳定的、起统一作用的框架来组织精神和物质生活，城邦和各个王朝崛起，各国语言日益发展，封建制度分崩离析。这些变化的顶点正是文艺复兴。文艺复兴精神的最初表现为人文主义的思想文化运动。它由一些世俗学人而不是由主持经院哲学的教士所发动。人文主义发轫并成熟于意大利。1453 年君士坦丁堡的陷落，使许多东方的学者逃到意大利，他们带来重要的典籍手稿以及希腊学术研究的传统，从而推动了这一运动的发展。人文主义的重要特点，首先在于它以人性及其成就为研究对象；其次，它强调所有哲学和神学派别体系中的真理统一性和兼容性，即诸说混合论；第三，它强调人的尊严。中世纪的理想把忏悔赎罪一生作为人的活动的至上和最高尚的形式；而人文主义者则认为人的活动莫过于为创造而斗争和努力征服自然。最后，人文主义要求重振失去的人文精神和才智。与此同时，人文主义者也不忘致力于巩固一个新的精神面貌和境界，开拓新的知识天地。人文主义帮助人们挣脱正统宗教加之于他们的精神枷锁，倡导自由探讨和批评，启发人们对人的思想和创造的可能性的信心。印刷术的发明，促进人们读书识字，并使古典著作爆炸式地普及于社会，从而推动了人文精神，文艺复兴从意大利向欧洲各地传播。北方人文主义者的首要人物当推伊拉斯谟，他的《愚行赞》概括了人文主义的道德本质，主张诚心诚意的善与形式主义的虔诚相对立。人文主义思想有助于促成宗教改革运动。然而许多人文主义者（包括伊拉斯谟）却在宗教运动面前退缩了。16 世纪末，当思想文化生活已处于启蒙运动前夕，欧洲的很大一部分的精力和注意力却被宗教改革和反宗教改革的斗争吸引去了。

文艺复兴的最突出的成就在于艺术。对达·芬奇这样的人来说，艺术甚至是一门科学，一种探测自然、记录发现的手段。在马萨乔、洛伦采蒂兄弟、安吉利科、波提切利、佩鲁吉诺、拉斐尔和提香这些画家的作品中，皮萨诺、多那太罗、韦罗基奥、吉贝尔蒂和米开朗琪罗这些雕刻家的作品中，以及在阿尔贝蒂、布鲁内莱斯基、帕拉弟奥、米开罗佐和菲拉雷特这些建筑师的作品中，人的尊严在艺术之中得到了体现。在 13 世纪末和 14 世纪初的意大利，文艺复兴的重要前导是方济各教派的激进主义。圣方济各尽弃盛行讲究形式的基督教经院神学，走到穷人中去，赞颂自然之美以及它的精神价值。这鼓舞了意大利的艺术家和诗人去从现实世界中找寻乐趣。这一先导时期的最著名画家乔托（1266 ～ 1267 或 1276 ～1337）显示了一种新的画风：清晰简单的结构以及极强的心理穿透力，而摒弃前辈和同辈们那种平面线条的装饰性和一层叠一层的构图。大诗人但丁的诗作表现了类似的对内心体验和人性的微妙的差别和变化的关注。尽管《神曲》在立意和思想上仍属于中世纪，但其主观精神和表现力却向着文艺复兴前瞻。不幸的是 1348 年的大瘟疫和随后的内战淹没了乔托和但丁的人文主义的努力以及日渐增长的对个人主义和自然主义的兴趣。直至 15 世纪，文艺复兴的精神才重又兴起。1401 年，布鲁内莱斯基和多那太罗离佛罗伦萨去罗马，潜心研究古代建筑与雕刻。回佛罗伦萨后，在他们的实践中古代世界的合理化的艺术得以重视。马萨乔（1404 ～ 1428）以其设想之高妙，构图之雄伟，高度的自然主义，使他成为文艺复兴开一代画风的人物。当时的佛罗伦萨，豪富商人家族斥资建设或装饰宫殿、教堂和隐修院等，对各种艺术的发扬光大极其有利。

文艺复兴艺术的顶峰持续约 35 年，从 15 世纪 90 年代初至 1527 年帝国军队大肆虏掠罗马时止。这一鼎盛时期有三位出类拔萃的人物：达·芬奇（1452 ～ 1519）、米开朗琪罗（1475 ～1564）和拉斐尔（1483 ～ 1520）。达·芬奇是文艺复兴人物的最高代表，这位卓荦不群的天才对诸门学术无一不通。米开朗琪罗有强胜的创造力，善于构思巨大作品，从人的躯体汲取灵感，并用它来表现情感。拉斐尔则以其创作完美地表现了古典精神：和谐、俊美、静穆。达·芬奇的盛誉在于《蒙娜丽莎》（1503 ～ 1505，罗浮宫）、《岩间圣母》（约 1485，罗浮宫）和《最后的晚餐》（1495 ～ 1498，米兰圣玛丽亚感恩女隐修院）。米开朗琪罗的早期雕塑有《哀悼基督》（1499，罗马圣彼得教堂）和《大卫》（1501 ～ 1504，佛罗伦萨美术学院）等，反映了一种惊人的技能，把解剖学比例均匀的原理同更大的表现力结合得恰到好处。米开朗琪罗认为自己首先是一位雕塑家，然而他的最出色的作品却是罗马梵蒂冈西斯廷礼拜堂的大幅穹隆画（1508 ～ 1512），它构图异常复杂，但在哲学意义上却是传统基督教神学和新柏拉图主义思想的统一体。拉斐尔的杰作《雅典学院》使亚里士多德和柏拉图两个学派的代表聚在一起。

与米开朗琪罗使画面塞得满满的并处于动荡不宁的气氛不同，拉斐尔的画面是空敞的殿堂，拱顶隐向远处，一群哲人和艺术家在安详地谈话。拉斐尔原受达·芬奇影响，采纳了金字塔式的构图，他画的许多圣母像都摹仿《岩间圣母》中的俊美的脸庞。他与达·芬奇不同之处是作品数量巨大，爱好古典作品的和谐与清晰。文艺复兴时期建筑的巅峰作品出于布拉曼特之手（1444 ～ 1514）。他的第一个杰作为蒙托里奥的圣彼得罗教堂中的小礼拜堂。其中央穹顶，类似古典的神殿建筑。教皇尤利乌斯二世任命他为教廷建筑师。共商把建于 4 世纪的古老圣彼得教堂改建成一座雄伟的大教堂，但这一浩大工程直到布拉曼特死后多年始告完成。1527 年罗马陷落，文艺复兴时期告终。基督教信仰与古典人文主义间的紧张关系导致 16 世纪后期的矫揉造作的作风。然而洋溢着文艺复兴精神的伟大艺术作品继续在意大利北部和欧洲北部不断被创造出来。意大利北部的画家如柯勒乔（1494 ～ 1534）和提香（1488 或 1490 ～ 1576）似乎不受矫揉造作作风的影响，继续既画爱神维纳斯也画圣母，似乎两者并无冲突。威尼斯画家受天气潮湿的限制，钟情于油画。大画家如贝利尼、乔尔乔涅、提香、丁托列托和韦罗内塞开创了威尼斯画风；他们将非基督教题材和着色秾艳、营造宏伟背景的手法结合起来，体现出威尼斯人乐观开朗、酷爱寻欢作乐的性格。德意志画家丢勒在精神上更近于佛罗伦萨的注重理性的画风。他从事光学实验，热心研究自然，有力地把文艺复兴的风格和北方哥特式风格合为一体，通过他的版画和木刻传播到西方世界各地。

Renaissance man 文艺复兴人 又作 Universal man（全才人）。意大利文艺复兴时期出现的一种理想，来自当时最有成就的代表人物 L.B.阿尔贝蒂（1404 ～ 1472）的主张，认为“一个人只要想做，他就能做一切事情”。这种理想体现了文艺复兴人文主义的基本原则，即人是宇宙的中心，他的发展能力是无限的。因而产生了一种概念，即人们应该努力去获得一切知识，并尽量发展自己的能力。由此，文艺复兴时期有才能的人们，就在知识的各个领域，在体格锻炼，社会活动，文学艺术等方面，探求技能的发展。这种理想最优秀的例证就是阿尔贝蒂——一个杰出的建筑家、画家、古典文学家、诗人、科学家、数学家，而且还以马术和武术自夸——以及达·芬奇（1452 ～ 1519），他的才能表现在艺术、科学、音乐、创造发明、写作等多方面的领域。

renal artery 肾动脉 由腹主动脉分出的成对大血管，分别进入两侧肾脏。肾脏内侧凹陷处有豁口，称肾门，肾动脉经此入肾。肾动脉通常分成两大分枝，每个分枝又分出若干较小的动脉，将血液输送到肾单位。血液经过肾单位，滤出某些成分，最后流入肾静脉，再回到下腔静脉。正常人在静止状态时肾动脉每分钟输入肾脏的血液量为 1.2 升，大约相当于心脏搏出量的 1/4（也就是说，每 4 ～ 5 分钟内通过肾脏的血流量相当于一个成年人的全部血容量）。虽然有些机体条件能影响血液的流动，但肾血管具有某些内在的自动调节机制，能够应付外界不利的影响。因此当全身的血压增高或降低时，其压力的变化作用于动脉管壁平滑肌内的神经感受器，使肾动脉扩张或收缩，以保持肾血流量的稳定。

renal calculus 参阅 **kidney stone** 肾结石。

renal capsule 肾包膜 包绕肾脏表面的薄膜，由坚韧的纤维组织构成。主要成分为胶原及弹性硬蛋白。其功能为支托肾实质并保护肾组织免受损伤。包膜内弹性纤维及平滑肌纤维的数量随个体年龄的增长而增多。自肾动脉分出的小叶间动脉，经肾皮质终止于包膜，为其主要供血来源。包膜最厚处常达 2 ～ 3 毫米。包膜围绕肾外侧壁并向内延伸直至肾内中空的间隙-肾窦。肾窦包含输尿管及动脉、静脉等。在肾窦内包膜同这些组织相连接并相衬为肾窦壁。正常人的肾包膜呈淡紫红色，透明、光滑并具有光泽，通常极易从肾实质剥离。而病肾与其包膜之间往往连有纤维性组织，使包膜与实质黏连得更为紧密。若尸解时发现肾包膜剥离困难，即表明该肾曾经罹病。

renal carcinoma 肾癌 又称透明细胞癌、肾上腺样瘤。是肾曲管上皮细胞的恶性肿瘤。多发生于 40 岁以后，50 ～ 70 岁之间发病率最高。患肾血管疾患者易发生肿瘤。因为肿瘤与血行非常接近，故常转移到身体其他脏器如肺、肝、脑及骨组织内。肾癌生长于单侧或双侧肾脏内，体积大、类球形。内含大量脂类物质，故多呈黄色，尚见因出血而形成的暗红色区及含有稀薄液体的囊肿。瘤体内可见多数粗大血管，管壁由瘤细胞组成。肾癌往往要转移到其他部位后才被发现。虽然在其早期可能出现无痛性血尿，但往往未引起患者本人注意。疼痛仅见于晚期。肿瘤早期即可引起一个或多个肾盏变形。若疑诊为肿瘤，则作 X 射线检查即可发现这种变形。肾癌可自行消退。肿瘤手术切除后可无复发，但也可能 20 年后方复发。

renal cell carcinoma 肾细胞癌 发生在肾上皮细胞的一种恶性肿瘤，约占成人肾癌的 85%。由遗传和环境因素造成，第 3 号染色体突变是特别值得关注的潜在病因。男性发病率是女性的 2 倍，多数诊断病例为 50 ～ 70 岁人群。吸烟使患癌危险增加 2 倍，石棉和镉暴露也是可疑的危险因素。两项少见的调节紊乱如结节硬化和 V.希佩尔-林道（VHL）综合症常伴有肾细胞癌。其症状是不明原因下侧背部疼痛、贫血、发热，以及不明原因消瘦、血压升高或足踝肿胀。采用多影像技术，常规 X 射线，CT 扫描、核磁共振以及超声检查。尿液检查可发现血尿，血液检查会发现贫血、肝脏酶类增高和血钙增高。所有分期的肾细胞癌平均 5 年生存率都低于 50%，诊断后大约 1/3 肾细胞癌发生转移，一旦发生癌远处转移 5 年生存率非常低。通常需要外科治疗，切除全部或部分肾组织。更多采用切除全肾和肾上腺，清除局部淋巴结。化疗和放疗效果均不佳，生物治疗包括免疫治疗也有所运用。如何预防肾癌现在知之甚少，慢性肾脏衰竭患者只能用透析，X 光检查可发现早期肾细胞癌。

renal collecting tubule 肾集合小管 又称贝利尼氏管。从肾单位至肾乳头之间的管道结构。长约 20 ～ 22 毫米，管径为 20 ～ 50 微米，管壁细胞的腔面具有鞭毛，纤毛摆动可促使分泌物通过集合管。随着集合小管管腔直径的扩大，管壁细胞的高度亦增加，管壁逐渐变厚。集合小管的功能是输送尿液与吸收水分。据认为肾髓质组织内钠离子浓度较高，因此当集合小管通过髓质时，管内水分即经管壁渗入髓质。水分在集合管管壁细胞间弥散，直到小管内、外钠离子浓度相等为止。集合小管内溶液中的水分被吸收，可起到尿液浓缩及保存体内水分的作用。集合小管可见到如下的病理变化：管壁退行性变或萎缩；钙盐沉积；病毒、细菌、真菌或寄生虫引起的感染；结晶形成；小管阻塞或扩张及恶性肿瘤等。

renal corpuscle 肾小体 又作 malpighian body。又称马尔皮吉氏体。脊椎动物肾单位的过滤结构，肾的功能部分。由双层囊（鲍曼氏囊）包绕着毛细血管网（肾小球）而组成。鲍曼氏囊开口于肾小管。肾小球毛细血管的血压很高，迫使血浆滤入鲍曼氏囊，而大分子（如蛋白质）不能透过，此种滤出液称为囊尿，流入肾小管后经进一步处理。

renal cyst 肾囊肿 肾内的囊性肿物，有几种不同的类型。孤立囊肿内含液体，可能部分为血性。囊肿大小差异很大。或为先天性，或为肾小管梗阻所致。体积较大的囊肿可引起背痛及牵扯感。患肾血管疾病时可见由扩张的血管形成的多个小囊肿。引流入肾脏的淋巴管梗阻后亦可形成囊肿。这些囊肿通常形小，若未压迫其邻近血管则对健康无害。绦虫亦可能在肾内形成囊肿，其症状为疼痛、排尿困难、血尿及尿内排出绦虫卵和体节等。因囊肿有合并肿瘤的可能，故常需手术探查及切除。多囊肾系先天性畸形，表现为单侧或双侧肾内有多数较大囊肿。骨髓质囊性病一般亦认为系先天性，多见于青少年；其囊肿在细小的集合管内形成，本病一般无明显症状，但患者会出现贫血、低钠及高氮质血症；肾实质缩小，表面呈颗粒状，可见多个小囊肿及大片瘢痕组织。参阅 **urogenital malformations**。

renal failure（medicine） 参阅 **kidney failure** 肾功能衰竭。

renal osteodystrophy 肾性骨营养不良 又称肾性佝偻病、继发性甲状旁腺增生症。是一种慢性疾病，可能有遗传性。特征为肾功能不全、骨骼矿物质成分丢失、佝偻病样畸形、异位钙化及甲状旁腺功能亢进等。因肾功能不全造成脱钙和磷滞留，促使甲状旁腺激素分泌过多，结果已形成的骨质发生脱矿质作用，新生的骨质又不能钙化。因为骨骼的异常发育进展得比肾功能不全慢，所以有严重肾功能不全的患儿，可能在骨骼畸形尚未明显时，即已夭折。若患儿肾功能不全程度较轻，便可造成侏儒症并经常发生骨折。成年患者则表现为骨骼逐渐软化和弯曲。治疗取决于患者体内的化学平衡状态。对一些伴有严重肾功能不全的患者进行肾移植疗效甚佳。切除功能紊乱的甲状旁腺有时亦能控制症状。

renal pelvis 肾盂 输尿管顶端的膨大部分，形如弯向一边的漏斗。几乎全部为肾窦所包绕。其大端在肾内，并连以数个不规则杯形的空腔——肾盏。肾盏、肾盂收集尿液，经输尿管流入膀胱。肾盂的组织结构与输尿管相似，内层为湿润的黏膜，上皮细胞仅数层。黏膜外为较厚的平滑肌纤维层，肌膜外又复以一层结缔组织，内含血管、神经纤维及弹性纤维，偶含淋巴结。肾盂黏膜有少量皱襞，因此当尿液充盈时，肾盂亦能扩张。肌纤维呈纵行和环行排列，肌肉收缩产生蠕动，可推动尿液，使之由肾盂流入输尿管和膀胱。肾盂及输尿管的内壁不能透过尿内的正常物质，因此无吸收液体的功能。

renal pyramid 肾锥体 又称肾叶。肾内切面呈三角形的结构，构成肾髓质。主要由把肾皮质内形成的尿液输送到肾盏的肾小管所组成。其尖端称为肾乳头，突入肾小盏内。乳头表面有许多小孔而呈筛状，尿液通过小孔滴入肾盏。小孔即肾集合管的开口。有许多肌纤维从小盏连向乳头，肌纤维收缩时，尿液就从肾集合管流入小盏，然后再通过肾盂、输尿管进入膀胱。锥体之间有叶间动脉。每条叶间动脉在锥体基底部分枝为小动脉和毛细血管，构成丰富的血管网，供应相应的锥体和皮质。所以，阻断一条叶间动脉就能导致一个肾锥体的退行性变。有些动物，如鼠、家兔，只有一个肾锥体，而人类肾脏有十多个锥体。

renal transplant 参阅 **kidney transplant 肾移植**。

Renamo 莫桑比克全国抵抗运动 游击队组织，从70年代后期开始，试图推翻莫桑比克政府。由罗得西亚白人军官于1976年组成，这些军官力求阻止新独立的莫桑比克支持正在进行战斗推翻罗得西亚白人政府的黑人游击队。他们征募获得胜利的莫桑比克解放阵线中心怀不满的游击队员。不久即由南非军队接管，扶植全国抵抗运动。该运动反对马克思主义倾向的莫桑比克中央政府，运动的游击队通过切断铁路和输电线、毁坏道路和桥梁，以及破坏油库等来扰乱国家的经济及其基础。他们对乡镇和村庄进行袭击时，常大批屠杀平民。到80年代末，该运动的反政府叛变活动已经至少造成了10万人死亡，100多万人沦为难民。莫桑比克的经济处于停滞状态，政府必须依靠津巴布韦、赞比亚和坦桑尼亚军队的帮助才能使国家的铁路网得以通行。

Renan, (Joseph-) Ernest 勒南（1823-02-28，法国特雷吉耶～1892-10-02，巴黎） 19世纪哲学家、历史学家和宗教学家。法国批判哲学学派的领袖。出生于法国农民家庭，曾在

供图：Archives Photographiques

家乡的一所神学院学习。一场信仰危机导致他于1845年背弃天主教。他认为欧洲的1848年二月革命是创立一门宗教。他对革命的救世作用抱有希望，但态度暧昧，时而同情，时而批评。这种立场反映在所著《科学的未来》(1890)中，该书的主题是宗教起源史的重要性，他认为这门人文科学具有与自然科学同等的价值。1849年被法国政府派往意大利帮助罗马教廷整理手稿。1850年返回巴黎，在国家图书馆任职。他先后编写了《宗教历史研究》(1857)和《道德和批判短论》(1859)。这些著作向中产阶级的读者反复灌输以历史的人文主义的方法研究宗教所获得的见解和感受。他的许多论文都站在贵族政治思想立场上斥责唯物主义和第二帝国(1852～1870)的偏狭。他认为知识分子作为"精神堡垒"应当以人道主义来反对暴政。1860年赴黎巴嫩考古，发现腓尼基人的一些碑文，发表于所著《腓尼基考古纪行》(1864～1874)一书中。1861年访问圣地，搜集有关耶稣生平的资料。1863年《耶稣的一生》出版后，受到教会猛烈攻击。这一著作在基督教文学史上占有重要地位。1869年发表《法国君主立宪制》一文，捍卫君主立宪制。1871年法国在普法战争中战败后所遭受的苦难以及他对民主主义的愤怒使他变成集权主义者。1883年出版《青少年时代回忆录》一书，回忆了他的一生。随后又发表两篇论文，讽刺宗教教法主义者。他成功地缓和了科学与宗教的对抗，这种对抗是当时最大的麻烦事之一。他在政治和信仰上倾向于自由主义和集权主义，在宗教上倾向于怀疑论，体现了当时中产阶级的两重性。

Renard, Charles 勒纳尔（1847，法国～1905，法国） 法国军事工程师，建造第一艘飞行方向不由风向决定并能依靠本身的动力飞回起飞点的飞艇。1884年他和A.克雷布斯（均为法国陆军上尉）在沙莱-默东的军用航空站制成"法兰西"号飞艇，并于8月9日首次进行了7～8千米圆航线飞行。早在1871年勒纳尔曾放飞一架10翼无人驾驶模型滑翔机。

Renard, Jules 勒纳尔（1864-02-22，法国马耶纳河畔沙隆～1910-05-22，巴黎） 法国作家。代表作《胡萝卜皮》(1894)是他童年辛酸苦涩的记录，在冷峭的幽默之中掩盖着强烈的感情。勒纳尔婚姻虽然美满并有两个孩子，但其童年缺少父母爱的痛苦却毕生萦怀，他试图把它深深地埋在心底。他的散文无一字多余，对后来的法国作家影响很大，他们认为这是对在他之前的自然主义作家无选择地堆砌细节的倾向的一种匡正。曾就读于纳韦尔和巴黎。1888年结婚后，从事写作。他首先是一个艺术家（自称是"形象的猎人"），在作品中运用精细而敏锐的观察力。《博物志》

供图：H. Roger-Viollet

(1896)一书中关于动物生活的小品文就是这样的范例。虽然他大部分时间在巴黎度过，但并未失去与家乡的联系。在作品《菲利普一家》(1907)、《我们土头土脑的兄弟》(1908)和《拉戈特》(1908)中，以幽默犀利的笔锋，无情的现实主义手法描绘了乡村生活。他也写剧本，包括改编为剧本的《胡萝卜皮》(1900)。他是《法兰西信使》杂志(1890)的创办人之一，并当选为龚古尔学院院士(1907)。他的17卷本《日记》在他死后1925～1927年间出版，并于1964年译成英文。

Renart, Jean 勒纳尔（活动时期1200～1222） 法国诗人、传奇故事作者。其作品舍弃了前人克雷蒂安·德·特罗亚诗中所特有的那种活泼气氛和严肃说教，赞成对上层社会作轻快的、又有些怀旧的描绘——田园牧歌式的野餐、春天中的沐浴、交换腰带和指环、比武，以及夜深人静时的琴声。生平不详。已知作品有《鸢》，一本诗歌体的流浪汉小说，描写一对已订婚的少年辗转来到法国。《纪尧姆·德·多勒》，写一个被中伤的新娘聪明地为自己的名誉辩护的故事。《影子叙事短诗》，写一个骑士把戒指塞给他的情人，但她拒不接受，最后只好把戒指掷给她在井中的倒影。前两部作品仅存孤本，勒纳尔是否此作品作者的问题在19世纪末已有人提出疑问，1910年才予以肯定，因在这两部作品的最后几行中发现了勒纳尔的名字的字谜。

Renatus, Flavius Vegetius 雷纳图斯 参阅 **Vegetius 韦格提乌斯**。

Renaud DE MONTAUBAN 雷诺·德·蒙托邦 一位与古代法国武功诗歌同名的英雄（此歌亦称《艾蒙的四个儿子》）。雷诺由于下棋与查理曼的侄子发生争吵，刺死了他，骑上他那匹通晓人语的骏马贝雅尔，与他的弟兄们来到蒙泰索石寨（在塞莫伊河与默兹河汇流

处),设障据守。他们的父亲艾蒙协助围困他们。他们后来作为加斯科涅的永王的同盟者,在蒙托邦坚守,后逃至威斯特伐利亚的多特蒙德。雷诺信奉了基督教,并协助修建科隆大教堂,分文不取。妒忌他的工匠谋杀了他,将他的尸体抛进莱茵河,天使合唱的歌声顿时激起河水倒流,把他安葬在多特蒙德。法语诗可追溯到12世纪末或13世纪初,有18 000行之长;中古荷兰文本和西班牙文本部分源自法文本,部分源自意大利文本。

Renaudot, Théophraste **勒诺多**(1586?,法国卢丹～1653-10-25,巴黎) 法国医生、法国第一家报纸创办人,被认为是法国新闻业之父。曾任法国国王路易十三的御医。1631年

供图:H. Roger-Viollet

创办《新闻报》,后改名《法兰西新闻报》。该报系周刊,刊载政府批准之新闻。他担任主编及发行人,直到去世。1635年开设免费医疗所,为了维持诊所开销,他又开了一家当铺。他在公共卫生事业方面的措施遭到巴黎医务界反对;路易十三死后,他们不准他在巴黎行医(1644),1646年他被任命为路易十四的史官。

Renault **雷诺汽车公司** 全名国营雷诺汽车公司。法国主要的汽车与运输汽车制造商。法国政府拥有的全国最大的汽车制造商与出口商。总部设在布洛涅-比扬古。年轻的机械师L.雷诺在家中制造出第一辆小型汽车后,于1898年10月同两兄弟创建雷诺兄弟公司。那辆第一种型号的汽车采用的是直接传动,在当时汽车业中是一项创新。雷诺兄弟早期制造的汽车多次在有声誉的竞赛中获胜。到1905年雷诺的汽车增至5种型号(包括一种出租汽车)。1906年雷诺公司所产的21辆公共汽车在巴黎面世。在第一次世界大战期间,该公司积极支援前线,生产炮弹、飞机发动机和轻型坦克。然而在第二次世界大战初期公司的工厂受到德国人的控制,在盟军轰炸中许多工厂受到严重破坏。战争结束时,80%以上的设备遭到毁坏,剩余的工业资产被法国政府没收。1945年改为国营雷诺汽车公司。1979年雷诺公司和美国汽车公司签订一项协议,规定美国汽车公司经销商在美国也销售雷诺汽车,而雷诺公司则在欧洲销售美国汽车公司的汽车。一年后雷诺公司成了美国汽车公司的主要股东。1982年美国汽车公司开始在美国生产雷诺设计的汽车,大量削减了自己型号汽车的生产。然而,1987年雷诺公司宣布从美国汽车市场撤出,和克莱斯勒汽车公司签订协议,出让了公司的全部产权。1974年雷诺公司购进雪铁龙汽车公司的重型卡车子公司。从1983年起,雷诺占有美国麦克卡车公司举足轻重的股权。雷诺公司还生产各种工业产品。1966年成立雷诺-普吉奥联合公司,以处理某些国外的销售经营业务。

Renault, Louis **雷诺**(1843-05-21,法国欧坦～1918-02-08,巴尔比宗) 法国法学家和教育家,1907年诺贝尔和平奖获得者之一(与E.T.莫内塔分享)。1868～1873年任第戎大学罗马法和商法教授。从1873年至逝世,担任巴黎大学法学院教授,1881年成为该院的国际法教授。1890年被任命为法国外交部法官,这是特别为他设立的一个职位,以便他根据国际法审查法国的外交政策。他以这个职务的身份出席多次会议,其中特别重要的有1899和1907年的两次海牙会议,1908～1909年的伦敦海军会议。他是一位杰出的仲裁人。经他仲裁的著名的案件有1905年日本房屋税案,1909年的卡萨布兰卡案,1911年的萨沃尔卡尔案和1913年的迦太基案和迈努拜案。其著作多半是国际法专题文章和论文。他和他的朋友和同事莱昂-凯恩编著了两卷商法概论、八卷详论和一本手册。1879年发表《国际法研究导论》。1917年发表《德国对国际法最初的破坏》,指出德国不履行条约义务,侵略比利时和卢森堡。

Renault, Louis **雷诺**(1877,法国巴黎～1944-10-24,巴黎) 法国汽车制造商,建立了法国最大的汽车公司。1898年,他造出第一辆汽车之后,便和兄弟费尔南德和马塞尔造出了一系列小型汽车。1898年10月,成立一所名为"雷诺兄弟"的小工厂。它的汽车因在许多次公路比赛中获胜而引起广泛的注意。直到1903年马塞尔在赛车中身亡,雷诺才放弃比赛,专心制造汽车。1918年,他造出雷诺式坦克。战后,扩大生产,包括农业设备、船用机械、工业机器和柴油机。由于他在第二次世界大战中在德国占领下继续生产军用设备,光复后他被控与敌合作而受监禁,在候审期间死亡,雷诺工厂被收归国有。参阅**Renault**。

Renault, Mary **雷诺特**(1905-09-04,英格兰伦敦～1983-12-13,南非开普敦) 英国出生的南非小说家。原名M.查兰斯。以学识和善于改写古典历史和传奇作品著名。曾在圣休学院和牛津拉德克利夫医院学习护理,1937年毕业。第二次世界大战前已开始写作,但战时从事医护工作。战后定居南非。不久,她的希腊历史连续小说《最后的酒会》(1956)、《国王必死》(1958)、《海里来的公牛》(1962)相继问世,因注意历史细节而获得好评,同时也因同情地描写了男性同性恋而引起一些争议。《天火》(1970)、《波斯男孩》(1972)和《悲壮的竞赛》(1981)重述了有关亚历山大大帝的一些史实和传奇故事。在传记《亚历山大的性格》(1975)中,她还研究了他的心理背景。

Rendsburg **伦茨堡** 德国北部石勒苏益格-荷尔斯泰因州城镇。濒临基尔运河和艾德河,位于基尔的西面。1199年首见记载。1253年设建制。1895年建成基尔运河,使该城成为一内陆海港,从而促进了商业发展。旧城在艾德河一岛屿上,诺伊韦克区建在河南岸,工业区在河北岸。有圣玛丽教堂(1287～1293)、市政厅(1566)和基督教堂(1696)等古迹。为重要的公路、铁路和航运中心。经济以农产品销售、造船、钢铁和纺织品、肥料和机械等制造业为主。人口约28 700(2003)。

Rendsburg faience **伦茨堡彩陶** 德国锡釉陶器,于1764～1772年间产于德国荷尔斯泰因市的伦茨堡一家工厂。该厂是由C.洛伦岑和C.F.克拉尔共同创建的。目前存世的少量这种陶瓷品主要是装饰品而非日用品,如手杖把手和鼻烟壶等,其上绘有锰紫色或蓝色的中国式花卉图案。

René I **勒内一世**(1409-01-16,法国昂热～1480-07-10,普罗旺斯地区艾克斯) 法国贵族,拥有巴尔公爵、安茹公爵、普罗旺斯和皮埃蒙特伯爵称号。1435～1442年为那不勒斯名义上的国王。1431～1453年为洛林公爵。安茹公爵路易二世的次子。1419年舅公巴尔公爵路易指定他为继承人。1420年他与洛林公爵查理二世的长女结婚。1431年查理二世死后,他根据妻子的权利,要求取得洛

供图:Giraudon Art Resource/美国不列颠百科全书公司

林。法国国王查理七世支持这个要求,但沃代蒙的安东尼表示反对。1431年7月2日他被安东尼击败,成为俘虏,并被引渡给勃艮第公爵菲利普。他以两个儿子为人质后获得假释。1433年,他同意把长女约朗德嫁给安东尼的儿子费里。1434年神圣罗马帝国皇帝西吉斯蒙德承认他为洛林公爵,而且他又从长兄路易三世处继承了安茹和普罗旺斯,菲利普感到不快,12月勒令他回监,1437年在他允诺交付重金并割让领土以后才终于获释。在此期间,那不勒斯女王乔瓦娜二世立他为继承人。1441年他被阿拉贡的阿方索五世围困在那不勒斯。1442年6月他放弃该城,10月回到普罗旺斯。从15世纪20年代起,英军一直占领曼恩。他为了使弟弟查理收回曼恩,曾参加1444年4月在图尔举行的英法谈判。1445年其女玛格丽特与英王亨利六世结婚。但曼恩最后仍是用武力收回的(1445)。与此同时,法国国王查理七世帮助勒内安抚洛林。其妻伊莎贝拉去世(1453)后,她的洛林公爵领地传给勒内之子约翰。

Renée OF FRANCE 勒内(法兰西的)(1510-10-25,法国布卢瓦～1574-06-12,蒙塔日) 意大利和法兰西宗教改革运动史上的重要人物。法兰西国王路易十二的次女,1528年嫁德斯

供图:Giraudon—Lauros from Art Resource/美国不列颠百科全书公司

特,后者于1534年成为费拉拉公爵。为补偿她放弃在布列塔尼的权利,国王弗兰西斯一世将沙特尔公爵领地赐给她。她在费拉拉的府邸成为自由派思想家的聚会地和法兰西新教徒的避难所。1536年,加尔文曾亲自拜访她。在加尔文的影响下,她于1540年停止奉行天主教仪式。1559年夫死,1560年她返回法兰西,住在蒙塔日,她使该地成为宣传新教的中心。

Renfrew 伦弗鲁 苏格兰西南部斯特拉斯克莱德行政区的一个区。1975年设置。原为伦弗鲁郡的一部分。面积309平方千米。东与格拉斯哥市毗邻,北以克莱德河为界。虽是苏格兰高度工业化地区之一,但农业也很重要,生产鲜奶和蔬菜供应格拉斯哥市场。传统的重工业如造船,轮机工程和纺织业现正日益衰落。但约翰斯通的重型机床制造业仍重要;巴尔黑德以前从事纺织印染业,现在生产卫生器材;林伍德建起汽车装配厂(1963)以缓和因重工业衰退引起的失业问题。佩斯利(**Paisley**)是全区最大的城镇,是伦弗鲁和伊斯特伍德两个区的首府,有化工、食品加工、机械工业、造船业和纺织业等。人口约201 295(1987)。

Renfrew 伦弗鲁 苏格兰西南部伦弗鲁政务会辖区和历史郡的敕准自治市(城镇)。邻近克莱德河右岸,在格拉斯哥大都会综合区的西北部分。是伦弗鲁历史郡的首府。12世纪为市。1396年获特许状。现有电子业、塑料和复合材料制造业,并有一大型锅炉厂。19世纪,钢铁业和造船业促进了当地的迅速发展,但这些产业在20世纪后期逐渐消失。人口20 764(1991)。

Renfrewshire 伦弗鲁 苏格兰中西部政务会辖区和历史郡,北部沿克莱德河南岸,西部沿克莱德河湾,包括克莱德河低地都市区以及南部和西部的山区。伦弗鲁政务会辖区位于伦弗鲁历史郡内,该历史郡还包括因弗克莱德政务会辖区和东伦弗鲁郡。在政务会辖区的城市地区,微电子业和电脑系统等高科技产业弥补了传统重工业的衰退。其他经济活动包括塑料和复合材料制造、工程设计、化工、食品加工、锅炉厂以及各类服务业。农村地区主要从事乳牛业和蔬菜种植。佩斯利为行政中心。政务会辖区面积268平方千米。人口:政务会辖区177 230(1990)。

renga 连歌 日本一种诗歌相连的诗体,由两位或多位诗人轮流赋诗相连。此种形式最初是作为两人所作的单一短歌(传统的五行诗),古时即为受欢迎的娱乐形式,即使在偏僻的农村地区亦复如此。《金叶和歌集》(约1125)是收录连歌的第一部皇家文选。当时连歌只是两个诗人合写的一种短歌,一位诗人写前三行,分别为5、7、5个音节组成;另一位诗人写最后两行,每行为7个音节。第一位诗人经常写含糊难懂甚至互相矛盾的细节,使第二位诗人难以用明确易懂或有可能创造性地续完这首诗。早期的连歌是短连歌,一般说来,格调比较轻快。这种形式在15世纪得到充分发展,逐渐产生了两种连歌:遵循宫廷诗歌常规的严肃连歌和有意识地在词汇和措辞方面打破常规的喜剧连歌。宫廷诗人制定了许多"法规",旨在将连歌上升为一种艺术。连歌的标准长度是100首诗,但不是一成不变的。各首诗之间由词语和主题相连,诗的基调则随着诗人之间互相继续对方的思绪而巧妙地转移。这种形式的杰出典范是忧郁的《水无濑三吟百韵》(1488),由饭尾宗祇、肖柏和宗长三人写成。后来连歌的第一首诗发展成独立的俳句诗。

Rengao language 楞高语 又作Rôngao或Rangao。属澳斯特罗-亚细亚语系孟-高棉语族巴纳语支北部分支。操楞高语的居民居于越南中南部,人数较少,约1.5万人。

Renger-Patzsch, Albert 伦格-巴奇(1897-06-22,巴伐利亚维尔茨堡[德国]～1966-09-27,西德乌贝索斯特瓦默尔多夫) 德国摄影家,他的作品表明:他力图把摄影作为一种有特色的艺术。他提倡如实摄影,反对那种试图模仿绘画的浪漫主义摄影家,同时也反对那种试图用特殊技巧来追求艺术效果的摄影方法。他的《这世界是美丽的》(1928)一书与所谓"新客观"运动密切相关。"新客观"一词,最初是用于一群德国画家,他们对现实生活的处理,极其公正超然,朴实无华,产生一种新奇的效果,所以,在美国,人们称之为"新奇的现实主义"。伦格-巴奇曾用直截了当的方法拍摄过山水、森林和工业题材。

Rengō 联合 全称"日本劳动组合总联合会"(日本工会联合会)。日本最大的全国工人联合会。1989年创立。它吸收了原有的"总评"、"同盟"、"中立劳联"等,并使私营部门和公营部门的工会团结到一起。思想温和,宗旨为联合和动员非共产党的政治反对派,对抗执政的和一般保守的自由民主党。工作包括:协调企业级和产业级的集体谈判;组织未参加工会的工人,扭转参加工会的工人百分比不断下跌的情况;使产业级的工会联合会并入一个类似"德国工会联合会"的合理机构。20世纪末,"联合"拥有会员将近800万人。

Reni, Guido 雷尼(1575-11-04,教皇国博洛尼亚[意大利]～1642-08-18,博洛尼亚) 意大利早期巴罗克油画家,以古典理想主义的神话和宗教题材画著称。10岁入佛兰德斯画家D.卡尔瓦特画室学习,后来受卡拉齐家族新颖的自然主义影响。1599年加入画家行会。1600～1601年在罗马,这时期的重要作品有《圣彼得被钉十字架》(梵蒂冈)。1604年在博洛尼亚。1607年回到罗马,为教皇作壁画《阿尔多布兰迪涅的婚礼》和《圣母》(1608),在切利奥教堂作《圣安德烈走向绞刑架》(1608),在圣西尔维亚教堂作《上帝和唱诗的天使们》等壁画。1610年起为蒙泰卡瓦洛的主教小教堂(奎里纳莱宫)作了富于诗意的圣母故事的壁画。1613～1614年间完成了其纪念性壁画《奥罗拉》。1614年在博洛尼亚圣多明我教堂画壁画《圣多明我的光荣》。

雷尼绘《玫瑰经圣母》(约1630)
供图:SCALA—Art Resource/美国不列颠百科全书公司

1617～1621年间,在费尔迪南德·贡扎加公爵的曼图亚宫廷工作。后定居博洛尼亚,在从1630年左右起的10年中其艺术达到完美的地步,著名作品有《玫瑰经圣母》。

renin 肾素 肾脏分泌的一种酶,可分解蛋白质并使血压升高。胎盘亦可能分泌肾素。肾素能作用于一种血浆蛋白,即血管紧张素原,使之生成一种十肽——血管紧张素Ⅰ。血管紧张素Ⅰ在转换酶作用下脱去2个氨基酸,成为八肽-血管紧张素Ⅱ(前称高压素),可使小动脉收缩,引起收缩期及舒张期血压均上升。肾素是已知活性最强的血管收缩剂之一。按重量计算其作用约为去甲肾上腺素的6倍。肾素亦可直接作用于肾上腺皮质,使皮质醇及醛固酮的分泌增加。

Renkum 伦克姆 荷兰中部海尔德兰省城市。临下莱茵河,在阿纳姆市西面。由奥斯特贝克(当地政府所在地)、伦克姆、多伦韦尔特、海尔叙姆和沃尔夫海泽几个社区组成。第二次世界大战中为"阿纳姆之战"战场。立有英国空降兵纪念碑。城外有烈士公墓和多伦韦尔特城堡,现为空降兵纪念馆。奥斯特

贝格自罗马时期起即为住宅区。伦克姆现已工业化。人口约33 315(1991)。

Renmark　伦马克　澳大利亚南澳大利亚州东南部城镇。位于阿德莱德东北209千米，临墨累河。1887年始有人定居，在此兴修水利。后人以管道系统取代了原有的露天水渠。当地出产葡萄、橄榄、柑橘、硬核水果和乳品等。季节性职业有酿酒、食品加工和罐头食品生产。附近有乔伊拉水坝和戈特岛树袋熊保护区。人口3 489(1986)。

Renmin Ribao　《人民日报》　英文作People's Daily。中国共产党中央委员会机关报。1949年在北京创刊。日出两大张。现除在北京印刷发行外，还在上海、广州、兰州等

北京人民日报社社址
中国大百科全书出版社供图

21个城市印刷发行。在旧金山、东京、香港也设有印刷点。1921～1949年间中国共产党中央出版过多种机关报，后来相继停刊。1949年8月将原中共中央华北局机关报《人民日报》改为中共中央机关报，向读者报道中国和世界要闻，宣传共产党和政府的方针、政策，讨论学术理论问题，交流经济、文化、科学、教育等方面的经验，报道社会主义建设的成就。《人民日报》还出版经济报刊《市场报》、漫画增刊《讽刺与幽默》、新闻理论研究刊物《新闻战线》等。1985年7月1日开始出版《人民日报》海外版。

Renmin Shengli Canal　人民胜利渠　中国黄河下游的引黄灌溉工程。在河南省北部、黄河北岸豫北平原上。1951年施工，1952年第一期工程竣工，以后又经续建、扩建，20世

人民胜利渠渠首闸
中国大百科全书出版社供图

纪80年代末总灌溉面积达5.9万公顷。渠首闸在河南省黄河北岸武陟县秦厂村。有5个孔道，每秒引水量60立方米。总干渠沿京广铁路东侧向北，全长52.7千米，在新乡附近与卫河相汇。总干渠两侧有许多干渠、支渠、毛渠，总长达5 000多千米，灌溉豫北平原武陟、获嘉、新乡、延津、原阳等市县4万多公顷农田，使以往易旱易涝、盐碱严重的土地成为稳产高产的粮棉生产基地。由于黄河含沙量大，渠道易被淤塞，灌区内采取轮换存水沉沙法防止淤塞，又利用肥沃的淤泥改良了土质。由于引黄灌溉会提高灌区地下水位，导致土壤盐碱化，灌区内还打了3 000多眼机井，实行灌渠与井灌结合，降低地下水位。

Renmin University of China　中国人民大学　中国一所以人文、社会科学为主，兼有信息科学、环境科学等理工学科的综合性大学。校址在北京。前身为创办于1937年的陕北公学和后来的华北联合大学、北方大学、华北大学。学校设有研究生院和人文学院、经济学院、财政金融学院、法学院、马克思主义学院、社会与人口学院、国际关系学院、新闻学院、

中国人民大学东校门
中国大百科全书出版社供图

徐悲鸿艺术学院、外国语学院、对外语言文化学院、环境学院、信息学院、商学院、公共管理学院、劳动人事学院、信息资源管理学院、统计学院、农业与农村发展学院等23个学院，21个科研机构和14个博士后流动站，另设有继续教育学院、培训学院及深圳研究院，以及60个学士学位专业，8个第二学士学位专业、128个硕士学位点(另有27个自主设置的硕士点)、87个博士学位点(另有21个自主设置的博士点)、12个教育部人文社会科学重点研究基地、6个国家文科基础学科人才培养和科学研究基地、11个一级授权学科、25个全国重点学科。现有专任教师1 580人，其中，教授476人、副教授581人。学校自陕北公学时期以来，已培养18万名各类优秀专门人才。目前在校本科生9 571人，研究生9 427人(含MBA、MPA、法律硕士单证教育的学生)，外国留学生1 165人，成人教育本专科在册生8 000多人，网络教育在册生近40 000人。图书馆藏书250万册，并设有"教育部文科文献信息中心"。中国人民大学书报资料中心是中国收集、整理、储存、发布人文科学、社会科学、经济和管理科学的权威机构。出版物有《教学与研究》、《中国人民大学学报》等10种。复印报刊资料系列刊125种，文摘卡系列刊14种，报刊资料索引系列刊2种。

Renn, Ludwig　雷恩(1889-04-22，德国德累斯顿～1979-07-21，民主德国东柏林)　原名阿诺德·弗里德里希·菲特·冯·戈尔森瑙。德国小说家，因《战争》(1928)一书而闻名。这部小说取材于第一次世界大战的战争经历，叙述者和主要人物即名路德维希·雷恩。小说通过赤裸裸的、朴素的描写，强调战争的残暴。生于萨克森贵族之家，1911年起在萨克森警卫队任军官，参加了第一次世界大战。后曾在大学攻读法律、经济和俄语，一度任警官。20年代的通货膨胀夺去了他的财产，他目睹法西斯主义在意大利崛起，导致他在1928年成为一个共产党员。他是无产阶级革命作家联盟(1928～1932)的机关刊物《左翼》的主笔，也是该联盟的书记。这一时期他还在柏林的马克思主义工人学校教战争史。《战后》(1930)是一部关于战后魏玛共和国的小说，反映了雷恩的政治信仰。国会大厦纵火之夜，他被逮捕入狱，1935年获释。次年逃往瑞士，在那里发表了小说《巨大转变之前》(1936)。西班牙内战时，他是台尔曼纵队的队长，共和国方面的参谋长。小说《西班牙战争》(1955)便是他对这次战争的记述。曾在美国、加拿大、古巴和墨西哥等地执教。1939～1947年在墨西哥担任自由德意志运动的主席。后回到东德，在几所大学任教(1947～1951)。后期作品包括儿童书籍、一部自传和一些关于战争和军事的小说：《衰落的贵族》(1944)、《没有战役的战争》(1957)和《在帝国的废墟上》(1961)。

Rennell, James　伦内尔(1742-12-03，英格兰德文郡查德利～1830-03-29，伦敦)　当时英国的主要地理学家。绘制第一张大致精确的印度地图，1779年出版《孟加拉地图集》，对英国的战略计划和行政管理有重大价值。1756～1763年在皇家海军服役时成为测量专家。1762年陪同苏格兰地理学家A.达尔林普尔赴菲律宾，后参加东印度公司。1764～1777年任孟加拉总勘测长。回伦敦后潜心研究地理学，并获国际声誉，其住所成为世界旅行家的聚集地。1797年，著名探险家M.帕克从西非归来，作为非洲协会顾问的伦内尔对帕克的著作《非洲内陆游记》进行整理并提供插图及路线图。1783～1793年伦

伦敦国立肖像画陈列馆供图

内尔的《印度斯坦地图的研究报告》印出3版。另著有两卷的有关希罗多德地理学研究和《西部亚洲比较地理学》等书。他还写有有关海洋学的书。

Rennell Island 伦内尔岛 太平洋西南部所罗门群岛最南端的环礁。位于瓜达尔卡纳尔以南209千米。由上升的珊瑚石灰岩和低品位磷酸盐岩形成。1899年为英国占有。出产薯蓣和芋头。有铝矾土蕴藏。居民为波利尼西亚人。人口1 084(1986)。

Renner, Karl 雷纳(1870-12-14,奥匈帝国波希米亚翁特坦诺维兹[今在捷克共和国]～1950-12-31,奥地利德布灵) 奥地利社会民主党政治家、总理(1918～1920,1945)、总统(1945～1950)。农民出身。曾在维也纳大学学法律。后成为奥地利社会民主党温和派的一员。1907年起为帝国议会议员。第一次世界大战结束后,任新奥地利共和国第一任总理。他主张奥地利加入国际联盟,在外交事务中严守中立。在20世纪20年代,他是社会民

供图:Bild-Archiv, Osterrichische National-bibliothek, Vienna

主党右翼领袖。1930～1933年任民族院议长。1938年支持纳粹德国吞并奥地利。1945年德国崩溃,苏联军队占领奥地利,雷纳协同苏联官员成立临时政权。1945年4月任新生的奥地利首任总理。1945年12月20日,议会一致选举他为共和国总统。主要著作有《奥地利的革新》(3卷,1916～1917)和回忆录《在两个时代的转折点上》(1946)。

Rennes 雷恩 法国西部布列塔尼大区伊勒-维莱讷省省会,城市。位于伊勒河和维莱讷河汇合处。城市在1720年一次大火中几乎全部被毁。后按规划重建。少数幸存建筑坐落在维莱讷运河北侧,有雄伟的司法院,该建筑原为布列塔尼议会大厦(1618～1655)。铁路和新区大部在维莱讷运河南侧。名胜古迹有大教堂(1844)、市政厅(18世纪)、塔博尔公园(内有法国古典园林、玫瑰园和植物园)和藏有大量16～20世纪绘画的博物馆。城名源出在此建都的一个凯尔特部族的名称。罗马占领时期成为交通中心。法国大革命期间,该城为共和军与旺代人(保皇党分子)作

雷恩市一角

中国大百科全书出版社供图

战的指挥部。第二次世界大战中受到轰炸,城市部分被破坏。现为大主教管辖区中心。两所雷恩大学使该市成为布列塔尼地区的文化中心。公路、水路、空中交通方便。为周围地区物产的集市贸易中心。第二次世界大战后发展起工业,生产铁路设备、汽车、农业机械、化工品、食品、电子产品和印刷品等。人口约206 229(1999)。

Rennes faience 雷恩彩陶 法国锡釉陶器,其特点是应用了锰紫色。初期产品大部分是典型的罗卡尔式造型,上面绘有许多自然主义的花卉。18世纪时,在这个布列塔尼中心的众多工厂都生产这种彩陶;但是其中的大多数都显示出马赛和鲁昂彩陶的强烈影响,不过雷恩彩陶从未使用过红色。

Rennie, John 伦尼(1761-06-07,苏格兰东洛锡安凡塔西～1821-10-04,伦敦) 苏格兰杰出的土木工程师。修建或改建了许多运河、船坞、港口和桥梁,其中包括伦敦泰晤士河上的3座桥梁。早年为伦敦的磨坊设计机器,广泛使用铁制齿轮和其他铁制机器零件。18世纪90年代,他开始在肯尼特和埃文、罗奇代尔、兰开斯特等地修建运河。约从1800年起,他在林肯郡的沼泽地建设大规模的排水工程;修建或改建威克、格里姆斯比、霍利黑德和赫尔等港口,修建泰晤士河上的伦敦和东印度码头;改进了普利茅斯、朴次茅斯、查塔姆、希尔内斯的海军造船厂,并动工建筑保护普利茅斯湾的防波堤。他所修建的最著名的工程首推伦敦的几座桥:滑铁卢石拱桥(1937～1945年重建)、有3个铸铁桥拱的绍斯沃克桥(1814～1819)和新伦敦多拱桥(1831年竣工)。他死后,他的儿子乔治和约翰继承其父的事业,完成了伦敦大桥和普利茅斯的防波堤。

rennin 凝乳酶 通过把酪蛋白原转变为不溶性酪蛋白而使乳凝结的蛋白消化酶。据认为由胃腺细胞产生。只见于反刍动物的胃内,可延长乳在幼年动物胃中停留的时间。有些动物(如人)缺乏凝乳酶,胃内的乳汁受**胃蛋白酶**(**pepsin**)的作用而凝结。

Rennyo 莲如(1415-04-04,日本京都～1499-05-05,京都) 日本佛教领袖、佛教革新中心京都本愿寺第八世住持,谥号兼寿大师,号信证院。他进一步发展亲鸾所发起的反对繁文缛礼的革新运动。号称净土真宗中兴者,曾负责编订亲鸾所著《三帖和赞》,主持本愿寺的重建。

Reno 雷诺 美国内华达州西部城市,瓦肖县县城(1871)。濒临特拉基河,邻近加利福尼亚州边界和内华达山麓丘陵。景色优美。1860年始建居民点。1868年敷设中央太平

特拉基河流经的雷诺市

供图:Donald Dondero

洋铁路,居民迅速增加。1879年设市。1900年前为运输集散地。后发展为以迅速办理结婚、离婚手续著名的城市。因紧邻内华达山和塔霍湖,为常年度假胜地,有滑雪、打猎、捕鱼等设施。1931年后更增设赌场招徕游客。区内有些小型制造厂。因内华达自由港法,州际贸易免税,雷诺是重要货栈和集散中心。内华达大学(1874)于1885年从埃尔科迁至雷诺,1960年成立沙漠研究学会,另设有内华达历史学会。人口:市180 480;都会统计区339 486(2000)。

Reno, Janet 雷诺(1938-07-21,美国佛罗里达迈阿密～) 美国律师和政府官员,美国第一位女司法部长。就读于康奈尔大学,1960年获化学学士学位。后又进入哈佛大学法学院,1963年毕业后做律师工作。1971年开始从政,被任命为佛罗里达州州众议院司法委员会办公室主任。1973年任迈阿密州检察长助理,1978年当选为州检察官,并连任5次。在一个大多数为共和党人的地区,她是一名民主党人。在两次提名司法部长失败

后，1993 年 B. 克林顿总统提名她为司法部长，并很快得到国会批准。任职初期，致力于为想做人工流产的妇女提供更大保护，因为她们常常是反堕胎激进分子肉体骚扰的受害者。然而，她早期最有争议的决定则是她下令联邦调查局的特工对得克萨斯州韦科附近的大卫教派庄园进行最后的袭击。雷诺表示承担全部责任；这一点以及她的诚恳公正和公开道歉使她赢得众多美国人的敬佩。其后的几年里，她起草新的立法，扩大儿童淫秽作品法的范围。在致力于规范电视网中的暴力问题上，她和白宫产生了矛盾，并拒绝签署副总统 A. 戈尔将联邦调查局与缉毒局合并的计划。1997 年再度连任。2001 年底，她宣布参加佛罗里达州州长竞选。

Renoir, Jean　雷诺阿（1894-09-15，法国巴黎～1979-02-12，美国加利福尼亚洛杉矶）法国电影导演、印象派画家。彼埃尔-奥古斯特·雷诺阿之子。其影片以现实主义和强有力的叙事为特点，包括有《大幻灭》（1937）、《游戏规则》（1939）和《河》（1951）这样的经典影片。少年时代受充满艺术气氛的家庭环境的熏陶。1913 年大学毕业，加入骑兵部队。复员后开始撰写剧本。20 年代开始拍摄影片，改编过左拉和安徒生的作品，那些影片具有当时法国先锋派的风格。他的许多 30 年代作品一反早期有声片的矫揉做作，尤其是在使用即兴手法和蒙太奇方面，预示真正的电影风格即将再占上风。这一时期的主要作品有《十字街头之夜》（1932）、《被救出水的布杜》（1932）、《包法利夫人》（1934）和《朗基先生的犯罪》（1936）。1936 年拍摄同情法国人民阵线运动、进行共产主义宣传的影片《生活属

供图：Globe Photos

于我们》。同年拍摄了他早期作品、富有韵味的短片《乡村一角》（1946 年完成公映），这部印象主义电影的杰作展示了画面的诗意和魅力。30 年代后期，导演被认为是经典作品的《大幻灭》（1937）、《衣冠禽兽》（1938）和《游戏规则》（1939），确立了他在国际影坛上的地位。《游戏规则》在公映时被发行商删剪得面目全非，直到 1965 年按原作形式放映时才显示出其令人惊叹的美。第二次世界大战期间，在好莱坞拍摄了《沼泽地》（1941）、《南方人》（1945）、《女仆日记》（1946）、《海滩上的女人》（1947）等影片。1951 年到印度拍摄了他的第一部彩色片《河》。返回欧洲后在意大利拍摄了《金马车》（1952 年发行），这一结合了他绘画和戏剧两方面才能的作品显示他对演员和表演艺术的钟爱。他常在自己导演的影片中担任角色，还允许演员即兴表演，高度发挥自己的主动性。随后又拍摄了《法国康康舞》（1955）和《巴黎怪事》（1956）。晚年定居洛杉矶，著有关于其父的回忆录《雷诺阿》（1962）和关于自己的回忆录《我的生活和我的影片》（1974）。

Renoir, Pierre-Auguste　雷诺阿（1841-02-25，法国利摩日～1919-12-03，卡涅）　法国印象画派的先驱。早期作品是典型的印象主义的真实写照，充满了闪烁的色彩和光线，19世

雷诺阿自画像，1910 年

供图：Archives Denyse Durand-Ruel

纪 80 年代中期，他与印象主义运动决裂，开始用更严格、更正规的技法来画肖像和人物，尤其是女性。亦作雕刻和版画，题材广泛，技法独特。出身于艺匠家庭，1845 年全家迁居巴黎。幼时开始习画，13 岁当徒工，画陶瓷、扇子和窗帘等。1862 年到美术学院上夜校，学习素描和解剖。同时到瑞士画家 C. 格莱尔画室学油画，格莱尔曾就学于新古典主义画家安格尔。雷诺阿并没有因循老师的学院派风格。他与西斯莱、莫奈、巴齐耶同学，都主张艺术应更接近生活而远离旧的传统，共同的见解使他们成为密友。1864 年春，四人离开格莱尔，到枫丹白露森林描绘自然。自 1874 年，印象派画家首次举办展览，雷诺阿以人物画见长，有别于专画风景的画友。作品色彩鲜丽透明，表现出阳光的明亮与颤动的氛围，所画人物大多是中上层社会的妇女儿童。一些名作就是在这一时期完成的，如《包厢》、《游船上的午餐》等。1881 年和 1882 年，几次出游阿尔及利亚、意大利和普罗旺斯。认真研究拉斐尔和其他古典绘画，学习传统技法。1883～1884 年其画风发生变化，开始结合安格尔的技法进行创作，与印象主义发生裂痕，人称这一时期为"安格尔时期"。这期间他曾几次到阳光充足的法国南方旅行，观察自然，对色彩和人体有了新的认识，画了许多浴女和鲜花题材的作品。1894 年患风湿病，于是更多到南方去作画，爬山，1907 年在卡涅一小村庄定居。不再满足于画巴黎资产阶级肖像，开始画妻儿和女佣人的肖像、花、小果等静物，以及风景等。晚年尝试以雕刻形式体现女性，在助手 R. 吉诺的帮助下进行创作。在他去世前几个月，曾到罗浮宫参观自己的作品《乔治·戛庞蒂埃夫人像》（1876～1877）。主要作品有：《狄亚娜》（1867）、《画家巴兹利像》（1867）、《塞纳河上的游船》（1869）、《舞蹈家》（1874）、《包厢》（1874）、《戛莱特街的磨坊》（1876）、《游船上的午餐》（1881）、《雨伞》（1883）、《浴女》（1884～1887）等。

renormalization　重整化　量子场论中的一种方法。该法通过一定的步骤可将计算中导致无意义的无穷大结果的发散部分，通过重新定义吸收到几个可测的量中去，从而获得有限解。量子场论始于量子电动力学（电磁力的量子理论），用来计算量子层次上基本力的效应。最初似乎会导致无穷大的结果。例如，电子能不断地发射和再吸收"虚"光子（也就是仅存在于测不准原理所容许的时间内的光子），这就意味着电子的总能量和质量是无限的。然而，计及这些虚过程来重新定义"裸"电子的质量，使其等于实测质量——也就是通过重整化——则问题可以排除。量子电动力学已成为其他量子场论的典范。特别是非常成功地将弱力和电磁力统一起来的电弱理论，已证明是可以重整化的。量子色动力学（强力理论）看来也可以重整化。然而包括所有基本力（特别是引力）的重整化理论，仍然是令人困惑的。

Renos（river, Europe）　参阅 **Rhine River** 莱茵河。

雷诺阿绘《戛莱特街的磨坊》（1876）

供图：Marc Garanger

Renouvier, Charles-Bernard 勒努维耶(1815-01-01,法国蒙彼利埃～ 1903-09-01,普拉德) 法国新批判唯心主义哲学家。否认宇宙法则和道德之间一切必要的联系。他虽非学者,却写了很多有影响的作品。起初接受康德的批判哲学,但却得出十分不同的结论。例如,他认为现象不过是其本身之表现,并不是在现象之外或现象之下的物自身的表现。由于一切认识范畴之间都有联系,所以每种现象都要联系着其他现象才能被理解。勒努维耶的数学学识背景(综合工科学校,1834 ～ 1836)促成了他的"数字法则"观点的形成。他认为每个数目都是独特的,明显地与其他数字不同而也不能简化的,但同所有其他数字又是联系着的。通过把这一独特性原则应用于人类,他认为人们不可能接受集团意识或绝对精神。他否定无限数目这一概念,进而又否定一切无限,包括空间的无限与时间的无限。他并不把上帝看成是一个实体或绝对物,而看成是道德秩序本身,它可以达到无限完美。他将人的个性同自决和自由意志等同起来,认为这些是对道德和认识上的确信程度必需的先决条件。他对认识和信仰不加区分,指出人类是同质的,以此来解释人类行为的一致性。

Renovated Church 革新教会 苏联几个新派教会的联合组织,1922 年接管俄罗斯正教会的中央管辖权。该组织有时称活的教会,其中各个教会也可称革新教会。1917 年 2 月的俄国革命使俄罗斯正教会有了新的机会,可以推行在沙皇统治下迟迟不得实行的改革。同年 8 月被沙皇彼得大帝一世撤销的莫斯科牧首一职宣布恢复。吉洪当选牧首,他对于推翻临时政府而兴起的共产主义政权如果不是采取敌对态度也是拒绝服从。维丹斯基、克拉尼茨基等司祭趁机组织临时高级教务署,迅速揭起运动,意在废黜吉洪并大力整顿教会。经过几次会议,革新教会先废黜吉洪,后恢复彼得大帝一世 1721 年所建立的主教公会,取代牧首座以主持教务。革新教会的首脑为反对吉洪及其追随者,与秘密警察机关合作,吉洪派神职人员数百人被打成反革命枪决。吉洪本人公开承认曾进行反苏活动,并表示"悔过",1923 年被释放。第二次世界大战期间斯大林改变宗教政策,允许信徒选举新牧首继吉洪之位,分裂活动彻底失败。除维丹斯基一人外,革新教会大部分领导人物表示悔过,教会重归牧首领导。

Renshaw, William; and Renshaw, Ernest 伦肖兄弟(威廉1861-01-03,英格兰格洛斯特郡切尔滕纳姆～ 1904-08-12;欧内斯特 1861-01-03,格洛斯特郡切尔滕纳姆～ 1899) 英格兰网球运动员。孪生兄弟。威廉 7 次获温布尔登锦标赛单打冠军(1881 ～ 1886,1889)。欧内斯特 1888 年获该锦标赛单打冠军。兄弟二人曾 7 次获英国双打冠军。1880 年二人首次一起参加温布尔登锦标赛时,将发硬球和拦截空中球技术引进网球界。1881、1884 ～1886、1888 和 1889 年又连获胜利。1888 年威廉当选为英国草地网球协会第一任主席。

Rensselaer 伦斯勒 美国纽约州东部伦斯勒县城市。位于哈得孙河东岸,与奥尔巴尼隔河相望。17 世纪荷兰人在此定居,1897 年设市。克雷洛堡约建于 1642 年以防御印第安人,现已重修改为博物馆。该市现为奥尔巴尼港的一部分,也是铁路分段站。轻工业产品包括纺织品、化工品、染料及发电业。人口约 7 761(2000)。

Rensselaeria 恽塞乐贝属 腕足动物的绝灭属。化石见于海相下泥盆统(年龄为 3.87 亿年至 4.08 亿年)。壳大而细长,表面特征包括细肋、由壳顶到末端的放射线、弓形生长线。由于其延续时间有限,相对丰富,容易辨认,恽塞乐贝属可作为下泥盆统可靠的标准化石。

rent 租金 现代经济学用语,指一种生产要素(土地、劳动或资本)的总收益与其供应价格(为获得该生产要素服务而必须支付的最低金额)之间的差额。在古典经济学中,租金是指土地及其他自然资源在供应固定的情况下凭借其所有权而取得的收入。这一古典经济学的定义源于 18 世纪,是解释社会收入分配学说的一部分。当时观察到:只要耕种最劣的土地,其产品价值的增量足以补偿种植的成本,则对农产品的需求就会促使人们扩大耕种肥力越来越低的土地,因为这毕竟也是有利可图的。这样,肥力高的土地,其单位产量的种植成本会低于单位产量的价格。这种成本与价格之间的差额就被土地所有者作为地租所占有。在现代,这一观点延伸为:任何其他生产要素的收益中也包含有租金的成分(由某一生产要素的收益与实际供应价格或成本之间的差额所构成)。由于土地的供应量固定不变,土地的供应价格实际上等于零,土地的收益全都是租金。而另一方面,劳动力和资本的供应量是与对其出价大小相呼应的,因此具有许多其他用途的劳动力和资本,其收入中作为成本的部分比较大,而视作租金的部分比较小。从长远观点来分析,经济资源的其他新用途将日渐被发现而应用扩大,任何生产要素收益中的租金部分将随之逐渐减少。

Renton 伦顿 美国华盛顿州西部金县城市。地处锡达河注入华盛顿湖口的低洼沼泽。在西雅图东南 32 千米处。19 世纪 50 年代始有人定居,1901 年设建制。附近的煤矿资源促进该市发展。现有木材、钢铁和陶土工业,设有大型波音飞机厂和铁路车厢铸造厂。经皮吉特湾、巴拉德闸口和华盛顿湖通海上运输。该地区有蔬菜种植和家禽饲养场。人口约54 028(2003)。

Renville Agreement 《伦维尔协定》(1948-01-17) 荷兰与印度尼西亚共和国之间的协定,在美国军舰"伦维尔"号上签订。这一协定的意图是调解双方在《林芽椰蒂协定》中没有解决的争端。自从 1946 年《林芽椰蒂协定》签订以后,荷兰人与印度尼西亚共和国领导人之间仍然不断发生冲突。两者都谴责对方违反协定。荷兰人继续动用武力,侵犯共和国的爪哇和马都拉的领土。而共和国领导人则向国外寻求援助。联合国安全理事会终于出来进行调解,组成斡旋委员会。这个委员会包括 3 个委员:澳大利亚(由印度尼西亚共和国选定)、比利时(由荷兰选定)和美国(由双方选定)。《伦维尔协定》确认:迄印度尼西亚合众国成立为止,荷兰仍保持它所占有的土地并且具有法律上的主权,但在爪哇、马都拉和苏门答腊的荷兰占领区可以举行公民投票,以决定他们是参加共和国还是分别成为独立的国家。不久,荷兰人就宣布他们在苏门答腊成立一个国家,其中合并了共和国的部分领土。他们还召集了一次大会,让共和国的代表以少数派的身份与会。1948 年 12 月荷兰人采取军事行动,占领了印度尼西亚共和国首都日惹。但是,印度尼西亚人开始进行反对荷兰人的游击战,终于在 1949 年把荷兰人完全赶走。

Renwick, James 伦威克(1662-02-15,苏格兰邓弗里斯莫尼艾夫～ 1688-02-17,爱丁堡) 苏格兰基督教长老会誓约派最后一位重要的为信仰而牺牲的烈士。曾在格罗宁根大学学习神学,1683 年受按立为牧师。返回苏格兰后任誓约派野外布道师,被枢密院宣布为叛逆。1684 年他与追随他的一派人发表《辩护宣言》否认英国国王查理二世的权威,这份宣言主要由他执笔。枢密院命令他们撤销这项宣言,否则判处死刑。1687 年政府宣布长老会可以享受一定程度的礼拜自由,伦威克派继续在野外非法集会。伦威克于 1688 年初在爱丁堡被捕,经审判后被认定犯有蔑视王权等罪,他拒绝请求宽恕而被绞死。

Renwick, James, (Jr.) 伦威克(小)(1818-11-01,美国纽约州纽约市～ 1895-06-23,纽约市) 19 世纪下半叶美国最成功、多产和多才多艺的建筑师之一。曾在哥伦比亚学院(后改为哥伦比亚大学)学习工程学,1836 年毕业,在伊利铁路公司任结构工程师,后在曼哈顿任克罗顿水库建设工程的监理员。他主要靠自学成才。1843 年在纽约市新恩惠教堂(1843 ～ 1846)设计竞赛中以哥特式图样获胜,这一著名建筑结构是真正理解哥特式风格的最早美国设计之一。此后设计了许多宗教建筑,以纽约市圣巴特里克大教堂(1858 年始建)最为杰出。这是一座带有两个尖顶的巨大建筑,采取折衷主义,将德国、法国和英国哥特式建筑的长处熔于一炉。由于伦威克的作品有明显的风格变换,人们并不单单把他看作仿哥特式主义者。例如,华盛顿市史密森学会的主楼(1847 ～ 1855)是以改进的罗马式风格建造的;而华盛顿市的科科伦艺术馆(1859,现称伦威克艺术馆)则是采用第二帝国风格设计的,在 19 世纪 50 ～ 60 年代,他最喜欢用此种风格设计医院、大厦和其他的非宗教建筑物。19 世纪 50 年代后设计的著名教堂有纽约市使徒巴多罗买教堂(1871 ～ 1872)和万圣天主堂(1882 ～ 1893),均以哥特-罗马式为特征,用颜色和纹理构成对比的石块砌造,使其产生富丽堂皇的效果。伦威克的极端折衷主义是他因能对群众趣味和建筑风尚的变化作出灵活反应。他所设计的建筑物很优美，布局极佳，而且率先采用铁作为构架材料，并大胆革新，以赤陶和彩石加强装饰效果。他培养了几个后来成名的建筑师，其中最杰出的是J.W.鲁特。

Reorganized Church of Jesus Christ of Latter-day Saints 耶稣基督末世圣徒改组教会 该教会声称是史密斯于1830年在纽约州塞尼卡县费耶特所成立的教会的合法延续。世界总部在美国密苏里州独立城。教会成员约19万人，除美国及加拿大外，在30余个国家皆有会众。这一改组教会不接受摩门的称呼，因为它使人联想到多妻制。1844年史密斯去世后，他所创立的教会分裂成许多拥护不同领袖的派别。有一些成员拒绝将大多数人带往犹他州接受扬的领导，声称创始人已指定其子小史密斯为继承人，1852年袭用原来的名称在威斯康星州伯洛伊特重建"耶稣基督末世圣徒教会"。1869年加上"改组"字样。1860年史密斯三世接受这一团体的领导权，当选为主席，他由儿子继任，此后所有的继位者都是创始人的后裔。"改组教会"摒弃多妻制的教义，否认史密斯曾教导和实行多妻制。它宣称多妻制是扬及其同伙引进的；又说1852年扬在犹他州公开宣布多妻制并称这是史密斯的启示一事，不符合该教会最初的宗旨以及史密斯的教导及实践。此教会的信仰体系基于《圣经》、《摩门经》以及《教义和圣约》的教导。"改组教会"的信仰包括：三位一体，信上帝的教义、悔罪、浸礼、按手，死人的复活，死后依照今生的行为分级奖赏与惩罚，上帝启示的延续性及公开的正典，依照《新约》模式复兴基督教会和处理个人生活与经济生活的教义。它预期基督复临和千禧年。地方会众为了行政目的而聚集成为两种形式的区域组织：教区与分教区。世界会议每两年在独立城开会一次，这是该教会的最高立法机构。该教会在艾奥瓦州拉莫尼办有格雷斯兰学院，在密苏里州堪萨斯城办有帕克学院。独立城的圣殿学校则是一所培训神职人员与领导人员的神学院。

reovirus 呼肠孤病毒 一类RNA病毒。属于呼肠孤病毒科(Reoviridae)的动物病毒。种类不多。与某些植物病毒一样，具有特殊形式的核酸。病毒颗粒无外膜，球形，直径70～80毫微米。由92个壳粒组成，内含双链核糖核酸。呼肠孤病毒见于动物的呼吸道及肠道，但致病性未明。该病毒之名称来源：前缀reo-分别代表呼吸道(r)、肠道(e)以及孤儿(o)。

repartimiento 分派劳役制 又作mita或cuatequil。在西属美洲殖民地实行的一种允许某些殖民者征募印第安人进行强迫劳役的制度。这种制度早在1499年即已开始实行，约1575年成为固定的形式。在一个地区，约5%的印第安人必须从事采矿劳动，另有10%左右的人必须从事季节性农田工作。按规定，服劳役期限不超过2周(在矿场为5周)，每年3～4次，必须付给工资。但在实际上，殖民者并不执行这些规定，印第安人经常遭受残酷的虐待。西班牙政府于1601和1609年两次修改这一制度。根据新的规定，一个地区25%的印第安人必须为西班牙人做工，但他们可以自由选择雇主和决定服役期限。但在矿场可以实行原来的制度，直到矿主能够买到足够的黑奴代替印第安人时为止。新制度一直合法地实行到殖民时期结束时(约1820)。但实际上仍有人根据以前的制度强制征用印第安人劳工。参阅 **encomienda**。

repeating rifle 连发步枪 带有弹仓、枪弹用拨杆、枪机或其他方法推进枪膛的武器。在发明有火药、弹丸和底火的枪弹以前，连发枪必须有分开的火药匣和弹丸仓。另一种方法是用多管多膛枪，或者在一根枪管里装若干发子弹，点燃最外面的装药，火药将弹丸推出，并点燃下面的装药，依此类推。第一支实用的从后膛装填并用燧发机打火的连发枪是17世纪初研制的。有一种早期的弹仓式连发枪被认为是意大利枪炮商M.洛伦佐尼制造的。在此期间德国枪炮制造商卡尔霍夫造出更快更安全的卡尔霍夫装置，即弹丸仓在枪管下面，而火药匣在枪托内。到18世纪美国使用库克森连发枪，它把弹丸和火药分别装在枪托内的圆筒形弹仓中，用拨杆带动枪闩，使枪处于半击发状态。历史上有些步枪是弹仓式连发枪，如弗格森、霍尔、德雷斯和夏普斯步枪，每一种都对连发枪有所改进。到S.科尔特另辟蹊径，制造成功左轮枪。但直到铜枪弹研制成功，后膛装填的连发枪才安全而有效。到1900年大多数国家采用某一种连发枪为步兵基本武器。它们都有枪机，弹仓内装五六发子弹。

repertory theatre 轮演剧目剧院 实行剧目轮演制度的剧院。由一个固定剧团保持一些能随时上演的保留剧目，通常是一周内每夜上演一个不同的剧目，并要准备和排练新剧目作为补充。法国、德国和其他地区由国家支持的剧院中，存在这种具有真正形式的轮演保留剧目的剧团。但是由于轮演剧目制费用相当昂贵并难以维持，大多数轮演保留剧目的剧团对这种制度加以变通，通常上演几个少量的长期演出的剧目，在一个演出季里更换或连续演出。这种剧院对于支持实验性戏剧和取得商业成功是有效的，既为新剧作家的剧本提供表演场所，也为年轻演员提供训练基地。在英国，轮演剧目这个名称是指一次重要的运动，开始于20世纪早期，目的在于使优质戏剧遍及全国。在曼彻斯特、伯明翰和利物浦等城市，均建立起轮演剧目制的剧团，每周或每两周上演新的剧目(称为周轮演剧目剧院)。它们于1946年开始接受政府的资助，到60年代已经发展成真正的轮演剧目剧院，很像其他得到国家支持的欧洲国家剧院。英国这类剧团有埃文河畔斯特拉特福和伦敦的皇家莎士比亚剧团及国家剧院剧团。美国建立轮演剧目剧院的尝试尚未取得很大成功，其中只有旧金山美国艺术学校剧院被社会接受。

Repin, Ilya Yefimovich 列宾(1844-08-05，俄罗斯丘古耶夫～1930-09-29，芬兰库奥卡拉) 俄国历史题材画家，以作品中所表现出的权力和戏剧性著称。曾师从圣徒肖像画家布纳科夫学艺。1863年进圣彼得堡美术学院学习绘画6年，获金质奖章和奖学金，游学法国和意大利。返回俄国后，一生致力于俄国历史题材的绘画。1894年受聘为圣彼得堡美术学院历史画教授。最重要的作品有《宗教行列》(1880～1883，国立特列季亚科夫美术馆藏)、《伊凡雷帝和他的儿子伊凡，1581年11月16日》(1885，国立特列季亚科夫美术馆藏)、《扎波罗热的哥萨克》(1891，国立俄罗斯博物馆藏)。

列宾绘《扎波罗热的哥萨克》(1891)
供图：Novosti Press Agency

replacement deposit 交代矿床 矿物学名词。岩石中原先的矿物质经化学作用后全部或部分耗去而于同一处形成的矿体或矿物。参阅 **hydrothermal ore deposit; metasomatic replacement**。

replevin 追回原物的诉讼 又称收回原物(revendication)。在英国、英联邦国家和美国这些普通法国家里，指要求归还被非法取走的动产及要求赔偿因此而造成的损失的一种诉讼形式。这是最古老的诉讼之一，可以追溯到14世纪。现在称为"申请和归还"。这种诉讼形式起源于保护佃户免受地主滥用其"欠租扣押"权之害。地主有权因佃户不交租而夺取佃户的物品，夺取的物品价值往往超过未交付的租金。追回原物的诉讼容许佃户追回这些物品。后来这一救济办法就被用来对付一般的非法占取。追回原物的诉讼是对侵占、非法占取或扣留动产的各种救济措施之一。此种诉讼的重要特点是归还原物本身,而不仅仅是归还其金钱价值——比如,这在一个家庭的传家宝被拿走的事例中是有用的(参阅 **trover**)。可以通过追回原物的诉讼收回动产的类别是有限的:客体必须是有形的(例如,你不能要求追回一种思想),但可以仅仅是一张纸(例如,股票证明)。它必须是可以辨认的和可以分离的,这样才有可能被夺取。

Repnin, Nikolay Vasilyevich, Knyaz (Prince) **烈普宁** (1734-03-22 ~ 1801-05-24,莫斯科) 俄国外交家和军官,曾极大地扩张俄国在波兰的影响,并在俄土战争中功勋卓著。早年参军。1762 年任俄国驻柏林大使。1763 年调到华沙,极力维护俄国对波兰政府的支配地位。1767 年唆使亲俄罗斯的波兰贵族组成反对国王的拉多姆同盟。当同盟夺取了华沙,召开议会(1768)时,他在俄国军队的支持下迫使议会接受俄国有权干涉波兰内部事务的原则。结果,波兰爆发内战。1768 年奥斯曼帝国向俄国宣战,他被派去与土耳其人作战。1771 年任驻瓦拉几亚俄军总司令,在布加勒斯特打败土耳其军队。1775 ~ 1776 年任驻奥斯曼帝国大使。1779 年以全权代表身份出席结束巴伐利亚王位继承战争的特申会议。1787 年俄国与土耳其重新开启战端时,他为俄国最优秀的指挥官之一。1791 年接任俄军总司令,迫使土耳其人接受《加拉茨停战协定》。1794 年出任立陶宛总督。1796 年升为陆军元帅。1798 年被派往奥地利和普鲁士,未完成结盟反法的外交使命,回国后被免职。

repoussé 敲花工艺 在金属表面饰以花纹的方法,从工件的背面或内部用手锤或冲头敲出部分浮雕图案,然后从正面雕镂或镌刻成清晰、精细的图案。这种古老的工艺在金

中国周代(约公元前 1111 ~前 255)的敲花工艺袖坠
美国史密森学会供图

属加工史上曾大量采用,16、17 和 18 世纪在欧洲广为流行。

representation 代表制 一种能使公民(或其一部分)通过他们所选的代表参与制定立法和政府政策的方法或程序。在现代政治中,由于人口众多,如果政府做事要以人民的意愿为基础,那就需要有某种形式的代表制。在长期的历史演进历程中,曾产生了多种不同的方法和设计,以期解决与代表制相关的很多问题。这些问题包括:选举人的资格(参阅 **suffrage**)、选区的划定、选民的分配选举的基础(参阅 **plurality system**; **proportional representation**)、提出候选人的方法(参阅 **primary election**)、确定选举人意愿的方法(参阅 **referendum and initiative**)。由于有系统地提出公民要求的必要,各政党就在公民与其代表之间起中间人的作用。因此,沿着政党路线来进行政治辩论,也就成为大多数代议制政府的特点。但代表究竟应怎样对他的选民们负责仍是个长期争论不休的问题。基本上有两派意见,一派认为人民的代表应执行人民的旨意;另一派认为,人民的代表应成为自由的代理人,按照他们的能力和理解来行事。代表制原则并不仅限于政府,它还应用于选举大型的社会组织,如工会、专业协会的行政官员等。

representationism 表象论 又作 representationalism。哲学上的一种知识论。它断言:心灵所知觉的东西,只是心灵外的物质客体的心理影象(表象),并不是客体本身。这样一来,人类知识的效力成为问题了。因为这样的影象是否确实和外在的客体一致,还有待于证明。这种学说源于 17 世纪笛卡儿主义,后为 18 世纪洛克和休谟的经验主义以及康德的唯心主义所发展,目前仍在一些哲学派别中盛行。

Representatives, House of 众议院 美国国会两院中的一院,根据宪法于 1789 年建立。法定议员名额为 435 人,席位按各州人口分配,每十年根据人口普查重新分配一次。每两年选举一次。众议院与参议院在立法上负有同等的职责。按照美国几位开国元勋的设想,众议院应代表公众的意愿,因此其成员由直接选举产生。宪法赋予众议院特殊的权力,其中最重要的是弹劾权及提出国家收支案权。众议院下设许多委员会,把议员分成较小的团体。每一委员会均由多数党控制。几乎所有议案均须首先提交各委员会。常设委员会有 20 多个,各有其编制、预算和下设小组委员会。各委员会可就公众关注的问题举行听证、提出立法和进行调查。主要有岁出委员会、筹款委员会等。委员会在国会对政府部门的控制中发挥重要作用。政府部门首脑和负责官员常被传唤到委员会对政策作出解释。宪法规定国会议员不得在政府行政部门中任职,这是国会制和议会制一项主要区别。20 世纪 70 ~ 80 年代,美国人口变化的一个重要结果是在国会席位重新分配,中南部和西部各州增加了 17 席,东北各州减少 9 席,北部中区减少 8 席。在 20 世纪第一次出现了众议院多数不再属于传统的北方。众议院议员的当选资格是:最低年龄 25 岁,成为美国公民已有 7 年以上,居住在本选区。

repression 阻遏作用 一种代谢调节机制——一种称为阻遏物的蛋白质分子与控制某种酶合成过程的 DNA(脱氧核糖核酸)相结合,阻碍了 DNA 的作用,从而阻止了酶的合成。虽然微生物体内的阻遏作用过程研究得较多,但据信在较高等的生物中阻遏作用亦以同样的方式进行。参阅 **induction**。

reproduction 生殖 动植物生育后代的现象。但生殖一词的意义远不止此。生殖意味着生命组织的复制。在进化之初,最早的生命特征就包括化学系统复制自身的能力。在这个最低层次,生殖就是化学复制。随着进化出现越趋复杂的细胞结构,它们必须能复制自己。对于单细胞,细胞复制就是生殖新个体。对于多细胞生物,细胞复制是生长、是再生。多细胞生物也复制自身,即生育后代。生殖的层次包括:①分子复制。决定生物性状的遗传信息储藏于 DNA 的长链中,它不断复制为二并随细胞分裂传给子代细胞。②分子生殖。DNA 通过 mRNA 等一系列复杂步骤指导蛋白质制造。而由蛋白质构成的酶则协助制造糖、脂等其他成分。这就保证了一切分子都得以准确复制。③细胞生殖。细胞分裂时,细胞膜和细胞器均要复制,但细胞质成分并非每次重新合成,因 DNA 复制过程本身也需要原有的酶来协助。最常见的分裂方式是二均分裂。在细菌等原核生物,分裂较简单。在真核生物中,分裂要经过一系列复杂步骤(有丝分裂)。在性细胞形成时,还存在一个染色体数目减半的步骤(减数分裂)。在某些低等生物中,先是核分裂,成为一个多核巨细胞,然后再经胞质分裂形成多个子细胞。④个体生殖。单细胞生物的生殖常就是二均分裂,但也有时发生配子结合的有性过程。多细胞生物的无性生殖包括孢子、芽生等等方式;很多高等植物可借地下茎孳生大量新条,分离后均成新个体。但有性生殖仍最为多见。有性生殖的特点是单倍体的配子结合成双倍体的合子。配子大小形状可相差悬殊:精子小而能游动,卵子大而静止并储藏营养物以供发育需要。大部有花植物和某些无脊椎动物雌雄同体,但全部脊椎动物均为雌雄异体。某些生物如蚜虫可以由卵不经受精直接发育至成体(单性生殖)。⑤"生活史"生殖。生物体一词常被理解为只是成体,而生殖过程则被理解为成体产生一个与上一代成体相似的新成体。事实上生殖出来的是要经过一套连续变化的生物体,要经历整个生活史。遗传信息中包括整个生命过程的蓝图。生活史常很复杂,可能包括几个时期。植物由低等向高等发展过程中,以单倍体阶段为主的现象也逐渐变为以双倍体阶段为主。在陆生植物中,苔藓的单倍体的配子体是植物主体,双倍体的孢子体只是着生在顶部的一个小穗样结构。在蕨类,配子体小而不明显,孢子体成为主体。至高等植物,单倍体组织只限于双倍体植株上子房的一小部分。无脊椎动物也常是有复杂的生活史,如蝴蝶有卵、幼虫、蛹和成虫几个阶段。而腔肠动物薮枝螅水母具有无性生殖的水螅型和有性生殖的水母型两个世代。生殖也经过自然选择而在进化。生物要进化,生殖出的子代就必须略有变异,而且变异大小必须适中,过小不产生进化,过大又会打乱原有性状的有利组合。进化史证明,最有效控制变异量的方法是有性生殖。单细胞生物进化为多细胞,体积的

增大伴有结构的复杂化和世代时间的延长，因此必然出现“生活史”生殖。生殖的效率也在进化。例如有的生物以产卵多而取胜，另一些则产卵少但借抚育而增加其成活率。再一方面，每个种群生育不能过少以免绝种，但过多也可能因缺食、疾病等原因而削弱自己。影响变异量的因素很多，诸如是有性还是无性生殖，是近缘还是远缘交配等等。因此，生殖方式和变异量互相影响；它们共同为自然选择提供可能性，自然选择又反过来改变生殖和变异的机制。

reproductive behaviour　生殖行为　与生物体产生后代这一过程有关的活动。生殖方式分无性生殖及有性生殖。从进化的意义来看，动物生殖的目的并非维护种群或物种的存在，而是尽可能地把自己的遗传特征传给下一代。生物体在不断变化的环境中生活，只有适应这些变化，才得以生存并演化。有性生殖使动物的遗传物质得以重新组合，使后代的性状多样化，更能跟上环境条件的变化。所以生殖行为中有性生殖占优势。即使以无性生殖为主的动物也常间隔一段时期即进行有性生殖一次。专营或兼营无性生殖的动物有原生动物、海绵动物、腔肠动物、某些扁形动物、某些寡毛纲环虫等。草履虫还有接合过程，此时进行核质交换。有些无脊椎动物通过出芽生成新个体，并形成群体。机体还有一些感觉机制，可感受环境是否适于生殖。通过自然选择，动物体又形成发放和接受信息的系统。这些系统多有种特异性，可促使两个体找到对方。此时必须双方都能进行生殖活动。环境中的某些刺激足以引起低等动物(尤其是水生者)的同步化。但对高等动物来说，仅环境刺激显然是不够的，求偶活动才是协调生殖同步的主要刺激。接着，有一些机制使交配得以成功，以免浪费精子和卵，这种机制无论对体外或体内受精都很重要，对后者更是如此。多数动物从出生(或孵出)到性成熟这段期间死亡率极高。为保证幼体的最大存活率，在进化过程中双亲及子代都形成许多适应。启动生殖行为的因素有环境条件和激素等。光照是许多脊椎动物和无脊椎动物的主要环境因子，尤其在远离赤道的地方，因为白昼的延长意味着适宜于繁殖的周期的到来。在赤道附近昼夜长短变化不大，而降雨就成为主要的环境刺激因素。有些环境因素与昼长重叠而起作用。许多昆虫在缺乏蛋白质食物时即不开始生殖行为。许多哺乳动物有内部的细胞活动周期，与外部因素相一致，引起周期性的生殖行为(如动情周期)。关于光照如何影响生殖周期仍是一个有争议的问题。在鸟类，光通过眼睛或头部骨组织，刺激大脑前部的一些细胞发育，这些细胞随之分泌物质刺激垂体前叶产生促性腺激素，经由血液带至卵巢和睾丸，直接影响卵子和精子的发育。随后，性腺产生性激素(雌性产生雌激素，雄性产生睾酮)，直接控制着一些生殖行为。昆虫的性腺本身不分泌激素，而咽侧体(相当于高等动物的垂体)激素促使身体表面分泌液体(外激素或信息素)，通过嗅觉或味觉为其他同种个体所感受，外激素在昆虫的生殖行为和其他行为中是重要的调节系统和通信系统。在没有其他刺激的情况下，注射适量的促性腺激素可引出许多类型的性行为，摘除性腺则通常抑制大部分性行为。

但许多生殖行为可通过刺激神经系统产生，例如以求偶起始的一系列过程。配偶之间的关系有单配偶，交配偶，一雌多雄等形式。动物体已为生殖行为作好准备后，便通过视、听、嗅等感觉机制告知对方(性吸引)。许多高等脊椎动物的外部形态随着繁殖活动的开始而改变。如鸟类雄体换婚羽，雌狒狒臀部变红色，这说明它正值发情期，可以进行交配。外形的改变在低等动物中并不常见。但在一些鱼类、蟹和乌贼等也有外形变化。与外观改变相联系的是行为的变化。此时雄体之间的进攻性行为明显增加，这种行为又用以引诱雌体。有的进攻性以领域行为形式出现。多由雄性建立领域，并捍卫之，严防同种其他同性个体侵犯。领域行为的目的甚多，但其中之一与生殖有关。头足类也以体色变化和动作为求偶表态。声音可以越过障碍传送信息，蛙、昆虫和鸟类经常用声音表示自己属于什么物种、性别及是否已有配偶等。某些蛙的鸣声还表明位于附近的雄体的数量。蚊振翅的声音能引诱雌体，有种特异性。许多鸣禽的领域歌唱又有驱赶其他雄体的作用。有些动物(如陆生螺类大蜗牛属[*Helix*])以触觉信号求偶。研究证明，动物之间大量的信息由化学物质传递。雄兽仅根据雌兽的尿标记就可辨知其性状况。雄小鼠的尿液中含有促使雌小鼠发情的物质。雌舞毒蛾每秒释放微量的性外激素，足以引诱在其下风向数千米外的雄蛾前来。蚕蛾的性引诱物为蚕蛾醇。0.001 5 克蚕蛾醇可以引诱 10 亿余只雄蛾。高等陆生动物的受精过程要求个体间的躯体接触，但所有高等动物都讨厌身体接触，尤其是雌体，这是一种反捕食机制。求偶行为即可消除这种反感，使雌雄双方都为交配作好准备。作出求偶行为要通过社群信号传送信息。求偶表演是一种社群信号，在进化过程中逐渐“仪式化”。高等脊椎动物多用视觉、听觉等信号；昆虫则常用嗅觉和触觉信号。有些动物的雄性在生殖季节外形发生很大变化。许多动物的成年雌体形似亚成体，在雄性看来显得友善而无进攻性。有些鸟的雌体的表演为作出常见于幼体的求食行为，而雄体吐出食物。雄蛛趁雌蛛食它吐出的食物时与之交配。鸟类的求偶表演常十分复杂。求偶表演时间长的，配偶关系维持得亦长。有些昆虫、鸟类和哺乳类，雄体在一个公共的地点(竞偶场)进行求偶表演。求偶行为也是一种生殖隔离机制，以阻止种间的杂交，避免精子和卵子的浪费。受精在体外进行(如腔肠动物、某些鱼类)或体内进行，体外受精的水生动物要将精、卵几乎同时排入水中，因此求偶行为十分复杂。下一代产生的方式有卵生(只于单孔目以下的多数种类)、卵胎生(如某些鱼、蛇)及胎生(某些鱼及大多数哺乳类)。有各种类型的行为以保证受精的卵或幼体有最高的存活率。子代需要双亲哺育者，产卵(或仔)数目通常为双亲能喂养的最大数量。后代不需要双亲照料者，常产生成千上万的卵，以弥补极高的死亡率。为了保证卵或幼体的成活，有许多适应机制，如卵或幼虫味不佳、不能食、或对潜在的敌人有害。亲体不孵育子代者，其卵中贮存足够的营养物质，幼体一孵出即能独立生活。寄生蜂将卵产在其他昆虫身上。还有的昆虫和鸟类(如杜鹃)自己不孵卵，却将卵产生他种动物的巢中，其卵的形状和颜色酷似寄主之卵，这种现象称为群居寄生。

许多动物有育幼行为。有育幼行为的最低级的动物是海葵，幼体留在成体体内一段时期。巢是产卵及孵育幼儿的场所，哺乳类、鸟类及有些昆虫会筑巢。有的鱼类生活在贫氧环境中，它们扇动水流使卵周围的水不断流动。有的鱼将卵含在口中孵育。口育鱼的幼鱼在成鱼口中寻找避难所。一些孵卵期的鸟类腹部羽毛脱落，血管丰富，皮肤增厚，以便孵卵。哺乳类的幼儿不能独立生活，需亲体照料。有袋类的幼儿发育不成熟，在育儿袋中继续发育数月。哺乳类有舐仔行为，目的是清洁幼仔，避免感染和防止寄生虫，又是为了在母子间建立一种关系。若将新生的幼仔从母兽身边取走并予清洗，那么母兽将不再收留这个幼仔。集群的动物发育了一系列行为以识别自己的后代。蜂、蚁等的幼虫并非由双亲喂养长大，而是由群体中另一些成员担负这个义务，这种行为称为集群亲子行为。

reptile　爬行类　爬行纲(Reptilia)脊椎动物。体外被鳞片或骨板。用肺呼吸。体内受精。心脏四腔。胚胎发育过程中有羊膜形成。爬行动物皮肤干燥，缺乏腺体、表皮组织分泌出角质层(鳞片)而真皮中则发育出骨板。鳞片及骨板的排列是分类依据之一。骨骼系统的发育与脊椎动物的一般模式相一致：具有骨质的头颅、包含脊髓的脊柱、围护内脏的肋骨以及肢骨(蛇的肢骨退化)。爬行类的一大特点，就是头颅除了下颌关节外，还发展出一些其他关节，允许骨与骨之间有轻微的移动。下颌具多块骨，仅牙骨上具牙，位于下颌后侧的关节骨与方骨构成关节。这种可动性，使爬行类的口能大张，吞食较大的捕获物。牙均为长圆锥形而少分化。毒蛇有毒牙。爬行动物的循环系统的特点为心脏四腔，心室内虽多为不完全的分隔(鳄为完全分隔)，但来自肺的氧合血同来自全身的未氧合血基本不相混，但龟中有轻度相混。呼吸系统较两栖类发达，用肺呼吸，呼吸表面积由蛇至鳄逐步增大。大多数爬行类靠移动肋骨改变胸腔容积来呼吸，但龟肋与外壳融合，只能靠体侧肌肉的舒缩来改变体腔的容积。消化与排泄系统与一切高等脊椎动物相似，具口、食管、唾液腺(在毒蛇中一对转化为毒腺)、胃、肠和泄殖腔。由后肾发育为成体肾。水生爬行类排泄铵，但陆生者排泄尿酸。爬行类可以改变晶状体的位置和形状以调节视力。鳄及大多数蜥蜴听力佳，但蛇不能感觉气导的声音。龟有无听力还无定论。许多爬行类的鼻部及口顶部的雅各布森氏器(犁鼻器)是灵敏的化学感受器，可用以探测食源。而蝰、蟒、巨蛇等则具探测环境温度微小变化的热能感受器(如蝰蛇鼻孔与眼之间的颊窝、许多巨蛇和蟒的唇窝)，可用以查知环境中的温血动物。

爬行纲与人类的关系 爬行纲对人类的经济及生态重要性不大。少数种可食,如海龟(*Chelonia mydas*)、鳞蜥、加拉帕戈斯大龟、多种蛇。响尾蛇肉可制罐头。蜥蜴、蛇、鳄的皮可制革。蜥蜴用于生物学研究。毒蛇可伤人。爬行类无体温调节机制,故体温不恒定而随环境变化。环境温度过高或过低,则离开以趋避,环境温度过低,便减少活动。爬行类的体温一般低于鸟类及哺乳类。现代爬行类除蛇外,体长都小于古爬行类。最大的蛇据说(但未经证实)体长达12米。某些盲蛇体长不足10厘米。4种现存鳄类体长超过6米,湾鳄和恒河鳄可达9米。现存龟鳖类中体型最大的是棱皮龟,长约2.7米,体重680千克;最大的陆龟是象龟,体重255千克;最小的龟体重不到450克,体长不超过12.5厘米。最小的爬行动物是壁虎,有的体长仅3厘米。

爬行纲的分布和生态学特点 爬行类多分布在热带,温带地区也有分布。分布最北方的如欧、亚的胎生蜥蜴(*Lacerta vivipara*)和龙纹蝰(*Vipera berus*)均卵胎生,至少在斯堪的纳维亚生活在北极圈以北。慢缺肢蜥(*Anguis frgilis*)、捷蜥蜴(*Lacerta agilis*)、游蛇(*Natrix natrix*)和欧洲方花蛇(*Coronella austriaca*)则分布在欧洲北纬60°的地区。北美只有两种蛇分布在北纬55°的地区。在北纬40°以南地区,各类爬行动物才分布广泛。现存的两种钝吻鳄一种在美国,另一种在中国。中美有3属特有的龟鳖类,鳄类的数量和种类很多,蛇和蜥蜴尤其多。南美洲的爬行动物种类甚多。欧亚大陆产鬣蜥、蜥蜴、壁虎和石龙子。在东方热带,爬行类的种数和类型尤多。热带亚洲爬行类的特征为树栖;如烙铁头属(*Trimersurus*)、瘦蛇属(*Ahaetulla*)、卷尾蜥属(*Cophotis*)、飞蜥属(*Draco*);游蛇科仅12种,眼镜蛇种类较多,但无蝰蛇。该地区还产几种巨蛇和盲蛇;多种壁虎、石龙子、鬣蜥;侧颈龟;及3种鳄。非洲区系分两部分。一部分为北非沿海一带,与中亚、西南亚、南欧相同,属温带区系。另一部分以撒哈拉沙漠以南至好望角;该地区多眼镜蛇、石龙子和壁虎,但无有窝蝰蛇(响尾蛇亚科),水龟和鬣蜥也极少。非洲东海岸的马达加斯加岛则具独特的区系。

爬行纲的繁殖和习性 爬行类有求偶行为。其胚胎具有羊膜结构,羊膜腔内充满羊水。爬行类的繁殖方式为卵生,少数现代的和绝灭的毒蛇及蜥蜴有卵胎生现象。龟和鳄产卵数目取决于雌性的大小,一窝最少产卵一枚,多者达200枚。鳄类产卵20～70枚;龟鳖类产卵1～200枚。壁虎科动物不论体型大小,每次产卵2枚;石龙子科产卵2～30枚;蛇类产卵10～100枚。龟鳖类及鳄类会筑巢产卵,而蜥蜴及蛇往往将卵产在隐蔽处。少数爬行类有孵卵行为。孵化期的长短取决于不同的环境,欧美大多数爬行类一般为60～105天。有些蛇和蜥蜴为卵胎生,卵留在母体输卵管内发育至成为幼体方产出,胚胎发育所需要营养主要来自卵黄,但母体输卵管与胚胎膜之间紧密结合,形成暂时性的器官,可行营养物质及氧的交换。爬行类终

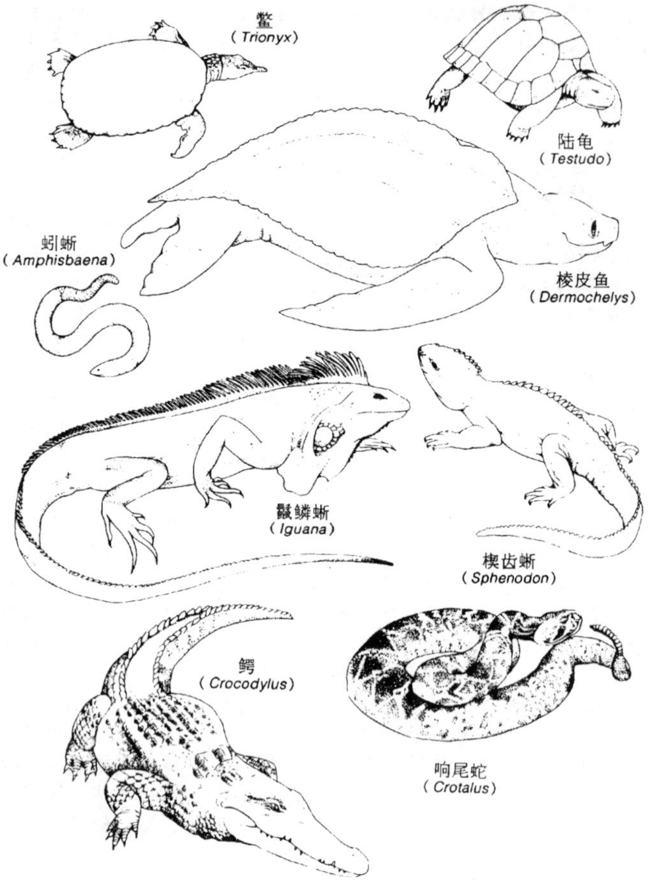

现存爬行动物

生都在生长,生命的前期生长速度快,后期缓慢。性成熟时间与成体大小有关,但气候因素更为重要。爬行类的防御措施各种各样,多数种类遇险即逃。但鳄类,某些蜥蜴、龟和某些蛇突然遇敌则会发出响亮的嘶嘶声,响尾蛇则靠尾部发出响声。某些毒蛇向对手喷射毒液。少数蜥蜴用粗壮有刺状鳞的尾打击对方。有的具恐吓性姿态,如眼镜蛇抬高身体,扩张肋骨形成“兜头帽状”,显示出眼镜斑。有的会显示平时隐蔽的鲜艳的色彩、斑纹,以吓退对手。有的蛇模仿毒蛇的外形、色彩(拟态)。现代爬行类主要以动物如昆虫、软体动物、鸟、蛙、哺乳类、鱼或其他爬行类为食。陆龟食植物叶、草或仙人掌。海栖的鬣鳞蜥食海草。大部分食肉爬行类并不挑食而是视对方体型是否就范。印度蟒(*Python molurus*),水蚺(*Eunectes murinus*)能捕食大如小猪和小鹿的动物。最大的鳄如湾鳄、尼罗鳄等能袭击人并食人。爬行类多四足行走,蛇无足,依靠身体扭摆,身体后部与地面不平处接触所产生的反作用力前进,飞蜥则借前后肢间的皮膜飞翔。

爬行纲的进化 现今所知的最古老的爬行类为杯龙类,出现于古生代石炭纪末期,各类爬行动物均为其后裔。双颞窝类从古生代二叠纪出现一直延续至今。龟鳖类的祖先出现于二叠纪,分布在非洲和欧洲。鱼龙出现于三叠纪,生活于海洋,分布区相当于现在的北美洲和欧洲西部。恐龙以及现存的喙头目和鳄目也都出现于三叠纪。恐龙在侏罗纪已很繁盛,至白垩纪达于顶峰。翼龙出现于侏罗纪,至白垩纪亦已称霸于广大空域。但于中生代末期这些巨型动物全部绝灭。此时,蜥蜴已出现于大部分大陆,而蛇类亦已在某些地区出现。侏罗纪已出现的鸟类在增多,而此时刚出现的小型哺乳类最终将取代大部分爬行动物种类。

爬行纲的分类 爬行纲现存约6 000种。分类如下:1.缺弓亚纲(Anapsida)。(1)杯龙目(Cotylosauria)。已绝灭。(2)中龙目(Mesosauria)。已绝灭。(3)龟鳖目(Testudines)。现存。背腹两面具坚甲。2.鳞龙亚纲(Lepidosauria)。(1)始鳄目(Eosuchia)。已绝灭。(2)喙头目(Rhynchocephalia)。现存一种。(3)有鳞目(Squamata)。体表被鳞,方骨可动,椎体前凹型或双凹型(少数壁虎),现存种雄性有成对的半阴茎。①蜥蜴亚目(Sauria)。现存3 000种。②蚓蜥亚目(Amphisbaenia)。无肢,穴居,眼隐于皮下,体鳞融合成环。现存140种。③蛇亚目(Serpentes)。现存2 500种。3.古龙亚纲(Archosauria)。(1)槽齿目(Thecodontia)。已绝灭。(2)鳄目(Crocodylia)。现存21种。(3)蜥龙目(Saurischia)。已绝灭。(4)鸟龙目(Ornithischia)。已绝灭。(5)翼龙目(Pterosauria)。已绝灭。4.阔弓亚纲(Euryapsida)。(1)前嘴龙目(Araeoscelida)。已绝灭。(2)鳍龙目(Sauropterygia)。已绝灭。(3)盾齿龙目(Placodontia)。已绝灭。(4)鱼龙目(Ichthyosauria)。已绝灭。5.合弓亚纲(Synapsida)。已绝灭。(1)盘龙目(Pelycosauria)。(2)兽弓目(兽原目,Therapsida)。

Repton 雷普顿 英格兰德比行政、历史郡南德比区一堂区(村庄)。当地著名的男校创办于1556年,校舍一部分为奥古斯丁小隐修院(1172)的建筑。人口2 012(1991)。

Repton, Humphry 雷普顿(1752-04-21,英国萨福克贝里圣埃德蒙兹～1818-03-24,伦敦)英国园林设计师、业余水彩风景画家。1788年开始从事园林设计。设计方法是先画一幅

供图:*Country Life*

原地形的水彩画,然后再画一幅水彩的园林设计图。这方法非常成功。他还尝试性地作过建筑设计,有时也和建筑师合作。设计的花园一般都不大,但植树较多,主张采用平台、栏杆、踏步等作为建筑与庭园之间逐步过渡的手段。著有:《景观庭园的速写和基本知识》(1795)、《景观庭园的理论和实践》(1803)、《景观庭园理论和实践简集》(1816)。

Republican Party 共和党 法文作Parti Républicain。法国政党,1977年5月建立,由吉斯卡尔·德斯坦于1966年建立的前独立共和党全国联合会与其他小集团合并而成。它在国内的社会和经济政策方面是保守的,但是在拥护北大西洋公约组织和拥护欧洲方面是国际主义的。乔治·蓬皮杜总统逝世后,吉斯卡尔·德斯坦于1974年5月被选为总统,他试图通过该党成员和戴高乐派、激进社会党以及其他中左派集团联合起来进行统治。但戴高乐派与德斯坦派在人事政策上的冲突导致1976年戴高乐派总理希拉克辞职和1978年的竞选大战,共和党人及其非戴高乐联盟稍占上风。1981年在10位候选人竞选总统中,吉斯卡尔·德斯坦被社会党候选人弗朗索瓦·密特朗击败。

Republican Party 共和党 爱尔兰主要政党替天行道士兵党(**Fianna Fáil**)的非正式英文名称。

Republican Party (Italy) 参阅 **Italian Republican Party** 意大利共和党。

Republican Party 共和党 又称杰斐逊共和党。美国第一个反对党,1801～1825年掌握全国政权。建于18世纪90年代初期,为今日民主党的前身。在G.华盛顿任总统期间,许多以前的反联邦党(**Anti-Federalists**)为反对财政部长A.汉密尔顿的强硬财政计划而开始联合起来。1791年,主张建立强大中央政府和对宪法作宽松解释的人组成联邦党。而主张加强各州权力、严格规定宪法的人则在曾任华盛顿手下第一任国务卿的T.杰斐逊的领导下联合起来。取名共和党是表明其深受法国大革命思想的影响,强调反君主制精神。共和党人担心联邦党人的贵族姿态,担心权力过分集中于总统,以及汉密尔顿的财政政策牺牲平民利益而有利于富人。1793年欧洲战争爆发后,共和党的势力迅速扩大,他们支持革命的法国而反对君主的英国。他们反对联邦党倡议的同英国议订杰伊条约(1795)和制定客籍法和镇压叛乱法(1798)。头3个共和党总统——杰斐逊(1801～1809)、J.麦迪逊(1809～1817)和J.门罗(1817～1825)都是南部富裕的种植园主,但都接受自由主义的政治哲学。1800年选举中杰斐逊战胜联邦党人时票数接近,但反对党的政治胜利证明,在新大陆的这一试验性政府中权力可以和平转移,通过扩大选择权,可以同农村占多数的小土地所有者分享权力。共和党人执政后在事实上很少推翻原先受到他们批评的联邦党人的制度。但是,杰斐逊极力使他的政府戴上民主的光环:他步行到国会参加就职典礼,把年度咨文送交国会而不是亲自宣读。另外,他废除了联邦货物税,偿清了国债,大幅度地裁减武装部队。然而,出于对外关系的需要(例如1803年购置路易斯安那地区),共和党的总统往往采取与联邦党人相似的民族主义立场。1808年以后的20年中,共和党逐渐变成一个个人与宗派之间的松散的联盟。到19世纪20年代,共和党分裂成为两派:一派称国民共和党,由扩张主义者(如J.Q.亚当斯等)和部分前联邦党人(如D.韦伯斯特)领导,这派以后十年中成为辉格党(**Whig Party**)的核心;另一派称民主共和党,由M.范布伦等人建立,强调地方利益、人道主义、各州权利、农民利益和民主程序。在A.杰克逊总统执政时期(1829～1837),民主共和党改称民主党。

Republican Party 共和党 别称"老大党"(Grand Old Party[GOP])。美国两大政党之一。它的标志是象。该党于1854年7月在密歇根州杰克逊市成立,当时一部分前辉格党人、民主党人和自由土壤党人正式通过其名称为共和党。这个名称吸引了那些对杰斐逊的"共和主义"念念不忘的人,以及总的将国家的利益置于局部利益和各州权利之上的人。党的创建者们因共同反对奴隶制,特别是1854年堪萨斯-内布拉斯加法案而紧密地联合起来,该法案将奴隶制延伸至新开拓的领土。1856年该党第一次全国大会通过的政纲否认国会有权认可任何地区的奴隶制,同时认为国会有权废除各地区的奴隶制,并应该这样做。这一观点体现了北方普遍存在的情绪。

共和党在成立后的头4年间,在北方迅速取代辉格党,成为民主党的主要反对党。1856年共和党第一位总统候选人J.C.弗雷蒙特虽未当选,但获得了11个州的支持。1860年北方18个州的选举人票使该党的第2位候选人林肯当选为总统。

南方诸州脱离联邦后,共和党完全控制联邦政府。但南北战争拖延下去的极大痛苦削弱了林肯于1864年再度当选的希望。为扩大其获得支持的基础,他挑选主战的民主党人约翰逊为副总统候选人。战争结束和林肯遇刺身亡后,激进派共和党人(**Radical Republican**)议员们在约翰逊总统险遭弹劾之后,得以实现由国会而不是由总统控制被打败了的南方的重建工作。

南北战争结束后,开始了共和党的长期统治。该党与合众国获得战争胜利密切地联系在一起,这使得它获得了北部和中西部大多数农民对它的忠诚。同时它对保护关税的支持和对大企业所抱的帮助的态度,使它最终获得北方许多城市地区和强大的工业和金融集团的支持。在1860～1932年间举行的18次总统选举中,共和党赢得了14次;但在党内,则一再有人抗议党的硬性控制和少数领导人实行终身寡头政治。为抗议U.S.格兰特总统的共和党政府的腐败,一个名叫自由共和党的分裂派别于1872年退党。19世纪80年代和90年代初期,在几次与民主党很接近的竞选中,1896的选举共和党赢得了总统宝座和对国会两院的控制。由于民主党在自由铸造银币和平民党鼓吹者的支配下采取激进的经济政策,共和党崛起成为多数党,并控制国会两院直至1910年。

1901年共和党总统W.麦金利遇刺身亡,由副总统T.罗斯福继任总统,他成为共和党进步派领袖。罗斯福发动打击企业界的垄断与剥削行为,对劳工采取怀柔态度,并力促保护自然资源。但罗斯福对共和党总统继承人W.塔夫脱的保守政策不满,遂于1912年脱党,自组进步党,并以进步党名义竞选总统。结果分散了共和党的选票,将总统宝座和对国会两院的控制让给了民主党。共和党于1920年夺回总统宝座,并借20年代的经济繁荣,继续赢得1924年和1928年两届选举。这段时间共和党的政策以保守和重商著称。但1929年开始的"经济大萧条"给共和党带来了严重的后果。共和党不愿采取政府行动来克服"大萧条"的影响,致使共和党在职总统H.胡佛在1932年的选举中惨败于民主党的F.罗斯福。罗斯福3度蝉联,至1945年逝世由H.杜鲁门接任,以及杜鲁门在1948年选举中获胜,使共和党失势达20年之久。这 期间,共和党总的来说丧失了对国会两院的控制,事实上沦为全国的少数党。多年来,大多数共和党人强烈反对罗斯福的"新政"政策,但到50年代,该党已大体同意联邦政府扩大其作用的做法,以及具有调节的权力。

1952年随着D.艾森豪威尔当选为总统,共和党重又执政。艾森豪威尔被提名为候选人,标志着党内与由参议员R.塔夫脱领导的保守派对立的自由温和派得势。但共和党的政纲继续是保守的政纲,要求在外交上采取强烈的反共立场,减少政府对经济的管制,减轻富人的赋税,以及对提倡公民权利的立法采取抵制的态度。该党继续保有大小企业对它的长期支持,并获得日益增长的中产阶级郊区居民的新的支持,以及也许最具意义的是,获得60年代期间困扰于民主党主张种族平等立场的南方白人的新的支持。1956年艾森豪威尔再度当选,但1960年共和党温和派候选人尼克松以微弱之差输给民主党的J.肯尼迪。共和党保守派在1964年党的大会

上控制该党，但所推出的总统候选人 B.戈德华特在同年的大选中惨败。1968 年党的温和派东山再起，再度提名尼克松角逐总统，险胜当选。1972 年尼克松以压倒多数再度当选，但共和党在国会、州与地方选举中大多失利，未能赢得对国会的控制。

1974 年 8 月尼克松因水门丑闻辞去总统职位，由第一位任命的副总统福特继任。1976 年福特败于南方民主党人 J.卡特，而卡特于 1980 年败给 R.里根，里根在 1964 年戈德华特落选后成为共和党保守派领袖。里根因个人备受选民喜爱，使他获得惊人的胜利，甚至使共和党人在 1981 ～ 1987 年间控制参议院。他的副总统竞选搭档 G.布什于 1988 年继续赢得总统宝座，但国会则继续由民主党控制。1992 年总统选举中布什失败，温和的南方民主党人 B.克林顿赢得总统职位。1994 年大选中，共和党赢得对国会两院的控制，这是 1954 年以来的第一次。共和党应付 70 年代以来经济缓慢衰退的纲领仍是传统的：减少工商税，减少富人税，削减政府开支，特别是社会服务支出。

Republican River　里帕布利肯河　由里帕布利肯河的北支流和阿里卡里河在美国内布拉斯加州黑格勒附近汇成。东南流，与斯莫基希尔河汇合形成堪萨斯河。全长 716 千米。干、支流上多水坝。该河为密苏里河流域防洪和土地开垦工程的一部分。

Republicans, The　共和党　德国极端保守主义政党，于 1983 年 11 月 25 日在联邦德国成立。创建者为巴伐利亚基督教社会联盟内的持异议者，他们抗议该党领导对共产党东德作出信任安排，除巴伐利亚以外的前公民党党员也参加了进来，但该党仍具有强烈的巴伐利亚特点，其最初的总部设在慕尼黑。不久，由 F.舍恩胡贝尔出任该党领袖。舍恩胡贝尔曾是前纳粹武装党卫队的自愿参加者，在其所著《我在那里》(1988)一书中，对其战时的经历备加赞许。该党标语宣称“德国第一”、“要欧洲，不要这个经济共同体”，并宣布其政策包括降低营业税，对外国人施加限制，青年义务兵役，以及强有力的法治和秩序。在其第一次全国突击活动中，即参加 1989 年 6 月联邦德国选举中，该党获得了惊人的 7.5% 的选票，在巴伐利亚和巴登-符腾堡赢得了它的最大的胜利。但在 1990 年 12 月统一后的德国选举中共和党成绩欠佳。

Requena　雷克纳　西班牙东部巴伦西亚省和自治区的城市。位于内格罗河左岸，海拔 692 米，俯瞰乌铁尔平原。该城城址在古代便有居民，至今保存有腓尼基人、希腊人、罗马人和穆斯林人居住的遗迹。12 和 13 世纪，该城曾为摩尔人与基督教徒交战的古战场。著名的历史性建筑物有 14 世纪所建的萨尔瓦多教堂(其正面为精美的哥特式结构)，还有圣玛丽亚教堂(它不同于一般的哥特式门道)。长期以来该城为重要的农贸中心，生产红葡萄酒尤为著名，还有纺织及金属工业。人口：城市区约19 740(2003)。

Requesens y Zúñiga, Luis de　雷克森斯-苏尼加（1528-08-25，西班牙巴塞罗那～1576-03-05，西属尼德兰布鲁塞尔[今在比利时]）西班牙驻尼德兰总督。其时正值尼德兰革命“八年战争”的一个阶段(1573 ～ 1576)。他接替推行暴政的阿尔巴公爵，曾设法与举义各省媾和但未成功。他早年任政府官员和外交官。1563 年任国王腓力二世的驻罗马代表。1568 年镇压格拉纳达的摩里斯科人叛乱时，他被任命为奥地利的唐·胡安的副官长。在勒班陀战役中，他也追随唐·胡安的左右。此后，腓力二世任命他为米兰总督。1573 年他被派往西属尼德兰去平息因高压政策而引起的叛乱。他到达布鲁塞尔以后，力主大赦，解散戡乱委员会，废止营业税，召开总议会(三级会议)，以便同叛乱分子进行谈判。但是腓力二世不肯在基本问题上作出让步。雷克森斯-苏尼加虽然公布了大赦令(1574)，并答应将营业税改为津贴，但他最后还是不得不重新诉诸武力，战争取得相当成功。但西班牙军队常常因无薪饷而意图哗变或抢掠平民财物。雷克森斯欲收拾残局而不能，劳瘁而死。

Requests, Court of　小额债权法院　指英国 15 世纪末由国王的御前会议产生的特权法院之一，负责专门处理穷人提出的民事申诉，1529 年以前称为贫民诉讼法院。由于在这个法院打官司费用有限，所以颇受平民的欢迎。这个法院仿效法国的申诉院，主要处理有关土地所有权、契约、养老年金、债务等等民事案件，有时也审理诸如伪造罪等刑事案件。它的程序与另一个特权法院即处理衡平案件的大法官法院的程序相同。小额债权法院由掌玺大臣主持，1550 年后又配备了两名主事官作助手。在伊丽莎白一世时代，它扩大了管辖权，可以审理海商、捕获纠纷等海事案件。1590 年以后，小额债权法院的事务为民事法院(普通法法院)发布的一系列禁止令所削减，但是它并没有同星法院、高等宗教事务法院等特权法庭一样在 1642 年被废除，只是从那时起，两名主事官不再出庭审理。王政复辟时期以后，小额债权法院仅被用来为保皇主义者估定赔偿额。到 18 世纪，它就不复存在了。小额债权法院这个名称也用来称呼根据国会的特别法令建立以处理小额债务的下级地方法院。这些法院同在伦敦的小额债权法院一起在 19 世纪中叶被废除。

Requêtes, Chambre des（French judiciary）参阅 **Chambre des Requêtes** 申诉院。

requiem mass　安魂弥撒曲　为死者举行弥撒的音乐作品。为安魂弥撒所谱的复调配乐与一般的弥撒曲不同。它不仅包含常规弥撒中的某些段落如《慈悲经》、《圣哉经》、《羔羊经》(欢乐的段落如《荣耀经》、《信经》是省略的)，而且还包含专用弥撒中的《进台经》和《升阶经》。杰出的安魂曲作曲家有 W.A.莫扎特、H.柏辽兹、L.凯鲁比尼、A.德沃夏克、G.威尔地、A.布鲁克纳、M.迪律夫莱和 B.布里顿等。

Rerek（Egyptian god）**瑞瑞克**　参阅 **Apopis** 阿波皮。

Rerum Novarum　新通谕　天主教教皇利奥十三世于 1891 年颁发的通谕，许多保守的教内人士认为它宣传革命。这份通谕就社会公义问题特别是工业革命所引起的各种社会问题阐明天主教会的立场，强调教会有权对有关道德原则的社会问题发表意见。

res judicata　已决事件　在法律上根据是非曲直作出最终判决且不得在同样当事人之间再提起诉讼的事件。该术语常被用来指这样一个准则：对已决争议反复重新审查不符合社会利益。长期以来人们一直认为：对一项特定的要求或辩护，诉讼双方当事人经过一次法律争讼就足够了。随着司法审判工作量的增加，更迫切要求对诉讼双方当事人进行限制，只允许他们对一个争议作一次争讼。由于法院工作的改进，已决事件的概念在范围和权限方面都已有所扩大。

Resad, Mehmed（Ottoman sultan）**赖萨德**　参阅 **Mehmed V** 穆罕默德五世。

resale price maintenance　转售价格维持　参阅 **price maintenance** 价格维持。

Reschenscheideck（Italy）**雷申山口**　参阅 **Resia Pass** 雷西亚山口。

research and development　研究与开发　工业用语。通过技术革新生产新产品或改良原有产品的两个密切联系的过程。19 世纪将科学家和发明家集合在一起检查或研讨工业生产，便开始在科学和工业之间建立起直接的联系。到 1900 年，德国和美国的一些工业建成一批实验室，但现代意义上的研究与开发产生于两次世界大战期间军事技术的需求。这种由政府发起的军事研究与开发，带动了民用工业如飞机发动机制造业、核动力工业和计算机电子工业的发展。政府机构仍然是研究与开发的主要创办者，它直接与国家实验室或与公司、大学或独立经营的实验室签订科研项目的合同。集中了整个工业的研究与开发资源的研究协会在日本和西欧证明特别有效。现代研究与开发计划进行两类研究：解决工业中一般性问题的基础研究(例如在药物实验室中进行遗传研究)；用基础研究的成果满足工业上的需要，并导致新的或改良的产品或工艺发展的应用研究。除了进行基础和应用研究和研制样品外，实验室工作人员还可能对产品的效用和成本作出评价。

Research Department Explosive　参阅 **RDX** 旋风炸药。

Resende　雷森迪　巴西里约热内卢州西部城市。临南帕拉伊巴河，海拔 395 米。经济以加工乳品、肉类和咖啡，生产滑石粉为主。附近有大理石采石场和军校。位于里约热内卢至圣保罗的杜特拉总统公路上。铁路交通便利。人口约 97 181(2000)。

Resende, Garcia de 雷森迪（约1470，葡萄牙埃武拉～1536-02-03，埃武拉） 葡萄牙诗人、编年史家、编辑。10岁时进入约翰二世宫廷为侍童，1491年成为他的私人秘书。在国王曼努埃尔和约翰三世宫廷中继续蒙受恩宠。他写的《堂若奥二世传》(1545)包含着许多个人经历，也可以从中看到当时的社会生活和风习。在《杂俎集》的300首诗中，他以惊奇而自豪但也杂以社会批判的眼光，描写他那时代的重大事件。他编辑的《诗歌总集》(1516)中也包括他自己的作品，是了解葡萄牙中世纪后期诗歌的主要史料。

reserpine 利血平 由热带及亚热带产数种萝芙木属(Rauwolfia)植物的根中提出的抗高血压药、安定药。几世纪来，在印度已把蛇根木(*Rauwolfia serpentina*)的根制成粉末，作为安定药以治疗精神病。利血平是从萝夫木生药中提出的第一个生物碱，于1952年分离出。1953年西方医学界开始使用萝夫木根粉，而医疗上普遍应用利血平则在20世纪50年代中期。利血平可产生深长的安定作用，曾作为中枢神经抑制药用于治疗精神病，但今已为吩噻嗪类(加氯丙嗪)所取代。利血平对高血压病仍有治疗价值，小剂量即可生效。

reservoir 水库 大量蓄集水的人工湖。气候变化使河流的天然流量随时间变化很大。蓄水库的作用就是在高流量时蓄水以防洪灾，而后在低流量时缓缓放水。早期人类可能就有简单的蓄水库，以供饮用和灌溉，水库的使用由南亚和北非传到欧洲和其他大陆。修建水库通常是拦河造坝。但是水库也可以建在河道之外，即用导流工程把河水引向天然或人工洼地。当水进入水库时，流速减慢，泥沙就沉积下来，因此含沙量大的河流，不适于建水库。泥沙淤积使库容迅速减小，严重缩短小水库的使用寿命。即使是大水库，淤积也是严重问题，因为清除水库沉积的泥沙，一般费用太大，不易实施。泥沙沉积在水库里，放出的水又有传输力，侵蚀水库下游的河道。水库的水可能通过水面蒸发、渗入周围的土壤或岩石、渗过坝基而损失，渗水的问题一般可以设法解决，而蒸发则往往具有重大影响。温带和热带气候下的水面总蒸发量每年可达几米。在潮湿地区，这个损失由直接降水补偿，水面净损失很小或者可以忽略。但在雨量较小地区，净损失很大，每年可达到1.5米以上，而在某些沙漠地区，还不止此数。减少蒸发损失的实验已经取得可观的成就，特别是在澳大利亚、非洲和美国，在水面上加单分子层的饱和长链脂肪醇液体，如十六醇。水库的大小和复杂程度差别很大，小的单用途水库只蓄水几千立方米，庞大的多用途水库蓄水量达几十至几百亿立方米。单用途水库只有一种功能，如灌溉、发电、航运、防洪、供水、游览或调节流量。20世纪的主要趋势是兴建多用途水库，至少要有两种主要功能。

Resheph 瑞舍夫 古代西闪米特人所信奉的瘟神和冥神，是安娜特的伴侣，相当于巴比伦的死神内加尔。他兼司刀兵之事，其像为

青铜器时代晚期（约公元前1550～约前1200）的瑞舍夫青铜像，以色列美吉多出土

供图：Israel Department of Antiquities and Museums

蓄须男子，一手挥斧，一手执盾，戴尖盔，前额饰有山羊头或羚羊头。

Reshevsky, Samuel Herman 列舍夫斯基（1911-11-26，帝俄波兰罗兹附近奥佐尔库夫［今在波兰］～1992-04-04，美国纽约州萨芬） 俄国(今属波兰)出生的美国国际象棋大师。虽从未赢得过世界冠军，但仍不失为一名杰出的棋手。列舍夫斯基4岁学棋，6岁进行表演赛。天资颖慧，约9岁即达到大师水平。1920年他随全家迁往美国。其后，在完成正常的学业之前，他的国际象棋活动曾一度受到限制。1933年他在芝加哥大学获会计学位，1935年重入棋坛，棋路运筹自如，浑厚有力，长于防守。他著有两部大作：《列舍夫斯基论国际象棋》(1948)和《怎样在棋赛中取胜》(1962)。

Reshid Pasha, Mustafa 参阅 **Reşid Paşa, Mustafa** 赖希德帕夏。

Resht (Iran) 参阅 **Rasht** 拉什特。

Resia Pass 雷西亚山口 德语作Reschenscheideck(雷申山口)。在奥地利-意大利边界南，瑞士边界东侧。高1 508米，长约1.6千米。分隔奥地利因河流域下恩加丁河谷区和意大利阿迪杰河流域。为亚得里亚海和黑海分水岭，也是雷蒂亚山脉和厄茨山脉分界线。山口下方有意大利村庄和雷西亚湖。雷西亚公路经过该山口。

Reşid Paşa, Mustafa 赖希德帕夏（1800-03-13，奥斯曼帝国君士坦丁堡［今土耳其伊斯坦布尔］～1858-12-17） 奥斯曼政治家和外交家，首席大臣，曾主持制定以坦志麦特(改革)闻名的最早的改革敕令。早年进入政府部门工作，晋升很快。1834年任驻法国大使。他在西欧期间研究法国语言和西方文化，与法英两国的政治家过从很密。他支持马哈茂德二世的西方化改革，后者任命他为外交大臣。阿卜杜勒迈吉德一世即位后，继续执行马哈茂德的政策，曾委托他制订新的改革方案。1839年这一方案以敕令的形式公布，它保证奥斯曼臣民不分种族和宗教一律平等以及生命和财产的安全。在1839～1858年间，赖希德两次任外交大臣，6次任首席大臣。赖希德的改革包括废除奴隶买卖，实行新的商业法和刑法，改革行政制度，杜绝任人唯亲。

residence 婚后住所 人类学术语，一对新夫妇所选择的婚后定居场所。在原始社会，这种住所选择往往遵循一定规则；在拥有广泛亲属关系的社会体制下，一处婚后新居所就意味着旧联盟的隔断及新联盟的建立。由于权利、义务、继位和财产继承都是遵循血统来定的，也由于一个人对其血缘亲属(即该人的宗系或家系群体的亲属)应尽和应享的义务要超越婚配双方之间的权利和义务之上，那么，新婚夫妇中至少要有一人应从他或她的归宗家庭(即出生和受到养育的家庭)中的重要亲属那里分离出来。如果这种迁移需要分离出来者与其姻亲同住一起，则此新居至少要在短时间内使他或她置身于一种情感上不利的处境。如果一对新人的新房脱离了双方父母的住处，就说他们建立了新居。如果与丈夫的亲属同住或相邻，他们遵循从夫居的规矩，如果与妻子的亲属同住或相邻，则遵循从妻居的规矩。当这对新人在女方所属集团和男方所属集团之间交替居住时，他们的住家安排就称为双重居住。某些母系社会有从舅居的情况。在这种制度下，孩子在青春期离开他的出生地，到舅家居住，并称舅舅为“父亲”。结婚后，妻子则从夫居。

residencia 考核 在西属美洲殖民地，官员们任职期满时，要对其工作情况进行法律性的考察。它起源于15世纪初期的卡斯蒂利亚王国，16世纪初起在西班牙各殖民地政府实行。考核由专门指定的法官在该官员辖区的主要城镇进行。任何人，包括印第安人在内，都有权在法官面前作证。法官搜集与该官员有关的具体材料，并了解其辖区的一般情况。受考核的官员可以为自己辩护。然后由法官起草一份报告，送交马德里的西印度事务院。如系较小的官员，则将报告交地方法院。如发现有不正当行为则由法官裁决。因考核有时拖延过长，1667年颁令，规定对总督的考核不得超过6个月，对其他官员则不得超过两个月。对判决如有不服，可向当地法院上诉。如系王国政府任命的官员，可向西印度事务院上诉。为了节省费用，不必仅仅为进行调查而从马德里派出专人，继任的官员往往受命考核他的前任。由于法官中存在着舞弊现象，以及某些官员在马德里受到宠信，考核制度的作用是有限的。

residual landform 残余地形 又作relict landform。未被埋藏或破坏并作为现代地形的一部分而保留的古代地形的残存部分。通

常是气候条件变化的产物，但也可能是由于火山作用或地壳上升和凹陷的结果。死火山锥、由于冰川边缘气候而停止活动的石河、水系不连续的和废弃部分、较潮湿气候下形成的古滨线、较干燥气候下形成的固定沙丘、高海面时期形成的海成阶地，以及低海面时期形成的水下海蚀崖等，都是残余地形的实例。在已知地形中，残余地形的百分比与不同的地貌学家对残余地形所确定的重要性可能有极大的差异。

resin　树脂　由非晶性或黏性液体物质组成的天然的或合成的有机化合物的总称。合成树脂与塑料没有明显的区别。大多数天然树脂是树木（特别是松树类和冷杉类）的渗出物。由于风、火、闪电或其他原因造成树皮损坏而流出的树脂，通常因蒸发失去一些挥发性的成分，留下一种软质的残余物，起初易于溶解，但随着其逐渐老化而变为不溶性的。古代的中国、日本、埃及和其他国家曾用树脂配制大漆和清漆。天然树脂可分为醇溶和油溶两类。醇溶性树脂包括香脂（长期以来广泛用作涂敷药剂）、用作溶剂的松节油以及用作清漆成分的玛瑞脂、龙血树脂、达马树脂、香松树脂和虫胶等。油溶性树脂包括与松节油一起从长叶松得到的松香（长期用于制皂等）、用于清漆的珂巴脂、最硬的天然树脂琥珀（加工为珠宝饰物）、从原产中国的漆树得到的东方大漆以及从腰果得到的壳油。近代工业中，天然树脂几乎全被合成树脂所取代。合成树脂分为两类：经热处理后仍保持可塑性的热塑性树脂和加热时变成不溶和不熔的热固性树脂。参阅 **plastic**。

Resina（Italy）　**雷西纳**　参阅**Ercolano**埃尔科拉诺。

resist printing　防染印花　先对织物的一定区域进行预处理以防止染料渗透的印花方法的总称。为在已染有一种颜色的织物上获得双色花样，将含有防止第二种染料着色的

德国17世纪末的防染印花亚麻织物，图案为约书亚和迦勒由应许之地返回

供图：Jack Skeel—美国不列颠百科全书公司

物质的染料浆涂于已有图案上，当用第二种染料染色时，只有未上染料浆的区域才能着色。巴蒂克印花法（**batik**）和扎染（**tie-dyeing**）印花法是防染印花的例子。刻板印花是用纸张、织物或金属覆盖不拟着色的图案部分，防止在印染过程中，染料接触织物表面。

resistance　电阻　电学用语。电路或部分电路在阻碍电流通过的过程中将电能变换成热能的性质。电阻产生于载流带电粒子同导体中的固定粒子的碰撞。虽然电路内各部分的连接线和传输线都有电阻，但往往认为电阻局限在电灯、加热器和电阻器之类的器件中，因为这些器件的电阻起主要作用。电路两端的电动势 V 除以通过该电路的电流，就可确定电阻 R 的数值。即 $R = V/I$。例如，一个12伏特的电池通过一段导线稳定地产生2安培的电流，那么该导线的电阻就是6欧姆。欧姆是电阻的常用单位，等于1伏特/安培，用大写希腊字母 Ω 表示。导线的电阻与其长度成正比，与其截面积成反比。电阻也与导体的材料有关（参阅 **resistivity**）。导体或电路元件的电阻通常随温度的升高而增大。某些导体被冷却到极低温度时，其电阻为零。在这些称为超导体的物质中，当去掉外加的电动势之后，电流仍能继续流动。电阻的倒数 $1/R$ 称为电导，其单位为欧姆的倒写姆欧。

resistance　抵抗运动　又称地下组织。第二次世界大战期间在德军占领下的欧洲各地出现的各种反纳粹统治的地下组织。参加抵抗运动的确切人数不详，但既有为反对占领而秘密活动的平民，也有武装的游击队。他们的活动包括出版秘密报纸，协助犹太人及在敌占区被击落的盟军飞行员逃跑，进行破坏活动，伏击德国巡逻部队以及向盟军传递情报。抵抗运动并不是一个统一的运动，其中包括相互敌对的组织。在若干国家内，共产党的组织与非共产党组织之间有严重的分歧。最初，共产党人采取和平主义的路线，但于1941年6月希特勒入侵苏联后，他们便加入这种地下组织，而且在某些地区成为主要的抵抗力量。在南斯拉夫，D.米哈依洛维奇领导的塞尔维亚民族主义的切特尼克与J.B.铁托领导的共产主义游击队，除与德军作战外，还彼此相互作战；希腊的两大抵抗运动，一个民族主义运动和一个共产主义运动，未能进行军事合作以抗击德国人。波兰也发生类似的分歧，苏联支持共产党领导的抵抗运动，而在1944年秋对德军在华沙消灭波兰民族主义的地下力量国家军则坐视不顾。在乌克兰，德国人起初大受欢迎，被视为解放者，后来由于希特勒把斯拉夫民族当作劣等种族对待，遂引发了一个民族抵抗运动，他们不仅打德国人，而且攻击苏联组织的骚扰德军东部补给线的游击队。

在比利时，一个由共产党控制的抵抗运动与由前陆军军官组成的一个集团并存。另一方面，主要的挪威与荷兰的抵抗组织却与流亡的王国政府保持密切关系。德军于1943年解散丹麦的合法政府，各抵抗组织遂组成一个联合委员会，对于次年冬天几个德军师从挪威的撤退时能够起到相当的阻挠作用。虽然法国北部（德军占领区）及法国南部（由维希傀儡政府统治）两地的抵抗组织均由前陆军军官、社会党人、劳工领袖、知识分子及其他人员组成，但北部的抵抗运动则由共产党人控制。1943年成立秘密的全国抵抗委员会，作为中央协调机构。次年初，法国的所有游击队都正式并入法国国内武装部队。

许多抵抗运动组织皆与负责欧洲支援与协调各种对德军进行破坏活动的英国特种作战指挥部保持联系。英国人、美国人及苏联人提供武器与空投补给，支援轴心国控制区内的游击队。1944年6月6日盟军在法国登陆后，法国国内武装部队立即发动大规模的作战行动，并参与巴黎的八月暴动。其他北欧国家抵抗运动的武装力量也采取军事行动协助盟军部队。

Resistencia　雷西斯滕西亚　阿根廷查科省省会。建于18世纪中叶。1884年该地被设为查科地区（现为省）首府。现经济以加工棉花、破斧树（可提取单宁）、木材、养牛和蔗糖等为主。1973年建成的唯一一座桥梁联结雷西斯滕西亚和科连特斯城。人口约280 000（1999）。

resistivity　电阻率　导体在单位截面积、单位长度内的电阻。电阻率是每一种材料所具有的特性，用于比较各种材料的导电性能。电阻率高的材料为不良导体。电阻率通常用希腊字母 ρ 表示，在数值上等于导体的电阻 R 乘截面积 A 并除以长度 l，即 $\rho = RA/l$。电阻的单位是欧姆，在米-千克-秒制中电阻率的单位是欧姆·米。如果长度用厘米表示，则电阻率的单位为欧姆·厘米。良导体如冷拉铜的电阻率在20 °C时为 1.77×10^{-8} 欧姆·米，绝缘体电阻率的范围则为 $10^{12} \sim 10^{20}$ 欧姆·米。电阻率的数值也与材料的温度有关，各种物质的电阻率表中通常列出的是20 °C时的数值。金属导体的电阻率，通常随温度的升高而增加；但碳和硅之类的半导体的电阻率，通常随温度的升高而减少。电导率是电阻率的倒数，它也可表示材料的导电特性。在米-千克-秒制中，电导率单位为姆欧/米，或安培/（伏特·米）。良导电体的电导率高，电阻率低；好的绝缘体或电介质的电阻率高，电导率低。半导体的电阻率数值则介乎二者之间。

resistor　电阻器　阻碍直流电或交流电电流动的电气元件。它被用来操作、保护或控制电路。电阻器可以用来进行分压；它与其他元件组合在一起时，可以使电波波形更合乎电路设计人员的要求。有的电阻器的阻值是固定的，有的可以在一定范围内进行调节。后一种电阻器称为可变电阻器（**rheostat**）或电位器。

Reşiţa　雷希察　罗马尼亚西南部卡拉什-塞维林县城市和县府。靠近南斯拉夫边界。地处煤和金属矿开采区。为历史悠久的金属制造业中心。第二次世界大战后，当地钢铁厂已现代化，建有几座重型机械制造厂和机车柴油机厂。当地开采的锰矿有少量出口。城市原为罗马人重要居民点。现有博物馆，展出新石器时代文物、罗马货币和武器，以及古籍和与城市历史有关的展品。通公路和铁路。人口约94 351（1997）。

Resnais, Alain 雷乃（1922-06-03，法国瓦讷～ ） 法国电影导演，20 世纪 50 年代末法国“新浪潮”的领袖人物。他的主要影片有《广岛之恋》(1959)和《去年在马里昂巴德》

供图：French Film Office, New York

(1961)。自幼因患哮喘病而性格孤僻，爱好创作。14 岁时用一架摄影机指导同学拍成影片《芳托玛斯》。1940 年进入巴黎高等电影学校。德国占领期间，因迷恋戏剧致未参加抵抗运动而深感内疚。战后他在全国各地骑车旅行，拍下一系列短片，其后 9 年间，因对当时法国商业电影不感兴趣，继续拍摄表现画家凡·高、高庚以及关于毕加索名画《格尔尼卡》的短片，开始表现关于人的异化的观点。后受委托拍摄了描写集中营的纪录片《夜与雾》(1955)，强调了“隐藏在我们每个人身上的兽性”。童年的孤独反映在他的创作主题上表现为他对命运的无常、时间的流逝和个人意识的差异特别关注，令人联想到 H. 柏格森的哲学和 M. 普鲁斯特的小说。他通过原子弹的灾难(《广岛之恋》，1959)、梦幻世界的虚妄(《去年在马里昂巴德》，1961)和警察的严刑逼供(《穆里爱尔》，1963)等形态，表现人最敏感的、面对自己的卑鄙野蛮行径的时刻。他后期的重要影片有《斯塔维斯基》(1974)、《天意》(1977)和《我的美国舅舅》(1980，获戛纳电影节特别奖)等。

resolution 拆分 化学术语。把外消旋体(**racemate**)分离为构成它的两个对映体(具有不对称原子排布的一对物质，其结构是互为不能重叠的镜像)的方法。L. 巴斯德使用了两种重要的拆分方法。第一种是自然拆分法，如果外消旋物质结晶成一种用物理方法可分拣的、由两个明显不同的对映体颗粒组成的集合体时，适用此法；但这种情况，仅有少数报道，所以这种方法虽具历史意义和理论意义，但很难应用。巴斯德第二种方法的实用性要大得多，所依据的基础是把对映体的混合物转变成物理性质不同的非对映异构体(彼此不成镜像的光学异构体)混合物，因而可被分离。这种转变需要使用一个预先得到的光学活性物质。例如巴斯德于 1853 年曾证明：当外消旋酒石酸与一种天然存在的碱(如辛可宁)混合时，所得的盐不再是对映体混合物而是非对映异构体混合物，其中的两种盐具有不同溶解度，可以分开。

resonance 共振 物理学中物体或系统与外加振荡力同步或同相振荡而产生的较强的选择性响应。共振现象最早是在乐器和人声这类声学系统中进行研究的。当用某一音调演唱或演奏时，附近的小提琴或钢琴琴弦上就会感应出同一音调的振动，这就是声学共振的实例。共振概念通过类比已经扩展到某些力学与电学现象。风或齐步行进的士兵在桥上感生的机械共振足以把桥毁坏，如 1940 年发生的塔科马海峡桥(**Tacoma Narrows Bridge**)断裂那样。航天器、飞机和地面车辆必须设计得使发动机或它们在空气中运动时所引起的振动保持在最低安全限度内。电学系统的共振稍有不同，它只在频率灵敏的交流电路上出现，这就使装有这种电路的通信设备只接收特定频率的信号而舍弃其他频率的信号。例如电视接收机，只有当进入电路的信号的某一频率与电路的固有频率相近时才会发生共振。这时接收机电路发生响应，从信号吸收最大能量，在电路中激起与天线中极弱电流同步的振荡。在原子核尺度上探测到与一定类型的机械共振有某些类似的共振方式称磁共振。当原子或原子核与外加的不同磁场产生响应时出现磁共振(**magnetic resonance**)，即发射或吸收无线电波和微波频率的电磁辐射。

resonance 共振态 粒子物理学术语。与称为强子的亚原子粒子有关的一种极短寿命的现象。强子通过强核力衰变。这种力很强，仅允许共振态存在于光通过这种“客体”所需的极短时间内。当碰撞的亚原子粒子的净能量足够产生其静止质量时，共振态即发生，而强力在 10^{-23} 秒内引起它的蜕变。

resonance, theory of 共振论 化学理论。认为分子的实际正常状态不能用一种单一的价键结构而应用几种可能的不同结构的组合来表示。于是，就认为这种分子是在几种价键结构之间共振，或这种分子的结构是这几种结构的一种共振杂化体。计算表明，共振杂化体的能量比任何一种可选择结构的能量都低，故分子是被共振所稳定的。任何一种可选择结构的能量与共振杂化体体能量之差被定义为共振能。共振论应用的经典实例是对苯结构式的说明。1865 年德国化学家 F. A. 凯库勒提出，苯的结构为 6 个碳原子形成的六员环。为使苯的结构和碳的 4 价相一致，凯库勒提出在苯环中单键和双键是相间分布的。为了说明苯不存在异构体(未发现在被取代碳原子间有单键或双键区别的邻位取代异构苯)这一事实，他在 1872 年提出了在下列两种结构形式间存在着振动的概念：

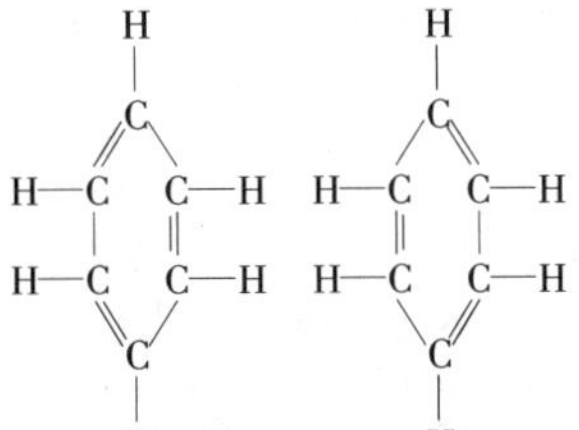

1920 年以后，有几位科学家提出，苯分子的真实状态可能是介于用几种不同价键结构代表的状态间的中间态。1931 年美国化学家 L. 泡令进一步阐明了苯的结构，提出苯分子的正常状态可表示为两种凯库勒结构形式和以下三种结构形式的杂化型：

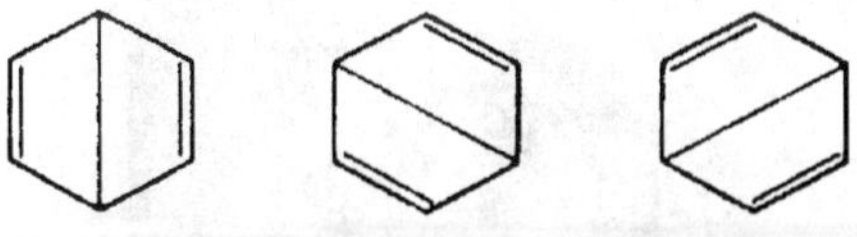

苯分子的实际构型是相应于个别结构的各种构型的适当平均。由于共振作用，6 个碳-碳键是等价的，这与实验测量结果是一致的。此外，根据量子力学原理计算，成功地预言了共振结构能量低于任何一种可能结构的能量。共振概念已用于阐述多核芳烃、含共轭双键体系的分子(如联苯和丁二烯等)、自由基和以单键、双键和三键均不能满意地表示其结构的其他分子(如一氧化碳和氧气等)的结构。在选择分子合适的共振结构时，可遵循几条一般规则：即这些共振结构的能量应相差不多，原子在多种结构中的排列应大致相同，各种结构必须具有相同数目的未成对电子。共振论以量子力学基本原理为基础，根据这种理论，描述一个体系的一种定态的波函数，可以用与该体系各种假设结构相应的波函数的加权和来表达，而使该体系计算能量最低的那个加权和便是合适的组合。

resonator 共振器 用于增强声响的声学装置，如钢琴的共鸣板、弦乐器的“腹腔”、管乐器的空气团及发声动物的咽喉、鼻和口的空腔等。除了扩大声的功率外，共振器也可以通过改变泛音的相对强度来改变音质。参阅 **soundboard**。亥姆霍兹共振器是一个通过一个小口与外部空气相通的密封容器，密封空气共振的单一频率依赖于容器的尺寸。共振器这个名词，也指吸收特定(共振)频率电磁波的分子或离子中的电子系统(参阅 **chromophore**)。

resorcinol 间苯二酚 又称间二羟基苯。酚类有机化合物。用于制造树脂、塑料、染料、药物以及其他许多有机化合物。其大量生产是用发烟硫酸使苯磺化，再把所得苯二磺酸与苛性钠一起熔融。间苯二酚与甲醛反应生成的树脂，用于使人造丝和尼龙与橡胶顺利掺和，也用作胶黏剂。间苯二酚作为化学中间体也可转变为染料、炸药和药物。还用于照相显影剂与化妆品，也用在医用外敷软膏和洗液中以杀菌。

resources, allocation of 资源分配 生产性资产在不同用途之间的分配。选择资源未来的用途就决定着社会产品的构成。资源分配之所以成为问题，是由于社会的资源供应有限，而人类欲望通常却又无限；还由于既定资源具有多种不同可供选择的用途。在自由企业经济体系中，资源是通过价格制度这一主要机制在消费者所急需的用途之间进行分配的。在计划经济中和混合经济的国家部门中，决定资源如何分配，是一项政治性工作。

Respighi, Ottorino 雷斯皮吉（1879-07-09，意大利博洛尼亚～ 1936-04-18，罗马） 意大

利作曲家。把俄罗斯的管弦乐色彩和R.施特劳斯的一些激越昂扬的和声技巧介绍到意大利音乐中来。先在博洛尼亚音乐学校学习，后在圣彼得堡师承里姆斯基-科萨科夫，

供图：Elsa Respighi

并任歌剧院管弦乐队首席中提琴手。他从一些外国大师那里学会了运用管弦乐色彩，并对管弦乐作曲发生了兴趣。1902年在博洛尼亚演出他的钢琴协奏曲，在大都会歌剧院的音乐会上演出他的管弦乐《夜曲》。喜歌剧《恩佐国王》和歌剧《塞米拉玛》获得成功。1913年任罗马圣塞西利亚音乐学院作曲教授，1924年任院长，1926年辞职。他对诗人邓南遮所描绘的罗马的性感的、颓废的风气情有独钟；在他那些著名的组曲（尤其是《罗马的松树》和《罗马的喷泉》）中，他努力表达诗人的想象的微妙含意和色彩。其他组曲有《教堂的窗户》（1927）、《鸟》（1927）、《罗马的节日》（1929）和为室内乐队写的《波提切利的三联画》（1927）。他也爱好古老的意大利音乐，曾编辑了两集《古代舞曲和咏叹调》。根据罗西尼的乐曲改编的《幻想商店》（1919年由佳吉列夫的俄罗斯芭蕾舞团在伦敦上演）是他最受欢迎的作品之一。后来的一首罗西尼钢琴曲改编曲《罗西尼风格》（1925）亦成为芭蕾舞剧。作为歌剧作曲家，雷斯皮吉在国外不太成功。最著名的戏剧音乐有：喜歌剧《贝尔法戈》（1923，米兰）、《火焰》（1934，罗马）。还有"神秘剧"《玛丽亚·埃季齐亚卡》（1932），以及死后出版的《卢克雷蒂娅》（1937，由其妻续成）。

respiration　呼吸　包括人类在内的各种动物从外界摄取氧和从体内排出二氧化碳的生理过程。前者提供生存之需，后者清除代谢废物。单细胞生物（如阿米巴原虫）没有特殊分化的呼吸器官，它们通过细胞膜进行呼吸。较高等的动物大多都有特殊分化的呼吸器官，如昆虫有一套和外界相通的气道网；大部分鱼类和某些水生无脊椎动物用鳃呼吸；有些鱼类和两栖类动物的皮肤有呼吸功能——所有上述动物的呼吸器官都已经和血液循环系统建立了密切的功能和结构关系。陆生脊椎动物开始进化出现肺，虽然其复杂程度不等，但有两点是共同的：肺的膨胀和收缩是一被动过程；由各种形式的"气（分）压差"导致的"气体弥散"是气体传送的基本动力形式。现以人的呼吸系统为例说明之。按结构顺序，人的呼吸系统包括鼻、咽、喉（发声器官）、气管、左、右支气管和肺。肺的形成是左右支气管不断分枝的结果，这种分枝的最小单位是由单层上皮构成的"肺泡"；肺泡之间的结构是"肺泡间隔"；肺泡间隔的组织成分是毛细血管。肺的膨胀和收缩的原动力来自肋间肌、胸壁肌群和（横）膈肌的肌肉运动，虽然人们并没有把这些肌群看成是呼吸器官，但习惯上却把它们统称为"呼吸肌"。吸气动作是呼吸肌的协调运动导致的胸腔扩张——牵动肺膨胀——肺内压力下降——空气被吸入肺泡。呼气动作反之。外呼吸：指肺泡中的气体和肺泡间隔毛细血管中红细胞之间的气体交换过程。因肺动脉和毛细血管中的静脉血血红蛋白的氧分压低于肺泡气的氧分压，而前者的二氧化碳分压却高于后者；故此处的氧和二氧化碳的压力性弥散的方向是：血红蛋白结合氧而释放二氧化碳。内呼吸：即组织呼吸，是指体内各种组织的细胞和组织毛细血管中血红蛋白之间的气体交换过程。因组织的新陈代谢活动消耗了大量的氧而产生了大量的二氧化碳，故此处的氧、二氧化碳的分压，正好和肺泡处相反。所以，内呼吸的气体弥散方向是：氧从血红蛋白转移到组织细胞中，而二氧化碳则被血红蛋白结合。综上所述，呼吸的生物功能是：氧在外呼吸过程中被血红蛋白结合，然后，随血液循环经肺静脉入左心房，后被左心室泵送到全身各组织，供给它们新陈代谢之需；血红蛋白在释放了氧之后，再结合二氧化碳，经腔静脉入右心房，然后被右心室经肺动脉泵回到肺；在肺，二氧化碳被排出体外，并重新结合氧。中枢神经系统主要从以下几方面对呼吸运动进行调控：脑干的呼吸中枢控制呼吸节律和深度；而第十对脑神经迷走神经（副交感）则是对肺血管和支气管平滑肌运动进行控制。由于机体并没有氧的储存，所以人的呼吸只要被阻断几分钟即可毙命，如窒息、溺水、药源性或病源性的呼吸肌麻痹等。从空气呼吸到组织呼吸，气体传送各个环节的基本动力都是"压力差"，所以，"大气压"环境会使本地的土著人产生适应，达到一种呼吸平衡。但当大气压力突然变化时，如在高海拔地区，缺氧会破坏原有的呼吸平衡，这些"不服水土"的人一干活就会头晕脑胀、恶心呕吐。由于肺组织和外界环境直接相通，所以它患病的机会和种类就非常多。

呼吸系统疾病的常见症状有咳嗽、咯痰或咯血痰、胸痛、呼吸急促或呼吸困难。常见的病毒性呼吸道疾病有感冒或流行性感冒；细菌性疾病有大叶性（细菌）肺炎、肺结核等。在抗生素问世之前，这些都是不治之症。肺还特别容易受到过敏性疾病的侵袭。当支气管组织接触到某些异物颗粒，如花粉，就能刺激组织细胞释放组织胺，导致整个支气管系统的平滑肌收缩。哮喘即是一例。哮喘时，还因气道平滑肌收缩，不能有效地排痰而致呼吸困难。另外，凡是能引起过敏性血管炎症的全身过敏反应，都会使血管丰富的肺出现严重反应。病毒或有害气体可引起急性气管炎（以气管黏膜充血为主）。慢性支气管炎可导致支气管堵塞。肺气肿可致肺泡破裂。后二种病都和吸烟、空气污染有关。肺癌也和吸烟有密切关系。

respiratory distress syndrome　呼吸窘迫综合征　又称特发性呼吸窘迫、肺透明膜综合征。新生儿，尤其是早产儿十分常见的死因。特征为呼吸建立后肺组织萎陷以及仍然开放的毛细支气管内面覆盖一层"玻璃样"（透明蛋白）膜（当此膜出现时本病亦称透明膜病）。呼吸窘迫综合征的症状为呼吸困难和青紫。该病通常于发病48小时内因不能进行氧交换、缺氧、衰竭而死亡。该病病因不明，好发于体重为1～2.5千克的新生儿、早产儿、剖腹产儿及产母患糖尿病的新生儿。用空气加压呼吸法抢救该病患儿可获显著疗效。存活者可无后遗症。

respiratory therapy　呼吸疗法　又称吸入疗法。主要用于施行麻醉和支持呼吸的一种疗法。呼吸道梗阻是常用呼吸疗法的病理现象之一，其治疗为通过负压抽吸法把呼吸道内的黏液或液体分泌物清除。水或其他药物配成气雾剂，可用以帮助呼吸，有时可治疗某些梗阻病例。对梗阻病例施行体位引流法可借助重力的作用以促进引流。气雾剂和湿气疗法用于缓解支气管痉挛及黏膜肿胀，增加分泌以促进异物的清除，又能将抗生素直接导入肺脏。

水是支气管及肺脏疾病的主要治疗因子，其应用形式有冷蒸汽、热蒸汽（水蒸气）和雾剂（如氧帐中）三种。当呼吸困难需要吸氧时，氧气在进入与插管或面罩相连的导管之前先从水中通过。气雾剂增湿器亦称喷雾器，以机械或人工为动力，将药液或水雾喷入气道。在治疗囊性纤维变性等疾病时可用超声装置将极细的微粒喷入肺脏。手术麻醉过程中可吸入某些气体，如用氦-氧混合气体治疗某些梗阻病例；用二氧化碳-氧混合气体刺激心血管中枢，改善脑部的血循环，克服换气不足、预防术后肺不张或治疗呃逆。机械换气可有二种形式。①负压形式，用于治疗呼吸肌麻痹患者，其法为将患者的躯体置于一密封室（如铁肺）内，利用吹风器在患者胸部周围造成部分真空，从而使空气从口鼻进入肺脏。②用正压机械将混合气体吹入肺脏，使胸部扩张，用于治疗支气管哮喘和支气管痉挛患者，旨在促进肺的扩张。呼吸疗法还用于治疗呼吸衰竭，治疗措施包括经鼻腔或口腔往气管内插管，以及通过手术直接往气管内插管，后一方法用于会导致呼吸道上端肿胀或出血的某些事故性创伤。

responsa　《答问》　希伯来语作She'elot u-Teshubot。犹太教书籍。收集学者对有关犹太教律法问题所提出的答复。本书自6世纪《塔木德》定稿后开始编辑，目前仍在继续充实。内容从专论到汇编长短不一，如将其汇总起来可多达1 000卷。

responsibility, diminished（law）　参阅**diminished responsibility** 减轻责任。

responsorial singing **应答歌唱** 一种歌唱风格，由领唱者与合唱组交替演唱。应答歌唱出现在许多民间音乐文化之中，例如美国印第安人、非洲人和美国黑人文化。诗篇的应答歌唱曾在古希伯来和早期基督教礼拜仪式中采用。参阅 **antiphon**。

responsory **应答圣咏** 指原来应答歌唱的素歌旋律与歌词，即由合唱组与独唱者或独唱组交替歌唱。早期基督教礼拜中用应答方式歌唱诗篇是从犹太礼拜仪式吸取来的。最常见的方式是在乐长歌唱诗篇之间由会众插入“阿门”或“哈利路亚”等短小迭句。至中世纪，素歌发展，较精心写出的迭句(R)由合唱组来唱，以与独唱组唱的诗篇歌诗句(V)交替出现，其产生的音乐曲式是 $RV_1RV_2\cdots R$。应答圣咏在其反复中往往缩短。其歌词通常与节日或诗篇的内容有关。这种冗长的圣咏只有少数几首留传，而今在一般情况下是截短的。应答圣咏主要出现在祈祷时刻(亦即日课圣事)、弥撒的哈利路亚和升阶经中。在大多数情况下应答圣咏的基本模式是 RVR，V 是一段或几段诗篇中的诗句。在升阶经中，最后的迭句(亦即应答句)往往省略，成为 RV。现代咏唱应答圣咏时，不一定保留传统的应答唱法。

Resserella **雷士贝属** 腕足动物的绝灭属。化石产于海相中奥陶统到下志留统(奥陶纪终于 4.3 亿年前，随后是志留纪)。背瓣具有水平边缘，腹瓣具有弓形边缘。两瓣往往轻

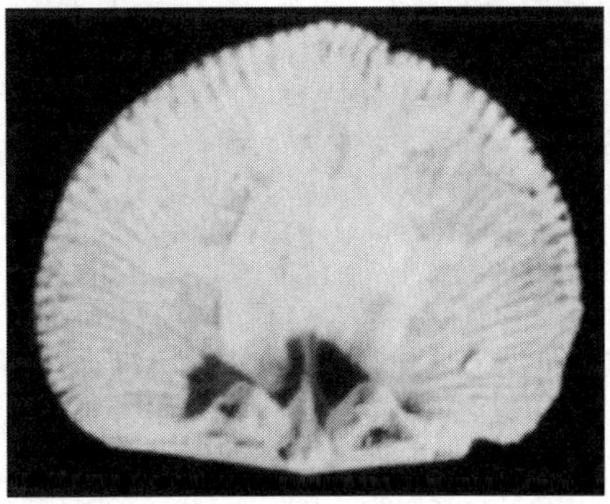

雷士贝(*Resserella*)
不列颠博物馆供图

微凸出。表现纹饰由细线组成，内部构造很有特色。

restaurant **餐馆** 公众可以获得便餐或正餐的场所。餐馆一词源出法国。卖肉汤老板 A.布朗热 1765 年在巴黎开店，招牌上写有 restaurants，意谓店内提供滋补品，即肉汤，后该词成为餐馆通称。英、法、荷、丹、挪、罗等国相继沿用，因语言不同而此词略有变化。1782 年巴黎开设了豪华的伦敦大饭店，店主 A.博维耶是当时著名的烹饪术作家和烹饪大师，著有《烹饪术》(1814)一书，为法国烹饪学的权威著作。法国大革命后，名厨师都自己开设餐馆。1804 年巴黎共有 500 余家餐馆，为历史上名厨辈出、名菜琳琅满目的时期。拿破仑时期，距罗浮宫不远的故宫，成为巴黎当时许多高级餐馆集中的地方。韦里餐馆常有达官贵妇出入其中，其菜单有汤 10 余式、鱼 20 余式、牛肉什炒菜 15 式、羊肉什炒菜 20 式以及什样冷盘数十式。小说家巴尔扎克常在韦里餐馆就餐，喜其牡蛎、鱼、肉菜、水果、葡萄酒及烈性酒；烹饪术作家 G.雷尼埃称之为法国最佳餐馆。此馆 1869 年并入大韦富尔餐馆，直到 20 世纪 80 年代中期仍是法国最好餐馆之一。19 世纪末，马克西姆餐馆成为巴黎社交与聚餐中心，第一次世界大战后，营业稍衰，之后改变经营方式，一跃而成为就餐者喜爱之地。欧洲其他各国如意、奥、匈、捷、德、西、葡、荷、英及中东国家如希、土等国的餐馆皆规模小。在亚洲，日本餐馆有“天麸罗”(炸虾、炸蔬菜)、“寿司”(生鱼、什锦醋米饭)、“刺身”(生鱼片)、“汤豆腐”。茶道中还有“怀石”(茶点)作为品茶前的正式和菜，为日本佳肴。中国餐馆则多以地方风味的名菜著称，有些餐馆专门供应各种面条、点心等。美国餐馆始于旧金山“淘金热”时代的自助餐馆。此外有专门菜肴餐馆，仅供应一二种别具一格的菜如海味、牛排等。当代顾客喜欢不拘礼节、气氛活跃以及上菜迅速的餐馆。由于人工费不断上涨，名厨减少，豪华宴席正逐渐减少。现在的趋向是快速有效地经营食品，如快餐馆、快餐酒吧、自助餐馆、咖啡店和“免下车”服务餐馆。典雅昂贵的餐馆趋向于房间较小、餐厅环境亲切以及提供品种有限但是真正别具一格的名菜。

Restell, Madame **雷斯特尔夫人**(1812，英国格洛斯特郡佩恩斯威克～1878-04-01，美国纽约州纽约) 原名 Ann Trow。婚后姓 Lohman。著名的施堕胎术者、避孕用品供应者。出身贫寒，1831 年与丈夫一起移居纽约，数年后其夫亡故。1836 年与 C.R.洛曼再婚。洛曼专门供应各种避孕及人工流产配制品。不久她亦投入此道，自称“雷斯特尔夫人、女医生和助产学教授”。1839 年报纸开始刊登其避孕粉广告，引发了极大的道德义愤。有一篇社论称其为“人形恶魔”。当时的道德观念谴责避孕和堕胎，但他们丰厚的业务收益足以证明此种服务大有市场。她对自己的行为秘而不宣，且当时对其活动的记述语意暧昧，故难了了解其是否主要以为人堕胎为业，或是否经常供应避孕用品和秘密接诊。因受到为人堕胎的指控，1847 年遭逮捕并受到审讯。但由于她提出反驳证据，故定罪较轻，仅服刑一年。获释后，夫妻两人迁居他处重操旧业，且大量开展邮购业务。虽遭社会唾弃，但他们仍照做不误，大发避孕财，且可能行贿执法官员和政客。1878 年 A.康斯托克(《康斯托克法》的作者)佯装顾客购买避孕用品，查明其“不道德”用品。雷斯特尔夫人在其出庭受审的当日上午割喉自杀。

Restif, Nicolas-Edme **雷斯蒂夫**(1734-10-23，法国欧塞尔附近萨西～1806-02-03，巴黎) 法国小说家。他的作品以生动、细致地刻画 18 世纪法国丑恶的社会生活著称。经历了一段印刷工人学徒生活后，前往巴黎开始写作。他的小说结构松散，文词欠修饰。他一面标榜其伦理意图，经常就社会改革问题发表见解，一面又宣扬色情，带有神秘色彩，因而有“阴沟中的卢梭”之称。大部分作品取材于作家自身的生活，例如《我父亲的一生》(1779)就是农民生活的生动写照。这部作品如同他的自传《尼古拉先生》(1794～1797)一样，大部分以巴黎下层社会为背景。雷斯蒂夫想象丰富，读者很难把他作品中的事实与虚构截然分开。他在《当代女人》(1780～1785)这部作品中还留下了另一些关于巴黎生活的记载。与此同时，《堕落的农民》(1776)与《堕落的农妇》(1784)两部作品进一步阐发了善良的乡下人在大城市中堕落下去这一主题。

不列颠博物馆供图

resting potential **休止电势** 生物化学中，电兴奋性细胞(主要是神经细胞)内部及其周围环境间电荷分布不平衡所形成的电势差。其大小为 60～95 毫伏，细胞内侧为负电。细胞内侧负电性增大的现象称为超极化。如果细胞内侧负电性减少，则这过程称为去极化。在神经冲动传递的过程中，神经细胞纤维内侧变为带正电时发生短暂的去极化，这时的电势称为**动作电势**(**action potential**)。这种短暂的极化改变，据信是由钠离子从细胞外侧向细胞内侧的迁移引起的；这种改变导致神经冲动的传递。去极化后，细胞膜变得比较容易透过带正电的钾离子，钾离子从细胞的内侧向外扩散(正常情况下在细胞内钾离子的浓度相当高)，然后细胞恢复到以带负电为特征的休止电势。

Restionales **帚灯草目** 单子叶禾草状有花植物的一目，含 4 科，主要分布在南半球，特别是非洲南部和澳大利亚。花退化，子房1～3 室，每室含 1 枚下垂的胚珠。除须叶藤科(Flagellariaceae)有雄蕊 6 枚外，其他全为1～3 枚。须叶藤科含 2 属约 7 种，草本或攀缘；叶长，有时末端成卷须，大多是风媒花。帚灯草科(Restionaceae)最大，25～35 属，约 350 种。帚灯草属(*Restio*)有 120 种，叶退化为环茎的叶鞘，茎绿色，可行光合作用。刺鳞草科(Centrolepidaceae)含 5 或 6 属，35～40 种，是矮小的禾草状、莎草状或苔藓状草本植物。拟灯心草属(*Trithuria*)和水鳞草属(*Hydatella*)各含 2 种，是沉水植物。Hanguanaceae 科仅 *Hanguana*1 属，1 或 2 种，为粗壮的直立草本；本科可能是误归本目，但其亲缘关系不清。本目是百合目与早熟禾目间的进化代表。

Reston **雷斯顿** 美国弗吉尼亚州东北部费尔法克斯县城市社区，在华盛顿特区西北偏西 35 千米，邻近赫恩登。由 R.E.西蒙于

1962 年后规划，将全社区分成若干新村，村与村之间隔有林带，每村都有一个作零售商品区的"市中心"，可使各种住宅分散在距"市中心"半英里左右的半径内，以减少交通流量。目标是形成自成一体的自给社区，有自己的商业中心、工厂、学校，还有娱乐、文化与医疗设施。附近有杜勒斯国际机场。1989 年，雷斯顿实验室病毒爆发，但该病毒对人类并不致命。人口 56 407(2000)。

Reston, James　赖斯顿（1909-11-03，苏格兰邓巴顿郡克莱德班克～1995-12-06，美国华盛顿[哥伦比亚特区]）　苏格兰出生的美国专栏作家、《纽约时报》编辑、美国最有影响的报纸撰稿人之一。10 岁时随父母移居美国，1932 年毕业于伊利诺伊大学。1937 年进美联社伦敦分社工作。1939 年到《纽约时报》伦敦分社工作。他刚开始工作时是当记者，1953 年成为报纸专栏作家，后任华盛顿分社社长（1953 ～ 1964）、执行主编（1968 ～ 1969）、副社长（1969 ～ 1974），在该报工作 50 年后于 1989 年退休。他的国内、国际新闻报道得助于他独家采访了许多美国总统和其他世界领袖。他往往第一个披露重要新闻事件的真相。1970 年，他协助创办了《纽约时报》的第一个专栏版。1945 年他关于敦巴顿橡树园会议（1944）的报道和述评获普利策奖，1957 年又因五篇论述总统一旦失去活动能力后转移行政权的文章而获普利策奖。

Restoration literature　王政复辟时期文学　指共和时期后 1660 年王政复辟后的英国文学。一些文学史家主张这一时期限于查理二世时期（1660 ～ 1685），而另一些则倾向于把詹姆斯二世在位期间（1685 ～ 1688）的作品也包括在内。这一时期导致了安妮女王时期（1702 ～ 1714）英格兰的"古典"奥古斯都时代。许多典型的现代文学型式，包括小说、传记、历史、游记、新闻报道等在这一时期开始成熟。当时，新的科学发现和哲学观念以及新的社会和经济条件开始发挥作用。还出现了大量多以政治、宗教为内容的小册子文学，J.班扬的伟大讽喻小说《天路历程》也出现于这一时期。许多优秀诗歌，特别是 J.德莱顿、罗彻斯特伯爵、S.勃特勒、J.奥尔德姆的作品都是讽刺性的，对以后奥古斯都时期的蒲柏、斯威夫特和盖依的成就有着直接的影响。这一时代首先是一个伟大的戏剧时代。受法国新古典主义原则影响的英雄剧流行，但这一时期主要以批判性的风尚喜剧闻名，剧作家有 G.埃思里奇、W.威彻利、约翰·范布勒爵士和 W.康格里夫等。

Restormel　雷斯托梅尔　英格兰西南端康沃尔历史、行政郡一区（自治市）。面积 452 平方千米。位于郡之中部。西北濒圣乔治海峡，南临圣奥斯特尔湾和英吉利海峡。地势起伏徐缓。丘陵地区有养牛业，饲养奶牛和菜牛。南岸港口福伊和梅瓦吉西附近有水果和蔬菜种植业。北岸纽基为度假地和冲浪运动区。福伊在中世纪为一主要港口，后为走私活动集中之地，现外运高岭土。区首府圣奥斯特尔为高岭土加工中心。人口约 91 300（1998）。

restriction enzyme　限制性内切酶　又作 restriction endonuclease。一种细菌体内合成的酶蛋白，可在特定的位点上切断 DNA 分子。在细菌细胞内，限制性内切酶的作用是破坏异体 DNA，以排除噬菌体的侵染。人们把限制性内切酶从细菌体内分离出来，用作分子生物学实验室中必不可少的一种工具酶。有了限制性内切酶，人们就可以在任何特定的基因位点切断 DNA 链，制备基因克隆、进行基因重组。噬菌体侵入细菌体内后，将其 DNA 插入细菌 DNA 序列中，这样，它就可以随细菌 DNA 一起复制。细菌体内的限制性内切酶能把噬菌体 DNA 切成很多小的片段，防止它参与细菌的核酸复制。限制性内切酶因其能明显减少（限制）某种细菌的致病噬菌体株种数量而得名。每种限制性内切酶都能识别其特异性的碱基序列（即指构成 DNA 分子链的 4 种碱基腺嘌呤、鸟嘌呤、胞嘧啶、胸腺嘧啶的排列顺序），这些位点统称为"识别序列"。识别序列大多只含有 4 ～ 8 对碱基，随机分布于 DNA 分子中。细菌的种属不同，其限制性内切酶的识别序列也不同。限制性内切酶的作用机制是催化识别序列中核苷酸之间磷酸二酯键的水解反应。细菌为防止自体 DNA 被水解，通过另一种甲基化酶把甲基（$-CH_3$）加到识别序列中的腺嘌呤或胞嘧啶碱基上，将识别序列伪装起来。细菌体内的限制性内切酶及其相应的甲基化酶构成某种细菌的所谓"限制酶修饰"系统。限制性内切酶分为Ⅰ、Ⅱ、Ⅲ三型。其中Ⅰ、Ⅲ二型的限制性内切酶功能及其相应的甲基化酶活性是由同一个大的酶复合物完成的；特异性较差，其切断位点有时距离识别序列还有好几百对碱基。而Ⅱ型限制性内切酶和与其相对应的甲基化酶彼此各自独立；并可在识别序列中的特异性位点切断 DNA 链。Ⅱ型限制性内切酶是在 20 世纪 60 年代被发现并定性的。因其活性的高度特异性，而在分离有特殊序列的基因克隆和基因重组方面具有广泛的工具酶实用性。现在，已从多种细菌体内分离出 2 500 多种Ⅱ型限制性内切酶，可识别 200 多种长度为 4 ～ 8 对碱基的特异性识别序列。限制性内切酶的命名由产出细菌的属、种、株三部分构成，如 *Eco*RI 就是指从大肠杆菌 RY13 体内提取的限制性内切酶。

restrictive covenant　限制约款　在英美财产法中，指双方或多方当事人同意限制不动产权利的行使和享有而达成的一种书面文件。限制约款限制财产的占有人充分行使其占有权，规定一种义务要他履行或者禁止他实施某个（些）与其占有权有关的行为。限制约款和财产法有同样长的历史，它是早在罗马法中就已经确定下来的一个法律概念。美国的法院一般对于为土地所有权不适当地设定负担的约款或者要法院负保证执行监督责任的约款是不予强制执行的。美国最高法院于 1945 年和 1953 年宣布使用限制约款排斥特定种族的成员享有财产所有权是违宪的。限制约款这个术语通常用于不动产，但也可适用于对任何一种财产权的行使实行限制。参阅 **servitude**。

reststrahlen　剩余辐射　原文为德文。透明的固体受到光照时，如果入射光的频率与构成结晶固体的带电原子或离子的振动频率相近，则光在透明固体表面受到有选择的反射，这部分反射光就叫剩余辐射。许多材料的这种选择性反射光在电磁波谱的红外部分，频率约为可见光的 1%。剩余辐射用于研究固体中离子的振动，以及在实验中用来取得窄频段的红外辐射。照射到透明固体的光线，大部分都能透射过去，有一部分则为透明固体所吸收。在所有频率的光中，也有一些会受到透明固体表面的反射，就像遇到普通镜面那样。光照射到固体上时，若它的频率接近于固体中那些在其规则排列位置上振动的离子的频率，它就不能深入固体内部。这种光的一部分在靠近表面处把自身的能量传递给离子的振动，另一部分则作为剩余辐射而反射。对于特定固体，只要入射光的频率合适，90% 以上就会在表面受到有选择的反射。几经反射之后，余下的辐射就几乎全是同一频率的了，剩余辐射因此而得名。

Resumption Act of 1875　《1875年恢复硬币法案》　美国历史上，"软币"派与"硬币"派斗争的结果，前者提倡继续使用南北战争时期发行的绿背纸币；后者则希望以硬币兑换纸币，恢复硬币。南北战争结束时，有 4.3 亿美元的绿背纸币在流通，根据国会的命令，它是合法货币。最高法院确定绿背纸币作为合法货币符合宪法。1875 年 1 月 14 日国会通过《恢复硬币法案》，要求财政部长从 1879 年 1 月 1 日开始以硬币兑换合法货币，该法案规定把绿背纸币的流通额减至 3 亿美元，并尽快将纸辅币兑换成银币。新绿背纸币派的成员强烈反对《恢复硬币法案》，并于 1878 年成功地增加了纸币的流通量。但恢复硬币的工作仍按计划进行。在公众了解到纸币与金币同样可靠后便不再挤兑，绿背纸币作为可兑换货币继续流通。

resurrection　复活　人或神从死里复活，复活者的形体或有变化，或无变化，仍保持自己的位格或个性。由于基督教有关于基督复活的教义，因而关于复活的信仰一般与基督教有关，但它也同较晚期的犹太教有关，犹太教提供关于复活的基本思想，这种思想在基督教和伊斯兰教获得发展。古代近东宗教思想提供了神灵复活说的依据，但从未知有死人复活之说。在希腊-罗马宗教思想中，有关于灵魂不死的信仰，但没有关于肉体复活的信仰。古希腊秘教，例如崇拜伊希斯女神的宗教，讲象征性的复活即灵体的再生，但不相信死后肉体复活。《旧约》几卷书中提到死人复活的期望。《以西结书》预言，以色列人中间的义人将从死人中复活。《但以理书》进一步阐述了这种期望，谓以色列人不分善恶将一律复活经受审判，义者参与弥赛亚的永恒国度，不义者被排斥在外。在《旧约》与《新约》

之间的一些著作,如古叙利亚文《巴录启示录》,预言在弥赛亚临世时普世之人都将复活。基督的复活是基督教的中心教义之一,它所根据的信仰是,基督在十字架上受刑而死,其后3天复活,由于他战胜了死亡,一切信仰者也将与他共享打败"罪恶、死亡和魔鬼"的胜利。纪念这一事件的复活节是基督教会的主要节日。关于耶稣复活的记叙见于《马太福音》、《马可福音》、《路加福音》和《约翰福音》4部福音书,早期教会内部一致相信基督复活,关于此点的种种神学论述见之于《新约》其他各卷,特别是使徒保罗的书信(例如《哥林多前书》第15章)。据福音书载,耶稣死后,葬在耶稣的秘密门徒、犹太教公会成员约瑟(亚利马太的)在私园中为自己预修的墓中,3天后,几位女门徒来到此墓,发现封死墓门的巨石被移开,墓穴空空,她们遂告知彼得和其他门徒,耶稣的遗体不在墓中。此后,一些门徒在耶路撒冷见过耶稣,有一次居然进入锁着的房间;耶稣也曾在加利利现身。除了福音书所记载的多次现身之外,关于复活的主在地上活动40天然后升天的叙述,仅见于《使徒行传》。伊斯兰教也讲复活。一则,在末日,一切人都要死亡,然后复活。再则,人人都将受审,所根据的是一本记载生前善行的簿册和另一本记载恶行的簿册。审判之后,不信真主者入地狱,虔诚的穆斯林则进入幸福的天园。琐罗亚斯德教相信,邪恶终将覆灭,万人都将复活,受最后审判,义人光复经过净化的世界。

resurrection plant　还魂草　参阅 **rose of Jericho** 含生草。

Reszke, Jean de　雷斯克(1850-01-14,俄罗斯帝国波兰华沙[今在波兰]～1925-04-03,法国尼斯)　又拼 Jan Retzské,原名 Jan Mieczyslaw。波兰男高音歌剧演唱家,嗓音优美,吐字清晰,仪态富于魅力。出身音乐家庭。先从其母学习,后由华沙与巴黎的声乐教师进行指导。早年在意大利、伦敦和巴黎唱男中音,成绩平平,后接受男高音训练,1879年在马德里参加G.梅耶贝尔《恶魔罗贝尔》的演出。1884年J.马斯内的《埃罗迪亚德》在巴黎歌剧院首次公演时,他塑造了其中施洗者约翰这一角色,一鸣惊人。其后担任巴黎歌剧院的主要男高音演员,达5年之久。1885年塑造马斯内专门为他创作的《熙德》中的罗特里克一角。1887～1888年在伦敦演唱瓦格纳的歌剧(1887年饰演洛亨格林,1888年饰演《名歌手》中瓦尔特)。1891年首演于美国芝加哥,继而应邀前往纽约市大都会歌剧院演出,留在该院直至1901年。雷斯克所塑造的瓦格纳歌剧角色备受欢迎。1902年他退居巴黎,从事教学工作。1919年定居尼斯。

retable　祭坛后部装饰　指祭坛后面的装饰嵌板,狭义指祭坛后部设置耶稣受难像、烛台以及其他礼拜用品的高架。嵌板一般为木制或石制,有时也用金属制作,饰有绘画、雕像或镶砌画,描绘耶稣受难或类似题材。装饰嵌板多为教堂建筑结构的一个部分,但也

德国15世纪的祭坛后部装饰,彩绘、镀金,内容表现圣玛格丽特圣迹故事
伦敦维多利亚和艾伯特博物馆供图

可拆卸,有时仅为一张画。以威尼斯圣马可教堂的装饰嵌板最为著名。

retailing　零售　向消费者销售商品和某些劳务。它通常是通过为特定目的而建立的商号对广大消费者进行单个的或小量的销售。同其他大多数商业活动相比较,零售是极有竞争性的,零售企业的倒闭率也比较高。基本的竞争是价格竞争,但这一竞争常因掺杂有非价格形式的竞争使之有所缓和。非价格形式的竞争是指企业位置的便利、商品的选择和陈列、企业本身的吸引力以及诸如在社会上的声誉等无形的因素。销售竞争已使零售中传统的产品行业划分混淆不清,许多商店提供的商品比它们所标示的基本类别更为广泛(如药店可经营食品、衣着、办公用品、五金等)。现在零售商品活动所采取的形式也多种多样,如自动售货机、挨户兜售、电话销售、邮购商店、特产商店、百货商店、超级市场、折扣商店及消费合作社。然而,不论形式如何,成功的零售的真谛都相同:选便利的店址,用悦人的态度,按低廉的价格,出售美观而适销的商品。

retaining wall　挡土墙　又作 revetment。指一面受力的独立墙,或防止堤岸受侵蚀的护岸墙。有时可根据其受力方向做成斜面。抵抗所受的横向推力,有下列几种方法:①常见的依靠大块钢筋混凝土的重力防止倾覆的重力墙;②有悬臂底脚,并有联系梁,以平衡不对称载荷的悬臂挡土墙;③在悬臂挡土墙的内侧加设扶垛以加强对横向推力的抵抗的扶垛式挡土墙。

Retalhuleu　雷塔卢莱乌　危地马拉西南部城市。位于太平洋山麓地带,海拔239米。为富饶腹地的商业和制造业中心。咖啡和甘蔗种植园最重要。有伐木和酿酒业。市西南的钱佩里科港设有海关。有太平洋沿岸公路经过。通公路和航空线。人口约33 108(1989)。

retardation, mental　参阅 **mental retardation** 精神发育迟缓。

Rethel, Alfred　雷特尔(1816-05-15,普鲁士亚琛[德意志]～1859-12-01,杜塞尔多夫)　德国以历史和《圣经》为题材的画家,最著名的作品是木刻讽刺组画《死亡舞蹈》。他以中产阶级的嘲笑态度来反对1848年的革命,其作品预示20世纪猛烈批判时政的德国表现主义的出现。雷特尔13岁入杜塞尔多夫学院学习,1836年到法兰克福深造,曾为勒默尔会堂作装饰画。1841年在为亚琛皇宫大厅描绘查理大帝生平的壁画竞赛中获奖。1844年在罗马创作题为《汉尼拔越过阿尔卑斯山》的组画。其大幅作品《查理大帝进入帕维亚》显示出富有活力的浪漫主义,与讥讽组画《死亡舞蹈》形成鲜明的对照。最著名的另一组画《征服者越过路障时的死亡》(1848),描绘骑在马上的一架骨骼引导革命者们越过许多尸体和哀悼的人群的情景。这幅作品的基调以及线条的精确性,使人联想到丢勒的素描。

Réthimnon　雷西姆农　希腊克里特岛中北部雷西姆农州首府。阿尔米罗斯湾港口和城镇。经营小麦、杏仁、橄榄油和葡萄酒贸易。港口转运葡萄酒。1645年被土耳其人占领。西面为小港口耶奥伊乌波利斯,在其东侧有沙滩。人口17 736(1981)。

Réti, Richard　雷蒂(1889-05-28,匈牙利佩济诺克～1929-06-06,捷克布拉格)　匈牙利国际象棋大师、著作家、超现代派国际象棋理论家。1912年成为优秀棋手。1920年专门从事写作,1923年出版《现代国际象棋观念》并主办专栏。后重返棋坛,1924年在纽约获"当年比赛最佳局"奖。所著《纵观全局》在他死后于1930年出版。

reticella　针绣挖花花边　文艺复兴时期一种带有网状小孔和方格图案的织物。可抽出织物的一些经纬纱,使留下的纱线呈规律间距,形成图案的基底;也可在织物上剪出空挡

意大利16世纪末的针绣挖花花边
供图:Institut Royal du Patrimoine Artistique, Brussels

再用线编织,然后形成图案的基底。最早的真正花边——透空花边(**punto in aria**),就是直接由针绣挖花花边演变成的。

reticular fibre　网状纤维　一种纤细的结缔组织纤维,交织成网,构成许多器官的支持组织。网状纤维是无定形基质内的、错乱穿行的胶原原纤维。胶原原纤维的排列与胶原纤维不同,不是有次序地成束排列;其化学反应性亦稍不同,如网状纤维极易用银盐染料染色,而此种染料不能使胶原纤维着色;网状纤维煮沸时不形成明胶,而胶原纤维在煮沸时却形成明胶。参阅 **collagen**。

reticulated work　网状面石工　拉丁语作 opus reticulatum。古罗马混凝土墙或灰浆砌的

毛石墙的一种面层做法。初见于共和国晚期,至奥古斯都时期广为流行,代替了以往不规则的乱石面层。用约10厘米见方,伸入墙内约20～25厘米的石块作菱形斜放,砌成斜方格的面层,灰缝较细。见于奥斯蒂亚协会广场上的行会办公楼、罗马的奥古斯都陵墓以及约旦杰里科由希律大帝(公元前4年卒)所建的乡间别墅。后来以做成斜网格纹的砖砌面层代替了这种做法,至帝国时期成为最普遍的面层做法。

reticuloendothelial system　网状内皮系统　又称巨噬细胞系统、单核吞噬细胞系统。人体防御功能体系中的一个具有摄入(吞噬)颗粒状物质功能的细胞系统,广泛分布于身体的各个部位。网状内皮细胞是一种吞噬细胞,它们能将细菌、病毒、坏死细胞及其他异物颗粒包卷入细胞体内(吞),并将其破坏、消化(噬)。网状内皮细胞的前体位于骨髓,这种原始骨髓细胞成熟分化成单核细胞,并被释放入血。其中一部分继续以单核细胞形式成为血液中的一种细胞成分;而大部分则进入组织,发展成胞体较大的组织巨噬细胞,成为固定的组织成分。不过,组织巨噬细胞不仅可在细胞间游走,还可能重新进入血液。组织巨噬细胞因其所在部位不同,而有不同的细胞形态和名称。如:网织细胞(即淋巴结、脾和骨髓的窦岸上皮)、组织细胞(在皮下组织)、小胶质细胞(在中枢神经组织)、库普费尔氏细胞(在肝窦窦岸上皮)等。单个网状内皮细胞可吞噬微生物、坏死细胞和小的异物颗粒,如扎进皮肤的刺和手术缝线等。如遇较大异物,几个游动的吞噬细胞就会将其包围,或融合成一个大的多核巨细胞将其吞噬。网状内皮细胞就这样构成了机体防御系统的第一道防线。网状内皮细胞还参与机体的免疫反应。据信,吞噬细胞的作用主要是有助于暴露异物的表面抗原,而特异性抗原是激发整个免疫反应的启动剂。反过来,抗体也会对吞噬细胞的生物活性有刺激作用。网状内皮系统的另一重要功能是吞噬那些正常或非正常死亡的机体细胞。脾窦网织细胞能吞噬、消化那些退化的红细胞,并将含铁血黄素送入血红蛋白的再循环。这是网状内皮细胞参与代谢活动的重要形式。网状内皮系统的疾病主要有溶血性贫血、单核细胞白血病、(淋巴结)网状细胞肉瘤、髓性组织网织细胞增生症、尼曼-皮克二氏病(即遗传性类脂组织细胞增多症)和戈歇氏病(即家族性脾性贫血)等。

reticulum cell sarcoma of bone　骨网织细胞肉瘤　不常见的骨髓恶性肿瘤。可于任何年龄发病,可发生于骨骼系统的任何部位,男性发病率为女性的两倍。症状有轻度疼痛和肿胀。肿瘤生长缓慢,转移较晚,但骨破坏却很严重。最好采用照射治疗。

Retief, Piet　雷蒂夫(1780-11-12,开普殖民地惠灵顿附近[今在南非]～1838-02-06,纳塔尔)　布尔人大迁徙运动领袖之一。大迁徙是一批有独立思想的布尔人从英国统治的开普殖民地出发前往南非内地没有殖民化的地区的迁移行动。他受过较好教育,从事过农业、商业和建筑业。1814年移居开普殖民地东部边境,不久即任边境战争战地指挥官。他代表布尔移民向英国当局陈情,因政府同情部族人,布尔人遂决定迁徙。1837年雷蒂夫发表宣言,说明迁徙的原因。到达奥兰治河外之后,他被选为行政长官和总指挥,曾率领群众越过德拉肯斯山脉进入纳塔尔"乐土"(1837-10)。为此,他同祖鲁国王丁冈谈判。丁冈要布尔人帮助他找回被偷的牛,然后再达成协议。这一任务完成后,雷蒂夫及他一行人回到国王住地。在参加国王宴会时,他们都被杀害。

retina　视网膜　覆盖眼球后方2/3的神经组织层,用以接受光线刺激引起视觉。实际上是大脑的延伸,在胚胎发生上,视网膜和脑同源;以后借视神经与脑相连。视网膜分数层,其中仅一层含对光敏感的杆状细胞及锥状细胞。夜出动物的杆状细胞较多,对弱光最为敏感;白昼活动的动物(包括人类)的锥状细胞较多。杆状细胞比较均匀地分布于全部视网膜,而锥状细胞主要集中于后极的中心凹及附近直径约1厘米的黄斑区,精细的视觉(如读书及色觉)主要靠锥状细胞。光线经过晶体折射,在视网膜上聚焦成像。锥状与杆状细胞内的光敏化学物质对特殊波长的光作出反应,产生神经冲动,经视神经传入大脑视中枢,演释为物像。

retinitis pigmentosa　色素性视网膜炎　以视网膜色素进行性退化为主要表现的一种隐性遗传性眼病,损伤视力并最后致盲。对暗光敏感的杆状细胞首先被破坏,产生夜盲,青年期开始发病。以后视网膜及色素上皮层进一步萎缩,视野收缩,最后形成管状视野。一般约在50岁时完全失明。可伴发听神经退化以致耳聋。

retinospora　幼叶保持　见于针叶植物园艺变种的一种状况,尤其见于崖柏、柏、刺柏、扁柏。在成熟植物上,开展的针状幼叶宿存,与正常贴茎的小鳞片状的成熟叶同时存在。这类中间型植物一度划为独立的保留叶属(*Retinospora*)。

Retiro Park　雷蒂罗公园　西班牙语作Parque de Madrid(马德里公园)。西班牙马德里市主要公园。占地约142公顷。16世纪50年代规划,后由腓力四世的大臣古斯曼扩建。1734年焚于火。费迪南德六世重建,但于半岛战争中夷为平地。其遗迹现为战争博物馆。园内有动物园、玻璃宫、湖、玫瑰园等。

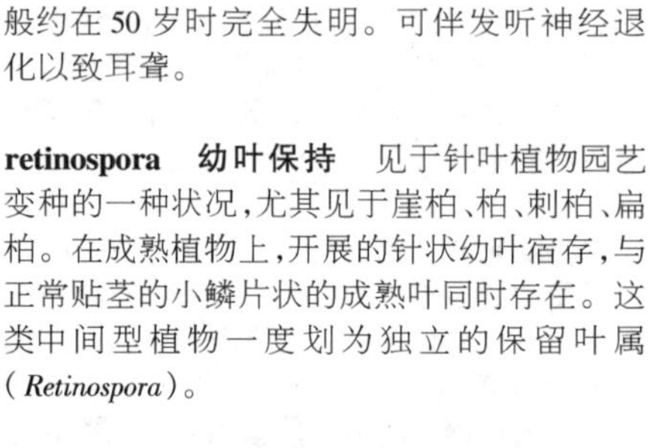

雷蒂罗公园内的阿方索十二世塑像
供图:A. F. Kersting

retort　蒸馏罐　用于蒸馏的容器,被蒸物置于其中并被加热。某些实验室所用简单蒸馏罐(称为蒸馏瓶),是球形玻璃瓶或金属釜,具有将馏出物导入接受容器的曲颈。这种结构可追溯至中世纪炼丹术士所用的曲颈甑。大型蒸馏罐广泛用于工业,使汞齐中的黄金与汞、锌金属蒸气与熔炼原矿配料分离,以及从煤制取焦炭或焦炉气。工业蒸馏罐有高而细的,也有矮而粗的,用黏土或铁制成。

蒸馏罐
索拉化学工业公司供图

retraining program　再培训计划　为帮助工人获得新工作的职业培训计划。正式的再培训计划,约于第二次世界大战结束时首先在欧洲提出,它是为军人复员、减少失业、填补战时发展起来的某些职业中人员短少等目的所进行的努力的一部分。后来,实现了充分就业时,再培训计划就用作调整特定职业中劳力严重不足的一种手段。再培训计划包括:培训期间货币津贴,重新安置费用和家属津贴。有少数国家的工人若拒绝参加再培训计划,则被取消享受失业救济金的资格。美国1961年的《地区重新开发法案》和1962年的《人力开发与培训法案》,把工人再培训定为国家缓和贫困的措施的一部分。关于政府主办再培训计划的成本-效益,曾出现过两种不同观点的流派:①反对者认为,当经济衰退时,为失去工作岗位的工人再培训是浪费美元税款;另外,许多新工种也远远超过许多工人技艺能力的范围之外,如将一个被临时解雇的钻床操作工人再培训成为计算机程序编制员,往往是白费心机。②支持者认为,这种政策是有成本-效益的。首先,为工人重新就业而进行再培训可减轻福利资助的总负担;其次,来自增加就业的税收足以补偿再培训的费用而有余。目前还缺乏实质性统计资料无可辩驳地说明哪一种论点正确。不过尽管双方关于应由谁承担再培训的责任这一点上意见有分歧，但都同意工人再培训政策应该坚持实行。

retrieval(memory) **提取** 参阅 **recall** 回忆。

retriever 寻猎物狗 经训练可寻取猎物的一种猎狗。这种狗的特点是被毛防水性能好，嗅觉灵敏，衔猎物时咬得松，不致伤害猎物。金黄颜色的寻猎物狗为典型的强壮和耐

(上)金黄色寻猎物狗；(下)拉布拉多寻猎物狗
供图：Sally Anne Thompson—美国不列颠百科全书公司

力持久的全能品种。善游泳，体高 55 ～ 61 厘米，体重 27 ～ 34 千克。被毛厚。颈部、大腿、尾和腿的背面毛长而厚，呈深浅不同的金棕色。驯顺，聪明。经训练可为盲人领路。拉布拉多寻猎物狗体高 55 ～ 62 厘米，体重 25 ～ 34 千克，它比其他寻猎物狗体格更壮。腿较短，尾似水獭，尾根粗，尾尖细。被毛短而厚，呈黑、深棕或黄棕色。拉布拉多寻猎物狗体粗壮，性安静和驯顺，在英国曾用做军犬，现用做警犬，并为盲人领路。其他品种有切萨皮克湾猎狗、卷毛寻猎物狗和平毛寻猎物狗等。

retroflex 卷舌音 语音学术语，指一种辅音，发音时舌尖上卷，朝向硬腭。俄语中的 sh、zh(和英语"pleasure"中的 s 音相似)和 shch 音都是卷舌音。印度许多语言中也有很多卷舌辅音。

retrograde motion 逆行 天文学名词，指天体这样一种实际运动或视运动，其运动方向与太阳系(或其他有倾向性运动方向的天体系统)内绝大多数成员的运动方向(顺行)相反。若从太阳系正北方上空某处(即从地球北极上方某一遥远距离处)看太阳系，则可见所有行星都无一例外地沿反时针方向绕太阳旋转，而且除金星和天王星外，它们还绕自身的轴作反时针方向的自转；因而金星和天王星是逆向自转的。在已知的约 50 颗卫星中，逆向公转的卫星只有 6 颗：木卫十二、木卫十一、木卫八、木卫九、土卫九、海卫一。天王星的 5 颗卫星的轨道面倾角很大，说它们是顺行或逆行都可以。已知的全部小行星都是绕日顺行的。在所有已知的周期彗星中，唯有哈雷彗星在逆行轨道上运动。从地球上看，比地球更远离太阳的行星有时会呈现短暂的视逆行。每当运动得更快的地球赶上并超过它们时，就会出现这种现象。

retrolental fibroplasia 晶状体后纤维组织增生 早产儿因使用氧气过量所致的视网膜血管疾病。在 1954 年病因确定之前，本病为致盲的主要原因。改进用氧方法并加强观察后，本病已极少见。婴儿视网膜的血管不成熟，对氧十分敏感，浓度在 40% 以上时，血管即收缩而阻断血流。吸氧停止后血管扩张、扭曲、增生，长入玻璃体。早期损害有 50% 可以恢复。但若病情继续发展，血管纤维化，视网膜脱离，便造成不可逆的失明。

retrovirus 反转录病毒 那种以其携带的 RNA 序列为复制模本的病毒，而大多数病毒和所有的细胞生物都是以 DNA 为复制模本，故此而得名。能引起某些动物肿瘤和慢病毒感染，人类的某些恶性肿瘤的发生和反转录病毒感染有直接关系。此外，反转录病毒也是艾滋病(AIDS)的原因。反转录病毒有重要的分子生物学意义。它的命名和一种酶有关，人们能用这种酶促成那种以 RNA 为模本合成 DNA 的生化反应。人们把这种酶称为"反转录酶"。反转录酶的生物学意义在于：人们用反转录病毒感染某细胞后，再用反转录酶去复制这段融合了病毒 RNA 序列的细胞基因组，从而获得一个稳定的、新的基因序列。

Rett syndrome 雷特氏综合征 又称脑萎缩性血氨过多症。一种少见的进行性神经疾患，可引起精神发育迟缓、手强迫性运动、行走困难及其他症状。雷特氏综合征是一种性连锁遗传性疾病，只影响女孩，约在 1.5 万名女婴中有 1 名可得此病。婴儿出生一年后便逐渐出现智力障碍和运动能力发育障碍。此外该病还有自向症、体重减轻、头部不能随年龄而生长以及轻微血氨过多等表现。这种疾病于 1965 年首次描述，至今仍无有效的治疗办法。

retting 沤麻 利用细菌和水分对植物的作用，溶解或腐蚀包围在韧皮纤维束外面的大部分蜂窝状结缔组织和胶质，从而促使纤维与麻秆分离的加工过程。基本的沤麻方法有露水沤和水沤两种。露水沤通常用在水源有限的地区，适用于夜间有重露，白天气温较高的气候。露水沤麻时，将收获的麻茎平摊在草地上，在细菌、阳光、空气和露水的作用下发酵，溶解掉包围在纤维束外面的大部分物质。根据气候条件的不同，经过 2 ～ 3 周的时间，纤维可被分离出来。露水沤制的纤维与水沤的相比，一般颜色较暗，品质较差。在广泛应用的水沤法中，麻茎成捆地浸没在水中，水渗透到麻茎的中央部分，使内部细胞膨胀，胀破最外层，从而增加对水分和细菌的吸收。沤麻的时间必须细心掌握，时间过长，会影响纤维的强度；时间太短，将增加分离时的困难。两次沤麻法是生产优质纤维的加工工艺，在沤麻完成之前，把麻茎从水中捞起，经干燥数月后再沤。用天然水源沤麻时，通常用石块或木头把成捆的麻茎压入水中，根据水温和矿物质含量浸泡约 8 ～ 14 天。在人工水池中沤麻能生产出品质均匀的纤维，并可在任何季节进行，是一种越来越重要的沤麻方法。通常采用水泥池，沤浸时间约为 4 ～6 天，开始的 6 ～ 8 小时，称为沥滤时期，大部分污垢和有色物质被水洗净。为了获得清洁的纤维，要经常换水。沤麻废液经处理后可用作肥料。沤过的麻茎，露天晒干或烘干，贮存一个短时期，促使纤维与麻秆分离，最后用手或滚筒把麻茎中的脆木质压碎，去掉木质碎片。从加工过程中得到的下脚麻和短纤维，一般须经第二次处理，短纤维常用于造纸，下脚麻可用作燃料或制造纤维板。

Retz, Gilles de 雷 参阅 **Rais, Gilles de** 雷。

Retz, Jean-François-Paul de Gondi, cardinal de 雷斯枢机主教(1613-09，法国蒙米赖～1679-08-24，巴黎) 投石党运动(1648 ～ 1653)的法国贵族叛乱领袖之一。他所写的

供图：Giraudon—Art Resource/美国不列颠百科全书公司

回忆录为 17 世纪法国的文学名著。原籍佛罗伦萨，其家族在 16 世纪法兰西朝廷地位显赫。他 1638 年在巴黎大学学完神学，1643 年为司铎。投石党运动是一次反对奥地利安妮(其子路易十四世的摄政)政府及其首席大臣马萨林枢机主教的叛乱。在投石党运动中，他时而投靠叛军，时而投靠政府。1650 年 1 月，他支持政府逮捕权重一时的孔代亲王。后又帮助孔代获释，使马萨林流亡(1651-02)。安妮为了争取雷斯的支持，于 1651 年 9 月提名他为枢机主教。1652 年 2 月由教皇英诺森四世批准。从此，他自称雷斯枢机主教。但他因玩弄政治手腕，很不得人心。政府取得对叛乱的胜利后，他于 1652 年 12 月 19 日被捕，进入樊尚监狱。1654 年 8 月逃亡。1661 年马萨林死后，他返回法国。

Retzius, Magnus Gustaf 雷齐乌斯(1842-10-17，斯德哥尔摩～1919-07-21，斯德哥尔摩) 瑞典解剖学家、人类学家。以对神经系统组

织学的研究而著名。解剖学家、人类学家 A.A.雷齐乌斯之子。1896 年所著《人类大脑》(2 卷)可称为 19 世纪最重要的脑大体解剖学著作。1877 ～ 1900 年任斯德哥尔摩卡罗林斯卡学院组织学教授,在该校对鼓膜肌肉、听骨及欧斯塔基奥氏管的解剖作了详细描述。对古代瑞典人及芬兰人颅骨也进行了有实用价值的研究。

Retzské, Jan (singer) 参阅 **Reszke, Jean de** 雷斯克。

Reuben 流便支派 犹太人的祖先,《圣经》时代以色列人 12 支派之一。以色列人离开埃及,约书亚率领他们进入迦南,并为 12 个支派划分领地。流便支派之地在死海以东。公元前 922 年以色列国王所罗门死,嗣后其国分裂,包括流便支派在内的北部 10 支派建立分立的以色列王国。此国于公元前 721 年亡于亚述,其后北方各支派逐渐为其他民族所同化,流便支派成为传说中的失踪的以色列十支派之一。

Reubeni, David 流便尼(?～1532以后) 犹太冒险家。自称为阿拉伯境内某犹太人国家的亲王,是古代以色列流便支派后裔,故名流便尼。他吹嘘可以率领犹太军进攻巴勒斯坦地区的土耳其人,以此获得教皇克雷芒七世和葡萄牙国王若昂三世的宠幸和保护。信奉基督教的葡萄牙犹太青年摩尔科仰慕流便尼的神奇能力,重新信奉犹太教,四出演说,激发犹太人期望弥赛亚降临之心。流便尼斥责摩尔科行动轻率。后来流便尼失去国王若昂三世的宠幸而被迫离开葡萄牙,辗转来到意大利,其时摩尔科已先在该地宣传弥赛亚即将临世的教义而声誉大振。于是两人合作,到拉蒂斯邦(今德国雷根斯堡)谒见在该地召开议会的神圣罗马帝国皇帝查理五世。两人力促查理五世武装犹太人进攻土耳其,结果事与愿违,两人被拘捕,押往意大利境内曼图亚城异端裁判所审判。摩尔科死于火刑,流便尼被投入西班牙境内一监狱,几年后死去,可能是被毒杀。

Reuchlin, Johannes 罗伊希林(1455-02-22,符腾堡普福尔茨海姆[德意志]～1522-06-06,巴特利本采尔) 德国人文主义者、政治顾问和古典学者,他对希伯来文学的捍卫有助于唤醒文艺复兴的自由主义知识分子。15 世纪 70 年代曾在大学攻读希腊语并出版拉丁语词典;80 年代至 1512 年转向法学,在符腾堡州及其首府斯图加特的法院任职。对古典希腊语作了开创性的科学研究,翻译古典作品多部。90 年代开始研究希伯来语,1506 年出版其名著《希伯来语基础》。当科隆的多明我会会士促使皇帝马克西米连一世于 1509 年下令宣布希伯来文书籍反对基督教而予以销毁时,罗伊希林起而捍卫希伯来文学的研究和保存。随着争论的进展,整个欧洲的自由主义者和人文主义者团结起来反对多明我会。罗伊希林是仅次于 D.伊拉斯谟的德国人文主义者,是德国当时最重要的希腊文和希伯来文教师。

Reuel (biblical priest) **流珥** 参阅 **Jethro** 叶忒罗。

Reumert, Poul (Hagen) 鲁默特(1883-03-26,哥本哈根～1968-04-24,哥本哈根) 丹麦舞台剧和电影明星,50 余年来一直被认为是丹麦最重要的性格演员之一。在皇家剧院学习后,于 1902 年起在哥本哈根民间剧院进行职业性演出。1911 年加入皇家剧院,此后大部时间在此度过。他与女演员 B.易普生在舞台上合作终生。他是个炉火纯青的性格演员,以风格细腻、人物性格刻画栩栩如生而知名于世。其罕见的才能使他无论演霍尔堡、萧伯纳,还是演易卜生或其他人的剧作,无不驾轻就熟。他最拿手的角色是莫里哀剧作中的达尔杜弗、莎士比亚戏剧人物及瑞典现代戏剧家斯特林堡剧作中的几个角色。他曾在法兰西喜剧院演出,一口地道的法语使观众大为欣喜。20 世纪 30 年代和 40 年代拍过几部电影。

Réunion 留尼汪 全称留尼汪省。西印度洋马斯克林群岛的岛屿,法国的一个海外省。西距马达加斯加约 680 千米,东北距毛里求斯约180千米。该岛呈椭圆形,长约65千

留尼汪岛上的休眠火山
供图:Gerald Cubitt

米,宽约 50 千米。面积2 512平方千米。首府圣但尼,位于北部海岸。人口 773 000(2004)。

土地 原为火山岛,大部分地区是受奔流的小河冲刷切割的崎岖山地。中西部断层块有 3 座海拔2 740米以上的山峰,其中包括内日峰(海拔3 070米)。该断层块的周边有几个宽阔的盆地和一系列小高原。该岛东部为近代火山活动区;东端为勒沃尔坎山,其中富尔奈斯火山口自 1925 年以来已数次喷发。留尼汪岛沿岸没有天然良港。4 ～ 10 月,高湿度的东南信风一直控制着当地天气,给南部和东部地区带来充沛的雨水(年降雨量 4 000～8 000毫米),而北部和西部地区仅 635 毫米。就热带地区而言,岛上气候趋于凉爽,特别是在海拔较高处,但在夏季低地区却极度潮湿,使人感到很不舒适。热带龙卷风经常发生。

人民 17 世纪,来自法国的殖民地开拓者最先在该岛定居。从东非运来的奴隶劳工在种植园里劳动,后来马来人、安南人、华人和马拉巴尔印度人也作为契约工来到该岛。今岛上大部分居民为混血种人(克里奥尔人),主要为非洲人血统。由于岛上土地数量有限,大批移民外流,主要前往法国和马达加斯加谋生。该岛人口密度很高,即使在一般认为难以养活稠密人口的山区亦如此。该岛首府和最大城市圣但尼的居民几乎占总人口的 1/5。岛上通用语言为克里奥尔语;但法语为官方语言。约 90%的居民为天主教徒。

经济 一个多世纪以来,留尼汪的经济几乎全部以糖业为基础。大部分耕地均种植甘蔗,也生产香子兰豆、水果与蔬菜、烟草以及天竺葵(香精原料)等。约有十几个带有加工设备的大型种植园,提供甘蔗收成的大部分。食糖约占全岛出口额的 75%;其余多为蔗糖副产品,如罗姆酒和糖蜜等。该岛多与法国进行贸易。失业仍为岛上的一个难题。

岛上建有数条铺有路面的公路连接各主要城镇。勒波尔拥有人工港口设施,能够停靠大型船舶。首都附近有国际机场。

政体与社会状况 留尼汪岛作为法国的一个海外省,有 5 名议员被选入法国国民议会,3 名议员选入参议院。该省受由法国政府任命的省长和由选举产生、有 44 名议员的省议会管辖。岛上还设有地区议会(1974 年组成)以协调社会和经济发展政策。留尼汪人为法国正式公民;省内各学校均用法语授课。

历史 16 世纪初期,葡萄牙航海家第一次抵达该岛时,留尼汪还是一个荒岛,17 世纪中叶,法国东印度公司在岛上设立补给站,供绕过好望角前往印度途中的船舶作短暂停留之用,此后岛上始有人定居。输入非洲奴隶后,岛上首先种植咖啡,嗣后又开办甘蔗种植园;1848 年废除奴隶制,岛上开始雇用来自印度支那、印度和东非的契约工。留尼汪后沦为法国的殖民地,直到 1946 年成为法国的一个海外省。1973 年法国人由马达加斯加岛撤出,并在该岛设立印度洋法国武装部队司令部。20 世纪 70 年代末,非洲统一组织敦促给予留尼汪完全独立地位,但大部分留尼汪当地居民并不赞成。20 世纪 90 年代到 21 世纪初,该地社会经济持续动荡,贫富差距严重,失业率高,频繁爆发游行示威和暴力冲突。1991 年 2 月的暴动导致 11 人死亡。2000 年,法国政府建议将该岛划分为两个省,被法国参议院否决。

Reus 雷乌斯 西班牙东北部加泰罗尼亚地区塔拉戈纳省城市。地处塔拉戈纳市西北偏西沿岸平原上。13 世纪始见记载。但 1750 年英国在此建居民点后开始商业活动。19 世纪 40 年代设为市。有重要的纺织业。法国酒仿造行业较盛。生产大量园艺产品。人口约 86 864(1991)。

Reuss 罗伊斯 德国历史上的两个公国,1920 年并入图林根州。在两公国存在的最后年代,是由两块土地组成,中间被萨克森-魏玛-爱森纳赫的一部分隔开。南部较大的一块称高地,主要城镇有施莱茨和格赖茨。它东邻萨克森王国,南界巴伐利亚,西为萨克

森-迈宁根和施瓦茨堡-鲁道尔施塔特的部分地区,西北与普鲁士萨克森的一飞地接壤。另一块为围绕格拉的低地,东西界萨克森-阿尔滕堡,北接普鲁士萨克森。罗伊斯的统治家族可以上溯到 12 世纪。该家族的所有男性后裔均名亨利(为了纪念神圣罗马帝国皇帝亨利四世),必须使用复合命名法。普劳恩一系约于 1300 年分为长幼两支,1572 年长支绝嗣。幼支则因族长叫俄罗斯的亨利而取名“罗伊斯”(族长是在去俄国旅行并与一加利西亚公主结婚之后才称“俄罗斯的亨利”的)。幼支成为马丁·路德的信徒,1564 年又分成三支,即大罗伊斯、中罗伊斯(1616 年绝嗣)和小罗伊斯。1673 年,大罗伊斯和小罗伊斯的族长同获神圣罗马帝国伯爵封号。1778 年大罗伊斯被封邦君,1806 年小罗伊斯也获封邦君。1815 年两支均加入德意志邦联,1871 年成为德意志帝国的成员。两地区于 1918 年成为自由邦,1919 年 4 月 4 日合并成一个罗伊斯人民邦,1920 年 5 月 1 日并入新设的图林根州。

Reuter, Ernst　罗伊特(1889-07-29,德国阿宾拉德～1953-09-30,联邦德国西柏林)　德国共产党人,德国社会民主党领袖。第二次世界大战后任西柏林市长。1912年加入德国

供图:Archiv fur Kunst und Geschichte, Berlin

社会民主党。第一次世界大战时入伍,1916 年被俄军俘虏。他参加了布尔什维克党,1918 年任伏尔加德意志自治区政治委员。后返回德国,担任共产党柏林市委书记。但于 1922 年重新加入社会民主党。1926 年被选入柏林市议会,1931 年任马格德堡市长,翌年进入国民议会。希特勒上台后被捕。1935 年赴英国。1939～1945 年侨居土耳其,在安卡拉大学教授行政学。1946 年回柏林,改组社会民主党。1948 年出任西柏林市长。1951 年任全德城市议会主席。

Reuter, Fritz　罗伊特(1810-11-07,梅克伦堡-什未林施塔芬哈根[德国]～1874-07-12,爱森纳赫)　德国小说家。曾促进德国方言文学的初期发展。他反映梅克伦堡地方生活的最佳作品均用北德方言写成。罗伊特参加学生政治团体于 1833 年被判处死刑,后减为 30 年监禁,坐牢 7 年后,遇大赦获释,但他的健康从未完全恢复。他早期的北德方言诗和故事获得成功,这使他试图运用乡土语言写更多更大的作品。《当法国人占领的时候》(1859),既严肃又幽默,描写反拿破仑的解放战争期间梅克伦堡的乡村生活。《当我坐牢的时候》(1862)叙述他坐牢的最后几年,述说得毫无痛楚。《我当农场管家的时候》(1862～1864)被认为是他的杰作。罗伊特既擅长讲故事,又擅长创造人物,很像狄更斯。

Reuter, Paul Julius, Baron (Freiherr) von　路透(1816-07-21,黑森选侯国卡塞尔[德意志]～1899-02-25,法国尼斯)　原名以色列·比尔·约瑟法特,世界最早的通讯社——路透

供图:BBC Hulton Picture Library

社的创办人。父母皆犹太人。1844 年改信基督教,并改姓路透。早年在其叔父所开银行当职员。结识数学家兼物理学家 C.F.高斯,高斯当时正在试验电报。19 世纪 40 年代初在柏林的一家小出版社工作,因出版一些政治小册子触怒当局,1848 年迁居巴黎,摘译一些文章和商业新闻寄给德国报纸。1850 年创立信鸽通讯。1851 年迁居英国,在伦敦股票交易所旁边开办电报公司,提供商业电报服务。随着报纸的兴盛,逐步扩大业务范围,利用电报进行新闻通讯。1859 年他将拿破仑三世预示将在意大利爆发奥-法战争的演讲稿原文发往伦敦,大获成功。海底电缆的敷设使路透能将其业务扩展到(欧洲以外的)其他各洲。1871 年受封为男爵,1878 年退休。

Reuters　路透社　1851年创立的英国合作制新闻通讯社,世界主要通讯社之一。由 P.J.路透创办。1849 年路透在巴黎试建了一家通讯社,利用电报和信鸽传送新闻。两年后他移居英国,开办路透电报公司,该公司初创时是一家商业新闻通讯社,总部设在伦敦,为银行、经纪人交易所和各大商业公司提供商业新闻。该公司稳步发展,于 1858 年获得第一家报社——伦敦《广告晨报》作为它的客户,此后报纸遂成为它的主要客户。路透发现利用电报便于传送新闻通讯,遂建立一个组织向世界各地派驻记者。路透社原为私人拥有,1925 年英国报业联合社购得它的主要控股,1941 年购得全部控股。同年报业联合社将路透社的一半股份售给代表伦敦各报的报纸业主协会,1947 年股东成员扩大到代表澳大利亚和新西兰报业的协会。路透社直接或通过各全国性通讯社向世界大多数国家提供电讯,它的电讯事实上遍及世界一切大报及数千小报、数百家广播电台和电视台。20 世纪 60 年代,路透社成为最早使用电脑进行金融数据跨国传输的新闻机构之一。1973 年起,开始通过电脑终端向客户提供外汇汇率。1981 年起,开始提供电子传输服务,开发了一系列电子交易和经纪服务。1984 年,在纽约股票交易所上市。除了传统的新闻业务外,现在的路透社也是一个主要的金融信息提供者,服务对象包括世界各地的政府、企业和个人。

Reuther, Walter (Philip)　鲁瑟(1907-09-01,美国西弗吉尼亚惠灵～1970-05-09,密歇根佩尔斯顿)　美国主要的劳工领袖。曾任美国联合汽车工人工会(UAW)和产业工会联合会(CIO)主席,积极参加全国和国际活动。他是谈判高手,曾代表联合汽车工人工会谈判,为工人赢得多种利益,如以生产率提高为基础的年度增加工资、生活费补贴、失业津贴、提早退休年龄、保健和福利设施等。生于工会与社会党积极分子的家庭。16 岁到惠灵市工具模具作坊当学徒,19 岁去底特律当工具模具工人,不久升为领班。利用业余时间学完中学与三年大专的课程。30 年代周游世界,在苏联汽车制造厂中工作将近两年。此后,他猛烈抨击共产主义社会缺乏自由,并在联合汽车工人工会和产联里打击共产党人。1946～1970 年任联合汽车工人工会主席,1952 年任产联主席,促成劳联与产联于 1955 年合并。合并后他当选为劳联-产联副主席,为仅次于米尼的第二把手。同时,他还担任国际自由工会联合会副主席。由于批评米尼独裁、保守和无所作为而与米尼关系恶化。1968 年领导联合汽车工人工会退出劳联-产联。死于飞机失事。

Reutlingen　罗伊特林根　德国西南部巴登-符腾堡州城市。濒临埃哈茨河,在斯图加特的南面。13 世纪初设建制,后成为帝国自由城市(直至 1802 年)。1377 年士瓦本联盟在此战胜符腾堡伯爵乌尔里希。保存有古城防工事和几座哥特式教堂等古迹。经济学家弗里德里希·李斯特在此出生(1789)。工业以纺织和制革业为主。电子和机械制造是当地主要的制造业,也有一些纺织业和制衣业。人口约 112 346(2003)。

Reuveran Stage　勒弗尔阶　荷兰的主要的地质年代地层单元。因该地的黏土沉积而得名,其年代是上新世(530 万年前至 160 万年前)。位于确凿的更新世地层之下。可与英国的珊瑚砂质泥灰岩和北欧的高岭土砂层相对比。

Reval(Estonia)　雷瓦尔　参阅**Tallinn**塔林。

Revda　列夫达　俄罗斯西部叶卡捷琳堡州城市。位于中乌拉尔列夫达河与丘索瓦亚河汇流处。1734 年始建,为一冶炼厂厂址,1935 年设市。1940 年中乌拉尔斯克炼铜厂投产,以采铜中心杰格佳尔斯克的铜矿为原料。黑色冶金及化肥生产也占重要地位。人口约 66 000(1991)。

revelation　启示　宗教用语,指神向人显示真理或旨意。虽然它在不同的传统中所呈现的形式差异极大,但就这一意义而言,启示乃是所有宗教的一个基本表象。启示有很多形式,但可以说都在两个对立类型之间的某个位置。一种类型是:宗教传统认为现世真理与超验真理息息相通,并把宇宙本身看作是

用以揭示超验的主要手段。在这一普遍类型的宗教中,所启示的真理通常被表述为或多或少非人格化的实体。在这一场合,启示可以称做宇宙启示。另一种类型是:宗教传统强调世俗王国和神圣王国毫无联系,启示像历史事件一样发生,而通过凡人收受者传递神意。在这种启示中,神被看做是人格化的实体。这类启示通常称做先知启示。

第一种类型的一个著名例子是古印度《吠陀》的富有灵感的诗歌,它把自然世界描绘成一个相互联系的力量的体系,这些力量最终表达最主要的一个神圣力量——婆罗门。宗教历史学家埃利亚代所描绘的古代宗教所特有的佛陀启示、多种形式的"秘义"等,也都属于宇宙启示的范畴。与此相反,古代以色列的宗教是在先知的启示上建立起来的,最高神站在世界之外,他是世界的创造者与裁判者,先知则是他的行动与意愿的见证人。在这种传统的基础上,所有犹太教和后来基督教的圣经文献都在一定程度上被视为天启。琐罗亚斯德和穆罕默德所宣布的神谕与教义,也是先知启示的例子。

这种分类法有助于指明世界各种宗教间的差异程度,但是如果我们把它作为一种规范而不作为一种解释手段来使用,则有可能引起误解。例如,虽然我们在前面把《吠陀》列为宇宙启示的一个例子,但是它也包含着先知启示的成分,也就是说,这种启示不仅描述宇宙,而且指明宇宙有改造力量的行动。相反,古希伯来人的《圣经》中包含宇宙启示的成分,在所谓的智训中表现得最为显著。启示的另一种区分法是使用"一般的"和"特殊的"这两个术语,其意义分别与"宇宙的"和"先知的"大体相同。

Revelation to John **《启示录》** 又作Apocalypse of John。《新约》的最后一卷,是其中唯一的启示文学作品,大量采用异象、象征和寓言,特别是在讲到未来事件时,更是如此。该书假托耶稣所爱的门徒约翰在爱琴海拔摩(今译帕特莫斯)岛所写,实际上可能是在1世纪末由一些人收集独立的篇章汇编而成。《启示录》包含两大部分:第一部分(2～3章)包括分别致小亚细亚7个基督教会的信件,向它们提出道德训诫(不包含异象和象征)。第二部分(4～22:5)包含大量异象、隐喻和象征(许多并无说明),解经时必然各不相同。但很多学者认为,《启示录》不仅是抽象宗教寓言和关于世界末日动乱的预言,也是针对可能由于罗马当局迫害基督教而发生的信仰危机而作,鼓吹坚信上帝终将战胜敌人。这种观点是用末世论的语言暗指当时的问题,因此《启示录》所传的信息对于后世基督徒也有教益,因为基督早有预言,他们也会经受迫害。上帝对于撒旦的胜利(书中所提的是基督徒在罗马帝国迫害下的坚忍不渝)预示后世将同样战胜邪恶以及上帝在末日的最终胜利。虽然《启示录》显然以基督为中心人物,但是,研究其行文就会看出,作者十分熟悉《旧约》的语言和思想,特别是《但以理书》和《以西结书》的语言和思想。例如,作者以数字7表示"全"或"纯"。此书提到"一千年",遂使有些人期望在所谓千禧年之后基督终于战胜邪恶。

Revell, Viljo **雷维尔**(1910-01-25,芬兰瓦萨～1964-11-08,赫尔辛基) 芬兰建筑师,芬兰建筑中功能主义的主要倡导人之一。学生时代作过建筑师A.阿尔托的助手,1937年毕

芬兰驻美大使馆供图

业前参加过一座百货商店的设计工作。早期的作品强调简练、精确的形式和光洁平整的表面。他设计的塔皮奥拉四塔公寓(1959～1960)平面呈菱形;坦佩雷附近维夏拉一公墓礼拜堂(1960～1961)的主体为一抛物线曲面薄壳顶的建筑物;加拿大多伦多市政厅大厦(1965)由两栋平面呈圆弧形的办公楼组成,中间为扁平圆顶的建筑。

Revels, Hiram R(hoades) **雷维尔斯**(1822-09-01,美国北卡罗来纳费耶特维尔～1901-01-16,密西西比阿伯丁) 美国教士和教育家,选入美国参议院的第一位黑人公民。父

美国国会图书馆供图

母都是自由民。1845年成为非洲人美以美会牧师和一所黑人学校校长。1861年南北战争开始后,他参加建立两个黑人志愿兵团。两年后为黑人兵团随军牧师。1868年成为密西西比州纳奇兹市参议员,1869年选入州参议院。他虽然是共和党人,但极力避免与南部白人发生种族摩擦,曾支持恢复原南部邦联中被剥夺公权的人的选举权和担任公职的权利的立法。1870年1月他被选入美国参议院,在参议院中力主取消学校和铁路的种族隔离。他离开参议院后,出任在密西西比州新设的黑人高等学校——奥尔康农业和机械学院——院长。1875年因共和党腐败而赞助推翻该州的该党政府。1876年被民主党政府任命为奥尔康市市长,直至退休。

Revels, Master of the **宫廷游艺总管** 英国宫廷官员,从都铎王朝起直至1737年的《许可证法》颁行为止,负责监督精心编制的宫廷文娱节目的排演和拨给经费。后来成为向戏院和剧团发放许可证的官员和公演的戏剧的检查官。第一个游艺总管是在1495年左右任命的。直到1545年,托马斯·卡沃登爵士才成为终身总管。此后,总管成为重要职务。1581年和1603年的法令赋予游艺总管以颁发许可证、检查和收费的权力。在亨利·赫伯特爵士任总管期间(1623～1642),游艺总管一官的威信达到了顶峰。此后,各戏院在清教掌权、王位虚悬期间都被关闭。王政复辟(1660)后,赫伯特重当总管,直至1673年逝世,但是这一官位逐渐失去权势。1737年的《许可证法》完全将游艺总管废除,检查权直接归属宫廷大臣。

Revelstoke **雷夫尔斯托克** 加拿大不列颠哥伦比亚省东南部城市。濒临哥伦比亚河。位于莫纳希山和塞尔扣克山之间,温哥华东北631千米处。原计划通过附近的罗杰斯山

哥伦比亚河畔的雷夫尔斯托克
加拿大旅游局供图

口修筑加拿大太平洋铁路,但因雪崩阻拦,于1916年改在麦克唐纳山凿通康诺特隧道。至1962年建成罗杰斯山口公路(有防雪崩设施),直通戈尔登。坐落在采矿、伐木与农耕地区,该城又是冬季运动和渔猎活动基地。运输、酿酒和锯木为主要行业。东北有雷夫尔斯托克山公园及冰川国家公园。1899年建市。人口7 729(1991)。

revendication(law) **收回原物** 参阅**replevin 追回原物的诉讼**。

revenge tragedy **复仇悲剧** 戏剧形式,主题是对真实或假想的伤害实行报复。这种悲剧形式为伊丽莎白和詹姆斯一世时期的英国公众所喜爱,尤以莎士比亚《哈姆雷特》一剧为甚。它最初起源于塞内加的罗马悲剧,但到T.基德的《西班牙悲剧》(约1590)一剧问世时,它才在英国舞台得以确立,这出戏对《哈姆雷特》以及当时其他几部戏都有非常显著的影响。绝大多数复仇悲剧结束时都有残杀的场面,复仇者和复仇对象同归于尽。

Reventlow, Christian Ditlev Frederik, Count (Lensgreve) **雷文特洛乌伯爵**(1748-03-11,丹麦哥本哈根～1827-10-11,洛兰岛) 丹麦官员,他的土地改革导致丹麦废除农奴制度。他在18世纪60年代游历西欧几个国家,研究经济状况。1770年返回丹麦,1773年进入国家机关。他在1775年继承的产业洛兰岛

庄园上进行土地改革试验。1784年任财政大臣,负责农业方面的工作。他根据已往所做的四次试验,采取一些改善王室农奴处境的措施。1786年他说服王储腓特烈(以后的腓

供图:Nationalhistoriske Museum paa Frederiksborg, Denmark

特烈四世)建立一个研究整个农民状况的土地委员会。1787和1788年的改革结束了丹麦的农奴制度。1813年雷文特洛乌被解职后即行退休。

revenue bond 收益债券 由市政或公用事业机构受权建设、收购或改善一项产生收益的财产(如公共交通系统、发电厂、机场或收费公路)所发行的债券。市政公债具有市政当局的"充分忠诚和信誉",可依靠各种税收来偿还;收益债券与市政公债不同,只能由特定收入来偿付,通常是依靠原先为它发行债券的那项公共设施的收入来偿付。因此,收益债券可视为市政当局的公司债券。

reverberatory furnace 反射炉 在铜、锡和镍生产中用于熔炼和精炼的炉子。在反射炉中,矿石不与燃料直接接触,而是由在它上方流过的、从燃烧室喷出的火焰加热。在炼钢中,该法称平炉炼钢法(目前大部分已被废弃)。热量流经装有矿石的炉膛并反射下去。炉顶呈拱形,最高点在燃烧室上方,向挡火墙逐渐向下倾斜,使火焰向炉膛反射。炉膛底部密实而抗渗,所以重的熔化金属不会渗漏,炉墙用抗渣的化学侵蚀性强的材料做成。反射炉的操作是连续性的:精矿从炉顶开口处装入,浮在熔池面上的炉渣连续地从一端溢出,炼好的金属液则每隔一段时间从熔池的最低处放出并被送往转炉作进一步精炼。多年来的技术革新,增进了反射炉的生产能力,其基本结构则仍保持原样。炉顶由早先的酸性砖改用了碱性砖,能承受更高的温度而使精炼加速。最近反射炉熔炼已逐步让位于连续熔炼和用电炉或闪速炉熔炼等新方法。

Reverdy, Pierre 勒韦迪(1889-09-13,纳博讷~1960-06-17,索莱姆) 法国诗人及道德家,其作品先后反映立体主义及超现实主义的影响。勒韦迪诗作的艰涩限制了他的读者群。他创办了一份短命的评论刊物《北方-南方》(1916)以鼓吹立体主义,20世纪20年代转向超现实主义,以后又回到了受立体主义影响的诗作技巧。曾出版《画的星星》(1921)、《青天的碎片》(1924)及《玻璃水潭》(1929)等。1926年隐退到索莱姆隐修院直至去世。在孤独中他悉心探索物质世界的精神意义,在他的《马鬃手套》(1927)及《我的航海日记》(1948)中通过戒律性格言表达这一使命。

Revere 里维尔 美国马萨诸塞州萨福克县城市。在波士顿东北,临马萨诸塞湾。1626年创建。1846年设镇。1915年设市。自建城至今一直为避暑胜地,但因沼泽面积大而发展缓慢。现主要为住宅区,也有极少的轻工业。有"波士顿科尼艾兰"之称,有4.8千米宽沙滩及赛狗场和游艺场,堪与纽约的科尼艾兰媲美。人口47 283(2000)。

Revere, Paul 里维尔(1735-01-01,马萨诸塞波士顿[美国]~1818-05-10,波士顿) 美国革命时期的民间英雄。1775年4月18日夜,他骑马将英军即将入侵的消息驰报波士顿居民的戏剧性举动由H.W.朗费罗写入歌谣,至今传诵不绝。职业银匠,父为胡格诺派信徒,自法国避难来美。18世纪70年代,他热情支持爱国革命事业,为波士顿手工业者公认的领袖。1773年参加波士顿茶党,抗议英议会增征茶税。因英军入侵迫在眉睫,他于1775年4月16日乘马驰往康科德催促转移军事物资。此后两天,他跑遍波士顿地区,将英国的军事行动和搜捕革命领袖J.汉考克

波士顿艺术博物馆供图

与S.亚当斯的情报通知居民,民军因此得以做好准备,在列克星敦打响揭开独立战争序幕的具有历史意义的战役。战后,他继续从事实业活动,在马萨诸塞州坎顿市开办轧铜厂,生产船用覆套和州议会大厦的屋顶盖板。

reverend 尊敬的 一般加在大多数基督教派的神职人员名字前面的书面尊称。15世纪时只是一般的尊称用语,但自17世纪以后,就习惯地把它作为神职人员名字之前的一种称号了。在英格兰圣公会和英语国家其他大多数派别,主教以外的若干神职(如主任牧师,主教座堂教士长、教士,神学院、学院、隐修院院长)称 very reverend;主教、大隐修院院长和主教法律代表称 right reverend;大主教和天主教的枢机主教称 most reverend。苏格兰长老会的总会主任也称 right reverend。天主教加尔都西会仅称总会长为 reverend,一般司铎称 venerable father。

reversibility 可逆性 热力学中某些过程(一系统自发地或因其他系统的作用由一初始状态变化到一终了状态)可以逆转回到初始状态而对所涉及的系统不留任何净影响的一种特性。无摩擦的摆从一个端点到达另一个端点的单向摆动是可逆过程的一个实例。实际摆的运动是不可逆的,因为摆的机械能中总有一小部分消耗于克服摩擦力做功;如果想使摆恰好回复到它开始时的位置,就需要有另一个系统例如压缩弹簧供给相应的能量,这时簧的内部则发生不可逆的状态变化。

reversion 复归权 在英美法律中,指原所有人将其对财产享有的权利给予他人,但在将来发生某种事件时,这项财产便归还原主,原所有人在该项财产上享有的权益称为复归权。复归权本身是一种特殊的财产权,可以由财产复归权人出售或处分。一项财产如由他人享有复归权,则该项财产的持有人在对财产的使用方面就要承担某些义务。一般地说,这种财产的持有人要为将来的所有人合理地保护财产,以免损坏或减值。按现行的惯例,设定复归权有两种通用的方法:一种是将财产给予他人供其终身享用,但当他人死亡时,该财产便归还原主;另一种是将财产给予他人,由他人占有和使用,就像是他自己所有的财产一样,直到某种条件实现为止。美国多数州对这种附条件复归权都规定有一个具体期限,通常不超过50年。

revetment 参阅 **retaining wall 挡土墙**。

Revillagigedo Islands 雷维亚希赫多群岛 太平洋的群岛,在下加利福尼亚半岛南端西南偏南500千米,墨西哥大陆科连特斯角西南偏西595千米处。属墨西哥科利马州。总陆地面积830平方千米,由许多火山岛组成,其中索科罗岛最大,长39千米,宽14千米,海拔1 130米。圣贝内迪克托岛和克拉里翁岛也是较大的岛屿。1957年在索科罗岛建村,种植果树和用材林。硫磺、鱼和鸟类资源丰富。

revisionism 修正主义 在马克思主义思想中,原指19世纪后期E.伯恩施坦修正马克思主义学说的尝试。伯恩施坦否定劳动价值论、经济决定论和阶级斗争的意义,认为当时的德国社会已证明马克思的某些预言是错误的。他认为资本主义并未濒临崩溃的边缘,资本并没有集中到越来越少的人手中,中产阶级并未灰心失望,工人阶级并未遭日益沉重的苦难。伯恩施坦修正主义在当时德国社会民主党人中引起了激烈的论战。以K.考茨基(**Kautsky, Karl**)为首的社会民主党人在1889年汉诺威代表大会上正式拒绝修正主义。但是,修正主义对党的实际政策有很大影响。在布尔什维克革命后,修正主义一词被共产党人用来指某些背离既定的马克思主义观点的思想。

Revius, Jacobus 雷维厄斯(1586-11,荷兰代芬特尔~1658-11-15,莱顿) 荷兰语作 Jacob van Reefsen。荷兰基督教加尔文宗诗人,长期

被誉为神学家，后来才被公认为当时最伟大的基督教抒情诗人。曾任牧师。他积极拥护新教，所写诗作完全是说教式的。《上艾瑟尔诗歌集》(1630)显示出他的写作风格受法国文艺复兴诗人龙萨的影响，在运用比喻和四行讽刺短诗方面与英国玄学派诗人有共同之处。其中最著名的一首十四行诗是《他分担我们的悲伤》。

revivalism　奋兴运动　广义指基督教团体、教会或社团内宗教热忱的奋兴，但主要指新教某些派别内部重振宗教热忱并发展新信徒的运动。对奋兴传统有贡献的再洗礼派曾惨遭迫害，经过16世纪的宗教改革运动，该派只有极少数人留存下来。17世纪英国清教徒反对圣公会重礼仪形式而轻教义内容，大批移居美洲，继续强调个人宗教经验，保持虔诚修身的传统。到了17世纪末，清教主义热情渐趋衰落，但是自1720前后至1750年的大觉醒运动再次使北美洲各殖民地的宗教热忱高涨。在德国和斯堪的纳维亚各国，信义宗因内部兴起虔信主义而恢复生气；而卫斯理等人领导的英格兰奋兴运动则产生了循道宗。18世纪末第二次大觉醒运动(约1795～1835)在美国展开。1835年以后，专业奋兴家应美国和英国城镇教会的邀请，巡回主持一年一度的奋兴会。美国布道家穆迪自1873～1875年在不列颠群岛巡回传教，掀起了英美两国国内的新的奋兴热潮。自1875～1915年，穆迪和其他奋兴家在不同派别支持下掀起奋兴运动，体现基督教各派别自觉地进行合作，对广大平民传教以达到平息城市工业社会不安的目的。20世纪前半叶，基督教内知识界大部分人士不再对奋兴运动有兴趣。但第二次世界大战后，人们再次有兴趣于对广大群众传教，美国南方浸礼会奋兴家格雷厄姆以及在各地区奋兴家的布道“十字军”活动受到广泛的支持，就足以说明此点。

revolution　革命　在社会学和政治学中，指政府及有关组织和结构的重大的、急速的，因而常常是激烈的改变。这个词按类推法被用来组成这样的措辞，例如工业革命，意指经济关系和技术条件发生彻底而深刻的变化。

虽然革命的思想最初与亚里士多德的关于政府形式的周期性变化有关，但它现在意指彻底地脱离先前的任何历史模式。革命对已确立的政治秩序提出挑战，从而建立一种与以前的秩序根本不同的新秩序。欧洲历史上的重大革命，特别是英国、法国和俄国的革命，不仅改变了政府的制度，并且改变了经济制度、社会结构和社会的文化价值。

从历史上看，从古希腊时代直至欧洲中世纪时期，革命的观念被视为是一种极具破坏性的力量。古代希腊人认为，只有在社会的道德和宗教的基本信条衰败之后，革命才可能发生。柏拉图相信，一种持久而根深蒂固的信念法则可以阻止革命。亚里士多德详尽地发展了这一概念，得出结论说，如果一种文化的基本价值系统薄弱，社会将容易发生革命。基本价值和信念的彻底改变，为革命的爆发提供依据。

中世纪时期，维护已确立的信念和政府形式继续居优先地位，对寻求抵制革命和遏制社会变化的方法予以充分的关注。宗教权威是如此强大，其信念在维护秩序方面是如此牢固，以致教会指引人们接受权力的不公平，以免破坏社会的稳定。

直到文艺复兴时期世俗的人文主义出现后，认为革命是造成对社会的亵渎的原因的这一概念才确实地改变为包含有较为现代的见解。16世纪意大利作家马基雅弗利认识到建立一个能经受革命威胁的国家的重要性；但同时他对权力的详尽分析，却导致在某些情况下政府结构需要改变的新的信念。这种对改变的新认识，把马基雅弗利置于近代革命思想的最前线，虽然他从未在他的文章里使用革命一词，而且他主要关切的是建立一个真正稳定的国家。

17世纪英国作家弥尔顿是对革命具有固定的能力来帮助社会认识到它的潜能的早期信奉者。他并把革命视为一种社会权利，以保卫社会反对滥用权力的专制君主，建立反映人民需要的新秩序。对弥尔顿来说，革命是实现自由的手段。随后于18世纪，法国和美国的革命是从统治者的压迫下获得自由的尝试。近代革命常常结合乌托邦的理想，作为改变的基础。

18世纪德国哲学家康德认为革命是使人类进步的一种力量。他并认为革命是使社会获得较高的道德基础的一个“自然的”步骤。这一思想成为美国和法国革命的基础。

19世纪德国哲学家黑格尔是形成20世纪革命思想的决定性的催化剂。他把革命视为人类命运的实现，并把革命领袖视为鼓吹和实现改革所不可或缺的人。黑格尔的理论成为最具影响力的革命思想家马克思的基础。马克思运用黑格尔的抽象概念作为阶级斗争纲领的基础，这一斗争以控制社会经济过程的斗争为中心目标。马克思相信人类进化的各个阶段，以工人阶级推翻财产占有阶级而达于顶峰。为了社会的进步，工人阶级或无产阶级必须接管生产资料。马克思把这种可能性视为人类为自由和无阶级的社会而斗争的结局，从而排除了进行进一步政治变革的必要。20世纪在俄国、南斯拉夫、中国、越南和古巴等国发生了马克思主义者领导的共产主义革命。

一位现代历史学家C.布林顿分析了社会在大革命前的趋势。他发现，革命爆发前的社会，存在着社会紧张和政治紧张并发的现象，这是由于社会的价值逐渐崩溃的缘故。这导致政治权威的破裂，统治机构不得不依靠越来越不顾一切地使用暴力以维持政权。与此相应的是改革因素的出现，这些因素突现了政府当局的腐败。当现存的政治秩序开始丧失其威信时，不同的敌对势力就会加速扩展。当政府变得更为不稳定时，那些对现存秩序构成威胁的自原来的党派分裂出来的各个小党派便联合起来推翻执政当局。布林顿还观察了大革命的各个不同的阶段。在政府被推翻后，通常有一个乐观的理想主义时期。革命者们忙于发出许多至善至美的论调。但是这一阶段并不长。一方面必须面对实际的治理任务，同时温和派和急进派之间的分裂发展起来。这种分裂以温和派的失败、极端主义分子的兴起及一切权力集中于他们之手而告终。一派为了占据优势和维护其威信，使用暴力几乎是不可避免的。革命的目标消失了，极权主义政权掌握权力。但当初革命运动的一些基本信条终于在最后仍被纳入。法国和俄国的革命遵循这一发展的道路，20世纪后期伊朗的伊斯兰教革命亦复如此。

一场严格意义上的政治革命，与社会变革无关，并不具有革命前和革命后事态的相同模式。这可能仅仅是政府当局的变换(如许多政变那样)，或是权力结构稍加扩大的一种改变(如美国和墨西哥革命)。

Revolution, The　《革命周报》　美国妇女权利周报。1868年1月8日开始发行，S.B.安东尼为所有者，E.C.斯坦顿和P.皮尔斯伯里任编辑。南北战争结束之后的三年间，美国一直为黑人选举权问题所困扰。许多女权主义者，特别是组成美国妇女选举权协会的那些人，认为有必要推迟争取妇女选举权的斗争。但《革命周报》的编辑却在报纸刊头大胆宣称其不妥协立场。该报发行量虽不足3 000份，但对美国女权运动影响巨大。作为全美妇女选举权协会的喉舌，该报对离婚、卖淫、生殖权及妇女公民权的变化等有争议问题展开讨论。通过设立关于组织工会和歧视女工等问题的专栏，动员劳动妇女参加运动。1870年美国妇女选举权协会发行一份较为温和的周刊《妇女杂志》与其竞争。至1870年5月《革命周报》已债务累累。安东尼负债10 000美元，将其所有权转让给L.C.布拉德。斯坦顿、皮尔斯伯里和安东尼退出后，该报继续发行至1872年，后被《纽约基督教问询报》兼并。

Revolution Peak　革命峰　在塔吉克斯坦戈尔诺-巴达赫尚自治州境内。帕米尔高原西北部山岳。海拔6 974米，为亚兹古列姆山脉东部的最高点。峰顶冰雪覆盖，为其西北坡上的费琴科冰川的源头。

Revolutionary Committe of the Kuomintang of China　中国国民党革命委员会　简称民革。由中国国民党民主派和其他爱国民主人士创建的民主党派，是所联系的一部分社会主义劳动者和一部分拥护社会主义的爱国者的政治联盟，是致力于社会主义和中国统一事业的政党。1924年，中国民主革命的先行者孙中山先生制定了联俄、联共、扶助农工三大政策，改组国民党，实现第一次国共合作。1927年“四一二”政变后，第一次国共合

1948年中国国民党革命委员会部分领导人在香港集会合影，前排左起第三人为李济深，第四人为何香凝

中国大百科全书出版社供图

作破裂,国民党内部发生分化。国民党内坚持孙中山革命精神的人士,继续与中国共产党合作,逐渐形成反对蒋介石统治的民主派。抗日战争期间,国民党民主派坚决维护第二次国共合作和中国共产党提出的抗日民族统一战线,反对国民党内部的对日妥协投降倾向。1943 年,国民党民主派一部分人酝酿组成三民主义同志联合会(简称民联),另一部分人酝酿组建中国国民党民主促进会(简称民促)。1945 年秋、1946 年春,民联和民促先后在重庆、广州成立,并同中国共产党合作,积极参加反对内战、反对国民党独裁统治的活动。1947 年,民联、民促等国民党民主派领导人先后到达香港。同年 11 月,中国国民党民主派第一次联合代表会议在香港举行。1948 年 1 月 1 日,会议宣布中国国民党革命委员会正式成立(民联、民促仍继续存在),推举宋庆龄为名誉主席,李济深为主席。民革的成立,使国民党各派民主力量联合起来。同年 5 月,民革响应中国共产党关于召开新的政治协商会议、成立联合政府的号召。1949 年 9 月,民革领导人李济深和民联、民促代表参加了中国人民政治协商会议第一届全体会议。1949 年 11 月,中国国民党民主派第二次代表会议在北京举行,决定将民革、民联、民促及其他民主分子进一步统一为一个组织——中国国民党革命委员会,李济深当选为主席,原国民党著名人士程潜、张治中、邵力子等参加了会议并当选为中央常委。

中华人民共和国建立后,民革接受中国共产党的领导,参与国家政治生活中重大问题的协商。民革发展党员,以同中国国民党有关系的人士、同台湾各界有关系的人士、致力于祖国统一的人士及其他有关人士为对象。"文化大革命"期间,民革被迫停止活动。1978 年恢复活动后,民革以服务社会主义现代化建设为中心,以促进祖国统一为重点,在协助落实对知识分子、对国民党起义投诚人员及对去台人员家属的政策,推动党员兴办业余教育,发展咨询服务和以智力支援边疆和少数民族地区的建设等方面,进行了大量工作。特别是在加强同台湾、港澳和在国外的国民党爱国人士的联系和团结,宣传"和平统一、一国两制"的方针政策方面,发挥了自己的作用。到 1990 年底,除台湾、西藏外,全国有 29 个省、自治区、直辖市成立了民革组织。党员有 5 万余人。民革中央机关报为《团结报》(每周两期)。

revolutionary syndicalism　革命工团主义
参阅 syndicalism 工团主义。

Revolutionary Tribunal　革命法庭　法国大革命期间国民公会为审判政治犯而在巴黎成立的法庭,为实行恐怖统治的最有力的机构之一。1793 年 3 月,国公会根据 G.丹东的建议决定建立特别刑事庭。同年 10 月正式更名为革命法庭。它由一个陪审团、一个检察官和两个代理检察官组成,均由国民公会任命。革命法庭的判决不得上诉。原先它主要针对王党分子、倔强的教士和其他反革命分子。后来,它被用于个人的目的,尤其被 M.罗伯斯比尔用以惩办对手。随着罗伯斯比尔在救国委员会中的权势日渐增长,革命法庭的过火行为也日益增多。1794 年 6 月 10 日,在罗伯斯比尔鼓动下,颁布了牧月 22 日法令,禁止囚犯利用他人的指点为自己辩护,不再听证词,规定死刑为唯一刑罚。在此以前,革命法庭于 13 个月内曾宣判1 220人死刑;在通过法令和罗伯斯比尔垮台之间的 49 天中,有1 376人被判处死刑,其中多为无辜。送交法庭的犯人名单由一个民众委员会草拟,修订后由公安委员会和救国委员会联名签署。罗伯斯比尔是向法庭提供犯人的主要人物。革命法庭于 1795 年 5 月 31 日被撤销。

Revolutionary War, American　美国革命战争　参阅 United States War of Independence 美国独立战争。

revolver　左轮手枪　依靠旋转弹巢进行连射的手枪(pistol)。一些早期的左轮手枪,即所谓"胡椒盒子",有多个枪管,但是早在 17 世纪就开始生产用旋转弹巢向一个枪管连续

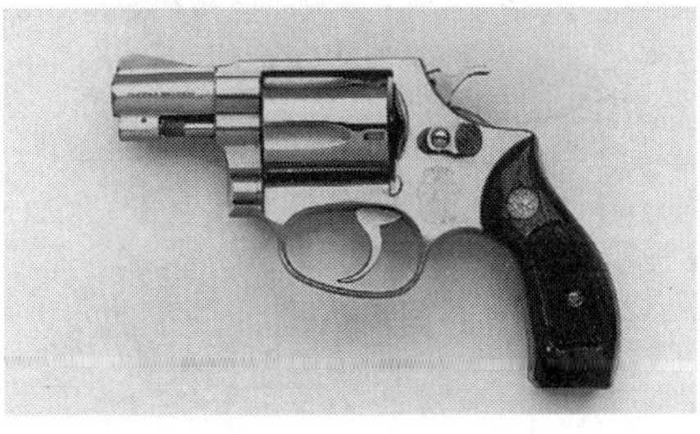

5 连发 0.38(英寸)口径左轮手枪
供图:Smith and Wesson

装弹的手枪。直到 1835 ~ 1836 年塞缪尔·科耳特为他生产的手枪取得专利,这一原理才成功地用于生产实用型的手枪。在随后所有的左轮手枪中,科耳特式的弹巢包括相互之间以及距弹巢旋转轴的距离都相等的几个弹膛。每个弹膛依次在枪管后面的位置上闭锁,扣压扳机就击发。科耳特早期设计的左轮手枪是单发的,靠手把击锤扳到待发位置,此时弹巢就转动,并且使用撞击火帽。双发左轮手枪是在扣压扳机时击锤处于待发位置,弹巢就旋转。这种枪于 19 世纪中叶随着金属子弹的发展而研制出来。尽管在弹巢与枪管的连接部位火药气体有少量漏失,但是左轮手枪依旧是自动手枪的竞争者。

revolving credit　周转信贷　一种零售业的信贷制度。顾客以分期付款办法陆续还清购货欠款及服务费用。服务费用按欠款结余计算;如买主将全部欠款还清,即不收服务费。对顾客的贷款额度可数倍于每月固定还款数;如不规定贷款额度,则每月还款数须视欠款余额而定。许多百货公司实行周转信用计划,它具有银行信用卡制度的主要特点。

revolving stage　转台　一种换景的剧场装置。一般由 3 个或更多的装置安在一个绕中心枢轴转动的转动台上,在观众前方旋转。此种装置是日本人为上演歌舞伎在 18 世纪发明的,1896 年传入慕尼黑的官邸剧院。后在西方被广泛采用,世界上主要剧院的舞台均有这种机械装置。

木版画中的歌舞伎三布景转台
东京国际教育情报学社供图

Revson, Charles H(askeell)　雷夫逊(1906-10-11,波士顿～ 1975-08-24,纽约市)　美国商人。将 300 美元资本的店铺转变成为美国最大的零售化妆品及芳香物的制造商,产品超过3 000种,年销售额在他去世时达到 6 亿多美元。最初在一家服装店当售货员,不久到一家化妆品商店卖指甲油。1932 年正是经济萧条严重时期,他辞掉工作,弟兄三人同化学师 C.拉赫曼一起以 300 美元为资本,创建雷夫隆公司。它所生产的指甲油稠而光滑,色彩较传统的浓、中、淡三种为多。雷夫逊最初将其产品集中售给美容院,后来才投放到杂货店及百货商店。他坚信广告的作用,为其产品创造了一些奇异的和浪漫的名称。他去世时雷夫隆公司的产品行销 85 个国家。

revue　时事讽刺剧　轻松的戏剧演出娱乐形式,由非叙事性的表演(唱歌、舞蹈、滑稽短剧和独角戏)组成,常讽刺当时的人和事。法国现代形式的时事讽刺剧始于 19 世纪初。英国的时事讽刺剧,一方面是从很少涉及时事题材发展成服装表演和公开展示,在 19 世纪 90 年代的宫廷剧院的演出中达到高峰;另一方面,发展于 20 世纪 20 年代的夏洛特时事讽刺剧则有更多的暗示,并强调一语双关地影射时事。1940 年德国轰炸伦敦期间,大门剧院的时事讽刺剧和风车剧场著名的街头时事讽刺剧对鼓舞伦敦人的信心起了很重要的作用。美国 1894 年在纽约市首次演出《瞬息即逝的景象》,F.齐格飞受此激励,于 1907 年创作 24 部"齐格飞活报剧",通常围绕名人为题材进行构思。20 世纪中期以前,时事讽刺剧一直得到热情支持。以后,由于广播、电

影和电视的竞争,时事讽刺剧的时事笑话、滑稽短剧和独角戏基本上让位于小型夜总会和即兴表演剧场。

Revue des Deux Mondes 《两个世界评论》 法国期刊。创办于1829年,1944年停刊,后在1948年复刊,改称《两个世界文学、历史、艺术、科学评论》。它以其文学评论方面的影响而闻名。1831～1877年间的主编为F.比洛,他建立一种卓越的传统,因而吸引了如下文学界优秀人物的投稿:C.-A.圣伯夫、H.de巴尔扎克、V.雨果、H.泰纳、E.勒南。

Revueltas, José 雷武埃尔塔斯(1914-11-20,墨西哥杜兰戈～1976-04-14,墨西哥城) 墨西哥小说家、政治活动家。为"新墨西哥小说"的创始人之一。1932年参加墨西哥共产党,两次被囚禁于马丽亚斯岛监狱。第一部小说《水墙》即根据狱中生活写成。小说《人类的丧服》(1943)是他的一部力作,他采用倒叙和内心独白的手法,反映从哥伦布发现美洲之前到20世纪30年代墨西哥农民所受的苦难。1943年被共产党开除,参加建立斯巴达克斯列宁主义者联盟,但不久即退出该组织。小说《错误》(1964)是对共产党清党运动的批判。1968年因参加学生运动被监禁。其他作品有短篇小说集《上帝在人间》(1944)、《安眠在地下》(1960)等。

Revueltas, Silvestre 雷武埃尔塔斯(1899-12-31,墨西哥圣地亚哥帕帕斯基亚罗～1940-10-05,墨西哥城) 墨西哥作曲家、小提琴家。所配管弦乐曲绚烂多彩,以节奏鲜明生动著称。在墨西哥城、得克萨斯州奥斯丁和芝加哥学小提琴与作曲,又在亚拉巴马州莫比尔指挥管弦乐队。在1929～1935年任墨西哥交响乐团助理指挥之前,作品的民歌来源并不引用现成墨西哥民歌。为获得强烈的

中国大百科全书出版社供图

节奏冲劲,常采用紧锣密鼓的渐强,并用最强音结束。主要作品有根据墨西哥主题所作的交响诗,也写过室内乐、歌曲和电影配乐。

Rewa 雷瓦 又拼Riwa。印度中部中央邦东北部城镇。曾为雷瓦土邦首府。后为英国巴克尔根德行署(1871～1931)驻地及温迪亚邦(1948～1956)首府。有公路通其他城镇。为谷物、建筑石料和木材贸易中心。手工业有织布和木雕。设有阿瓦德希·普拉塔普·辛格大学(1968)及其8所分校,包括一所医学院。地处温迪亚高原的肥沃冲积平原,有栋斯河流经。稻、小麦、油籽、小米和玉米为主要农作物。大片森林出产贵重木材和虫胶。人口183 232(2001)。

Rewa River 雷瓦河 南太平洋斐济群岛最长和最重要的河流。位于维提岛,源于岛中北部托马尼维山麓,流向东南,全长145千米,于斐济首都苏瓦附近的劳萨拉湾处入海,流域面积占全岛1/3。肥沃的河谷和三角洲出产稻米和乳品。河口以上80千米段通航小轮船。

Rewāri 雷瓦里 又作Riwari。印度西北部哈里亚纳邦南部城市。有铁路通德里。为历史上德里和拉贾斯坦之间的贸易中心。为重要商业和交通中心及农产品贸易市场。有一些轻工业。设有古鲁格舍德拉大学5所分校。人口100 946(2001)。

Rex cat 雷克斯猫 一个卷毛家猫品种,特征为毛浓密而软,无突出的警戒毛(或称外毛)。除头、腿、爪外,全身的毛均呈大波浪形。眉、须卷曲,眼杏形,耳大高耸。成年后身体细长。腿、颈、头形均长。尾长,从尾根向尾尖渐细。凡具有人们认可的家猫毛色及花纹者,均可参加猫展。

Rexburg 雷克斯堡 美国爱达荷州东南部城市,麦迪逊县县城。位于斯内克河平原的灌溉农业区,为谷物和奶品生产中心。1883年T.里克斯领导的摩门教农民在此建城。1976年6月5日94米高的大蒂顿土坝垮塌,800亿加仑水倾泻而出,淹没了平原,城市三分之二被毁,30余万人被迫疏散,死亡11人。杨伯翰大学在此建有爱达荷分校(1888)。爱达荷国际民间舞蹈节在当地举行。人口约17 257(2000)。

Rexroth, Kenneth 雷克斯罗思(1905-12-22,美国印第安纳南本德～1982-06-06,加利福尼亚圣巴巴拉) 美国画家、散文作家、诗人、翻译家。"垮掉的一代"运动的早期鼓吹者之一。基本上依靠自学,青年时代大多在美国西部旅行,组织工会并为工会说话。他早期的诗是实验性的,受超现实主义影响;后来的作品结构严谨,富于才智和人情味,备受赞赏。《短诗全集》出版于1966年,《长诗全集》出版于1962年。《新诗》发表于1974年。散文有《林中之鸟》(1959)、《试金》(1962)、《耳闻目睹》(1970)、《20世纪的美国诗歌》(1971)等。他还是一位多产的翻译家,译过许多诗歌。《一部自传体小说》发表于1966年。

Rey, Jacobus Hercules de la 雷伊 参阅**De la Rey, Jacobus Hercules** 德拉雷伊。

Reye syndrome 瑞氏综合征 可继发于流行性感冒、水痘或其他病毒感染后的急性神经疾患,多侵害儿童,重者可致肝脏脂肪变性和可能致命的脑肿胀。1963年澳大利亚病理学家R.D.K.瑞于研究此病12年后,首先提出报告。目前还不能确定它是20世纪后半期出现的新病或是以往被误诊的旧病。本病侵犯18岁以下的人(通常是幼儿)。发病后约一周出现发疹、呕吐、昏睡与精神混乱等症状,以后出现定向障碍、抽搐、呼吸停止和昏迷。病因不明,但一般认为与病毒损伤脑线粒体(负责能量代谢的亚细胞结构)有关。此病亦可在黄曲霉素或杀鼠灵中毒后发生,并与罹患病毒病时使用阿司匹林或其他水杨酸盐制剂有关。80年代其罹患率降低,即归因于在儿童病毒感染治疗上少用这些药物。本病无特效疗法,但仔细监护病人的重要功能,并使用抗生素、胰岛素、肾上腺皮质类固醇、葡萄糖、利尿药、血清和其他办法尽速矫正各种失衡现象,却有助于防止病情恶化。目前有逾70%的病人存活,有些完全康复,余则留有某种程度的脑部损伤。

Reyes, Alfonso 雷耶斯(1889-05-17,墨西哥蒙特雷～1959-12-27,墨西哥城) 墨西哥诗人、短篇小说作家、散文作家、学者和文学评论家、教育家、外交官。一般认为,他是20世纪墨西哥最杰出的文人之一。在学生时代,雷耶斯就以他所发表的《美学问题》(1911)而成为一个有独创性的学者和优秀的文体家。1913年获法学学位。1914～1919年在马德里就学和教书。1920～1927年在墨西哥驻西班牙使馆工作。1927～1939年,任驻阿根廷和驻巴西大使,还经常作为墨西哥文化代表出席各种国际会议。在这些年代里他不时发表学术著作和文艺作品,在诗歌和散文两方面均有杰出成就。《阿那瓦克的幻景》(1917)中的诗歌,《斜面》(1920)中的对话和素描,《日晷》(1926)中的散文,都显示出他在体裁和题材上多方面的才能。在研究和评论方面,他也同样多才多艺,擅长古典希腊文学和西班牙"黄金世纪"的文学。他还把英语和法语作品翻译成西班牙文,撰写综合性著作,如《文学经历》(1942)。

Reyes (Prieto), Rafael 雷耶斯(普列托)(1850,新格拉纳达圣罗莎～1921-02-19,波哥大) 哥伦比亚探险家、国务活动家,1904～1909年哥伦比亚的总统和独裁者。未受过正规教育。早年和弟兄们从事商业。1874年他们前去哥伦比亚亚马孙盆地探险。途中一个兄弟死于热病,另一个被食人肉的土人吃掉,只有他幸存下来,在丛林中生活达10年之久。他所建立的商行生意兴隆,但后来在一次金融恐慌中倒闭。不久,他加入哥伦比亚保守派的军队。因屡为独裁者拉斐尔·努涅斯建立功勋,被擢任各种政治职务:内务部长、驻法国大使和参加1901～1902年在墨西哥举行的泛美会议的代表。1904年当选总统。上任后即实行独裁统治,解散国会,监禁几名议员,任命傀儡议会。他着手恢复哥伦比亚的国际信誉,增加咖啡生产,鼓励兴建铁路和公共设施。他建立了一个有效率的政府,但独裁统治使哥伦比亚人民愈来愈难以忍受。1909年被迫辞职。后在国外游历10年,1919年回到哥伦比亚。

Reyes Basoalto, Neftalí Ricardo(writer) **雷耶斯·巴索阿尔托** 参阅**Neruda, Pablo** 聂

鲁达。

Reykjavík　雷克雅未克　冰岛首都,全国最大城市。位于冰岛西南部法赫萨湾东南角,塞尔蒂亚纳半岛的北侧。始建于874年。但20世纪前仅为一小渔村,居民多为丹麦人,由丹麦人统治。1786年设市,为行政中心。现为全国商业、工业和文化中心以及重要渔港。当地工业占全国的近一半。市西南32千米处有国际机场。制造业有鱼加工、食品加工、造船、纺织等。市容整洁,高度现代化。主要是水泥建筑,通过引入附近的温泉水供暖。很多公共户外游泳池也是地热的。著名建筑、设施有冰岛议会大厦、信义会大教堂、冰岛国家图书馆(1818)、冰岛大学(1911)、国家博物馆、国家剧院、国立医院和导航学校。总统府贝萨斯塔济位于郊外。人口约112 490(2003)。

Reymont, Władysław Stanisław　莱蒙特(1867-05-07,俄罗斯帝国波兰拉多姆附近大科别莱[今在波兰]～1925-12-05,华沙)　Reymont又拼Rejment。波兰作家和长篇小说家。早年中辍学业,做过店铺学徒、在俗修士、铁路职员和流浪艺人。早期作品《福地》(1899)以迅速发展的工业城市罗兹为背景,描写纺织厂老板的生活和心理状态。长、短篇小说包括《相逢》(1897)、《女喜剧演员》(1896),均用自然主义、写实主义笔法写成。长篇小说《农民》(4卷,1904～1909)描述一年四季的农民生活,几乎全部用农民语言写成,现已译成多种语言。1924年获诺贝尔文学奖。莱蒙特的后期作品写作技巧较差,语言不够生动。

Reynald OF CHÂTILLON (French crusader)　参阅 **Reginald of Châtillon** 雷金纳德。

Reynard THE FOX　**列那狐**　讽刺当时人类社会的几部中世纪动物故事组诗中的主角。尽管列那狐狡猾、不讲道德、怯懦和追求私利,它仍不失为一个惹人喜爱的中心人物。它的狡猾是为了求得生存。它象征巧计战胜蛮力。蛮力通常具体表现为贪婪而笨拙的狼伊森格里姆(Isengrim)。现在收集到的一些关于列那狐的连续故事,诸如狼和熊用它们的尾巴伸进冰窟窿钓鱼的故事,遍及全世界。其他如病狮子用狼皮治好病的故事,则来源于希腊-罗马的口头传说。组诗产生于10和11世纪的佛兰德及日耳曼地区,当时教士们开始通过民间传说编造拉丁文兽类故事诗。1152年,根特的尼瓦特以伊森格里姆(Ysengrimus)作为他的一篇拉丁挽歌对句体诗歌的题名。若干故事情节不久即重现于法文八音节对句体的诗篇中。中古高地德语诗篇列那狐("Fuchs Reinhard",约1180),出自海因里希(巧耕者?)之手,为一部2 000诗行的杰作,是从现已失传的法文版自由改编的,为另一种早期版本。列那狐的主要文学传统来自现存的法语诗作《列那狐传奇》诸"片段"(约30篇,近4万行行诗)。这些法语韵文作品可能是海因里希用以创作较早的德文版的中心诗篇的精致发挥。"列那狐"诗作中一些戏谑性的乡村生活描绘,把骆驼作为教廷使节,说法语结结巴巴,骑在马背上的各个动物叙述它们精心编造的梦想,凡此种种,都暗示法兰西13世纪的社会风气并为乔叟那篇更为成熟的《女尼的教士故事》提供了先例。由于这些故事家喻户晓,"renard"(列那)取代了原来的"goupil"(狐狸)一词而流行于全法兰西。由阿瑙特和维廉用佛兰芒语改编的这些法语故事(约1250)成为荷兰语及低地德语各种散文手稿及小本故事书的蓝本,而那些故事书又为英国印刷商W.卡克斯顿和后来效法他的人们所取用,直到1794年歌德的《列那狐》(Reineke Fuchs)问世。

Reynaud, Paul　雷诺(1878-10-15,法国巴斯洛奈特～1966-09-21,巴黎)　法国保守派政治家和国务活动家。原为律师,第一次世界大战中从军。后在1930年和1932年之间先后任财政、殖民和司法部长。从离职到1938年,他几乎是唯一主张抵抗纳粹德国的人。1938年4月任司法部长时反对英法两国对德国实行绥靖政策。1938年11月至1940年3月任财政部长时实行紧缩政策以使法国经济转入备战轨道。在第二次世界大战中,1940年3月任总理,任命戴高乐为陆军部副部长。法国在德国猛攻下逐渐崩溃,他号召进行抵抗,并维持同英国的联盟。但贝当元帅和其他部长主张与德国停战。他不愿参与停战活动,乃于6月16日辞职。不久被捕,在整个战争期间一直被拘禁。解放后成为众议院议员(1946～1962),曾两次试图组阁(1952,1953)。他曾任起草第五共和国宪法的协商委员会的主席。1962年他谴责戴高乐企图通过直接选举实行总统制,以便逃避那部宪法。他的主要著作有《法国挽救了欧洲》(1947)和《回忆录》(两卷本,1960～1963)。

Reynolds, Albert　雷诺兹(1932-11,爱尔兰罗斯康芒郡鲁斯基～　　)　1992年2月至1994年12月任爱尔兰总理。雷诺兹在斯莱戈郡的萨默希尔学院接受教育,之后进入商界,在一家航运公司工作。60年代期间,他扩建了一系列音乐厅,最后在朗福德郡买下了一家报纸。作为共和党党员,他于1977年代表朗福德郡首次当选为众议员,1979～1981年任豪伊内阁的部长。此后,雷诺兹在豪伊的第三届和第四届内阁中任工业和商业部长(1987～1988)及财政部长(1988～1991)。1991年末与豪伊决裂,后者被迫于1992年2月辞去他的领导职务,雷诺兹接替豪伊担任共和党领袖和总理。1992年11月,雷诺兹所继承的共和党与进步民主党的联盟破裂,但大选月过后,雷诺兹组织起与工党的新联合政府。新联盟于1994年破裂,雷诺兹遂辞职,但在新政府于次月成立之前仍留任总理。

Reynolds, Sir Joshua　雷诺兹(1723-07-16,英格兰德文普林普顿～1792-02-23,伦敦)　18世纪中期和晚期在英国的艺术生活中占重要位置的肖像画家和艺术理论家。提倡绘画的"崇高风格",主张向过去的艺术大师学习和接受严格的学院派训练。小时在普林普顿其父所办的学校受教育,爱好文学和绘画。1740年到伦敦一肖像画家画室学习,1743年回到普林普顿,开始肖像画创作。1744年再次到伦敦,探索独立的艺术风格。1749年随友人到西班牙梅诺卡岛旅行,接着到意大利,在罗马用了两年时间专心学习意大利绘画艺术,然后经佛罗伦萨、博洛尼亚、威尼斯回英国,学习文艺复兴时期威尼斯画家提香、丁托列托、韦罗内塞等人的构图和色彩。1753年定居伦敦,创建画室,雇用助手,接受大批定件,很快成名。1760年以后,其独特风格逐渐形成,创作也更为自觉,并创建艺术家协会,主办多次画展。1768年创建皇家学院,出任第一任院长,制定办院方针,每年向全院作一次演讲,阐述其艺术思想。自1769年起,大部分重要作品都是在皇家学院创作,其中有历史画、儿童画和肖像画。1781年访问佛兰德与荷兰,研究巴罗克风格绘画大师鲁本斯的作品,以后作品明显带有鲁本斯风格的影响,如肖像画《德文希尔公爵夫人及其女儿》(1786)等。晚年一目失明,1790年在皇家学院作了最后一次演讲。1792年在伦敦逝世,葬在圣保罗大教堂。雷诺兹喜和同行通信,他的许多成功的肖像画都是为朋友画的。主要作品有:《阿尔贝玛伯爵夫人安娜像》(1757～1759)、《内莉·奥勃伦像》(1760～1762)、《约翰逊博士像》(1770～1780)、《自画像》(1773)、《伊丽莎白小姐和孩子们》(1777)、《希斯菲德勋爵像》(1788)、《天真的女孩》(1788)等。著作有《艺术演讲录》(1769～1791)。

雷诺兹自画像,1780年
伦敦皇家美术学院供图

Reynolds, Mary Ellen　雷诺　参阅 **Miller, Marilyn** 米勒。

Reynolds, Osborne　雷诺(1842-08-23,爱尔兰贝尔法斯特～1912-02-21,英国萨默塞特沃切特)　英国工程师、物理学家和教育家,因研究水力学和流体动力学而著名。雷诺早年跟一位机械工程师学徒而逐渐获得实践经验。尽管他早期的专业研究涉及磁、电及天体运动,但雷诺不久就开始专门研究流体力学。在这一领域他作出了许多显著的贡献。他对于固体与液体间传热和冷凝的研究引起了锅炉和冷凝器设计的彻底改变，涡轮泵也因他的研究得到了迅速发展。1886年他系统提出润滑理论，1889年列出用于湍流研究的标准数学结构式，还研究了江河中波浪和潮汐运动，对于群速度的概念也作出了创造性的贡献。其他研究项目中，有对辐射计的解释、早期的热功当量的绝对测定。他1883年发表的关于平行水道阻力定律的论文是经典性的作品。用于湍流运动的"雷诺应力"，用于流体流动实验模拟的"雷诺数"都以他的姓氏命名。

Reynolds, Walter　雷诺兹（?～1327-11-16）坎特伯雷大主教，因与英格兰国王爱德华二世的政治纠葛而知名。他是温莎城的一位面包师之子。13世纪末成为特遣牧师，为爱德华一世服务。可能曾任威尔士亲王爱德华（后为爱德华二世）的教师，因而成为其宠臣。1307年爱德华亲王登基后，任命他为英格兰财务大臣，1308年他成为伍斯特主教。1313年5月坎特伯雷大主教温切尔西卒，爱德华二世劝说（据信曾以金钱贿赂）教皇克雷芒五世任命雷诺兹递补大主教遗缺。雷诺兹于1314年2月在坎特伯雷就任大主教。他在这个职位上继续进行坎特伯雷与约克两地大主教争权的历史性斗争。国王与坎特伯雷大主教开始发生意见分歧，其原因很多，主要一项是教皇赋予雷诺兹超乎寻常的权力。大约在1323年，雷诺兹与爱德华二世之间的关系几乎完全断绝。雷诺兹曾公开反对国王以保护赫里福德主教亚当（奥尔顿的）。雷诺兹在结束爱德华二世的生命及王位的事态演变中手法卑劣。他在国王与英格兰贵族的夺权斗争中急切地站在获胜者一边，却又为了自己的安全而逃往肯特。他在爱德华二世被监禁后返回伦敦，宣称拥护爱德华三世，并于1327年2月为之加冕。

Reynolds number　雷诺数　流体力学中判断流体（液体或气体）流动是绝对定常流（层流），或是具有小的不稳定脉动的平均定常流（湍流）的判据。当雷诺数小于约2 000时，管道中的流动通常是层流；而雷诺数大于2 000时，是湍流。实际上，层流与湍流之间的转捩，并不正好发生在某一特定的雷诺数，而常常是从1 000～2 000之间扩展到3 000～5 000之间这样一个相当大的雷诺数范围。英国物理学家O.雷诺于1883年首先指出，在管道中由层流转捩到湍流，取决于一个数学量的值，它等于平均流速乘以管的直径和流体密度，并除以流体绝对黏度。这个数学量是一个无量纲数，称为雷诺数，以后并应用雷诺数研究完全封闭的其他类型的流动或有运动物体浸没于流体中的流动。

Reynolds number, magnetic　参阅 **magnetic Reynolds number** *磁雷诺数*。

Reynolds Tobacco Holdings　雷诺兹烟草控股公司　美国烟草产品制造商。该公司的历史可追溯到美国后南北战争时期，这时R.J.雷诺兹（1850～1918）开始从事烟草贸易，先是在故乡弗吉尼亚州，然后于1875年在北卡罗来纳州温斯顿建立第一家烟草厂。1899年该公司注册为股份有限公司，雷诺兹任总经理。翌年它加入大烟草托拉斯，托拉斯开始称为美国烟草公司。1911年该托拉斯被美国上诉法院予以解散，雷诺兹烟草公司重获独立。1906年推出受欢迎的艾伯特亲王烟斗丝，1913年创制一种以美国烟草和土耳其烟草混合成的骆驼牌香烟，1954年出售温斯顿牌过滤嘴香烟，1956年推出第一批塞勒姆牌（通译为沙龙牌）过滤嘴薄荷香烟。60年代开始多样化经营，主要收购一些食品和石油企业。1970年烟草公司成为雷诺兹工业公司的子公司。1985年，R.J.雷诺兹工业公司收购了纳贝斯克品牌公司，1989年，科尔伯格-克拉维斯-罗伯茨公司（KKR）以250亿美元收购了RJR纳贝斯克，该交易是当时最大的杠杆收购。1995年，KKR公司出售了其持有的剩余RJR纳贝斯克股票。1999年，R.J.雷诺兹烟草公司从RJR纳贝斯克中分离了出来，成为雷诺兹烟草控股公司的子公司。

Reynosa　雷诺萨　墨西哥塔毛利帕斯州中北部城市。与美国伊达尔戈隔格兰德河相望。1749年始建。由于多次发洪水，1802年迁往海拔90米的较高地带。1810年其居民率先反抗西班牙的统治，他们也参加了1910年的革命。1926年设市。经济以养牛业为主。1935年由于灌溉，经济得到发展，牧场扩大，棉花、甘蔗、玉米等产量增加。市内建有炼油厂和石油化工厂，为附近油田服务。天然气通过管道输往西南225千米处的蒙特雷和美国。有棉纺、酿酒、锯木、制砖等厂。也是入口港和交通枢纽，有公路、铁路和航空线通美国得克萨斯州南部和墨西哥东北部各大城市。人口约398 000（2000）。

Rezā　礼萨（约1570，伊朗萨非麦什德～1635?，伊斯法罕）　全名 Āqā Rezā Rezā-e

礼萨绘《执扇姑娘》（约1590）
美国史密森学会供图

ʿAbbāsī。波斯*伊斯法罕画派*（**Iṣfahān school**）重要画家。其父卡尚城的阿里·阿什加尔曾在麦什德任萨非王朝总督易卜拉欣·米尔扎亲王的画师，麦什德当时（1556～1577）是伊朗最主要的艺术人才培养中心。礼萨年轻时，绘画的精湛技艺引起国王阿拔斯的注意，至1596年已被认为无所匹敌。一度因花费过多的时间与田径运动员和摔跤运动员在一起而荒废了艺术，常感经济拮据，不再为王室作画，而把自己的主要作品在市场上出售应付开销。后来再度精力充沛地从事于独创性的创作，直到去世。他画的肥胖而疲惫的人物，姿态不自然，具有一种非常矫揉造作的风格；然而他采用了极端流畅的线条和表现派的非现实主义色彩，至今仍然色泽鲜明，十分出色。后期作品（1605以后）较为粗糙，也更为造作。礼萨是波斯最后的一个有独创性的绘画大师，画风对伊斯法罕画派（1597～1722）有着不可磨灭的影响。

Reza Shah Pahlavi　礼萨·巴列维（1878-03-16，伊朗马赞达兰省阿拉施特～1944-07-26，约翰内斯堡）　又拼 Riza Shah Pahlevi。伊朗军官，通过行伍成为国王（1925～1941），致力

供图：Keystone

于复兴国家。原名礼萨汗，出身在巴列维部族首领家庭。他魁梧矫健，才能出众，为上级器重，早年从军，由普通一兵升为团长。当时恺加王朝腐败，国土受外国蹂躏，政权操于英俄手中，国家朝不保夕。志士仁人义愤填膺，从而促使礼萨汗于1921年2月率兵1 200名进军德黑兰，推翻旧政府，由青年记者赛义德·齐亚丁·塔巴塔巴伊为首相，自任陆军大臣。他欲振兴祖国，却为那些理想主义者和受外国影响的机会主义者所阻。他各个击破政敌，加强军队建设，控制武装，掌握军政大权，1923年任首相。国王艾哈迈德养病欧洲，1925年议会废黜国王，立宪会议选他为王，于1926年4月加冕。他锐意改革：消灭部族力量，解散部族武装；废除只对外国有利的协议和条约，取消外国特权（1928），建设横贯全国的铁道；解放妇女，除掉面纱（1935）；收回财政和交通大权；兴建公路、学校、医院，创办第一所大学（1934）；实施政治民主化和排除外国干涉。外交上依苏抗英。1941年英苏联合与德作战，他的外交政策失败。1941年8月

英苏联合占领伊朗。他退位，传位儿子穆罕默德·礼萨，本人拟往加拿大，英国却把他送往毛里求斯，后转南非约翰内斯堡。最终卒于该地。

Rezā'īyeh（Iran） **雷扎耶** 参阅**Orūmīyeh** 乌尔米耶。

Rezanov, Nikolay Petrovich **列扎诺夫**（1764-04-08［旧历 03-28］，俄罗斯圣彼得堡～1807-03-13［旧历 03-01］，西伯利亚克拉斯诺亚尔斯克） 俄国贸易商、外交家，也是在阿拉斯加和北太平洋历史中扮演主要角色的俄美公司（**Russian-American Company**）的创办者和管理者。他希望把北美洲西海岸并入俄国，并鼓励俄罗斯人向该地区大规模移民。他壮年早逝，去世后，俄国政府在实现他的计划方面几乎未做什么工作。这项失策间接导致俄国于 1867 年把阿拉斯加卖给美国。列扎诺夫为谢列霍夫-戈利科夫毛皮公司的合伙人并于 1795 年担任其总裁，该公司在北美洲西北海岸俄国殖民地区从事贸易。到了 1799 年，他和谢列霍夫的继承人说服俄皇保罗特许建立俄美公司，并批准它在北纬 55°以北的美洲海岸地区和在阿留申群岛与千岛群岛享有 20 年垄断权。起初这个托拉斯是列扎诺夫和其他股东（包括皇族成员在内）的巨额利润的来源。

列扎诺夫协助促成俄国第一次环球航行（1803～1806）。他和探险队一起，在 A.J.克鲁津什腾指挥下从喀琅施塔得向西航行，绕过合恩角抵达堪察加。1804 年以俄皇亚历山大一世使臣身份访问日本，未圆满完成任务；此后，他接受俄皇命令留在北太平洋，整顿公司内部弊端。列扎诺夫在阿拉斯加的俄美公司殖民地行政中心锡特卡（新阿尔汉格尔斯克）度过 1805～1806 年的冬天。随后，他航行至加利福尼亚的西班牙殖民地区，以毛皮交换粮食，并为公司殖民地定期从新西班牙获取粮食供应商定一项条约。1806 年 4 月到达旧金山后，得知法律禁止西班牙殖民地从事对外贸易；不过他获得西班牙教职人员的支持，并与旧金山司令官的女儿（据说是加利福尼亚最美的女孩）订婚。列扎诺夫获西班牙总督阿圭略允诺，把拟议的条约副本送往西班牙，带着一整船食物回到锡特卡。列扎诺夫在堪察加发号施令，派船从日本人手中夺取萨哈林岛。然后他经由陆路启程前往圣彼得堡，寻求亚历山大一世签署与西班牙要订立的条约，但因发烧和体力衰竭死于西伯利亚一个不知名的城镇。他提议的条约并未正式肯定下来。

RFC（United States） 参阅**Reconstruction Finance Corporation**（RFC）复兴金融公司。

RGS 参阅 **Royal Geographical Society** 皇家地理学会。

Rh blood-group system **Rh 血型系统** 按照红细胞细胞膜中有无 Rh 抗原（或称 Rh 因子）而划分的血型系统。Rh 阴性的人第一次接受 Rh 阳性的血液时不会出现副作用，但其免疫系统会产生抗 Rh 抗体。抗体形成后再输入 Rh 阳性血液，则抗体将使这些 Rh 阳性的红细胞凝集，继之出现溶血，引起严重的症状，甚至死亡。双亲 Rh 不合（父亲为 Rh 阳性，母亲为 Rh 阴性时），新生儿亦可能发生胎儿幼红细胞增多症（**erythroblastosis fetalis**）。治疗常需交换输血一次或多次。若夫妇 Rh 不合，在产第一胎后应用抗 Rh γ 球蛋白对产母作预防注射，即可避免以后胎次的新生儿溶血症，Rh 疫苗能在孕母的免疫系统产生抗体之前便破坏胎儿的红细胞。虽然 Rh 阴性血型者在世界上大多数地区均罕见，但在欧洲、加拿大、美国的白种人中占 15%、巴斯克人中 Rh 阴性发生率最高（25%～35%），非洲的柏柏尔人及西奈的贝都因人中亦达18%～30%。菲利普·列文和 R.E.斯特森于 1939 年，K.兰德施泰纳和 A.S.韦纳于 1940 年分别独立地发现 Rh 血型系统。至今已发现多种 Rh 抗原，发现最早也是最常见的 Rh 抗原称 RhI（或 Rho 或 D，引起的免疫反应最严重），红细胞含该抗原即为 Rh 阳性。所有 Rh 抗原可能均决定于 1 号染色体短臂末端的三组紧密连锁的基因。

rhabdovirus **棒状病毒** 棒状病毒科的病毒，狂犬病及牛、马水泡性口炎的病原体。病毒颗粒形如子弹，具有脂膜，大小约为 70 纳米×180 纳米，内含螺旋状的核糖核酸单链（RNA 病毒）。参阅 **rabies; vesicular stomatitis**。

Rhaetia（ancient Roman province） 参阅**Raetia** 腊埃提亚。

Rhaetian Alps **雷提亚山脉** 又译雷蒂亚山脉。德语作 Rätische Alpen，法语作 Alpes Rhétiques。阿尔卑斯山脉中段之一部分，沿意-瑞和奥-瑞边界延伸，大部在瑞士格劳宾登州境内。最高点为贝尔尼纳峰（4 049 米）。雷蒂亚山脉包括锡尔夫雷塔山、雷蒂孔山（**Rhätikon Mountaims**）和阿尔布拉山（**Albula Alps**）及伯尔尼纳山（**Bernina Alps**）。恩加丁（上因河谷）自东北向西南横贯支脉之间。东部（因河与奥芬山口之间）为瑞士国家公园（1914 年建），以嵯峨的阿尔卑斯山风景及野生动物闻名，面积 169 平方千米。有许多山区疗养胜地和冬季运动中心。

Rhaetian dialects **雷提亚语诸方言** 又名雷提亚-罗曼语诸方言。是通行于瑞士和意大利北部的一组罗曼语方言，其中最重要的是苏尔希勒旺语和苏特希勒旺语，两者构成罗曼什语（**Romansh language**）。另一些雷提亚语方言是通行于因河流域的恩加丁语；通行于意大利北部上阿迪杰地区和多洛米蒂山地的拉定语；通行于自威尼斯以北到奥地利边境及以东至原南斯拉夫边界这一地区的弗留利语。瑞士的雷提亚语方言在罗曼诸语言中似乎与法语的关系较为相近，而拉定语和弗留利语则更近似意大利语。这两支语言关系并不密切，各自都在独立发展。

Rhamnales **鼠李目** 显花植物的一目，属双子叶植物纲。含 3 科，67 属，1 700 种。分布于世界热带和亚热带地区，并分布到许多温带地区。鼠李目中最具经济价值的种类是葡萄（葡萄属［*Vitis*］）。本目植物的特征是木本，雄蕊与萼片互生，若有花瓣，则与花瓣对生（此种情况罕见于其他植物）；子房下或周围有肉质的花盘，各花部的基部联合成杯状围绕子房。本目主要的科为分布广泛的鼠李科和葡萄科，两科的许多属原产于旧大陆和新大陆热带和亚热带，此点引起科学界的兴趣。但火筒树科（Leeaceae）与此二科不同，仅

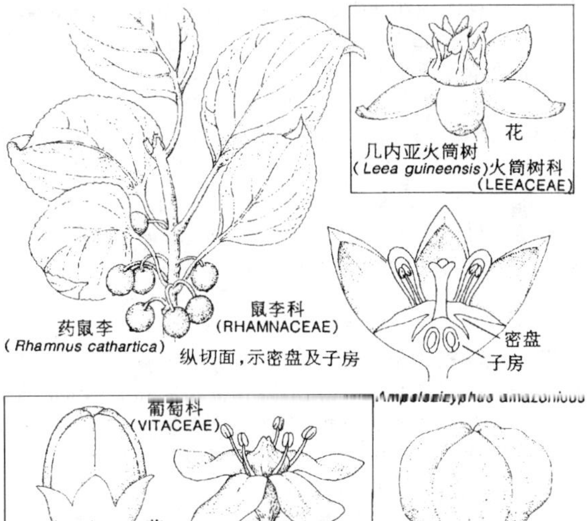

鼠李目代表植物

分布于南亚到非洲的热带地区，仅一属，约 70 种。本目植物主要为乔木、灌木或木质藤本，其中许多种类在含足够湿度的肥沃土壤和温和的气候条件下生长繁茂；但某些种类，特别是鼠李科的种类，在较干燥的环境中生长繁茂。

鼠李科的特征为单叶，萼片发育良好，雄蕊与花瓣对生，花盘肉质，子房 2～4 室，胚珠基生；浆果或蒴果。本科种类有许多适应干燥气候的结构：株形矮，灌木状，分枝多而密；叶小，密生；枝短，具棘或茨。鼠李科有 55 属，约 900 种。最著名的种是普通枣树（枣树，*Ziziphus jujuba*），产于中国，生长于干燥的

碱性土壤。果实可食。本科一些种木材质优，如 *Maesopsis eminii*、毛里求斯枣树（*Ziziphus mauritiana*）、普通枣树、*Z. spinachristi* 和 *Pomaderris apetala* 等。本科大部分种类均不够高大，难以充当材用树；可是能提供多种产品，如从珀什氏鼠李（加利福尼亚熊果，*Rhamnus purshiana*）树皮提取的美鼠李皮是泻药，唯一的可将棉花染成真绿色的绿色天然染料——中国绿，亦取自鼠李属植物。其他鼠李科种类是浓密常绿阔叶灌丛的成分。加利福尼亚鼠李（*R. californica*）和番红花色鼠李（*R. crocea*）为常绿灌木，结红色浆果，用作观赏植物。

葡萄科的特征为：顶芽发育为生于茎侧的卷须；花序与叶对生；萼片小或缺；雄蕊与花瓣对生；子房二室，胚珠生于中央；浆果多汁。本科最显著的生长特点是蔓生和缠绕，一般为藤本。本科含11属，700种，最重要的属是葡萄属。葡萄藤生长于北半球温带多林木的地区；叶大，浅裂；树皮细裂。葡萄可鲜食，或制葡萄干。从史前时代开始地中海各国就开始用葡萄酿酒。在中欧和美国纽约、加利福尼亚和其他地区栽培鲜食的葡萄已成为一项重要的商业。自古以来酿酒业就以高加索酿酒葡萄（*Vitis vinifera*）为原料，由其衍生的品种适应于欧洲和加利福尼亚的气候。美国东部的美洲葡萄浆果紫黑色，是康科德葡萄（*Concord*）和许多其他栽培品种的母本。麝香葡萄（圆叶葡萄，*V. rotundifolia*）是果肉带麝香味的斯卡珀农葡萄的原种，由其衍生的品种在美国的棉花地带栽培。葡萄科至少有5属，其中包括爬山虎属（*Parthenocissus*），是重要的观赏植物。爬山虎属包括弗吉尼亚爬墙虎（五叶爬山虎，*P. quinquefolia*）和日本常春藤（波士顿常春藤，三凸头爬山虎，*P. tricuspidata*）。

鼠李目许多种能从根部抽条，形成大片的群落。科德角葡萄（科德角白粉藤，*Cissus capensis*）具球形的块茎。几乎所有的种均产生大量种子。

鼠李目种类的花部基数为四或五，各科不同。许多属的花为完全花。但崖爬藤属（*Tetrastigma*）的花单性，雌雄异株。葡萄属的花在功能上为单性花。葡萄科的雄蕊着生于产蜜的花盘上。花瓣于顶端联合，花芽开放时花瓣整个脱落。雌蕊由二心皮构成。子房每室内胚珠数不多于二枚，其中一些会早期死亡。主要靠昆虫传粉。

Rhamphorhynchus　喙嘴龙属　原始的飞翔爬行动物的绝灭属。化石见于欧洲和东非的后侏罗纪时代（1.59亿年前至1.44亿年前）。约长0.5米，头骨长，眼大。鼻孔在喙的后部。牙向前倾斜并互相交错。很可能以鱼为食。躯干短，前肢变成二翼，翅膜从强壮而长的第四指延伸，很可能附着在后肢附近。其他三指末端有爪。前肢的上部强壮，附着着支撑翼的肌肉。尾长，几为身长的两倍，末端有桨形皮片可帮助飞行时保持平衡并控制方向。许多骨头中空，显然适于飞行。后肢不发达，在地面上可能是笨拙的，飞行也不熟练，软的翼膜仅有有限的活动能力。细粒沉积层内发现的、保存完好的一些标本显示出

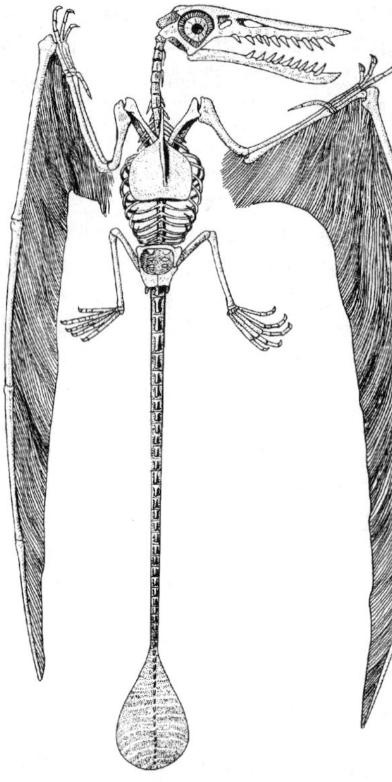

喙嘴龙（*Rhamphorhynchus*）

毛发状结构的压痕，没有发现羽毛的痕迹。不详其如何繁殖，很可能卵生，但不了解是否已有筑巢行为。参阅 **pterosaur**。

rhapsodist　希腊吟游诗人　公元前6世纪时古希腊的戏剧吟诵者。在口头传述的史诗中，荷马史诗歌手先于他们。他们在吟诵时也有里拉琴和奥洛斯笛等乐器伴奏。为了加强戏剧效果，吟游诗人使用手杖作象征的手势。他们吟诗时也许包括一种简单的歌唱而不是一种可以分辨出来的调子。希腊吟游诗人吟诵荷马的叙事诗，但柏拉图在《伊安篇》中暗示说，他们的节目中也可能有赫西奥德和阿尔基洛科斯的作品。希腊吟游诗人的演出成了每年一度的泛雅典娜节上的主要节目；到公元前3世纪，他们同狄奥尼索斯节艺人公会的演员联合起来。保存了荷马作品的荷马氏族（**Homerids**）在一个时期里便是希腊吟游诗人。

Rharb　西部地区　又作Gharb。摩洛哥西北岸低地。塞布河从东至西穿过。东北界里夫山，沿大西洋海岸延伸约80千米，往内陆延伸约113千米。是季节河冲积层形成的平原，为柑橘属水果主要产区。

Rhäticus, Georg Joachim（astronomer）　参阅 **Rheticus, Georg Joachim** 雷蒂库斯。

Rhätikon Mountains　雷蒂孔山　雷提亚山脉的山群。地跨瑞士东部、奥地利西部及列支敦士登南部，分隔蒙塔丰和普雷蒂高两山谷。最高峰为奥地利-瑞士边界的谢萨普拉纳峰（2 964米）。旅游业是该地区主要经济支柱。

Rhazes（physician）　参阅 **Rāzī, ar-** 拉齐。

Rhea　瑞亚　希腊宗教中的古代女神，可能源于希腊时期以前。在希腊世界各地，都有崇拜她的地方。她同丰产有关并同大地女神该亚、大神母有相似之处。她是乌拉诺斯（天）和该亚的女儿，嫁给了她的兄弟克洛诺斯。克洛诺斯被警告说，他的一个孩子注定要把他推翻，于是便在孩子出生后不久吞食了他们（赫斯提亚、得墨忒耳、赫拉、哈得斯和波塞冬）。瑞亚在克里特的狄克提山的一个洞穴里偷偷生下了宙斯，只给克洛诺斯吃了一块用襁褓包着的石头，克洛诺斯把它吞食，以为这便是宙斯。后来克洛诺斯被宙斯打败，被迫吐出他吞食的几个孩子。

Rhea　土卫五　土星八颗大而规则的卫星之一。它的直径为1 528千米，在平均距离为527 040千米的近圆轨道上绕土星顺行。土卫五的密度是水的1.3倍，因此，一般认为它主要是由冰构成的。红外光谱也显示其表面主要由霜构成。土卫五表面的反照率较高，但在不同的区域有很大差别。同大多数土星的卫星一样，土卫五的自转与公转同步，因而土卫五总是以同一面对着土星。同土星另一颗卫星土卫四一样，土卫五朝轨道运行方向的前半面既亮又多陨石坑，而后半面则较暗，而且上面只有一些亮纹和少量的陨石坑以及一些表面再造的迹象。尽管在土卫五的表面冰多于石，多陨石坑的一面却很像水星和月球上的那些密布陨石坑的高地。在土星系中，表面陨石坑最多的是土卫五。在平衡温度极低（土星轨道处约90K）的情况下，冰与岩石显然有相似的力学性质。在陨石坑少的那一面，可看到亮的，呈线状的或折线状的条纹，它们可能是大规模表面再造和一些挥发性物质（如水或甲烷气体）从裂缝里大量冒出的结果。陨石坑中的亮斑也可能是挥发性物质冒出形成的。

rhea　美洲鸵鸟　又称鶆䳍。美洲鸵鸟目（鶆䳍目，Rheiformes）美洲鸵鸟科（鶆䳍科，Rheidae）大型不会飞的鸟类，共两种。原产于南美，与鸵鸟和鸸鹋近缘。普通美洲鸵鸟（*Rhea americana*）的分布范围从巴西东北部向

普通美洲鸵鸟（*Rhea americana*）

供图：Toni Angermayer—Photo Researchers

南到阿根廷的开阔地区；而达尔文氏美洲鸵鸟(*Pterocnemia pennata*)的分布范围从秘鲁向南到巴塔哥尼亚(南美大陆的最南端)。两个种的体形均明显小于鸵鸟，普通美洲鸵鸟站高约120厘米，体重约20千克。普通美洲鸵鸟的上体褐色或灰色，下体带白色；而达尔文氏美洲鸵鸟体型更小，羽毛浅褐色，羽毛尖端为白色。美洲鸵鸟与鸵鸟不同之处为足上具三趾(鸵鸟为二趾)，副羽不发达，羽衣为浅褐色；分布于无树木的开阔地区，以奔跑来逃避掠食者；杂食性，能食多种多样动物性和植物性食物。雌雄并不永久配对，由雄体孵卵和育雏。美洲鸵鸟为一雄多雌性，雄体会孵多个雌体产于一个巢内的卵。雄体在地上挖一个浅巢，内部以草铺垫，雌体往其中产多至50个卵，卵长约13厘米。然后雄体孵卵，幼体约6周后孵出，又由雄体带领约6周。美洲鸵鸟常与鹿及羊驼生活在一起，形成混合结群，就如鸵鸟与斑马、羚羊结群一样。

Rheden 雷登 荷兰中东部海尔德兰省城市。位于艾瑟尔河与费吕沃山之间，阿纳姆—聚特芬公路线上。市内有12世纪塔楼、数座中世纪教堂和两座16世纪城堡。市区大部处在国立费吕沃佐姆公园境内。旅游业重要。人口约44 642(1997)。

Rhee, Syngman 李承晚(1875-03-26，朝鲜黄海道～1965-07-19，美国夏威夷火奴鲁鲁) 大韩民国第一任总统。早年受传统孔学经典教育，后入卫理公会学校习英语。后来成为热情的民族主义者并最终成为基督教徒。1896年他与其他朝鲜领袖合组独立俱乐部，这是一个致力于朝鲜独立的组织。1898年右翼分子捣毁了该俱乐部，李承晚被捕入狱，直至1904年获释，旋即赴美，于1910年在普林斯顿大学获博士学位，成为获得美国大学博士学位的第一个朝鲜人。同年，即朝鲜被日本吞并的那一年返回家乡，因感到无法掩饰其对日本统治的敌对态度，故在基督教青年会短期工作及担任一所中学的校长后，于1912年回到美国。此后30年，他为朝鲜的独立奔走呼号，但未能得到国际上的支持。1919年当选为流亡的"韩国临时政府"总统，任职达20年之久，后被集居于中国的年轻一代朝鲜民族主义者赶下领导岗位。但他仍留居华盛顿，并在第二次世界大战期间极力谋求盟国允许朝鲜独立。因李承晚为美国人所熟知的唯一朝鲜领袖，他在战后先于"临时政府"的其他成员被送回朝鲜。他提出立即实现国家的独立和统一的政策，不久即建立起一个群众政治组织，得到强有力的军队士兵支持，并在警察中有着大批追随者。随着温和派主要领袖被暗杀，李承晚新组成的政党在南部选举中获胜，1948年就任大韩民国总统，1952、1956和1960年连选连任。作为总统，李承晚实行独裁统治，不容许国内人民反对他的纲领。他整肃国民议会，宣布反对党进步党为非法，并以叛国罪处决进步党领袖。他执掌市长、乡长和警察局长的任命权。甚至在朝鲜战争期间公然反对联合国。他希望联合国能继续作战，最终统一朝鲜半岛于一个政府之下，下令释放他监禁的北方反共战俘(按议定的停战安排，这些人应返回北方)。共产党方面感到惊震之余，中断了谈判并重新发动进攻，主要不是以联合国部队为打击对象而是集中火力于李承晚的韩国部队。在表明观点后，共产党方面恢复了谈判，很快签署了停火协定。李承晚尽管实行极权政策，却未能于1956年阻止选出一位反对党的副总统。1960年3月政府宣称大选中李获得90%选民的选票(1956年为55%)，引起学生示威游行，伤亡甚众，因而群众纷纷要求李承晚下台，国民议会一致投票支持这一要求。于是李承晚于1960年4月27日辞职，流亡夏威夷。

Rheims(France) 参阅 **Reims** 兰斯。

Rheims-Douay Bible 《兰斯-杜埃圣经》 参阅 **Douai-Reims Bible**《杜埃-兰斯圣经》。

Rhein River 参阅 **Rhine River** 莱茵河。

Rheinberger, Joseph (Gabriel) 赖因伯格(1839-03-17，列支敦士登瓦杜兹～1901-11-25，德国慕尼黑) 德国作曲家和教师，其管风琴奏鸣曲是19世纪这种乐器的最佳之作。曾在瓦杜兹学习管风琴，成为教区教堂管风琴手时年仅7岁。其后在费尔德基希和慕尼黑学习，1867年任慕尼黑音乐学院管风琴和作曲教授。他的学生中有E.洪佩尔丁克、E.沃尔夫-费拉里、W.富特文格勒和美国作曲家G.W.查德威克和H.帕克。写了20首管风琴奏鸣曲、4部歌剧和一些教堂音乐和室内乐。1894年获贵族头衔。

Rheine 赖讷 德国西北部北莱茵-威斯特法伦州城市。临埃姆斯河。838年首见记载。1327年设市。第二次世界大战中受到严重破坏，但均已重建。有风景优美的戈特斯加贝泉水浴场、圣狄奥尼西教堂，以及建有洛可可式房屋的大广场等名胜古迹。为铁路枢纽。有机场。生产纺织品和机械。人口约76 288(2003)。

Rheinfall(Switzerland) 参阅 **Rhine Falls** 莱茵瀑布。

Rheinhausen 莱茵豪森 德国西北部北莱茵-威斯特法伦州原城镇。在莱茵河西岸。原为1898年克虏伯所建大型钢铁厂的住宅区。1928年将弗里默赛姆等地并入。1934年建制。1975年成为杜伊斯堡市的一部分。在第二次世界大战中该城镇和钢铁厂均未受到严重损失，钢铁厂仍属于克虏伯家族，已全面恢复生产。沿河建有处理进口铁矿石、燃料和石灰石的码头。其他行业有矿山机械、化工设备、水泥产品、纺织品等制造业以及酿酒业。

Rheinhessen-Pfalz 莱茵黑森-普法尔茨 德国西南部莱茵兰-普法尔茨州东南部的行政区。南邻法国。面积6 830平方千米。1969年行政改革时合并原莱茵黑森和普法尔茨区组成。莱茵河构成北部和东部边界，并由南向北流贯上莱茵平原。该平原土壤肥沃，气候温暖、干燥，是富庶的农业区，产烟草、甜菜、蛇麻子、蔬菜和著名的龙须菜，也是重要的交通和工业走廊。上莱茵平原以北为莱茵黑森高原，开阔的可耕地多种植甜菜，河谷坡地主要栽培葡萄。中南部砂岩高原之上是德国最大的连绵不断的普法尔茨林山，它为自然保护区，几乎全部被松林覆盖。莱茵河谷以西的哈尔特山陡峭东坡上有别致的城堡。沿陡峭山脚为大片葡萄园，有著名的德国葡萄酒之路通向德国主要的产酒城镇。莱茵河西岸的美因茨是州首府和最大城市，也是重要交通枢纽、化工品的主要产地、莱茵葡萄酒贸易中心。莱茵河谷其他主要城市有路德维希港和沃尔姆斯，前者以其大化学工业而闻名，后者则有罗马式大教堂而名扬四海。凯撒斯劳滕是普法尔茨林山地区文化和经济中心。皮尔马森斯是德国主要的靴鞋制作中心。葡萄酒路上诺伊施塔特是该区的行政所在地。居民多数为法兰克人后裔，信奉天主教和新教。区内主要大学是美因茨约翰内斯·谷登堡大学。人口约1 877 405(1991)。

Rheinland 参阅 **Rhineland** 莱茵兰。

Rheinland-Pfalz(Germany) **莱茵兰-普法尔茨** 参阅 **Rhineland-Palatinate** 莱茵兰-帕拉蒂纳特。

Rhenanus, Beatus 雷纳努斯 参阅 **Beatus Rhenanus** 比亚图斯·雷纳努斯。

Rhenish Slate Mountains(Germany) **莱茵板岩山脉** 参阅 **Middle Rhine Highlands** 中莱茵高地。

rhenium 铼(Re) 化学元素，周期表VIIb族非常稀有的金属，比重最大的元素之一。1869年，俄国化学家D.I.门捷列夫曾预言铼的化学性质与锰相近。1925年，德国化学家I.诺达克、W.诺达克和O.C.伯格发现了铼。铼及其合金的应用尚不多，仅限于用作自来水笔笔尖、高温热电偶(和铂一起用)、催化剂、电气接触点和仪表轴承点，并用于电气元件。铼广泛分布于多种矿物中，但其含量平均约0.001ppm。在辉钼矿中其含量可达约20ppm，而在硫化铜矿中含量较低。熔炼辉钼矿时挥发性七氧化二铼(Re_2O_7)富集于烟道灰中，或电解精炼铜时铼与铂系金属富集于阳极泥中，均可回收铼。用氢还原高铼酸铵(NH_4ReO_4)可获得黑色铼粉。在高温氢气气氛中，可将铼粉压实并烧结成铼棒。铼经冷加工和退火可制成铼丝或铼箔。铼为银白色金属，非常硬，耐磨和耐腐蚀性都很好，为熔点最高的元素之一。铼粉在150 °C以上的空气中缓慢氧化，温度更高时迅速形成黄色的四氧化物。铼不溶于盐酸，在其他酸中也只缓慢溶解。已经证明，铼能呈0～+7各种氧化态，最常见的有+3、+4、+5特别是+7氧化态。高铼酸($HReO_4$)及其酸酐七氧化物和高铼酸盐，都是常见的稳定的铼(VII)化合物。天然铼是稳定同位素铼185(37.07%)和放射性铼187(62.93%，半衰期7×10^{10}年)的混合物。铼原子序数75。原子量186.2。熔点3 180 °C。沸点5 627 °C。比重20.5 (20°C)。化合价1、2、3、4、5、6、7。电子组态2,8,18,32,13,2或(Xe)$4f^{14}5d^5 6s^2$。

rheostat　可变电阻器　阻值可以调整的电阻器,用于需要调节电路电流或改变电路阻值的场合。可变电阻器可以改变信号发生器的特性,使灯光变暗,启动电动机或控制它的转速。根据用途的不同,可变电阻器的电阻材料可以是金属丝、金属片、碳膜或导电液。对于一般大小的电流,常用金属型的可变电阻器。在电流很小的情况下,则使用碳膜型。当电流很大时,电解型最合用,这种可变电阻器的电极都浸在导电液中。电位器是可变电阻器的特殊形式,它使未知电压或未知电势差的全部或一部分与一个已知的电势差相平衡,从而测出未知电压或未知电势差的大小。更为常用的电位器只不过是一个有两个固定接头的电阻器,第三个接头连到一个可调的电刷上。

rhesus monkey (*Macaca mulatta*)　**恒河猴**　一种原产于南亚及东南亚森林的沙色弥猴。体长约47～64厘米,尾长20～30厘米,尾毛蓬松。体重约4.5～11千克。恒河猴能在多种气候条件下及自然环境中生长繁盛,

恒河猴(*Macaca mulatta*)
供图:Ylla from Rapho/Photo Researchers—美国不列颠百科全书公司

因此广泛分布于东南亚及印度次大陆。在自然环境中以果实、种子、根、草本植物及昆虫为食。在印度的某些地区恒河猴被视为神圣,许多佛教徒对之又喜爱又宽容,结果成群的恒河猴早就住在人类聚居地,尤其是佛教和印度教寺庙的附近。恒河猴易豢养,有高度智力,性情活泼,幼时是很好的宠物,但成年后脾气可变坏。也是重要的医学和心理学实验动物。人血中的Rh(来自rhesus一词)因子是因与恒河猴的血发生反应而测定。恒河猴也是第一种用火箭送入平流层的猴。

Rheticus, Georg Joachim　雷蒂库斯(1514-02-16,奥地利费尔德基希～1576-12-05,匈牙利卡萨)　Rheticus又拼Rhäticus或Rhetikus。原名Georg Joachim de Porris或von Lauchen。奥地利出生的天文学家和数学家,N.哥白尼的朋友和最早接受并传播其日心说(即地球绕太阳转动)的学者之一。1536年,他在德国的维滕贝格大学担任数学和天文学教职。哥白尼理论的消息使他深感兴趣。1539年他动身赴波兰弗龙堡并同哥白尼一起研究了二年。他在1540年出版的《哥白尼崭新著作初释》一书中,首次解释了哥白尼的新观点。他劝说哥白尼完成他的巨著并把它带往纽伦堡出版,但他在1542年,即新书正式付印之前就已去莱比锡担任新职。从在维滕贝格时起直到逝世,他一直在写他逝世后才发表的一部巨著:《三角形综论》(1596)。书中包含(用弧度或度表示的)三角函数表,间距为10″,并计算到小数点后10位。

Rhétiques, Alpes (Europe)　参阅 **Rhaetian Alps** 雷提亚山脉。

rhetoric　修辞学　训练演说家、作者、听众、读者等与交流交际事务有关人员的各种原则。在古希腊和古罗马,修辞学的传统形式是指系统研究讲演术并训练讲演者进行辩论和作公开讲演的技艺。按照亚里士多德的说法,这是一种说服人的艺术。罗马帝国衰亡和公众论坛消失后,许多世纪以来出现过很多次把修辞学用于书面语的尝试。16世纪以后,修辞学作为学知识的工具,影响也继续减弱。不过在许多学校中传统修辞学仍有残余影响,还在坚持教授。

传统修辞学是兼具实用和哲理两重性的学科。许多修辞学史家都认为,修辞学的产生应归功于公元前460年锡拉索萨城邦民主体制的发展。其时失去土地的地主,在新的平等政治条件下,每个人都有机会在公众面前辩护自己的权利,要求赔偿。因此,善于言辞且使具有说服力显得尤为重要,这就使得精明的演讲人求助于讲授演讲术的老师即所说的修辞家。正是这些修辞家发展了进行成功演讲的理论或修辞学。

这样来运用语言,引起哲学家们的兴趣和重视,因为演讲术的论据要对语言、真理、道德间的关系进行论辩。柏拉图和亚里士多德都撰写过重要著作论及语言的本质及其效用问题,两人都摆出相似的关于知识的理论,认为真理即寓于知识之中。真理根据传统智慧而被承认,世代相传无庸置疑,语言的作用主要就是表现真理。因之语言基本上是固定思想的饰物,而修辞学则是以富于感染力的手段精心排列这些思想并详加论述的方法。柏拉图更愿让哲学家来掌握修辞学,因为他认为他们能更好地用真理来改善人性。可是,亚里士多德则以为修辞学是一种技巧,任何受过教育的人都能使用它,因而他所撰文章都寓教育精神。

根据亚里士多德的理论,可在三个方面使用修辞学:向政治集会宣讲的经过深思熟虑的演说词;在法庭上的辩护词;在各种典礼仪式中根据当时形势而赞颂或斥责某些人物的极富技巧的演说词。在每种场合都有带说理性的成分,即能说服听众或使产生预期效果。与使用语言有关的论辩科目是逻辑学和辩证法,它们更多属于哲学范畴而不是修辞学范畴。

罗马将这种理论的大部分用于各种类似目的。在立法和审判系统中演讲术具有同样重要的意义。受教育者经过修辞学方面的培训以产生有能力的立法者和政治家。罗马帝国两位最杰出的修辞学家是公元前一世纪的西塞罗和其后一世纪的昆体良。罗马人精心阐释希腊人的实践,从修辞学方面将口语的措辞过程划分为五个方面:立意(分析演讲主题并收集演讲材料);布局(安排材料供演讲用);措辞(将适于主题、演讲者、听众、场合的词语配合得当);演讲(以口头形式发表演说);记忆(将思想留存在脑中)。

这样划分演讲过程使修辞学具有机械性,它随着时间推移而更形显著。随着罗马的衰落,公众讲坛已经消失,修辞学被神学家用之于布道,他们的演说风格有些像罗马的雄辩家,不过其所讲内容全是由教会的教义所规定的。在16世纪,修辞学被用于信函。由于受法国修辞学家P.拉米斯的影响,修辞学缩小到主要只涉及风格语体问题,成为一种借喻或辞格之总汇,如隐喻、明喻、拟人法等。这时修辞学得到"华而不实"的名声,因而被贬低到主要在各语法学校使用的程度。这种情况持续了3个世纪而无根本改变。

文艺复兴时期以后,关于认识的理论出现许多变化,因此也影响到修辞学。从R.笛卡儿和J.洛克开始,经过F.尼采,到当代哲学家T.库恩等,对于语言和实体的关系已有改变。古典的观念认为语言反映某种绝对真理或实体,这种观念已让位于新观点,即大体上语言会决定实体对我们所具有的意义这一问题。

即使这些变化是属于认识论上的,古典修辞学在语言作为交际工具和作为传授知识的手段这些方面也成为误导的模型。真理不再是用富于感染力的语言所提出的一种固定的概念,而是与语言所提供的远景有联系的一种概念了。后结构主义学派的进步思想家们把语言看作文化结构,这种结构存在于个人之先并且是制约个人之条件。这样,修辞学所考察的就不仅是语言,而且也包括人类文化中与语言有关系的其他交谈及讲演形式,如电影、电视、广告、金融市场、政党、教育体制等等。它们从本质上说是修辞学领域的课题,即从一开始就是要以说服别人并使之产生特定效果为其目标的。另一些现代修辞学家则认为一切语言交流都是论辩过程,因而他们提倡要根据对于群众的反映和各种社会条件的理解来分析和阐释上述那些谈论或讲演的内容和效果。

rhétoriqueur　修辞诗派　15世纪及16世纪初期在法国(特别是勃艮第)流行的诗歌流派,作品采取历史或伦理题材,运用讽喻、梦幻、象征和神话以达到说教的效果。被认为新修辞派首领的纪尧姆·德·马肖推广新的抒情体裁,即各种格律诗,如回旋诗、谣曲、八音节抒情诗、双韵短诗等。这一传统的继承者有E.德尚、C.德·皮桑、C.奥尔良、F.维永以及历史学家J.傅华萨、政治演说家A.夏蒂埃。傅华萨在史学方面的继承人G.夏特兰、O.德·拉马什及J.莫利内,都是勃艮第宫廷史官。同A.夏蒂埃一样,他们在散文和韵文中都喜爱有教育意义、优美和拉丁化的风格,把德尚和皮桑的长教谕诗推向新的高度。他们的短诗显示出惊人的文字独创性和技巧,

为了突出效果,他们常常有赖于双关妙语、哑谜或藏头诗。他们通过荒唐无稽的创造试图以加倍的复合词、派生词和学究式的小词缀来提高自己的诗作。修辞诗派中还有J.布歇、J.马罗、G.克雷坦及P.格兰戈尔。克雷坦和格兰戈尔一样,也写议论时政的爱国诗篇,后者以《傻子王故事剧》为名的讽刺剧,通过对教皇尤利乌斯二世的辛辣讽刺来支持路易十二的政策。修辞诗派中最后也是最优秀的一位作家是J.L.德·贝尔热,其作品显示出但丁和彼特拉克的影响。在意大利之行的启发下,他尝试新的格律,如三行诗节押韵法,并在《两种语言的协调》中发表了他的某些卓越见解,这一讽喻作品鼓吹法语和意大利语之间的精神和谐。

rheumatic fever 风湿热 A族溶血性链球菌感染引起的全身性疾病。特征为发热、关节及心脏的炎症。主要见于儿童及青年,好发年龄为5～15岁。确切病因不详,可能为对溶血性链球菌产物过敏,约2%～3%溶血性链球菌感染患者以后会出现风湿热。风湿热发病急,表现为溶血性链球菌感染(常为咽炎)后数日至六周突然发热,关节痛,体征为心脏杂音、心率加快、心脏扩大乃至心脏瓣膜变形、皮下小结、皮疹(以边缘性红斑最为典型),舞蹈病(风湿性炎症侵犯中枢神经系统,表现为四肢无目的、不自主的运动)、腹痛、鼻衄、软弱无力、食欲不振、体重减轻。每次发作的症状、严重程度及预后各异,轻者不引起注意,重者引起心力衰竭乃至死亡。发病期间,从患者咽部及其他病变部位均不能培养出溶血性链球菌,但血液中抗链球菌抗体(如抗链球菌溶血素O)滴度增高。A族各型溶血性链球菌对易感染者均可引起风湿热,各型所致感染之间无交叉免疫,故风湿热容易再发。青霉素能有效地预防风湿热发作或复发。症状疗法包括投用水杨酸类及甾体激素。出现瓣膜狭窄可用手术治疗。20世纪中叶以来,在发达国家风湿热及链球菌感染(如猩红热)的发病率及严重性均见下降。这种现象与青霉素等药物的应用无关,只能说明风湿热本身逐渐消亡。在世界其他地区风湿热仍是一种严重疾病。

rheumatism 风湿病 一类以结缔组织炎症为特征的疾病。好发于肌肉、关节及有关组织结构。最常见的症状为疼痛及运动障碍。通常归属于风湿病范畴的疾病有类风湿性关节炎(**rheumatoid arthritis**)、风湿热(**rheumatic fever**)、脓毒性关节炎(**septic arthritis**)、骨关节炎(**osteoarthritis**)等。

rheumatoid arthritis 类风湿性关节炎 慢性进行性的全身结缔组织炎症。但最特征表现为手、足、腕、膝、髋、肩等关节的炎变。关节滑膜(内关节润滑液的膜囊)的炎症和增厚给关节囊和关节软骨造成不可逆的损伤;关节囊及关节软骨被瘢痕组织所替代。类风湿性关节炎多发于女性,其发病率三倍于男性;在发达国家人口中有1%～3%患此病。发病年龄最常见于25至50岁之间,但也见于儿童和老人。疾病的后果难以预测,有一小部分完全复原,一小部分致残。大多数类风湿性关节炎患者的血中有一种特征性自身抗体,这一点以及其他证据都表明,自体免疫是造成本病的一个机制。(自体免疫反应指对抗自身组织的免疫反应)。这种自身抗体称类风湿因子。造成自体免疫的原因还不清,但有证据说明本病患者有一种对某种环境因子例如说某病毒的遗传易感性,这可能触发自身免疫反应。类风湿因子一旦被激活就会视另外一种抗体为异物而与之结合。这种结合激活补体系统(一系列血液蛋白质)从而造成炎症。活跃的发炎过程首先见于关节的滑膜,关节开始红肿。随后有一层粗糙的瘢痕组织突出在软骨面上。在这些瘢痕组织之下,软骨出现剥蚀和破坏。一些粘连带将关节固定住(强直),并造成关节移位和畸形。关节附近的皮肤、骨骼和肌肉则因废用和破坏而萎缩。骨突出面上的痛性结节也很常见,可持续存在或缩小消失。肌肉和神经束的结缔组织中聚集了许多白细胞,大部分是淋巴细胞,这也造成压力和疼痛。结节病变还可侵及血管壁中的结缔组织。缓渐发病似乎是本病最特征的情况。一个或多个关节出现疼痛和发硬常继以肿胀和发热并伴有肌肉痛,痛可加剧,持续几周或几个月,或消退。关节痛并不总是同关节肿胀和发热的程度成正比。疲乏、肌肉无力和体重下降也是常见症状。时常在出现明显体征之前,患者会诉说手足发凉、麻木和麻刺感,这可能是血管运动神经受压所致。缓解类风湿性关节炎的疼痛和功能障碍最有效的药物有阿司匹林和布洛芬,两者有抗炎作用。如果大剂量仍不够,可使用小剂量的皮质类固醇如泼尼松,不过这些强力的抗炎药本身也有潜在危险性。物理疗法有助于缓解患肢的疼痛和肿胀,应重点使用热疗继之以增大运动幅度的运动。在急性期休息并维持一个良好的关节位可预防畸形。在疼痛和功能障碍较严重的病例,可用人工关节替代已受破坏的髋、膝或指关节。临床常使用矫形器械来纠正或预防明显的畸形和功能不良。参阅 **Still's disease**。

Rhiannon 里安农 威尔士境内凯尔特宗教所崇奉的女神。相当于高卢地区所奉的司掌马匹的女神埃波娜和爱尔兰女神玛查。她常见于中世纪威尔士故事;说她骑白色神马会见迪维德国王浦伊尔而嫁与他。后来她被诬告杀害亲生男婴而被罚做马,任人骑坐前往王宫。

Rhianus 里阿诺斯(约公元前275～?) 生于克里特岛的希腊诗人、学者,也是一个奴隶。仅存的作品为10首或11首还不错的警句诗,均收入《希腊诗选》。他以史诗诗人著称,写过5首史诗,但仅有《美塞尼亚纪》的内容为人们所知,它记述的是公元前7世纪美塞尼亚(一译麦西尼亚)和斯巴达之间的战争。他并不注意与他同时的那些作家,如卡利马科斯和忒奥克里托斯,而他们要求一种篇幅较小的史诗。

Rhind papyrus 莱因德纸草书 记载有数学表格和问题的古代埃及的纸卷。这个古埃及的最广博的数学文献一直是关于埃及数学的许多资料的来源。它于1858年在尼罗河胜地的城镇上被苏格兰的古董商A.H.莱因德买得,故有此名。有时也称为阿梅斯纸草书,是为了纪念公元前1650年复制它的抄写员。

Rhine, Confederation of the 莱茵联盟 除奥地利和普鲁士外所有德意志各邦在拿破仑一世主持下的联合(1806～1813)。它使法国统一并控制这个国家,直至拿破仑垮台。联盟成立以前的1792年,法国开始侵犯德意志,吞并了莱茵河西岸的全部土地。为了加以巩固,法国采取的头几个步骤是,将次要的德意志小邦的领土给予德意志的大邦(特别是普鲁士、巴伐利亚、符腾堡、巴登、汉诺威和奥尔登堡),以补偿它们在莱茵河西岸的损失。1803年,邦的数目急剧减少,1806年7月,拿破仑将扩大了的巴伐利亚、符腾堡(两者都是王国)、巴登、黑森-达姆施塔特、拿骚和贝格以及几个小邦统一在莱茵联盟之内。1807年萨克森作为一个王国加入联盟。《蒂尔西特和约》(1807)规定,普鲁士将易北河西岸的领土割让给联盟。拿破仑对联盟的兴趣主要在于平衡两个主要的德意志国家普鲁士和奥地利,但是联盟打破了旧的樊篱,有利于日后的德意志统一运动。

Rhine Falls 莱茵瀑布 德语作Rheinfall。中欧最壮观的瀑布,在瑞士北部莱茵河上游沙夫豪森以下。包括一些险滩在内,全部落差约30米,宽150米。一块柱状岩石把瀑布分成两个主要部分,位于河右岸的落差约15米,左岸约20米。

Rhine River 莱茵河 德语作Rhein,法语作Rhin,荷兰语作Rijn,凯尔特语作Renos,拉丁语作Rhenus。西欧主要河流和航运水路。源自瑞士中东部阿尔卑斯山的两条小河。先向西流,然后向北,再向西北,最后在荷兰海岸注入北海。全长约1 390千米。上游构成瑞士与列支敦士登、奥地利和德国的大部分边界,主要流向为向北再向西。在瑞士巴塞尔再折向北后,构成法国和德国的部分边界,然后大致向北流经德国。从右(东)岸在曼海姆接纳内卡河,在美因茨接纳美因河并折向西,再向西北,流向北海。在科布伦茨从左岸接纳摩泽尔河,经风景如画的莱茵峡谷流到波恩和杜塞尔多夫。会合鲁尔河后,在近阿纳姆处流入荷兰。在荷兰分成几股支流(主要有莱克河和瓦尔河)。1986年荷兰庞大的三角洲计划完成之后,这些主要支流被截断,莱茵河水现经水闸和运河流入北海。鹿特丹的新航道运河是莱茵河与北海间的主要航道。自1815年《维也纳条约》签订起,莱茵河一直是一条国际航道。其中下游段是德国、法国东北部和北海沿岸低地国家的发达的、纵横交错的内陆水运系统的主要动脉。主要港口包括巴塞尔、斯特拉斯堡、曼海姆、科隆、杜伊斯堡和鹿特丹,有德国和荷兰的驳船装运煤、石油产品、金属矿石和谷物。上游的水力发电潜力在瑞士阿尔卑斯山区得到充分利用。20世纪后期,莱茵河可通航距离为870千米,载重5 000吨以上的大船可以一直

德国考布镇莱茵河上的驳船运输
供图：E. Streichan—Shostal Associates/Superstock

航行至瑞士和德国边界的莱茵费尔登。包括三角洲在内的流域面积超过22万平方千米。将使北海和黑海之间能够通行驳船的**美因-多瑙运河**（**Main-Danube Canal**）已于1992年竣工。莱茵河上廉价的水运交通，使得当地原材料价格也相对便宜，因此，莱茵河成为工业生产的一大轴心。全世界1/5的化学工业都位于莱茵河畔。在历史上，莱茵河一直是欧洲政治纷争的一大焦点，但近年来，国际社会对该河的严重污染问题更加关注，现已在莱茵河水中发现了6 000多种有毒物质。

rhinegraves　莱茵领地伯爵短裤　17世纪中叶欧洲男式宽大短裤。在法国可能因德·萨尔姆莱茵领地伯爵喜欢穿着而得名。式样

约1665年的莱茵领地伯爵短裤
爱丁堡苏格兰皇家博物馆供图

像裙裤，又称“女性的短裤”。通常在膝盖以上束紧，饰以缎带。在英格兰从1660年流行，到1666年经查理二世废弃。

Rhineland　莱茵兰　德语作Rheinland。历史上有争议的西欧地区，位于莱茵河两岸德国与法国、卢森堡、比利时、荷兰边界以东。除卡尔斯鲁厄以南地带与瑞士接壤，莱茵河流经其西，形成德法两国界河外，莱茵兰起自法国摩泽尔和下莱茵两省北界，越德国萨尔和莱茵兰-普法尔茨两州，向北延伸，跨过巴登-符腾堡州西北部、黑森州西部和北莱茵-威斯特伐伦州西南部。沿莱茵河中段山区，几个世纪以来酿酒业盛行。波恩以北地形逐渐开扩，成为北欧大平原，直抵北海。下莱茵地区则高度工业化。古罗马时期，此地为高卢人与其东面的日耳曼诸民族间的一个缓冲地带，后来纳入法兰克人建立的奥斯特拉西亚王国的版图。其后又分为洛林两公国（上洛林公国和下洛林公国）、萨克森公国、法兰克尼亚公国和士瓦本公国；至中世纪末和近代初，莱茵兰分为许多小公国。16世纪，法国利用宗教改革在德意志造成混乱，对洛林地区进行蚕食。1614年，勃兰登堡获得克莱沃和马克，形成后来在莱茵兰建立的普鲁士政权的核心地带。三十年战争为法国在阿尔萨斯提供了一个据点。拿破仑将法国边界推进到莱茵河，并在其右岸组织了莱茵联盟。拿破仑倒台之后，维也纳会议（1814～1815）决定再度将法国边界限制在阿尔萨斯。阿尔萨斯以北为巴伐利亚的新帕拉蒂纳特区。帕拉蒂纳特西北是德意志其余各邦的一些小块飞地；飞地之北，莱茵河左岸全部地带远至克莱沃、西达于利希和亚琛、南至特里尔和萨尔路易，均为普鲁士所有。1824年，这块普鲁士领地与其毗邻的莱茵河右岸领地，合并为莱茵省。1866年七星期战争之后，普鲁士并吞了拿骚和迈森海姆，1870～1871年普法战争之后，普鲁士又获得了阿尔萨斯-洛林。莱茵兰成为德国最富庶的地区，特别是普鲁士占据的北部地带，工业高度发达。第一次世界大战后，《凡尔赛和约》不仅规定将阿尔萨斯-洛林划归法国。而且准许协约国军队占领德国莱茵河左岸和右岸莱茵兰地区，占领期限5～15年，而且规定左岸和右岸各50千米以内为永久非军事区。20世纪20年代，莱茵兰危机迭起，矛盾重重。1923年10月，分离主义分子居然宣布建立“莱茵兰共和国”，但不到两周即告结束。1935年5月2日，法苏签订了一项为期5年的互相保证条约，纳粹德国立即宣布该条约违反以前各次国际协议的精神。当法国上议院对该项条约的批准进行辩论时，希特勒于1936年3月7日表示拒绝承认《凡尔赛和约》中有关莱茵兰的各条规定，拒绝履行《洛迦诺公约》，同时宣称德国军队已开进非军事区。旷日持久的国际谈判，未能阻止德国重新武装莱茵兰。

Rhineland-Palatinate　莱茵兰-帕拉蒂纳特　德语称莱茵兰-普法尔茨。德国第九大州。位于西南部，南面和西面与法国、卢森堡和比利时接壤，北邻北莱茵-威斯特法伦州，东接黑森州和巴登-符腾堡州，西南连萨尔州。长久处于分裂和被外国列强占领的状态。第二次世界大战后才建立现在的州。其西南部分是原莱茵帕拉蒂纳特的一部分，因之以此取名。居民从事工业的收入超过从事农业的收入。同其他各地联系的商业有所改进和加强。全州面积19 849平方千米。首府美因茨，是德国最古老城市之一。

历史　本区最古老的文化遗物是石器时代的工具，至少是10万年前或许是30万年前的文物。在公元前3 000～前1 800年之间的新石器时代，沿着莱茵河岸的大片土地已有凯尔特人和日耳曼人聚居。公元前1世纪并入罗马帝国版图，莱茵兰形成高卢各省的东北边境区域达500年之久。摩根提阿肯姆（美因茨）和奥古斯塔特雷维罗伦（Trier，特里尔）二市就是在罗马帝国时期建立的。5～9世纪莱茵兰属于法兰克王国的墨洛温王朝和后来的加洛林王朝。843年王国一分为两半，莱茵兰成为东法兰克或日耳曼王朝的西边界区。这期间，该区又分裂成许多独立小领地，由世俗和宗教政府管辖。其中最强大者有特里尔、美因茨和莱茵帕拉蒂纳特大主教管区。自13世纪起即由巴伐利亚维特尔斯巴赫王朝统治。

在16和17世纪的宗教改革运动中这些地区进一步分裂，这些分裂由于新教、天主教和加尔文教的冲突而发生，从而导致三十年战争（1618～1648）。外国和各公国，尤其是巴伐利亚、西班牙、奥地利、瑞典和法国决定着莱茵兰的政治进展。17和18世纪，帕拉蒂纳特在政治和文化上与法国有着亲密的联系。根据1797年10月17日的《坎波福尔米奥条约》，莱茵河西面土地并入法国版图，个别的领地解体，宗教领地脱离教会。1815年莱茵兰成为新成立的德意志联邦的一部分，整个地区则根据维也纳会议，在普鲁士、巴伐利亚、黑森-达姆施塔特和拿骚之间瓜分。第二次世界大战后，根据美国、法国和英国等的军政府决议，该地区再次进行瓜分，于是就建立了今日的莱茵兰-帕拉蒂纳特州。

土地　州的北部为森林地带和农田，有深受侵蚀的河谷贯穿。本州为莱茵山地的一部分，平均海拔400～600米。东南—西北走向的莱茵河贯穿全州，西南有摩泽尔河、东北有兰河流入。这几条河将该州北方的2/3土地清楚地分成四个区域：洪斯吕克（Hunsrück）区、艾费尔区、韦斯特瓦尔德区和**陶努斯**（**Taunus**）区。

州的西南部的北面以纳厄河为界，被萨尔-纳厄山和普法尔茨山林的悬崖切断。开阔的耕地和大片多树林区错落相间。形成对比的是，包括莱茵-黑森高原和莱茵河流域的东南部树木稀少。高原上覆盖着黄土（一种褐色的黏土、泥沙和黄沙被风吹堆在一起的混合物），而河谷流域则有肥沃的淤积土。

美因茨的年平均温度为10 °C，年平均降雨量为508毫米。但是各区有所不同，艾费尔的西北部年平均温度为6 °C，年平均降雨量为787毫米。

该州居民区格局的特点是，在具有良好土壤和气候的区域里村落非常古老，排列不规则，田地大多连片耕作，山中则是些村落和小村庄。20世纪中叶，乡村居住区的功能已从纯粹农业社会转变为住有大量通勤居民的市郊住宅区。该州主要城市有美因茨、路德维希港、科布伦茨、特里尔、凯撒斯劳滕、沃尔姆斯、皮尔马森斯和魏因施特拉瑟的诺伊施塔特。

人民 虽然人口中的大多数是法兰克人的后裔，但是动荡的莱茵兰历史产生了复杂的社会结构，这种结构受到祖先为罗曼人（即法国人和意大利人）的影响。最新的影响是第二次世界大战结束时几十万从德国中部和东部迁徙来的难民造成的影响。这些难民中的大多数是天主教徒，少数是新教徒。本州最新近的移民主要是通过周围各州进来的外国工人，他们来自意大利、法国、土耳其、西班牙、原南斯拉夫和希腊。平均人口密度要比整个国家低；密度最高的是在有大城市的莱茵河流域和其他大河流域，高地人口稀少是本州人口密度最小的原因。农村居民经常向城市迁移，但比起德国其他地方，这种迁徙的规模要小得多。

经济 在战后很长时期，莱茵兰-帕拉蒂纳特一直是西德各州中最贫困州之一。但是20世纪后期，经济增长率却比国内其他地区高。州内总产值有几个来源。制造业是最大的来源，依次是服务行业、商业、交通运输业和农业。

20世纪后期，从事农业的人口不足总就业人口的1/15。农业工人和小农场不断减少，而大农场的数目却持续增加。在新维德盆地、比特堡、莱茵黑森和东帕拉蒂纳特等土壤最肥沃农业区，主要农作物有马铃薯、谷物和甜菜。在欠肥沃的高地，畜牧业却很重要。本州以生产河谷流域的许多特产作物而闻名。水果、烟草和葡萄种植在本州占主导地位，莱茵、摩泽尔和纳厄各河沿岸的著名葡萄园生产德国绝大多数的葡萄酒。

本州最大工业是路德维希港、莱茵河畔的英格尔海姆和美因茨等地的化学工业，工程工业则在巴特克罗伊茨纳赫、弗兰肯塔尔和凯撒斯劳滕等地发展。在皮尔马森斯生产的鞋类占全国最大的比重，至于德国的宝石贸易则都由伊达尔-奥伯施泰因小镇进行。莱茵河中部地区旅游业很发达。

最重要的运输通道是莱茵河和摩泽尔河的水路航线。铁路干线沿着莱茵河流域铺设，主要公路线亦自北往南蜿蜒。从路德维希港至萨尔布吕肯以及科布伦茨至特里尔的公路和洪斯吕克公路都与主要公路线相联接。

政府和社会状况 该州分成三个行政区，即科布伦茨、特里尔和莱茵黑森-普法尔茨区。人民每四年选出100名代表组成立法机构，即州议会。州议会任命一位州长，州长再任命7位州政府部长。根据本州司法制度，民事和刑事案件由州上诉法院和县法院审理。

所有6岁以上的儿童都须接受四年义务小学教育，然后可自愿读五年初中，如读六年制的中学，毕业后即有资格进入技术学校；九年制的中等学校则提供人文科学和自然科学教育。只有从上述的最后一种学校毕业才有可能升入大学。本州有美因茨约翰内斯·谷登堡大学（1477年建立，1816年关闭，1946年重新开设）；在特里尔有特里尔大学（1970）；在凯撒斯劳滕有凯撒斯劳滕大学（1970）。另设有几所技术学校，在施派尔设有一所行政管理学大学，艺术学院和体育学院则属于美因茨的大学的一部分。

文化生活 该州丰富的文化传统可从建在施派尔、沃尔姆斯和美因茨的大教堂反映出来。有许多博物馆，包括设在施派尔的帕拉蒂纳特历史博物馆，设在特里尔的莱茵州立博物馆，还有设在美因茨的罗马-日耳曼中央博物馆和世界印刷术博物馆（谷登堡博物馆）。每年都举行庆祝民族传统的节日，最精彩的莫过于在美因茨举行的四旬斋前一周的狂欢节。莱茵的科学研究院和自然科学研究协会促进了科学研究。美因茨是德国西南广播电台和德国第二电视网的所在地。人口约4 049 100（2002）。

Rhinelander 莱茵兰德 美国威斯康星州北部城市，奥奈达县县城（1887）。西南距沃索80千米，在威斯康星河和佩利肯河汇合处。四面环湖，东有尼克莱国家森林区。19世纪50年代为伐木中心。1894年建市，后来成为常年游乐区的贸易中心。在"拓荒者公园"中有伐木博物馆。经济除旅游业外，还有伐木和造纸业，并生产高速钻床，种植马铃薯和酸果。该市设有一所理工学院。人口7 735（2000）。

rhinestone 莱茵石 用在珠宝工艺品中的无色翻光面型玻璃，又是以箔为衬底的或镀银的用来冒充钻石的玻璃。最初曾用这一名称表示由德国莱茵河地区的水晶加工成的宝石，这个名称在历史上一般用来表示翻光面型水晶。参阅 **paste**。

rhinitis 鼻炎 鼻腔黏膜炎症的通称。变态反应性者称**枯草热**（**hay fever**）。急性鼻炎为普通感冒的同义词。参阅 **common cold**。

rhinoceros 犀 奇蹄目犀科5种笨重的有蹄兽类的统称，栖于非洲东部、南部和亚洲热带地区。此名称也包括犀科其他已绝迹的数十个化石属。现代犀的特征是：吻部上表面生有1个（犀属[*Rhinoceros*]的两个种）或两个（另外3个属）角，犀角不是由真角，而是由角蛋白组成。现代犀身躯巨大，苏门答腊犀（*Didermocerus sumatrensis* 或 *Dicerorhinus sumatrensis*）体长2.5米，肩高1.5米，而印度巨犀（独角犀，*R. unicornis*）长约4.3米，高2米。大型种成年犀重3～5吨。皮厚，特别在两肩和大腿上形成铠甲状褶皱。所有犀科动物

非洲黑犀（*Diceros bicornis*）
供图：Camera Press—Pictorial Parade/美国不列颠百科全书公司

都呈灰色或褐色，但白犀（方唇犀，*Ceratotherium simum*）色较淡。除尾尖和耳缘外，犀几乎或完全无毛，但几个化石种却有浓密的毛。现代种的蹄有3个短趾，趾尖上有宽而钝的趾甲。犀多独栖于开阔的草地、稀树草原、灌木林或沼泽，但苏门答腊犀现今只见于森林深处。个体间互不接触，只有白犀群居，一群多达10头。独居种的活动领域内可见践踏出来的交叉小径，领域边界则常用尿和粪堆加以标记。视力差，听觉和嗅觉非常敏锐。大多数避开人类，但雄犀，特别是交配季节脾气变坏的雄犀，和带领小犀的雌犀，稍受刺激就会向人冲击。非洲黑犀（非洲双角犀，*Diceros bicornis*）脾气总是不好且难测，对于任何不熟悉的声音和气味都会冲撞。尽管身躯巨大，犀却非常敏捷，黑犀甚至在密集的荆棘丛中奔跑，时速仍可达45千米，没有击中目标时转身也很快。除黑犀外，所有的犀在《红皮书》中都已列为濒危动物。虽有法律保护，但偷猎仍在继续，因犀角（被视为壮阳药）和犀血仍有市场。在野外能进行有效保护之前，对某些种只有加以捕获后再进行养育，这是唯一能保护它的措施。

rhinoceros beetle 独角仙 又称犀金龟。鞘翅目金龟科（Scarabaeidae）独角仙亚科（犀金龟亚科，Dynastinae）独角仙属（犀金龟属，

独角仙（*Oryctes*）
供图：Stephen Dalton—美国不列颠百科全书公司

Dynastes）和蛀犀金龟属（*Oryctes*）两属的中到大型昆虫。前胸和雄虫的头上有角状突，但蛀犀金龟的雌虫头上也有角。独角仙属多西半球的热带种。赫丘利斯独角仙（*D. hercules*）和海神独角仙（*D. neptunus*）的胸部有大而光滑的角，向前方弯曲，并和头部的角形成大钳。海神独角仙可长 150 毫米（包括角长 56 毫米）。

rhinoceros viper（*Bitis nasicornis*） **犀咝蝰** 又作 river jack。又称河岸咝蝰。蝰蛇科（Viperidae）一种色彩鲜艳的毒蛇，产于非洲雨林中近水处。体长约达 1.2 米，身体粗壮，口鼻端有角状鳞。沿背部有引人注目，图案复杂的蓝、黑、紫、红和黄色花纹，身体两侧为绿色和灰色。

Rhinocryptidae（bird family） **窜鸟科** 参阅 **tapaculo** 窜鸟。

Rhinotmetus **里诺特梅图斯** 参阅 **Justinian II** 查士丁尼二世。

rhinovirus **鼻病毒** 一群能引起普通感冒的病毒，属小核糖核酸病毒（**picornavirus**）科。以空气中的各种微粒为介体传播到上呼吸道。参阅 **common cold**。

Rhipidistia **扇鳍鱼亚目** 总鳍鱼目叶鳍硬骨鱼的灭绝亚目，似乎包括两栖类及其他陆生脊椎动物的祖先。常见于泥盆纪（约 4 亿年前），到早上二叠世（约 2.6 亿年前）开始绝灭。为典型的总鳍鱼类，近缘的腔棘鱼则为旁支。颅骨的形式、内褶的牙釉质（迷齿）、与四足动物肢骨有几分相似的偶鳍构造等解剖特征，支持了扇鳍鱼为陆生脊椎动物祖先的学说。骨鳞鱼属（*Osteolepis*）为本亚目典型属，牙尖锐，栖于溪、池；近缘的真掌鳍鱼属（*Eusthenopteron*）成员，则为身体狭长的掠食者。

Rhipsalis **仙人棒属** 仙人掌科的一属，约 60种。原产于美洲热带及亚热带、西印度群岛、非洲、马达加斯加以及斯里兰卡。该属是仙人掌科在旧大陆的唯一代表，这种令人迷惑的分布状况有如下几种解释：①早在南美洲尚未与非洲分裂的地理时期仙人棒属植物已经散布各地；②种子因黏附鸟类脚上而携往更多地方；③在水上长距离漂迁而传播各地；④由人类媒介散布。该属仙人掌体形小，而分枝多，常生于树上，某些种则生在岩石丛中或地上。该属植物形状各异，花小而繁，花后又能结肉质小浆果，故广为栽培。复活节仙人掌（*Rhipsalis*〔或 *Rhipsalidopsis*〕*rosea*）是一种受欢迎的观赏植物；花芳香，玫瑰色，直径 2.5 厘米，春季日间开放。*Lepismium* 属，*Pfeiffera* 属，红仙人棒属（*Erythrorhipsalis*），*Acanthorhipsalis* 属及 *Hatiora* 属的种类通常也并入仙人棒属。

仙人棒属（*Rhipsalis*）植物

供图：Werner W. Schulz

Rhithymna（Greece） **里西姆纳** 参阅 **Réthimnon** 雷西姆农。

rhizomastigote **根足鞭毛虫** 根足鞭毛虫目有鞭毛的原生动物。其形态既似鞭毛虫又似肉足虫，外形始终是阿米巴状体，具有 1 ～ 50 根鞭毛。伪足的数目和形状变动无定；有些是轴状伪足（由一根轴干和细胞质外套组成）；另一些是叶状伪足（形似舌状）。大多数种类，如变形鞭毛虫属（*Mastigamoeba*），自由生活在淡水、咸水、泥土中或其他生物体内。珠鸡组织滴虫（*Histomonas meleagridis*）为重要的寄生种类，可使家禽患肠肝炎。本种的体形多变，但通常是圆形，直径为 10 ～ 14 微米；呈阿米巴状，有鞭毛期，此时经粪便或线虫卵感染新寄主。

rhizome **根状茎** 水平生于地下的植物茎。能长出幼芽和根系，形成新植株，行无性繁殖，并能使植物在地下生存多年。睡莲、许多蕨类和森林草本植物只有根状茎，因此，通常只能见到它们的叶和花。

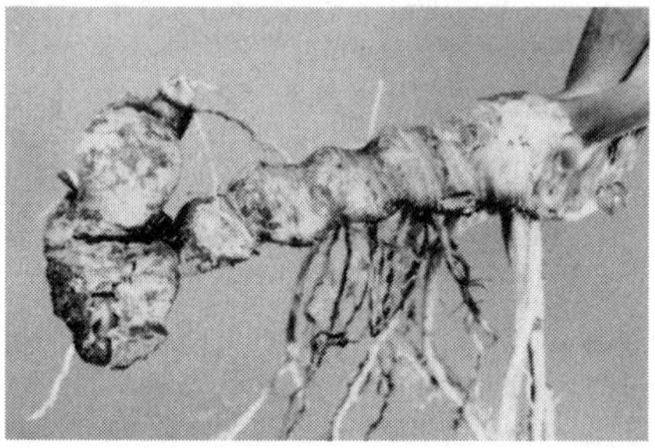

鸢尾的根状茎

供图：John H. Gerard

rhizopod **根足虫** 根足虫超纲原生动物。有三种形式的伪足用于行动和消化：①细长的网状伪足，能黏结成网；②不黏合的丝状伪足，与网状伪足相似；③钝形手指状的叶状伪足（由阿米巴形成）。许多种类有起保护作用的外壳。本超纲各重要种类，如阿米巴（**amoeba**），内阿米巴属（**Entamoeba**）；有孔虫（**foraminiferan**）和有壳虫（**testacean**）。

Rhode Island **罗得岛** 美国最初13州之一，新英格兰地区 6 个州之一。人们总记得它是美国最小的州，只有 77 千米长、60 千米宽。更值得注意的是，该州对这个新兴国家的建立、它的宗教自由概念的形成（奠基者 R.威廉斯的遗产），以及其对美国工业发展的影响作出的种种贡献。

罗得岛是美国人口最稠密的几个州之一。初始居住区普罗维登斯是该州的首府，又是文化、政治和金融中心。该州面积极小，人口稠密，经济活跃，因此与邻州联系紧密。西与康涅狄格州交界，北和东与马萨诸塞州相连。南部罗得岛湾则为该州渔业基地。

自然地理和人文地理

土地 地形 该州西部 2/3 是新英格兰丘陵地区，有海拔达 240 米的山丘。纳拉甘西特低地，又称锡博德低地，包括沿海低地和一些岛屿，海拔低于 61 米。岛上最高点为杰里茅思山，海拔 247 米，靠近北福斯特。

水系 数条河系流经罗得岛。最主要的是布莱克斯通河、波塔克西特河和波卡塔克河。布莱克斯通河及其支流流经该州北部。该河源自马萨诸塞州，曾为建在文索基特、波塔基特的纺织厂及两地之间十几座村庄提供过水力。波塔克西特河流经该州中部。普罗维登斯在肯特建了一个水坝之后，波塔克西特河的北部支流即越出河床。所建成的锡楚埃特水库现在是该州最大淡水水体，为普罗维登斯及其邻近社区提供用水。波卡塔克河向西穿过该州南部流入韦斯特利南面的布莱克岛海峡。

芒特霍普湾将来自马萨诸塞州的水注入纳拉甘西特湾，该湾一向是罗得岛的最大宝地，为该州提供了一条穿过全州 2/3 地区的便捷水路。这条水路上的贸易为纽波特、布里斯托和普罗维登斯挣得了大量的财富，从而为该州的工业发展提供了部分资金。现在大宗的海洋贸易集中在纳拉甘西特湾。

土壤 该州土壤基本上源自冰川时期。西部地区起伏不平的地面上有许多岩石和巨砾夹杂着露头的花岗岩和片麻岩。低地和邻近的湾岛上有较佳的土壤，岩石较少，这里土壤基底是沉积形成的。纳拉甘西特湾西缘沿岸和河谷中，冰川时期的沙和砂砾冰水沉积很快都流走了。

气候 该州属湿润的大陆性气候，基本上刮西风。海洋的影响因沿海和内陆的地区差异而明显不同。月平均温度 1 月份为 -2°C，7 月份为 22 °C，全年平均温度为 10°C。年降雨量约 1 067 毫米。该州主要气候特征是变化无常，常出现风暴、冰暴和大雪等。至 1980 年，已有 29 次 12 级以上的强飓风袭击过罗得岛。

动植物 该州60%的地区长有次生树木。白松各地皆有生长。几种栎树大量生长，连同其他硬木，构成大宗的木材产量。白蜡树、山核桃树和枫树分布极广，一起在混杂森林地带生长的还有一些桦树和铁杉。沼泽枫树生长在潮湿的地方，雪松、红松和白杨树则生长在废弃的田野和牧场。能获利的树种诸如云杉、冷杉和松树则在林场种植供商用。

小动物诸如兔、美洲旱獭、浣熊、灰松鼠、水貂和河狸广泛分布在郊外。狐狸不是到处都有，普鲁登斯岛和布洛克岛以及西部的森

罗得岛沃奇希尔水面上的帆船

供图：Ulrike Welsh—Photo Researchers

林地带有白尾鹿。

住区模式 罗得岛州有 5 个县、8 个市和 31 个镇区。主要人口中心是普罗维登斯及附近的波塔克特、北普罗维登斯、约翰斯顿、克兰斯顿、沃威克和东普罗维登斯等社区。沃威克和克兰斯顿是该州第二和第三大城市。文索基特、纽波特和韦斯特利的主要人群聚居区都靠近州的边界。

人民 在英国殖民者到来之前，约有 7 000个纳拉甘西特族印第安人居住在沿海湾的西侧和各岛屿上，夏季他们在此捕鱼、耕种，冬季则迁到森林中去。他们讲一种阿尔冈昆语族的方言，他们的近邻，包括东面的瓦帕诺亚格人，以及尼安蒂克人和尼普穆克人也讲同一种语言。1880 年纳拉甘西特族人将他们的部落土地出售给州政府后，他们便脱离了部落生活。但是他们仍保持着自己的传统，并且维持一个群体的户籍，1934 年他们组成法人组织并重新组织自己的内部政府，其中包括一个当选的酋长和一个参议会。以未经联邦政府同意不得出售印第安人土地的 1790 年法规为依据，一件要求收回他们的土地的诉讼于 1798 年在法庭外和解，归还了大约 1 800 英亩土地。1983 年纳拉甘西特人关于恢复其部落地位的请求得到准许，但是试图获取居留地的请求于 1985 年被拒绝。只是部落计划和财政补偿继续存在。

在殖民地时代，多数移民是英国新教徒，但有一些爱尔兰人、胡格诺派教徒、犹太人和黑人也于这一时期抵达。19 世纪 20 年代，爱尔兰天主教徒开始大批来此，他们定居在普罗维登斯、波塔克特和纽波特。大批法裔加拿大人于美国南北战争期间来到该地区；以后又有少量斯堪的纳维亚人、德国人、葡萄牙人和佛得角人到来。新来者先是住在河谷的磨坊厂村庄里，后来的移民则居住在城市。在 19 世纪初，移民主要有东欧人（波兰人、俄罗斯犹太人、乌克兰人和立陶宛人）和希腊人、亚美尼亚人以及叙利亚-黎巴嫩人。此时期也是意大利移民的重要时期。

第二次世界大战之后，有来自南方或纽约市的黑人，以及来自波多黎各、多米尼加共和国、哥伦比亚和墨西哥的拉丁美洲人。在 20 世纪 70 和 80 年代又来了一些东南亚人。人口 1 048 319(2000)。

经济 自 20 世纪中叶以来，高税、高能源价格和低工资几种因素阻碍了罗得岛州的经济发展。1985 年该州通过立法以减轻纳税负担，彻底改革失业救济补助金和工人工资的计划。同年，立法机关设立商业诉讼中心，这是一个解决问题的机构，专为帮助各企业处理它们的事务。

资源 罗得岛的主要资源是人：体力、技能、知识创造力和技术熟练程度的不断提高。此外，许多世纪以来森林一直被用来提供燃料和木材。在没有岩石的地方，土壤提供生产粮食的潜力。水库和地下水提供饮用水，并且是重要的工业资源。纳拉甘西特湾和大西洋具有提供食物、运输和娱乐机会。

纳拉甘西特湾还吸引了美国海军。海军学院自从 1884 年一直设在纽波特；第二次世界大战期间美国海军在这里驻防壮大，直到 1974 年关闭了阔昂西特角海军航空站和舰艇改变驻防。但是海军机构仅次于州政府，仍为罗得岛州的第二大雇主。

农业 罗得岛的农业逐步衰退。农业的重要领域为苗圃业、伐木业和草皮生产。乳制品和家禽也很重要。马铃薯是主要的农作物，苹果则为主要的水果。1985 年通过一项债券发行议案以购得开发权并使农民可以继续耕作；这是一次为保护农村土地和挽救逐渐失去的传统所作的努力。

渔业 捕捞的最有价值的介壳类动物是龙虾和帘蛤。长须鲸的捕捉是在纳拉甘西特湾进行，但是更多的鱼是在加利利近海捕捉的，当地有一家合作加工厂。鲆、鲳、牙鳕、尖口鲷和鳕鱼是主要的品种。尽管有大型拖网渔船和更多的技术设备，产量还是下降了。法律限制捕鱼方法以及所捕鱼种的大小和数量。

工业 罗得岛早期几乎完全依靠口粮农业和海运贸易，美国独立战争后成为最先发展制造业的州，特别是在纺织品方面。制造业从事珠宝、银器、电气设备、纺织品、运输设备及装配材料生产。现其重要性已不及服务行业（包括旅游业）、批发和零售业、管理、金融、保险与房地产业。

运输 美国全国铁路客运公司、联合铁路公司和普罗维登斯—伍斯特铁路公司满足了该州铁路运输的需要。主要的公路运输干线是 95 号和 295 号（普罗维登斯旁路）州际高速公路，这两条公路除连接罗得岛州内各社区外，还连接康涅狄格和马萨诸塞州的一些城市。一条高速公路将 I-95 与该州主要航空终点站、沃威克的 T.F.格林州营机场连接起来。史密斯菲尔德、纽波特、韦斯特利、布莱克岛和阔昂西特角海军航空站的州立飞机场提供一般航空服务。

罗得岛州港务局和经济开发公司负责经营普罗维登斯和戴维斯维尔/阔昂西特角的远洋贸易港口设施。纳拉甘西特湾北端的普罗维登斯港装卸石油、汽车、废铁、木材和钢材。戴维斯维尔/阔昂西特角军事机构（前阔昂西特角海军航空站）是一个有铁路和航空联系的大工业区的一部分。

行政与社会状况 普罗维登斯的州议会大厦顶上竖立着一座"独立人"塑像，它在很大程度上代表着罗得岛的特点。R.威廉斯写道，他之建立普罗维登斯是为那些"因宗教自由事业而受磨难的人们"提供避难所，而绝对的宗教自由原则一直是罗得岛政治哲学的一条永久不变的规定。

政府 罗得岛人将他们殖民时代的宪章(1663)算作他们的第一部宪法。1986 年通过的新宪法取代了 1842 年的宪法，该宪法迄今已经过五十多次修正。

罗得岛自从建州以来，一直不愿允许当选官员行使范围广泛的权力。早年，州议会和当选官员们的任期只有 6 个月。1854 年以前，该州有 5 个首府：普罗维登斯、纽波特、东格林尼治、布里斯托和南金斯顿，州议会则在这 5 个地方轮流召开。1910 年，普罗维登斯被选为唯一的首府。

选举产生的官员有州长、副州长、州政府秘书长、州首席检察官和司库，任期两年，届数不限。州长享有否决权和一些部门主管的提名权。州议会的 150 名议员（50 名参议员，100 名众议员）在召开议会的 60 天期间按日受薪。修正州宪法以增加议员薪金的尝试，未获选举人通过。

该州有一套地区法院体系：高等法院、州最高法院（需要时该法院也可提供参考性意见）、市法院和遗嘱检验法庭，在小社区后者常等同于镇政务会。还有一种家庭法庭，负责处理青少年和家庭案件。州最高法院的法官由州议会两院作为一个整体委员会开会选举产生，自 20 世纪 30 年代以来，他们一直有任期。

罗得岛州的多数城市以市长和市政会组成的政府进行管理，但是东普罗维登斯和纽波特设有城市经理，从市政委员中挑选出来的市长作为地方政府的正式首脑。多数镇则由镇政务会管理，但也有些地方是由镇经理管理。有些镇每年召集镇财政会议。

罗得岛征收销售税，但对粮食和处方药品则免税。在州议会多次否决后，该州于 1971 年终于通过了征收个人所得税的提案。殖民时期和独立战争后曾广泛使用发行彩票为城市改进筹集资金；后来曾一度禁止，1974 年又重新采用。州收入的一部分来自对林肯赛狗场和纽波特回力球场同注分彩赌博所课收的税。

全州市、镇均设有监狱，但是大部分等待审判或已被判刑的犯人都被送至克兰斯顿的州成年人教养所。1975 年教养所采用一种假释方法来改造犯人。罗得岛州拥有一支强有力的州警察队伍在全州执行任务。

教育 1969 年成立一个校务委员会，负责所有的学校教育，从小学一直到州立的学院和大学。1981 年委员会一分为二：中小学校务委员会和高等教育董事会。有若干私立预备学校（既有属于教派的，也有不属于教派的），把毕业生送往主要的学院和大学，尤其送往东部。

罗得岛州在高等教育机构方面实力雄厚。普罗维登斯的布朗大学于 1764 年成立时称罗得岛学院，是构成所谓常青藤联合会的名牌大学之一。该校以其图书馆设施而著称,尤其是收有美洲早期史料的约翰·卡特·布朗图书馆最为著名。普罗维登斯还有一所建于1877年的著名的罗得岛设计学院,主要以其视觉艺术和绘画刻印艺术教学而闻名。金斯顿的罗得岛大学是一所利用政府赠地成立的学校,建于1888年。天主教学院有普罗维登斯学院(1917)和赞美诗-纽波特学院(1934建于纽波特)。罗得岛学院是一所4年制的公立文科学院,建于1854年。其他还有布赖恩特学院(1863)、约翰逊和韦尔斯大学(1914)、新英格兰技术学院(1940)、罗杰·威廉斯学院(1948)以及罗得岛社区学院(1960)。

保健与福利 地方社区被作为主要收入来源的财产税限制而被搞得困难重重。但州政府有提高税收的能力,因此它可在建立资助市政服务的满意的标准方面起重要的作用。州的经费用来补助教师工资,为学校建设提供拨款,保护公共卫生,支援贫困者,帮助无依无靠的人和奖励在这些领域有特殊成就的人。

州政府对所有年龄的病贫者给予精心的照顾。罗得岛将受救济者接出救济院住进集体家庭的做法在全国享有盛誉。该州实行门诊病人护理和精神病患者转诊治疗制度。

自从1975年布朗大学制订医学研究规划以来,生物医学的研究日趋重要,这个规划实施一个完整的生物学研究计划。各医院共有350多个实验室支援大学的研究工作。罗得岛大学有一个力量很强的生物学系进行药理学方面的研究。

文化生活 全州的图书馆设施极为充足。纽波特的雷德伍德图书馆和普罗维登斯图书馆的历史可追溯到18世纪中叶,这两个专用图书馆都设在建筑学上极有价值的建筑内。普罗维登斯和韦斯特利的公共图书馆均藏有重要图书,前者特别收藏有关捕鲸、印刷、奴隶制和爱尔兰文学方面的书籍。位于普罗维登斯的罗得岛历史学会图书馆有100多万份手写稿,该州的系谱记录尤为丰富。学会经营约翰·勃朗博物馆——建在普罗维登斯的一个商人宅第;该馆建于1786年,馆内布置有纽波特派细木工人的杰作以及其他18世纪的古玩。罗得岛历史博物馆,即奥尔德里奇馆,也由该学会经管,是一座改建的宅第,其特点是展品经常更换。

罗得岛设计学院的美术博物馆的收藏品给人们留下了深刻的印象,其中包括罗得岛早期的家具和银器。罗杰·威廉斯国家纪念馆(普罗维登斯)、斯莱特棉纺厂历史遗址(波塔克特)和南县城博物馆(纳拉甘西特)提供了该州历史其他方面的内容。

普罗维登斯(1956)和纽波特(1945)的两个保管协会修复并保管遗留下来的殖民时代住宅,州历史保管委员会是一个主要的研究和出版机构。约有11 500多件的罗得岛财产登记在国家历史记录簿上。纽波特县的保管协会经管现今作为博物馆的原属于百万富翁的几所避暑别墅。纽波特历史学会博物馆及其精美的收藏品、图罗犹太会堂(一座极其豪华的殖民时代建筑)、旧殖民团居住区、雷德伍德图书馆、猎人馆、修复后的岬角地段的殖民时代住宅、以及费姆国际草地网球馆和在纽波特俱乐部建筑物中的网球博物馆,都是纽波特非同寻常的多样的文化遗产。

该州音乐团体中有罗得岛爱乐交响乐团、罗得岛市民合唱队和管弦乐队、韦斯特利社区合唱队以及许多较小的团体和组织。纽波特有一年一度的室内乐系列演出,以及以著名独唱独奏家出演为特色的系列演出。纽波特将许多修复的房屋提供给这些演出使用,爵士音乐节、现代音乐节以及民间节庆在亚当斯堡举行。罗得岛芭蕾舞团在全州演出。三一广场保留剧目轮演剧团(1964)在普罗维登斯有该剧团自己的活动大本营,以演出新剧作家的作品而闻名,同时也演出由古典小说改编成的剧作。

许多娱乐活动集中在水上举行。多少年来纽波特的近海水域一直是举行美洲杯游艇赛的地方。每年在罗得岛湾和布莱克湾都举行捕捞金枪鱼比赛。纽波特俱乐部是早期网球比赛的中心之一,每年全国草地网球锦标赛都在此举行。

历史

殖民时代 罗得岛这个名字究其根源应归功于16世纪意大利探险家韦拉扎诺,他把布莱克岛的大小和地中海的罗得岛相比较,虽然韦拉扎诺所说的岛就是印第安人所称的阿奎德内克岛,但最早的开拓者仍把它称之为罗得岛。

该州的正式名称罗得岛和普罗维登斯种植园州包含着其建立情况的线索。第一个居住区是由大臣R.威廉斯和一些追随者于1636年在普罗维登斯建立的,即靠近纳拉甘西特湾顶端的地方。他们到这里来的原因可能是根据马萨诸塞湾殖民地当局的流放敕令(威廉斯因宣传宗教信仰自由),也可能因为与那里的当权者不和。1638年一群波士顿人因遇到同样的麻烦,从印第安人手中购得阿奎德内克岛,即现在的罗得岛,并建立了朴次茅斯。派别之争把这个住区搞得四分五裂,于是W.科丁顿和他的追随者迁到岛的南端,在这里他们建立了纽波特,将A.哈钦森和她的追随者留在朴次茅斯。1643年S.戈顿和一群持不同政见者在沃威克建立定居点。

威廉斯于1643年前往英国,翌年回来时带着该殖民地的王室特许状,但是4个城镇对政府的组织形式持不同的意见,直到1647年一个松散的邦联建立起来后,这个问题才算得到解决。由普利茅斯、马萨诸塞、康涅狄格和纽黑文组成的新英格兰联合殖民地一直没有接受该殖民地为其成员,这些政府还不断威胁着要接管该地。科丁顿自立为岛镇的永久统治者,将这块殖民地分为岛镇与大陆。威廉斯与代表不满科丁顿任命的岛上成员的克拉克于1651年乘船返回英国,成功地废除了这项任命,并于1654年建起一个重新联合的政府。克拉克留在英国,于1663年获得一份皇家特许状,这就成为180年的殖民地和州政府的依据。

尽管该殖民地在菲利普国王战争(1675～1676)中从未正式加入新英格兰殖民地,它还是损失惨重。所有大陆的居住区都被焚毁,包括1676年烧掉的普罗维登斯的许多房屋。大部分大陆的开拓者都到未受攻击的罗得岛避难。大沼泽战斗发生在1675年12月今金斯顿村以西的地方,摧毁了纳拉甘西特印第安人的势力。

罗得岛与西印度群岛有贸易往来,出售马匹、桶板和咸鱼。最后,有些商人大做三角生意:将朗姆酒带往非洲海岸换取奴隶,然后将奴隶带往南卡罗来纳州的查尔斯顿或西印度群岛换取糖浆,又将糖浆带至罗得岛制成朗姆酒。1764年议会通过的食糖法案严格限制了这种贸易,该殖民地从不热衷于服从不得人心的法律,开始进行食糖和糖浆的走私生意。1772年在纳拉甘西特湾巡逻的英国海关船"加斯比"号追逐一条有嫌疑的走私船时,在楠姆及特(今加斯比)岬外搁浅,当夜被来自普罗维登斯的一群市民焚毁。此事被广泛视为美国独立战争前夜敌视英国君主的第一例暴力事件。

革命和独立 在独立战争中纽波特被英国人占领。1778年在J.沙利文将军领导下的一支陆军和由德斯坦伯爵指挥下的法国舰队在一次军事行动中互相配合想把这些英国人赶走。但是在法国军队即将登陆之际,一支英国舰队突然出现在海湾中,德斯坦停止登陆,开始去追逐这支舰队。两天后,在这些船只正要交战之前,一场风暴把它们驱散了。美国地面部队由于没有法国人的支援不得不从岛上撤出。在布特斯山他们打了一场激烈的后卫战,这就是著名的罗得岛战役,在这一仗中有一支获得自由的奴隶大军表现出色。一位罗得岛人,W.N.格林纳作为华盛顿的副司令而出人头地。

战争之后,罗得岛不愿批准宪法,直至以10条修正案的形式提出《人权法案》才解决了这个问题。占该州多数的农业人口反对加入联邦,而普罗维登斯和纽波特的商人们却为批准的事而四处奔波。当商业上将与其他州隔绝的这种威胁增加后,罗得岛才于1790年5月仅以两票多数接受了这部宪法。

战前极为繁荣的纽波特在英国人占领期间失去经济实力,由勃朗四兄弟(约翰、约瑟夫、尼古拉斯和摩西)这些商人领导的普罗维登斯掌握了经济领导权。

1663年宪章限制了不动产所有人及其长子的参政权,1842年发生扩大参政权运动,结果造成一场冲突,史称多尔反叛。在汤姆斯W.多尔(一个贵族家庭之子)领导下,1841年主张普遍选举权的这一派召集了一次立宪会议,通过了一部体现这个原则的宪法。1842年多尔被选为总督,但是立法机构,即州最高法院,认为这个选举不合法。多尔的部队在试图夺取普罗维登斯军机库时被挫败,他遂逃离该州。当多尔回来时,他被控犯有叛国罪,并被判无期徒刑;但是他只服刑一年,于1845年就被释放了。此时该州已正式通过一部修正过的宪法,放宽了选举权的范围,但是直到20世纪中叶年满21岁(后为18岁)的公民才享有正式的投票权。

在美国南北战争结束后的年代里,由布雷顿将军等领导的共和党控制着该州,主要因为各城市中民主党人虽日益增多,但在州议会两院中代表人数不成比例。民主党人格林于1932年当选为州长,1934年再次当选。

随着民主党的当权，劳工势力占了统治地位。1933～1985年间该州14位州长中有10位是民主党人，4位是共和党人。从全国来说，共和党人艾森豪威尔、尼克松和里根曾在该州获得多数票。

实际上，罗得岛的诸多问题已成为两党共同关心的问题：例如饮用水质量和该州河流与海湾的改进问题、教育的改革问题以及经济进一步发展的问题等。

1986年通过了一部新宪法，规定只要州议会两院多数票通过和普选中多数票通过即可修宪。这部宪法还规定了一种机制，即投票人可以至少每12年一次定期召开宪法会议。

Rhode Island　罗得岛　又称阿奎德内克岛。美国罗得岛州最大岛。位于纳拉甘塞特湾。面积114平方千米。阿奎德内克原为印第安人对该岛的称呼。1524年意大利航海家G.D.韦拉扎诺发现该岛时，始称之以今名。岛上有为纪念罗得岛第一团黑人士兵击退英军进攻的纪念碑。岛上有朴次茅斯和米德尔敦两城镇和纽波特市。人口60 958(2000)。

Rhode Island School of Design　罗得岛设计学院　美国罗得岛普罗维登斯的一所私立男女合校高等学府。建于1877年，1932年才首开大学本科教育。它可能是美国首屈一指的美术学院。罗得岛设计学院将专业美术训练与广泛的文科课程结合起来。它授予美术（即绘画、雕刻、版画、陶瓷艺术、纺织品艺术）、设计、建筑学、插图和摄影学等各种领域的学士学位。它也授予美术、工业设计和艺术教育的硕士学位。罗得岛设计学院有一座艺术博物馆，拥有大量欧洲绘画和美国装饰艺术收藏品。在校学生约1 900人。

Rhodes　罗得　希腊罗得岛主要城市和佐泽卡尼索斯州首府。位于本岛最北端。城市为两部分。旧城建于14世纪，以商业港湾为中心，周围有城墙。新城始建于1912年，自旧城向北延伸至本岛顶端，有政府大楼、市场、国家剧院和教堂。该城历史与本岛关系密切。古代罗得城在民主制度下管理良好，其币制和海洋法（已知最早的海洋法典）被广泛采用。大约公元前292～280年，市民为纪念抵抗德米特里一世入侵（公元前305）成功，建立了著名的罗得岛巨像（高逾30米）。该铜像为世界七大奇观之一（参阅**Rhodes, Colossus of**），公元前227年因地震倒塌。284～305年，该城是罗马群岛省首府。意大利统治时期（1912～1943）为佐泽卡尼索斯群岛行政中心。人口约43 619(1991)。

罗得市曼兹拉基商港旁的新市场（左）
Gerald Clyde—FPG/美国不列颠百科全书公司供图

Rhodes　罗得岛　现代希腊语作Ródhos。希腊*佐泽卡尼索斯*（**Dodecanese**）群岛的最大岛屿，位于爱琴海最东部，与土耳其隔马尔马拉海峡相望。面积1 398平方千米。海岛北端的罗得市为佐泽卡尼索斯州首府。有西北—东南走向山地贯穿该岛，阿塔维罗斯峰海拔1 215米。古时岛上多蛇，其名当取自腓尼基语“埃罗德”（蛇）。冬季平均气温10 °C，四季多风，故岛上多风车。谷地有富庶的牧场，平原出产各种谷物。米诺斯遗迹表明当地早期受克里特人的影响。随米诺斯文化的解体，成为具有青铜器时代晚期文化的强大独立王国。多里安人统治时期，岛上各城市在地中海各地进行贸易，向意大利、西西里、西班牙和小亚细亚殖民，并控制了爱琴海几个岛屿。395年起受拜占廷统治。653～658年和717～718年被萨拉森人占领。曾被各路十字军用作休整和补给港。1523年后由土耳其统治。1912年落入意大利之手。1947年归属希腊。古代，罗得岛以绘画和雕塑中心闻名，有著名的讲演术学校，罗马人加图、尤利乌斯·凯撒和卢克莱修等均为该校学生。当地的林都斯古代遗址以雅典娜林迪亚殿（公元前5～前3世纪）最为著名。意大利占领时期（1912～1943）修建有公路、公用建筑，作了大量的考古和文物修复工作。常年性旅游业不断发展，使该岛十分繁荣。有迈锡尼时代和以后各时期的各种手工艺品，出产红葡萄酒、谷物、无花果、石榴和柑橘。人口87 831(1981)。

Rhodes, Alexandre de　罗德（1591-03-15，法国阿维尼翁～1660-03-05，波斯伊斯法罕）法国天主教耶稣会教士。1619年到印度支那传教。1630年被驱逐出境。后去澳门，教授哲学10年。1640年又回越南。1646年被判处死刑，后改为永远驱逐出境。他去爪哇传教，又被当地统治者关进监狱。1649年返回罗马。后来梵蒂冈派他去波斯传教，1660年死于波斯。他曾编纂一部越南-拉丁-葡萄牙语辞典，并曾改进越南语拉丁化文字，在拉丁字母上加上声调符号。

Rhodes, Cecil (John)　罗得斯（1853-07-05，英格兰赫特福德毕晓普斯托福德～1902-03-26，开普殖民地梅曾贝赫）　南非金融家和政治家。他的一生正当英帝国主义全盛时期，是帝国的创业人之一。1870年，罗得斯由于健康不佳未上大学，被父母从英国送往南非其兄所经营的棉田工作。1871年随哥哥转往矿区金伯利探寻钻石矿藏。1873～1881年间，他作为牛津大学肄业生时断时续地在金伯利和牛津两地生活，最后在1881年获得牛津大学学位。

他的哲学思想几乎是不可思议的“帝国主义”思想。开始他和一些年轻的穷朋友合伙组成德比尔斯联合矿业公司。在一个熟悉钻石市场的朋友德国人A.拜特的帮助下，控制了德比尔斯公司的全部矿场后，又在金伯利扩张兼并。直至1891年，他的德比尔斯联合矿业公司拥有世界钻石生产的90%。此外，他购得德兰士瓦金矿的大部分股权，于1887年组成南非金矿公司。为了帝国扩张的目的，罗得斯在1881年卷入政界。他依靠布尔人的支持，参加好望角殖民地议会并竞选成为议员，1884年任好望角财政部长，1890年成为总理。在此期间，他广泛结交政界布尔人；支持巴苏陀兰和贝专纳兰（今莱索托和博茨瓦纳）的土著人。他的目标是向北部非洲的马绍纳兰和马塔贝莱兰两地进军，取得与德国、比利时、葡萄牙三帝国势力的均势，攫取矿藏、交通权和白人殖民地。他遇到的主要阻力：一是德兰士瓦总督P.克留格尔，他采取“非洲是非洲白人的非洲”的政策，依靠1890年《公民权法》，否认给在德兰士瓦的外国人以政治权利，并试图控制马绍纳兰和马塔贝莱兰；二是马塔贝莱兰的统治者罗本古拉国王，他不愿开门揖盗，让恶人入境。但是，罗得斯施用权术迫使罗本古拉于1888年签订友好条约，取得采矿特许权；1889年，罗得斯经过英国特许成立英国南非公司，开发北部新领地，权力扩及北罗得西亚（今赞比亚）、尼亚萨兰（今马拉维）及贝专纳兰（今博茨瓦纳）。1890年罗得斯的先遣人员进驻马塔贝莱兰，继而进入马绍纳兰。从此罗得斯名震赞比西河两岸。为此，新拓领地被称为罗得西亚。1895年罗得斯决定扫除北部最后一个障碍——克留格尔。由L.S.詹姆森带兵入侵德兰士瓦。但是由于詹姆森轻举妄动而全军覆没。克留格尔的权力更加巩固，荷兰、英国殖民主义者更趋分裂，罗得西亚及贝专纳兰均为英国政府接管。

美国不列颠百科全书公司供图

Rhodes, Colossus of　罗得岛巨像　位于罗得岛（希腊）城市的太阳神赫利俄斯巨像，世界七大奇观之一。它是罗得岛上林都斯城的查理所作，用以纪念罗得岛解除了德米特里·

波利俄塞特斯的长期围困(公元前305～前304)。像为青铜制,内用铁加固并用石块加重,高逾30米,耸立在港口。也许曾像一件浮雕所表现的那样用一只手遮住它的双眼。

S.巴克利根据约公元前292～280年的罗得岛巨像制作的木雕复制品(约1875)
芝加哥历史照片中心供图

从技术上说,这座巨像不可能如传说中的那样叉开腿站立在港湾入口处,而人们认为它确实如此也仅是自中世纪以来的事。这座历时12年(约公元前292～前280)建成的巨像,曾在公元前225年前后的一次地震中倒塌。但倒塌的巨像仍留在原地,直到653年阿拉伯人劫掠罗得岛时被击碎作为废铜出卖。据说这些金属总计超过900只骆驼的驮载量。

Rhodes, James Ford　罗兹(1848-05-01,美国俄亥俄克利夫兰～1927-01-22,马萨诸塞布鲁克莱恩)　美国商人和历史学家。以有关南北战争起因、始末和战后重建时期的多卷本著作闻名。就学于纽约大学和芝加哥大学,1867年赴巴黎,后去柏林学习冶金学。1873年回到克利夫兰经营煤和钢铁。到1885年因积财足以供余生所需而退休。后致力于美国史的研究。19世纪80年代中期为《西部历史杂志》撰写了大量文章和评论,后开始从事他的成名作《1850年妥协案后的美国史》,全书共7卷,于1893～1906年问世,被高度评价为科学的历史学术名著。但他坚持认为奴隶制是南北战争起因的观点和对战后重建的种族主义解释在一开始就引起了争论。曾获牛津、哈佛和耶鲁大学的荣誉学位,1898年当选为美国历史协会会长。1922年前仍继续从事历史著作的写作。所著《南北战争史,1861～1865》获普利策奖。

Rhodes, Lawrence　罗兹(1939-11-24,美国西弗吉尼亚芒特霍普～　　)　美国首席舞蹈演员和芭蕾舞团团长。参加包括蒙特卡洛俄罗斯芭蕾舞团在内的几个舞团的演出之后,1960年加入罗伯特·乔弗里芭蕾舞团,创作了许多主要角色,其中包括《梦魔》中的杂技演员和《很久以前》中的男主角。1964年参加了哈克尼斯芭蕾舞团,1969年被任命为该团团长。他于1970年参加荷兰国家芭蕾舞团,1972年参加宾夕法尼亚芭蕾舞团,1974年在埃利奥特·费尔德芭蕾舞团演出。1978年正式告别舞台,转向编舞。

Rhodes, Wilfred R.　罗兹(1877-10-29,英格兰约克郡哈德斯菲尔德附近柯克希顿～1973-07-08,汉普郡伯恩茅斯)　英格兰板球运动员。在他的比赛生涯中(1898～1930)获双满分(一赛季内获跑垒1 000分并杀掉100击球员),次数超过任何运动员。罗兹参加过58次国际决赛,最后一次他已年届52岁。在一生经历中,他共21次获跑垒1 000分,23次杀掉100击球员,并创一共杀掉4 187击球员的世界纪录。

Rhodes scholarship　罗得斯奖学金　根据塞西尔·罗得斯增进英语国家间团结的遗嘱而于1902年为牛津大学设置的教育资助金。奖学金为期两年,第三年由理事会酌定。1976年以前,候选者必须是19～25岁的未婚男子,并系在英联邦或英国殖民地、南非共和国或美国至少居住过5年的公民。从1976年开始,女子也可按同样条件成为这项奖学金的候选人。罗得斯的遗愿是,学者们在牛津大学时要尽可能根据他们自己的意愿分散在所有学院之中,但是否接受某个学者却由各学院自己决定。

Rhodesia, Northern　北罗得西亚　参阅**Zambia**赞比亚。

Rhodesia and Nyasaland, Federation of　罗得西亚和尼亚萨兰联邦　又称中非联邦,1953年成立,1963年12月31日结束。领土包括南罗得西亚(津巴布韦)、北罗得西亚(赞比亚)和尼亚萨兰(马拉维)。自20世纪20年代南北罗得西亚的欧洲白人殖民者就寻求合并以抵抗非洲黑人在数量上的优势。第二次世界大战后,南罗得西亚第二产业迅速发展,白人移民大量增加,加之北罗得西亚铜业繁荣,白人政治领袖和工业家更强烈要求领土合并。帝国政府出于经济考虑同意支持建立联邦,并指望建立一个多种族合作的国家以抵制南非的种族隔离政策。北罗得西亚和尼亚萨兰的非洲人始终反对这一联邦。他们担心这一联邦会被南罗得西亚控制。在整个20世纪50年代,罗得西亚和尼亚萨兰联邦的政策显然有利于南方的白人居民。1959年尼亚萨兰掀起轰轰烈烈的民族主义运动,中非联邦宣布紧急状态,非法逮捕许多非洲民族主义者。1964年马拉维和赞比亚相继独立,实际上宣告罗得西亚和尼亚萨兰联邦的结束。1980年津巴布韦独立,在南罗得西亚也确立了黑人多数的统治。

Rhodesian man　罗得西亚人　参阅**Kabwe man**卡布韦人。

Rhodesian ridgeback　罗得西亚脊毛狗　又作African lion dog(非洲猎狮狗)。一个南部非洲猎狗品种,特征为沿背部有一窄束毛,

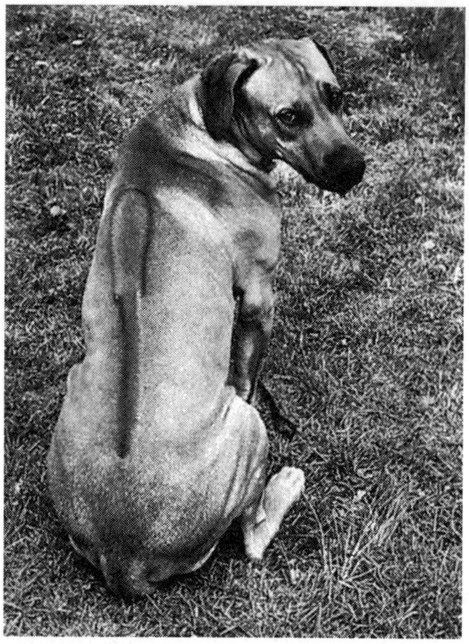

罗得西亚脊毛狗
供图:Walter Chandoha

向前生长,其走向与其他被毛相反。这种脊毛继承自半野生的霍屯督猎狗,霍屯督猎狗与多个欧洲狗品种杂交,形成后来的罗得西亚脊毛狗的原种。体壮,活泼,耐劳。耳悬垂。被毛短,光滑,黄褐色到红褐色。体高61～69厘米,体重32～39千克。有多种用途,可用于狩猎(尤其是猎狮)、守卫及充当伴侣狗。

Rhodian Sea Law　《罗得岛海洋法》　7世纪起拜占廷帝国实行的贸易航海条例,对中世纪意大利诸城市之海洋法颇有影响。它以6世纪《查士丁尼法典摘要》中一项法规及古代罗得岛上所实施的海上习惯法为基础。主要解决海损责任问题。海运遇到风暴时,必须把货物全部或部分抛掉以拯救货船。大宗货物亦可被海盗劫掠而去。自7世纪起,阿拉伯及斯拉夫海盗频频出没海上,危险倍增。因之,海洋法成为一种保险形式,规定由船主、货主及乘客分担损失。《罗得岛海洋法》在12世纪仍具影响力,13、14世纪时拜占廷海上贸易衰落,此法遂废置不用。

rhodium　铑(Rh)　化学元素,周期表VIII族铂系金属,主要用作铂的合金增硬剂。铑是一种银白色的贵金属,对光的反射性很强,室温下既不被大气腐蚀,其表面也不失去光泽。常被电镀于其他金属物件上,并抛光成为经久不变的美观表面,用于珠宝工艺品和其他装饰品,铑还用来制造光学仪器中的反射面。在铂中加入少量铑可得较硬合金,这种合金在高温中失重甚至比纯铂还慢。因此,化学实验室用的加热坩埚,多用此种合金制成。工业上制硝酸时,用铂-铑合金丝网作催化剂,也是因其能承受氨燃烧成氧化氮的火焰温度。把10%铑-90%铂合金丝与纯铂丝焊接,能制成性能优异的热电偶,可用于在氧化气氛中测量高温。从660～1 063 ℃范围内的国际温标,是根据这种热电偶的电动势确定的。铑是稀有元素,在天然铂合金矿物中含量可达4.6%。铑也存在于铱和锇的天然合金矿中:如铱锇矿物中至少可达

11.25%,灰铱锇矿物中至少可达4.5%。一般在工业上,铑是从镍、铜矿提取镍、铜时的副产品。天然铑完全由稳定同位素铑103组成。1803年,英国化学家和物理学家W.H.渥拉斯顿首次从粗铂中制得铑,并根据此元素的一些化合物所呈现的红色(希腊文rhodon)而命名。铑耐酸蚀性很强,块状铑不溶于热的浓硝酸或盐酸,甚至在王水中也不溶解。金属铑溶于熔融硫酸氢钾中,生成能溶于水的络合硫酸盐 $K_3Rh(SO_4)_3 \cdot 12H_2O$。金属铑还溶于热的浓硫酸。铑的化学价主要集中于+1和+3氧化态,已知少数铑的化合物具有直到+6的氧化态(+2氧化态可能除外)。所有铑的化合物受热时易还原或分解,产生粉末或海绵状金属铑。氯化铑(III)或三氯化铑 $RhCl_3$ 是最重要的铑的化合物,它是制备许多其他各种氧化态的化合物的原料。在水乳浊液状态下,铑可以催化一些有用的有机反应。铑原子序数45。原子量102.905。熔点1 966 °C。沸点3 727 °C。比重12.4(20°C)。化合价1、2、3、4、5、6。电子组态2,8,18,16,1或(Kr)$4d^8 5s^1$。

rhodochrosite 菱锰矿 由碳酸锰($MnCO_3$)组成的矿物,是生产铁锰合金的锰的来源。常见于中温下形成的矿脉、高温变质矿床以及沉积矿床中。著名产地有罗马尼亚的卡夫

美国蒙大拿州比尤特的菱锰矿
供图:Helen Guetterman Collection

尼克、美国蒙大拿州的比尤特和科罗拉多州的莱德维尔。镁、铁和钙往往部分地取代了锰,纯菱锰矿很少见。菱锰矿同方解石和菱铁矿形成不完全的固溶体系列,在方解石和菱铁矿的晶体结构中,钙和铁分别取代了锰。详细物理性质参阅 **carbonate mineral**(表)。

rhododendron 杜鹃花 杜鹃花科杜鹃花属(*Rhododendron*)木本植物,以花朵鲜艳和叶美观著名。杜鹃花属是一个大属,约800种,

杜鹃花
供图:John P. Evans

各种之间差异甚大。主要原产于北半球温带,尤其是喜马拉雅山地区、东南亚和马来西亚山地的潮湿酸性土壤,在这些地方形成浓密的植丛。杜鹃花属包括映山红(**azalea**),有的园丁认为映山红是不同的种类。杜鹃花的习性各异,从常绿到落叶,从矮生的地被植物到高大的乔木均有。17世纪中期最早栽种于花园的种是被毛杜鹃花(*R. hirsutum*),该种可高达1米。其他种类有仅高10厘米生成垫状的平卧杜鹃花(*R. prostratum*,产于中国云南省),也有高于12米的乔木(如乔木状杜鹃花[*R. arboreum*]、具髯毛杜鹃花[*R. barbatum*]和巨大杜鹃[*R. giganteum*],均产于亚洲)。叶厚,革质;除某些映山红种类外均为常绿。花通常为管状到漏斗状,颜色多样:白,黄,粉红,猩红,紫色或蓝色。卡托巴杜鹃花(山杜鹃花,*R. catawbiense*)产于美国东南部,每年6月在大雾山国家公园盛开,极为艳丽。热情卡托巴杂种杜鹃花是卡托巴杜鹃花与近缘种的杂交种。大杜鹃花(*R. maximum*)分布范围与卡托巴杜鹃花有重叠,并且分布到更为东北的地方;常栽作观赏植物。上述两个种均可为小乔木,高达6米或更高。北美杜鹃花(加拿大杜鹃花,*R. canadense*)分布于北美东北部,在叶展开前开花,花玫瑰紫色。

rhodolite 铁镁铝榴石 为粉红色或玫瑰红色的镁铝榴石(**pyrope**)变种,是一种石榴石子矿物。

rhodonite 蔷薇辉石 一种硅酸盐矿物。呈圆形晶体、块体或颗粒产于各种锰矿石中,

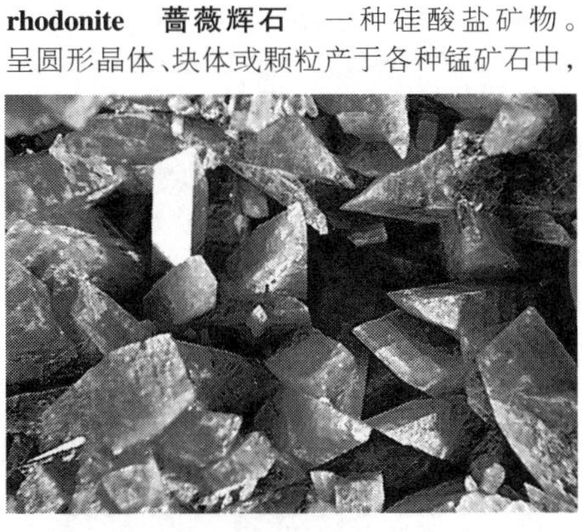

产自瑞典帕斯贝格的蔷薇辉石
芝加哥菲尔德自然史博物馆供图

常与菱锰矿共生。蔷薇辉石产于俄罗斯的乌拉尔山,在这里被开采用来制造装饰品;还产于瑞典、新南威尔士、加利福尼亚州、新泽西州。它是一种含锰、铁及钙的硅酸盐[(Mn,Fe,Ca)SiO_3],在某些条件下,可成为非常重要的氧化锰矿床的原生来源,例如印度的锰矿石。透明粉红色的细粒蔷薇辉石是一种令人喜爱的宝石或装饰石料。常用于制作串珠、垂饰及其他装饰品。

Rhodope Mountains 罗多彼山脉 保加利亚语作Rodopi,希腊语作Orosirá Rodhópis。巴尔干半岛的山脉。大部分在保加利亚境内,小部分进入希腊。为巴尔干山脉中最难进入的地区。位于保加利亚境内山脉面积达5 690平方英里(14 737平方千米),东西长150英里,南北宽60英里,西部海拔逾6 600英尺(2 000米),东部约为3 300英尺,最高峰大佩雷利克7 188英尺;大休特基亚山7 172英尺。位于大罗多彼最西端、斯特鲁马河河谷北部和西部、在当地人认定是该山脉主脉外侧的里拉和皮林山岳,高达9 500英尺。有马里查河支流灌溉该区。为重要的气候屏障,既保护沿爱琴海的低地不受北方冷风侵袭,又阻止南方热风吹入色雷斯平原。在土耳其人统治期间(15～19世纪),这一荒凉山岳地带曾为斯拉夫民族的避难所,其古代习俗延续至今。湖河纵横,森林密布,为旅游胜地。在阿尔达建有水电站。具火山性质的罗多彼山脉的东南部地区,开采铅矿和锌矿。里拉山岳的穆萨拉峰上有多条河流。维托沙山岳的黑峰斜坡上有保加利亚国家公园和自然保护区。皮林山岳与里拉山岳相连,南伸至希腊。维赫伦峰海拔9 560英尺,为保加利亚第二高峰。罗多彼山脉冰河作用明显,有大片高山地形区。

罗多彼山脉中的村庄
供图:Harrison Forman

Rhodophyta 红藻门 藻类的一门,其种类称红藻(**red algae**)。

rhodopsin 视紫红质 又称视紫质。眼内视网膜杆状细胞中含有的一种色蛋白,紫红色,在眼的暗适应中发挥作用。眼受强光照射后,视紫红质被漂白,分解为含色素部分(维生素A醛)和蛋白质部分(视蛋白);在黑暗中,化学变化逆向进行,又形成视紫红质。参阅 **rod**。

rhodora（*Rhododendron canadense*） **北美杜鹃** 即加拿大杜鹃。杜鹃花科落叶灌木。原产北美东北部。多见于沼泽地区。高约0.9米，叶广椭圆或长圆形，叶缘光滑，长约

北美杜鹃（*Rhododendron canadense*）
供图：Peter K. Nelson

3.7～5厘米，背面浅灰色，被毛，互生。花艳丽，玫瑰紫色，花径4厘米，春天开放，先花后叶。有白花的变种（*R. c.* var. *albiflorum*）。

Rhondda 朗达 威尔士中格拉摩根历史郡朗达-西农-塔夫郡级自治市社区。1974年设区，包括沿朗达沃尔河和朗达瓦克河河谷的一些几乎连在一起的城镇和村庄。19世纪

朗达区河谷中的矿工村
供图：Justin B. Ingram—Bruce Coleman Inc.

初，全区人口稀少，1801年只有542人。自发现可供蒸汽锅炉用的高品位煤以后，建立了许多煤矿和通往几个港口的铁路，河谷地带很快布满了矿业居民住宅区。到1924年人口将近17万，矿工达4万名。1918年以后，煤炭市场萧条。20世纪30年代中叶，当地失业率高达47%，数以千计的家庭离开这一地区，人口不断下降。60年代开始在废弃的土地上进行大面积造林。当地主要服务中心为特雷伯特、特雷奥契和托尼潘第。人口59 947（1991）。

Rhondda Cynon Taff 朗达-西农-塔夫 威尔士南部都会自治市。包括伊利河上游河谷、郎达、塔夫和西农，以及几地间的山林。从南到北山势渐高，形成布雷肯比肯斯的山麓小丘。该都会自治市大部分地区属格拉摩根历史郡，仅有北部地区属布雷克诺克历史郡。18～19世纪南威尔士发现丰富的煤和铁矿，并进行开发。矿区城镇郎达、庞特普里斯和阿伯德尔繁荣兴旺，1918年后煤炭市场不景气，工业衰退，导致严重而持久的失业。只有赫尔旺的一处深井仍在开采。近年工业向多样化发展，包括汽车、塑料、电子制造和多种服务业。南方城市兰特里森特和特雷福斯特吸引大量北方原煤矿城镇的工人就业。庞特普里斯是重要的购物和服务业中心。游乐区与矿区及工业区隔开，包括西农谷北部的布雷肯比肯斯国家公园及德尔河谷郡立公园。1906年为威尔士文化节在芒廷阿什建立的巨型亭阁，是举行地区音乐节及其他聚会的场所。克莱达奇谷为行政中心。面积440平方千米。人口约240 400（1998）。

Rhondda（of Llanwern），David Alfred Thomas，1st Viscount 朗达子爵（第一）（1856-03-26，威尔士格拉摩根阿斯吉博温～1918-07-03，英格兰蒙茅斯郡拉努尔恩） 即D. A.

加的夫威尔士国家博物馆供图

托马斯。英国采煤实业家，政府官员。1879年投身于家庭煤炭业。1913年组成庞大的采煤组织坎布里安联合有限公司。他任自由党下院议员22年。1915年前往美国负责联系美国向英国供应军火的工作。1916年任地方政府事务大臣。1917年任粮食部审计官时稳定物价，调节供应，并于1918年2月起逐步推行定量配给制度，到他去世时已完全见效。

Rhône 罗讷 法国中东部罗讷-阿尔卑斯大区省份。范围包括省会里昂市和中央高原的东北坡。面积3 249平方千米，主要由历史上里昂省的一部分组成。1967年从伊泽尔省、安省划出一小部分并入该省。罗讷河先自东向西流，蜿蜒流经里昂城，然后与索恩河汇合由北向南流。罗讷与索恩河平原西面，其北半部为博若莱山脉，南半部为里昂山脉。里昂地区多雾，夏季炎热，冬季温和。高山地区雨量丰富。罗讷-索恩河平原农田种植谷物和甜菜。457米以下高地有生产著名的博若莱葡萄酒的葡萄园。该省工业多样化。里昂数百年来为世界丝织业中心，但人造纤维正迅速取代丝。里昂地区还有重要的冶金、化工、汽车和食品加工业。最大就业部门是以里昂为中心的服务业。里昂为公路、铁路、水运交通枢纽。省下设里昂和索恩河畔自由城两个专区，属里昂教育区。人口1 578 869（1999）。

Rhône-Alpes 罗讷-阿尔卑斯 法国大区，包括法国东南部的卢瓦尔省、罗讷省、安省、上萨瓦省、萨瓦省、伊泽尔省、德龙省和阿尔代什省。首府里昂。面积43 698平方千米。东北与瑞士接壤，东部与意大利毗邻。中央高原延伸至阿尔代什省，与东方的阿尔卑斯山隔有一系列山谷。侏罗山脉屹立于北部。罗讷省北部和伊泽尔省位于索恩河流域低盆地。全区属山区气候。境内人口稠密。1901～1946年间略有减少。第二次世界大战后，人口又有所增长，原因是移民迁入和出生率较高。人口多集中在里昂、罗阿讷、圣艾蒂安、布雷斯地区布尔格、阿讷西、尚贝里、格勒诺布尔和瓦朗斯。农业高度机械化，以畜牧业为主。饲料和谷类为主要作物。葡萄栽培大多限于罗讷河谷一带。工业很发达。金属加工业集中在里昂、格勒诺布尔、圣艾蒂安等地以及阿尔沃河沿岸。也是合成纤维主要产地。圣艾蒂安盆地开采煤炭。拉米尔生产无烟煤。罗讷河区的费赞有炼油厂。冬季运动是重要行业。人口5 645 407（1999）。

Rhône-Poulenc SA 罗纳-普朗克公司 原法国的大化工公司，生产与销售有机化学品、合成纤维及药物。总公司设在巴黎。1999年与赫斯特集团合并，建立法德合资医药公司安万特。其前身最早为1801年成立的一家染料制造厂。1895年改为罗纳化学制造厂公司。1928年与普朗克兄弟公司（医药公司）合并，称为罗纳-普朗克化学公司。该公司建立了一些医药、纺织品专业子公司。自1957年法国参加共同市场后，它在改组法国化学工业中起过重要作用。1961年它吸收了大合成纤维制造商塞尔特克斯集团，成为法国人造纤维工业中最大的公司。并于该年改用现名。1982年法国政府将其改为国营。1993年该公司又重新改为私营。经营范围已扩大到生产各种塑料、精细的特殊化学品、包装用塑料薄膜、磁带以及电信、复印设备。该公司还生产纺织品、胶水、油漆、清漆和农用化学品。产品大部在法国销售，但在西欧其他国家、美洲、非洲、澳大利亚、中东及远东均有重要市场。这为后来安万特公司的全球性发展奠定了很好的基础。

Rhône River 罗讷河 欧洲河流，历史上为南方交通孔道，是欧洲大陆上唯一直接注入地中海的大河。罗讷河水道由附近的山脉形成，具有阿尔卑斯山特点，风景如画，且多激流险滩。源自瑞士中南部阿尔卑斯山罗讷冰川，向西流经一系列结构谷地和较为宽阔的山间峡谷，然后注入日内瓦湖。从日内瓦湖流出后，经日内瓦市进入法国。穿过汝拉山脉蜿蜒曲折的河道在里昂市与其主要支流索恩河汇合。后折向南流，在流经阿尔卑斯山和中央高原之间由冰河时期的冰川所造成的峡谷和盆地时，继续与发源于阿尔卑斯山的主要支流（包括伊泽尔河、迪朗斯河和阿尔代什河）汇合。在马赛以西，罗讷河经自己沉积地交错的河道流入地中海。罗讷河长813千米，流域面积约97 775平方千米。河口处平均年流量为1 700立方米/秒。即使在罗讷河下游处，落差也很大，且多砾石浅滩，一直是航行的障碍。但是，20世纪40年代后期至70年代后期，由于法国政府发起一项多目标计划，建造了一系列的水坝和水渠，调节了里昂以南河段的水流。沿河修建了水电站和核电站，灌溉渠也得到更加充分的使用。因此，至70年代末，3 000至5 000吨级的驳船已经可以正常地抵达里昂。瑞士人已经有效地利用了罗讷河上游

的水力资源。正在开凿一条运河将里昂以北的索恩河与莱茵河连接起来,最终将使大型驳船从北海穿过欧洲抵达地中海。

Rhône wine 罗讷河葡萄酒 法国东南部罗讷河畔出产的红葡萄酒,所用葡萄产自里昂以南至阿维尼翁间罗讷河两岸的葡萄园。用罗讷河这一广大地区命名的各种葡萄酒虽然可口,但并不很著名;优质葡萄酒以特定地区或村庄命名,如罗讷河南段的帕普新堡红葡萄酒和塔韦尔玫瑰红葡萄酒。罗讷河北段生产的葡萄酒更有名,著名的葡萄园有赫米蒂奇、科尔纳和圣若瑟夫等;上等的罗讷河白葡萄酒孔德里约酒和格里莱堡酒也是北段的产品。一种受到高度评价的白葡萄甜酒博姆-德沃尼斯产自南段。

rhubarb 大黄 又作 pieplant。亦称馅饼菜。蓼科大黄属(*Rheum*)几种植物的通称,尤指食用大黄(*R. rhaponticum* 或 *R. rhabarbarum*,一种耐寒的多年生植物,栽培食用其肥硕肉质叶柄)。食用大黄最适应生长于寒温

食用大黄(*R. rhaponticum*)
供图:Derek Fell

带地区。叶柄味酸,常和草莓一起用来做馅,或用在水果羹和蜜饯中,也用制甜酒和开胃酒。根耐寒力强,而地上部分秋霜后即冻死。叶含有毒物质,仅在喜马拉雅山脉某些地区,人们烹食野生种的叶。食用大黄原产于亚洲,早春由地下茎发出大簇的叶,叶形大,叶簇直径达 60 厘米,叶柄大,直径超过 25 毫米,长达 60 厘米。晚春开花,花葶大,位于叶簇中央,花小而多,绿白色。翅果有棱,含粒种子。药用大黄(*R. officinale*)和掌叶大黄(*R. palmatum*)的根在中医和藏医均用为泻药,《神农本草经》已有记载。英国栽培大黄以供药用的历史于 1777 年始于牛津郡的班伯里。大黄含有蒽甙,故呈黄色,有通便之效。又含近 40% 的草酸钙,故多硬渣。其他成分还有大黄素、胶质、树脂、大黄酸、大黄泻脂和具收敛性的大黄鞣酸。

Rhuddlan 里兹兰 威尔士东北部克卢伊德郡的社区和区名。居民区位于富饶的克卢伊德谷的顶端。在 1073 年建的城堡四周发展起来。现里兹兰乡镇内的城堡是英王爱德华一世于 1282 年建成。是年也完成了克卢伊德河的改道和运河化。里兹兰区 1974 年设立,范围包括北威尔士海滨的一部分,即克卢伊德河口和其谷地的一部分。全区面积 109 平方千米。以普雷斯塔廷和里尔两处海滨胜地著称。里尔是区首府和北威尔士最受欢迎的游览胜地之一,有海滨大道(5 千米长)、娱乐厅、植物园和日光浴中心(1980 年开放)等。该区的内地经济以养羊和奶牛为主。其海滨胜地有铁路、公路通默西赛德、兰开夏和英格兰的中部地区。人口:社区 3 560(1981);区55 200(1986)。

rhumb chart 罗盘方位图 参阅 **portolan chart** 中世纪海图。

rhumb line(navigation) **等角线** 参阅**loxodrome** 等斜线。

rhumba(dance) 参阅 **rumba** 伦巴。

rhupunt 拉庞特诗体 又拼 rhupynt。威尔士吟游诗人传统的 24 个韵律之一。由 3、4 或 5 个四音节的诗段组成,由重读、头韵和韵脚组成的复杂体系以及韵连接成诗。在一首四诗段的诗中,前三诗段互相押韵,第四诗段则与下一诗节的第四诗段押韵。整段写成单一诗行,或视押韵段落的多少而分成多少诗行。

Rhus 盐肤木属 漆树科的一属。约 150 种灌木、小乔木或藤本植物。或将毒栎、毒漆和毒常春藤(**poison ivy**)单独划为漆树属(*Toxicodendron*)。盐肤木属有几个种在产地有经济价值。野漆树(蜡树,*R. succedanea*)的浆果可产一种商业用蜡,树汁可制天然油漆。漆树(清漆树,*R. verniciflua*)是日本漆的来源,与北美的毒漆一样,触摸可以中毒。许多漆树的果和全缘叶漆树(酸果漆树,*R. integrifolia*)的浆果可酿制出有柠檬香味的饮料。全缘叶漆树和卵形叶漆树(*R. ovata*)在加利福尼亚南部作为观赏植物栽培。

Rhyl 里尔 威尔士登比郡海滨城镇,位于克卢伊德河河口。属弗林特历史郡。为休假胜地,海滨沙滩宽阔,有铁路和公路与兰开夏和英格兰中部地区相连。在里尔东面的普雷斯塔廷也是类似的休假胜地,它保存有史前居住区、奥发大堤(8 世纪)和一座拆毁了的城堡等遗迹。人口 24 909(1991)。

rhyme 韵 又拼 rime。指最后音节发音相似的两个或更多的词,由于其所处位置而互相应和的现象。诗人,偶尔也有散文作家,用韵以达到用声音打动读者感官的效果,以及统一和确定一首诗诗节的形式。尾韵(即用于行末,与另一行尾相应和)是最常见的韵式,但诗人往往也偶尔使用中韵、内韵或狮子韵作为一首诗中的装饰,如莎士比亚的“Hark; Hark! the lark at heaven's gate sings”(听,听! 云雀在天堂之门歌唱)或作为正规韵式的一部分(如爱伦·坡的《乌鸦》)。严格的诗律家只承认 3 种韵是“真正的韵”:阳韵,即两个词的词尾具有相同的元音—辅音的组合结构(stand/land);阴韵(有时叫双韵),即两个音节相押的韵(profession/discretion);和三音节韵(patinate/latinate)。阳韵过于整齐的效果有时用行尾韵或半韵加以调剂,即两个词当中有一个词后面拖着一个附加的非重读音节(trail/failure)。其他类型的韵有目韵,即音节的拼法相同,但发音不同(cough/slough)和代韵。20 世纪诗人 W.欧文第一个系统地使用的韵法,即在两个音节中元音不同,但倒数第二和最末的辅音群相同(grand/grind)。阴韵有两种:一种是两个元音的发音都不同(ran in/run on);一种是只有一个元音发音不同(blindness/blandness)。以非重音押韵的音节是非重音音节(bend/frightened)。由于缺少重音会影响声音的效果,这类韵往往只能被视为一种谐音。谐音就是两个词只在最后具有相同的辅音这一点上相似(best/least)。另一种接近于韵形式是半谐音,半谐音就是两个词只有元音相同(grow/home)。在法国诗歌中,半谐音一直正规地使用到 13 世纪,后来才为尾韵所取代。半谐音在罗曼语系语言中继续在诗的技巧中占重要地位,但在英诗中,它只起一种辅助作用。许多传统诗体,如十四行诗、田园歌、回旋诗、叙事谣曲、君王诗体、八行两韵诗、行吟抒情诗和六六体诗都有确定的韵式。在西方诗歌中,韵似乎是由词尾谐音、词尾半谐音和头韵等早期技巧相结合而发展起来的。在古典的希腊、拉丁诗歌中只偶尔有韵,但在中世纪的拉丁宗教诗和歌词里,特别是 4 世纪以来天主教祈祷书的歌词里,使用韵的情况就比较多。虽然拥护古典诗歌的人不时反对用韵,但它从未完全废弃。莎士比亚在他的戏剧的无韵诗中就夹杂了押韵的联句。弥尔顿不主张用韵,但 S.约翰逊却喜欢它。在 20 世纪,虽然许多主张写自由诗的人不用韵,但其他诗人继续提出复杂的新韵式。

rhyme royal 君王诗体 rhyme又拼rime。抑扬五音步格的七行诗节,韵脚为 ababbcc,首先由乔叟在《特罗伊拉斯和克莱西德》与《百鸟会议》中运用于英国诗歌。据传统说法,君王诗体的名称来自苏格兰的詹姆斯一世(1394 ～ 1437)的《国王之书》,但某些评论家则认为它来自法国的宫廷诗(chant royal)。乔叟可能从法国诗人兼音乐家 G.德·马肖(约 1300 ～ 1377)那里借用君王诗体。德·马肖也许是自创这种格律,也许得自更早的法国和普罗旺斯诗人。在 15 世纪和 16 世纪初期,君王诗体成为人们喜欢的叙事长诗诗体。莎士比亚的《鲁克丽丝受辱记》(1594)是这一时期用君王诗体写出的最后一首重要的叙事诗。后来弥尔顿也试过这种诗体。19 世纪的 W.莫里斯和 20 世纪的 J.梅斯菲尔德都成功地运用过这种诗体。

rhyme scheme 押韵格式 一个诗节或一首诗中韵的整齐排列形式。如果它是若干固定的韵律格式之一,则可以用通常与该固定韵律格式连接在一起的诗人的名字命名。如斯宾塞诗节便以诗人 E.斯宾塞的名字命名。押韵格式常用小写字母表示(如在斯宾塞诗节中的押韵格式为 a b a b b c b c c),不同字母代表不同的韵。

rhyme-tag 韵脚 主要用作押韵的词或短语。韵脚用在非常轻松的诗篇中,以产生喜剧效果。例见 W.S.吉尔伯特的诗《现代派少将》中的一部分:

I am the very pattern of a modern Major-Gineral,
I've information vegetable, animal, and mineral;
I know the kings of England, and I quote the fights historical,
From Marathon to Waterloo, in order categorical;
I'm very well acquainted, too, with matters mathematical,
I understand equations, both the simple and quadratical;
About binomial theorem I'm teeming with a lot o' news,
With interesting facts about the square of the hypotenuse,
I'm very good at integral and differential calculus,
I know the scientific names of beings animalculous.
In short, in matters vegetable, animal, and mineral,
I am the very model of a modern Major-Gineral.

Rhymney Valley 拉姆尼谷 威尔士东南部中格拉摩根郡一区。1974年设立。面积176平方千米，北起布雷肯比肯斯国家公园边缘，南至加的夫市市郊。该地基本上是煤矿区，18～19世纪煤、铁工业大发展期间发展迅速。1945年后，格利盖尔城工业向多样化发展，但采煤业至今仍是主要就业部门。卡菲利为该区重要购物中心和加的夫的工人住宅区。巴戈伊德是该区首府。人口约104 700(1983)。

Rhyn, Otto Henne am 里恩 参阅**Henne am Rhyn, Otto** 亨纳·安里恩。

Rhynchocephalia 喙头目 爬行纲动物的一目。起源于三叠纪和侏罗纪(2.25亿年前至1.36亿年前)。现仅有新西兰的**楔齿蜥(tuatara)**。

rhynchophthirinan 象鼻虱 虱目象鼻虱亚目(Rhynchophthirina)昆虫。头向前伸展如象鼻，其起源和亲缘关系尚不确定，但在形态上介乎嚼虱(食毛类)和吸虱类之间。一属两种：象虱(*Haematomyzus elephantis*)生活在非洲象和印度象身上；霍普金斯氏象虱(*H. hopkinsi*)寄生在非洲疣猪身上。口器都特化，能穿刺厚皮。

Rhynchotrema 孔嘴贝 腕足动物的绝灭属。化石见于中、上奥陶统(奥陶纪始于距今

孔嘴贝(*Rhynchotrema*)
不列颠博物馆供图

5亿年前，延续0.7亿年)。壳小，特征是极其发育的肋状隆起。孔嘴贝是奥陶纪有用的标准化石。

Rhynchotreta 超嘴贝 腕足动物的绝灭属。化石通常见于海相志留纪地层(年龄为3.95亿年至4.3亿年之间)。近似三角形的小壳明显地装饰着纵向延伸到壳缘的特殊的

超嘴贝(*Rhynchotreta*)
不列颠博物馆供图

脊。由于其时限短，因此是确定志留纪地层和时代的标准化石。

Rhynie plants 赖尼植物 在苏格兰阿伯丁赖尼地区附近发现的几属化石植物。在探索维管植物演化方面有意义。这些化石埋藏于中泥盆纪(约3.65亿年前)的老红砂岩内。

星木属(*Asteroxylon*)植物(模型)
供图：H.R.Allen from the Natural History Photographic Agency—美国不列颠百科全书公司

下列三个属有几乎完整的化石标本：赖尼蕨科(Rhyniaceae)的赖尼蕨属(*Rhynia*)和角蕨属(*Horneophyton*)、星木科(Asteroxylaceae)的星木属(*Asteroxylon*)。赖尼蕨属常被认为是最原始的维管植物，但不一定是高等维管植物的祖先。事实上有证据表明赖尼蕨属是从志留纪(始于4.3亿年前，持续3 500万年)的维管植物进化而来。该属具横生的地下茎，上生纤细的直立无叶茎。格温-沃恩氏赖尼蕨(*R. gwynne-vaughani*)的直立茎高约17厘米，大赖尼蕨(*R. major*)高约50厘米。赖尼蕨属常与角蕨属、星木属生长在一起，形成稠密的植被。星木属高约50厘米，直立茎完全为鳞叶覆盖。赖尼蕨属和角蕨属以孢子繁殖。孢子囊着生于茎端，星木属的肾状孢子囊侧生于主枝。

rhyolite 流纹岩 一种相当于花岗岩的火山喷出岩。大多数流纹岩都具斑状结构，表明结晶作用在喷发作用以前就已开始。有时当岩浆还埋藏得很深时，结晶作用就可能已经开始了；在这种情况下，所形成的岩石就可能主要由在喷出时已经发育良好的单个大晶体(斑晶)构成。最后产物中的微晶质基质的含量就可能太少，以至于不在显微镜下就难以看出来。这样的岩石(斑流岩)从手标本上看很容易错认为花岗岩。然而，大多数流纹岩这样的结晶作用期都比较短，所以这种岩石主要由含有少数几个斑晶的微晶质基质或部分玻璃质基质组成。基质有时呈微文象状或花斑状。玻璃质流纹岩当中有黑曜岩、松脂岩、珍珠岩和浮岩。流纹岩的化学成分很像花岗岩。这种对应性意味着至少有一些花岗岩，甚至很可能是多数花岗岩是由岩浆产生的。流纹岩的斑晶当中可能有石英、碱性长石、奥长石、黑云母、闪石或辉石。如果碱性辉石或碱性闪石是主要深色矿物的话，那么奥长石就罕见或者没有，而长石斑晶则将大部或全部由碱性长石组成；这种岩石就叫碱流岩。如果奥长石和碱性长石都在斑晶中占显著位置，那么占优势的深色硅酸盐矿物就将是黑云母，而且既没有闪石又没有辉石，如果有的话，也将是碱性的变种；这样的熔岩就是大多数分类法中的石英斑岩或“真正”流纹岩。流纹岩与花岗岩之间的某些区别是值得注意的。白云母在花岗岩中是常见的矿物，而在流纹岩中则非常罕见，或者仅仅是作为一种蚀变产物。在多数花岗岩中，碱性长石是一种含钠很少的微斜长石即微斜纹长石；然而，在多数流纹岩中却是透长石，常常富含钠。钾大大超过钠的情况在花岗岩中是不常见的，除非是热液蚀变的结果，在流纹岩中则并不少见。世界各地和各个地质年代都有流纹岩发现。流纹岩像花岗岩一样，主要限于在大陆上或紧靠大陆的边缘上，但其他地方也有。据报道，在远离任何大陆的大洋岛屿上也有少量流纹岩(或石英粗面岩)。

Rhys, Ernest Percival 里斯(1859-07-17，英格兰伦敦～1946-05-25，伦敦) 英国文学家。曾任《通俗文库》编辑。这套丛书专选世界文学经典著作出版，售价低廉，影响了里斯这一代人及以后几代人的文学爱好。他虽因体弱多病而中断学业，但很早就显露出才华和对书籍的热爱。1886年在伦敦成为诗人和自由投稿评论家及编辑，他为评论杂志撰稿并为诗人俱乐部出版的两卷诗集写诗，他和W.B.叶芝都是这个俱乐部的创建人。他还被各出版社聘为编辑。1894～1899年，与出版商J.M.登特合作编辑抒情诗系列。1904年登特邀里斯编辑《通俗文库》。文库第一部于1906年问世，到里斯逝世时，计划出版的1 000部书已出版983部。里斯本人的作品有

供图：J.M.Dent & Sons Ltd.,London

散文集和诗歌集，以及两部回忆录：《每个人都记得》(1931)和《威尔士与英格兰的结合》(1940)。

Rhys, Jean 里斯(1890-08-24,西印度群岛向风群岛罗索～1979-05-14,英国德文埃克塞特） 原名Ella Gwendolen Rees Williams。西印度群岛女小说家。早期作品以20世纪20和30年代欧洲艺术界放荡不羁的生活为背景，甚获好评，中止写作近30年后才又写了一部以西印度群岛为背景的成功小说。父亲是威尔士的医生，母亲是克里奥尔人，童年在多米尼加居住和求学，16岁去伦敦当演员，后去巴黎。在巴黎受英国小说家福特的鼓励开始写作。第一部作品是短篇小说集《左岸》(1927),继而又写了小说《姿态》(1928)、《离开麦肯齐先生后》(1931),《黑暗中的航程》(1934)和《午夜，早上好！》(1939)。移居康沃尔后没有写作。1966年她非凡的成名作《辽阔的藻海》问世。在这部小说中，她对夏洛蒂·勃朗特的《简爱》中的主角罗契斯特先生的第一个疯妻科斯韦的早年生活进行了重新塑造，接着又出了两部短篇小说集：《老虎貌更美，附〈左岸〉精选》(1968)和《夫人，睡了会好的》(1976)。一部未完成的自传《请微笑》于1979年出版。

Rhys, Siôn Dafydd 里斯(1534,威尔士安格尔西兰费斯利～1609,布雷克诺克郡克兰海尔？） 又名约翰·戴维斯·里斯。威尔士医生、语法学家。所著文法书《威尔士及凯尔特语言的规范和基础》(1592)是后来研习威尔士语文法的依据。曾试图把吟唱诗歌的规则和威尔士语的原理确定下来，但这样做所依据的是拉丁文语法结构。该书包括威尔士语问候词，威尔士语文法，一篇关于诗艺的讨论和一些威尔士语诗歌。里斯毕业于意大利锡耶纳大学(获学位)和英国牛津大学的医学专业。在献身语法学之前曾在威尔士加的夫开业行医。

rhythm 节奏 音乐中的时间因素。因为音乐是从时间上展开的，不妨认为节奏是它最重要的一个方面，但是节奏因素——声音在时间上的布局——却不能脱离声音本身的特性而存在。例如，每秒一音的正规节奏可因其为击鼓声、钢琴声或管弦乐队的和弦而产生迥然不同的效果。推而广之可以清楚地看到，节奏并非只是时间的布局问题，它亦取决于重音、音程、和声和音色。在大部分音乐中，节奏的基础很简单，这就是正规的拍子。事实上，在每一种语言中，"节奏"一词往往都是指这类搏动。当人们说到一首轻快管弦乐改编曲中的节奏组，或是说到乐师们的节奏感时，他们所指的就是加强的规律性重音。节拍的职责是将拍子组织起来。西方音乐中最常见的节拍是双拍子(每小节两拍)和三拍子(每小节三拍)，以及它们的各种组合，例如四拍子(两组双拍，这是传统的进行曲节拍)和六拍子(两组三拍)。通常一首作品由连续一串基本上具有相同节拍的小节组成，当然在不同小节中，拍子可以按不同方式组合或分割，还可能有各式各样的变奏。西方音乐中的节奏起源于何时，至今众说纷纭。有些权威人士断言素歌演唱时就已有明确的节拍，而另外一些专家则认为它是以不规则的方式表达的，就像说话一样。但是，不管怎么说，至12世纪时音乐家们肯定已经建立了一套记录不同节拍的记谱法；在14世纪中，节奏记谱法达到极其复杂的地步。但一旦作曲家开始更多地考虑和声时，就像在文艺复兴时期所见的那样，这种精细缜密就不可能继续保持下去，于是节奏重新立足于简单和规律性。17世纪时节奏分成两种类型，一种以像舞蹈中那样重复模式为根据，另一种以说话的自由节奏为依据，通常见于独唱音乐。这一划分在歌剧中表现为咏叹调和宣叙调的区别。至19世纪，这种节拍体系由于大量出现交叉节奏、进一步细分和不规则变化而遭到破坏，发展到20世纪则许多作曲家把节拍连同大、小调体系一起丢弃不用。在某些情况下，原始的搏动曾经又一度显现出来，例如在I.斯特拉文斯基的《春之祭》中；在另一些情况下则节奏型的所有痕迹消失得无影无踪。

rhythm 节奏 诗艺术语，指在一定范围内有规律地、按**格律(metre)**重复运用特定的语言特征，通常是声音特征。节奏难以界定，但由于有其生理基础，很容易为耳和头脑所分辨。普遍认为节奏包含节拍、重复、格式等特质，由诗的时间性结构这一本质生成。不论依从何种定义，节奏都是诗的基本要素；散文可以说也有节奏，但远不及诗的节奏那样严整有序。各式节奏可增强诗的感染力，且往往能使读者产生一种匀整感。

格律尽管常被视同节奏，但准确地说，它是安排诗的节奏的一种方法，格律与节奏不同，它并不是诗必备的元素，而毋宁说是把一行诗的重音、长短音以及音节数作一种抽象的安排，使之成为某一特定格式的一部分。在一首诗里，格律的模式与声音的其他方面交互作用，产生一种张力或对应，从而形成以格律为基础的诗的节奏。与变化多端的格律形式相比较，与格律有关的节奏类别则为数很少。二拍节奏出现在二音节音步构成的诗行中，如莎士比亚的诗句：

′ ∪ ∪ ∪ ∪ ′ ∪ ′ ∪ ′
Tired with | all these, | for rest | ful death | I cry

在以三音节音步组成的格律形式中，节奏为三拍：

∪ ∪ ′ ∪ ∪ ′ ∪ ∪ ′
For the strength | of the Pack | is the Wolf, |
∪ ∪ ′ ∪ ∪ ′ ∪ ∪ ′
and the strength | of the Wolf | is the Pack

(吉卜林)

重音落在一行之中每个音步的最后一音节上，便形成轻重节奏：

∪ ′ ∪ ′ ∪ ′ ∪ ′ ∪ ′
When I | consid | er how | my light | is spent

(弥尔顿)

与其相反的是重轻节奏：

′ ∪ ′ ∪ ′ ∪ ′ ∪
Bacchus' | blessings | are a | treasure

(德莱顿)

在重音与非重音音节交互出现的格律(二拍、轻重或重轻)中，形成行进节奏(running rhythm或称common rhythm)。G.M.霍普金斯打破传统的格律，创出**跳韵(sprung rhythm)**一词，用来指以吟诵时的重音音节数目来衡量的诗行，而非重音音节数可不定。

自由诗(free verse)的节奏，来自格律的重音格式之外的语言元素的系统的重复。自由诗与格律诗在节奏上的差异是相对的而非绝对的，这种差异与所探究的语言特征范围以及这些特征与依照格式安排的程度有关。由于格律诗主要与相对重音值的分配有关，不涉及其他语言特征有助于节奏感的效果。自由诗中，节奏通常来自将语言元素安排成接近于说话时的自然声调，而在诗中形成对称的格式。自由诗中可用的形成节奏的手段有遣词造句的格式、有规则的音、词、短语和诗行的重复；顿、诗行的长度以及其他决定全诗吟诵时的快慢的因素所造成的顿挫间隔的相对值。有些权威人士认为，组织得非常周密的意象也能产生诗的节奏。下面引自惠特曼的《自己之歌》中的诗行，正是运用以上许多节奏手法的范例：

> Twenty-eight Young men bathe by the shore,
> Twenty-eight Young men and all so friendly;
> Twenty-eight years of womanly life and all so lonesome.
> She owns the fine house by the rise of the bank,
> She hides, handsome and richly drest aft the blinds of the window.

某些诗人特有的节奏，有时可以归之于呼吸单元，如诗人兼批评家C.奥尔森在《投射式诗歌》(1950)一文中说："诗行来自(我发誓是这样)呼吸，来自写诗的人在他写作的那一瞬间的呼吸运动……"

rhythm, biological 参阅**biological rhythm 生物节律**。

rhythm and blues 节奏与布鲁斯 由黑人表演家在美国发展起来的若干种近似的音乐风格的总称。正如所有美国黑人的音乐，这些不同的风格是以爵士乐的节奏与音调的抑扬变化，特别是切分音与带有降音的布鲁斯和弦同欧洲音乐影响相结合为基础的。更明确地说，这种风格来自南方乡村的布鲁斯(它融合了劳动歌曲、喊唱、号子以及愉快的、忧伤的和其他感情深切的歌曲而成)，并受到黑人教堂福音音乐的很大影响。在组成"节奏与布鲁斯"音乐的许多风格中，有3种主要形式尤其具有特色。最早的一种称为"种族音乐"，出现于第二次世界大战以前，也是最早消失的一种，属"强节奏爵士乐队"风格。这种乐队着重于强烈的节奏、激动人心的独奏

（特别是萨克斯管独奏）与布鲁斯方式的人声喊唱。大型强节奏乐队在20世纪50年代初已大多消失。第二种形式兴起于20世纪40年代，主要流行于芝加哥南部的一些酒吧间与俱乐部里，因此常称为芝加哥布鲁斯，由一小群乐师用电吉他、口琴、电低音提琴、电钢琴或电风琴和鼓来演奏，音量很大；旋律及声乐部分大量地吸收乡村布鲁斯，带有强烈的节奏感并适宜于舞蹈。第三种主要形式较为散乱，以声乐为主，器乐伴奏多种多样，可以是完整的乐队，也可以少到根本没有。这种风格的音乐通常由一个小组演出，采用密集和声和几乎总是抑制的、中速到缓慢的速度，受教堂音乐影响较深。50年代中期，唱片公司和商业出版机构把旨在供黑人听众听的音乐称为"节奏与布鲁斯"，以代替较早时所用的那些令人费解的名称，如"乌木"、"乌贼鱼"、"种族音乐"等。这一变化反映出黑人音乐市场和白人音乐市场各自为政的传统宣告解体。

rhythmic gymnastics　韵律体操　又称现代体操（modern gymnastics）或现代韵律体操（modern rhythmic gymnastics）。借助于绳、环、球、棒、带等手持器械作有系统的体操表演。它与跳马、高低杠、平衡木、自由体操等女子艺术体操有密切关系，并且像花样游泳那样与舞蹈相联。韵律体操运动可追溯至18世纪；虽然有些体操选手曾在奥林匹克运动会（1948～1956）上作过个人或团体表演，但直到1984年的奥运会，个人竞赛才成为正式的比赛项目。1963年起，世界锦标赛每两年相继在各城市举行。个人动作是由一名体操选手使用一项器械表演1至1分半钟；团体技巧则是在2分半至3分钟的时间内由6名选手用6件器械演出。个人和团体表演时均仅以一种乐器伴奏，通常是钢琴。使用的绳长依参加的选手个人身高而定；塑料或木制环的内直径从80～90厘米不等；18～20厘米的塑料或橡皮球至少400克重；长40～50厘米的一对棒，每只至少须重150克；彩带宽4厘米，长7米，系结在一根50～60厘米长、细长柔软的木棒或藤上。除了金、银和青铜色外，表演韵律体操所使用的器械可以是任何颜色。虽然在任何一套动作中都要求至少有两个（奥运会为3个）高级动作和6个难度动作必须完成，但在一流的和国际水准的韵律体操里却没有什么规定动作。计算得分的要点是艺术性，包括动作技巧的独创性、熟练性，以及姿态和面部表情、线条动作的流畅性等；激烈的特技动作则非评分要点。参阅 **Olympic Games**。

rhythmic mode　节奏程式　12世纪末和13世纪中作为所有多声部音乐的基础的三拍子节奏结构。节奏程式起始于巴黎圣母院乐派的二部奥加农的迪斯坎特部分，在13世纪多种语言的经文歌中发展到高峰。节奏程式的特点是两种或三种节奏程式同时出现在多声部织体的不同声部中。多个声部在节奏上得以协调，应归功于这种节奏程式体系。六种节奏程式和古典诗歌格律一致：①长短格♩♪，②短长格♪♩，③长短短格♩. ♪♩，④短短长格♪♩♩.，⑤长长格♩. ♩.，⑥三短音节格♫♫。

ria　溺河　由河谷下游部分被淹没而形成的漏斗状入海口。溺河一般沿垂直于山脉的崎岖海岸出现，其中许多溺河是在巨大的大陆冰川融化后由于海平面上升而形成的。溺河往往很不规则，并且可以具有几条支流，这些支流通常就是邻近地区的主要泄水系统。溺河向大海方面逐渐展宽的漏斗形及其深度的不断增加，往往使潮汐作用在河口内大为增强。

Riabushinskii FAMILY　参阅 **Ryabushinsky family** 里亚布申斯基家族。

rial　里亚尔　伊朗、阿曼和也门的货币单位。伊朗于1932年采用里亚尔为货币单位。伊朗伊斯兰共和国中央银行是唯一有权在伊朗发行纸币和铸币的银行。铸币面值为5～

伊朗10 000里亚尔纸币（正、反面）
美国不列颠百科全书公司供图

500里亚尔不等。纸币面值为100～20 000里亚尔不等。彩色纸币正面印有历史和宗教人物像，包括1979～1989年伊斯兰共和国的政治和宗教掌权人霍梅尼（1 000、5 000和10 000里亚尔纸币）。里亚尔也是阿曼和也门的货币单位。阿曼中央银行发行的阿曼里亚尔1972年被该国采用为货币单位，每个里亚尔等于1 000派沙。也门中央银行是唯一有权发行也门里亚尔的银行，每个也门里亚尔等于100费尔。也门里亚尔于20世纪60年代阿拉伯也门共和国独立时成为该国官方货币，1990年以来成为统一之后的也门货币。

Rialto Bridge　丽都桥　意大利威尼斯市中心跨大运河最狭处的桥，建于16世纪末，作

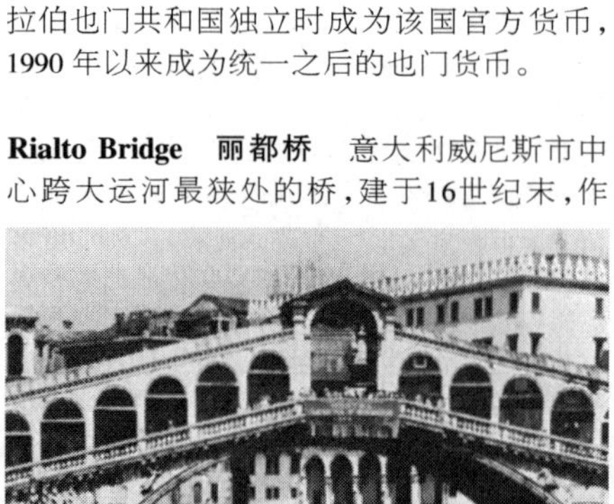

威尼斯市的丽都桥
供图：Cary Wolinsky—Stock，Boston，Inc.

为文艺复兴时期的作品，以其建筑和工程成就而著称。该桥由A. da庞特设计建造。为单孔石拱桥，矩形的宽阔桥面上有两排拱廊商店、三条车道。丽都桥的下弦长25米，宽度却达到20米。

Riau　廖内　印度尼西亚苏门答腊中东部省份。南与占碑省、西与西苏门答腊省，北和西北与北苏门答腊省接壤，东临马六甲海峡，东南临贝哈拉海峡。面积94 561平方千米，包括东面的卡里摩、巴淡和宾坦等岛群，马六甲海峡的林加、新及、鲁帕和望加丽等岛屿和南海的淡美兰、阿南巴斯和纳土纳等群岛。7世纪为室利佛逝帝国的一部份。14世纪室利佛逝衰落，东爪哇印度教麻喏巴歇帝国在此建立统治。18世纪末至19世纪初荷兰和英国先后统治该地。第二次世界大战期间被日本人占领。1950年并入新成立的印度尼西亚共和国。西部边境上巴里桑山脉的巴塔克高原和巴东高地是该省仅有的高地。平均海拔722米的蒂加普卢山脉从中南边界附近向北延伸。鲁帕岛和望加丽岛的大部分为沼泽地带，罗干、塔蓬、夏克、甘巴和因德勒吉里等河流从高地流入该沼泽地带。这个地区时常遭受水患。沼泽植被有蓑衣草、露兜树、藤条和蕨类植物，许多地方沼地四周有浓密的竹林；河口湾有红树。该省主要经营农业，生产稻米、玉米、木薯、大豆、椰干、黑儿茶（染料）、胡椒、木材以及捕鱼。主要大型工业有宾坦岛和新及岛上的锡矿和铝土矿开采。其他行业有食品加工、造纸和木雕。内地交通主要靠内河航行。公路主要限于省会北干巴鲁周围的内地。居民有萨凯人、拉乌特人、胡坦人、阿基克人等。他们主要是穆斯林。此外还有很多住在沿海的马来人和华人。人口约3 924 600（1995）。

Riazan（Russia）　参阅 **Ryazan** 梁赞。

rib　肋骨　一系列成对的窄而弯的长骨条（有时为软骨）。后面与脊椎连接；高等脊椎动物的肋骨前面还与胸骨相连，形成胸廓。肋骨用以保护内部器官和支持躯干肌肉。鱼

人的右第8肋骨

类有两组肋骨与上部和下部的椎弓相连接，但左右肋骨在前面并不连接。一般认为上组（背部）肋骨进化成陆生脊椎动物的肋骨。肋骨与胸骨连接，形成胸廓，这种情况最早出现于爬行类。原始状态的肋骨与所有椎骨都相连，一些爬行动物，如蛇仍是如此，但哺乳类仅胸椎有肋骨。残余的颈肋与颈椎愈合形成横突的一部分。哺乳动物的肋骨数为9对

(鲸)至24对(树懒),真肋3～10对。人类正常有12对肋骨,前对通过肋软骨直接与胸骨连接,称为真肋;第8、9、10对为假肋,不直接与胸骨相连,而借软骨与第7对肋骨连接;第11和12对为浮肋,长度仅为其他肋骨的一半,达不到身体前部。每条真肋均有一个小头和两个关节面,肋骨小头关节面与椎骨体连结,位于较前方的肋结节关节面与椎骨横突顶端连结。肋骨头前侧的窄区称为颈,其余部分称为体。

Ribalta, Francisco 里瓦尔塔(1565,西班牙卡斯特利翁-德拉普拉纳～1628-01-12,巴伦西亚) 西班牙画家,最早受意大利卡拉瓦乔提倡的新现实主义影响的艺术家。以光和影

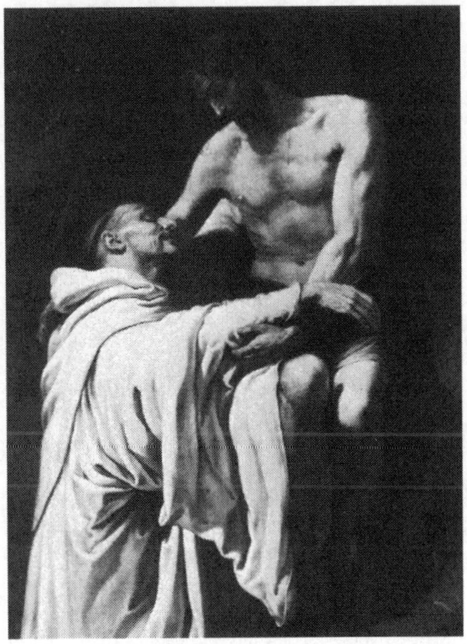

里瓦尔塔绘《基督拥抱圣贝尔纳》
供图:A. Gutierrez—Ostman Agency

表现形体的质感,最早形成西班牙式的暗色调风格(更强调暗影),对后来的西班牙画家有很大影响。1598年移居巴伦西亚开办一个大画室。这一时期的作品因循、平庸。晚期作品有独创性,气派非凡。如《歌手》、《基督拥抱圣贝尔纳》和《波塔科埃利祭坛后部装饰屏》,都以造型有力,构图简明和光线逼真著称,是17世纪后期委拉斯开兹、苏巴朗、里贝拉的作品的先声。

Ribandism(Irish nationalist movement) 参阅 **Ribbonism** 绿带会运动。

Ribas, Óscar (Bento) 里巴斯(1909-08-17,安哥拉罗安达～2004-06-19,葡萄牙里斯本) 葡萄牙裔安哥拉民俗学家、小说家。毕生从事采集和记录安哥拉金本杜语民间传统口头文学。父亲是葡萄牙人,母亲是安哥拉人。他从20岁起逐渐失明,但始终不知疲倦地研究和写作。他以写传奇故事开始文学生涯。《妖术》(1951)和《祖国的回声》(1952)两书的出版标志着他作品中的新非洲方向。他称《妖术》是一部民间传说式的安哥拉长篇小说,以一对非洲男女的婚姻为题材,但介绍了大量金本杜寓言、诗歌及民谚。1969年他出版了此书的增订本。《祖国的回声》是一部以传说和民间故事为素材的小说集。《安哥拉的占卜与礼仪》(1958)是他18年来研究金本杜文化和宗教的成果。《安哥拉传统文学》(1961～1964)共3卷,是一部语言学著作,其中包括一部俗语词典和安哥拉故事和谚语集的葡萄牙文译本。自传题名《这一切都已发生》(1975)表明他对白人、黑人都友好相处的那个安哥拉的依恋。

Ribāṭ (Morocco) **里巴特** 参阅 **Rabat** 拉巴特。

Ribaut, Jean 里保(约1520,法国迪耶普～1565-10-12,佛罗里达[今在美国]) 法国海军军官,探险家,殖民者。早年加入海军。1558年任一艘补给船船长,参加从英国人手中夺取加来之战有功。1562年任探险队长,前去佛罗里达建立法国胡格诺派的殖民地。5月1日在圣约翰河口登陆。后又向北航行,到达今南卡罗来纳州罗亚尔港建立殖民地,命名查理堡。1562年回国。法国宗教战争期间曾作为清教徒去英国避难。1565年奉命支援胡格诺派在圣约翰河上新建的殖民地卡罗来纳堡。西班牙国王腓力二世宣布占有佛罗里达,命令梅嫩德斯摧毁卡罗来纳堡,里保被俘,作为异教徒处死。

Ribbentrop, Joachim von 里宾特洛甫(1893-04-30,德国韦瑟尔～1946-10-16,纽伦堡) 德国外交家,纳粹时期的外交部长(1933～1945)。军官之子。先后就读于德国、瑞士、法国、英国。1910年去加拿大,第一次世界大战初期返回德国,在东部战线当轻骑兵。后在德国驻土耳其军事使团工作。战争结束后回国,1920年以前当香槟酒推销员,后由于结婚而发财致富。1932年与希特勒相遇,同年加入国社党。1933年1月30日纳粹上台后,他成为元首的外交事务顾问。1934年被任命为德国参加日内瓦裁军会议的特派代表,曾参加1935年6月英德海军协定的谈

供图:Heinrich Hoffmann, Munich

判。1936年任驻英大使,1938年离任。同一时期,他曾与日本谈判反共产国际协定(1936),1938年2月出任外交部长,1939年5月22日与意大利签订"刀剑条约"。里宾特洛甫最成功的外交活动是1939年8月23日缔结德苏互不侵犯条约,该条约为希特勒进攻波兰扫除了障碍,由此揭开第二次世界大战的序幕。1940年9月27日他与日本和意大利签定三国轴心协定,共同抗击美国。此后,他的外交工作降至次要地位。里宾特洛甫于1945年6月14日在汉堡被捕,由纽伦堡国际军事法庭判处绞刑。他在狱中时曾撰写《在伦敦与莫斯科之间》(1953)。

Ribble, River 里布尔河 英格兰北约克和兰开夏两郡河流。由盖尔和卡姆两小河汇流而成。在英格尔伯勒和佩尼根特两山之间向南流,然后经过开阔的乡村、宽长峡谷直至与霍德和科尔德两主要支流河汇合,至普雷斯顿后注入爱尔兰海。全长120千米。

Ribble Valley 里布尔河谷 英格兰西北部兰开夏行政郡一区(自治市)。面积584平方千米。位于郡的中部。中、北部在奔宁高地西段内。东南和南部有里布尔河流经。东北部为针叶林带。首府克利瑟罗是集市中心,亦有多种轻工业。附近开采石灰石,有养羊和养牛业。据传G.福克斯(1624～1691)因在区内的彭德尔山遇到显圣,而创建基督教公谊会。人口约53 100(1998)。

Ribbon Fall 里本瀑布 世界最大瀑布之一,据说是美国最大的瀑布,落差491米。位于美国加利福尼亚州中东部内华达山西坡约塞米蒂国家公园境内。是公园的主要景观之一。5～6月流量最大,水源主要为融雪,因而在仲夏有干涸期。

ribbon seal (*Histriophoca fasciata*) **带纹海豹** 海豹科动物,无耳壳。分布于北太平洋和白令海。雄体可长达约1.7米,重95千克。深褐色,有浅黄色宽带条状纹。雌体较小,和幼体一样颜色较淡,带状斑纹不明显。带纹海豹单独生活,或成小群,以鱼、枪乌鲗和其他海洋动物为食。爱斯基摩人猎取其皮,日本人亦少量猎取。

ribbon worm 纽形动物 又作bootlace worm, proboscis worm, nemertine或nemertean。又称带虫、吻虫、纽虫。纽形动物门(Nemertea,亦称Nemertinea,或吻腔动物门[Rhynchocoela])无脊椎动物。主要营自由生活,但有几种寄生于蟹、虾和海鞘。已知约900种,大部分海生,少数生活于淡水或陆地。主要特征为:在消化道管前端背侧的吻腔内有一可翻转的肌肉质吻。吻呈管状,许多水生种类的吻有针刺,用以捕食;陆生种类的吻用以快速运动。在有血管系统和消化道的口和肛门分开的动物中,纽形动物是最简单的类群。体通常细长,运动时常极度伸展。大多数种类长度不到20厘米,但巨纵沟纽虫(*Lineus longissimus*)可达30米长。在深水中游泳的种类呈宽扁形,具鳍状附肢。纽虫通常为单色,有的种类具条纹、带、斑点或几何形状的鲜明图案。纽形动物多为海产,多分布在温带的沿岸水域(尤其是地中海地区和欧洲),可栖息石块和水草下,或钻入泥沙内。少数生活于较深的水域或外海。在热带、亚热带不常见,但在两极亦有分布。小体纽虫属(*Prostoma*)分布在世界各地淡水中。地纽虫属(*Geonemertes*)陆生,分布于亚热带(尤其在澳大利亚和新西兰)。肉食性,以活的或死的动物,尤其是环节动物为食。用吻缠结其猎物,有时注入有毒物质。多数种类雌雄异体,体外受精。受精卵的发育过程与扁形动物、环形动物及软

体动物相似。通常直接发育，无幼体阶段；有的经幼体阶段。幼体有两类：较常见的一种是自由游泳的帽状幼体；另一类幼体形似成体，称德索尔氏幼体。小体纽虫属和地纽虫

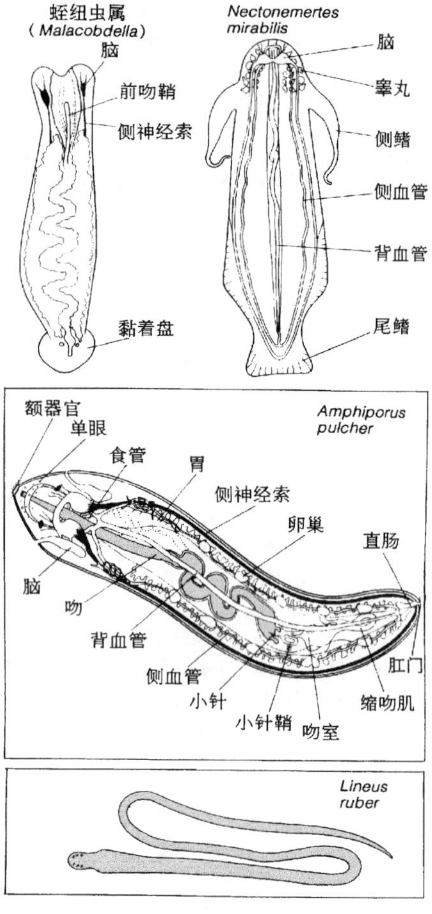

纽形动物构造

属雌雄异体或同体。纽虫都有再生能力，有的能裂成许多碎片，再各长成一完整个体，以此营无性生殖。纽形动物与扁形动物近缘；胚胎发育型式相似，基本体制相同。但纽虫消化道完全，有循环系统。一般认为纽形动物是最高的无体腔动物的一个独立的门。纽形动物用以分类的重要特征是脑与口的相对位置，吻上有无小针刺及侧神经与肌肉层的相对位置。某些环形动物门的**血虫**（**bloodworm**）亦称吻虫。

ribbonfish 妙带鱼 月鱼目粗鳍鱼科几种深海鱼的统称。体细长，见于各大洋。因头部后方有一长带状背鳍，该鳍前端与体相连，后端不连，游泳时飘动如带而得名。其他特征为尾鳍尖，末端向上，无臀鳍。本科有3属：粗鳍鱼属（*Trachipterus*）、*Desmodema* 属和粗带横鳍鱼属（*Zu*）。最大者为产于北方寒冷水域的北极粗鳍鱼（*Trachipterus arcticus*），体长可达2米。

Ribbonism 绿带会运动 爱尔兰秘密结社运动，始于18世纪末，与新教的奥兰治党相对立。这一运动有各种不同名称的社团，它们组成许多分会，从爱尔兰各地的下层民众中吸收会员，会员均佩戴绿色会章，故名。绿带会运动于1855年左右达到鼎盛时期。此后日趋衰落，1871年被宣布为非法。

Ribe 里伯 丹麦日德兰半岛西南部里伯州城市和首府。濒临里伯河。距北海6千米。为丹麦最古老的城镇之一，862年首见记载。中世纪时是繁荣的港口和王室休养地。现有许多16～17世纪的半木结构房屋和一座12世纪的大教堂。地方工业包括铸铁、食品加工和纺织。州面积3 131平方千米。东部丘陵起伏。经济基础是农业和乳品业。埃斯比约是主要城市。人口：市约7 984；城市区约18 112；州约224 345(2000)。

Ribeauvillé 里博维莱 法国东部阿尔萨斯地区上莱茵省城镇。地处孚日山下，斯特拉斯堡西南53千米。以中世纪城门、古城墙、中世纪房屋及两座哥特式教堂著称。有一17 °C的盐泉。现有纺织、印刷及摄影业。附近有数座著名城堡遗址，包括圣乌尔里希城堡。人口4 929(1999)。

Ribeirão Prêto 里贝朗普雷图 巴西圣保罗州东北部高原城市。海拔520米，濒帕尔杜河。建于1856年。1870年设镇。1871年为城市区所在地。原为殖民和咖啡种植中心。1883年通铁路后始有工业。现生产纺织品、棉籽油和啤酒。附近地区产稻米、玉米、甘蔗、棉花和水果等。与东南282千米的圣保罗城通公路、铁路和航空线。有一所海伦·凯勒盲人学校。人口约502 333(2000)。

Ribeiro, Aquilino (Gomes) 里贝罗（1885-09-13，葡萄牙上贝拉～1963-05-27，里斯本） 在1930年新现实主义的地方主义开始崛起之前葡萄牙小说界的巨擘。青年时期因参加政治活动，多次流亡巴黎等地。作品使用一些东北部农村土话，描写他性格形成时期在该地观察到的各种类型的人物和生活方式。1918年出版小说《魔鬼的土地》，1922年发表中篇小说集《去圣地亚哥之路》。50年代出版《罗马里加的豪华邸宅》(1957)和《狼嚎叫的时候》(1958)。在40年创作生涯中，共发表二十几部小说。他刻画最成功的人物是《去圣地亚哥之路》中的骡夫马拉迪涅斯。

Ribeiro, Bernardim 里贝罗（约1482，葡萄牙托朗～1552-10，里斯本） 葡萄牙诗人、散文家。1507～1512年在里斯本大学攻读法律，其后，经常出入国王曼努埃尔一世的宫廷。1521～1524年可能在意大利。1524年回葡萄牙后，任国王胡安三世的秘书。晚年精神失常。他写了5首牧歌，把田园诗风格引进葡萄牙。还写了一本骑士和牧歌式的传奇小说《思慕之书》(1554～1557)，一般认为是文艺复兴时期葡萄牙文学的杰作。

Ribeiro Couto, Rui 里贝罗·科托（1898-03-12，巴西桑托斯～1963-05-30，巴黎） 巴西诗人、短篇小说作家、外交官。原为象征主义诗人，20世纪20年代初期现代主义席卷巴西文坛时转向现代主义，成为其主要人物之一，发表描写卑微的日常生活的诗歌和短篇小说。著名短篇小说集有《学生巴蒂斯塔的罪行》(1922)、《受骗妻子俱乐部》(1933)、《教堂广场》(1940)。诗集有《漫长的一天》(1944)、《人群中一人》(1923)、《海与河》(1952)等。1934年被选入巴西文学院。曾在马赛、巴黎、荷兰、里斯本、贝尔格莱德等地任领事。他还是个活跃的新闻记者。

Ribera, José de 里贝拉（1591-02-17受洗，西班牙哈蒂瓦～1652-09-02，那不勒斯） 西班牙油画家和版画家，以巴罗克戏剧性现实主义风格和宗教与神话题材作品著名。虽然

里贝拉绘《跛足者》
中国大百科全书出版社供图

出生于西班牙，但一生大半在意大利度过。作品以宗教画为主，也以古典和日常生活为题材，有少数肖像画。那不勒斯学派创始人卡拉瓦乔的主要追随者之一。主要风格是用强烈的明暗对比以及自然主义的手法来烘托忏悔者、殉难圣徒或受折磨的诸神在精神和肉体上的苦痛。用粗笔浓色勾画人物的皱纹、胡须和肌肉的创伤，使画面的细部更分明更可怕。里贝拉是17世纪西班牙多产画家，其画广为人们模仿。他的蚀刻铜版画属于意大利和西班牙在巴罗克时代最精美的作品。他的画风带有博洛尼亚画派的特点，轮廓鲜明，明暗对照强烈，真实性强。

Ribes 茶藨子属 茶藨子科（Grossulariaceae，常被归并入**虎耳草科**）的一属，约含150种灌木，可明显区分为茶藨子与醋栗两类。原产北美洲的温带地区，并向南延伸至南美洲的安第斯山脉。有些学者将醋栗独立为醋栗属（*Grossularia*）。茶藨子通常无刺，醋栗则多刺；前者的花常聚生成簇，后者则常单生；两类植物的果实均可烹煮或烘烤以为食物。因果可供食而栽培的种包括英格兰醋栗（欧洲醋栗，*R. uvacrispa*）、美洲醋栗（毛茎茶藨子，水牛茶藨子，*R. hirtellum*）、黑茶藨子（*R. nigrum*）、香茶藨子（*R. odoratum*）与普通茶藨子（红果茶藨子，*R. sativum*）。有观赏价值者包括高山茶藨子（*R. alpinum*）、香茶藨子、倒挂金钟茶藨子（美丽茶藨子，*R. speciosum*）、开芳香黄花的金茶藨子（丁香茶藨子，*R. aure-*

um)，以及蔓生常绿的荚蒾叶茶藨子（*R. viburnifolium*）。由于本属所有植物都是毁灭性的疱锈病真菌的轮换寄主，而这种真菌也危害白松，所以在任何白松林附近皆有地区性禁植令。

Ribeyro, Julio Ramón　利贝罗（1929-08-31，秘鲁利马～1994-12-04，利马）　小说作家和剧作家，拉丁美洲短篇小说大师之一。其作品展示出对社会批评和幻想的罕见结合，突出了对秘鲁生活的凄凉观点。著有8卷短篇小说集，其中最著名的是《无羽的红头美洲鹫》（1955）。20世纪50年代初开始发表小说。当时他刚迁居法国，并从此定居法国，极少再回秘鲁。最初发表的小说中，《圣加百列编年史》（1960）和《星期日的精灵》（1960）这两部的主题是秘鲁贵族政体的腐败。他喜欢将故事的背景设在城市，尤其是利马，城里到处都是从安第斯山脉迁至海岸边的穷人。他将穷人的生活按年代顺序记载下来，作为他们的心声；这反映在他的4卷《缄默者的话语》中（卷1、卷2，1973；卷3，1977；卷4，1992）。书中主人公们似乎对自己所处的困境并不了解。在《无羽的红头美洲鹫》中，两个男孩在当地垃圾场里为受他们祖父虐待的肉猪寻找食物。这两个男孩最终杀了祖父，将他的尸体喂猪。他在《一个没有祖国的男人的散文》（1975）中将自传、小说和散文糅合在一起，是对他在法国经历的自我审视。这本书拥有众多的读者，尤其是在秘鲁。

riboflavin　核黄素　参阅 **vitamin B_2** 维生素 B_2。

riboflavin deficiency　核黄素缺乏症　参阅 **vitamin B_2 deficiency** 维生素 B_2 缺乏症。

ribonucleic acid　参阅 **RNA** 核糖核酸。

ribose　核糖　又作D-ribose。亦称D-核糖。核糖核酸（RNA）中的五碳糖。与磷酸基交替排列形成RNA"骨架"，与含氮碱基相连。核糖磷酸酯是核苷酸辅酶的组分，微生物可用其合成组氨酸。

ribosome　核糖体　一切活细胞中都有大量存在的小颗粒，是蛋白质合成的部位。核糖体或游离存于细胞内，或附着于内质网的膜上。一个核糖体直径约有200埃，由约40%的蛋白质和约60%的核糖核酸组成。包括4种核糖核酸和约70种不同的蛋白质。由外形看，核糖体由一大一小两个亚单位组成，各具特征外貌。一个细胞有大量核糖体，总核糖核酸量中有一大部分是核糖体构成。核糖体是基因密码中的信息转入蛋白质分子的部位。信使核糖核酸（mRNA）在此决定转移核糖核酸（tRNA）的排列顺序，而后者则将氨基酸连接为蛋白质。新形成的蛋白质则脱离核糖体，转移到细胞的其他部分以供利用。

Ribot, Alexandre(-Felix-Joseph)　里博（1842-02-07，法国圣奥梅尔～1923-01-13，巴黎）　法国第三共和的政治家，曾4度出任法国总理。里博研究法律，并在司法部升至刑事局局长。1878年他被推选为众议院中加来海峡省的代表。里博是一个温和派共和主义者，并具有财政金融方面的专长。1885年10月，他失去了议会席位，但1887年又再度成为加来海峡省代表，1909年被选入参议院。1890年3月至1892年2月担任外交部长，提议与俄国恢复友好关系，酝酿成熟后于1894年结成联盟。1892年12月6日成为总理时，又兼任外交部长，但4个月后，他的政府即因巴拿马运河丑闻而垮台。1895年1月26日，里博再度出任总理，并兼财政部长，他发起对马达加斯加的远征，并在该地建立保护国，但却再度因财政丑闻而被迫去职。

1896～1914年，里博身为反对党。他于1906年成为法兰西学院的院士。1909年当选为代表加来海峡省的参议员，在这个职位上他特别关注外交政策。1914年6月曾短时任总理。这个政府垮台后，他被任命为司法部长，同年8月，第一次世界大战爆发后，再度出任财政部长，并担任此职达两年以上。1917年3～9月，他又任总理和外交部长。他的最为重要的举措是在该年5月任命贝当将军为法国陆军总司令。

Ribot, Théodule-Armand　里博（1839-12-18，法国甘冈～1916-12-09，法国巴黎）　法国心理学家。在《记忆的疾病》（1881）一书中反复申述个体记忆功能演化的原理，力图说明记忆丧失是一种进行性脑疾病的症状，这是依据脑的障碍来分析记忆异常的最有影响的早期尝试。里博在法国高等师范学校取得博士学位后，1885～1888年，执教于索邦神学院（现在的巴黎大学）；1889～1896年，在法兰西学院教授实验和比较心理学。他研究了英国和德国的心理学家的著作后，开始把注意力放在对异常心理学现象的分析和研究方面。除了《记忆的疾病》之外，他的著述主要涉及对人的意志、人格、注意等过程中的异常状态的分析研究。晚年，里博的研究兴趣主要是心理过程中的情感和情绪因素。

Ricardo (Leite), Cassiano　里卡多（1895-07-26，巴西圣若泽-杜斯坎普斯～1974-01-14，里约热内卢）　巴西诗人、散文作家、文学评论家和新闻记者。20世纪巴西最多才多艺的诗人之一。在漫长的一生中，参加各种文学运动，从帕尔纳斯派、现代主义到60年代的实体主义和实用诗。20年代初，他是现代主义的一个支流安塔派的主要倡导者，该派力促从民族主义角度去重新发现祖国的大地，以及本土的民间传统。最有名的诗集《马丁-塞雷雷》（1928）就是这个时期的作品。《无泪的杰雷米亚斯》（1964）以及其他50、60年代的作品，显示出他从民族主义转向普遍同情全宇宙的世界观。他撰写了大量的文学评论文章，对70年代年轻诗人产生过显著影响。

Ricardo, David　李嘉图（1772-04-18或19，英格兰伦敦～1823-09-11，格洛斯特郡盖特库姆帕克）　英国著名经济学家。其父在伦敦证券交易所经营证券发家。14岁入其父事务所工作。21岁因改变宗教信仰同家庭脱离关系，独立经营证券交易业务。1799年阅读A.斯密的《国富论》引起他对经济问题的兴趣。经过10年对经济学的研究，1810年他将前一年参加关于英格兰银行政策讨论的文

伦敦国立肖像画陈列馆供图

章汇集成《金块的高价》出版，这是他的第一部著作（1810）。它的出版使争辩英格兰银行货币政策的论战再起，这场争论对于中央银行业务理论的发展有极重要的意义。1814年退出证券交易所。1815年为反对控制谷物进出口的《谷物法》，发表了《论谷物低价格对资本利润的影响》。他认为提高谷物进口税，必将使地主豪绅的地租增高，使制造商的利润降低。1817年他发表了代表作《政治经济学及赋税原理》（1817），分析了社会中三个阶级，即地主、工人和资本家在社会产品分配方面的规律。他发现商品的相对国内价值决定于生产这些产品的必要劳动量。他还断言利润与工资是互成反比例而变化的，而工资是随必需品成本的变化而变化的；地租总是随人口增长而增加的。书中还论述了其他许多问题。尽管他的学说一部分是以斯密的著作为基础发展起来的，然而他把经济学的范围规定得比斯密狭窄得多，明确的社会学内容很少包括在内。李嘉图从事经济学研究的时间较短，但在当时的经济学界却居于领导地位；尽管他受到攻击，但不失为使经济学系统化最早的思想家。

Ricca, Paul　里卡（1897-11-14，那不勒斯～1972-10-11，芝加哥）　绰号侍者，原名费利斯·德卢西亚（Felice Delucia）。美国芝加哥黑帮分子，是A.卡彭及其继承人F.尼提和T.阿卡多的"智囊"。1934年，卢西亚诺、M.兰斯基以及其他纽约市犯罪集团的首脑们组成全国犯罪辛迪加，里卡代表芝加哥犯罪团伙参加辛迪加的成立集会。里卡1917年因杀人罪在那不勒斯监狱服刑2年，1919年再次杀人，逃往美国，住在芝加哥，成为卡彭的保镖，后来成为他的主要帮凶之一。1943年里卡和其他7人被控阴谋以"联合骚扰"敲诈4家电影公司（洛氏、派拉蒙、20世纪福克斯和华纳兄弟）100万美元，判刑10年，但是，他只服刑3年就被秘密释放。后来国会的调查结论是：犯罪辛迪加的影响已达到联邦行政部门的上层。1959年里卡再度以逃避所得税被判刑9年，但只坐牢27个月。1959年他被递解出境，但此命令迄未执行。

Ricci, Saint Catherine dei　里奇　参阅 **Catherine, Saint** 凯瑟琳，圣。

Ricci, Matteo 利玛窦（1552-10-06，教皇国马切拉塔～1610-05-11，中国） 意大利耶稣会传教士，他在16世纪把基督教教义引进中国大明帝国。他在中国居住将近30年，带头在中国与西方之间建立相互理解。他习用中国语言和文化，有机会进入通常不对外国人开放的中国内地。他出身贵族，少年时代曾在本乡耶稣会士所办学校受教育，16岁到罗马学法律；1571年加入耶稣会。曾从著名数学家克拉维乌斯学习科学，不久后利玛窦自愿到远东工作。他于1577年5月前往葡萄牙，一面等船，一面在科英布拉大学学习。翌年3月24日在里斯本上船，9月13日到葡萄牙印度西海岸中部的基地果阿。利玛窦在该地继续接受培训，1580年在马拉巴尔海岸上的科钦受祝圣，成为司铎。返回果阿后，奉命于1582年4月前往中国。利玛窦到达时，中国仍不对外人开放，但是耶稣会会士的策略有所修改，着重学习汉语和中国文化。利玛窦于1582年8月到澳门，立即开始学习汉语。

北京阜成门外车公庄的利玛窦墓碑
中国大百科全书出版社供图

翌年他与另一耶稣会士罗明坚（Michele Ruggieri）获准在肇庆居住。利玛窦在他的《中国札记》中描写他们二人的工作情况如下："为了不使人们猜疑他们的工作，神父们（耶稣会会士们）开始不明讲我们的圣道。除了访问之外的时间他们学习中国人的语言、文学和礼法，以得到好感，而且，用自己生活的好榜样感动他们，由于语言不通和时间不充裕，此外的其他办法都是不行的。"尽管如此小心翼翼，罗明坚还是出版了第一本汉文《教理问答》，利玛窦绘出了他的第一版《坤宇万国全图》。1589年利玛窦自肇庆迁到韶州，在韶州有中国友人建议他不再着僧服而改着儒生服装。利玛窦在离开广东以后不久即改装。利玛窦既已熟悉情况，遂决定设法去皇都北京。他在1595年前往，不料中日两国在朝鲜发生冲突，一切外国人都受到怀疑，他只好离开北京，先在南昌停留，然后到南京。在南昌（1595～1598）他同两位皇族宗亲友善，应其中一人之请撰写第一部汉文著作《交友论》。他于1599年2月定居南京，主要从事天文和地理。关于这种工作的效果，利玛窦在《中国札记》中说："神父们对这一切问题提出明确易懂的解释，中国人感到新奇，许多人无法否认，因此，消息很快传遍中国学界。由此，可以理解，他们是如何尊重耶稣会士和我们国家，此后他们再不敢称之为夷，过去他们惯于以该词称中国以外的国家。"利玛窦在南京受到的款待使他受到鼓舞，他第二次设法前往北京。他于1601年1月进京城，同行有另一位耶稣会会士西班牙人庞迪我（Diego Pantoja）。利玛窦未获准觐见皇帝，但获准长住北京。他此后果然再未离开该地，把余年献给了那里的人民，向他们传授科学并宣传福音。他努力接近中国知识界人士，向他们传教，因而结识许多名流，如李之藻、徐光启和杨廷筠（此三人共称中国"早期天主教三大支柱"，他们主要在文字方面协助各传教士）和冯应京（学者，官员，曾在北京受监禁）。利玛窦在北京用汉文著书几种：《天学实义》（1603）、《西字奇迹》（1605）、《几何原本》（1607）和《圜容较义》（1608）。

Ricci, Ruggiero 里奇（1918-07-24，圣弗朗西斯科［旧金山］～2012-08-06） 美国小提琴家，以擅长演奏帕格尼尼作品著称。儿时师从L.珀辛格，10岁在旧金山举行首次音乐会。在M.皮阿斯特罗和G.库伦堪夫门下进一步深造后，于1932年到欧洲巡回演出。1933～1937年从P.斯塔塞维奇学习，技巧造诣已炉火纯青，充分掌握了19世纪发挥技巧的曲目。他使用瓜尔内里1734年制作的小提琴经常在欧美演出。他首次演奏了A.吉纳斯特拉（1963，纽约）和G.封·艾内姆的协奏曲（1970，维也纳），并且把重新发现的帕格尼尼的第四小提琴协奏曲介绍给美国听众（1971）。1970～1973年在印第安纳大学、1975～1980年在朱利亚德学院、1982年起在安阿伯的密歇根大学执教。

Ricci-Curbastro, Gregorio 里奇-库尔巴斯特罗（1853-01-12，教皇国卢戈～1925-08-06，意大利博洛尼亚） 意大利数学家，对于绝对微分学（也称里奇微分，现称为**张量分析**［**tensor analysis**］）的发展有贡献。1880～1925年任帕多瓦大学教授，早期的研究工作是在数学物理（主要是电路定律）和微分方程方面。张量分析是研究共变的关系，即从一个坐标系变到另一坐标系后仍然保持不变的关系。张量分析源出著名的数学家G.黎曼的微分几何学。德国的E.B.克里斯托弗尔曾对张量的适用方法做了初步的发展，而意大利的E.贝尔特拉米和德国的R.O.S.利普希茨引进了重要的概念，然而系统的理论，却是他于1887～1896年创立，并且后来由其学生T.列维-齐维塔做了重要扩展。有一段时间这种新的微分学无人注意，后来爱因斯坦才发现里奇的方法对他的广义相对论的数学表述是不可缺少的。在里奇把张量分析应用于曲面研究时却遇到了几种极为有趣的超空间的度量性质，其中之一是里奇张量，这是黎曼-克里斯托弗尔曲率张量的一种形式，它出现在爱因斯坦引力方程中，常又称为爱因斯坦张量。张量分析应用于广义相对论而引起的兴趣导致它在微分几何和其他数学分支中有广泛的应用。

Riccia 钱苔属 苔类植物地钱目的一属。分布广泛。著名种叉钱苔（漂浮钱苔，*Riccia fluitans*）又称纤细钱苔，漂浮在浅池，叶状体带状，绿色，有分枝，宽约0.1厘米，长

漂浮钱苔（*Riccia fluitans*）
供图：Walter Dawn

1.3～5厘米，常缠结成大块。其他种丛生于潮湿土壤。

Riccio, Andrea 里乔（约1470，威尼斯共和国帕多瓦～1532，帕多瓦） 原名Andrea Briosco（布里奥斯科），又名Andrea Crispus（克里斯帕斯）。意大利文艺复兴时期雕刻家及金工，以其小型青铜雕刻闻名。他在贝拉诺的作坊学艺，曾为帕多瓦的圣安东尼奥教堂制作大型复活节烛台（1507～1516），并为维罗纳的圣费尔莫教堂制作吉罗拉莫·德拉·托雷纪念碑（1516～1521），其青铜浮雕现存巴黎罗浮宫。里乔的这两件作品的风格和形象均受帕多瓦人文主义强烈影响。他还

里乔的青铜小雕像《骑马战士》，16世纪上半叶
伦敦维多利亚和艾伯特博物馆供图

是青铜小雕像的多产作者，作品主题大多取自古典神话。与同时代人安蒂科（曼图亚）的小雕像不一样，处理手法浪漫，有鲜明的个性和表情特征。他的青铜小雕像的杰出范例有：《挤羊奶的少年》（佛罗伦萨巴尔杰洛博物馆）、《骑马战士》（伦敦维多利亚和艾伯特博物馆）和《阿利昂》（巴黎卢浮宫）。

Riccio, David 里奇奥(约1533,皮耶德蒙特都灵附近潘卡列里～1566-03-09,爱丁堡) 苏格兰女王玛丽·斯图亚特的秘书,曾安排女王与达恩利勋爵亨利·斯图尔特的婚姻。意大利乐师之子。1561年随萨伏依公爵的使节前往苏格兰,作为乐师进入宫廷。1564年任女王的法文秘书,成为女王的心腹。次年女王结婚后,仍以他为心腹顾问,书写她致教皇的信件。女王的丈夫达恩利怀疑女王的怀孕与里奇奥有关。苏格兰贵族利用达恩利对里奇奥的疑忌,要求女王将其赶走,并进一步实际上废黜玛丽。莫顿伯爵第四代和其他武装人员在达恩利在场的情况下,将里奇奥拖出女王在霍利鲁德宫的餐厅,把他刺死。

rice 水稻 一种粮食作物。所结子实即稻谷,去壳后称大米或米(英文亦为 rice)。世界上近一半人口,包括几乎整个东亚和东南亚的人口,都以稻米为食。世界上所产稻米

栽培稻(*Oryza sativa*)
供图:Grant Heilman

的95%为人类所食用。栽培稻(*Oryza sativa*)是一年生禾本科植物,高约1.2米,叶长而扁,圆锥花序由许多小穗组成。稻的栽培历史可追溯到约公元前3000年的印度,后栽培稻逐渐向西传播,中世纪引入欧洲南部。除称为旱稻的生态型外,稻都在热带、半热带和温带等地区的沿海平原、潮汐三角洲和河流盆地的淹水地栽培(水稻)。种子播在准备好的秧田上,当苗龄为20～25天时移植到周围有堤的水深为5～10厘米的稻田内,在生长季节一直浸在水中。收获的稻粒称为稻谷,有一层外壳,碾磨时常把外壳连同米糠层一起去除,有时再加上一薄层葡萄糖和滑石粉,使米粒有光泽。碾磨时只去掉外壳的稻米叫糙米,富含淀粉,并含约8%的蛋白质和少量脂肪,含硫胺、烟酸、核黄素、铁和钙。碾去外壳和米糠的大米叫精米或白米,其营养价值大大降低。速煮米在碾磨前即加工,可保留大部分营养物质。增补米中加入铁及B族维生素。米的食用方法多为煮成饭。在东方、中东及许多其他地区的烹调习惯中,米可配以各种汤、配菜、主菜食用。碾米的副产品包括米糠、磨得很细的米糠粉和从米糠提出的淀粉,均用作饲料。加工米糠得到的油既可作为食品也可用于工业。碎米用于酿酒、提取酒精和制造淀粉及米粉。稻壳可做燃料、填料、抛光剂,可用以制造肥料和糠醛。稻草用作饲料、牲畜垫草、覆盖屋顶材料、包装材料,可用制席垫、服装和扫帚。主要的生产国是中国、印度、日本、孟加拉国、印度尼西亚、泰国和缅甸。其他重要生产国有越南、巴西、韩国、菲律宾和美国。20世纪晚期世界稻米年产量平均为8 000亿磅(3 630亿千克)至9 500亿磅(4 320亿千克),种植面积平均约1.45亿公顷。在20世纪60年代的绿色革命中,世界各国的科学家努力减少饥饿的威胁,改良了许多作物的品种,其中包括为育成抵抗力强而又高产的奇迹稻。奇迹稻的特征为茎秆矮壮,可抗倒伏,但在土质不良等条件下亦难取得预期效果。参阅 **wild rice**。

Rice, Alice (Caldwell) Hegan 赖斯(1870-01-11,美国肯塔基谢尔比维尔～1942-02-10,肯塔基路易斯维尔) 美国长、短篇小说家。最著名的作品是1901年的畅销书《包心菜田里的威格斯太太》,被翻译成多种文字,并被搬上舞台和拍摄成电影。她还写过许多富于同情心和幽默感的小说。自传《墨水路》发表于1940年。

Rice, Condoleezza 赖斯(1954-11-14,美国亚拉巴马伯明翰～) 美国教育家,政治人物。曾任美国国家安全事务顾问(2001～2005),2005年起担任G.W.布什总统的国务卿。15岁进入丹佛大学。尽管早年曾想当一名钢琴家,但最终还是改为攻读国际关系

美国不列颠百科全书公司供图

学,1974年获学士学位。后获得圣母大学经济学硕士学位(1975)和丹佛大学国际研究专业的博士学位(1981),专门研究中东欧及苏联,包括军事和安全事务。1981年成为斯坦福大学教授。1986年任参谋长联席会议助理,负责核武器战略,在G.布什总统任职期间,为国家安全事务委员会苏联及东欧事务主任并任总统特别助理。1991年回到斯坦福大学,1993年开始担任教务长,任期6年。在此期间她平衡了该校的预算并修改了大学本科的课程。1999年离开斯坦福大学,成为G.W.布什竞选总统的外交政策顾问,布什当选后她被任命为国家安全事务委员会主席,成为担任此职的第一位女性。2001年9·11事件发生后,证明她是布什的一个重要且有影响力的顾问。她支持美国牵头打击在阿富汗的恐怖分子和塔利班武装,属于美国的强硬派,主张推翻伊拉克的总统萨达姆。当布什政府因发动第二次海湾战争(2003)以及2001年9·11事件之前对恐怖主义威胁的处理而招致批评时,赖斯极力捍卫布什的政策。2005年接替C.鲍威尔的国务卿职务,成为担任此职务的首位非洲裔美国女性。

Rice, Dan 赖斯(1823-01-25,纽约市～1900-02-22,美国新泽西朗布兰奇) 原名丹尼尔·麦克拉伦。美国马戏演员,马戏史上最受称赞的小丑之一。他在一个节目中糅合了歌

威斯康星世界马戏博物馆供图

唱、舞蹈、插科打诨、力技、马术和驯兽等项表演,并以此闻名。赖斯17岁时跟别人合买了一只经过训练的猪,从此开始了他的马戏生涯。他从单场马戏明星成为精通马术的小丑,名闻全国。19世纪60年代,其马戏生涯处于高峰时期,周薪达1 000美元,在当时尚属罕见。他带着独马表演及其他节目到美国各地巡回演出,他那山姆大叔式的长胡子就是标志,无论走到哪里都能被认出来。泰勒总统曾授予他名誉上校军衔。1868年他自己提名为共和党的总统候选人。1885年,赖斯进行他最后的巡回演出。

Rice, Elmer 赖斯(1892-09-28,纽约市～1967-05-08,英国汉普郡南安普敦) 原名Elmer Reizenstein。美国剧作家、导演、小说家,以其富有革新精神和论战性的剧本驰名。1912年自纽约法律学校毕业,但不久便转向写剧本。处女作情节剧《受审》(1914)是第一部在舞台上运用电影的倒叙手法的剧本,倒叙证人们在一次审判中所作的回忆。在《加法器》(1923)中,他采用德国表现主义戏剧的技巧,描绘人在20世纪怎样丧失人性。他最重要的剧本《街景》(1929)是完全写实主义的悲剧,设景为纽约市贫民区一栋公寓楼房外。此剧获普利策奖,并被改编为极卖座的音乐剧(1947),由L.休斯作词,K.韦尔谱曲。《律师》(1931)对律师业作了相当深刻的批判。在《我们,人民》(1933)、《最后审判日》(1934)以及30年代的其他几部论战性剧本中,他描述纳粹主义的罪恶、大萧条时期的贫困以及种族主义。赖斯还写有几部长篇小说和一部题名为《少数派报告》(1963)的自传。

Rice, Five Pecks of(Taoist movement) 参阅 **Five Pecks of Rice 五斗米道**。

Rice, (Henry) Grantland 赖斯(1880-11-01,美国田纳西默弗里斯伯勒～1954-07-13,纽约市) 体育专栏作者及作家。他多年一直是美国主要体育权威之一。1901年毕业于范德比尔特大学,后以体育新闻记者身份为《纳什维尔新闻》及其他南方报纸,包括《亚特兰大

日报》,写稿。1907～1911 年,他游历美国南部,担任足球比赛和棒球比赛裁判员。1911 年受雇于《纽约晚邮报》。1914 年加入《纽约论坛报》(后改为《先驱论坛报》)工作。他为上述两家报纸撰写体育报道,由此获得体育权威的声誉。据估计,赖斯共撰写专栏 2.2 万篇,约6 700万字,他由报业辛迪加方式发表的《体育之光》专栏是当时最有影响的专栏。还制作有关体育的电影短片。出版有 3 本诗集及自传《吵闹和呼喊》(1954)。

Rice, Thomas Dartmouth　赖斯(1808-05-20,纽约市～1860-09-19,纽约市)　美国黑脸歌唱团表演之父,人称"吉姆·克劳·赖斯"。原是一名巡回演员,1828 年在路易斯维尔首演歌舞节目"吉姆·克劳",得到群众的喜爱,因而成为当时最受欢迎的有特色的演员之一。他并非第一个扮演黑人的表演者,但他通过在美国和英国一系列极为成功的巡回演出,使这类扮演黑人的表演风行一时。他创作并演出了《金格·布鲁》、《吉姆·克劳在伦敦》和一部名为《奥瑟罗》的滑稽剧。死于贫困之中。

Rice Mother　稻米母亲　印度尼西亚民族神话中分布极广、说法不一的人物。稻米母亲有 3 种主要类型,有的独立,有的相互联系。第 1 种是一位女神,稻米最初从她的身体中生长出来。第 2 种是一位滋养万物的母亲稻米,她是农作物和好运气的守护人,她的乳汁就是稻米——这被认为是一切生物的灵魂要素。第 3 种是最后一捆被收获的稻子,先按仪式进行收割,再把它装扮成一个女人。它被认为含有土地集中起来的灵魂要素(在欧洲农村也有类似的风俗,最后一捆被收获的庄稼被称为小麦母亲、大麦母亲等)。在其他传说中,一株特定的稻秧从种植之时即被定为母亲稻米,它的活力被认为会影响田里其余所有稻禾的生长。

rice paddy　水稻田　参阅 **paddy** 水田。

rice-paper plant　(*Tetrapanax papyriferum*)　**通脱木**　亦称木通树、天麻子或通草。五加科灌木或小乔木,原产华南和台湾,是制米纸(通草纸)的原料。叶大,多裂,树冠极似棕

通脱木(*Tetrapanax papyriferum*)
供图:Walter Dawn

榈。茎的中心组织取出后劈开压成薄片,可制外科敷料和水彩画纸。

rice rat　稻鼠　啮齿目仓鼠科稻鼠属(*Oryzomys*)多种鼠形啮齿动物的统称。分布于美国到南美洲一带。毛粗糙,背面浅黄至浅灰褐色,腹面为白色,体长 20 厘米,不包括长尾,尾毛稀疏。多栖于多沼泽的沿岸地区,以草筑巢,若土地干燥,就挖洞而居。食青草、种子、果实、鱼和其他动物。可能破坏庄稼,但不严重。约有 60～130 种,各家分类标准不一。

ricebird　稻雀　多种常飞到稻田的鸟类的俗称。参阅 **Java sparrow; mannikin**。

ricercare　利车卡尔(寻求曲)　又拼 ricercar,意大利语原意为"寻求"。由一个或一个以上的主题通过旋律模仿而展开的器乐曲,曾盛行于 16 和 17 世纪。最早的利车卡尔是 1507 年为诗琴而作的作品,音乐织体很适合于诗琴演奏,其中有和弦风格的经过句、快速的音阶经过句和高、低乐句的轮换交替,表现出多声部结构的复调音乐。此后几十年中自由独奏风格让位于旋律模仿,使人联想起经文歌。A.加布里埃利和其他威尼斯作曲家所作利车卡尔常常只有一个主题,但加以广泛的处理,就像后来的赋格曲那样,例如采用"密接和应"、增值、减值等手法。

Rich, Claudius James　里奇(1787-03-28,法国第戎～1820-10-05,伊朗设拉子)　英国驻巴格达商务代理人。1811 年他对巴比伦遗址的调查被认为是对美索不达米亚考古研究之起始。有语言天才,自幼谙熟希腊语、拉丁语、希伯来语、波斯语、古叙利亚语和几种欧洲现代语言。能流利运用土耳其语和阿拉伯语,因而在 21 岁时被东印度公司派驻巴格达,任职直到死前数月,工作甚是出色。对建立英国在美索不达米亚 1 个多世纪之久的影响做出了贡献。工余之暇访游古代美索不达米亚各城市故址,收集古物。这些收藏 1825 年被不列颠博物馆所收购,成为英国美索不达米亚古文物研究的基础。考察巴比伦遗址时,曾作写生,挖出刻有铭文的墙砖,并对地下洞穴进行探测。他认为,不作大规模发掘,就不会有大量的收获。1812 年将调查结果发表于维也纳一杂志上。1815 年重辑为《巴比伦遗迹研究》,1818 年增订为《巴比伦再研究》。

Rich, John　里奇(约1682～1761-11-26,英国伦敦)　英国剧院经理、演员、英国哑剧的推广者、科文特加登剧院创始人。1714 年继其父在林肯律师学院菲尔兹剧院任经理,在成功经营该剧院 18 年之后,1732 年创建科文特加登剧院。他根据意大利哑剧原则在这两个剧院上演了新型的文娱节目,并在这些节目中将古典寓言同具有即兴喜剧风格的荒诞故事相结合,使其成为兼有男女丑角、哈乐根和他的爱人科隆比纳的艺术形式。自 1717 年到逝世的前一年,他一直以艺名"伦"扮演丑角哈乐根,因此他有资格成为英国哑剧传统哈乐根丑角戏的开创者。1727 年上演盖伊的《乞丐的歌剧》,创造连续表演 62 场的纪录。

Rich, Lady Penelope　里奇夫人(1562?～1607)　母家姓 Devereux。英国贵妇,菲利普·西德尼爵士所写情诗《爱星者和星》(1591)中的"星"。她是埃塞克斯伯爵(第一)的女儿。14 岁时西德尼向她献殷勤,她的父亲想使二人成婚,但在父亲去世后,她的监护人亨廷顿伯爵(第三)却撮合她于 1581 年嫁给里奇男爵(第三),此人后封沃里克伯爵。这一婚姻自一开始就不称心,因此,她鼓励西德尼继续对她用情,直至西德尼 1586 年辞世。西德尼在十四行诗的集子《爱星者和星》中歌颂她的天生丽质,表达他的无限钟情。虽然她不但有夫,而且是 7 个孩子的母亲,在 1595 年左右,她却成了蒙乔伊勋爵(第八)的情妇,给他生了 5 个孩子。她的弟弟埃塞克斯伯爵(第二)因图谋反叛伊丽莎白女王而被处决后,丈夫于 1601 年将她遗弃。此后,她公开与蒙乔伊(后来封德文希尔伯爵)同居。1605 年她同前夫离婚后,两人结婚。

Rich (of Leighs), Richard Rich, 1st Baron　里奇(莱斯的)(约 1496,英格兰伦敦～1567-06-12,埃塞克斯罗奇福德)　英王亨利八世的权臣,爱德华六世时代的大法官。长于看风

不列颠博物馆供图

使舵,在政治和宗教斗争中始终站在胜利者一边。早年学习法律,1533 年任副检察长。1535 年以叛逆罪审判 T.莫尔和 J.费希尔主教时,他是检察官。1536 年当选下院议长,1540 年任枢密官。1547 年 1 月亨利八世死后不久他被封为男爵,10 月任大法官。1551 年因病辞去大法官职务。和其他枢密官一样,当爱德华六世非法指定格雷郡主为王位继承人时,他表示默许。但 1553 年爱德华死后,他又转而支持玛丽(都铎)成为女王。

Rich, Robert　里奇　参阅 **Warwick, Robert Rich, 2nd earl of** 沃里克伯爵(第二)。

Richard　理查　统治者之名,按国别分列于后,并各以●为标记。

与此字相等之外语:

法语	Richard
德语	Richard

英格兰

● Richard I　理查一世(1157-09-08,英格兰牛津～1199-04-06,阿基坦公爵领地沙吕)

绰号狮心王理查，法语作 Richard Coeur de Lion。阿基坦公爵（1168 起）、普瓦捷公爵（1172 起）、英格兰国王、诺曼底公爵和安茹伯爵（1189 ～ 1199）。他在第三次十字军东征中所显示的骑士风度，使其成为后世无数传奇中的英雄人物。亨利二世的第 3 子。11 岁时获得阿基坦公爵领地，1172年封普瓦捷公

法国丰特夫罗拉拜隐修院教堂内的理查一世墓棺雕像（细部）
Giraudon—Art Resource/美国不列颠百科全书公司供图

爵。理查很早就具有政治和军事才能，曾以勇武驰名。1173 ～ 1174 年曾与兄弟们一起举行反对父亲的大叛乱，后屈服，受到赦免。以后在阿基坦领地忙于镇压贵族的叛乱。他的粗暴激怒了加斯科涅人，1183 年加斯科涅人举行叛乱，企图将理查赶走。但因亨利二世率兵前来帮助理查，叛乱遂告失败。亨利二世的次子亨利于 1183 年突然死去后，理查成为英格兰、诺曼底和安茹的继承人。他的父亲希望他将阿基坦让给他最小的弟弟约翰，但理查是在这块公爵领地上长大的，不肯将它交出。他求助于法王腓力二世。1188 年宣誓效忠腓力，1189 年公开与腓力合兵一起，逼迫亨利二世承认理查为其继承人。1189 年 7 月亨利死后，理查于 9 月继位。1187 年萨拉丁攻占耶路撒冷，理查一心想要领导十字军进行东征。置王朝于不顾，卖掉所有的东西为十字军购买武器。他从国库中提出大批钱财，并且卖官鬻爵，结果招募了一支比较强大的陆海军，于 1190 年启程，经西西里前往圣地。1191 年 6 月 8 日，他在阿卡与十字军的其他参加者会师。同年 9 月 7 日理查在艾尔苏夫取得辉煌的胜利，十字军占领了雅法。理查引军两度进逼到离耶路撒冷几千米的地方。但在这时，法国、德意志和英格兰的部队之间发生激烈的争吵。腓力三世与理查闹翻后返回法国。经过一年小规模的战斗，理查于 1192 年 9 月同萨拉丁订立一个 3 年停战协定。根据这一协定，萨拉丁允许十字军参加者控制阿克里和沿海的一条狭长地带，并给予基督教香客前往圣地的自由通行权。此后，理查经亚得里亚海首途归国。但是他所乘的船遇到暴风，在威尼斯附近搁浅。当他乔装经过奥地利时，于 1192 年 12 月在维也纳被人发现。利奥波德公爵把他关进多瑙河畔的城堡。后又把他交给神圣罗马帝国皇帝亨利六世。理查答应交付 15 万马克的赎金并答应将自己的王国臣服于神圣罗马帝国皇帝之后，才于 1194 年 2 月获得释放。他立即返回英格兰，4 月 17 日再度举行加冕典礼。不出 1 个月，他便前往诺曼底，再未返回英格兰。他的最后 5 年是在反对腓力二世的战争中度过的。英格兰则交给首席政法官、坎特伯雷大主教休伯特·沃尔特治理。

● **Richard II　理查二世**（1367-01-06，法国波尔多～ 1400-02，英格兰约克郡庞蒂弗拉克特）　英格兰国王（1377 ～ 1399）。他在与有权势的贵族反对派冲突中最终失败而亡，其后英格兰君主政体软弱动荡达 85 年之久。黑王子爱德华之子，爱德华三世之孙。1377 年 6 月继承祖父的王位，因未成年，朝政由以叔父兰开斯特公爵冈特的约翰为首的贵族们操纵。冈特的暴政使因黑死病和旷日持久的七年战争而每况愈下的国家经济状况加速恶化，结果引起 1381 年的农民起义。理查以欺骗性手段平息了叛乱。1382 年他与波希米亚的安妮公主结婚。他开始培植亲信，如牛津伯爵等，同时引起以格洛斯特公爵为首的贵族的激烈反对。1386 年冈特前往西班牙，留下理查任凭敌人摆布。在这些敌人的煽动下，国会弹劾他的大臣萨福克伯爵迈克尔·德·拉·波尔（1386），并设立 1 个监督国王活动的11人委员会。理查不能自保，只好向反

供图：Dean and Chapter of Westminster

对派的 5 个首领屈服。1389 年，他宣布自己已经成年打算亲政。1389 年末冈特从西班牙回国，把局势稳定下来。此后理查逐渐组成一个更有力量的保王党，到 1397 年已经作好向政敌进行报复的准备。他把阿伦德尔伯爵处死，将沃里克伯爵流放，囚禁格洛斯特并将其杀害。1398 年两个反对派首领——冈特之子亨利·博林布鲁克和诺福克公爵托马斯·莫布雷发生争吵，他借此机会将两人同时流放。1399 年 5 月他前往爱尔兰，这铸成了无法挽回的大错。在他离国期间，博林布鲁克侵入英格兰，把贵族们团结在自己的周围。理查于同年 8 月返回英格兰，未经一战就向博林布鲁克投降。同年 9 月 30 日，他让位于博林布鲁克，后者登基后称亨利四世。10 月，理查被囚禁到庞蒂弗拉克特城堡，4 个月后死去。

● **Richard III　理查三世**（1452-10-02，英格兰北安普敦郡福瑟灵海堡～ 1485-08-22，莱斯特郡博斯沃思）　约克家族最后一位英格兰国王。1483年6月篡权，统治到他在战斗中

伦敦国立肖像画陈列馆供图

被杀。他是一个极端有争议的人物，历史学家们以及在文学作品中曾经把他描绘为无比凶恶的怪物。另一方面，近代学者则倾向于把他看作有潜在能力的君主，其恶劣名声来源于 16 世纪的政治宣传。他是约克公爵理查（1460 卒）最小的儿子。1461 年，长兄约克的爱德华废黜兰开斯特家族软弱无能的君主亨利六世而登上王位称爱德华四世以后，封他为格洛斯特公爵。1470 年 10 月，沃里克伯爵内维尔将理查和爱德华放逐，拥亨利六世复登大宝。1471 年 3 月，理查随爱德华回英格兰，在巴尼特和蒂克斯伯里指挥先头部队连胜兰开斯特家族，导致爱德华复辟。理查很可能参与了 1471 年 5 月 21 日夜在伦敦塔中对亨利六世的惨杀。为了报答他的忠诚，国王封他作高官，赐给他大量田地。1483 年 4 月 9 日爱德华四世死后，理查成为爱德华之子和继承人、12 岁的国王爱德华五世的摄政。不久，他与爱德华四世的遗孀伍德维尔所领导的、操纵少年君主的一派发生冲突。他逮捕并最终处决那一派的首要分子，又把爱德华五世以及 9 龄的皇弟幽囚起来，从而粉碎了太后党的权势。然后，他说服伦敦的牧师们，让他们宣布爱德华四世的婚姻已经失效，其子女无合法身份，因此，理查为长兄的合法继承人。6 月 25 日，上下两院联席会议对上述意见表示赞同。第二天，国王理查三世正式开始使用统治权。1483 年 8 月两个年少的亲王失踪后，盛传其叔父理查已将他们杀害。1483 年 10 月，理查的亲密伙伴白金汉公爵 H.斯塔福德在英格兰南部举兵造反，但很快土崩瓦解，斯塔福德被处决。尽管如此，白金汉公爵及其支持者的背叛更加削弱了理查王位的并不稳定的基础。为了使人忘却自己过去的丑闻和把狭窄的支持面扩大，这时理查专心注意履行国王的职责。他大力促进贸易，实行财政改革。但是时不我待，他迫切需要他们支持的那些贵族和豪绅已经认为难以赞同他是合法的统治者了。与此同时，理查的敌人纷纷投靠他的竞争对手，即在法国过流亡生活的兰开斯特世系的王位要求者里士满伯爵亨利·都铎。1485 年 8 月 7 日，亨利率兵在南威尔士登陆，然后东进。8 月 22 日在博斯沃思原野与理查交战。理查的兵力比亨利的雄厚，但几名最有权势的贵族在战斗的关键时刻背叛了这位国王。理查不肯逃走，在寡不敌众的搏斗中战死。此后，亨

利·都铎登上王位，称亨利七世国王（1485～1509年在位），他与爱德华四世之女约克的伊丽莎白结婚，把约克和兰开斯特两家族的王位要求合而为一。

德意志/神圣罗马帝国

● **Richard** **理查**（1209-01-06，英格兰汉普郡温切斯特～1272-04-02，赫特福德郡伯克姆斯特德堡） 罗马人的国王（1256～1271），争取神圣罗马帝国皇帝之位而未达目的。英王约翰的次子。1227年封康沃尔伯爵。1227～1238年间经常反对其兄英王亨利三世，在几次危机中与诸侯们联合，但未策划叛乱。1236年宣誓参加十字军，率领一小部分英格兰军队前去圣地。亨利三世在法国进行普瓦特万战役（1242）遭惨败，他在泰利伯格进行外交活动，使亨利免于被俘。1253～1254年亨利出访加斯贡期间，他任摄政。他拒绝教皇英诺森四世赐给他的西西里王位，但收买选票，当选为罗马人国王，在亚琛加冕（1257）。1259年初回国。他帮助亨利废除了《牛津条例》（实际上是英格兰历史上第一部成文宪法）。1260年秋他再次访问德意志，发现继承神圣罗马帝国皇帝无望。他协助亨利反对1263～1264年的贵族叛乱，但在刘易斯被俘（1264-05-14），1265年8月蒙特福特失败后获释。后致力于温和地解决问题，促成了《凯尼尔沃思声明》（1266-10-31）。

诺曼底

● **Richard I** **理查一世**（约932～996） 绰号无畏者理查。诺曼底公爵（942～996）。诺曼底公爵威廉一世朗斯沃德之子。幼年时，法国国王路易四世将他置于监护之下，显然为的是重新把诺曼底统一于法国王室。但路易于945年被诺曼底人俘虏。理查回诺曼底后，曾挫败加洛林王朝征服他的公爵领地的企图。987年，他协助姻亲罗贝尔家族的于格·卡佩取得法国王位。

● **Richard II** **理查二世**（？～1026或1027） 绰号好人理查。诺曼底公爵（996～1026或1027）。诺曼底公爵理查一世之子。他挫败一次农民起义，帮助法国的罗贝尔二世反对勃艮第公爵领地，并击退由盎格鲁-撒克逊王“迟钝者”艾特尔雷德二世对科唐坦半岛的袭击。他还曾改革诺曼隐修院。

● **Richard III** **理查三世**（？～1027-02-03） 诺曼底公爵（1026～1027，或1027）。诺曼底公爵理查二世之子。他平息了他的兄弟罗贝尔的叛乱，而他正在这时死去（可能中毒而死），为他的兄弟继位（称罗贝尔一世）让路。

● **Richard (IV)** **理查（四世）** 诺曼底公爵。参阅**Richard I** (England) 理查一世（英格兰）。

Richard Coeur de Lion **理查（狮心王）** 参阅 **Richard I** (England) 理查一世（英格兰）。

Richard de Bury 参阅 **Bury, Richard de** 伯里。

Richard le Grant **大理查**（？～1231-08-03，斯波莱托公爵领地圣杰米尼［意大利］） 又名韦瑟谢德的理查。英格兰第45位坎特伯雷大主教（1229～1231）。他坚持独立自主，不受王室的控制。他原为林肯郡林肯大教堂主教（1221～1229），后应英王亨利三世和英格兰各主教之请求由教皇格列高利九世任命为大主教。不久即因坚持认为教士不受世俗法规管束而在对教士征税问题上与亨利发生争执。紧接着亨利三世将坦布里奇堡交给首席政法官伯格管理。他坚持说坦布里奇属于他的主教辖区，并向国王申辩，但国王拒绝了他的要求。于是，他将除亨利以外的该土地和城堡的拥有者全部革除教籍，并在1231年春向罗马提出控诉。教皇格列高利支持他的意见，但他在回国途中死去。

Richard of Chichester, Saint **理查德（奇切斯特的），圣**（约1198，英格兰伍斯特郡德罗伊特威奇～1253-04-03，肯特多佛尔） 原名理查德·威奇。奇切斯特主教，他维护阿宾登的埃德蒙德的理想并为之奋斗。1236～1240年任坎特伯雷大主教埃德蒙德的秘书。埃德蒙德死后，理查德在奥尔良城多明我会学校学习神学，并在该地受神职。1244年当选为奇切斯特主教，遭英格兰国王亨利三世反对。1245年获教皇英诺森四世正式任命，亨利才允许他到奇切斯特就职并领受教产收入。

Richard of Ely **理查（伊利的）** 参阅 **Fitzneale, Richard** 菲茨尼尔。

Richard of Saint-Victor **理查德（圣维克托的）**（？，苏格兰或英格兰～1173-03-10，法国巴黎） 天主教神学家，他的论文对中世纪和近代宗教奥秘神学思潮有深刻影响。他在三位一体论和解经方面也有著述，他认为人的灵魂可以通过想象、推理和直觉以脱离感性世界而达到极乐境界。灵魂既可以借助于世俗知识，也可以借助于神的启示，而最终与上帝结合，达到神人一心。

Richard of Wethershed **理查（韦瑟谢德的）** 参阅 **Richard le Grant** 大理查。

Richard the Fearless **理查（无畏者）** 参阅 **Richard** (Normandy) 理查（诺曼底）项下的 **Richard I** 理查一世。

Richard the Good **理查（好人）** 参阅 **Richard** (Normandy) 理查（诺曼底）项下的 **Richard II** 理查二世。

Richard Wyche **理查德·威奇** 参阅 **Richard of Chichester, Saint** 理查德（奇切斯特的），圣。

Richard, Cliff **理查德**（1940-10-14，印度勒克瑙～ ） 原名Harry Roger Webb。英国歌手。他的《动起来》（1958）是英国首张大量发行的摇滚乐唱片。年轻时曾在伦敦北部的斯基夫乐队演唱，后音乐风格朝摇滚乐方向发展，被誉为英国的猫王。他推出流行热门歌曲《洋娃娃》并参加了“纯洁少年”影片《年轻人》和《暑假》的拍摄，取得成功。他在英国流行乐坛的首席地位后来被披头士乐队所取代，1965年皈依基督教。他陆续推出100多首热门歌曲，尽管在美国无人知晓，但在英国已成为全民偶像。

Richards, Audrey I(sabel) **理查兹**（1899-07-08，英国伦敦～1984-06-29，西萨塞克斯米德赫斯特附近） 英国女社会人类学家和教育家，以从事东非诸民族，特别是本巴人的研究而闻名。曾到北罗得西亚（赞比亚）、乌干达和德兰士瓦进行实地调查工作。研究的课题有社会心理学、饮食文化、营养学、农业、土地使用及经济组织等。理查兹的青年时代大部分在印度度过，当时其父在印度工作。她在剑桥纽纳姆学院获得文学硕士学位，1928年与布罗尼斯瓦夫·马林诺夫斯基一起在伦敦经济学院攻读，1929年获哲学博士学位，后在此任教（1931～1932，1935～1937）。她先后在南非威特沃特斯兰德大学（1938～1940）、伦敦大学（1946～1950）、乌干达马凯雷雷学院（1950～1956）和剑桥大学（1956～1967）任教，在剑桥大学创办了非洲研究中心，并任该中心主任。著有《原始部落中的饥饿现象与工作》（1932）、《北罗得西亚的土地、劳力及饮食》（1939）及《多种文化的东非国家》（1969）等。1955年她被授予最低级英帝国勋位爵士。

Richards, Dickinson Woodruff **理查兹**（1895-10-30，美国新泽西奥兰治～1973-02-23，康涅狄格莱克维尔） 美国生理学家。与库尔南改进并使用了福斯曼创制的心导管技术，因此与福斯曼、库尔南共获1956年诺贝尔生理学或医学奖。毕业于耶鲁大学（学士）和哥伦比亚大学内科和外科医学院（获博士学位）后又赴英国学习，后到哥伦比亚大学医学院工作。1945～1961年理查兹在纽约市贝尔维尤医院任职时曾与库尔南合作，共同进行研究。

Richards, Ellen Swallow **理查兹（夫人）**（1842-12-03，美国马萨诸塞邓斯特布尔～1911-03-30，波士顿） 美国女化学家、家政运动的倡导人。她自1899年起在纽约州莱克普拉西德主持多次会议，将科学分析与操持家务两者沟通起来，提出“家政学”一词，这一新学科的课程也由她本人设计出来以便教学之用。1908年她当选为美国家政学协会第一任主席。原学化学，1870年在纽约州瓦瑟学院获文学士学位，1873年在麻省理工学院获理学士学位，是该校招收的第一名女生。她原姓斯沃洛，1875年嫁矿冶专家R.H.理查兹。理查兹夫人在麻省理工学院兴办妇女科学实验所，促进妇女科学教育。1878年任学院化学讲师。1882年她参与创建大学女校友协会（后改为美国大学妇女协会）。1884年她的学衔改为卫生化学讲师，专门从事水、空气和污水的分析化验工作，曾提出检测化学成分和污染的新方法。1890年她在波士顿首创了新英格兰厨艺的家政教育，开设公共厨房作为营养学和家政学教育的示范。她有多部著作,将科学与日常生活问题联系起来加以阐述,有《烹饪化学与洗涤化学》(1882)、《家庭卫生》(与M.塔尔博特合著,1887)及《优境学:可控环境的科学》(1912)等。

Richards, Sir Gordon 理查兹(1904-05-05,英国什罗普郡奥肯盖茨～1986-11-10,伯克郡金特贝里) 英国骑手。共参加34个赛季的(1921～1954)英国良种马比赛,并在其中的26个赛季中获胜。创职业赛马胜4 870场的个人世界纪录。理查兹于1953年被封为爵士后,不久即在德比马赛上获胜。1954年两次受伤后退出比赛去训练赛马(1955～1970),后任赛马经理。

Richards, I(vor) A(rmstrong) 理查兹(1893-02-26,英国柴郡桑德巴奇～1979-09-07,剑桥郡剑桥) 英国评论家、诗人和教师,对发展新的诗歌欣赏方法有很大影响,这种方法导致新批评派(**New Criticism**)的出现。里查兹曾攻读心理学,认为诗歌有治疗功能,可帮助作者和读者保持心理健康。他还曾在剑桥大学马格达伦学院求学,1922～1929年在该校任英语和精神科学讲师。其间他写了最有影响的作品中的3部:《意义的意义》(1923,与奥格登合著)、《文学批评原理》(1924)和进一步发展其评论方法的姊妹作《实用批评》(1929)。30年代,他曾花费很多时间研究"基础英语",由奥格登创立的这一英语体系仅用850个词汇,他相信一种世界通用的语言将有助于国际间的相互了解。1942年他用这种"基础英语"出版了柏拉图的著作《共和国》。1944年成为哈佛大学英语教授,1963年退休。他的诗歌作品收于《内心的对话》(1971)和《新诗选》(1978)中。文集有《科学与诗》(1926)、《思索的方法》(1955)、《此外》(1974)和《诗歌》(1974)。《补遗》(1976)包括过去未收集的1919～1975年间的论著。

Richards, Theodore William 理查兹(1868-01-31,美国宾夕法尼亚日耳曼敦～1928-04-02,马萨诸塞剑桥) 美国化学家。他对大约60个元素的原子量的研究表明同位素的存在,因而获1914年诺贝尔化学奖。1885年毕业于宾夕法尼亚哈弗福德学院,后入哈佛大学深造,1891年任哈佛大学化学讲师,1901年任正教授。理查兹对重量法测定原子量作了很多改进,他所使用的设备包括石英仪器、装瓶设备及浊度计(测量浊度的仪器)。J.S.斯塔的原子量一直被视为标准值,但1903年左右有人用物理化学法证明其中有些值不准确,理查兹与其学生修正了这些数值,例如将斯塔的银原子量107.93改为107.88。他对不同来源的铅原子量的研究有助于进一步确定同位素的存在。其后期研究主要有关固态元素的物理性质,并包括许多关于原子体积及压缩性的独创性研究。

Richards, Sir Viv 理查兹(1952-03-07,安提瓜圣约翰～) 全称Sir Isaac Vivian Alexander Richards。西印度群岛板球运动员。出身板球世家,1974年开始参加国际板球决赛阶段的比赛。到1993年共参赛121场,是历来最令人畏惧、成绩最佳的投球手。虽然那个时期的板球赛以投快球的投球手为主,但他挑战性地拒戴击球头盔。他的总成绩为:跑动得分8 540分,决赛阶段比赛平均每局得50分,创24个百分(单局得100分)纪录,带领西印度群岛队包揽1985～1991年的国际板球比赛冠军。他还是一个"右旋球"投球手,在决赛阶段比赛中曾32次击中三柱门。1999年被安提瓜政府封为爵士。2000年出版自传《维维安爵士:最可靠的自传》。

Richards, William 理查兹(1793-08-22,美国马萨诸塞普兰菲尔德～1847-11-07,夏威夷群岛) 美国公理会传教士。他在1819年毕业于威廉斯学院(马萨诸塞州),1822年毕业于安多弗神学院。1822年秋结婚,婚后不久到夏威夷群岛,传教数年。1838年夏威夷国王聘请他为顾问,其后他经常劝告国王改良政体,协助将夏威夷转变为现代宪政国家,有了权利法案(1839)和宪法(1840)。1842年他出国执行外交任务,争取英国、法国和美国承认夏威夷独立。虽然没有签订条约,但三国都提出了口头承认。其后他曾担任几种职务,最重要的是公共教育大臣(1846～1847)。

Richards, Sir William Buell 理查兹(1815-05-02,上加拿大布罗克维尔～1889-01-26,渥太华) 加拿大政治家及法律学者,加拿大最高法院第一任首席大法官(1875～1879)。曾在家乡布罗克维尔的大学预科学习及美国纽约州的波茨坦学院就读,后到叔父的法律事务所研习法律,1837年获准加入加拿大律师公会。他参加过许多社区组织并成为改革党的狂热分子。他曾是加拿大国会议员(1848～1853),在此期间并担任上加拿大的总检察长,致力于多方面的立法改革,包括重新修订成文法以及提高申请加入律师公会的资格。虽然他当政治家比当法律学者来得出色,但在1853年被任命为高等民事法院的陪席法官,并于1863年担任该法院的首席法官。他是一位极受欢迎的法学家,但不是以卓越的法律见解著称,而是以机智及见识广博闻名。1871年理查兹访问华盛顿的美国最高法院,考察该院的工作。1875年加拿大最高法院成立时,他获任首席大法官,直到1879年退休。他不遗余力地维护这新成立的最高法院,并协助建立最高法院法规、诉讼程序以及管辖范围。他在1877年受封为爵士。

Richardson 理查森 美国得克萨斯州北部城市,达拉斯北部郊区。始建于1872年。大部分商业区遭大火毁坏后,于19世纪90年代初重建。1925年设建制。1956年设市。现虽主要是住宅区,但已发展为研究中心,包括太阳石油公司实验室和W.L.克莱顿研究中心(食品)。产品有电子设备等。有自己的交响乐团。欧文斯春溪农庄是当地的农庄博物馆,展示传统的香肠制作设备和铁匠铺。人口91 802(2000)。

Richardson, Benjamin 理查森(1802,英国伍斯特郡斯陶尔布里奇～1887) 英国一个大型玻璃制造商号的创建人,在将现代玻璃生产法引进英国中发挥了作用,并以制造物美价廉、宜于公众购买使用的玻璃器皿而知名。在英国,理查森的工厂首先设有整套制造金嵌丝玻璃的导丝机,首先大量生产模压玻璃平底酒杯,并首创使用压制机生产浮雕装饰、图案的燧石玻璃。他的商号也成为生产市销宝石玻璃的大户之一。他因悬赏1 000英镑奖给能仿制不列颠博物馆收藏的著名波特兰花瓶而出名,这是一种青、白两色的古罗马花瓶,被认为是有史以来最精美的罗马宝石玻璃制品之一。1876年由J.诺思伍德(**Northwood, John**)仿制成功,不过这只花瓶不是为理查森,而是为他的侄子P.帕吉特仿制的。

Richardson, Dorothy M(iller) 理查森(1873-05-17,英国伯克郡阿宾登～1957-06-17,肯特贝肯纳姆) 英国女小说家。一位常常被忽略的意识流小说的先驱。17岁时父母分居,她先后当过教师、抄写员并在报界工作过。以其雄心勃勃的系列小说《人生历程》而引人注意。全书分12卷(她喜欢称其为章),先后在1915～1938年间出版。小说叙述一个感染力异常强烈的故事,全书情节通过一个动人而神秘的"新女性"米里亚姆·亨德森的眼睛,像电影一样展现在读者眼前。虽然由于作品冗长并对读者要求极高,而未为大众所接受,但仍不失为20世纪的一部重要著作。

Richardson, Henry Handel 理查森(1870-01-03,墨尔本～1946-03-20,英国萨塞克斯郡费尔莱特) 本名埃塞尔·弗洛伦斯·林赛·罗伯逊。澳大利亚女作家。她的三部曲《理查德·马奥尼的命运》将对一个澳大利亚移民在采金地的生活和工作的描写与有力的性格研究结合在一起,被认为是当时澳大利亚现代小说的顶峰。1883～1887年在墨尔本长老会女子学院读书。1888年到莱比锡学音乐,此后一直在国外居住。只是在1912年短暂回过一次澳大利亚。后放弃音乐,开始文学创作。在德国,理查森着手写第一部小说《莫里斯·盖斯特》(1908),描写一个在莱比锡学音乐的英国大学生的恋爱悲剧。1904年与丈夫定居英国。第二部小说《成长》(1910)描写作者在墨尔本寄宿学校的生活。此后,开始写三部曲《理查德·马奥尼的命运》(1930),其中包括《幸福的澳大利亚》(1917)、《归途》(1925)和《最后的归宿》(1929)。这部著作花费了她20年的时光。小说主人公主要以她父亲为原型,对主人公悲惨的一生,特别是不能使自己适应移居国作了详尽和充满同情的描述。最后一本小说《年轻的科西玛》(1939)描写音乐家的三角恋爱故事。她还写有一些短篇小说,收入《童年的结束及其他故事》(1934)和一本未写完的自传《我的青年时代》(1948)。

Richardson, Henry Hobson 理查森(1838-09-29,美国路易斯安那普里斯特利种植园～1886-04-27,马萨诸塞布鲁克莱恩) 美国南北战争后的主要建筑师之一，其作品对于美国现代建筑中地方风格的形成具有影响。先后在哈佛大学和巴黎美术学院学习，后在法国建筑师T.拉布卢斯特的事务所任职。1865

供图：Prairie School Press, Palos Park, Illinois

年返国，1867 年在纽约与建筑师 C. D. 甘布里尔合作。以设计罗马建筑复兴式的波士顿三一教堂而闻名全国，该作品被广泛仿效而形成 19 世纪 80 ～ 90 年代美国的罗马建筑复兴式风格。其后期作品有大量住宅、公共图书馆、郊区铁路车站、学校校舍及商业和民用建筑。其作品与当时流行的体形分散、比例狭长、各部分互不相关的哥特式风格有明显的区别，他受罗马式和拜占廷式建筑风格的影响，喜用水平线条、简洁的横向轮廓和统一的大尺度细部，并常以天然材料的颜色和质地装饰建筑的外观。他的许多主要作品遍布波士顿、匹兹堡、辛辛那提、芝加哥及圣路易斯等地。他开创的美国现代建筑地方风格对美国现代建筑设计的先驱者沙利文和赖特具有启迪作用。

Richardson, John　理查森（1796-10-04，安大略昆斯顿～ 1852-05-12，纽约市）　加拿大出生的历史小说和自传体浪漫小说作家。在 1812 年战争中当英国志愿兵时被俘。释放

加拿大公共档案馆供图

后，在英格兰、巴巴多斯和西班牙任英国军官，1838 年回到加拿大。主要作品有：《埃卡泰纸牌游戏》（1829），一部引起轰动的以巴黎沙龙为背景的小说；《瓦库斯塔》（1832），一部关于 1763 年印第安人起义（庞蒂亚克战争）的歌特小说。其他作品包括《特肯瑟》（1828），一本韵文传奇故事；《1812 年战争》（1842），一部历史记述，据作者个人经历写成；以及一部自传《在加拿大的八年》（1847）。

Richardson, Sir John　理查森（1787-11-05，苏格兰邓弗里斯郡邓弗里斯～ 1865-06-05，英格兰威斯特摩兰格拉斯米尔）　苏格兰海军军医和博物学家，精确地勘探的加拿大北极海岸较其他探险家更多。1819 ～ 1822 年间，是富兰克林去加拿大北极海岸的第一次陆上探险队的军医和博物学家。1824 ～ 1827 年是富兰克林第二次陆上探险队的军医、博物学家和副指挥，在探险过程中测量了马更些河和科珀曼河之间 1 449 千米长的加拿大北极区海岸。1846 年封爵。1848 ～ 1849 年，他同担任副指挥的 J. 雷一起进行陆上调查，找寻 1845 年出发后失踪的富兰克林第三次北极探险队，考察了马更些河三角湾与尤宁-多尔芬海峡中肯德尔角之间的地区，但是没有找到富兰克林船只的踪迹。理查森还是一位自然史的多产、重要作家，尤其是在北极生物学和鱼类学等方面。

Richardson, Lewis Fry　理查森（1881-10-11，英格兰诺森伯兰泰因河畔纽卡斯尔～1953-09-30，苏格兰阿盖尔基尔曼）　英国物理学家、心理学家。首先应用数学方法准确地预报天气。曾对物理学某些类型问题的求解方法作出重大贡献。1913 ～ 1922 年，他把这种方法用于气象学，发表了《数值天气预报法》（1922），最初并不完全成功。其主要缺点是一般要花 3 个月的时间才能预报未来 24 小时的天气。第二次世界大战以后，由于电子计算机的出现，使他的经过某些改变和改进的天气预报方法成为切实可行。理查森数，即含有温度和风速梯度的一个基本量，就是以他的姓氏命名的。1920 ～ 1929 年曾任伦敦威斯敏斯特师范学院物理系主任。1929 ～1940 年任伦弗鲁郡佩斯利理工学院院长。作为一个热情的和平主义者，理查森曾试图用数学研究战争的起因，并在他的著作《综合的对外政策》（1939）、《军备与不安全》（1949）和《致命争吵的统计学》（1950）中发表了研究结果。他还对微积分的理论和扩散（分子或其他微粒通过随机热运动而互相掺和）的研究做出贡献。

Richardson, Sir Owen Willans　里查孙（1879-04-26，英国约克郡迪斯伯里～ 1959-02-15，汉普郡奥尔顿）　一译理查森。英国物理学家，因对热金属发射电子的研究，获 1928 年诺贝尔物理学奖，他的成就是真空管的基本理论。从剑桥三一学院毕业（1900），在卡文迪什实验室作 J. J. 汤姆孙的学生，后任普林斯顿大学物理学教授（1906 ～ 1913）。1911 年证明电子是由热金属发射的，而不是有些人所认为的由周围空气发射的。同年提出把电子发射率和金属的绝对温度联系起来的数学方程式。这个方程式名为里查孙定律，或里查孙-杜什曼方程式，成为电子管研究和技术的重要工具。1914 年里查孙任伦敦大学国王学院物理学教授，10 年后任该院研究主任。1944 年退休。1939 年受封为爵士。

Richardson, Sir Ralph (David)　理查森（1902-12-19，英国格洛斯特郡切尔滕纳姆～1983-10-10，伦敦）　英国戏剧和电影演员。1947 年受封为爵士。自 18 岁开始演戏，于 30 年代在老维克剧团中声望渐增，舞台角色有彼尔·英特和法尔斯塔夫等。1933 年开始拍片。尽管他更倾向于戏剧表演，却在很多影片中扮演了温文尔雅、很有风趣的角色，如《逃亡者》（1939）、《坍塌的偶像》（1948）、《日瓦戈医生》（1965）和《水船下沉》（1978）等。他还导演过一部名为《星期一谋杀案》（1951）的电影，并在其中扮演主角。

Richardson, Robert C.　理查森（1937-06-26，美国华盛顿［哥伦比亚特区］～2013-02-19，纽约伊萨卡）　全名 Robert Coleman Richardson。美国物理学家，因与 D. D. 奥谢罗夫、D. M. 李一起发现氦的同位素氦 3 具有超流性而共获 1996 年诺贝尔物理学奖。1966 年在杜克大学（北卡罗来纳州达勒姆）获物理学博士学位。1967 年入康奈尔大学（纽约州伊萨卡）任职，1990 年成为该校原子与固态物理学实验室主任。理查森和李于 1972 年发现氦 3 的超流性，当时他二人皆为康奈尔大学低温实验室的资深研究员，正在研究氦的同位素氦 3 的性质。他们将氦 3的样品冷却至高于绝对零度（-273°C）仅数千分之一度的低温，观察其内压强。该研究小组的研究生奥谢罗夫注意到样品的内压强有微小的变化，最后研究员们将其解释为一种转变成超流体的相变。当一种液体变成超流体时，其原子失去随机性，以协同的方式流动。处于这种状态的氦 3 没有一般液体所具有的内摩擦，故流动时没有阻力。由于氦 3 超流体服从微观物理学的量子定律，所以它使科学家得以直接在宏观（可见的）系统中研究量子力学效应，而先前科学家只能间接在诸如分子、原子与亚原粒子等肉眼看不见的粒子中研究这些效应。

Richardson, Samuel　理查森（1689-08-19受洗，英格兰德比郡德比附近麦克沃思～1761-07-04，伦敦附近帕森斯格林）　英国小说家。他通过采用书信形式，探索小说的戏剧可能

伦敦国立肖像画陈列馆供图

性。主要小说为《帕美勒》（1740）和《克拉丽莎》（1747 ～ 1748）。他的《帕美勒》常被誉为英国第一部小说。虽然这一说法是否成立取决于小说的定义，但理查森的创新手法是集中写单一的情节，在该小说中即求爱。他的小说是采用书信体，从而展示了人物的意识流。父亲是商人。他只受过小学教育，当过印刷学徒，喜爱读书。1721 年成了印刷厂主。在 18 世纪 30 年代，他的印刷厂是伦敦最好的三家之一。这时他和约翰逊博士、画家贺加斯、演员锡伯和加里克、诗人E. 扬、下院议

长翁斯洛过从甚密。他的家庭生活悲惨，孩子大多夭折。30年代，开始写些小册子，随后受委托写了一本书信范例《重要场合惯用书信》。50岁时根据一件实事开始写书信体小说《帕美勒》(又名《美德受到了奖赏》)。15岁的女仆帕美勒拒绝了主人的儿子的勾引，保持了贞操，最终赢得他的尊敬，又和他结了婚。此书的续集《处在高贵地位的帕美勒》(1742)不很成功。第二部著名小说《克拉丽莎》(又名《一位年轻女士的故事》，1747～1748)长达7卷，写少女克拉丽莎为逃避家长包办婚姻，落入贵族阔少洛夫莱斯之手，被强奸，最后饮恨而死。全书也是用男女主角各给挚友写的信构成。由于友人指出这两部书的男主角都品行不端，就又写了《查尔斯·葛兰狄森爵士》(1753～1754)，其中塑造了一个堪称仁义道德典范的主人公。1761年去世时，他已经有许多追随者。其中一些人表现出《克拉丽莎》的影响，这似乎是欧洲大陆出现对理查森的崇拜的最主要原因。然而在英国，《查尔斯·葛兰狄森爵士》对J.奥斯汀及其他一些作家的影响更大一些。18世纪末，理查森的声望在英格兰和国外渐衰；但到20世纪，人们重又欣赏《帕美勒》和《克拉丽莎》中精细的心理描写。

Richardson, Tony　理查森(1928-06-05，英国约克郡希普利～1991-11-14，美国加利福尼亚洛杉矶)　英国戏剧和电影导演。其实验演出激发了50年代英国舞台创造性活力的复苏。理查森在牛津大学学习时就是该校戏剧社的活跃分子，1953年毕业后任英国广播公司导演。两年后加入不列颠剧团任副艺术导演，一年内成为正导演。皇家宫廷剧院演出他导演的奥斯本的《少妇怨》(1956)，使他一举成名，这部戏成为第二次世界大战后英国"愤怒的青年"一代的代表作。皇家宫廷剧院在他的领导下成为创作活动中心，不但重新上演了古典作品，而且还演出了尤内斯科、贝克特及其他荒谬派剧作家的实验戏剧。他在百老汇上演奥斯本的《艺人》(1958)和德莱尼的《尝一口蜂蜜》(1960)，受到了广大观众和评论界的赞誉。理查森还导演了《培里克里斯》(1958)等戏剧和在埃文河畔斯特拉特福莎士比亚纪念剧场演出的由美国黑人歌唱家和演员罗伯逊主演的《奥瑟罗》(1959)。理查森导演的第一部影片是《妈妈不允许》。1958年，他与剧作家奥斯本合伙成立伍德福尔影片公司。他摄制的以城市工人阶级为题材的影片，包括根据他曾在舞台上获得成功的戏剧改编的《少妇怨》(1958)、《艺人》(1959)和《尝一口蜂蜜》(1961)，以及根据西利托的短篇小说改编的《长跑选手的寂寞》(1962)。他还是根据西利托的小说改编的、由赖兹导演的影片《星期六晚上和星期日早晨》(1960)的制片人。

他获得的最大成功之一是，导演根据费尔丁的小说改编的《汤姆·琼斯》(1963)，对18世纪英国的粗暴而充满活力的社会生活作了激动人心的回顾。该片获奥斯卡最佳影片、最佳导演和最佳改编剧本奖。他后来导演的影片有：《苦恋》(1965)、《英烈传》(1968)、《内德·凯利》(1970)、《人海万花筒》(1972)和《约瑟夫·安德鲁斯》(1977)等。

Richardson Mountains　理查森山脉　加拿大的落基山脉山系。与加拿大西北部的育空地区和西北地区的分界线平行。西北—东南走向，为落基山脉的北尽头，海拔1 240米。1825年由富兰克林以约翰·理查森的名字命名。后者是一位外科医生、博物学家和北极探险家，又是富兰克林陆上探险队两个成员中之一。

Richardson number　理查森数　由数理气象预测的先驱、英国气象学家L.F.理查森确定的参数，可以用来预测流体中湍流的发生，因而可以预测水或空气中异重流的破坏。它是密度梯度(密度随深度的变化)与速度梯度之比：

$$R_i = \frac{g\,\partial\rho}{\rho\,\partial z} \Big/ \left(\frac{\partial u}{\partial z}\right)^2,$$

式中g为重力加速度，ρ为密度，u为速度，z为深度。理查森数在气象预报以及海洋、湖泊和水库的异重流和湍流的研究中有重要的实际意义。

Richborough　里奇伯勒　英格兰肯特行政、历史郡多佛尔区罗马古港口遗址，位于桑威奇正北。公元43年罗马人入侵英国后，在此建鲁图皮埃城，以扼守瓦恩特萨姆海峡。保存有里奇伯勒城堡遗迹，包括可能建于3世纪的撒克逊海岸要塞的北墙。该港后来由于瓦恩特萨姆海峡的淤塞而衰落，遗址现为内陆。

Richelieu, Armand-Emmanuel du Plessis, duke (duc) de　黎塞留公爵(1766-09-25，法国巴黎～1822-05-17，巴黎)　法国贵族、军人和政治家，曾任首相(1815～1818，1820～

不列颠博物馆供图

1821)。1785年接替祖父在宫中的职位，任寝宫第一侍从。1790年访问德意志和奥地利，加入了俄国军队，曾在伊兹梅尔攻打土耳其人，后访问俄国。1795年在俄国任圣乔治重骑兵中校，以后沙皇亚历山大一世又任命他为敖德萨总督(1803)和新俄罗斯总督(1805)，政绩卓著。1814年返国。1815年拿破仑从厄尔巴岛回来时，他加入沙皇军队反对拿破仑。1815年9月他继塔列朗任首相，兼管外交事务。由于同沙皇的友谊，他促使联盟缓和了对法国的要求。在1818年艾克斯拉沙佩勒会议上，他使联盟占领军撤退，法国得以加入四国同盟。1818年辞职，1820年重任首相，1821年去职。

Richelieu, Armand-Jean du Plessis, cardinal et duc de　黎塞留(1585-09-09，法国普瓦图黎塞留～1642-12-04，巴黎)　绰号"红衣主教"。1624～1642年法国国王路易十三的首席大臣，其主要目标是在法国建立君主专制

供图：Giraudon—Art Resource 美国不列颠百科全书公司

并终结西班牙与哈布斯堡王朝在欧洲的霸权。黎塞留的领主普莱西的法朗索瓦之子。5岁丧父。曾进入卡尔维学院学习神学。后去罗马，得到教皇保罗五世的宠爱。1607年到吕松任圣职。1614年当选为普瓦图教士的代表，出席三级会议。他竭力使三级会议相信他富于才干，使宫廷相信他支持王权。在教士与第三等级讨论国王与教皇的关系问题而发生争执时，他扮演调解人的角色。几个月后，他担任新王后奥地利的安娜的随身司铎。1616年任国务秘书。1617年发生宫廷政变，推翻了玛丽·德·美第奇的摄政府。黎塞留最初被放逐到吕松，然后去亡命教皇临时驻地阿维尼翁。1624年政府改组，黎塞留任商业和海运业国务秘书和御前会议主席。他反对哈布斯堡王朝在欧洲的霸权，主张法国国王拥有绝对专制的权力。在宗教方面，胡格诺派是黎塞留的眼中钉，1628年他派兵包围胡格诺派的据点拉罗谢尔。在经济方面，他鼓励能够使法国得到出口利益的产品和工业，阻止奢侈品的进口。他对玻璃制造、挂毯和丝绸、砂糖以及农渔生产很感兴趣。他计划开辟运河，鼓励海外贸易公司在摩洛哥和波斯取得经济和政治的据点。他鼓励法国天主教传教士在非洲、中东和美洲传教，这一方面扩大了法国的势力，另一方面建立了有助于他的政治和经济计划的广大情报网。他从荷兰人手中购买许多舰船，为法国海军奠定了基础。他聚敛了大量财富，但大多用于资助艺术事业和资助巴黎大学。创立法兰西学院是他最令人怀念的功绩。

Richelieu, Louis-François-Armand du Plessis, duc de (duke of)　黎塞留公爵(1696-03-13，巴黎～1788-08-08，巴黎)　法国元帅，枢机主教，黎塞留的侄孙。在任驻维也纳大使时期(1725～1729)，他于1727年确定了媾和初步条件。1733～1734年参加莱茵战役，在代廷根和丰特努瓦立有战功；3年后出色地保卫了热那亚；1756年占领圣费利佩要塞，将英格兰人赶出梅诺卡岛；1757～1758年在汉

诺威参加掠夺性的战役，以此结束戎马生涯。在早年岁月里，他曾3次被关进巴士底监狱。

Richelieu River　黎塞留河　加拿大魁北克省南部蒙特利尔地区河流。源出加拿大与美国边境正北尚普兰湖，北流120千米至索雷尔与圣劳伦斯河汇合。曾为交战的英、法殖民者的进攻路线和伐木运输线，至今仍是运输要道，圣让和尚布利间的运河和圣乌尔水闸的修建使吃水浅的船只和驳船能够通过圣劳伦斯河、黎塞留河、尚普兰湖和哈得孙河，往来于蒙特利尔和纽约。沿岸主要社区有圣让、伊贝维尔、尚布利、伯勒伊和索雷尔。

Richemont, Arthur, constable de　里什蒙（1393，布列塔尼～1458-12-26）　又称布列塔尼公爵阿尔蒂尔三世。法国统帅。英法百年战争后期先是在贞德的旗帜下为查理七世而战，后继续与英格兰人作战（1436～1453）。布列塔尼公爵之幼子。1399年从其兄处获英格兰的里奇蒙伯爵称号（法语为里什蒙伯爵）。其父死后，母改嫁英王亨利四世，遂与英王室发生联系，但他主要关注法国事务。当时法国的奥尔良派同勃艮第派斗争十分激烈，他在这一斗争中站在奥尔良派一边。同时他还是法王查理六世的太子路易的密友。1415年在阿让库尔会战中负伤，被英军俘虏。直到1420年他同意支持英国后，才被释放回国。1423年他与早逝的路易太子的遗孀勃艮第的玛格丽特结婚，进一步与英格兰-勃艮第派联系在一起。但不久，因与勃艮第派发生矛盾，乃继续效忠法国王室。在1425年3月被法王查理七世任命为法国统帅，但由于在朝见忌，在1427年被逐。1429年里什蒙在奥尔良参加贞德领导下的对英战斗，取得数次战役胜利。但由于政敌乔治·德·拉特雷穆瓦耶的影响，再次被迫离开军队。直到拉特雷穆瓦耶最终于1432年倒台后，才重新回到法王查理七世身边。1435年他利用过去同勃艮第派的关系，安排了《阿拉斯条约》（1435-09-21），结束了勃艮第菲利普公爵同法王之间的长期不和。《阿拉斯条约》是百年战争在政治上和外交上的转折点，也是里什蒙个人事业上的里程碑。1436年他大力改组法军，并对法国的财政制度进行改革，以适应战争的需要。在战争的最后阶段，他发挥了积极作用。1449年9～10月将英军赶出科唐坦半岛。次年4月，在福尔米尼战役中也起了决定性作用。此后接着征服了诺曼底和吉耶讷，从而使法国终于取得百年战争的最后胜利。1457年成为布列塔尼公爵。

Richepin, Jean　黎施潘（1849-02-04，阿尔及利亚麦迪亚～1926-12-11，巴黎）　法国诗人、戏剧家和小说家。以尖锐大胆的语言来探讨社会下层的问题。如同左拉以自然主义使小说发生翻天覆地的变化一样，黎施潘也在同时革新了法国诗歌。他是一位医生之子，最初他也学医，后弃医到师范学校去攻读文学，未获学位就离开学校，一度周游法国各地。第一本诗集《穷人之歌》出版于1876年，因语言粗鲁，被地方当局判处坐牢一月。尽管遭到批评，黎施潘还是继续用其粗犷的风格进行创作。他辩解说，人们可以说他使用的语言是不必要的或令人厌恶的，但是它并非猥亵的。他的诗集包括《抚爱》（1877）、《诅咒》

供图：Harlingue—H. Roger-Viollet

（1884）和《海洋》（1886），另有3部小说和若干成功的剧本。1908年被选入法兰西学院，后任理事。

Richer, Jean　里奇（1630～1696，巴黎）　法国天文学家。他在法属圭亚那境内的卡宴对火星所作的观测对天文学和大地测量学都有贡献。他原奉法国政府之命，到卡宴测量火星过近地点的视差。他的观测结果同其他地方的观测对比结果，算出了火星和太阳到地球的距离。这是人类计算出有关太阳系准确大小的创举。里奇的观测还发现了地球的形状。通过实验，他发现钟摆的摆动速度在卡宴慢于在不同纬度的巴黎。由此得出结论，卡宴的重力小于巴黎，因此卡宴一定比巴黎距地心更远。I.牛顿和C.惠更斯据此证明，地球不是一个圆球体，而是一个扁球体。

Richet, Charles (Robert)　里歇（1850-08-26，巴黎～1935-12-04，巴黎）　法国生理学家。因对过敏性的研究而获1913年诺贝尔生理学或医学奖。"过敏性"一词为他与波蒂埃所

供图：Harlingue—H. Roger-Viollet

创用。1887～1927年他在巴黎大学任教。一度负责《科学评论》。研究过呼吸和消化生理、癫痫、体温调节等等课题并因此著名。他兴趣广泛，又是著名的微生物学家、病理学家、医学统计学家、诗人、小说家和剧作家。他首创的anaphylaxis（过敏反应）一词的准确含义是：已经致敏的个体第二次接触这种致敏抗原时发生的有时是致命的反应。他的理论极大地增进了人们对枯草热、哮喘、青霉素过敏等问题的认识。

Richier, Germaine　里希耶（1904-09-16，法国阿尔勒附近格朗～1959-07-31，蒙彼利埃）　法国女雕刻家，热衷于刺激性的、生物式的形象。初在蒙彼利埃学习，后在巴黎学习（1925～1929），是A.布代尔的学生。1934年开始创作古典的胸像、躯体像和人像，但到20世纪40年代其人像变成了混成的、寓意的形象，如《蝙蝠人》、《树人》等。她对昆虫形体和夜间动物的迷恋可以从《祈祷的螳螂》（1946）看出。50年代初期，她创作空间很大或细节很少的简单形象作品，例如《水》（1953～1954，青铜）。后来，里希耶试验用彩色玻璃和铅制作人像，把雕像放在画家达·席尔瓦、汉斯·哈通和赵无极所创制的抽象背景前。她于1956年在巴黎国立现代艺术博物馆举行了一次重要的作品展览。

Richland　里奇兰　美国华盛顿州中南部本顿县城市。位于雅基马河和哥伦比亚河汇合处，与肯纳威克和帕斯科组成三城合一的城市地区。1905年，以当地土地所有者和州议员纳尔逊·里奇的姓氏命名，1908年设建制，至1942年以前一直是农村村庄（村民约250人）。1942年，随着原子弹的发展，此地成为汉福德原子工厂16万公顷专用地的一部分，由联邦政府开发，美国陆军工兵部队和杜邦公司管辖。1947年原子能委员会（即后来的能源研究与开发署，再后来的能源部）和通用电气公司获得对该地区的控制权。1958年该市产权转归私有后重设市。1988年美国能源部宣布永远关闭汉福德原子工厂（只有一个大型混凝土化工厂普雷克斯除外）。在工厂关闭之前，铀同位素、毒性溶剂、钚污染设备及重金属等被分别装入177个地下容器埋于地下或储存于地面，给环境造成了严重威胁。1989年，联邦政府和州政府决定用30年时间清理该地区。周围地区发展了灌溉农业（有葡萄园、果园和蛇麻草田）和畜牧业。到2000年，该市经济已实现多样化发展。人口：城市38 708，里奇兰-肯纳威克-帕斯科都会统计区191 822（2000）。

Richler, Mordecai　里奇勒（1931-01-27，加拿大蒙特利尔～2001-07-02，蒙特利尔）　杰出的加拿大小说家。他的作品对基本的人类困境和价值观念进行了深刻透彻的探索。1950～1951年就读于蒙特利尔的乔治·威廉斯大学，1951～1952年侨居巴黎，在那里受到存在主义作家的影响和激励。1952年回到加拿大后，出版小说《杂技演员》（1954）。该书以西班牙为背景，描写一位加拿大青年画家及一群失意的流亡者和革命党人的经历。不久迁居英国。20世纪70年代回到蒙特利尔。他后来的小说显示出他早年所经历的穷困和排犹风潮。其中《渺小英雄人物之子》（1955）和《选择敌人》（1957），都是写的愤怒、困惑的现代英雄；《杜德·克拉维茨的学徒生涯》（1959）写一个蒙特利尔犹太少年，以及他如何演变为冷酷无情、丧尽道德的商人。内有淫秽的、有时是喜剧性的描写，1974年根据他的电影剧本拍成电影；《无比的阿图克》（1963）对控制电讯工业的那些权力很大的人士作了忍俊不禁的描述；《狂妄》（1968）描写一位美国人

企图接管一家英国出版社的事;《圣于尔班的骑士》(1971)写一位加拿大导演因为在伦敦的同性恋和强奸行为而受审。其他作品包括一本幽默小品文集《就一种濒危动物写的评

供图:McClelland and Stewart Limited

论及其他》(1974),一本儿童读物《雅各布遇见带头罩的方》(1975)和两本长篇小说:《乔舒亚的过去和现在》(1980)及《所罗门·格尔斯基曾在那里》(1989)。

Richmond 里士满 澳大利亚新南威尔士州中东部城镇。临霍克斯伯里河。为里士满-温莎都市区之一部。1872 年后成为悉尼郊区。现加工周围地区出产的蔬菜、玉米、草皮和乳品。附近设有霍克斯伯里农业学院(1888)和皇家澳大利亚空军机场。人口(包括温莎)约21 050(2001)。

Richmond 里士满 澳大利亚塔斯马尼亚岛东南部城镇。临科尔河,位于皮特沃特潟湖顶端。塔斯马尼亚第一座面粉厂 1815 年建于该地。1823 年又建成跨河大桥(澳大利亚现存的最早桥梁)。为当地养羊、乳品和混合农业区的服务中心。现为该国保护得最完好的古城之一和旅游地。人口 768(1996)。

Richmond 里士满 英格兰北约克行政郡里士满区的堂区和城镇。属约克历史郡。临斯韦尔河左岸。曾为约克郡西北部地区主要军事中心和集市中心。现为约克谷地国家公园主要旅游中心。有一座修复的 18 世纪剧院。人口约 8 500(1998)。

北约克郡的里士满城堡

供图:A.F. Kersting

Richmond 里士满 美国加利福尼亚州西部康特拉科斯塔县港口城市。临圣弗朗西斯科湾东北岸,有里士满-圣拉斐尔桥连接马林县。1823 年创建。1905 年设建制。1900 年成为圣菲铁路西部终点站时,建轮渡通圣弗朗西斯科。因有深水港设施发展成炼油中心。战时造船业大大地促进了城市的发展。现工业多样化,生产石油、化工品、汽车零件和航天设备零部件以及生物技术产品。人口 99 216(2000)。

Richmond 里士满 美国印第安纳州中东部城市,韦恩县县城(1873)。临近俄亥俄州界,西距印地安纳波利斯 109 千米,临怀特沃特河东汊河。1806 年北卡罗来纳的基督教公谊会信徒迁此定居。至今仍是公谊会势力和组织机构的中心。有公谊会的厄尔汉姆学院和印第安纳大学东部分院。1840 年设市。原为一富庶地区的制造业中心,农业贸易和农产品加工仍很重要。生产机械、运输设备和金属制品等。每年 6 月有玫瑰花节,该市大温室玫瑰花种植业发达。人口 39 124(2000)。

Richmond 里士满 美国肯塔基州中东部城市,麦迪逊县县城(1798)。位于外布卢格拉斯地区,近坎伯兰山麓,西北距列克星敦 39 千米,在旧时的莽原路上。1785 年始有人定居。1809 年设建制。南北战争中南军在肯塔基州首获胜利的战场(1862-08-29 ～ 31)。现为烟草、牲畜、玉米等的贸易中心和集散地。照明、电子设备、电缆、蓄电池、油漆制造对当地经济很重要。是东肯塔基大学(1906)所在地。市东有州立天然桥公园。人口 27 152(2000)。

Richmond 里士满 美国纽约州东南部一县,面积 48 平方千米,与斯塔滕岛选区范围相同,包括纽约港内**斯塔滕岛**(**Staten Island**)和几个小岛的一部或全部。有维拉扎诺海峡桥与布鲁克林相通。曾是荷兰当局 1661 年建立的第一个永久居民点。3 年后英国人接管。1683 年建县。

Richmond 里士满 美国弗吉尼亚州首府和城市,亨利科县县城(1752),位于该州东部,詹姆斯河通航段的起点。为大都会区(包括亨利科县的其余部分,切斯特菲尔德县及汉诺威县)的中心。政治上独立于县。1637 年设贸易站。1737 年设镇。1782 年设市。1840 年已可经詹姆士河及卡诺瓦运河与林奇堡相通。1860 年该市已通 6 条铁路。南北战争期间曾为南部邦联的首府。现在烟草生产在经济中占重要地位,印刷出版、化工、纺织、医药、金属制品等工业以及木制品和纸制品制造业也很重要。设有里士满大学(浸礼会,1830 年为邓洛拉学校)、协和神学院(1812)、弗吉尼亚联合大学(1865)、弗吉尼亚州立大学、雷诺兹社区学院(1972)。历史性建筑物中有圣约翰教堂(1741)、大法官 J. 马歇尔的故居(1790)、南部邦联的白宫(1818,现为博物馆)、R.E. 李的大厦(1844)、E.A. 坡博物

里士满市的州议会大厦,1785 ～ 1789 年 T. 杰斐逊设计

供图:Virginia State Travel Service, Richmond

馆、叙述里士满历史的瓦伦丁博物馆(1812)以及弗吉尼亚历史学会的巴特尔学院(1913)。附近的里士满国家战场公园(1944)是纪念南北战争大事的公园。弗吉尼亚美术博物馆是美国第一座州办的艺术博物馆。人口:城市 197 790;里士满-彼得斯堡都会统计区 996 512(2000)。

Richmond, EARLS AND DUKES OF **里奇蒙伯爵和公爵** 英国封爵贵族,按年代顺序分列于后,并各以●为标记。

● **Richmond, John of Gaunt, earl of 里奇蒙伯爵** 参阅 **John of Gaunt, duke of Lancaster** 约翰(冈特的)。

● **Richmond, John of Montfort, earl of 里奇蒙伯爵** 参阅 **John**(Brittany)约翰(布列塔尼)项下的 **John IV**(**or V**)约翰四世(或五世)。

● **Richmond, Arthur, earl of 里奇蒙伯爵** 参阅 **Richemont, Arthur, constable de** 里什蒙。

● **Richmond, Henry Tudor, earl of 里奇蒙伯爵** 参阅 **Henry**(England)亨利(英格兰)项下的 **Henry VII** 亨利七世。

● **Richmond, Charles Lennox, 1st Duke of 里奇蒙公爵(第一)**(1672-07-29,伦敦～1723-05-27,英国苏塞克斯古德伍德) 即 C. 伦诺克斯。英王查理二世与其情妇朴次茅斯女公爵路易丝之子。1693 ～ 1702 年任威廉三世的副官,1714 ～ 1723 年任乔治一世的侍从。1675 年查理二世赐予他这个幼年的儿子很多爵位(公爵、伯爵和男爵)。法王路易十四也让他继承其母的欧比尼公爵领地。1685 年其父去世,叔父詹姆斯二世继位,里奇蒙偕母前往巴黎,正式接受天主教信仰并在法军服役。英国新教徒革命后,他于 1692 年潜返英国,加入英国国教,协助威廉三世,并加入英军。后成为乔治一世的侍从及枢密院顾问。里奇蒙为 1981 年成为威尔士王妃的黛安娜·斯潘塞的远祖。

● **Richmond, Charles Lennox, 3rd duke of 里奇蒙公爵(第三)**(1735-02-22,伦敦～1806-12-29,英国苏塞克斯古德伍德) 18世纪英国最进步的政治家之一,主要以改革议会的先进观点著名。1750年继承其父的一系列贵族爵位。1765年担任英国驻法国特命大使,次年在罗金厄姆侯爵内阁中担任大臣,后因老皮特掌权而辞职。在辩论引起美国独立战争的政策时,里奇蒙坚决支持美洲殖民者。他在1778年首先提议从美洲召回军队。他还主张对爱尔兰采取怀柔政策,提出"心与心的联合"的著名口号。1780年提出议会改革法案,内容包括成年男子选举权、每年召开议会及平等选区制。他在罗金厄姆第二次内阁中担任军械局局长。1784年加入小皮特的内阁。此时他持托利党的主张。由于人们认为他背弃改革运动,在1792年遭到劳德代尔伯爵第八的猛烈攻击,几乎导致两人间的决斗。

Richmond and Lennox, Frances Teresa Stuart, duchess of 里奇蒙和伦诺克斯公爵夫人(1647-07-08～1702-10-15) 即F.T.斯图尔特。别名La Belle Stuart。英王查理二世的情妇。御医W.斯图尔特之女。她在法国长大。1663年被送回英格兰,给查理二世的王后当宫女。查理跟她打得火热。1667年里奇蒙和伦诺克斯公爵向她求婚时,查理唯恐失掉他的情妇,曾考虑与王后离婚而和她结为夫妇。据传失宠的查理原来的情妇克利夫兰女公爵曾亲自领着查理在午夜驾临她的卧房,而这时里奇蒙公爵正在同她幽会。里奇蒙马上被逐出宫廷。1667年3月她与里奇蒙偕伴外逃,在乡间偷偷结婚。她不久又回到宫廷。虽然1668年被天花夺去容貌,但国王对她依然钟爱如故。

Richmond River 里士满河 澳大利亚新南威尔士州北部沿岸地区主要河流。源出麦克韦森岭林赛山,流向东南,在科拉基接纳威尔逊河,后转向东北,在巴利纳注入太平洋。全长163英里。可通航至卡西诺。流域出产甘蔗、香蕉、乳品、玉米、黍类和木材。

Richmond upon Thames 泰晤士河畔里士满 英格兰伦敦外围自治市。面积57平方千米。跨泰晤士河两岸,沿河岸绵延19千米。主要为住宅区,亦有艇舶修造业。泰晤士河畔里士满市有众多的开阔场地,包括里士满公园、灌木公园、巴恩斯公地、希恩公地、汉姆公地、大理石丘陵公园和老鹿公园等。北岸的特威克纳姆为英式橄榄球联合会总部。泰晤士河畔里士满市还有世界闻名的皇家植物园、基尤天文台(1768,使用至1981年)、国家物理实验室和海军研究实验室(设在特丁顿)。该自治市通轻轨和伦敦地铁,有很多主要铁路线也通过该地。人口约186 700(1998)。

Richmondian Stage 里士满阶 北美奥陶纪的时间地层单元(奥陶纪开始于约5亿年前,延续约7 000万年)。晚奥陶世辛辛那提统的最后一个阶。在北美大陆的东北地区,里士满阶沉积物颗粒逐渐变粗的现象以及在昆斯顿和朱尼亚塔组中出现的淡红色沉积都记录了当时的海退和高地上升的情况。在其他地区有丰富的石灰岩。

Richmondshire 里士满希尔 英格兰北约克行政郡一区。属约克历史郡。由斯韦尔代尔和文斯利代尔的城镇组成。面积1 317平方千米。上游为人口稀少的牧羊区;东部开阔地区畜牧业发展条件较好。著名的耐寒羊即取名斯韦尔代尔,文斯利代尔则以其干酪闻名。里士满是主要旅游、行政和服务中心。文斯利代尔的莱本有大型牲畜市场。里斯是为斯韦尔代尔服务的辅助服务中心。人口约49 300(1998)。

Richter, Burton 里克特(1931-03-22,美国纽约布鲁克林～) 美国物理学家,由于发现了一种新的亚原子粒子,与独立做出同一发现的丁肇中共获1976年诺贝尔物理学奖。曾在麻省理工学院受教育,并于1956年获博士学位。同年他进入斯坦福大学任研究助理,1967年任教授。他进行了旨在验证量子电动力学在非常短的距离内正确性的工作。1973年他与D.里特森合作并得到原子能委员会的资助,建造了斯坦福的正电子-电子非对称环装置。正是利用这台对撞机,他发现了一种新的亚原子粒子——ψ粒子(现常称为J粒子)。这是人们发现的一类新型大质量、长寿命介子中的第一种粒子。

Richter, Charles Francis 里克特(1900-04-26,美国俄亥俄哈密尔顿附近～1985-09-30,加利福尼亚帕萨迪纳) 美国物理学家和地震学家。与人合作提出测量地震等级的里克特震级标度(参阅 **Richter scale**)。生于俄亥俄州一农场,1916年随其母移居洛杉矶。入南加利福尼亚大学(1916～1917),后在斯坦福大学学习物理学(1920年获文学士)。1928年在加利福尼亚理工学院获哲学博士。1927～1936年在设于加利福尼亚州帕萨迪纳的华盛顿卡内基学会地震学实验室供职。1937～1970年在加利福尼亚理工学院讲授物理学和地震学,并在该学院的地震学实验室(创建于1936年)工作。与德国出生的加州理工学院教授B.古滕贝格(1889～1960)合作,于1935年提出以他的姓氏命名的震级标度,以取代旧的麦卡利地震烈度表。后者是不可靠的,它量测的只是地震台站处的而非地震震中处的地震烈度。他还编制了美国地震危险区地图,但对地震预报的探索持贬斥态度。著作有与古滕贝格合写的《地球的地震活动性及有关现象》(1941,修订版1954)和《初等地震学》(1958)。《不列颠百科全书》第15版的"地震"条目也由他撰写。

Richter, Conrad Michael 里克特(1890-10-13,美国宾夕法尼亚派恩格罗夫～1968-10-30,宾夕法尼亚波茨维尔) 美国小说家。以对早期美国情况的抒情虚构描述著称。年轻时做过各种零工,19岁时成为宾夕法尼亚的《巴顿信使》杂志的编辑。后来当上记者,并创办一份青少年杂志,直至1928年移居新墨西哥州前才停办。当时许多美国作家都沉浸在欧洲文化之中,而他却着迷于美国历史,花了多年时间研究边疆地区的生活。最著名的作品是《草之海》(1936)以及拓荒生活三部曲《树林》(1940)、《田野》(1946)和《小镇》(1950,1951年获普利策奖)。他的小说通常借一个当代叙事者的口吻讲述出来,让读者能把现在和过去当作一个连续体来看待。他还探索了美国印第安人身份认同的两难处境,在一些小说中注入了社会自觉意识。《克罗诺斯河水》(1960)是一部自传体小说,1961年获美国国家图书奖。

Richter, Hans 里希特(1843-04-04,匈牙利拉布～1916-12-05,德国拜罗伊特) 匈牙利指挥家,当时最伟大的指挥家之一,以演出瓦格纳和勃拉姆斯的作品备受推崇。曾就学于

供图:Richard Wagner Archiv, Bayreuth, Ger.

维也纳音乐学院。1867年由瓦格纳举荐而担任慕尼黑歌剧院指挥,与H.冯·比洛合作。1876年在拜罗伊特指挥《尼贝龙根的指环》,以后又在该地任瓦格纳音乐节的首席指挥。1877年与瓦格纳共同指挥了在伦敦举行的瓦格纳音乐节。1882年指挥歌剧《名歌手》和《特里斯丹和绮瑟》的伦敦首演。他还指挥了在伦敦每年举行的管弦乐音乐节音乐会(后被称为里希特音乐会)。1897年在曼彻斯特任哈勒交响乐队指挥,该乐队因而获得了很高的声誉。很多勃拉姆斯的作品以及埃尔加的《谜语变奏曲》、《吉伦舍斯之梦》和第一交响曲都由他首次指挥演出。最后一场指挥演出是1912年在拜罗伊特。

Richter, Johann Paul Friedrich 里希特尔 参阅 **Jean Paul** 让·保尔。

Richter, Sviatoslav 李赫特(1915-03-20,俄罗斯帝国乌克兰日托米尔～1997-08-01,莫斯科) 俄语名Svyatoslav Teofilovich Rikhter。苏联钢琴家,以技巧杰出、曲目全面而著称。早年自学钢琴,18岁任敖德萨歌剧院钢琴伴奏和副指挥,以用钢琴视奏完整的管弦乐总谱著名。1935年在敖德萨举行首场音乐会,1937年入莫斯科音乐学院开始正规学习,师承H.诺伊豪斯。1945年获苏联音乐比赛奖、1949年获斯大林奖后,名声大振。费城交响乐团到苏联巡回演出时他任独奏,1957年曾到中国演出。60年代到美、英、意、法、德各国巡回演出,博得听众和评论家赞扬。后来他参加了奥尔德堡(英国)和斯波莱托(意大利)音乐节及法国音乐节的演出。

Richter scale 里氏震级 广泛使用的地震强度量级。美国地震学家B．古滕贝格(**Gutenberg, Beno**)和C．F．里克特(**Richter, Charles Francis**)在1935年创立。这个震级原本是为了测定如某类地震仪所纪录到的加利福尼亚州南部地方性地震之强度。到那时为止所能察觉到的最微弱地震在震级标定数值上就接近于零。震级的排列是这样，即每增加1个单位，就代表地震强度增加10倍(也就是说，里氏震级的数字与强度的常用对数成正比)。后来更灵敏的地震仪，能测出比原定为零级更微弱的地震，在里氏震级上就用负数来代表。尽管震级没有理论的上限，但最大的地震没有超过9级的。这个震级由里克特和古滕贝格重新厘定，以消除距离和所用地震仪类型的限制。

richterite 钠透闪石 又作soda tremolite。一种闪石矿物，是钙、镁或锰的钠硅酸盐。产于受热力变质的石灰岩中和夕卡岩中，或是碱性火成岩中的热液产物。钠透闪石与透闪石有联系，在钠透闪石的化学组成中钠取代了钙。

Richthofen, Ferdinand Paul Wilhelm, Freiherr von 李希霍芬(1833-05-05，普鲁士上西里西亚卡尔斯鲁赫[今在波兰]～1905-10-06，德国柏林) 德国地理学家和地质学家。著有关于中国的巨著，对地理学方法的

供图：Bruchkmann—Art Reference Bureau

发展有贡献，并且帮助建立了地貌学。他在多洛米蒂山和特兰西瓦尼亚进行地质调查取得声望之后，于1860年作为地质学家被邀请随同德国经济使团去远东。访问了锡兰、日本、台湾、西里伯斯、爪哇、菲律宾，并从曼谷旅行到缅甸的毛淡棉。又从该地去加利福尼亚。1863～1868年留在加利福尼亚进行地质调查，发现了金矿。回到东方后，访问了中国的几乎每一部分，为他的巨著——五卷集并附地图的《中国，亲身旅行的成果和以之为根据的研究》(1877～1912)收集了资料。其他作品有《今日地理学的任务与方法》(1833)和《19世纪地理学的推动力和方向》(1903)。

Richthofen, Manfred, Freiherr von 里希特霍芬(1892-05-02，德国布雷斯劳[今波兰弗罗茨瓦夫]～1918-04-21，法国索姆河畔沃) 绰号红色男爵。第一次世界大战期间德国的王牌飞行员。富家出身，与其弟追随其父的军事生涯。他于1912年为骑兵上尉，第一次世界大战爆发后先在俄国作战，后参加入侵比利时和法国。转为步兵，1915年调到空军，1916年成为战斗飞行员。其后担任第一空军联队司令，这个联队以"里希特霍芬飞行队"

供图：Pictorical Parade

名噪一时，因为他一个人就曾击落敌机80架。在亚眠附近的一次空战中，被澳大利亚的地面炮火击中而死。又据说，他被英国皇家空军加拿大籍的R．布朗上尉击落身亡。

Ricimer 里西梅尔(?～472-08-18) 罗马将军，456～472年间西罗马帝国的皇帝拥立者。父为斯维比部族首领，母为西哥特公主。早年从军时与未来皇帝马约里安结交为友。456年击退侵犯西西里的汪达尔人后，任军长。同年打败并废黜西罗马皇帝阿维图斯。457年任最高军事长官，立马约里安为西罗马皇帝。459年任执政官。由于马约里安不甘心做傀儡，461年被他杀死。同年，他又立塞维鲁为西罗马皇帝。465年塞维鲁死。东罗马皇帝利奥一世选定安提米乌斯为西罗马皇帝。为了取得里西梅尔的同意，安排安提米乌斯的女儿与他结婚。但是472年，他又选中奥利布里乌斯当皇帝。因此击溃安提米乌斯的军队，将安提米乌斯斩首。里西梅尔出身蛮族，没有当皇帝的可能，因而通过傀儡皇帝来执掌大权。他保卫意大利不受汪达尔人的侵略，也使各行省免遭东哥特人和阿兰人的蹂躏。

ricinus oil 参阅castor oil蓖麻油。

Rickard, Tex 理卡德(1870或1871-01-02，美国密苏里堪萨斯城～1929-01-06，佛罗里达迈阿密滩) 美国赌场主、拳击比赛承办人。他为1919～1926年世界最重量级拳击冠军登普西所主办的5场比赛创门票收入超过100万美元的纪录。1903年在内华达州矿区城市戈尔德菲尔德开设赌场，为了招徕顾客，主办拳击比赛。1920年购得纽约市麦迪逊广场花园的大部分股权后，在那里主办了一场门票收入百万美元的拳击比赛。他在组织比赛时利用人们的偏见吸引观众，以黑人对白人，以逃避服兵役者对第一次世界大战的英雄，以美国人对"外国人"。他也主办义赛以争取社会知名人士赞助。

rickardite 碲铜矿 一种铜的碲化物矿物(Cu_4Te_3)，其紫红色的团块与锖色的斑铜矿相似。它发现于美国科罗拉多州的瓦尔肯，在那里与另一种铜的碲化物黑碲铜矿(Cu_5Te_3)伴生。关于化学式及详细的物理性质，参阅**sulfide mineral**(表)。

Rickenbacker, Edward Vernon 里肯巴克(1890-10-08，美国俄亥俄哥伦布～1973-07-23，苏黎世) 飞行员，实业家，第一次世界大战时美国最出名的王牌飞行员。早年爱好内燃机和汽车。美国参加第一次世界大战时，他是全美最杰出的3名赛车手之一。1917年参军后在J.J.潘兴将军的参谋部任司机，替著名的战术空中力量的鼓吹者W.米切尔上校开车。由于米切尔的帮助，他成为战斗机飞行员，编入第94驱逐机中队。他累计取得26次空战胜利，获得许多勋章，包括荣誉勋章。他的战绩发表在所著《迎击敌人机群》(1919)一书中。里肯巴克在战后重新从事汽车工业

美国不列颠百科全书公司供图

工作。1932年进入美国航空公司，1933年转到北美航空公司，最后到1935年进了东方航空公司任总裁、总经理、董事，直至1951年退休，他仍担任董事及董事长直至1963年。

rickets 佝偻病 维生素D缺乏症表现之一。婴儿及儿童疾病，特征表现为骨生长障碍。维生素D为类固醇激素，由皮肤中的前体物质7-脱氢胆固醇(前维生素D_3)在阳光紫外线的作用下转化而成。维生素D也可由膳食中吸取，特别是辐照乳、肝脏和鱼油。维生素D缺乏症可源于膳食中缺乏，皮肤内光促转化作用不足，饮食吸收障碍或维生素D转化为无效代谢产物。维生素D在肝和肾中经进一步作用转化为活性物质，再至小肠和骨骼等处发挥其调节钙吸收等作用。因维生素D在钙代谢中的重要作用，缺乏时无机盐磷酸钙(决定骨的坚固度)就难以正常沉积在骨质中，而骨变软、变弯生长受阻。若不及早治疗，佝偻病可以造成弓形腿、膝外翻和肋骨串珠。胸廓和骨盆变窄可使患者在将来易出现肺疾病或难产。佝偻病的早期常见症状有烦躁，大量出汗，四肢和腹部肌张力缺乏，颅骨软化，学习坐、爬、行走迟缓，牙齿萌发也晚。也可出现手足搐搦。大量补充维生素D浓缩制剂，结合晒太阳和平衡饮食，通常可以治好佝偻病。在北方和温带地区，补充维生素D(通常是通过饮牛乳)帮助防止了佝偻病的发生。人们认识到鱼肝油和阳光可以防治人类佝偻病是在18世纪或更早时候。1918年用动物作实验，结果表明鱼肝油的效果是因所含维生素。1924年证明，紫外线的治疗作用是因为紫外线照射帮助形成维生素D。1930至1931年在英、

德两国首次分离出纯维生素 D_2。还有两个少见但是极有关的疾病——家族性低磷酸盐血症和骨软化症(即成人佝偻病)——是由于钙磷代谢异常而造成骨矿化异常和佝偻病型畸形。

Ricketts, Howard T(aylor)　立克次(1871-02-09,美国俄亥俄芬德利～1910-05-03,墨西哥墨西哥城)　美国病理学家,发现落基山斑点热和鼠型斑疹伤寒的病原体和传播方式。毕业于芝加哥西北大学。1902 年入芝加哥大学工作。1906 年春他证明落基山斑点热可通过某种蜱的叮咬而传给健康动物。两年后他描述了在受染动物的血液、蜱及其卵中发现的病原微生物。1909 年他与助手到墨西哥城研究鼠型斑疹伤寒,发现本病可由体虱传播,并在患者的血中及虱体内找出病原微生物。证明该病可传播给猴,猴康复后可对该病免疫。次年他自己死于斑疹伤寒。为了纪念他,落基山斑点热和斑疹伤寒的病原微生物所在的属被命名为立克次氏体属。

rickettsia　立克次氏体　复数 rickettsiae。立克次氏体科(Rickettsiaceae)中三个属(立克次氏体属[*Rickettsia*];考克斯氏体属[*Coxiella*];罗卡利马氏体属[*Rochalimaea*])中的细菌。杆状或球状,不能透过过滤器,大多数为革兰氏染色阴性。是某些节肢动物(特别是虱子、跳蚤、螨和蜱)的天然寄生虫,但在人类和其他动物可造成严重疾病——通常表现为急性自限性发热。

立克次氏体的大小大致在 0.3～0.5 微米×0.8～2.0 微米之间。几乎一切立克次氏体都只能在动物细胞内繁殖。通常是借节肢动物媒介生物的叮咬而传播给人体。因某些种类可抵御极度干燥,所以疾病传播也可通过吸入节肢动物的粪便或者粪便通过皮肤伤口进入体内。大多数立克次氏体通常是感染人类以外的动物,人类只是偶而才成为其盲端寄主。流行性斑疹伤寒和战壕热是例外,因为人类是唯一被证实的重要寄主。其他立克次氏体感染主要见于动物,动物是其储存寄主而吸血节肢动物由这些寄主吸入立克次氏体再将它们传给其他动物,偶而传给人。立克次氏体中最大的属是立克次氏体属,它一般又分为斑疹伤寒、斑点热和恙虫病等三个群,这一个属引起一系列极严重的疾病,包括落基山斑点热、流行性斑疹伤寒、布里尔-津塞二氏病(即复发型斑疹伤寒)、恙虫病)等(参阅附表)。预防立克次氏体病的保护措施包括必要时对节肢媒介动物的防治以及免疫注射。患立克次氏体病的动物愈后均获终生免疫力。用免疫注射来预防则效果不一,以斑疹伤寒和斑点热最易预防。对于大多数立克次氏体病的最有效疗法包括及时使用大量广谱抗生素如四环素,如不能使用四环素时可使用氯霉素。

Rickey, Branch (Wesley)　里基(1881-12-20,美国俄亥俄斯托克代尔～1965-12-09,密苏里哥伦比亚)　美国职业棒球队经理人员。1919 年提出通过青年预备队训练球员的办法。1945 年率先吸收黑人运动员参加棒球队,开 20 世纪的先例。1917～1919 年,里基任圣路易斯枢机队俱乐部主席;1919～1925 年任经理;1925～1942 年任总经理。里基任职期间,圣路易斯枢机队共获 9 次全国棒球联盟冠军。1943～1950 年,里基任布鲁克林道奇队领队兼总经理。1945 年春创办美国黑人运动员棒球联盟。1950～1955 年,里基任匹兹堡海盗队副主席兼总经理,1955～1959 年任该队董事长。1967 年入选纽约库珀斯敦棒球名人堂。

Rickover, Hyman G(eorge)　里科弗(1900-01-27,俄罗斯马科夫～1986-07-08,美国弗吉尼亚阿灵顿)　美国海军将领,精通工程学和物理学,研制出世界上第一台核动力引擎并

美国海军部供图

参与建造世界上第一艘核潜艇"鹦鹉螺"号(1954 年下水)。1922 年毕业于美国安纳波利斯海军学院。第二次世界大战中,他负责海军部舰艇局电工处的工作。战后参加田纳西州橡树岭原子能研究中心,在核子物理学与工程学方面为研制原子弹的曼哈顿工程提供详尽咨询。1947 年 9 月回到舰艇局,着手实施海军核推进计划,使"鹦鹉螺"号得以早日建成。之后,里科弗一方面继续在海军任职,一方面负责原子能委员会的核反应堆研究发展工作,为 1956～1957 年在宾夕法尼亚州希平波特建成美国第一座完整的试验性核发电站做出了贡献。1953 年晋升海军少将,1959 年为海军中将,1973 年为海军上将。1982 年退休。作为一名海军军官他服现役长达 63 年之久。

ricksha　人力车　车夫在两根车辕之间拉行的两轮、没有门、车身像椅子、顶篷可折叠的车。可乘坐 1～2 人。人力车 19 世纪时首先在日本使用。东方各国使用很普遍,后来被脚踏三轮车(**pedicab**)所取代。

Ricoeur, Paul　里克尔(1913-02-27,法国瓦朗斯～2005-05-20,沙特奈-马拉布里)　法国现象学派哲学家和历史学家。他描述了人类意志、自由和邪恶的诸事件和象征,并研究了各种语言学及精神分析理论对上述诸现象所作的解释。里克尔受教于雷恩中学和巴黎大学。1933～1948 年曾在很多学术机构工作。1948～1956 年在斯特拉斯堡大学任教授。从 1956 年起任巴黎大学教授,并主持卢万档案馆的工作。也曾在几所美国大学任教,包括芝加哥大学(1971～1991)。主要著作有:《意志哲学》(2 卷,1950～1960)、《历史与真理》(1955)、《论弗洛伊德和哲学解释问题》(1965)、《活的隐喻》(1975)和《行为的语义学》(1977)。

riddah　变节　约632年在艾卜伯克尔哈里发统治时期,在阿拉比亚各部分发生的一系列政治和宗教的暴动。尽管贝都因人一向反对任何约束,但到 631 年,穆罕默德还是使他们的大多数部落信奉伊斯兰教,缴纳"天课",并接纳麦地那的使节。632 年 3 月,也门的部

部分致病立克次氏体

立克次氏体	节肢媒介生物	脊椎动物寄主	人类疾病
立克次氏体属(*Rickettsia*)			
斑疹伤寒群			
普氏立克次氏体(*R. prowazekii*)	体虱	人类	流行性斑疹伤寒、布里尔秦瑟二氏病
莫氏立克次氏体(*R. mooseri*)	鼠蚤	大鼠	鼠型斑疹伤寒
斑点热群			
立氏立克次氏体(*R. rickettsii*)	蜱	啮齿动物	落基山斑点热
康氏立克次氏体(*R. conorii*)	蜱	犬	南欧斑点热
恙虫病群			
恙虫病立克次氏体(*R. tsutsugamushi*)	恙螨	啮齿动物	恙虫病
考克斯氏体属(*Coxiella*)			
伯氏考克斯氏体(*C. burnetii*)	通常为空气或接触传播	家畜、小哺乳动物	Q 热
罗沙利马氏体属(*Rochalimaea*)			
五日热立克次氏体(*R. quintana*)	体虱	人类	战壕热

落驱逐两名穆罕默德的代表，捍卫也门的独立。3个月后穆罕默德逝世。那些渴望维护独立和不缴"天课"的部落纷纷造反，不承认艾卜伯克尔的权威。因此，艾卜伯克尔派兵征服这些"变节者"，633年展开一场大血战，结果消灭了"变节者"的活动中心，增强了麦地那政府的威信。约在633～634年间，阿拉比亚得到重新统一，此后它的部落的力量用于对伊朗、叙利亚和埃及的征服上。

Ridder, Alfons de（Flemish novelist） **里德** 参阅 **Elsschot, Willem** 埃尔斯霍特。

riddle 谜语 一种故意暧昧或含糊的问题，要求给予深思熟虑的并常常是诙谐的回答，这是一种猜谜游戏的形式，自古以来就属于大多数文化中的民俗的一部分。西方学者一般认为有两种谜语：描述性谜语和机敏的或诙谐的问题。描述性谜语通常把所描绘的动物、人、植物或物体故意说得暧昧不明，暗示一件与正确答案不同的东西。"什么东西白天到处跑，晚上却睡在床下？"这一问题使人联想到"一只狗"，但答案却是"一双鞋"。描述通常由一种普通成分和一种特殊成分组成。先讲普通成分，它可以从推理的角度去理解。且看一首英国押韵谜语：

Little Nancy Etticoat
In a white petticoat
And a red nose;
The longer she stands
The shorter she grows
（小小南希·埃蒂库特
穿着小白裙
长着红鼻子：
站得越长久
个子越矮小）

这好像是在描绘一个姑娘。第二个成分，应从文字上理解，显然与第一个成分有矛盾。南希·埃蒂库特站得越长久，个子却越矮小，原来这是一支点燃的蜡烛。描述性谜语讲的是外表，而不是功能。于是，鸡蛋成了"一所无门无窗的小白房子，"而不是某种可食之物或可以从中孵化出小鸡的东西。再如自相矛盾的谜语如："做它的人不需要它，买它的人不用它，用它的人不知道它。"答案是："棺材"。描述性谜语普遍存在，但却很少出现在民间故事或民谣中。民间故事中的一个非同寻常的描述性谜语的例子是斯芬克斯之谜，这位令古希腊维奥蒂亚境内的底比斯人惊恐不安的妖怪的谜语是："什么东西在早晨用四条腿走路，在中午用两条腿走路，傍晚用三条腿走路？"俄狄浦斯回答说："是人呀，人在婴儿时用四肢爬行，成年后用双脚走路，老年时扶杖而行。"由于英语里缺少一个类别名，机敏与诙谐问题遂归入谜语类。它们起源于古代。一个曾被广为翻译的古希腊例子是"在所有东西中什么是最强有力的？"——"爱情：铁是坚硬的，但铁匠更坚硬，而爱情却能征服铁匠。"

Ride, Sally 赖德（1951-05-26，美国加利福尼亚恩西诺～2012-07-23，加利福尼亚拉霍亚） 全名Sally Kristen Ride。进入外层空间的第一个美国女性。此前，只有两名苏联妇女进入过太空，她们是V. 捷列什科娃（1963）和S. 萨维斯卡娅（1982）。赖德早年曾发誓要当一名网球运动员，但最终放弃了这一梦想而进入斯坦福大学，1973年本科毕业，1975年获硕士学位，1978年获物理学博士学位。她向国家航空和航天局（NASA）申请一个飞行专家的岗位，这标志着妇女首次列入被考虑者的名单。在总计8 000名（内1 000名妇女）的申请者中，她在全面的筛选过程中幸存下来，成为被选中的6名妇女之一，同时入选的还有29名男性。1978～1979年她在得克萨斯州休斯敦的约翰逊航天中心接受飞行专家的训练。1983年6月18日，她和另4名宇航员乘第7次发射的"挑战者"号航天飞机进入太空。在6天的飞行中，她作为飞行工程师协助同伴们安放了两颗人造卫星，并利用航天飞机上的机械手安放和回收了一颗人造卫星。后来在1984年10月，她又乘坐"挑战者"号航天飞机飞行了8天。1987年她辞去国家航空和航天局的职务，1989年她成为圣迭戈加利福尼亚大学空间科学研究所主任。

Rideau Canal 里多运河 加拿大安大略省东南部运河。连接渥太华河畔的渥太华和安大略湖滨的金斯顿。运河起自渥太华的西南面，溯里多河而上到达里多湖，再取道卡塔拉奎河进入安大略湖，全长200千米，共有47座船闸。

Ridge and Valley 岭谷地区 美国东部自然地理区，由一系列山岭和河谷构成。为阿巴拉契亚高地之一部分，东邻蓝岭和皮德蒙特两地区。西接阿巴拉契亚高原。长约1 930千米，宽23～130千米。弗吉尼亚州北部的谢南多厄河谷最著名。

Ridgewood 里奇伍德 美国新泽西州东北部伯根县居民村。位于帕特森东北，临萨德尔河。查尔斯·李将军由于在蒙茅斯战役（1778）中撤退，在当地一教堂中接受军事法庭审判；乔治·华盛顿在同一战役之后率5 000士兵在教堂附近小憩。此后在原教堂旧址建了基督教归正会帕拉默斯教堂（约1800）。19世纪50年代初铁路的修建促进了当地发展。1895年设建制。现在主要是纽约市的住宅区。人口24 936（2000）。

Ridgway, Matthew B. 李奇微（1895-03-03，美国弗吉尼亚门罗堡～1993-07-26，匹兹堡附近福克斯查珀尔） 美国陆军军官，在1943年7月进攻西西里岛时，他制订计划并实施了美国军事史上第一次大规模空降突击行动。李奇微是纽约州美国西点陆军军官学校1917年的毕业生，第二次世界大战前担任过各种参谋职务。1942年担任第82步兵师师长，并负责将该师改编为第82空降师，后来他指挥该师参加了西西里战役。1944年6月诺曼底登陆战役中，李奇微随部队伞降于诺曼底地区。后率第18空降军转战于荷兰、比利时和德国。1950年底中国共产党军队发起进攻时，李奇微担任驻朝美国第8集团军司令，他使联合国军重振旗鼓，发起反攻。

美国陆军部供图

1951年他接替被免职的道格拉斯·麦克阿瑟将军，升任远东盟军司令，他继续成功地保卫了南朝鲜，并帮助日本继续重建。1952年，李奇微接替德怀特·D. 艾森豪威尔将军任欧洲盟军最高司令，次年被任命为美国陆军参谋长。1955年以上将军衔退休。李奇微的战争回忆录《士兵》于1956年出版。1967年出版了《越战：我们是如何应对挑战的》。1986年被授予总统自由勋章，1991年获得国会金质勋章。他以善于鼓舞军队士气著名。

Ridgway ware 里奇韦陶瓷 属英国斯塔福德郡陶瓷类型，最早于1792年由里奇韦兄弟在英国北斯塔福德郡汉利市谢尔顿地区的贝尔陶瓷厂生产。直至20世纪，里奇韦一家

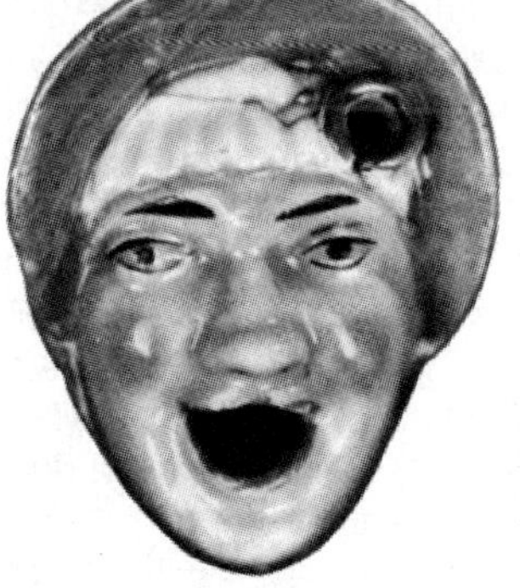

约1810年的里奇韦陶瓷墨水瓶，形状为J. 里奇韦夫人的卡通头像
伦敦维多利亚和艾伯特博物馆供图

仍继续生产印有蓝色图案的优质陶器。他们制造茶具、点心用具和餐具等耐磨瓷器，以与明顿瓷器竞争。其花样与明顿瓷器以及伍斯特、罗金汉和斯波德瓷器争奇斗胜。

Riding, Laura 赖丁（1901-01-16，美国纽约州纽约～1991-09-02，弗罗里达锡巴斯琴） 母家姓Reichenthal，夫姓Jackson，笔名Barbara Rich，Madeleine Vara，Laura Riding Gottschalk。美国诗人、评论家和散文作家。在20世纪20年代和30年代前卫派文学中颇有影响。1918～1921年就读于纽约州伊萨卡市的康奈尔大学。她练习写诗，既作为一种文学创作，也作为一种道德修养的活动。她具有获知真理的特殊才能，所以她的诗不久便开始引起人们的注意。在与一群南方作家的著名的"逃亡者集团"交往的早期，赖丁于1926～1939年间住在国外，大部分时间和诗人兼评论家格雷夫斯在一起。他们一起创办塞津出版社，并出版《尾声》杂志。他们合写的《现代

主义诗歌概论》(1927;1977 重印)阐发了对作品本身缜密分析的思想,对新批评主义颇有影响。1941 年她与评论家杰克逊结婚,他们合作从事辞典编纂的研究,直到 1968 年杰克逊去世。1974 年她完成了他们的《合理的意义:单词定义的新基础》,但未出版。这期间她不再写诗,称之为"人所不宜",但她的其他著作继续吸引着一些眼光很高的读者。她的后期哲学著作《效验》(1972)备受一批人数不多的读者群的推崇。1938 年出版的《诗集》于 1980 年出了修订版。

Ridler, Anne (Barbara)　里德勒(1912-07-30,英国沃里克郡拉格比～　　) 英国女诗人、剧作家,以其祈祷诗和诗剧著称。所写剧本反映出她受 T.S.艾略特后期作品的影响。曾被称为现代玄学派诗人,她对复杂隐喻的使用使人想起 J.多恩和 G.赫伯特等诗人的作品。除探索宗教主题外,她的作品歌颂凡人皆有的经历,特别是婚姻和母性。作品包括《诗集》(1939)、《过些时日》(1972)和《新诗选》(1988)。诗剧有《该隐》(1943)、《对托马斯·克兰默的审判》(1956)、《耶稣的家谱》(1970)和《兰顿小人物》(1978)。

Ridley, Henry Nicholas　里德利(1855-12-10,英国诺福克西哈灵霍尔～ 1956-10-24,萨里基尤) 英国植物学家,为建立马来半岛的橡胶业作出过重大贡献。1877 年获得牛津大学埃克塞特学院理科学位后,在不列颠博物馆从事植物学工作,至 1888 年去新加坡管理海峡殖民地的森林和植物园。曾在新加坡试种帕拉橡胶树(三叶橡胶,*Hevea brasiliensis*),确认种植橡胶树具有巨大的经济潜力。他发明了一种有效的割胶方法,并开始促进橡胶业的建立。虽然最初受到种植园主的反对,但他仍坚持己见,1896 年出现了第一批使用他的种子的橡胶种植单位。从此橡胶业成为马来各邦的经济支柱之一。他广泛研究了马来半岛的植物,尤其是单子叶植物,发表了许多篇论文及《马来半岛植物志》(5 卷,1925)一书。

Ridley, Nicholas　里得雷(约1500或1503,英格兰诺森伯兰南泰恩代尔～ 1555-10-16,牛津郡牛津) 基督教新教士。曾在剑桥大学求学。约在1524年立为牧师。在法兰西学习后返回剑桥,致力于学术研究。1537 年任著名宗教改革家、坎特伯雷大主教克兰麦的助理牧师。在国王亨利八世在位末期,天主教在英格兰复辟,里得雷被指为异端嫌疑分子。国王爱德华六世继位后,新教迅速进展,他出任罗切斯特主教。1550 年任伦敦主教。他倡导用普通桌子代替圣坛举行圣餐礼,引起轩然大波。他反对变体论,支持信奉新教的格雷夫人作爱德华六世的继位者。信奉天主教的玛丽女王继位后,里得雷被捕,与另一名新教名人拉蒂默一起受火刑而死,两人死前都拒绝放弃自己的信仰。

伦敦国立肖像画陈列馆供图

Ridolfi, Roberto　里多尔菲(1531-11-18,佛罗伦萨[意大利]～1612-02-18,佛罗伦萨) 佛罗伦萨阴谋家。1570 ～ 1571 年企图谋杀英格兰女王伊丽莎白一世,拥立苏格兰女王玛丽·斯图亚特,并挑动西班牙入侵英格兰。出生于佛罗伦萨名门,曾学习经商和银行业。约 1555 年前往伦敦。1569 年参加英格兰北部的叛乱。1571 年离开英格兰,前去寻求教皇庇护五世、腓力二世和西属尼德兰总督阿尔瓦公爵的援助。阴谋暴露后回到意大利,1600 年成为佛罗伦萨议员。

Rie, Lucie, Dame　里伊(1902-03-16,奥地利维也纳～ 1995-04-01,英国伦敦) 奥地利出生的英国陶瓷艺术家。她独特而复杂的泥浆釉表面处理以及自创的窑烧方法,影响了整整一代年轻的英国陶瓷制造者。曾就读于维也纳大学预科和美术工艺学校。她早期的陶瓷作品将晚期新古典主义、青年风格、现代主义及日本主义融合到一起。1938 年定居英国,第二次世界大战期间曾制作和出售精美的陶瓷钮扣以谋生计。1947年德国出生的H.科佩尔加入她的工作室。她的首次个人陶艺展是在 1949 年。1967 年参加艺术委员会的回顾展。1967 年在鹿特丹及 1972 年在汉堡与科佩尔举办联展。重要展览尚有1978 年于西德杜塞尔多夫、1981 ～ 1982 年于伦敦圣斯伯里广场及维多利亚和艾伯特博物馆的展出。1981 年受封为女骑士。

里伊于 50 年代制作的釉雕装饰白瓷碗
供图:British Council

riebeckite　钠闪石　闪石族的钠铁硅酸盐矿物,分子式为 $Na_2Fe_3^{2+}Fe_2^{3+}Si_8O_{22}(OH)_2$。它形成固溶体系列的一部分,此固溶体系列包括镁钠闪石和蓝闪石两种矿物,前者是铁被镁置换时形成的,后者是铁被镁和铝置换时形成的。钠闪石是中等硬度的矿物,具玻璃光泽。它形成暗蓝色或暗黑色的棱柱状晶体。一种纤维状变种即纤铁钠闪石是变质成因的,通常叫做蓝石棉。此矿物与酸性火成岩(如花岗岩和正长岩)共生。常见的矿床发现于:美国亚利桑那州、科罗拉多州和马萨诸塞州;格陵兰;葡萄牙;尼日利亚;南非;澳大利亚西部的一部分。

产自美国科罗拉多州圣彼得斯多姆的钠闪石
供图:B.M.Shaub

Riebeeck, Jan (Anthoniszoon) van　里贝克(1619-04-21,荷兰屈伦博赫～ 1677-01-18,荷属东印度群岛巴达维亚[今印度尼西亚雅加达]) 全名 Jan Anthoniszoon van Riebeeck。荷兰探险家。1652 年建立开普敦城,使白人得以开拓南非。他由荷兰东印度公司派往好望角(位于非洲南部顶端)修建要塞,并为驶向东印度群岛的船只建立供应站。里贝克原以助理外科医生的身份参加东印度公司,1639 年 4 月到巴达维亚,又转往日本。1645 年为公司设在东京(今在越南)的贸易站负责人。曾因违反禁止私人贸易的规定而被解雇。恢复职务后,又率探险队到南非。1665 年任印度理事会秘书。其日记经编辑后以荷兰文和英文出版(3 卷,1952 ～ 1958)。

美国不列颠百科全书公司供图

Riecke's principle　李凯原理　地质学中的一条原理,此原理认为矿物颗粒在高应力条件下比在低应力条件下具有更大的溶解度。根据这个原理,在相同的岩石中受应力的颗粒比不受应力的颗粒溶解得更快,并且物质可以在二者之间迁移。此外,如果应力不是各向同性(即所有的面上不相同),那么矿物颗粒在最大应力作用下的各点将被溶解;被运移的物质可以再沉积在该颗粒受应力作用较低的那些部位。该原理可用来解释在变质岩中当矿物长径平行排列时的重结晶现象。通常在变质岩中矿物的变形是根据李凯原理,沿着微小裂缝的滑动、晶格的应变以及重结晶等几种作用结合的结果。

Ried　里德　奥地利北部上奥地利州城市。位于韦尔斯以西。为因河地区的市场和行政中心。也是铁路枢纽。生产滑雪板、鞋、袜等。每两年举行一次农业展览会。附近的油井于 1959 年开始产油。人口 11 260（1991）。

Riedel thyroiditis　里德尔氏甲状腺炎　又称纤维性甲状腺肿或板状甲状腺炎。极罕见的甲状腺慢性炎症。甲状腺组织严重纤维化，功能下降，甲状腺激素含量水平降低，并压迫邻近的气管和食管。甲状腺肿大，形状常不对称，形成坚硬的瘢痕组织肿块，可能误诊为甲状腺癌。此病可侵犯其他器官如腮腺、肺、肝脏胆管等；纤维化的范围可能越过甲状腺而侵入到周围的组织。此病常见于中老年人，病因尚不明。有证据显示，这种疾病可能以常染色体显性方式遗传。主要采用对症疗法，如果甲状腺功能减退，则要服用甲状腺激素。有时必须手术切除患病组织以解除它对周围组织的压迫。

Riefenstahl, Leni　里芬施塔尔（1902-08-22，柏林～2003-09-08，波京）　原名贝尔塔·海伦内·阿玛利·里芬施塔尔。德国电影女演员、制片人、摄影师兼导演。以制作 20 世纪 30 年代那些渲染纳粹赫赫权势的纪录片知名。学过绘画和芭蕾。从 1923 ～ 1926 年，曾在欧洲许多舞蹈演出中露面。开始电影生涯是在一些“山岳片”中当演员，那是一种以表现自然风光特别是山岳景色为主的德国影片，最后成为这种影片的导演。1931 年建立莱尼·里芬施塔尔制片公司，编写、导演、制作《蓝光》（1932）并在其中扮演角色。由于纳粹党的支持，她执导的影片颂扬体育的健美价值和雅利安人的优越性。这些影片有：《信仰的胜利》（1933，受命于希特勒而摄制的短片）；《意志的凯旋》（1935，是一部关于 1934 年在纽伦堡召开的纳粹党大会的重要纪录片，强调党的团结，向德国人民介绍首脑人物，向全世界展示纳粹的力量）以及《奥林匹亚》（1938）。

威斯巴登德国电影艺术学院供图

《奥林匹亚》是一部两集片，包括：《各国的节日》和《美的节日》，内容是关于 1936 年奥林匹克运动会，这部影片由于摄影棚录制的音乐和音响效果所取得的成就而受到赞扬。她的影片以丰富多彩的配乐，在影片中所表现的黎明、山岳和德国乡村生活的恬静之美以及出色的剪辑而受到热烈称赞。因她的影片曾为纳粹卖力，在官方解除其参与纳粹战争罪行的嫌疑后，她于 1952 年重新工作，完成在战争开始时开拍的影片《洼地》。1973 年出版她的非洲摄影集《最后一个奴巴人》。她的后半生主要投身于摄影。《珊瑚花园》（1978）和《水下奇迹》（1990）是她的水下摄影集。2002 年又发行了关于海洋生物的纪录片《水下印象》。在 91 岁高龄时，她在备受好评的纪录片《影像的力量：莱妮·里芬斯塔尔》（1993）中接受了导演瑞·慕勒的采访。该纪录片展现了才华横溢的里芬斯塔尔与第三帝国的复杂感情。

Rieger, František Ladislav　里格（1818-12-10，奥地利帝国波希米亚塞米利～1903-03-03，布拉格）　捷克政治家，民族主义派领袖。在 1848 年革命时期十分活跃。曾率民族代

布拉格国家美术陈列馆供图

表团去向奥地利当局提出捷克人的要求，也是出席 1848 ～ 1849 年克罗梅日什议会的捷克的主要代表。反动势力抬头后流亡法国。1861 年回故乡，随即出版第一部捷克文的百科全书《科学辞典》，并创办《国民日报》。1861 年起为波希米亚地区议会和新奥地利议会中捷克代表的领袖。1863 年发动捷克议员抵制议会。他的一系列政治失误使他与本派的年轻成员产生隔阂。1879 年捷克议员回到议会后，他所提出的保守性民族纲领仍然受到严厉的批评。1891 年退出政治舞台。他很关心布拉格的市政建设，曾协助建立民族剧院和捷克大学。

Riegger, Wallingford　里格（1885-04-29，美国佐治亚奥尔巴尼～1961-04-02，纽约市）美国多产作曲家，作有管弦乐作品、现代舞曲、电影音乐和教学乐曲以及合唱改编曲等。15 岁全家迁往纽约。在音乐艺术学院随著名教师 P. 戈茨丘斯学习音乐理论，1907 年毕业。此后又在柏林职业音乐艺术高等学校从作曲家 M. 布鲁赫学习。在德国指挥过歌剧（1915 ～ 1917），返美后在艾奥瓦州得梅因的德雷克大学任教（1918 ～ 1922）。这一时期的作品获帕岱莱夫斯基奖（1921）。1924 年起在纽约任教。同年所写《无情的美女》获 E.S. 库利奇奖。为 10 把小提琴（或 10 的任何倍数）而作的《音响练习》（1927）标志着向不协和的对位风格的过渡。然后在根据对 A. 勋伯格音乐的研究而写出的《二分法》（1932）中，他成为美国最早接受 12 音技巧的作曲家之一。他的《第三交响乐》（1948）将 12 音技巧与传统写法相结合，受到广泛的重视。晚期作品采用严格的曲式如卡农和赋格，并将传统素材与实验性素材融于一体（小提琴和管弦乐队的《变奏曲》、《五拍子爵士乐》，均作于 1959 年）。

Riehl, Wilhelm Heinrich　里尔（1823-05-06，拿骚比布里希～1897-11-16，慕尼黑）　德国记者、历史学家。他强调历史发展中的社会结构，对社会史的兴起很有影响。1841 年入马尔堡大学攻读神学。1842 年转到蒂宾根大学研究哲学。后在法兰克福、慕尼黑等地主编报刊。1859 年在慕尼黑大学任文化史教授。最有名的著作是《德意志人民自然史》（4 卷，1851 ～ 1869）。在该书中，他强调地理因素、社会环境、民族文化对于政治的作用，认为家庭是整个社会发展的基础。他宣称，惯性与运动这两种力量是社会的根本；惯性为农民的社会保守主义，运动为城市居民的进取态度。他的理论因属非专业性的主观概括而受到批评，但对德意志文化社会史的发展至关重要。其他著作有《文化研究》（1873）、《德意志劳工》（1884）、《文化历史故事集》（1864）、《旧日谭》（1863 ～ 1865）以及几部小说。

Riel, Louis　里尔（1844-10-23，阿西尼博亚圣博尼费斯～1885-11-16，加拿大阿西尼博亚区里贾纳）　加拿大西部梅蒂人（即欧洲人和印第安人混血后裔）的领袖。曾在蒙特利尔学习法律，做过各种工作。1869 年哈得孙湾公司未同当地居民商量，就把它在加拿大西部的土地交给了自治领。由于这将导致大量讲

魁北克国家档案馆供图

英语的殖民者进入，引起许多梅蒂人的惊慌，里尔遂出来做他们的领袖。梅蒂人阻止政府工作人员进行土地丈量，不准省督来雷德河上任；后又占领哈得孙湾公司总部的所在地加里堡，成立临时政府，推里尔为总统，准备与加拿大商谈联合的条件。1870 年 5 月，加拿大议会通过《马尼托巴法案》，决定建立马尼托巴省和对起事者实行大赦。恰在此时，里尔的政府处死一名英裔加拿大人，这引起全部英裔加拿大人的愤慨。政府取消了大赦令，并派兵讨伐里尔及其追随者。政府于 1870 年 8 月收复加里堡，里尔逃亡。一年后，当美国芬尼亚社社员（爱尔兰革命者）向加拿大展开凌厉的攻势时，里尔领导加拿大人奋起抗击，从而得到群众的爱戴。1873 年选入自治领议会。他已宣誓但未就职，次年被议会除名但很快再当选。1875 年 2 月被正式褫夺公权 5 年，1877 ～ 1878 患精神病，1879 ～ 1884 年居住美国蒙大拿州，1883 年入美国籍。他代表共和党从事组织美国梅蒂人的工作。1884 年加拿大萨斯喀彻温省的梅蒂人请他出山，他于 1885

年3月组织临时政府,随后举行起事。这次起事被加拿大政府镇压下去。里尔降服后,以叛国罪处绞刑。他的死在魁北克省和安大略省激起种族斗争的狂潮,成为民族主义运动的开端。

Riemann, (Georg Friedrich) Bernhard　黎曼(1826-09-17,汉诺威布列斯伦茨～1866-07-20,意大利塞拉斯加)　德国数学家,他的工作广泛地影响着几何学和分析学。他关于空间的几何的特具胆识的思想,对近代理论物理的发展有深远的影响,在很大程度上为后来用在相对论中的概念和方法提供了基础。生于德国汉诺威的乡村里,受到很好的家庭教育,在中学时自学了微积分和数论,1846～1851年在格丁根和柏林上大学,在著名数学家C.F.高斯指导下写成博士论文《单复变函数的一般理论的基础》。处理复变数之间关系的函数论,是19世纪数学的主要成就之一。他把他的这种研究建立在几何思想之上,而不仅限于代数计算。他的工作导致黎曼曲面(参阅 **Riemannian geometry**)的概念,并博得高斯难得的赞赏。1853年他写了大学讲师的就职论文《关于利用三角级数

供图:Archiv fur Kunst und Geschichte, Berlin

表示一个函数的可能性》。1854年以《关于构成几何基础的假设》为题在格丁根作了大学讲师的就职演讲,这是数学史上最著名的演讲之一,他准备了3个题目,高斯代表全体教员从中指定了这一个,在演讲中他提出了一种广泛的几何观点。他独立地提出的非欧几里得几何,是与N.罗巴切夫斯基、J.鲍耶以及高斯所提出的不同的一种形态,他假设经过直线外一点没有平行于该直线的直线。他还正确地感到他的思想将会有益于物理学。后来爱因斯坦在一般相对论中所建立的时空模型证实了他的想法。1857年他成为副教授,1859年继承P.G.L.狄利克雷作为格丁根的数学教授。他不顾过度的劳累、亲属的死亡和自己脆弱的体质,继续写出了虽然不多但很有独创性的文章(有些在死后才发表),其中包含着许多丰富的思想。衡量他的影响的一个尺度,是冠以他的名字的方法、定理和概念的一个广泛的目录:函数论的黎曼方法,关于代数函数的黎曼-罗赫定理,黎曼曲面,黎曼映射定理,黎曼积分,关于三角积分的黎曼-勒贝格引理,三角级数理论中的黎曼方法,黎曼几何,黎曼曲率,阿贝尔函数理论中的黎曼矩阵,黎曼ζ函数,黎曼假设,解双曲型偏微分方程的黎曼方法,分数阶的黎曼-刘维尔积分,等等。黎曼因患肺病久治无效逝世。

Riemann, (Karl Wilhelm Julius) Hugo　里曼(1849-07-18,施瓦茨堡-松德斯豪森附近～1919-07-10,莱比锡)　德国音乐学家,他的和声学著作被认为是现代音乐理论的基础。早年学习钢琴与理论,入莱比锡音乐学院学习音乐之前曾攻读法律、哲学和历史。1873年在格丁根大学获博士学位,1878年任莱比锡大学音乐讲师。1882～1890年在汉堡音乐学院任教。1895年重新到莱比锡音乐学院任教,1905年任该院专任教授,3年后任新成立的音乐研究会会长,1914年创办音乐学研究院并任院长。其著作涉及音乐的各个方面,最著名的作品是他的《音乐辞典》(1882),已修订再版多次。

Riemann zeta function　黎曼ζ函数　数论中用以探讨素数性质的函数,写成 $\zeta(x)$,原始定义为如下的无穷和:

$$\zeta(x) = 1 + (1/2)^x + (1/3)^x + (1/4)^x + \cdots$$

当 $x = 1$ 时,上式称为调和级数,其和无穷大。若 $x > 1$ 时,此级数将收敛于一定值。若 $x < 1$ 时,其和又是无穷大。1737年瑞士数学家L.欧拉最先提出ζ函数,1859年德国数学家B.黎曼对它进行了深入研究,因而得名。用一种连续的程序可以定义出另一种更复杂的函数,当 $x > 1$ 时,其值与ζ函数相等;但当 x 为实数或 x 为实数部分不等于1之复数时,其值为一定值。此即文献中研究和讨论的ζ函数。数学家最初对函数提出的一个问题是:x 为何值时,其值等于0。对于ζ函数,此问题迄今尚无完全答案,现仅知当 $x = -2, -4, -6\cdots$ 时,ζ函数等于0;以及当 x 为复数,且实数部分介于0与1之间时,也会出现无限的 $\zeta(x) = 0$ 的函数。但对于什么复数能使它等于0,迄今尚无定论。黎曼推测,当 x 为复数且实数部分为1/2时,$\zeta(x) = 0$,但尚未证实。对于这一难题的探讨,丰富了人们对复数的性质的认识。

Riemannian geometry　黎曼几何　非欧几里得几何的一种。又称椭圆几何。它完全排除欧几里得的第五公设,并对第二公设加以修改。欧几里得的第五公设是:经给定直线外的一点,有唯一的一条直线与之平行。在黎曼几何学中没有与给定直线平行的直线。欧几里得的第二公设是:有限直线段可以无限延长。在黎曼几何学中,有限的直线段可以无限延长,但所有直线有相同的长度。欧几里得的其余三个公设仍被采用(参阅 **hyperbolic geometry**)。虽然黎曼几何的有些定理与欧几里得几何相同,但多数是不同的。例如在欧几里得几何中两条平行线处处有相同的距离,而在椭圆几何中平行线不存在。在欧几里得几何中三角形三内角之和等于两直角,而在椭圆几何中其和大于两直角。在欧几里得几何中面积不等的多边形可以相似,而在椭圆几何中不存在面积不等的相似多边形。关于非欧几何的著作最早发表于1830年左右。德国数学家B.黎曼在不知道这些著作的情况下,在1866年把非欧几何学的概念从二维推广到三维以及更高维。另一德国数学家F.克莱因,后来把椭圆空间与双重椭圆空间区别开来。根据爱因斯坦广义相对论,在质量聚集体附近的空间是黎曼空间。

Riemenschneider, Tilman　里门施奈德(约1460,条顿骑士团领地海利根施塔特或奥斯特罗德[德意志]～1531-07-07,维尔茨堡)　杰出的雕刻家,其木雕人像使之成为德国哥

里门施奈德的《亨利二世和库尼巩德之墓》(1499～1513)

中国大百科全书出版社供图

特式后期的主要艺术家之一。以下弗兰西学派的领袖知名。维尔茨堡造币厂的技师之子。做过议员(1504～1520)和市长(1520～1525)。在农民起义期间(1525)因同情革命者被监禁。有记载的第一件作品是明纳施塔特教堂的祭坛。主要作品是克雷海尔格特的《圣母祭坛》(约1505～1510),木质,高10米。其他最主要的作品有《亚当和夏娃》、《圣血祭坛》(1501～1505)和《亨利二世和库尼巩德之墓》(1499～1513)。除木雕外,还创作过大理石、石灰石和雪花石膏作品。晚年在基青根积极修复祭坛和从事雕刻。

Rienzo, Cola di　里恩佐　参阅 Cola di Rienzo 科拉(里恩佐的)。

Riesa　里萨　德国东部萨克森州城市。濒临易北河,位于德勒斯登西北。最初于1111年在一个本笃会修道院周围发展起来。1623年获建市特许状,不久又失去特许状。19世纪随着工业和铁路的发展,里萨成为商业重镇,并且于1859年重新建市。1170年建一女修道院,1542年改作俗用。市政厅为建于16世纪的一个城堡。里萨为柏林—开姆尼茨和莱比锡—德勒斯登铁路枢纽,也是北萨克森的主要河港。还是繁忙的工业中心,有炼钢厂、轧钢厂、棉纺厂、炼油厂以及制造轮胎、木器和食品的工厂。人口约41 232(1998)。

Riesener, Jean-Henri　里兹内尔(1734-07-04,明斯特格拉德贝克[德意志]～1806-01-06,法国巴黎)　路易十六时期法国最有名的家具工匠。1754年到巴黎入欧本的家具工场学艺。1763年欧本逝世,他被指定继承师傅的事业。1774年任王室工匠,常为王后玛丽-安托瓦内特制作家具。他喜欢用桃花心木,偶尔用漆或螺钿镶嵌饰面。他最终的式样

里兹内尔制作的带支架珠宝匣，约 1780 年
伦敦维多利亚和艾伯特博物馆供图

属路易十六式，侧面皆为直线形，装饰匀称和谐。

Riesengebirge(Czech Republic-Poland) 参阅 **Giant Mountains** 巨人山。

Riesman, David **里斯曼**(1909-09-22，美国宾夕法尼亚费城～2002-05-10，纽约伯明翰) 美国社会学家。曾与 R.丹尼及 N.格莱齐合著《孤独的人群》(1950)一书，主要论述城市中产阶级的社会性质，成为一代名作。这本书的标题成了现代社会中个人遭到冷漠的一条标语式的口头禅。书中对于 3 个典型人物中的 2 个所加的表述性词语即"自我支配"型与"他人支配"型，也已成为日常用语。里斯曼 1931 年在哈佛大学获得文学士学位，1934 年获得法学士学位。1937 ～ 1941 年在布法罗大学教法律。1946 ～ 1958 年任芝加哥大学社会科学教授，后在哈佛大学任教，于 1980 年退休。其他著作有《人群里的面孔》(1952，与格莱齐合著)和《为何富足?》(1964)。根据里斯曼的学说，在人口增长具有很大潜力的前工业社会(例如中世纪的欧洲)里，一般人都是"传统支配"的人，他的个人价值由整个社会或者等级、氏族等来决定。当人口不断增长但未达到拥挤程度的时候(例如从文艺复兴到 20 世纪初的西欧)，"自我支配"的人占绝大多数。这种人在幼年时就由父母决定了前途，无须考虑任何社会的需要。而且，他们的生活目标也大半不会改变。到了极度工业化的社会，人口密集，并可能开始下降，就出现了"他人支配"的人。他的前途主要是由在年龄、社会阶级等方面与他相似的"同辈"人来决定，他的生活目标也随着那些人改变。

Riesz, Frigyes **里斯**(1880-01-22，奥匈帝国杰尔[今在匈牙利]～1956-02-26，匈牙利布达佩斯) 匈牙利数学家，泛函分析的开拓者。泛函分析在数学物理中有重要的应用。他从 1911 年起在科洛斯堡(现名克卢日)大学讲授数学，1922 年成为新创办的《数学科学学报》的编辑。该学报很快就在世界数学杂志中占据了显著的地位。1945 年任布达佩斯大学数学教授。他在泛函分析方面的许多基本发现已同波兰的 S.巴拿赫的同样的发现合并。1907 年的里斯-费希尔定理(平方和收敛序列的希尔伯特空间同平方可和函数的空间是等价的)成为证明矩阵力学和波动力学等价的数学基础，这是早期量子论的一个重大突破。他在许多其他领域也做了重要贡献，包括遍历理论，标准正交级数、半序向量空间理论和拓扑学。

Rieti **列蒂** 意大利中部拉齐奥区列蒂省省会、城市。位于阿布鲁齐山区，临韦利诺河，在特尔尼东南。古代为萨宾人定居地，后为罗马人之里亚特地区。中世纪初属于伦巴第公国。后并入教皇辖地。现保存有 13 世纪的城墙、12 世纪罗马式大教堂和主教宫等。市政厅内有博物馆和画廊。为公路交会点，公路通罗马、特尔尼及拉奎拉等地。有毛纺、化纤、制糖等工业。人口:城市区约44 330 (1990)。

Rietveld, Gerrit Thomas **里特弗尔德**(1888-06-24，荷兰乌得勒支～ 1964-06-25，乌得勒支) 荷兰建筑师和家具设计师，因运用风格派原则而闻名。1899～1906年在其父的家具店当学徒，后赴乌得勒支学建筑。1918 年加入风格派，创造了著名的红蓝扶手椅，以强调几何图形和原色的运用体现了风格派的原则。1921 年设计了阿姆斯特丹的一家小首饰店，是风格派原则在建筑上运用的最初范例之一。他的杰作是乌得勒支的施罗得住宅(1924)，采用直角相交的形、面、线和原色色彩。1931 ～ 1934 年在乌得勒支，他设计并大量建造的住宅都属这一风格。直到 1931 年风格派解体，他始终与风格派关系密切。1936 年至第二次世界大战后，他致力于家具设计。第二次世界大战后的重要建筑包括位于贝海克的德普卢格纺织厂(1956)、霍赫雷文的住宅区(1954 ～ 1956)和阿纳姆的艺术学院(1962)。

里特弗尔德设计的《红蓝扶手椅》(1918)
阿姆斯特丹市立博物馆供图

Rievaulx **里沃** 英格兰北约克行政郡拉伊代尔区的西多会隐修院遗址。属约克历史郡。位于北约克沼地国家公园的僻静深谷中。建于 12 世纪。长 115 米，圣坛和十字形耳堂的墙壁保存完好，属于英国现存最出色的哥特式建筑之列。

Rif **里夫人** 又拼 Riff。摩洛哥东北部的柏柏尔诸部落，生活在被称为里夫(阿拉伯语意为"耕区边沿")的地方。他们分为 19 个部落:5 个在西部的地中海沿岸地区，7 个在中央，5 个在东部，还有 2 个在东南部的沙漠地带。一个中央部落同 5 个西方部落中的一部分人一样，说阿拉伯语。其他部落说里夫语，即一种随地区不同而变异的柏柏尔语。有很多人也兼用西班牙语和阿拉伯语两种语言。里夫人都是穆斯林。其土地上有山地，有起伏不平的田地，也有沙漠，土地周围以两条河流和 233 千米的海岸为界。他们的物质文明以耕种、放牧及大网围捕沙丁鱼为基础。1926 年里夫人丧失独立(参阅 **Rif War**)之前，他们的社会组织以亲族和居地为基础，分成不同等级的若干单位。每一单位选举或任命有以著名战士为成员的男子议事会。

RIF(Talmudic scholar) **里夫** 参阅 **Alfasi, Isaac ben Jacob** 阿尔法西。

Rif **里夫山脉** 又作 Rif Mountains，阿拉伯语拉丁字母转写作 Errif。摩洛哥北部山脉。从丹吉尔延伸至摩洛哥-阿尔及利亚边界附近的穆卢耶河谷，长 290 千米，其中大部分山脉紧靠地中海，只有少数狭窄的沿海谷地适宜农业耕作或供城市居民居住。较高山峰冬季白雪罩顶，最高峰提迪根山高达2 456千米。尽管山中矿藏丰富，但只有铁矿得到大规模开采。依靠该地区的崎岖山脉和与世隔绝的环境，柏柏尔人部族在阿卜杜勒·克里姆(1882～1963)领导下，于20世纪20年代抵制了法国和西班牙对该地区的占领。1956 年摩洛哥独立后，修筑山巅公路和联合公路(从非斯至克特马)，改善了山地交通。

摩洛哥的里夫山村
供图:Shostal

Rif War **里夫战争**(1919～1926) Rif 又拼作 Riff。又称梅利利亚战争。西班牙人与

摩洛哥的里夫、希巴拉两部落之间的战争。根据《非斯条约》(1912),西班牙获得摩洛哥梅利利亚和休达周围的山区。1920年西班牙专员贝伦格尔将军决定征服东部的希巴拉部落,同时命令西部军队征服当地的里夫部落。但是里夫族的首领阿卜杜勒·克里姆率兵大败西班牙军,使他们龟缩到梅利利亚城内。此后5年继续交战,西班牙军损失惨重。1925年法国协助西班牙人作战。西班牙舰队占领了阿卢塞马斯湾。阿卜杜勒·克里姆投降。佛朗哥是在里夫战争中战功卓著的西班牙将军之一。

Rifāʿ, Ar- 里法 巴林酋长国城市。位于波斯湾巴林岛中北部。为该国主要油田所在地。原为4个起源不同的居民区,现已在行政管理上和经济利益上统一起来。东里法和西里法为历史悠久的居民点;北里法和西里法营地则为较小、较新的居民点。营地系巴林石油公司为印度和巴基斯坦炼油工人建造的居住区。东里法长期为巴林统治者所在地,18世纪波斯统治时期亦复如此。但西里法在现代得到重视,为巴林国防军总部所在地。20世纪初,居民生活艰苦,除用骆驼给麦纳麦城运井水之外,基本无其他经济活动。1932年发现石油后大为改观。绝大多数居民被石油公司雇用。石油工业使该城设立了市政府,改善了住房条件,建立了高压输电线和中央管道给水系统。市东南的大型炼铝厂于1972年完工,并按计划投产。铝矿石从澳大利亚进口。人口约45 530(1987)。

Rifāʿah Rāfiʿ aṭ-Ṭahṭāwī 参阅 **Ṭahṭāwī, Rifāʿah Rāfiʿ aṭ-塔塔维**。

Rifāʿīyah 里法伊教团 伊斯兰教神秘主义苏非派教团。西方人称之为嚎叫的托钵僧。最初形成于埃及、叙利亚和土耳其,1925年被宣布为非法。由艾哈迈德·里法伊(? ~1187)创立于伊拉克巴士拉,是卡迪里教团的一个旁支。里法伊教团保持守贫、禁欲、自苦等传统,以独特的方式举行祈祷,祈祷者互相交臂成圈,上身不断俯仰以达到狂喜入神状态,然后扑倒在剑或蛇等危险物品之上。该教团在叙利亚的支派称赛尔德派,14世纪由赛尔阿德·丁·吉巴维成立于大马士革。

Rifʿat, Tall (Syria) 泰勒里法特 参阅 **Arpad 阿尔帕德**。

Rifbjerg, Klaus (Thorvald) 里夫比约 (1931-12-15,丹麦哥本哈根~) 丹麦诗人、小说家、剧作家和杂志主编。里夫比约最早引起公众注意的是他的一部自传性讽刺散文诗《自我发现》(1956)。诗集《战后》(1957)收集了他多数早期诗作。他的第一部长篇小说《固执的无知者》(1958)继续探索自己的过去,描述他求学年代的情况,同时思索失去的天真。后来的长篇小说有《安娜,我,安娜》(1969)、《感谢此行》(1975)和《证实未来》(1981)。他在诗集《冲突》(1960)中的诗对20世纪60年代丹麦诗歌具有极重大的影响,里夫比约在诗中试图创造一种新的语言形式。在《伪装》(1961)和《肖像》(1963)中他使用了同样富有新意的技巧。《阿迈厄岛诗集》(1965)是一部歌咏他生长在其上的岛屿的现实主义诗集。《里夫比约诗集》出版于1986年。里夫比约曾任文学杂志《风向》的主编(1959~1963)并和延森为哥本哈根的学生联合会合作写过一些时事讽刺剧,他还为电影、广播和电视写过作品。

Riff (people) 参阅 **Rif 里夫人**。

Riff War 参阅 **Rif War 里夫战争**。

rifle 步枪 有线膛(即刻在枪管内壁上的浅螺旋槽,使子弹产生旋转)的枪支。rifle一词通常是指肩射武器,也可能代表线膛炮,不过尽管野战炮、榴弹炮、手枪和机枪都有线膛身管,但一般都不能称之为rifle。至少在15世纪就有了线膛枪。最早的步枪中有些是直线膛而不是螺旋槽,其作用可能是容纳火药残渣或污垢,这对早期的枪支来说是一个问题。不过,造枪者很快发现,螺旋槽能使子弹旋转,进而增加射程和射击精度。用长形弹丸取代球形弹丸后,效果更明显。早期的前装步枪由于弹丸必须紧贴膛线,把弹丸装进弹膛底部去非常困难。这种步枪装弹不及滑膛枪迅速。米尼耶(Minié)弹丸首先解决了这一问题,该弹丸为圆锥形,底部是空心的,发射药的冲击力使之略微膨胀,紧紧卡入膛线。稍后,金属弹(包括弹丸、发射药、装药和火药)的发明促进了气密后膛装弹装置的发展。19世纪后期和20世纪初期的大多数后膛装弹的步枪(如斯普林菲尔德、恩菲尔德、毛瑟和克拉格-乔根森步枪)射击时要拉枪栓。但是自第二次世界大战以来,轻型、中等射程、带有快慢机的能全自动射击的步枪,即**冲锋枪**(**assault rifle**)已经成为主要的军用步枪。

1890~1940年的军用武器那样的机柄步枪仍然是猎枪的普通样式。机柄式武器效能好,工作可靠并且易于生产,大多数这种武器都有放子弹的弹匣,便于每次击发后快速装弹。杠杆式和滑块式或动作筒式枪机的武器比较少见,但是第二次世界大战后打猎用的半自动步枪,特别是0.22英寸口径的边缘发火弹药的步枪流行于美国。在有些国家,用半自动步枪狩猎是非法的。步枪通常按枪机类型和发射子弹口径的大小来分类。口径是按英寸或毫米计算的弹膛直径,步枪的全称还提供了其他的信息。例如,Cal..30—30意为步枪弹膛直径为0.30英寸,弹壳容量为30格令黑色火药。威力与性能还取决于子弹头的重量、形状以及速度。例如,0.257英寸口径威瑟比(Cal..257 Weatherby)步枪,是以步枪和子弹的发明者的名字命名的,它比弹膛直径较大的Cal..30—30武器的威力要大得多,因为威瑟比步枪子弹速度快。

一些主要的军用步枪

国 家	步枪(列装时间)	口 径	类 型
瑞 士	施密特-鲁宾(1889)	7.5毫米	直拉式连发枪
美 国	克拉格-乔根森(1892)	0.30英寸	回转枪机式连发枪
奥地利	曼利夏(1895)	8毫米	直拉式连发枪
德 国	毛瑟(1898)	7.92毫米	回转枪机式连发枪
俄 国	莫辛-纳甘(约1900)	7.62毫米	回转枪机式连发枪
美 国	斯普林菲尔德(1903)	0.30英寸	回转枪机式连发枪
日 本	有坂(1905)	6.5毫米	回转枪机式连发枪
英 国	SMLE或李-恩菲尔德(1907,最初于1902年列装)	0.303英寸	回转枪机式连发枪
法 国	勒伯尔(1907,最初于1886年列装)	8毫米	回转枪机式连发枪
美 国	恩菲尔德(1917)	0.30英寸	回转枪机式连发枪
美 国	加兰德MI(1936)	0.30英寸	气动式半自动步枪
日 本	99式(1939)	7.7毫米	回转枪机式连发枪
苏 联	托卡列夫(1938~1940)	7.62毫米	气动式半自动步枪
德 国	斯图姆格韦尔或MP43(1943)	7.92毫米	气动式冲锋枪
苏 联	AK-47(1947)	7.62毫米	气动式冲锋枪
法 国	MAS49(1949)	7.5毫米	气动式半自动步枪
比利时(及其他北约国家)	FN FAL (1954)	7.62毫米	气动式冲锋枪
美 国	M16(AR-15,1960)	5.56毫米	气动式冲锋枪
苏 联	AKM(1959)	7.62毫米	气动式冲锋枪
法 国	FA MAS(1976)	5.56毫米	气动式冲锋枪
苏 联	AK-74(约1978)	5.45毫米	气动式冲锋枪
英 国	恩菲尔德L85A1(1984)	5.56毫米	气动式冲锋枪

riflebird 来福枪鸟 几种极乐鸟(**bird-of-paradise**)的俗称。

rifleman 来福枪手鸟 异鹩科(**Xenicidae**)的新西兰鹩鸟类。(因羽色与早期英国来福枪志愿队员的服装相似而得名)。

Rift Valley (Africa) 裂谷 参阅 **East African Rift Valley 东非大裂谷**。

rift valley 裂谷 相对倾向滑动或者相对两正断层之间的地壳部分发生沉降运动所形成的狭长谷。这种断层是地球表面的一种断裂,它使断层的上盘岩石相对于下盘岩石产生向下的位移。裂谷是构造谷的一种类型,它不同于由侵蚀作用所形成的河谷和冰川谷。裂谷通常呈狭长状,有些裂谷长达数百千米。谷底相对平缓,构成物大多是火山碎屑物和海洋或湖泊沉积物。裂谷两旁急剧沉降的结果,形成梯状阶地。在裂谷的边缘,可有数千英尺的高差。已证实裂谷存在于大陆和洋盆底部。依据目前板块构造的流行理论,裂谷产生于离散带,该带处于正在运动的两个构成地表不同岩石圈板块的离散带中。沿着规模宏大的洋中脊,贯穿于整个大西洋和印度洋的许多洋底裂谷已被发现。这些洋脊被认为是洋壳分裂和来自地幔岩浆涌出时所形成新洋壳的区域。尽管大陆裂谷的分布是无规则和相对稀疏的,但是这些裂谷看起来像是产生在早期板块扩张的区域。在许多大陆裂谷的底部有火山锥或者很深的湖泊。规模最大的大陆裂谷是东非裂谷系,该裂谷系往北一直延伸到红海和往东一直延伸到印度洋的洋中脊系。其他著名的大陆裂谷有俄罗斯的贝加尔裂谷和德国的莱茵裂谷。

Rift Valley fever　裂谷热　一种能传播给人并致短期发热的动物病毒性传染病。常见的症状为头痛、畏光、肌肉痛、食欲不振及衰弱。病毒由蚊携带,通过蚊的叮咬传播。人类亦可通过接触患病动物的组织和分泌物而受染。本病最早在肯尼亚的裂谷发现,今可见于从埃及到非洲东部及南部的广大地区。患者多能恢复健康,通常无并发症。偶致脑炎、致命的出血,涉及眼部可致永久性视力障碍。本病无特效治疗。已制成绵羊及牛用的减毒活疫苗,人用疫苗在研制中。

Riga　里加　拉脱维亚语作Rīga。拉脱维亚城市和首府。跨道加瓦河(西德维纳河)两岸,距流入里加湾的河口15千米。古时为利弗人的居民点,位于里德泽尼河与西德维纳河汇合处。1201年由利沃尼亚的主教阿尔贝特一世建立。他于两年前率23船十字军战士于西德维纳河河口处登陆,定里加为他的主教管辖区(1253年升为大主教管辖区),并于1201年在此建立宝剑骑士团(1237年并入条顿骑士团,为其分会)。里加于1282年参加汉萨同盟,成为波罗的海的最重要的贸易中心之一。享有主教管辖的特权使其行动具有相当大的独立性。但1561年条顿骑士团解散后,周围领土并入波兰,里加也于1581年并入波兰。1621年瑞典国王古斯塔夫二世占领里加,但波兰和瑞典都给予里加自治政府地位。1709～1710年里加被俄国人霸占,根据《尼斯泰德条约》瑞典于1721年将里加正式割让给俄国。在俄国统治下,里加的贸易增长很快。到1914年,里加成为俄国第三大城市。1918年拉脱维亚独立,里加成为首都,直到1940年被俄国占领,并入苏联。1940～1941年,里加的成千上万拉脱维亚公民被驱逐出境或被处死。1941～1944年,里加被德军占领,损失严重,尤其是在旧的中心城区。中世纪的圣彼得教堂和14世纪时期的宝剑骑士团总部都被毁坏。战后及1948～1949年间,苏联又继续流放里加公民。拉脱维亚人被迫迁走,加上拉脱维亚人的出生率低,空出的住房都由苏联移民占满了。1991

里加市内拉脱维亚诗人和剧作家莱尼斯纪念碑
供图:Vance Henry—Globe

年拉脱维亚重又获得独立。

然而,不少古老建筑物还是得以幸存,包括滨水城堡、1215年左右修建的多玛大教堂和几座中世纪商人住宅和仓库。旧城四周的运河原是中世纪时的护城河,但是从前的城堡已被林荫大道所取代。新里加为重要的行政、文化和工业中心和港口,但12月～4月仍需用破冰船。市内工业有造船、电气和电子设备制造、机床、车辆、柴油机、有轨电车等项。化工、玻璃和纺织工业也很重要,还有各种消费品和食品加工工业。设有科学院、大学(建于1919年)、工业学院、音乐学院以及其他高等院校。还有拉脱维亚露天人种学博物馆和8所剧院。里加湾沿岸是里加朱尔马拉市郊休闲地。人口约764 328(2000)。

Riga, Gulf of　里加湾　波罗的海的大海湾,与拉脱维亚北岸和爱沙尼亚西岸相接,面积18 000平方千米。爱沙尼亚的穆胡群岛把海湾与波罗的海分开。有几个海峡可通航。最深54米,12月至次年4月冰封。海岸大部分低而多沙。道加瓦河(西德维纳河)等河流在此入海。湾畔有里加等港口和旅游胜地。

Rigaud, Hyacinthe　里戈(1659-07-18受洗,法国佩皮尼昂～1743-12-29,巴黎)　法国巴罗克时期最多产和最有成就的肖像画家之一。1688年首次接受王室订货时,在巴黎的

里戈自画像
SCALA—Art Resource/美国不列颠百科全书公司供图

富有资产阶级中已享声誉。从1690年起主要为宫廷服务,几乎专画肖像。1700年1月以历史画家身份加入法兰西学院,从而实现了个人抱负。长于作大型肖像画,如著名的路易十四肖像(1701)。

rigaudon　里戈顿舞　17世纪轻快的法国民间对舞。其跳跃舞步为法国、英国宫廷中技艺高超的舞蹈演员所采纳,整个18世纪一直流行于宫廷。据猜测,该舞起源于普罗旺

J.G.普施纳于1716年所绘插图画中的里戈顿舞
伦敦维多利亚和艾伯特博物馆供图

斯水手间,因马赛的舞蹈教师里戈得名,据说是他于1630年将这种舞传入巴黎社交界。宫廷中跳此舞时,舞蹈者跑、转,并在原地重复一连串跳步。音乐富有浓厚的乡村气息,2/2或4/4拍子。

Rigault de Genouilly, Charles　黎峨(1807-04-12,法国罗什福尔～1873-05-04,巴塞罗那)　法国海军上将。1827年加入海军,3年后为海军少尉。1841年晋升上尉,率"胜利者"号开赴远东。1847年以保护法国传教士为借口进攻图赖讷(今岘港)。不久擅自对朝鲜进行干涉。克里米亚战争时期,他在围攻塞瓦斯托波尔的战役中勇敢战斗,1854年成为海军少将。后任法国驻中国和印度支那海军司令。1857年与英军一起攻占广州。次年再次进攻图赖讷。1859年他本来可以占领顺化,但因内陆河水浅,不能航行而转向西贡并在西班牙部队支援下得手。由于气候不适,疾病流行,加之供应不济和没有援兵,他的部

队士气低落。次年辞职回国。1860 年任参议员。1864 年晋升海军上将。1867 年任海军和殖民地部长。普法战争爆发后因拒绝担任波罗的海远征军司令而去西班牙度过晚年。

Rigdon, Sidney　里格登(1793-02-19,美国宾夕法尼亚派尼福克～1876-07-14,纽约弗伦德希普)　美国摩门教早期信徒,1830 年入教,是该教创始人史密斯的第一位顾问。摩门教徒于 1838 年迁到密苏里州,1839 年再迁到伊利诺伊州的诺伍,其后里格登与史密斯关系疏远。1844 年史密斯被害,里格登企图任摩门教的首脑,结果为扬所击败,被逐出该教。他到匹兹堡,1845 年被一批摩门教徒尊为领袖与先知。这派人于 1862 年由比克顿组织起来,成为耶稣基督教会(比克顿派)。

Rigel　参宿七　又名猎户座β(beta Orionis),不论是实际上或表观上,它都是全天最亮的恒星之一。它是猎户座中的一颗蓝白色超巨星。参宿七距太阳约 600 光年,比太阳约亮 25 000 倍。它的伴星也呈蓝白色,星等为 6 等。参宿七的西文名出自阿拉伯文,其意义是"巨人(即猎户)的左腿"。

Rīgestān　雷吉斯坦　又拼 Registan。阿富汗西南部干旱高原区。大部为沙漠和分散的沙岭,最高约 30 米。沙丘和沙岭间有沙漠平原。几无植被。有些地带已风化成砾石和陶土。开采少量石膏矿。赫尔曼德和阿尔甘达卜河附近的雷吉斯坦部分地区被当地游牧民用作冬季牧场。

Rigg, Dame Diana　里格(1938-07-20,英国约克郡唐卡斯特～　　)　英国舞台剧女演员。幼年在印度度过,8 岁时回到约克郡。上中学时就成为学校剧团的女主角。后进入皇家戏剧艺术学院学习,并在约克音乐戏剧节上出演《高加索灰栏记》(1957)。毕业后加入皇家莎士比亚剧团,1961 年在伦敦首次演出。同时在电视连续剧《多愁善感的侦探》中担任配角,还在英国广播公司演出电视剧《错中错》和《李尔王》。1964 年随剧团到欧洲、苏联和美国巡演。1965 年在电视间谍连续剧《复仇者》中饰演足智多谋的特工皮尔小姐,红极一时。随后在影片《007 之女王密使》(1969)和《血染莎剧场》(1973)中演出,声誉日隆。不过,她仍然钟情于舞台剧,继续在英国和美国参加古典剧和现代剧的演出。1972 年在百老汇出演《汤姆·斯托帕德的外套》取得巨大成功,但由于出场时衣着过于暴露,也招致恶评。1973 年主演电视情景喜剧《戴安娜》,之后主演美国公共广播公司的《探案集》。1997 年在电视剧《蝴蝶梦》中演出,获艾美奖。后来还主演了英国广播公司的电视连续短剧《布莱德利夫人探案集》(1998～1999)。1994 年受封英帝国高级勋位。

rigging　帆具　帆船上的帆、桅、张帆杆、横桁、支索和绳索的总称。帆具的基础是桅,它由一根或多根木质或金属长杆组成。桅由支索和侧支索来支撑,它们称为固定索,因为它们是牢牢系紧的。侧支索还用来作为绳梯,供船员攀登桅顶用。桅和前支索支承所有的帆。用于张帆、收帆和根据风向操纵帆的绳索称为活动索。活动索又分为用来操纵帆升降的帆桁吊索、桁索和升降索,以及用来系住

固定索和活动索:主桅、横桁及其同侧支索和绳梯横索的结合点

供图:F. B. Grunzweig—Photo Researchers/美国不列颠百科全书公司

帆下角的下前角索和帆角索。几个世纪以来的帆具发展历史已难以追溯,但是在全帆具船中,横帆与纵帆的结合则造成了一套极其复杂的相互依赖的部件。汽艇和摩托艇普遍都带有帆具,它们是一些桅杆,用来支承起重滑车,安装无线电天线,架设瞭望楼,以及显示灯光和视觉信号。

right, petition of　权利请愿书　指坚持向英王要求权利的法律申请书。其中最著名的例子是 1628 年国会以查理一世违反法律而向他提交的权利请愿书。这一术语也指国民控告国王的程序(于 1947 年废除)。按照普通法,国王或君主因其公职身份是不能在君主法院中受控的。因为在历史上国王是这些法院的最高领导,他统辖这些法院对其臣民所进行的司法活动,但他本人则不受这些法院的管辖。如果某个臣民的不动产或者动产为国王或其官员非法侵占,他照例只能向御前会议提交请愿书,请求国王给予归还。国王将自行斟酌决定是否将申请人的请愿书交给他的一个法庭——通常是原财务庭——处理;在送交法庭处理时,国王要发一个指示法官如何公正处理的令状。到了 19 世纪后期,则分别由总检察长和内务大臣决定有无起诉的理由和是否发布公正处理的令状。判决是按普通的方式作出的,只是执行判决存在一定困难,因为法院不能下令执行不利于国王及其臣属的判决。到了 19 世纪末,凡是有利于申请人的判决,由法院予以证明并通知国库用公共基金偿还。1947 年制定了一种新型的向国王要求救济的方法,废除了权利请愿书。

right ascension　赤经　天文学名词。指通常测量天体位置的一个东西向的坐标,更准确地说是,从春分点起沿天赤道向东计量到天体时圈的角距离。通常用时间而不用角度做单位。用赤经和赤纬就能确定天体的位置。赤经的符号用希腊字母 α 表示。参阅 **hour angle**。

right-to-work law　工作权利法　美国一项州的法律,它禁止各种工会保障措施,特别是禁止那些要求所有工人都必须在受雇后的一定期限内参加工会的企业。1947 年的《塔夫脱-哈特利法》仅宣告排外性雇佣制企业(限于只雇用工会会员)而不是工人限期加入工会的企业在美国各地为非法;但第 14(B)款却鼓励各州通过工作权利法,反对工会的保障措施。1966 年美国通过工作权利法的有 19 个州,都集中在南部和西部,却未包括任何主要的工业州。印第安纳州是通过工作权利法的唯一的工业州,但它又于 1965 年撤销了工作权利法。工作权利法已成为美国周期性的重要的政治问题;1966 年约翰逊政府试图以谋求废除第 14(B)款来使此类法律无效。拥护者认为:工作权利法保障个人无须在被迫参加工会的情况下有工作的权利。他们还认为:工作权利法并不削弱工会的谈判力量,而只是允许个别工人自己愿意时可以个人的名义去进行谈判。反对者则坚持:这一名称容易引人误解,因为它并不能保证任何人都能就业。正相反,他们认为,工作权利法会削弱工会谈判力量,易于削弱工人的工作保障。

right whale　露脊鲸　露脊鲸科北极露脊鲸属(*Balaena*)和露脊鲸属(*Caperea*)3 种须鲸的统称。体粗短,头部巨大,上颚明显拱起,下唇两侧向上弯曲,使下颚成铲斗形。除倭露脊鲸(*Caperea marginata*,形小,罕见,分布南半球)外,均无背鳍。该词原指格陵兰露脊鲸(弓头露脊鲸、北极露脊鲸,*Balaena mysticetus*)和黑露脊鲸(*B. glacialis*),两者均经济价值高、行动缓慢且死后漂浮于水面,故为捕鲸者"地道的"猎物,英文俗名即"地道鲸"之意。格陵兰露脊鲸栖于北极和北温带水域;周身

南露脊鲸(*B. australis*)

绘图:Larry Foster

黑色,颏、喉、有时腹部均为白色;体长达 18 米,其 1/3 为头部。黑露脊鲸栖于南北半球;最大长度估计可达约 18～21 米,周身黑色,腹部有时白色,外形似格陵兰露脊鲸,但头较小,拱起的程度也较轻,嘴上可能有一个帽样的角质生长物,上面长有寄生物;或归入黑露脊鲸属(*Eubalaena*)。人们常常又将该种分为 3 个种:北大西洋的黑露脊鲸(*B. glacialis*)、北太平洋的北露脊鲸(西博尔德氏露脊鲸 *B. sieboldii*)和南半球的南露脊鲸(*B. australis*)。格陵兰露脊鲸和黑露脊鲸的油脂及长而坚固

的鲸须有经济价值。露脊鲸由于滥猎已近绝灭，现认为是濒危种，1946 年以来已由国际协议施行完全保护。

Rights, Bill of **《权利法案》**(1689) 正式名称为《宣布臣民权利和自由与确定王位继承办法的法案》。英国宪法的基本文件之一。这是斯图亚特王朝的国王们与英格兰人民和议会在 17 世纪长期斗争的成果。它包含了《权利宣言》的条款(曾是将詹姆斯二世逊位而空缺的王位交给奥兰治亲王夫妇，即威廉三世和玛丽二世的条件)。连同容许新教信仰自由的《宽容法》(1689)、规定每 3 年举行大选的《三年选举法》(1694)和确定由汉诺威王室继承王位的《王位继承法》(1701)一起，权利法案成为 1688 年革命后施政的基础，使君主政体受议会意志的制约，并摆脱专横的统治。法案的主要目的在于明文宣布詹姆斯二世的各种措施为非法，其中包括：不按法律审判案件的特权；未经议会同意完全废除某些法律；未经议会授权征收税赋并在平时维持常备军等。一些条款则规定国王不得干涉议会事务，强调议会必须自由选举，议员必须有充分言论自由。法案还禁止在审判过程中进行某些方式的干预。同时法案也确定了王位继承顺序为：玛丽的后嗣，其次为她的妹妹、后来的安妮女王的后嗣，再其次为威廉的后嗣，但必须传给基督教新教徒。

Rights, Bill of **《人权法案》** 美国宪法的第一次 10 条修正案，规定美国人民的基本人权，政府不得侵犯。在制订美国宪法时一些州对宪法不满意，只是在得到保证将一项专门保障个人权利的人权法案补充宪法之后，才批准宪法。1789 年 9 月，第一届国会在麦迪逊领导下，根据各州批准宪法会议的建议，将 12 条宪法修正案提交各州。其中 10 条最终获得足够数目州的批准，总称为《人权法案》，于 1791 年 12 月 15 日正式成为宪法的一部分。《人权法案》的 10 条宪法修正案主要出自 1776 年的弗吉尼亚人权宣言。它们从各方面保护个人的自由权利，如言论和出版自由、宗教信仰自由、抗议政府的和平集会权利、享受正当的法律程序及公正的陪审团的审判权利、不受残忍和不寻常的刑罚的权利、人身和财产不受无理搜查和扣押的权利，以及政府权力来自人民的基本原则。

Rights of Man and of the Citizen, Declaration of the **《人权和公民权利宣言》** 人类自由权利的基本宪章之一，包含激励法国大革命的原则。计 17 条，于 1789 年 8 月 20～26 日由法国国民议会通过，成为《1791 年宪法》的序言。它还用作《1793 年宪法》的序言(简称《人权宣言》)和《1795 年宪法》的序言(改称为《人和公民的权利和义务宣言》)。基本原则是"人人生而自由，权利平等"(第 1 条)，这些权利明确规定为自由、私有财产、人身不可侵犯和反抗压迫的权利(第 2 条)。在法律面前人人平等，人人有权直接或间接参加立法(第 6 条)；没有司法机关命令，任何人不受逮捕(第 7 条)。宗教自由(第 10 条)和言论自由(第 11 条)，在"公共秩序"和"法律"的范围内受到保护。文件反映了作为起草人的资产者的利益，财产具有不可侵犯的权利的重要地位，国家只有在给予赔偿时才可以取得财产权(第 17 条)；官职和地位向中产阶级开放(第 6 条)。

《人权和公民权利宣言》起源于北美某些州，如弗吉尼亚和新罕布什尔州的宪法。三权分立的概念来自孟德斯鸠，自然权利的理论来自百科全书学派和 J.洛克，共同意志和国民主权的理论来自 J.-J.卢梭。来自伏尔泰的思想是个人必须受到保护，使之免受警察的专横或司法机关的错判。来自重农学派的学说是私有财产的不受侵犯。整个宣言具有 18 世纪法国思想的特征，在制定实际上的通则前，这些思想特征曾力求突出和规定对于人类最为基本因而又最为普遍适用的原则。另一方面，宣言明确地抨击大革命前的君主政权。法律面前人人平等的制度取代了成为旧政权特征的特权制。司法诉讼程序必须坚持，以防止国王或其政府机构滥用权力。宣言起草人的目标虽然有限，但其原则(尤其第 1 条)按逻辑推理含有政治民主，甚至社会民主的意义。如同 19 世纪历史学家 J.米什莱所承认的，《人权和公民权利宣言》终于成为"新时代的信条"。

Rigna, Saint 参阅 **Ninian, Saint** *尼尼安，圣*。

Rigord **里戈尔**(约 1150，图卢兹朗格多克～约 1207-11-27，巴黎附近圣但尼) 法国编年史家，以所著法国国王腓力二世奥古斯都的传记而驰名于世。原为医师。1189 年弃医参加法国北部圣但尼隐修院的修士团。大约在 1186～1190 年开始计划给国王撰写传记，结果产生《腓力二世奥古斯都的业绩》(1196)。传记第一部分以腓力于 1179 年加冕开始，书中对腓力表示偏爱，后来续篇写至 1207 年，对腓力指责颇为严厉，可能与腓力 1196 年的不正当婚姻有关。传记虽文笔粗庸，但内容翔实精确。

Rigveda **梨俱吠陀** 印度教古代经籍吠陀之 。内容为颂诗。参阅 **Veda**。

Riihimäki **里希迈基** 芬兰南部海梅省城市。为一铁路枢纽。位于海门林纳东南，赫尔辛基以北。北通拉赫蒂、坦佩雷和海门林纳，南联赫尔辛基港和波尔沃(博尔戈)港。当地有芬兰最大的玻璃厂，也有几家纺织厂。市内有玻璃博物馆和铁路信号博物馆。人口：城市区约 24 005(1982)。

Riis, Jacob A(ugust) **里斯**(1849-05-03，丹麦巴伯～1914-05-26，美国马萨诸塞巴尔) 美国新闻记者、社会改革家、摄影家。1890 年出版的《另一半人怎样生活》中如实地描述了贫民窟，震撼了美国人的良知。21 岁时移居美国，干过各种不同职业，亲身体会了城市下层贫民的生活。1873 年任警察局报道员，分管纽约下东区，发现在一些经济公寓里婴儿死亡率高达 1/10，他用闪光灯把这些房屋拍摄下来使他的著作和演说更加生动直观。该书使里斯出了名。当时即将成为美国总统的

美国国会图书馆供图

西奥多·罗斯福表示："我读了您的书，我来帮忙。"在这本书的刺激下，纽约通过立法来控制经济公寓中的苦难。最著名的著作是自传《一个美国人的成长过程》(1901)。

Rijeka **里耶卡** 意大利语作 Fiume(阜姆)。克罗地亚城市、主要港口及工商业与文化中心。濒临亚得里亚海克瓦内尔湾。也是克罗地亚的主要港口。该港是克罗地亚海军的主要基地和沿岸航运的启运站。通亚得里亚公路，有铁路通的里雅斯特、萨格勒布等地。主要工业有造船、修船、炼油、造纸。设有柴油机厂，其英国厂主 R.怀特黑德 1866 年在此发明鱼雷。公元 3 世纪有罗马人定居。1471 年并入奥地利。1717 年成为自由港。第一次世界大战后开始港口与铁路建设。1943 年被德国人占领，遭盟军空袭损坏严重。1945 年 5 月南斯拉夫人解放该城，战后得以大规模发展。市内有许多巴罗克式建筑、一座 13 世纪城堡、多座古教堂(14 世纪)和一所大学(1973)。为自油田至东北地区输油管道的终点。人口 143 800(2001)。

Rijkel, Denys van **赖克尔** 参阅 **Dionysius the Carthusian** *狄奥尼西(加尔都西会士)*。

Rijksmuseum **国家博物馆** 位于阿姆斯特丹的荷兰国家艺术收藏馆，前身为拿破仑一世的弟弟 L.波拿巴于 1808 年建立的皇家博物馆。新建筑是按照哥特式复兴时代风格设计的，1885 年开馆。该馆收藏的 17 世纪荷兰艺术品特别丰富，但也藏有许多西欧其他画派的绘画和雕刻，以及东方艺术品和装饰艺术品。附设的国家版画陈列室藏有欧洲最精美的版画、素描以及插图手抄本。

Rijksmuseum Kröller-Müller 参阅 **Kröller-Müller State Museum** *克罗勒-穆勒国家博物馆*。

rijsttafel **米饭席** 荷兰人统治印度尼西亚时形成的考究的印度尼西亚式食谱。由于具有政治色彩，这个词现在很少在印度尼西亚使用，但在荷兰及国外的荷兰和印度尼西亚餐馆仍普遍使用。米饭席由大米饭拌和着各种菜肴如咖喱肉、鱼、青菜、水果、调味品、腌制品、酱汁、辛辣佐料、果仁、鸡蛋等组成。米饭席供应一盘米饭，然后选食各种配菜，并佐以盐、香料、甜味和酸味调料。一桌米饭席配有 40 种菜不足为奇，一席需要吃 3～4 小时。

Rijswijk 赖斯韦克 英语作Ryswiek。荷兰西部南荷兰省城市。在海牙市东南郊。鹿特丹公路及弗利特河穿市而过。虽主要为住宅区,但有油井、实验所和重要的水果拍卖市场。附近有伊彭堡机场。1697年(9月20～21日和10月30日)在此签订《赖斯韦克和约》,结束大同盟战争;1792年建立一座21米高方尖碑以志纪念。人口约48 189(1989)。

Rikaze(Tibet) 参阅 **Xigazê** 日喀则。

Rikers Island 赖克斯岛 美国纽约州纽约市拉瓜迪亚机场北面近鲍厄里海湾的伊斯特河中的一个岛屿。从政治角度上说,是布朗克斯(北)自治镇的一部分,有一座桥(不向公众开放)可通至昆斯自治镇。该岛从1664年起即属赖肯,后为赖克所有,故名。1884年纽约市将其并入时,其地面积约为35公顷。现在增至162公顷。1935年以来市监狱一直设在此岛上。监狱是从韦尔费尔岛(现名罗斯福岛)迁移来的,在赖克斯岛上首先建立的机构就是男拘留所。其他还有男教养院、女教养院、安娜·克劳斯中心、青少年拘留中心和赖克斯岛医院。

Rikham(Hebrew grammarian) **里克哈姆** 参阅 **Kimhi, Joseph** 基姆希。

rikka 立花 在古典日本插花艺术中传统定型化的正规插花样式。立花经历了几个世纪逐步形成,故难于说出它在何时成为一种公认的独特形式。立花样式插花准则可追溯

日本古典插花艺术流派——池坊派的立花样式
东京国际教育情报学社供图

到7世纪初,是由佛教高僧小野妹子规定的。但是有立花记载的日期从15世纪末起始,立花在佛教高僧、池坊流派大师池坊专庆的影响下已明显成为独树一帜的门类。立花的布局原为七枝结构,象征着佛教宇宙论神话中的迷卢山;各枝分别代表山峰、瀑布、小山、山脚和市镇,整个结构分为阴阳两面。立花稍后成为九枝,而后又为十一枝,其样式具有日本所有插花基本三层结构的特点。用长青树枝、叶丛、花和秃枝构成的庞大布局(1.5～4.5米高)代表着自然景色;例如,白色的冬青花象征着白雪覆盖的山,下垂的白色菊花代表瀑布。立花样式后来逐渐演变为较为开放的样式,在日本上层家庭中流行。最后为生花样式所取代。

Rikken Seiyūkai 立宪政友会 英语作Friends of Constitutional Government。1900～1940年日本主要政党。1900年由政府首脑人物伊藤博文创立。主张加强议会在日本政治上的作用。该党获得地主阶级和财阀利益集团的拥护。与主要对手民政党相比,其政治倾向较为保守。20世纪30年代军方势力加强,两党均丧失影响力。1945年后许多原立宪政友会成员参加建立自由党。

Riksdag 里克斯达格 1435～1865年间瑞典的等级议会。它在欧洲独树一帜,把农民作为第四等级。它有权推选国王、决定税收和宣布战争。善于权术的国王能挑起等级间的相互冲突,但它仍能防止国王滥用他们的权力。在1720～1772年,它能够使君主处于从属地位。里克斯达格变成接近代议制政府的机关,有两个原始的政党争夺对这一机关的控制权。1772～1809年里克斯达格一度失去它的特权。在19世纪,里克斯达格显示出强烈的自由主义倾向。1865年里克斯达格拥护现代的议会制度,而投票赞成本身的废止。但是,新的议会仍称里克斯达格。

Rila 里拉 保加利亚和巴尔干半岛的最高山岭,也是欧洲最高山岭之一。属罗多彼山脉西北段。面积2 629平方千米。穆萨拉峰海拔2 925米,为伊斯克尔河、马里查河、梅斯塔河的发源地。矿物资源有铅、铜、锌、磁铁矿、油页岩和大理岩。

Rila Monastery 里拉修道院 保加利亚西南部罗多彼山脉历史上著名的修道院和文化遗址。位于里拉山丘的一个谷地,在索非亚南部约110千米处。是保加利亚民族的象征,也是保加利亚正教会最重要的修道院。

里拉修道院天穹上的装饰画近景
美国不列颠百科全书公司供图

该院是保加利亚境内第一座基督教修道院,由隐士里拉的约翰(保加利亚语作Ivan Rilski)创立,他是保加利亚传统的主保圣人。13～14世纪,修道院的重要性与影响力与日俱增。在奥斯曼土耳其语通行期间(14～19世纪)和伴随而来的希腊对保加利亚的文化统治,该修道院再度兴起。到18～19世纪,这里是保加利亚"民族复兴"的摇篮。第二次世界大战后,里拉修道院和其他教会财产一样受到共产党政权的直接控制。然而,和其他大部分宗教场所不同的是,保加利亚政府赋予里拉受保护的地位(1961)。1983年被联合国教科文组织列为世界遗产。1989年T.日夫科夫的共产党政府垮台,随后保加利亚正教会重掌修道院。现存的主要建筑建于19世纪早期到中期,形状为不规则的多边形。周围有几座藏有各种宗教艺术品的小修道院、教堂和礼拜堂。

Riley, Bridget 赖利(1931-04-24,英国伦敦～) 全名布里吉特·路易斯·赖利。英国女画家。其颤动式光效应图案画是20世纪60年代光效应艺术运动的中心。曾在皇家艺术学院学习(1952～1955),1960年前主要用印象主义手法画风景和人物。在V.瓦萨列里的影响下,作品转向几何形抽象,其精心设计的黑白对比或颜色交错的复杂结构产生一种运动、色彩和地形图的幻觉。自称是要将释放出来的能量捕捉在形成之中。1968年在威尼斯双年展上第一次获奖。名作有《动向,第二号》(1966)和《19个灰色》(1968)。

Riley, Charles Valentine 赖利(1843-09-18,英国伦敦切尔西～1895-09-14,美国华盛顿[哥伦比亚特区]) 英国出生的美国昆虫学家。在美国提倡对具有经济意义的昆虫进行系统研究,并协助美国农业部建立昆虫学处(后改称昆虫学研究处)。他的旁征博引图示清晰的著作,使农民初次认识到在农作物生产上防治虫害的重要性。移居美国8年后,于1868年被任命为密苏里州的昆虫学顾问。1876年任美国昆虫学委员会主席,该组织是为防治1874年以来毁坏中西部和西部各州植被的落基山蝗虫而成立的。委员会防治这种虫害成功,结果他在1878年被任命为美国农业部的昆虫学顾问,除短期中断外一直任职到1894年。在他的指导下,在用砷剂杀虫剂、煤油乳剂以及其他方法防治农业害虫方面都取得相当进展。

Riley, James Whitcomb 赖利(1849-10-07,美国印第安纳格林菲尔德～1916-07-22,印第安纳印第安纳波利斯) 美国诗人,以善写怀旧的方言诗闻名,常被称作"平民诗人"。少年

美国国会图书馆供图

时曾画过广告、当过小丑演员和药店售货员,使他有机会编歌作曲和写滑稽短剧,掌握当演员的技巧,并接触印第安纳农民。他用印第安纳方言写了一系列诗,以布恩的农民B.F.约翰逊的名义向《印第安纳波利斯日报》投稿,获得最初声誉。一度任印第安纳州《安德森民主党人》报本地新闻编辑,后半生生活在印第安纳波利斯。赖利曾发表过许多诗集,

如《飞翔的夜岛》(1891)、《家乡人》(1900)。最著名的诗有《霜降南瓜》、《小孤儿安妮》、《衣衫褴褛的人》和《我的一个老情人》。他的诗收于《全集》(10卷,1916)。

Rilke, Rainer Maria 里尔克(1875-12-04,奥匈帝国波希米亚布拉格[今在捷克共和国]~1926-12-29,瑞士瓦尔蒙特) 重要的德裔奥地利诗人,以《杜伊诺哀歌》和《致俄尔浦斯的十四行诗》这样的作品赢得了全世界的赞赏。出生在布拉格。受到的教育并不完整。原决定他将成为军官,以取得他的父亲所未能得

瑞士国家图书馆供图

到的社会地位。因而他先后上过两所军事学校,后因健康不佳,被迫离校。1891 ～ 1892年就读于林茨商业管理学院,但一无所获。1895年夏,读完布拉格新城郊区的德语文科中学,毕业前已发表第一部诗集(1894)。1895年底,入布拉格查理大学,学习德国文学和艺术史。1896年9月离校去慕尼黑,是他成熟生活的开始,也是一个被内心主观需要所驱使的人的无休止旅行的开始。1897年5月结识鲁·安德烈亚斯-萨乐美,几周后鲁便成了他的情妇,这一恋爱事件是他生活中的一个转折点。她是一个俄罗斯将军的女儿,母亲是德国人。年轻时尼采曾向她求婚,被她拒绝。她认识里尔克时,早已嫁给一位德国教授。她把俄国介绍给里尔克,俄罗斯成为里尔克一生中的一个里程碑。甚至恋爱事件结束后,她依然是他的知心密友。1897年末,里尔克随鲁到柏林。他和鲁于1899年春和1900年夏两度访问俄罗斯。他在那里见到的外部现实被看作是他的感情、他的内心现实的理想象征。俄罗斯在他心里唤起了创作诗歌的激情。献给鲁的分为三部分的长组诗《祈祷书》写于1899 ～ 1903年,1905年出版。诗人以"我"的形式出现,围绕着他的上帝作祷告,这个上帝其实就是"人生"的化身。这一诗作的语言和题材大多即19世纪90年代的欧洲的语言和题材。但这些祈祷仪式的自我赞颂热忱有着富有节奏感和暗示性的力量以及流畅的音乐性,包含一种全新的成分。在诗句里,一个独具一格的诗人已经找到了自己的声音。从第二次俄国之行回来不久,他接受邀请,参加不来梅附近的艺术家新村。1901年4月和女雕刻家克拉拉·韦斯特霍夫结婚,在附近沃普斯韦德一个农舍里安了家。在这里,里尔克写出《祈祷书》第二部分,以及一本关于艺术家新村的书。1901年12月,克拉拉生一女。不久,夫妻决定分手,各奔前程。里尔克受出版商委托,于1902年8月前往巴黎,写一本关于雕刻家罗丹的书。此后12年里,他的生活以巴黎为中心,巴黎成了他的第二故乡。1903年他前往意大利的维亚雷焦,写出《祈祷书》第三部分。有一段时间他也在罗马、瑞典和卡普里岛等地生活和工作。里尔克的巴黎是那些没有个性、家无分文、年老多病、只有待死的人们的城市,是恐惧、贫困和死亡之都。通过和罗丹的交往,他日益意识到走向艺术和创造的一条新路。在巴黎的年代,里尔克发展了一种新的抒情诗风格,即所谓"咏物诗",这类诗力图捕捉某一实物的形象化本质。其中最成功的作品是某些视觉艺术作品的想象的语言翻译。这些《新诗集》(1907 ～ 1908)中的诗摆脱了德国抒情诗的传统。1904年,他在罗马开始写《马尔特·劳里茨·布里格记事》,1910年发表。这是与《新诗集》(1907 ～ 1908)相对应的作品,在诗作中居于幕后的东西,在这散文作品中走进前景:旅居巴黎的一位寂寞游子的恐惧。书中,丹麦青年马尔特写下的描述、回忆和沉思巧妙地交织在一起。书中有里尔克全部的主要题材:爱情、死亡、童年时的恐惧、对女性的偶像崇拜以及"上帝"的问题。此后除了组诗《马利亚生平》(1913)之外,13年之久没有发表作品。1912年初他在杜伊诺城堡写的两首悲歌体长诗,成就超过《新诗集》,因为是新组诗的一部分,没有立即发表。第一次世界大战爆发时他在慕尼黑,1915年12月应征入伍,在维也纳军中服役,1916年6月退伍过平民生活。这些年的社会气候对他的生活方式和他的诗歌创作极为不利。等到战争结束,他觉得自己像是完全瘫痪了。1921年夏,他住在罗讷河谷里古老的穆佐堡。1922年2月,在短短几天里诗兴勃发,完成了他在1912年开始创作的杜伊诺组诗和《献给俄尔甫斯的十四行诗》55首。《杜伊诺哀歌》是里尔克诗歌发展的顶峰。从1923年起他的健康状况一直不佳,直到1926年死前几周,才诊断出所患的是一种罕见的白血病。

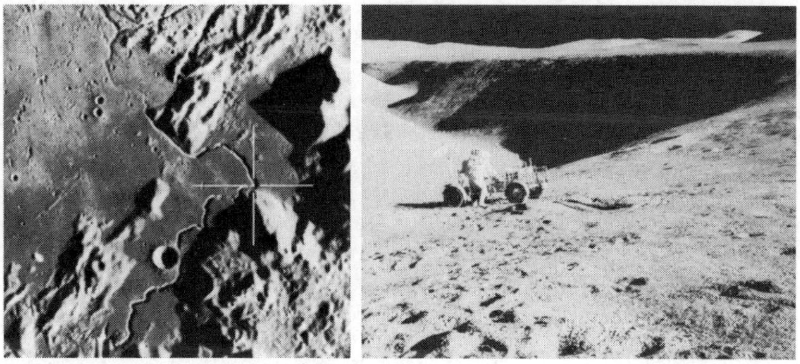

(左)"阿波罗"15号在绕月球轨道上拍摄的哈德利曲谷北端的垂直航拍照片,图中的"十字"指示出右图的位置;(右)"阿波罗"15号宇航员到达月球圣乔治环形山附近的哈德利曲谷北部

美国国家航空和航天局供图

rille 月谷 在月面上观测到的各种峡谷。最初使用此词的可能是J.施罗特尔等一些最早(在1800年前后)使用望远镜观测月球的天文学家。月谷宽约几千米,长达几百千米,大致分为直谷与曲谷两类。直谷较少弯曲,底平,偶或同环形山链有关,有的则呈阶梯结构。天文学家认为这种结构是由平行断层底部塌陷所形成的堑沟。曲谷蜿蜒如河谷,类似地面上岩浆流动所形成的流槽。"阿波罗"15号的宇航员曾到达哈德利曲谷,发现口宽底狭的V形谷沟,其中填满由岩浆所形成的每层岩壁崩裂的碎石。但他们的观察并没有弄清该谷的起源。

Rímac 里马克 秘鲁利马-卡亚俄都市区内的一个区。1921年建区。殖民时期早期即有人定居。殖民时期建筑主要有河滨大道、德斯卡尔索斯隐修院、维塞罗伊斯博物馆和美洲最古老的斗牛场。古城区以外为低收入者居住区。有小型工商和服务行业。该区很大一部分为驻军占用。设有国立工程大学(1955)。人口:区约233 003(1990)。

Rimbaud,(Jean-Nicolas-)Arthur 兰波(1854-10-20,法国沙勒维尔～1891-11-10,马赛) 法国诗人和冒险家。他的创作生涯自15岁开始到20岁,虽然只有短短几年,但他

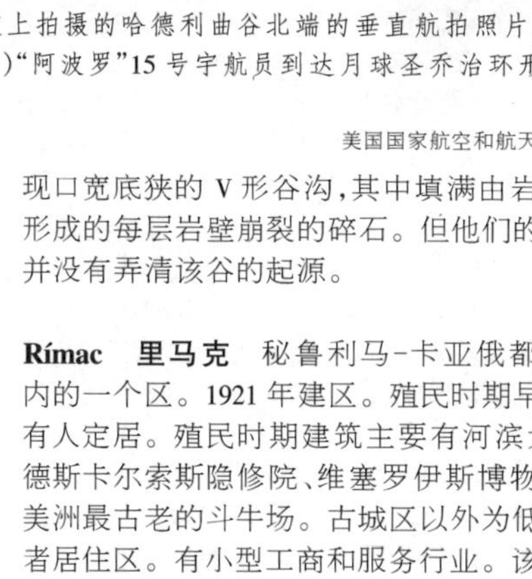

供图:Giraudon—Art Resource/美国不列颠百科全书公司

却是象征主义运动的典范。几乎没有哪个诗人像他那样成为人们如此热心研究的对象,也没有哪个诗人对现代诗歌产生的影响比他更大。在他的散文诗《灵光篇》中达到了他创新的顶峰,这种诗体也是他那简洁奥秘风格的最好表现形式。他清除了前人散文诗中的叙述描写,去掉了词的公认含义和逻辑内容,而赋予诗以创造意境的奇异魅力。他的诗强烈地表现出现代人对所谓文明社会的反抗。父为军队上尉,母为当地农人的女儿,是他们的第二个儿子。1860年父母分手,儿女由母

亲抚养。自幼才华过人，在沙勒维尔中学里是最优秀的学生，尤其擅长拉丁文诗。1870年8月以一篇拉丁诗获学区竞赛第一名，还在巴黎杂志上发表诗作。1870年7月普法战争爆发时辍学。8月逃离家乡，乘火车去巴黎。因无钱买票，半路被拘捕。后由他的老师代付罚款，并送他至杜埃，在此他加入了国民卫队。10月再度失踪，游荡于法国北部及比利时，过着饥寒交迫，但无拘无束的生活。最后又回到杜埃。在两星期的自由自在生活中他写出第一批有独创性的诗，表达他对生活及自由的纯真喜悦。翌年2月，他卖了表，又去巴黎，在极度贫困中生活了半个月。3月步行回家时，性格有很大转变，谴责自己过去的诗是虚伪的，写出了最激烈、最愤慨的诗，表达对生活的厌恶，对纯真世界的向往，以及对善恶之间的搏斗的意识。他的行为与他的诗的意境相吻合。他饮酒，拒绝工作，反对宗教、道德及任何纪律。与此同时，他读有关神秘哲学、犹太神秘教义、巫术和炼金术等的书，形成了他新的美学思想，1871年5月13日和15日他给友人的信中说：诗人应该具有能透视无限深处的慧眼，应该摆脱通常所说的个人人格的束缚而成为“永恒”的代言人。由于诗人的新的意境无法用现有的形式表达，他就必须创造能诉之于这种感官的语言。1871年8月，兰波给在巴黎的诗人魏尔兰寄去几首新诗，其中有著名的十四行诗《母音字母》。魏尔兰读后大为欣赏，立即邀他去会晤。行前，兰波写了一首技艺精湛、意象新颖的杰作《醉舟》。在巴黎期间（1871-09～1872-07），和魏尔兰过着同性恋生活，以致流言四起。1872年7月，魏尔兰抛下妻子，随兰波流浪到伦敦。两人生活极为贫困潦倒，争吵不断发生。1873年7月在布鲁塞尔，当兰波企图同魏尔兰分手时，被他开枪打伤。魏尔兰被捕判处了两年徒刑。兰波于一周后出院回到母亲身边，在那里完成散文诗《在地狱中的一季》。这是他艺术和爱情失败经历的记录。诗集在比利时付印，因兰波无力支付印费，全部束之高阁，1901年才被人发现。从1873年下半年到1875年冬，兰波到处流浪。在这期间写了另一部散文诗《灵光篇》(1886)，完稿后即与诗歌告别，过了15年冒险家的生活，足迹遍及欧、亚、非三洲。病逝于马赛，年仅37岁。

rime　雾凇　由冰晶在温度低于冰点以下的物体上形成的白色不透明的粒状结构沉积物。过冷水滴（温度低于0℃的水滴）碰撞到同样低于冻结温度的物体时，便形成雾凇。当水滴小到一碰上物体马上冻结时便会结成雾凇层或雾凇沉积物。雾凇层由小冰粒构成，在它们之间有气孔，这样便造成典型的白色外表和粒状结构。由于各个过冷水滴的迅速冻结，相邻冰粒之间内聚力较差，易于从附着物上脱落。因此雾凇对于飞机一般不是严重的问题。参阅 **frost；precipitation**。

rime(in poetry)　参阅 **rhyme** 韵。

rime riche　富韵　又称完全相同韵(identical rhyme)。在法国和英国的韵律学中，指不仅在诗行最后的重读元音及其后的所有辅音押韵，而且在这个押韵元音前面的辅音也押韵。富韵可以由同形异义词（如 fair/fair）或同音词（如 write/right）组成。富韵不同于完美韵。

rime royal(poetry)　参阅 **rhyme royal** 君王诗体。

rime suffisante　完美韵　在法国和英国的韵律学中，由诗行最后重读元音及其后的末尾辅音或几个辅音押韵。英语例见 ship/dip 和 flee/see。完美韵不同于富韵。

Rimini　里米尼　意大利北部艾米利亚-罗马涅区弗利省城镇。濒临亚得里亚海马雷基亚河口，蒂坦山和圣马力诺共和国的东北面。古罗马时称阿里米努姆，为艾米利亚大道和

里米尼风光

供图：Rimini Tourist Office

弗拉米尼亚尼大道的交叉点。之后，先后属于拜占廷、伦巴第人和法兰克人等。12世纪成为独立社区后长期为教廷和王室的争夺目标。1334年马拉泰斯塔家族成为该镇的领主，在此修建了城防工事和马拉泰斯塔神庙。1509年后，除短期被法国占领外，主要由教廷管辖。1860年归属意大利王国。19世纪成为海滨游览地。1920年后城南建立海滨郊区，旅游业迅速发展。现海滨游览区长16千米。古罗马遗迹有奥古斯图斯拱门和圆形剧场遗址。马拉泰斯塔神殿内有精美的异教徒人物雕像。保存有S.潘多尔福建造的城堡(1446)和城墙的遗迹。其他重要建筑有德拉伦戈宫(1204)、美术馆、公共图书馆和几座中世纪和文艺复兴式教堂等。为公路交通中心和铁路枢纽。有海轮通安科纳、拉韦纳、威尼斯和的里雅斯特等地。有飞机场。生产谷物和水果。有各种加工厂和铁路修配厂。主要收入来源是旅游业。平缓的海滩旁有海滨大道和旅馆，常在此举办国际展览、体育比赛和音乐会。人口128 656(2001)。

Rimini, Council of　里米尼会议　参阅 **Ariminum, Council of** 阿里米尼会议。

Rîmnicu Vîlcea　勒姆尼库沃尔恰　又拼 Râmnicu Vâlcea。罗马尼亚中南部沃尔恰县县城，濒临奥尔特河。14世纪后期首见记载。中世纪为集市。有民俗学家和作家潘恩故居、教堂和地区博物馆。第二次世界大战结束后，新兴工业迅速发展，有化工产品、木材加工和石油钻机等。人口107 656(2002)。

Rimniksky, Aleksandr Vasilyevich Suvorov, Graf(Count)　**里姆斯基**　参阅 **Suvorov, Aleksandr Vasilyevich** 苏沃洛夫。

Rimouski　里穆斯基　加拿大魁北克省东部城市。地处山坡，有濒临圣劳伦斯河南岸的深水港。1950年一场大火焚毁半个城市，此后重建。该市经济多样化，有食品加工、木材、纸浆、床垫、地毯、皮革以及靴鞋等制造厂。为下圣劳伦斯和加斯佩西地区的运输和行政中心。教育机构有农学院、神学院、魁北克大学分校和海运学院。1869年设镇，1963年设市。人口30 873(1991)。

Rimsky-Korsakov, Nikolay (Andreyevich) 里姆斯基-科萨科夫(1844-03-18，俄国诺夫哥罗德附近季赫文～1908-06-21，留本斯克)　俄国作曲家、教师和编辑，因推动俄罗斯民族音乐事业的发展而特别闻名。最著名的作品有歌剧《雪姑娘》(1882)、《萨特阔》(1898)、《隐城基捷日和少女费芙罗尼亚传奇》(1907)和《金鸡》(1909)，交响组曲《舍赫拉查德》(1888)，《西班牙随想曲》(1887)，以及《俄罗斯复活节》序曲(1888)。

早期生活与海军生涯　父亲为政府官员，具有自由主义思想；母亲受过良好教育，会弹钢琴，12岁时举家迁往圣彼得堡，旋即入海军学院。15岁开始学习钢琴和作曲。1861年结识作曲家M.巴拉基列夫，在其指导下开始写交响曲。1862年从海军学院毕业后不久便随舰出航，途经美国、巴西、西班牙、意大利、法国、英国、挪威，于1865年5月返回俄国喀琅施塔得港。对年轻的里姆斯基-科萨科夫来说，这次航行加深了他对大海的迷恋，在他的歌剧和交响乐中水上场景比比皆是。一回到圣彼得堡他就完成了出航前即已动笔的交响曲，1865年12月演出，效果相当不错，作曲家时年21岁。这是他的事业的一个良好开端，也是俄国人写的第一部成熟交响曲。下一部重要作品是管弦乐《塞尔维亚主题幻想曲》，于1867年5月在圣彼得堡一次斯拉夫音乐音乐会上由巴拉基列夫指挥演出。这次演出具有重大历史意义，因为评论家V.斯塔索夫在评论音乐会时不无得意地声称，俄国从此也有了它自己的民族音乐家“强力集团”。这一称号很快就不胫而走，并载入音乐史册。“强力集团”（或称“五人团”）成员为里姆斯基-科萨科夫、巴拉基列夫、A.鲍罗丁、C.居伊和M.穆索尔斯基，其目标是使俄国在音乐上独立于西方。五人中以里姆斯基-科萨科夫学识最渊博，作品最丰富，包括各种体裁，尤其在歌剧领域最为出类拔萃。

教师、指挥和编辑　由于声名远扬，里姆斯基-科萨科夫于1871年还很年轻时，便应圣彼得堡音乐学院之聘担任作曲教师。在其自传《我的音乐生活》中他坦率承认自己的资历不足以担此重任。因为他自己从未受过系

统的音乐理论训练，虽然巴拉基列夫的漫无条理的教导和柴可夫斯基的专业性规劝都曾对他有所裨益。为了完成自己的音乐教育，他于1873年着手一套雄心勃勃的自学方案，

供图：H. Roger-Viollet

重点主要在对位和赋格。同年脱离海军军职，转而担任军乐队督察与指挥。首次正式登台指挥是 1874 年 3 月在圣彼得堡演出他的《第三交响曲》。1874 ～ 1881 年兼任圣彼得堡免费音乐学校校长。1883 ～ 1894 年任宫廷教堂音乐会指挥。1886 ～ 1900 年间任俄罗斯交响音乐会首席指挥。作为俄国实业家别里亚耶夫专为出版俄国作曲家的作品而出资创办出版企业中的实际上的编辑和负责人，里姆斯基-科萨科夫对俄罗斯音乐的贡献是难以估量的。穆索尔斯基去世后，里姆斯基-科萨科夫将他的乐谱加以重大改写后编辑出版；并基本上重写了《霍万希那》。他为《鲍里斯·戈东诺夫》所作的改编引起强烈的批评，认为这是以迂腐的学究手法改编一部伟大的创新杰作。但是他对素材的精妙处理是无可否定的。穆索尔斯基的总谱后来在 1928 年出版，在俄国和国外演出了几场，但是最终在歌剧院中盛行不衰的还是里姆斯基-科萨科夫的效果更好的改编本。

成就 里姆斯基-科萨科夫最拿手、也是最富代表性的是描绘性配器，使人联想起一个地方或一种氛围。除《塞维利亚》和《莫扎特与萨利埃里》外，他的歌剧题材全都取自俄罗斯和其他斯拉夫童话故事、文学作品和历史，其中最重要的是《雪姑娘》、《萨特阔》、《沙皇的新娘》、《萨尔丹沙皇的故事》、《隐城基捷日和少女费芙罗尼亚传奇》以及《金鸡》。他的管弦乐曲以《西班牙随想曲》(1887)、交响组曲《舍赫拉查德》(1888)和《俄罗斯复活节》序曲(1888)最有名。所作歌曲素朴典雅，别具一格，而且具有优美的俄罗斯诗韵；室内乐比较逊色。作为圣彼得堡音乐学院的作曲和配器教授（自 1871 年起直至去世，其中于 1905 年因保护罢课的学生曾一度被反动的学院董事会解雇），他教了两代俄罗斯作曲家，因此影响的涵盖面极广。著有《和声学实用教程》(1884)和《配器原理》(死后发表，1913)，至今仍是俄国的基本音乐教材。

rimu（*Dacrydium cupressinum*） **柏木陆均松** 又作 New Zealand red pine 或 imou pine。亦称新西兰红松。罗汉松科材用针叶乔木，原产新西兰。高可达 45 米或过之。木材淡红棕色至淡黄棕色，具淡色和深色条纹组成的独特花纹。用于做家具和室内装饰以及一般建筑。树皮含单宁物质，可将皮革染成红色。

rímur 里墨尔 创作于 14 ～ 19 世纪间的冰岛韵文传奇故事。它们把源出拉丁赞美诗的尾韵韵律形式与早期挪威宫廷诗人即吟唱诗人所用的计数音节、头韵和句中韵等技巧结合起来。里墨尔仍然保留吟唱诗人的华丽词藻，但方式刻板，原有复杂形容词的意义似已失去。大多数里墨尔均为以本地传说和外国传奇为依据而写成的长篇故事。长篇散文萨迦又往往被改编为里墨尔故事组。

Rin-chen-bzang-po 仁钦桑波(958～1035) 中国藏传佛教著名佛经译师。阿里王拉德的上师。多次去印度学法，并延请印僧到阿里弘法。一生译经、论 150 多种，是后弘期新译密咒的第一人。所译称为新译。

Rinaldo DEI SEGNI 里纳尔多（塞尼的） 参阅 **Alexander(Papacy) 亚历山大（教皇）**项下的 **Alexander IV 亚历山大四世**。

rinceau 卷草纹条饰 又称叶饰。建筑中的一种边缘或条形装饰，以带叶的蔓藤植物为图案的花纹，还点缀一些花果。最初见于

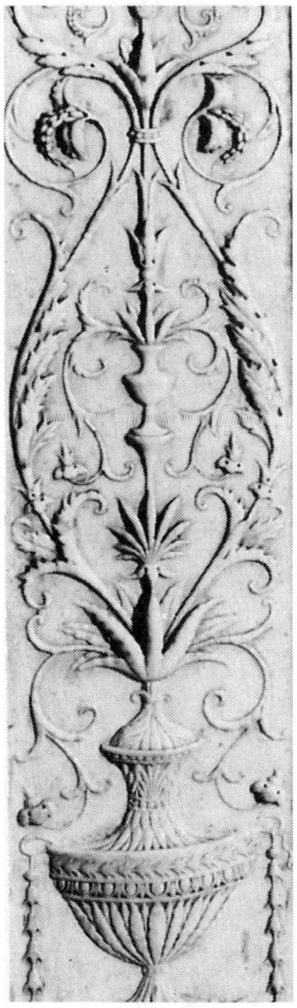

米开罗佐设计的佛罗伦萨圣母领报教堂卷草纹条饰（细部），1455 年
供图：Alinari—Art Resource/美国不列颠百科全书公司

古典建筑，在古希腊、罗马建筑中常用于檐壁上。古罗马时期常作成自瓶饰中成长出的双条蜿蜒蔓藤，哥特式建筑中用树枝、蔓藤和花朵相组合，在文艺复兴建筑中出现了小动物或人头。17 世纪中又恢复了古典时期的简洁装饰图样，到 18 世纪在处理上则自由得多而重复较少。

rinderpest 牛瘟 又称草原兽瘟、牛疫或传染性牛斑疹伤寒。反刍动物，特别是牛中的急性具有高度传染性的病毒病。常见于非洲、印度次大陆和中东。曾在巴西和澳大利亚发现，但很快被消灭。美国未曾有本病报道。牛瘟是牛的最严重传染病，其特点是突发并具高死亡率。除牛外，还可严重影响水牛、长颈鹿、某几型羚、野猪，以及其他偶蹄动物。牛瘟是由一种副黏液病毒（麻疹病毒属［*Morbillivirus*］）造成，同人类麻疹以及犬瘟热病毒近缘。通过紧密或间接接触而传染。经过 3 至 9 日的潜伏期后，受染动物就出现发热和食欲下降。再过几天后，眼鼻出现分泌物，流唾液，有口疮，还有一种恶臭。因病毒侵犯内脏，故病兽表现呼吸费力、脱水、腹泻且常伴腹痛，而最后排便极为费力。在许多病例中背及腹侧出现皮疹（链丝菌病）。衰竭、昏迷和死亡出现于症状开始后的 6 至 12 天。真正的死因是脱水。现代的细胞培养疫苗可预防该病。在一个特定地区中清除该病需要控制野生动物中的这一疾病和消灭受染家畜。注射疫苗结合检疫是控制该病的最有效方法。

Rinehart, Mary Roberts 莱因哈特(1876-08-12，美国宾夕法尼亚匹兹堡～ 1958-09-22，纽约州纽约市) 美国女小说家、剧作家。以其侦探故事闻名。受过护士训练，1903年大

美国不列颠百科全书公司供图

萧条时期，改行从事写作。她的作品几乎从一开始就大受欢迎。1907 年发表连载小说。1908 年发表第一本书《环形楼梯》。除侦探故事外，她还写过一部滑稽的长篇系列故事，描写一个名叫蒂什的大胆的老处女和两个朋友的奇遇，刊载在《星期六晚邮报》上，历时数年。她的剧本大部分同 A. 霍普伍德合写，最成功的是《蝙蝠》(1920)。还写有浪漫故事和几部游记，其中一些反映了她在第一次世界大战期间作为战地记者的经历。

ring 指环 金、银或某种其他珍贵的或装饰性材料制成的、戴在手指上的圆环。指环不仅戴在手指上，也戴在脚趾上、耳朵上（参阅 **earring**）和穿在鼻上。除了作为身体的装

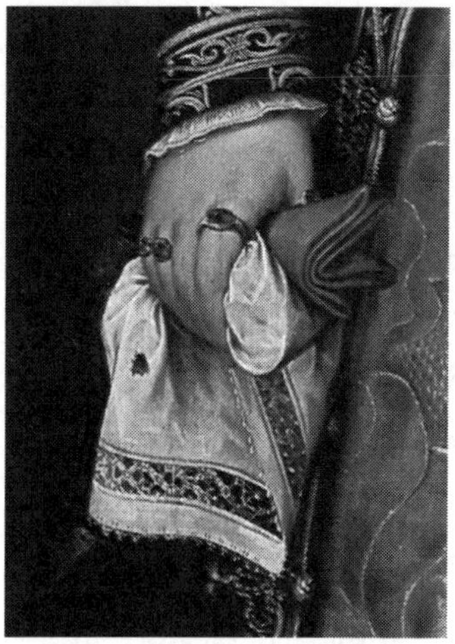

A.莫罗绘《奥地利的凯瑟琳肖像》(1552)细部中戴指环的手
马德里普拉多博物馆供图

饰品外，指环也可作为权力、忠诚或社会地位的象征。指环基本上分为三部分：环或圈；小台肩；嵌宝座盘。环可为圆环状、半圆环状，或四方横切面，也可是扁平带状物。小台肩是圆环上的一个加厚或增大的部分，其宽度可以支撑嵌宝座盘。嵌宝座盘是指环的顶部，可以只是一个小平台，也可设计成可以嵌宝石或其他装饰物的形状。最早的指环是在古埃及坟墓中发现的。埃及人主要使用图章指环，或印章指环，即在嵌宝座盘上刻一印章，戴指环的人可用以认证文件。埃及的印章指环一般是在椭圆形金制嵌宝座盘上，用象形文字深深地刻上指环主人的姓名与头衔。古希腊人比较愿意只把指环作为装饰物。在希腊化时期，开始在嵌宝座盘上嵌上个别的凸圆形宝石，如红玉髓、石榴子石或透明的人造宝石。在罗马，指环是社会地位的重要象征。在罗马共和国最初几百年间，大多数指环为铁制，只有某些阶层的人，如身居高位的贵族才可戴金指环。但是到公元前3世纪时，戴指环的特权已经扩大到骑士阶层，或称骑士团，到公元3世纪罗马帝国时期，除奴隶外几乎任何人都可戴金指环。人们还认为，戴婚约指环，或订婚指环的习惯也始自罗马人，这种指环是许诺同异姓结婚的象征。在整个欧洲中世纪，图章指环在宗教、法律和商业协议方面具有重要意义。罗马天主教会向新任命的主教授予主教指环，教皇给予红衣主教所谓的教皇指环。教皇使用的指环通常形体巨大，用作教皇文件上的印章，这个指环又称渔人指环，由加镀层的青铜制成，上有圣彼得钓鱼的形象。

除了这些形式的指环外，还有纪念指环，上面刻有已故者的姓名、死亡日期甚或肖像；诗句指环，上面刻有题词或几行诗句；秘术指环，起着符咒或护身符的作用，据说有神奇的力量；还有毒药指环，其嵌宝座盘是空心的，内藏毒药，可用于自杀或杀人。有些指环的嵌宝座盘可以打开，里面可放雏形纪念物。到19世纪，指环类型之间的传统区别大部分已经消失，出现了形形色色的指环，但多取材于老式样。优质的现代指环多为机制，通常用金、银和外形标准化的钻石或其他宝石制成。戴指环或是仅仅为了装饰，或是作为忠于婚约或婚姻的象征。

ring 环 数学中，具有加法和乘法两种运算的集合，其中，加法是交换的（$a+b=b+a$，对于任意 a、b）和结合的[$a+(b+c)=(a+b)+c$，对于任意 a、b、c]，乘法是结合的[$a(bc)=(ab)c$，对于任意 a、b、c]。还必须有零元素、单位元素、所有元素的负元素，以及关于加法和乘法的分配律[$a(b+c)=ab+ac$，$(a+b)c=ac+bc$，对于任意 a、b、c]。一个交换环是指其乘法是交换的环，即 $ab=ba$，对于任意 a、b 成立。

Ring Nebula 环状星云 在天琴座中的亮星云。在梅西叶星云星团表中为M57，在星云星团新总表(NGC)中为NGC6720，是一行星状星云，距地球数千光年，是法国天文学家A.达盖埃于1779年发现的。像其他的行星状星云一样，它是一个从中心恒星抛出的灼热气体球。从遥远距离看，这种球的边缘比中心亮，因而看起来像一个亮环。它是天文爱好者喜欢观测的对象。

ring-necked duck（*Aythya collaris*） **环颈鸭** 鸭科水禽，一种潜水鸭。是受欢迎的猎禽，被视为美味。体长约43厘米。雄性头羽紫黑色，有虹彩光泽。两胁黑或灰色，翅前方有垂直的楔形白斑。雌性褐色，具白色眼环。两性均有不明显的褐色颈环，但嘴上有两个明显的白环。主要繁殖于加拿大大草原地区，喜到淡水里越冬。草食性，在浅水觅食。觅食处的水较其他潜水鸭觅食处浅。常回到喜欢的觅食处所，即使遭猎杀也是如此。巢是用压扁的芦苇筑成，常浮在浅水中的植物上。

ring-necked snake（*Diadophis punctatus*） **环颈蛇** 游蛇科大爬行动物。环颈蛇属唯一的种，有数十个亚种。体长达60厘米，常见于美国西部的木料和岩石下及整个墨西哥的高原。以昆虫、蠕虫、蛙、蜥蜴、蝾螈和较小的蛇类为食。受惊扰时，身体蜷成一球形，将头蜷在中央，然后把尾竖起，显示红或黄色的腹部，以冒充更可怕的头。

ring-ouzel(bird) 参阅 **ouzel** 环颈鸫。

Ringan 参阅 **Ninian, Saint** 尼尼安，圣。

Ringatu 举手教派 毛利人中流行的历史最为悠久、宗教色彩最浓的宣传理想世界的教派，由特库蒂创建于1867年被囚于查塔姆群岛期间。他对《圣经》有深入研究，因而得以创建这种温和的毛利人宗教，其内容有传统的迷信禁忌和凭信心治病的教义。1880年特库蒂逃到澳大利亚大陆，1883年获赦，此后该教派广为流传。他们每星期六和每月12日在部落聚会厅礼拜，举行慈善聚餐和信徒联谊，不用饼和酒。礼成全体信徒举右手拜神，故名。

ringed seal（*Pusa* or *Phoca*，*hispida*） **环斑海豹** 北极海域和欧洲淡水湖及巴芬岛的不迁徙的无耳海豹科动物。皮毛浅灰或浅黄色，上有灰白色环纹，故名。体长可达约1.5米，重90千克。栖息在大块厚冰近旁，以甲壳动物、软体动物和一些鱼类为食。雌体每年在雪里挖出的巢穴里产一白色幼豹。环斑海豹是因纽特人（爱斯基摩人）获取皮革、油和肉的主要来源。

Ringerike 灵厄里克 挪威东南部市镇和布斯克吕郡的地理区域，位于奥斯陆西北。面积1 553平方千米，邻蒂里湖北岸，向北延伸至兰斯湖。早在200年已有人居住，8～9世纪时是一个小王国，10世纪时出现了挪威早期最伟大的国王奥拉夫一世和奥拉夫二世。当基督教传入该地时，出现了被称为灵厄里克风格的艺术，这是一种用植物作图案素材，以木头、石头和金属为装饰的独特艺术。当地木材工业一度兴盛，17世纪时达到高峰。19世纪和20世纪初从事铅矿开采，1870年时世界铅产量1/7出自该地区。现在，农业、木材工业、纸浆生产是主要经济活动，贝格纳河和兰斯河则提供充足的水电。人口：市镇约27 664(1998)。

Ringer's solution 林格氏液 能显著延长离体组织在实验室内存活时间的早期研制成的盐类水溶液之一。生理学家西德尼·林格于1882年提出其配方并用之于研究蛙心。林格氏液含氯化钠、氯化钾、氯化钙及碳酸氢钠，其浓度与体液中相同。哺乳动物用者（洛克氏或林格-洛克氏液）则稍异，含葡萄糖，氯化钠亦较多。

ringgit 林吉特 马来西亚货币单位。又称马来西亚元，1林吉特等于100分。马来西亚中央银行是唯一有权在马来西亚发行纸币和铸币的银行。铸币面值由1分～1林吉特不等。纸币面值由1～100林吉特不等。纸币正面印有国王拉赫曼的肖像。大多数纸币反面印有马来西亚经济基础建设的图像。如5林吉特纸币印有世界最高建筑佩特罗纳斯双子大厦，10林吉特纸币为运输图像，有飞机、火车和货船；50林吉特纸币是石油钻塔。林吉特于1946年被定为马来西亚法定货币单位，用以取代19世纪中叶采用的殖民地货币海峡殖民地元。

ringing 鸣钟术 参阅 **change ringing** 变鸣钟术。

Ringkøbing 灵克宾 丹麦的一个州。面积4 853平方千米，从厄苏姆湾（北）与灵克宾峡湾之间的日德兰半岛西岸向内地伸展约65千米。该州土壤大部分多沙、贫瘠，有许多未开垦的石楠丛生的荒地，但适于综合性农业。主要城市有海宁和霍尔斯特布罗，位于内地。州首府灵克宾建于14世纪，现为小港口和旅游地。人口约272 644(1999)。

Ringling Brothers 林林兄弟 原姓Rüngeling。美国马戏经营者家族。他们于19世

纪晚期创立林林兄弟马戏王国。积极创建和经营这个家族马戏企业的林林兄弟有艾伯特（Albert C.，1852 ～ 1916）、奥托（Otto，1858 ～1911）、阿尔弗烈德（Alfred T.，1861 ～1919）、查尔斯（Charles，1863 ～ 1926）、约翰（John，1866 ～1936），偶尔参与经营的有奥古斯特（August G.，1854 ～ 1907）和亨利（Henry，1869 ～1918）。德国出生的马具制造人奥古斯特·朗格林之子查尔斯、艾伯特、奥托、阿尔弗烈德和约翰于 1882 年组成一个歌舞团，即古典和喜剧乐团，旅行演出两个季节。他们开始在演出中加进马戏节目，并于 1884 年组织第一个小马戏团，在他们家乡威斯康星州巴拉布城开演，然后又到美国中西部巡回演出。起初他们的进展很慢，1888 年他们获得第一头大象，此后马戏团便迅速扩大。许多年里查尔斯是马戏团经营方面的主导力量。1890 年林林马戏团首次开始用火车运送，从而使他们巡回演出的范围更大。到 1900 年他们开始与巴纳姆-贝利马戏团积极竞争，随

约翰·林林
供图：Keystone—美国不列颠百科全书公司

后开始买下其他一些马戏团。1906 年贝利去世后，他们于 1907 年买下巴纳姆-贝利马戏团，从而成为美国的主要马戏团。1926 年查尔斯去世后，约翰独自经营这个马戏王国达 10 年之久。1929 年他买下美国马戏公司，从而将 11 家主要马戏团置于林林兄弟马戏团的控制之下。到此时，林林兄弟与巴纳姆-贝利马戏团的主帐篷观众容量达 1 万个座位。约翰于 1936 年去世，这家马戏团终于在 1967 年从林林家族手中丢失。林林马戏博物馆设在佛罗里达州萨拉索塔。有许多他们原来的马戏篷车都经过修复，在威斯康星州巴拉布马戏世界博物馆内展出。

Ringo，Johnny　林戈（?～1882-07-14，美国亚利桑那汤姆斯通）　原名 John Ringo。美国西部的歹徒，以其手疾眼快，弹不虚发，只身作案而闻名。其生平鲜为人知。1875 年首次出现在得克萨斯州的梅森县，在当地被怀疑为偷牛贼，并因双重谋杀罪被捕。他越狱逃亡后再次被捕，又被释放。1879 年他再次出现在新墨西哥州的加利维尔时，已有杀人不眨眼的恶名。1881 年他在亚利桑那州的汤姆斯通，很明显地属于反对 W.厄普及 D.霍利德派系的一伙人。1882 年 7 月 14 日，人们发现他在汤姆斯通死亡，显然是长期酗酒并陷于绝望而自杀身死。其他说法则认为他被谋杀，可能是被酒友 F.莱斯利或厄普所杀。

rings　吊环　又称静止环（still rings 或 stationary rings）。一种体操器械。在头顶上方支架上挂着两根带子，下面系着两只小环，体操运动员两手握住吊环做各种动作。19 世纪

运动员在吊环上做十字支撑动作
供图：Stewart Fraser—Colorsport

初期，由号称体操之父的德国人弗里德里克·杨发明。它是最费力气的体操项目，虽然自 20 世纪 60 年代以来，这个只有男子参加的体操项目在比赛中的动作姿势趋于增加摆荡，对力量的要求减少。环用木或金属制成。环粗直径 28 毫米，内侧直径 18 厘米。两环吊在 5.5 米高的支架上，双环离地 2.5 米，两环相距 50 厘米。竞赛时动作由静止姿势开始（双环不能摆荡），身体摆动、用力和静止姿势相结合。一套动作至少包括两个手倒立，其中一个是用力气的；一个是利用摆荡完成的。典型用力动作包括十字悬垂或十字支撑（双臂侧平伸，身体保持直立）和水平支撑（直臂悬挂，身体水平伸直）。参阅 **Sporting Record**：Gymnastics；**Olympic Games**。

Ringsaker　灵萨克　挪威东南部海德马克郡城镇。位于米约萨湖（挪威最大湖）东岸，奥斯陆-特隆赫姆公路、铁路干线上。地处富庶的农林区。旅游业主要以湖区为中心。另有一 12 世纪的教堂和 13 世纪的古堡。人口约31 622（2000）。

ringtail　环尾浣熊　参阅 **raccoon** 浣熊。

ringtailed cat　环尾猫　食肉类哺乳动物，一种蓬尾浣熊（**cacomistle**）。

Ringuet　兰盖　参阅 **Panneton，Philippe** 帕内东。

ringworm　癣　某些真菌引起的皮肤病的俗称。癣菌寄生及繁殖于皮肤的表皮角质层及毛发、甲板的角蛋白中，产生各种不同的皮损，从少量鳞屑、水疱至明显的角质层断裂。皮损多呈圆形或环状，根据发病部位及菌种的不同可表现为干燥而有鳞屑或湿润并有水疱。足癣有干型及炎症型之分。炎症型主要侵犯趾间皮肤，可长期处于潜伏状态，偶呈急性发作，出现水疱；干型多为慢性，好发于蹠及其侧缘，局部轻度发红并有干性鳞屑。甲癣常使甲增厚易碎。其他癣病包括：东方癣或称印度癣、叠瓦癣，主要发生于热带，并有同心圆性重叠的鳞屑，故名；黄癣发生于头皮，特征为黄色，碟形结痂，并可增大呈蜂窝状斑块；黑点癣也是头癣的一种，病发在头皮表面处折断，毛囊口的断面呈黑点状，因而得名。除头癣极易通过接触传染外，其他癣病感染在很大程度上与个人的易感性及出汗过多等诱因有关。癣病多数可用灰黄霉素治疗。小量紫外线照射亦有治疗作用。

Rinzai　临济宗　日本禅宗两大支派之一，着重顿悟法。该宗的修行法有"棒喝"（师长以棒猛击弟子而大喝）、"问答"和"公案"（冥思难题）。此宗于 9 世纪由中国僧人义玄创立，1191 年由日本僧人荣西传入日本。18 世纪著名的白隐禅师是临济宗的重要改革家。现代临济宗分为 15 个支派，主要寺院有京都的天龙寺和妙心寺，镰仓的建长寺和圆觉寺。参阅 **Sōtō**。

Rio（Brazil）　**里约**　参阅 **Rio de Janeiro** 里约热内卢。

Rio Branco　里奥布朗库　巴西阿克里州首府。在布朗库和阿克里河汇合处以北。为商业中心和集散中心。输出橡胶、金属、草药、巴西果和木材。加工石油和酒精燃料。

里奥布朗库市的总督府
供图：Epaminondas，Carneiro，Lima

市内有阿克里联邦大学（1971）。有公路和航空线通联邦首都巴西利亚和马瑙斯。人口约 226 054（2000）。

Rio Branco Law　《里奥布朗库法》　又称《自由出生法》（Law of Free Birth），1871 年由巴西国会通过，其中规定奴隶家庭出身的儿童可以获得自由。这一法律是在里奥布兰科子爵帕拉纽斯（1871 ～ 1873 任首相）和主要的废奴主义者阿劳若的领导下通过的。但是此法规定奴隶父母的主人可以命令他们的儿童做工，直到儿童达到 21 岁为止。巴西的废奴运动到 1888 年才最后成功。这时奴隶制度被彻底废除，对奴隶主不给予任何赔偿。当时，巴西总人口约1 500万人，其中约有 70 万奴隶获得自由。

Rio Claro　里奥克拉罗　巴西圣保罗州中东部高原城市。海拔 625 米。1845 年建镇。为附近生产咖啡、棉花、稻米、甘蔗等作物的农业区的贸易和加工中心。轻工业产品有机械、靴鞋、家具和纺织品。产品经铁路、公路和飞机运输到州首府圣保罗等地。人口约

163 341(2000)。

Río Cuarto 里奥夸尔托 阿根廷科尔多瓦省西南部城市。临夸尔托河。1794年建市。内战期间(1820～1830)此处多次发生小规模战斗。现为铁路枢纽。主要从事农业,也有一些轻工业。著名建筑有大教堂(1797)和市立美术馆(1933)。人口约150 000(1999)。

Rio de Janeiro 里约热内卢 巴西东南部一州。北与圣埃斯皮里图州相连,西与米纳斯吉拉斯州接壤,西南与圣保罗州毗邻,东临大西洋。面积44 268平方千米,其中960平方千米为沿海潟湖和其他内地水域。首府里约热内卢市。里约热内卢州的历史与里约热内卢市的历史密切相联。从16世纪初起,里约热内卢市即为其主要的经济和政治中心,1834年该市成为独立的行政单位。1835年尼泰罗伊为里约热内卢省省会。1889年巴西共和国成立时,里约热内卢省改为州。1890年特雷索波利斯为首府。1902年,政府所在地迁回尼泰罗伊。1960年巴西首都迁至新成立的巴西利亚。联邦区成为里约热内卢州内的飞地新瓜纳巴拉州。1975年两州合并为里约热内卢州,里约热内卢市为州首府。该省自成为行政区域时起,其经济支柱就是以奴隶劳动为基础的蔗糖生产。到19世纪,咖啡取代了蔗糖,成为主要经济作物。

该州地势有3个特点:沿海平原;山区高地;内地高原。沿海低地气候炎热、潮湿,夏季多阵雨。冬季受南方冷空气影响气候温和。年平均气温在22 °C以上。山区高地包括马尔山脉部分地区和曼蒂凯拉山脉部分地区。有几处旅游和度假胜地:彼得罗波利斯、特雷索波利斯和新弗里堡,气候温和,年平均温度20 °C以下。这一地区最高峰达2 750米以上。高原区中最重要的地区是南帕拉伊巴河流域。19世纪该流域发展咖啡种植业。海拔最高处气候温和,随着地势下降至南帕拉伊巴河河床,气候逐渐变热。南帕拉伊巴河先向东北流,然后折向东流,在州的东北部注入大西洋。河流所在高度为热带气候,气温很高。今里约热内卢州原先覆盖着热带森林,16世纪起,印第安人和欧洲移民采用刀耕火种方法,破坏了这些森林。随后由于开辟大种植园种植甘蔗,接着又推广咖啡种植,最后城市化突飞猛进,森林几被全部被砍光。在20世纪,巴西政府采取重新造林措施,又开辟国家公园以保护植被和动物,使剩余的原始森林得以保存。里约热内卢州是巴西城市化程度最高的地区之一,绝大多数人住在里约热内卢市和其他城市。该州居民多数信奉天主教。全州从事农业生产的劳动力占很小的比例,许多人从事制造业,经营服务行业的人占多数。主要工业有冶金、印刷、造船和炼油。制造业产品有纺织品、食品和化工产品。农产品有甘蔗、柑橘和香蕉。该州公路铺设路面的不足1/5。铁路与巴西国家铁路网相连。有两个机场,有国际和国内航班。人口约14 367 225(2000)。

Rio de Janeiro 里约热内卢 别名里约(Rio)。里约热内卢是巴西的主要港口城市和里约热内卢州首府,位于南美热带区的东南部。1502年1月1日到达此港口的葡萄牙航海家为该市原址取此名,并把海湾入口处误认为是一条河的河口。当1565年建立未来城镇时,命名为里约热内卢圣塞巴斯蒂昂市,以纪念葡萄牙国王。它正式的常用名称是里约热内卢,但往往简称里约。1822～1960年曾是巴西的首都。1960年首都移至巴西利亚后,原属联邦区的领土并入瓜纳巴拉州,成为里约热内卢州中的飞地。1975年3月两州合并为里约热内卢州。前瓜纳巴拉州并入里约热内卢市,成为大里约都会区14个自治市之一。里约热内卢市成为改组后的里约热内卢州首府。

自然地理和人文地理

城市特征 里约热内卢以其海滩、山峰、山脉和丘陵——均部分覆盖着热带森林——的美丽景色而闻名。该市是国内外观光客的消闲中心。身着泳装的人能在街上沿着海滩闲逛或穿越闹市区。一年一度的大斋节前的嘉年华会使该市的节日庆祝活动享有盛名,在嘉年华会期间,该市昼夜有音乐、唱歌、宴会、舞会,身着艳丽服装的人们按着桑巴舞的节奏在街上载歌载舞地游行。里约也是一个重要的经济中心,从工业、国内外贸易到行政管理、金融、教育、文化和研究等活动应有尽有。该市在18世纪成为米纳斯吉拉斯的黄金钻石采矿区的主要贸易中心后,其经济和社会地位显著提高。此后,该市作为国家首都和葡萄牙君主的皇家住所的地位使里约得以持续发展,并使该市有了世界性城市的气氛和具有国家特征。然而,20世纪中期该市重新成为州首府后,一个新的地区性观念开始发展。

景观 城市位置 里约热内卢位于巴西狭长的大西洋沿岸地带,靠近南回归线,这里海岸线东西走向,该市面向南方。城市建在这条狭长的海岸地带的小海湾瓜纳巴拉湾畔,海湾入口处有糖山,这是该市的"名片"。里约市中心,或称中区在瓜纳巴拉湾西岸的平原上。城市较大的一部分称为"北区",延伸至西北的平原、丘陵和几座岩石山。城市南区直至宽阔的沿岸海滩,与中区和北区隔以沿岸山脉。这些山脉和丘陵是构成巴西高原坡地的塞拉-杜马尔、一个古老片麻岩-花岗岩山脉的支脉。

气候 尽管该地区气候总的属热带型,炎热、多雨,但大里约市的气候受地形影响强烈,它濒临大洋,呈南美南部锥形。沿海岸白昼海风,夜间陆风交替,缓和了气温。由于它的地理位置,来自南极的冷锋经常抵达该市,尤其是秋冬两季,经常引起气候的变化。但是夏季的强烈阵雨常引起洪水泛滥和泥石流。山区因屏障来自大西洋的湿风,导致大雨。雅尔丁博塔尼科市区(1 600毫米以上)的降雨量最大,附近沿岸山脉可兜住从大西洋吹来的湿润的风。气温因高度、与海岸的距离及植被类型而变化。冬季(6月21日至9月23日)气候宜人,气温温和,降雨比夏季少,夏季(12月21日至3月12日)较热。里约的年平均气温约为23 °C。

城市布局 里约热内卢市的核心(1.171平方千米)及其广阔都会区的核心分别称作中区和南区。中区大体上相当于老城。由于进行了一系列改建和现代化的工作,殖民时期的建筑物或纪念碑已寥寥无几。这些改变包括:拆除旧房,建筑更大更高的房屋,铲平丘陵,填平潟湖、沼泽地和狭长的海域;拓宽街道和马路以行驶汽车;修建新的基础设施,如1907年改建的港口。中区有一些公共建筑物,其式样反映了这些历史上的改建阶段。市属剧院是20世纪初建造的,仍是全国的主要剧场,几乎是巴黎歌剧院的翻版。科比西埃和巴西建筑师设计的教育部(1936),代表着20世纪30年代的巴西建筑的现代化趋势。而巴西银行总部则是现代化摩天大楼的一个样板。19和20世纪之交建造的两三层的房屋以及里斯本某些地区的类似建筑与20世纪40年代前建造的8～12层的建筑物、70年代建造的40～60层的摩天大楼以及历史性建筑物争夺空间。里奥布朗库大街是中区的大街,亦以购物和娱乐区而著名。南区基本上发展成里约富人的居住区,由于海滩环境适意,在这一地区居住代表一定社会地位,因而富人纷纷从中区和北区迁至南区。从20世纪最初几十年起,修筑了隧道和有轨电车系统,因而可能在沿海一带和沿岸山脉的山谷中建立居民点。在滨海地区,大体上与滨海大道平行的第一街成为主要的商业街。例如,在科帕巴纳的沿海岸的大西洋大街和陆上的第一条平行街商业干道科帕卡巴纳大街。每一地段都以海滩命名,如弗拉门古、博塔福古、科纳卡巴纳等等。一度以单

里约热内卢市市中心街景
中国大百科全书出版社供图

幢独屋主的南区，今天则主要是公寓式房屋区。尽管房租很高，中产阶级仍越来越多地迁入南区的公寓，而很贫困的人则住在山坡上的贫民窟。在具有历史意义的南区以西沿岸沙滩地区是另一个城市区，它是在汽车交通发展的基础上，于20世纪70年代开始发展起来的。到60年代有轨电车从里约热内卢和所有其他巴西城市消失，公共汽车成为主要的公交形式。开放更多的隧道，建设公路支持着市区向南部的巴拉-达蒂茹卡和圣孔拉杜新区扩展。巴拉-达蒂茹卡是个规划中的上层阶级社区，它类似英国纽敦和美国富人住宅区的混合形式。这儿只能建造独立的住宅。公寓建筑零星分散，商业和服务区与之分开。在20世纪中期以前，北区基本上是触手式的，铁路和有轨电车决定了北区的这一形式。当公共汽车成为城市中主要的交通工具后，触手之间的空隙地区也有人居住了，北区有了许多街道、房屋和其他建筑物。在有电车的大小街道旁和交通集中的广场上开展了商业和服务活动。在70年代末修建了地铁，使北区的蒂茹卡可穿过中区与南区的博塔福古相连。这条地铁的支线通往北面的郊区。由于居民平均收入不同，北区各居民区的社会地位也有差别，这反映在城市基础设施和商业及服务活动中。如同南区一样，大小山坡上都建有贫民窟。沿瓜纳巴拉湾的沼泽地和沿河平原也有许多类似的地区。自从50年代以来，都会区中发展最快的是郊区。里约自治市内的郊区自市中心向北延伸20千米，向西达50多千米。这种发展是来自内地、巴西其他州和都会区内其他地区移民的自然结果。除了南区外，多数郊区是贫困的；街道没有铺面，多数地区没有下水道系统，主要是单独的房屋，虽然公寓式房屋的数目不断增加，20世纪60年代政府的定居计划打算把中区和北部的贫民迁居到郊区，但居民抵制这种迁离工作地点的做法。新的计划集中在重建贫民区。例如用低收入的3层公寓建筑取代瓜纳巴拉湾沿岸里约热内卢联邦大学近邻法维拉-达马雷的简陋小屋。在大里约市内的近郊区中，有新伊瓜苏、尼洛波利斯、圣若昂-迪梅里蒂、卡希亚斯公爵城和北面的帕拉坎比。以"低地"闻名的这五个城镇曾是小型的乡村中心，在与里约通铁路后迅速发展起来。在通往新伊瓜苏的圣保罗、卡希亚斯公爵城的奥里藏特的大路两旁是大型工厂，如石油精炼厂等。在里约本市的北面更远些是卫星城彼得罗波利斯，该城一度是巴西王室的夏季住所和里约热内卢州的首府(1894～1903)。该城位于海拔813米的高地上，既是夏季观光胜地，又是工业中心。西面是更小些的伊塔瓜伊和曼加拉蒂巴，这里买卖农产品，旅游业发达。有铁路支线经这两个城镇送往铁矿石出口港。在瓜纳巴拉湾东岸是一个大的市区，内有里约热内卢州的前首府尼泰罗伊圣贡萨洛和伊塔博拉伊、马里卡的近郊区。里约热内卢的交通渠道众多，可通过里约-尼泰罗伊桥(建于70年代)，和通过渡船、汽船和水翼艇。里约同位于海湾中央附近的游览胜地帕克塔岛之间有汽船。尼泰罗伊-圣贡萨洛地区的工业包括造船厂、纺织品、食品加工和冶炼厂等。

人民 从历史上说，里约的人口主要由于国内移居而增长，在有些年该市占城市人口增长的2/3。从20世纪30年代起，政府的经济政策包括限制外国移民而鼓励国内移民流向大的城市区。在前联邦区人口中外侨的比重由1890年的30%降至1960年的7%。到20世纪60年代，该城市几乎半数的人口是巴西移民，其中大多出生于里约热内卢、米纳斯吉拉斯和圣埃斯皮里图等州。大里约市人数较多的在外国出生的人是葡萄牙人、意大利人和西班牙人。1960年巴西迁都后，里约的人口增长速度下降。大多数国内移民流向都会区的其他自治市。里约的居民主要是天主教徒，许多人还同时信仰一种民间宗教乌班达(Umbanda)。人口由白人、黑人和混血儿组成。在富人区弗拉门古、科帕卡巴纳、伊帕内马-莱布隆、雅尔丁·博塔尼科和蒂茹卡-格拉雅乌，白人占绝大多数。人口：市约5 850 544；都会区约10 871 960(2000)。

经济 *工业* 大里约是巴西仅次于圣保罗的第二个重要的工业区。旧日的工业有冶金、机械工程、服装鞋袜、纺织品、非金属的矿产品、食品和饮料、化工产品、药品、印刷和出版业，现在又增加了大造船厂和电子-计算机部门。

为了吸引工业，州政府已指定某些地区为工业区，这些地区可提供基础设施，在具体条件下可出售土地。由于在里约热内卢州海岸外发现和开发了油田和天然气田，也为促进里约都会区的工业活动开创了新的可能性。

里约对观光客和季节性居民的吸引力是对贸易的重要激励。巴西的其他城市和海外的许多富人到里约来找第二住所，这一直是该市建筑业活跃的一个因素，建筑业是为大批没有专门技能的劳力提供就业的重要来源。

管理、金融和贸易 由于里约热内卢曾是国家首都，许多私营、国营、多国和州经营的大公司都将总部设于此，虽然它们的工厂在其他城市或其他州。尽管后来首都迁往巴西利亚，这些总部中还有许多留在里约的都会区。如国家石油公司、国家矿业公司联邦投资银行以及埃索、壳牌等跨国石油公司。里约市是一个重要的金融中心，在股票市场交易额或银行业方面仅次于圣保罗。其证券市场也具有很大规模。里约港有一片很大的货物交易区，例如出口在贝洛奥里藏特生产的汽车，在装卸的吨数上居全国港口之首。大里约的人均收入在巴西名列前茅，大里约的零售贸易额很大。许多最大的零售店在市中心，其他的则分散在各区的商业区，那里销售中心、超级市场和其他零售店也有很大的营业额。

运输 有两个现代化机场——加昂利机场负责国内和国际航线，圣杜蒙特机场只负责国内航线。私营公共汽车是市区内的主要公共运输工具。该市于1972年开始修建地铁，到1979年第一个地铁站开始营运，这是为了缓和里约严重的交通拥挤状况而发展地下交通系统的第一步。

行政与社会状况 *政府* 里约热内卢市

里约热内卢市和瓜纳巴拉湾口的糖山
供图：Four By Five Inc.

和自治市由市长管理，辅佐他的有领导各行政部门的秘书。从1984年起，市长由选举产生，每届任期四年。立法权由市议会的议员行使，市议会按比例从里约市的24个行政区中选出。

公用事业 与迅速发展的大都会区经常发生的情况一样，里约市在提供城市公用事业设施方面面临严重困难，在日益扩大的郊区尤为如此。供水和下水道系统由一家州营公司管理，另家州营公司供应家用煤气。供水系统在60年代已经现代化，但是如何把供水和下水道系统延伸到新的城市区和贫民窟去，一直是个难题。电话业务由两家公共企业经营，一家负责市中心地区，另一家负责郊区。对家庭电话设备的需求大于电话系统的能力，因而电话干线经常占线。电力供应由一家原系加拿大人的私营企业经营，20世纪70年代联邦政府收购了这家企业。里约市同一个延伸至巴西整个南部和中部地区的电网相连。里约市的气候有利于健康。尽管污染是个日益令人关切的问题，除贫民窟外里约市不存在严重的健康问题。贫民窟的疾病与缺乏公共卫生、饮食低劣、不适应的医疗设施有关。就整体而言，里约在人口与病床、医生的比例上属全国最佳地区之一。

教育 里约市的识字者在10岁及其以上的人口中约占90%，其比例高于全国的平均数。该市有两所最重要的大学：里约热内卢联邦大学和里约热内卢宗座公教大学，培养本科生。还有州立里约热内卢大学及一个庞大的中学网络。里约热内卢还有许多政府办的全国研究中心，在物理、原子能、地质、地理及统计领域开展研究活动。

文化生活 里约热内卢作为国家的文化首都有许多享有盛名的艺术、文学和科学机构。其中有巴西文学院、巴西科学院和许多博物馆。博物馆中有1818年建立的国立美术博物馆；国立博物馆，位于前金塔达博阿维斯塔皇宫内，有许多人类学搜集品；国立历史博物馆，现代艺术博物馆；印第安人博物馆。市内有许多图书馆，最重要的是1810年建立的国立图书馆，该馆是里斯本1755年地震后从葡萄牙运往巴西的阿茹达皇家图书馆的遗留物品。里约有大量的电影院、剧院，还有许多广播电台和几家电视台。出版许多期刊和报纸，包括两家全国性的《巴西日报》和《环球报》。主要的风景名胜有：703米高的科尔科瓦多山，山顶上有耶稣基督纪念碑；395米高的糖山，通缆车；金塔达博阿维斯塔公园内有动物园和国立博物馆；1808年建立的植物园，植物品种繁多；蒂茹卡森林中的蒂茹卡国家公园。里约市举世闻名的嘉年华会每年举行一次，历时4天，吸引许多观光客，其高潮是人们按桑巴舞节奏在街上载歌载舞游行。这是一个传统的节日，城市居民踊跃参加。与整个巴西一样，里约热内卢最流行的体育运动是足球，最重要的足球比赛在可容纳20万观众的市体育场举行。

历史

殖民时期 在葡萄牙人第一次去巴西探险之后几年，法国买卖“保巴西”（巴西产的一种木材）的商人们建立了称为南极洲法国的一块殖民地。在两年的流血战斗（1565～1567）后，法国人被赶走。1568年在卡斯尔山上建立了一个中世纪城堡式的居民点，由堡垒和大炮加以保护。四周肥沃的土地被葡萄牙国王划成许多大块，分给葡萄牙移民，这些大块土地称“塞斯马里亚斯”，种植甘蔗，这是该殖民地收入的主要来源。在1660年，这一地区成为巴西南部行政区（葡萄牙的行政单位）的政府所在地。17世纪下半期，该区居民8 000，其中2/3可能是印第安人和黑奴。在18世纪初，巴西开始开采黄金和钻石，使该殖民地的经济出现明显变化，并吸引了来自欧洲的大批移民。这个旧日的村落在1749年成为一个有2.4万人口的市镇。1763年殖民地的首都从巴伊亚迁往里约热内卢后，市镇更为扩展，远远超出其围墙。此期建造的纪念性的罗马式的“拱门式”高架渠的遗迹仍竖立在该市。在18世纪末，由于矿产减少和中美洲国家在世界食糖市场上竞争激烈，该镇以及整个殖民地的经济处于危机中。1796年从里约港出口的货物价值不足1760年的一半。咖啡生产及葡萄牙王室1808年在巴西定居，使这一殖民地再度繁荣。巴西在1815年成为王国，里约热内卢面积很大，可接纳外国人。约于此时，城市的原先面貌已经改观；1808～1818年间建造了600座住宅和100座乡间住宅，并整修了许多古老建筑物。许多街道铺设了路面，设置了路灯。市区扩大了，新路修通了，还建造了新的公共喷泉。建立的新机构中有皇家通讯社、皇家图书馆、圣约翰剧院、美术研究院、植物园、巴西银行。当约翰六世国王于1821年返回葡萄牙时，里约市已有约11.3万居民和1.35万座房屋，城市同时向南、向北扩展。一年后巴西独立。

独立后的城市 里约热内卢州咖啡种植园的扩展对该市的发展是新的激励，贵族和资产阶级把他们的住所向北移至圣克里斯托旺区。商人和英国银行家愿住在南面的欧泰鲁-达格洛里亚和普拉亚-杜弗拉门古地区周围，或在博塔福古和拉兰热拉斯区附近找住所，法国人则居住在更西的蒂茹卡地区分散的住宅中。在这一时期，巴西扩大了咖啡、棉花、食糖和橡胶等产品的世界出口贸易，城市改变了面貌，其殖民地历史的遗迹已经消失。在1829年，当时城市最优美的街道欧维多大街已禁止牛车通行。在1838年，首次出现的公共交通工具——马拉的公共车辆——开始在圣克里斯托旺、恩热纽韦利霍和博塔福古等区行驶。1868年使用了用牲畜拖曳的第一批有轨车。通往尼泰罗伊的汽轮航班1835年开始运营。通往彼得罗波利斯的第一条铁路于1852年建成，通往新伊瓜苏地区的凯马杜斯的铁路于1858年建成。1854年以煤气代替石油用作街灯照明，并开始使用无线电报。1864年修建了下水道，1877年开始了电话业务。

共和国时期 里约热内卢曾是王国首都，1889年成为巴西共和国首都，已是一个很大的社区。根据1890年的人口调查，其居民人数已超过52万人，为巴西最大城市，亦是全世界较大城市之一。1891年宪法使之成为联邦区。从1902年至1906年，在弗朗西斯科·阿尔维斯总统的联邦政府执政期间，里约热内卢已成为一个现代城市。通过行政官员和技术人员的协作，地方性疾病黄热病和天花已绝迹，其他的保健状况也有改善，大片沼泽地已把水排尽，贫民窟已清除，更多的街道铺了路面并扩宽。中央大道（自1912年起称为里奥布兰科大道）在这一时期开通，至今仍是中区最重要的大道；在开垦的土地上修建了与部分南岸平行的贝拉马尔大道；其他几条重要的大道也通行了。联邦区人口到1920年已超过100万人，到1940年增加到175万人。在这一时期，联邦区的工业设施数目增至近3倍。卡斯尔山已削平，土地开垦增加了中区的面积，出现了第一批摩天大楼。以电为动力的电车大量增加。东岸的居民点增多，北面有些地区却降级了，如圣克里斯托旺已成为一个工业区和低级的居民区。在第二次世界大战结束以后，地主、工业界、在房地产上投机的金融界的利益大体一致，汽车交通又居主导地位，从而促使这一城市出现一系列变化。这些变化包括中区出现了更高的摩天大楼；扩建高速公路；以更大的住宅楼取代了普通房屋和小公寓式房屋。这些变化使穷人承受了从市中心迁往边远地区的沉重压力。

Rio de Janeiro, Protocol of 《里约热内卢议定书》（1942） 在巴西里约热内卢举行的西半球国家外长会议上，为解决秘鲁与厄瓜多尔边界有争议的奥连特地区所有权问题而签订的条约。秘鲁军队于1941年击败劣势装备的厄瓜多尔军队，占领了该地区。美国、阿根廷、巴西试图以和平方式解决双方争端，但未成功。这次会议上，上述各国和智利共同迫使厄瓜多尔同意所提出的解决办法，将20万平方千米有争议的领土割让给秘鲁，两国之间确切的边界线从未划定。1960年，厄瓜多尔总统J.M.V.伊瓦拉撕毁该议定书，使这一争端仍未解决。

Rio de Janeiro Botanical Garden 里约热内卢植物园 葡萄牙语为Jardim Botânico do Rio de Janeiro。世界上最大的热带植物园和树木园之一。1808年由巴西联合王国和葡萄牙摄政王约翰（后成为约翰六世国王）建立，以便将世界其他热带地区的有经济价值的植物引入并驯化。该植物园面积141公顷，位于高峰之下。收集7 000多种热带植物，主要为原产巴西的植物，如天南星科植物、棕榈类及木本的豆科植物。植物园有一条壮观的林荫道，两旁种植高约30米的王棕。该园有一个收集近33万件标本的植物标本室和一所杰出的图书馆及设备精良的研究实验室。

Río de la Plata, Viceroyalty of the 拉普拉塔总督辖区 西班牙在中南美殖民时期建立的四个总督辖区中最后的一个，版图包括现今的阿根廷、乌拉圭、巴拉圭和玻利维亚。这个新总督辖区建立于1776年，所管辖的境域以前是秘鲁总督辖区的行政范围。决定建立第四个总督领地是由于：①国王查理三世想要分散西属美洲帝国的统治权力；②确认在葡萄牙人沿拉普拉塔河北岸入侵的情况下，需要用更大的军事力量保卫巴西以南的境域。西班牙还想制止葡属巴西与布宜诺斯艾利斯之间的非法贸易。另外，在18世纪60年代，英国人攫取福克兰(马尔维纳斯)群岛的意图已经昭然若揭。尽管在西班牙的压力之下，英国人暂时不去占领马岛，但是已经显然有必要增加兵力去控制南大西洋地区。1776年第一任总督P.de塞瓦略斯率大批军队和舰艇到达蒙得维的亚。他击退葡萄牙人，在布宜诺斯艾利斯组织了一个新政府，但任职仅几个月便为另一个总督取而代之。他的后任贝尔蒂斯-萨尔塞多(1778～1784)、洛雷托侯爵N.F.C.坎波(1784～1789)和阿雷东多(1789～1795)把这个地区都治理得井井有条。1795～1804年有另外4名总督接任，为期都不长，但也政绩斐然。在这些年间，整个总督辖区、特别是布宜诺斯艾利斯市，变成了西班牙帝国的一个欣欣向荣的前哨基地。波托西矿所产的白银过去经由秘鲁出口，这时则通过布宜诺斯艾利斯外运。有些地区，特别是古巴、巴西以及其他用廉价食品供应奴隶的地区，越来越需求大量的咸肉，给南美大草原牧牛区开创一个空前繁荣的时代。毛皮和其他畜产品也给布宜诺斯艾利斯带来了财富。1804年索夫雷蒙特侯爵拉法尔出任总督。他在职期间，英国人曾两次入侵(1806，1807)，他每次都逃跑。布宜诺斯艾利斯的克里奥尔人每一次都把侵略者击退，他们在胜利的过程中对自己有能力管理和保卫自己增强了信心。1810年克里奥尔人建立一个临时政务会，把总督放逐到加那利群岛，从而结束拉普拉塔总督辖区，开展独立运动。

Río de Oro 里奥德奥罗 西撒哈拉南部地区。面积184 000平方千米，在北纬26°至布兰科角之间。达赫拉是主要城镇，有一小港口，但需输入饮用水。当地气候极为干旱，

里奥德奥罗地区的沙漠绿洲
供图：S-E. Hedin—Ostman Agency

几乎没有降雨，温差很大，午夜降至0 °C，下午则上升至65 °C。19世纪80年代西班牙政府宣布邻近沿海地区为保护地。1976年西班牙从西撒哈拉撤出后，毛里塔尼亚管辖南部，摩洛哥占据北部。1979年，毛里塔尼亚政府放弃对当地的领土要求后被摩洛哥占领。当地居民为穆斯林，多为过游牧生活的柏柏尔人。

Río Gallegos 里奥加耶戈斯 阿根廷南端圣克鲁斯省省会。建于1885年。附近的史前山洞岩画类似法国拉斯科岩洞的史前绘画。现为巴塔哥尼亚绵羊的贸易中心。出口冻羊肉、羊皮和全国主要煤田的原煤。石油和天然气已开发。有一重要空军基地。人口约76 384(1999)。

Rio Grande 格兰德河 巴西中南部河流。源出曼蒂凯拉山，流向西北偏西，在南马托格罗索州边界与巴拉那伊巴河汇流成巴拉那河，全长1 360千米。多瀑布和险滩，马林邦杜瀑布处有水电潜力。瀑布上游210千米河道可通航。

Rio Grande 格兰德河 北美洲最长的河流之一。从美国科罗拉多州西南部的落基山脉南面发源地蜿蜒2 830千米至墨西哥湾，形成美国得克萨斯州与墨西哥的界河。格兰德河是一条接纳科罗拉多州圣胡安山(海拔3 700米以上)雪水而形成的清澈河流，向东南和南面蜿蜒282千米，向南穿越科罗拉多州和新墨西哥州，最后注入墨西哥湾。其起始流程经云杉、冷杉和白杨树等树林流入科罗拉多的广阔圣路易斯流域，然后穿过格兰德河峡谷和新墨西哥州北部的怀特罗克大峡谷，进入开阔的盆地和山脉区地带以及墨西哥高原自然区。在进入海湾沿岸平原前，河流穿越断层地带的三个大峡谷，峡谷深度在457和518米之间不等，这个断层地带沿得克萨斯-墨西哥边界形成一个大湾。进入沿岸平原后，河水曲折缓流，在墨西哥湾形成三角洲。格兰德河的主要支流在美国境内有佩科斯河、德维尔斯河、查马河和普埃尔科河；在墨西哥境内则有孔乔斯河、萨拉多河和圣胡安河。整个流域面积达870 000平方千米，但只有一半面积有助于集水。洪锋期出现在4～10月。在格兰德河上游的福尔肯坝于1953年建成之前，大约有1/3的河水流入墨西哥湾。现今的排水量约85立方米/秒。灌溉沿河的农田面积超过80万公顷，约一半多一些是在墨西哥境内。由灌溉所栽培的主要作物有科罗拉多的马铃薯和紫花苜蓿以及下游的棉花、柑橘和蔬菜。该区域的主要产业有仅次于农业和畜牧业的采矿和娱乐业。

Rio Grande 里奥格兰德 巴西南部南里奥格兰德州东南部港口城市，濒临格兰德河，是帕图斯潟湖通往大西洋的出口。城市建在地势低的半岛上，海拔只有1.5米，距河口13千米。河流注入海洋处流经一个浸在水中的沙洲，沙洲已经疏浚，因而远洋船只可在里奥格兰德或其西北32千米的佩洛塔斯进入码头。1737年该城附近建立了一个葡萄牙要塞埃斯特雷图；1745年其驻军和居民移往现址，1751年设镇取名南里奥格兰德-圣佩德罗；1835年取得城市地位。1763年前是一位巴西将领领地的首府，当年被来自布宜诺斯艾利斯的西班牙军队临时占领。里奥格兰德和佩洛塔斯都是南里奥格兰德州产品的出口地。港口的出口物品大多运往巴西其他地区，其中包括牛肉干、兽皮、猪油、羊毛、稻米、小麦、豆类、烟草和冻鱼虾。城市中设有肉类加工工厂和蔬菜罐头厂，羊毛、棉花和黄麻纺织厂，石油中转油库和一个炼油厂，以及其他工厂。里奥格兰德通过铁路和公路与佩洛塔斯相连，设有机场。人口约179 422(2000)。

Río Grande de Santiago 格兰德圣地亚哥河 又称圣地亚哥河，墨西哥中西部哈利斯科州和纳亚里特州的河流。源出奥科特兰附近的查帕拉湖，有时被视为在拉巴尔卡附近流入该湖的莱尔马河的延续。圣地亚哥河通常向北和西流，穿过西马德雷山脉，接纳贝尔德河、胡奇皮拉河、博拉尼奥斯河和其他支流。向下流经沿海低地，在纳亚里特州圣布拉斯西北16千米处汇入太平洋。圣地亚哥河水路(443千米)多急流瀑布，因而无法通航，但河谷土壤肥沃，具有很大的经济意义。从瓜达拉哈拉至墨西哥西北部的主要铁路和公路穿过河谷。

Rio Grande do Norte 北里奥格兰德 巴西东北部一州，以农业和产盐为主，为巴西最小的州之一。东面和北面濒临大西洋，西邻塞阿拉州，南接帕拉伊巴州。面积为53 167平方千米。首府纳塔尔。纳塔尔周围及以南的滨海地带被森林覆盖，盐沼在经济上很重要，盐产量占全国很大比重。纳塔尔以北沿岸为沙质低地，多沙丘及椰林。从北部狭窄的滨海地带起，地势逐渐升高。至纳塔尔以南地势陡然升高为博尔博雷马高地的北缘。该州西部有几条山脉。纳塔尔以南的沿海地带处于来自大西洋盛行风的迎风坡，降水充足，形成森林植被。其余地区为半干旱气候，降水很少，以致几条河流——阿苏河、阿波迪河和波滕日河——均为间歇河。纳塔尔的平均气温为25～30 °C，海拔高处较凉爽。因种植甘蔗，森林大部被毁。由于猎人大量捕捉，当地动物也很少。16世纪末葡萄牙人来此定居。由于法国海盗屡屡进犯，葡萄牙人到1598年才在后来成为纳塔尔的地区建立了要塞。从那时起至1822年巴西宣告独立止，该管辖区一直由葡萄牙总督治理，其中1633～1654年曾被荷兰进犯者占领。自1822年起，北里奥格兰德省为巴西帝国的一部分。1889年成为共和国的一个州。在殖民时期，经济以少数富人拥有的甘蔗种植园为主。18世纪引入的棉花成为主要作物之一，也种植甘蔗和可可。其他作物有玉米、稻米、木薯、小米、红豆、马铃薯和椰子。也饲养牛和马。除了盐以外，有钨矿，为巴西重要的出口物品。其他矿产有石膏、石灰石、大理石、独居石、黄金和绿玉。在纳塔尔和莫索罗等城镇以外地区，社会经济条件很差。小城镇工业有纺织、布匹、油脂、皮革、家具、食品、工具、塑料制品、陶瓷制品、纸张、水泥等。纳塔尔和莫索罗有大学。有3条铁路线：阿雷亚布兰卡港至索萨；首都至圣拉斐尔；纳塔尔至累西腓。公路可从纳塔尔通南部各州，向北至塞阿拉，从沿海地区至西部内地。纳塔尔有国际机场。人口约2 888 058(2003)。

Rio Grande do Sul 南里奥格兰德州 巴西最南端的一州。北接圣卡塔琳娜州，西与阿根廷接壤，南和乌拉圭交界，东临大西洋。

面积 280 674 平方千米。首府阿雷格里港为该州主要工业地区和港口。南里奥格兰德州为一重要的农业和畜牧业地区。该地区原先人口稀少。17 世纪末葡萄牙人最早在这里拓居。西班牙和葡萄牙对该地区长期争执不休,1754 ～ 1870 年不时发生战争。北部属巴拉那高原,海拔 600 ～ 900 米。地表被河川切割成波状丘陵区。边缘处有陡崖。巴西高原东缘为热拉尔山,山顶亦为陡崖。雅库伊河以南为 300 ～ 450 米的丘陵区。利夫拉门图以西为辉绿岩地质结构。乌拉圭河穿过辉绿岩,中有急流。海岸多沙堤和潟湖(帕图斯潟湖、米林潟湖)。气候温暖。冬季来自南方的冷空气使海拔高处降暴雨,有时降雪。夏季吹东北风,降雨少,气候炎热。气温从 - 8°C至 43 °C,年平均气温 20 °C,年降雨约 1 300毫米。大部分地区为高草原,山地和河谷中有松树林和热带森林。动物有鹿、啮齿动物、水獭、犰狳、猴和豪猪。沿海和内陆水域有鱼和虾。该州居民为葡萄牙人、德国人、意大利人、波兰人和其他欧洲人的后裔。黑人和混血种人占很小的比例。葡萄牙语为通用语言。多数居民信奉天主教。有小学、中学和技术学校。设有南里奥格兰德联邦大学(1934 年建立)。该地区素有“巴西谷仓”称号。雅库伊河和塔夸里河泛滥平原所产稻米占全国产量很大比重。巴拉那高原和雅库伊河旁台地种植小麦和玉米。其他作物有葡萄和烟草。南部平原为牧场。饲养牛、羊和猪。南方到 20 世纪 30 年代才实行工业化。该州在全国工业产值中只占很小比重。工业集中在阿雷格里港、里奥格兰德和佩洛塔斯。雅库伊河旁的圣热罗尼穆有煤。州内有公路和铁路。主要铁路干线从阿雷格里港往西,经圣玛丽亚至靠近阿根廷边界的乌拉圭亚纳。内河水运里程约 1 300 千米。沿海航运里程 628 千米。航空线很多。人口约10 510 992(2003)。

Río Negro 里奥内格罗 阿根廷中南部省份。面积 203 013 平方千米。有内格罗河从西北至东南横贯。河南的大部地区为干旱台地。西部为一系列湖泊和林木茂密的安第斯山谷(有纳韦尔瓦皮国家公园)。大西洋海岸有一深入内地的海湾圣马蒂亚斯湾。1782 年该地区始有人定居。1884 年划为国家行政区。1955 年建省。内乌肯附近内格罗河段上修建的大坝灌溉科罗拉多河和内格罗河之间的广大地区,当地种植苜蓿,养羊,梨和苹果供出口。20 世纪 70 年代兴建格兰德山矿业和工业联合体。省会*别德马*(**Viedma**)在内格罗河口附近。圣卡洛斯-德巴里洛切为纳韦尔瓦皮湖滨旅游地。人口 552 822(2001)。

从安第斯山俯瞰里奥内格罗省诸湖泊中的马斯卡迪湖
供图:Schuster/Superstock

Rio Nun(Nigeria) 参阅 **Nun River** *农河*。

Río Salado, Battle of 萨拉多河战役(1340-10-30) 卡斯蒂利亚和葡萄牙基督教力量组成的联军在北非穆斯林马里尼德人企图入侵伊比利亚半岛时进行还击的一次战役。马里尼德人纠集大批军队,在直布罗陀海峡摧毁卡斯蒂利亚的舰队。后又推进到萨拉多河,与卡斯蒂利亚国王阿方索十一世和葡萄牙国王阿丰索四世的联军遭遇。马里尼德人惨败,退回非洲。

Riobamba 里奥班巴 厄瓜多尔中部城市。位于里奥班巴河盆地。海拔 2 700 米。在印加帝国以前建镇。1534 年西班牙人在南面 19 千米的卡哈班巴定居。1797 年的山崩使许多居民丧生。幸存者将该城迁至现址。1830 年厄瓜多尔第一次立宪代表会议在此举行,宣布成立共和国。该城位于一富饶地区,是农产品贸易中心和加工中心,也生产棉毛织品、水泥、陶器、鞋靴;食品加工业占重要地位。亦是瓜亚基尔一基多铁路的铁路局所在地。也是民族手工制品中心。1969 年建工业学校。人口 124 807(2001)。

Ríohacha 里奥阿查 哥伦比亚北部瓜希拉省省会。濒临加勒比海。1545 年建城,以珍珠业著名。18 世纪牡蛎产地枯竭,该镇衰落。1965 年成为瓜希拉省省会,始复兴。现为小港口,输出象牙椰子、云实豆荚、龙舌兰纤维和鱼。市内有丹宁加工厂,当地有轧棉厂。通公路。有机场。人口 47 030(1985)。

Riom 里永 法国中部奥弗涅大区多姆山省城镇。位于克莱蒙费朗北部,肥沃的利马涅平原西缘,临昂伯纳河。中世纪时是奥弗涅郡的首府。奥弗涅归属法国后,仍然为法院的所在地。第二次世界大战被德国占领时期,维希政府在里永设立最高法院。据法国司法编年史上的记载,该法院曾对第三共和国 3 位首相 E.达拉第、P.雷诺和 L.布卢姆以及对法国战败负有责任的 M.甘末林进行过审讯。生产烟草制品和医药。人口 17 626(1982)。

riot 骚乱 在刑法上,指三人以上使用暴力(不论多么轻微)扰乱公共秩序的罪行。和非法集会一样,骚乱包括一群人因非法目的聚集在一起。然而,与非法集会不同的是,骚乱包括使用暴力。这显然是一个广泛的概念,包括从罢工纠察队员与罢工破坏者之间的流血冲突到街头流氓集团的行为。在英美法系中,骚乱罪主要在于由它引起的破坏治安。根据欧洲大陆的一些法典,这项罪名要求妨碍或对抗政府当局。在美国、英国和印度,骚乱通常处刑很轻。然而,在英国,如果骚乱者拒绝服从治安法官要求他们解散的命令时,刑罚就会加重。在美国、加拿大和印度,对反抗政府当局的骚乱要加重刑罚。在德国,骚乱仅限于反抗政府的罪行,而把较轻的集体暴力行为当作扰乱公共治安。按照德国法律,如果被告公开实施了骚乱或破坏治安的行为或者是为首者,刑罚就要加重。日本也是如此。法国的法律不单列骚乱罪,只作为叛乱罪的一项。

Riotinto Mines 里奥汀托矿 西班牙西南部安达卢西亚地区韦尔瓦省内尔瓦镇(过去叫里奥汀托)附近汀托河畔的铜矿。开工于腓尼基和罗马时代。该矿(其名称的意思是“被污染的河”,表示由于开采所造成的污染)于 1725 年租赁给瑞典人沃尔特斯,1872 年租赁给一家英国企业。1954 年回到西班牙人手中,被认为是世界上最有价值的铜矿之一。

rip current 离岸流 又作 riptide,又称裂流。射束似的狭窄水流。持续几分钟,以垂直或近于垂直海滩方向向海流去。这种水流可能是大多数归咎于回头浪的海洋游泳事故的原因。常常使用“riptide”这一术语,但这是使用不当的名称,因为这种水流与潮汐完全无关。速度可达 1 米/秒,流出距离 60 ～ 760 米。其能量足以侵蚀出穿过沿岸沙坝的浅潮道,并悬浮起泥砂使水混浊。游泳者遇上离岸流不要逆流直接游向海岸,最好先平行海滩游一段,浮出离岸流,再向岸游去。离岸流形成于与岸线平行或近于平行的排浪冲击的开阔海岸。在浅水,垂直的波浪和巨涛的轨道运动,迫使水质点随着每个经过的波向岸移动一小段距离。波浪越大,质量传输越大。在大浪期间,水在海滩积集起来,当沿岸流到来时,它不能躲过,它需要斜波浪靠近。水的积聚一直继续下去直到水能在几分钟内从碎波的低处奔流出,形成离岸流。

Ripa, Matheo 马国贤(1682～1745) 意大利天主教耶稣会传教士。1710 年 1 月到澳门,后任康熙皇帝宫廷画师。1723 年带领 4 名中国学者赴意大利,1732 年经教皇克雷芒十二世许可在那不勒斯建立中国学院。马国贤绘制的承德避暑山庄风景画对当时欧洲庭园设计有一定影响。

riparian right 堤岸权 指某些地区规定对地面水的使用并赋予邻接河川、湖泊和池塘的土地所有人对其中的水享有同等的权利,而不问行使该项权利与否的一种理论。堤岸权是物的财产(不动产)上的权利的一种形式,可以和土地一块继承。土地所有人并不拥有水的本身,而有使用其堤岸近处的水的权利。有些国家把水作为国家财产,但在美国关于堤岸权却有两种截然不同的法律理论。一种是自然流动说,认为堤岸所有人只对不减少流量、不损害水质的水流,即对水流的自然状态享有权利。这种理论妨碍充分利用水流。另一种是合理使用说，认为堤岸所有人可以以合理的方式使用其堤岸近处的水，但在量的方面不得损害下流堤岸所有人。关于水法的许多方面，法院意见并不一致，而各州之间的水法也不尽相同。

Riperdá, Juan Guillermo Riperdá, duque de 里佩尔达公爵（1680或1682-03-07，格罗宁根奥尔德霍弗［今在荷兰］～ 1737-11-05，摩洛哥得土安） 荷兰语拼作 Johan Willem Ripperda。荷兰政治冒险家。贵族家庭出身，天主教徒。1715 年任荷兰驻马德里大使。不久投靠西班牙，成为腓力五世的王后伊莎贝拉的亲信。1725 年被封为公爵，并声称国王欲任他为首相，这激起西班牙人民的激烈反对。他同英法政府进行了一系列密谋。后来发现他不仅作出许多他无权作出的许诺，而且盗用了大量金钱。他被撤职，并被关入塞哥维亚城堡。1728 年他逃出城堡，前往荷兰。晚年情况不明，仅知他去了摩洛哥，改奉伊斯兰教，最后死于该地。

Ripken, Cal(vin Edwin), Jr. 小里普肯（1960-08-24，美国马里兰格雷斯港～ ） 美国棒球选手。他的父亲和兄弟都打过职业棒球。从 1981 年起他就是巴尔的摩黄鹂队的一员。1990 年创下游击手单季最佳的守备率（.996）以及最少失误次数（3）的纪录，1993 年又打破游击手的本垒打纪录。1995 年他超越 L.格里克保持多年的连续出赛纪录（2 130），直到 1998 年休息了一天，他最终创下连续出赛2 632场的纪录。

Ripley, George 里普利（1802-10-03，美国马萨诸塞格林菲尔德～ 1880-07-04，纽约州纽约） 美国记者、改革者。他的一生反映了美国半个世纪的主要思潮。“布鲁克农场”的主要创办人和指导者，该农场设在马萨诸塞州西罗克斯伯里，是一个著名的乌托邦社团。他又是法国社会改革者傅立叶的社会主义思想的宣传者。在《纽约论坛报》当文学评论员时，他的文章和评论在很多报刊、杂志同时登载。1826 年毕业于哈佛神学院，旋即成为一位论派的牧师。1841 年，辞去牧师职务，建立“布鲁克农场”。以后 6 年，一直领导该“农场”并传播傅立叶思想。后“布鲁克农场”受到经济上的挫折于 1847 年被迫停办。里普利的成就在于他反映出那个时代有教养的美国人的价值观、理想和情趣。

Ripley, Robert LeRoy 里普利（1893-12-26，美国加利福尼亚圣罗莎～ 1949-05-27，纽约州纽约） 原名 LeRoy Ripley。美国漫画家，广泛流行的报纸连环漫画《信不信由你！》的创始人，该漫画描绘各种怪诞的奇人异事。由于父亲早死，他不得不帮助维持家庭，因此没有读完中学。他的篮球运动员的潜在生涯，因在参加主要球队的选拔赛中手臂受伤而告结束。从而转向他的另一专长——画漫画。从 16 岁起，他在旧金山为几家报纸画体育漫画。1913 年迁往纽约市，为纽约《环球报》画漫画。他创作的第一幅《信不信由你！》的漫画于 1918 年 12 月 19 日在该报上发表；这幅漫画画了世界体坛上的九个怪人。读者反映非同凡响，于是《信不信由你！》开始每周见报一次，接着改为每日见报。里普利于 1923 年将他的漫画改在纽约《晚邮报》上发表。1929 年 W.R.赫斯特的金氏特稿社将他的漫画转发给将近 300 家美国报纸同时发表，从而使他在全国获得声誉。他的第一本《信不信由你！》的漫画集于 1929 年出版，30 年代出版了其他几集。他并制作了《信不信由你！》的电影系列短片，以及几个广播系列节目。他还发起举办名为“奇特博物馆”的展览，将奇特的事物在类似狂欢节的气氛中展出。1949 年在他去世后，他创作的漫画原形由别人继续画下去。

Ripley, W(illiam) Z(ebina) 里普利（1867-10-13，美国马萨诸塞梅德福～ 1941-08-16，缅因布斯贝） 美国经济学家和人类学家，哈佛大学政治经济学教授（1902 ～ 1933）。第一次世界大战期间，任美国国防部劳工标准局局长。1920 ～ 1923 年，为州际商业委员会制定了里普利计划，旨在加强美国铁路运输。1931 ～ 1932 年，在参院作证时，提出对大企业公司的投资信托和财政事务实行严格的限制。其著作《欧洲的种族》（1899）一书使美国社会科学家注意到地理上种族再划分的事实。

Ripon 里彭 英格兰北约克行政郡哈罗盖特自治市一天主教城市。属约克历史郡。位于乌尔河谷谷口，利兹以北 43 千米。梅尔罗斯修道院院长圣伊塔约于 651 年在此建造一座凯尔特修道院。其后 10 年左右，圣威尔夫里德又建造一座本笃会修道院并自任院长。圣威尔夫里德还在该市建造了一座著名的教堂，其地下室仍在现在的天主教教堂下面。但威尔夫里德的修道院和教堂在 9 世纪中为丹麦人所毁。今日里彭的主要名胜是天主教堂。此教堂建于 1154 与 1520 年间，有后期诺曼底风格和垂直哥特式风格的建筑。城内有一大集市广场，现为约克谷地国家公园的服务和旅游中心。里彭西南 5 千米有名为喷泉修道院的西多会修道院著名遗址。人口 13 806（1991）。

Ripon 里彭 美国威斯康星州中东部丰迪拉克县城市。位于丰迪拉克西北偏西 32 千米处。1844 年，傅立叶派在此组织色列斯公社，1850 年解体，并入里彭居民区。1858 年建市，成为废奴运动的堡垒。1854 年在这里成立“大北方党”，后改为共和党，由林肯领导，1860 年当政。经济依赖于食品加工业（特别是饼干）。制造业包括洗衣机、干衣机、广告用品。当地农业和畜牧业包括玉米、大豆、蔬菜种植和乳牛业。每年 6 月举行爵士音乐节。人口 6 828（2000）。

Ripon, Earl and Marquesses of 里彭伯爵和侯爵 英国贵族鲁宾逊家族的受封之名。按年代顺序分列于后，并各以●为标记。

● Ripon, Frederick John Robinson, 1st Earl of 里彭伯爵（第一）（1782-11-01，英国伦敦～ 1859-01-28，萨里帕特尼） 即 F.J.鲁宾逊、戈德里克（诺克顿的）子爵。英国首相（1827 ～ 1828）。在哈罗公学和剑桥大学受教育后，任爱尔兰总督的私人秘书，从此步入政界。1818 ～ 1823 年任贸易大臣，1823 ～ 1827 年任财政大臣。在乔治·坎宁内阁（1827-04-08）中任陆军与殖民地大臣、上院议长。后继坎宁任首相，但因不适合这种工作而被免职。在查尔斯·格雷的政府（1831 ～ 1834）中，他再度出任陆军与殖民地大臣，并兼掌玺大臣。1833 年封里彭伯爵。在罗伯特·皮尔的第二次内阁中出任贸易大臣（1841-09 ～ 1843-05）和印度事务大臣（1843-05 ～ 1846-07）。

● Ripon, George Frederick Samuel Robinson, 1st Marquess of 里彭侯爵（第一）（1827-10-24，英国伦敦～ 1909-07-09，约克郡里彭附近斯塔德利罗亚尔） 即G.F.S.鲁宾逊。

伦敦国立肖像画陈列馆供图

英国政治家，从政 50 多年间曾任内阁要职和印度总督，作为具有自由主义倾向的官员在印度颇得人心。人们认为他削弱了大英帝国，但创立了英联邦。出生在唐宁街十号，父亲戈德里奇子爵一度任首相。里彭于 1852 ～ 1859 年为议员，1859 年继承伯爵称号。1859 ～ 1861 年任陆军部次官，1861 ～ 1863 年任印度事务部次官，1863 年成为陆军大臣，1866 年任印度事务大臣。1868 年任枢密院长。1871 年封侯爵。1870 年任英格兰共济会大长老，1874 年辞职，改信天主教，退出公职达 6 年。1880 年任印度总督。1881 年承认阿卜杜尔·拉赫曼汗为阿富汗的埃米尔，并撤出印英远征军，从而结束了第 2 次阿富汗战争。他在内政方面放宽限制，降低盐税，扩大地方选出的政府的权力，批准用地方语文出版的报纸与用英文出版的报纸享有同等的自由。1884 年辞职。1886 年任海军大臣，1892 ～ 1895 年任殖民地事务大臣，1905 ～ 1908 年任掌玺大臣和自由党下院领袖。印度的民族主义者对他颇有好感。

Ripperda, Johan Willem 参阅**Riperdá, Juan Guillermo Riperdá, duque de 里佩尔达公爵**。

ripple bug（insect） **涟漪蝽** 参阅**smaller water strider 小黾**。

ripple mark 波痕 浅海、湖泊、河流的一系列小地形特征之一，由坡度对称、尖波峰、圆波谷组成连绵波浪状。波痕是波的振荡在砂底形成的，这时只有波形迅速前进，实际上水质点几乎是在封闭的垂直轨道上运动，向陆地移动极慢。表面上的波的轨道运动向下长度逐渐缩小，但水深小于半个波长时，底部的水仍有可以看得见的运动，即波痕。但是，海底的存在把最低的轨道限制在近乎扁平的椭圆内，底部的水作韵律式地往复运动。如果最大的水平运动速度能够移动水底的砂粒，就会产生波痕。海底任何微小的突起都决定了每一边交替产生的旋涡的位置，具有对称坡度的尖锐波峰也就最终形成。一连串波峰的间隔长度等于水底附近振荡路径的平均长度。

riptide 参阅 **rip current** *离岸流*。

Riquet de Bonrepos, Pierre-Paul, Baron 里凯德邦雷波（1604，法国贝济耶～1680-10-01，图卢兹） 法国政府官员和自学成才的工程师，他开凿了长240千米的划时代的朗格多克运河，将加龙河与奥德河连接起来，使大西洋与地中海相通，被称作从罗马时代到19世纪欧洲最大的民用工程。1662年，他向路易十四的财政大臣柯尔贝尔提出开凿运河的建议，获得支持后使这项工程得以进行。整个工程包括几处船闸、一座在旱季向河床高出地段供水的水库和著名的马尔帕斯隧道。在隧道工程中他是首先采用黑色炸药爆破岩石的工程师。由于积劳过度，他在工程最后阶段建筑地中海终端的塞特港时去世。这条运河于1681年通航。

Riqueti, André-Boniface-Louis 里克蒂 参阅 **Mirabeau, André-Boniface-Louis Riqueti, vicomte de** *米拉波子爵*。

Riqueti, Honoré-Gabriel（French politician） **里克蒂** 参阅 **Mirabeau, Honoré-Gabriel Riqueti, comte de** *米拉波伯爵*。

Riqueti, Victor 里克蒂 参阅 **Mirabeau, Victor Riqueti, marquis de** *米拉波侯爵*。

Risaralda 里萨拉尔达 哥伦比亚中西部省份。1966年建立。面积4 140平方千米。主要从事农业，重要作物有咖啡、甘蔗、豆类、玉米、香蕉、可可和烟草，还有一些轻工业。森林广阔，矿产资源丰富，有水力发电潜力，发展前景良好。省会为佩雷拉。一条铁路从北到南纵贯全省，公路交通便利（包括泛美公路）。人口约928 000（1999）。

里萨拉尔达省的菠萝农场
供图：Carl Frank

RISC 精简指令集计算 Reduced-Instruction-Set Computing的首字母缩写词。有些微处理器设计成在尽可能最短的时间内用最简单的指令来完成计算任务，用这样的微处理器进行信息处理就叫精简指令集计算。它与复杂指令集计算（CISC）是相对的。精简指令集计算微处理器（芯片）利用了这样一个事实，即大多数计算机处理所用的指令是比较简单的，并且计算机都设计成能极快地处理这些简单的指令。精简指令集计算芯片通过使永久存储在微处理器中的指令的数目减至最少和更多地依靠非驻留指令（即软件程序）的方法来精简和加速数据处理。与此相反，复杂指令集计算芯片有庞大的、复杂的指令集。因此它们一般能较快地处理复杂的代码。精简指令集计算芯片必须把复杂的代码分解成较简单的单位，然后再去执行。而且，为在精简指令集计算的计算机系统上使用而开发的软件所用的指令条数比为复杂指令集计算系统上开发的软件所用的指令条数多，因为它每一条指令都比较小，比较简单。精简指令集计算主要是国际商用机器公司、斯坦福大学和伯克利加利福尼亚大学的研究成果。精简指令集计算微处理器一般用于工作站和其他高档计算机系统，而复杂指令集计算在功能不太强的个人计算机谱系中占主导地位。但在20世纪90年代中期，精简指令集计算技术已越来越多地被集成到个人计算机中。流行的精简指令集计算微处理器系列有孙氏微型计算机公司的斯巴克（SPARC，Scalar Processor ARChitecture的缩写，意为标量处理器体系结构）、英特尔公司的i860和摩托罗拉的88000。

Rishabhanātha（Jaina saint） 参阅 **Ṛṣabhanātha** *勒舍婆那陀*。

Rishon LeZiyyon 里雄莱锡安 以色列中西部城市，在特拉维夫-雅法东南的朱迪亚平原。为巴勒斯坦地区第二个最早的犹太村，1882年由俄国迁来的犹太人创建。1898年后由金融家和慈善家E.罗思柴尔德男爵资助，大面积种植葡萄。1950年设市。市内及市郊现有多处柑橘林。工业包括酿酒、建材、不锈钢件及电子设备。人口约211 600（2003）。

rising sun 旭日符 古埃及宗教信徒所佩带的护符。其图案为日出东山。旭日符见于干尸身边或身上，据说它能保佑死者复活。

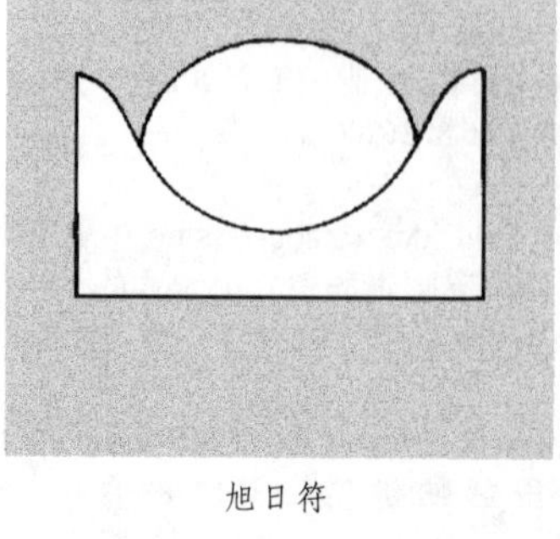

旭日符

Rising Sun, Order of the 旭日章 日语拉丁字母转写作Kyokujitsu-shō。明治天皇于1875年创设的日本勋章，该勋章授予建立文、武殊勋者。旭日章原称"功绩勋章"（Order of Merit），仅授予男性。勋章分为8级。其徽为中心镶有金边凸圆石榴石并散放多道光芒的白珐琅星，悬于3朵桐花与叶的小枝上。第7级的徽只有珐琅桐花和叶，第8级的徽则为银花和叶。

risk 风险 在经济学和金融方面，指投资或贷款发生的危险。倒账风险指借款人不偿还贷款的可能性。银行如认为借款人稍有不偿还贷款的可能，就会在收取真正的利息外，加收倒账风险的额外利息，额外利息视银行认定的风险程度而定。所有股票投资都隐含有风险，不能保证投资必有报酬。因此，交易风险（或称变动风险）是报酬可能比预期的投资报酬有所增加或减少的变化。

Risorgimento 复兴运动 19世纪以统一意大利为目标的思想文化运动。它曾唤起意大利人民的民族觉悟，鼓舞一系列的政治斗争，终于使意大利从外国统治下解放出来，于1861年建立了意大利王国。尽管这一运动达到了民族独立的目的，但其基本意义却颇有争议。哲学家B.克罗齐等认为它是自由主义的胜利，但更多的现代观点批评它只是贵族和资产阶级的革命，没有群众参与。复兴运动的主要动力来自法国占领意大利期间（1796～1815）所推行的改革。许多城邦联合起来成为共和国（后来又成为法兰西帝国的卫星国），更为重要的是中产阶级发展了并参与政府工作。拿破仑失败后，意大利城邦原先的统治者复辟。在奥地利统治下，这些城邦更趋保守。在19世纪20～30年代，烧炭党类的秘密社团发展起来。第一个坚定的共和派民族主义集团是G.马志尼在1831年创建的青年意大利。其他一些集团（如新归尔甫派）主张由教皇领导成立意大利联邦，另外一些集团又主张由自由派（北意大利皮埃蒙特-撒丁王国的萨伏依王室的君主）领导统一意大利。1848年自由派和共和派革命失败后，皮埃蒙特取得了领导权。在法国帮助下1859年战胜奥地利人，1866年兼并了威尼斯。1870年罗马并入意大利，统一完成，复兴运动遂告结束。

rispetto 敬诗 意大利语，复数为rispetti。托斯卡纳方言的一种诗歌形式。这种抒情诗通常由八个诗行组成，每个诗行11音节。在其最早的形式中，韵律结构通常为a b a b a b c c，后来a b a b c c d d的韵律结构更加突出，但也能见到其他变体。14～15世纪这种诗歌形式无论在艺术成就还是在大众化方面都达到了巅峰，尤其是在波利齐亚诺的作品中。约有200首敬诗被认为是他写的。

Riss Glacial Stage 里斯冰期 欧洲阿尔卑斯地区更新世重要的时间地层单元（更新世开始于约250万年前，终止于约1万年前）。该冰期时，山地冰川从高地向下延展。该冰期在明德-里斯间冰期之后，里斯-玉木间冰期之前,这两个间冰期都有较温和的气候条件。此冰期可与英国的吉平冰期、北欧的萨勒冰期相对比。同萨勒冰期一样,里斯冰期也包括两个大的冰进阶段,间隔着一个较温和的时期。此冰期与北美的伊利诺伊冰期大略同时。

Riss-Würm Interglacial Stage 里斯-玉木间冰期 欧洲阿尔卑斯地区更新世重要的年代地层划分单元(更新世开始于约250万年前,终止于约1万年前)。是一个气候比较温和的时期。位于里斯冰期之后,玉木冰期之前,此二冰期均为气候条件恶化期。可与北欧的埃姆间冰期、英国的伊普斯威奇间冰期相对比。与北美的桑加蒙间冰期大致相同。在阿尔卑斯区以莫斯堡砾石层为代表。

Risshō-Kōsei-kai 立正佼成会 日本佛教教团。奉日莲宗教义基础。1938年自灵友会分化而成。创始人为庭野日敬和长沼妙佼。此派重视《妙法莲华经》,认为念诵该经经名有灵验。东京本部每天聚会者有1万人。

Ristić, Jovan 里斯蒂奇(1831-01-16,塞尔维亚克拉古耶瓦茨～1899-09-04,贝尔格莱德) 塞尔维亚政治家,两度摄政,4次任首相(1867、1875、1877～1881、1887～1888)。曾在法国和海德堡大学求学。米哈伊洛·奥布雷诺维奇大公当政时,他开始担任政府要职。1861～1867年任塞尔维亚驻君士坦丁堡代表,通过谈判促使土耳其全部撤出在塞尔维亚的驻军。1868年年轻的米兰·奥布雷诺维奇大公即位,他任第二摄政王,主持颁布新宪法。1872年米兰亲政后,他任外交大臣,又任首相。1877年作为自由党领袖组织政府,后因拒绝与奥匈帝国签署贸易协定而被迫辞职。1889年亚历山大即位,他再度摄政,主张改善同俄国的关系,对内抵制激进党的势力。激进党支持亚历山大亲政时,他被解职。

Ristori, Adelaide 里斯托里(1822-01-29,奥匈帝国奇维达莱-德尔弗留利～1906-10-08,意大利都灵) 享有很高国际声望的意大利悲剧女演员。父母均为流浪艺人,从幼年起

供图:Brogi—Art Resource/美国不列颠百科全书公司

就开始演戏,14岁时在佩利科《弗兰契斯卡·达·里米尼》中饰同名角色。她作为扮演天真姑娘的女演员,参加了皇家撒丁剧团,在两年内就成为主要演员。18岁时曾试演席勒《玛丽亚·斯图亚特》中的主角。1855年开始在巴黎演出。一些评论家包括大仲马非常欣赏她的表演风格。她庄重的风格中时而露出意大利人所特有的那种自然、明快和爆发的激情,当她扮演哥尔多尼《女店主》中的米兰多里娜这个喜剧角色时,更赢得了全巴黎对她的称赞。在阿尔菲那里《弥拉》一剧中的表演,终于确立了她作为一个悲剧女演员的地位,她先后在德国、维也纳、伦敦、华沙和马德里的舞台上出现,经常表演的角色有拉辛的菲德拉、勒古韦的梅黛和莎士比亚的麦克白夫人。曾几度赴美国巡回演出。1874年进行了一次全世界的巡回演出旅行。1885年引退,3年后发表了她的《回忆录和艺术论文》,这是一部介绍和分析她本人主要悲剧角色的著作。

Ritalin 利他林 又译利他灵或利他能。学名哌醋甲酯(methylphenidate)。一种作用温和的安非他命,用于治疗多动症(ADHD),也用来有效治疗发作性睡病等。虽然对大部分人来说利他林是一种兴奋剂,但对多动症患者却有镇静作用,并使他们能集中注意力。该药作用模式未明,但研究人员推测,它通过增加神经递质在脑内的含量并提高其活性来缓解症状。

Ritchie (of Dundee), Charles Thomson Ritchie, 1st Baron 里奇(1838-11-19,苏格兰邓迪霍克希尔～1906-01-09,法国比亚里茨) 英国保守党政治家,以改组地方政府著称。在伦敦中学毕业后经商,1874年以保守党员身份选入议会。1885年任海军部秘书,1886～1892年在索尔兹伯里内阁中任地方政府事务大臣。由于他的努力,设立郡议会的《1888年地方政府法》得以通过。保守党内大部分人因为伦敦郡议会的设立而总是对他怀有恶意,该议会建立了广泛的社会服务。他在以后几届索尔兹伯里政府中任贸易大臣兼内政大臣(1895～1900)。1902年在贝尔福内阁中任财政大臣。他虽然早年曾经主张"公平贸易",但却强烈反对约瑟夫·张伯伦实行特惠关税的主张,因而在1903年9月辞职。1905年受封贵族。

rite de passage 参阅 passage rite 过渡礼仪。

Ritola, Ville 里托拉(1896-01-18,芬兰佩赖塞奈约基～1982-04-24,赫尔辛基) 芬兰长跑运动员。1924年在巴黎奥运会上创10 000米世界纪录,获金牌,同时又获3 000米障碍赛跑金牌。同年晚些时候又以30分23.2秒的成绩刷新10 000米世界纪录。1928年在阿姆斯特丹奥运会上获5 000米金牌和10 000米银牌。

ritornello 里托奈罗 意大利语原意为"返回"。习称过门。音乐中一再反复出现的段落,与对比性的插曲互相交替。反复时可保持不变,也可作不同程度的变化。在大协奏曲中,乐队全奏演奏里托奈罗,独奏组(主奏部)演奏对比性插曲。在中世纪时,里托奈罗一词指牧歌的最后两行,亦指一种三行诗体,其中一、三两行押韵。在17世纪歌剧与分节歌中,它起器乐引子、间奏或结束的作用。在18世纪末和19世纪初的回旋曲中,里托奈罗大多是容易上口的曲调,类似一个迭句,与发展充分的器乐展开段相交替。

Ritschl, Albrecht 里敕尔(1822-03-25,柏林～1889-03-02,德国格丁根) 基督教信义宗神学家。1839～1841年在波恩大学、1841～1843年在哈雷大学学习神学和哲学。原持较为保守的传统神学立场,后逐步转变

供图:Niedersachsische Staats und Universitats-bibliothek, Gottingen, West Germany

为比较开明,其中原因之一是由于黑格尔哲学在当代影响甚大;康德和施莱艾尔马赫等其他德国哲学家对他也有影响。1843年获哲学博士学位,参加蒂宾根学派,该派是当时神学界重要力量,他们追溯基督教的起源以及教会、教义的早期历史。1846～1864年在波恩大学执教,1864年后在格丁根大学执教终生。1850年发表第一部重要著作《古代公教会起源》,从此书可以看出,里敕尔原曾受益于蒂宾根学派,然后发现该派在分析基督教早期历史时过分依从黑格尔所提出的命题,从而逐渐与该派疏远。1870～1874年陆续发表他的主要著作《基督教关于称义与神人和解的教义》(3卷),该书集其一生研究成果之大成。其中第1、2卷评介有关的历史资料和经文资料,第3卷叙述他自己的考证。20世纪基督教内部产生新正统派,重申宗教改革运动原则因信称义和恩宠等,他们抨击里敕尔,指责他鼓吹文化基督教,即将基督教与当代文化模式等同起来。现代学者在评论19世纪神学界时则比较赞同里敕尔就基督教和上帝之国以及它们与个人及社会的关系所提出的种种解释。

Ritschl, F(riedrich) W(ilhelm) 里奇尔(1806-04-06,普鲁士爱尔福特附近格罗斯瓦尔古拉～1876-11-09,莱比锡) 德国古典学者,以其研究普劳图斯(早期拉丁文学中作品

供图:Historia-Photo

最多的喜剧作家)的著作及创立古典学术研究中的波恩学派而知名。在古典学者英国的R.本特利与德国的G.赫尔曼的版本校勘学的影响之下,他对古拉丁文进行了精深的研究,为后世这方面的学术工作奠定了基础。他在完成莱比锡与哈雷大学的学业之后,在哈雷大学(1832 ～ 1883)与布雷斯劳大学(1833 ～ 1839)担任教授。1836 年他在意大利旅行一年,收集有关普劳图斯的资料,在此基础上终生研究普劳图斯。1839 年受聘为波恩大学的拉丁文教授。他对普劳图斯的研究吸引了许多学生,并在德国引起了对拉丁文研究的兴趣。他以在稿本中新发现的证据为基础,刊行新校勘的版本,首先编订普劳图斯的九个喜剧剧本《普劳图斯的喜剧》(四卷;1848 ～ 1854,未完成),并为之写了重要的绪论《校正普劳图斯作品的批判的文法上的理由》(1848)。《普劳图斯喜剧全集》于 1871 ～ 1874 年出齐,其中仅有里奇尔手译的一出《特里纳莫斯》,余皆由其学生及合作者完成。在波恩,里奇尔与 T.蒙森合作出版了《古拉丁碑铭集录》(1862),集罗马共和政体初期到终结这一时期的拉丁铭文之大成,使里奇尔成为现代铭文学的宗师之一。他先后被提名出任波恩图书馆长(1854)和莱茵古物博物馆馆长,1867 年被选入法兰西研究院。里奇尔在与同事 O.杨发生一次学术上的争吵之后,于 1865 年辞去波恩大学的教职,转到莱比锡大学任教授,直至去世。里奇尔的众多的研究成果,包括关于早期拉丁文文法与格律的论文,以及对普劳图斯的手写文稿的研究,被汇编成五卷本的《语言学论文集》(1867 ～ 1879)流传于世。

Ritsu 律宗 Ritsu为日语拉丁字母转写;汉字为“律”。汉语威妥玛拼音作 Lü-tsung。佛教中强调戒律的一派。本宗于 7 世纪由中国僧人道宣(596 ～ 667)根据重视戒律词句的小乘典籍建立。中国南京市附近的宝华山寺是该宗在华中的说法中心。日本在奈良时期(710 ～ 784)邀中国律宗高僧鉴真(688 ～ 763)到日本受戒。鉴真于 754 年(唐天宝十三年)到达日本,第一批从他受戒的有皇太后等贵族。13 世纪日本僧人叡尊在律宗内部进行革新运动。1977 年律宗有信徒 50 万人。

Ritt, Martin 里特(1914或1920?-03-02,美国纽约州纽约～ 1990-12-08,加利福尼亚圣莫尼卡) 美国电影导演,以其社会性题材的影片著称。在北卡罗来纳州埃隆学院和纽约州布鲁克林的圣约翰大学学习之后,因其友 E.卡赞的关系而对表演发生兴趣,于 1937 年加入李·斯特拉斯伯格剧团。第二次世界大战期间在美国陆军航空队服役,之后回到百老汇,开始导演戏剧。后投身电视这一新兴媒体担任演员和导演,但这一颇有希望的开端因他曾参加共产党于 1951 年被列入黑名单而告终。1955 年他重返百老汇导演戏剧。1957 年导演了他的第一部影片《城市边缘》,此后一直导演电影。他的早期影片,包括《漫长的酷夏》(1958),基本上都是商业片,但在《赫德》(1963)以及《从寒冷中走来的间谍》(1965)、《男人》(1967)、《娘娘腔的马圭尔斯》(1970)、《一个与黑人拳王争夺锦标的了不起的白人拳击手》(1970)、《发声器》(1972)和《诺尔马·雷》(1979)等影片中更多地表现了个人的观点。里特影片中的主要人物大多是孤独和倒霉的人,他们的道德观念使他们同现实社会的含糊不清的价值观念格格不入。里特在喜剧片《前线》(1976)中,表现了他自己被列入黑名单的经历。

Rittenhouse, David 里顿豪斯(1732-04-08,美国宾夕法尼亚日耳曼敦～ 1796-06-26,费城) 美国天文学家和发明家,以发现金星大气著称。他是钟表工匠,曾制作数学仪器,由于制作美国第一架望远镜而出名。他还是在中星仪和其他方位测量仪器中用天然蛛网作为十字丝的首创者。他也是著名测量学家。美国宾夕法尼亚与马里兰、新泽西、纽约州和西北领地的界线,纽约州与新泽西州的部分界线以及纽约州与马萨诸塞州的部分界线都在他的督导下确定。他于 1768 年当选为美国哲学学会会员,次年观测金星凌日并发现金星有大气,在此之前,俄国人 M.V.罗蒙诺索夫也曾于 1761 年金星凌日时有相同的发现。虽然两人都曾写出观测报告,但这种报告直到一个多世纪后才分别正式发表。里顿豪斯在 1795 年当选为伦敦皇家学会会员,1791 年起任美国哲学学会主席,直到逝世。

Ritter, Carl 里特尔(1779-08-07,普鲁士奎德林堡～ 1859-09-28,柏林) 德国地理学家,与 A.冯·洪堡共同创立现代地理学。里特尔在自然科学方面受过良好教育,并精通历史

供图:Bruckmann—Art Reference Bureau

和神学。在著名的瑞士教师 J.H.裴斯泰洛齐的教育原则指引下和德国哲学神学家 J.G.冯·赫尔德关于人类与环境关系的思想指导下,成为地理学教师和思想家。从 1820 年到去世一直在柏林大学任教授。他认为地理学是一门经验科学,应该从观察出发,而不能从观念和假设出发。他相信地理学有其定律,但并不着重明确提出。他认为地理学是独特的科学,强调用一切科学来说明它的性质。洪堡比里特尔年长 10 岁,里特尔总把他当做老师,并以其观点作为地理学研究的部分基础。他是地理学家,但经常表现为一位历史学家,写有被称为以地理观点解释历史的著作。他去世后人们逐渐反对他的观点,部分由于认为他使地理学从属于历史。即使这样,在他晚年和去世后近 20 年中,他的观点对德国地理学研究的影响仍然很大。其最早的地理学著作于 1804 和 1807 年出版。巨著《地球科学与自然和人类历史》未能完稿。第一卷论及非洲,1817 年出版,使他取得柏林大学的聘书。从 1832 年到去世定期出版新卷,主要介绍亚洲;这套书虽未完成,但已长达 2 万页,19 卷。

Ritter, Johann Wilhelm 里特(1776-12-16,西里西亚海瑙附近的沙密茨～ 1810-01-23,慕尼黑) 德国物理学家,光谱紫外区的发现者。由此把人的视界扩大到狭窄的可见光区以外,包括从最短的 γ 射线起到最长的无线电波止的整个电磁波谱。他原为西里西亚的利格尼茨的药剂师,1791 ～ 1795 年在耶拿大学学医,后在该校任教,直到获得萨克森-哥达公爵的资助。1800 年,在英国化学家 W.尼科耳森用电解法成功地把水分解为氢和氧之后几个月,他重复了这项实验,不同的是分置电极、分别收集这两种气体。后来很快就发现了电镀过程。1801 年,又有惊人的发现:氯化银在有光存在时分解,但暴露在光谱紫端以外的某种不可见的未知辐射下时,分解更快。他把主要精力用于研究电和电化学。1801 年,在 T.J.塞贝克发现温差电之前观察到了温差电流。1802 年发明伏打干电池,次年又发明一种蓄电池。

ritual bath 礼仪沐浴 用水浸泡或涂拭人身体的宗教或巫术仪式。洗礼(**Baptism**)的多种形式,从全身浸没到象征性的泼洒,表明某些礼仪沐浴一方面保留净身意义,另一方面形式上可以变化。着衣或裸体,在教堂或其他建筑物内,在河、溪或池里都可以进行礼仪沐浴。原始宗教将礼仪沐浴用于消极或积极的目的。例如,为了得雨,中非赞德人在被指控推迟或阻止下雨的人身上倒水;希伯来人在净身池中用定量的水进行净身。日本神道教信徒在进入神社参拜前施水浴礼。基督教的濯足礼,表示谦卑。多种形式的礼仪沐浴流传至今。

Ritz, César 里茨(1850-02-23,瑞士下瓦尔德～ 1918-10-26,卢塞恩附近屈斯纳赫特) 象征风雅豪华的巴黎饭店的创建人。为学习餐厅业务,曾在当时巴黎最好的餐厅弗瓦赞工作。1870 年普法战争爆发,巴黎被围,食品、燃料缺乏,该餐厅停业。战后,里茨在巴黎华丽饭店任管事,广泛接触名流豪富;当美国人 C.范德比尔特、J.P.摩根等名流访问巴黎时,他曾介绍他们品尝欧陆风味。他紧跟社会时尚,曾到欧洲各地游览区旅馆见习。1877 ～ 1887 年在瑞士卢塞恩国民大饭店主管消夏活动,还担任蒙特卡洛的格兰德饭店的总经理。1887 年与名厨师 A.埃斯科菲耶在巴登-巴登开设一餐厅。后又被人请到伦敦管理新开业的萨沃伊饭店,使得伦敦上流社会在外用餐成风。他用一笔贷款在巴黎购买一幢大楼,花了两年时间监督布置了 210 个房间。这家里茨饭店 1898 年开业时食客麇集。此时,里茨已在其他 9 家餐厅和旅馆拥有控制股权,包括伦敦的卡尔顿饭店。

Rivadavia, Bernardino 里瓦达维亚(1780-05-20,布宜诺斯艾利斯～ 1845-09-02,西班牙

加的斯） 阿根廷共和国第一任总统。1806年积极参加抵抗英国的侵略，后来支持1810年反西独立运动，成为革命执政委员会秘书。1811年领导革命三人团，采取组织民兵、解散西班牙法院、解除新闻检查、禁止奴隶贸易等措施。1814年前往欧洲，争取英国对拉普拉塔联合省的援助。1821年返布宜诺斯艾利斯，在罗德里格斯政府中当部长。1826年当选联合省总统。

他在欧洲时曾会见边沁以及法国乌托邦主义者圣西门和傅立叶，深受他们的影响：他将选举权扩大到所有年满20岁的男子，建立议会和司法体系，支持保障新闻自由、个人人权和产权的立法。由于废除教会法庭和什一税，他长期被教会视为眼中钉。他极力鼓励移民，但收效甚微；他推行土地改革计划，结果也适得其反，得利的并非农民，而是少数大地主。他在文化方面的拓荒工作是影响最为久远的成就。他创立了布宜诺斯艾利斯大学，支持建立博物馆，扩充国家图书馆。他的政府经常面临重重困难。为争夺后来独立的乌拉圭的领土，阿根廷与巴西发生战争。由于国民拒绝接受使巴西在该地享有霸权的协议，这场冲突旷日持久。他还常常为地方有势力的首领所困扰，无法使他们接受中央集权的1826年宪法。1827年辞职后流亡欧洲。1834年返回布宜诺斯艾利斯接受政敌的审讯，被判处立即流放。他先后去巴西和西班牙。1857年他的遗体被运回国。1880年，他的出生日被定为国家纪念日。

Rivarol, Antoine Rivaroli, Count (comte) **de 里瓦罗尔伯爵**(1753-06-26，法国塞兹河畔巴尼奥勒～1801-04-11，柏林[德国]) 法国政论家、新闻记者及讽刺诗诗人。他冒充贵族，

供图：H. Roger-Viollet

在法国大革命时期发表作品支持君主政体和传统主义。他僭用里瓦罗尔伯爵头衔，自称出身于意大利贵族家庭，但是据说他是个客栈老板之子。里瓦罗尔的第一篇重要作品为1784年的《论法语的普遍性》，在18世纪法国文化席卷欧洲的情况下，这样海阔天空的题目大致是可以理解的。里瓦罗尔的讽刺天才在他1788年所著的《大人物小年鉴》中展示无遗，在这部作品中，他以诗文讽刺了所有当代作家。法国大革命爆发时，里瓦罗尔在报刊上大力赞助保皇党。1792年离开法国，先到布鲁塞尔小住，其后辗转伦敦、汉堡和柏林。

Rivas 里瓦斯 尼加拉瓜西南部城市。位于尼加拉瓜湖与太平洋之间的狭窄陆地上。建于1736年。因在"范德比尔特大道"（淘金热时不少美国人取道此路到加利福尼亚州）上而闻名。1856年曾发生与美国政治冒险家华尔克的战争。现为农业区的工商业中心。

里瓦斯市附近的养牛场

供图：Walter Aguiar

有制革等工厂。泛美公路经过该城，通首都马那瓜。周围地区的多数居民集中在中央谷地。饲养牲畜，种植甘蔗、咖啡、可可、玉米、豆类、稻米和烟草。人口约19 564(1985)。

Rivas, Angel de Saavedra (**Ramírez de Baquendano**), **Duke**(duque)**de 里瓦斯公爵** 参阅 **Saavedra**(**Ramírez de Baquendano**), **Angel de, duque de Rivas** *萨维德拉*。

Rive, Richard 里夫(1931-03-01，南非开普敦～1989-06-04或-05，开普敦) 全名Richard Moore Rive。南非作家、文学评论家、教师。其短篇小说以种族隔离制度对黑人的播弄和压迫以及贫民区生活的堕落为主要内容，已有多种选本和12种文字以上的译本。他被公认为南非最杰出的短篇小说家之一。1949年毕业于开普敦大学。1962年，漫游非洲和欧洲，讲学并掌握非洲英语文学的最新动向。《四人集——南非新声》(1963，收有他本人在内的4位作家的16篇短篇小说)、《非洲人之歌》(1963，他本人的短篇小说集)、《现代非洲散文选集》(1964，他编纂并供学生阅读的选集)以及《紧急状态》(1964，描述沙佩维尔大屠杀和1960年紧急状态的小说)等，在他返回南非后不久出版。1966年获纽约市哥伦比亚大学文学硕士学位，1974年获牛津大学马格达伦学院哲学博士学位。一部散文、短篇小说和戏剧组成的《作品选》出版于1977年。他的短篇小说具有想象力丰富、技巧精湛、主题处理得当和对话真实生动等特点。

Rivea 里韦亚属 旋花科的一属。5至10种，原产于热带美洲和东南亚。*R. corymbosa*（或 *Turbina corymbosa*）为多年生木质攀缘植物。原产于墨西哥热带。古阿兹特克人称之为ololiuqui，现代的萨波特克印第安人称之为badoh，许多地方称之为loguetico（小疯子）。叶有柄，心型，长5厘米。花漏斗状，白色，花序从叶腋生出。种子棕色，含致幻觉药d-麦角酸及d-异麦角酸（均与LSD近似）的衍生物，古代阿兹特克祭司用该种子引起幻视。

river birch(*Betula nigra*) **河桦** 又作red birch，water birch或black birch。亦称红桦、水桦。桦木科观赏树，见于占美国1/3的东部地区的河溪岸边。树干下部随树龄的增长而渐变黑色，故又称黑桦（黑桦一名更适用于树干随树龄增长而几乎变为黑色的*香桦*[**sweet birch**]）。树高18～25米，在密西西比河下游可达30米。老树干的树皮红褐色，有深沟，裂成凹凸不平密而紧贴的鳞片；上部的树干和枝条平滑，鲑肉色至玫瑰肉桂色，有金属光泽。叶楔形，深绿色，有光泽，具不规则的重锯齿，叶背的叶脉被毛。叶柄扁平，被毛，长约1厘米。果实于晚春或夏初成熟，不同于其他桦木的果实在秋天成熟。河桦生长迅速，是优良的观赏树及行道树，又能防止水土流失。在湿润、排水良好的土壤上生长粗壮，但不能耐阴。对病虫害的侵袭比较有免疫力。但寿命短，常受春汛浮冰之害。木材可制家具、木器及车削制品。

River Brethren 河畔弟兄会 参阅 **Brethren in Christ** *主内弟兄会*。

river dolphin(*Platanistidae*) **河豚** 4或5种小型水生哺乳动物的统称，常生活于淡水中，与鲸有亲缘关系。见于中南亚、中国和南美河流及巴西、阿根廷和乌拉圭沿海水域。河豚喙长，前额呈圆形。常在河底用嘴探寻鱼和甲壳类动物。眼睛虽小（恒河喙豚和印度河喙豚无晶状体），仍可在混浊的河水中轻松潜水，得益于其敏锐的声呐。对人友好。亚马孙河豚(*Inia geoffrensis*)最大、分布最广，见于亚马孙河和奥里诺科河盆地。雄性超过2.4米，重160千克；雌性稍小。体色在黑灰、粉与灰相间、浅粉色之间变换。幼仔灰色，肥胖但灵活，游动时十分优雅。成群活动。常与白海豚(*Sotalia fluviatilis*)一同游泳玩耍，后者不属于河豚。巴西河豚(*Pontoporia blainvillei*)最小，栖于巴西、乌拉圭和阿根廷沿海水域。上体灰色，下体白色，长1.2～1.7米，重20～60千克。雌性较雄性大。恒河喙豚(*Platanista gangetica*)栖于恒河、雅鲁藏布江、卡纳普里河和梅克纳河及支流，位于印度、孟加拉国、尼泊尔和不丹境内。成体长近3米，黑色。其近缘印度喙河豚(*Platanista minor*)，仅见于巴基斯坦。因繁忙的河运、捕猎及水坝对迁移的限制，两种均被列为濒危物种。中国的白鳍豚(*Lipotes vexillifer*)是最严重的濒危鲸类，仅存不足300只，栖于长江。上体淡蓝灰色，下体稍浅，能长到2.4米。

river duck 河鸭 参阅 **dabbling duck** *钻水鸭*。

River Forest 里弗福里斯特 美国伊利诺伊州东北部库克县村庄，芝加哥西郊住宅区。1836年创建。1880年设建制为村。设有多米尼克大学(1901)和康科迪亚大学(1864)。人口约11 635(2000)。

river jack(snake) **河岸咝蝰** 参阅 **rhinoceros viper** *犀咝蝰*。

River Rouge 里弗鲁日 美国密歇根州韦恩县城市，毗邻底特律西南部。濒底特律河、鲁日河。初为一法国定居地。20世纪20年代随附近迪尔伯恩的福特汽车公司而发展起

来。铁路及水路交通便利更刺激了工业化。制造业有造纸、造船、石膏制品和钢。该市西北角为占地 162 公顷的祖格岛（高度工业化园区），由一运河围成。1889 年设村。1921 年设市。人口约 11 274(1993)。

river terrace 河流阶地 沿河谷边延伸的台地或阶地，代表谷底以前的位置。由水文或气候条件改变引起河流重新下切而形成，只间或有被洪水淹没的危险。通常具有由沉积物构成的平坦的顶面和陡峭的前缘；也可以是被河流切割，剩下来高出于现在的河漫滩水平面以上的老河漫滩的残余。另一种类型的阶地是切入到基岩里的，并且可能具有薄薄的一层冲积层或沉积物盖层。在成对的阶地中，河谷两边阶地的特征互相对应。

Rivera 里韦拉 乌拉圭北部城市，全国大城市之一。为一农牧业区的商业和制造业中心。主要经营谷物、蔬菜、水果和牛的贸易。生产纺织品、雪茄和卷烟及镶嵌工艺品等。有铁路和公路通其他城市。周围地区为丘陵地带。有良好的牧场。以其牛羊而闻名。农业日益重要。主要作物有稻米、甘薯、玉米、花生、小麦和水果。人口57 316(1985)。

Rivera, Diego 里维拉（1886-12-08，墨西哥瓜纳华托～1957-11-25，墨西哥城） 墨西哥画家，其大胆和巨幅的壁画促进了拉丁美洲和美国壁画艺术的复兴。10岁时获政府奖

供图：Peter A. Juley and Son

学金到圣卡洛斯美术学院学习。1907 年韦拉克鲁斯州州长又使他得以到欧洲继续学习。开始在西班牙学习，1909 年定居巴黎，成为毕加索、布拉克和其他现代画倡导者的朋友。大约在 1917 年他在作品中放弃了立体主义风格，不再拒绝塞尚的后印象主义，采纳了简化轮廓和大定域的视觉语言。1921 年回墨西哥，为墨西哥城国立预备学校作大型寓言壁画，1923 ～ 1930 年为教育部作一组湿壁画，1926 ～ 1927 年为查平戈国立农业学校画了一幅《沃土》。1930 ～ 1934 年，里维拉在美国先后在旧金山为加利福尼亚美术学校(1931)、底特律艺术学院(1932)和纽约的洛克菲勒中心(1933)作壁画。他为洛克菲勒中

里维拉绘《运花者》
中国大百科全书出版社供图

心所作《人类在十字路口上》的壁画，因其中的一位工人领袖貌似列宁而遭到谴责。为墨西哥城美术宫所作的一帧墨西哥史诗壁画，是一生中匠心独具而规模最大的作品，但未经完成即去世。去世后自传《我的艺术，我的生活》出版。

Rivera, José Eustasio 里韦拉（1889-02-19，哥伦比亚内瓦～1928-02-19，纽约市） 哥伦比亚诗人、小说家。他所写的关于南美洲热带丛林的小说《旋涡》(1924)，有力地揭露了亚马孙河上游丛林中割胶工所受到的剥削，被评论家们认为是许多南美洲以丛林为背景的小说中最好的一部。他的职业是律师，诗集《上帝许给的土地》(1921)使他获得文学名声。这是一本十四行诗集，描写哥伦比亚热带地区粗犷的美。曾在奥里诺科河和亚马孙河的广大地区旅行，在印第安人中间生活了一段时期，体验到丛林的凶险以及为在丛林中生存下来而必须进行的不断斗争。他在小说《旋涡》中，把第一手的知识和诗意的景象与生动描写的才能相结合。它既是冒险小说又是社会抗议小说，在这两方面都获得成功，从而为里韦拉奠定了国际声誉。

Riverina 里弗赖纳 澳大利亚新南威尔士州中南部以农业为主的地区。总面积 68 658 平方千米。北和西北以拉克伦河和马兰比吉河为界，南达墨累河，东抵康多博林、朱尼和奥尔伦里等城镇。大部地区为平坦冲积平原。众多河流曲折蜿蜒，并周期性泛滥。仅东部多丘陵。土壤肥沃，气候温和。西北部年均降雨量 300 毫米，东南部 635 毫米。东南部坡地气温较低，雨量稳定，以经营农业为主，包括水果和乳品生产。再向西以种麦和养羊的混合性农场为主。该地区墨累河与马兰比吉河一带的灌溉区最为富庶。灌溉用水来自巴林贾克水库、伯莱姆贝德水库、休姆水库和雪山水利工程(1949)。工业限于当地物产加工、酿酒、食品和水果罐头生产等。开采锡、石膏及少量黄金和亚烟煤。主要城镇有奥尔伯里、沃加沃加、利顿、格里菲斯、朱尼、纳兰德拉、德尼利昆、海伊和康多博林。通多条公路和铁路。

riverine ecosystem 河流生态系统 又称激流生态系统(lotic ecosystem)。任何被视作一个生态单位的泉水、小溪或河流，由生物群落及其物理化学环境组成物质和能量在其中转换。河水通常是流动的。从水源到河口，温度、溶解物质浓度、混浊度、大气中各种气体等呈现纵向梯度变化。河流有两个主要带：激流带，水浅，水流急湍使水底清晰坚实；水塘带，水体较深，淤泥和碎屑杂积水底。每个带都有其特殊适应的生物。

Rivers 河流 1967年后尼日利亚南部的州。位于几内亚湾尼日尔河三角洲。面积 21 850 平方千米。州内遍布红树沼泽和热带雨林，河流众多。在 19 世纪初，伊乔人的一些捕鱼点从事奴隶贸易，后又出口棕榈油和棕榈仁。1885 年该地区从属棕油河保护地，1893 年从属尼日尔海岸保护地。1914 年成为英属尼日利亚殖民地和保护地的一部分。1976 年前本代尔州恩多尼的一些地区并入了河流州。居民主要以捕鱼和耕种为业。出产大蕉、香蕉、木薯、油棕、椰子、橡胶和柑橘等。原油和天然气是主要矿物资源。沿海建有石油装运站。阿莱萨-埃莱梅建有石油提炼厂。州首府哈科特港是该国第二大港口，尼日利亚铁路干线东部支线的南端终点站，该州工业中心和全国工业中心之一。生产轮胎、家具、船舶、金属制品、纺织品、卷烟、油漆和塑料等。还是渔业中心。装配发动机和卡车。设有联邦大学(1975 年建立)。河运是西部地区主要运输方式。人口约 4 454 337(1995)。

Rivers, Anthony Woodville, 2nd Earl 里弗斯伯爵（第二）（约1440～1483-06-25） Woodville 又拼 Wydeville。即 A. 伍(威)德维尔。英格兰贵族，约克王朝国王爱德华四世的主要支持者。他和父亲理查德·伍德维尔爵士(后为里弗斯伯爵[第一])在玫瑰战争初期为兰开斯特派作战。1461 年兰开斯特派的军队彻底失败后，父子转而支持新即位的爱

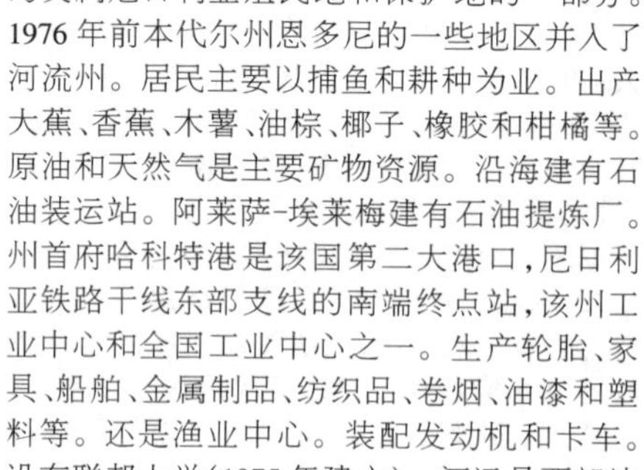

兰贝斯宫图书馆供图

德华四世。1464 年他的姐姐伊丽莎白与爱德华四世结婚，父子二人遂显赫于宫廷。1469 年其父被沃里克伯爵领导的叛乱者杀死，他继承了伯爵爵位。1470 年 10 月沃里克迫使爱德华和里弗斯流亡。1471 年 3 月回英格兰后，他参加巴尼特战役(4 月 14 日)，击败了沃里克。同年 5 月当爱德华在格洛斯特郡蒂克斯伯里击溃兰开斯特派的军队时，里弗斯坚守伦敦。此后，里弗斯愈加关心文学和宗教方面的问题，曾翻译法国的著作《哲学家言论格言集》(1477)。1483 年爱德华死后，国王爱德华五世年幼，由格洛斯特公爵理查(后为国王理查三世)摄政，以莫须有的叛逆罪名被处死。

Rivers, Larry 里弗斯(1923-08-17,美国纽约州纽约～2002-07-14,纽约南安普敦) 美国画家,其作品常将抽象表现主义有力的、绘画性的笔触与波普艺术运动中的商业形象相

供图:Hans Namuth

结合。曾在朱利亚德音乐学校学习作曲。1947～1948年在著名的抽象表现主义者H.霍夫曼的学校学习。后在纽约大学学院学习并于1951年毕业。早期作品曾于1949年在纽约展出。第一幅主要作品《葬礼》(1951),是仿库尔贝的名作《奥尔南的葬礼》的一幅作品,《华盛顿渡过特拉华河》一画则是以19世纪美国画家E.洛伊策的名画为蓝本的。1951～1957年间画的《伯迪双像》(1955)是其最有名的作品。其作品技巧超异,色彩感强烈,常用复杂的、片断的和多重的景色。1961年,其作品中商品形象开始占突出地位。1963年以后,常以拼贴、结构和雕刻组成画面。代表作有《俄国革命史:从马克思到马雅可夫斯基》(1965,纽约市J.H.赫西霍恩收藏馆)。

Rivers, Richard Woodville, 1st Earl 里弗斯伯爵(第一)(?～1469-08-12,英格兰沃里克郡凯尼尔沃思) Woodville又拼Wydeville。即R.伍(威)德维尔。英格兰国王爱德华四世的岳丈。他参加英法百年战争(1337～1453)最后20年的战斗,立有战功。约1436年与富有的贝德福德女公爵卢森堡的雅凯塔结婚。1448年封里弗斯男爵。玫瑰战争初年,他支持兰开斯特家族的国王亨利六世。1461年兰开斯特派的军队在约克郡被击溃后,他转而效忠新即位的约克家族的爱德华四世。1464年5月将女儿伊丽莎白嫁给爱德华。他的子女大多数与贵族联姻。他在1466年被封为里弗斯伯爵,次年任英格兰统帅。他的家族的飞黄腾达遭到其他贵族的忌恨。1469年沃里克伯爵R.内维尔发动反对爱德华四世的叛乱,目的之一即打倒里弗斯家族。7月爱德华在北安普敦郡埃奇科特战败后,里弗斯和一个儿子被俘并被斩首。

Rivers, Thomas Milton 里弗斯(1888-09-03,美国佐治亚琼斯伯勒～1962-05-12,纽约州纽约) 美国病毒学家。1938～1955年任小儿麻痹症国家基金会病毒研究委员会主席时组织过一次长期研究活动,这项研究促成了索尔克氏疫苗及萨宾氏疫苗的问世。1915年他毕业于巴尔的摩约翰斯·霍普金斯大学医学院后,曾领导过一次研究活动以肯定病毒的致病作用。他观察到病毒是"专性寄生物",其生长和繁殖必须依赖活组织。1922～1937年他在纽约市洛克菲勒医学研究所工作,1931年研究成牛痘病毒的组织培养方法,南非病毒学家马克斯·泰累尔以此为基础研制成黄热病疫苗。1937～1955年他担任该研究所附属医院院长,研究了流感及水痘的病原病毒。

Rivers, W(illiam) H(alse) R(ivers) 里弗斯(1864-03-12,英格兰肯特查塔姆附近卢顿～1922-06-04,剑桥郡剑桥) 英国医学心理学家和人类学家。主要以两部人类学著作而闻名:一部是《托达人》(1906),另一部是《美拉尼西亚社会史》(2卷,1914)。早先学医,结业后从事生理心理学问题的研究。1897年成为英国第一个实验心理学实验室(伦敦大学)主任。1898年参加剑桥大学考察队去托里斯海峡,对美拉尼西亚人的感觉功能进行试验,从此对人类学的实地考察深感兴趣。1902年起,任剑桥大学圣约翰学院研究员。大约在此期间,对印度南部托达人进行了第一手的研究工作,之后数次访问美拉尼西亚。第一次世界大战期间,任英军的神经学顾问,此后毕生从事医学心理学研究。另著有《亲属关系与社会组织》(1914)、《本能和无意识》(1920)等书。

rivers and river systems 河流及河系 最初认为河流是被堤岸限制在通道里的流水。现在则把多通道的、间歇性的和暂时有流水的通道以及实际上没有堤岸的通道都称之为河流。独流的河很少见,一般都由两条以上大小不等的支流以不同形式汇入主流,构成一个体系,即河系或水系。

河流可分为常年河流、间歇性河流及暂时性河流几种类型。这些名称虽然经常被使用,但并无确切定义。在气候湿润的地区,凡中、下游水流很少或从未有中断的河流就可以确切地称为常年河流。喀斯特地区有些地表水流是间歇性河流,包括下暴雨时地下水位升高才有流水的河道。暂时性河流分布在干旱地区,下暴雨时仅低凹地区的河道中才有流水;这种河流随暴雨的出现而存在,其河道大部分时间是干涸的。从常年性河流到暂时性河流之间,可以有各种不同的过渡形式。

河水在流动过程中,以下切和侧蚀两种方式构成河流的侵蚀。侵蚀的速度河流之间,差别很大。如果河流分布在松软的岩石区或沿大的节理及断裂发育,侵蚀速度相当快。多岩石的河道受侵蚀分离出来的岩石残渣以碎屑和溶质的形式被搬运到河流系统。河流搬运的物质中悬浮物的数量约为溶解物的2倍或0.5倍。大部分悬浮物沉积在河口,形成三角洲。当悬浮物成底砂顺水搬运时,固体颗粒的大小形状均受改造。通常,细的或不太粗的颗粒被搬运到大海。河流搬运岩石碎屑到大海的能力为海岸冲刷能力的100倍以上。恒河-布拉马普特拉河、黄河两条河流每年搬运泥沙总量为45亿吨。河流之间搬运能力变化也很大。由于固体物质向河谷运动及河川径流随气候而变,因此随着河流流量减少,流速降低及河床条件变化,流水的动力减小,搬运的物质产生堆积,形成独特的浅滩、河心沙洲、点沙坝、河漫滩、天然堤坝、冲积扇以及河流阶地等河流地貌。

河流阶地的简单形式是老冲积平原被切割后的残留部分,高出现代冲积平原之上,由冲积层组成。以这种简单形式形成的每一级阶地都有一个平缓的沉积顶面和陡峭的前沿。对称性阶地是河谷两侧的地形具对称性;在稳定的非冰川区河谷下游常见一系列对称性阶地,它们一级比一级低,这是冰期海平面周期性升降的结果。河谷两侧不对称则称为不对称性阶地,它们多半是蛇曲对河谷堆积快速向下游和侧向侵蚀的结果。

河漫滩是起伏微小被河谷切穿的冲积物,极易被洪水漫溢。最简单的是能容纳蛇曲的狭长形,向下直到被冲平的基岩,移动的蛇曲切削河谷两侧形成陡壁,当蛇曲向下游移动,曲度加大时,单个蛇曲或蛇曲之间相互切穿成捷径,冲积物经常被再造,外侧被侵蚀,而沉积于内侧,形成点沙坝。冲积蛇曲向下游移动的速度记录很少,但不同河流之间变化很大,有些河流的不同河段也相差很大。许多由于在现代漫滩之下有老的冲积物而复杂化。有些河漫滩有自然堤,有些没有,其控制因素可能是水向岸外溢流时沉积物的粒径和悬浮物浓度的组合。自然堤阻碍外部河漫滩的排水而形成沼泽。

三角洲是由于尼罗河口露出的沉积物在平面上呈三角形而命名。它是河口沉积的外延部分,常常是河漫滩和冲积平原向海延伸的部分。当三角洲升高时,其中河床不断分支寻求最小的坡度,结果是水流在穹状面上反复摆动形成弧形海岸,内陆湖中的三角洲也有相似的情况。

特殊的水系型式是由于河网调整以适应地质构造的结果。主干流的下切和支流的延伸在软岩石中最快。特别是岩石不透水而且河流沿主要节理和断层流动时更是如此。这些河流的支流下切并侵入相邻水系,最终袭夺了部分原有的水系,这种方式的主要沟谷和水系反映了构造型式。最终形成几种独特的河系型式:

①树枝状水系。分布在平缓的没有大节理及断裂的沉积岩里以及平缓的完全不受构造控制的更新世冰川堆积里,成为树枝式的河网。一种变形的类型是主干河流近似平行,它们出现在挠曲的地层中。

②格子式水系。出现在紧密褶皱倾伏地层区。由于侵蚀作用使露头呈之字型,适应这种形式的河网的主干流位于沿褶皱出露的软岩中,小支流依硬地层形成的山脊两侧下流而形成格子式水系。另一种格子式水系出现在大致垂直的断层组和节理组的地层里。当区域构造的角度变化时,水系的型式也随之改变。

③放射状水系。在没有破坏的火山锥区放射状水系较为典型,当外壳被侵蚀,高处只

世界最长河流

名称	流入	长度	
		英里	千米
世　界			
尼罗河	地中海	4 132	6 650
亚马孙-乌卡亚利-阿普里马克河	南大西洋	4 000	6 400
长江	东海	3 915	6 300
密西西比-密苏里-雷德洛克河	墨西哥湾	3 710	5 971
叶尼塞-贝加尔湖-色楞格河	喀拉海	3 442	5 540
黄河	渤海	3 395	5 464
鄂毕-额尔齐斯河	鄂毕湾	3 362	5 410
巴拉那河	拉普拉塔河	3 032	4 880
刚果河	南大西洋	2 900	4 700
黑龙江-额尔古纳河	鄂霍茨克海	2 761	4 444
非　洲			
尼罗河	地中海	4 132	6 650
刚果河	南大西洋	2 900	4 700
尼日尔河	比夫拉湾	2 600	4 200
赞比西河	莫桑比克海峡	2 200	3 500
开赛河	刚果河	1 338	2 153
奥兰治河	南大西洋	1 300	2 100
白尼罗河	尼罗河	1 295	2 084
卢阿拉巴河	刚果河	1 100	1 800
林波波河	莫桑比克海峡	1 100	1 800
朱巴河	印度洋	1 030	1 658
塞内加尔河	南大西洋	1 020	1 641
奥卡万戈河(库班戈河)	奥卡万戈沼泽	1 000	1 600
洛马米河	刚果河	930	1 500
青尼罗河	白尼罗河	907	1 460
沙里河	乍得湖	870	1 400
乌班吉-韦莱河	刚果河	870	1 400
阿瓦什河	阿贝湖	750	1 200
北美洲			
密西西比-密苏里-雷德洛克河	墨西哥湾	3 710	5 971
马更些-奴河-皮斯河	波弗特海	2 635	4 241
密苏里-雷德洛克河	密西西比河	2 540	4 090
圣劳伦斯河-五大湖	圣劳伦斯湾	2 500	4 000
密西西比河	墨西哥湾	2 340	3 770
密苏里河	密西西比河	2 315	3 726
育空河-麦克尼尔河	白令海	1 980	3 190
格兰德河	墨西哥湾	1 900	3 060
育空河	白令海	1 875	3 018
纳尔逊河-萨斯喀彻温河	哈得孙湾	1 600	2 575
阿肯色河	密西西比河	1 460	2 350
科罗拉多河	加利福尼亚湾	1 450	2 330
阿查法拉亚河-雷德河	墨西哥湾	1 420	2 290
俄亥俄-阿勒格尼河	密西西比河	1 310	2 110
雷德河	阿查法拉亚河	1 290	2 080
布拉索斯河	墨西哥湾	1 280	2 060
哥伦比亚河	北太平洋	1 240	2 000
萨斯喀彻温河	温尼伯湖	1 205	1 939
皮斯河	奴河	1 195	1 923
斯内克河	哥伦比亚河	1 040	1 670
丘吉尔河	哈得孙湾	1 000	1 609
普拉特河	密苏里河	990	1 593
俄亥俄河	密西西比河	981	1 577
佩科斯河	格兰德河	926	1 490
加拿大河	阿肯色河	906	1 458
田纳西-弗伦奇布罗德河	俄亥俄河	886	1 426
南萨斯喀彻温河	萨斯喀彻温河	865	1 392
科罗拉多河(得克萨斯的)	马塔戈达湾	862	1 387
弗雷泽河	乔治亚海峡	851	1 370
圣劳伦斯河	圣劳伦斯湾	800	1 287
北萨斯喀彻温河	萨斯喀彻温河	800	1 287
北加拿大河	加拿大河	800	1 287
南美洲			
亚马孙-乌卡亚利-阿普里马克河	南大西洋	4 000	6 400
巴拉那河	拉普拉塔河	3 032	4 880
马代拉-马莫雷-瓜波雷河	亚马孙河	2 082	3 350
茹鲁阿河	亚马孙河	2 040	3 283
普鲁斯河	亚马孙河	1 995	3 211
圣弗朗西斯科河	南大西洋	1 811	2 914
雅普拉河(卡克塔河)	亚马孙河	1 750	2 816
乌卡亚利河-阿普里马克河	亚马孙河	1 701	2 738
奥里诺科河	南大西洋	1 700	2 736
托坎廷斯河	帕拉河	1 677	2 699
阿拉瓜亚河	托坎廷斯河	1 632	2 627
巴拉圭河	巴拉那河	1 584	2 550
皮科马约河	巴拉圭河	1 550	2 500
内格罗河(瓜伊尼亚河)	亚马孙河	1 400	2 253
欣古河	亚马孙河	1 300	2 100
塔帕若斯河-特利斯皮里斯河	亚马孙河	1 238	1 992
马莫雷河	瓜波雷河	1 200	1 931
马拉尼翁-瓦亚加河	亚马孙河	1 184	1 905
瓜波雷河(伊特内斯河)	马莫雷河	1 087	1 749
巴纳伊巴河	南大西洋	1 056	1 700
马德雷德迪奥斯河	贝尼河	1 056	1 700
普图马约河(伊萨河)	亚马孙河	1 000	1 609
索利蒙伊斯河	亚马孙河	1 000	1 609
乌拉圭河	拉普拉塔河	990	1 593
马格达莱纳河	加勒比海	930	1 497
瓜维亚雷河	奥里诺科河	930	1 497
乌卡亚利河	马拉尼翁河	910	1 465
特利斯皮里斯河	塔帕若斯河	870	1 400
格兰德河	马莫雷河	845	1 360
考卡河	马格达莱纳河	838	1 349
伊瓜苏河	巴拉那河	808	1 300
亚　洲			
长江	东海	3 915	6 300
叶尼塞-贝加尔-色楞格河	喀拉海	3 442	5 540
黄河	渤海	3 395	5 464
鄂毕河-额尔齐斯河	鄂毕湾	3 362	5 410
黑龙江-额尔古纳河	鄂霍茨克海	2 761	4 444
勒拿河	拉普捷夫海	2 734	4 400
湄公河	南海	2 700	4 350
鄂毕-卡通河	鄂毕湾	2 696	4 338
额尔齐斯-乔尼额尔齐斯河	鄂毕河	2 640	4 248
叶尼塞河	喀拉海	2 549	4 102
鄂毕河	鄂毕湾	2 268	3 650
锡尔-阿拉贝尔苏河	咸海	1 876	3 019
下通古斯河	叶尼塞河	1 857	2 989
布拉马普特拉河	贾木纳河	1 800	2 900
印度河	阿拉伯海	1 800	2 900
黑龙江	鄂霍茨克海	1 755	2 824
幼发拉底河	阿拉伯河	1 740	2 800
维柳伊河	勒拿河	1 647	2 650
阿姆河-喷赤河	咸海	1 578	2 540
科雷马-库卢河	东西伯利亚海	1 562	2 513
恒河	博多河	1 560	2 510
伊希姆河	额尔齐斯河	1 522	2 450
萨尔温江	马达班湾	1 500	2 400
奥列内奥克河	拉普捷夫海	1 424	2 292
阿尔丹河	勒拿河	1 412	2 273
锡尔河	咸海	1 374	2 212
珠江-西江	南海	1 365	2 197
伊洛瓦底江	安达曼海	1 350	2 170
科雷马河	东西伯利亚海	1 323	2 129
塔里木河	罗布泊	1 261	2 030
丘雷姆-白伊尤斯河	鄂毕河	1 257	2 023
维季姆-维季姆肯河	勒拿河	1 229	1 978
因迪吉尔卡-哈斯塔赫河	东西伯利亚海	1 228	1 977

续表

名称	流入	长度		名称	流入	长度	
		英里	千米			英里	千米
西江	珠江	1 216	1 957	辽河	辽东湾	836	1 345
松花江	黑龙江	1 197	1 927	塔谢耶瓦-丘纳河	安加拉河	820	1 319
底格里斯河	阿拉伯河	1 180	1 900	维亚特卡河	卡马河	817	1 314
石泉通古斯卡河	叶尼塞河	1 159	1 865	克里希纳河	孟加拉湾	800	1 290
维季姆河	勒拿河	1 141	1 837	讷尔默达河	坎贝湾	800	1 290
丘雷姆河	鄂毕河	1 118	1 799	结雅河	黑龙江	772	1 242
安加拉河	叶尼塞河	1 105	1 779	欧　洲			
因迪吉尔卡河	东西伯利亚海	1 072	1 726	伏尔加河	里海	2 193	3 530
哈坦加-科图伊河	拉普捷夫海	1 017	1 636	多瑙河	黑海	1 770	2 850
克季河	鄂毕河	1 007	1 621	乌拉尔河	里海	1 509	2 428
额尔古纳河	黑龙江	1 007	1 621	第聂伯河	黑海	1 367	2 200
希尔卡-鄂嫩河	黑龙江	989	1 592	顿河	亚速海	1 162	1 870
托博尔-科克佩克特塞河	额尔齐斯河	989	1 591	伯朝拉河	巴伦支海	1 124	1 809
阿拉泽亚-卡迪尔克安河	东西伯利亚海	988	1 590	卡马河	伏尔加河	1 122	1 805
汉水	长江	952	1 532	奥卡河	伏尔加河	932	1 500
亚纳-萨尔坦格河	拉普捷夫海	927	1 492	别拉亚河	卡马河	889	1 430
哥达瓦里河	孟加拉湾	910	1 465	莱茵河	北海	820	1 320
阿姆加河	阿尔丹河	908	1 462	德涅斯特河	黑海	840	1 352
苏特莱杰河	印度河	900	1 450	北德维纳-苏霍纳河	白海	809	1 302
伊犁-铁克斯河	巴尔喀什湖	894	1 439	大洋洲			
奥廖克马河	勒拿河	892	1 436	达令河	墨累河	1 702	2 739
阿姆河	咸海	879	1 415	墨累河	大澳大利亚湾	1 609	2 589
塔兹河	塔兹湾	871	1 401	马兰比吉河	墨累河	981	1 579
亚穆纳河	恒河	855	1 376	拉克伦河	马兰比吉河	992	1 484
库拉河	里海	848	1 364	库珀河	埃尔湖	882	1 420
塔夫达-洛济瓦河	托博尔河	843	1 356				

留下火山颈，则在四周厚火山灰中发育放射状谷地。

④向心式水系。水系向其一出口汇集，或消失于陷穴。如有些火山口、具有松软核心的穹窿构造、部分石灰岩地区及封闭式的沙漠洼地中。

⑤环状水系。形成于中央部位岩石强度不同的穹窿构造中，河谷及河流以环状形式分布在较软的岩石露头区。

⑥扰乱水系。其河道被湖泊和沼泽所干扰。典型地区为大陆冰盖已消融并中等起伏的地形。这种型式的水系在冰积层不规则表面或受冰刻蚀的广阔结晶岩区域都可以出现。

如地壳运动产生的褶皱和断层横穿水系而未改变它时，河流仍保持已有的河道而不适应于新的构造，称为先成河。当水系切穿一个不整合面进入与表层构造相差很大的下部岩体时就产生区域性的水系和构造不一致，即为下切水系。

在不同历史时期及不同地区，河流给交通和运输提供了方便条件，从而大大减轻了繁重的铁路运输量。近代除了采用河流运输货物以外，还可作动力资源。在欧洲所有大工业国都利用水力动力。这种能源约占总动力资源的30%。北美水力发电约占总动力资源的20%。挪威和瑞士动力资源几乎全靠水力发电。此外，河流还可提供大量的冷却用水和灌溉用水等。

河流虽然能为人们所利用，但也会带来灾害。由于河流携带大量的沉积物在某些段落沉积，使河床变浅，扩大了洪泛区。现今某些河流的某些段落，仍时常洪水成灾。今天人们不仅构筑拦洪大堤，还正在研究预测预报洪峰。

Riverside　里弗赛德　美国加利福尼亚州南部城市，里弗赛德县县城（1893）。临圣安娜河。1870年创建。1883年设市。里弗赛德现与圣贝纳迪诺和安大略一起形成洛杉矶以东的都会区，经济多样化，包括制造业、集散业和教育事业。加利福尼亚大学里弗赛德分校有柑橘实验站（1907）。该市建有里弗赛德城初级学院、洛马林达大学拉塞拉学院、加利福尼亚浸礼会学院和谢尔曼印第安中学（招收印第安人）。附近有里弗赛德国际赛马场和马奇空军基地。人口：市255166；里弗赛德-圣贝纳迪诺主要都会统计区3 254 821（2000）。

Riversleigh fossils　里弗斯利化石　澳大利亚昆士兰州西北部的里弗斯利站附近发现的许多群化石中的任何一种化石，是有史以来在该大陆发现的最丰富、最多样的化石采集品。里弗斯利位于芒特艾萨市西北约225千米，与世隔绝。这些化石是在格列高利河附近的石灰岩露头中发现的。自从澳大利亚古生物学家阿切尔于1983年对这个地方开始详细考察以来，里弗斯利已经提供了属于200多个以前未知的脊椎动物的种的化石。这些动物实例大多数生活在中新世（2 370万年前至530万年前）或上新世（约530万年前至160万年前）。发现物中有多种类型的早期（已绝灭的）有袋类，其范围从一种大型食肉袋鼠及有袋"狮"和"狼"到小型的树袋熊和袋貂的化石。其他发现物有几十个蝙蝠新种、一个史前型的鸭嘴兽和几个未知的爬行类和啮齿类动物的化石。里弗斯利化石大大地丰富了现有的关于澳大利亚史前生物的知识，以及关于澳大利亚有袋类动物演化历史的知识。

Riverton　里弗顿　美国怀俄明州中西部弗里蒙特县城市。濒临温德河口和比格霍恩河。1906年建立并设为沃兹沃斯市，后改称现名。有畜牧业，生产铀、硫酸、铁路枕木和栅栏桩。附近有石油和天然气田。1968年建立中怀俄明学院。邻接温德河印第安人保留地。人口9 310（2000）。

riverweed　河苔草　河苔草目（**Podostemales**）水生植物的通称。

rivet　铆钉　具有镦头的穿钉或销栓，用于永久铆紧金属构件。几十年来在钢结构中一直不可缺少。铆钉的平头部分用锤击或加压即成为另一个铆头。冷铆只适用于小的铜、黄铜、铝、铁或钢质铆钉，大的铁和钢的铆钉必须预先加热，才能使其迅速和易于铆固。铆钉的头或尾部有多种不同的形式。有埋头铆钉，铆好后铆钉头埋入板面的锥形凹孔内与板面平齐；还有圆头铆钉、平头铆钉、锥头铆钉和薄平头铆钉。平头铆钉的边是斜的而顶是平的；锥头铆钉的斜边形成锥顶。用于皮带及皮革制品的分叉铆钉，头薄，尾部分叉和张开如纸扣钉。对空心或薄金属制品往往用气焊或电焊代替铆接。在建筑工程中柱和梁的结构构件广泛使用焊接代替铆接。在铆枪难以伸入的情况下，如把铝皮铆到飞机机翼上时，可用爆炸法铆接。

Rivet, Paul　里韦（1876，法国瓦西尼～1958-03-25，巴黎）　法国人种学家。曾提出南美印第安人的祖先来自澳大利亚和美拉尼西亚，并于1937年创办巴黎人类博物馆。在大学攻读医学。1901年参加前往厄瓜多尔的科学考察队。任务结束后，继续留在那里6年，对居住在安第斯山谷地的各民族进行调查。回巴黎后,任国家自然历史博物馆馆长助理,对在南美所取得的资料进行分类,并与该馆馆长 R.韦尔诺合作,发表了《古代赤道人种志》(2卷,1912～1922)。1926年他协助创办了巴黎大学人种学研究所,培养多名人种学者。1928年继韦尔诺任馆长。里韦认为亚洲并不是早期美洲人的唯一起源地;约在6 000年前,就有来自澳大利亚的移民;稍后,又有来自美拉尼西亚的移民。《美洲人的来源》一书(1943)中就有足以说明他的迁移论的语言学和人类学的证据。1942年里韦到哥伦比亚,在那里创办了一所民族学研究所和一座博物馆。1945年返回巴黎博物馆工作并担任教学工作,同时继续他对南美人种的研究。他的语言学著作提供了很多新资料,最重要的是南美艾马拉语和克丘亚语,这些资料在他之前一直鲜为人知。

Riviera 里维埃拉 法国戛纳与意大利拉斯佩齐亚之间的地中海沿海地区。法国部分包括蓝岸部分地区;意大利部分是热那亚西、东两面的波嫩泰河和黎凡特河。海滨山脉和利古尔诸山为北屏障,冬季温暖,夏季炎热,全年阳光充足。年降雨仅有60天,少雪。植物种类繁多,花卉四季均可大量栽种并供应北方市场。由于气候宜人,岸边景色嵯峨壮丽,海上风光引人入胜,游人很多,特别是在冬季。摩纳哥公国的蒙特卡洛(Monte-Carlo)是极有钱的游客常到之处。沿海地区城市有戛纳、瑞昂莱潘、昂蒂布、尼斯、芒通、博尔迪盖雷、圣雷莫、阿拉西奥、圣马格丽塔、拉帕洛、东塞斯特里和莱万托。尼斯与芒通之间有三层游览公路网相连,最高层公路可从427米高处俯视摩纳哥全城,最下一层连接滨海各休养地。中层于1939年开通,系专为旅游所建。火车在众多悬岬的隧道中穿行。

法国芒通里维埃拉沿岸的游艇码头
供图:Shostal Assoc.—美国不列颠百科全书公司

Rivière, Jacques 里维埃尔(1886-07-15,法国波尔多～1925-02-14,巴黎) 法国作家、评论家与编辑,是第一次世界大战结束初期法国知识界极有影响的人物。其主要作品是有关艺术的多篇思想深刻、文笔优美的文章。这些文章于1912年辑为《论文集》出版;第二部文集《论文新编》在他死后1947出版。1914～1918年,里维埃尔曾为德国战俘;他的作品《德国人》(1918)便是这段经历的写照。他是法国主要艺术杂志《新法兰西评论》

供图:Harlingue—H. Roger-Viollet

的创办人之一,并于1919～1925年担任主编。在其影响下,M.普鲁斯特成为广大读者心目中的重要作家。里维埃尔著有两本心理小说《爱人》(1922)与未完成的《佛罗伦萨》(1935)。里维埃尔生于罗马天主教徒家庭,青年时代脱离教会;但终其一生,宗教始终对他有重要影响。他经历了激烈的思想斗争,以求接受教义,但未成功。他写给妻兄阿兰-傅尼耶和诗人兼剧作家 P.克洛岱尔的书信与其著作《追寻上帝的踪迹》(1925)最能反映他思想上的苦恼与企望。

Rivière-du-Loup 里维耶尔-迪卢 加拿大魁北克省东南部城市,里维耶尔-迪卢行政区县的首府。位于圣劳伦斯河南岸魁北克市东北约160千米处。为交通枢纽、工商业中心。主要产品有木材、纸浆、纸张和家具等,有水力发电厂提供电力。教育机构包括师范学院和工艺美术学校各一所。也是旅游中心。1842年组建城市区;1874年设市。人口14 017(1991)。

Rivne 罗夫诺 原称 Rovno。乌克兰西北部一个州。面积20 100平方千米。北部为普里佩特沼泽地的大片低地,地势平坦,部分已开垦为农田,种植黑麦、亚麻和马铃薯,非沼泽地带遍布森林(橡树、松树和鹅耳枥)。木材加工业兴盛,但北部地广人稀。南部为沃伦-波多尔斯克台地,有一俯瞰普里佩特沼泽地的陡崖。波状起伏的丘陵地为河谷和侵蚀沟所切割。森林-草原地带大多被开垦,种植谷类与甜菜。除州首府罗夫诺外,没有较大城镇。人口约1 176 800(1991)。

Rivne 罗夫诺 原称 Rovno。乌克兰罗夫诺州城市和首府。位于乌斯季耶河畔。1282年首见记载,长期为波兰人的一个小居民点。1795年归属俄国,1797年建镇。19世纪末成为铁路枢纽后开始发展。1920～1939年归属波兰。早期工业不发达,20世纪60年代随着化学工业和机械制造工业的发展而大为兴盛,人口增加一倍。该市设有基辅大学分校、师范学院和水力工程学院。人口约239 300(1991)。

Rivoli 里沃利 意大利西北部皮埃蒙特区都灵省城镇。位于都灵市西面。曾是萨沃依伯爵们最喜爱的游览地。著名建筑有1712年建的城堡等。主要工业为纺织业。人口:城市区约51 884(1991)。

Rivoli, André Masséna, duc de(duke of) **里沃利公爵** 参阅 **Masséna, André**, Duc(duke) DE RIVOLI, PRINCE D'ESSLING 马塞纳。

Riwa(India) 参阅 **Rewa** 雷瓦。

Riwari(India) 参阅 **Rewāri** 雷瓦里。

Riyāḍ, ar- 利雅得 沙特阿拉伯中部内志区省份。北、东接东部省,南接奈季兰省,西邻麦加和麦地那省,西北邻盖西姆和哈伊勒省。向南伸展到鲁卜哈利沙漠,东以代赫纳沙漠带为界。中部有弧形的图韦格山与代赫纳沙漠平行南北走向延伸。经济活动集中于农业和畜牧业。主要城市有国家首都兼省会利雅得以及繁荣的农业中心海尔季。人口约4 730 330(2000)。

Riyāḍ, Maḥmūd 里亚德(1917-01-08,埃及盖勒尤卜～1992-01-25,开罗) 又称 Mahmoud Riad。埃及外交家。曾就读于埃及军事学院,获工程博士学位。第一次阿以战争中在埃及军队服役,后担任混合停战委员会委员。1952年推翻国王法鲁克一世的政变发生后,进入外交部,任巴勒斯坦事务司司长(1952～1953)、阿拉伯事务司司长(1953～1955)、驻叙利亚大使(1955～1958)、纳赛尔总统特别顾问(1958～1962)和常驻联合国大使(1962～1964)。在担任埃及外交部长(1964～1972)和副总理(1971～1972)期间,力促和平解决阿以冲突,但亦劝说多国参加对以色列的国际抵制。1972年被提名接任阿拉伯国家联盟秘书长。虽不同意萨达特总统的和平谈判,但仍努力维护联盟团结。1979年其他阿拉伯国家经投票表决将埃及驱除出阿盟,并将阿盟总部迁往突尼斯后,他辞去公职,但仍担任政府顾问。

Riyāḍ, Muḥammad ʿAbd al-Munʿim 里亚德(1919-10-22,埃及坦塔～1969-03-09,苏伊士

运河区） 又拼 Mohammad Abdel Moneim Riad。埃及军官。早年学医，后进入埃及军校。1944年毕业，在英国和苏联接受军事训练，成绩优异。曾参加1948～1949年和1956年的两次阿以战争。1966年晋升中将。1967年6月第三次中东战争中奉调指挥约旦军队对抗以色列。在开战前几小时曾告诫埃及政府警惕以色列空袭埃及机场，但未引起上层注意，致使阿拉伯军队蒙受灾难。战争结束时，任陆军参谋长。为把以色列军队赶出巴列夫防线，里亚德受命备战。在所谓的运河消耗战（1968～1970）中，他在视察进攻准备时遭以色列军队炮击身亡。其作战计划为埃及在赎罪日战争（1973）开始时发动的进攻奠定了基础。

Riyadh 利雅得 沙特阿拉伯首都、最大城市、利雅得省省会。位于阿拉伯半岛中部，地处海尼费、艾桑和拜特哈三条干河之间的高原。1824年被选为沙特王朝都城。1930年成为伊本·沙特征服阿拉伯时的中心。1932

利雅得市的财政部大楼
供图：Diane Rawson—Photo Researchers

年建立沙特阿拉伯王国，定都利雅得。20世纪30年代该国发现大量石油矿床以来，石油创造的财富已将利雅得这一古老省城变为展示现代技术的橱窗。过去以土坯盖房的小绿洲，如今建有大批现代化的建筑，包括新旅馆、医院和学校以及柏油公路。也是全国商业、教育和运输中心。工业有炼油厂等。有现代化机场，铁路、公路通沿海。1957年原沙特王一世大学改为利雅得大学。还建有伊玛目穆罕默德·伊本·沙特·伊斯兰大学（1974）。人口2 776 096（1992）。

riyal 里亚尔 沙特阿拉伯和卡塔尔的货币单位。1沙特里亚尔等于20库拉什或100哈拉拉。沙特阿拉伯货币局成立于1952年，是唯一有权在沙特阿拉伯王国发行纸币和铸币的机构。纸币正面印有沙特王室人物的画像，面值由1～500里亚尔不等；还印有阿拉伯文字和一座宗教建筑或绘画。背面印有英文及传统的和现代的沙特阿拉伯画面。铸币面值由5～100哈拉拉和1～10库拉什不等。卡塔尔货币单位也称里亚尔，1966年采用卡塔尔-迪拜里亚尔；20世纪70年代卡塔尔获得独立后发行本国货币。卡塔尔中央银行是唯一有权发行卡塔尔里亚尔的银行。1卡塔尔里亚尔等于100迪拉姆。

Riyue Tan 日月潭 英语作Sun Moon Lake。中国台湾省最大的天然湖泊，著名的旅游胜地。位于南投县中部鱼池乡水社村，地处玉山山脉之北、能高瀑布之南，介于集集大山（潭之西）与水社大山（潭之东）之间。为断裂盆地积水所成。潭面辽阔，海拔约760米，面积约9平方千米。旧称水沙连、龙湖、水社大湖、珠潭、双潭，又名水里社。潭中有小岛名

日月潭天然美景
台湾中华书局供图

光华岛（旧称珠屿），以此岛为界，潭面北半部形如日轮，南半部形似月钩，故名日月潭。潭水碧蓝无垠，青山葱翠倒映，环山抱水，形成天然美景。潭中除可泛舟游湖、赏心悦目外，环湖胜景颇多，有涵碧楼、慈恩塔（9层，高约45米，为环湖风景区最高点）、玄奘寺、文武庙、德化社、山地文化村及孔雀园等。

Riza Shah Pahlevi（shah of Iran） 参阅 **Reza Shah Pahlavi** 礼萨·巴列维。

Rizal（y Alonso），José 黎刹（1861-06-19，菲律宾卡兰巴～1896-12-30，马尼拉） 菲律宾爱国志士、医生、作家。菲律宾民族主义运动的倡导者。出身于富裕的地主之家，曾就学于马尼拉和马德里大学，攻读医学，成绩突出。他很快便致力于改革西班牙在菲律宾的统治，但从未鼓吹过菲律宾独立。他的多数作品均创作于1882～1892年旅欧期间。1886年出版第一部长篇小说《不许犯我》，愤怒揭发西班牙对菲律宾统治的罪恶。第二部长篇小说《起义者》（1891）出版后声名大振。他成为“宣传运动”的领袖，在巴塞罗那《团结》双周刊上发表许多文章，提出自己的政治纲领：要求吸收菲律宾为西班牙的一个省；菲律宾要派代表参加西班牙议会；要以菲律宾人教士代替西班牙人教士；要求给予菲律宾人集会自由和言论自由；菲律宾人要和西班牙人在法律上平等。他于1892年回国，在马尼拉创立非暴力改革团体“菲律宾同盟”。后被西班牙当局流放到棉兰老西北部的达皮丹，居住4年。1896年民族主义秘密团体“卡的普南”举行起义。他与这个团体无关，也未参加此次起义，但西班牙军事当局竟将他逮

马尼拉市黎刹公园内的黎刹纪念碑
供图：Tsutomu Nakayama—Shostal Assoc.

捕,硬扣上煽动叛乱的罪名,判处死刑,在马尼拉当众枪决。他的牺牲使菲律宾人民觉悟到:只有脱离西班牙独立,国家才有出路。行刑前夕,他在圣地亚哥堡的囚室里写下 19 世纪西班牙文诗歌中的一篇杰作《最后书怀》。

Rizal City(Philippines) **黎刹市** 参阅 **Pasay** 帕赛。

Rizalist cult 黎刹崇拜 菲律宾民族宗教。拥有许多教会,奉 1896 年被西班牙人杀害的民族英雄黎刹为神灵,这种崇拜包含许多农民信仰,相信黎刹还活着,他必重返,拯救信徒摆脱贫困与压迫;认为他就是上帝、第二基督,即菲律宾基督;有时又以他为西班牙人侵前菲律宾流行的马来宗教所奉之神。黎刹崇拜中的一些派别,如民族圣教会和民族旗帜会(最大者),把天主教的礼仪、圣像和体制与菲律宾传统成分结合起来,大约有 30 万农村居民信奉。

Rize 里泽 土耳其东北部城市。濒黑海,位于突入海中的小山上。商业区在海湾周围狭长的平坦地带。气候温暖、植物繁茂。有公路连接特拉布宗、霍帕和埃尔祖鲁姆。有船舶通伊斯坦布尔。是周围地区所产茶叶的加工和海运中心。1958 年在此成立茶叶研究所。人口:市约 78 144(2000)。

Rizhao 日照 中国山东省辖地级市,新兴的海港城市。位于省境东南部黄海之滨。因濒海"日出初光先照"而得名。西汉置海曲县,西晋废。北宋元祐二年(1087)置日照镇,

日照港的煤炭专用码头
中国大百科全书出版社供图

金大定二十四年(1184)升为日照县。1985 年设日照县级市,1989 年升为省辖地级市。辖东港、岚山 2 区及五莲县和莒县。面积 5 310 平方千米,其中市区面积 1 915 平方千米。沿海有 20 多千米长的海岸线,其中石臼港为最大的天然港湾,水深陆广,不冻不淤,地质条件好。以煤炭、化肥、建材、粮食、农副产品为大宗进出口物资。1982 年始建煤炭专用码头。现已建成 2 座 10 万吨级深水泊位、1 座 2.5 万吨级泊位,以及 1 座万吨级杂货码头,年吞吐能力可达 4 000 万吨。焦作—兖州—石臼港铁路建成后,加强了同内陆的联系。非金属矿藏丰富,主要有石棉、花岗岩、蛇纹岩、石英石、钾长石、大理石、玄武石等。工业主要有机械、化工、纺织、建材、食品、电力、造船等。农产品主要有小麦、玉米、红薯、稻谷、花生;果品有苹果、山楂、梨、枣、板栗、葡萄。日照茶叶享有较高声誉。重要海产有黄鲫、鲐、乌贼、西施舌、文蛤、大竹蛏、海参、鲍鱼、石花菜。平山、达山、车牛山 3 个岛屿被誉为"海上公园"。名胜古迹有尧王城和东海峪遗址。人口:全市2 800 000(2005);市区1 110 000(2004)。

RJR Nabisco, Inc. RJR 纳贝斯克公司 1985 年由 R.J. 雷诺兹工业公司(多元化经营公司,以烟草和食品制造为主)和纳贝斯克品牌公司(国际点心食品制造商)建立的前集团公司。该公司的成立在当时是最大的兼并行为。1989 年,该公司与投资公司 KKR 合并,成为私人所有。1999 年,纳贝斯克和雷诺兹独立,R.J. 雷诺兹的股票被剥离。

RKO Radio Pictures, Inc. 雷电华影片公司 美国电影制片厂,20 世纪 30 年代和 40 年代摄制了一批著名的影片。雷电华由美国无线电公司、基思-阿尔比-奥菲埃姆联营影院和美国帕泰制片公司于 1928 年合并组成。虽然它是好莱坞主要制片厂之一,但在它存在的 25 年里,大部分时间却不得不为财政稳定而苦苦挣扎。30 年代,雷电华摄制了著名的弗雷德·阿斯泰尔-琴逑·罗杰斯连本音乐片和凯瑟琳·赫伯恩早期的影片,包括《育婴记》(1938)。其他著名的影片有:根据埃德娜·费伯的小说改编的《壮志千秋》(1931)、早期的恐怖片《金刚》(1933)、约翰·福特的《告密者》(1935)和奥逊·韦尔斯的现被认为是电影技术方面的杰作《公民凯恩》(1941)等。40 年代,雅克·图纳尔和阿尔弗雷德·希契科克为雷电华导演了几部著名的心理恐怖片。1948 年,商人兼制片人霍华德·休斯买下雷电华,而他的漫不经心和日益增长的遁世情绪,注定公司必然衰败。1953 年公司停止制片;1957 年转卖给德西露电影制片公司。经过多次公司改组后,改名雷电华总公司延续下去,拥有和经营电台、电视台、电影院以及相关企业。

RNA 核糖核酸 ribonucleic acid的缩略语。高分子量的复杂化合物。在细胞的蛋白质合成中起作用,并在某些病毒中代替 DNA(脱氧核糖核酸)而作为遗传密码的载体。可分数类,由长度不同的链状核糖核苷酸组成。其结构各异,从螺旋形到非卷曲的链状。RNA 有 3 个主要类型:信使 RNA(mRNA)、转移 RNA(tRNA)和核糖体 RNA(rRNA)。转移 RNA(tRNA,有时称为可溶性 RNA 或激活剂 RNA)中核苷酸数不足 100,其他类型的 RNA 中则数以千计。RNA 的含氮碱基为腺嘌呤、鸟嘌呤、胞嘧啶及尿嘧啶。mRNA 在细胞核内;tRNA 在细胞浆内并与含有 rRNA 的核糖体结合。在蛋白质合成中,mRNA 将密码从染色体带到细胞质内蛋白质合成场所(核糖体)。核糖体由 rRNA 及蛋白质组成;能"阅读"mRNA 带来的密码。mRNA 中 3 个含氮碱基的顺序决定了哪一种氨基酸将被 tRNA 带到核糖体;rRNA 则将氨基酸连结成蛋白质。除主要的 RNA 类型外,细胞内还有其他 RNA 小分子及核糖核蛋白(由 RNA 及蛋白质组成)。已证明至少一种细胞核糖核蛋白的 RNA 组分有生物催化剂作用,以前只知蛋白质有此功能。1965 年 R.W.霍利描述了 RNA 分子的结构。

Rnying-ma-pa 宁玛派 又拼 Nyingmapa。中国藏传佛教教派。宁玛,藏语意为古、旧。因该派僧人戴红色僧帽,俗称红教。该教派奉印度金刚乘大师莲花生为祖师。注重金刚乘密法的修持,并广泛采用萨满教法,还从苯教输入一些神祇,为莲花生的教法增加了内容。宁玛派不要求僧徒守独身。该派后世虽不兴盛,但仍延续不断。14 世纪传至不丹,后传至尼泊尔。20 世纪中传至印度,在大吉岭建寺。1973 年以后传入西欧,先后在比利时、希腊、法国建寺。

rō-iro 蜡色涂 日本漆工艺中的黑漆涂层技术,包括两种主要方法:花涂使用的黑漆中含有油料;蜡色涂用于精美的漆器,也使用可以擦亮的黑漆,涂几层后再涂上不加油料的

日本德川时代(1603 ～ 1867)蜡色涂四盒式印笼
供图:Melvin and Betty Janss

蜡色漆(即推光漆)。干透后经过木炭推光,再漆一遍,然后用细粒木炭和水磨光。下一步是擦漆工序,用棉花在工件上涂上生漆,并用揉皱的宣纸擦拭,待干透后用棉花涂上少许菜子油,轻轻抛光。再用烧制的鹿角粉或钛除去在擦漆阶层施用的多余漆层,将擦漆和抛光工序反复多次,便可使工件光泽照人。

Roa Bastos, Augusto 罗亚·巴斯托斯(1917-06-13,巴拉圭伊图尔韦～ 2005-04-26,亚松森) 巴拉圭小说家、电影剧本作家,在国内外享有声誉。生于农村小镇,1925 年入军校,参加对玻利维亚的查科战争(1932 ～ 1935)。1947 年的内战迫使他和许多人流亡到布宜诺斯艾利斯。第一本短篇小说集《叶丛雷声》(1953)描写巴拉圭的生活状况,着力刻画暴力和社会的不公平。小说《人之子》(1960)在评论界和读者中获得一致好评。作品重现了从 19 世纪早期弗朗西亚对巴拉圭进行独裁统治到查科战争的历史。短篇小说集《未开垦的土地》(1966)以温存同情的笔调写出巴拉圭流亡者的问题,其中有几篇明确指责了内战中的暴行。短篇小说集《水上行》(1967)和《燃烧的马德拉》(1967)重新用心理学和存在主义的手法,描写了早期使用过的题材。1970 年他回到巴拉圭,讲授西班牙美洲和巴拉圭文学。《我,至高无上者》(1974)是他最宏伟的一部作品,以佛朗西亚的一生经历为基础,概述了巴拉圭百余年的历史。1976 ～

1985年，在法国的图卢兹第二大学任教。1989年后，巴拉圭的独裁统治结束，他可以自由往返于巴拉圭和法国之间。他后来的小说包括《海军上将的守夜》(1992)、《检察官》(1993)和《反生活》(1994)。1989年获塞万提斯奖。

roach(insect) **蜚蠊** 参阅**cockroach蟑螂**。

roach(*Rutilus rutilus*) **拟鲤** 常见的欧洲鲤科游钓鱼，广布于湖泊及水流缓慢的江河中。体浅黄绿色，背高，眼红色，鳍淡红色。长约15～40厘米，重达两千克。常小群游

拟鲤(*Rutilus rutilus*)
供图:Jane Burton—Bruce Coleman Ltd.

动。以水生植物、昆虫和其他小动物为食。可供食用或作钓饵。在北美，roach一词亦指鲤科的**红眼鱼**(**rudd**)和金色闪光鱼(参阅**minnow**)，以及日鲈科一些鱼类如**太阳鱼**(**sunfish**)。

Roach, Hal **罗奇**(1892-01-14，美国纽约埃尔迈拉～1992-11-02，加利福尼亚贝莱尔) 原名哈罗德·尤金·罗奇。美国电影导演、制片人兼编剧，以在20世纪20～30年代所拍摄的喜剧片知名。在这些影片中，由H.劳埃德、W.罗杰斯以及劳莱与哈代搭档扮演主角。他与M.塞纳特并列为好莱坞早期那种富有灵感的胡闹喜剧风格的奠基人。还由于

合众国际社—美国不列颠百科全书公司供图

是S.波拉德、C.蔡斯、H.兰登等人主演的短片和故事片以及"我们一伙"喜剧片的制片人而为人铭记。他是在从事各种杂七杂八的职业之后，于1912年在一些西部片中扮演配角开始电影生涯的。三年以后建立一个公司，制作劳埃德主演的喜剧片，首次以《简直胡来》(1915)一片获得成功。整个20年代，他共制作2 000部以上高质量的短喜剧片和大量故事片。这些影片包括：罗杰斯的系列片(于1923年开始，内容往往讽刺电影业)；"我们一伙"系列喜剧片；M.戴维森的两本民俗喜剧片；全由动物演出的《狄波斯-杜-达》以及由马明星雷克斯表演的惊险片。他坚持用巧妙的故事线索和细致的性格刻画来精心构思电影剧本，导致一种以性格和环境为依据的幽默，而不是洋相百出的插科打诨。他也制作一些严肃影片，《人鼠之间》(1939，根据J.斯坦贝克小说改编，由L.迈尔斯通执导)被认为是其中最好的一部。1984年罗奇获奥斯卡"终身成就"奖。

Roach, Max **罗奇**(1925-01-10，美国北卡罗来纳纽兰德～2007-08-16，纽约市) 美国爵士乐鼓手和作曲家，现代打击乐器演奏家中最有影响和录音最广者之一。20世纪40年代中期比博普爵士乐发展时期，同C.帕克合作一起演出于明顿剧场，他把用低音鼓敲的爵士固定节拍改由节奏钹演奏，充分发挥架子鼓的灵活性而创造出多层次节奏的打击乐织体。他在鼓上把主题乐思加以精心发展，从而把打击乐手提高到旋律即兴演奏者的同样地位。1947～1948年参加帕克五重奏团和M.戴维斯"冷静爵士的诞生"系列的录音；与小号手C.布朗同为50年代初期一支五重奏团的领导人。60年代与抒情诗人O.布朗合作，为他当时的妻子、歌唱家A.林肯创作了由合唱组、乐器独奏组与合奏组演奏的《现在自由了组曲》。70年代任小型爵士乐队指挥并经常录音。后又成立了一个全部打击乐器的合奏团，取名"姆布姆"。1971年起任马萨诸塞大学终身教授。1980年同先锋派即兴演奏家，诸如钢琴家C.泰勒和萨克斯管演奏家A.布拉克斯顿演出一系列二重奏。

road **道路** 人、畜或车辆往来通行的路线。在现代，道路一词指乡村地区较次要的交通路线，而街道一词则指城市中的交通路线。公路是指乡村地区的主要交通路线；近来指车辆入口和出口都有限制并受到控制的乡村或城市的道路。

道路的修筑大约开始于公元前3000年以前的高加索山脉与波斯湾之间的地区。第一条主要的道路为从波斯湾通往爱琴海的波斯皇家大道(约公元前3500～前300)，全长2 857千米。欧洲最早的道路为从希腊和托斯卡纳延伸至波罗的海的"琥珀路"。在东亚，中国修筑了连接其主要城市的道路网，总长度达3 200千米。修建这些古代道路的技术各不相同。在北欧，由于时常遇到潮湿的土地，就把树干和树枝纵横叠放在沼泽地中，以铺设路面。在马耳他岛，居民在砂岩上开凿车辙，以便车辆通行。印度河流域的国家，用沥青黏结的砖块筑路，并修建排水沟渠；该地区的孔雀帝国为了保养其道路系统，还设立了一个"公共工程部"。罗马人为维护其帝国，也重视道路的建设；罗马帝国鼎盛时期有道路8.5万千米，通行范围北至英国、南至北非、西至伊比利亚半岛的大西洋海岸、东至波斯湾。参阅**Roman road system**。

罗马人首先用科学方法修筑道路，路线笔直，最好的道路用压平的坚实土壤作路基，上面再铺放四层材料：最下一层为砂子或砂浆；其上为一层扁平的大石块；再在上面铺设一薄层石灰拌砾石；最后为燧石状的火山灰面层。罗马的道路厚度为0.9～1.5米，在18世纪末、19世纪初出现现代化的道路修筑技术之前，罗马的道路设计一直是最先进的。随着罗马帝国的衰落，其道路也破损失修，除了15及16世纪有一些城市修建街道以外，西方在长达1 500年的时期中一直很少从事道路建设。在此期间，从罗马帝国通往印度及中国的丝绸之路，只能断断续续地通行(时常因战祸与受游牧民族的袭击而被阻)。然而在南美洲，印加人却在安第斯山脉中修筑了设计良好的先进道路网。当西班牙人在16世纪来到该地时，印加人已经建成了两条平行的道路(一条在沿海地带，另一条在山中)，以及它们之间的许多横向联系路线。18世纪晚期，当欧洲重新修建道路时，工程师们开始设计由基层支承荷载的路面较薄的道路。这样就有可能较便宜和较快地把道路修建起来。早期最有影响的工程师为发明碎石路面的J.L.麦克亚当。他设计的道路，采用由级配(用不同粒径的石子，按一定比例配合)的碎石压实的垫层以支承路面荷载，以及细石子组成的面层以抵御磨损，并把雨水排入沟内。19世纪末，由于自行车的广泛流行，需要比较光滑的路面。1854年巴黎使用了一种用天然沥青铺成的路面，而1865年苏格兰出现了水泥混凝土路面。其后，人们又采用一种叫做柏油碎石路面的做法，即把碎石用柏油搅拌，黏结在一起，再加以压实。

路面分柔性和刚性两种类型。柔性路面一般由铺在垫层上的一层或多层沥青与碎石集料组成。上述集料可在道路修建工地上或中心厂房内拌制，其性质视所用的拌制方法而异。有一种名叫表面处理法的廉价的路面铺筑方法，即是将烧热的沥青或柏油，喷洒在压实的碎石上，再在上面加一层细粒石屑。这种路面适用于荷载较轻的交通道路，还可以一层一层加厚。工厂中高温拌制的集料可用以修筑荷载极大的路面，这种集料需在其中的沥青很热时铺成路面，并在沥青冷却之前将其压实。柔性路面的优点是铺筑和修补都很方便；沥青黏结剂既防水又有弹性，因此能够耐受雨水浸泡，温度变化时还能膨胀和收缩。刚性路面由水泥混凝土组成，一般比较坚固，但容易产生裂缝。将水泥加水与碎石、砂搅拌而成的集料，铺浇在基层上，就成为混凝土路面。它凝固时会收缩，而产生张力。气温变化时，混凝土板也会伸长和缩短，因而经常存在裂缝的问题。为此，路面板要分段铺浇，各段之间留出伸缩缝，使混凝土在伸缩缝处伸长和缩短。最好的办法是在下部添加钢筋网，再浇灌连续的混凝土板。这样，板内纵长的钢筋就能吸收混凝土收缩时产生的张力，而避免裂缝扩大。现代公路的设计需要仔细研究土壤的类型、公路路线的地形和公路两旁的排水系统。必要时需添设附加的排水设施，以免路基被水侵蚀或裂缝浸水而结冰。为求公路坡度平缓，在崎岖不平的地段修筑公路时，许多世纪以来都曾使用过挖方和填方的技术(在高处把土挖低，而在低处用土填高，以修建水平的路基)，以及采用之字形路线(以盘旋弯曲的路线上坡)的技术。但必须设计宽阔和有路堤的弯道，以防车辆滑出路面，并限制公路的入口和出口，同

时把车辆来往的行车道分开，以减少撞车的危险。现代超级公路的范例为纽约市1925年建成的布朗克斯河滨干道。这是一条人口受限制的高速公路，目的在于供大量交通使用，但又不致破坏自然环境。20年代意大利人开始修建高速公路，不久德国人也步其后尘。这些公路设计的重要特征在于其军事用途。第二次世界大战后，美国联邦政府修建了全国州际公路系统（其中包括收费道路网及人口受限制的公路），把全国各大城市联系起来。多数工业化国家都修建了类似的公路系统，以供汽车交通和卡车运输之需。

road at sea, rules of the　海上避撞规程　国际协议的海上交通规则。最近一次修正是在1965年，根据国际海上人命安全会议的建议增订，补充了各国内陆水域的规则。主要内容是规定灯光的颜色和配置，昼标的大小、形状、颜色和配置，音响信号的特征、持续时间和频率，船在互相靠近时避让动作的种类，以及明确采取行动的责任。对于机动船和帆船各有不同的规则，而对于小型船只、海军船只和特殊构造的船只有某些例外的规定。

road race　公路自行车赛　自行车竞赛项目，比赛在标出跑道的大路或公路上进行。赛程可呈环形，可从一点到另一点，也可从一城市到另一城市，还可以连续几天分段进行，

环英公路自行车赛中同时出发的参赛者
供图：Keystone

比赛以各阶段累计时间最少者为胜。环法自行车比赛就是用这种决胜办法。通常是所有参赛者一起同时出发，但也有用其他方法的。特别是在长距离比赛中，有些地段可采用计时赛制，车手分批出发。参阅 **Sporting Record**: Cycling。并参阅 **Olympic Games**。

Road Town　罗德城　英属维尔京群岛托尔托拉岛的主要城镇、港口和旅游中心。位于罗德湾的西侧与托尔托拉岛相连的威克姆珊瑚礁，面积27公顷，为旅游开发区的一部分。人口6 300(1991)。

roadrunner　走鹃　又作chaparral cock。又称灌丛鸡。两种地栖杜鹃的统称，尤指美国西南部和墨西哥荒漠区的加利福尼亚走鹃（*Geococcyx californianus*）。体长约56厘米；羽衣橄榄褐和白色相间；有条纹；羽冠短而蓬松；眼后皮肤裸露，蓝红相间；腿粗壮，浅蓝色；尾长，凸形，向上翘。飞行笨拙且易疲乏。通常喜沿着道路跑或串行于灌木蒿丛、常绿阔丛灌丛和牧豆树的灌丛中，捕食昆虫、蜥蜴

加利福尼亚走鹃（*Geococcyx californianus*）
供图：Russ Kinne—Photo Researchers/美国不列颠百科全书公司

和蛇。捕到爬行动物后，用结实的喙将其啄死，然后从头部开始吞下。每窝产卵2～12枚（通常3～5枚），卵白色。营巢于仙人掌或小树下层，巢结实，由树枝构成。小走鹃（*G. velox*）稍小，长46厘米；羽毛稍呈淡黄色，条纹较少；产于墨西哥和中美洲。

roan antelope（*Hippotragus equinus*）　**马羚**　偶蹄目牛科的非洲动物。成小群栖息在平原和灌木地区。与貂羚（*H. niger*）和已绝灭的蓝弯角羚（*H. leucophoeus*）近缘。体大，肩高

马羚（*Hippotragus equinus*）
供图：Leonard Lee Rue Ⅲ—Bruce Cdeman Inc./美国不列颠百科全书公司

130～150厘米。外形优美，两性都有长而尖的耳、直立的鬃毛、镰刀般的长角，喉部有长毛。浅红灰至浅红褐色，脸部有黑色斑纹，吻部和腹部白色。

Roanne　罗阿讷　法国中东部罗讷-阿尔卑斯大区卢瓦尔省城镇。位于卢瓦尔河畔。为一专区的首府。建于罗马-高卢时期，原称罗都姆那。11世纪城堡是唯一现存古建筑。城镇中心为海尔维第十字路。让皮伊中学所在地为原17世纪耶稣会学院。城镇位于里昂西北偏西64千米，地当铁路、公路交会点和罗阿讷-迪关运河航段终端，为重要商业和工业中心。城南有卢瓦尔河峡谷，城西为马德莱娜山风景区。除传统工业（制帽、纺织、机床、金属加工业）外，还生产人造纤维、装甲车、纸和橡胶轮胎。人口38 896(1999)。

Roanoke　罗厄诺克　美国弗吉尼亚州西南部城市。濒临罗厄诺克河，东距里士满238千米。与塞勒姆和温顿组成综合工业区，为该区中心。地处罗厄诺克县，但行政独立。1740年始有人定居。1874年设镇。1884年建市。1908年修通铁路后促进城市与工业的进一步发展。现在产品中有火车车厢、金属与钢铁产品、电气设备、服装、化学品和家具。市内有国家商业学院(1886)、弗吉尼亚西部社区学院(1966)。附近还有霍林斯学院(1842)、罗厄诺克学院(1842)及杰斐逊国家森林管理处。高达610米的米尔山也在该综合区的范围内。布克·华盛顿（黑人教育家）国家纪念馆在市东南32千米处。人口：市94 911；都会统计区235 932(2000)。

Roanoke Island　罗厄诺克岛　美国北卡罗来纳州沿海岛屿，属戴尔县。位于阿尔伯马尔湾以南。长12英里(19千米)、宽3英里。1584年有人到此探险，其后于1585、1587年进行的殖民活动（英国人来新大陆的首次殖民活动）均未成功。英国人在新大陆的第一个婴儿戴尔于1587年8月18日降生于此。罗利堡国家历史遗址(1941)是经修复的英国殖民地旧观。县城曼蒂奥及渔村旺奇斯均为旅游胜地。

Roanoke River　罗厄诺克河　源出美国弗吉尼亚州西南部蒙哥马利县的阿巴拉契亚山谷。东南流，在北卡罗来纳州注入大西洋的阿尔伯马尔湾。全长380英里(612千米)。流域面积9 580平方英里(24 810平方千米)。在弗吉尼亚州与北卡罗来纳州边界以北接纳其主要支流达恩河。小船可自河口上行112英里至韦尔登，吃水深度12英尺(3.65米)的船只可驶抵距河口6英深度里的普利茅斯。沿河多水坝。

roaring forties　咆哮西风带　南北纬40°和50°之间盛行西风的地带。由于风在海洋上受到的阻力较小，所以南半球的盛行西风带更为明显。南半球的咆哮西风带常年都有强风。它由最先进入该地带的海员命名。

Roark, Helen Newington Wills Moody　罗克　参阅 **Wills, Helen(Newington)** 威尔斯。

roasting　烤　食品烹饪法，指用辐射热加工肉、玉米、马铃薯及其他蔬菜的过程。一般在烤炉的明火上进行，用烧烫了的石头、砂子或余烬物包裹食品进行烹饪也称为烤。这种做法与其他食品的焙烤烹饪法近似。参阅 **baking**。

Roatán　罗阿坦　洪都拉斯北部巴伊亚群岛省省会。在罗阿坦岛西南海滨。为该岛主要商业中心，有船坞，还有鱼类、水果和肉类罐头厂。主要出口椰子。20世纪70年代发展了旅游业。有轮渡和航空线与大陆及附近瓜纳哈岛相连。当地有17世纪海盗城堡遗迹。美国冒险家华尔克1860年就是从罗阿坦出发，第三次也是最后一次去中美洲的。人口3 774(1988)。

Rob Roy　罗布·罗伊（1671-03-07受洗，苏格兰斯特灵郡布坎南～1734-12-28，珀斯郡巴尔

惠德） 别名罗伯特·麦格雷戈。著名的苏格兰高地歹徒。在司各特的长篇小说《罗布·罗伊》(1818)和华兹华斯的一些诗篇中对被誉为苏格兰的罗宾汉的他有夸张的描述。1712年开始打家劫舍，主要抢劫蒙特罗斯家族的财产。1722年后被捕，关入伦敦的纽盖特监狱。1727年在即将解往巴巴多斯时获得赦免。晚年成为天主教徒。从他的书信可以看出他受过良好教育，把他仅仅看做一名残忍的强盗似乎有失公允。

robāʿī 四行诗 波斯文学中的一种诗体。四行诗的韵脚为aaba，它与对句韵诗(玛斯那维)一样，纯属波斯诗体，而并非像颂诗(格西特)或爱情抒情诗(厄扎尔)那样借鉴于阿拉伯诗歌。在波斯的影响下，这种诗体在其他国家也被采用。欧玛尔·海亚姆的四行诗集《鲁拜集》是这类诗体在西方最为闻名的作品，该诗由英国人E.菲茨杰拉德译成英文。

robalo (fish) **锯盖鱼** 参阅**snook** 蝉鲈。

Robards, Jason 罗巴兹 (1922-07-26，美国伊利诺伊芝加哥～2000-12-26，康涅狄格布里奇波特） 全名Jason Nelson Robards, Jr.。美国戏剧和电影演员。被公认为最能演绎E.奥尼尔作品的主旨。1940～1946年在美国海军服役，日本轰炸珍珠港时他正在那里，后获海军十字勋章；退役后在美国戏剧艺术学院学习。1947年首次登台演出儿童剧《杰克与豆蔓》。1953年在百老汇的《美国的哥特风格》中担任主角。1956年开始走红，先后在奥尼尔的戏剧《卖冰的人来了》、《直到夜晚的漫长一天》、《私生子的月亮》和《诗人的笔触》中扮演角色。其他舞台佳作有获托尼奖的《幻灭者》(1958)和《阁楼里的玩具》(1959)。从1959年的《旅程》起，由于表演过于戏剧化而有时受到批评，尤其是在电影版的《直到夜晚的漫长一天》(1962)和《一千个小丑》(1965)中照搬舞台的表演方法。也拍摄过一些不太著名的影片，如《情人节大屠杀》(1971)和《摩尔格街谋杀案》(1971)，不过在《惊天大阴谋》(1976)中饰演的《华盛顿邮报》编辑和在《茱莉亚》(1977)中饰演的侦探小说家使他连续两次获得奥斯卡奖。他在《天外横财》(1980)中饰演的霍华德·休斯获得第三次奥斯卡奖提名。晚年的影片有《费城故事》(1993)、《陌上伊人》(1997)和《木兰花》(1999)。他一直在戏剧、电影和电视中表演直到20世纪90年代末，1988年电视版的《向上帝挑战》获得艾美奖。他的儿子贾森·罗巴兹和萨姆·罗巴兹也从事表演工作。一生共有四次婚姻，他的第三任妻子是女演员L.巴考尔。

Robbe-Grillet, Alain 罗伯-格里耶 (1922-08-18 法国布雷斯特～2008-02-18，卡昂） 20世纪50年代在法国出现的“反小说”即“新小说”的代表作家和主要理论家，也是电影剧本作者和导演。早年受过统计学和农艺教育，主张为时代而写小说，特别注意“存在于事物、姿态及情景之间的联系，竭力避免对人物的活动作心理的和思想上的‘评述’”(《争取新的小说》[1963])。他心目中的世界既无意义，也并不荒谬，仅仅存在着而已。客观事物无所不在，它们有硬度，有光泽，仅仅具有重量、长度及反射光的波长等可度量的特性。它们掩盖并消除了情节和人物。故事由反复浮现脑际的形象所构成，它们或者通过客观的观察，或者通过梦幻和回忆而被记录下来。罗伯-格里耶的小说中的故事，按时间顺序叙述，事物一一详加描绘，人物的来去无一遗漏。早期作品《橡皮》(1953)记述一桩由破案人犯下的凶杀罪；《窥视者》(1955)写一个年轻姑娘被过路的陌生人凶杀的案子；《嫉妒》(1957)写一个嫉妒的丈夫通过百叶窗来监视妻子和他所怀疑的她的情人。后期作品有《幽会的房子》(1966)、《纽约的革命计划》(1970)、《幽灵城的风土志》(1977)、《弑君者》(1978)和《神灵》(1981)。他关于小说的论文《争取新的小说》有许多种文字的译本。

Robben Island 罗本岛 南非开普省桌湾中的岛屿。面积约13平方千米。在16世纪和17世纪初，该岛为过往船只的停靠地。早年曾试图在此建居民点，先后成为荷兰和英国的流放场所。1846～1931年为麻风病人收容地，精神病患者也送至此。1864年建有一座灯塔。从20世纪60年代中期至1991年，为南非的监狱。多数犯人是黑人政治犯。最后一批于1991年获释。1997年关闭监狱，改建为博物馆，1999年被联合国教科文组织列为世界遗产。

robber crab 盗蟹 又称椰子蟹(coconut crab[*Birgus latro*])。西南太平洋和印度洋的一种夜行性大型蟹。与**寄居蟹**(**hermit crab**)近缘，同属于甲壳纲十足目寄居蟹科。成蟹

盗蟹(*Birgus latro*)
供图：Cy La Tour

长约1米，重17千克。这种蟹用两个大螯敲开或凿开椰子，取食中间的白色椰肉。充分成熟的成蟹淡紫到棕或深紫色。刚成年者棕色，足有黑条纹。雌体产卵海中，卵立即孵化为蚤状幼体，以小生物为食。20～30天后，发育成后期幼体，离水进入贝壳生活三四周。然后离壳，钻入湿沙，变为小型的成蟹。虽能爬树，但似乎只吃掉在地上的椰子。盗蟹白天多在洞内，洞深可达0.6米。有时一洞内有两个个体。盗蟹肉为当地的一种美味。

robber fly 食虫虻 又作assassin fly。双翅目食虫虻科(Asilidae)昆虫。约4 000种，分布全球。长度不等，大者几乎有8厘米，是双翅目中最大的昆虫。大多数色彩不鲜明，体粗壮似熊蜂。眼面大，在眼之间有刚毛。足长，能在飞行中捕食，在进食时用足把住食物。

食虫虻(Asilidae)
供图：William E. Ferguson

几乎以一切飞行昆虫为食，能往捕获物中注入液体以消化其肌肉。蛮食虫虻属(*Promachus*)的少数种食蜂，为养蜂业的大害。每种的生境不同，如树干、叶、草、低矮植物、枯枝、砾石和沙滩。

robbery 抢劫 在刑法上，指**盗窃**(**theft**)的一种严重形式，即当面对被害人施加暴力或以暴力相威胁。很多犯罪学者将抢劫数据作为对总体犯罪率的最准确的衡量标准之一。

Robbia, Andrea Della 罗比亚 参阅**Della Robbia, Andrea** 德拉·罗比亚。

Robbia, Giovanni Della 罗比亚 参阅**Della Robbia, Giovanni** 德拉·罗比亚。

Robbia, Luca Della 罗比亚 参阅**Della Robbia, Luca** 德拉·罗比亚。

Robbins, Frederick Chapman 罗宾斯 (1916-08-25，美国亚拉巴马奥本～2003-08-04，俄亥俄克利夫兰） 美国儿科医师、病毒学家。将脊髓灰质炎病毒进行组织培养成功，使疫苗生产成为可能；又研究出精细的诊断方法并分离出多种新病毒，因此与J.恩德斯及W.韦勒共获1954年诺贝尔生理学或医学奖。还研究过传染性肝炎、斑疹伤寒及Q热的流行病学。1940年毕业于哈佛大学医学院。1948年，他与恩德斯、韦勒在波士顿儿童医院共事。当时普遍认为，脊髓灰质炎病毒只能在哺乳动物的神经组织中生长和繁殖，而离开活动物便不能保存。1952年，他们三人在实验室内将新陈代谢活跃的细胞(人胚皮肤及肌肉组织的细胞)混合悬浮在营养液中，成功地培养了这种病毒，从而证明脊髓灰质炎病毒生存在神经组织之外，只是后来才侵袭脑的低级部位及脊髓各节段。

Robbins, Jerome 罗宾斯 (1918-10-11，美国纽约州纽约～1998-07-29，纽约） 20世纪美国享有盛誉和最富有想象力的舞蹈编导之一。他最初以革新芭蕾舞闻名，后在百老汇和好莱坞音乐舞剧中巧妙地运用现代美国题材取得成功。他还采用传统古典舞蹈的结构创作了大批具有高度革新精神的芭蕾舞，受到赞扬。罗宾斯是一位特具个性的舞蹈家，曾在格鲁克·桑多尔-费利西亚·索雷尔舞蹈

罗宾斯在《水手上岸》(1944)中的剧照

供图:Fred Fehl

中心演出过音乐舞剧,还随同芭蕾舞剧院作巡回演出。其后于1944年演出其第一部芭蕾舞剧《水手上岸》,1980年此剧重新上演。他的重要作品有为芭蕾舞剧《相互作用》、《樊笼》、《婚礼》、《聚会上的舞蹈》、《四季》,以及为音乐舞剧《寻乐》、《国王与我》和《屋顶上的提琴手》设计舞蹈。1949年加入纽约市芭蕾舞团,1950～1959年任副团长。1962年因《西城故事》电影剧本中的舞蹈设计而获奥斯卡奖,该电影剧本原是由他编导于1957年上演的音乐舞剧,1980年在百老汇重新上演获得成功。1969～1983年他担任纽约市芭蕾舞团的驻团编导和艺术指导,1983年与P.马丁斯同时担任该舞团的首席艺术指导。《杰罗姆·罗宾斯的百老汇》是从罗宾斯导演或设计的11个在百老汇上演过的音乐舞剧中的片段汇编而成的舞剧集锦,1989年在百老汇演出。1990年他辞去纽约市芭蕾舞团的首席艺术指导职务。

Robbins(of Clare Market), Lionel Charles Robbins, Baron　罗宾斯(1898-11-22,英国米德尔塞克斯锡普森～1984-05-15,伦敦)　英国经济学家、颇有影响的高等教育家。曾在伦敦大学和伦敦经济学院学习。从事教学一段时间后,1929～1961年在伦敦经济学院任经济学教授。30年代,任该学院经济理论研究班主任,对当时青年经济学者影响颇深。1959年被封为非世袭的贵族,以后担任过许多公职,如1961～1964年任高等教育委员会主席(该委员会负责英国60年代高等教育的重大发展和改革工作);1961～1970年还任过《金融时报》社董事长。主要论著有:《经济科学的性质和意义》、《经济政策理论》、《罗伯特·托伦斯和古典经济学的演变》等。

robe, noblesse de　参阅 **noblesse de robe** 穿袍贵族。

Robecchi-Bricchetti, Luigi　罗贝基-布里凯蒂(1855-05-21,伦巴第帕维亚[意大利]～1926-05-31,帕维亚)　意大利探险家,穿过索马里半岛(东非之角)的第一个欧洲人。在他第一次的非洲探险中,1886年到达锡瓦绿洲(埃及西部),发现一大墓地,并为欧洲的博物馆收集了墓地里的头盖骨。他的两次大规模探险都穿越了未经考察的索马里内地。1890年游历了全部东部地区(从南部的奥比亚到东非之角的阿卢拉)。1891年从印度洋摩加迪沙出发,穿过索马里之角和埃塞俄比亚的东部,向北到达亚丁湾的伯贝拉。

Robert　罗贝尔;罗伯特　统治者之名,按国别分列于后,并各以●为标记。

与此字相等之外语:

荷兰语	Robrecht
法语	Robert
意大利语	Roberto

阿普利亚

● **Robert　罗伯特**(约1015,诺曼底[法国]～1085-07-17,拜占廷帝国希腊凯法利尼亚附近)　别名罗伯特·圭斯卡德或罗伯特(欧特维尔的)。诺曼人冒险家,1059年成为阿普利亚公爵,最终将诺曼人统治扩展到那不勒斯、布拉布里亚和西西里,为西西里王国的建立奠定了基础。骑士家庭出身。约1047年去意大利南部阿普利亚,发现该城和坎帕尼亚虽为意大利南部最繁盛的地区,但为政治动乱所苦。为了占据坎帕尼亚这一重要海港,卡普阿的伦巴第人一直在那里发动反对那不勒斯的拜占廷诸公爵的战争。罗伯特在农村进行掠夺,向当地人民勒取赎金,1053年率来自阿普利亚和坎帕尼亚的诺曼人联军在奇维塔泰击败拜占廷、伦巴第和教皇的军队。1057年返回阿普利亚,解决这一地区的内部冲突。他成为阿普利亚诺曼人的公认领袖。1059年在梅尔菲同教皇尼古拉二世达成政教协定,教皇对于他要把阿拉伯人赶出西西里并使西西里重新信奉基督教的计划颇感兴趣。1060年进行西西里远征。1071年4月又攻占巴里,结束了拜占廷在意大利南部的统治。然后他转向伦巴第人控制的萨莱诺地区,与伦巴第公爵吉苏尔夫二世发生战争。教皇格列高利七世担心诺曼人进入坎帕尼亚、莫利塞和阿布鲁齐会威胁自己的领地,遂将罗伯特判处绝罚,并在军事上大力支援吉苏尔夫。吉苏尔夫向阿马尔菲城进军,但是罗伯特保卫住了这座城市。1076年12月他从吉苏尔夫手中夺得萨莱诺。拜占廷皇帝迈克尔七世为了维护摇摇欲坠的王位,想使其子君士坦丁同罗伯特的女儿海伦结婚。然而反对派废黜了迈克尔,并将海伦关进隐修院。为了保卫阿普利亚不受拜占廷新统治者的进攻,罗伯特想要取得巴尔干半岛亚得里亚海沿岸地区,就开始建设一支庞大的海军。迈克尔的废黜和海伦的被禁重新唤起他百折不回的冒险精神,进行计划已久的远征。他所追求的目标是进军拜占廷,加冕称帝。1083年率兵在伊庇鲁斯登陆,随即击败拜占廷及其威尼斯诸盟友。然而,教皇突然将他召回意大利,要他协助教皇赶走正在向罗马进军并要求将意大利划归神圣罗马帝国的德意志国王亨利四世。罗伯特先班师平定诸侯叛乱,然后移兵罗马,击败教皇的敌人。此后转战于亚得里亚海岸地区,在凯法利尼亚包围战中死去。

君士坦丁堡

● **Robert　罗伯特**(?～1228,莫里亚)　别名罗伯特(科特尼的)。君士坦丁堡的拉丁皇帝(1221～1228)。统治无能,致使由其舅父亨利所巩固起来的拉丁帝国大部解体。科特尼的彼得之子。由于兄长弃权,他遂于1221年3月25日加冕。后与希腊皇帝狄奥多尔一世的女儿欧多西娅订婚。为人懦弱无能。1225年狄奥多尔的继承人约翰三世强迫他割让小亚细亚的大片土地。1228年小亚细亚城邦伊庇鲁斯统治者狄奥多尔·安基卢斯夺取帖撒罗尼卡,加冕称帝。他在贵族叛乱当中逃往罗马,以寻求教皇格列高利九世的庇护,死于途中。

佛兰德

● **Robert I　罗贝尔一世**(1013～1093-10-13,德国卡塞尔)　又称罗贝尔(弗里斯人)。佛兰德的伯爵(1071～1093)。伯爵博杜安五世的次子。1063年与格特鲁德结婚。他通过父亲的遗赠和战争手段,取得佛兰德的所有封地。但其兄博杜安六世对他所获权益表示异议。两兄弟间爆发战争。1070年博杜安阵亡,他对博杜安子女取得了监护权,并得到神圣罗马皇帝亨利四世的支持。博杜安六世遗孀里希尔德向法王腓力一世求援。双方于1071年2月22日交战,罗贝尔大获全胜,里希尔德被俘,其子阿努尔夫被杀。11世纪80年代末期,他曾前去耶路撒冷朝圣。1090年参加拜占廷皇帝亚历克赛一世对塞尔柱突厥人的战争。他的行动为其后的第一次十字军(1096～1099)树立了榜样。

● **Robert II　罗贝尔二世**(约1065～1111-10-05,法国莫城附近)　别名罗贝尔(耶路撒冷人)。佛兰德的伯爵(1093～1111),最著名的十字军骑士之一。罗贝尔一世之子。1096年参加第一次十字军东征,威名大振。1100年回佛兰德对英格兰人作战。1111年因桥梁塌落,坠水而死。其子博杜安七世继承爵位。

法兰西

● **Robert I　罗贝尔一世**(约865～923-06-15,法国苏瓦松)　纽斯特里亚国王强者罗贝尔的幼子,一度为法国或西法兰克国王(922～923)。他在沙特尔对诺曼人的决定性胜利(911),导致缔结条约,使一个骁勇善战的部落在诺曼底定居下来。其兄倭德在位期间(888～898),他曾忠诚为之效劳。倭德死后,他虽已成为最强大的法兰克贵族之一,但仍宣誓效忠于加洛林王朝的傻瓜查理三世。911年起,他的地位越来越举足轻重。他在沙特尔击败诺曼人,从而为《埃普特河畔圣克莱尔条约》的缔结铺平了道路,根据条约,查理将诺曼底领土划归诺曼人。罗贝尔的战功增加了他的威望,他同国王之间的不和也公开暴露出来。他领导纽斯特里亚贵族公开叛乱,并于922年6月被拥立为国王。923年,在苏瓦松附近的一次战斗中,查理的军队虽被击败,但他亦阵亡。他的孙子是卡佩王朝的创立者于格·卡佩。

● **Robert Ⅱ** **罗贝尔二世**(约970,法国奥尔良～1031-07-20,默伦) 别名罗贝尔(虔诚者)。法国国王,将勃艮第并入法国版图。卡佩王朝奠基人于格·卡佩之子。其父在自己加冕(987-07)后不久,就深谋远虑地安排罗贝尔的当选和加冕(987-12),从而使其子最后得以继承,成为唯一统治者。罗贝尔1001年将其未生子嗣的妻子贝尔塔遗弃。两年后他的继配生下其继承人亨利一世。罗贝尔的领地不大。他为了扩大势力,不断略取那些出现空位的采邑,如勃艮第公爵死(1002)后无嗣,他就与要求取得该领地权利的人交战。但到1015年才最后降服这个富饶的公国。

那不勒斯

● **Robert** **罗伯特**(1278～1343-01-19,那不勒斯) 别名罗伯特(安茹的)、罗伯特(智者)。安茹亲王,支持教皇的归尔甫派领袖,当了34年的那不勒斯国王(1309～1343)。安茹的查理二世之子。曾代替其父在阿拉贡人宫廷为人质。1296年称卡拉布里亚公爵,领导了收复西西里的征战,取得胜利。1302年的《卡尔塔巴洛塔和约》规定,腓特烈三世国王死后西西里将归还安茹家族。1309年父亲去世,他继承那不勒斯以及意大利北部和法国南部的广大领土。1319年,他领导归尔甫派在热那亚以西击败米兰维斯孔蒂领导的吉伯林派。1324年维斯孔蒂击败归尔甫派,迫使他返回意大利保卫自己的领地。1337年腓特烈死,罗伯特未能收回西西里。晚年安茹的权力和影响下降。

诺曼底

● **Robert Ⅰ** **罗贝尔一世**(?～1035-07,尼西亚) 诺曼底公爵(1027～1035)。诺曼底的理查二世的幼子。父死(1026或1027)后,他与其兄、合法继承人理查三世争夺公爵领地,直至后者几年后死去为止。他是一个坚强的统治者,能够迫使属臣服从。1031年法国国王虔诚者罗贝尔二世去世,王位继承问题发生危机。他支持亨利一世,反对支持其弟的那一派。作为酬报,他取得巴黎北边不远的一块领土,即法兰西的韦克赞。他提倡寺院制度改革运动,在去耶路撒冷朝圣归途中死去。

● **Robert Ⅱ** **罗贝尔二世**(约1054～1134-02,威尔士卡的夫) 诺曼底公爵(1087～1106)。作为其领地的统治者软弱无能,政绩平庸,只是他对第一次十字军运动(1096～1099)略有贡献。征服者威廉一世的长子。幼时即被承认为其父在诺曼底的继承人。曾两次背叛其父(1077或1078,约1082～1083),流亡意大利,直至1087年其父死后才还乡成为公爵。他完全无法控制他那些叛逆成性的属臣,或者说,在诺曼底建立集中的权力。1091年其弟英王威廉二世入侵诺曼底,强迫他让出两个郡。1094年再次入侵,媾和后,同意由威廉二世控制诺曼底,作为交换条件,付给他现金,以便他参加第一次十字军东征。在东征中,他参加了攻克耶路撒冷的战役。他的大胆领导对取得阿什克伦大捷(1099)做出贡献。当他的弟弟亨利一世继承威廉为英格兰国王(1100)时,他正在意大利。他仓促回师入侵英格兰,结果失败。亨利反过来侵入诺曼底(1105,1106)。他在坦什布赖战役(1106-09-28)中被俘,死于狱中。

苏格兰

● **Robert Ⅰ** **罗伯特一世**(1274-07-11～1329-06-07,苏格兰邓巴顿希尔卡德罗斯) 苏格兰国王(1306～1329)。原名布鲁斯的罗伯特八世或罗伯特(布鲁斯的)。他使苏格兰摆脱了英格兰的统治,1314年在班诺克本战役中获决定性胜利,1328年根据《北安普敦条约》最终取得苏格兰的独立。有关他的传奇故事中有一则是他被英军追赶,走投无路时,看到蜘蛛不屈不挠地织网,恢复了希望。他的祖先是盎格鲁-诺曼人的布鲁斯家族,12世纪初来到苏格兰,后同苏格兰王室联姻。他的祖父第6代罗伯特于1290年要求取得王位,但是英格兰国王爱德华一世却将王位交给了约翰·德·巴利奥尔,后来巴利奥尔的侄子科明可能要继承王位。1306年2月罗伯特或其追随者将科明杀死,罗伯特夺取了王位,在3月25日加冕,称罗伯特一世。但是,他的处境十分困难。爱德华一世的军队占据苏格兰的许多重要城堡,把罗伯特作为叛乱分子进行镇压。在1306年内,罗伯特在珀斯附近的梅斯文(06-19)和泰恩德拉姆附近的达尔赖(08-11)两度战败。他的妻子和众多支持者被俘,3个兄弟被处决。罗伯特本人逃脱,避居爱尔兰北部沿海的拉斯林岛。1307年2月返回艾尔郡,1313年攻占珀斯,此后又攻占加洛韦、道格拉斯代尔、塞尔扣克,最后于1314年占领爱丁堡。是年英军大举进攻,欲解救其在斯特灵的驻军。6月24日罗伯特在班诺克本大败英格兰的军队,迫使英格兰政府承认他的地位。1318年他多次袭击英格兰北部,造成重大的破坏。根据《北安普敦条约》(1328),英王承认他为苏格兰国王,并完全放弃英格兰对苏格兰的宗主权要求。此后他致力于国内事务。1314年议会通过法令,将效忠英格兰的人的土地予以没收,赏给他的支持者。结果使一些人拥有巨大的权势。如道格拉斯家族后来成为边境地区权力的中心。他晚年多病,大部分时间在邓巴顿希尔卡德罗斯度过。死于麻风,葬在邓弗姆林大教堂。

● **Robert Ⅱ** **罗伯特二世**(1316-03-02～1390-04-19,苏格兰艾尔希尔邓唐纳德) 即R.斯图亚特,又称罗伯特(总管)。苏格兰斯图亚特家族第一代国王(1371年起)。从1318年起他就是外祖父罗伯特一世国王布鲁斯(1329年卒)的假定继承人,1324年布鲁斯之子(后来的戴维二世)出生,罗伯特失去了王位继承者的地位。但两年后苏格兰议会又确认他为戴维的继承人。1326年10岁时成为世袭的第七代苏格兰三王室事务总管。戴维被流放和被英格兰人监禁时期,罗伯特与第三代莫里伯爵约翰·伦道夫共同担任摄政(1334～1335),后来罗伯特单独摄政(1338～1341,1346～1357)。戴维被赎回后,罗伯特领导一次不成功的叛乱(1362～1363)。他捍卫本人作为王位继承人的权利,而反对戴维要使英格兰国王爱德华三世的一个儿子继承苏格兰王位来取代他的赎金的主张。1371年2月戴维死后,罗伯特方才继承了王位。继位后在政治和军事方面均无建树。与英格兰

14世纪钱币上的罗伯特二世像
供图:Peter Clayton

再次开战(1378～1388)后也没有起什么作用。1384年起,由他的长子卡里克伯爵约翰(后来的罗伯特三世)当政,1388年起,又由他的另一个儿子法夫伯爵罗伯特(后来的第一代奥尔巴尼公爵)统治。他的两次婚姻留下6子7女,此外他至少还有8个私生子,从而在合法继承问题上造成诸多纠纷,以致相互残杀。

● **Robert Ⅲ** **罗伯特三世**(约1337～1406-04-04,苏格兰比特罗斯西) 苏格兰国王。罗伯特二世和伊丽莎白·穆尔的长子。1362～1363年参加其父对戴维二世发动的叛乱,失败后戴维把他投入牢狱,但在1368

14世纪钱币上的罗伯特三世像
供图:Peter Clayton

年又封他为卡里克伯爵。罗伯特二世(1371年登基)因年迈于1384年将国政交他治理。1388年他被马踢成残疾,由其弟法夫伯爵替代。他在1390年登基后,继续由法夫伯爵(1398年封为奥尔巴尼公爵)当政,他在位期间始终未能成为苏格兰的真正的统治者。

Robert de Hauteville **罗伯特(欧特维尔的)** 参阅**Robert**(Apulia)罗伯特(阿普利亚)项下的**Robert**罗伯特。

Robert de Torigni **罗贝尔(托里尼的)**(约1110,法国维尔河畔托里尼～1186-06-23或24,诺曼底蒙圣米歇尔) 诺曼编年史家,他

的记载对于英法历史及12世纪文化复兴均是重要的原始材料。贵族出身。1154年成为蒙圣米歇尔隐修院院长。作为12世纪的历史学家,罗贝尔身处极优越地位,因蒙圣米歇尔是当时欧洲的一个商业和文化中心。1157和1175年两次访问英格兰。所著《西日贝尔编年史续编》讲述亨利二世与欧洲大陆之间的关系,极有参考价值。此书以其文体及学识在当时受到高度重视,今天仍不失为一个重要文件。

Robert Guiscard 罗伯特·圭斯卡德 参阅**Robert**(Apulia)罗伯特(阿普利亚)项下的**Robert** 罗伯特。

Robert of Anjou 罗伯特(安茹的) 参阅**Robert**(Naples)罗伯特(那不勒斯)项下的**Robert** 罗伯特。

Robert of Bellême, 3rd earl of Shropshire or Shrewsbury 罗伯特(贝列斯梅的)(约1052～1130,英格兰杜塞特韦勒姆) 什罗斯普郡或施鲁斯伯里伯爵(第三)。诺曼人权贵、军人、杰出的军事工程师。在红脸威廉二世和亨利一世时代,一度为英格兰最有权势的诸侯,并以极度残暴出名。他是第一代施鲁斯伯里伯爵蒙哥马利的幼子,在诺曼底继承了诸侯领地。在征服者威廉一世国王的两个儿子的互斗时,他起初站在罗贝尔二世柯索斯一边,后来又为红脸威廉二世打仗。他的最大一项军事工程是营造位于诺曼底和法国之间的吉索尔城堡。亨利一世登上英格兰王位后,他举起叛旗,因而于1102年被剥夺他在英格兰的领地和爵位。后法国国王路易六世派他出使英格兰(1112),亨利一世立即将他逮捕,并予以终生监禁。

Robert of Courtenay 罗伯特(科特尼的) 参阅**Robert**(Constantinople)罗伯特(君士坦丁堡)项下的**Robert** 罗伯特。

Robert of Geneva (antipope) **罗贝尔(日内瓦的)** 参阅**Clement**(Ⅶ)克雷芒(七世)。

Robert of Gloucester 罗伯特(格洛斯特的)(创作时期1260～1300) 早期中古英语编年史家,他的名字仅因与《格洛斯特的罗伯特的编年史》相联系而得以流传。该书是一部用方言写成的英格兰史,始于埃涅阿斯的曾孙布鲁特创立英格兰的传说,迄于1270年。其体裁为押韵对句,约成书于1300年之际。现有两种稿本存世,但学者认为只有叙述当时事件的那一部分,即长稿本的最后3 000行,确系出自罗伯特之手。这一部分记载亨利三世统治期间内讧不已的史实,叙事详尽,饶有趣味。描写伊夫舍姆之战,绘声绘色,堪称当时权威之作。本书前部若干段落,多取材于蒙茅斯的杰弗里、马姆斯伯里的威廉,以及其他次要作家的史料,在文字风格上,似乎出自不同作者的手笔。

Robert of Jumièges 罗伯特(瑞米耶日的)(?,法国诺曼底～约1055,瑞米耶日) 英格兰国王忏悔者爱德华授予高位的诺曼人。1037年任瑞米耶日的本笃会大寺院主持。1042年爱德华将他带到英格兰,1044年被任命为伦敦主教。曾任爱德华的主要顾问、诺曼人派首领,1051年被任为坎特伯雷大主教。他影响爱德华放逐权力过大的韦塞克斯伯爵戈德温,1052年戈德温回来后,他被逐回欧洲大陆,退隐瑞米耶日。由于温切斯特主教斯蒂甘德违反教规,篡夺了他的主教地位,结果教廷于1066年支持诺曼底公爵威廉(后为英格兰国王征服者威廉一世)入侵英格兰。

Robert of Molesme, Saint 罗贝尔(莫莱姆的),圣(约1027,法兰西特鲁瓦～1110,莫莱姆) 法兰西基督教本笃会会士,1098年创立西多隐修院。该院后来发展成为西多会。罗贝尔出身贵族,应一批修士的要求率领他们定居在莫莱姆。开始时大家都过着一种清苦的生活,后来逐渐奢侈放纵。于是1098年罗贝尔率领约20名修士脱离莫莱姆另建西多隐修院,恪守圣本笃规定的戒律。

Robert the Bruce 罗伯特(布鲁斯的) 参阅**Robert**(Scotland)罗伯特(苏格兰)项下的**Robert Ⅰ** 罗伯特一世。

Robert the Devil 魔鬼罗伯特 传说中的一位诺曼底大公的儿子,是向魔鬼祈求而生。他力大无比,但仅用于作恶犯罪。奉教皇指示,他向一位隐士请教,隐士教他保持绝对缄默,装疯卖傻,从狗嘴里讨饭吃,并去惹怒普通人来虐待自己而不予报复,诅咒遂解。后来他充任神圣罗马皇帝的皇宫中的小丑,听从一位天使的吩咐,他三次乔装成不知名的骑士把罗马从撒拉逊人的进攻中解救出来。他的乔装被皇帝的女儿识破。他谢绝了她的求婚,躲避到一个修道院中。这是12世纪后期的小说《魔鬼罗伯特》中的传说情节。其他版本有两首14世纪的诗和19世纪的一个偏颇版本,后者为梅耶贝尔的歌剧《魔鬼罗伯特》提供了脚本。

Robert the Frisian 罗贝尔(弗里斯人) 参阅**Robert**(Flanders)罗贝尔(佛兰德)项下的**Robert Ⅰ** 罗贝尔一世。

Robert the Jerusalemite 罗贝尔(耶路撒冷人) 参阅**Robert**(Flanders)罗贝尔(佛兰德)项下的**Rob-ert Ⅱ** 罗贝尔二世。

Robert the Pious 罗贝尔(虔诚者) 参阅**Robert**(France)罗贝尔(法兰西)项下的**Robert Ⅱ** 罗贝尔二世。

Robert the Steward 罗伯特(总管) 参阅**Robert**(Scotland)罗伯特(苏格兰)项下的**Robert Ⅱ** 罗伯特二世。

Robert the Strong 罗贝尔(强者)(?～866-09-15,法国布里萨特) 法国卡佩王朝诸王的祖先。他是塞纳河和卢瓦尔河之间若干地区的伯爵,曾为法兰西加洛林王朝国王秃头查理二世效劳。865年大胜诺曼人,翌年初国王把治理纽斯特里亚的全权赐给他;同年9月死于与诺曼人的一次小接触中。罗贝尔的丰功伟绩为其家族带来崇高威望,他的儿子傣德和罗贝尔一世为西弗朗西亚(或法兰西)的国王,而卡佩王朝历代国王(从987年起)均系其直系后裔。

Robert the Wise 罗伯特(智者) 参阅**Robert**(Naples)罗伯特(那不勒斯)项下的**Rob-ert** 罗伯特。

Robert, Henry Martyn 罗伯特(1837-05-02,美国南科罗拉多罗伯特维尔～1923-05-11,纽约霍内尔) 美国陆军军官、美国立法机关议事程序规范手册《罗伯特议事规程》的拟定者。西点军校毕业(1857),后被派到工兵部队。1901年以准将军衔退休。美国南北战争期间,他为华盛顿、费城和新贝德福港等地负责构筑防御工事。约在1862年主持一次教会会议,会上秩序混乱;当得知还没有一套议事规则时,便动手编写规则,并于1876年自费出版。他还著有《议事成例》(1912)和《议事规则》(1922)。

Robert, Hubert 罗贝尔(1733-05-22,巴黎～1808-04-15,巴黎) 法国风景画家,有时被称为"废墟罗贝尔",因为他的许多罗马废墟的浪漫主义代表作都有一种理想化的环境。

罗贝尔绘《罗马的里佩塔港》(1776)
供图:Giraudon—Art Resource/美国不列颠百科全书公司

1754年到罗马,入选罗马的法兰西学院。1759年与画家弗拉戈纳尔一起游历南意大利和西西里,并对废墟的公园内古建筑作了大量的红色粉笔画。1765年回巴黎。1766年为法国皇家学院成员。他的绘画基础是意大利素描,是有才华的装饰美术家。除了意大利风景画以外,他还画有巴黎附近以及法国南部风景画,并为凡尔赛宫设计英格兰式花园。法国革命期间虽被捕入狱,仍继续作画;90年代曾与弗拉戈纳尔合作,为罗浮宫的法兰西博物馆工作,但去世时已默默无闻。

Robert, Shaaban 罗伯特(1909-01,德属东非洲坦噶～1962-06-20,坦噶尼喀达累斯萨拉姆) 著名的斯瓦希里语作家。其作品包括诗歌、小品文和训喻故事,风格受东方传统影响。不少诗作仿效"乌滕迪"诗体(用于叙事和训喻性题材),如同他著名的先驱者穆亚卡·宾·哈吉·阿尔加萨尼一样,同时也经常采用其他传统的和创新的形式。其诗歌风格简洁、形象生动,表现手法别具特色。除诗歌和故事之外,还著有一部自传《我的一生》(1949)及一部传记《桑给巴尔女诗人西蒂·宾蒂·萨德传》(1958)。其小品文题材广泛,结集为《小品文与诗歌》(1959)一书。还发表过关于诗歌以及诗与斯瓦希里文化的关系的演讲。曾大力支持维护非洲诗歌历史传统的运动。全集第一卷《沙班诗集》于1966年问世。

Robert-Houdin, Jean-Eugène　罗贝尔-乌丹(1805-12-06,法国布卢瓦～1871-06-13,布卢瓦附近圣热尔韦)　原名J.-E.罗贝尔。法国魔术师,被视作现代魔术之父。是第一个利用电气的魔术师。自幼喜欢魔术,学过钟表制造,后在巴黎搞机械设计,1845～1855年在皇宫任魔术师。他改进了"思想转移"戏法的信号发出方法,同时揭穿了一些魔术师的骗术。他基本上使用看上去属于普通的和人所熟知的物品来使人产生幻觉,然后再向观众提供具体程序的近乎合理的解释。他并没有把自己打扮成巫师模样,而是身穿夜礼服在一无所有的舞台上表演。1856年法国政府派他前往阿尔及利亚,去模仿伊斯兰教托钵僧的技艺,以抵制他们的影响。他的一些有影响的著作主要根据前人所提出的最完善观念来说明魔术这门艺术,同时提供了由浅入深的教材。其中有他的自传(1857)、《魔术师的自白》(1859)和《戏法与魔术的秘诀》(1868)。

Roberti, Ercole (Grandi d' Antonio) de'　罗勃蒂(约1450,教皇国费拉拉～1496,费拉拉)　意大利费拉拉画派画家,其作品个人风格突出,以敏锐、深刻的感染力为特征。曾从埃斯特家族的宫廷画家C.图拉学画,后又跟图拉的学生F.德尔·科萨学习,虽然其早期绘画受图拉和科萨的影响,但作品中感情夸张的特质又别具一格,不过有时影响了技法。晚期作品表明,他成功地在不影响技法的前提下表达出严肃而强烈的情感。1470年,罗勃蒂随科萨在费拉拉的斯基福诺里亚宫创作一系列湿壁画。在圣彼得罗尼奥教堂的祭坛画创作中,他充当科萨的助手。在科萨的作坊中一直工作到1478年科萨去世。1479～1486年在费拉拉自开作坊,但在本城只是完成一些已由科萨开始的作品,而从其他城市接受订件。藏在米兰的毕那科提卡·伏布内拉教堂大祭坛画《圣母子与圣徒》是由他独立制作的。1486年他被公爵埃尔科莱一世指定为宫廷画家,其肖像画才能在为公爵家族成员的画像上得以充分展现。

Roberts, Bartholomew　罗伯茨(1682?,威尔士哈弗福德韦斯村附近～1722-02-10,几内亚海岸外)　绰号黑巴蒂(Black Barty)。英国"皇家海盗"号、"幸运"号、"皇家幸运"号和"好运"号海盗船船长。在西非海岸至巴西海岸、加勒比海,北至纽芬兰海岸这些海面上,劫掠和焚烧过往船只。据说劫掠船只400余艘,就数目而言,仅有亨利·摩根爵士的功绩可以与之相比。罗伯茨37岁开始为海盗,很快就当上船长。他为自己设计了一面大旗,上面是他的巨幅站像,手持利刀,两脚分开,各站在一个脑盖骷髅上,上面分别标有A.B.H(巴巴多斯人头)和A.M.H(马提尼克岛人头)字样。最后,在非洲几内亚海岸外的海面上与一艘追捕他的英国战舰的战斗中,饮弹身亡。

Roberts, Sir Charles G(eorge) D(ouglas)　罗伯茨(1860-01-10,新不伦瑞克道格拉斯～1943-11-26,多伦多)　第一个表达1867年加拿大联邦所唤起的新民族感情的诗人,他的范例和忠告鼓舞了19世纪后期的整个民族主义诗派。他还是一位多产的散文作家,创作了几部动物短篇故事,这种体裁使他赢得国际声誉。新不伦瑞克大学毕业(1879)后任过中学教员和有影响的多伦多杂志《周刊》的编辑,后任新斯科舍温莎国王学院英语教授10年。1897年移居纽约城,从事新闻工作,1911年卜居伦敦。14年后回到加拿大,开始在加拿大各地周游讲学,后定居多伦多,被公认为加拿大文学界的泰斗。1935年被封为

新不伦瑞克大学供图

爵士。从《奥利昂及其他诗篇》(1880)开始,以传统的诗的语言和形式表达了传统的主题,共出版了约12部诗作。他写自然、爱情和民族主义,但最令人难忘的是关于新不伦瑞克和新斯科舍的风景和田园生活的质朴的抒情诗。他的优秀诗作包括《不同的心境》(1887)、《平日之歌》(1893)、《冰山和其他诗》(1934)等。他最著名的散文作品是短篇故事,显示出他很熟悉森林和林栖动物,如《大地之谜》(1896)、《野生动物的族类》(1902)、《赤狐》(1905)和《不熟悉的邻居》(1911)。其他作品有《加拿大历史》(1897)及几部描写滨海诸省的小说。

Roberts, Elizabeth Madox　罗伯茨(1886-10-30,美国肯塔基佩里维尔～1941-03-13,佛罗里达奥兰多)　美国南方长、短篇小说家,诗人。尤以对主人公内心生活生动的印象主义描写及对肯塔基生活的真实描绘而著称。1900～1910年当过教师。1910年后一度在科罗拉多居住,发表了最初的诗作。1917年入芝加哥大学,1921年毕业,她决定成为专业作家。第一部小说《男人时代》(1926)描写肯塔基州的一个贫穷的白人女子,蜚声国际。《大牧场》(1930)是她最著名的小说,描写一个女人在精神上的返璞归真。后来的几本书写类似的主题和背景。她的名声在20世纪30年代有所下降。此外,还著有两部短篇小说集和两部诗集。

Roberts (of Kandahar, Pretoria, and Waterford), Frederick Sleigh Roberts, 1st Earl, Viscount St. Pierre　罗伯茨(1832-09-30,印度坎普尔～1914-11-14,法国圣奥梅尔)　英

伦敦国立肖像画陈列馆供图

国陆军元帅,第二次阿富汗战争(1878～1880)和南非战争(1899～1902)中杰出的指挥官。在镇压印军哗变(1857～1858)时初露头角。1880年9月在坎大哈附近打败阿尤布·汗的阿富汗军,取得第二次阿富汗战争的决定性胜利。1885～1893年在印度担任总司令。1899～1900年在南非战争中担任英军第二任总司令时攻克奥兰治自由邦首都布隆方丹以及约翰内斯堡和比勒陀利亚两城,扭转了英军的颓势。1895年晋升陆军元帅。1892年被封为男爵。1901年受封伯爵。

Roberts, Sir Gilbert　罗伯茨(1899-02-18,伦敦～1978-01-01,伦敦)　英国土木工程师,在包括世界第七大长桥(苏格兰的福斯湾公路桥[1 006米])等一系列重要桥梁的建筑中,最先采用新设计和新建筑方法。曾就读于伦敦大学城市和行业学院,1923年获得理学士学位,成为一名土木工程师。曾参与悉尼港桥和当时位于南罗得西亚境内横跨赞比西河的奥托拜特悬索桥的建造工程。罗伯茨是位才华横溢的设计师,在建造发电站中,采用新的焊接方法、高张力钢和箱形梁柱,从而减少用钢。罗伯茨的设计结构轻巧、牢固持久、费用低廉。英格兰西部的塞文河大桥、新西兰的奥克兰港大桥、加纳的沃尔特桥和土耳其横跨博斯普鲁斯海峡的悬索桥等著名桥梁工程都采用了他的新设计方法。第二次世界大战时,罗伯茨还研制出完全焊接的舰船,他还设计了庆祝1951年不列颠节的发现馆的圆顶、博布科克型500吨"巨人"起重机和澳大利亚直径64米的射电望远镜。1965年(福斯湾公路桥刚完成时)被封为爵士,并选为皇家学会特别会员。

Roberts, Isaac　罗伯茨(1829-01-27,威尔士克卢伊德登比近郊格罗斯～1904-07-17,英格兰萨塞克斯克罗伯勒)　英国天文学家、拍摄星云照片的先驱者。1883年开始从事天体摄影实验,拍摄恒星、猎户座星云、仙女座星云和昴星团等,所得照片虽难以辨认,但多少也能显示出一些情况。他连续3小时把相机对准昴星团,终于拍摄到在星团恒星周围有星云物质。他还曾拍摄到仙女座星云的旋涡结构。他所拍的照片经常在皇家天文学会展出。1895年获得该学会金质奖章。

Roberts, John G., Jr. **罗伯茨(小)**(1955-01-27,美国纽约布法罗～　　) 全名 John Glover Roberts, Jr.。美国第 17 任首席大法官。生长于印第安纳州,哈佛大学本科毕业(1976),后又获法学学位(1979)。在校时是《哈佛法律评论》主编。1980～1981 年任美国最高法院大法官 W.H.伦奎斯特(后任首席大法官)的助理。1981 年里根总统任命他为司法部长 W.F.史密斯的特别助理。1986～1989 年在华盛顿霍根-哈特森律师事务所工作。1989 年任 G.布什政府的司法部副部长。1992 年布什提名他为美国哥伦比亚特区巡回上诉法院法官,但被参议院否决。第二年他重回律师事务所。在律师所承办、在最高法院审理的近 40 个案件中,胜诉 25 件。2001 年 G.W.布什总统提名他任哥伦比亚特区巡回上诉法院法官,再次受阻。2003 年布什再次提名。当年稍晚,参议院终于批准此项任命。在巡回法院任职至 2005 年,由布什任命为首席大法官。罗伯茨的任命得到两党的支持,不过有些参议员担心其坚定的天主教信仰对他作出司法判决会有不适当的影响。参议院对他的任命很快批准(78 对 22 票),2005 年 9 月 29 日宣誓就职。

Roberts, Joseph Jenkins **罗伯茨**(1809-03-15,美国弗吉尼亚彼得斯堡～1876-02-24,利比里亚蒙罗维亚) 美国出生的利比里亚首任总统(1848～1856)。自由"黑人"之子,有 7/8 强的白人血统。20 岁时和母亲、几个弟弟移居利比里亚,后经商,给殖民地的白人总督、美国殖民协会成员 T.H.布坎南当临时助理。美国殖民协会企图使美国的获释奴隶返回非洲。1842 年布坎南去世,罗伯茨被任命为该殖民地的第一个黑人总督。为使殖民地达到政治和经济的稳定,罗伯茨和其他一些殖民者努力与土著部族签署条约,并寻求外国的承认。1847 年他们宣布新的利比里亚共和国成立,罗伯茨当选为第一任总统。1849 年访问英国期间,他获得英国承认利比里亚为一主权国家。1852 年访问欧洲大陆,又得到其他强国的承认。1856 年起担任新成立的利比里亚学院院长,并在一次为期很长的财政危机里,再度出任共和国总统(1872～1876)。

Roberts, Kate **罗伯茨**(1891-02-13,威尔士卡那封郡罗斯加凡～1985-04-04,克卢伊德登比) 20 世纪中叶杰出的威尔士语短篇小说家之一。她同时还是长篇小说家和剧作家。她的作品以北威尔士的采石区和南威尔士的采矿村为背景。在这些地方,贫穷通常是她笔下人物的希望和命运的严峻的决定性因素。著有《来自山间沼泽地》(1925)、《人生之路》(1929)、《闲谈街》(1949)等。

Roberts, Kenneth (Lewis) **罗伯茨**(1885-12-08,美国缅因肯纳邦克～1957-07-21,缅因肯纳邦克波特) 美国记者、小说家,他用小说再现了美国独立战争。1917 年以前,一直当记者。1917 年开始服役,在美国西伯利亚远征军情报部门工作,上尉军衔。1919～1928 年,任《星期六晚邮报》记者。1928 年,专心致志写小说。他以为通过历史记载去了解过去是很不够的,所以他发表了《阿伦德尔》(1930),用小说形式表现美国独立战争。他最著名的书有:《西北通道》(1937),描写美国开发边疆的士兵罗杰斯的经历;《武装暴民》(1933),描写在极端艰苦的条件下同英军作战的独立战争英雄们。他认为他的故乡缅因州是粗野的个人主义的最后一个基地,他的一些作品就是以该州为背景。

Roberts, Owen (Josephus) **罗伯茨**(1875-05-02,费城～1955-05-17,美国宾夕法尼亚切斯特斯普林斯) 美国最高法院大法官(1930～1945)。从法律学院毕业后即在费城宾夕法尼亚大学讲授法律,但到 1918 年时,他不得不把全部时间放在执行律师业务上。在他任教期间,还担任地方助理检察官,而在第一次世界大战期间并担任特别副检察官。1924 年,柯立芝总统任命他为负责对蒂波特山丑闻有牵连的各方进行追诉的两位检察官之一。经过了系统的调查之后,前内务部长福尔于 1929 年被定罪。次年,被胡佛总统任命为最高法院大法官。尽管他有保守主义倾向,但投票时不受别人影响。他在几个新政项目上投了决定性的一票,支持其中的某些项目。他对最高法院做出的最重要的贡献在公民自由权利方面。他在"赫恩登诉劳里"一案中所作的最著名的判决,撤销了对一个黑人共产党组织者的定罪,因为该项定罪所根据的法律没有规定明确的犯罪标准。罗斯福总统任命他领导一个调查珍珠港被袭击事件的委员会,该委员会于第二年发表了一个报告,对军方进行严厉的指责。

Roberts, Richard **罗伯茨**(1789-04-22,威尔士蒙哥马利夏卡雷荷瓦～1864-03-16,曼彻斯特) 英国的多产发明家。他原是一名没有受过教育的采石工人,但有非凡的机械才能,是金属刨床的发明者之一,还曾对车床作过许多重要的改进。罗伯茨发明过螺丝车床,制造出第一具成功的煤气表,以及切齿机和插床。他的夏普-罗伯茨公司于 1825 年设计出自动纺纱机。他的公司以后又最先用零部件可以互换的方法生产铁路机车。19 世纪 40 年代,他发明了桥梁和锅炉钢板用的自动冲孔机。他不是一个精明的商人,最后在贫困中去世。

Roberts-Austen, Sir William Chandler **罗伯兹-奥斯汀**(1843-03-03,英国萨里肯宁顿～1902-11-22,伦敦) 在金属及合金物理性质的研究方面闻名的英国冶金学家。1899 年被封为爵士。1880～1902 年任伦敦皇家矿物学院冶金学教授时,曾广泛研究杂质对纯金属机械性能的影响,并改进合金成分的分析方法。他的研究成果广泛地应用于工业,如发明自动记录高温计,准确测量冶金炉和熔融金属的温度变化。他的主要工作集中于造币业,在操作技术方面被认为是世界上第一流的权威。

Robertson, Alice Mary **罗伯逊**(1854-01-02,印第安准州克里克部落塔拉哈西教区[今美国俄克拉何马塔拉哈西]～1931-07-01,俄克拉何马马斯克吉) 美国教育家和政府官员。以其在俄克拉何马州印第安人和其他学校的工作和作为该州美国国会议员的工作而为人们铭记。1871～1873 年就读于埃尔迈拉(纽约)学院。后在华盛顿[哥伦比亚特区]印第安事务局任职员 6 年。短时期在塔拉哈西教会学校任教后,1880 年成为卡莱尔(宾夕法尼亚州)印第安人学校校长普拉特的秘书。1882～1883 年她四处进行筹款演说,为在努亚卡建立一所新的教会学校募集资金,以取代在塔拉哈西被焚毁的学校。1885 年,她主持马斯克吉的长老会女子寄宿学校。在她的领导下学校得到发展,1894 年取得特许状成为亨利·肯德尔学院(该校 1907 年迁往塔尔萨,1920 年成为塔尔萨大学)。她在学院讲授英语、历史和公民课。1900 年被任命为第一位联邦克里克教育督学。1905～1913 年,任马斯克吉邮政局长。随后退休返回她的农庄。第一次世界大战时,她成为著名的艾丽丝小姐,迎候通过马斯克吉的每一列运兵火车,为士兵送上咖啡和点心。这项服务后来由于她的个人努力而发展成为马斯克吉红十字会的主要工作。1920 年在俄克拉何马第二选区当选共和党国会议员,是这一任期内的唯一女议员。再次竞选失败后,1923～1925 年在马斯克吉退伍军人医院从事福利工作。

美国不列颠百科全书公司供图

Robertson, Sir Dennis Holme **罗伯逊**(1890-05-23,英国萨福克洛斯托夫特～1963-04-21,剑桥郡剑桥) 英国经济学家。受教于伊顿公学和剑桥大学。1938～1944 年在伦敦经济学院任教,1944～1957 年任剑桥大学教授。在剑桥时期,开始学习的是 A.马歇尔经济学理论,后接受凯恩斯影响,并与之长时期合作。1915 年发表第一部著作《工业波动研究》,重点阐述了贸易周期中物的力量,特别是发明创造和投资相互作用,而没有强调货币力量;但 1922 年发表《货币学》一书,又突出了货币力量。罗伯逊主张政府政策应着眼于稳定物价水平。他提出了储蓄投资动态的理论,这种理论可能较其后凯恩斯所提出的理论更为复杂。他以此批判凯恩斯的《通论》,并因此导致二人中止合作。

Robertson, Ethel Florence Lindesay　罗伯逊　参阅 **Richardson, Henry Handel** 理查森。

Robertson, Margaret Shafto(English actress-manager)　**罗伯逊**　参阅 **Kendal, Dame Margaret; and William Hunter(Grimston)** 肯德尔夫妇。

Robertson, Marjorie　罗伯逊　参阅 **Neagle, Dame Anna** 妮格尔。

Robertson, Thomas William　罗伯逊(1829-01-09,英国诺丁汉郡特伦特河畔纽瓦克～1871-02-03,伦敦)　英国剧作家。他的现实主义社会喜剧和在演出方面的创新,对19世

不列颠博物馆供图

纪末英国戏剧的复兴起了一定作用。他的许多剧本列为保留剧目,《特权阶级》至今依然上演。戏剧家庭出身,1848 年到伦敦当演员。1854 年到兰心剧院任提词员。1856 年结婚以后,逐渐放弃演出而从事写作。1861 年上演他的独幕闹剧《剑桥人》。1865 ～ 1870 年所写的《社会》、《我们的》、《特权阶级》、《玩耍》、《学校》和《国会议员》等剧本,使他名噪一时。他善于揭露各种社会现象,但含有感伤情调。剧中人物个性突出,剧情安排得十分巧妙,对话轻松活泼。作为导演,他强调演出是一个整体,要多彩排,要注意细节,要密切配合。他的演出手法而不是他的剧作对英国戏剧的发展起过很大作用。

Robertson, William　罗伯逊(1721-09-19,苏格兰中洛锡安博斯威克～1793-06-11,爱丁堡)　苏格兰历史学家、长老会牧师,与 D.休姆和 E.吉本共称为 18 世纪英国最重要的史学家。受教育于爱丁堡大学,1741 年完成学业,被任命为苏格兰长老会牧师。1743 年在爱丁堡附近格莱兹米尔领受教会薪金。1746 年成为苏格兰长老会总会成员,后多年在总会的温和派中担任领导职务。他的第一部主要著作是《玛丽女王及詹姆斯六世国王在位时期的苏格兰历史》(1759)。此书确立了他作为史学家的名声,不出几年,他即被任命为爱丁堡大学校长和皇家苏格兰史官。他的第二部主要著作《查理五世皇帝在位时期的历史》(1769)几度再版,并译成欧洲各种主要语言。继其后的是《美洲史》(1777)。罗伯逊的治史方法表现为重视社会理论,强调物质及环境因素在决定文明发展方面的重要作用。他的著作在 19 世纪颇有影响,但在 20 世纪鲜为评论界注意。

Robertson, Sir William Robert　罗伯逊(1860-01-29,英国林肯郡韦尔本～1933-02-12,伦敦)　英国陆军元帅,第一次世界大战时任英帝国总参谋长。1888 年入伍,11 年后成为军官。他在印度服役至 1896 年,然后进入坎伯利参谋学院。南非战争(1899 ～ 1902)期间担任情报参谋。1910 年任参谋学院院长。1913 年任陆军部的军训署长。从第一次世界大战爆发起任英国驻法国远征军兵站总监。1915 年 1 月任约翰·弗伦奇爵士的参谋长。同年 12 月任帝国总参谋长,掌握陆军大臣的绝大部分权力。1915 年下半年陆军大臣劳合·乔治不同意他和黑格关于能够而且应该在西线取胜的意见,即主张协约国首先要在中东发起攻击。1918 年 2 月,他终于辞去帝国总参谋长职务。1919 ～ 1920 年负责指挥莱茵地区的英国占领军。1919 年封从男爵。1920 年晋升陆军元帅。著有回忆录《从士兵到陆军元帅》(1921)和《军人和政治家 1914 ～ 1918》(2 卷,1926)。

Robertsport　罗伯茨港　利比里亚西部城镇和渔港。1461 或 1462 年葡萄牙航海家辛特拉曾到达此地。与蒙罗维亚有航道和铁路相通。位于多雨区,年降雨量约 5 200 毫米。居民主要从事渔业,种植水稻。人口 2 562(1974)。

Robertus DE FLUCTIBUS(English mystic)　参阅 **Fludd, Robert** 弗卢德。

Roberval　罗贝瓦勒　加拿大魁北克省中南部城市。位于圣让湖西南岸。为该区行政、商业中心,有乳品、马铃薯和鲑鱼的集市中心,也是旅游胜地。1883 年建村,1903 年建镇,1956 年设市。人口 11 628(1991)。

Roberval, Gilles Personne de　罗贝瓦尔(1602-08-08,法国罗贝瓦尔～1675-10-27,巴黎)　法国数学家,在曲线几何方面取得重要进展。1632 年起任巴黎法兰西学院数学教授,直到逝世。研究了确定立体的表面积和体积的方法,发展并改进了意大利数学家 B.卡瓦列里在计算某些较简单问题的不可分法。通过把曲线看作一个动点运动的轨迹,并把点的运动分解为两个较简单的分量,他发现了作切线的一般方法。还发现了从一条曲线得到另一条曲线的方法,借以找出有限维的平面区域等于某一曲线及其渐近线之间区域的面积。意大利数学家 E.托里拆利把这些用来确定面积的曲线叫做罗贝瓦尔线。罗贝瓦尔和当时的几个学者不断进行科学论战,其中包括法国哲学家和数学家 R.笛卡儿。他还发明了罗贝瓦尔天平。

Roberval, Jean-François de La Rocque, sieur de　罗贝瓦尔(约 1500,法国卡尔卡松～1560 或 1561,巴黎)　即 J.-F. de 拉罗克。法国殖民者,由法王弗兰西斯一世选派前往探险家 J.卡蒂埃前在北美洲发现的土地上建立殖民点。贵族出身。在宫廷中长大。因改信基督教新教而被剥夺公民权。后返回法国,仍在弗兰西斯朝廷。1541 年法王任命他为北美领地副督,拨款 4.5 万里尔。1542 年他率 3 只船、一队贵族侍从和一些重刑囚犯驶往新大陆。他的任务是建立殖民地和使土著改信天主教(尽管他本人是新教徒)。他们进入圣劳伦斯湾航行,在鲁日角(今魁北克附近)建立殖民地。但殖民地存在时间不长,1543 年瓦解,于是他返回法国。传说他同其教友们参加巴黎加尔文教派夜间集会后遭袭击而死。

Roberval balance　罗贝瓦尔天平　1669年法国数学家罗贝瓦尔发明的、用在商业衡器中的连杆机构。如图所示,*AB* 为一两臂等长的秤杆,在 *C* 点与立柱 *G* 用支枢结合,同样的

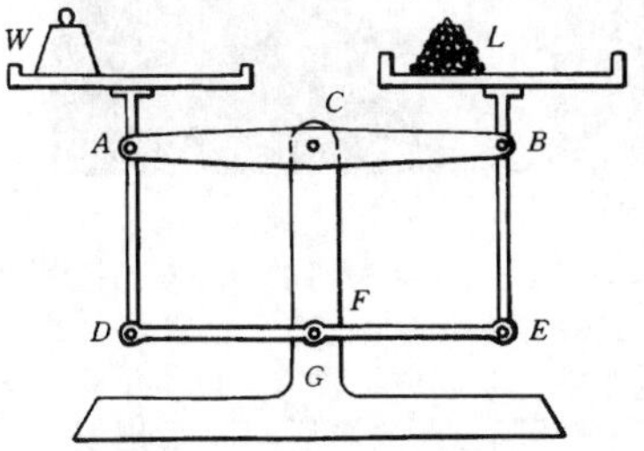

罗贝瓦尔天平

秤杆 *DE* 在 *F* 点与立柱 *G* 用支枢结合。两根秤杆都用同样的垂直连杆 *AD* 及 *BE* 连接起来。在 *AD* 及 *BE* 上各装上一个秤盘。当一个秤盘上升,一个秤盘下降时,由秤杆和连杆形成的矩形就变成平行四边形。如果砝码 *W* 和载荷 *L* 重量相同,不论 *W* 和 *L* 放在秤盘中的哪个位置上,秤杆都将保持水平。

Robeson, Paul (Bustill)　罗伯逊(1898-04-09,美国新泽西普林斯顿～1976-01-23,宾夕法尼亚费城)　美国著名歌唱家、演员和黑人社会活动家。青年时代为足球运动员。后入哥伦比亚大学,1923 年获法学士学位。由于法律界缺少黑人就业机会,他转向舞台,1922 年在伦敦首次登台。1924 年,他扮演奥尼尔的戏剧《琼斯皇帝》中的剧名主角,在纽约和伦敦轰动一时,后又参加该剧的电影演出(1933)。除在其他方面的才华外,罗伯逊还有着极好的男低音-男中音歌喉。1925 年在纽约举行首次黑人灵歌独唱会。在音乐剧《演艺船》中以《老人河》一曲而驰誉世界。1930 年在伦敦演出《奥瑟罗》,得到高度评价。不断增加的政治觉醒促使他于 1934 年访问苏联;从那一年开始对左翼的信念日益增强,但在音乐会、录音和剧院中仍继续取得成功。1950 年美国国务院因他拒绝签署放弃共产党员身份的保证书而撤销了其护照。后离开美国,移居欧洲,并在苏联集团各国旅行;由于健康不佳,1963 年重返美国。他演过不少电影,其中有《河上的桑德斯》(1935)、《演艺船》(1936)和《骄傲的山谷》(1940)。

Robeson Channel　罗伯逊海峡　连接北大西洋巴芬湾与北冰洋林肯海的水道最北部分的海峡。位于加拿大埃尔斯米尔岛(西侧)和格陵兰岛西北部(东侧)之间。宽 18 ～ 29 千米,从霍尔海盆向北延伸 80 千米至林肯海。夏季短期可通航。

Robespierre, Maximilien-François-Marie-Isidore de　罗伯斯比尔（1758-05-06，法国阿拉斯～1794-07-28，巴黎）　激进的雅各宾派领袖。法国大革命中的重要人物之一。阿拉斯

供图：J.E.Bulloz

律师之子。1765年入阿拉斯的奥拉托利会学院。1769年获奖学金，进入巴黎著名的巴黎路易学院。学习成绩优秀。1781年获法学学位，后成为阿拉斯的律师，不久后出任主教区法庭法官。1783年进入阿拉斯学院，后来任院长。到1788年，罗伯斯比尔已因急公好义闻名。他作为代表穷人的律师，曾发表《忆杜邦先生》一文，反对君主专制。在宣布召开三级会议的时候，他发表了《就改革之必要致阿图瓦人民书》。1789年3月阿拉斯公民和阿图瓦的第三等级选举他为代表，他从此进入政界，时年30岁。他很快就在议会中引起人们的注目。他在国民议会中发言500余次。1790年6月当选为国民议会秘书，10月任凡尔赛地方法院法官。他决心完全献身于国民议会中的工作。当时国民议会正在制定宪法。他深入研究古代历史和启蒙时期法国哲学家的著作，对《人权和公民权利宣言》表示欢迎。他坚决主张普选，反对国王的否决权，反对官吏滥用职权，反对宗教歧视和种族歧视。由于为自由而战斗，他树敌很多，敌人们称他为危险人物。在国民议会自行解散的时候，巴黎人民为罗伯斯比尔组织了凯旋式的大游行。他虽然没有参加新的立法议会，但是在政治上仍然十分活跃。他在雅各宾俱乐部演讲上百次，反对欧洲战争，谴责宫廷和王党的阴谋，谴责他们同奥地利沆瀣一气。他创办《宪法保卫者报》，猛烈攻击法军总司令拉斐德。1792年8月10日爆发起义，他所在的莱斯皮凯斯分区提名他参加起义公社。同年9月5日，巴黎人民推选他为驻国民公会的代表团团长。1792年12月开始审讯国王，他在审讯时11次发言，要求将国王处以死刑。在12月3日的发言中，他嘲笑那些犹豫不决的人。但是，对国王的处决并未能消除吉伦特派和山岳派之间的斗争。1793年5月26日，罗伯斯比尔号召人民"举行起义"。5天后他支持国民公会的一项指控吉伦特派领袖的法令。1793年7月27日，他进入公安委员会。9月5日，他保证规定食物的最高价格，并组织革命民兵去镇压反革命分子和囤积粮食的商人。他提出必须由国民公会实行专政和清洗地方权力机关，反对危及政府的各种派别。6月4日，国民公会以220票中的216票多数选他为主席。6月8日，他在杜伊勒里宫主持最高主宰节，这使政敌得到一件反对他的武器。1793年3月，巴黎组成革命法庭，目的在于将政府的一切敌人定罪判刑。6月10日革命法庭改组后，罗伯斯比尔的反对派增加了。在公安委员会中，他的权威受到挑战。而在咖啡馆内，他又被指责为温和派。保王党人和山岳派诽谤他，说他独裁。6月28日，他离开公安委员会，开始失去人民的支持。7月23日他又去公安委员会，7月26日在国民公会重新露面。当他作最后一次演讲时，大多数议员起来表示反对。翌日，他的政敌阻止他到立法议会发表演说。当时，起义公社已经从巴黎的一些分区调集武装部队，正在等候罗伯斯比尔的指挥。可是，罗伯斯比尔拒绝领导起义，结果忠于他的这些部队开始解散。国民公会宣布剥夺他的公民权。他在市政厅开枪自杀，重伤腭部。国民公会的士兵攻打市政厅，很快将他和其追随者俘获。7月28日晚，罗伯斯比尔在革命广场被送上断头台。他是一位爱国者，一位富有责任感和牺牲精神的人，至今影响很大。

Robey, Sir George　罗比（1869-09-20，英国肯特赫鲁希尔～1954-11-29，苏塞克斯萨尔特迪恩）　英国杂耍剧场的喜剧演员，多年以"欢笑首相"著称。1891年作为职业演员首次登台。他所扮演的许多角色中最为人熟悉的是那个不戴衣领的牧师：红鼻子、受惊的竖眉、愤怒的圆眼、猥亵的笑容。曾带领剧团巡回演出自己创作的时事讽刺剧达15年。1932年在上演奥芬巴赫《海伦！》一剧中扮演墨涅拉俄斯国王。1935年在《亨利四世》（上集）中饰法尔斯塔夫。此外，他还在许多哑剧、电影以及无数杂耍表演中露面。他是一个不知疲倦、力求尽善尽美的人。在以80岁高龄退休之前一直努力工作，并于1954年受封为爵士。

robin　知更鸟　鸫科两种鸟类的俗称，特征为胸部呈橙色或不鲜明的浅红色。美洲知更鸟（旅鸫，*Turdus migratorius*）是北美大型鸫类，也是美国东部最常见的鸣禽之一。因其胸部的颜色与体型较小的鸫——欧洲知更鸟（欧亚鸲，*Erithacus rubecula*）相似，故早期的北美移民称之为知更鸟。美洲知更鸟体长约25厘米，身体上部灰褐色，胸部铁锈色，外侧尾羽尖端白色。栖于落叶林中，但亦常见于美洲的城镇中；多数具有很强的迁徙性，成群在美国南部越冬，但少数种群的越冬地点则要靠北得多（远至加拿大南部）。美洲知更鸟以蚯蚓、昆虫及浆果为食。巢以小枝、根、草和纸构成，内面用泥敷成一层坚实的壁，筑于树上或建筑物的突出部。每窝产4～6枚蓝绿色的卵，卵由雌体孵化12～14天。雄体则采集食物以喂哺幼雏，幼雏于孵出后14～16日后会飞。每个生殖季节可产卵2～3窝。知更鸟这一名称亦适用于其他新大陆鸫属（*Turdus*）种类。欧洲知更鸟又称红胸知更鸟，为一种聊鸫，属石䳭亚科（Saxicolinae），在整个欧洲、西亚和北非部分地区繁殖；可迁徙到北欧，但并非所有种群均如此，有的种群定栖于更靠南的地方。体丰满，喙小，体长14厘米，身体上部橄榄绿色带褐色色调，腹部白色，面部及胸部橙色带铁锈色色调，欧洲知更鸟主要以昆虫为食。巢以树叶和苔藓构成，

（上）猩红知更鸟（*Petroica multicolor*）；（中）欧洲知更鸟（*Erithacus rubecula*）；（下）美洲知更鸟（*Turdus migratorius*）

绘图：Murrell Butler

内衬以羽毛，筑于墙壁、河岸及树木的洞或缝隙中。每窝产5～6枚白色的卵，卵由雌体孵化13～14天，有时雄体给雌体喂食。幼雏孵出后12～14天会飞，然后亲鸟又孵育下一窝。欧洲知更鸟终年鸣啭，鸣啭声调甚高。在英语中，robin一词又用于鸲属（*Erithacus*）和林鸲属（*Tarsiger*）的10多种聊鸫和少数有关的种，尤其是印度知更鸟（印度鸲，*Saxicoloidesfulicata*），该种体长约15厘米，羽衣黑色，肩上有一块显眼的白斑，身体下部有明显的浅红色斑块。而robin一词又常与其他词构成复合词，如*bush-robin*（灌丛知更鸟），*scrub-robin*（矮树知更鸟，即薮鸲），*robin-chat*（闲聊知更鸟，即聊鸫，参阅**thrush**）；**magpie-robin**（鹊鸲）；Pekin robin（北京知更鸟，即深黄相思鸟，参阅**Leiothrix**）。某些与鸫无亲缘关系，但外形似鸫，在地面觅食，产于澳大利亚和新几内亚的鹟科（Muscicapidae）鸟类亦称为知更鸟。猩红知更鸟（scarlet robin）即多色鸲鹟（*Petroica multicolor*），在澳大利亚常见，体高11厘米，羽衣为黑、白和鲜艳的猩红三色。

Robin Goodfellow　罗宾·古德费洛　中世纪英格兰民间传说中，喜欢恶作剧的小神仙，又称顽皮小妖（**Puck**）。

Robin Hood　罗宾汉　英国一系列民谣中的传奇英雄，其中一些民谣至少可追溯到14

世纪。他是个反叛者,关于他的故事中有许多最生动的情节叙述他和他的伙伴抢劫和杀死官府的代表,并把所获财物分给穷人。他们最经常的敌人就是诺丁汉的郡长,即中央

诺丁汉的罗宾汉铜像
中国大百科全书出版社供图

政府的地方代表,其他敌人则包括富裕的与教会有关的地主。对妇女、穷人以及地位低下的人,罗宾汉则以礼相待。反对官府的起因大都由于限制狩猎权所致。早期民谣特别揭露了中世纪生活中无法回避的残暴行为。真正的罗宾汉民谣以诗歌来表达北英格兰普遍的渴望和要求,那时正是贵族反叛和农民不满的动荡时代,其高潮是1381年的农民起义。虽然许多家喻户晓的罗宾汉民谣是中世纪后的,但有一部分重要的民谣可以肯定是中世纪时期的。这些民谣是《罗宾汉与僧侣》、《罗宾汉与吉斯伯恩的盖伊》和《罗宾汉与波特》等。16 世纪时及以后,该传说的中心人物被歪曲为一破落贵族,剧作家们竞相采用这一新的说法,增加了故事的浪漫魅力,但却使其失去了社会感染力。中世纪后的民谣也失去了它们的生命力和诗歌价值,无疑是因为这些民谣失去了它们产生的原有的社会动力。

Robins, Benjamin　罗宾斯(1707～1751-07-29,马德拉斯)　英国数学家和军事工程师,著有《射击学新原理》(1742)一书,为现代火炮理论和实践奠定了基础。该书推翻了旧时关于火药性质和作用以及关于炮弹飞行的错误观点,在这些领域内为以后的科学研究打下了基础。罗宾斯发明了冲击摆,这种装置能确定炮弹在飞行中突然停止时的能量,第一次使炮手能相当准确地测出所发射炮弹的初速。

Robinson, Bill　罗宾逊(1878-05-25,美国弗吉尼亚里士满～1949-11-25,纽约市)　美国百老汇和好莱坞的舞星,以和 S.坦普尔(秀兰·邓波儿)在 30 年代影片中合演的舞蹈角色最为出名。出生不久父母双亡,由祖母抚养大,几乎未受过正式教育。8 岁开始当马僮,同时靠跳舞挣钱。后进入一个巡回歌舞杂耍团。1908 年和演员经纪人 M.福金斯发生业务联系,福金斯帮他成名。他成为黑人音乐喜剧明星、歌舞杂耍界的拔尖人物,后成为电影明星,曾参加 14 部电影的演出,著名的有:《小上校》(1935)、《肯塔基老家》(1935)、《小反叛》(1935)、《太阳溪农场的丽贝卡》(1938)以及《转角处》(1938)。战时,他在全由黑人主演的音乐影片《暴风雨》(1943)中出现。他的踢踏舞被其他舞者广为模仿,但他创新舞步的才能大概是无可匹敌的,尤其是著名的"阶梯舞"。他也以独特的技能——几乎和其他人向前跑一样快的速度向后跑而出名;他有一次只用 8⅕ 秒的时间向后跑了 75 码。虽然罗宾逊的收入至少有一年高达周薪 6 600 美元,但死时却颇为贫穷。

Robinson, Boardman　鲁宾逊(1876-09-06,加拿大新斯科舍萨默塞特～1952-09-05,美国康涅狄格斯坦福)　加拿大裔美国插图画家、油画家,以其政治漫画知名。1898 年在巴黎学美术,深受 H.杜米埃开创的法国政治漫画的影响。回美国后,创作锋芒犀利的漫画在社会党人的《群众》以及《解放者》和《哈珀周刊》等报刊上发表。第一次世界大战期间鲁宾逊所作的漫画着重反映战争所造成的人间苦难及德国政府的战争罪责,有力而深刻,从而为他树立了声誉。当过纽约艺术学生联合会的教师,也曾是科罗拉多春季美术中心的创办者和负责人,培养了许多杰出的美术家。他曾为马斯特斯的《匙流集》,陀斯妥耶夫斯基的《卡拉马佐夫兄弟》和麦尔维尔的《莫比·迪克》作插图,并为华盛顿司法部人楼作壁画。

Robinson, Brooks (Calbert), Jr.　鲁宾逊(1937-05-18,美国阿肯色小石城～　　)　美国职业棒球运动员,美国棒球联盟三垒手。在巴尔的摩金莺队共参加 23 个赛季,获"金手套"防守奖 16 次。整个经历中共参加 2 870 场比赛,防守率 0.971,杀跑垒员和击球员出局2 697次,助杀 6 205 次,参加双杀 618 次,均为三垒手的最高纪录。1977 年兼任教练。参加 1966、1969、1970 和 1971 年 4 次世界系列赛,两次(1966,1970)获胜。在防守中往往接住人们认为不可能接住的球。1983 年入选棒球名人堂。

Robinson, Edward　鲁宾逊(1794-04-10,美国康涅狄格绍辛顿～1863-01-27,纽约市)　圣经学家,被称为圣经地理学的创始人。1837 年任纽约市协和神学院圣经文学教授,前往巴勒斯坦和叙利亚考察。1841 年他在英国、德国和美国同时出版的《巴勒斯坦、西奈山的圣经研究》一书使他获得声誉。1865 年发表《圣地自然地理学》一书,报道他晚期的全部考察结果。其著作皆以亲自考察为依据,并经过严格核证,但对当地传统说法可能怀疑过多。

Robinson, Edward G.　鲁宾逊(1893-12-12,布加勒斯特～1973-01-26,洛杉矶)　原名伊曼纽尔·戈登堡。美国电影演员,以扮演粗鲁强悍的角色而知名。1915 年初次在百老汇登台表演,从事戏剧表演 15 年之久。1923 年拍过一部无声片,到 1930 年有声片出现以后才因在《小凯撒》中扮演的强盗角色而跃入明星行列。他塑造的这一艺术形象,成为 20 世纪 30 年代犯罪影片中强盗角色的原型。40 年代以后发展为多才多艺的演员。《双重赔偿》(1944)和《十诫》(1956)为其最佳作品。死后由于对电影做出的贡献而被电影艺术和科学学会授予奥斯卡特别奖。

Robinson, Edwin Arlington　罗宾逊(1869-12-22,美国缅因黑德泰德～1935-04-06,纽约市)　美国诗人。以描写新英格兰蒂尔伯里小镇上的人的动人短诗著称。因家道中落,

美国国会图书馆供图

被迫从哈佛大学(1891～1893)辍学,到纽约市谋生。他的第 1 部作品《激流与前夜》是自费出版。《夜之子》(1897)和《河那边的小镇》(1910)写得好一些,《天边人影》(1916)的发表使他获得了评论家的赞赏。这几部早期诗集中最好的诗是激动人心的抒情诗。这一时期的优秀诗作有《理查德·科里》、《米尼弗·奇维》、《为了一位死去的女士》、《弗兰蒙德》等。他摒弃了后期浪漫主义的传统,把自然主义的朴素风格引入美国诗歌。他的作品受到 T.罗斯福总统的欣赏,遂让他到纽约海关担任一个清闲的职务(1905～1909)。《墨林》(1917)是他 3 首无韵叙事长诗的第 1 首,据亚瑟王传奇故事写成,随后又写了《朗斯洛》(1920)、《特里斯丹》(1927)。他的《诗集》出版于 1921 年。后期叙述诗中也许最受称赞的是《死过两次的人》(1924)和《阿马兰思》(1934)。

Robinson, Frank　鲁宾逊(1935-08-31,美国得克萨斯博蒙特～　　)　美国职业棒球运动员,第一个任棒球队经理的黑人。1956 年参加全国棒球联盟辛辛那提印第安人队,1956～1966 年 10 年间,有 5 年平均击球率为 0.300。1966 年转到美国棒球联盟巴尔的摩金莺队,当年在本垒跑(49 分)、击球使跑垒员得分(122)和击球率(0.316)方面都居联盟之首。1972 年在全国棒球联盟洛杉矶道奇队、1973～1974 年在美国棒球联盟加利福尼亚天使队、1974～1976 年在克利夫兰印第安人队打球,1975～1977 年任该队经理。1981 年任全国棒球联盟旧金山巨人队经理。1982 年人选棒球名人堂。1984 年回到金莺队担任教练和经理。为金莺队效力至 1995 赛季。2000 年,担任美国职业棒球联盟副主席,主管纪律。2002 年成为蒙特利尔博览会队经理。

Robinson, Frederick John　鲁宾逊　参阅 **Ripon, Frederick John Robinson, 1st earl of 里彭伯爵(第一)**。

Robinson, George Frederick Samuel 鲁宾逊 参阅 **Ripon, George Frederick Samuel Robinson, 1st marquess and 2nd earl of** 里彭侯爵(第一)。

Robinson, George Geoffrey (editor) **鲁宾逊** 参阅 **Dawson, George Geoffrey** 道森。

Robinson, Harriet Jane Hanson 鲁宾逊(1825-02-08,波士顿～1911-12-22,美国马萨诸塞莫尔登) 母家姓汉森。美国作家、妇女参政运动领袖。原是马萨诸塞州洛厄尔市特里蒙特公司纺纱工人。10岁便开始当落纱工,后来为纺织工人报纸《洛厄尔奉献报》写诗歌和散文。1848年嫁W.S.鲁宾逊,她主编《洛厄尔信使报》,反对蓄奴制度。其后提倡女权,1881年在马萨诸塞州成立全国妇女参政协会,1889年向美国国会提出参政要求。她还曾参与成立妇女俱乐部总联合会,19世纪90年代初期任该组织第一任理事会理事。著有《妇女参政运动中的马萨诸塞州》(1881)、《新潘多拉》(1889)及《织机与纺锤》(1898)等。

Robinson, Henry Crabb 鲁宾逊(1775-05-13,英国萨福克贝里圣埃德蒙兹～1867-02-05,伦敦) 英国文人。他的多卷日记提供了关于浪漫主义时期早期生活的珍贵资料,对

伦敦国立肖像画陈列馆供图

这一时期许多文学家作了生动的描述。从1796年开始住在伦敦,1813～1828年任律师。他还是伦敦《泰晤士报》的驻外记者(1807～1809),参加废奴运动,并参与创建伦敦大学。因此,他所处的地位最适合于他记录当时的各种事件。他心地善良,判断敏锐,深受人们喜爱。他与前浪漫主义诗人、画家布莱克是朋友,他的日记是仅有的记述后者晚年的第一手材料。他还与C.兰姆、华兹华斯夫妇和柯尔律治熟识。他在德国(1800～1805)会见了当时最著名的诗人和思想家,包括歌德、席勒和赫尔德;返英后,在更广泛介绍德国文学和哲学方面产生了很大影响。他的日记首次发表于1869年。

Robinson, Henry Peach 鲁宾逊(1830,英国什罗普郡拉德洛～1901-02-21,肯特郡坦布里奇韦尔斯) 英国摄影家,其组合照片和著作使他成为19世纪后半期最有影响的摄影家之一。年轻时早慧。作为一名业余画家,他在21岁时就有一幅画陈列在皇家学院,并逐渐对摄影产生爱好。1857年,在利明顿开了一家照相馆。不久,开始拍摄模仿当时流行的轶事派绘画的所谓"高艺术照片"。其早期名作,如《朱丽叶和毒瓶》(1857),都是根据许多预先画好的草图拍摄,然后把几张照片的局部拼贴在一起,而形成的组合照片。他有时使用自然布景,但更多的是在摄影室里模拟室外景色。在他的许多田园景色的作品中,人物都是化装演员或社交界妇女扮演的。1858年,鲁宾逊展出了一幅用5张不同底片拼接而成的照片《消逝》,它描写的是一个年轻姑娘静静地死去,全家人悲伤地围在旁边。尽管这张照片是出自鲁宾逊的想象,但许多观众都觉得,这样悲痛的景象,是无法用摄影的艺术形式来表达的。然而这种争论却使他成为英国最有名的摄影家和"高艺术"摄影家的首领。其《摄影术的艺术效果》(1869)一书,几十年来一直是英国最有影响的关于摄影实践和美学的著作。在1886年,此书受到摄影家埃默森的猛烈攻击。埃默森认为,照片上的影像,一经曝光,就不应再行修改,他竭力反对鲁宾逊使用化装模特儿和人工布景的做法。但鲁宾逊仍继续得到官方给予的荣誉,并在1892年成为"连环会"(世界上最有声望的艺术摄影家组织)的创始人。

Robinson, Henry Wheeler 鲁宾逊(1872-02-07,英国北安普敦郡北安普敦～1945-05-12,牛津) 基督教浸礼会神学家、《旧约》学者。1890～1900年先后在伦敦摄政公园学院、爱丁堡大学、曼斯菲尔德学院、牛津大学、马尔堡大学、斯特拉斯堡大学学习。1918年任约克郡浸礼联会主席。主攻希伯来人心理学,对"集团人格"和《旧约》神学独有研究。

Robinson, Sir Hercules (George Robert) 鲁宾逊(1824-12-19,爱尔兰韦斯特米斯郡罗斯米德～1897-10-28,伦敦) 英国殖民地总督、驻南非高级专员(1880～1889,1895～1897)。

约翰内斯堡非洲博物馆供图

1854年任西印度群岛蒙塞拉特岛总督。1855年为圣基茨岛副总督。1859年受封爵士。1859～1865年治理香港,后为锡兰总督,大力发展公共工程,特别是道路和灌溉设施。1872年任新南威尔士自治殖民地总督,1874～1875年专门负责谈判斐济群岛割让给英国的事务。1879～1880年任新西兰总督。1881年1月赴南非就任开普殖民地总督和驻南非高级专员。适逢德兰士瓦与英国发生战争,1881年8月签订《比勒陀利亚协定》。德兰士瓦的布尔人仍不满,派代表团于1883年赴英国争取修改协定中的条款。鲁宾逊被召至伦敦参与审议,从而产生1884年2月的《伦敦协定》。鲁宾逊同意C.J.罗得斯的看法,为对付布尔人与德国1884年订立的西南非洲保护协议,派兵于1885年吞并贝专纳兰。另外,鲁宾逊曾批准《莫法特条约》(1888-02),使英国在马塔贝莱兰获得采矿权,他还批准拉德矿区的开采权,这便成为罗得斯在1889年创立的英国南非公司的业务活动的基础。鲁宾逊1889年辞官返英,但于1895年应召再回南非任原职。第二任期间发生了詹姆森袭击事件(1895-12)。1896年5月因病回英国,8月封为罗斯米德男爵。

Robinson, Jackie 鲁宾逊(1919-01-31,美国佐治亚开罗～1972-10-24,康涅狄格斯坦福) 20世纪美国棒球大联赛中第一名黑人运动员。1947～1956年为全国棒球联盟布鲁克林

合众国际社—美国不列颠百科全书公司供图

道奇队内场手和外场手。1962年入选美国棒球名人堂。1947年偷垒数居全国棒球联盟之首,当选为新秀。1949年以0.342的击球率赢得击球冠军,当选为全国联盟最有价值球员。一生平均击球率为0.311。

Robinson, James Harvey 鲁宾逊(1863-06-29,美国伊利诺伊布卢明顿～1936-02-16,纽约市) 美国历史学家,"新史学"的奠基人之一。银行总裁之子。1882年去欧洲,不久回

卡尔弗图片公司供图

国,在父亲的银行中工作。1884年入哈佛大学,1888年获文学硕士学位。后去德国深造,1890年在弗赖堡大学获哲学博士学位。1891年开始在宾夕法尼亚大学教欧洲史。4年后

转哥伦比亚大学。1912 年出版《新史学》,提倡历史研究方法的现代化。他主张在研究政治和军事历史时应该利用人类学、社会学和心理学,并认为研究过去首先是为说明现在服务,是要得到更大的进步。他在《发育期的心智》(1921)一书中劝告教育机关要用一种比较进步的观点去解决各种社会问题。另外著有《知识的感化》(1923)、《文明的考验》(1926)、《人类喜剧》(1937)、《西欧历史初步》(1902)、《现代欧洲的发展》(1907 ~ 1908)等。1929 年起担任美国历史协会会长。他还获得许多荣誉学位。

Robinson, Joan (Violet)　鲁宾逊 (1903-10-31,英国萨里坎伯利～1983-08-05,英国剑桥郡剑桥)　母家姓莫里斯。英国女经济学家。反对因袭盲从。受业于剑桥大学。1926 年与剑桥另一位经济学者 A. 鲁宾逊结婚。1931 ～1971 年在剑桥任教,1965 年起为正教授。1933 年发表《不完全竞争经济学》一书,受到广泛注意。30 年代卷入剑桥学派与发展凯恩斯思想有关的大辩论,其后积极传授凯恩斯《通论》的经济理论。40 年代初期研究马克思著作,由是采取一种兼容凯因斯主义和马克思主义论点的经济体制。她对主流派经济学及学者的攻击,使她卷入很多的论战之中。她几次到中国,发表过许多关于中国政治经济的论述。如《中国:一个经济远景》(1958);《文化革命在中国》(1969)和《中国经济管理》(1975)。

Robinson, John　鲁宾逊(约1575,英格兰诺丁汉郡斯特顿勒斯蒂普尔～1625-03-01,荷兰莱顿)　英格兰基督教清教派牧师。1620 年乘"五月花"号航船到北美洲的清教徒出发之前蒙他教诲,因此他号称首批移民的牧师。他于 1602 年任诺里奇城圣安得烈教堂副牧师,因违抗 1604 年圣公会所发布的反对清教徒的法令被停职。1606 或 1607 年参加诺丁汉郡斯克鲁比地方的独立派教会。1608 年鲁宾逊随这批信徒到阿姆斯特丹。1609 年他率领 100 名信徒到莱顿,人数又逐渐增到 300 名。1615 年鲁宾逊入莱顿大学研究神学。自 1617 年他和他的信徒一直寻找固定居所。1620 年 7 月,一部分信徒登上"成功"号航船返英格兰,鲁宾逊和大多数信徒因行装未妥而留下来。同年 9 月 35 名信徒乘"五月花"号自普利茅斯启航前往新英格兰。鲁宾逊未及离开荷兰便去世,留在荷兰的信徒于 1658 年加入荷兰归正会。

Robinson, Joseph T(aylor)　鲁宾逊 (1872-08-26,美国阿肯色洛诺克附近～1937-07-14,华盛顿[哥伦比亚特区])　美国律师,对新政立法做出重要贡献的议员。曾代表阿肯色州担任美国众议员(1903 ～ 1913)和美国参议员(1913 ～1937)。1895 年取得律师资格后在洛诺克开业。1902 年当选为美国众议员。1912 年当选为阿肯色州州长,数月后辞职,任参议院议员。以后连选连任,直至逝世。1928 年作为民主党的副总统候选人与总统候选人 A. 史密斯一起竞选失败。1933 年民主党在国会中占多数席位,他成为多数派领袖,因而促使参议院通过罗斯福新政的许多方案。他被认为是一个能干和有效率的议员,积极草拟和促使通过了许多法案,但只有一个关于公平贸易的法案《1936 年鲁宾逊-帕特曼法案》署有他的名字。

Robinson, (Esmé Stuart) Lennox　鲁宾逊 (1886-10-04,爱尔兰科克郡道格拉斯～1958-10-14,都柏林)　爱尔兰剧作家和戏剧导演,戏剧生涯与阿比剧院紧密相连。爱尔兰文艺复兴后期的主要代表之一。年轻时看了阿比剧团在科克的演出,乃致力于爱尔兰民族主义事业。从此对祖国的忧患遂成为他的戏剧的经常主题。第一部作品《克兰西姓名》于 1908 年在阿比剧院上演。此后的许多剧本都表现出精湛的舞台技巧和生动的对话,其中最著名的是《爱国者》(1912 年首演)、《白头少年》(1916)和《失去的领袖》(1918)等。1910 ～ 1914 年和 1919 ～ 1923 年曾先后任阿比剧院经理和导演。后期剧作有《教堂街》(1934)和《黄昏中的基利克里格斯》(1937)等。他对爱尔兰的戏剧事业做出过难以估价的贡献。还写过几本书,编过诗选《爱尔兰诗歌宝库》(1925),写过自传《幕起》(1942)。

Robinson, Mary　罗宾逊 (1944-05-21,爱尔兰梅奥郡巴利纳～　　)　婚前名 Mary Teresa Winifred Bourke。爱尔兰律师,政治家和外交家。1990 ～ 1997 年任爱尔兰总统,1997 ～2002 年任联合国人权事务高级专员。先后在都柏林的三一学院、王座法律学院和美国哈佛大学接受教育。1969 ～ 1975 年在三一学院任刑事立法、宪法、刑法和证据法教授,1975 ～ 1990 年讲授欧洲共同体法。她是杰出的宪法学家和著名的人权支持者,被选为爱尔兰皇家学院院士,并且是日内瓦国际法学家委员会委员(1987 ～ 1990)。她是爱尔兰共和国参议院三一学院选区议员(1969 ～ 1989),并且是议会内工党的组织秘书,直到 1985 年,因《英国-爱尔兰协议》的签订而退出工党。她认为该项协定忽视统一党党员的反对意见。她还是都柏林市议会议员(1979 ～ 1983)。但 1977 和 1981 年两次竞选都柏林市议会议员均告失败。1990 年由工党提名,在绿党和工人党的支持下,动员起自由主义的选民,并融合反对共和党的较为保守的选民,罗宾逊当选为爱尔兰第一位女总统。她发挥了比几位前任更杰出的作用,为使爱尔兰呈现出现代化的形象作出很多贡献。她致力于维护人权,是第一位访问中国的联合国人权高级专员。2001 年,担任在南非德班举行的"反对种族主义、种族歧视、仇外心理和有关不容忍行为世界大会"的秘书长。

Robinson, Max　鲁宾逊(1939-05-01,美国弗吉尼亚里士满～1988-12-20,华盛顿[哥伦比亚特区])　全名 Maxie Cleveland Robinson, Jr.。美国电视记者。是主持每日夜间新闻报道的第一位非洲裔美国人,也是在华盛顿哥伦比亚特区主持当地新闻节目的第一位非洲裔美国人。他的第一份记者工作始于 1959 年,旋即告终。当时他受雇于弗吉尼亚州朴次茅斯一家电视台播报新闻。虽然电视台从除他以外全是白人的一群申请人中选中了他,但仍然设置了肤色障碍,在他宣读新闻时用电视台标识语遮住他的面孔。在他没被遮住脸而播报新闻之后的当天他就被解雇了。1965 年他加盟华盛顿的 WTOP-TV,任记者和摄影师,但很快又去了 WRC-TV,并因报道种族骚乱和一部反映贫困城市居民区生活的纪录片而获奖。1969 年他被 WTOP 召回,作为第一位非洲裔美国新闻主持人工作至 1978 年。当 ABC 新闻台选用他作为 ABC《今夜世界新闻栏目》三个主持人之一时,他去了芝加哥。这项主持人安排在 1983 年因同为主持人的 F. 雷诺兹去世而告终结。不久,他离开 ABC 新闻台,加盟芝加哥的 WMAQ-TV 担任新闻主持人(1984 ～ 1987)。

Robinson, Robert (Henry)　鲁宾逊 (1927-12-17,利物浦～2011-08-12,伦敦)　英国记者、广播员。以富于机智和多才多艺的电视直播节目而出名。先在报纸工作,后任伦敦《星期日画刊》的电影评论员和《星期日记事》的专栏作者。因从事影评而进入电视界,1959 年开始为《影片展览》节目评论新片。1962 年成为《星期日泰晤士报》的闲话专栏作者,并主持电视《观点》节目。他深受电视观众欢迎,经常在多达 6 个电视和广播节目中出现。写过两部小说。1978 年制成一套访问美国旅行纪录片,很受欢迎。

Robinson, Sir Robert　罗宾森 (1886-09-13,英国德比郡切斯特菲尔德附近～1975-02-08,伦敦附近白金汉郡大米森登)　英国化学家。由于研究包括生物碱在内的植物生物学获 1947 年诺贝尔化学奖。他不仅研究多种有机化合物的结构和合成,而且系统地阐述了有机分子结构定性的电子理论,在科学上写下了新的篇章。他对于生物碱分子结构细节的研究导致一些抗疟药物的成功生产。在青霉素的发展过程中他也曾起重要作用。他受教育于曼彻斯特维多利亚大学,1930 年担任牛津大学韦恩弗利特化学讲座,直至 1955 年退休。1939 年被封为爵士。

Robinson, Rubye　鲁宾逊(1942-04-25,美国佐治亚亚特兰大～1967-10-09,亚特兰大)　美国民权活动家。其短暂的生命对美国民权运动产生了巨大影响。幼年时期很少与白人直接接触。但在 13 岁时看到电视播放亚拉巴马州蒙哥马利抵制公共汽车的场面,对大批非洲裔美国人拒绝屈服于种族隔离政策的景象印象深刻。1959 年进入斯佩尔曼学院,不久即卷入要求亚特兰大取消种族隔离的非暴力示威运动,是第一批参加亚特兰大午餐馆静坐示威的人员之一。1961 年加入学生非暴力协调委员会。在南卡罗来纳州罗克希尔抗议逮捕学生时,她本人也被逮捕。按学生非暴力委员会的"入狱不保释"战略,她服刑 30 天。获释后,她冒险参加"自由乘车者"组织从事暴力反抗,要求废止该州规定州际旅行实行种族隔离的法律。她再次被捕,被指控为"煽动性旅行"。1964 年与克利福德・鲁宾逊结婚,生育后仍继续从事职业活动家的工作。1966年成为学生非暴力协调委员会第一位女性执行秘书。学生非暴力协调委员会越来越激进,但她继续予以全力支持,尽管她只是部分地同意委员会主席公开赞同暴力的言论。她被确诊患有白血病后即辞去在该委员会的职务,不久去世。

Robinson, Sugar Ray　鲁宾逊(1921-05-03,美国密歇根底特律～1989-04-12,洛杉矶卡尔弗城)　美国职业拳击运动员。6次获世界冠军,其中一次为次中量级冠军(1946～

1951年鲁宾逊(右)迎战R.特平
供图:AP/Wide World Photos

1951),5次为次重量级冠军(1951～1960)。曾在89场业余比赛中保持不败,并连续赢得40场职业拳击赛。1939年作为次轻量级选手、1940年作为轻量级选手获"金手套"称号。直到45岁(1965)还参加比赛。一生中共参加201场职业拳击赛,其中109场直接击倒对手取胜,只输过19次,大都是在40岁以后。退出拳击界后经常出现于电视和电影中。1969年创办青年基金会。

Robinson, William　鲁宾逊(1838-07-05～1935-05-17)　英国园林设计师,田野式(或自然式)园林风格的主要倡导人,一生写了很多著作,激烈地宣传他的主张。原是爱尔兰的园艺工人,后来到伦敦在摄政王花园内的皇家植物学会园圃工作。他在园内采集了各种英国野花,1870年写成《田野式花园》一书。在这一著作以及《在英国花园种植高山花卉》(1870)和《英国花卉园》(1883)中,对当时规整式庭园和矫揉造作的造园手法进行抨击。其理论的出发点是:必须让植物自然生长,因此栽培技术比艺术家的加工更为重要。他的思想对现代的感伤主义园林产生很大影响。

Robinson, William Heath　鲁宾逊(1872-05-31,伦敦～1944-09-13,伦敦)　英国漫画家、插图画家、布景设计师,以描绘古怪机器的漫画著名。1887年在伊斯灵顿艺术学校学习,以后进入伦敦皇家学院学校。1899年起为《堂吉诃德》、《天方夜谭》以及爱伦·坡的诗集等作插图,并做过广告工作。但主要以幽默画著称,最初发表于《简报》双周刊,而后发表于《旁观者》及其他英美刊物。第一次世界大战前已取得国际声誉,并特别以讽刺机器而闻名。

Roblès, Emmanuel　罗布莱斯(1914-05-04,阿尔及利亚奥兰～1995-02-22,法国布洛涅)　阿尔及利亚出生的法国小说家、剧作家。其作品多是亲眼目睹欧洲和北非的战争及政治斗争的作品。主要的主题是描写主人公对其政治和社会的迫害者进行的顽强斗争。但是罗布莱斯笔下的叛逆者深知在不可抗拒的命运把他关闭之前如何来品尝短暂的幸福。罗布莱斯的父母是西班牙裔,他本人毕业于阿尔及尔师范学校,第二次世界大战期间任地中海盟军最高司令部主要西班牙语译员和战地记者。同加缪一起任《阿尔及尔共和报》记者,参加创办《阿尔及利亚希望报》,并为之撰稿。1958年因阿尔及利亚战争的升级迫使他流亡法国,致力于发现和发表新非洲天才写的作品。其第一部小说《行动》于1938年发表。第四部作品《城市高处》发表后,名声鹊起。小说写一个阿拉伯工人对法西斯置阿尔及利亚人于死地而进行报复的故事。《它自称曙光》(1952)使他赢得国际声誉。其他作品还有《维苏威火山》(1961)和《意大利之春》(1970),均讲战时意大利的恋爱故事。晚年的作品有两部小说,即《冬天的威尼斯》(1981,以政治恐怖主义为背景)和《废墟上的草》(1992)。《蒙特塞拉》(1948)是他最受欢迎的剧本,写一个西班牙青年军官宁愿为委内瑞拉的解放而死,而不愿供出S.玻利瓦尔的隐匿处。其他剧本还有《真理已死》(1952,讲西班牙内战)、《为一个叛逆者辩护》(1965,是有关恐怖主义的故事)。

robot　机器人　虽然外表可能不像人,也不以人类的方式操作,但可代替人力自动工作的机器。"robot"源出捷克语"robota",意谓"强迫劳动"。这个词的现代用法来自捷克作家K.恰彼克于1920年所写的剧本《罗素姆万能机器人》,剧本描写一个依赖能从事体力劳动和脑力劳动名叫robot的机器工人的社会。现代机器人装置沿着两条不同的道路发展而成:一是早期的*自动机*(**automation**),这主要是机械玩具;二是在工业机械的发展中不断地革新和改进。今天工业机器人最早的祖先也许是在水漏的基础上改进的漏壶或水钟,它利用虹吸原理使水自动循环。一般认为希腊物理学家和发明家克特西比乌斯在约公元前250年制造了一架这种钟。欧洲人于中世纪发明了用摆控制的重力驱动钟。18世纪终于研制出用发条驱动的钟,并在纺织工业采用原始的自动机械。工业革命为了完善自身的生产力,促进了初级机器人装置的发明。蒸汽机的采用,产生了调速器(由旋转重物操纵),当它在负载下速度减慢时,便增加流入发动机的蒸汽流量,当负载减轻时,便减少蒸汽的流量。19世纪的内燃机经历一种再循环的改革,使活塞在运行一周后自动回到原来位置。19世纪末和20世纪初,大功率机器在工业生产中迅速增加,开始时一名工人既要安放工件,又要调整机器,后来便只须安放工件。不久,又发明了自动周期循环的机器(如自动洗涤机)、自动测定和调节的机器(如纺织品混色设备)和在一定程度上自编程序的机器(如自动电梯)。自20世纪60年代后期以来,微电子学和计算机技术取得重大进展,推动机器人学大步向前发展。例如,在汽车工业中采用计算机控制的机器人,使装配线明显地自动化。单臂机器人能模仿人类手臂的关节和动作,用于起重、焊接及给汽车车身喷漆。通过使机械臂按要求的动作运动为机械臂编制程序,将不同的动作输入计算机的存贮器,使其能准确地重复。有些高性能的机器人装有内部传感器,当动作偏离程序模式时能自动加以纠正。还有一些机器人装有电子数字摄像机,用来检查汽车本身的尺寸是否符合规定标准。摄像机将图像转换为数字脉冲,然后将这种数字脉冲同贮存在计算机存贮器内的数字脉冲相比较。贮存的数字脉冲代表二维几何图形,是编制计算机程序时设计用来鉴别车身尺寸的。类似的性能先进的机器人也用于其他组装工业,飞机工厂用单臂机器人将各段机身钻孔并铆接在一起。电子工业越来越多地利用机器人结合其他计算机化的仪器对制成品进行分类或者检测。

Robotpatent　《强制劳役法令》　奥地利帝国强制农民为领主服劳役的法律。奥地利帝国很早就有这种法律,如匈牙利1514年发布一条命令,作为对农民一次不成功的叛乱的惩罚,规定农民自带牲畜,每年为地主从事运输工作52天。1771～1778年间玛丽亚·特蕾西亚女皇发布一系列强迫农民劳役的法令,但由于匈牙利贵族强烈反对,只在日耳曼人和波希米亚人住区实施。女皇认为:农民不仅应该能够养家餬口,而且要在平时和战时都能负担整个国家开支。1789年奥皇约瑟夫二世废除强制劳役,但到利奥波德二世时代又予恢复。直到1848年整个帝国才最后取消这一制度。

Robson, Dame Flora (McKenzie)　罗布森(1902-03-28,英格兰达勒姆南希尔兹～1984-07-07,东苏塞克斯布赖顿)　英国女演员。以在舞台剧和电影中的出色表演而著称于世。就学于伦敦皇家戏剧艺术学院。1921年于伦敦沙夫茨伯里剧院首次登台进行职业性演出。接着在几家轮演剧目剧团演出至1924年,因对她的专业进展不满意而离开剧团。随后在一家食品加工厂工作,她在那里的工人中组织一个业余剧团。她后来的表演成就得益于这段经历。1929年回到专业表演。1931年由于在奥尼尔的《榆树下的欲望》和布里迪的《解剖学家》中的出色表演而大受赞誉。在后来的各种角色表演中声誉不衰。1933年在英国拍摄第一部影片,随后又去好莱坞拍片。1940年在美国舞台上与观众首次见面。1974年拍摄第一部电视系列片。她曾在100多部舞台剧和60多部电影中露面。1952年被授予英帝国高级爵士勋章。1960年升为贵族,成为英帝国高级女爵士。

Robson, Mount　罗布森山　在加拿大不列颠哥伦比亚省东部,高耸于金尼湖畔,俯瞰耶

罗布森山及其映在金尼湖中的倒影
供图：George Hunter

洛黑德山口，为加拿大境内落基山脉的最高峰(3 954米)。四周为省立罗布森山公园，加拿大国家铁路的干线在公园中通过。

Roby(England)　**罗比**　参阅**Huyton-with-Roby** 海顿-罗比。

roc　大鹏　又拼rukh。传奇中的巨鸟，据说能攫走大象或其他巨兽以为食。著名的阿拉伯故事集《一千零一夜》中提及此鸟，威尼斯旅行家马可·波罗在描述马达加斯加和东非海岸外的其他岛屿时也曾提到它。据马可·波罗说，有人给忽必烈带去一种声称是大鹏的羽毛的东西，实际上可能是一片酒椰属棕榈叶。

Roca, Cape　罗卡角　葡萄牙的一处海角。位于欧洲大陆最西端，在里斯本区大西洋海岸，里斯本市西北偏西40千米。是144米高的狭窄悬崖，为辛特拉山的西端。

rocaille　罗卡耶　18世纪西方建筑及装饰艺术风格，以精仿壳状、石状、涡卷形纹样为其特色。罗卡耶多见于小型家具和室内物品，尤其是个人什物诸如鼻烟盒、手持小镜等，通常为铜质镀金。在木质或灰泥的墙壁装饰上，罗卡耶不但有贝壳形、鹅卵石形及涡卷形，还有花卉、羊齿植物及珊瑚等形状，一律由单线或双线组成的简洁而不对称的曲线图案。罗卡耶是法国路易十五时期洛可可风格中更为突出的形式之一，罗卡耶风格一方面是人们面对衰退的巴罗克风格中的僵硬手法而产生的一种反作用，另一方面又是人们对自然界及自然科学发生新的兴趣的一种表现。在法语中，罗卡耶一词指“毛石”或“卵石”，而罗卡耶风格则为洛可可风格的同义词。此词原来只是指文艺复兴后期庭园中人造洞室的花式镂雕贝形装饰。

C.de居维利埃设计的罗卡耶风格的门及门框，约1740年
纽约大都会艺术博物馆供图

Rocard, Michel(Louis Leon)　罗卡尔(1930-08-23，法国库尔伯瓦～　)　法国公职人员、政治家，1988～1991年任法国总理。从高级国立行政学院毕业后，于1958年担任财务稽察员，后在政府会计部门位居高职。早年热衷于社会主义政治，1967年任小党统一社会党领袖，1969年竞选法国总统失败。1969～1973年、1978～1981年任国民议会议员。1974年罗卡尔与他的大部分党员一起加入由密特朗领导的大党社会党。1981年密特朗当选为法国总统后，罗卡尔先后担任计划及区域发展部部长(1981～1983)和农业部部长(1983～1985)。他在担任后一职务期间，办事非常精干。1988年5月密特朗再度当选总统后，请罗卡尔担任总理。作为总理，罗卡尔以其经济专长和执行务实的政策而著称。1988年6月社会党在议会选举中未能在议会获得多数，罗卡尔组成的政府继续是一个少数派政府。1991年5月密特朗以E.克勒松代替罗卡尔，克勒松成为法国第一位女总理。

Roccella　染料衣属　热带枝状地衣的一个属。为染料*苔色素*(**orchil**)和*石蕊*(**litmus**)的重要来源。

Rocha　罗恰　乌拉圭东南部城市。为周围地区主要商业和制造业中心。主要经营羊毛和羊皮贸易。有铁路和公路通首都蒙得维的亚和位于拉帕洛马的港口。人口24 015(1985)。

Rocha, Glauber　罗沙(1938-03-14，巴西巴伊亚维多利亚达孔基斯塔～1981-08-23，里约热内卢)　巴西电影导演，巴西“新电影”的领袖人物之一。罗沙的影片以一种风格化的、常常是暴力的形式表现巴西的历史和社会政治动荡。初为记者和影评家，后拍摄了第一部短片《庭院》引起评论界的注意而成名。他的第一部故事片是《巴拉文托》(1961)，随后有《黑上帝，白魔鬼》(1964)、《大地在震怒》(1967)、《死神安东尼奥》(1969)，都是有关巴西政治问题的影片。因持不同政见而与巴西当局发生冲突，于1970年离开巴西。他的《巴西电影评述》(1963)一书从多方面探讨了巴西电影的发展历史。他在国外拍摄的影片有《明白了》(1975)、《被砍下的头》(1970)和《地球的年龄》(1982)等。

Rochambeau, Jean-Baptiste-Donatien de Vimeur, comte de　罗尚博伯爵(1725-07-01，法国旺多姆～1807-05-10，托雷)　即J.-B.-D.de维默尔。法国将领。他支持美国独立战争，曾率法军协同作战，在弗吉尼亚州约克敦击败英军。早年参加几次战争，1761年晋升陆军准将，成为骑兵督察，1776年任维勒弗

供图：Independence National Historical Park Collection, Philadelphia

朗什-昂-鲁西荣总督。4年后奉命率6 000名法军，前往北美洲参加大陆军争取独立的抗英斗争。1781年6月与G.华盛顿将军的队伍会师，围攻康华理爵士，迫使他在10月19日投降，实际上结束了美英间的战争。他于1783年1月乘船返回欧洲。在法国大革命期间，他指挥北方方面军(1790～1791)，成为法国陆军元帅(1791)。恐怖统治时期被捕，险些上断头台，但后来拿破仑曾授予他年金。

Rochas, Alphonse-Eugène Beau de(engineer)　参阅 **Beau de Rochas, Alphonse(-Eugène)** 博·德·罗夏。

Rochdale　罗奇代尔　英格兰大曼彻斯特都市郡东北部一个城镇和都会自治市。属兰开夏历史郡。面积160平方千米。位于斯波登河和罗奇河汇合处。中世纪即为集市中心。18和19世纪成为重要的棉纺织业中心，尤其注重工业用粗厚纺织品。也是合作运动(国际性批发零售贸易组织)的诞生地。建有美术画廊、博物馆、公园和娱乐设施。市东北有霍灵沃思湖(47公顷)。米德尔顿有一个高尔夫球场。如今，制造业仍然是该地的经济中心，工程业的重要性排第一，其次是纺织业。很多主要公路和高速公路通过该市，也是交通和集散中心。人口205 233(2001)。

Roche, Kevin **罗奇**(1922-06-14,爱尔兰都柏林～　　) 美国建筑师,曾设计政府、教育、公司等建筑物,特别以与 E.沙里宁合作的作品驰名。1945 年从都柏林的国立爱尔兰大学毕业,获建筑学学士学位。在都柏林和

罗奇-丁克卢联合建筑事务所设计的布伊格世界总部,1983 年
供图:Thomas Patch

伦敦的建筑事务所短期工作后,到芝加哥伊利诺伊理工学院当研究生,导师密斯·范·德·罗厄。他一度在联合国计划署(纽约市)工作,1950 年参加沙里宁联合建筑事务所,1954～1961 年任该事务所设计副主任。1961 年沙里宁去世后,罗奇和他的未来合伙人 J.丁克卢(1918～1981)完成了沙里宁尚未结束的设计,包括华盛顿市附近的杜勒斯国际机场大楼(1962),曼哈顿林肯表演艺术中心的轮演剧目剧院(1965 年开幕)和圣路易斯的杰斐逊国家开发纪念馆不锈钢拱门(1964)。1966 年他们创办罗奇-丁克卢联合建筑事务所。他们的设计作风仍与沙里宁的作风有几分相似,亲自检查每一新设计并负最后责任。罗奇和丁克卢成名的设计有:纽约市的福特基金会总部(1968)、纽约州拉伊的通用食品公司总部(1977)和巴黎城外的布伊格世界总部(1983)。

Roche limit **洛希极限** 天文学名词,指一颗大卫星在不被行星潮汐力瓦解的条件下能靠近行星的最短距离。若卫星和行星的化学组成相同,则理论上的极限值约为行星半径的 2.5 倍。土星环系中的有些环就是位于洛希极限内,因而可能是一瓦解了的卫星的碎片。这一极限是由法国天文学家 E.洛希(1820～1883)首先求出的。人造卫星太小,不会出现可观的潮汐应力。

roche moutonnée **羊背石** 此术语来自法文,意思是"羊毛状的石头",英语称为"羊背"或"羊石"。冰川磨蚀的基岩面,通常呈圆丘形。羊背石迎冰面因受冰川磨蚀形成光滑并具有擦痕的缓坡;背面因冰川掘蚀形成不规则的锯齿状陡坡。因此,划分陡、缓坡的脊线垂直于早先冰体的总流向。鼻尾丘与羊背石完全不同,它由冰碛物组成,具有向下游逐渐变细的长脊;通常,羊背石是对软弱岩层选择性侵蚀的产物,羊背石景观是受冰川作用的结晶地盾区的特征。

Roche-sur-Yon, François-Louis de Bourbon, Prince de la **永河畔罗什亲王** 参阅 **Conti, François-Louis de Bourbon, Prince de** 孔蒂亲王。

Roche-sur-Yon, La(France) 参阅 **La Roche-sur-Yon** 永河畔拉罗什。

Rochefort **罗什福尔** 法国西部普瓦图-夏朗德大区滨海夏朗德省城镇和商业港口。在夏朗德河右岸,距海 16 千米。城镇有直而规则的街道和沿着旧防御工事原址修筑的大道。皮埃尔·洛蒂路是纪念在此出生的一位19 世纪法国小说家。此路位于 18 世纪建有喷泉的科尔贝尔广场附近,罗什福尔城于 11 世纪在罗什福尔城堡四周发展起来。现在的城镇建于 17 世纪。1780 年拉斐德侯爵从这里启航到北美参加美国独立战争。1815 年拿破仑在向英国投降前曾在此驻留。第二次世界大战中城镇遭轰炸。现为重要空军基地。有两所机械技术专科学校。地方工业以乳品、煤炭、木材为基础,也生产木制品和橡皮船。1961 年后该地发展成为矿泉疗养地。人口 26 949(1990)。

Rochefort, Victor-Henri, MARQUIS DE ROCHEFORT-LUCAY **罗什福尔**(1830-01-31,法国巴黎～1913-06-30,埃克斯莱班) 法兰西第二帝国和第三共和国时期一位天赋辩才的记

供图:H. Roger-Viollet

者,以最初支持极左派,后来又拥护极右派而出名。罗什福尔的记者生涯从 1868 年《路灯》周报创刊那一天开始,但该报不久即因直言不讳反对拿破仑三世被查禁。1869 年,他从巴黎一个选区选入立法议会。次年帝国沦亡,他成为国防紧急政府的一员。1871 年,他因公开支持革命派的巴黎公社而依军法判刑。1873 年被放逐至囚犯隔离区新喀里多尼亚,4 个月后逃走。1880 年大赦,他回到法国,为极端激进派和社会主义者在《不妥协者》上展开宣传活动。由于讨厌温和的共和派人士,他在 1889 年支持曾在 1871 年领导镇压巴黎公社的反动冒险家 G.布朗热将军。1891 年布朗热派崩溃后,罗什福尔再度拥护社会主义者;3 年后,德雷福斯事件暴露了陆军中的不公平和反犹太的情况,引起法国舆论界的两极分化,罗什福尔再次和右派结盟。最后几年,他为保守派报纸和国家主义派报纸撰稿。

Rochefoucauld, François VI, Duke(duc)**de La**(writer) **罗什富科** 参阅 **La Rochefoucauld, François VI, Duke**(duc)**de** 拉罗什富科公爵。

Rochefoucauld, La, FAMILY **罗什富科家族** 参阅 **La Rochefoucauld family** 拉罗什富科家族。

Rochelle, La(France) 参阅 **La Rochelle** 拉罗谢尔。

Rochelle salt **罗谢耳盐** 又称酒石酸钾钠。具有很强的压电效应(它在受压、扭转或弯曲而造成机械形变时,其表面上会产生电荷)的结晶固体。可用做声传感器和振动传感器。同其他压电材料一样,罗谢耳盐($KNaC_4H_4O_6 \cdot 4H_2O$)晶体在电场作用下会发生形变。在适度的高温(55 °C)下就会分解,而且必须防潮。压电形变的程度与外加电场的强弱成正比,外加电场方向改变时,改变方向也反过来。这些基本性质使得它常用做机电式换能器(如超声发生器、传声器和唱机拾音头)和机电式谐振器。参阅 **tartaric acid**。

Rochemont, Charles Pictet de **罗什蒙** 参阅 **Pictet de Rochemont, Charles** 皮克泰·德罗什蒙。

Rochester **罗切斯特** 英格兰肯特历史郡梅德韦单一政区城镇,在伦敦以东,临梅德韦河。古代为带城墙的罗马不列颠镇,位于从英吉利海峡港口至伦敦的罗马大道横跨梅德韦河入海口处。中世纪的城市在教堂周围发展起来。604 年爱特尔伯赫特一世国王建造圣安德鲁教堂,使罗切斯特成为主教辖区。威廉一世(征服者)统治时期(1066～1087)成

罗切斯特市罗切斯特城堡的诺曼式主楼
供图:Edifice, London

为皇家自治市。市民从亨利三世(1216～1272)获得重要特权,并为以后的国王所认可。现为持有特许状的城市。大教堂西侧面墙(1125～1130)为诺曼式和晚期哥特式。一座诺曼人城堡的遗迹(主要为巨大的主楼)俯视着一处渡口。尚保存有部分 13 世纪城墙。其他著名建筑包括市政厅(1687)、贫民院(1579)和用做博物馆的伊丽莎白大厦。罗切

斯特西南的博斯托尔早年曾进行过教育感化青少年罪犯的实验，由此产生了教育感化青少年罪犯的现代英国博斯托尔制度。梅德韦河可容吃水8米的船通航至罗切斯特桥。19世纪50年代工业迅速发展，尤其是机械、水泥和造纸等行业。该市位于从伦敦到坎特伯雷和多佛尔的铁路线上。人口23 971(1991)。

Rochester 罗切斯特 美国明尼苏达州东南部城市，奥尔姆斯特德县县城。北距明尼阿波利斯121千米，在赞布罗河3条支流的汇合处，属多种作物的农业区。原为篷车队

罗切斯特市的新旧梅奥诊所大楼
供图：Milt and Joan Mann from CameraMann

宿营地，1854年成为居民点，依纽约州的罗切斯特而命名。1858年设市。1889年W.W.梅奥和几个儿子(参阅**Mayo Family**)在此建立梅奥医学中心，促使其大大发展，1915年创立罗切斯特社区学院。经济以医疗、高科技产业和农业为主。著名的梅奥诊所是多个医院、诊所和研究教育机构的集合地，为当地最大的就业机会创造者。主要的农业产品包括玉米、大豆、豌豆、牲畜、乳制品。食品加工业也很重要。制造业主要生产电脑设备、汽车部件和电气设备。20世纪70年代初期，明尼苏达圣经学院(1913年成立)从明尼阿波利斯迁至此地。人口：市85 806；都会统计区124 277(2000)。

Rochester 罗切斯特 美国新罕布什尔州东南部斯特拉福德县城市。位于多佛西北，濒科切科河和萨蒙瀑布河。1722年设镇，但直至1728年始有人定居。1891年设市。早期居民多从事伐木、贸易和狩猎。1761～1762年大火毁去林地后，改以农业为主。19世纪40年代末修通铁路后工业得以发展。有电器、电脑部件、纸制品、鞋靴和金属加工等工业。1875年起每年举办罗切斯特农业交易会。城北37千米处的穆斯山有滑雪设施。人口：市28 461；朴茨茅斯-罗切斯特都会统计区240 698(2000)。

Rochester 罗切斯特 美国纽约州西北部工业城市。门罗县县城(1821)。西南距布法罗114千米，在杰纳锡河入安大略湖的出口处，为圣劳伦斯航道港口，是包括伊朗德阔伊特、格里斯及布赖顿三个大镇在内的大都会区中心。当地城镇虽有些工业区，但主要是住宅区。1789年在杰纳锡河瀑布附近建居民点，1817年设村，1834年设市。丰富的水力以及伊利运河(1825)和铁路的建成(1839)，使该城在19世纪40年代成为"西部"早期新兴城镇之一，并且成为加工杰纳锡河谷小麦的工业基地。南北战争又刺激了服装和靴鞋的大规模生产。面粉厂西迁明尼苏达后，开始经营苗圃业，首创种子和灌木邮购业务。19世纪90年代生产照相、光学及精密仪器设备，现也生产静电复印机、温度计、机床、牙科器械、电动设备等专用产品。亦为附近富饶的蔬菜农场和果园区的加工、销售和转运点。1931年已发展为经营大湖区和远洋贸易的港口。1847年黑人废奴主义者F.道格拉斯在此发行其反蓄奴制报纸《北极星》。罗切斯特亦为逃亡黑奴"地下铁道"的一个终点站。妇女参政运动先驱S.B.安东尼1866～1906年曾居此地。市内有罗切斯特大学(包括伊斯曼音乐学院)、罗切斯特理工学院及罗伯茨韦斯利学院、拿撒勒学院、圣约翰·费希尔学院和门罗社区学院等。文化设施有交响乐团、美术馆、天文馆、国际摄影博物馆。市内有以园艺展览著称的高地公园和杰纳锡河谷公园，每年5月的罗切斯特丁香节十分著名。人口：市219 773；都会统计区1 098 201(2000)。

Rochester, EARLS AND VISCOUNTS OF 罗彻斯特伯爵和子爵 英格兰封爵贵族，属威尔莫特和海德家族，按年代顺序分列于后，并各以●为标记。

● Rochester, Robert Carr, Viscount 罗彻斯特子爵 参阅**Somerset, Robert Carr, Earl of 萨默塞特伯爵**。

● Rochester, Henry Wilmot, 1st Earl of 罗彻斯特伯爵(第一)(1613-10-26受洗，英格兰伦敦菲尔兹圣马丁～1658-02-19，西属尼德兰佛兰德斯斯勒伊斯[今在比利时]) 即H.威尔莫特。英国内战期间杰出的保王党将领，曾于乌斯特战役后协助查理二世脱逃。他的家族(威尔莫特家族)承继牛津郡威特尼的爱德华·威尔莫特一系，其子查理(约1570～1643或1644)在17世纪初镇压爱尔兰的起义中表现优异，曾自1616年迄至逝世任康诺特的首长，1621年受封爱尔兰贵族(称阿斯隆的威尔莫特子爵)。后由亨利(查理唯一存活的儿子)于1643或1644年继承。亨利曾在纽本抵抗苏格兰人，并在1641年因为查理一世设谋而受囚禁，并遭下院除名。内战期间，他投效保王军，表现良好，1643年7月和1644年6月在朗德威唐和克洛普雷迪桥击败威廉·沃勒爵士之战役应归功于他。1643年他受封为阿德贝利的威尔莫特男爵。因他与英王的一些朋友和亲信(包括鲁珀特王子在内)交恶，1644年被举发曾劝告王子威尔士亲王(后来的查理二世)取代父王之位。结果，他的指挥权被剥夺，并遭监禁。不久，又被允许渡海前往法国。他极得查理二世的信赖，伍斯特战败和其后的流亡生涯均与查理二世患难与共，在这段流亡期间，他是查理二世的主要亲信之一，1652年受封为罗彻斯特伯爵。为了查理的利益，他曾数次出使欧陆诸国。1655年3月他到英格兰，曾在纽克附近的马斯顿荒原举兵，因力量薄弱未成。事败后逃亡国外。

● Rochester, John Wilmot, 2nd earl of 罗彻斯特伯爵(第二)(1647-04-10，英格兰牛津郡迪奇利庄园住宅～1680-07-26，英格兰伍德斯托克) 即J.威尔莫特。英国宫廷才子、诗人，曾促进奠定英国的讽刺诗。1658年继承其父的爵位。1661年获牛津大学文学硕士学位。查理二世，可能为报答第一代伯爵在

伦敦国立肖像画陈列馆供图

伍斯特战役(1651)中的救命之恩，颁给他年金，并委派一位苏格兰医生为他的私人教师。他们在欧洲各国游历3年，1664年结束。返回英国后，成为宫廷才子的领袖。王政复辟时期成了宫廷中最放荡的人，有多次越轨行为。他自愿参加海军，在与荷兰人作战中表现出色。1667年被指派为国王侍从。1673年德莱顿把自己的喜剧《时髦婚姻》奉献给他，对他帮助这部作品的写作表示感谢。一般认为罗彻斯特是王政复辟时期的才子中最值得重视的诗人和最有学问的人。他有几首情诗的感情描写异常炽烈。在英国讽刺诗人中，他也是最有独创性和影响的诗人之一。《呆笨者的历史》(1676)猛烈抨击了查理二世的政府。《残废的放荡者》被说成是"王政复辟时期冷嘲热讽的杰作"。《对人类的讽刺》(1675)在对唯理主义和乐观主义的尖锐谴责上，在对人类的背信弃义、愚蠢和动物界的本能智慧所作的对比上，成为斯威夫特的借鉴。1675年任伍德斯托克守林官，以后的许多诗作都写于该地。这时他的健康逐渐变坏，思想开始转向比较严肃的题材。他与自然神论者C.布朗特的通信，表明他对哲学和宗教有着浓烈的兴趣。遗著《瓦伦泰尼安》(1683)，是由弗莱彻的一本悲剧尝试改写而成，内有作者两首最优美的抒情诗。

● Rochester, Lawrence Hyde, 1st earl of 罗彻斯特伯爵(第一)(1642-03～1711-05-

伦敦国立肖像画陈列馆供图

02，伦敦）即L.海德。英格兰政治家，历仕查理二世、詹姆斯二世、威廉三世和安妮女王。1660年进入议会。1679年任财政大臣和枢密顾问官。1682年封伯爵。1684年被免去财政大臣职务，任爱尔兰总督和枢密院议长。1685～1687年再任财政大臣。1701～1703年任爱尔兰总督。1702～1704年出版其父的巨著《英格兰叛乱和内战史》。安妮女王即位后，他成为托利党高教会派领袖。1710～1711年再次任枢密院议长。

Rochester upon Medway　梅德韦河畔罗切斯特　英格兰肯特郡一个区和自治市。面积160平方千米。位于梅德韦河注入泰晤士河口湾处。由教堂城市罗切斯特和海军港城镇查塔姆镇以及泰晤士河沿岸部分沼地和平滩组成。格雷恩岛建有大型炼油厂。梅德韦河下游是一工业区。15世纪以来，查塔姆就有英国最主要的海军造船厂。除此之外，在梅德韦河边还有许多机械厂。人口约146 200（1983）。

Rochford　罗奇福德　英格兰埃塞克斯行政、历史郡一区。面积169平方千米。北濒无桥的克劳奇河，南邻泰晤士河口湾濒海绍森德市区。其海岸多航海和游乐设施。该区的靠内地部分在伦敦雇员住宅区内。人口约77 300（1998）。

rock　岩石　天然存在的由一种或多种矿物黏结起来的集合体。这种集合体是构成固体地球的基本单位，并在典型情况下形成可辨认的与可以制图表示的团块。岩石通常按其形成过程分三大类：①火成岩，由熔融物质（岩浆）固结而成；②沉积岩，由先存岩石的碎屑或溶液沉淀出来的物质组成；③变质岩，由火成岩或沉积岩在其矿物成分、结构和内部构造发生变化的条件下转变而成。这三类岩石根据不同因素又可细分为许多类别，其中最重要的因素是化学成分、矿物成分和结构构造特征。

rock and roll　摇滚乐　又作rock 'n' roll或rock & roll。20世纪50年代中期在美国兴起的一种音乐风格。经过与其他音乐风格的同化与发展，其名称的含义亦逐渐变得更为广泛，终于成了流行音乐的一种主要形式，并传播到欧洲与世界各地。摇滚乐所用乐器虽然多种多样，其基本要素是一或几名歌手、大幅度增强的电吉他和鼓。因为这是专门面向青少年听众的音乐，因此它早期基本上是一种简单的风格，倚仗于很强烈便于舞蹈的节奏、一般性的旋律与和声。歌词叙述它的听众所关心的事，如青年的爱情、青春期的苦恼以及汽车等。及至它逐渐成熟，便倾向于表现更加复杂的事物，它的几位最有才华的倡导者吸引了一些严肃的音乐评论家的注意。摇滚乐源自美国的“*节奏与布鲁斯*”（**rhythm and blues**）和“*乡村与西部音乐*”（**country and western**）风格。50年代初期，这两种音乐风格都不在流行音乐的主流之内；它们分别在一些行业杂志中有所报道，并只在小型广播电台里为各自的少数听众演奏。1953年，克利夫兰有一位唱片节目广播员A.弗里德作为试验开始了一套“节奏与布鲁斯”音乐节目（当时只对黑人听众）。它赢得了众多的听众并使他为这类音乐采用（非创造）的名称——摇滚乐——广为传播。在1955～1956年间，随着C.贝里、B.霍利，特别是E.普雷斯利的成名，传统的“节奏与布鲁斯”的一种快速变体兴起，被用来表达急迫和狂热的感情；流行音乐的抒情内容则用于反映青少年听众的心态。不过，在随后的年代中，由于一些大唱片公司力求使这种音乐能为更广泛的听众所接受，摇滚乐的粗犷而惊心动魄的力度和感情强度逐渐消失。

60年代初期及中期，有若干种影响力结合在一起，把摇滚乐从当时已形成的僵硬的模式中解脱出来。在英国，摇滚乐的发展要缓慢得多，主要因为电台和录音方面对节目的安排严加控制。最后，当本地的演奏者们赢得了广泛的听众时，人们发现他们保留了摇滚乐初期的新鲜感和天真的激情。他们在国内取得成功，而在美国甚至更受欢迎，因为那里的新一代青少年并不熟悉那些新歌星们作为依据的这种音乐。在这些新演员中最卓越的是“甲壳虫乐队”。与此同时，B.迪伦与其他美国演奏员正在发展“民间摇滚乐”，这是把传统的民谣、诗歌与摇滚乐的节奏和配器相结合的一种音乐。60年代中期，一些年轻音乐家开始探索以摇滚乐处理社会与政治题材，于是摇滚乐越发势不可挡。随着白人听众重新发掘它原先所依据的黑人布鲁斯音乐，摇滚乐得到更进一步丰富。70年代，在大型摇滚小组继续发展的同时，“灵歌式摇滚乐”引进了牙买加的“雷盖”音乐；摇滚乐还吸收了其他流行音乐形式而产生了“流行摇滚乐”、“*爵士摇滚乐*”（**jazz-rock**）和“朋克摇滚乐”。至80年代摇滚乐又有了一些短小的电视节目，以流行的摇滚歌曲为基础，摇滚乐师成了演员。

rock bolt　岩石锚杆　在隧道和地下采矿工程中，插入岩石表面的钻眼来支撑巷道或采场顶板和边帮的钢杆。锚杆端部有带扩张装置的锚栓，可将锚杆在眼底固紧或采用膨胀水泥将锚杆整体粘固在钻眼内。锚杆可单个或成排使用，因锚杆比较经济，容易使用，少占工作空间，所以正越来越多地代替木材，用于矿井支护。锚杆与木材一样可用于任何类型的矿井。

rock cress　南芥　又称筷子芥。十字花科南芥属（*Arabis*）植物。100种，草本，分布北半球及非洲山区。直立或成圆丛，角果狭长。有几个开白色、粉红或紫色花的种可栽培供观赏。壁南芥（圆南芥、高加索南芥，*A. caucasica*）原产于欧洲东南部，多年生，高30厘米；早春开花，花白色，芳香；有重瓣、粉红色、杂色及矮生等各种变种。该属植物大小差异很大，如光叶南芥（*A. glabra*）高可达170厘米；浅蓝色南芥（*A. caerulea*）仅10厘米高，为多年生高山植物。

rock crystal　水晶　硅氧矿物*石英*（**quartz**）的透明变种。由于它的透明度和完全无色或无裂纹而被人珍视。从古以来大的水晶被雕刻成容器和圆球，因此雕花的玻璃器皿就叫做水晶玻璃。水晶曾广泛用做宝石（通常为多面形琢型），但是现在已被玻璃和塑料代替。莱茵石最初就是在莱茵河中发现的石英卵石。尽管水晶同金刚石很不相似，但是由于在珠宝中广泛使用无色石英，因而造成在许多地区用金刚石的名字来描述水晶，如来自纽约赫基默县的水晶便称为“赫基默金刚石”。水晶的光学性能使它被用做透镜和棱镜；压电性使它被用来控制电路的振荡。它的物理性质与石英同（参阅 **silica mineral** [表]）。

产自法国多菲内省的水晶

供图：Emil Javorsky—美国不列颠百科全书公司

rock edicts　岩石敕文　印度古代阿育王（约公元前265～前238在位）在印度各地岩石、石柱和洞穴中所刻叙事文告和史事。阿育王在即位最初几年征服羯陵伽的过程中，残暴屠杀成千上万的人；后来，深为悔恨，皈依佛教，将自己研习佛法的心得撰写成文，铭刻于石，希望以此感化和指引人民。岩石敕文是现代人了解古代印度的政治和宗教历史的重要资料，尤其有助于了解佛学教义对国王以及通过国王对广大人民的影响。

rock fan　石质扇形地　山麓的扇形基岩面，出山的河流通常在此注入山前坡地。常为薄层冲积物覆盖，故可能与冲积扇混淆。石质扇形地一般很陡（坡度为20°～26°）。据推测石质扇形地代表麓原发育的早期阶段。参阅 **pediment**。

rock glacier　石流　又称冰川石流。见于高山上林木线以上、顺山谷缓慢下移的、由粗大岩石碎块构成的舌状体。岩石物质往往是从谷壁上坠落的，并且可能含有巨砾，同在真正冰川末端上留下的物质很相似。石流的中心部分常有间隙冰，在冰快到末端的地方，就融化了，留下了岩石的物质，于是形成了陡峭的塌落石堆坡。一个石流可以有30米厚，将近1.5千米长。其表面上可以具有波状的脊，其凸面向下游弯曲，这些脊就是流动的标志。观测到的最大运动速度超过每年150厘米。运动的方式或是由于间隙冰的流动，或是由于霜冻作用引起的蠕动。

Rock Hill　罗克希尔　美国南卡罗来纳州北部约克县城市。北距北卡罗来纳州夏洛特42千米，邻近卡托巴河。1851年初建时为夏洛特—南卡罗来纳铁路一站。1870年建市。

1867 年开始的棉纺业促进了城市的发展。工业现以纺织和纸浆生产为主。在市北的卡托巴河上筑有一座大坝,供应该市电力。设有温思罗普学院(1886)和约克技术教育中心。附近有卡托巴印第安保留地和州立安德鲁·杰克逊历史公园。人口:市 49 765;夏洛特-加斯托尼亚-罗克希尔都会统计区 1 499 293 (2000)。

Rock Island　罗克艾兰　美国伊利诺伊州西北部城市,罗克艾兰县县城(1833)。濒密西西比河,近罗克河口,与罗克岛相对。与莫林(**Moline**)、东莫林(**East Moline**)和爱奥瓦州的达文波特(**Davenport**)组成阔德城工业联合体。1835 年创建。1841 年设镇。1849 年设市。1854 年修通铁路。1856 年在此建密西西比河上第一座大桥。现为罗克艾兰军火库、美国陆军武器装备部总部和布朗宁军事纪念馆等军事机构所在地。也有以农机制造为主的多种工业。市南端的州立黑鹰公园曾是索克和福克斯印第安人的首府。设有奥古斯塔纳学院。人口:市 39 684;达文波特-罗克艾兰-莫林都会统计区 359 062(2000)。

Rock Island Railroad　罗克艾兰铁路公司　参阅 **Chicago, Rock Island, and Pacific Railroad Company** 芝加哥-罗克艾兰-太平洋铁路公司。

rock maple　岩槭　参阅 **sugar maple** 糖槭。

rock rat(*Petromus typicus*)　**岩鼠**　又作 dassie rat。啮齿目岩鼠科松鼠形啮齿动物,栖于非洲西南部多岩石的丘陵和山岳。毛柔软,灰、黄褐或浅黄褐色。体长约 15 ～ 20 厘米(不包括长尾)。头宽而扁,肋骨极其柔韧,能扁缩身体挤进岩石的窄缝中。白天活动,以青草、浆果和种子为食,常躺着晒太阳。每年夏季产一窝,每窝产 1 ～ 2 仔,幼仔体较大,发育充分。

Rock River　罗克河　美国中北部的不通航河流。源出威斯康星州东部华盛顿县。西南流,在伊利诺伊州罗克艾兰汇入密西西比河。全长 480 千米(300 英尺),总落差 150 米,流域面积28 180平方千米。河上有小水电工程。下游两岸洼地春季易受洪水灾害,须建堤保护。沿河的主要城市有沃特敦、詹森维尔、伯洛伊特、罗克福德、迪克森、斯特灵和罗克艾兰。支流为佩卡托尼卡河、基什沃基河和格林河。伊利诺伊州州立洛登纪念公园的沿河峭壁上有 L.塔夫脱所作印第安人领袖"黑鹰"的雕像,高 48 英尺。

rock rose　岩蔷薇　半日花科(岩蔷薇科)岩蔷薇属(岩茨属,*Cistus*)所有植物的统称,包含 17 种低矮到中等大小的灌木,原产于地中海地区,在园艺界驰名已久。其中有数种温暖地区适种的庭园杂种常被栽植于岩石花园。花单生,似玫瑰,有白色、粉红色或玫瑰紫色,花瓣基部常有一块淡黄色或深色的斑纹。鸦片岩蔷薇(*C. ladanifer*)花瓣白色,基部红棕色,植株能产生树脂,供作香水。白叶岩蔷薇(*C. albidus*)高可达 2 米,花呈淡紫到玫瑰色。*C. palhinhae* 为高约 45 厘米的低矮灌木,花大,白色,直径可达 10 厘米。灰毛岩蔷薇(*C. incanus*)高约 1 米;花浅玫瑰红色,直径达 6 厘米。近缘的半日花属(*Helianthemum*)植物——半日花(**sun rose**),英语俗名也称 rock rose。

rock salt(mineral)　**岩盐**　参阅 **halite** 石盐。

Rock Springs　罗克斯普林斯　美国怀俄明州西南部斯威特沃特县城市。西距格林里弗 21 千米,濒临比特河。海拔 1 911 米。1868 年通铁路后成为采煤和畜牧业中心。1888 年设市。煤、纯碱、石油、天然气开采业和畜牧业为主要经济项目。1959 年建立西怀俄明社区学院。市西南有弗莱明峡谷国家游乐区。为去杰克逊洞、温德河山脉、大蒂顿山和黄石国家公园等北部风景区的门户。人口 18 708 (2000)。

rock tripe　石耳　石耳属(*Umbilicaria*)地衣。常被兵士和探险者用做应急食品。石耳所含热量约为等量蜂蜜、玉米片或玉米粥的 1/3 以上。但石耳生长缓慢,不能作为粮食作物。华盛顿的部队曾在福吉谷煮食石耳。日本人称美味石耳(*U. esculenta*)为"岩茸"或"石蘑",当做美味出售,用制沙拉或油炸后食用。该属植物也可作为染料。

rock wren　岩鹪鹩　即石异鹩。异鹩科(**Xenicidae**)一种产于新西兰的鸟;北美的一种真鹪鹩(普通岩鹪鹩,*Salpinctes obsoletus*)在英语中也称为 rock wren(参阅 **wren**)。

Rockall　罗科尔　苏格兰北大西洋罗科尔浅滩一个无人居住的岛屿。在外赫布里底群岛西 354 千米处。1955 年为英国兼并,它使英国拥有在该海域开采石油和捕鱼的权力,因此经济地位十分重要。

rockaway　罗卡韦马车　一种轻便、低车身的四轮马车,1830 年在新泽西州罗卡韦出现后,在美国很流行。车夫座位设在车身内,车顶伸向前方,为车夫防风雨。轿式车身悬架在由几层弯钢板构成的椭圆弹簧上。19 世纪末停止生产,它的车型为许多早期汽车所采用。

Rockefeller, David　洛克菲勒(1915-06-12,纽约市～　　)　美国银行家和慈善家,小洛克菲勒的幼子。1936 年获哈佛大学理学士学位。1940 年获芝加哥大学哲学博士学位。第二次世界大战期间在美国陆军中服役(1942 ～1945)。1946 年人纽约大通国民银行工作,1952 年升任高级副总经理。1955 年他促成大通国民与曼哈顿公司银行合并成大通曼哈顿银行。1969 ～ 1981 年任大通曼哈顿银行董事长,1969 ～ 1980 年任首席执行官。

Rockefeller, John D(avison)　洛克菲勒(1839-07-08,美国纽约里奇福德～ 1937-05-23,佛罗里达奥蒙德比奇)　美国实业家、慈善家和美孚石油公司创办人。1853年从纽约州里奇福德迁往克利夫兰,开设经营干草、谷物、肉类及其他货物的代办所。1863 年在克利夫兰附近建立第一个炼油厂。此后专门经

美国不列颠百科全书公司供图

营石油业。1870 年与人合办俄亥俄美孚石油公司,并开始收买竞争对手的全部产权,迄 1872 年,该公司几乎控制克利夫兰的所有炼油厂。此后又收买其他城市的炼油厂,并设法扩大国内外市场。到 1882 年几乎垄断美国整个石油业。1881 年改由九人董事会控制公司全部股份和分支机构,形成美国第一个大托拉斯,成为其他垄断企业的典范。这个大托拉斯气势凌人,引起群众对垄断组织的不满。工业发达的各州纷纷采取反垄断立法。1890 年美国国会也通过《谢尔曼反托拉斯法》。1892 年俄亥俄州最高法院裁定美孚石油托拉斯为非法垄断企业。洛克菲勒为逃避法院裁定,解散了托拉斯,把财产转到各分公司名下,但仍由原九人董事会集中经营。1899 年又将分公司合到一起,成立新泽西美孚石油公司。该公司存在到 1911 年。1892 年洛克菲勒捐款建立芝加哥大学,生前赠给该校8 000多万美元。还建立了一些重要的慈善机构,生前赠款合计 5 亿美元。

Rockefeller, John D(avison), Jr.　洛克菲勒(小)(1874-01-29,美国俄亥俄克利夫兰～ 1960-05-11,亚利桑那图森)　美国慈善家、老洛克菲勒的独生子、洛克菲勒财产的继承者。早年一度随父经商,但从 1910 年起几乎专心从事慈善事业。他同父亲创办一些主要的慈善事业机关,包括纽约的洛克菲勒医学研究所(1901,现洛克菲勒大学),普通教育委员会(1902),洛克菲勒基金会(1913)等。他在 20 世纪 30 年代监督曼哈顿"洛克菲勒中心"大厦的建筑工程。在第二次世界大战期间,他建立了联合服务组织。战后,他捐赠联合国总部的用地。1958 年他为建设纽约市林肯表演艺术中心捐赠500 万美元。他的慈善事业还有:重修威廉斯堡,在纽约市贫民区建造廉价出租房屋,捐款给纽约市河滨教堂和现代艺术博物馆。

Rockefeller, John D(avison), III　洛克菲勒第三(1906-03-21,纽约市～1978-07-10,纽约芒特普莱森特)　美国慈善家,小洛克菲勒的长子。普林斯顿大学毕业(1929)后,参加本家族的事业活动。1931 年成为洛克菲勒基金会、普通教育委员会、医学研究所、中国医学理事会及其他29个理事会和委员会的受托

管理人。第二次世界大战中在海军服役(1942～1945)。此后他一般避开社会活动而以全部时间与精力去办慈善事业和搜集一批最名贵的东方艺术珍品(死时遗赠亚洲学会)。他所举办的著名文化事业有:林肯表演艺术中心(纽约市),印度国际中心(新德里),日本国际大厦和亚洲学会。他曾解囊创建计划生育研究中心"人口委员会"(1952)。

Rockefeller, Laurance S(pelman)　洛克菲勒(1910-05-26,美国纽约州纽约～2004-07-11,纽约)　美国资本家和慈善家。小洛克菲勒第三子。诸兄弟中最有经营意识的人。普林斯顿大学毕业,获哲学学位(1932)。1938年参加创办东方航空公司。又与人合资经营麦克唐纳飞机公司。第二次世界大战期间,在美国海军中服役。战后进行各种投资,从旅游饭店一直到核设备和计算机。晚年任环境改善公民顾问委员会主席(1969～1973),美国保护协会主席和纽约动物学会主席。

Rockefeller, Nelson Aldrich　洛克菲勒(1908-07-08,美国缅因巴港～1979-01-26,纽约市)　美国第41届副总统(1974～1977),纽约州州长(1959～1973),共和党温和派领袖。美孚石油公司创始人约翰·戴维森·洛克菲勒之孙。1930年毕业于达特茅斯学院,获经济学学位。20世纪30年代中在洛克菲勒家族所属企业(如大通国民银行、洛克菲勒中心、克里奥尔石油公司)中任职。在任克里奥尔石油公司董事期间(1935～1940),熟练地掌握了西班牙语,并且对拉丁美洲产生了浓厚兴趣。1940年参加联邦政府,任国务院美洲事务协调人。1944年升任国务院负责美洲各共和果事务的助理国务卿。1945年离开联邦政府,次年参与创建一个帮助拉丁美洲发展中国家的私人非营利集团。在杜鲁门任总统时期又担任政府职务,1950年任国际开发咨询委员会主席。两年后,新当选的艾森豪威尔总统任命他为政府机构总统顾问委员会主席。1953～1955年任卫生、教育和福利部副部长。1956年再次辞去联邦政府职务。1958年与当时在任的纽约州州长哈里曼竞选州长一职获胜。1960年争取共和党总统提名未果。在1962、1966和1970年的选举中连任州长。在职期间,纽约州的财政、文化、教育政策和各种设施都大为改观,州立大学制度迅速发展,州政府雇员和预算分别增加了1倍和3倍。1973年辞去州长职务,致力于全国美洲重要抉择委员会和水质委员会的工作。1974年12月19日作为副总统再度参加政府,1977年1月去职。洛克菲勒还作为艺术品收藏家和艺术事业赞助人而闻名。

Rockefeller, William　洛克菲勒(1841-05-31,美国纽约里奇福德～1922-06-24,纽约塔里敦)　美国企业家与金融家,因在创建与发展美孚石油公司中的显著作用,与其兄约翰·D.洛克菲勒齐名。21岁时开始经营自己的企业休斯-洛克菲勒商行。其兄在俄亥俄新发现的油矿投资后,于19世纪60年代中期邀请他到纽约主管石油出口业务;1870年建成美孚石油公司。在该公司成为"托拉斯"和以后成为持股公司期间,他发挥了积极作用。1911年以前,他充当若干公司的董事,并主持美孚石油公司新泽西分公司和纽约分公司工作。1911年退休后致力于自己的投资和铁路事业。

Rockefeller, Winthrop　洛克菲勒(1912-05-01,纽约市～1973-02-22,美国加利福尼亚帕姆斯普林)　美国政治家和慈善家。小洛克菲勒的第四子。他仅读过1年大学。1941年参加美国陆军之前,曾在洛克菲勒财团的企业中干过各种工作。第二次世界大战结束后,他经常涉足纽约市的游乐场所。1953年去阿肯色州,在那里建立规模宏大的温洛克实验农场,并资助当地的各种慈善事业。1967～1971年任阿肯色州州长(属共和党),通过该州第一部最低工资法,实行监狱改革,废除州立学校中的种族隔离。他在阿肯色州的慈善事业包括捐资125万美元兴建一所模范学校,资助公共设施和诊所,捐资兴建小石城艺术中心。

Rockefeller Center　洛克菲勒中心　美国纽约市曼哈顿中城由14幢大楼组成的摩天楼建筑群,占地5公顷,由以H.霍夫迈斯特、H.W.科贝特和R.胡德为首的建筑师小组设计,1929～1940年间建造。设计和施工中采用了木贴面、壁画、镶嵌细工、雕刻、金属装饰和其他各种与建筑相结合的艺术形式。该建筑落成早期虽然备受批评,但仍属市区建设中的一个榜样。

Rockefeller University　洛克菲勒大学　纽约市私立男女合校高等学府。专事生物医学领域的研究和研究生教育。由约翰·D.洛克菲勒建于1901年,当时是一个医学研究中心。1954年成为纽约州立大学的组成部分,改为一所只招收研究生的大学。1965年采用洛克菲勒大学之名。向少数具有天赋的学生提供生物学和生物医学方面的免收学费的高级学习和研究机会。它授予若干领域的哲学博士学位,但没有固定课程设置。还与康奈尔大学医学院共同主办一个合作项目,授予一种医学博士-哲学博士联合学位。洛克菲勒大学的毕业生和教授中,已有15名以上的诺贝尔奖获得者。

rocket　大蒜芥　十字花科大蒜芥属(*Sisymbrium*)植物。90种,分布北半球和南半球山区,多是荒地和田野中的杂草。花黄色,角果细长。叶通常粗糙,缺刻深,似蒲公英。东方大蒜芥(*S. orientale*)产欧洲,一年生,高30～60厘米,角果长,花小,簇生于茎端。篱边大蒜芥(药用大蒜芥,*S. officinale*)产欧亚,角果贴茎,在北美已归化。英语中rocket一词又指普通山芥(*Barbarea vulgaris*),参阅 **winter cress**。

rocket　火箭　以既提供燃料又提供氧化剂的固体或液体推进剂推进的喷气推进装置。火箭一词通常也指由上述推进装置提供动力的各种运载工具,包括烟花焰火、导弹、航天器等。一般地说,热气流以极高的速度向后喷出,其反作用力就产生推力(即向前运动)。

火箭推进原理　最常见的火箭燃烧的是固体或液体的化学推进剂(rocket engine一词通常专用于使用液体推进剂的火箭发动机,rocket motor一词通常仅用于使用固体燃料的火箭发动机)。推进剂燃烧产生热气,通过喷口向火箭后部喷出气流。其他种类的火箭有采用混合式系统(即液体推进剂在固体推进剂芯内燃烧)的火箭发动机和将冲压空气作为燃烧过程组成部分的空气涡轮的火箭发动机。

由于火箭是一种特殊形式的喷气推进装置,因而与涡轮喷气发动机、脉动式喷气发动机、冲压式喷气发动机有一定的联系,但又有所区别。它的推进喷流的组分(即燃料和氧化剂)都是自身携带的,所产生的推力与火箭穿过的介质完全无关。而其他各种喷气发动机仅携载燃料,燃料要与进入发动机的空气中的氧气燃烧。所以,它们称之为"空气喷气发动机",只限于在地球大气层中使用。

如上所述,喷气推进的原理是燃气流的向后推力对飞行器的反作用力。由于火箭发动机的动能来自于燃烧的化学能转换为定向的动能,所以需要推进剂每单位重量能产生很高的热化学能。实际上,火箭喷气流的动能只能达到推进剂燃烧后理论热能的40%～70%,大部分热效率损失来自作为余焓排出喷口的非可用热能。

火箭的发展　无法确定火箭发明的确切日期。大部分研究火箭历史的专家都认为,中国人早在13世纪就研制出了第一种实用的军用火箭,虽然使用焰火的时间可能更早一些。古代作战战略的记载似乎表明,中国人到1232年就掌握了火药技术,并将火药用作一些武器包括箭和烧夷弹的推进剂。

火箭大约同时也出现于欧洲,14世纪初期,第一种火器问世。这些兵器具有火箭所有的基本组成部分。尽管设计原始,而且使用效果很差,但它们的确显示出了火箭的巨大发展潜力。随后几个世纪里,火器设计有了迅速发展,但由于技术水平有限,并且缺乏合适的原材料,火箭技术发展甚慢。

19世纪出现了几项重大技术进步。燃料容器的纸壳改为金属壳,提高了燃烧的持续时间。英国弹药专家威廉·康格里夫亦做出了十分重要的贡献。他使火药推进剂的配方标准化,增加了保持飞行稳定性的导向杆,制造出第一种实用的发射台。英国在拿破仑战争中以及1812年战争中使用了康格里夫的火箭,这对欧洲国家将火箭技术广泛用于军事目的起到了推动作用。更具重要意义的是(尽管鲜为人知),英国工程师W.黑尔发现了自旋导向原理。他研制的火箭安装了带一定角度的排气管,可使射弹在飞行过程中旋转。这提高了精确性并免去因装导向杆而增加的额外重量。黑尔发明的自旋稳定控制机构仍然是现代火箭的重要设计特点。

到19世纪末,火箭动力开始用于各种非军事目的,很有代表性的例子就是用火箭携带救生索飞向海岸附近遇难的帆船。

19世纪末至20世纪初,K.E.齐奥尔科夫斯基、H.奥伯特和R.H戈达德奠定了现代火箭技术的基础。美国科学家与发明家戈达德的贡献可能是最受公众承认的。他最先从数学上探讨了各种燃料（包括液氧和液氢）每千克的能量和推力之比。他还发射了第一枚液体燃料的火箭，研制出修正预定飞行轨道偏差的机构。

第二次世界大战中火箭武器有了巨大的发展。除了德国在韦恩赫·冯·布劳恩的领导下研制出 V-2 导弹之外，主要的努力还是设计与制造非制导的火箭。直到 1945 年德国抵抗瓦解之时，盟国做出巨大努力攫取了冯·布劳恩及其同事们研制先进导弹系统的详细资料。

战后初期，德国火箭技术的遗产以及弹道导弹技术的发展为发射人造地球卫星奠定了基础。苏联于 1957 年发射了头 2 颗地球卫星（“人造地球卫星”I 号和 II 号），其运载火箭就是从洲际弹道导弹改进而来的。1958 年，美国用“丘辟特-C”运载火箭发射了它的第一颗地球卫星，“丘辟特-C”是“红石”液体燃料中程弹道导弹的改进型，在它上面加装了 3 级火箭的固体燃料发动机。后来的航天器，包括无人的行星探测器和载人宇宙飞船，都使用了靠军用技术和其他新技术研制的运载火箭。后者的代表有“土星”系列运载火箭，该运载火箭是为实施“阿波罗”登月计划而研制的。“土星”系列运载火箭是第一种专门为航天飞行而研制的运载火箭。

70 年代，美国首先研制全新的火箭动力航天运载工具，即航天飞机。这是人们研制的第一种可重复使用的航天系统。航天飞机有 3 个主要部分：①机身后部装有 3 台主发动机的轨道飞行器；②装液氢和液氧推进剂的外置燃料箱，保证主发动机工作，使轨道飞行器爬高；③装有 2 台可分离的固体燃料火箭发动机，它们与轨道飞行器主发动机同时启动，提供初始爬升阶段的推力。1981 年 4 月 12 日，第一架航天飞机“哥伦比亚”号发射升空，在起飞时，其主发动机和 2 个助推器共产生 650 万磅（2 890万牛顿）的推力。

Rocket “火箭”号 英国机车发明家G.斯蒂芬森建造的最早的机车。由斯蒂芬森负责建设的利物浦和曼彻斯特之间长达 64.4 千米的铁路建成后，该铁路举行竞赛以选择机车。斯蒂芬森的“火箭”号战胜了 3 个对手，其中包括 J.埃里克森的机车。在短距离上“火箭”号的时速达到 58 千米。

rocket salad（plant） 参阅**roquette**芝麻菜。

Rockettes, the 火箭女郎踢踏舞团 前称 the Missouri Rockets 或 the Roxyettes。世界驰名的美国踢踏舞团。成立于 1925 年，由密苏里州圣路易斯的剧团经理 R.马克特招募一批舞蹈女演员组成。在当地受到欢迎之后，开始进行全国巡演。纽约市新罗克西剧院的 R.罗特菲尔收购该团后将规模扩大一倍，并称舞蹈演员为“罗克西女郎”。世界上最大的室内剧场无线电城音乐厅建成后，罗特菲尔再次扩大剧团规模，以适应音乐厅的巨大舞台。1934 年改现名。经过数年演出，以其复杂的舞蹈编排和高踢腿蜚声国际。20 世纪 90 年代舞蹈演员超过 150 人，她们有些人在纽约无线电城音乐厅表演，有些人巡回演出或参加一些特殊庆典活动。加入该舞蹈团的条件是 18 岁以上，身高在 1.67 ～ 1.75 米之前，能熟练地跳踢踏舞和爵士舞。

rockfish 岩鱼 又称 stonefish（石鱼）。鲉科的鲉鱼（**scorpion fish**）的别称，包括红鲉（**redfish**）、蓑鲉（**lion-fish**）。

Rockford 罗克福德 美国伊利诺伊州北部城市，该州第二大城市。温内巴戈县县城。濒临罗克河。1834 年创建。1839 年设村。1852 年设市。1844 年建起水坝后，得水力供应，发展成农业区的制造业中心。现工业主要生产机床、螺丝钉、金属器具、农具和家具等。该市的格兰特营在第二次世界大战中曾是接待站和医疗中心，现建为大罗克福德飞机场。市内设有罗克福德学院、罗克瓦利初级学院和钟表陈列馆。人口：市 150 115；都会统计区 371 236（2000）。

rockfowl 岩鹛 又称 bald crow（秃鸦）。岩鹛属（*picathartes*）鸟类，两种，分布西非。组成岩鹛亚科（Picathartinae），但未确定与雀形目中哪个科有亲缘关系。这两种鸟的头部实

白颈岩鹛（*P. gymnocephalus*）
绘图：Albert E. Gilbert

际上没有羽毛，羽色单调，浅灰，颈细，背弓，嘴厚实——外形似秃鹫。白颈岩鹛（*P. gymnocephalus*）体长 48 厘米，见于塞拉利昂到多哥，头皮黄黑相间。喀麦隆的灰颈岩鹛（*P. oreas*）体长 40 厘米，头皮红色和灰蓝色相间。岩鹛在潮湿、多岩石的高地森林的地表寻食昆虫、蜗牛、甲壳类和小型脊椎动物。在峭壁上成群营造泥巢。

Rockhampton 罗克汉普顿 澳大利亚昆士兰州中部城市和一广袤地区的商业中心。位于菲茨罗伊河通海航道顶端。距克佩尔湾

菲茨罗伊河畔的罗克汉普顿市
供图：Frederick Ayer—Photo Researchers/美国不列颠百科全书公司

上的河口60千米。始建于1858年。1960年设大罗克汉普顿市。地当布鲁斯公路，经大北方铁路通布里斯班。为西面的谷物产区和牛羊放牧区服务。附近地区出产热带水果、玉米和乳品。西面较远地区开采金、铜、煤矿等。菲茨罗伊河口有其深水外港阿尔马港。市内有肉、黄油和水果加工厂及铁路工厂，还有化肥、化学品、肥皂、水泥和轧棉厂。为去岸外大堡礁旅游的基地。市内建有几处植物园。每年举办威尔士文化节庆祝活动。人口 50 146（1981）。

Rockingham, Charles Watson-Wentworth, 2nd marquess of 罗金厄姆侯爵（第二）（1730-05-13 ～ 1782-07-01，伦敦） 即 C.沃森-温特沃思。英国首相（1765-07～1766-07

爱丁堡苏格兰国家肖像画陈列馆供图

和 1782-03 ～ 07）。英国议会中反对对北美殖民者进行战争的“辉格党罗金厄姆派”的领袖。1750 年继承其父的侯爵爵位。1751 ～ 1762 年任乔治二世和乔治三世的侍从。1765 年 7 月乔治三世指定他接替格伦维尔的首相职务。他上任后撤销了不得人心的印花税条例，但通过了《公告令》，重申议会有权在各殖民地征税，并制定一切地区均须遵守的法令。他降低非英国进口糖浆的税以减轻美洲殖民地人民的税务负担。1766 年他的内阁由于国内不满而垮台。此后 16 年间，他在国会中领导一个强大的反对派。在第二次短暂的内阁期间，他开始与美洲殖民地人民进行和平谈判，并通过议会推行伯克的限制国王封授官职的权力的计划。

Rockingham ware 罗金厄姆陶瓷器 英格兰的陶器、炻器和瓷器，产于约克郡斯温登地区的一家工厂。该厂是在罗金厄姆侯爵的地产上创建的。该厂虽于1745年即开始生产陶瓷器，但直至1826年方以罗金厄姆为名。其

约 1830 年的罗金厄姆瓷罐
伦敦维多利亚和艾伯特博物馆供图

生产持续到1842年。罗金厄姆瓷器重量轻，带有折衷主义的风格。这种风格奢华无度，渗透着再次流行的洛可可式风格。尽管这种风格情调颇遭訾议，但制作技术却一直很精湛。在炻器上曾使用过一种锰红棕色釉料，称为“罗金厄姆釉”。约1840～1900年间，美国许多工厂，如俄亥俄州东利物浦的工厂制作的棕釉陶瓷器也叫做罗金厄姆陶瓷器。

Rockland 罗克兰 美国缅因州南部城市。诺克斯县县城(1860)。1717年建立。位于佩诺布斯科特湾西岸，西南距波特兰130千米。1719年始有人定居，原为托马斯顿一部分。1848年另设为东托马斯顿镇。1850年改今名。1854年设市。石灰生产和造船业为早期经济发展基础。现为佩诺布斯科特湾地区商业中心，夏季旅游业很重要。有商业性捕鱼及水泥、造船和焊接等轻型工业。罗克兰港是缅因州最优良港口之一和重要的龙虾捕捞、销售基地。每年8月举办缅因州海产交易会。市内有W.A.法恩斯沃斯图书馆和美术陈列馆。附近有19世纪希腊复兴时期建筑和反映殖民时期商业情况的雅致旧式房屋。有轮渡通岸外游艇停泊岛。人口7 609(2000)。

Rockledge(Florida, U.S.) **罗克莱奇** 参阅 **Cocoa-Rockledge** *可可-罗克莱奇*。

Rockne, Knute(Kenneth) 罗克尼(1888-03-04，挪威沃斯～1931-03-31，美国堪萨斯蔡斯县) 美国橄榄球教练。原籍挪威，1893年移居芝加哥。22岁进入印第安纳州圣母大学，任该校橄榄球队底线后卫，使该球队力克强敌西点军校队。1918年任该校球队主教练和体育主任。他所指挥的圣母大学战斗的爱尔兰人队在13个赛季中胜105场，平5场，负12场。该队在1919、1920、1924、1929和1930年一直常胜不败，1924、1929和1930年被公认为全国冠军。

Rockville 罗克维尔 美国马里兰州中西部城市，蒙哥马利县县城(1776)，为华盛顿(哥伦比亚特区)西北郊区。独立战争期间始有居民点。1801年建镇，1860年设市。市西南有波托马克大瀑布。第二次世界大战以来，该市成为商业发展的中心，并着重发展科学研究与技术(如宇航、计算机、原子能和通信)。为食品与药物管理局和健康服务中心所在地。设有蒙哥马利学院罗克维尔分院。人口47 388(2000)。

rockweed 岩藻 多种褐藻的俗名。参阅 **Fucus; Sargassum**。

Rockwell, Norman 罗克韦尔(1894-02-03，美国纽约州纽约～1978-11-08，马萨诸塞斯托克布里奇) 美国插图画家，以绘《星期六晚邮报》的封面最为闻名。曾获得艺术学生联合会奖学金。17岁时受C.纳斯特委托，首次作为自由投稿人作画。1901年任《少年生活》艺术编辑和封面画家，也为《美国少年》、《圣·尼古拉斯》等杂志撰稿。第二次世界大战期间，所绘壁画《四大自由》被战时新闻署复制

罗克韦尔绘《争论》

美国不列颠百科全书公司供图

成招贴画广为散发。1943年所绘《邮报》封面《铆工罗歇》变成了“为美国保卫家园而奋斗”的代名词。1977年获得福特总统授予的和平时期国家最高奖励“总统自由勋章”。

Rockwell International Corporation 罗克韦尔国际公司 多样化经营的美国公司。曾经是美国主要的航空承包商之一，为美国的航天计划制造设备和航天器。1967年，北美飞机公司与罗克韦尔标准公司合并，成立北美罗克韦尔公司。1973年改用今名。总公司在匹兹堡。北美飞机公司建立于1928年，原为拥有若干航空公司的持股公司。在接受为陆军航空兵生产42架新型飞机的合同后转向飞机制造；为此制成BT-9型飞机。在第二次世界大战初，生产B-25轰炸机，战后又转向火箭设计。罗克韦尔标准公司始为小型车轴工厂，第一次大战期间制造军用卡车的车轴。30年代与陆军部合作设计卡车和坦克传动系统，最后扩大到生产各种汽车部件。1958年收购航空设计工程公司，进入飞机制造业。1967年两公司合并组成北美罗克韦尔公司后，新公司仍为政府主要的承包商，制造军用汽车部件、火箭推进系统、导弹与火箭、导航与控制系统等。公司在20世纪80年代进入了电子和汽车产品领域，从而减少对美国政府航天产品和武器合同的依赖。后成为了调制解调器芯片、商用航空电子设备、工厂自动化设备的主要制造商之一。在1996年将其国防电子业务和航空业务出售给波音公司。

Rocky Mount 落基山 美国北卡罗来纳州中东部城市。位于纳什和埃奇科姆县境内，在罗利东北偏东80千米处。建于1816年。1840年威尔明顿—韦尔登铁路通车，该市发展为铁路中心及铁路段分界点。铁路穿市而过，成为两县分界。现为世界最大的上等烟叶市场之一。生产医药产品、纺织品、家具、金属构件及化学制品。市北有北卡罗来纳韦斯理安学院。1867年设建制。人口55 893(2000)。

Rocky Mountain goat 岩山羊 参阅 **mountain goat** *石山羊*。

Rocky Mountain National Park 落基山国家公园 在美国科罗拉多州中北部，落基山脉弗兰特岭山区。1915年建立，面积262 191英亩(106 109公顷)。境内多海拔逾1万英尺(3 000米)的山峰，其中朗斯峰海拔14 256英尺。除高山外，还有宽阔的河谷、峡谷、高山

落基山国家公园内的木乃伊岭

供图：Josef Muench

湖泊和湍急奔泻的溪流。有冰川时期的冰川痕迹，如高山草场和漂砾。植物种类繁多，已知名的有700多种。动物有大角羊、鹿、山狮及各种鸟类。

Rocky Mountain spotted fever 落基山斑疹热 立克次氏体引起的一种传染病，症状似斑疹伤寒。与巴西的圣保罗热及哥伦比亚斑疹热是同一种疾病。1906年H.T.立克次发现本病病原体，开创立克次氏体病研究的新纪元。本病在晚春及初夏于北美西部开阔地带流行，传播媒介为安氏革蜱(其成虫广泛分布于大型哺乳动物，尤其绵羊和牛身上)。在美国东部及南部传播媒介为变形革蜱，在美国西南部为美洲花蜱，在巴西为卡延花蜱。本病临床经过酷似斑疹伤寒，重症病例的皮疹往往为出血性，四肢尤其腕踝部较著。神经精神症状常见：烦躁不安、失眠、定向障碍，中枢神经系统受累者常见谵妄。衰竭现象从发病起即十分显著，渐入昏迷，可于第6～7日死亡。恢复期长，可合并视力障碍、耳聋、精神错乱，亦可能完全恢复健康。病死率与年龄有关。早期用抗生素治疗可大大缩短病程及降低病死率。预防在于个人防护，在本病流行区居住者应经常检查身体及衣服上有无蜱附着，蜱一般要爬行数小时方附于宿主身上，且受染机会与蜱吸血时间成正比。发现人或玩赏动物身上有蜱附着，可用镊子除去，局部涂以防腐药。春季或初夏接种疫苗效果满意，但其预防效力不足一年，故应年年接种。疫苗产生的免疫力是相对的，但接种后即使受染，症状亦轻，且病死率大为降低。参阅 **boutonneuse fever**。

Rocky Mountain Trench 落基山地沟 从美国蒙大拿州西部向西北偏北延伸，经加拿大不列颠哥伦比亚省，止于育空河源头。全长1 400千米。两侧为落基山侧陡坡及其生成较早的西部支脉。崎岖的沟底(宽3～16千米，海拔600～900米)形成天然旅行通道。其中部分地区有河流，包括库特内河、弗雷泽河、皮斯河、哥伦比亚河以及利亚德河等的源流。

Rocky Mountains 落基山脉 北美洲西部主要山脉。从加拿大艾伯塔省经美国西部至墨西哥，全长4 800千米，山脉宽度110～650

千米不等，海拔从 1 500 米至科罗拉多州埃尔伯特峰的 4 399 米。落基山可分东西两部。东部有两个抬升的山体，480 千米长的科罗拉多州的弗朗特岭和亚利桑那州的中央高地。其余山脉较小，大小相当一致，约 95 千米长，25 千米宽。西部包括数列平行的山脊，由于断层、褶皱而形成。在地质构造上，东部岩层较薄，厚度从几英尺至6 000～7 000英尺（1 800～2 100米）。西部沉积岩最厚可达 12 000 米。北美洲一些主要河流，如密苏里河、格兰德河、哥伦比亚河和科罗拉多河均发源于落基山脉。落基山脉为向东流向墨西哥湾和大西洋诸河与向西注入太平洋的各河之间的大陆分水岭。落基山脉的雪线在南部为 4 000 米，北部为 2 500 米。植物有白云杉、红松、白杨等。动物有灰熊、棕熊、落基山羊、巨角岩羊等。金属矿藏有铜、铁、银、金、铅、锌、磷酸盐、钾碱、石膏等。有煤矿、油田和天然气田。美国的钼、铍和铀几乎都产自落基山脉。落基山、黄石和大蒂顿等国家公园为美国主要游览地区。丹佛以西的艾森豪威尔纪念隧道（3 350 米）为全世界最高的公路隧道之一。

Rococo style　洛可可艺术风格　18世纪初发源于巴黎的一种室内设计、装饰艺术、绘画、建筑和雕塑的艺术风格，但不久即为全法国，后又为其他国家（主要是德国和奥地利）所采纳。其特色是轻松、优美、高尚、风雅，大量使用曲线和自然形态作装饰。“洛可可”一词源自法语**罗卡耶（rocaille）**。最初作为反对路易十四时期凡尔赛宫以及官方的巴罗克艺术的繁冗的新风格出现。有几位室内设计家、画家和雕塑家，其中包括梅索尼埃和贝兰，为巴黎的贵族装饰新住宅，发展了一种更轻快、更亲切的风格，并经过雕版印刷品传遍整个法国。洛可可风格的造型均取“C”形和“S”形涡旋线，一般均以不对称代替对称，色彩明快柔淡，象牙白和金色是其流行色。洛可可风格的装饰艺术家经常利用大镜子。法国洛可可艺术的杰出范例是尚蒂依小城堡的亲王沙龙，1722 年建成，由奥贝尔作装饰设计；还有巴黎苏比斯饭店的沙龙，1732 年始建，**布弗朗（Boffrand, Germain）**设计。1715～1745 年期间的装饰艺术可算洛可可倾向的集中体现，因为它非常适用于家具、地毯、瓷器和金银器等。在绘画上，法国洛可可风格肇始于华托的优美、文雅而忧郁的绘画，至布歇的玩世不恭、富于美感的裸体画达到高峰，绝响于弗拉戈纳尔挥洒自如的风俗画。18 世纪 30 年代，洛可可风格从法国传播到说德语的天主教地区，将法国的优美雅致同南部德国人的富于幻想结合起来，形成一种辉煌的宗教建筑风格。在意大利，威尼斯是洛可可风格发展的中心。集中体现在提埃坡罗的巨幅装饰画中。18 世纪 50 年代，在法国，洛可可风格因其浅薄浮华受到批评，日趋式微；到该世纪 60 年代更严肃的新古典主义运动在法国取代了洛可可艺术风格。

Rocque, François de la　罗克（1885，法国康塔勒～1946-04-28，巴黎）　法国的法西斯分子和军官，图谋建立独裁政权，不意反而促成达拉第政府垮台（1934）。出身将门。从圣西尔军事学院毕业（1916）后，在第一次世界大战中服役，战绩优异，曾于福煦元帅的参谋部中任职。在波兰（1922～1924）和摩洛哥（1924～1928）服务后，辞去军职。1931 年创立火十字团，该团采取具有法西斯色彩的极端民族主义观点。在鼓动暴民方面，他具有惊人的口才。1934 年 2 月 6 日，数千民众以及法国所有政治团体的成员都参加了在众议院门前的示威，表面上是为反对**斯塔维斯基事件（Stavisky affair）**。罗克破口大骂，以吸引他人注意。他本来可以使自己成为独裁者，但在紧要关头未采取行动。当晚，达拉第政府辞职，突出说明第三共和国的软弱。罗克的组织从此威信扫地，终于在 1936 年为人民阵线所解散。后来他成立法兰西社会党（PSF），这是一个公开的法西斯政党。他参加维希政府，但被纳粹党徒逮捕，监禁在德国两年，后为盟军所解放。

Rocroi　罗克鲁瓦　法国东北部阿登省一古老的要塞城镇。距比利时边界 6 千米。围绕城镇修建的五角形防御工事仍保存完整，是16～17 世纪军事建筑的极好典范。1643 年孔代在城镇附近击败西班牙人。人口2 565（1990）。

Rocroi, Battle of　罗克鲁瓦战役（1643-05-19）　三十年战争中的一次战役。当甘公爵（后称大孔代）统率的 2.2 万法国军队，歼灭了由德梅洛率领的西班牙军 2.6 万人，从而结束了西班牙在欧洲的军事优势。西班牙军队从尼德兰越过法国边境后，停止前进，包围了兰斯东北 88 千米的罗克鲁瓦小要塞。5 月 18 日，双方列阵，步兵位于中央，骑兵列于两翼。次日清晨，当甘率骑兵向西班牙军队左翼进行一次成功的攻击。法国左翼的骑兵违反他的命令，袭击西班牙右翼，被击退。西班牙人于是乘胜前进，对法国中路发起攻击。此时，当甘的骑兵从敌人步兵的后方杀出一条路，扑向前头正同法国交战的西班牙骑兵的后方，并将他们冲散。由于当甘的攻击打乱了西班牙第 2 和第 3 线的后备步兵，西班牙步兵陷于孤立。当天黄昏，当所有的法国大炮和被缴获的大炮都对准西班牙人时，他们要求投降。罗克鲁瓦战役标志着西班牙军事力量的衰落。

rod　视网膜杆　又称杆状细胞。脊椎动物视网膜中的一种感光细胞。作为一种特殊分化的神经细胞，视网膜杆可将光子能（视觉刺激）转换为能被中枢神经系统处理的生物电冲动（光转导）。视网膜杆所能感受的光强范围很宽，并主司视觉形象的大小、形状和亮度，但对颜色和细微结构的感觉（视网膜锥之主司功能）无能。视网膜杆与视网膜锥相比，前者对光的敏感性更强，数量也更多，人视网膜中的二者数量之比为 130∶7。视网膜杆胞体呈长杆状，可明显分为外段、内段、胞体和突触区四部分。外段中含有光转导器，这是一种排列紧密的层状膜盘结构，层状膜盘上含有感光分子视紫质。突触区是杆状细胞和视网膜双极神经元（下级神经元）之间的接点，是神经冲动传导的换元处。双极神经元则与视网膜神经节中的神经元（其轴索汇成视神经）相连。视紫质由视蛋白和 11 -顺-视黄醇构成，后者是一种衍生于维生素 A 的感光化学物质。光子可使11 -顺-视黄醇发生同分异构化作用，形成全-反-视黄醛。此同分异构化作用可激活视蛋白，视蛋白再激活 G -蛋白（转导蛋白）并与之缔合。视蛋白和 G -蛋白二者形成的缔合物把外部的光刺激和内部的生化通道连接起来；内部生化通道运行的最终结果是使视网膜杆突触区的神经介质的释放量发生变化，进而使双极神经元的激动水平、进而使经由视神经传入中枢的生物电冲动发生相应的变化。视紫质分子在阳光和其他强光环境下即被分解，这可使视网膜杆免受过度刺激，并使得视网膜杆对强光的敏感性降低（光适应）。但在暗光条件下，视紫质很少被分解，故可维持高浓度以保证暗光视力。因为人类的暗光视力几乎全都依靠视网膜杆的功能，故暗适应视觉几乎没有辨色能力。参阅 **Cone**。

rod　杆　又作perch。英国旧长度单位，等于 5.029 米。rod 一字由荷兰文 *rood* 变化而来，后者则源自德文 *rute*。荷兰的 *rood* 相当于 1 杆 × 40 杆的面积，即 0.25 英亩或 1 012 平方米（10 890 平方英尺）。杆也可表示 1 平方杆，即 25.29 平方米（272.25 平方英尺）。此外，rood（路得）也曾为英国范围广泛的长度单位；按 5 米（16.5 英尺）算的话，它与过去测量员所常用的单位杆是一样的。德国的 *rute* 则比较短，约为 3.78 米（12.36～12.47 英尺）。

Rod, Édouard　罗德（1857-03-29，瑞士尼翁～1910-01-29，法国格拉斯）　瑞士法语作家，善写心理小说，又是比较批评的创始者。罗德最初几部小说仿左拉的风格，其中最佳之作是《帕尔米尔·弗拉尔》（1881）。后来演化出了他自己的高度敏感、内向的注重心理的小说技巧。作品有《米歇·戴西埃尔的私人生活》（1893）、《沉默》（1894）等多部。他虽然常常陷于悲观失望，但是，越来越强调责任、良心和克制，认为它们是生活中的决定因素。作为批评家，他是现代比较文学研究的前驱。

Rodbell, Martin　罗得贝尔（1925-12-01，美国马里兰巴尔的摩～　　）　美国生物化学家。20 世纪 60 年代根据实验结果提出 G -蛋白假说，指出 G -蛋白是一种细胞的信息转导物质。其后不久，美国药理学家 A.G. 吉尔曼就将 G -蛋白分离提纯，证实了罗得贝尔的假说。G -蛋白因其结合核苷是二磷酸鸟苷（GDP）和三磷酸鸟苷（GTP）而得名。罗得贝尔和吉尔曼因此而获 1994 年诺贝尔生理学或医学奖。1949 年罗得贝尔毕业于约翰斯·霍普金斯大学，获学士学位，1954 年获华盛顿大学博士学位，后进入设在马里兰州贝塞斯达的国立卫生研究院，开始了他的生物化学家职业生涯。从 1985 年至 1994 年退休，一直在北卡罗来纳州达勒姆国立环境卫生科学研究所任职。罗得贝尔以前，人们只知道两种细胞信息环节:细胞膜上的激素受体和细胞内的(腺苷酸环化)酶。罗得贝尔的贡献在于他认定这两者之间的信息转导物质是一族G-蛋白。G-蛋白学说很快得到普遍认可,至今已被确认的G-蛋白成员有20多种。罗得贝尔的理论使人们对很多疾病有了更深一层的理解,如霍乱、糖尿病、酒精中毒和恶性肿瘤等。

Rodbertus, Johann Karl　罗德贝尔图斯(1805-08-12,瑞典波美拉尼亚格赖夫斯瓦尔德[今在德国]～1875-12-06,普鲁士亚盖措[今在德国]) 普鲁士经济学家。对社会改

供图:Archiv fur Kunst und Geschichte, Berlin

革作出了保守的解释,有助于普鲁士议会通过社会立法。他主张由政府调节工资,使工资随国民生产率的提高而按比例增加;不同意马尔萨斯和李嘉图认为工资会随着生活标准的提高而自然提高的见解。认为如果让靠工资生活的人自己去想办法,他们只能获得仅够糊口的收入;这样,国民生产率的提高只能使有产者受益。只有占人口少数的有产者增加了收入,就易产生消费不足和生产停滞的危机。这一理论尽管同有些社会主义者的观念相似,但他并未对资本主义的基本制度提出问题。相反,信任政府对工资立法,给国家干预提供保守的基础。因为他能从一般反对社会主义思想的人群中获得社会主义立法的支持。

Rodchenko, Aleksandr (Mikhailovich)　罗琴科(1891-12-05,俄罗斯圣彼得堡～1956-12-03,莫斯科) 苏联画家、雕刻家、设计师和摄影师,结构主义运动的重要成员。1910～1914年在敖德萨的喀山艺术学校学习美术,后去莫斯科。他不久即放弃未来主义的绘画风格,而喜好只用一把尺子和一个圆规的完全抽象的、高度几何化的风格。他的作品的第一次大型展览是参加V.塔特林1916年在莫斯科举办的展览会,成为该展览会的一部分。罗琴科于1918年在莫斯科举行个人展览会。同年,为了回敬他的竞争对手K.马列维奇的著名绘画《白上之白》,他绘制了一系列黑上加黑的几何图形的画。1919年,他开始用木头、金属和其他材料制作立体结构,又在动态构图中使用几何图形;在这些悬挂用的雕刻作品中,有几个实际上是活动的。罗琴科领导结构主义运动中的一派艺术家,即生产派。这一派想要把艺术与工业更密切地结合起来,制作他们认为更适应于工人-消费者的日常生活的作品。因此,罗琴科于20世纪20年代放弃了油画,而从事其他的艺术形式,其中包括摄影;广告、书籍和印刷的设计;家具图样设计;舞台和电影布景设计。他曾担任负责有关艺术工程的各种官职、参加建立一些艺术博物馆,并且从事艺术教学工作。

Rodd, Kylie Tennant　罗德　参阅**Tennant, Kylie 坦南特**。

Rodenbach, Albrecht　罗登巴赫(1856-10-27,比利时鲁瑟拉勒～1880-06-23) 佛兰芒文艺复兴的领袖之一。该运动发展于19世纪70年代末,是对法语在比利时文化生活中的影响日益加深所进行的直接挑战。罗登巴赫一进入卢万大学,便立即与另一年轻诗人P.德·蒙特合作,从舆论上动员大学生,为彻底的佛兰芒艺术复兴的理想而努力。在他去世前不久出版了他的《最初诗集》(1878)。他还写有一出他生前从未演出过的雄伟的诗剧《谷德伦》。

Rodenbach, Georges (-Raymond-Constantin)　罗登巴赫　(1855-07-16,比利时图尔奈～1898-02-25,巴黎) 比利时象征主义诗人、小说家。其作品多对故国比利时风土人情的怀念。早期著作主要在比利时发表,1886年《虚度的青春》出版后,即在法国引起广泛注意。翌年,定居巴黎。他的优秀作品有《死城布鲁日》(1892),这是一部回忆佛兰德景色的怀旧小说;《与世隔绝的生活》(1896)是一部心情浮躁、沉思默想的诗集,表现出一个内向的人的内心世界。

rodent　啮齿类　哺乳动物中种类最多的一目——啮齿目(Rodentia)的动物。哺乳动物1/4以上的科、35%的属和50%的种属于啮齿目;而个体数可能更多。是少数与人类保持密切联系而繁盛的动物类群之一。家鼠、黑大鼠、挪威大鼠已适应人类的生活环境及文明,并能借车、船迁移到远方。现存啮齿类体形多小,某些小鼠是最小的哺乳动物之一,可小到长75毫米(包括尾长),重20克。最大的是南美水豚(*Hydrochoerus hydrochoeris*),体长1.3米以上,体重50千克。在乌拉圭发现过头如公牛大小,体如公野猪大小的啮齿动物化石。切牙数少,上、下颌各一对,仅前面有釉质,呈凿状,终生生长,必须经常啃咬硬物,以免过长;无犬牙;磨牙常为$\frac{3}{3}$;齿式不多于$\frac{1\cdot0\cdot2\cdot3}{1\cdot0\cdot1\cdot3}=22$;下颌关节窝从后到前向下倾斜,与其他哺乳动物不同之处为关节窝前后无骨质隆起,因此能将切牙分开,用颊牙咀嚼,亦能将颊牙分开,使切牙牙尖相对以啃咬。咬肌发达。啮齿动物与人类经济关系密切,但有的种危害农、林、牧等生产(估计鼠类能损耗谷物达1/3之多),其打洞行为又破坏排水系统,而且是人类疾病如鼠疫、图莱里菌病、斑疹伤寒以及其他疾病的贮主。河狸、麝

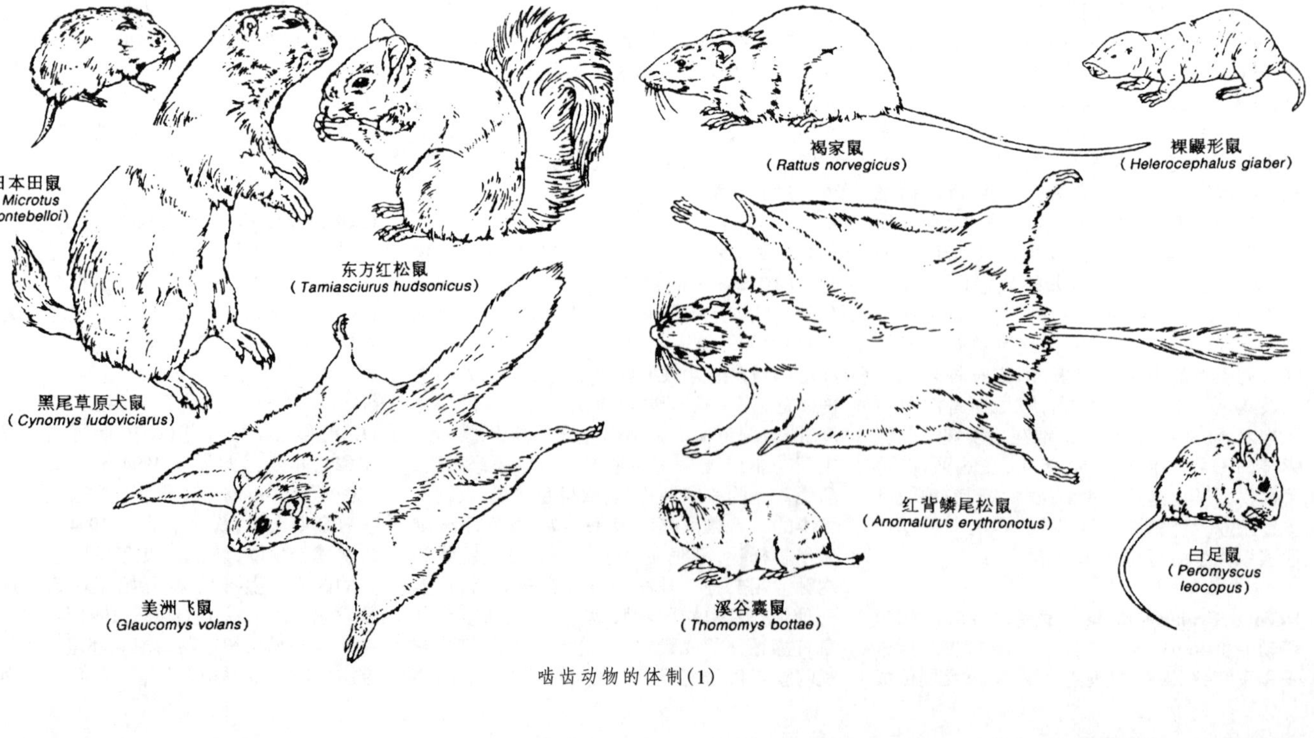

啮齿动物的体制(1)

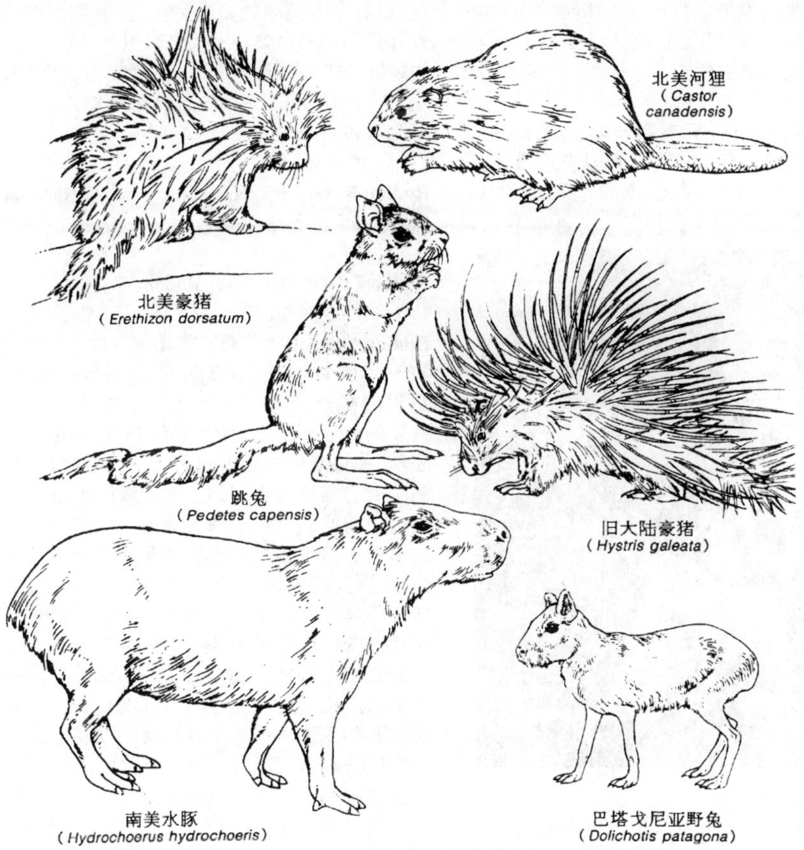

啮齿动物的体制(2)

鼠、毛丝鼠和松鼠的毛皮可用；豚鼠、白化小鼠及大鼠、仓鼠为生物学及医学实验动物。少数种啮齿动物为玩赏动物。啮齿动物能忍受各种气候，分布范围从北极圈到非洲和南美的最南端，是人类到达前，除蝙蝠外，澳大利亚唯一的陆生哺乳动物类群。北美豪猪分布从北极圈到墨西哥中部，从大西洋到太平洋。啮齿动物多为草食性，但大部分亦偶食动物性食物。许多喜食禾草种子，又常用颊囊将种子运回巢穴贮存。食蝗鼠属（*Onychomys*）几乎全为肉食性，主要食昆虫、蚯蚓。北极的地松鼠食腐肉。啮齿动物在大自然中寿命不长，小鼠的平均寿命为数周或数月，但这主要受捕食动物的限制。而在人工饲养条件下，金花鼠和地松鼠寿命约7～8年；豚鼠8年；毛丝鼠、北美豪猪约10年。啮齿动物多地栖或树栖。居于地穴或树洞，有的用树叶在树上筑巢。许多种有占域行为。部分啮齿动物至少为部分水栖，但仅对水栖生活高度的适应仅见于河狸。啮齿类善掘洞为巢，也有时利用树洞或其他天然洞穴，供栖息、育幼、储粮以及冬眠之用。取食行为和活动范围各不相同。大多数地栖种类在巢穴中生活和繁殖；有些从不在地面活动。许多鼠类在洞穴中冬眠或夏眠。有些冬日昏睡，每日苏醒，有些则真正冬眠。有些鼠类在种群过多或乏食时迁移。多为年轻的个体离开个体数较多的原栖息区域，且多为个体现象，不易觉察，这些个体所去的是生疏的不习惯的环境，又易为掠食者捕食，因此死亡率甚高。最著名的迁移实例为旅鼠（尤其是斯堪的纳维亚者），每年春秋各迁移一次。繁殖习性极不相同。一年繁殖一胎或多胎。多为多配式。体型大者性成熟较迟。繁殖次数和每胎仔数少于体型小者。

化石研究表明，此类动物在北美古新世晚期开始出现，在欧洲则为始新世早期，在始新世中分化很快。该目中分化最晚的为鼠科，在欧洲见于上新世早期，但可能是由东南亚侵入。确定啮齿类亚群关系的特征很多，最常根据的是颌肌或肌肉变化引起的颅骨和上、下颌的变化。进一步区分亚类则根据颊牙（前磨牙和磨牙）牙冠形状、切牙釉质组织学结构、雄性生殖系统结构和锤骨与砧骨的融合或缺如等。啮齿目现存350属，2 400种，化石属400余属。①松鼠形亚目（Sciuromorpha）。咬肌位于颧骨，少数科咬肌位置移前。松鼠形颌角。无尿道球囊。锤骨与砧骨分离。切牙釉少层或单层。分8科。Paramyidae科、Sciuravidae科、Ischyromyidae科、Cylindrodontidae科、Protoptychidae科、山狸科（Aplodontidae）、Mylagaulidae科及松鼠科（Sciuridae）。②鼠形亚目（Myomorpha）。咬肌外侧支位于鼻旁；多数科的深部咬肌穿过眶下孔。松鼠形颌角。切牙釉质单层。运动为疾走、跳跃、树栖疾走或掘土。少数科水栖。锤骨与砧骨不融合。无尿道球囊。颊牙少，体形多小。有仓鼠科（Cricetidae）、鼠科（Muridae）、棘小囊鼠科（Heteromyidae）、囊鼠科（Geomyidae）、Eomyidae科、林跳鼠科（Zapodidae）、跳鼠科（Dipodidae）、鼹形鼠科（Spalacidae）及竹鼠科（Rhizomyidae）等9科。③豚鼠形亚目（Caviomorpha）。咬肌深支的附着点位于面部，通过眶下孔。豪猪形颌角。锤骨与砧骨融合。具有尿道球囊。切牙釉质多层。颊牙 $P\frac{1}{1}$，$M\frac{3}{3}$。分为八齿鼠科（Octodontidae）、棘鼠科（Echimyidae）、栉鼠科（Ctenomyidae）、豁鼠科（Abrocomidae）、毛丝鼠科（Chinchillidae）、硬毛鼠科（Capromyidae）、刺豚鼠科（Dasyproctidae）、长毛豚鼠科（Dinomyidae）、Elasmodontomyidae科、Eocardiidae科、豚鼠科（Caviidae）、水豚科（Hydrochoeridae）及美洲豪猪科（Erethizontidae）等13科。④Phiomorpha亚目。豪猪形颌角。切牙釉质多层。锤骨与砧骨融合。有尿道球囊。颊牙$\frac{4}{4}$，最后一枚乳前磨牙终生保持，$M\frac{3}{3}$。本亚目与豚鼠形亚目近缘。分为phiomyidae科、岩鼠科（Petromuridae）、蔗鼠科（Thryonomyidae）及滨鼠科（Bathyergidae）等4科。另有10科亲缘关系未明。即豪猪科（Hystricidae）、河狸科（Castoridae）、Eutypomyidae科、鳞尾松鼠科（Anomaluridae）、梳趾鼠科（Ctenodactylidae）、跳鼠科（Pedetidae），睡鼠科（Gliridae）、月鼠科（Seleveniidae）和两个化石科——假松鼠科（Pseudosciuridae）及Theridomyidae科。

rodenticide　杀鼠剂　用于杀灭大鼠、小鼠和其他有害啮齿动物的物质。常用者如杀鼠灵（华法令）、1080（氟代醋酸钠）、安妥（α-萘硫脲）和红海葱等。作用机制为阻止正常的凝血过程和引起内部出血。二氧化硫、一氧化碳、氰化氢和溴甲烷等熏蒸剂也是有效的杀鼠药。磷膏、碳酸钡或磷化锌、白砒（砒霜）、硫酸铊、硫酸士的宁和氰化钙等粉末与食饵混在一起，置于啮齿类能找到的地方。所有这些毒物对其他动物也有毒性。多能扰乱神经系统的功能从而导致死亡。红海葱从一种似百合的亚热带植物鳞茎中提出，其作用缓慢，对啮齿类以外的其他动物毒性较弱，因为红海葱会引起呕吐，从而将毒物吐出，而鼠类则没有这种反应。

rodeo　骑马牧者竞技　又译牛仔竞技。1867～1887年期间由墨西哥北部和美国西部地区大牧场放牧时代骑马牧者的骑马、套索等技术发展而来的比赛和表演项目。一般包括5个正式项目：套牛犊、骑牛、摔牛、骑有鞍劣马和骑无鞍劣马。还有两个得到承认的比赛项目：单人套牛和团体套牛。其他节目不限，通常还有特技骑马、花样套牛等特邀节目。此外，还有由女牧者表演的木桶障碍赛马等。少年比赛项目中有为公牛戴彩。骑劣马赛跑、为野牛挤奶、特技骑马、花样骑马、骑马分牛群等比赛项目往往有奖。骑马牧者竞技多半由地方商会或其他团体举办。骑马牧者竞技是一种具有美国特色的体育，主要流行于墨西哥、美国和加拿大。它起源于美国，当时的骑马牧人把牛群赶到牛市，便在那里汇集并举行正式比赛，看谁的骑劣马、套牛等技术最好。后来这种活动发展成为定期举行的正式娱乐节目。1929年一些经理人和演出老板成立了美国骑马牧者竞技协会以管理这项体育。1936年运动员自己建立了一个名为骑马牧者乌龟协会的组织，1945年改名为竞技骑马牧者协会。这个协会制定的规则为多数竞技会所采用。业余牧者竞技活动也日益普及，1948年由80所学校联合组成全国大学校际骑马牧者竞技协会。1959年成立的全国中学生骑马牧者竞技协会是一个包括31个州和2个加拿大省组织的联合会。在套牛犊运动中,要求尽快将牛套住撂倒,将三条腿绑在一起。搏牛时须有另一人逗牛直向前奔,搏牛人必须将牛摔得四蹄与头排成一线方可。套牛最高纪录为16秒,但也有不足15秒的成绩。搏牛锦标赛纪录为11秒,非正式纪录不足10秒。每年举行全国性决赛。根据早已确定的记分制决出全能冠军和五项竞技各项冠军。

Roderic O'CONNOR **罗德里克(奥康纳)**(? ～1198,爱尔兰戈尔韦郡科里布湖附近)又称罗里(奥康纳)或奥康纳。爱尔兰语拼作Ruaidhri ua Conchubair。康诺特国王。爱尔兰的最后一代大王。他未能击退英格兰-诺曼的入侵,结果使爱尔兰落入英格兰的统治。1156年继其父特洛赫(奥康纳)任康诺特国王。1166年成为爱尔兰的大王。罗德里克攻打伦斯特国王德莫特,并夺取了其领地。德莫特向英格兰人求援。1170年英格兰-诺曼的彭布罗克第二代伯爵理查·德·克莱尔在沃特福德附近登陆,不久都柏林即落入侵略者手中。1171年6月罗得里克围攻都柏林,但是9月中旬罗德里克的军队被击溃。1175年他同意成为亨利二世在康诺特的封臣,1191年退隐某隐修院,死于该处。

Roderick 罗德里戈(?～711) 西班牙的最后一个西哥特国王。710年威帖萨国王死后,西哥特的贵族选举他为国王。他原来大概是某一省(可能是巴埃蒂卡)的公爵或军事长官。在他即位后,巴斯克人举行起义,威帖萨国王的家族又与穆斯林相互勾结,企图夺取王位。在穆斯林侵略军的威逼下,他不得不向南迁移。穆斯林的丹吉尔总督塔里克·伊本·齐亚德乘胜追击,在里奥巴尔瓦特附近把他打败,并攻占了西班牙的大部分领土。罗德里戈显然是阵亡的。

Rodez 罗德兹 法国南部南比利牛斯大区阿韦龙省省会、城镇。位于欧特恩河与阿韦龙河汇流处,俯瞰着塞加拉高原的起伏不平的绿色乡村。罗马人拓居后称吕泰纳。名胜古迹有哥特式圣母院大教堂和罗马式圣阿芒教堂等。有羊毛业,也生产手套和塑料制品。旅游业日渐重要。人口23 858(1982)。

Rodgers, Jimmie 罗杰斯(1897-09-08,美国密西西比默里迪恩～1933-05-26,纽约市)美国歌手、吉他演奏员。流行音乐中"乡村与西部音乐"风格出现时的主要人物之一。一生中总是被人称为"唱歌的司闸员"。14岁离开学校到密西西比河与俄亥俄铁路线上当运水工人。还担任了好几种铁路上的工作,包括司闸员。铁路工人的生活为他提供了大量发挥和运用其音乐技巧的机会。他在那里学会演奏吉他和班卓琴,吸收布鲁斯音乐的技巧,并磨练成他的富有特色的声音,把传统的乡村音乐、工人音乐、布鲁斯、流浪汉音乐和牛仔歌曲融于一炉。1927年他被田纳西州的RCA胜利唱片公司发现后立即成了唱片销路最好的艺术家。他的110张唱片对许多流行歌手有着深远影响,被认为是对乡村与西部音乐风格的主要贡献。

Rodgers, Richard 罗杰斯(1902-06-28,纽约市～1979-12-30,纽约市) 美国音乐喜剧重要作曲家之一,以其与台本作者L.哈特和O.哈默斯坦合作的作品闻名于世。1918年入哥

布朗兄弟公司供图

伦比亚大学与哈特相识,并合写了哥伦比亚大学1919年度表演剧《与我共飞》。其后,在纽约市音乐艺术学院(现为朱利亚德音乐学院)学习作曲并与哈特合写了几部业余戏剧。他们最初的成功之作是一部时事讽刺剧《加力克的狂欢》(1925)。《准备行动》(1936)以及爵士芭蕾舞剧《第10街上的屠杀》使芭蕾舞成为音乐喜剧中必不可少的组成部分。他们合作的其他作品还有《怀中佳丽》(1937)、《我娶天使》(1938),以及取材于莎士比亚戏剧《错误的喜剧》的《叙拉古的小伙子》(1938)。取材于奥哈拉小说的《好伙伴宙伊》(1940)不再是一味逃避现实的娱乐,而是转向严肃的戏剧。他们最后的作品是《面对朱庇特神》(1942)。1942年罗杰斯开始与哈默斯坦合作,写出《俄克拉何马州!》(1943),获1944年普利策奖,在百老汇演出达2 248场之多。《南太平洋》(1949)演出场次之多可与《俄克拉何马州!》媲美,也获得普利策奖(1950)。该剧在处理种族歧视问题和使音乐与角色相一致等方面独树一帜,其中的歌曲有:《娇胜春日》、《令人销魂的黄昏》等。接着问世的还有《国王与我》(1951)、《烟斗梦》(1955)、《花鼓之歌》(1958),以及他们的一大成功之作《音乐之声》(1959)。罗杰斯还为纪录影片《海上胜利》(1952)配乐。

Rodhópis, Orosirá(Europe) 参阅 **Rhodope Mountains** 罗多彼山脉。

Ródhos(Greece) 参阅 **Rhodes** 罗得岛。

Rodin, Auguste 罗丹(1840-11-12,法国巴黎～1917-11-17,法国默东) 法国雕刻家,在20世纪初已经驰名全世界。主要贡献在于恢复西方雕刻对人类的理解和对精神世界的表现,被誉为雕刻史上最伟大的肖像雕刻家。出生于巴黎穷人家庭,13岁入素描学校学习素描与塑像,17岁欲考美术学院,但先后三次落榜。1858年靠制作装饰用的石雕维持生活,后来同雕刻家卡里埃-贝勒斯一道工作,1864年其第一件正式参展作品《伤鼻的男子》问世。1871年与卡里埃-贝勒斯去布鲁塞尔为公共纪念碑做装饰。罗丹35岁时尚未形成个人风格。1875年,通过访问意大利,米开朗琪罗和多那太罗的作品启发他摆脱了学院派的桎梏。《青铜时代》(1876)的展出引起了布鲁塞尔和巴黎美术界的激烈反对,甚至有人说他这件现实主义作品是从活人翻制的。1877年回到巴黎。后被委任承担巴黎市政府大厦的雕刻。1878年创作《圣·约翰的说教》。这件作品的成功和1880年《青铜时代》在巴黎和布鲁塞尔的展出使他获得了崇高的声誉,时年40岁。1880年为装饰艺术博物馆开始制作《地狱之门》,为了这件作品罗丹花费了毕生的精力,到1917年逝世时还未完成。题材取自但丁的《神曲》,设计时受英国拉斐尔前派画家,特别是W.布莱克作品的启示和影响,罗丹计划把它设计成能反映那种充满爱情、痛苦和死亡的,使人震惊的形式。1884年被委派为加莱市制作《加莱义民》纪念碑,以纪念在1349年为了拯救全城居民把自己作为人质交给英王爱德华三世的6位加莱市民。纪念碑于两年内完成,但直到1895年才举行落成典礼,1913年在伦敦的英国国会公园安置了同样的一座青铜纪念碑。罗丹花费十年时间创作的《风景画家洛兰像》、《阿根廷总统萨米恩托像》、《雨果像》和《巴尔扎克像》引起了极大的骚动。其《巴尔扎克像》由于意

罗丹与其作品《维克多·雨果》(1897)和《思想者》(1880)

芝加哥美术学院供图

见分歧,直到1939年才在巴黎蒙马特尔区的十字路口矗立起来。1900年在巴黎举行的万国博览会上展出了罗丹的150件雕刻和数量颇多的素描,使他获得了国际声誉。之后,他

罗丹的《加莱义民》(1884～1886)
中国大百科全书出版社供图

在默东建立起庞大的工作室,雇用助手,接受美、德、奥、英、法等国定货。1907年罗丹到英国参加为诗人威廉·亨利所作雕像落成典礼,与美国作家马克·吐温、法国作曲家圣-桑一起被牛津大学授予名誉博士学位。1908年5月,英王爱德华七世到他在默东的工作室拜访了他。1916年法国政府为了答谢罗丹将全部作品捐赠国家,建立罗丹博物馆。1917年罗丹在默东逝世。除雕刻外,罗丹还画过插图、铜版画和无数人体素描,写过几篇著作,其中主要的有:《艺术论》(1911、1946、1957)、《法国大教堂》(1914、1965)等。主要雕刻作品(青铜雕像)有:《伤鼻的男子》(1864,巴黎罗丹博物馆)、《青铜时代》(1876,明尼苏达,明尼阿波利斯艺术学院)、《圣约翰的说教》(1878,纽约现代艺术博物馆)、《地狱之门》(1880～1917,费城罗丹博物馆)、《思想者》(1880,罗丹博物馆)、《亚当》(1880,费城罗丹博物馆)、《夏娃》(1881,俄亥俄州托莱多艺术博物馆)、《加莱义民》(1884～1886,纽约,约瑟·H.赫尔希翁陈列馆)、《吻》(1886,伦敦塔特美术馆)、《巴尔扎克》(1897,罗丹博物馆)、《维克多·雨果》(1897,罗丹博物馆)。

Rodman, Thomas Jackson　罗德曼(1815-07-30,美国印第安纳塞勒姆附近～1871-06-07,伊利诺伊罗克艾兰)　棱柱形多孔块状火药的美国发明者。这种火药燃烧均匀,在炮身内气体有控制地膨胀,避免了使炮身爆裂的突然冲击。他还发明围绕空心筒的铸炮法,从里向外冷却。构成多层同心圆的金属一层层地冷却、收缩,得到较坚固的炮身。罗德曼1841年毕业于纽约州西点军官学校。从1845年就提出上述发明设想,但迟至1859年才为美国政府所接受。在美国南北战争期间,他领导马萨诸塞州沃特敦兵工厂,于1865年提升为准将。战争结束时,被任命为罗克艾兰的兵工厂厂长。

Rodna Massif　罗德纳山　东喀尔巴阡山最高部分,在罗马尼亚北部。最高处彼得罗斯2 303米。山峰突兀,北坡有高山湖,最大的是拉拉湖。

Rodney, Caesar　罗德尼(1728-10-07,特拉华多佛～1784-06-26,美国特拉华多佛)　大陆会议代表(1774～1776,1777～1778),特拉华长官(1778～1781),美国《独立宣言》的主要签署人。1755年担任特拉华肯特县长官,1765年为印花税大会代表。他是特拉华出席大陆会议三代表之一。曾离开费城回到特拉华,闻悉即将对独立决议进行投票表决,立即乘马匆匆返回费城,因及时赶到,打破其代表团内的僵局,于是特拉华殖民地投票赞成独立。1777年担任特拉华民兵司令,领准将衔。1783年长官任期届满,被选入立法机关。

Rodney (of Stoke-Rodney), George Brydges Rodney, 1st Baron　罗德尼(1718-02-13受洗,伦敦～1792-05-24,伦敦)　英格兰海军上将,在对法国、西班牙和荷兰的海战中赢得几次重大胜利。父祖皆为军官。1732年参加海军。1747年参加海军上将霍克击败法国舰队的战役。1749年以准将衔任纽芬兰总督兼驻军司令。1757年参加对罗什福尔的远征,次年在博斯科恩领导下攻占路易斯堡。1759年和1760年两度重创法国在诺曼底海岸聚集的运输船队。1761年任背风群岛基地司令。1762年攻克战略要地马提尼克岛。1764年封准男爵。1771年晋升海军少将。1780年在菲尼斯特雷角附近俘获西班牙护航舰队;8天后在圣文森特角附近击败西班牙舰队司令官唐·胡安·德·兰加拉,缴获和击毁7艘舰只。1781年占领荷属圣尤斯塔蒂斯岛。1782年与法国舰队作战,在多米尼加附近的海域中取得辉煌胜利,致使法国海军声名狼藉。回国后受封男爵,得2 000英镑年金。

Rodnina, Irina (Konstantinovna)　罗德宁娜(1949-09-12,莫斯科～　)　苏联花样滑冰女运动员,1969～1978年先后与乌拉诺夫和扎伊采夫配合连获10次世界冠军和3枚奥运会金牌。她与乌拉诺夫自1968年合作,1972年在冬季奥运会上共获冠军。不久分手,选中扎伊采夫,1975年两人结婚,1976年冬季奥运会上获2枚金牌,1980年又获1枚。她与扎伊采夫共创并肩双轴旋转的跳跃动作。同普罗托波波夫夫妇相比,他们的动作更为活泼有力,但没有那么抒情。

Rodó, José Enrique　罗多(1872-07-15,乌拉圭蒙得维的亚～1917-05-01,巴勒莫)　乌拉圭出生的哲学家、教育家和散文家。许多人认为他是拉丁美洲最伟大的哲学家。他的一个统一的拉丁美洲的理想使这一大陆的人们

美洲国家组织供图

感到鼓舞。他的信条"生活就是改革自己"和对美洲人民的忠诚贯穿在全部著作之中。一生的大部分时间在蒙得维的亚度过,在那里致力于写作,进行大量的阅读、教书和政治活动;将西班牙语世界的许多作家和思想家团结在自己周围。1895年协助创办《文学与社会科学民族评论》。1898年起任蒙得维的亚的国立大学(共和国大学)的文学教授。在他的杰作《阿里耶尔》(1900)这篇文章里,提出了自己的道德信条。在谈到人的各种类型生活和个人的与政治的行为时,他认为个人的反省是有益于公众的启蒙活动的基础。在《阿里耶尔》里,受人尊敬的教师普罗斯佩罗提醒自己年轻的学生不要受物质成就的影响,而是要用他们自己思想的、道德的和智力的资源去争取一个完满的生活。警告人们要提防他所谓的北美物质文明那样的东西,号召拉丁美洲的青年要有理想精神,从而使民主制度最好的特点得以发挥出来。一位评论家说这篇文章是"西班牙语新世界的伦理福音"。另著有《多才多艺者之动机》(1908)及《普罗斯佩罗的画廊》(1913);《画廊》是关于一些西班牙美洲名人的一系列文章。1916年离开蒙得维的亚赴欧洲旅行,在欧洲去世。

Rodolph, Utto　鲁道夫　参阅 **Ouologuem, Yambo** 沃洛盖姆。

Rodopi (Europe)　参阅 **Rhodope Mountains** 罗多彼山脉。

Rodosto (Turkey)　**罗多斯托**　参阅 **Tekirdağ** 泰基尔达。

Rodrigo, Joaquín　罗德里戈(1901-11-22,西班牙萨贡托～1999-07-06)　20世纪西班牙主要作曲家之一。虽3岁失明,但自幼学习音乐,后师事P.杜卡于巴黎。1940年,在他的非常成功的吉他和管弦乐队演奏的《阿兰胡埃斯协奏曲》在巴塞罗那首演后,被公认为内战后最杰出的西班牙作曲家。作品以吉他音乐最为著名,亦写有其他乐器的协奏曲多部,以及一部歌剧、合唱曲、钢琴曲等。其粗犷的新古典主义风格将民俗的色彩、泼辣的配器与悦耳的旋律融于一体。

Rodrigues Alves, Francisco de Paula　罗德里格斯·阿尔维斯(1848-07-07,巴西圣保罗附近瓜拉廷格塔～1919-01-16,里约热内卢)　巴西总统(1902～1906)。1872年首次任公职,1900～1902年和1912～1916年任圣保罗州州长。任总统期间,对里约热内卢进行大量的改建和美化,使城市公共卫生彻底改观并消灭了黄热病。他通过外交部长达席尔瓦·帕拉纽斯以和平手段分别与玻利维亚、乌拉圭、英属圭亚那和苏里南(荷属圭亚那)解决了边界争端。1918年再度当选巴西总统,在就职前去世。

Rodrigues Island　罗德里格斯岛　毛里求斯属地。为火山岛,面积104平方千米,1507年葡萄牙人发现该岛时,岛上无人居住。后法国人在此用奴隶种植甘蔗。英国人在拿破

仑战争(1800～1815)结束时从法国人手中得到该岛。法国移民撤走,留下了奴隶。现大部居民为奴隶后裔,也有少数华裔和印度毛里求斯人移居于此。岛民从事农业和渔业。输出咸鱼、动物和作物(特别是葱头和干辣椒)。劳力外流众多。主要城镇马蒂兰港有一个小港口,有汽轮通往毛里求斯。人口35 200(1998)。

Rodrigues Lobo, Francisco 罗德里格斯·洛博(1580,葡萄牙莱里亚～1621-11,葡萄牙) 葡萄牙田园诗人。毕业于科英布拉大学法律系。后在布拉甘萨公爵门下服务。他的第一本诗集《罗曼斯》(1596)系仿西班牙诗人贡戈拉-阿尔戈特的巴罗克文体写成,显示出他的细腻和敏感,以及描写自然风光的技巧,61首诗大部分为西班牙文。他的最优秀的作品为牧歌,穿插在田园小说三部曲《春天》(1601)、《流浪牧人》(1608)和《清醒过来》(1614)之中。这些诗歌既有他对故乡乡村的优美描写,又有男女牧人间关于爱情无常的机智谈话。他最好的散文作品是对话体小说《乡村庭院》(1619),书中一个青年贵族、一个学生、一个富翁、一个文人聚集一堂,讨论风俗、哲学、社会问题和文学风格。

Rodriguez, Lorenzo 罗德里格斯(约1704,西班牙瓜迪克斯～1774,新西班牙总督辖区墨西哥城[今在墨西哥]) 西班牙出生的建筑师,华丽的超巴罗克风格"墨西哥邱里格拉式"的创始人。早年从其父学习,后移居加的斯任石工工长。1731年定居墨西哥城,曾任造币厂木工。他设计的墨西哥城萨格拉里奥礼拜堂(约1749～1769)是邱里格拉风格在新大陆的主要作品,立面装饰华丽,采用他家乡安达卢西亚地区的传统风格,但丰富复杂更有过之。其他作品有墨西哥城的圣多明我隐修院礼拜堂(1757落成,现拆除)和桑提西马教堂(约1755始建)。他的设计风格影响到墨西哥城西北的瓜纳华托矿区,从他的追随者们设计的很多建筑中历历可见。

Rodríguez Monegal, Emir 罗得里格斯·莫内加尔(1921-07-28,乌拉圭梅洛～1985-11-14,美国康涅狄格纽黑文) 教授、编辑和文化倡导人,20世纪拉丁美洲最有影响力的文学评论家之一。他出版了有关J.L.博尔赫斯、P.聂鲁达、A.贝略、H.吉罗加和J.E.罗多等重要文学家的评论书籍。1945～1957年任蒙得维的亚一家周刊《行军号》的文学部编辑。1966～1968年是巴黎出版的一家西班牙语文学刊物《新世界》的编辑。这家刊物引起国际上对G.G.马奎斯、C.富恩特斯、M.V.略萨、J.多诺索等构成"拉丁美洲小说繁荣时期"的作家的注意。他还帮助推动了G.C.殷凡特等年轻一代作家的写作生涯。他是最早认识到阿根廷作家J.L.博尔赫斯价值的拉丁美洲评论家之一。他撰写了《J.L.博尔赫斯:文学传记》(1978),出版了介绍智利诗人P.聂鲁达生平和著作的《不动的旅行家:P.聂鲁达》(1966)、介绍乌拉圭作家H.吉罗加的《流亡:H.吉罗加的生平和著作》(1968)和介绍委内瑞拉作家A.贝略的《另一个A.贝略》(1969)。1969年被聘为耶鲁大学拉丁美洲文学教授。此后一直在该校讲学,直到去世。在美国期间编辑出版了《拉丁美洲文学选集》(1977),著有《J.L.博尔赫斯传记》,还在美国各大学积极推动拉丁美洲文学研究。

Rodzinsky, Artur 罗德津斯基(1892-01-01,奥匈帝国达尔马提亚斯巴拉托[今克罗地亚斯普利特]～1958-11-27,美国马萨诸塞波士顿) 波兰裔美国指挥家,以其更新管弦乐队的才能著称,在深入研究音乐的同时,在维也纳大学获法学学位,其后在其故乡加利西亚的利沃夫城指挥。1921年举行华沙首演。1925年在美国首演,指挥费城交响乐团。1926年又重返费城,成为斯托科夫斯基的助理指挥。1929年参加洛杉矶爱乐乐团,1933年入美国籍,并开始在克利夫兰交响乐队任指挥长达10年,使它成为一个第一流的演奏团体。整个30年代他是到处受欢迎的客座指挥,1937年被邀请调集和训练美国广播公司管弦乐队。1942年负责纽约爱乐乐团,作出重大、迅速和有益的改革。由于同管理部门意见不和,1947年辞职。一连串类似事件使他一年后被芝加哥交响乐团辞退。心灰意懒又疾病缠身的他到意大利去找出路,在那里指挥歌剧特别成功。

roe 鱼子 雌鱼的卵块(硬鱼子)或雄鱼的精块或精液(软鱼子),均可作食品。鲟鱼的硬鱼子是上品,用以制作*鱼子酱*(**caviar**)。一般的鱼子经过盐渍或熏制后食用。英国人爱吃熏鳕鱼子;盐渍鲤鱼子是希腊的一种开胃酱的主要成分。软鱼子可汆可炒,常用于冷菜拼盘中或作两道正菜间的小菜。其他有名的鱼子是鲱鱼、鲭鱼、梭鱼、鲑鱼、美洲西鲱鱼和鲽鱼的鱼子。海胆的子是滨海地区的佳肴,可生吃或稍加烹煮食用。

Roe, Sir Alliott Verdon 罗(1877-04-26,英国兰开夏帕特里克罗夫特～1958-01-04,伦敦) 制造并用自己设计的飞机飞行的第一个英国人。14岁缀学,到英属哥伦比亚,一年后在铁路机车厂做徒工。在随一艘货船航海时,因观察海鸥飞行,开始对飞行问题发生兴趣。回到英国后,听说莱特兄弟飞行成功,就着手制造飞机。1908年6月8日他用自制的双翼机飞行了23米。1910年创办阿·弗·罗公司。在他早期生产的飞机中,阿弗罗504型是最成功的,共生产了17 000多架,在第一次世界大战初期曾用于执行轰炸任务,也用作教练机。第一次世界大战后10年,罗完全脱离他的公司,另成立一家设计并制造飞船的桑德斯-罗公司。1929年受封爵士。阿弗罗飞机在第二次世界大战中起过重大作用,现代英国空军的主要武器中,有几种是由阿弗罗型发展而成,包括火神式轰炸机和蓝剑式导弹。1962年阿·弗·罗公司并入霍克·西德利航空有限公司。

Roe, Sir Thomas 罗(约1581,英格兰埃塞克斯旺斯特德附近～1644-11,萨默塞特巴斯) 英格兰外交家和著作家。他推动了英国在亚洲的商业活动,并因在三十年战争中

伦敦国立肖像画陈列馆供图

的谈判而闻名。1604年受封为爵士。1614～1618年任驻莫卧儿宫廷大使。在任职4年中使英国东印度公司增加了大量的财富。1621～1628年任驻君士坦丁堡大使,他为在奥斯曼帝国经商的英国人取得更多的特权。1629年回国。1637年任嘉德勋位授勋大臣,年金1 200英镑。他曾代表英国出席为结束三十年战争而召开的3次会议——汉堡会议(1638)、雷根斯堡会议(1641)和维也纳会议(1642)。1640年任枢密官,并选入长期议会。1643年退休隐居。他写过许多外交回忆录,其中包括《T.罗爵士出使大莫卧儿宫廷记》(1899)。

roe deer (*Capreolus capreolus*) **狍** 偶蹄目鹿科动物,原产于欧亚大陆。以小家族群栖息在树木稀疏的林区。受惊时吠声如犬。敏捷灵活,交配季节常践踏下层林丛。留下容

雄狍(*Capreolus capreolus*)

供图:Philip Wayre—美国不列颠百科全书公司

易辨认的圆形或8字形的足迹。一胎1～2仔;任娠期由于胚胎延迟植入子宫而持续10个月。形小,几乎无尾。肩高66～86厘米。夏季浅红褐色,冬季浅灰褐色,带有鲜明的白色臀斑。雄狍生有基部粗糙的分三叉的短角。幼仔身上有斑点。

Roe v. Wade 罗诉韦德案 美国最高法院的裁定(1973),承认妇女拥有堕胎的权利,政府不得给予不当的限制性干预。得克萨斯州的法律原本禁止堕胎,但却受到一名未婚怀孕妇女(罗)的反抗,最高法院宣判该妇女胜诉,裁定州政府侵犯了她的隐私权。大法官H.布莱克蒙陈述多数(7位)大法官的报告指出,随着怀孕周数的增加,各州保护未出生生命的法律关切也将增加。裁定书虽然认为州政府得禁止妇女在怀孕后期进行堕胎,但也

宣示妇女在接受医学咨询后，在怀孕前期可不受限制进行堕胎、在怀孕中期可在合法医疗机构内进行堕胎。罗案的裁定可能是美国法院史上争议性最高的判决，至今仍是讨论堕胎权议题的核心主题。

Roebling, John Augustus 罗布林（1806-06-12，普鲁士米尔豪森～1869-07-22，美国纽约布鲁克林山） 德国出生的美国土木工程师，设计钢悬索桥的先驱者。其最著名的作品为

美国史密森学会供图

纽约市的布鲁克林桥，该桥在其长子 W. A. 罗布林的主持下，于 1883 年落成。罗布林毕业于柏林综合技术学校，25 岁时移居美国。他提出用钢缆代替粗麻绳牵引运河船只，并发明了一种绞制高强度钢缆的方法。钢缆的需求因此激增，为此，他在新泽西州的特伦顿开设了一家工厂制造各种型号的钢缆。他没有满足于作一名工厂主，而是作为一位设计和建造大跨度悬索桥的工程师名垂史册。他的长子 W.A.罗布林也参加了这一事业。他们在 19 世纪 50 和 60 年代建造了 4 座钢悬索桥，两座在匹兹堡，一座在尼亚加拉瀑布城，一座横跨俄亥俄河连接辛辛那提和卡温顿（主跨 320 米）。纽约州采纳了 J.A.罗布林关于建造连接布鲁克林和曼哈顿的悬索桥（主跨 486 米）的方案并任命他为总工程师。罗布林在工地因足部受伤，患破伤风逝世，享年 63 岁。

Roebling, Washington Augustus 罗布林（1837-05-26，美国宾夕法尼亚萨克森堡～1926-07-21，新泽西特伦顿） 美国土木工程师，1883年他主持建成纽约市的布鲁克林桥

拉特格斯大学图书馆供图

（其父约翰为该桥梁的设计者）。大学毕业后于 1857 年参加父亲建筑悬索桥的工程。美国内战期间加入联邦军队，战后负责修建辛辛那提-卡温顿悬索桥巨大石工索塔（1865～1867）。然后去欧洲，学习利用沉箱法建筑桥基的新技术。布鲁克林桥的花岗石索塔就是建立在用这种方法建成的桥基上，1869 年他父亲去世后，罗布林担任该桥的总工程师。当时气压沉箱的技术尚在试验阶段。对防止在减压时造成沉箱病尚缺乏了解。罗布林在压缩空气室内连续工作 12 小时，终于昏迷，以致终身残废。他享年 89 岁，布鲁克林大桥是他最后的一项大工程，历时 13 年建成（1883）。

Roebuck, John 罗巴克（1718，英国约克郡设菲尔德～1794-07-17，苏格兰西洛锡安博罗斯托尼斯） 英国医生、化学家及发明家。大概使他最出名的是他资助苏格兰工程师 J. 瓦特的试验，制成了一台工业上实用的冷凝式蒸汽机（1769）。罗巴克用大量时间从事化学研究，特别是化学的实际应用。他早期最重要的成就之一是用铅室去代替长期使用的球状玻璃器制造硫酸（1746），这项成就革新了生产过程，并显著降低了成本。1760 年，开始从事铁的生产。他在苏格兰斯特灵郡的卡隆创办一家铁厂，进行各项改进，包括用烟煤制得的焦炭使铸铁变为锻铁，因而恢复了英国在 17 世纪 20 年代初铁匠 D.达德利（**Dudley Dud**）曾实践过的用焦炭代替木炭炼铁的方法。

Roehm, Ernst 参阅 **Röhm, Ernst** 勒姆。

roentgen 伦琴 X辐射和γ辐射的照射量单位，在标准的压强、温度和湿度条件下，使 1 立方厘米空气（0.001 293 克）产生电量等于 1 静电单位的正或负离子的电离的辐射量为 1 伦琴。以 19～20 世纪德国物理学家 W.C. 伦琴的姓氏命名。参阅 **rem**。

Roentgen, Abraham 伦琴（1711，科隆米尔海姆～1793，特里尔新维德［德国］） 德国细木工匠和设计师，欧洲著名家具工场的创办人。原居荷兰，1731 年移居伦敦，学做细木、雕刻和镶嵌技术。1738 年至德国。曾在去北美途中覆舟获救，随即返德，于 1750 年定居新维德，开设一家工场，制造高级家具，有时也生产镶嵌象牙和其他珍贵材料的家具，大部销售给德国贵族。1772 年其子戴维继任场长之职，此后两人合作经营，直到 1784 年伦琴退休。伦琴工场以精致的洛可可式家具、百音琴、时钟和机械玩具闻名遐迩。

Roentgen, David 伦琴（1743-08-11～1807-02-12，拿骚公爵领地威斯巴登） 法国王后玛丽-安托瓦内特的家具师。1772 年，在新维德（科隆附近）继其父亚伯拉罕·伦琴经营家具工场，竭力扩大营业范围，先后进入汉堡和巴黎（1774）市场，1779 年为法王路易十六制作家具，声誉鹊起。1780 年为巴黎家具业行会接纳为大匠。俄国女皇叶卡捷琳娜二世、普鲁士国王威廉二世都曾是他的主顾。他的法国式家具，线条弯曲流畅，间或施以富丽华贵的雕饰，而他的英国式家具则根据乔治三世早期的式样，有时还有著名家具师 T.奇彭代尔的影响。这两类家具常用各种材料制

伦琴于 1785～1795 年制作的抽斗柜
伦敦维多利亚和艾伯特博物馆供图

作，髹以不同的色泽；其镶嵌装饰题材各异，有花卉、人物或中国式花纹。1775～1780 年，风格转向凝重、典雅，多用桃花心木与黄铜饰物相配。伦琴的工场，从其父开始，即有巧妙的机关装在家具中，如利用一个暗机钮能把抽屉和镜子自动开合。

Roentgen, Wilhelm Conrad 参阅 **Röntgen, Wilhelm Conrad** 伦琴。

roentgen tube 伦琴射线管 参阅 **X-ray tube** X 射线管。

Roepat（Indonesia） 参阅 **Rupat Island** 鲁帕岛。

Roerich, Nicholas 罗耶里奇（1874-10-09，俄国圣彼得堡～1947-12-13，印度讷格尔） 俄国佳吉列夫俄罗斯芭蕾舞的舞台设计师，以其雄伟的历史布景闻名。受教于圣彼得堡美

巴黎歌剧博物馆供图

术学院，是一位考古学家和风景画家。其绘画显示出对壮丽而神秘的大自然、特别是对史前大自然的强烈感情。作为舞台设计师，他一直工作在镜框舞台的固有传统之中。他的杰出成就来自创作历史场景的机会，例如他创作的鲍罗丁《伊戈尔王子》中的波罗维茨人之舞的场景（1909）展现了 12 世纪的俄罗斯，又如所创作的格里格《培尔·金特》的场景（1912）展现了传说中的斯堪的纳维亚。1920 年移居美国。

Roermond 鲁尔蒙德 荷兰东南部林堡省城市。位于马斯河和鲁尔河汇合处。1232 年

设市。14、15世纪时为繁荣的布匹贸易中心。大部分居民信奉天主教,荷兰独立后仍在哈布斯堡王朝统治下。后曾被法国和比利时占领。第二次世界大战中遭到严重破坏。名胜古迹有晚期罗马式礼拜堂(1224)、圣克里斯托弗尔大教堂(1410)等。为农产品市场,生产化工品、电器、服装、木器、雪茄等。人口约38 291(1987)。

Roeselare 鲁瑟拉勒 佛兰芒语,法语称Roulers(鲁莱斯)。比利时西部西佛兰德省城市。位于布吕赫以南曼德尔河畔。中世纪起即是亚麻布市场。第一次世界大战中受到严重破坏,后重建为纺织中心。有冶金和化学工业。现存历史建筑有圣迈克尔教堂(1497～1504)、市政厅(18世纪)、神学院教堂(18世纪)以及16世纪城堡。该市是作曲家A.威拉尔特和佛兰芒诗人A.罗登巴赫的出生地。人口:都市区约51 649(1983)。

Roethke, Theodore 罗特克(1908-05-25,美国密歇根萨吉诺～1963-08-01,华盛顿班布里奇) 美国诗人。曾就读于密歇根大学和哈佛大学。后来在几所大学任教,主要是在华盛顿大学(1947～1963)。其诗作以内省和强烈的抒情为特征,被收集于《敞开的房屋》(1941)、《醒着的人》(1953,普利策奖)、《给风的话》(1957,博林根诗歌奖、国家图书奖)和《遥远的原野》(1964,国家图书奖)等几个集子中。后因躁狂性抑郁症接受住院治疗,事业也从此中断。

Rogaland 罗加兰 挪威西南部一郡。面积9 141平方千米,西起北海,东至比克勒荒原内和留文高地。沿海有岛屿密布的博肯峡湾。分为三个重要地区:北海沿岸的吕菲尔克,地形多山,有畜牧业;西南沿海低地耶伦,是挪威最重要的乳品产区;南部的高地达拉纳。沿海渔业发达。斯塔万格是最大城市和郡首府。其他城市有海于格松、埃格尔松和桑内斯;均为渔港和轻工业中心。卡姆岛有铜矿开采。人口约329 630(1988)。

Rogation Days 祈祷日 天主教专门祈求丰收的节日,包括大祈祷日4月25日和小祈祷日即基督升天节(耶稣复活节后40天)前的三天。起初,大祈祷日是基督教用以取代罗马异教节日"麦锈节"的,过节时由罗马城列队行进到城外某地,杀一狗一羊献祭,防止作物锈菌病害。据教皇格列高利一世的文献载,基督教的大祈祷日是在598年规定为周年节日的。基督教的列队行进活动路线与异教的相同,行进到某地,再返回圣彼得大堂献弥撒。小祈祷日是在470年左右由圣马梅尔图斯(维埃纳的)建立而由第一次奥尔良会议(511)定为全高卢地区的节日的。后来,在罗马,教皇利奥三世也决定过此节日(约800)。马梅尔图斯建立小祈祷日或许是用以取代叫作安巴尔瓦利亚的三天异教农事列队行进。

Roger 罗杰 统治者的名字,按国别分列于后,并各以●为标记。

与此字相等之外语

法语	Roger
意大利语	Ruggiero

安条克

● **Roger 罗杰**(?～1119-06-28,安条克公国[今在土耳其]) 安条克十字军国家在最强盛时期的诺曼人统治者(1112～1119)。他是萨莱诺的理查公爵之子。1112年继其叔坦克雷德任摄政。1115年9月14日在达尼思战役中获胜,先发制人地粉碎了塞尔柱突厥人重新征服叙利亚的企图。但在夺取阿勒颇的战斗中败北,1119年6月27日在血的野战役中被马尔丁的阿尔图格·伊尔加齐所杀。

阿普利亚

● **Roger 罗杰**(约1060～1111) 别名罗杰·博尔萨。诺曼人的阿普利亚公爵(1085～1111)。罗伯特·圭斯卡德之子。1085年继承父亲的领地和称号,因此引起与他的同父异母兄弟博希蒙德·德·欧特维尔(参阅**Bohemond I**)的一场斗争。为人软弱无能。尽管有教皇大力支持,他的领地还是逐渐丧失。

西西里

● **Roger I 罗杰一世**(1031,法国诺曼底～1101-06-22,卡拉布里亚米莱托[意大利]) 西西里的伯爵(1072起)。1057年到意大利,帮助其兄罗伯特·圭斯卡德征服卡拉布里亚。1061～1091年征服西西里。1098年教皇给予使节称号,使他得以控制西西里的教会。他死时已建成一个中央集权的政府。

● **Roger II 罗杰二世**(1095-12-22～1154-02-26,巴勒莫[西西里]) 西西里大伯爵(1105～1130)、西西里诺曼王国国王(1130～1154),分别于1122和1127年兼并卡拉布里亚和阿普利亚。罗杰一世之子,1105年继承其兄的大伯爵,由其母摄政。1112年在巴勒莫受封骑士,开始问政。他认为外交是比宝剑更有用的武器,黄金是比鲜血更值钱的货币。到1122年,他已取得卡拉布里亚的全部。1127年普利亚公爵威廉死后无嗣,罗杰提出他是这片公爵领地的合法继承人。1128年教皇洪诺留二世封他为阿普利亚、卡拉布里亚和西西里公爵。这样,他在32岁时便成为欧洲最有势力的王公之一。他只需要获得一顶王冠,便能将3块公爵领地合成一个国家,而与其他国家的统治者平起平坐。1130年圣诞节,他在巴勒莫大教堂加冕为王。1139年他在加卢乔击溃教皇的军队,迫使教皇英诺森确认他在西西里王国中的地位和对加里利亚诺河以南意大利土地的领主权。在罗杰统治下,西西里王国稳步上升,变得十分繁荣。他组建了一支强大的海军,一度建立起北非帝国,曾占领科孚。1149年远航博斯普鲁斯。他还建造了一些著名的教堂。罗杰在平定南意大利之后,于1140年颁布一部法律大全,然后返回巴勒莫。巴勒莫有欧洲知识水平最高的宫廷,他在那里度过一生最后的15年,由于罗杰的倡导,西西里成为东西两种文化的交流场所。

12世纪镶嵌画中由基督加冕的罗杰二世

供图:Alinari—Art Resource/美国不列颠百科全书公司

Roger Borsa **罗杰(博尔萨)** 参阅**Roger**(Apulia)罗杰(阿普利亚)项下的**Roger** 罗杰。

Roger of Helmarshausen **黑尔马施豪森的罗杰** 参阅**Theophilus** 特奥菲卢斯。

Roger of Hoveden **罗杰(霍夫登的)**(?～约1201) 英格兰编年史家,研究亨利二世和理查一世两个朝代的历史学家。他关于1148～1170年的叙述是这一时期少数可靠资料之一。出身不详,可能在牛津大学当过神学教授。1174年为亨利二世服务,后来曾执行森林法和当王室收税官。亨利二世死后,可能曾随理查一世参加十字军,到达圣地,并开始记述往返东方的见闻。所著《编年史》分两部分,第一部分叙述732～1154年间的大事,第二部分叙述1155～1201年间的历史。第二部分所写大多为著者的亲身经历大事,特别是亨利二世与T.贝克特大主教的争吵,因而十分重要。全书虽证据不足,但条理分明,文字严谨。

Roger of Lauria **罗杰(劳里亚的)** 参阅**Lauria, Ruggiero di** 劳里亚。

Roger of Pont l'Évêque **罗杰(蓬泰韦克的)**(?～1181-11-26,英格兰约克郡约克) 约克大主教,英王亨利二世的顾问,他在亨利二世同坎特伯雷大主教贝克特的争执中支持亨利二世。原为坎特伯雷副主教和国王斯蒂芬的侍从牧师。在任教皇驻英格兰使节以后,他曾代表亨利二世谒见教皇亚历山大三世和法兰西幼王路易七世。他不顾流亡在外的贝克特的抗议和教皇的禁令,1170年在威斯敏斯特为亨利二世的长子亨利(幼王)加冕。罗杰曾被控挑唆杀害贝克特,但最后宣告无罪,继续任职。

Roger, Pierre(pope) **罗歇** 参阅**Clement VI** 克雷芒六世。

Roger Simpson Island(Kiribati) 罗杰·辛普森岛 参阅 **Abemama Atoll** 阿贝马马环礁。

Rogers 罗杰斯 美国阿肯色州西北部本顿县城市。在费耶特维尔以北 32 千米处,比弗湖附近。通火车后于 1881 年建立。后成为农产品销售加工中心。该地有多样化的经济,包括旅游业、钢铁和塑料制造、轻武器制造、绝缘玻璃和钢化玻璃、工具、电信设备制造。市北有皮里奇国家战史公园。人口 38 829(2000)。

Rogers, Bruce 罗杰斯(1870-05-14,美国印第安纳林伍德～1957-05-18,康涅狄格新费尔菲尔德) 美国活版印刷师、图书设计家,对 20 世纪初期美国的书籍装帧设计很有影响。1895 年移居波士顿,接触了书籍出版事业的革新派,并由他们介绍在里弗赛德出版社工作。1900 年该社开设特装本出版部,由他全权负责经营和设计,在 12 年内出版了 200 多种特装本图书,至今为人赞赏和珍视。他于 1901 年和 1915 年分别设计的蒙太因体和半人半马体,都是受到 N.詹森的罗马体和里弗赛德·卡斯隆体的启发。1912 年他离开波士顿,作为自由职业者旅行各地。1916 年在英国担任剑桥大学出版社顾问。1919 年回到美国,任哈佛大学出版社顾问,直至 1934 年。与此同时,他还为纽约州芒特弗农的 W.E.鲁奇的印刷厂设计名著。作为牛津大学出版社的顾问,他主持印制具有纪念意义的牛津版《教堂读经台圣经》(1935)。其他精装本和特装本还有《奥德赛》、《帕契奥利》、《莎士比亚全集》、《鲍斯韦尔文集》以及美国版的《教堂读经台圣经》。

Rogers, Carl R(ansom) 罗杰斯(1902-01-08,美国伊利诺伊奥克帕克～1987-02-04,美国加利福尼亚拉乔拉) 美国心理学家。首创非指导性心理疗法(即患者中心疗法),强调治疗者和患者个人之间的关系。患者被称为委托人,由他来决定治疗的疗程、进度和期限。罗杰斯早年曾就读于威斯康星大学,后又进入纽约协和神学院学习,故对心理学和神经病学感到兴趣。1928 年和 1931 年先后获哥伦比亚大学师范学院文学硕士及哲学博士学位。在完成博士论文的同时,于纽约州罗切斯特防止虐待儿童学会从事儿童研究,1930 年成为该机构领导人。1935～1940 年在罗切斯特大学讲学,1939 年以其问题儿童研究的经验,写成《问题儿童的临床疗法》,1940 年发表《心理治疗的新概念》,引起了很大争论。1942 年在《咨询和心理治疗》一文中,认为患者应与体谅人而又可亲的治疗者建立起联系,从而解决困难,并获得再建生活所必要的自知力。1945～1957 年,任芝加哥大学心理学教授,帮助建立了该校附属的咨询中心,并在那里进行研究以确定其方法的有效性。他在《患者中心疗法》(1951)和《心理治疗和人格改变》(1954)等书中介绍了他的研究结果和理论。1957～1963 年罗杰斯执教心理学于威斯康星大学期间,完成了他最著名的著作《论人的成长》(1961)。1963 年移居加利福尼亚州拉乔拉,主持筹建人类研究中心,并任终身研究员。晚年著作有:《卡尔·罗杰斯论人的能力》(1977)、《20 世纪 80 年代的学习自由》(1983)等。

供图:Carl Rogers

Rogers, Edith Nourse 罗杰斯(1881-03-19,美国缅因索科～1960-09-10,马萨诸塞波士顿) 婚前名 Edith Nourse。美国政府工作人员。在马萨诸塞州洛厄尔的罗杰斯·霍尔学校及巴黎朱利安夫人学校接受教育。1907 年与约翰·罗杰斯结婚。1912 年约翰当选国会议员后,迁居华盛顿。第一次世界大战期间积极从事基督教青年会和红十字会志愿工作,1917 年一度到国外为妇女海外联盟工作。1918～1922 年在沃尔特·里德等军医院工作。1922 年被 W.G.哈丁总统任命为私人代表到全国访问退伍军人及视察军医院。1923 和 1929 年分别以同样身份为 C.柯立芝总统和 H.胡佛总统工作。1925 年丈夫去世后她当选众议员,接替他丈夫剩下的任期。1926 年后连续 35 年任马萨诸塞州第五区众议员,并任第 80 届和第 83 届国会退伍军人事务委员会主席。提出创建陆军妇女服务团的立法,1942 年 3 月通过,两个月后开始实施。1944 年帮助草拟退伍军人权利法案。此外,还曾在邮局、行政机构和外交委员会中工作。

Rogers, Ginger 罗杰斯(1911-07-16,美国密苏里独立城～1995-04-25,加利福尼亚兰乔米拉日) 原名 Virginia Katherine Mcmath。美国舞台及银幕上的舞蹈家和女演员。从歌舞杂耍表演出身,1929 年在百老汇首演《最高速度》。在主演 G.格什温的歌舞剧《疯狂的女孩》(1930～1931)后,她到好莱坞拍电影,经常扮演白肤金发碧眼的轻浮女郎。她与 F.阿斯泰尔的合作开始于 1933 年,所演影片《飞向里约》受到广泛欢迎,他们合演了 10 部歌舞片。她还演过《少校和少女》(1942)等喜剧影片。1940 年罗杰斯因在《女人万岁》中的表演获奥斯卡金像奖。直到 1965 年还在舞台上献艺。

Rogers, Harriet Burbank 罗杰斯(1834-04-12,美国马萨诸塞北比尔里卡～1919-12-12,北比尔里卡) 美国女教育家和聋人口语教学法的先驱。1851 年从马萨诸塞州立师范学校(今弗雷明汉州立学院)毕业后,在马萨诸塞州数所学校任教。1863 年对一聋女童进行私人教育,从此开始出名。她读到关于德国学校对聋童使用口语教学方法(一种需要模仿教师呼吸方式和喉部振动的方法)的消息,并成功地对自己的新学生使用口语方法教学。1866 年和别人共同在切姆斯福创办聋人学校。翌年被选任马萨诸塞州北安普顿县克拉克聋人学校校长(原为克拉克聋哑学校),直至 1886 年退休。尽管她的方法遭到那些完全运用符号语言和手势字母的手势教法者的蔑视,她仍坚定地献身于口语教学方法。1886 年美国聋人教育家大会认可了罗杰斯的主张。

Rogers, Henry Darwin 罗杰斯(1808-08-01,费城～1866-05-29,格拉斯哥) 美国构造地质学家。通过对宾夕法尼亚州地质的研究,在造山运动理论方面有很大贡献。21 岁时任宾夕法尼亚州卡莱尔迪金森学院化学和自然哲学教授。1835 年任宾夕法尼亚大学地质学和矿物学教授。同年任新泽西州地质调查局局长。一年后任宾夕法尼亚州地质调查局局长。宾夕法尼亚州的地质调查由于缺乏经费而于 1842 年停止;他不愿半途而废,自己出钱继续调查,直到 1847 年完成《关于宾夕法尼亚州的报告》时为止(1858)。这本书包括了美国地质以及北美与英国煤田总的情况。与其兄 W.B.罗杰斯合著《关于阿巴拉契亚山脉的自然构造》(1842)。这本书表述了他们在阿巴拉契亚构造上的发现。1857 年被任命为苏格兰格拉斯哥大学博物学钦定讲座的第一个美国教授。

Rogers, John 罗杰斯(约1500,英格兰斯塔福德郡阿斯顿～1555-02-04,伦敦史密斯菲尔德) 宗教改革家,在英格兰玛丽女王在位期间的第一位新教殉道士。1534 年在安特卫普任牧师,负责对英格兰籍侨商传教,受英格兰学者廷得尔的熏陶,背弃天主教而改信新教。廷得尔后来被出卖,1536 年被处死,他将廷得尔所译的《旧约》部分与另一英格兰学者科弗代尔所译《旧约》部分汇编起来,再加上廷得尔 1526 年所译《新约》合成廷得尔英译本《圣经》,于 1537 年出版,署化名马修。此本即为 1539 年"大圣经"译本的依据,1568 年的"主教圣经"与 1611 年的钦定本又都据"大圣经"译成。罗杰斯于 1548 年自德意志返回英格兰,1551 年任伦敦圣保罗大教堂牧师,不久任神学讲师。1553 年信奉天主教的女王玛丽一世即位,他发表反对天主教、抨击"可恶的教皇制,偶像崇拜和迷信"的讲道,遂遭软禁。1555 年 1 月,他与 10 名被囚人员一同受审,不出一星期罗杰斯受火刑而死。

Rogers, John 罗杰斯(1627,英格兰埃塞克斯梅辛～1665 或以后) 英格兰克伦威尔执政时期的第五君主国派领袖。圣公会牧师之子。剑桥大学国王学院毕业。1643～1647 年在亨廷登郡任教和传道,后任珀莱教区牧师。因对长老派的教义和戒律不满,1648 年脱离该教派。在伦敦圣托马斯使徒教堂任布道师时,支持独立派运动和长期议会。应议会之请求,1651～1652 年任都柏林基督教大教堂牧师。回英格兰后,参加"第五君主国派"(极端的清教徒),到 1653 年成为这一运动的领袖之一。O.克伦威尔建立护国政体后,他谴责克伦威尔为背教者,结果于 1654 年 7 月被囚禁在伦敦的兰姆贝思宫。因为他在监狱中继续进行活动,1655 年 3 月被转移到温莎城堡，然后又转到怀特岛上的卡里斯布鲁克城堡（至 1657-01）。克伦威尔死后，他呼吁建立一个共和政府。1659 年被派往爱尔兰任军中牧师，又曾一度被捕。获释后，对英格兰政治的混乱感到厌倦，遂流亡荷兰，在乌得勒支学医，获医学博士学位（1662）。1662 年 12 月回英格兰开业行医。

Rogers, Mary Joseph　罗杰斯（1882-10-27，波士顿～1955-10-09，纽约市）　美国天主教多明我会马利诺女修会创建人。该会主要从事国外传教。她于 1905 年毕业于马萨诸塞州北安普敦史密斯学院。参加马利诺外方传教会刊物《远方场地》的编辑工作。1912 年和另外五名女信徒由马利诺会拨给纽约州霍索恩镇一处房产，成立特雷萨会。1920 年教廷核准该会为主教区修会，定名为多明我会第三会外方传教女修会，由罗杰斯任会长，1946 年辞职。罗杰斯于 1921 年派出第一批修女到中国南方传教。20 世纪 30 年代初她在纽约州马里诺尔设立该会总会，并在其他许多地方成立传教中心，同时培养女传教人员。到她死时，马利诺会已派出 1 100 多名会士到世界各地。

Rogers, Robert　罗杰斯（1731-11-07，马萨诸塞梅休因～1795-05-18，伦敦）　美国边防战士，曾召集并指挥一支称为“罗杰斯别动队”的民兵部队，在 1754～1763 年法国印第安人战争期间曾赢得广泛的赞誉。罗杰斯曾参加 J.沃尔夫将军对魁北克的远征及 1760 年的蒙特利尔战役。其后受 J.阿默斯特将军委派占领包括底特律在内的西北部各据点。1763 年在庞蒂亚克战争期间，他再度前往西部地区，并曾参与布卢迪桥会战。其后不久，他前往英格兰，并于 1765 年在伦敦出版《北美洲简述》一书，以及个人于法国印第安人战争中服役时期的《日志》。罗杰斯曾向国王乔治三世呈递过一份奏折，建议派他领导一次自密西西比河至太平洋海岸的陆上远征行动。此项请求虽遭驳回，他却获得授予对西北部一处名为米奇利麦基诺的据点的统治权。1766 年，他以此处作为基地，自行派出第一支英格兰远征军，探测密西西比河上游地区以及五大湖区，但是却未能按预定日期穿过陆地抵达太平洋。罗杰斯的雄心壮志遭致叛国的罪名并且被交付审讯，后被宣告无罪获释。他再度前往英格兰收回其财产，但却未能如愿。

在美国独立战争期间，他来到美洲，却被认为是保皇党的奸细。随后他公开投效英军，负责编练并指挥“皇后别动队”，曾参与纽约城附近地区的作战行动。稍后他又编练了“国王别动队”，但由其弟 J.罗杰斯指挥，他自己返回英格兰，在默默无闻中度过余年。

Rogers, Samuel　罗杰斯（1763-07-30，伦敦附近斯托克纽因顿～1855-12-18，伦敦）　英国诗人，以风趣的健谈者和大诗人的朋友闻名。《回忆的乐趣》（1792）一诗发表后而成名。1793 年父亲死后继承一家银行。此后半个世纪，他是伦敦社交界一个有影响的重要人物，是许多杰出人物的慷慨主人。他搜集了

伦敦国立肖像画陈列馆供图

许多油画和艺术品，他的家成为艺术爱好者的中心。A.戴斯把他在早餐和晚宴席上的谈话记录下来，编成《罗杰斯席间谈话录》出版（1856）。他的言词虽然尖酸刻薄，但是为朋友做过许多好事。R.谢里丹、H.卡里和 W.华兹华斯都曾获得他的帮助。在华兹华斯 1850 年去世时，他被推荐为桂冠诗人，但被他拒绝。

Rogers, Will　罗杰斯（1879-11-04，美国印第安人保留地乌洛加附近～1935-08-15，阿拉斯加巴罗角附近）　美国幽默作家、演员，以其朴实的妙语著名。曾当过牧童，学会掷绳套

卡尔弗图片公司供图

马，参加过投绳比赛、西大荒演出和杂技表演。第一次到纽约演出是在 1905 年。1915 年参加齐格飞的《午夜欢乐聚会》演出，把幽默的政治评论加进自己的表演中，这种评论后来发展成为报纸专栏文章，通过报业辛迪加在几家报纸上发表，1922 年每周一篇，1926 年每天一篇。该专栏以幽默和对时人时事进行善意而尖刻的评论闻名。他还以同样格调写了一系列书，如《罗杰主义——牛仔对禁酒的态度》（1919）、《文盲文摘》（1924）、《在俄国没有一件浴衣》（1927）。罗杰斯同样是一个成功的电影演员，他所演的影片有《一个康涅狄格扬基》（1931）、《戴维·哈鲁姆》（1934）等。在乘飞机赴东亚途中，因飞机失事遇难。

Rogers, William　罗杰斯（1819-11-24，伦敦～1896-01-19，伦敦）　英国教育改革家，被称为“绞死神学的罗杰斯”。因为他建议教义训练让家长和教士去作，教育家不须插手。1843 年受神职，1845 年起任伦敦查特豪斯圣托马斯教堂副牧师，历时 18 年。热情投身于教区贫民及犯人的教育工作。他先在一间废

供图：BBC Hulton Picture Library

弃的铁匠铺办流浪儿学校，终至于全教区到处都有了这种学校。1863 年升任毕肖普斯盖特圣保托尔夫教堂牧师，致力于解决高小教育问题。提倡世俗教育，对于反对“无神教育”的叫喊，他的回答是，“绞死神学；大家动手”。从而赢得了不朽的绰号。

Rogers, Woodes　罗杰斯（1679?～1732-07-16，巴哈马拿骚）　英国私掠船船长和帮助镇压加勒比海海盗活动的巴哈马群岛总督。1708～1711 年指挥由英国布里斯托尔的商人发起的一次环球性私掠远征。1709 年从一个太平洋岛屿上搭救了苏格兰水手亚历山大·塞尔扣克，后者的奇遇为 D.笛福的小说《鲁宾逊飘流记》提供了素材。1717 年他被任命为巴哈马群岛总督。次年抵达有 2 000 多名海盗的总部拿骚，建立了秩序井然的政府，迫使许多逃犯投降。

Rogers Pass　罗杰斯山口　加拿大不列颠哥伦比亚省东南部塞尔扣克山脉的赫米特岭和唐纳德岭之间的山口。海拔虽仅 1 327 米，但坡陡而常有雪崩，修筑加拿大太平洋铁路铺轨跨越山口时多人丧生，因此只得开凿康

罗杰斯山口横贯加拿大高速公路的通车纪念碑
供图：Josef Muench

诺特隧道。1962 年建成穿过山口的公路，公路有防雪崩设施。为减少西行列车轨道坡度修建另一铁路隧道，即 14.6 千米的唐纳德隧道，并于 1988 年建成。东行列车仍使用康诺特隧道。

Roget, Peter Mark　罗热（1779-01-18，伦敦～1869-09-12，伍斯特郡西莫尔文）　英国医生和语言学家。以《英语单词和短语汇

编》一书(1852)而闻名。原在爱丁堡学医,1808～1840年在伦敦开业。1815年起为皇家学会会员。曾参与曼彻斯特医学院之创建工作。他于61岁时开始进行《汇编》第一版的编辑工作,于73岁时完成,这是他从医务工作退休之后的产物。

Rogier, Charles Latour　罗日耶(1800-08-17,法国圣康坦～1885-05-27,比利时布鲁塞尔圣约瑟-当-诺德)　比利时政治家。1830年比利时革命的领导人之一。早年在列日执

供图:Institut Belge d'Information et de Documentation, Brussels

律师业。1824年参加创办《马蒂乌·兰斯伯格》杂志,宣传热爱比利时祖国。1830年8月布鲁塞尔爆发反对荷兰统治的起义,他带领列日的武装群众前来支援,成为起义者的领袖。9月成为临时政府的主要成员,并在安特卫普与荷兰人达成停战协议。在新的国民议会中,他支持比利时宣布独立。1831年6月拥立萨克森-科堡的利奥波德为比利时第一代国王,称利奥波德一世。1831～1832年任安特卫普省省长,1832～1834年任内政大臣,提出建设全国铁路系统的法案。1847年8月任首相。由于颁布选举改革法,比利时避免了其他欧洲国家1848年所经历的革命。1850年提出教育法案,在天主教会学校系统之外建立新的学校系统。1857～1867年再次任首相。1867年退休。但作为元老,19世纪70年代他依然在政坛上举足轻重。

Rogun Dam　罗贡水坝　塔吉克斯坦南部瓦赫什河上大型水坝,由岩、土填充而成。1990年竣工,为世界上最高水坝之一。位于努列克水坝上游,高出峡底335米,最大跨度660米。1976年始建,有总装机容量为3 600兆瓦的6座水力发电站。

Roh Moo Hyun　卢武铉(1946-08-06,朝鲜釜山附近金海市[今在韩国]～2009-05-23,韩国釜山)　韩国政治人物、律师,2003年起任总统。出身贫寒,曾在中学当过看夜工,后入伍(1968～1971)。虽未上过大学,但1975年通过律师考试。1977年担任法官,其后成为颇受尊敬的人权律师。20世纪80年代后期应反对派领袖金泳三邀请加入政界。1988年获得国会席位,并以批评全斗焕总统实行军人统治而闻名。1990年因金泳三与卢泰愚结盟而脱离所在党派。1992年失去其国会席位,1996年选举仍未能赢回。1995年竞选釜山市长失败。然而,卢武铉继续关注民主改革,拒绝与亲军人政党妥协。他领导的小反对党最终与金大中结盟。1998年金大中当选总统,卢武铉成为金大中内阁阁员。2002年参加总统竞选,同年12月以48.9%对46.6%的选票击败李会昌。2003年2月就任总统。后因数名助手被控接受非法竞选捐款,自身陷入财务丑闻,2003年10月要求举行全国信任投票。但国会反对举行公民投票。2004年3月遭国会弹劾,被迫暂时下台。宪法法院于同年5月驳回弹劾案,卢武铉恢复总统职位。

Roh Tae Woo　卢泰愚(1932-12-04,朝鲜大邱附近[今在韩国]～　)　韩国军官和政治家,韩国总统(1988～1993),实行民主改革。在大邱读高中时,与同学全斗焕结为朋友。1950年朝鲜战争爆发后,卢泰愚参加韩国军队,并与全斗焕一起进入韩国军事学院,1955年两人毕业。此后卢泰愚青云直上,1979年成为将军。1979年10月,总统朴正熙遭暗杀。12月,全斗焕与一些军官发动推翻文职政府的政变,卢泰愚给予他们决定性的帮助。全斗焕于1980年成为韩国总统后,卢泰愚于1981年辞去军职职务,在全斗焕的政府里担任一系列长官(部长)职务,包括政务部长官(1981)、体育部长官(1982)和内务部长官(1982)。作为汉城奥林匹克组织委员会主席,(1983～1986),他监督韩国为1988年夏季奥林匹克运动会在汉城举行所做的准备工作。1985年全斗焕选择卢泰愚任全斗焕的执政党民主正义党(DJP)的新主席,并于1987年6月选择卢泰愚为民主正义党候选人参加即将举行的总统大选。根据该国当时的宪法,卢泰愚实际上已被保证将赢得总统职位,这一情况激起了广泛的群众动乱。作为回答,卢泰愚于1987年6月29日发表了一篇历史性讲话,提出一项广泛的民主改革计划,其中主要是下届总统由选民投票进行直接选举。卢泰愚赢得了随后于1987年12月举行的总统大选。这是因为与他进行竞选的两位主要的反对党候选人金泳三和金大中瓜分了反对党获得的选票的缘故。1988年2月25日,卢泰愚就任总统,为期5年。作为总统,温和和主张和解的卢泰愚似承担起了韩国政治民主化和自由化的责任。在1988年4月的选举中,他的民主正义党没有能够在国会中取得多数席位。1990年卢泰愚领导下的民主正义党与两个温和的反对党合并,组成一个新的多数党,取名民主自由党。在外交事务上,他的政府与苏联(和后来的俄罗斯)、中国建立起新的联系,使韩国加入联合国(1991),并与北朝鲜签署互不侵犯协定(1991)。1993年2月金泳三接替了他的总统职务。1995年10月卢泰愚承认,在竞选总统期间非法聚集6.5亿韩元秘密政治捐款。随后被指控犯有参与1979年政变和1980年光州屠杀以及腐败罪。被逮捕后经长期审讯。1997年4月17日被韩国大法院终审判处17年有期徒刑,并追缴2 628亿韩元。

Roha(Ethiopia)　**罗哈**　参阅**Lalībela**拉利贝拉。

Rohan FAMILY　**罗昂家族**　欧洲大贵族世家之一。有时称为第一个独立的布列塔尼家族后裔,亦可追溯至12世纪的罗昂领主或子爵。15世纪末,其后裔拥有罗昂和许多其他布列塔尼领地。1648年,法国的罗昂公爵称号(1603册立)归夏博家族后始称罗昂-夏博家族;但保留了盖梅内亲王(据说始于1570)和蒙巴宗公爵(1588册立)称号,后又获苏比兹亲王(1667)和罗昂-罗昂公爵(1714)称号。1808年获奥地利亲王衔,1816年被承认为布永公爵的继承者。

Rohan, Benjamin de　罗昂　参阅**Soubise, Benjamin de Rohan, seigneur de** 苏比斯。

Rohan, Charles de　罗昂　参阅**Soubise, Charles de Rohan, prince de** 苏比斯亲王。

Rohan, Henri, duc de　罗昂公爵(1579,法国布列塔尼布兰城堡～1638-04-13,瑞士柯尼希斯费尔德)　法国军人、著作家、宗教战争期间胡格诺派的领袖。16岁从军。备受亨利四世器重。1603年他24岁时封公爵。亨利四世死后,他于1615～1616年率胡格诺派发动叛乱。17世纪20年代的内战期间,他成为胡格诺派最重要的将领。他两度与路易十三的政府缔结和约(1623和1626),但仅维持了一个短暂的时期。战后他前往威尼斯,在那里撰写《回忆录》。1635年返回法国,指挥军队横穿瑞士赴瓦尔泰利纳作战。尽管军事上屡屡获胜,却不受当地民众的欢迎,被迫于1637年撤出。因不受信任而引退至日内瓦。后来,他又加入萨克森-魏玛的贝恩哈德的军队,1638年2月28日在莱茵费尔登战役中受重伤而死。

Rohan, Louis-René-Édouard, prince de　罗昂亲王(1734-09-25,法国巴黎～1803-02-17,巴登埃滕海姆[德国])　枢机主教和斯特拉斯堡主教。他未经玛丽-安托瓦内特王后授权,也未自己出钱就为王后购买项链,以诈骗行为受审,成为所谓1785年钻石项链事件这一丑闻的主角。他虽被宣告无罪,但仍被逐出法国宫廷。

Rohan-Montbazon, Marie de　罗昂-蒙巴宗　参阅 **Chevreuse, Marie de Rohan-Montbazon, duchesse de** 谢弗勒兹公爵夫人。

Róheim, Géza　罗海姆(1891,奥匈帝国布达佩斯[今在匈牙利]～1953-06-07,美国纽约)　匈牙利出生的美国精神分析学家,是把精神分析法用来解释文化的第一位人种学家。在德国攻读哲学博士学位期间,对弗洛伊德的思想,包括后者解释文化时使用的精神分析法有了了解。回布达佩斯后,在马扎尔国家博物馆的人种学部工作。20世纪20年代初,发表了有关精神分析学人类学的早期著作,任布达佩斯大学人类学教授。在《关于始祖之死》一文(1923)中,把弗洛伊德理论列入当代人类学知识范畴之中。另一部杰作是《澳大利亚人的图腾制度》(1925)。1928年,着手对澳大利亚部落进行精神分析

人类学研究，其成果发表在《拜物教、巫术和神王》一书(1930)中。1940年起，在纽约精神分析研究所任讲师，并自己开业从事精神病治疗。在《文化的起源和作用》一书(1943)中，对民间传说作了探讨，对神话作了解释。他认为儿童长期依赖母亲会导致情绪上的和社会性的意识认同感，这便是社会文化的基础。他还主张人类和社会的发展可能是源于精神分裂症样的、着了魔似的怪诞思维。后期著作有《精神分析学和人类学》(1950)，《梦幻之门》(1952)和《巫术与精神分裂症》(1955)。

Rohilkhand 罗希尔坎德 印度北部北方邦西北部的冲积低地。为恒河上游平原的一部分，面积约25 000平方千米。南面和西面边界为恒河，北面为中国和尼伯尔国界。安人最初在此定居。后由印度诸王统治。继而成为德里穆斯林领土。莫卧儿王朝崩溃后被贾特人、罗希拉人和马拉塔人瓜分。1857年印度兵变后落入英国人之手。达赖-珀伯尔山区由西瓦利克山延入本区。拉姆根加、苏凯达、德奥纳、萨尔达、皮尔卡拉、加拉等河自西北向东南流过该区。过去森林茂密，现仅存小片季风林。农业在经济中占主导地位。大型工业生产纺织品、糖、一般机械产品和化工品，集中在莫拉达巴德、巴雷利、沙贾汉布尔和比利皮德等城镇。为印度人口最稠密地区之一。有公路网连接，交通便利。

Rohlfs, (Friedrich) Gerhard 罗尔夫斯 (1831-04-14，不来梅附近费格萨克[德国]～1896-06-02，巴特戈德斯贝格) 德国探险家，以其戏剧性地跨越北非沙漠而闻名。他并不是科学探险家，而是个冒险家，但他毕竟积累了极有价值的地理资料。他也是从地中海到达几内亚湾由陆上跨越非洲的第一个欧洲人。1855年加入法国外籍兵团，学会阿拉伯语，后开始了他的探险。1862年乔装阿拉伯人，在摩洛哥进行探险，曾到达阿特拉斯山。1864年深入撒哈拉，抵达利比亚的费赞地区。次年开始广泛的旅行。他曾从地中海的的黎波里穿过撒哈拉到达尼日利亚东北部，沿尼日尔河下行，于1866年到达拉各斯附近大西洋。1874年再度探查撒哈拉，向东行进，从的黎波里到达埃及。1885年任德国驻桑给巴尔领事。

Röhm, Ernst 勒姆 (1887-11-28，德国慕尼黑～1934-06-30，慕尼黑-斯塔德尔海姆) 又拼Roehm。德国军官。希特勒冲锋队(褐衫党)的主要组织者。1906年入伍，第一次世界大战期间3度负伤，升任少校。战后，他先于希特勒参加创建德国国家社会主义工人党。后来，他帮助希特勒获得巴伐利亚陆军的支持。1921年10月组建冲锋队并向希特勒提供这支装备精良的民间武装。因参与慕尼黑啤酒店暴动，被短期监禁。勒姆由于抬高冲锋队的地位，与希特勒发生龃龉。1925年去玻利维亚。1930年晚期，他应希特勒之邀，返回德国改组冲锋队。1933年希特勒出任总理，吸收勒姆入阁，后在H.戈林和H.希

供图：Heinrich Hoffmann，Munich

姆莱的怂恿下，借口勒姆和冲锋队发动政变，将其枪毙。

Rohmer, Eric 罗默(1920-04-04，法国南锡～2010-01-11，巴黎) 原名Jean-Marie-Maurice Scherer。法国电影导演和作家，以对浪漫的情感作细致入微的观察研究而著称。早先罗默获得历史学高级学位，并短期任教，40年代中期开始写作生涯。1957年与克洛德・夏布罗尔合写电影论文《希契科克》。移居巴黎后，开始为法国杂志撰写影评。1950年与弗朗索瓦・特吕弗、让-吕克・戈达尔和雅克・里维特一起创办《电影报》，并任主编。1957年任《电影手册》总编辑，1963年因卷入一场争论，离开这一新潮派刊物。1950年罗默开始摄制一系列相当成功的短片。1959年导演了他的第一部足本故事片《狮子星座》。之后，罗默导演了一套6部道德故事片。开头的两部是《蒙梭的面包师》(1962)和《苏珊娜的生涯》(1963)。这两部影片在经济上均告失败，于是罗默在一段时间里专心导演电视纪录片。1966年摄制了这套道德故事片的另一部《女收藏家》，这部影片在欧洲获得了评论界的好评。但只是在他摄制了《我在莫德家的一夜》(1968)之后，他才获得经济上的成功。大多数评论家认为这部影片是这套道德故事片中最引人注目的一部。影片描写一位清教徒工程师在大暴风雪中被逐，来到莫德家躲避。莫德是个迷人的离婚女子，竭力引诱工程师，但工程师不为所动，两人在谈论理性问题中度过了这一夜。影片在法国和美国备受评论界的赞扬和为公众所认可，获得了马克斯・奥菲尔斯奖。继这一成功之后，罗默拍摄了《克莱尔的膝盖》(1970)，在圣塞瓦斯蒂安电影节上获当年最佳影片奖，并获路易-德吕克奖和梅里爱奖。1972年上映他的《午后的爱情》，从而完成了这套道德故事片。这套电影剧本后来于1977年发表，书名《6部道德故事片》。1976年罗默摄制了《奥的女侯爵》，这是一部著名的短故事片，在戛纳电影节上获评委特别奖。他以后的影片有《珀西瓦尔》(1978)和《飞行员的妻子》(1981)等。

Rohmer, Sax 罗默(1883?，英国沃里克郡伯明翰～1959-06-01，伦敦) 阿瑟・萨斯菲尔德・韦德的笔名。享有国际声誉的英国作家。他所塑造的阴险狡诈的中国罪犯傅满祖是他许多小说中的恶棍主角。其后傅满祖这一人物还出现在影片、广播和电视节目中。罗默自幼对古埃及、中东和神秘学感兴趣。曾在伦敦金融区短暂工作及当新闻记者，因对远东兴趣日增而开始写小说。1913年发表该系列小说的第一部《傅满祖博士》。这个不可思议的具有贵族气派的人物立即吸引了读者，在随后45年间罗默又写了几部关于傅满祖的小说。它们包括《恶魔博士》(1916)、《傅满祖的踪迹》(1934)和《皇帝傅满祖》(1959)，后者写于美国。他逐步把傅满祖从一个自私自利的恶棍转变成坚定的反共分子。

Rohrer, Heinrich 罗雷尔 (1933-06-06，瑞士～) 瑞士物理学家，与G.宾尼希因共同发明扫描隧道显微镜而获半额的1986年诺贝尔物理学奖金，其余半额奖金为E.鲁斯卡所获。罗雷尔曾就读于苏黎世的瑞士联邦理工学院，1960年获博士学位。1963年人设于苏黎世的国际商用机器公司(IBM)的研究实验室工作，同时宾尼希亦在该室工作，二人设计和研制出第一具扫描隧道显微镜。仪器装置有一细小的钨探针，针尖宽约1、2个原子，探针被置于导体或半导体表面5或10个原子(1个原子约等于1×10^{-10}米)的距离内。当针尖的电势与表面的电势相差几伏特时，其量子力学效应会引起一可量度的电流通过间隙。该电流的强度对于探针与表面间的距离特别敏感，因此当探针尖端在表面上扫描时，通过升降针尖来保持电流值恒定，即可使针尖与表面间保持固定距离。探针高度的记录就是所研究表面的形貌图，形貌图上等高线的间隔很小，使得构成该表面的单个原子可以清楚地辨认出来。

Rohtak 罗塔克 印度西北部哈里亚纳邦城市。有铁路通德里，公路通皮瓦尼和巴尼伯德。市内迪尼清真寺为1140年所建。1867年建市。为重要谷物和棉花贸易中心，有一些轻工业。设有农业研究所，马哈尔希・达亚南德大学及其12所分校包括一所医学院。地处恒河与苏特莱杰河之间高平原。主要由西亚穆纳运河灌溉。谷物、鹰嘴豆、甘蔗和棉花为主要农作物。有卤水与石灰石矿藏。人口：市166 767(1981)。

rohu 南亚野鲮 产于印度的鱼，为野鲮(labeo)的一种。

Roi Et 黎逸 泰国东北部城镇。临近栖河，是公路枢纽。多山，土壤贫瘠，人口稠密。1960～1970年人口外流。产大米、玉米、豆类、烟草和棉花。但产量较低。淡水捕鱼业重要。人口：城镇约32 502(1983)。

Roiphe, Anne 洛伊夫(1935-12-25，美国纽约州纽约～) 婚前名Anne Roth。美国女权主义者和作家。其小说和非小说类作品探讨妇女在家庭中的传统角色和渴望得到独立认同之间的冲突。1957年毕业于撒拉・劳伦斯学院，1958年与J.理查森结婚，1963年离异。1967年与H.洛伊夫结婚。当年出版

的第一部长篇小说《匆匆离去》是精心创作的描述犹太裔美国人的感受的范例。第二部小说《沙箱之上》(1970)也许是她最著名的作品。这部讽刺小说记述一个受过高等教育的年轻母亲玛格丽特是如何陷入一场蒙受耻辱的婚姻和徒劳地日复一日做家务活的。为了描绘玛格丽特模糊的要求改变生活的渴望,她交替叙述了玛格丽特作为顺从的妻子和慈爱的母亲的真实生活一面,及其当上革命者和人类学家这样令人激动的非传统角色的幻想生活一面。她在《慈爱》(1987)和《追求幸福》(1991)等后期小说中继续探讨了女权主义与为母之道之间的矛盾。她也写非小说类作品,包括为《纽约观察家》开辟一个双月专栏,并就当代美国家庭所面临的种种问题为各杂志写了许多文章。1996年她写了《成果:现代世界中真实的母亲》,指出妇女运动仍然忽视有些妇女愿意在家抚养孩子的情况,呼吁妇女运动要更加关心儿童保育和生育等问题。

Rojas, Fernando de　罗哈斯(约1465,卡斯蒂利亚蒙塔尔万镇～1541,西班牙塔拉韦拉-德拉雷纳)　西班牙作家。其唯一作品长篇对话体散文剧《塞莱斯蒂娜》标志着西班牙和欧洲文学史上一个重要发展阶段。他出身犹太家庭。1490年左右获萨拉曼卡大学法学学士学位,后移居塔拉维拉任开业律师,一度任市长。第一版《塞莱斯蒂娜》标题为《卡利斯托和梅利贝亚的戏剧》(1499),包括16幕;后来的版本(1502)包括21幕(或章)。

Rojas, Manuel (Sepúlveda)　罗哈斯(1896-01-08,布宜诺斯艾利斯～1973-03-14,智利圣地亚哥)　智利小说家。青年时代曾沿着阿根廷、智利边境漫游,干过一个时期粗笨的体力劳动。在这段经历中所遇到的许多人和事,日后都写入了他的小说。1931年起任智利新闻大学校长。他的文学生涯开始于写诗,继而转向短篇小说的创作,其中包括《南方的人们》(1926)和《罪犯》(1929),作品深受美国作家海明威和福克纳等人的影响。以后的短篇小说集有《那杯牛奶及其最好的故事》(1959)、《玫瑰人》(1968)。他的作品大都是自传性的,其中有关于下层社会人们的生活和问题的描写。第一部长篇小说《船泊港湾》(1932)是对危害智利的某些社会弊端的讽刺与嘲弄。他最受欢迎的作品《贼的儿子》(1951)是一部带有存在主义观点的自传体小说。书中运用的内心独白、倒叙和意识流等手法预示了以后拉丁美洲新小说派所要采用的某些创作技巧。这一作品曾被译成欧洲几种主要语言,罗哈斯亦因此跻身国际作家之列。

Rojas Pinilla, Gustavo　罗哈斯·皮尼利亚(1900-03-12,哥伦比亚通哈～1975-01-17,波哥大)　哥伦比亚职业军人、独裁者。1920年毕业于哥伦比亚军事学院。在1924～1933年的非现役期间,曾在美国获得土木工程学位。此后很快晋升陆军中将,曾代表哥伦比亚出席数次国际会议。1951～1952年任美洲国家防务委员会委员。曾参与镇压1948年4月左翼领袖盖坦被杀后发生的骚乱。1953年在戈麦斯的4年独裁统治后,罗哈斯在人民拥护下夺得政权。他许诺实现和平、公正和自由,但实际上却靠法令进行统治。他封闭了持反对观点的报刊,建立空前的秘密警察机构,挑起反对基督教新教教会和教会学校的暴力行动,还盗用公款为自己购买土地。在保守党和自由党的共同压力下,他任命一个军事执政委员会代行统治,于1957年5月流亡美国。1958年10月回国后受控告,次年4月被剥夺公民权。1962年在大选中获2.5%的选票。由于人民对民族阵线领导的失望和自由左翼的分裂,使罗哈斯的全国人民联盟成为代表下层阶级的最大反对派组织。1967年哥伦比亚一家法院作出不应剥夺罗哈斯公民权的裁决。1970年他再次参加总统竞选,获票与民族阵线候选人博雷多几乎相同。但最高选举法庭裁定博雷多当选。罗哈斯声称选举结果有问题,他的支持者起来闹事,于是政府宣布戒严令。1974年他的女儿以全国人民联盟候选人身份参加总统竞选,遭到惨败。

Rojas Villandrando, Agustín de　罗哈斯·比良德兰多(1572-08,马德里～1618,西班牙帕雷德斯-德纳瓦)　西班牙演员、作家。他最重要的作品——对话体流浪汉小说《有趣的旅行》提供了有关16世纪西班牙戏剧界和演员生活的情况,颇有价值。他被认为是那一时代最擅长"序幕诗"(正戏演出前的颂诗)的作者。他曾在法国当兵。回西班牙后加入巡回表演剧团在全国各地旅行演出。

Rojas Zorrilla, Francisco de　罗哈斯·索里利亚(1607-10-04,西班牙托莱多～1648-01-23,马德里)　西班牙戏剧家,属于比他更为著名的同时代人卡尔德隆·德·拉·巴尔卡的流派。以悲剧和一种叫做"大角色喜剧"的新戏剧见长,在这种喜剧里,主要角色是一个性情怪癖的人。关于他的生平所知甚少,显然曾在托莱多大学受教育,尔后主要住在马德里,与宫廷关系密切,为皇家剧院写剧本。1644年获圣地亚哥勋章。写有70个剧本,其中少数较好,有现实感,在一定程度上克服了常规戏剧中的矫揉造作,情节也较自然。

Rök Stone　罗克石碑　在瑞典东约特兰省

罗克石碑

供图:Kungl Vitterhets Historie Och Antikvites Akademien, Stockholm

发现的公元9世纪的纪念石碑,上镌有迄今所知最长的如尼字母铭文。雕刻在花岗石上的725个如尼字母清晰可辨,有神秘的套语,可能是些咒语;有史诗体的诗行,内容涉及古代英雄传说;也有诗歌词汇。由希比所刻,铭文由瓦伦为纪念他战死的儿子韦莫而撰写。中间有一段完整的诗节,据推测是涉及狄奥多里克大王的铭文,用瑞典-挪威那种包括16个符号的如尼字母刻成,独具特色。石碑上还有9行文句是用较早的如尼字母即富托克字母刻成的。

Rokanese (people)　**罗卡人**　参阅**Ngada**恩加达人。

Rokel River　罗克尔河　又称塞利河。源出塞拉利昂中北部的几内亚高原。全长400千米。流域面积10 620平方千米。向西南流注入**塞拉利昂河**(**Sierra Leone River**)河口湾。河岸种植烟草。

Rokitansky, Karl, Freiherr von　罗基坦斯基(1804-02-19,奥地利柯尼希格雷茨～1878-07-23,维也纳)　奥地利病理学家。他根据近10万例尸体解剖(其中自作3万例)对患

供图:BBC Hulton Picture Library

病机体作了系统描述,从而使病理解剖学研究成为现代医疗实践的基础,使新维也纳学派成为19世纪后半叶的世界医学中心。1844～1874年间任维也纳综合医院病理解剖学教授,鼓励其学生、抗感染研究的先驱I.塞麦尔威斯从事医学研究(1846),后又支持他清洁欧洲的产科病房以消除产褥热的斗争。罗基坦斯基在恶性心内膜炎的病变中发现了病菌,明确了大叶性肺炎和小叶性肺炎(支气管肺炎)鉴别诊断的标准,研究了急性黄色肝萎缩(1843),确定了肺气肿的显微病理学,首先描述了脊椎前移(1839)。他的《病理解剖学手册》(3卷,1842～1846)确立了病理学在科学中的地位。

Rokka (people)　**罗卡人**　参阅**Ngada**恩加达人。

Rokkaku Shisui　六角芝水(1867,日本广岛县～1950)　原名六角忠太郎。日本漆器权威。1893年毕业于东京美术学校后,同著名的艺术鉴赏家冈仓确郎游历各省,寻求古代艺术作品。他还伴同冈仓去美国,作过一次考察旅行。他在波士顿美术博物馆和纽约市

大都会艺术博物馆工作过。1907 年，他访问欧洲许多艺术博物馆。稍后参加朝鲜乐浪郡的发掘工作，这里的手工艺品是中国汉朝（公元前206～公元 220）征服者带到朝鲜的物品。由于他在漆器研究中有高深造诣，被选入国家艺术院。

Rokossovsky, Konstantin Konstantinovich 罗科索夫斯基（1896-12-21，俄罗斯大卢基～1968-08-03，莫斯科） 苏联军事将领，以第二次世界大战期间在斯大林格勒战役中的军功闻名。铁路技工之子。第一次世界大战期间为帝俄军队中最年轻的士官。1917 年加入红军，参加国内战争。斯大林大清洗时曾被投入监狱（1937 ～ 1938），后获释，恢复原来职务。第二次世界大战期间，曾在莫斯科（1941）、斯大林格勒和库尔斯克（1942 ～ 1943）、白俄罗斯（1944）、东普鲁士和波美拉尼亚（1945）指挥作战。在斯大林格勒指挥苏联顿河战线的 6 个军围歼德国第 6 集团军的 22 个师，因而声名大著。1949 年任波兰国防部长和部长会议副主席，并被授予波兰元帅称号。1956 年哥穆尔卡指控他企图发动亲苏政变，将他赶出波兰。他回苏联后，历任国防部副部长（1956 ～ 1962）及其他各种军职。

Rokycana, Jan 罗基卡纳（约1390，波希米亚罗基察尼～ 1471-02-22，布拉格） 波希米亚教会大主教、胡斯派人士。约于 1410 年到布拉格，辅佐雅库贝克发展胡斯派组织，其后继雅库贝克担任领导职务。1424 年与胡斯派左翼孤儿派谈判，1432 年任该派领袖。1433 年举行巴塞尔会议，其时罗基卡纳是庞大的胡斯派代表团的发言人，要求罗马承认胡斯派教会为捷克国定教会，终于使布拉格协议条款得以通过。这份文件后世称《布拉格协定》，获得波希米亚皇帝西吉斯蒙德的批准。1435 年罗基卡纳任胡斯派教会大主教。1436 年签署《布拉格协定》。西吉斯蒙德并不赞成胡斯派，于 1437 年将他逐出布拉格，至 1448 年才得以返回该城。其间，布拉格的胡斯派全由乔治（波杰布拉迪的）领导，罗基卡纳返回后又得乔治的支持获得普遍承认。1458 年乔治当选波希米亚国王，波希米亚的胡斯派教会的安全有了保障。1467 年教皇保罗二世发动十字军行动进攻胡斯派。罗基卡纳和乔治都死于 1471 年，当时胡斯派仍未屈服，继续挫败罗马军队。

Rolamite 无摩擦滚轴 滚轴-挠性带机械装置。滚轴在其中运动时，几乎没有摩擦力。它有一条带 S 形环的挠性金属带。图中，滚轴 A 和 B 悬在挠性金属带 C 的环内，金属带则固定在两平行导轨F和G的D和E点上。两滚轴的直径加上两倍带厚大于导轨间的距离，因此，当金属带被拉紧并紧固在导轨的 D 和 E 点时，金属带紧缠在滚轴上而不会有滑动。如图所示，若导轨按顺时针方向稍有倾斜，则滚轴 A 将逆时针方向转动，并把上导轨上的金属带拉长到某位置如 A′；而滚轴 B 将顺时针方向转动，并把下导轨上的金属带缩短到点 B′位置。滚轴运动的摩擦阻力，仅为滚珠轴承和滚子轴承摩擦力的 1/10。此装置于 1966 年由美国工程师 D. F. 威尔克斯发明并由他命名。

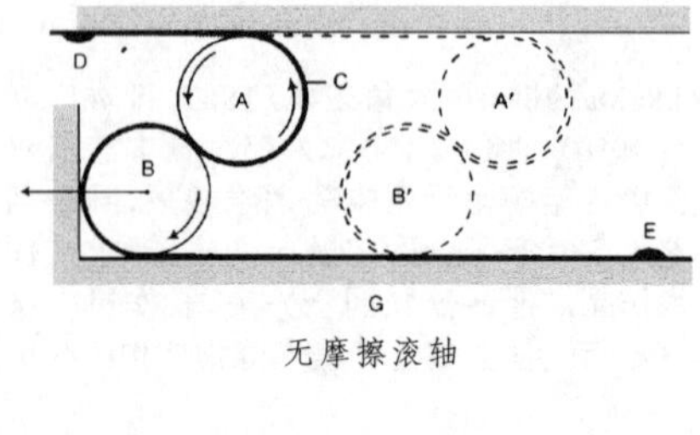

无摩擦滚轴

Roland (de La Platière), Jean-Marie 罗兰（1734-02-18，法国蒂济～ 1793-11-15，博端堡） 法国工业科学家。主要由于妻子的野心，在法国大革命期间，他成为温和的吉伦特派的首领。王家官员之子。他先后在亚眠和里昂任制造业监督。1780 年 2 月与比他小 20 岁的 J.-M. 菲利蓬结婚。两人都欢迎最初由温和资产者领导的大革命的爆发（1789）。1791 年 12 月，罗兰夫妇迁居巴黎。翌年 3 月 23 日，由于他同 J. 布里索的友谊以及罗兰夫人的影响，他在主要由吉伦特派（即布里索派）组成的内阁中出任内务大臣，后因同国王路易十六政见不合而被撤职。同年 8 月 10 日君主制被推翻，临时政府成立，他仍任内务部长。作为国民公会议员，他曾极力反对雅各宾俱乐部所主张的经济控制。在妻子的推动下，他攻击温和派领袖 G. 丹东，使丹东同 M. 罗伯斯比尔联合起来。他极力阻止给路易十六定为叛国罪。国王被处决后两天，即 1793 年 1 月 23 日，他辞去部长职务。在把吉伦特派清除出国民公会的雅各宾政变期间，他逃出巴黎，但妻子被捕。他在听说妻子被处决后自杀。

供图：Giraudon—Art Resource/美国不列颠百科全书公司

Roland (de La Platière), Jeanne-Marie 罗兰夫人（1754-03-17，巴黎～1793-11-08，巴黎） 母家姓弗利蓬。J.-M. 罗兰之妻。在法国大革命时期指导其夫的政治事业，大大地影响了温和的吉伦特派的政策。巴黎一雕刻家的女儿。她才华出众，有文化修养，熟知 J.-J. 卢梭及其他 18 世纪法国哲学家的民主思想。1780 年与罗兰结婚。1791 年夫妇定居巴黎，罗兰夫人的沙龙很快成为 J. 布里索领导下的资产阶级民主派（后称吉伦特派）的聚会场所。她最初与雅各宾俱乐部的领袖、激进民主派罗伯斯比尔友善，但于 1791 年底绝交。在雅各宾派鼓动起义时（1793-05-31），吉伦特派的主要人物被赶出国民公会，罗兰夫人被捕。在 5 个月监禁期间，她写下一部回忆录《请子孙后代公断》。在上断头台前一瞬间，她讲出“自由啊，多少罪恶假汝之名以行”这样一句名言。

Roland, La Chanson de (epic poem) 参阅 **Chanson de Roland, La**《罗兰之歌》。

Roland Holst-van der Schalk, Henriëtte Goverdina Anna 罗兰·霍尔斯特-范德斯哈尔克（1869-12-24，荷兰安泽诺德韦克～1952-11-21，阿姆斯特丹） 荷兰女诗人，社会党积极分子。出身于律师家庭。1896 年与画家 R. 霍尔斯特结婚。受英国诗人 W. 莫里斯的影响成为社会党人。诗集《新生》（1902）、《向上的道路》（1907）反映出她的政治思想。剧本《托马斯·莫尔》（1912）是献给德国马克思主义领袖考茨基的。她认为伟大的人道主义者莫尔是她所追求的人类理想的先驱。不久，她成为各国左派所熟知的人物。起初她歌颂俄国革命，但 1925 年访俄以后，在《英雄传奇》（1927）一诗中表现出她对苏联共产主义的失望情绪。此后停止政治活动。写过卢梭、托尔斯泰、罗曼·罗兰和甘地等人的传记。

Rolândia 罗兰迪亚 巴西南部巴拉那州北部城市。20 世纪引种咖啡，成为主要作物，人口骤增。也种植稻米、棉花、豆类和马铃薯等作物；乳品业亦占重要地位。公路和铁路通东面的隆德里纳。人口约 49 404（2000）。

Roldán, Pedro 罗尔丹（约1624，西班牙安特克拉～约 1700，塞维利亚） 西班牙雕刻家、画家及建筑师，以塞维利亚拉卡里达教堂的主祭坛雕刻闻名。曾从著名雕刻家 P. 德梅纳之父 A. 德梅纳学习，1656 年迁居塞维利亚。1664～1672年任塞维利亚美术学院雕刻系主任。1670 ～ 1675 年，为拉卡里达教堂制作祭坛背壁雕刻。其女路易莎是西班牙唯一的皇家女雕刻家（为国王查理二世服务）。其孙康内约也在他的影响下成为 18 世纪上半叶的主要雕刻家。罗尔丹是巴罗克后期杰

罗尔丹的塞维利亚拉卡里达教堂主祭坛背壁雕刻，1670 ～ 1675 年
供图：Archivo Mas，Barcelona

出的艺术家,他企图跨越不同艺术的界限,将绘画、雕刻、建筑结合成艺术统一体,拉卡里达教堂的祭坛背壁雕刻是其杰出范例。

Roldós Aguilera, Jaime 罗尔多斯·阿吉莱拉(1940-11-05,厄瓜多尔瓜亚基尔～1981-05-24,瓜恰纳马附近) 厄瓜多尔律师、总统。瓜亚基尔大学毕业。1968年选入厄瓜多尔议会。1976年任修改宪法和选举法委员会委员。在1978年大选中,人民力量集中党推选他为总统候选人。1979年当选为总统。上任后执行比人们所预期更加保守的政策。1980年组织自己的政党——人民、变革和民主党。死于飞机失事。

role 角色 社会学术语,指人们期望中的具有一定社会地位或身份的个人所应有的行为。角色是为社会所承认的综合性的行为模式,它提供对社会上某个个人的识别和认定其地位或位置的方法。它也可以作为应付重复出现情况的指导原则,以处理与其他角色的关系(如亲-子角色)。这个术语借自戏剧用语,强调了演员与所扮演人物的区别。尽管扮演的人不同,角色却依然相对稳定:任何一个被分配扮演内科大夫角色的人,都像任何一个扮演哈姆雷特这个角色的演员一样,应有一种人们所期望的特定方式的行为。一个人可能有一种独特的风度,但这种风度却要表现在人们所期望行为的范围之内。对于角色的期望,包括行为及品质两个方面,例如:人们期望一个教师不但会讲课、布置作业、命题考试,而且要有献身精神、关心学生、诚实和负责。个人常常同属于几个可能彼此和谐也可能彼此不和谐的地位:一个人可能是丈夫、父亲、艺术家和病人,每种角色都赋予他一定的义务、责任、特权和权利,而其他有关的人构成相互对应的角色。参阅 **social status**。

Rolf (duke of Normandy) **罗尔夫** 参阅 **Rollo** 罗洛。

Rolfe, Frederick William 罗尔夫(1860-07-22,伦敦～1913-10-25,威尼斯) 笔名巴隆·科尔武。英国作家、怪人,以其自传体幻想作品《哈德良七世》闻名。由于受新教教育,他从小就倾心于宗教,1886年成为天主教教徒。随后曾两次试图当神父,但都未能如愿,由于他秉性孤高和搞同性恋,被罗马的苏格兰学院开除。这件痛苦的事情使他终生心灰意懒。此后8年中,他处在徬徨之中,尝试过绘画、摄影、家教、发明和新闻工作。1898年,出版题为《托托告诉我的故事》一书,转述了有关天主教圣徒的传奇。该书曾给他带来一些名声。在以后的10年里,他发表的书包括一本短篇小说集《在他自己的想象中》(1901),一本历史著作《博几亚家族记事》(1901),还有两本小说《哈德良七世》(1904)和《唐·塔尔吉尼奥》(1905)。在他死后发表的著作中,著名的有《全部的欲望和追求》(1934)。罗尔夫还是一个多产的书信作者,与他的敌人进行长期、言辞激烈的书信往来。1908年去威尼斯度假,但却留在该地度过余生。

Rolfe, John 罗尔夫(1585-05-06受洗,英格兰诺福克～1622?,弗吉尼亚[今在美国]) 弗吉尼亚种植园主和殖民官员、印第安人酋长波瓦坦之女波卡洪塔斯的丈夫。1609年由英格兰去弗吉尼亚,但因海船失事,次年才到达目的地。约1612年开始试验种植烟草。当他发现当地品种不适合英格兰人的口味时,就用他从西印度群岛带来的种子进行培植。1613年6月,他把这种烟草运回英格兰,大受人们的欢迎。1614年4月5日,他与印第安人酋长波瓦坦的女儿波卡洪塔斯结婚。两年后,弗吉尼亚公司倡议他们夫妇和所生的儿子去英格兰旅行。他们一家在英格兰受到热烈的欢迎,但在1617年3月,当他们正准备返回弗吉尼亚时,波卡洪塔斯病逝。罗尔夫携子托马斯回到弗吉尼亚,再次结婚。1621年被任命为殖民地参议会参议。1622年发生惨案,他的大农场被毁,他显然是在当时死去。

Rolin, Dominique 罗兰(1913-05-22,比利时布鲁塞尔～) 比利时小说家。以接受新的叙述技巧著称。50年间共写了30余部作品,出版了大量小说,主题集中在出生、死亡和家庭等问题上。1942～1946年间,受德国浪漫主义倾向的影响,出版了三部有关家庭生活的小说。1946年定居法国。1948～1958年间发展出一种诗体的、理性化的描述家庭主题的方法。她的小说《生命的脉搏》(1952)获菲米娜奖。1960年后放弃了传统的小说写作手法,转为以激烈、尖锐的语言为标志的、勇敢的、讲究心理分析的和半自传体式的文学追求。她写自己、家庭的那些小说与战后、殖民地时期后的比利时那段分裂的历史相符。在《床》(1960)中,一个妇女讲述她丈夫的去世过程,显示了法国新小说的影响,1982年被拍成电影。《现在》(1967)一书集中描写母亲形象。《躯体》(1969)和《闪光》(1971)两部小说研究自我、躯体和写作的时-空坐标值。因受F.卡夫卡的影响,她的《写给老人的信》(1973)集中描写父亲的形象。在《两个》(1975)一书中用同一个叙述人的两个方面分别代表妇女和作者,讲述这两者之间的戏剧性冲突。在小说《冥日蛋糕》(1982)中,叙述者想象自己在2000年的死亡。后期作品包括《一连串的梦》(1994)、《天竺葵》(1993,是她在1934～1980年间发表过的短篇小说汇集)、《乐园》(1994)和《情人日记》(2000)。

Rolla 罗拉 美国密苏里州中南部城市,费尔普斯县县城(1857)。位于欧扎克山区,靠近加斯科内德河和马克·吐温国家森林(管理局设在罗拉)。1856年前后为圣路易-圣弗朗西斯科铁路工地。1890年设市。有密苏里大学(1870)。为美国矿业冶金局所在地。美国地质勘探局和密苏里地质勘探局在此设有分支机构。主要经济来源有农业、州和联邦的机构以及轻工业。人口14 090(1990)。

Rolland, Romain 罗曼·罗兰(1866-01-29,法国克拉姆西～1944-12-30,韦兹莱) 法国小说家、剧作家、随笔作家和20世纪法国文学的伟大神秘主义者之一。他的生活和作品都深深卷入到他那时代的主要社会、政治和精神事件中去:如,暴露了法国军队中排犹思想的德雷福斯事件、和平主义、共产主义与法西斯主义的斗争以及寻求世界和平等等。14岁

美国不列颠百科全书公司供图

时前往巴黎求学,后考入高等师范学校,抛弃宗教信仰,喜读斯宾诺莎和托尔斯泰的作品,显出对音乐的兴趣。他还研究历史(1889),1895年获艺术博士学位。其后被派往意大利,在罗马法国学校任职两年。起初罗兰试写剧本,但未能获得广大的观众也未能激起英雄主义和对民族的信心。他将自己的剧本收在两个集子中:《信仰的悲剧》(1913)和《革命剧》(1904),后者包括有关德雷福斯事件的描写以及《群狼》(1898)、《丹东》(1900)等。1912年起专事写作。他的第一部最著名小说《约翰·克利斯朵夫》(10卷,1904～1912)和一本小册子《超乎混战之上》(1915)的出版,使他获1915年诺贝尔文学奖。后者呼吁德法两国在第一次世界大战的斗争中尊重真理和人性。他的思想成为当时激烈争论的焦点,直到1952年他的《战时日记,1914～1919》发表,才被人们彻底理解。1914年迁居瑞士,1937年返回法国。他对于英雄主义的热情表现在他所著的一系列名人传记中,如《贝多芬传》(1903)、《米开朗琪罗传》(1905)、《托尔斯泰传》(1911)。在所有的音乐家中,罗兰认为贝多芬是属于全世界的。他的杰作《约翰·克利斯朵夫》把多卷连续性长篇小说形式引入法国,是自有小说以来最长最为优秀的一部作品。它富于诗意,在结构和风格上近似史诗,描述一位很有创造才能的艺术家所面临的一连串危机,这位德国血统的音乐天才约翰·克利斯朵夫,一半像贝多芬,一半像作者自己,对生活的热爱一直激励着他,甚至在逆境中也是如此。这位年轻的德国人和一位年轻法国人的友谊象征着"对立的和谐",罗曼·罗兰认为这种关系将最终在世界各个国家之间建立起来。在讽刺作品《哥拉·希勒尼翁》(1919)之后,他出版了第二部连续性长篇小说《母与子》(7卷,1922～1933,旧译《欣悦的灵魂》),揭露了政治宗派主义的恶果。20世纪20年代,他转向研究亚洲,特别是印度,发表了《甘地传》(1924),寻求向西方解释印度的神秘哲学。罗曼·罗兰善于体会他人的见解,具有非凡的理解力。他与当时普遍受人敬仰的知名人士施韦策、爱因斯坦、罗素和泰戈尔的大量信件发表于《罗曼·罗兰书信集》(1948)。他死后发表的《回忆录》(1956)和私人日记证明了一个在人

类的爱支配下的作家所具有的非凡的正直感。

Rolle, Richard 罗尔（约1300，英格兰约克郡桑顿［今在北约克郡］～1349-09-29，约克郡汉姆波尔［今在南约克郡］） 英格兰奥秘神学家，著有神秘和苦行小册子多种，罗尔曾求

不列颠图书馆供图

学于牛津大学，因不满该校的课程设置和好辩之风，不等获得学位便离校而去，隐居于道尔顿的庄园，后迁移他处隐居，从此或许漂泊不定，虽引起一些反对，但更多的是钦佩。他同英格兰北部地区的一些教会保持联系，或许还曾任约克郡汉波尔隐修院修女的灵修顾问直至去世。罗尔的贡献在于为妇女编写通俗语言本灵修散文，他本人的著作有时难以区别于他的门人和仿效者的著作，然而，从确知为罗尔亲笔的英文或拉丁文著作可以发现，他宗教热情极高，重视与上帝进行灵魂交流的喜乐。他提倡信徒过隐居默念的生活。他的拉丁文著作过分讲求修词，而他的英文著作则生动灵活，深刻感人。他的影响和名声一直很大，直到宗教改革运动之时。

roller 佛法僧 佛法僧目佛法僧科（Coraciidae）旧大陆鸟类，约12种。求偶表演时俯冲并翻筋斗，故英语名意为"打滚的鸟"。本科有时也包括地鸡和鹃鸡。栖居于欧洲、非洲、澳大利亚的温暖地带。体长25～32厘米。形似粗壮短腿的松鸦，多为蓝色或紫罗兰色。集群，噪杂，觅食蝗虫、飞行蚁类和蜥蜴。巢多在树洞中，有几种在白蚁巢内挖洞。普通佛法僧（蓝胸佛法僧，*Coracias garrulus*）体长30厘米，见于欧洲南部到亚州西部，翅蓝色，色鲜艳，带黑边。参阅 **ground roller; Cuckoo roller**。

roller 镇压器 用于破碎耙地后留下的土块和压实土壤以消除其大空隙的农具。光面

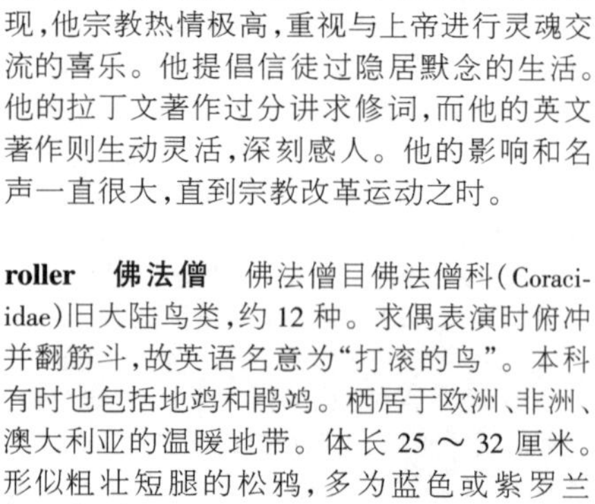

镇压器
供图：John Deere

镇压器常用来压实被冬季冻胀而毁掉的牧场。单辊式或列辊式瓦楞面镇压器用于压碎土块和压实犁过的土壤。一种通常称作滚子式镇压器或压实器具有一些很重的楔形轮，轮径约1米，常在旱季对犁过的土地进行压实。

roller bearing 滚子轴承 滚动（或减摩）轴承的一种，另一种为滚珠轴承。与滚珠轴承一样，滚子轴承也有两个套圈，只是把滚珠换成滚子。滚子或为圆柱体，或为截头圆锥体。滚子为圆柱时，只能承受径向载荷；用圆锥滚子则可同时承受径向和轴向载荷。滚针轴承的滚子细长，并完全填满套圈之间的间隙；在许多情况下省去了内圈。滚子与套圈为线接触，而在滚珠轴承中则为点接触，故在一定条件下，滚子轴承比滚珠轴承能承受更大的径向载荷。

roller-skating 旱冰运动 娱乐与竞赛的运动项目。参加者穿上装有小轮子的特制鞋在旱冰场上或平坦路面上滑行。传统的看法认为，旱冰运动是比利时人J.墨林在18世纪60年代发明的。但是第一双实用的四轮鞋是美国马萨诸塞州梅德福的J.普林顿于1863年设计的。此后在整个美国和西欧掀起了一股很大的娱乐性旱冰热，同时建起了许多旱冰场。原来旱冰鞋的轮子是用木或金属制成的，到了20世纪后期，开始改用比较轻的聚氨基甲酸乙酯塑料，用这种材料做成的轮子能更好地咬住地面。另一项革新是用单排轮子代替呈正方形排列的4个轮子。19世纪90年代，旱冰速滑比赛作为一项体育运动而兴起，它在整个20世纪前25年一直为人所喜爱。后来，在美国由职业速滑队在倾斜的跑道上表演"旱冰比赛"，主要是表演性质。旱冰比赛在椭圆形跑道上逆时针方向滑行，分男子、女子和接力等项目，也可以在公路上进行越野赛。规则和技巧均与滑冰类似。旱冰花样舞蹈和花样旱冰分别于1910和1923年出现，在很多方面与滑冰中的舞蹈和花样滑相同，并使用相同的竞赛裁判和熟练程度测验。管辖着国际性的旱冰艺术、旱冰球和旱冰速滑比赛皆由成立于1924年的国际旱冰运动联合会主持。第一届世界锦标赛于1937年举行。

rolling 轧制 在工艺学中，使熔融金属、玻璃或其他物质成为截面尺寸比长度为小的形状（如加工成棒、板、杆、钢轨、梁和线材等）的主要成型方法。轧制是应用最广的金属成型方法，对制造建筑业和其他工业用钢材特别重要。可以热轧，也可以冷轧。生产工艺是使金属在若干对轧辊间通过，每对轧辊的转速相同，但转动方向相反，其间隙稍小于金属的厚度。钢件厚度的变化程度取决于轧制温度，温度越高，钢的塑性越好。冷轧是未经加热的棒料、板材或带材送经轧辊轧制，通常要轧几次才轧成所需形状。冷轧往往接热轧之后，是为了获得更好的机械性能和加工性能、特殊形状、光亮表面或热轧所不能生产的细薄产品。1783年H.科特将轧制引进钢的生产并改进了工艺。自从科特早期采用有槽轧辊的轧钢机以来，其生产工艺和轧机规模有了不断的发展。现代轧机有多到4对轧辊，一对在另一对上面，钢料连续地通过一对轧辊，进入另一对，然后再折回，直至达到所需形状。半成品轧钢机把料轧成矩形截面以待进一步加工，成品轧钢机生产直接用于制造业的钢材。在玻璃生产中，轧制也是重要的生产工艺。熔融玻璃流过一对轧辊，利用轧辊间的空隙控制玻璃板的厚度。轧制是生产玻璃的极快方法，但生产的玻璃表面因和金属轧辊接触，品质不高。

Rolling Stones 滚石乐队 英国音乐小组，是摇滚乐队中寿命最长、最受欢迎的乐队之一。最初由M.贾格尔（1943年生）、K.理查兹（1943年生）、B.琼斯（1944-02-28～1969-07-03）、B.怀曼（1941年生）和C.瓦茨（1941年生）5人组成。1969年M.泰勒取代琼斯，1976年R.伍德又取代泰勒。滚石乐队组建于1962年。当时一直断断续续在伦敦一个布鲁斯乐队演出的贾格尔、理查兹和琼斯吸收怀曼一起组成自己的演出小组。瓦茨于1963年加盟。贾格尔是领头的歌唱演员，琼斯和理查兹弹吉他，怀曼奏低音吉他，瓦茨击鼓。"滚石"这一名称得自美国布鲁斯音乐家M.沃特斯的一首歌曲。滚石乐队于1963年开始在英国发展了一批听众；至1966年一首又一首优秀歌曲使它成为摇滚乐听众心目中仅次于甲壳虫乐队的最风靡一时的乐队。自1964年起，这一小组演出的歌曲大多出自贾格尔和理查兹笔下。60年代末、70年代初，随着《乞丐的宴会》（1968）、《让它流血》（1969）、《黏糊糊的手指》（1971）和《流亡梅因街》（1972）等唱片集的发行，滚石小组名声大振，达到顶峰。至20世纪晚期，在甲壳虫和其他60年代的正统摇滚乐队先后解体很久后，滚石乐队仍在继续演出。该乐队的音乐的特征是强烈的基调强节奏、一针见血的讽刺性歌词、简明但富有表现力的乐器伴奏和贾格尔的受布鲁斯影响的演唱。

Rollinia 罗兰氏树属 木兰目番荔枝科的一属。65种，乔木或灌木，原产热带美洲。许多种的果实可食用，外形及味道均似番荔枝。黏液罗兰氏树（*R. mucosa*）和美脉罗兰氏树（*R. pulchrinervis*）均俗称比里巴树，栽培食用其果实。本属大多数种是具刺、分节、绿皮的小乔木，果实柔软，直径约7.6厘米。花瓣6枚，外轮3枚，距状，内轮3枚，细小。

Rollins, Sonny 罗林斯（1930-09-07，美国纽约州纽约～ ） 美国爵士乐音乐家，次中音萨克斯管演奏家，20世纪50年代中叶以来最擅长用这一乐器的即兴演奏家之一。1949年曾与B.鲍威尔一起演奏，1951年又开始与M.戴维斯合作录制唱片。其后3年中创作了他的3首最著名的曲调：《奥莱奥》、《情妇》和《艾尔金》，并继续与戴维斯、C.帕克等人合作。1955年起一度是C.B.-M.罗奇五重奏小组成员，其后4年是他成果最丰硕的时期。最初的风格主要受帕克的影响，后来成为次中音萨克斯管大师，将引人入胜的创造力与萨克斯管的演奏技巧相结合。其即兴演奏的

思路之清晰在爵士乐史上十分突出。他的风格对 60 和 70 年代先锋派萨克斯管演奏者影响特别巨大。

Rollo 罗洛(约860～约932) 又称罗尔夫。斯堪的纳维亚海盗、诺曼底公国创始人，后成为传说中的伟大人物。他脱离挪威国王哈拉尔一世后，乘船前往苏格兰、英格兰、佛兰德和法国，从事海盗活动。约 911 年定居在塞纳河一带。法国国王傻瓜查理三世曾抵御他包围巴黎，在沙特尔附近与他作战，后签定《埃普特河畔圣克莱尔条约》，把纽斯特里亚的部分地区划归给他，即后来的诺曼底。作为交换条件，他同意结束海盗活动。他临终之前，把公国的统治权交给他的儿子朗斯沃德威廉一世(927)。罗洛 912 年受洗礼，但据说死时仍为异教徒。

Rolls, Charles Stewart 罗尔斯(1877-08-28，英格兰伦敦～ 1910-07-12，汉普郡伯恩茅斯) 英国汽车驾驶员、飞行员和汽车制造商。1910年6月首次完成跨越英吉利海峡的不

供图：BBC Hulton Picture Library

着陆往返飞行，并多次参加欧洲早期传统的远程汽车竞赛。1906 年同 H. 罗伊斯创办罗尔斯-罗伊斯汽车公司。他死于飞行事故，是因飞行事故遇难的第一名英国飞行员。

Rolls-Royce PLC 劳斯莱斯公司 旧译罗尔斯-罗伊斯公司。生产飞机发动机、航海推进系统、发电系统的大型英国制造商。在 20 世纪主要以生产奢侈轿车闻名。1906 年 3 月成立，1971 年 2 月破产。公司破产后改组成为两家独立的公司：①劳斯莱斯公司(1971)，内有前劳斯莱斯公司的喷气式发动机的分部，1971 年由英国政府投资设立，由国营企业局管理。总公司设在伦敦。②劳斯莱斯汽车公司，由前公司其余股东占有的公众性公司。1973 年 5 月成立，包括所有从事制造汽车和其他工程技术产品(如内燃机、汽车和飞机部件、工业用机车、轻型飞机)的分部。总公司设在德比郡德比。多年来原劳斯莱斯公司除了生产各式汽车外，又从事飞机发动机的制造，这项业务终于成为公司业务中最大的和盈利最多的部分。飞机发动机这一系列产品是以 1914 年的鹰式发动机为开端的。后来又生产过彗星式、卡拉韦尔式和协和式喷气飞机所使用的发动机。但在 20 世纪 60 年代后期和 70 年代初期，该公司和洛克希德飞机公司订立了一份固定价格的合同，生产装置在 L-1011 三星式巨型喷气客机上的 RB211 式发动机。这次劳斯莱斯公司经理部门作了一系列的错误估计，大大低估了生产费用。生产成本过高和生产安排混乱导致公司不得不在 1971 年宣告破产。1980 年，劳斯莱斯汽车控股有限公司被维克斯公司收购。维克斯公司是英国的制造和设计公司，一直是国防承包商，在 1981 年成为公共有限公司。1983 年，劳斯莱斯有限公司与其他四家美国、欧洲、日本公司组成国际航空发动机公司，开发中短途喷气客机使用的 V2500 涡扇发动机。1987 年，英国政府将劳斯莱斯公司私有化，将政府持有的股票卖给了私人投资者。3 年后，公司与德国汽车制造商宝马组成合资公司联合开发中小型喷气发动机。2000 年，劳斯莱斯完全控制了该合资公司，而宝马获得了母公司劳斯莱斯 10% 的股份。1997 年，维克斯集团宣布计划出售劳斯莱斯，两大德国汽车制造商大众和宝马投标。根据第二年签署的协议，大众收购了劳斯莱斯的汽车经营业务，而宝马收购了使用劳斯莱斯品牌的权利。宝马授予大众制造和出售劳斯莱斯品牌汽车的许可。2002 年底，宝马开始在新工厂制造劳斯莱斯品牌的汽车。而收购了原劳斯莱斯在英国的厂房的大众建立了劳斯莱斯-宾利汽车公司，专门开发宾利汽车。

rolltop desk 活动顶盖写字台 装有可以卷缩的活动顶盖的写字台。顶盖由狭长的木条粘在一种可卷缩的材料上制成，沿写字台顶端的滑道或沟槽滑动，可把桌面盖住，并锁

18 世纪的法国活动顶盖写字台
纽约大都会艺术博物馆供图

上。这种写字台 18 世纪末由法国传至英格兰，19 世纪末成为办公室标准设备，大量生产。但此后不久就不再流行了。

Rölvaag, O(le) E(dvart) 罗尔瓦格(1876-04-22，挪威海尔格兰登纳岛～ 1931-11-05，美国明尼苏达诺斯菲尔德) 挪威裔美国小说家、教育家。以描写挪威移民在达科他草原上的生活以及移植文化与本地文化的冲突而闻名。1896年移居美国，1908年入美国籍。曾就读于明尼苏达州圣奥拉夫学院和挪威奥斯陆大学，大半生在圣奥拉夫度过，在那里任挪威语言和文学及挪威移民史教师。用挪威文写作，后与所写著作的英译者密切合作，将其译成英文。他用史诗般的气魄描绘拓荒的情景，但是对拓荒在人的道德准则方面所付出的代价表示悲叹。1925 年创建挪威裔美国人历史协会，孜孜不倦地劝告移民们保留其习俗、语言和教会。《在那些日子里》(1924)

圣奥拉夫学院供图

和《王国已创建》(1925)两书的英译本名为《人间巨人》(1927)，是他最好的小说，描写了书中人物佩尔·汉萨拓荒的积极方面和他的妻子贝雷的消极方面。《胜利的佩德尔》(1929)和《他们列祖的上帝》(1931)把上述小说续写到第二代人。

Roma(Italy) 参阅 **Rome** 罗马。

Roma 罗马 澳大利亚昆士兰州中南部城镇。马罗诺农牧业地区的主要居民点。临邦吉尔河。铁路、航空、公路通东南偏东 510 千米的布里斯班。服务于羊、牛、小麦、葡萄和乳品产区。镇内有屠宰、面粉、锯木、黄油加工和酿酒等工厂，还有牲畜市场。20 世纪 60 年代发现储量丰富的天然气。附近地区有高产油井。人口6 673(2001)。

Romaic language 现代希腊语 参阅 **Demotic Greek language** 通俗希腊语。

Romain du Roi 皇家罗马体 印刷业中的一种罗马字字体。1692 年法国国王路易十四责令不惜工本铸造一套专供皇家印书局使用的铅字，科学院的一个委员会负责

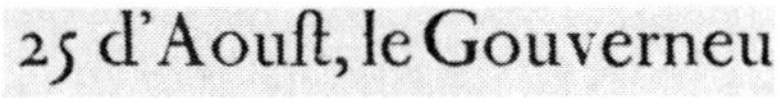

P. 格朗让镌刻的专为路易十四设计的皇家罗马体
美国不列颠百科全书公司供图

设计图样，由 P. 格朗让镌刻。全部成品计有 21 种不同大小的正体和斜体字母，全套铅字共 82 副，于 1745 年铸成。

Romains, Jules 罗曼(1885-08-26，法国圣于连-沙普特伊～ 1972-08-14，巴黎) 路易·法里古勒的笔名。法国小说家、剧作家、诗人和“一体主义”文学运动的倡导者。著有两部蜚声世界的作品——喜剧《克诺克医生》和连续性长篇小说《善意的人们》。曾在巴黎高等师范学校攻读科学和哲学。后放弃哲学教席，1919 年开始专事写作。1940 年德国侵占法国时，他前往美国避难直至战争结束。1946 年被选为法兰西学院院士。第一次世界大战前，罗曼主要以诗人和“一体主义”运动的倡导者而为世人所知。“一体主义”是一个四海之内皆兄弟的信念与集体意识的心理概念相结合的运动，它强调集体情感的超群力量和作为一个整体的人类生活的共同体——如一个村庄、工厂或学校，而不强调构成它的个人

的生活。他的第一部重要诗集就是《一体的生活》(1908)。他的最受欢迎的作品是喜剧《克诺克或医学的胜利》(1923;《克诺克医生》,1925),以莫里哀的喜剧传统讽刺某些江

供图:H. Roger-Viollet

湖医生骗人的花招。他的第一部重要的集体主义小说《某人之死》(1911),描述一群人对社会上一个无足轻重的人之死所作的反应。他的杰作《善意的人们》(共 27 卷,1932 ~ 1946),试图再现法国社会从 1908 年 10 月 6 日至 1933 年 10 月 7 日整整一个时代的精神。书中没有主要角色或家庭作为叙述的核心,出场人物为数可观。"善意的人们"指正直和仁慈的人们,尊重他人的见解并具有幽默感的男男女女,他们往往不为别人所注意,在黑暗中摸索,为自由而奋斗。

Roman 罗曼 罗马尼亚东北部尼亚姆茨县城市,在摩尔多瓦河和锡雷特河汇合处。为摩尔达维亚执政亲王罗曼·穆沙特所建。在自西北的苏恰瓦至多瑙河港口的锡雷特河谷道路中途,作为小的贸易居留地而发展起来。古迹有 16 世纪的大教堂和历代防御工事的遗迹。工业有历史悠久的制糖厂、轧管厂和建筑材料厂。人口约 82 211(1997)。

roman 罗马体 在印刷业中,西方印刷术史上三大字体之一。其余两种是斜体和黑体(又称哥特体)。这三种字体中,最重要并使用最广的是罗马体。自 15 世纪中期开始使用活字印刷以来,镌刻工作者力求使活字的

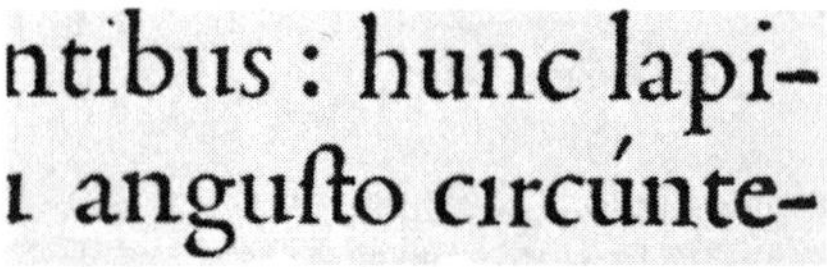

1495 年书籍中的罗马体

供图:Monotype Corporation Ltd.

字体尽可能像书法家的手写体那样多种多样。最早的印刷品用黑体排印,这是一种精细装饰的铅字,使用时不易阅读,而且空白较多,浪费纸张。易镌刻、易阅读的新字体产生于隐修院的缮写室,书法家大概在人文学者敦促下,试行仿制一种他们认为在古罗马曾经使用过的字体。同黑体相比,这种字体简单、容易辨认,并且不加修饰。公认罗马字体的最初使用者,不是 1464 年斯特拉斯堡的 A. 鲁施,就是 1465 年意大利苏比亚科的两名德国印刷商斯韦恩海姆和潘内尔茨。荣誉究应属于谁,就要看"公认罗马"字眼作何解释了。威尼斯的一名印刷商事实上于 15 世纪 60 年代晚期获得镌刻罗马体的专利,但不久即去世,这项专利于一年后失效。罗马体初次使用后不到 100 年,就取代了以前的各种字体,只有德国一个国家直到 20 世纪中期还主要使用黑体。罗马体经许多天才的字体设计家改进之后,已成为书籍印刷工艺上的"标准字体"。

roman à clef 真人真事小说 描绘真实的知名人士,略事乔装使之成为虚构人物的小说。这种传统可追溯到 17 世纪的法国,当时贵族文人圈子中的上流成员,如斯居代里,把路易十四宫廷中的名人当作小说人物来陈述,使历史小说变得生动活泼。在 20 世纪,毛姆的《月亮和六便士》(1919)被认为与画家高庚的生平有关,而他的《大吃大喝》(1930)据说包含着小说家哈代与 H. 沃波尔(一译华尔浦尔)的漫画形象。A. 赫胥黎的《旋律与对位》(1928)和西蒙·德·波伏瓦的《达官贵人》(1954)属于更常见的真人真事小说类型,书中假托的人物只有在知情者的小圈子中才会立刻被识破。

Roman alphabet 罗马字母 参阅 **Latin alphabet** 拉丁字母。

Roman Catholic Church of Romania 罗马尼亚公教会 东仪天主教会之一。1699年土耳其将特兰西瓦尼亚地区割让给信奉天主教的哈布斯堡帝国,罗马尼亚正教会大批信徒奉帝国政府命令改奉天主教。1948 年该教会被共产党政府依法取缔,公教会领导人多数被捕或被驱散。其余教士连同大批信徒参加东正教会。在美洲和欧洲该派信徒现在约有 1 万人。

Roman Catholicism 天主教 又译罗马公教。基督教中信徒人数最多、历史最悠久的单一教会。同基督教其他教会相比,天主教的特点是:组织形式严格集中;教义统一;礼仪一致,重视传统与成例;在现存信仰或实践与过去信仰或实践脱节时创造或充实传统;保有复杂的教阶体制以及神职人员级别制度;神职人员与在俗人员严格区别。

天主教的历史 天主教自称从《新约》时代的教会一脉相承而来。早期基督教会绝大多数信徒来自包括奴隶的下层阶级。314 年,罗马帝国君士坦丁大帝发布通称《米兰敕令》的一组文件,规定基督教为合法宗教。到了4 世纪末,基督教已成为罗马帝国国教。在此期间,教阶体制逐步形成,这种体制直到宗教改革运动之前基本稳定未变。中世纪欧洲出现大学,基督教学术研究兴起。同时隐修院也纷纷成立。中古时期早期特别是 4 ~ 7 世纪,重大宗教会议次第举行。当时,教会热衷于财富与权力,内部已在腐化,大大丧失道义权威。1517 年 10 月 31 日路德在维滕贝格教堂张贴《九十五条论纲》,宣告宗教改革运动开始。路德死于 1546 年,其时,欧洲许多国家已不再效忠于教皇。天主教会为了应付这种危机,发动反宗教改革运动,其具体表现形式即是 1545 ~ 1563 年的特伦托会议。这些会议确立反对宗教改革的教义原则,同时采取措施以纠正给新教以口实的较为显著的道德败坏现象。会议使权力更加集中于教廷,从而严肃教会组织纪律。17、18 世纪,天主教会在各方面衰退不振,19 世纪仍然没有起色。在第一次梵蒂冈会议(1869 ~ 1870)以后的一百年间,欧洲不少国家的政府不断攻击天主教会。此时天主教会虽失利于欧洲,却由于大批欧洲人迁居美洲而使美洲成为天主教最兴旺的地区。20 世纪上半叶,天主教长期与意大利法西斯主义和德国国家社会主义进行斗争,同时采取坚定立场反对共产主义。在内部,天主教会对现代派神学的斗争进行到 1907 年为止,但现代派终于在第二次梵蒂冈会议(1962 ~ 1965)上获得成果。这次会议推翻特伦托会议的决议,不再要求天主教以不变应万变。第二次梵蒂冈会议可以说在天主教会内部引起一场革命,其深刻性不亚于宗教改革运动。

天主教的组织形式 根据使徒传承教义,天主教会认为自己是耶稣基督亲创教会的合法继承者。教会的负责人主教共同组成一个集体,继承使徒的集体。各个主教,只有在不脱离这个集体时才是使徒的继承人。教皇是彼得的继承人,而彼得是耶稣所任命的使徒集体的首领。天主教的枢机分为枢机主教、枢机司铎和枢机助祭。这些称号与级别没有关系,自从教皇约翰二十三世以来,枢机全部是受神职的主教。早期罗马市郊的七个主教本堂区各选枢机主教一名,从 1965 年起东方天主教会各教区也各选枢机主教一名。枢机司铎与枢机助祭代表罗马教区的神职人员,每人在罗马市内负责一处教会。在教皇尼古拉二世(1059 在位)之前,唯有枢机主教有权选举教皇。自从教皇亚历山大三世(1159 ~ 1181 在位)以后,教皇由整个枢机团选举。枢机团既然是选举教皇的机构,它也就是教皇的主要咨询机构。在现代,主教的职责从表面看来主要是主持主教区的各种事务,而不是照抚与训导教徒。司铎是基层机构负责人,司铎如非本堂司铎,不参加管理工作,本堂司铎由众司铎中的模范理想人物充任。教友在本教区听司铎讲道,崇拜、接受圣事并接受指引。天主教的修会分别由男信徒或女信徒组成,修士过集体生活,发神贫、贞洁和听命三愿。修士不见得是神职人员,神职人员也可以居住在俗区。天主教的第一部教会法是教会法学家格拉蒂安在 1142 年编纂的,称《格拉蒂安教令》。以后,1234 年教皇格列高利九世、1298 年卜尼法斯八世和 1317 年约翰二十二世的谕令以及 1500 年的两部《增补》先后编入集中,统称《教会法大全》。《教会法大全》内容不完备而篇幅庞大,需要加以整理。1904 年教皇庇护十世颁布一份文件,编纂工作宣告开始,1917 年完成。1918 年教会法典正式生效。此后这部法典一直是天主教会的根本法。

天主教的信仰 基督教各派的共同信仰观点源起于《新约》。然而《新约》的信仰观点难以简单概括,其含义内容有十分不同的解释,结果即使在同一派别中也往往各执一词。早在宗教改革运动之前,天主教教义已经逐步将重点从《新约》转移到亚历山大派神学以

及奥古斯丁神学思想。根据这种神学观念，信仰首先是接受启示，而启示乃是教理的启示，其真正内容是奥秘。第一次梵蒂冈会议文件十分强调这个主题。提出奥秘这一个主题，是要答复18、19世纪所兴起的思想运动，这种思想运动具有不同名称，如启蒙运动、理性运动、科学主义及历史主义。天主教会认为这种思潮威胁关于神圣启示的教义，而人类仅凭理智则不可能理解天主的真实性。天主教神学认为，圣传既是渠道又是内容。作为渠道，圣传就是天主教会的训诲权的实际运用。作为内容，圣传是"信仰的宝库"，也就是上帝所启示的有关信仰与道德的真理。根据天主教教义，使徒死后，启示也就终结；但其宝库则转交与使徒的后继人即主教团。天主教会认为《圣经》是上帝的话，圣传是教会的话。天主教会在为新信徒施洗礼时依旧要求背诵《使徒信经》，这就表明，天主教信徒必须相信其中所载的教义信条。

天主教的礼仪 天主教礼仪以一年为周期，用节日纪念耶稣基督的诞生、死亡、复活和升天，一年的礼仪中插有对圣徒的崇拜。经过现代的礼仪改革，圣徒崇拜已大为减少。天主教会在6世纪才以拉丁语为礼仪语言。原来在罗马帝国时代希腊语是正式礼仪语言。根据教义，圣事为耶稣基督所制定，是外部的象征，但可以使人内心蒙受上帝的恩惠。圣事共有七件，即圣洗、坚振、圣体、告解、终傅、婚配以及授神品。

天主教与世俗世界的关系 从4世纪到10世纪，罗马教会致力于向蛮族传教。从10世纪到16世纪传教工作不振。但到了欧洲国家向外扩张时期，几个天主教国家最先行动，于是天主教随之传到南北美洲、亚洲和非洲。从君士坦丁大帝时代起，政教合一原则支配着天主教会的历史，但是第二次梵蒂冈会议宣言说，天主教会承认，现代世俗的多元国家，是合法的政治机构。这次会议还宣称，教会不是政治团体，也不为推行教务而请求政治上的支持。会议宣布尊重宗教信仰自由。天主教会反对任何形式的社会主义，坚定地反对马克思共产主义。近年来，反对社会主义的态度逐渐有所缓和，而天主教会仍主张资本私有，不主张资本国有化。但是在关于成立工会等问题上，天主教会目前的主张已有所改变。天主教关于家庭的主张是保守的；许多人都不再认为家庭是社会的中心、伦理的中心，而天主教会却坚持这种看法。天主教既然主张巩固家庭，当然反对离婚；天主教一贯认为：婚配的主要目的是生养教育子女；既然实行严格的一夫一妻制，通奸行为就难以绝迹，天主教会认为通奸比离婚尚且可容。1968年教皇保罗六世发表声明，重申反对计划生育，但许多天主教人士认为，他仅仅是运用权威，颇不以他的主张为然。

Roman Curia 罗马教廷机构 辅佐教皇日常对天主教会行使最高权力的各个梵蒂冈机构。教廷的形式是16世纪教皇西克斯图斯五世确定的。教廷在传统上与枢机团相联系。20世纪初教皇庇护十世改组教廷，其后教皇保罗六世又对之进行进一步改组。国务卿是掌握教廷工作的枢机，负责领导国务院及教会公共事务理事会。教廷各圣部分管各方面行政事务。信理部的前身是声名不佳的罗马异端裁判所，现主要从正面宣传正统教义并保护被控偏离正统者的权利。该部原负责掌握的《教廷禁书目录》现已废除。另有东仪教会部、主教部、圣事礼拜部、圣徒事业部、圣职部、宗教与世俗研究部、公教教育部和传信部。教廷司法机构有宗座钦准法庭即最高审判机构、罗马圣轮法庭（审理向梵蒂冈上诉的教会案件，尤其是涉及婚姻合法性的案件）以及宗座特赦法庭（处理各种良心问题）。此外还有各种办公机构和秘书处。

Roman de Fauvel 《福韦尔传奇》 法国作家G.迪·比斯创作的诗篇，不仅具有文学价值，而且是音乐史上一部重要文献。该诗抨击当时政治与宗教生活中的种种弊端。主人公福韦尔是一匹黄褐色的牡马，其原文fauvel一词的6个字母代表6种罪恶的法语名词的首字母。在这首诗的一份手抄稿中（标明为1316年，现存巴黎国立图书馆），有130首音乐作品夹杂在故事叙述之中，是一部异常丰富的、延续时间长达150年的曲目选集。它们有的保留原状，有的已按新的要求加以改编，有些附有题目索引，这些大概是专为这部《传奇》而作的。其中5首是法国作曲家P.德·维特里所作，属新艺术风格的最早作品。这种风格是维特里协助创始的。此诗现代版于1914～1919年间由A.朗福斯编订出版。音乐已译成现代记谱，收入L.施拉德的《14世纪复调音乐》（第1卷，1956）一书。

Roman de la Rose 《玫瑰传奇》 中世纪后期法国最流行的诗歌之一。以奥维德的《爱的艺术》（约公元前1世纪）为蓝本，全诗有21 000余行的八音节对句，存留于300多页手稿中。开头4 058句的作者名纪尧姆（德·洛里）（洛里是奥尔良附近的村庄），其生平不详。这一部分写于1225～1230年，是向一个以玫瑰花苞为象征的少女求爱的寓言，故事发生在一座代表显贵社会的花园内。此后一直都没有人写出令人满意的结尾，直到大约1280年让·德·默恩采用纪尧姆（德·洛里）的情节，借以广泛传播有关当代各种问题的知识和意见。原主题因有上千行人物的详尽对话而常显得晦涩，但是使这首诗能够闻名遐迩的恰就是这些题外话。中世纪英文版本中的起始1 705行是由乔叟翻译的，包括所有纪尧姆所写的那部分，另有让·德·默恩的3 000行。对乔叟作品最有影响的是原始的《传奇》，他不但在其中找到理想的爱情，从青年到老年，对此始终不渝，并且在他大多数成熟的作品中都能找到传奇中的指点和诗意的范例。

Roman-Dutch law 罗马-荷兰法 指15世纪到19世纪尼德兰的荷兰省实行的法律制度。荷兰人把这种法律制度推广到他们的殖民地，而在后来转归英国人所有的那些地区中（如锡兰沿海地区——现斯里兰卡、好望角和南美沿海殖民地英属圭亚那——现在的圭亚那），这种制度也被保留下来。在锡兰，它又被扩大到康提各个地区（1815年为英国吞并）；而在非洲南部，19世纪时传到了德兰士瓦共和国、奥兰治自由邦和英属殖民地纳塔尔。如今，罗马-荷兰法通行于南非、纳米比亚、莱索托、津巴布韦、斯威士兰和博茨瓦纳。它在斯里兰卡已不大适用，而在圭亚那则于1917年被英国的普通法所取代。在上述地区，某些本地法和习惯法仍为大家所承认，但这些国家的一般法律在许多方面已与原来的大不相同。到15世纪和16世纪，荷兰省和北欧其他地区（尤其是德意志地区）都"接受"了经过中世纪法律家加以注释的罗马法，同时以各种不同的方式和当地一般的习惯结合起来。这些习惯是以已经接受到罗马法影响的日耳曼宗族法（法兰克法、弗里希法、撒克逊法）为基础的。影响罗马-荷兰法律制度的又一个因素是勃艮第人与西班牙人统治时期的法令，其中大部分是在16世纪颁布的。结果产生了所谓罗马-荷兰法的混合制度，到1809年被拿破仑法典取代以前，尼德兰一直实行这种法律制度。到1838年，拿破仑法典又让位给荷兰民法典。在那些仍属于荷兰的殖民地中，旧的法律同样也被废除。在各种判例和主张的汇编以及17和18世纪期间荷兰法学家格劳秀斯及其他法学家力图把罗马-荷兰法归纳为一个体系的法学著作中，可以看到有许多罗马-荷兰法。罗马-荷兰法在荷兰的殖民帝国内施行了几个世纪。在一些殖民地转手给不列颠王国以后，旧法律发生了重大的改变，部分原因是由于社会、经济条件起了变化，还有部分原因是出自英国法律的惯例和制度产生的影响。在德兰士瓦和奥兰治自由邦共和国期间施行的英国法律，对刑法与刑事诉讼程序、民事诉讼程序、证据和宪法，特别是对商务方面的公司法、汇票法、海商法以及保险方面留下的影响十分显著。而侵权行为法或不法行为法受英国原则的影响也很大。另一方面，在涉及财产、人身、继承的法律以及在较小程度上涉及契约的法律方面，也留下了罗马-荷兰法的显著特征。例如，在南非与斯里兰卡，约因（当事人双方对等物的协议）对契约的有效性并非是必要的。在南非，大部分法律都经过修改、解释和统一；许多规则已被宣布废弃不用。但是受过罗马-荷兰法影响的许多地区，罗马民法大全的文本仍被当作权威加以引用，并且仍然是通过格劳秀斯等人的著作去解释的。

Roman Empire 罗马帝国 参阅**Roman Republic and Empire**罗马共和国与罗马帝国。

Roman Empire, Eastern 东罗马帝国 罗马帝国的东半部，它在公元5世纪后半期西半部灭亡后又存在了1 000年，作为拜占廷帝国（**Byzantine Empire**）延续至1453年。

roman-fleuve 连续性长篇小说 即系列小说，每一部都自成一体，描写一个中心人物、民族生活中的一段时期，或一个家族的连续几代人。在巴尔扎克的《人间喜剧》和左拉的《鲁贡玛卡家族史》的启发下，连续性长篇小说成为20世纪上半叶法国一种很受欢迎的文学类型。如罗曼·罗兰的10卷长篇小说《约翰·克利斯朵夫》（1904～1912）、M.普鲁斯特的《追忆似水年华》(1913～1927,共7大部分)、J.罗曼的《善意的人们》(27卷,1932～1946)等。与法国连续性长篇小说相媲美的是英国的家史小说,其代表有J.高尔斯华绥的《福尔赛世家》(1906～1921)和德·拉·罗奇的"贾尔纳"长篇小说连载。普鲁斯特作品当属这个类型中的佼佼者。

Roman Forum 罗马广场 拉丁语作Forum Romanum。古罗马最重要的广场,位于帕拉丁和卡皮托利尼两座山丘之间的低地上,是共和国时期公众集会、审判、斗剑的场所,有店铺和露天集市。帝国时期主要成为宗教仪式和世俗活动的场所,有许多宏伟的神庙和纪念建筑。现存的完整或部分完整的古建筑有卡斯托和波拉克斯神庙、凯撒神庙、马麦特埃监狱、元老院、农神庙、维斯太神庙、罗慕路斯神庙、提图斯凯旋门、塞维鲁凯旋门和大排水道。

Roman law 罗马法 古代罗马自公元前753年罗马城建立至5世纪西罗马帝国灭亡时的法律,东罗马帝国则延续使用至1453年。作为一种法律体系,几乎整个西方文明及部分东方文明的法律发展都受到它的影响。罗马法构成大多数欧陆国家法典的基础(参阅 **civil law**),而许多地区的法律制度也由它衍生而来。

罗马法首次真正编纂是基于成文法的需要。约颁布于公元前451～前450年的《十二铜表法》(**Twelve Tables, Law of the**),搜集并明白揭示原来由贵族统治阶级成员——祭司——所把持的判决法规程序。此法以铜板或木板树立于罗马广场内,内容涉及公共事务、神权、私人权益和犯罪行为。该法为公有之物,任何罗马公民皆得以援用。它在当时极为重要,表中有一些久已失用的法律到6世纪查士丁尼重新编纂法典之前都未曾废除。

罗马法涵盖了继承权益(谁将继承、继承何物)、义务关系(包括个人如何订定诸如借贷之类的契约)、财产和所有权及个人权益(包括家庭、奴隶、公民)。早期,土地持有人或一家之主几乎享有绝对的权力。在法律上,他是所有财产(包括奴隶)的拥有者,甚至那些通常会归属于其妻或子女的财产也包括在内。女儿直到决定(或被决定)出嫁前,一直都在父亲的监管之下,之后则置身于丈夫的权威下。后来这套法律中部分较严苛的条文逐渐被修改,但大多数保留到最后。

罗马法的复杂性可从财产拥有权的确立方式寻得一些线索。某人连续两年使用一块土地后,便可宣称拥有该土地而获得使用权;再进一步发展是占有权,任何可被拥有的无主物都可由此确认。财产的转移必须有一位行政官员亲自在场,主持正式的"合法性让渡"仪式。在所有权之外还有不同的财产租用方式:用权只允许使用该物,与使用该物且享有该物附带的利益(如享受该财产所产生的利润或将它租予他人)的用益权不同。

当罗马最初只是一个无足轻重的城市时,它所有法律自然仅与公民相关,以规范彼此的行为。基本上,早期的法律偏重个人甚于土地,即是说,住在罗马的外国人没有任何权利可言,除非他的母邦与罗马城缔结为正式的同盟。至于一般所称的民法,一部分是由过去未成文的习惯法提升为成文法而来,一部分是出于罗马逐渐富强后有制订新法律的需要。公元前287年以前,法律完全由贵族家庭所垄断的会议制定,而平民即普通人(虽仍指公民),则以具有法律效力的公民投票来规约他们的行为。但当年通过《霍滕西亚法》后,公民投票所通过的法律对所有公民都具有约束力。

公元前3世纪中叶,尤其在第一次布匿战争(公元前264～前241)后,罗马开始成为世界强国,有各种外国人来访,他们深感与罗马人交易时需要有法律的保护。因此民法涵盖的范围随着公民权赋予城外的居民而有所扩大,由此即创制了万民法,此法起初仅限定在公民和外国人的商业行为上,但后来普遍适用于罗马帝国境内所有子民。最后由于罗马将公民权授予其管辖内所有人,使罗马在3世纪时已无外国人,因此从实质的效果来看,民法和万民法并无任何差别。

然而,民法和万民法的制定方式却不同。前者由立法而来,后者则由许多行政长官(通常是民选执政官)的判决条例演变而成。早期的皇帝以元老院的裁决来制定法律。后期的皇帝则直接发布敕令,不以其他形式立法。由于罗马法本身极为繁琐,因此邀请学识极高的法律学者解释法律,以提供智慧的解答,然而,正因为他们拥有法律解释尤其是因各种诏书、律条、案例解释等在同一地区的版本不同,反而导致整个情况更加混乱。

虽然5世纪时有收集和简化所有现存法律的各种尝试,但此项计划直到君士坦丁堡的查士丁尼大帝才成功执行,他在公元529年颁订的法典成为罗马法律的主要根据,凡不包含在其中的法律皆宣告废除。这一法典及其后的附律:法律汇要、法律原理及新法,汇成罗马帝国留给法学史的重要遗产。

罗马的法律程序的发展,和罗马法一样,经历了许多世纪;到了后期,它已成为民法法系国家近代程序的基础。它有3个主要的重迭发展阶段:法定诉讼,可以追溯到公元前5世纪被称为《十二铜表的法》时候起至公元前2世纪后期;程式制度,可以追溯到公元前2世纪起到古典时期终结(公元3世纪);以及特别认可程序,在古典时期后即已实行。

根据法定诉讼的程序,它可以分为好几个步骤。首先,原告人公开走到被告人面前并要他到法院出庭;如果被告人拒绝,原告人可以用武力把他带去。审理本身划分为两部分。第一部分是预审,由行政长官主持,经他断定是否有争执不下的问题;如有,该问题又是什么。在程序中的每一个步骤都极为正规,如有一方当事人说错了话,他就可能败诉。当案情大致弄清并确定担保人以后,双方当事人商定推出一位承审官员来审理案件。他不是法学家,也不是行政长官,而是一位有名望的非专职人员。他主持的诉讼不是很正规的:由辩护人发言并提出证据,证人也常出庭。承审官员作出判决但无权执行。如果被告人逾期不支付罚金或归还原物,则可以使用武力把他交给行政长官。随之,他的财产将被没收,或被强迫当原告人的奴隶,以劳动来抵偿赔的债务或财产。

到罗马共和国后期,由于案情变得更加复杂,因此有必要把必须向承审官员陈述的争议写下来。这样就产生程式制度,据此,被告人仍然由原告人传唤到法院出庭,审理仍分为两部分,但行政长官在确定案件是否要交给承审官员时享有更大的权力。

根据特别认可程序,行政长官和法院手中有很大的权力。传票由法院签发,审理完全由行政长官主持,而法院成为执行判决的机构。进而,上诉制度也发展起来。由此,国家就参与司法行政及其法律条例的实施,情况与近代的欧洲各国相类似。

Roman National Museum 罗马国立博物馆 参阅 **National Roman Museum 国立罗马博物馆**。

Roman numeral 罗马数字 古代罗马制记数法中所采用的符号。符号I、V、X、L、C、D和M分别代表阿拉伯数字制中的1、5、10、50、100、500和1 000。一符号置于另一等值或较大数值的符号之后,表示两数值相加。例如Ⅱ = 2和LX = 60。一符号置于较大数值的符号之前,表示减去前一数值。例如,IV = 4, XL = 40和CD = 400。

Roman religion 罗马宗教 罗马人自公元前8世纪至公元4世纪初的宗教信仰、仪式及制度。对罗马人而言,宗教是为了整个集体的利益而严格奉行确定的仪式。繁荣、健康、丰收和战争胜利,除了严格执行为保持诸神恩佑而制定的仪式外,并无其他途径可以获得。诸神被视为一种抽象的力量,而非与人同形的存在。因此,虔敬不是指个人的宗教上的灵性感受,而是指诚心遵奉的礼仪任务。

早期的罗马宗教 在已知的罗马人历史的最早期(公元前7世纪),罗马人已经发展出一些"大神",其中以朱庇特为首,他的名字从词源来讲相当于希腊文的宙斯及梵文的特尤斯。朱庇特和宙斯及特尤斯一样,是天空及天气的神,对农民显然很重要。另有两个神——马尔斯及基林努斯,很早便和朱庇特联在一起。至少有一女神——朱诺——在已知的最早时期是重要的。主要职务是掌管妇女生活。

然而,这个时期最典型的诸神为一些模糊的形象,他们的功能有限而分明。他们像较大的神一样,被视为拥有超人的能力。如果人们以恰当的方式去乞求这些神,便可受到这些神的庇佑。

在有史时期,对这些神及其他许多神的崇拜礼仪,由精选的祭司团规定。

埃特鲁斯坎时期的宗教 埃特鲁斯坎人的塔尔奎王朝(公元前6世纪后半期)给罗马宗教带来许多革新,引进了过去所没有的偶像。此时开始有埃特鲁斯坎式的庙宇出现。繁复的殡葬仪式似乎也源自埃特鲁斯坎人。埃特鲁斯坎人向罗马人传授了脏卜术及闪电占卜术。罗马人十个月的原始教历(阴历)也为埃特鲁斯坎十二个月的历法(阳历)所取代。在这期间,除了纯属埃特鲁斯坎人的神外,又传入了其他的神。卡皮托利尼山丘的膜拜使朱诺和密涅瓦与朱庇特并列。这种组合是受埃特鲁斯坎人带来的希腊影响,因为这两位女神与宙斯的妻子赫拉和女儿雅典娜相一致。维纳斯、福尔图娜和狄安娜此时在意大利本地产生。即使是最早为人所知的神,其名称并非来自拉丁文语源,而有些名字或许是埃特鲁斯坎语。

共和时期的宗教　罗马扩张之际,先后和意大利南部的希腊社区、希腊本土以及亚历山大继承者的各帝国关系趋于密切,结果希腊的崇拜体系出现了对阿波罗的崇拜(公元前5世纪末叶)是新引进中的一种。公元前293年为消灭一场瘟疫而把阿斯克勒庇俄斯引进罗马。罗马承认的第一个东方宗教是对众神之母(赛比利)的崇拜,公元前204年引进,时值第二次布匿战争危急之秋。18年后(公元前186)对狄俄尼索斯神的饮酒礼拜极为盛行,罗马元老院竟怀疑有人利用它图谋颠覆而出来压制。罗马宗教希腊化的标志是公元前217年摆设的飨神宴,它邀请诸神为座上客。罗马人在这个因抵抗汉尼拔失败而举行的仪式中,为获取神的保佑而采取许多措施,诸神以雕像来代表,并用纯粹希腊的方式匹配(即朱庇特与朱诺为一对,马尔斯与维纳斯为一对等)。飨神宴上的雕像共同形成了典型而盛行的希腊的十二位神。

帝国时代的宗教　在奥古斯都时代,传统的罗马崇拜体系复兴了,并重建一些古老的庙宇。但在共和国末期,尤其是帝国时代,对于比较个人化的宗教的要求日高,而希腊或罗马的传统宗教都无法满足这项要求。许多东方的崇拜却能迎合这项要求,它们向信徒们许诺神对各人的保佑,只要符合一定条件,甚至可以永生。条件通常包括以某种形式参与奥秘仪式。其中最先传入的是对伊希斯的崇拜,这种崇拜源自埃及,在传入西方时已经相当希腊化。接着传入的是对阿提斯(众神之母的丈夫)的崇拜。最后是对源自波斯的太阳神密特拉的崇拜,从某些方面而言,这是所有崇拜中最重要的崇拜。某些叙利亚崇拜体系由不同的皇帝提倡,而在奥勒利安(公元275卒)统治下,无敌太阳神被尊为罗马的最高神。

Roman Republic　罗马共和国　1798年2月法国占领军在罗马城及其近郊建立的共和国。教皇被迫流亡,共和国由7名执政官治理。1798年11月,那不勒斯国王斐迪南四世派兵收复罗马城;次月,法军卷土重来,重建共和国。1799年奥俄战役中,法军被逐出意大利。虽然拿破仑于1800年再度攻占意大利,但希望得到教皇善意以便最终能签订1801年的协约,于是允许教皇保有其国家。但1809年拿破仑又把罗马和教皇国并入法兰西帝国。

Roman Republic and Empire　罗马共和国与罗马帝国　以罗马为中心的古老国家,其历史从导致公元前509年建立共和国的那些事件开始,中间经过公元前27年的创建罗马帝国,直至公元5世纪西罗马帝国的最后瓦解而告终。(关于后来东罗马帝国的历史,参阅**Byzantine Empire**)。早期罗马共和国(公元前509～前264)与国王时期(公元前753～前509)是罗马历史中文字记录最少的时期。对罗马历史的记述直至公元前3世纪晚期才开始,其时罗马人已完成对意大利的征服,把自身建成为古代世界的一个主要强国,并为夺取西地中海的控制权而陷入与迦太基的酷烈斗争。最早的罗马历史只是一些事实和故事的简短记述。但是历史学家们逐渐结合本地和希腊的民间故事对一鳞半爪的事实材料(例如自共和国成立以后开始作的行政官要事年鉴、宗教记录以及某些法律及条约文本)进行了润色。其后果是,在一段时间内,有关早期罗马的历史事实被人们从爱国主义的角度作了重新解释,这包括对实际情况的夸张、对令人难堪的一些事件的讳莫如深和篡改。古代罗马的历史学家们最初对罗马建国的准确日期存在分歧。但是到罗马共和国时期结束时,人们已普遍承认罗马建立于公元前753年,而共和国则是在罗马七王中最后一位国王塔奎尼乌斯(高傲者)被推翻以后于公元前509年开始的。根据传说,前6位国王都是仁慈的君主,而最后一位却是一个被民众起义推翻了的残忍的暴君。现代的普遍看法是,罗马君主制是由于军事失败和外敌入侵偶然地结束的。这种说法将罗马视为一个在公元前6世纪被埃特鲁斯坎人十分珍视的地区。克卢西乌姆的埃特鲁斯坎国王波森纳击败罗马人并且放逐了罗马国王塔奎尼乌斯(高傲者)。然而在波森纳还没有自立为王之前,就被迫撤退,留下了一个没有国王的罗马。罗马人没有重立君主,而是以两名每年经选举产生的被称为执政官的官员取代了王权。在罗马共和国初期,新创立了若干重要的政治职位和机构,对原有的机构也作了改造以应国家不断变化着的需要。根据古代历史学家的记载,这些变化和革新起因于平民与贵族这两个社会阶层之间的政治斗争,这场斗争始于罗马共和国建立初期,并持续了200多年。罗马最杰出的历史学家之一李维的论著中的记述失实,前后不一致与逻辑谬误表明,此种把平民与贵族阶层的斗争视为历史主线的提法,未免将一系列极其复杂的,不能以单一原因来解释的历史事件过分简单化了。两位执政官(他们取代了国王)多半都是将军,其职责是在战争中统领罗马军队。在出现紧急军情的时刻,当统一指挥经常变得不可短缺时,罗马往往会任命一名独裁官取代两位执政官,但独裁官掌握最高军事指挥权不得超过6个月。或许在君主制时期即已作为国王的咨询委员会存在的元老院,此时既对地方行政官也对罗马平民起顾问作用。虽然在理论上民众是主权体,元老院只是向民众提出建议,但在实际运作中,元老院却借助其成员的整体声望而行使着巨大的权力。在罗马共和国时期有两种不同的民众大会,即百人团大会和部族大会。百人团大会具有军事性质,由它投票决定战争与和平并选举行使最高权力(军事权力)的所有地方行政官。部族大会则是一个不具有军事意义的平民大会,它负责选举那些不行使军事权力的地方行政官,进行大部分的立法活动并作为严重公共犯罪的裁判所。公元前451年,罗马共和国产生了第一部成文法典,这部法典镌刻于12块铜制铭匾之上并在议事广场上公开陈列。法典条款涉及诸如法定程序、债务抵偿、父亲对儿童的监护、财产权利、继承权以及殡葬管理等问题。这部《十二铜表法》奠定了后来全部罗马私法的基础。在公元前6世纪,罗马由于其埃特鲁斯坎君王们的业绩而成为拉蒂乌姆地区较重要的城邦之一,但是蒂帕尔、普雷纳斯特和托斯坎卢姆也同样是重要的拉丁城邦。尽管拉丁人居住在政治上彼此独立的城市里,他们共同的语言和文化却使他们在宗教、法律和战争方面产生了合作。(这种合作后来被称为拉丁同盟)这些拉丁城邦彼此之间偶然也爆发战争,但当遭受共同危险的时刻,他们便为共同防卫而团结在一起。到公元前5世纪行将结束之际,罗马人可能是在人口增长的推动下开始了以牺牲埃特鲁斯坎人的城邦为代价的扩张。罗马人最初对组织起来的城邦进行了两次重要战争,一次是与罗马附近的小城市菲德涅作战(公元前437～前426),另一次是对付埃特鲁斯坎人的一个重要城市维伊城。在罗马进一步增强其力量之前,一支到处劫掠的高卢部族在公元前390年沿波河流域一路横扫打过来,并洗劫了罗马。不过,在收取了以黄金支付的赎金之后,入侵者便撤走了,这以后,罗马人在拉蒂乌姆和埃特鲁斯坎进行了40年的艰苦斗争才得以重振声威。当罗马在拉丁同盟中日益成为统治力量时,各地的拉丁人拿起武器来反对罗马以保持他们的独立。由此引发的拉丁战争(公元前340～前338)以罗马的胜利而迅速告终。罗马此时已成为意大利中部的主人,并在以后的10年中通过征服和殖民不断地向前推进其边界。在对北部的萨谟奈人3次作战(第3次战争发生在公元前298～前290)和对南部希腊城邦进行皮洛斯战争(公元前280～前275)之后,罗马成了意大利无可争议的主人。不久,罗马人的成功便引起了它与久已在北非建立起商业强国迦太基为控制地中海发生的冲突。由此发生的布匿战争(公元前264～前146)一直持续不停。在这些战争的领导人中有两位伟大的军事天才。汉尼拔约从公元前220年就统率迦太基军队直至公元前200年,被罗马司令官阿非利加的大西庇阿击败时为止。罗马人占领了迦太基城并于公元前146年最终把该城夷为平地。迦太基这个强大敌手的被击败使罗马人的贪得无厌的势头有增无减,他们将觊觎的目光转到了整个地中海地区。向东,罗马人击败了叙利亚、马其顿、希腊和埃及,在这之前所有这些国家都还是腐败的希腊帝国的一部分。罗马人还摧毁了亚该亚同盟并焚毁了科林斯(公元前146)。为了征服这些新的土地和众多民族,罗马人付出了极大的努力,也不可避免地承担了巨大的损失,由此而带来的庞大的居民人口则给有效的治理造成了困难。罗马人将被征服的各个民族组织进不同的行省,把他们置于对非罗马公民拥有绝对权力的委任总督的控制之下,并在各个行省驻扎准备在需要时行施适当武力的军队。在罗马本土,大多数公民都承受着居住在一个总是把目光投向遥远地平线的国度的后果。罗马的农夫

历代罗马皇帝一览表

奥古斯都	公元前 27 ～公元 14	普罗布斯	276 ～ 282
提比略	14 ～ 37	卡鲁斯	282 ～ 283
卡利古拉	37 ～ 41	卡里努斯	283 ～ 285
克劳狄	41 ～ 54	努梅里安	283 ～ 284
尼禄	54 ～ 68	戴克里先(东)	284 ～ 305
加尔巴	68 ～ 69	马克西米安(西)	286 ～ 305
奥托	69		306 ～ 308
维特利乌斯	69	加莱里乌斯(东)	305 ～ 311
韦斯巴芗	69 ～ 79	君士坦提乌斯一世·克洛卢斯(西)	305 ～ 306
提图斯	79 ～ 81	塞维鲁(西)	306 ～ 307
图密善	81 ～ 96	马克森提(西)	306 ～ 312
内尔瓦	96 ～ 98	李锡尼(东)	308 ～ 324
图拉真	98 ～ 117	君士坦丁一世	312 ～ 337
哈德良	117 ～ 138	君士坦丁二世	337 ～ 340
安东尼·庇护	138 ～ 161	君士坦斯一世	337 ～ 350
马可·奥勒利乌斯	161 ～ 180	君士坦提乌斯二世	337 ～ 361
韦鲁斯	161 ～ 169	马格嫩提乌斯	350 ～ 353
康茂德	177 ～ 192	尤里安	361 ～ 363
佩提纳克斯	193	约维安	363 ～ 364
狄第乌斯·尤里安	193	瓦伦提尼安一世(西)	364 ～ 375
塞维鲁	193 ～ 211	瓦林斯(东)	364 ～ 378
卡拉卡拉	198 ～ 217	普罗科匹厄斯(东)	365 ～ 366
盖塔	209 ～ 212	格拉提安(西)	367 ～ 383
马克里努斯	217 ～ 218	瓦伦提尼安二世(西)	375 ～ 392
埃拉加巴卢斯	218 ～ 222	狄奥多西一世	379 ～ 395
塞维鲁·亚历山大	222 ～ 235	阿卡狄乌斯(东)	395 ～ 408
马克西米努斯	235 ～ 238	洪诺留(西)	395 ～ 423
戈尔狄安一世	238	狄奥多西二世(东)	408 ～ 450
戈尔狄安二世	238	君士坦提乌斯三世(西)	421
普皮耶努斯·马克西穆斯	238	瓦伦提尼安三世(西)	425 ～ 455
巴尔比努斯	238	马西安(东)	450 ～ 457
戈尔狄安三世	238 ～ 244	马克西穆斯(西)	455
腓力	244 ～ 249	阿维图斯(西)	455 ～ 456
德西乌斯	249 ～ 251	利奥一世(东)	457 ～ 474
霍斯提利安	251	马约里安(西)	457 ～ 461
加卢斯	251 ～ 253	利伯留·塞维鲁(西)	461 ～ 467
埃米利安	253	安提米乌斯(西)	467 ～ 472
瓦莱里安	253 ～ 260	奥利布里乌斯(西)	472
加列努斯	253 ～ 268	格利塞里乌斯(西)	473 ～ 474
克劳狄二世	268 ～ 270	内波斯(西)	474 ～ 475
昆提卢斯	269 ～ 270	利奥二世(东)	474
奥勒利安	270 ～ 275	芝诺(东)	474 ～ 491
塔西图斯	275 ～ 276	罗慕路斯·奥古斯图卢斯(西)	475 ～ 476
弗洛里安	276		

不能生产出在经济上可与外省产品竞争的谷物,很多人移居到罗马城里来。一段时间内,政府用面包与竞技表演使平民百姓得到安抚,试图以此来分散他们的注意力,使他们忘却他们自身与贵族之间在生活水平方面存在的悬殊差距。奴隶制度推动了罗马的经济,它给有钱人带来的好处证明是对劳动阶级的灾难。紧张状态在发展,内战终于爆发。随之而来一段动乱与革命的时期标志着罗马从共和国逐渐向帝国过渡。历次内战中的著名人物包括当选过 7 次执政官的军队统帅盖尤斯·马略和军官苏拉。活跃于内战的后期阶段的是庞培、演说家西塞罗以及最终以独裁身份对罗马握有全权的尤利乌斯·凯撒。凯撒于公元前 44 年遇刺后,马克·安东尼、李必达和凯撒内侄屋大维的执政三巨头统治了罗马。不久以后,屋大维投入在北非反对安东尼的战争,在亚克兴角取得胜利(公元前 31)后,他被加冕为"奥古斯都",即罗马的第一个皇帝。在位时期(公元前 27 ～公元 14),罗马以安定与和平闻名于世。奥古斯都建立了一种被称为早期帝政的政府形式,它把共和国与传统君主制国家政权的若干特点结合起来。元老院仍起作用。然而奥古斯都作为君王或第一公民保持着对政府的控制。在奥古斯都的治理下,罗马开始再一次繁荣昌盛,皇帝也开始被尊视为天神。此后,所有好皇帝在死后都被人们当天神一样崇拜。受爱戴的罗马统治者中有图拉真(98 ～ 117 在位)、哈德良(117 ～138 在位)。安东尼·庇护(138 ～ 161 在位)以及马可·奥勒利乌斯(161 ～ 180 在位)。掌权者中也不乏荒淫无道的暴君:卡利古拉(37 ～ 41 在位)和尼禄(54 ～ 68 在位)是如此令人厌恶,以致他们的统治都被人们从罗马官方历史记录中一笔勾销。正是在提比略(14 ～ 37 在位)统治期间,耶稣基督被钉到十字架上。此后,在最有利的情况下,基督教徒们也仅仅是被容忍而已,但经常遇到的却是非刑折磨或被处死,直到君士坦丁一世(312 ～ 337 在位)执政时才有转机。公元 313 年,发布了宽容所有宗教的敕令,并大约从 320 年开始,基督教徒转而受到了罗马政府的照顾而不再是迫害。但是此时的罗马帝国已奄奄一息。君士坦丁世系的最后一位统治者狄奥多西一世(379 ～ 395 在位)是统治统一的罗马帝国的最后一位皇帝。西罗马帝国饱受蛮族反复入侵和农民逃入城市之苦,而东部则以其香料和其他出口品有效地保证了本地区的富足与稳定。两相对比,西部日益衰弱。在狄奥多西一世于 395 年去世后,罗马分裂成了东西两个帝国。410 年,当来自东北方的日耳曼种族的一支游牧民族西哥特人洗劫了罗马城后,西罗马帝国摇摇欲坠。西罗马帝国的正式灭亡是在 476 年,该年日耳曼首领奥多亚塞废黜了西罗马最后一位皇帝罗慕路斯·奥古斯图卢斯。而比较富足和强大的东部则以拜占廷帝国的名义延续下去,在整个欧洲中世纪都始终存在。在共和国后期和大部分帝国时期,罗马是整个地中海盆地、大部分西欧和北非广大地域内居统治地位的强国。罗马人拥有一支强大的军队并在法学、政府行政、城市规划和治国方略这些实用的人文学科上颇具才华,但是他们也承认和借鉴了其他古代民族尤其是希腊人的贡献,而希腊文化的大部分也由此得以保存下来。罗马帝国的辉煌不仅是由于其杰出的军队(这是整个帝国赖以存在的基础),而且是因为它在知识领域的能力所取得的成就。例如罗马法就是一套经过深思熟虑的、把案例和法学评注结合起来的复杂理论体系,它在 6 世纪最终全部被整理成法典(参阅 **Justinian, Code of**)。罗马的道路在古代世界中无与伦比,为快速交通运输而设计并被应用于多种广泛用途:商业、农业、邮件传递、步行和军事活动。罗马的城市规划者以他们精心设计的输水管道、污水排放系统、水坝和高架渠使城市达到了前所未有的卫生标准。尽管经常模仿希腊风格,罗马的建筑物仍设计新颖,施工奢华。凯旋门被用来庆祝国家的重大事件,而著名的罗马浴池则兼具提神醒脑和清洁身体的双重作用。最后,罗马人的语言拉丁语成了西方文明中很大一部分传世名著的媒介。西塞罗的演讲、李维和塔西佗的历史著作、泰伦提乌斯的剧作,尤其是维吉尔的诗歌,都是罗马遗产的组成部分。

Roman republican calendar 罗马历 公元前罗马人制订的历法。相传是古罗马的建国者罗慕路斯于公元前 738 年制定的,它可能来自古希腊的阴历,而后者又来自巴比伦历。最早的罗马历一年只有 304 日,共 10 个月。其余的 61¼ 日被略去,结果冬季是个缺历的空白。各月的名称依次为 Martius, Aprilis, Maius, Junius, Quintilis, Sextilis, September, October, November, December。后面 6 个名称相当 5 到 10 的拉丁词。罗马统治者 N. 庞培在年初和年末分别增加了 January 和 February 两个月,创立了 12 个月的历年。在公元前 452 年,February(2 月)被移到了 January(1 月)和 March(3 月)之间。到公元前 1 世纪,罗马历变得很混乱。根据月相周期制订的年共计

355 日,比太阳年短 10¼ 日。需不时加进一个 27 日或 28 日的闰月方能使历法和季节保持协调。这种混乱还常因政治上的原因而加剧。比方为了缩短或延长个别长官或官员的任期,祭司们有权随意改历。公元前 46 年,J.凯撒终于着手改历,从而创立了新的罗马历即**儒略历**(**Julian calendar**)。

Roman road system　罗马公路系统　地中海地区规模宏伟的古代交通运输网,一线从不列颠到底格里斯和幼发拉底河,一线从多瑙河到西班牙和北非。罗马人主要为了军事目的共筑硬面公路80 000千米。第一条阿庇

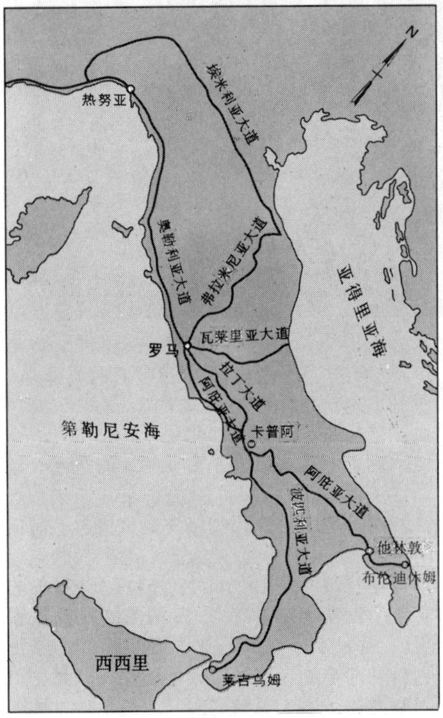

约公元 100 年的罗马主要公路系统

亚大道公元前 312 年由监察官凯库斯督造,东南向。原从罗马至他林敦(今塔兰托),长 261 千米,后又延至亚得里亚海岸。另有支线经卡拉布里亚直达墨西拿海峡,称波匹利亚大道。迄公元前 2 世纪初又有 4 条大道从罗马向外伸展:奥勒利亚大道,西北向,至热努亚(今热那亚);弗拉米尼亚大道,北向,至亚得里亚海岸,与埃米利亚大道接通;瓦莱里亚大道,东向,横穿亚平宁半岛;拉丁大道,东南向,在卡普阿附近与阿庇亚大道连接。另有无数支线通往帝国各行省,故谚语云“条条大道通罗马”。此外公元前 145 年修筑的爱纳格提亚大道直通希腊和小亚细亚,与古波斯御道连接。在征服北非迦太基以后,沿地中海南岸修筑了道路。在高卢以里昂为中心,干线通往莱茵河、波尔多和英吉利海峡;在不列颠以伦敦为中心的战略道路通往各地。在西班牙沿伊比利亚半岛周围修筑环形大道,用二级公路通往中央高地。罗马公路的特点是路直,路基坚实,路面呈拱形以利于排水,材料为火山灰混凝土。根据史料可知,在很长时期内,罗马公路系统为罗马的征服和统治创造了条件,并为后来的民族大迁徙和基督教的传播提供了道路,在整个中世纪为欧洲所利用,至今仍保留许多残迹。

roman script　罗马字体　即罗马书写体,又称古体字(antiqua script),意大利语作 lettera antica。书法中以清晰、整齐的加洛林体为基础而创造的一种字体,意大利人文主义者错

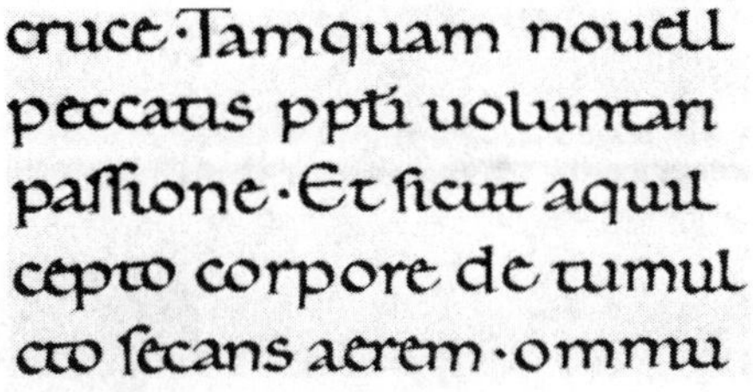

12 世纪意大利书籍中的罗马字体
不列颠图书馆供图

认为是西塞罗(公元前 1 世纪)时代使用的古罗马字体。他们用罗马字这个词将这种假设的古典字体与黑体字和国民字体相区别。正是根据古字体或罗马字体的字型,文艺复兴时期的抄写人员才发明了罗马体和斜体(或草体)等各式手写体,而相应的 N.詹森活字和 A.马努蒂乌斯的活字,即仿此制成。参阅 **italic script**。

Romana, Pax　参阅 **Pax Romana** 罗马和平。

romance　传奇故事　一种文学样式,通常以骑士生活事迹为题材,产生于 12 世纪中叶的法国,其先兆见于古典时代后期的许多散文作品(所谓希腊传奇故事)。但作为自成一格的文学样式,它发展在贵族宫廷的环境中。传奇故事在 12 世纪中叶至 13 世纪中叶的法国和德国趋于极盛,有克雷蒂安·德·特罗亚、伯努瓦·德·圣莫尔和斯特拉斯堡的戈特夫里德这些大家的作品。待到这样式在 1250 年左右传播到英国时,它已开始露出从它的原始形态衰落的迹象。传奇故事的主要题材为骑士的冒险经历。与此交织在一起的往往还有爱情故事和宗教寓言,但后两者并非必有。传奇故事的情节大多取自三个基本来源:古典历史与传奇、亚瑟王和圆桌骑士(无疑是最重要的一群)的惊险经历以及查理大帝及其骑士的作为。此外,还有一些传奇故事讲的是英格兰英雄,如丹麦人哈夫洛克和狮心理查的事迹以及其他内容。较早的传奇故事中有的取材于古代,如《第比斯传奇》和《埃涅阿斯传奇》,两者都从拉丁诗人的作品改编而成。伯努瓦·德·圣莫尔的《特洛伊传奇》的特点是它最早极富文学性地讲了特洛伊罗斯和克瑞西达的故事,后来的薄伽丘、乔叟和莎士比亚则在此基础上大加发挥。写亚历山大大帝的一生的有《亚历山大传奇》以及后来的《亚历山大王》。12 世纪后半叶,克雷蒂安·德·特罗亚创作的有关亚瑟王的一组传奇最为著名。其中《帕尔齐法尔,或圣杯故事》把圣杯这个主题引入欧洲文学。法国的亚瑟王传奇系列对英国文学尤为重要,它们为汤姆斯·马洛礼爵士提供了材料,使他能改写成《亚瑟王之死》(1485 年初次印行)。14 世纪中叶写成的《高文爵士和绿色骑士》则被认为是中世纪英国诗歌中最美的作品之一,也属于这类传奇。第三类传奇的主人公有在查理大帝麾下作战的罗兰和弗勒姆布拉斯爵士等。传奇的鲜明特性之一为它们是用当地语言而非拉丁文写成。其体裁有诗体,也有散文体。一般说来散文体在后。最初传奇喜用异国、远方或神怪的题材。细节描写极尽铺陈之致,恋爱故事大体以大团圆结束。13 世纪初戈特夫里德·封·斯特拉斯堡所作的《特里斯丹和绮瑟》则是个少见的例外。在后几个世纪中,传奇故事几经变化,其形式之一的散文传奇始终为人传诵不衰。至 15、16 世纪的西班牙,又有塞万提斯的《堂吉诃德》,以讽刺取胜。传奇的精神意趣一直见之于 18 世纪末英国与德国的浪漫主义运动。传奇与浪漫两词同出一源,可资佐证。

Romance languages　罗曼诸语言　又称 Romanic。印欧语系意大利语族的一个分支,包括在漫长历史时期衍生自通俗拉丁语的关系密切的诸语言。现代以一种罗曼语为其母语者约有 4 亿人。在北美洲、西印度群岛、太平洋和印度洋诸岛屿,还有约 570 万人操法语混合语、葡萄牙混合语及西班牙混合语。最主要的罗曼语言是法语、西班牙语、葡萄牙语、意大利语和罗马尼亚语,全都是各国的国语。

罗曼诸语言中法语可能是最重要的通用于国际间的语言。它是欧洲、非洲、南北美洲几近 30 个国家的官方的或准官方的语言。法国全境及科西嘉岛上人们用法语作为第一语言,法语也是美国(缅因州和路易斯安那州)、加拿大、比利时、瑞士、摩纳哥、意大利的瓦莱达奥斯塔地区相当多居民的本族语。许多非洲人和印度支那人也把法语作为国际通用语言。

最早的显然用法语书写的文献《斯特拉斯堡誓词》溯自公元 842 年。但该文献的真实性是可疑的,所用方言难以确定。第 2 种最古的现存文献溯自 880 ～ 882 年,可确认为皮卡第方言。其他一些早期文献都用的是各种方言。诺曼底方言和皮卡第方言最具权威性。巴黎和法兰西岛方言在 12 世纪后半叶曾确认为最重要方言,1459 年成为官方方言。作家们在 17 世纪法语规范化达到空前程度以前仍继续使用方言写作。

西班牙语是使用人数最多的罗曼语,它是美洲 18 个国家和西班牙的官方语言。通行范围扩及中美洲、南美洲(巴西除外)和加勒比地区,也是美国人数可观的少数民族语言。许多犹太人也操西班牙语,非洲也有操西班牙语者。

最早的西班牙语文献溯自 10 世纪。有两种来自不同地区的文献几乎没有什么方言差别;第 3 种用的是莱昂方言。依次最古的文献是用莫扎拉布语方言书写的,这是一种西班牙境内阿拉伯人占领区基督教居民所用的最保守的方言。卡斯提方言文献出现于 12 世纪,并注定要占据优势地位,但使用阿拉贡方言和莱昂方言写成的文学著作分别延续到 15 世纪初和 14 世纪。

葡萄牙语是巴西和葡萄牙的官方语言。非洲的多数人、果阿和美国少数人也操葡萄牙语。加利西里语是葡萄牙语的一种方言,受卡斯提语强烈影响,通用于西班牙西北部。已知最早的葡萄牙语文献溯自公元 1192 年。其后两个世纪内,加里西亚-葡萄牙语为伊比

利亚半岛的全部宫廷诗人所采用，只有加泰罗尼亚地区为例外。加利西亚语于15世纪失去传播土壤，在1500年被成为加利西亚官方语言的卡斯提语所取代。在16世纪由于标准葡萄牙语地位的加强，使得葡萄牙语和加利西亚语进一步分化。葡萄牙语的一切方言都可以互相理解，操葡语者可以不太困难地说和理解西班牙语。

意大利语通行于整个意大利，在法国、原南斯拉夫、瑞士许多人也操意大利语。美国、阿根廷、巴西也有不少人说意大利语。

经确认的已知的最早的意大利语文献可追溯至10世纪。标准的意大利语是以佛罗伦萨方言为基础于14和15世纪作为文学语言而发展起来的。它可为操任何一种意大利语方言的人所通晓。虽然地理上相隔遥远的诸方言也许有很多根本性差异，但它们却能彼此沟通而无障碍。

罗马尼亚语是罗马尼亚官方语言，也通行于摩尔多瓦和巴尔干半岛其他地区。罗马尼亚标准语以达基亚-罗马尼亚方言群的瓦拉几亚方言为基础。该方言现存最早文献溯自1521年。17世纪的作家们大大地普及了罗马尼亚语。现在，布加勒斯特的惯用法被视为罗马尼亚标准语的模式。有些罗马尼亚语方言通行于巴尔干和小亚细亚地区。

另外两种有许多人使用的罗曼语的重要文学语言是奥克西坦语和加泰罗尼亚语。奥克西坦语通行于法国南部。在奥克西坦尼亚这种语言有几种不同的名称（利穆赞语、普罗旺斯语），除加斯科涅语外，所有的方言都是相似的。奥克西坦语也称为朗格多克语或普罗旺斯语，是法国和西班牙北部的诗歌语言，直到北方政治势力完全消灭南部势力（1208～1229）之后才有所改变。法国革命以来，法语持续渗透到奥克西坦语惯用法中，然而近百年来一直存在复兴奥克西坦文学语言的运动。

在奥克西坦尼亚西北部法国、瑞士和意大利边界地区有多种法兰克-普罗旺斯方言，它们兼具法语和奥克西坦语特征，因而对其归类学术界仍有争议。从12世纪以来曾用这些方言写出少量文学作品，但目前还没有标准的文学语言。加泰罗尼亚语是安道耳的官方语言，西班牙有少数人也操此语。法国、阿尔盖罗城、撒丁也有少数人操加泰罗尼亚语。现存最早的书面材料可溯至12世纪。加泰罗尼亚语从13世纪至15世纪是富有生命力的文学语言，直到卡斯蒂利亚和阿拉贡合并，才使之趋于消亡。从1137年至1749年它是阿拉贡王国的官方语言，但到20世纪以后它才再次作为一种文学语言引起人们的关注。

撒丁语通行于撒丁岛，操意大利语者难以理解它。撒丁语从11世纪至17世纪用于法律文书，除了民间歌谣和偶然刊行的报章之外，现在几乎并无文学作品可言。瑞士阿尔卑斯山脉南部和意大利北部的雷提亚诸方言的来源尚难确定。发现的文献可追溯至12世纪。

Romance of the Three Kingdoms 《三国演义》 参阅 **Luo Guanzhong** 罗贯中。

romance stanza 爱情诗句 又称爱情六行诗（romance-six）。有韵律的爱情诗中常见的一种六行诗句，其中第一、第二、第四和第五诗行每行有4个重音，而第三和第六诗行则每行有3个重音，韵律结构为a a b a a b。是一种尾韵。

romancero 罗曼采罗 又译谣曲。西班牙民间谣曲的总称，在欧洲谣曲中形成一种独特的传统。具有英雄式和贵族式语调和战斗和荣誉的主题，并自称符合历史根据，就这些方面而言，都同史诗相似；然而，它们却是谣曲，即压缩成可以依调吟唱的戏剧性叙事诗。过去曾认为罗曼采罗是12世纪西班牙史诗（如《熙德之歌》）的源泉，但现在人们却相信它们是史诗传统的继承者。据信，最早的罗曼采罗是14世纪晚期和15世纪初期的产物。某些罗曼采罗是把穿插在已知史诗中的故事作戏剧化的浓缩。它们往往叙述西班牙人同摩尔人的冲突或恋爱，叙述亚瑟王或查理大帝的传说。不像英国、斯堪的纳维亚或德国的民间诗歌是遵循一种独立于民族文学之外的传统，西班牙的叙事罗曼采罗却是从最早的西班牙方言文学到20世纪文学这个链条上起衔接作用的一个环节。作为各个阶级的西班牙人的民族历史和民族性格的原始资料，它们位居民族意识的核心。许多西班牙文学大师都因受到罗曼采罗的启发，因而能够写出自己的诗、戏剧和小说。

Romanche Gap 罗曼什海沟 赤道附近的海底狭长洼地。位于南美洲陆肩和非洲大陆陆肩间的中部大西洋中。最深7 758米，为大西洋最深的测深之一。长300千米，平均宽度约19千米，总面积6 000平方千米。是远离海底山脉或大陆架边缘的罕见深海沟之一。该海沟截断了南北走向的中大西洋海岭；其中点附近间隔出现的横向断层使海岭岩层沿东西走向线滑动，于是慢慢积累的应力得到缓解。结果，罗曼什海沟使中大西洋海岭偏了640千米以上。该海沟覆盖有重力滑动产生的粗岩石碎屑。

Romanesque art 罗马式艺术 欧洲中世纪兴起的两大国际性艺术时代中第一时代的绘画、雕刻、建筑特征。指风格趋于成熟的罗马艺术、加洛林艺术、奥托艺术、拜占廷艺术和当地日耳曼艺术传统的混合体。罗马式建筑大约兴起于公元1000年截止于约1150年，1075～1125年间在法国、意大利、英国和德国达到高潮，后被12世纪中叶的哥特式所取代。所有罗马式艺术，尤其是建筑和纪念性雕刻，都体现出一种宏伟的观念和强有力的技艺，罗马式寺院建筑的特征，一般是在窗、门和拱廊上广泛采用半圆形（“罗马”）拱顶；以一种桶状拱顶（即覆盖在长方形空间上面的半筒状拱顶）和交叉拱顶（将两拱顶交叉）作为内部支撑；厚实的窗间壁和墙（窗户很少）则抑制了这些拱顶的强有力的外延感。罗马式建筑不同于哥特式建筑，其空间处理本质特征是深受雕刻形体总体的影响。纪念性雕刻是罗马式时期最重要的人像艺术。它以柱头浮雕和教堂大门缘饰记录了历史和教义。比古典的人体雕刻传统在风格上相对自由，犹有日耳曼几何形的遗风；除宗教的启示外，还有多种雕刻风格的创造。自然对象非常自由地变为视觉形象，以抽象的线条构图表现，并从变形和风格化中产生形象的感染力。从遗存的许多教堂大型壁画可以看出壁画都有仿效雕刻风格的倾向。在手抄本插图中也可以看出线条风格化有追随雕刻的倾向。无论雕刻还是绘画，题材范围十分广泛，当时的神学著述、《圣经》里的事件、圣徒们的生平事迹等是最普遍的艺术题材。

西班牙圣多明我修道院内的罗马式回廊，约1150年
供图：Authenticated News International

Romania 罗马尼亚 又拼Rumania。东南欧国家。南北长480千米，东西最宽处680千米。北邻乌克兰，东北与摩尔多瓦交界，东临黑海，南接保加利亚，西南与塞尔维亚接壤，西与匈牙利毗邻。首都布加勒斯特。面积238 391平方千米。人口约21 549 000（2004）。

土地 罗马尼亚地形以喀尔巴阡山脉形成的大圆弧为主。该山脉由乌克兰进入罗马尼亚北部，走势曲折，先朝东南，再向西跨越该国中部。喀尔巴阡山继而转向南，跨过罗马尼亚与保加利亚之间的界河多瑙河。罗马尼亚南部和东部为肥沃平原，有多瑙河及其支流川流其间。喀尔巴阡山脉在罗马尼亚境内可分为东喀尔巴阡山脉、南喀尔巴阡山脉（或特兰西瓦尼亚山脉）和西喀尔巴阡山脉，约占国土总面积的30%。南喀尔巴阡山脉中的摩尔多韦亚努峰（2 544米）是全国最高点。3座山脉平均海拔均为800米，形成一个向西开口的半圆形，屏障位于中部的特兰西瓦尼亚流域的台地，西向开口为结构性洼地（称作“门”）。喀尔巴阡山脉大圆弧外缘为外喀尔巴阡山脉，海拔在 400 ～ 1 000 米之间。东部与南部平原占国土总面积的 1/3，是历史上摩尔达维亚与瓦拉几亚的人口中心。

罗马尼亚的气候介于温带与大陆性之间。年平均气温从南方的 11 ℃到北方的 7 ℃不等；年平均降雨量在东南部为 400 毫米，喀尔巴阡山地区为1 400毫米。橡树、山毛榉及针叶林覆盖国土的 1/4 左右。

人民 全国人口中几乎有 90% 为罗马尼亚人。最大的少数民族是匈牙利人(7%)，多住在特兰西瓦尼亚，吉普赛人(2%)和日耳曼人(0.5%)。官方语言为罗马尼亚语。但匈牙利语和德语在匈牙利人和日耳曼人居住区内仍然保留，并可在学校中用于教学。

罗马尼亚人中有近 86% 信奉罗马尼亚正教。有一小部分罗马尼亚人(大多居住于特兰西瓦尼亚)是罗马尼亚天主教会东部教派的信徒，而匈牙利人和日耳曼人则大多为天主教徒、加尔文派或路德派信义宗的信徒。

人口出生率及死亡率均不高，但婴儿死亡率仍居高不下。人口中有 1/5 在 15 岁以下。平均预期寿命男性为 66 岁，女性 74 岁。人口中约有 3/5 居于城市区。

经济 1948 ～ 1989 年，罗马尼亚在共产党统治之下，实行的是中央计划经济。在这一时期中，大部分属于农业的经济被转变为以重工业和服务业为主的经济。自 1991 年起，继共产党政权之后，该国政府开始采取措施将工业及服务性企业归还私营部门。人均国民生产总值较其他大多数东欧国家为低。

农业约占国民收入的 1/6，雇用了 1/4 以上的劳动力。2/5 以上的土地为可耕地。然而在共产党统治下，集体农庄的农业产量很低，政府现已着手将一些集体农田分配给公民私人耕种。主要作物有玉米、小麦、裸麦和大麦。马铃薯和甜菜为重要根基作物。外喀尔巴阡山区是著名的葡萄栽种区。绵羊和猪为主要饲养牲畜。每年砍伐的木材多用于工业。

罗马尼亚的矿产资源匮乏，然亦开采铝矾土、铁矿和铅矿。燃料、矿产和五金约占该国进口的一半。

制造业与采矿业在国民收入中占 2/3 以上，以重工业为主，雇用了近 2/5 的劳动力。该国主要产品包括钢、铝、机械、汽车、化学品和水泥。以纺织品生产和食品加工为中心的罗马尼亚轻工业，在共产党政权下遭到忽视。电力生产主要靠热电厂。水电只能供应罗马尼亚电力的 1/6。机械及运输设备、燃料和化工产品为其主要出口商品。

罗马尼亚的客、货运输均主要利用铁路。公路网约有一半已铺设路面。多瑙河及多瑙河-黑海运河仍为主要航道。布加勒斯特及其他几个城市建有国际机场。

政体与社会状况 自 1878 年正式独立到第二次世界大战，罗马尼亚一直是君主立宪国，由世袭国王统治，其个人权力常与代表大地主、城市中产阶级和农民的政治集团的要求发生矛盾。1948 ～ 1989 年，该国处于罗马尼亚共产党的统治之下，政治体制基本上仿效苏联。

1989 年 12 月，一场革命推翻了该国的共产党领袖齐奥塞斯库。自 1991 年通过宪法以后，罗马尼亚成为一多党制共和国，总统由直接选举产生，任期 4 年，两院制的立法机构按比例代表制选出。少数民族在立法机构中的席位可得到保证。政党大致可分为前共产党(他们宁愿对社会主义经济审慎地进行改革)、民主党派(他们主张更为彻底的体制改革)和少数民族党派(他们寻求保证少数民族集团的发言权)。

罗马尼亚因在共产党政权统治下经济管理不善和忽视社会服务，生活水准均低于大多数欧洲国家。第二次世界大战以后，城乡住房均告短缺，医疗保健服务在许多地区呈现不足。

罗马尼亚的识字率达到 96%，反映出该国教育制度的完善。6 ～ 16 岁未成年人须接受义务教育，其他各级教育免费。除普通及中等学校外，尚有各类技术及专业学校。

文化生活 罗马尼亚在艺术及人文科学领域曾作出过重要贡献。作家中有诗人 M.爱明内斯库，他创立的诗派曾影响了 19 和 20 世纪的许多罗马尼亚作家。20 世纪的作曲家兼小提琴家 G.埃奈斯库成为罗马尼亚作曲家中的皎皎者。雕刻家 C.布朗库西则最能表现出 20 世纪视觉艺术的现代趋向。

历史 罗马尼亚最早的居民是色雷斯人，后来他们的后裔盖塔人与公元前 7 世纪在黑海沿岸出现的希腊殖民地发生了接触。公元前 4 世纪时，盖塔人与居住在喀尔巴阡山脉及特兰西瓦尼亚的一个有亲戚关系的民族达契亚人一起，建立起一个独特的社会。至公元 106 年，罗马人征服了盖塔-达契亚人。罗马人的统治为时虽短，却在源出拉丁语的罗马尼亚语言中留下了一份不可磨灭的遗产。哥特人的不断入侵迫使罗马人于 3 世纪末放弃了达契亚。在其后的 8 个世纪中，这片土地备受西哥特人、匈奴人、阿瓦尔人、斯拉夫人、保加利亚人和马扎尔人的侵略。按照有些匈牙利学者的说法，已经罗马化了的达契亚人在这一时期中退往多瑙河以南，只是在中世纪才又回到罗马尼亚平原和特兰西瓦尼亚。罗马尼亚学者则认为，虽然确有一些达契亚人顺从其罗马征服者，但大多数人还是逃往喀尔巴阡山中避难，或继续占据着旧达契亚地区的平原和台地。

因臣服于第 1 个保加利亚帝国(8 ～ 10 世纪)，东正教遂传布到罗马尼亚人中间。11 世纪时，特兰西瓦尼亚被并入匈牙利帝国。第 1 个罗马尼亚国家瓦拉几亚，于 14 世纪初建于喀尔巴阡山南，第 2 个罗马尼亚国家摩尔多瓦，于 1349 年建于喀尔巴阡山以东的普鲁特河河谷。然而，瓦拉几亚和摩尔多瓦于 14 世纪末和 1455 年先后成为奥斯曼帝国的附庸。两国一直到 19 世纪还仍然是土耳其的属国，而在特兰西瓦尼亚的罗马尼亚人则生活在匈牙利人的统治之下。1812 年俄罗斯控制了比萨拉比亚(摩尔多瓦东南部)。

19 世纪中叶，罗马尼亚的民族主义运动开始兴起。瓦拉几亚、摩尔多瓦和特兰西瓦尼亚相继爆发起义，但均受到奥斯曼帝国和俄罗斯帝国的镇压。克里米亚战争(1853 ～ 1856)后，瓦拉几亚和摩尔多瓦再次成为独立公国，并于 1859 年合选出一位大公统治两公国，成立了事实上的罗马尼亚国家，定都布加勒斯特。该国于 1861 年在行政上实行统一，并于俄土战争后在《柏林条约》(1878)中得到国际承认。

罗马尼亚与协约国一起参加第一次世界

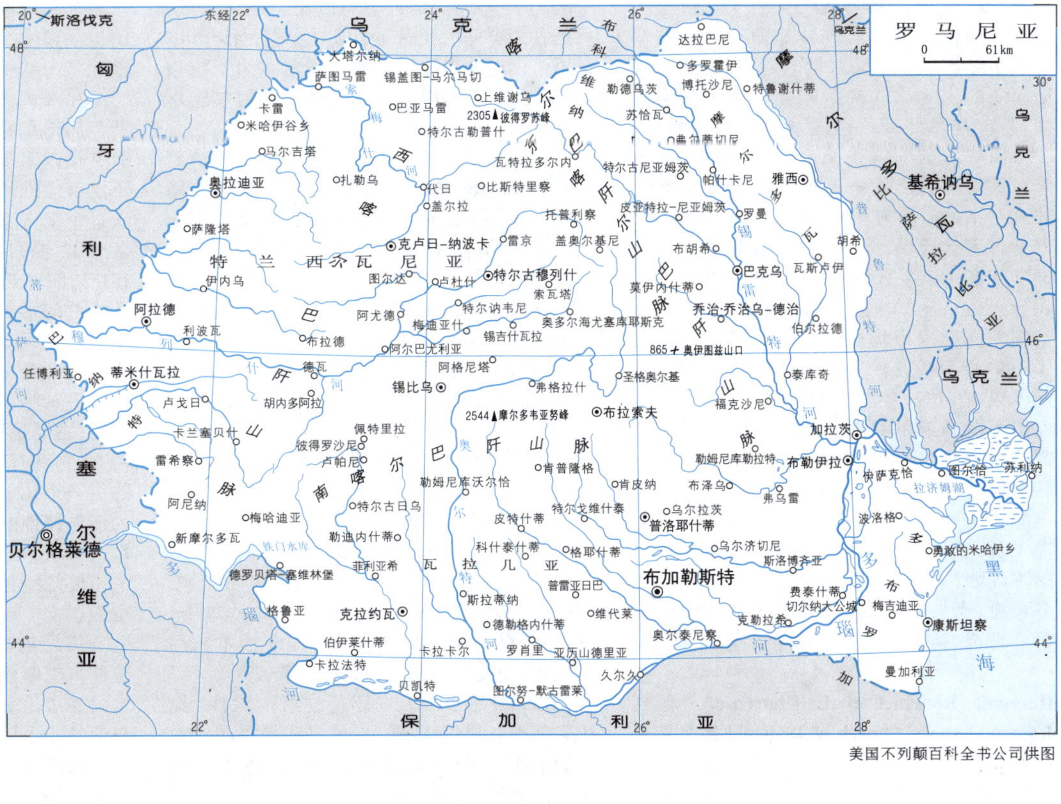

美国不列颠百科全书公司供图

大战,但同盟国不久即进占布加勒斯特及罗马尼亚大部国土。同盟国于1918年战败,罗马尼亚因增加了特兰西瓦尼亚、布科维纳和比萨拉比亚而领土倍增。虽然这样一来满足了罗马尼亚民族主义者的愿望,但这个大罗马尼亚在两次大战之间时期却因新并入的少数民族的不满、20世纪30年代世界经济大萧条和诸如"铁卫团"(类似存在于德国和意大利的法西斯主义运动)等极端主义政治组织的兴起而困难重重。为了维护其独立,罗马尼亚于1941年与纳粹德国结成同盟。当时有50万名德军占据罗马尼亚,并组成德罗联军入侵苏联。但到1944年该国即为苏军占领。在苏军占领期间,保守党、自由党和农民党的领袖们被迫退出各自的职位,1947年末,罗马尼亚国王亦被迫退位。罗马尼亚共产党在1948年大选中完全控制了大国民议会,通过了苏联式的宪法,宣布成立罗马尼亚人民共和国。

1948年后,罗马尼亚加入苏联卫星国体系,但在60年代,在G.乔治乌-德治和他的继任者N.齐奥塞斯库领导下,罗马尼亚共产党开始实施一项独立于苏联目标的外交政策。罗马尼亚共产党利用国有制和中央计划等社会主义手段,促进了重工业的快速增长,并将罗马尼亚由一个农村社会转变成为一个城市社会。70年代中,齐奥塞斯库企图实现罗马尼亚经济的进一步现代化,大量从西方信贷机构借入资金进行投资。然而他的宏伟开发工程却未能奏效,导致罗马尼亚人民不得不在80年代节衣缩食,以偿还国家累积的外债。罗马尼亚因大量出口其食品和燃料而生活水准大大下降。民众受到秘密警察的恐怖统治,齐奥塞斯库家族控制的政府则大肆挥霍国家剩余财富,用于公共纪念建筑的修建和城市化计划。

正当1989年东欧共产主义政权纷纷倒台时,齐奥塞斯库却逆潮流而上,重申其不得民心的政策。然而就在同年12月,国内各城市爆发了反政府的示威游行。当罗马尼亚军队也加入了反对他的起义时,齐奥塞斯库随即出逃。他被新成立的临时政府逮捕,经审判后处死。在这场革命的过程中,一个自称救国阵线委员会的集团接管了政府。该委员会所代表的是前共产主义者和非共产主义者两方面的广泛联合。1990年5月举行多党选举,选出总统和国家议会。救国阵线在选举中获胜,该组织的前共产主义领导人号召在罗马尼亚采取渐进的方式,有节制地向自由市场经济过渡。这个党控制了1991年新宪法的制定,重新命名为民主救国阵线,在1992年9月和10月的选举之后,保持了对政府的控制。但在90年代初,国家的社会经济问题并没有得到解决。生活状况恶化,腐败严重,政府无力恢复经济,也不能保障基本的社会服务,导致动乱四起。在1996年的选举中,伊利埃斯库及其政党救国阵线败给了民主联盟。但新政府也无太多建树,支持率下降。2000年,伊利埃斯库再度当选总统。

Romania, Roman Catholic Church of 参阅 **Roman Catholic Church of Romania** 罗马尼亚公教会。

Romanian language 罗马尼亚语 又拼作Rumanian,罗马尼亚语作Română。主要通行于罗马尼亚和摩尔多瓦的罗曼语。可分为4种主要方言:达基亚-罗马尼亚语,是标准语基础,以数种地区变体形式通行于罗马尼亚国内;阿罗马尼亚语,或称马其顿-罗马尼亚语,通行于分散在希腊、原南斯拉夫、阿尔巴尼亚和保加利亚境内的居民集团中;梅戈来诺-罗马尼亚语是希腊北部几近消亡的方言;伊斯特拉-罗马尼亚语是伊斯特拉半岛几近消亡的语言。主要方言间互相难以相通。梅戈来诺-罗马尼亚语、伊斯特拉-罗马尼亚语、阿罗马尼亚语,有对被划分为与严格意义的罗马尼亚语或达基亚-罗马尼亚语有区别的语言。它们自己本身只有少许方言变异。摩尔多瓦语是通行于摩尔多瓦,具达基亚-罗马尼亚语的形式,用西里尔字母书写。达基亚-罗马尼亚语最早文献可溯源至1521年。阿罗马尼亚语最早铭文记载在1731年。罗马尼亚语因其语言关系孤立于其他多数罗曼语之外,故其语音和语法的发展方向与之大不相同,而与斯拉夫诸语言及匈牙利语相近。罗马尼亚语继续保留着拉丁语中长o与短u的区别,而在其他大多数罗曼语言中则已混用,但是它也像其他所有的罗曼语一样,失去拉丁语的长e和短i的区别。在辅音音丛上已有以唇辅音p、b或m代替软腭音k和g的倾向(如拉丁语ŏcto"8",罗语为opt。拉丁语cognatum"男亲属",罗语为cumnat)。罗马尼亚语名词有两个"格":直接格(主格-宾格)和间接格(属格-与格)。名词单独使用时和缀有定冠词时有不同的单、复数形式。动词有简略的不定式(如a cînta就来自拉丁语动词cantare[唱]),将来时是由复合动词a vrea(希望)加上动词不定式而组成的,如voi cînta(我将唱歌);组成将来时还有另外可供选择的方法,即用助动词a vrea(有)加上să,再加上动词的虚拟式,如am să cînt(我将唱歌)。罗马尼亚语词汇也以拉丁语为基础,可是因为罗马尼亚语处于孤立状态,所以非罗曼语借词出现得比较频繁。通常多为斯拉夫语词,但也有土耳其语、匈牙利语和阿尔巴尼亚语借词。

Romanian literature 罗马尼亚文学 罗马尼亚语作品的总称。罗马尼亚文学史可划分为5个时期:①从15世纪写的最早的罗马尼亚经文至《圣经》被翻译过来的1688年止,②从18世纪直至1821年弗拉迪米雷斯库发动的民族主义运动止,③从1820年至第一次世界大战的民族复兴时期,④民族统一和文学融合时期,⑤第二次世界大战结束以后的时期。

早期 最早的译品是从斯拉夫语译出的,多为15世纪宗教典籍两行之间插印的诗篇或插入文字。大概在胡斯运动的推动下,在特兰西瓦尼亚北部的马拉穆列什出现所谓"过度使用r音或用别的音来代替它"的现象的经文,这些经文保存在16世纪的抄本中,其中有《夏依亚诗篇》和《沃洛涅茨抄本》,后者包含《使徒行传》和《沃洛涅茨诗篇》。

1508年在瓦拉几亚印行的第一本书为斯拉夫文的礼拜仪式书。一位名叫科雷西的教会执事印行了《使徒行传》的译文(1563)。现存的由他出版的其他书籍有《布道和祈祷文》和《福音书评注》,这些都起了鼓动人们使用罗马尼亚语的作用。这一时期也产生了一些世俗文学,主要是从希腊文、斯拉夫文、拜占廷文以及东方书籍译过来的,例如《亚历山大大帝三世史》、《伊索寓言》和《天方夜谭》。

17世纪,罗马尼亚文的宗教典籍继续印行,而在特兰西瓦尼亚、瓦拉几亚及摩尔多瓦,宗教改革引起的论争给了它新的推动。在摩尔多瓦,修道院是研习神学的中心。反宗教改革的意见在瓦尔拉姆大主教对1642年印行的加尔文教派教义问答作出的《回答》(1645)中表达了出来。波兰与土耳其战争期间,摩尔多瓦大主教、大学者和大神学家多索夫泰伊逃至波兰,于1673年在当地出版了罗马尼亚文最早的有韵圣诗集,也是第一本用罗马尼亚文写成的诗歌集。1675年,他回到摩尔多瓦,1679年,翻译了希腊文的礼拜仪式书。《圣徒列传》(1682～1686)是他对罗马尼亚文又一卓越贡献。在书中他用了一些通俗用语,起了鼓励发展一种更为灵活的散文体的作用。

17世纪末,布加勒斯特附近的斯纳戈夫修道院成为文学活动的一个中心,印行了罗马尼亚文、希腊文、斯拉夫文和阿拉伯文的书籍。罗马尼亚的印刷商斯特凡将印刷机引进高加索,印出了第一批格鲁吉亚文的书籍。宗教文学在1688年《圣经》被译成罗马尼亚文后达到了顶峰。所有后来的《圣经》译本均以此为根据。

17世纪的摩尔多瓦出现了以科斯廷为首的一群人文主义的史料编纂学家,从而使这项工作达到一个高峰。科斯廷用罗马尼亚文写了摩尔多瓦编年史,并用波兰文写了一首关于本国历史的诗。其子尼可莱续写编年史,开创了搜集民间传说和野史的工作。摩尔多瓦亲王康特米尔是一位伟大的语言学家和史料编纂家,他用拉丁文写了罗马尼亚、摩尔多瓦和奥斯曼帝国的历史。在摩尔多瓦的历史学家中,米列斯库占有一个特殊的地位,他写了一些神学和历史著作以及游记。

18世纪 在这个世纪的大部分时间内,社会压迫和腐化盛行。少数世俗与伪托的宗教文籍以手写本方式流传。和过去比较,说不上有何进步。在摩尔多瓦,出现了勒德乌茨这个新兴文化中心。本世纪的成就是两部各有12卷的《圣徒传》(1776～1780;1807～1815),前一部在勒姆尼库·沃尔恰出版,后一部由尼亚姆茨修道院印行。这两部作品语言华丽明晰,可与1688年本《圣经》媲美。

18世纪后期(1769～1799),沃克雷斯库依据古希腊诗人阿那克里翁的传统倡导写抒情诗,主要是情歌。其父耶讷基特为一警世诗人,并著有罗马尼亚文的第一本文法。他的另一个儿子扬库是罗马尼亚诗歌之父,他的诗作使他的前辈们的作品黯然失色。沃克雷斯库家族的第4位诗人为尼可莱。这一抒情诗传统经穆穆列亚努之手在瓦拉几亚延续下去。

民族复兴 这一时期第一个里程碑是弗拉迪米雷斯库在瓦拉几亚的崛起(1821)以及本民族统治者的归来。浪漫主义推进了开始衰退的拉丁语运动。19世纪下半叶,德国哲学和法国文化所孕育的严肃的文艺批评为现代文学开辟了道路。

特兰西瓦尼亚的拉丁语风越过喀尔巴阡山脉对瓦拉几亚的希腊影响下的文化起了有益的作用。在此影响下，勒杜列斯库创办了瓦拉几亚的第一家罗马尼亚文报纸以及爱乐协会(1833)，该协会后来又在布加勒斯特建立了国家剧院。他还为意大利影响的传入鸣锣开道，而瓦拉几亚的阿萨奇接受了这一影响，最初创作历史短篇小说，用罗马尼亚文和意大利文写作，并创办了期刊。在众多的丰富了浪漫主义遗产的不甚重要的诗人和翻译家中，亚历山德雷斯库是一位杰出的文学家。他创作了《诗歌》，在1832年、1838年和1839年结集出版。他的《冥想录》是一些寓言和讽刺文，它们大多受法国作家的影响。由重要政治家和现代罗马尼亚史料编纂学之父科格尔尼恰努主编的文学杂志，标志着文学中传统主义倾向的抬头。另一位1848年革命的领袖鲁索以他的一首圣经体散文诗丰富了罗马尼亚文学。

19世纪后半叶的重要作家有阿列克山德里和爱明内斯库。前者的丰富多彩的作品中既有诗歌、又有散文(《来自佛罗伦萨的花束》)，还有剧作。在《谣曲集》(1852～1853)和《通俗诗歌》(1866)中，他展示了罗马尼亚民间文学的珍品。哲理抒情诗人爱明内斯库开创了罗马尼亚现代诗歌之路。他受印度教思想和德国哲学的影响，但他仍扎根于传统。他把罗马尼亚诗歌提到了一个新的高度，成为文化生活各方面的引路人。他的作品有短篇小说和政治哲学论文。

20世纪罗马尼亚文学植根于19世纪的传统之中。跨越两个世纪的重要人物创立了各文学体裁、文学团体和批评方法，这些在20世纪仍继续存在。马约雷斯库在1863年组成文学团体尤尼米尼亚，反对那种为了形式而牺牲内容的倾向。卡拉伽列死于1912年，但因他是罗马尼亚社会喜剧的创始人被认为与20世纪有关。同样情况，斯特凡内斯库是民族历史剧创始人，加斯特的重要性则在于他是研究罗马尼亚民间文学的先驱。

20世纪初的东西欧文学运动在罗马尼亚有其反响。批评家盖雷亚以马克思的理论为指南；西方现代主义也对罗马尼亚作家有影响；登苏夏努则皈依象征主义，诗人米努列斯库和巴科维亚也是如此；洛维内斯库和达维德斯库接受了印象主义，后者的史诗《人之歌》(1928～1937)旨在重新创造世界历史。

第一次世界大战之后 战后罗马尼亚民族统一时期小说开始与抒情诗争夺读者。作家从社会或新近事件，主要是战争中获得灵感。雷布雷亚努在作品中反映了农民对土地与独立自主的要求，在《起义》(1932)中他描写了特兰西瓦尼亚的农民起义。他的最优秀的作品为受罗马尼亚参加大战启示的《绞死者之林》(1922)。

佩特雷斯库和诗人米努列斯库也写战争，而其他作家则考察社会的各个领域。特奥多雷亚努描写宗法家长统治的消亡，波帕则以乡村为主题。扎姆菲雷斯库写布加勒斯特郊区，珀特勒什卡努以俏皮的笔锋写政治生活。20世纪早期的现实主义大作家为萨多维亚努，他和布勒特斯库-沃伊内斯蒂代表了与老一代衔接的一个环节，对散文的发展极有影响。他集中注意力于农民在社会中的地位，1924年出版的写第一次世界大战结束后罗马尼亚人民创造新生活的《米列里亚·科科尔》是他的佳作。

学者、哲学家、批评家和翻译家也对这一时期的文学作出了贡献。考古学家珀尔万在其著作中纪念为战争作出牺牲的一代；历史学家约尔加创办文学期刊，创作剧本和诗歌，也写评论；地理学家梅赫丁茨主编一份期刊并写乡村故事；布拉加则是哲理性散文家和诗人；加拉克欣翻译了《圣经》，写作圣经题材的神秘诗和长篇小说。

抒情诗在现代罗马尼亚文学中是最受重视的体裁。其风格之多样见之于克拉伊尼克的宗教的传统主义倾向，巴尔布诗作的数学形式，皮莱特诗作中的法国和德国抒情诗的影响。继爱明内斯库之后，创造了一种新的抒情诗体的罗马尼亚诗人为阿尔盖济，在其诗歌中，语言获得了一种特有的表现力与和谐。他1935～1936间写的文章和诗集，包括《和谐的词》(1927)、《霉花》(1931)和《黄昏的歌》(1935)都是罗马尼亚文学中的里程碑。

第二次世界大战后的发展 战后不少知名作家继续创作。阿尔盖济在其《1907年》和一首赞颂人类求生存求自由意志的颂歌中达到了抒情诗的新高峰。博格扎参加社会现实主义运动。贝纽克成为他自己所说的"新时代的鼓手"，以激动人心的抒情诗歌颂战后时期的成就。鲍德兹在其战前的诗中描写外省生活的悲苦，后来则表现出昂扬的乐观主义精神。诗人热贝莱亚努就当代的一些事件和主题提出了抗议。在第二次世界大战期间和战后崛起的作家中，有表现为和平而斗争的诗人巴努什，从民间传说选取主题的诗人帕拉斯基韦斯库。布雷斯拉舒是位主题广泛的复杂作家。

剧作家有写当代生活问题的巴兰加，描写转变中的知识分子态度的洛维内斯库和以矿区和工厂为背景的达维多格鲁。

批评家和散文作家克利内斯库写了一部重要的罗马尼亚文学史(1944)以及研究爱明内斯库和其他作家的著作。他还创作多种长篇小说，描写第一次世界大战后布加勒斯特社会生活及它的逐渐衰败以及第二次世界大战以后知识分子所起的作用。

斯坦库所写的长篇小说追忆过去年代的乡村生活。卡米拉尔在小说《雾》中愤怒地控诉了法西斯主义。拉莱亚和维亚努写作散文与批评文章。前者还出版过游记和哲学心理学著作；后者先是属于唯美学派，后来则在他的著作中采取唯物主义的立场和方法论。

Romanian Orthodox Church 罗马尼亚正教会 目前巴尔干地区规模最大的自主东正教会。罗马尼亚人大多数属于这个教会，它在20世纪后期有1 600多万信徒。至迟在4世纪基督教即已传到罗马帝国的达契亚地区(大致相当于今罗马尼亚)。到了9世纪末，弗拉其人(即罗马尼亚人)似乎已经接受了古斯拉夫人的礼仪和保加利亚教会的管辖。但是，直到14世纪，罗马尼亚境内各省才设置都主教，继续使用教会古斯拉夫语礼仪，直到17世纪才改用罗马尼亚语礼仪。《圣经》和礼仪文献到19世纪才完全译成罗马尼亚语。不论是在奥斯曼土耳其的统治下，还是在匈牙利的统治下(特兰西瓦尼亚地区)，罗马尼亚正教会都在保存民族认同感方面有所助益。在特兰西瓦尼亚地区，宗教改革运动以后的协议并未给予正教会以正式承认，因而，根据1698年的联合法案，当地许多神职人员和在俗信徒接受罗马教廷的管辖，成为东仪天主教会。(1948年该教会被共产党政府取缔，1950年其神职人员和在俗信徒重新被接纳入罗马尼亚正教会)。同时，罗马尼亚正教会的主体成为一种重要因素，促使特兰西瓦尼亚地区的罗马尼亚人获得解放，并使大罗马尼亚在1918年以后得以建成。一位重要人物是第一任特兰西瓦尼亚都主教萨古纳，他在1868年撰写的章程在1918年以后对罗马尼亚正教会的经历发挥了影响。目前的罗马尼亚牧首区建立于1925年，将前奥匈帝国的罗马尼亚正教徒与1865年成立于摩尔多瓦和瓦拉几亚的罗马尼亚自主教会联合为一。而于1885年为君士坦丁堡(今伊斯坦布尔)普世牧首所承认。现代罗马尼亚正教会以罗马尼亚语为礼仪语言，全教会分为14个主教区。在第二次世界大战以后，罗马尼亚的共产党政权从来没有将教会与政治分开，它容许罗马尼亚正教会保留两处高级神学院，一在布加勒斯特，一在锡比乌，另外还有6所神学院。有许多维持活动的隐修院，还有几种布道和神学期刊。尽管有这样一些有利条件，罗马尼亚正教会依然处在政府的严格控制之下，一度兴起的隐修生活奋兴也在1958年之后遭受共产党政府的严厉限制。在90年代初，罗马尼亚正教会基本上摆脱了政府的控制。

Romanino, Il 罗曼尼诺(约1484，威尼斯共和国布雷西亚[意大利]～约1562，布雷西亚) 吉罗拉莫·迪·罗马诺的别名。意大利文艺复兴时期布雷西亚画派的主要画家。早年曾生活在布雷西亚、特伦托和克雷莫纳。其作品《圣母子与圣徒》(1513)在色感和画幅上反映出威尼斯艺术对他的影响。《圣卡特琳的灵婚》(约1530)一画表现了他对银灰和玫瑰色调的偏爱。他在《基督在以马忤斯》中把一种由衷的悲怆渗入到宗教场面中。肉体的市俗群像，出现在他的一些较大的作品中，如克雷莫纳大教堂里的以基督受难为题材的湿壁画上。在特伦托的湿壁画继续了这个题材，描写神话人物和日常生活场景。在《圣马太和天使》(1521～1524)一画中，他第一次大胆地进行了运用烛光效果的尝试。

Romano 罗马诺 参阅**John**(Papacy)约翰(罗马教廷)项下的 **John XIX**(or **XX**)*约翰十九世(或二十世)*。

Romano, Ezzelino III da(Italian noble) **罗马诺** 参阅**Ezzelino III** DA ROMAN*埃切利诺三世(罗马诺的)*。

Romano, Giulio(1492或1499～1546) **罗马诺** 参阅 **Giulio Romano** *朱里奥(罗马诺)*。

Romano, Giulio（1550～1618） **罗马诺** 参阅 **Caccini, Giulio** 卡契尼。

Romano, Museo Nazionale（Rome museum）参阅 **National Roman Museum** 国立罗马博物馆。

Romano-Germanic law 参阅 **civil law** 民法。

Romanov DYNASTY **罗曼诺夫王朝** 1613～1917年俄国二月革命前的俄国统治者。生活在莫斯科大公伊凡一世卡利塔（1328～1341在位）统治时期的一莫斯科贵族安德烈·伊万诺维奇·科贝拉的后裔。罗曼诺夫家族从罗曼·尤列夫（1543卒）获其姓氏，后者的女儿阿纳斯塔西娅·罗曼诺夫娜·扎哈林娜-尤列娃是沙皇伊凡四世（雷帝）（1547～1584在位）的第一个妻子。她的兄弟尼基塔的子女取罗曼诺夫为姓以纪念他们的祖父（一沙皇皇后的父亲）。1598年费多尔一世（留里克王朝最后一个统治者）死后，俄国经历了为期15年的混乱时期（1598～1613），直至缙绅会议选出尼基塔的孙子米哈伊尔·罗曼诺夫为新沙皇才结束。参阅 **Rurik dynasy; Troubles, Time of**。1797年前，罗曼诺夫家族没有确立正式的继位方式。在其统治的第一个世纪，他们按（从过去留里克王朝传下的）惯例将帝位传给沙皇的长子，如无子则传给血缘最近成年男性亲戚。因此，阿列克谢（1645～1676在位）继承他的父亲米哈伊尔（1613～1645在位），而费多尔三世（1676～1682在位）继承其父阿列克谢。但费多尔死后，其弟伊凡和异母兄弟彼得为皇位而争夺。虽然缙绅会议推举彼得为新沙皇，但伊凡的亲属在弓箭手的支持下发动宫廷政变，结果伊凡五世和彼得一世共同执政（1682）。彼得成为唯一的统治者后（1696），制定了继位法（1722-02-05［新历02-16］），使君主有权选定继承人。但彼得本人（他是第一个称为沙皇的皇帝）未能利用此法，在整个18世纪继位问题仍争论不休。彼得将皇位传给其妻叶卡捷琳娜一世，后者只是因婚姻而成为罗曼诺夫家族的成员。1727年叶卡捷琳娜一世死后，皇位复归彼得一世之孙彼得二世。后者死后（1730），伊凡五世在世的第二个女儿安娜成为女皇。安娜死后（1740），她姐姐的女儿安娜·利奥波尔多夫娜（其父属梅克伦堡家族）任她属于不伦瑞克-沃尔芬比特尔家族的儿子伊凡六世的摄政。伊凡六世于1741年遭废黜，让位给彼得一世和叶卡捷琳娜一世的女儿伊丽莎白。伊丽莎白之后，罗曼诺夫家族的男系在1762年绝传，但此姓氏由以当时登上俄国皇位的伊丽莎白的外甥彼得三世为代表的荷尔斯泰因-戈托普家族的一系袭用。1762～1796年，由彼得三世的遗孀、德意志安哈尔特-采尔布斯特家族的公主统治，称叶卡捷琳娜二世。随着彼得三世之子保罗一世的登基，荷尔斯泰因-戈托普的罗曼诺夫家族的成员再次成为皇帝。1797年4月5日（旧历），保罗一世修定继位法，规定了罗曼诺夫家族成员确切的继位顺序。他被支持其儿子亚历山大一世（1801～1825在位）的密谋者杀害，但亚历山大死后继位顺序发生混乱，因合法的继承人、亚历山大之弟康斯坦丁拒绝登基而秘密将皇位让给另一兄弟尼古拉一世。后者在位时间为1825～1855年。此后，继承顺序按

罗曼诺夫王朝

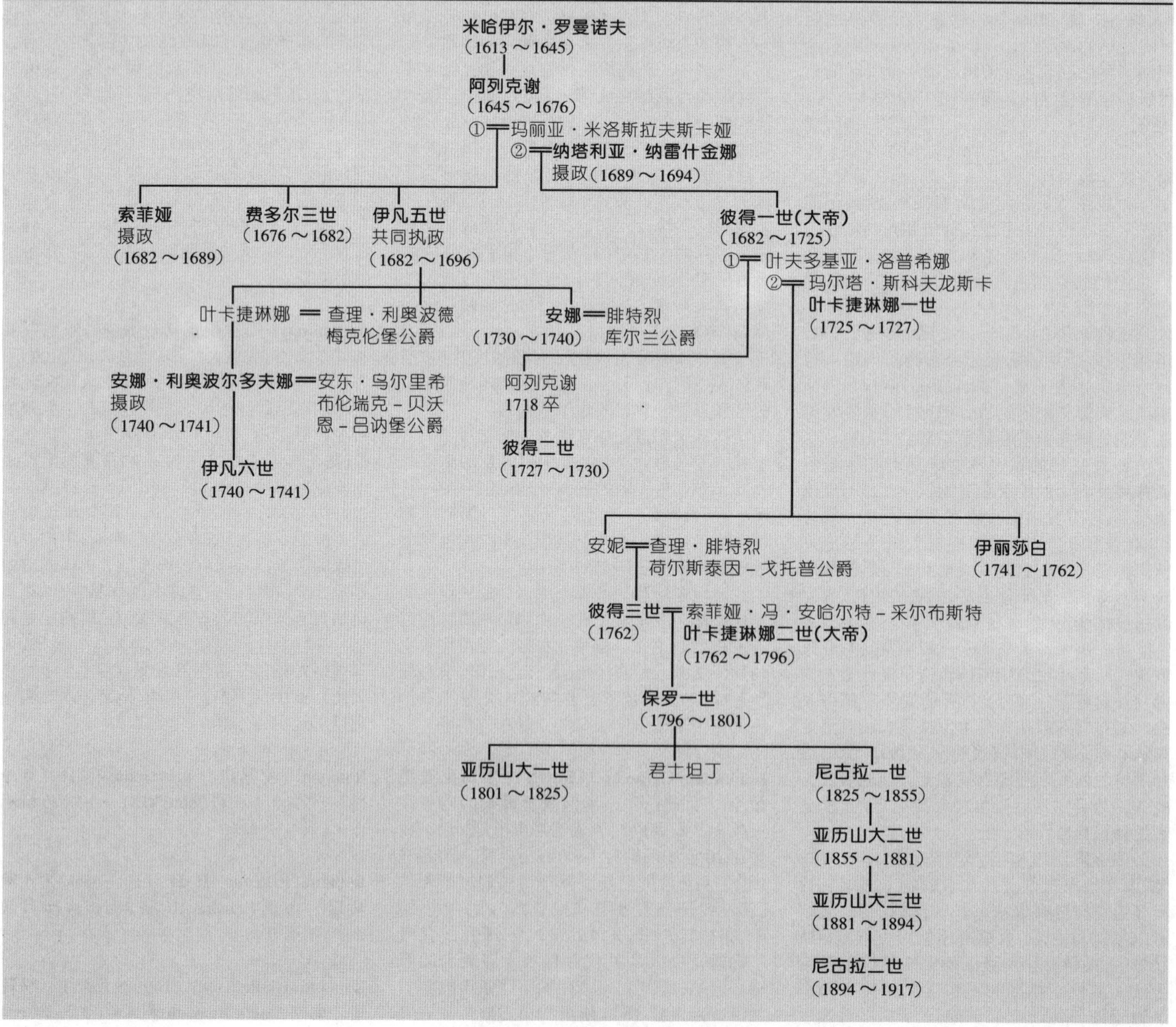

保罗的规定为亚历山大二世(1855～1881 在位)。亚历山大三世(1881～1894 在位)、尼古拉二世(1894～1917 在位)。1917 年 3 月 2 日(新历 03-15),尼古拉二世让位给他的兄弟米哈伊尔,但次日被米哈伊尔所拒绝。尼古拉和据说其所有近亲于 1918 年 7 月在叶卡捷琳堡(今斯维尔德洛夫斯克)被处决。罗曼诺夫家族的其他成员不是逃离俄国便是被处死。

Romanov, Fyodor Nikitich　罗曼诺夫　参阅 **Philaret** 菲拉雷特。

Romans, The Letter of Paul to the　《保罗达罗马人书》　简称《罗马书》,《新约》的一卷,是保罗著作中篇幅最长而在教义上最为重要者。可能为保罗在约公元 57 年自哥林多写给罗马教会的信。保罗原希望在第一次赴西班牙途中访问罗马教会。此书自古就是研究对象,路德所提出的因信称义教义即以此书为根据。这封长信实际上是论文,但未能全面概括保罗的神学;圣餐礼、复活、末世论等方面都未论及。保罗说,上帝的义一向体现在他对待人的作为中。保罗一方面自豪地指出,犹太人拥有独特的宗教传统(圣约、律法、列祖以及基督),另一方面又说,称义不再靠遵守摩西律法,即使犹太人也不例外,因为现在上帝借着基督彰显他的义,基督的义是全人类称义的根源。同时,保罗又告诫说,人不应由于称义就任意犯罪。《罗马书》还包含一些具体的劝告,如以善报恶、互爱互助、顺服掌权者。

Romans-sur-Isère　伊泽尔河畔罗芒　法国东南部罗讷-阿尔卑斯大区德龙省城镇,位于伊泽尔河北岸,瓦朗斯的东北面。建于 9 世纪。多芬皇太子恩贝尔二世(1349)将其领地多菲内地区转让给法国的地方,法国大革命前夕有关多菲内庄园产业的最后一次会议

伊泽尔河畔罗芒镇一角

供图:Editions "La Cigogne"—Hachette

(1788-12)也在此召开。现为原子研究中心,生产核燃料。还生产汽车设备和传统的皮革制品。人口 31 555(1982)。

Romansh language　罗曼什语　法语作 Rumantsch,又称 Grishun 或 Grisons。一种罗曼语属雷提亚语支。通行于意大利北部和瑞士,在瑞士格劳宾登州莱茵河流域。1938 年后罗曼什语虽未列为联邦国语,但已成为州用"国语"。有两种方言:苏尔希勒旺语(通用于莱茵河西岸)和苏特希勒旺语(通用于东岸)。最早书面材料是源自 12 世纪初的苏尔希勒旺语文献。参阅 **Rhaetian dialects**。

Romantic ballet　浪漫主义芭蕾舞　参阅 **classical ballet** 古典芭蕾。

Romanticism　浪漫主义　一种势如破竹的反对权威、传统和古典模式的运动,在 18 世纪后期到 19 世纪中期横扫西方文明。广义的浪漫主义是指这样一种立场或思想状态,即它本身同个性、主观、非理性、想象和感情共为一体,并往往以历史、民族奋斗和壮美的自然为其素材;在历史上,浪漫主义立场是对 18 世纪古典主义的朴素、客观和平静的一种自觉反抗。英语 romantic 一词源出南欧一些古罗马省府的语言和文学。这些地区的不同方言原系拉丁语和当地方言混杂而成,后来发展成罗曼语言(the Romance languages);在 11 和 12 世纪,大量地方语言文学中的传奇故事和民谣就是用罗曼语言写成的。这些作品着重描写中世纪骑士的神奇事迹、侠义气概及其神秘非凡,具有这类特点的故事后来逐渐称为 *romance*,即现今所谓的骑士故事或传奇故事。浪漫主义精神最先出现在文学中。在英国,浪漫主义作品在 18 世纪 90 年代开始出现,在法国,浪漫主义的先驱者是卢梭,他宣扬感情至上和人的本性善良。然而,严格地说,浪漫主义还是起源于德国和英国。浪漫主义最早的主要表现是德国的"狂飙突进"时期(1770～1780)。F.封·施莱格尔在 18 世纪最后几十年中成为德国浪漫主义的领袖。英国 W.华兹华斯在《抒情歌谣集》再版序言(1800)中把诗歌看作"强烈感情的自然流露",这篇"序言"后来成为英国浪漫主义诗人——济慈、拜伦和雪莱的宣言。也在 1800 年,法国作家斯塔尔夫人发表了她的著作《论文学》,介绍了她对浪漫主义的观点。在这部著作和另一部著作《论德国》(1810)中,她提出了浪漫主义民族主义的问题,后来成为浪漫主义思潮的一个重要方面。18 世纪 60 和 70 年代,一些在罗马的画家曾在新古典主义艺术的严格学院主义原则范围以外探索各种可能的途径。其中瑞士人 H.富塞利以其所画奇怪异常而最为突出,其《梦魇》一画(1781)着重刻画了思想的非理性方面的力量。英国画家和诗人布莱克(1757～1827)在基督教神话的基础上,发展了他自己精心构制的宇宙论,他的水彩画技巧精美绝伦。在后来一代的画家中康斯太布尔和 J.M.W.透纳把水彩画技法的鲜艳性和油彩结合使用。康斯太布尔画英国乡村景色,探索了大气的光和色的复杂性。透纳发挥了光的自然效果,创造出有动力感的构图,使观众如历其境,似乎在随画面一起游动。在德国,风景画家龙格力图以象征手法把个人的心灵气质描绘为普通的自然灵性的一部分。弗里德里希(1774～1840)是虔诚的宗教徒,他以高人云霄的一棵孤树或十字架之类形象来暗示自然和心灵的可敬可畏。在法国,采用历史和文学题材的主要浪漫主义画家是 E.德拉克洛瓦。除在色彩和光方面进行实验外,他以雄健的笔力表现了他的感情。异国的主题,特别是北非沙漠的游牧生活使他着迷。其热情洋溢地描绘动物生活的作品,反映了他和 T.热里科相似的兴趣,后者在选择当代事件作为创作题材方面很有革命性。在建筑方面,浪漫主义主要是通过借用旧的建筑式样和通过古怪的"铺张排场"表现出来。在英国,哥特式建筑特别吸引了浪漫主义的创作想象力,这不但是因为它在历史上和一个浪漫主义的时期有关,而且是因为它不像文艺复兴时期的建筑和古典主义建筑,而是一种土生土长的"民族"风格,所以非常容易用于新建的英国国会大厦之类公共建筑物。在音乐方面,浪漫主义的特点是,不论作曲或演奏,都以个性为重点,注重感情表现。这种变化部分地是由于音乐家的社会地位发生变化所致。18 世纪的作曲家是受托为贵族保护人而创作,而 18 世纪的作曲家则依靠城市音乐会的听众。就这一意义来说,贝多芬上承古典主义时期,下启浪漫主义时期,因为他的音乐技巧基本上是古典主义的,但他把自己的音乐看得高于一切,看作是自我表现的一种手段,从而为 19 世纪作曲家树立了重要的典范。音乐中的浪漫主义精神,不论在浪漫曲还是在器乐方面,往往从诗歌、童话和民间故事吸取灵感。把浪漫主义理想体现得淋漓尽致的是 19 世纪的大歌剧,强烈的民族主义,对英雄的崇敬,奇异的布景和服装,描述性音乐,以及交响和声乐配曲所显示的精湛技巧,这些都是构成浪漫主义运动的各种不同因素。这一切都被溶化于能够体现各种艺术的一种艺术形式中。注重个性,特别是注重主观性和自我表现,是浪漫主义的不朽遗产。它承认人是非理性的动物这一事实,扩大了艺术范围,把被新古典主义的和谐的理性主义排除在外的某些领域包括了进来,如人性的双重性,以及善与恶的两重性。浪漫主义艺术由于企图达到任何个人力量都不可能达到的一种超人类统一体,以致逐渐衰落,反以四分五裂而告终。但是,一旦面临任何机械体系限制人类经验发挥作用的威胁,浪漫主义的抗议就会继续出现。

Romanus　罗曼努斯;罗马努斯　希腊语作 Romanos。统治者之名,按国别或教皇系谱分列于后,并各以●为标记。

拜占廷帝国

● **Romanus I** Lecapenus　**罗曼努斯一世(莱卡佩努斯)**(约872～948)　拜占廷皇帝,与其婿君士坦丁七世共治,920～944 年行使全部权力。原为拜占廷帝国多瑙河舰队司令。917 年得悉陆军在阿谢洛奥斯败北,遂将舰队开往君士坦丁堡。不久女儿海伦娜

嫁给君士坦丁,他被拥为二帝之一。后来被儿子斯蒂芬和君士坦丁推翻,944年入隐修院。

● **Romanus II　罗曼努斯二世**(939～963)　拜占廷皇帝(959～963)。君士坦丁七世之子。他庸碌无能,在政治上依赖宦官约瑟夫·布林加斯,在军事上依靠尼斯福鲁斯·福卡斯。福卡斯在罗曼努斯死后借助皇后狄奥法诺之力登上帝位。

● **Romanus III** ARGYRUS　**罗曼努斯三世(阿尔吉鲁斯)**(约968～1034-04-11)　拜占廷皇帝(1028～1034)。原为宫廷显贵。君士坦丁八世死前命女儿佐伊与他结婚,并立他为皇位继承人。他即位后颇思励精图治,但大都事与愿违。他想减免人民的赋税,结果却使国家财政陷入混乱状态。1030年为抗击入寇东部边陲的穆斯林,他亲率大军进攻阿勒颇,但在阿扎兹败北。据信他是由佐伊用毒药害死的。

● **Romanus IV** DIOGENES　**罗曼努斯四世**(?～1072-08-04)　拜占廷皇帝[今在土耳其](1068-01-01即位)。卡帕多西亚省军队贵族出身。1068年同君士坦丁十世的遗孀欧多西亚结婚。1071年同塞尔柱突厥人作战时,在曼齐刻尔特战役中被俘。获释后,被君士坦丁十世之子、已加冕为帝的迈克尔七世刺瞎双目后流放到马尔马拉海的普罗特岛,在那里死去。

罗马教廷

● **Romanus　罗马努斯**(?,罗马附近奇维塔卡斯泰拉纳附近[意大利]～897-11)　教皇(897-08～11在位)。教皇司提反六世被害后罗马努斯在一片混乱中当选。起初,司提反六世将其前代教皇福尔摩苏斯的尸体掘出,举行"僵尸会议"予以审判,宣布取消他的教皇称号。后来司提反六世可能被福尔摩苏斯派绞死在狱中。罗马努斯登位后,从台伯河中取出福尔摩苏斯的尸体予以安葬。他后来可能被司提反派废黜。

Romany language　吉普赛语　又作Gypsy或Gipsy。与北印度-雅利安诸语言有关的语言,通行于五大洲的吉普赛人中。根据体质人类学者的说法,吉普赛人来自印度。操吉普赛语者主要集中在东欧。吉普赛语与人数很少的吉普赛人一样,很难得到法律承认。据比较语言学的研究,吉普赛语似乎是在公元1000年前后从有关联的北印度诸语言分化出来。斯洛文尼亚学者弗兰茨·冯·米克洛西希对全世界现代吉普赛方言曾进行分类,发现其语源有13种欧洲语言:希腊语、罗马尼亚语、匈牙利语、捷克斯洛伐克语、德语、波兰语、俄语、芬兰语、斯堪的纳维亚语、意大利语、塞尔维亚-克罗地亚语、威尔士语及西班牙语。其方言的区别系因吉普赛人在上述语言流行区域驻留而造成的。吉普赛人在这些地区生活时接受了当地语言的许多借词,有时甚至语言和语法也受影响。各种吉普赛方言的元音系统和辅音系统都是从梵语演变而来的。有些变化与现代印度诸语言的变化相应,另一些则仍保留着较古老的形式(如词首辅音dr-、tr-和词中的st[h],ṣṭ[h])以及少许难以说清的现象。一种典型的中欧吉普赛方言(克拉科夫-洛瓦里语)的元音系统有元音i、e、a、o、u。印度-雅利安语的卷舌音已从辅音系统中消失,可是却采用斯拉夫语的擦音和塞擦音。吉普赛语的语法体系和现代北印度诸语言体系相似,其直接格表示梵语中的主格和宾格,间接格则是从属格分化而来。如印地语和孟加拉语一样,吉普赛语为了句法结构的目的,可增加各种后置词。动词体系有3个人称、2个数、5个时态(现在时、未完成时、完成时、过去完成时、将来时)和3种语气。吉普赛语词汇充分反映吉普赛人的流浪生活。主要词汇来源(原始印度语除外)有伊朗语、亚美尼亚语、希腊语、罗马尼亚语、匈牙利语以及斯拉夫诸语言。吉普赛语无文字传统,但有丰富的口语传统。它得以存在的原因之一是作为有用的黑话或秘密语言而流传下来,因为吉普赛式生活经常导致与邻近社团发生冲突。20世纪以来,东欧某些国家已经用本民族文字拼写吉普赛语,出版诗歌和民间故事。有时也用吉普赛语出版非吉普赛书刊。

Romberg, Sigmund　龙伯格(1887-07-29,奥匈帝国瑙吉考尼饶[今在匈牙利]～1951-11-09,美国纽约州纽约)　匈牙利出生的美国作曲家。其作品中有几部成功的轻歌剧。在维也纳攻读工科,也学习作曲,并且成了技法熟练的小提琴演奏家和风琴手。1909年去纽约市,在一家时髦的餐馆里充当管弦乐队指挥,以演奏当时少见的伴舞音乐开始其音乐生涯。龙伯格曾受雇于乐团经理J.舒伯特,为40台左右的音乐演出编写乐谱。1917年第一部杰出的轻歌剧《五月时节》上演。根据F.舒伯特的生平创作的《繁花时节》(1921)中使用了舒伯特的歌曲。20年代创作了不少轻歌剧,由于其浪漫主义的剧情和旋律华美的歌曲而很受欢迎,如《学生王子》(1924)、《沙漠歌曲》(1926)和《新月》(1928,其中歌曲《爱人,你回来吧》中有一部分旋律源出柴可夫斯基的《六月:船歌》等)。1929年起为电影创作插曲,1933年创作轻歌剧《法国玫瑰》在巴黎上演。1942～1943年,指挥了一系列名为"和西格蒙德·尤伯格在一起的晚上"音乐会。最后一部成功之作是音乐喜剧《在中央公园》(1945)。

Romblon　朗布隆　菲律宾锡布延海中的岛屿和城镇。该岛为米沙鄢群岛的一部分,面积83平方千米。各岛地势一般较低,土壤肥沃。主要农作物有麻、椰干和水稻。朗布隆镇在该岛西北岸,是圣贝纳迪诺海峡(东)与贝尔德岛航线(西)上的繁忙港口。人口:都会区34 290(1995)。

Rome　罗马　罗马是历代王国和共和国的都城,也是在古代以其军队和政体划出了西方世界的界限并从此留下了似乎不可磨灭印记的一个帝国的都城。罗马被称为永恒的城市,是天主教的精神中心和驻地。罗马的名称使人联想起艺术和智慧成就的最高水平。在20世纪的最后10年中,罗马仍然保留着所有这些特点:它是意大利的首都、宗教权威的源泉和昔日创造性想象力的见证。这座城市的历史仍在继续影响其生存的几乎各个方面,这一点也许比西方其他任何一座城市都更为突出。同时,这座城市对其历史的认识又在城市现代生活中得到了具体体现。

罗马曾控制着欧洲全部文明的命运达一千多年,随后即开始瓦解和衰败。到中世纪后期,其疆土被肢解,经济瘫痪,政治衰落,军队也失去战斗力。然而,作为一种概念,罗马仍是一个世界强国。罗马,作为立法者、教师和建筑家,其影响力继续辐射到整个欧洲。尽管6～15世纪期间教皇的情况常常很不稳定,但罗马一直享有基督教发源地的荣誉并最终赢得其权力和财富,把自己重建为一座美丽的城市、学术的发源地和艺术都城。

自然地理和人文地理

景观　*位置和布局*　罗马位于意大利中部的台伯河畔,距第勒尼安海15英里(24千米)。罗马的乡村坎伯尼亚是意大利中部古代有人定居的最后几个地区之一。罗马城建在一座易于防守的小山上,雄踞于台伯河下游高耸的渡口处,中流的小岛为渡河提供了便利。

这座有7座山丘的城市大部分位于古代城墙之内。几乎可以肯定是建于公元前390年高卢人毁灭罗马城12年之后的所谓塞尔维亚城墙,将埃斯奎利尼山和卡埃利安山的大部分和其他5座山围在城内。虽然罗马在塞尔维亚防御工事之外发展起来,但一直没有建造新的城墙,直到公元270年奥勒利安开始建造砖面城墙。这道墙几乎长12英里,呈不规则形,城内面积约4平方英里。1870年,意大利人的军队就是在攻破了这道城墙后才宣布罗马成为他们的首都。这道城墙至今大部分仍保持完整。古代有城墙的罗马城仅为现代582平方英里市区的4%,是罗马12个行政区中最小的一个。城墙围起的中心分为22个区,大多数区的名称源自古代。环绕它的35个城区,1911年后开始正式融合入市区。城市西部和西北部边缘处有6个大郊区。在都市范围之外的罗马行政区面积约为罗马城本身的两倍。

距罗马市中心6英里外,一条带状公路构成大圆环,将首都围在中间并将从四面八方通向罗马的古代道路,如弗拉米尼亚大道、奥勒利亚大道、阿皮亚大道连接起来。大量的现代化公寓住宅楼在市中心以外的地方拔地而起,而在市中心,少量的现代建筑并不特别引人瞩目。

尽管旧城很小,但却有约300家饭馆和300家小旅馆、200多座宫殿、20座教堂、8座市内公园、意大利总统官邸、议会大厦、市政府和国家政府的办公楼以及宏伟的历史性纪念建筑。每年有数百万旅游者来此观光。面积1 508平方千米。

气候　罗马夏季白天干热,温度经常超过24 °C,但下午常常由于来自15英里以外第勒尼安海的一股西风而凉爽下来。年降水量为840毫米。春季和秋季为雨季。冬季气

候温和，但有霜冻并偶有少量降雪，平均气温约7 °C。来自北方的干冷风屈拉蒙塔那风在冬季常常刮入城市。

主要街道及其纪念性建筑 罗马市中心的主要街道是科尔索大道，从古代起就是重要的大道。当时通向亚德里亚海的道路是弗拉米尼亚大道。科尔索大道自卡皮托利尼山麓起通向波波洛广场，然后穿过一个城门(古时称波波洛门)通向城外。科尔索大道的起点耸立着统一意大利的第一位国王伊曼纽尔二世的胜利纪念碑。一个新巴罗克风格的大理石建筑，是罗马纪念建筑中最高和最新的(1911)，内有一座19世纪文艺复兴博物馆。

在沿科尔索大道漂亮的商店之间有5座教堂、8座宫殿(和一个小宫殿)以及马可·奥勒利乌斯柱。第一座教堂是圣马可教堂，它是按古典长方形建筑设计建造的第一座罗马教区教堂(公元336年)。现存的教堂为原址上修建的第三座教堂，建于9世纪并由威尼斯教皇保罗二世在15世纪时重修。1455年，当保罗二世还任枢机主教时，他围绕教堂修建了威尼斯宫和小威尼斯宫。在他成为教皇以后，他又扩建了他的府邸。墨索里尼曾将其总部设在这里，从阳台上向群众发表高谈阔论的演说；教皇保罗二世也曾在同一个阳台上向参加狂欢节的人群致意和发表教皇祝祷。这座宫殿现辟为文艺复兴艺术博物馆，内有一座国家考古和艺术史研究院图书馆。

当拿破仑在圣赫勒拿岛上受苦受难时，他的母亲莱蒂西亚夫人就是在波拿巴宫(现米夏泰利宫)里憔悴思念。这座宫殿的对面是萨尔维亚提宫，17世纪由讷韦尔公爵建造，19世纪时归路易·波拿巴所有。多里亚宫是一座15世纪后期的建筑，正面为1734年修建的装饰。在4世纪按巴罗克风格重建的圣马尔切罗教堂的后面是17世纪中期建造的巴莱斯特拉宫，1720年苏格兰的邦尼亲王查理在这里出生，1788年他又回到这里，并在此辞世。

马可·奥勒利乌斯柱上有表现他战胜多瑙河部族的浮雕，由于这座圆柱是一个宗教派别的特征，所以才得以从各色各样的基督教劫掠者手中保存下来。圆柱周围的科隆纳广场上有齐吉宫(1562)，多年来一直是外交部，现为总理的官邸；还有建于19世纪的魏德金宫。

科尔索大道始于壮观的椭圆形波波洛广场。300多年来，这个广场一直是作为进入罗马的礼仪性通道来修建的。尽管广场上的建筑风格不同，建造年代也各异(公元前13世纪至公元19世纪)，但仍保持着完美的和谐。1561年，城墙上中世纪的城门波波洛门重建。94年之后，其内侧表面由贝尔尼尼重新装饰。1589年，教皇西克斯图斯五世在广场的中心竖立起一座由奥古斯都从赫利奥波利斯带到马克西穆斯广场的方尖塔。

波波洛圣马利亚教堂紧挨城市。这座教堂在广场出现前几个世纪就已经矗立在那里，而且该地区也以教堂的名字命名。这座教堂始建于1227年，以取代1099年建于据说是尼禄墓上的小礼拜堂。1472～1477年被现教堂所取代，后又在临广场的一面覆以新古典主义的装饰。教堂内部充满了文艺复兴时期和伟大巴罗克艺术家们的作品。主礼拜堂内有桑索维诺装饰的坟墓和平图里乔的壁画。在切拉西礼拜堂内有卡拉瓦乔所作的《圣保罗的改奉》和《圣彼得钉死在十字架上》两幅画。齐吉礼拜堂由拉斐尔设计，是一座小巧的礼拜堂，这在16世纪很少见。礼拜堂角落里4座先知雕像中有两座出自贝尔尼尼之手。

广场的另一端矗立着“一对”教堂(1662)，形成进入3条大街的进口。由于先有了大街，所以这两座教堂巧妙地挤建在大街之间狭小且面积不等的两块地上。建在东边的蒙泰桑托的圣马利亚教堂为椭圆形设计，有圆顶；建在西边朝台伯河一侧较为狭窄地段的米拉科利圣马利亚教堂有圆形屋顶。3条大街中有一条是巴布伊诺大街。西克斯图斯五世(1585～1590)为使哥特战争后罗马的一些荒废地区重新供人居住修建了许多街道，巴布伊诺大街就是其中的一条。由于缺水人们被迫从高地搬走，西克斯图斯重建了亚历山大输水道，并以他的名字将输水道重新命名为费利切输水道。他修建了许多新的道路，这些道路是现代罗马街道布局的基础。他还建造了梵蒂冈图书馆，完成了圣保罗教堂圆顶工程，重修了梵蒂冈教皇的宫殿奎里纳尔宫和圣拉特兰宫(圣乔治拉特兰宫)，并在后两座宫殿前重新修了广场。他还在圣马

罗马市郊的埃斯波西齐奥内大学

供图：Paolo Koch—Rapho/Photo Researchers

罗马市的纳沃纳广场
供图：Garofalo—Grimoldi

利亚教堂修了一座新广场，将从废墟中找到的四座方尖塔重新竖立起来并修复了许多喷水池。

1857年在斯巴格纳广场竖立起一座方尖塔以纪念1854年颁布的无沾成胎信条。然而广场上最动人的建筑物是著名的西班牙台阶。虽然叫作西班牙台阶——因为西班牙大使馆17世纪时迁至这个广场——但是，毫无疑问这些台阶是法国式的。建台阶的想法大概是由法国人在西班牙使馆建造时首先提出的，100年后由教皇当局批准。建造费用从一位法国外交家的遗产中支付。台阶通向由法国人建造的蒙蒂三一教堂和修道院。这座教堂修道院始建于1495年，为来访的法国国王查理八世的赠礼，后由路易十八重建。

人民 大约有1 000年，成为罗马公民就等于握住了打开世界的钥匙，就等于可以安全地、骄傲地和相对舒适地生活下去。现在，作为一名罗马的罗马人仍然相当值得骄傲。在这些人中有“黑色贵族”，即具有教会授予的称号的家族。他们在上层社会中构成一个社会，避免抛头露面，并与由统治者授予头衔的“白色贵族”之间不大往来。

与意大利其他地方一样，在罗马，家庭结构很稳固。老年人受到尊敬，儿童在大多数为家长制的家庭中受到爱护。在家庭以外的社会中，重要的口头语是“要面子”。因此，受过教育的医生会像对卡波（首长）那样对清道夫致意，这是对穿制服者必须表示敬意的姿态。耐心也是这个人口过剩但工作人员缺乏的城市所必须的。

人口增加、流动性加大和19世纪末开始由农业经济向工业经济转变的趋势是造成罗马人口增长的主要原因。像意大利其他城市地区一样，罗马已成为来自全国的流动人口——但大部分来自贫困的南方——的目的地，他们来罗马是为了寻找工作和机会。人口约2 643 581（2000）。

经济 *工业* 罗马不能被称作是工业城市，但却有大量的中型和轻型工业。工厂多集中在城市的西北部。主要工业包括机械、电子、化工、印刷、制衣和食品加工。主要雇主为建筑业、旅游业、电影业和政府。电影业主要集中在距罗马市区几英里以外的电影城。工业仅为罗马提供了1/5的工作机会，大部分居民受雇于商业和政府。

运输 交通已成为一个困扰罗马的难题，使罗马进退维谷。罗马市政收入的大部分来自100多万辆汽车和摩托车，而这些车辆又使城市陷入困境。白天的平均噪音已经超过可以逐渐造成失聪的程度。尽管驾驶员胆大心细，但机动车时速仅为每小时4英里。

公元前45年，凯撒禁止任何四轮马车白天在罗马建筑物众多的地区行驶。不幸的是交通警力严重不足，致使白天一般没有交警值勤。从1973年开始，为了减少拥挤、噪音和空气污染，部分老市区禁止使用私人车辆。

城市交通的有害气体和振动加速了罗马纪念性建筑的毁坏，而这些纪念性建筑本身却又妨碍了可以减少路面交通量的工程——地铁工程。墨索里尼曾下令修建一条以罗马中央火车站为起点的地下铁路。1955年，长7英里的西南线开始运营。1959年，一项综合性的都市区地铁系统获得批准。由于官僚主义造成的耽搁以及为避开纪念性建筑需绕道修建，北至东南走向的第二条地铁线路到1980年才完工。

罗马有两个国际机场，一个是位于城市西南15英里处海岸的达·芬奇机场，另一个是位于城市东南7英里处的钱皮诺机场。

行政与社会状况 *政府* 罗马由一个经选举产生的80人委员会治理。市长和14人组成的执行委员会（有4个保留席位）从委员会的成员中选出。该委员会负责警察保安、保健服务、交通运输和某些公共补助等工作。

公用事业 罗马是西方世界中最漂亮最迷人的首都之一。但是，据地方政府透露，罗马也是意大利最脏、噪音最大和负债最多的城市。这座曾发明了混凝土和公寓房的城市长期被住房短缺所困扰。造成住房短缺的原因是来自意大利全国各地找工作的人不断涌

入罗马。妨碍房屋建筑的 3 个阻力是:①只有当市政当局为一块地提供了公用事业和学校后才能在上面造房子(该市学校也短缺,致使学校分三班上课,一天持续 12 个小时);②罗马的政治错综复杂,游移不定;③由于官僚主义的办事速度慢如蜗牛,仅报批公文就得几年,因此使工程受到耽搁。罗马的主要高等院校有罗马大学(建于 1303),其校舍即大学城,位于火车站以东。

罗马的纪念性建筑

罗马的许多珍贵文物已不能再在其原址见到,而只能在其他城市或国家见到。仍然留在罗马的那些文物代表了古代世界各地对罗马征服造成的破坏,或者一个时代或一种信仰取代更早的时代或信仰所创造的文物。罗马最早在公元前 390 年遭到高卢人的劫掠,其后的侵略者是公元 410 年的西哥特人、445 年的汪达尔人、1084 年的诺曼人和 1527 年的西班牙军队。846 年,穆斯林围困罗马。公元 64 年罗马发生大火(尼禄火灾)。千年间经常发生的火灾和地震将个别的建筑或整个地区夷为平地。但是,在所有这些灾难中,使古罗马遭到最大破坏的力量是将古建筑拆毁用作建筑材料,特别是在 9 ～ 16 世纪期间。然而,罗马幸存下来的古代遗产仍然超过西方任何一个城市。这些遗产遍布整个罗马,因此只能根据地理位置或类型来确定哪些是最精彩的部分。

罗马七丘 帕拉蒂尼山 罗马的起源像其他许多古城的起源一样寓于传说之中。罗马的传说是:马尔斯的孪生子罗慕路斯与雷穆斯被扔在洪水泛滥的台伯河里。大水退后他们漂到帕拉蒂尼山山脚下,靠一只母狼哺育,并由牧羊人抚养,长大后建立了罗马。雷穆斯由于违犯了罗马城的第一部法律而被罗慕路斯杀死。埃特鲁斯坎人建立的充满母爱的凶猛的狼的青铜雕像(公元前 6 世纪末或前 5 世纪;卡匹托尔博物馆)是罗马成千上万件杰作中最伟大的作品之一。1509 年,在埃特鲁斯坎人的雕像下面又塑了一个吃奶的婴儿。

狼穴卢佩卡尔至少在该帝国垮台之前还作为圣地保留,现已不复存在。在帕拉蒂尼山的同一侧,"罗慕路斯小屋"曾被保留下来并不断得到修缮。这是一座木结构圆形茅屋,覆以涂泥的柳笆。现代发掘表明,当地传说中有罗马建立时期(公元前 8 ～前 7 世纪)的这种铁器时代的茅屋。

公元前 3 世纪时,帕拉蒂尼是贵族居住区。公元前 63 年,奥古斯都出生在那里,在成为皇帝后仍一直住在那里。他的私宅建于约公元前 50 年,至今仍保留完好,从未做过大的改动。这所房子称为利维亚屋(利维亚是其遗孀),其中有装饰着绘画的小巧雅致的房间。现在发掘出并可见到的其他私宅都已没入遍布各处的帝国建筑基础之中。这些帝国建筑在山的一侧,最后变为广场,在山的另一侧则成为大竞技场。帕拉蒂尼山的 3 座峰在建筑过程中已被削平。提比略始建宫殿以后,尼禄、卡利古拉、图拉真、哈德良和塞维鲁等人又各自修建了一些建筑。

最大和最富丽堂皇的建筑是为图密善(公元 81 ～ 96 在位)建造的。他的建筑师所取得的成就为罗马前所未有。这座奢华建筑的某些部分,如用大理石建造的集中供热餐厅,至今仍可见到。这些地方在皇帝不再存在之后由教皇占用,以后这座山被遗弃。

大约过了 6 个世纪,罗马的大家族回到帕拉蒂尼山,在过去的辉煌之上重建了 16 世纪的花园和楼阁。图密善宫殿中私人部分的全部房间由于并入马太别墅而得以保存。在提比略的宫殿上面,法尔内塞家族建造了两个大型鸟舍和一座花园,还建立了植物园。这是欧洲最早的植物园之一。

卡匹托尔山 卡匹托尔山是罗马政府的所在地,该地现在与米开朗琪罗当初的设计没有什么变化,是现代城镇规划的最早范例之一。广场由 3 座宫殿构成,中央是马可·奥勒利乌斯骑马的青铜雕像。这座雕像由于圈入皇家卫队的营地(后为拉特兰宫)而历经沧桑未受破坏,因为原以为这是第一位基督教皇帝君士坦丁的塑像。

塞纳托里奥宫包括塔布拉里乌姆宫正面的遗迹。塔布拉里乌姆宫是公元前 78 年建立的一座国家档案馆,也是第一座采用混凝土拱顶和古典建筑柱式拱门的建筑。1143 年的一次民众起义后,在原址上为重新恢复的 56 人元老院建造了一座宫殿。据说元老院开始由人民选出,但到 1358 年成为一个由教皇任命的机构。以后这座宫殿根据米开朗琪罗的设计重建,并改名为塞纳托里奥(元老院)宫。

市议员宫位于广场南侧,在卡匹托尔宫对面。这座宫殿作为教廷保存的文物,于 1471 年由西克斯图斯四世还给罗马公民,成为西方世界第一座公共雕塑博物馆。现在这个占有卡匹托尔宫和议员宫以及后来的一座私人宫殿的博物馆,仅收藏在罗马发现的文物,如著名的罗慕路斯与雷穆斯狼、"卡匹托尔的维纳斯"、"垂死的高卢"和"带刺的男孩"等。

这座山丘是罗慕路斯罗马的要塞和庇护所。北峰是朱诺·莫内塔神庙("钱"[Money]这个词即来源于这座神庙作为早期的造币厂的功能)的原址,要塞的炮台上现建有维克托·伊曼纽尔纪念碑和圣马利亚·达拉科埃利教堂。奉献给朱庇特的南峰于公元前 509 年建造了朱庇特—奥普蒂穆斯—马克西穆斯神庙。这是意大利中部最大的一座神庙。现在在议员宫后面和下面出土的用于建造神庙的凝灰岩平台面积为 203 英尺 × 174 英尺。

公元 6 世纪前建造的圣马利亚·德阿拉科埃利教堂在 13 世纪重修后成为现在的规模。教堂排满了从古代建筑物上拆下的柱子。这是供奉"伊利·班比诺"的教堂。伊利·班比诺是非常令人喜爱的能够创造奇迹的幼年基督,他能被请来拯救生命垂危的病孩。

阿文蒂尼山 阿文蒂尼山遍布着许多现代化房屋和公共汽车道路,但这座山仍然显示出过去的(显然不是古典的)罗马。不断发生的吞没城市的火灾毁坏了所有共和时期的房屋,狄安娜神庙仅作为一条街名而保留下来。在 4 世纪所建的圣普里斯卡教堂下面是罗马城中保存和维护得最好的密特拉长方形会堂中的一座。圣萨比那教堂自 5 世纪以来没有什么变化,它有一排 24 根对称的宏伟科林斯圆柱。这些柱子来自被遗弃的异教徒的神庙或宫殿,由基督教慈善机构发掘并捐出。萨韦洛公园不大,是萨韦洛家族城堡周围用围墙圈起的地区。这座城堡是中世纪围绕罗马城而建的 12 座城堡之一。

18 世纪后期由皮拉内西设计的马耳他骑士广场是浪漫主义的杰作。广场右边是骑士修道院,是马耳他骑士团大首领的宅邸。1113 年,新成立的耶路撒冷圣约翰僧侣骑士团位于圣地,从那里被逐到罗得岛并在那里一直坚持到 1522 年,再迁往马耳他直至 1789 年,是年该骑士团搬到罗马一条偏僻街道上的据点中。这个独立的骑士团现仍继续其国际医疗工作。

卡埃利安山 卡埃利安山几乎一半是公园,其中包括切利蒙塔纳别墅的公园。这个公园曾是马太家族的花园。马太家族在帕拉蒂诺山另有一座花园,在战神广场有一处宅邸群,在特拉斯特维雷地区还有一处宅邸群。山上的 6 个教堂建于 4 ～ 9 世纪。

在中世纪罗马仅存的设防修道院的园内矗立着圣夸特罗·科罗纳蒂教堂。建于 5 世纪的圣保罗长方形会堂位于一个广场口。广场上几乎没有中世纪以后的建筑。与教堂并列的是克劳狄乌斯神庙的平台。这座神庙先由尼禄拆了一部分,又被韦斯巴芗彻底拆毁。圣斯特凡诺罗通多(460 ～ 483)圆形教堂可能是按照耶路撒冷的圣墓教堂的样子建造的。

圣约翰医院建于中世纪,附属于山边的圣拉特兰教堂(圣约翰拉特兰教堂),它仍然保持着罗马式建筑的大门。建于同一时期的圣托马斯医院除了其马赛克大门外,其余部分已不复存在。附近矗立着多拉贝拉拱门(公元 10 年),不远处是被尼禄延长的克劳狄安输水道的遗迹。

埃斯奎利尼山 在埃斯奎利尼山和卡埃利安山之间的广场山谷的端部是大斗兽场和君士坦丁拱门。帕拉蒂尼山从北面沿边缘向下延伸。公元 64 年的大火烧毁了城市的大部分之后,尼禄开始重修山的端部(200 英亩)作为自己奢华的宫殿。宫殿立面以金包覆,因此得名"金色宫殿"。尼禄这种侵占行为激怒了公民,因此他的继承人立即将宫殿上一切痕迹抹掉:装饰性的人工湖湖水被排干,在湖床上建起大斗兽场供人免费娱乐;图拉真在金色宫殿居住处一侧之上建起宏伟的浴池,亦免费使用;图密善将广场边上的回廊改建成罗马最漂亮的商业街。公元 104 年的大火帮助了这些想消掉痕迹的人。131 年,哈德良在广场这一端曾建有走廊的地方建起他的维纳斯和罗马神庙;10 世纪,在神庙平台的西角建起了新圣马利亚教堂和以前的女修道院建筑,从金色宫殿开始建造时起,不到 70 年的时间内,除了一座 150 英尺的尼禄镀金塑像以外,其余部分均荡然无存。

取代尼禄人工湖的大斗兽场称作弗拉维安竞技场更为正确。由韦斯巴芗始建,公元 80 年由提图斯举行落成典礼。椭圆形的竞技场地周长 1/3 英里,外围尺寸为 615 英尺 × 415 英尺。160 英尺的立面有 3 层共 80 个拱门和一层顶楼。附加的圆柱按马塞卢斯剧院(公元前 13 年）的柱式排列：底层为结实的不加装饰的多立斯柱式；第二层为较为雅致的爱奥尼亚柱式；最上层为豪华的科林斯柱式。顶层有梁托支撑桅杆，皇家水手在这些桅杆上撑起遮篷，使 5 万观众在观看角斗士表演、斗兽表演和摹拟战斗表演时免受日晒之苦。当竞技场注满水后，还可以进行水军表演。主要结构的框架和正面均用石灰华建造，第二层墙用火山凝灰岩建造，内层和拱顶用混凝土建造。直到庇护八世（1829 ～ 1830 在位）开始对所剩部分实施保护措施之前，1 000 多年来它一直是一个便利的采石场。

古罗马广场遗址

供图：Authenticated News International

附近的君士坦丁拱门是 315 年为庆祝两年前的一次胜利而仓促建造的。这座辉煌的拱门上几乎所有的雕刻都是从较早的纪念建筑上拆下来的：一条表现战争的横饰带取自图拉真广场；一系列哈德良圆形饰物和 8 块镶板取自马可·奥勒利乌斯纪念碑。

图拉真浴场的残迹现在是特拉亚诺公园剧场的装饰。卡拉卡拉大浴场（约 212 ～ 217）和戴克里先大浴场（298 ～ 305 或 306）是参照这个浴场建造的，而这两个浴场又是马克辛奇长方形会堂的模式。浴池建筑是一个巨大的长方形混凝土结构，内衬大理石，周围是一个花园。圈绕花园的长方形外围是图书馆、演讲厅和画廊。

卡埃利安山后河滩上的几个卡拉卡拉大浴场占地 6 英亩多，其中部分土地现在为联合国粮食及农业组织的现代化玻璃幕墙建筑和邮电部所占。戴克里先的几个大浴场位于维米纳尔山峭壁之上。浴场的规模（大浴场的规模为 13 万平方码）可以从下述事实中得出一些概念：圣贝尔纳多教堂建在 92 英尺高的冷屋中央大厅以西约 500 英尺处的一间浴室内，米开朗琪罗于 1561 年曾在这个浴室内建造了圣马利亚·德利·安杰利修道院教堂。

罗马国家博物馆（亦称泰尔梅博物馆）的前 7 个大厅是冷屋浴池的房间。这一无与伦比的古代收藏包括别墅的壁画、马赛克、雕刻精美的石棺和雕塑、著名的路德维希御座（希腊，公元前 5 世纪）、来自今日威尼托大街延伸处萨卢斯特花园的尼奥比德绘画和 1884 年发现的《拳击手》青铜像（公元前 2 世纪）。

马克辛奇长方形会堂（亦称君士坦丁长方形会堂，因为是在他打败马克辛奇后完成的）始建于约 311 年。这座长 265 英尺、高 120 英尺的巨大的法庭兼商业大厅可能是毁于 847 年的地震。一根巨大的科林斯柱像方尖塔一样矗立在埃斯奎利尼山上的圣马利亚教堂前。一座 40 英尺高的君士坦丁头部雕像静静地安放在议员宫的院子里。

维米纳尔山和奎里纳尔山 像埃斯奎利尼山的大部分一样，维米纳尔山和奎里纳尔山也位于现代罗马的中心。由于建筑稠密和交通拥挤，在指挥国家警察部队的重要部门内政部的主持下，维米纳尔山几乎被铲平。从克雷申蒂家族在中世纪在此开始修建家族城堡开始，奎里纳尔山便成为有权势的罗马家族的住宅区，现有一条现代化隧道穿山而过。在科尔索附近的科隆纳宫现在是一个对公众开放的美术馆；沿山坡向上至奎里纳尔广场的花园里有卡拉卡拉的萨拉匹斯神庙遗迹。这个广场自古以来就有两座大型塑像。塑像是人与前腿腾空的马，称为“驯马人”或“卡斯托和波卢克斯”。广场三面被宫殿所包围，另一面朝向台伯河美丽的风光。奎里纳尔宫作为夏宫为教皇格列高利八世于 1574 年所建，以躲避梵蒂冈的暑热和疟疾。此后 200 年间，有许多著名的建筑师对其进行过扩建和装饰。1550 ～ 1870 年，教皇的府邸是奎里纳尔宫而不是梵蒂冈。1870 年，它成为新意大利王国的皇宫，1948 年成为总统宫。但是，国王和总统更愿意住在宫殿一隅更有家庭气氛的小房子里。

对面漂亮的建筑是马厩（1730 ～ 1740），原为 10 世纪克雷申蒂的防御工事。孔苏尔塔宫（1734）的一部分由教皇当局使用。1603 年由一位博尔塞枢机主教建造的帕拉维奇尼-罗斯皮廖西宫现仍为私人住宅。再向山上走就是巴尔贝里尼宫，1629 ～ 1633 年建于旧斯福尔扎宫的原址上，1949 年以前一直由巴尔贝里尼家族居住。国家古代美术馆的部分藏品在此展出，其余藏品则存放于河对岸特拉斯特韦雷的科尔西尼宫。大部分出自名家之手的 1 700 幅绘画，是由包括巴尔贝里尼家族在内的著名家族捐赠的。这座建筑在建筑学上很重要，它标志着从文艺复兴早期到盛期的敦厚的四方型房屋的偏离。在罗马地区只有乡村别墅原先采用露天的平面布置，两侧厅向前构成横廊的正面。它进一步成为巴罗克风格在住宅建筑上的先驱。

贝尔尼尼所建的奎里纳尔的圣安德烈教堂也很小，但他花了 12 年时间（1658 ～ 1670）才建成。这座椭圆形建筑的中殿嵌入外墙，后根据米开朗琪罗提出的概念进行扩建。贝尔尼尼利用彩色大理石和巧妙的照明效果使小建筑显得较大。附近是歌剧院，1880 年由斯丰德里尼建造。1926 年该建筑归国家所有，是罗马最重要的歌剧院。

其他诸山 在特拉斯特韦雷河平原后面有贾尼科罗山，在波波洛广场后面的河对岸是平乔山。1870 年在贾尼科罗山山顶修了公园,以纪念1849年加里波第英勇地但未成功地保卫了罗马共和国。在罗马帝国期间,平乔山遍布别墅和花园。19世纪平乔山成为公园。向蒙地三一教堂方向沿大街向下走是1554年建造的梅迪契别墅,1801年由拿破仑买下作为法兰西学会的会址,现仍为该学会所用。1666年成立的这个学会是17～19世纪间建立的许多全国学会中最老的一个。建立这些学会的目的是为建筑师、艺术家、作家和音乐家提供研究罗马本身这部大教科书和使用其博物馆和图书馆的机会。

山上还有朱利亚别墅和博尔塞别墅,都拥有世界著名的艺术品。朱利亚别墅是典型的16世纪中期罗马郊区别墅。国家朱利亚别墅博物馆收藏具有美学价值和历史价值的埃特鲁斯坎艺术品和手工艺制品。博尔塞的藏品少而精,有一个房间全都是卡拉瓦乔的作品,此外,还有提香的作品《神圣的和风俗的爱》。建在博尔塞别墅范围内的动物园(1911)是意大利同类动物园中规模最大的。西面是国家现代艺术画廊(1883),藏有大量的19和20世纪意大利艺术品。

古罗马广场　古罗马广场是畜牧时代、帝国时代和共和时代罗马的宗教、城市和商业中心。凯撒以后,尽管古罗马广场变得更加富丽堂皇,但它仅是起同样作用的几个广场中的一个(尽管是最著名的一个)。古罗马广场大体上是一个四面由七丘环绕的封闭小山谷。有两处集会场所:西北角的正式空地是政治集会场,另一处是社会活动广场。古罗马广场这个名称后来用于指整个山谷——两侧都是店铺。山谷的另一端,紧挨圣火守望者维斯太贞女塑像的是高级教士住宅区。两者之间是诸神的神庙。

火灾、地震和入侵不断地将建筑物夷为平地,新建筑又在原来的地方建立起来。因此,山谷覆盖着50英尺厚的瓦砾、土和灰。中世纪时罗马人将其称为牛场,将与其相邻的卡匹托尔山称为羊山。19世纪末开始发掘,大部分覆盖物已被除去,一直向下挖到凯撒时期的一层。

雅努斯和萨图恩在古罗马广场上都有神庙,他们是早期罗马的神。维斯太神庙,即使是最后一次重建(191)的大理石建筑,都保持其原始茅屋的圆形。武尔坎的锻铁场沃尔卡纳尔历史很悠久。雷贾一般被说成是僧侣国王努马·庞皮利乌斯的住地,后成为马克西穆斯的行政建筑。他将君主手中的僧侣职责接了过来。在共和国成立时建造了卡斯托和波鲁克斯神庙。

最古老的正式献祭的遗迹场所是社会活动广场的空地。这是一片近似梯形的土地,长约125英尺,宽约70英尺。除了地中海农业非常重要的3种植物葡萄、无花果和橄榄之外,几乎不长其他东西。几个世纪以后,在边缘的店铺后面建起了一些长方形廊柱厅。这些建筑对广场起了一种栅栏的保护作用并成为广场空地一种带遮篷的延伸。广场较宽一端的一侧是公民大会广场,人民大会在这里开会。在两块空地间是演讲台。公元前338年的演讲台用从昂蒂乌姆战船上取下的喙形船首作为装饰。在公民大会广场的另一端是元老们开会的元老院。元老院与长方形会堂波尔恰(建于公元前184年,为第一座长方形会堂)一道毁于大火。此后凯撒又在公民大会广场的空地上重建了一座新的更大的元老院。凯撒在山谷之外的战神广场为人民大会建造了一座会议大厅。他建造了一个更大的新演讲台,不过它面对广场宽阔的一端。他以自己的尤利亚长方形会堂(公元前54年)取代了位于广场西侧的塞姆普罗尼亚长方形会堂(公元前170年),建起新的店铺取代原来的韦泰雷斯神庙旧址。广场的另一端已有一座阿埃米利亚长方形会堂(公元前179年),前面都是店铺。

凯撒还在奎里纳尔山和埃斯奎利尼山之间山谷的北侧空地上进行建筑,建造他自己带有店铺和神庙的广场。沿着这个广场奥古斯都、图拉真、内尔瓦和韦斯巴芗后来也都修建了自己的广场。台伯河床上的庞培剧院(公元前55年)建成之后,又建造了马塞卢斯剧院(公元前13年)。大浴场、战神广场的阿格里帕大竞技场、马戏场和大斗兽场都吸引老百姓到其他的活动中心去。在凯撒时代已经受到损害的广场政治吸引力继续日趋衰落。然而,古罗马广场的大厅和神庙都在不断地重建,越建越宏伟,越建越多。凯撒死后被神化,古罗马广场与雷贾山之间建起他的神庙。最后在广场上竖立起的一根圆柱是拜占廷的篡位者福卡斯(608)为自己而立的。塞维鲁在萨克拉大街上建起自己的拱门。还有其他一些神庙也都挤进空地,整个广场遍布耸立的圆柱、熠熠闪光的墙和华美的雕像。令人眩目的帕拉蒂尼大理石山也向下延入罗马广场,另一端帝国广场上的辉煌建筑也闪闪发光。现在古罗马广场是一个令人迷惑不解的历史废墟。在几千根柱子中,仅有50多根竖立着。废墟之间是基督教教堂、浓密的树林和灌木丛以及数百只没有主人的猫。

沿河地区　沿$1\frac{1}{2}$英里长的台伯河两岸,围绕一个大河湾是台伯河平原所有历史遗迹的所在地。左(东)岸有战神广场、弗拉米尼乌斯竞技场、牛市、菜市;右岸有正义宫(建于1889～1910)、圣安杰洛堡(即哈德良墓)、梵蒂冈城的入口和特拉斯特弗雷。河湾的尽头是台伯岛。

圣安杰洛堡和桥　这一段台伯河上的11座桥中有4座特别有趣。圣安杰洛桥大体上讲是公元134年建造的埃利乌斯桥,以后贝尔尼尼根据要求又增添了天使雕像。1年后,哈德良开始在紧挨该桥一侧的地方修筑陵墓。他的陵墓建在一个方形基座上,墓身为20米高的圆柱形,从规模和形式上看,是典型的帝王陵墓。271年,它被筑入奥勒利安城墙,成为罗马防御工事中的重要堡垒。据说格列高利一世于587年在领导一次消除瘟疫的祈祷活动中,在墓上方看到天使长米迦勒。瘟疫停止了,墓堡成为著名的圣安杰洛堡(意为神圣天使的堡垒)。后来它成为教会的城堡,现为国家博物馆。

台伯岛上有两座桥,一座是通向特拉斯特维雷的切斯蒂奥桥,自公元1世纪以来几经重建,另一座是法夫里西奥桥(公元前62年)。这是罗马最古老的桥,从卡皮托利尼山下的岸边伸向岛上。台伯岛长1100英尺,最宽处不足330英尺。自从公元前291年的瘟疫后建起医神庙以来,该岛一直是医治疾病的地方。岛上最大的建筑是法泰贝内弗拉泰里医院(亦称圣迪奥医院)。医院对面是罗马另一个中世纪家族高耸的城堡,由皮耶莱奥内家族所建。沿河不远是公元前179年修建的断桥遗迹和另外两座更远一点的桥。现代的苏布利西奥桥得名于霍拉提乌斯和他的同伴们所保卫的这段河上的一座木桥。

下游东岸　断桥附近的河岸上是最早的牛市和菜市,周围是神庙,其中有两座仍然保留下来:一座是公元前1世纪所建的优雅的圆形彭泰利大理石建筑,另一座是比例合理的长方形爱奥尼亚式建筑,也许比前一个还早几十年。6世纪在古代的谷物委托交易所内修建了科斯梅丁的圣马利亚教堂。牛市的一些柱子在教堂内部仍可见到,外墙上的排水管盖子中有一个雕刻着张着嘴的脸。这个有名的出水口盖变成了令人害怕的"诚实之口",据说任何人如果说谎,它就会咬住他的手。

不远处是马塞勒斯剧院,由凯撒开始修建,公元前13世纪由奥古斯都完成,并以他的一个短命侄子的名字命名。这个剧院由于改建成中世纪一个争吵不休的家族的城堡才得以保存下来。16世纪又改成奥尔西尼家族的一个宫殿,目前仍为私有财产。剧院正面的柱式是大斗兽场所采用的柱式,后被文艺复兴时期的建筑师们奉为楷模。

从那里向北到奥古斯都墓,甚至远到内地的弗拉米尼亚大道(现在的科尔索大街),这片台伯河平原在中世纪前遍布神庙、浴场和运动场。中世纪时,仍留在那里的罗马人在此建造住宅。现在有3个重要的纪念性建筑幸存下来:万神庙、重建的奥古斯都和平祭坛和哈德良柱。散布在40座宫殿和100座教堂之间的是帝王建造的建筑物的诸多遗迹。

距台伯河最近的部分曾是共和国的竞技运动场弗拉米尼乌斯竞技场(公元前220),16世纪成为犹太人居住区。犹太人在罗马开始并未受到迫害,直到教皇保罗四世(1555～1559)根据宵禁法把他们赶入犹太人居住区,情况才有所变化。除了在拿破仑统治下和1848年短暂的罗马共和国时期以外,1870年以前禁止犹太人从事所有的职业,不能进入政府部门,也不许拥有土地。许多年来这一地区一直保留着犹太人的风情。20世纪60年代,约有3 000犹太人在此居住,但当这一居住区像特拉斯特韦雷一样到了改建豪华公寓的时候,就只有少数犹太人仍居住于此了。1926～1929年在附近发掘出的拉戈-阿真蒂纳有4座建于公元前2～前1世纪的小神庙。

在比斯乔内广场和萨蒂里广场之间的建筑群呈新月形,这种弯曲的形状是由于它们都围绕着庞培剧场建造或建在该剧场之内。庞培剧场是罗马第一座用石头建造的剧场。庞培曾在希腊米蒂利尼剧场享受过极大的乐趣。受那个剧场的启发,庞培剧场有一个由100根柱子构成的门廊,几乎可以用作像浴场那样的集会中心。公元前44年3月15日(伊迪斯日),凯撒在元老院开会时被刺23刀,跌倒在庞培塑像脚下。剧场的一部分在

12世纪时被奥尔西尼家族加固，后改为里盖蒂宫或皮奥宫。

战神广场 河湾向北的其余地方是战神广场。有几处沼泽、几座神庙和公共建筑。阿格里帕(卒于公元前12年)将这里变成罗马最富丽堂皇的地方之一，有草地、浴场、神庙和公园。沼泽变成一个湖，称为斯塔努姆阿里帕埃。

这些壮观的景观在公元80年的一场大火之后几乎荡然无存。哈德良曾恢复了其中的一部分。他的建筑有万神庙，这是西方最伟大的建筑之一，构造出众，工艺非凡。这座"万神之庙"是皇家财产，它能幸存下来是因为它变成了一座教堂，是拜占庭皇帝福卡斯在608年送给教皇卜尼法斯四世的礼物。万神庙可能是第一座从内景构思的纪念性建筑。巨大的内室为圆形，用大理石建造。从单一的光源即圆形屋顶中央的窟窿口采光，光线均匀。由华丽的大理石砌筑的圆形内景自古以来几乎没有什么变化。圆形屋顶直径144英尺，与建筑高度完全相等。20世纪以前是最大的穹顶。混凝土中使用了优质灰泥，精选的粒料随高度增加重量越来越轻，这样才使这幢建筑有可能建造起来。万神庙原来的青铜门仍在原来的地方。意大利最早的两个国王埋葬在这里。许多艺术家也埋葬在这里，其中最著名的是拉斐尔。附近是阿格里帕浴池的残迹。罗马证券交易所由于包括了哈德良神庙的一些部分而著名。

奥古斯都的圆柱形墙壁残迹表明了他在公元14年时的埋葬地点。这座陵墓成为一座12世纪科隆纳城堡，16世纪为花园，17世纪为西班牙斗牛场，此后到1936年前为一座音乐厅，后被墨索里尼推倒，仅存漂亮的基础部分，令人可悲。墨索里尼也许计划将自己埋葬在这里。紧挨奥古斯都墓的是精致漂亮的白色大理石奥古斯都和平祭坛(设计于公元前13年，献祭于公元前9年)，祭坛建在台阶的顶部，一道雕刻的墙壁将其围在中间。15世纪在科尔索大街发现了一些檐壁的残片。1938年，经过35年的挖掘之后，祭坛本身在那里出土。较早时出土的碎片已从博物馆购回，整个祭坛将在距原址4条街以外的地方重新拼装起来。

在战神广场，意大利的众议院位于贝尔尼尼所设计的蒙泰奇托里奥宫内，参议院位于马达马宫(17世纪)，国务院位于斯巴达(约1540)宫，其画廊对公众开放。展示罗马多年来生活的罗马博物馆位于布拉斯基(18世纪)宫。参议院旁的萨皮恩扎宫现为国家档案馆。但是，1431～1935年，它是罗马大学(1303年建)所在地。

宫殿 在这片宫殿云集的地方有3座在建筑上著名的宫殿：坎切莱里亚宫、法尔内塞宫和马西莫阿莱科隆内宫。由于在1527年西班牙对罗马的劫掠中所有的有关文件全部被毁，因此至今不知道坎切莱里亚宫的建筑师是谁。这座宫殿建于1486～1498年，是里亚里奥枢机主教用从赌桌上一夜赢来的钱建造的。该宫殿后被梅迪契教皇利奥十世(1513～1521)抢到手。此后，除了拿破仑的入侵和革命的原因而中断外，一直是梵蒂冈主管教区的一部分。这是一座四方形建筑，底层质朴无华，上层简单并有规则地以半露方柱支撑，有柱子的内厅格调高雅，非常和谐。它是罗马第一座文艺复兴盛期的建筑，是罗马取代佛罗伦萨成为世界艺术之都的象征。

罗马文艺复兴时期宫殿中最雄伟的一座是法尔内塞宫，由小桑迦洛设计。在他死后，由米开朗琪罗、维尼奥拉和波尔塔继续完成他的工程。桑迦洛按照文艺复兴时期有关建筑柱式的观念来建造底层。但是米开朗琪罗的顶层却随心所欲地运用传统结构。他将顶层上覆以很大的檐口——这种个人风格预示着表现文艺复兴理想的风格主义和后来的夸张的巴罗克自我表现风格的出现。

风格主义建筑以佩鲁齐的马西莫阿莱科隆内宫(1535年)为典型。该宫殿得名于原址在1527年劫掠中被毁的一座有柱廊的宫殿。

教堂 约25座原教区教堂是罗马第一批合法的教堂，现在仍在使用。其中大多数教堂过去一直是私人住房，基督徒们在里面举行非法集会。有些房屋仍然保留在现在的教堂建筑之下。自从4世纪以来，教区教堂的教士们一直是枢机主教，几个世纪以来，他们一直在重建、扩建和装饰他们的教堂。

在4世纪，长方形廊柱大厅的建立主要用以标志殉教者们的墓地。大部分殉教者埋葬在城墙以外的地下墓穴，即有凹洞用作墓穴的地下通道。后来由于对罗马的围困使其四周的平原荒芜，圣徒遗骸被移到城内教堂安全的地方。中世纪期间，在罗马城外活动非常危险，一些私人礼拜堂和长方形建筑几乎成为废虚，一些地下墓穴的位置也逐渐被人遗忘了。

梵蒂冈大教堂 在长方形廊柱大厅式教堂中有7座被认为是伟大的建筑：圣彼得教堂、圣保罗教堂(城外)、圣拉特兰教堂，这3座教堂均由君士坦丁建造；还有圣洛伦佐教堂(城外)、耶路撒冷圣十字教堂、圣彼得锁链教堂和圣马利亚大教堂。根据1929年与梵蒂冈签订的协约，意大利政府给予这些教堂以治外法权的优惠。

长方形廊柱大厅式建筑为以后几个世纪西方教堂建筑树立了一个榜样。Basilica原是一个希腊词，意为"皇家的"，公元前的罗马人将这个词用以指公共会堂。但是，在帝国范围之内的任何地方没有一座罗马的长方形会堂是基督教长方形廊柱大厅式教堂建筑的前身。

长方形廊柱大厅式教堂的中殿比耳堂高，两侧各被一个柱廊分开。它的西端或是带有一个有回廊的中庭，或是带有一个小前厅或两者都有。东端有一个半圆形的突出部分。最靠近早期基督教建筑的罗马长方形廊柱大厅式教堂是各竞争教派的教堂。突出的例子是波尔塔·马焦雷的新毕达哥拉斯派的长方形教堂。

一些早期的基督教教堂是中心式设计而不是纵向形设计。这种设计是由于这些教堂建在帝王陵墓的圆形基础之上。尽管这类教堂不多，但它们对中心式设计的礼拜堂的发展产生了强烈的影响。

①圣彼得教堂。由于受安杰洛堡的保护，圣彼得长方形廊柱大厅式教堂和梵蒂冈宫在教廷处于困境的年代取得了比天主教堂和拉特兰宫更重要的地位。圣彼得教堂建在传统的使徒墓地，所有的教皇都宣称从使徒获得继承权。这个地方由一个公元166～170年的带有3个壁龛的纪念性建筑标明。1940～1949年的挖掘发现了保存完好的地下墓穴，有圣彼得埋葬年代的异教徒和基督徒的坟墓。

君士坦丁将纪念碑围在一座神庙内，在其余生的最后15年(卒于337年)中绕神庙建造了他自己的长方形教堂。神庙由一个弧形的敞开式天篷覆盖，用他从中东带回的4根雕花柱子支撑。此设计倍受推崇，在修建今日教皇祭坛华盖(1623～1633)中得到应用。

尽管发生过火灾、侵略者的劫掠和历代教皇增添的建筑，原来的教堂屹立了1 000年，大部分仍然是当初建造时的样子。但是，1506年尤利乌斯下令将其推倒并新建了一座圣彼得教堂。他的建筑师是佛罗伦萨人布拉曼特。1502年，布拉曼特已完成了文艺复兴盛期的第一件伟大作品，即蒙托利俄的圣彼得教堂院子里的圆形小礼拜堂，位于1英里之外的亚尼库卢姆山脚下。

布拉曼特为圣彼得教堂所设计的初步规划是中心式的：一个围绕中央圆顶的希腊十字，十字的各臂都相等。教堂尚未建成，他和教皇便都去世了。包括拉斐尔在内的后继建筑师制订了新的方案。他们中的最后一位建筑师桑迦洛于1546年去世。71岁的米开朗琪罗被请来完成桑迦洛的工程。这些工程包括圣彼得教堂、法尔奈斯广场和卡匹托尔神殿。他接受了这些请求，但拒绝接受为圣彼得教堂所做工作的报酬。

米开朗琪罗调整了布拉曼特原来的计划，其效果更惊人更宏大，较少古典主义的宁静。在外部建筑上，仅有从梵蒂冈花园可以见到的教堂后部和圆顶是米开朗琪罗设计的。米开朗琪罗死后，波尔塔和丰塔那完成了圆顶，但却改变了其形状，使它比原设计更高更陡。

东侧一直未完工，当教士们赢得了一个世纪之久的为举行礼拜仪式建造纵长教堂的斗争之后，马代尔纳受命在这个地方建一个中殿。因此，圣彼得教堂的方位与一般教堂的方位相反。马代尔纳于1626年为教堂增加了一个巴罗克式的正面。贝尔尼尼后来接替马代尔纳，在1633～1677年间对教堂的内部和外檐继续修筑。贝尔尼尼建造的绕广场的锁孔形行人通道柱廊、广场上的喷泉、动人的华盖、几件雕刻杰作、教堂内部的安排和通向梵蒂冈的皇阶都显示了他传奇般的精湛技艺和引人注目的大师才华。在1972年一次令人可悲的攻击事件中，雕刻精品遭到破坏；在此之前，人们可以进入教堂并在右边第一个礼拜堂内欣赏到米开朗琪罗所作的《圣母哀悼基督》(1499)的原作风采。

②圣拉特兰教堂。普罗密尼1646～1650年间重修圣拉特兰教堂(圣约翰拉特兰教堂)的内部时，由于汪达尔人的破坏(5世纪)、地震的毁损(9世纪)、两次灾难性大火(14世纪)以及后来4次重建，原来君士坦丁的结构已经几乎荡然无存。君士坦丁大帝曾

在帝国卫队辛古拉雷骑兵团的营地残迹上建造了有5个侧堂的长方形教堂。青铜门取自元老院(古罗马广场上的元老院)；银制骨匣内装有圣彼得和圣保罗的头骨，但这些头骨是复制品，因为原物两次被盗。

八角形的5世纪浸礼池代替了原来建在福斯塔(君士坦丁的第二位夫人)宫浴室内的4世纪浸礼池。教堂的祈祷室用当时的马赛克装饰。回廊上有13世纪早期雕刻镶嵌饰物的一些最好典范，称为科斯马蒂斯克，得名于传统手工艺人家族之一的科斯马蒂家族。

N.萨尔维设计的罗马特雷维喷泉(1732)

供图：Fenno Jacobs—Photo Researchers

在教堂外部，1732年修的正面上方安放了15座巨大的雕像，在城市的另一端也可以看到。圣拉特兰教堂建筑群所环绕的广场还布置有另外一座方尖塔，这是罗马最古老(公元前15世纪)和最高的方尖塔。那些方尖塔中有一座是西克斯图斯五世在16世纪末期竖立起来的。与此同时，他拆毁了主教座堂，仅留下教皇祈祷室和圣阶。圣阶一直是这个宫殿主要的礼仪用台阶，但在约8或9世纪，人们一般开始普遍认为圣阶是君士坦丁的母亲圣海伦娜从耶路撒冷带来的，据说来自比拉多宫中，因此圣阶是救世主走过的。现在圣阶用木头罩保护起来，信徒们跪着往上走。但是，从4世纪、5世纪或6世纪以来，圣阶并未在宗教的、皇家的或个人的文字记载中提到。

③耶路撒冷圣十字教堂。有关圣海伦娜获得真十字架的记录同样也很缺乏。真十字架现在耶路撒冷圣十字教堂。这座长方形廊柱大厅式教堂建在圣海伦娜曾住过(317～322)的一座宫殿内。大约与此同时，宫殿的一个大厅改作教堂，与其毗连的两个小房间改作祈祷室。宫殿的其他部分继续用作居室达4个世纪。1492年发现的置于壁龛内未经证实的十字架遗物现存放于一个现代的祈祷室内。教堂的正面和前廊建于1743年，为洛可可式。内部为早期巴罗克式，有12世纪的科斯马蒂斯克铺面的走廊和一些古柱和几处文艺复兴时期风格的细部。教堂内部有一处是约180～211年间建造的宫殿的一部分。

④圣洛伦佐教堂。这座教堂最早建于4世纪，位于1830年前一直是天主教墓地的坎波韦拉诺墓地之中。教堂的中殿是教皇洪诺留三世所建的一座13世纪的长方形廊柱大厅式教堂。圣坛是另一座长方形廊柱大厅式建筑，由教皇贝拉基二世在6世纪末建造，以取代4世纪所建的原圣坛。两座长方形廊柱大厅式建筑之间的凯旋门内部是一幅6世纪的马赛克镶嵌画。沿四壁是一列科林斯圆柱，用取自非基督教建筑的稀有大理石制成。

⑤圣保罗教堂。这座教堂是君士坦丁在使徒坟墓上建造的一座长方形廊柱大厅式教堂，386年被当时的一座庞大建筑(328英尺×170英尺)所取代。1823年一场大火后按原样修复，因此一直是早期长方形廊柱大厅式建筑的杰出典范。它有单一的东边半圆室、一个高耸的耳堂和5条巨大的中殿侧廊。846年穆斯林在城墙附近发生骚乱之前，通向这座长方形廊柱大厅式教堂的路是一条从圣保罗门沿奥斯蒂亚路走向的1英里长柱廊。

⑥圣马利亚大教堂。圣马利亚大教堂位于埃斯奎利尼山上，432年以弗所会议将圣母马利亚的地位提高到万物之上，因此，它是罗马第一座伟大的马利亚教堂。在其新古典主义正面(1741～1743)之后，原来的长方形没有改变。四面墙上大多数马赛克镶嵌作于教堂的建筑年代，在祭坛四周这些镶嵌突然变为红色和金色。13世纪增加新的东端半圆室时，也以马赛克镶嵌装饰。尽管天花板是文艺复兴式的，但细大理石板和古典圆柱是从其他建筑物上取来的。这座教堂的珍贵收藏是基督的小床，这是用金属钉连接起来的5块木板。

其他主要教堂 ①耶稣教堂。建于1568～1584年，是耶稣会的主要教堂。在以后的4个世纪中，它成为教堂建筑中最具普遍影响力的设计之一。米开朗琪罗为耶稣教堂提出了新的柱式排列设计，但尚未付诸实施就去世了。建筑工程在维尼奥拉(1507～1573)的主持下开工，很可能是按米开朗琪罗的想法施工。耶稣会是反改革的突击队，他们是要改变信仰而不是追求仪式，他们需要一种适合他们方式的新型教堂。维尼奥拉将中心式设计(适合于布道)与纵长设计(适合于举行仪式)相结合，将侧堂改造成向中殿敞开的一系列祈祷室。正面有向上延伸的古典柱式，但仅及高中殿的宽度。两侧较低侧堂上面的空间都有涡卷装饰。这种设计在建筑史上并不鲜见，但是对于罗马、对于那个时代则是新奇的，因此能迅速传播开。

②圣彼得锁链教堂。原为欧多克西亚长方形廊柱大厅式教堂，建于432～440年，由欧多克西亚皇后出钱，为供奉圣彼得在耶路撒冷监禁时用的锁链而建。后来又加进他在罗马时的锁链。这些锁链由于以弗所会议(431)提及而出名。尤利乌斯二世的墓上有米开朗琪罗著名的摩西，在主祭坛之后是一个有7个间隔的4世纪石棺，据说里面有七位马加比族人的遗骨，所以6世纪时才被从安条克运到罗马。

③圣马利亚·德拉·维多利亚教堂。建于1605～1626年，内有贝尔尼尼所作的"圣德列萨的幻觉"群像雕塑(1645～1652)，一直为大众所喜爱。这是一个完全按剧场形式构思的小礼拜堂，四周甚至还有科纳罗家族坐在剧场包厢里的(大理石)雕像。他们的目光集中在柱子上壁龛内的一组雕像。壁龛看上去非常像舞台的拱门。后墙以闪光的金属条封闭，整个场面通过一个隐蔽的黄色玻璃窗从上面和后面照明。在这个布景中，天使在一个昏倒的圣徒周围飞翔，这位圣徒在与基督神秘结合的狂喜中升入空中。

④圣阿戈斯蒂诺教堂。在战神广场数十个具有历史、建筑和艺术价值的教堂中，圣阿戈斯蒂诺教堂(1479～1483)是最罗马化的。将要做母亲的人来到这个教堂祈祷，当她们的祈祷灵验时他们又来此还愿。桑索维诺所作的《圣母与圣子》(1521)显然是取材于异教的朱诺女神。这个雕像上覆盖着施主所赠的金子和珠宝。这座教堂用从大斗兽场掠来的石灰华建造。《圣母与香客》是卡拉瓦乔的手笔；《以赛亚》壁画是拉斐尔的力作。

喷泉 罗马既是一个教堂、宫殿和古迹集中的城市，也是一个喷泉遍布的城市。市内300多个纪念性喷泉使罗马更富有魅力。每个喷泉都有其历史。许多还有传说，其中最著名的传说是向特雷维喷泉里扔硬币的人保证可以再回到罗马来。这座喷泉在停喷了1 000年之后于1485年由教皇尼古拉五世恢复。17世纪重建，此后它由一处方便的家用水源变成一处景观。这座巨大的喷泉挤占了一个小广场的大部分，并占据着一座毗连宫殿的整个一端。萨尔维设计了一处后巴罗克式大理石建筑，有岩石小溪，激流喷涌，凹槽和台阶全都富有情趣，并以此赢得了1732年的一次竞赛。这座喷泉费时 30 年才完工。它来自阿夸维尔吉内的水,被认为是罗马最纯净、味道最好的水。几百年间每周有许多桶水被运往梵蒂冈。1961 年宣布该处水源不适合饮用。如今它靠电泵使之循环喷涌。

贝尔尼尼与普罗密尼的竞争使罗马的城市景观大为丰富,这场竞争中还引出了一个流传至今的故事:在贝尔尼尼发人遐想的纳沃纳喷泉广场上,尼罗河神的雕像(当时其来源不明)其头部被隐藏起来,以避免看见对面教堂由普罗密尼设计的正面;拉普拉塔河神的雕像则抬起臂膀发出警告,以防这座建筑倒塌。但事实上,这个喷泉于 1651 年揭幕,比圣阿格内塞教堂动工的时间早一年,比启用贝尔尼尼的时间早两年,比该教堂的正面竣工早15 年。

罗马最古老的喷泉实际上是一个泉眼,即古罗马广场上的拉库斯尤图尔纳埃,1952 年恢复其奥古斯都时代的本来面目。这座古老城市中最年轻的喷泉是最受人称赞的喷泉之一。这座位于埃塞德拉广场(现共和国广场)上的喷泉在统一的意大利的军队攻入罗马仅 10 天以前,由庇护九世主持落成典礼。这是一个很简单的喷水池。这座喷泉也许是教皇充当罗马世俗事务官员所奉献的最后一项公共工程。

历史

古代罗马 *罗马的建立和王国* 虽然罗马这个地方早在青铜器时代(公元前 1500 年)或更早就有人居住,但是直到公元前 1000 年初才有人定居。到公元前 8 世纪,开始在帕拉蒂尼山和阿文蒂尼山,不久以后在埃斯奎利尼和奎利纳尔山上出现了许多使用铁器的印欧语系民族居住的独立村庄。这些住区的手工制品,特别是埋葬习惯表明从一开始就有不同的文化群体——包括拉丁人、萨宾人,也许还有其他人——在以后城市的构成中起了重要的作用。

随着公元前 7 世纪人们在帕拉蒂尼山、埃斯奎利尼山和卡埃利安山之间的山谷定居,独立的村庄开始合并。也许在公元前 6 世纪初,在北方埃特鲁斯坎城市国家的影响下,才有政治上统一的城市形成。在其国王(传统上认为有 7 位,最后 3 位也许是埃特鲁斯坎人)的统治下,罗马成为意大利中部的强大力量。

在帝王时期,由于社会和经济的差别,开始形成了两个阶级:贵族和平民。这两个阶级为政治权力所进行的斗争是早期共和国的主要斗争。人民的部族组织被以军事单位为基础的组织所取代。在帝国时代晚期,这个组织的构成取决于财产的多寡。

罗马共和国早期 公元前 509 年或再向后推几十年,最后一个罗马帝国被推翻,建立起共和国。这与意大利中部埃特鲁斯坎权力的衰落发生在同一时期。由两位贵族执政官领导的新政府最初既有优点也有缺点。尽管埃特鲁斯坎的技艺和象征在罗马共和国延续下来,但与埃特鲁斯坎人和意大利南部的希腊殖民地的贸易关系逐渐萎缩。在此后发生的经济危机中,出现了粮食短缺。这个问题在以后的 1 000 多年中一直断断续续地困扰着罗马,政府不得不向遥远的西西里去采购粮食。

政治动乱伴随着经济衰退而发生。贵族与平民间公元前 5 世纪中期发生的第一次大的对抗,导致在《十二铜表法》(公元前 451 ～前 450 年)中写入习惯法并组成平民政治组织。这个组织的领导人,即保民官,负责保护平民不受贵族随意侵害。公元前 5 世纪后半期,罗马又一次开始扩大其对毗连领土和民族的控制。这次扩张在公元前 396 年征服埃特鲁斯坎的维爱城时达到最高潮。

公元前 390 年,高卢军队围困罗马,使城市遭到灾难性攻击。7 个月中只有卡匹托尔山仍控制在罗马人手中。此后高卢人受贿撤退但却将罗马夷为平地。罗马人几乎立即开始重建城市。他们用凝灰岩在城市四周筑起一道连续不断的城墙。以后的作家将罗马无规则的城市形状归因于这一时期匆匆忙忙的重建。但是,在此后的 8 个世纪中,再没有入侵者能够攻破罗马的城墙。

高卢人进攻造成的经济混乱又使贵族与平民之间的冲突重新开始。但是,在公元前 4 世纪末以前,通过一系列明智的妥协,平民赢得了进入所有国家机构的权力,平民会议(公民投票)所采取的行动对所有的罗马人都具有法律上的约束力。

大国的城市 公元前 375 ～前 275 年间,罗马大规模但几乎无规划的领土扩展带来了持久的经济收获。在控制了整个意大利半岛后,罗马在被征服的领土上建起殖民地,在其他一些地方则将土地分给罗马公民个人。3 世纪中期以前分配的近 6 万份土地帮助解决了罗马人对土地渴望造成的压力。但是,约到公元前 250 年,罗马的人口几乎增至 10 万。从征服中掠夺来的物品也有助于支付神庙和道路建筑这类公共工程和改进城市供水的费用。公元前 3 世纪初,两条输水道将清水输入罗马。

公元前 264 年罗马卷入一场与北非腓尼基大商业中心迦太基进行的战争。经过一个多世纪的冲突之后,罗马成为当时地中海最强大的力量;但是,由于获得了一个帝国使罗马本身出现了新的社会和经济问题。然而获得这个帝国在很大程度上并非出于罗马人的本意。在第二次布匿战争期间(公元前 218 ～前 201 年),意大利半岛的大部分地区受到由著名将军汉尼拔领导的迦太基军队的破坏。许多土地荒废,许多农民逃往罗马避难。由于罗马贵族受到法律和习惯的制约不能在商业和工业方面投资,因此他们从经济上陷入困境的农民手中购买意大利中部和南部的大片土地而从中获利。罗马在地中海地区的战争使许多人沦为奴隶,他们被引入意大利做农工和牧工,这进一步在自由农民中造成混乱。总之,罗马的经济极大地滞后于城市和帝国的发展。

共和国后期 公元前 2 世纪期间,城市人口的迅速增加和罗马公民权范围的扩大实际上剥夺了公民的投票权。当时罗马国家的主要制定政策机构元老院为帝国的问题所困扰,常常忽视城市的需要。然而,城市也确有一些进步。一些主要街道铺了石板,下水道盖上了盖子,几座大的长方形廊柱大厅式教堂和一排新店铺在广场上建起。台伯河上第一座石桥于公元前 142 年完工。公元前 144 年架起了第一条高架输水道,使人们可以在城东山上的高地居住。

然而,这些工程和其他一些工程仍然不能满足日益增长的城市无产阶级人口的需要,奴隶和被解放的人使这一阶层的人口越来越多。下层阶级挤在草草建成的公寓房中,在基本上没有工业的罗马城中只有极少的就业机会。公元前 2 世纪末前,他们靠国家零星的公共工程和富人施舍才得以生存。此外,罗马既无警察也没有消防措施。

格拉古兄弟——提比略和后来的盖约斯——试图解决城市的失业和食品价格上涨的问题。他们首先提倡在意大利重新建立一个小农阶级。然后通过对供给穷人粮食进行补贴来解决上述问题。盖约斯·格拉古还鼓励在道路和建筑方面的公共开支。这些措施与货币改革及大量的政府开支相结合,使罗马在公元前 2 世纪末部分地恢复了繁荣。但是,城市经济和政治生活中结构性的缺陷仍然存在。

公元前 1 世纪的前半期大部分时间里,内部纷争不断。这一时期罗马不但人口增加,问题也成堆。创建附属于罗马贵族的私人军队为城市下层阶级的一些人提供了就业机会,但也极大地增加了政治暴力并最终使共和国灭亡。由于有充足的低价粮供应,使有可能对城市民众进行政治上的操纵。到 1 世纪中期,大约有 50 万人在吃免费粮。上层阶级更关心奢侈的生活,他们的兴趣在公共事务方面由苏拉和庞培的建筑计划表现了出来。用进贡和掠夺来的钱建起的公共建筑和剧场为罗马增添了美丽,但并未使这个城市更适合居住。此外,大量人口移居罗马,特别是来自希腊东部的移民,使本来已人口过剩的城市更加重了负担。

奥古斯都的城市改造 第一位试图用系统的方法来解决罗马问题的人是凯撒,但他生前没有来得及执行他的计划。这些计划包括开挖台伯河的运河和修建战神广场。他的养子和继承人奥古斯都试图将罗马转变成一个名符其实的帝国首都。他声称自己见到这座城市时还是一座砖造的城市,而当他离开时却变成一座大理石城市。尽管这个说法过于夸张,但他与他的同僚的确为罗马增加了许多漂亮的公共建筑、浴池、剧场、神庙和仓库。这类建筑工程,再加上旧建筑的恢复工程,为城市民众提供了就业机会。但是,由于缺乏城市整体规划,市民们仍然居住在旧罗马蜿蜒狭窄的小巷里那些既不安全又不卫生的住宅中。奥古斯都的朋友和支持者阿格里帕利用自己的巨大财富进一步增加了罗马的美并改善了供水。

奥古斯都重新组织了罗马的行政机构以及他的某些公共服务机构,这是对共和国过去的一个重要突破。公元前 7 年,他将罗马分为 14 个大区,这些大区又划分为许多分区,每个分区都有一位既负责行政事务又负责教会事务的官员。奥古斯都在公元前 26 年恢复了城市地方行政长官职务,这一职务后来成为永久性职务。但在帝国后期,该职务是罗马最重要的职务之一。

公元前21年，为了满足明显的需求，奥古斯都成立了一支防火队，由一名市政官领导一批公共奴隶，负责街道和市场的防火。公元6年一场严重的大火之后，他又成立了专业的消防团。该组织由7个队组成，每队有1 000名解脱奴隶身份的自由人。消防团还承担一些警察职能，特别是在夜间。他还在经常发生暴力的街道上建立了由城市地方行政长官领导的3个治安队，试图以此来加强治安。治安队的主要任务是在城市里维护治安，如有必要，还可向禁卫军求助。总之，奥古斯都以一套更为专业化和永久性的机构来取代罗马城市的非专业化行政管理系统。这项工作对罗马成为著名城市所做的贡献要大于他建造的所有大理石纪念性建筑。

后代皇帝的贡献 奥古斯都的继承者在很大程度上继续执行他的行政政策和建筑计划，但却缺乏创新并大事张扬。克劳狄在台伯河靠近奥斯蒂亚的地方开始建造一个大港口，以使粮食可直接运抵罗马。商业大部分掌握在私人手中，公共官员负责促进正常供应，防止投机活动。

尼禄可以说是引进了最现代化的城市规划思想，但也为此付出了昂贵的代价。公元64年的大火摧毁了城市的大部分地区。在被夷为平地的地区，尼禄建造了新的街道和柱廊，以及他那著名的金屋。他鼓励公民个人建造更宽敞、可防火且便于从公共水源取水的房屋和公寓建筑。尽管尼禄使罗马成为居住环境更舒适的城市，但他的措施并未能防止像191年那样的毁灭性大火。那场大火使塞维鲁有了重建罗马的机会。

1世纪末和2世纪初，其他皇帝也都为皇家宫殿的辉煌、罗马生活的舒适做出了贡献，其中包括气势恢宏的帝王广场、神庙、拱门、浴池和体育场。图拉真广场上错综复杂的建筑和庭院、图拉真市场上一排排的店铺和大交易厅在许多历史学家眼中代表了罗马城市规划的最高成就。记述图拉真在多瑙河以外地区取得胜利的图拉真圆柱，即使是在基督教的中世纪也被认为是无与伦比的。哈德良在罗马留下了两个永久性建筑：庞大的带圆顶的万神庙和他的陵墓。公元590年，这座陵墓被重新命名为圣安杰洛堡。

1世纪末和2世纪初，罗马处于鼎盛时期，其人口也达到最高峰，估计有100多万人，但或许还没有这么多。然而，对罗马著名的石铺街道、供水系统和排污系统却不应估计过高。即使在尼禄的市政改造之后，大量城市居民仍然居住在昂贵的、质量低劣、拥挤和没有供热的贫民窟里，没有供水和炊事设施。竞技场和公共浴场缓解了一些高密度人口和肮脏的环境带来的压力，但罗马的精湛技艺却被随意地用于解决城市社会组织造成的问题。垃圾通常被倾倒入台伯河或郊外的沟穴中。

不论对富人还是穷人，罗马都是一个消费城市，从来就不是一个工业和商业中心。在帝国时期，小店铺是生产和分销的基本单元。大量的行业协会在帝国晚期并入经济组织之前一直发挥着社会和宗教功能。尽管罗马在规模和宏伟的纪念性建筑方面远远超过其他古代城市，但其微不足道的经济和社会成就对未来却是不祥之兆。

帝国晚期的逐渐衰落 罗马的人口大约从2世纪末开始减少。奥勒利安在位时爆发了一次大瘟疫。据估计在瘟疫最严重时每天有2 000人死去。3世纪的经济和政治灾难未给罗马带来一点好处。3世纪70年代奥勒利安所筑的城墙与其说是恢复了罗马的辉煌不如说是北方人威胁的象征。

到戴克里先改革帝国政府并将罗马引入以大浴场为象征的相对繁荣时期时，罗马已不再是帝国的行政首都。君士坦丁堡的建立仅仅确认了罗马失去了政治上的优势。但是，君士坦丁在恢复帝国罗马的建筑和纪念性建筑方面做了许多工作。此外，他对罗马基督教小社会的保护为中世纪时期和现代的基督教和教皇的罗马奠定了基础。

然而，4世纪的罗马仍然是由骄傲的元老家族所统治的相当保守和异教的城市。当阿拉里克的西哥特军队在408年第一次威胁罗马时，元老院和地方行政长官建议牺牲异教来阻挡敌人，甚至连教皇也可能允许秘密地实行这个建议。410年，阿拉里克占领罗马，并允许他的军队对罗马进行3天的抢劫，许多东西被掠走，罗马人大批逃走。

但是，罗马的纪念性建筑似乎没有遭到广泛的破坏。罗马的教堂大部分得以幸存。甚至连由汪达尔人在455年对罗马进行的时间更长的（为期14天的）劫掠也未造成比罗马人自己造成的破坏更为严重。在4世纪和5世纪，教皇们不断地立法制止那些拆毁建筑物和纪念性建筑来获取建筑材料特别是大理石的人。到5世纪中期，人口减少到不足25万。

教皇之城 *皇权的衰落* 在狄奥多里克526年去世的那10年中，查士丁尼便开始试图恢复罗马帝国在西方的统治。他的最后胜利对罗马和对意大利都是一场灾难。罗马3次被围困，输水道被切断，有一次居民弃城而逃。在6世纪末，城市人口不足5万，世俗权力和保卫城市的责任落入教会手中。教皇格列高利一世试图进行适当的城市行政管理。在此以后的近两个世纪中，他的继承人也起着同样的作用。

在8世纪中期，当拜占廷再也不能或不愿意为罗马提供适当的军事援助时，罗马教廷转而求助法兰克人。丕平能获得其法兰克人国王的新称号应部分地归功于教皇。丕平的“赠礼”和其子查理曼的赠礼是罗马教廷世俗权力的理论基础。774年，查理曼征服伦巴第王国。800年查理曼由教皇利奥三世加冕称帝，并受到罗马人民欢呼。8世纪末和9世纪初是罗马兴建和恢复教堂的高潮时期。

罗马教廷与贵族之间的宗派斗争 加洛林王朝在意大利的衰落导致家族和宗派斗争再起。在840年穆斯林对圣彼得教堂和罗马外围地区的劫掠之后，教皇利奥四世围绕梵蒂冈筑起一道城墙，这样就将郊区围了起来称为利奥尼内城。从9世纪末至11世纪中期，除日尔曼皇帝入侵的短暂间隔外，罗马主要由罗马拥有土地的各贵族家族控制。

经过罗马贵族与教廷之间几十年的冲突之后，教廷在11世纪末才有能力在罗马建立不稳定的和平。1084年诺曼人的劫掠之后，有必要进行大规模的重建。一般来说，经过利奥九世（1049～1054）开始的改革，罗马教廷受到弗兰吉帕内和皮耶莱奥内这样的罗马新家族支持和资助。这些家族的财富来自商业和金融业，而不是来自所拥有的土地。到11世纪后期，教会所在地开始吸引许多香客和教士前来罗马。他们的礼品和食品与住房上的开支极大地刺激了金钱的流转。尽管罗马人口不足3万，但由于政府官僚的存在罗马正又一次成为一个消费者的城市。

罗马公社的出现 1143年罗马革命的基本目标与意大利北方其他同时代的公社运动相同，即从主教统辖下（在罗马是从教皇的统治下）解放出来并控制周围的农村。罗马元老院的恢复和对古罗马的其他摹仿也是因为布雷西亚的阿诺德的说教。阿诺德是一位牧师和修道士，他强烈反对教会财产和教会对世俗事务的干涉。罗马的新共和国宪法虽然受到教皇和皇帝的攻击但却保留下来。1188年，教皇克雷芒三世承认了公社政府。从理论上讲，元老们应成为教皇的臣仆，但事实上教皇得为元老们和公社的官员支付大笔的现金。12世纪90年代，一位元老就能对罗马周围地区实行广泛的统治。

教皇英诺森三世将稳定教皇在罗马和梵蒂冈的地位作为首要任务。他仅取得了有限的成功。他发现支持罗马公社领土扩张主义者的政策很有利。英诺森家族与奥尔西尼家族之间的领土争端导致动乱，最终于1204年成为罗马街头的战斗。在这些战斗中，攻城机毁坏了许多古代建筑。在冲突解决后，英诺森的许多慈善计划为自己赢得了罗马人的支持。格列高利九世与罗马公社在对罗马的领土扩张主义者的政策及其声称对教士及教会财产有征税权力的问题上发生冲突。与霍亨斯陶芬皇帝腓特烈二世的激烈斗争以及罗马的主要家族——奥西尼、萨韦利、安尼巴尔迪，特别是科隆纳——的不同利益使形势更为复杂化。腓特烈死后，反教皇的政权扶助中产阶级并恢复了公社。

阿维尼翁教廷时期 13世纪后半期，没有一位教皇能在罗马居住。13世纪80年代和90年代，罗马被科隆纳、奥西尼和安尼巴尔迪家族之间的冲突所困扰。教皇卜尼法斯八世怂恿他们之间不和。1309年，克雷芒五世将教皇驻地移至法国的阿维尼翁；罗马陷入纷争和经济贫困之中。

尽管罗马与教廷之间有尖锐冲突，但在整个13世纪时期他们的利益也常常是一致的。由于罗马从来就不是一个重要的工商业城市，其公民，无论是小店铺主和小酒店主还是大金融家族，在经济上都依靠罗马教廷的存在，以及由罗马教廷吸引来罗马的大批香客、教士和诉讼当事人。罗马式教堂顶上许多砖盖的钟楼和罗马大家族宫殿顶部的城堡塔楼象征着罗马的宗教性质。但在13世纪，罗马人口从未超过3万。尽管具有城市的一切特征和正统的观念，罗马仍保留着乡村气氛。

在阿维尼翁的教皇们，特别是本尼狄克十二世（1334～1342），对罗马仅能够维持一种脆弱的统治。里恩佐的科拉领导的短暂民众革命（1347）对罗马产生了戏剧性的而不是政治性的冲击。他自称为罗马的保民官，并将启示录的幻想与恢复罗马古代荣耀的理想相结合。可怕的黑死病造成的死亡使罗马人口减少到不足2万。罗马在14世纪后半期步履维艰，并仍然被宗派纷争所困扰。1377年，教廷从阿维尼翁返回罗马，但这于事无补。1400年左右，罗马被描述为充满茅屋、盗贼和歹徒的城市。

文艺复兴时期的城市 教皇马丁五世（科隆纳家族成员）于1420年进入罗马，这标志着罗马文艺复兴时期和一直延续至1870年的绝对教皇统治时期的开始。尽管马丁既不是建设者，也不是艺术赞助人，但他为罗马成为文艺复兴国家都城的政府打下了基础。从这一时期开始，教廷的副大臣作为罗马总督控制市政府机构、公社的财政和罗马的法规。罗马公社改为一种权威性的教皇统治单位，教皇国也日益落入教会官员的牢牢控制之中。

从尼古拉五世（1447～1455），特别是从西克斯图斯四世（1471～1484）担任教皇开始，中世纪罗马肮脏狭窄的街道加宽并铺上了石板路面，新的文艺复兴式的建筑取代了摇摇欲坠的建筑。与此同时，由于将古罗马的纪念性建筑拆毁以获取建筑材料，使这些建筑进一步遭到破坏。教皇从全意大利吸引学者和艺术家。到15世纪末，罗马已成为文艺复兴时期文化的主要中心。利奥十世（1513～1521）时达到最高潮。他计划新建一座圣彼得教堂，并资助米开朗琪罗和拉斐尔这样的艺术家。在文艺复兴时期教皇的统治下，罗马的经济繁荣起来。（在佛罗伦萨的梅迪契家族的帮助下）教皇建起金融业，并开发奇维塔维基亚附近的明矾矿藏，刺激了资本流入罗马。虽然罗马又一次成为一个进口奢侈品的大消费城市，但仍然没有大规模的工商业。

现代城市的演变 *重建和人口再次增加* 1527年查理五世皇帝的军队对罗马的劫掠结束了罗马作为文艺复兴中心的优越地位。数千座教堂、宫殿和房屋在8天之内遭抢劫和毁坏。但是，即使是在反对改革的教廷的压制下，罗马还是复苏了。一个新的建筑时代开始了。西克斯图斯五世（1585～1590）和他的建筑师丰塔纳的宏大城市建筑计划使这个时代达到了最高潮。设计了新街道和广场，建立起方尖塔，重建拉特兰和梵蒂冈的宫殿，还修复了输水道。

到1600年时，罗马又一次成为一个繁荣的大都市。在教皇的行政机构和有关的服务业中就业的机会使流入罗马的新居民大量增加，达到10万人以上。但是，罗马的大工商业仍然掌握在外国人手中，罗马贵族的财富和权力是建立在土地和宗教职务基础之上的。

教皇帝国的衰落和垮台 17世纪和18世纪，罗马的贵族家族建造精致的宫殿并资助艺术家，同时他们也设法在教会中赢得高级地位。最高的地位是教皇，它能给担任这一职位的家族带来财富和地位。但是，由于在这些方面的腐化和贿赂已成风气，教廷和罗马的影响在欧洲甚至在各教皇国都江河日下。尽管西克斯图斯五世创造了欧洲规划得最好的城市之一，但是到了18世纪，罗马仍是一个落后的城镇，街道破烂不堪，道路没有路标和公共照明设施，也没有卫生设备。在外国人眼中，罗马人，无论是最富有的贵族还是最穷的阶级，都生活在与罗马以外的任何事务无关的乡村空间之中。1790年，人口达到16.5万，但多达1/4的居民担任管理罗马的小官僚职务。

1798年拿破仑的军队第一次占领罗马，宣布成立共和国。但是，1809年罗马和教皇国被法兰西帝国兼并。1814年教皇回到罗马，开始了长期的镇压和反动，尽管教皇利奥十二世和格列高利十六世改善了教育并建起新的公共浴池和医院。教皇庇护九世（1846～1878）早期的统治采取自由的态度。他于1848年向罗马颁布了一部宪法；但是，1848～1849年革命后，他变得非常保守，并企图在法国的支持下挽救教廷的世俗权力和避开现代世界。

统一的意大利首都 教皇国的大部分都包括在1861年宣布成立的意大利王国之内。但是，罗马被排除在外。1862年和1867年，加里波第试图夺取罗马但未成功。但是，支持教皇庇护的法国卫戍部队的撤出使意大利军队在1870年9月20日进入罗马。经过10月的一次公民投票，罗马成为统一的意大利首都。教皇庇护拒绝接受政府提出的解决方案，自愿将自己封闭于梵蒂冈。直到1929年庇护十一世和墨索里尼签订《拉特兰条约》承认教皇在梵蒂冈内的主权，这种局面才告结束。

1870年以后，罗马人口迅速增加，在第一次世界大战前超过了50万人，1930年时达到100万人以上。住区范围也随之扩大，第一次大大超出古罗马的旧城墙范围。20年代和30年代墨索里尼领导的法西斯政权时期，罗马被改造成为一个有漂亮的新街道和豪华建筑的现代化首都。墨索里尼鼓励考古发掘，使许多古罗马的纪念性建筑得以发现和受到保护。在整个20世纪，罗马一直是一个行政和旅游中心，但仍然缺乏作为大多数现代城市发展特点的大规模工商业。

Rome 罗马 美国佐治亚州西北部城市，弗洛伊德县县城（1834），距亚特兰大西北105千米。埃特沃河与乌斯塔诺拉河在此汇成库萨河。1834年设镇，1847年建市。曾毁于南北战争和洪水（1886）。现有多种经济，主要以制造业、木材、采矿和农业为基础。设有肖特学院（1873）、达林顿学校（1905）和贝里学院（1902）。人口约34 980（2000）。

Rome 罗马 美国纽约州中东部奥奈达县城市。位于尤提卡西北24千米处。该地原处于莫霍克河与伍德河间古老的印第安人运输线上，1725年英国人在此筑堡。斯坦尼克斯堡（1758）后来取代了那里原先的两个城堡。在斯坦尼克斯堡，白人与印第安人曾谈判签订了两个重要条约（1768、1784）。该堡现已重建为国家纪念地。1777年8月6日，在今罗马市以东10千米处曾进行过阻止英人深入的奥里斯卡尼战役。1786年该定居地由林奇勘测并命名为林奇维尔。1797年，一条连接莫霍克河与伍德河的运河凿通，促进了尚在起步时期的该地的发展。1817～1825年在林奇维尔开始修建伊利运河，并成为西部拓荒者的启程地。伊利运河村在该市以西4千米处重建以纪念这些历史事件。1819年林奇维尔设村，后改名为罗马，以纪念"在那里（奥里斯卡尼）进行的英勇的共和保卫战"。后因生产黄铜、电线、电缆等产品而有"铜城"之称。以后发展了机械工业，生产平路机、真空吸尘器、空调器、散热器。现有许多菜园和果园，设有州立弱智与聋哑人启聪中心，附近有格里菲斯空军基地。1870年设市。人口：市约34 950；尤提卡-罗马都会统计区约299 896（2000）。

Rome, March on 向罗马进军 1922年10月底墨索里尼领导的暴动，它导致墨索里尼取得了政权。这次进军标志着法西斯统治的开始和前自由议会政体的沦亡。当时意大利

墨索里尼向罗马进军
供图：Keystone

中产阶级对社会主义革命有疑虑，这种疑虑助长了全国因第一次世界大战后意大利未获利益而普遍存在的失望与不满情绪。1922年法西斯党的首领们策划在10月28日举行暴动，由黑衫党法西斯武装分队进行一次向罗马进军，同时夺取意大利各地的战略要地，墨索里尼坐镇米兰静待事态发展。10月28日，已经辞职但因应付紧急状态仍在掌权的首相L.法克塔下令宣布罗马戒严，但国王伊曼纽尔三世拒绝签署戒严令，这意味着不得动用军队阻止墨索里尼的向罗马进军。10月29日，国王要求墨索里尼组阁。墨索里尼于10月30日由米兰乘火车到达罗马，这时法西斯部队尚未进城。作为新任首相，他组织了一次凯旋游行，让他的追随者显示法西斯党支持他上台统治。向罗马进军这一事件是一次在法西斯恫吓面前国家交出权力的政权转让。

Rome, Napoléon, king of 罗马国王 参阅 **Reichstadt, Napoléon-François-Charles-Joseph Bonaparte, Herzog von 赖希施塔特公爵**。

Rome, Treaties of 《罗马条约》 1957年3月25日由比利时、法国、德意志联邦共和国（西德）、意大利、卢森堡和荷兰等国家在罗马签订的两项国际条约。其中一项条约规定组织欧洲经济共同体（**European Economic Community**），并在其成员国之间建立一共同市场

及关税同盟。另一项条约规定组织欧洲原子能共同体(**European Atomic Energy Community**),目的是发展和平利用原子能。

Rome, University of 罗马大学 意大利语作 Universita Degli Studi di Roma 'La Sapienza'。设于罗马的一所男女合校的公立自治高等学府。1303年由教皇卜尼法斯八世创建,当时名为城市书院。在一个时期内,该校与1244～1245年建立的教皇宫廷书院并列开课。在教皇利奥十世(1513～1521)的统治下,这两所机构合并为罗马大学。校舍设在一所名叫萨品扎("智慧"的意思)的建筑物中。该校在几个世纪中都以此为校名。在教皇利奥十世的统治下,该大学重新改组并得以复兴。它聘用了88位讲师,其中许多人颇有名望。1870年,当罗马城不再属教皇而归意大利王国时,这所大学就成为一所皇家大学的基础。1935年成为现在的国立大学。现有科系包括法律、医学和外科学、政治学、经济与商业、文学与哲学、数学、物理、自然科学、工程、建筑等等;该校还设有航空航天工程学院和图书馆学院。

Romeo and Juliet 《罗密欧与朱丽叶》 莎士比亚所著悲剧,描写两个世仇家族的一对年轻人相爱的故事。1594～1595年创作。这个故事还被改编为各种文艺作品,包括合唱交响乐(1839)、歌剧(1867)、交响乐序曲(1869、1870、1880)、芭蕾舞(1935～1936)和电影(1908、1936、1954、1968)。

Römer 勒默尔酒杯 一种德国特别是莱茵兰和荷兰的酒杯,经过几个世纪的演变,到17世纪达到了完美的程度。它的上部为半球形,中部呈圆柱形,底座为一用玻璃丝嵌绕

17世纪的莱茵兰勒默尔酒杯

供图:Kunstgewerbemuseum, Cologne

的锥形空心底盘。在圆柱体上带有多个尖角的浅玻璃疖或木莓状疖瘤。颜色一般为各种色调的绿色。许多杯子经过雕刻,有一种在杯上刻有字迹,据说有些是出自荷兰艺术家A.R.菲斯海尔(约1583～1651)之手。

Romer, Alfred Sherwood 罗默(1894-12-28,美国纽约怀特普莱恩斯～1973-11-05,马萨诸塞剑桥) 美国古生物学家,因其有关脊椎动物进化史的概念而著名。他在研究脊椎动物

哈佛大学供图

化石方面的重要贡献均以比较解剖学和胚胎学为基础。

幼年和教育 从他的早期生活看不出他日后的发展方向。父亲在报业工作,经常迁居,故他的幼年生活漂泊不定。1909年回怀特普莱恩斯随祖母居住,开始较为稳定的生活,但家境贫寒。幼时羞怯,不易适应新环境。但上中学时在同伴中颇有威信。出现了影响他一生的特点——通过参与改进事物的强烈欲望。他打了一年零工以筹措学费,1913年靠自己的努力违背了家庭传统,进入阿姆赫斯特学院。他靠奖学金、打工和向大学生联谊会贷款完成学业。他主修历史和德语文学,又涉猎大量其他课程。他早年在纽约市时参观了美国自然博物馆,恐龙展览激发了他对化石的兴趣。从F.B.卢米斯学习进化论后,罗默知道自己今后想做什么。1917年第一次世界大战期间毕业后,罗默感到焦躁不安。他参加了在法国的美国野战服务队,同年秋天参加美军。1919年回美国,在哥伦比亚大学研究生院师从W.K.格雷戈里,二年后获哲学博士学位。其博士论文内容是肌肉系统,该文至今仍是比较肌学的经典。罗默与大致同时的哥伦比亚大学学生均深受格雷戈里的影响,并帮助传播他的思想,建立了一个至今流行的比较解剖学、功能解剖学和进化论学派。

科学生涯 罗默在纽约市贝尔维尤医院医学院任教二年后任芝加哥大学地质学和古生物学系副教授。该系收藏有许多古生代鱼类、两栖类和爬行类化石,这使他决定了今后野外调查和科学研究的方向。到芝加哥后不久他遇到露思·希巴德并与之结婚,露思与他共生三个子女,她也是罗默野外调查和旅行中的伴侣。《脊椎动物古生物学》出版于1933年,共出三版,影响脊椎动物古生物学的学术思想达数十年。他在芝加哥工作11年,仅由于在地质系培养研究生时偏重生物学而对他有微词。1934年到哈佛大学任生物学教授。他早年即有担当领导的倾向,1945年他终于担任生物学实验室主任,1946年任比较动物学博物馆主任。在他领导下博物馆日益兴旺。他的科学生涯在哈佛大学取得成功,发表了《盘龙类综述》(1940)、《脊椎动物身体构造》(1949)和《爬行动物骨学》(1956),以及大量研究论文。《脊椎动物身体构造》是一本全面的比较解剖学教材,在全美国的大学和学院中广泛采用。另外两本书从不同的方面研究爬行动物的进化。荣誉接踵而至——荣誉学位、外国学会会员称号、奖章等等。但他更看重的却是不那么著名的脊椎动物古生物学会,他从一开始就参与其建立,学会于1940年正式建立后他担任首任会长。后来他的倡议促成美国动物学家学会脊椎动物形态学分会的建立。1963年第14届国际动物学大会在华盛顿召开,他接受主席之职。他早被选为美国全国科学院院士。1929年和1956年他到南非和阿根廷旅行,收集化石。尽管他曾任教,旅行,当过行政领导,进行过科学研究,得过荣誉,他始终随和,谦恭,平静而风趣,有魅力,常被人邀请去讲课。他严格的献身精神和渊博的学识常用轻松的口语体的措辞很随便地表达出来。1965年他从哈佛大学退休,可以得到闲暇,依然以其特有的精力到世界各地旅行,收集化石,讲课,参加会议,参观博物馆。他继续写科学文章,其研究范围扩展到低等无脊椎动物的进化过程。他的研究方法基本上是保守的,注意形态和功能与环境之间的关系在进化进程中的意义。达尔文曾设想生物在历史的长河中缓慢地进化,罗默研究了已绝灭的鱼类、两栖类和爬行类的进化,其研究清楚地表明了这点。罗默终生研究脊椎动物的进化,从比较解剖学、胚胎学特别是古生物学中取得证据。他多年来从得克萨斯二叠纪的地质沉积物中收集鱼类、两栖类和爬行类的化石。他研究方法的特点是密切注意把解剖得知的适应性变化作为对环境改变的应答。从鱼类进化到原始的陆生脊椎动物的过程中,在这以后原始陆生脊椎动物辐射进化成现代两栖类、爬行类和哺乳类的过程中,动物在结构和功能上要发生一些根本的变化,罗默一直在寻找这些变化。

Rømer, Ole (Christensen) 罗默(1644-09-25,日德兰半岛奥胡斯～1710-09-23,哥本哈根) 丹麦天文学家,确证光是以有限速度传播的。罗默1672年到巴黎,在新的皇家天文

供图:Archiv fur Kumst und Geschichte, West Berlin

台工作9年。这期间他注意到木星掩木卫经历的时间,在地球距木星近时较短,距离远时较长。他正确地推导出,这是穿过地球和木星间增大的距离所需时间延长而引起的。1676年宣布,据观测,光速是225 000千米/秒(最新的测量是299 793千米/秒)。1679年,他因科学任务往英国,遇到I.牛顿和天文学家J.弗拉姆斯蒂德与E.哈雷。1681年回到丹麦任皇家数学家和哥本哈根大学天文学教授。他在大学天文台建起一种仪器,装有高

度圈和方位圈以及望远镜,能够精确地测量天体的位置。他还担任过几种公职,其中1705年任哥本哈根市长。

Romeria 罗氏龙 早期爬行动物的绝灭属。化石见于北美的早二叠世地层(二叠纪开始于2.8亿年前,延续0.55亿年)。属于杯龙类(被认为是爬行动物世系的主干),但在地质时代中出现太晚,并非更进步类型的祖先。可能代表更进步类型旁支的、早期世系的延续。

Romero FAMILY 罗梅罗家族 20世纪以复兴古典吉他著名的西班牙吉他演奏家家族。他们单独演出或一起组成四重奏和其他组合演出。C.罗梅罗(1918-03-02,西班牙马拉加～)曾在马拉加音乐学院学习,后又到马德里音乐学院学习,是J.图里纳的学生,10岁时第一次公开演出,22岁正式首演后,演出活动遍及西班牙、法国和意大利。20世纪50年代末随家定居美国。从60年代初开始,他和他的3个儿子塞林(1940年生)、佩佩(1944年生)、安赫尔(1946年生)到世界各国巡回演出。C.罗梅罗作有吉他独奏曲(组曲、练习曲、性格小品)及吉他和管弦乐队的《马拉加协奏曲》。1967年J.罗德里戈为罗梅罗父子写了一部4个吉他演出的《安达卢斯协奏曲》。

Romero, Francisco 罗梅罗(约1700,西班牙马拉加龙达～1763) 西班牙斗牛士。据说斗牛士的"穆莱塔"(为吸引牛的注意而挂在棒上的红布)是他的发明。他有30年的斗牛经历,据说早在1726年就使用"穆莱塔"。他也是第一个面对面杀死牛的斗牛士。自他以后他家世代以斗牛为业。其孙佩德罗(1754～1839)斗牛28年杀死约5 600头牛,1830年在西班牙赛维利亚开办斗牛学校。

Romero, José Rubén 罗梅罗(1890-09-25,墨西哥科蒂哈-德拉巴斯～1952-07-04,墨西哥城) 墨西哥小说家。被称为杰出的现代风俗主义小说家。年轻时曾参加马德罗领导的革命,以后做过驻巴西和古巴大使。他先是写诗,发表了《幻想》(1908)和《英雄的缪斯》(1912)。不久,专写散文。他常以明白易懂的幽默掩饰隐晦的辛酸,描写革命后的环境,例如小说《遣散》(1934)、《等待死亡》(1939)。他最流行的作品是《比托·佩雷斯无用的一生》(1938)。这是一本流浪汉小说,记述了比托·佩雷斯的滑稽历险。有续集《比托·佩雷斯的一些小事》(1945)。

Romilly, Sir Samuel 罗米利(1757-03-01,伦敦～1818-11-02,伦敦) 英国法律改革家。致力于减轻英国刑法的严酷程度。罗米利抨击对轻罪犯处以极刑。这些抨击促进了在他死后所实施的法律改革。1783年当上律师。1805～1815年任达勒姆郡的大法官。1806年被任命为副检察长,进入下院并受封为爵士。受卢梭的自由意志论的影响,他在法国大革命的初期阶段给予支持,但英国对法国大革命的过火行为作出的保守的反应阻碍了

伦敦国立肖像画陈列馆供图

他的活动。他提出的减轻刑法中的刑罚是以塞扎雷·贝卡里亚的犯罪学和耶里米·边沁的功利主义哲学为依据的。著有《罗米利回忆录》(1840)。

Rommel, Erwin (Johannes Eugen) 隆美尔(1891-11-15,德国符腾堡布伦茨河畔海登海姆～1944-10-14,乌尔姆附近黑尔林根) 绰号沙漠之狐。德国元帅。在第二次世界大战中统率德国非洲军团取得辉煌胜利。1910年从军,参加过第一次世界大战,担任少尉,先后在法国、罗马尼亚和意大利等地作战,身先士卒,智勇双全。后曾在各军事院校任教,著有《步兵进攻》(1937)一书,受到高度重视。1938年任军校校长。

供图:Ullstein Bilderdienst, West Berlin

第二次世界大战开始时,任元首大本营卫队长,领上校衔。1940年2月起,任第7装甲师师长对法作战。他很快就认识到并发挥了机械化装甲部队在进攻中的威力。1941年2月任德国非洲军团司令。他善于出奇制胜,被敌、友军誉为"沙漠之狐"。不久晋升元帅。在阿拉伯世界他被认为是把他们从英国统治下解放出来的"解放者"而享有崇高威望,在国内他被描述为常胜的"人民元帅"。又由于意大利军队一蹶不振,也由于希特勒不重视非洲战场,1942年10月在第二次阿拉曼战役中他被英军击败,退守突尼斯。1943年3月被召回国,1944年奉命防守法国海岸,以防盟军登陆。他虽以长于运动战驰名,但在防御战中也提出很多重要意见,如尽全力阻敌建立桥头堡以及在海岸防御中必须在纵深保持强大的后备队用作反攻等等,只是希特勒均未采纳。作为知己知彼的职业军人,他早于1943年秋即看出败局已定,并多次建议希特勒与同盟国媾和,均被置之不理。1944年7月17日他因座车遭英国战斗轰炸机袭击头部负伤。7月20日一起暗害希特勒的密谋败露,他虽未直接参与,但因与当事人有联系,被迫服毒自杀。

Romney 罗姆尼 美国西弗吉尼亚州东部狭长地带的城市,汉普希尔县县城(1753)。北距马里兰州坎伯兰45千米,濒临波托马克河南支流。1738年建居民点。1762年设镇,为南英格兰五港之一。为邻近巴尔的摩-俄亥俄铁路的战略要地,南北战争时期双方易手达56次之多。市内印第安丘公墓立有南部邦联纪念碑,是美国第一批南方阵亡将士纪念碑之一。附近有纳桑尼尔山和肖特山公共狩猎场。经济以木材、炸药制造和服装业为主。人口1 940(2000)。

Romney, George 罗姆尼(1734-12-15,英国兰开夏弗内斯地区多尔顿～1802-11-15,威斯特摩兰肯德尔) 18世纪后期英国肖像画家。其画着重用线条而不用色彩,罗马古典

罗姆尼自画像,1782年
伦敦国立肖像画陈列馆供图

雕刻的流畅匀称与姿势安逸给他作品很大影响。1781～1782年左右,他遇见埃玛·哈特(后来的汉密尔顿夫人),为之倾倒。埃玛成为罗姆尼驰骋丰富想象于理想之境的源泉。他的"神圣的埃玛"从酒神女祭司直到圣女贞德,以各种面貌出现于50多幅画中,而且几乎全凭回忆画出。

Romney, Henry Sidney, earl of 罗姆尼伯爵(1641,巴黎～1704-04-08,伦敦) 英格兰政治家,在1688～1689年革命中起过主要作用。莱斯特伯爵之子。1679年进入议会。当英王查理派他出使海牙时,他与奥伦治亲王威廉交往,希望威廉能够成为查理二世的继承人。1685年詹姆斯二世即位后,他旅居大陆,暗中怂恿威廉夺取英格兰王位。1687年12月回英格兰,在贵族中间搜罗支持威廉的人。1688年随威廉从荷兰渡海远征,在德文郡图尔湾登陆,把詹姆斯赶下台。他先后任国务大臣和爱尔兰总督(1692～1693)。1694年受封为伯爵。

Romney Marsh 拉姆尼沼泽 英格兰肯特行政、历史郡英吉利海峡沿岸的大片平地。

北起海斯，南至邓杰内斯角。面积约 1 万公顷。一部分为自然形成，一部分为筑堤排水而成。当地有英国最丰饶的牧场，长毛羊世界闻名，特别在澳大利亚和新西兰尤为重要。拉姆尼、海斯和迪姆彻奇窄轨铁路吸引了许多游客。

Romny　罗姆内　乌克兰北部苏梅州城市。在苏拉河畔。11 世纪为要塞。后属波兰人统治，1632 年归属俄国。1708 年为瑞典所占。1781 年建市。现有机械工业和消费品生产。设有农业学院和卫生学校。人口约 57 700(1991)。

Romsey　拉姆西　英格兰汉普行政、历史郡泰斯特河谷区一个教区和城镇，在泰斯特河畔的南安普敦西北 14 千米处。全镇最醒目的建筑是巨大的诺曼式隐修院。城镇位于新福里斯特(英格兰皇家猎区之一)边缘。为集市城镇和乡村服务中心。有历史悠久的酿酒业和现代轻工业。人口17 032(1991)。

Romuald of Ravenna, Saint　罗穆埃尔德(拉韦纳的)，圣(约950，拉韦纳～1027-06-19，托斯卡纳瓦尔迪卡斯特罗)　本笃会卡马尔多利派(独修派)创始人。曾任圣阿波利那里斯隐修院院长，其后去托斯卡纳、意大利北部的罗马涅地区和法兰西南部各地建立或整顿隐修院和独修所。他准备前往匈牙利传教，因病未果。1001 年神圣罗马帝国皇帝奥托三世在拉韦纳附近的佩列乌姆为罗穆埃尔德和布鲁诺(奎尔富特的)建立隐修院，向斯拉夫人与普鲁士人传教。罗穆埃尔德于 1012 年左右创建的卡马尔多利隐修院成为卡马尔多利修会的发祥地。

Romulo, Carlos P(eña)　罗慕洛(1899-01-14，菲律宾卡米灵～1985-12-15，马尼拉)　菲律宾将军、外交家、新闻记者。以其在第二次世界大战中代表盟国进行的活动以及后来在联合国的工作而闻名。1931 年任 TVT 出版公司总编辑，主编 3 份报纸，一为英文，一为西班牙文，一为他加禄文。1937年任另一报

供图：G. E. Tolentino

纸托拉斯的社长。1941 年日本进攻菲律宾时，他在科雷希多岛给麦克阿瑟将军当副官。他的广播以“自由之声”闻名。日军占领科雷希多后，他随麦克阿瑟撤至澳大利亚。到华盛顿后参加奎松总统的菲律宾流亡政府，任新闻部长。1941 年因在战前对太平洋地区的军事形势有正确估计而荣获普利策奖。1945 年随美军回菲律宾。1948 年任在日内瓦召开的联合国新闻自由会议主席。1949 ～ 1950 年任联合国大会主席。1950 年任菲律宾外交部长。1952 年任驻美大使。1953 年脱离自由党，拥护国民党人麦格赛赛竞选总统。1955 年在亚非国家万隆会议上他抨击了西方殖民主义的暴政。1956 年代表菲律宾参加联合国安全理事会，1957 年 1 月任安理会主席。1962 ～ 1968 年任菲律宾大学校长。1966 ～ 1968年任教育部长，1968～1978年任外交事务秘书，1978 ～ 1984 年任外交部长。晚年在马科斯总统的政府任职，观点缺乏民主，主张新闻管制，指责西方新闻记者不公正地报道第三世界国家存在的问题。著有《我与英雄们同行》(1961)。

Romulus and Remus　罗慕路斯与雷穆斯　传说中的罗马城建立者。他们是阿尔巴隆加国王努米托之女雷娅·西尔维亚所生。努米托被弟弟阿穆利乌斯废黜。阿穆利乌斯怕雷

狼哺育的罗慕路斯和雷穆斯青铜塑像

供图：Alinari—Art Resource 美国不列颠百科全书公司

娅·西尔维亚生孩子争夺王位，就强迫她去当女祭司，宣誓永保贞洁。然而，雷娅·西尔维亚却与战神马尔斯生下孪生子罗慕路斯和雷穆斯。阿穆利乌斯下令把婴儿扔到台伯河里，可是载着婴儿的木盆却随水飘浮，顺流而下，一直到达未来的罗马城所在地，在一株老无花果树(圣树)跟前停下。在那里，有一只母狼和一只啄木鸟喂养他们。后来被牧人福斯图卢斯发现。福斯图卢斯夫妇把他们抚养成人。他们成为一群富有冒险精神的青年的领袖，终于杀死阿穆利乌斯，使外祖父恢复了王位。后来，他们在当初得救的地方修筑一座城。当罗慕路斯建造城墙的时候，雷穆斯一跃而过，结果被罗慕路斯杀死。罗慕路斯开始统治这座城，这座城也就以他的名字命名。他向逃亡者和流放犯提供避难地，以此增加罗马城的人口。他邀请附近的萨宾人前来赴宴，诱使萨宾女子与罗马人结婚。两个部族因此和好，罗慕路斯同意萨宾国王塔提奥斯与他共同执政。塔提奥斯不久死去，罗慕路斯又成为唯一的国王。罗慕路斯做了多年国王以后，在一次暴风雨中突然失踪。罗马人相信他已经成神，此后便把他当作神来供奉。关于罗慕路斯和雷穆斯的神话可能起源于公元前 4 世纪，而在公元前 3 世纪末定型。这一故事是希腊罗马神话的混合物。希腊人喜欢编造与地点同名的神话人物，用以解释地名的来源。罗马人编选劫掠萨宾女子的故事，或许是为了解释罗马抢婚仪式的起源。传说中提到马尔斯神，是为了把其起源与重要的神祇相连。

Romulus Augustulus　罗慕路斯·奥古斯图卢斯(活动时期5世纪最后25年)　西罗马帝国末代皇帝(475 ～ 476)，因是僭位者而不为东罗马皇帝承认。军事将领奥雷斯特斯之子。475 年，奥雷斯特斯把西罗马皇帝尤利乌斯赶出意大利，立尚在幼年的儿子为皇帝，实际上由他统治意大利。但是他的部下哗变，拥戴日耳曼武士奥多亚塞。476 年奥多亚塞擒获并处死奥雷斯特斯，但赦免了罗慕路斯，发往意大利南部的坎帕尼亚行省。其后命运不详。

Roncalli, Angelo Giuseppe　隆卡利　参阅 **John(papacy)约翰(罗马教廷)**项下的 **John XXIII 约翰二十三世**。

Roncesvalles　龙塞斯瓦列斯　西班牙北部纳瓦拉自治区纳瓦拉省村庄。在潘普洛纳东北，比利牛斯山区，海拔 981 米。以与上方的龙塞斯瓦列斯山口有关而为人知。山口顶部有圣萨尔瓦多教堂遗迹和查理曼大帝纪念碑。村内有奥古斯丁会隐修院(1130)，主要教堂(1230)有纳瓦拉国王桑乔七世及其妻子克莱门西亚的陵墓，其祭坛中央有贴金的忧伤圣母像。每年降灵节前的星期三，朝圣者手持十字架，头裹黑巾，列队穿过该村。人口 44(1981)。

Ronda　龙达　西班牙安达卢西亚(地区)马拉加省城市。位于马拉加以西龙达山区，坐落在格兰德河谷两岸小山上。该处为古伊比利亚人聚居所在地。罗马时代称阿西尼波。8 ～ 15 世纪被摩尔人占据。1485 年 5 月 20 日被天主教君主费迪南德和伊莎贝拉收复。现为葡萄和谷物等农产品的贸易中心。生产面粉、革制品、白兰地酒、服装和巧克力。人口 34 468(2001)。

Rondane　龙达讷山　挪威中南部奥普兰郡和海德马克郡境内山脉。大部地区干旱，其高峰平均海拔 2 100 米，四周有一些小冰川。海拔 2 178 米的龙斯洛泰特为最高峰。山区大部分属龙达讷国家公园。终年为旅游胜地。

Rondane National Park　龙达讷国家公园　在挪威中南部。1962 年建立自然保护区。1970 年成为公园。面积 572 平方千米。龙达讷国家公园地处海拔 900 ～ 2 000 米山地上，群峰耸立蔚为壮观。最高峰为龙斯洛泰特，高2 178米。土地贫瘠，植物稀少，多野兽和高山地区鸟类。

rondeau　回旋曲　14和15世纪法国抒情诗和抒情歌曲中几种固定曲式之一。其完整的曲式由 4 个诗节组成。首尾两诗节一样；第 2 诗节后半部是短迭句，其唱词取自第 1 诗节的前半部。最早的回旋曲诗节由 2 或 3 行构成，后来，尤其是 15 世纪，由 4 行、5 行，甚至 6 行构成一诗节是很普遍的。这样就显得迭句过于冗长，因此，15 世纪时文学上的回旋诗开始同歌唱的回旋曲截然分开了，它往往在第 2 和第 4 诗节截短迭句，仅是开头

一部分歌词重新进入一次。这种新的上下文连接关系往往产生意想不到的涵义变化。迭句的截短在歌唱的回旋曲里大概从未实行过，因为音乐曲式需要完整的迭句。第1诗节的音乐总是由两部分构成，并在第3和第4诗节加以反复；第2诗节是在其中部回到开头。在下面的图解中，小写字母表示音乐重复时改用新词，而照式照样的重复（歌词与音乐）则用大写字母表示：

Ⅰ	Ⅱ	Ⅲ	Ⅳ
AB	aA	ab	AB

最早用复调音乐写作回旋曲的是13世纪诗人作曲家亚当·德·拉阿尔。这些短小的乐曲已经是严格地按照二部音乐曲式写成的。14世纪诗人兼作曲家G.德·马肖虽然写了不足30首回旋曲，但它们在他的整个音乐作品中却是最有创造性和最富有变化的部分。15世纪中叶，回旋曲实际上已取代其他歌曲体裁。对马肖及其继承者而言，回旋曲比其他“固定曲式”要亲切得多。其歌词往往表现一种略显感伤的思念之情，这是它后来的发展阶段中的宫廷爱情传统的典型情绪。在15世纪勃艮第地区的作曲家中，G.迪费和G.班舒瓦作了很多回旋曲。15世纪末，中世纪的“固定曲式”被废弃，而回旋曲则是唯一经历了200年之久而在内容和形式上没有任何重大改变的固定曲式。它的构思和匀称处理也许是最好地表现了所处时代的精神。

rondel　小回旋诗　又拼 rondelle。一种固定的两韵诗歌形式。是回旋诗体（rondeau）的一种变体。常由8或10音节的14行诗组成，分成三个诗节（两个四行诗节和一个六行诗节）。第一诗节的头两行用作第二、第三诗节的叠句。有时也写成13行，只有第一行在末尾处重复。小回旋诗有时与回旋诗体交替使用。该形式源自13世纪法国，后被E.戈斯和R.L.斯蒂文森等英语诗人所使用。

Rondelet, Guillaume　隆德莱（1507-09-27，法国蒙彼利埃～1566-07-30，雷阿勒蒙）　法国博物学家、医师。隆德莱1554年著《洋鱼志》，详细描述了约250种海生动物，尤其是地中海的海生动物，且几乎均附插图。该书中把鲸、海生无脊椎动物及海豹也算作鱼类。他曾任蒙彼利埃大学解剖学教授及枢机主教的医生，对发热、疾病诊断及药物制剂均有广泛的论述。

rondo　回旋曲　器乐曲。其特征是由一个特定的旋律（或乐段）作开头的呈示和周期性的反复，在每次反复之间插入对比的素材加以分隔。虽然任何一首曲子写在这样的交替、离题、返回的基础上都可合理地称为回旋曲，但大部分回旋曲都遵照两种基本结构中的一种：5段体回旋曲（abaca）和7段体回旋曲（abacaba）。后一种具有对称的平衡，因为两个基本上属3段体aba的段落之间隔以一个虽非总是有所发展但却往往比较延伸的对比C段。反复的迭句有时称作“里托奈罗”（**ritornello**），回旋曲在18世纪后半叶至19世纪初期是一种非常流行的曲式，常被用作奏鸣曲、交响曲（海顿）、室内乐作品，尤其是协奏曲（莫扎特）的终曲乐章。同时，回旋曲作为独立的器乐曲也风行一时。贝多芬的《随想回旋曲》（又名《丢钱的愤怒》）作品第129号是一个著名的例子。古典回旋曲可能是从17世纪末和18世纪初法国键盘乐回旋曲发展而来。

Rondônia　朗多尼亚　巴西中西部一州。原为亚马孙州一部分。1943年建为瓜波雷地区。1956年因巴西著名探险家朗东而命名。1982年建朗多尼亚州。面积237 576平方千米，许多地区是人烟稀少的雨林。在亚马孙河流域橡胶业繁荣时期占有重要地位。1912年随橡胶业衰落而地位下降。建造了自州首府波多韦柳至瓜雅拉米林的铁路运送橡胶。输出橡胶现仍是主要收入来源。巴西果也是重要出口商品。朗多尼亚水电站为采伐桃花心木和炼锡提供电力。产品经马代拉河、马莫雷河、瓜波雷河及其支流输出，另有航空运输业。人口约1 455 907（2003）。

Rong（people）　隆人　参阅**Lepchā**雷布查人。

Rong Hong　容闳（1828，中国广东香山南屏镇［今属珠海］～1912-04，美国康涅狄格哈特福德）　中国近代改良派学者。字达萌，号纯甫。1841年就读澳门马礼逊学堂。1847年赴美留学。1854年毕业于耶鲁大学，是中国

中国大百科全书出版社供图

最早的留美大学毕业生。1855年回国。1860年曾到太平天国首都天京（今南京）会晤干王洪仁玕，提出组新军、办军校、改学制等实行新政的七项建议，未被采纳，也未留天京任事。1863年入曾国藩幕，被派赴美国购买机器，筹建江南制造局。1867年提出派幼童赴美留学建议被采纳，1872～1875年间主持选派幼童赴美留学，任留美学生监督。后任清政府驻美国、西班牙、秘鲁副公使。1898年参加变法活动。变法失败后逃往上海租界。1900年在上海参加唐才常主持的张园会议（称中国国会），被推为会长。因遭清政府通缉出逃香港，再度赴美。1910年曾邀孙中山赴美商谈，表示支援革命。著有《西学东渐记》。

Rong Yiren　荣毅仁（1916-05-01，中国江苏无锡～2005-10-26，北京）　中国实业家、社会活动家，中华人民共和国副主席（1993～1998）。1937年于上海圣约翰大学历史系毕业后，任无锡茂新面粉公司助理、经理，上海合丰企业公司董事，上海三新银行董事、经理。1950年后，任上海申新纺织印染公司总管理处总经理、华东军政委员会财政经济委员会委员，中国民主建国会中央委员会常务委员。1957年后，任上海市副市长，上海市工商业联合会副主任委员，纺织工业部副部长，国家进出口管理委员会顾问。1979年后，任中国国际信托投资公司董事长兼总经理，中华全国工商业联合会副主任委员、副主席、主席。1983年6月后，任全国人民代表大会常务委员会副委员长。他是第一至八届全国人民代表大会代表，第四、五届全国人大常务委员会委员，第六、七届全国人大常务委员会副委员长。第二届全国政协委员，第三、四届全国政协常务委员，第五届全国政协副主席。1993年3月27日在八届全国人大一次会议上当选为国家副主席。

Rong'an　容庵　参阅 **Yuan Shikai** 袁世凯。

Ròngao language　参阅 **Rengao language** 楞高语。

Rongbaozhai　荣宝斋　中国经营、装裱、出版中国古今书画、金石篆刻、文房四宝的综合性艺术企业。位于北京市琉璃厂。原名松竹斋，创于清康熙十一年（1672）。1894年改现名。1998年起隶属人民美术出版总社。曾因出版《缙绅》（官名录）、《七十二候笺》而名重一时。1933～1934年间出版的水印木刻《北平笺谱》、《十竹斋笺谱》（鲁迅、郑振铎编），镌印精工，为艺林所推崇。20世纪80年代以后扩充，设立艺术画廊，在香港开办分公司。1986年起在香港开始拍卖业务，1994年正式成立艺术品拍卖有限责任公司。1999年创办《荣宝斋》杂志。

Ronge, Lac la　拉龙日湖　位于加拿大萨斯喀彻温省中部。湖水流向东北，经拉皮德河进入丘吉尔河。湖上岛屿星罗棋布。湖长58千米，面积1 414平方千米，以出产鲑鱼和狗鱼著称。1781年，彼得·庞德在湖畔建立贸易站，此后毛皮商人不断光顾该地区。拉龙日湖省立公园位于湖北端。西岸拉龙日度假村有公路通艾伯特王子城。

Ronglu　荣禄（1836-04-06～1903-04-11）又拼 Jung-lu。中国清末大臣。满族瓜尔佳氏。字仲华，号略园。满洲正白旗人。光绪初官至工部尚书。1891年出任西安将军。1894年授步军统领，次年任兵部尚书、总理各

中国大百科全书出版社供图

国事务大臣。1896 年授协办大学士。反对维新变法，1898年百日维新开始后出任直隶总督兼北洋大臣，掌握北京、天津地区兵权。协助慈禧太后发动戊戌政变，幽禁光绪帝，捕杀维新派。随即升任军机大臣，节制北洋各军，成为朝廷最有权势的人物。1900 年义和团运动期间坚决镇压团民。八国联军攻陷北京后随慈禧逃往西安。1902 年回北京，升为太子太保、文华殿大学士。

rōnin 浪人 日本室町时代后期和德川时代没有主子的武士。他们时常流浪，具有破坏性，有时难以驾御。12 世纪，浪人指因作战失败、主子早亡或因为非作歹而被剥夺封地和爵位的武士。战国时代，这种武士的人数大有增加；到 17 世纪前半叶，他们依然是制造混乱局面的罪魁祸首。19 世纪中期，许多贫困武士热衷于排外运动和王政复古，离开他们的主子而成为浪人。他们暗杀不排外官员、亲西方学者和旅日外侨。明治维新后，他们仍然横行一时。但由于 1873 年废除武士特权，浪人不复存在。18 世纪初期 47 浪人为其主子之死复仇的事件，已成为许多流行的日本戏剧、电影和文学作品的题材。

Ronne, Finn 龙尼（1899-12-20，挪威霍滕～1980-01-12，美国马里兰贝塞斯达） 挪威裔美国探险家和作家。曾 9 次进入南极洲，发现1 040万平方千米大陆并绘制了地图。他以滑雪橇和狗拉雪橇的探险里程估计达5 800千米，发现以前探险家从未到过的威德尔海地区。在亚历山大岛地区发现龙尼湾（以其父、探险家 M.R.龙尼名字命名）。威德尔海区的龙尼冰架是世界第二大浮冰体，以他名字命名。1922 年在霍尔滕工业学院取得机械工程学位后迁居美国。1929 年加入美国籍。为海军少将 R.E.伯德 1933 年第二次南极探险队的队员。6 年后又随伯德到达南极区。第二次世界大战期间曾在美国海军服役。1947 年，率领自己的探险队去南极，其妻伊迪丝和另一位女科学家 J.达林顿同行，她们成为最早参加极地探险的女研究者。龙尼曾多次获奖，包括三枚国会金质奖章。著作有《征服南极》（1949）和《南极——我的命运》（1979）。

Ronne Ice Shelf 龙尼陆缘冰 又称龙尼冰架。南极洲大西洋岸凹入部分，威德尔海顶端的巨大浮冰体。厚度超过 150 米。向内陆延入 840 千米以上。它位于菲尔希纳陆缘冰西边不远处，它们之间为伯克纳岛部分地区隔开。虽然其确切体积尚不知道，但它是仅次于罗斯陆缘冰的世界第二大浮冰体。以美国探险家 F.龙尼姓氏命名。该陆缘冰 1908 年被英国、1940 年被智利、1942 年被阿根廷称为本国领土。

Ronneby 龙讷比 瑞典南部布莱金厄省城镇。临龙讷比河，近波罗的海。从 1230 年建镇到 1679 年一直是布莱金厄的重要城镇。有制糖、鞣革、采石、搪瓷业等行业。著名建筑有圣十字架教堂（13 世纪）等。主要广场上有 19 世纪瑞典雕刻家 P.哈塞尔贝格的两座著名的雕像。城南龙讷比矿泉（1705 发现）曾为兴旺的矿泉疗养地。人口：城市区约 29 382（1986）。

Ronsard, Pierre de 龙萨（1524-09-11，法国库蒂尔附近拉波索尼耶尔～1585-12-27，图尔附近圣科姆） 法国文艺复兴时期七星诗社中的主要诗人。出身贵族，自幼在宫廷充当侍从，原拟投身军界或从事外交，后因双耳失聪而潜心研读古希腊罗马诗歌，与一些同学结成七星诗社，仿效亚历山大的古代七位希腊诗人，以创作出堪与古代诗歌媲美的法兰西诗歌为宗旨。他的第一部诗集《颂歌集》（4 卷，1550）乃仿效古罗马诗人贺拉斯的作品。《龙萨的情歌》（1552）则是师法意大利抒情短诗之作，并从当时新发现的希腊诗人阿那克

不列颠博物馆供图

里翁（公元前 6 世纪）的作品中汲取新的灵感。后一影响在 1554 年的《树丛》及《杂诗》中尤为突出。宗教战争爆发后，龙萨是坚定的保皇派并站在天主教一边，为新教徒所仇视，在《关于时代灾难的时论诗》（1562）中猛烈攻击他的对立者。这一时期，在国王查理九世鼓励下，他写了大量歌颂宫廷的诗歌。龙萨此时可以说已成宫廷诗人，但创作法兰西史诗《法兰西亚德》进展缓慢。这是一部在一定程度上模仿维吉尔《埃涅阿斯纪》之作，仅完成 4 卷（1572），即中途搁笔。《给爱兰娜的十四行诗》今天看来也许是他最著名的抒情诗集，诗人在这里显示了他恢复典雅爱情诗活力的才能。龙萨改进了十二音节的亚历山大诗体，使之成为表达尖刻讽刺、哀怨情怀、悲凄激情的古典形式。他的诗体现了法国文艺复兴时期的各种兴趣、风味和情调，又因他同时也是博学之士，生前被尊为诗圣。他在法国诗歌中的突出地位，在雨果之前一直没人能够企及，但在 17、18 世纪曾一度遭到忽视，直至浪漫主义评论家圣伯夫提出才得以恢复。

Röntgen, Wilhelm Conrad 伦琴（1845-03-27，普鲁士伦内普［今德国雷姆沙伊德］～1923-02-10，慕尼黑） Röntgen 又拼 Roentgen。德国物理学家，因为发现 X 射线，1901 年获得第一次诺贝尔物理学奖。这一发现宣布了现代物理学时代的到来，使诊断医学发生了革命。伦琴是斯特拉斯堡大学（1876 ～ 1879）、吉森大学（1879～1888）、维尔茨堡大学（1888 ～ 1900）和慕尼黑大学（1900 ～ 1920）的物理学教授。他还研究过弹性理论、液体的毛细作用、气体的比热、晶体的热传导、气体的吸热以及压电现象。1895 年，伦琴进行阴极射线管中电流的实验时，观察到附近的一块氰亚铂酸钡在管通电时发光。据此建立理论：当阴极射线（电子）撞击管的玻璃壁时，形成了某种未知的辐射，穿过室内，照射该化学品而引起荧光。进一步的探索，发现在各

供图：Historia-Photo

种物质中，纸、木材和铝对这种新形式的辐射是透明的。又发现它影响照相底片，但因为它不显示出光的任何特性，如反射和折射，伦琴就错误地认为这种射线与光无关。由于它的性质不确定，就把这种现象命名为 X 辐射，也称伦琴辐射。

rood screen 圣坛屏 中世纪或文艺复兴初期的基督教教堂中分隔中殿与唱诗班席或圣坛的建筑装修，按十字架的位置设置。中世纪教堂中的大十字架最初设在圣坛入口处横跨中堂的大梁（称为十字架梁）上。后来由地面到梁加了一道围屏，围屏之上又加了十字架坛。坛上设十字架和雕像（圣母和圣约翰），以及供节日用的蜡烛台。由于有时吟游诗人在其上演唱，又称歌坛。通向十字架坛的楼梯设在圣坛的石墙中或设置独立的塔楼，从教堂的地面通至圣坛。从 14 世纪起到 16 世纪中叶，在英国和欧洲大陆，圣坛屏和十字架坛成为教堂中的重要部分，特别是镂空的围屏，给予艺术家以创作和精心雕刻、绘画的机会。法国最大最华丽的圣坛屏和十字架坛在阿尔比大教堂（约 1500）。英国 16 世纪时，亨利八世钦定英国圣公会为英国国教以后，下诏取消十字架以及十字架梁以上的一切东西，但允许留存围屏。文艺复兴晚期设计教堂的建筑师主张从中殿可以无阻碍地望到圣坛，因此到 1800 年圣坛屏和十字架坛在全欧洲均已被废弃。

Roodepoort 鲁德普特 南非德兰士瓦省城市，在约翰内斯堡以西。1884 年在威特沃特斯兰德首次发现金矿。两年以后建立采金营地。1904 年建镇，1977 年建市。东部主要是工业区，西部是现代住宅区。除金矿区外，有发达的制造业。人口 141 764（1985）。

roof 屋顶 房屋顶部的覆盖，用以遮蔽雨雪、烈日、大风，以及抵御酷暑与严寒。屋顶形式多种多样——平屋顶、坡屋顶、拱顶、穹顶或多种形式组合的屋顶——随技术、经济或审美条件而定。人类建造的最古老的屋顶，为树枝搭成的茅草屋顶，一般都有坡度，以便排除雨水。非洲农村中常见的圆锥形草屋，即是一例。利用木材及粗大树枝作屋架，

可搭建双坡屋顶或平屋顶。随着砖及石块的应用，出现了拱顶及穹顶的基本形式。

平屋顶及坡屋顶为屋顶的两种主要类型。平屋顶适用于气候干燥、雨水不多的地区。19 世纪时，随着新的防水材料以及钢和混凝土结构的应用，平屋顶开始在欧洲和美洲盛行。不久，平屋顶成为仓库、办公楼、商业建筑及许多住宅最常用的形式。坡屋顶有许多不同形状。最简单的为单坡屋顶。具有三角形状的双坡屋顶（称作人字形屋顶），早在古代希腊神庙中即已出现。这种屋顶许多世纪以来一直在北欧及美洲的居住建筑中使用，目前仍是一种非常普遍的形式。四坡屋顶是把双坡屋顶的山墙改成坡顶而成的一种形式，广泛出现于意大利及欧洲其他南部地区，目前在美国住宅建筑中也非常流行。双坡屋顶及四坡屋顶在平面较复杂的住宅中也能应用。复斜屋顶是一种折线形的双坡屋顶，其坡度下部较陡，而上部较缓。芒萨尔式屋顶是折线形的四坡屋顶，在文艺复兴式及法国巴罗克建筑中屡见不鲜。以上两种折线形屋顶，能在不添建整个楼层的情况下，利用一部分屋顶空间作为房间，也很美观。

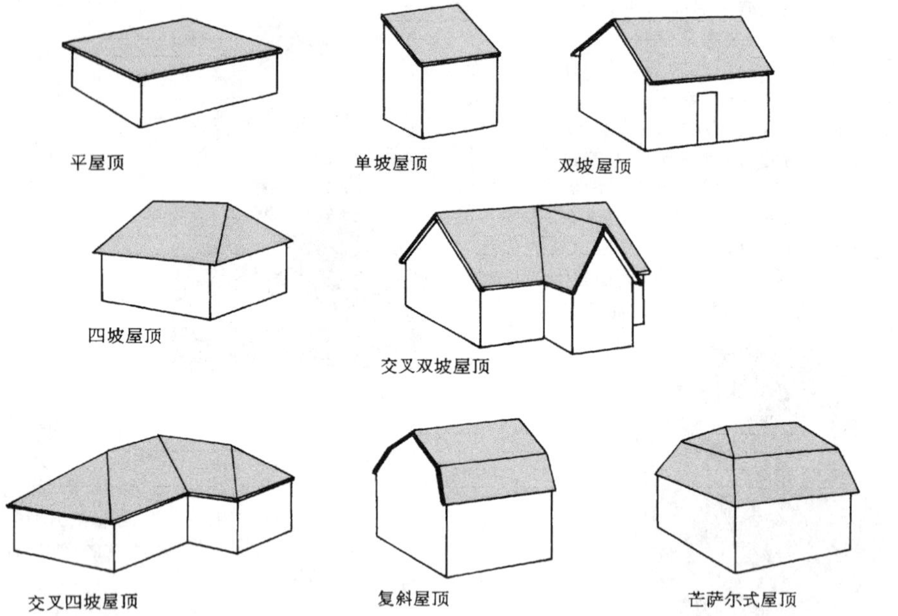

几种基本的屋顶图样

拱顶（**vault**）的最常见形式为筒形拱顶，在哥特式建筑中占有重要地位。**穹顶**（**dome**）是一种半球状的结构，古代罗马和穆斯林以及中世纪以后的西方一些最宏伟的建筑，都有穹顶。由于拱顶和穹顶都是弓形结构，所以这种屋顶下面不需要支撑的框架。而平屋顶和坡屋顶却往往需要桁架等中间支承构件。**桁架**（**truss**）是由一系列三角形部件组成的结构。直至 19 世纪晚期，上述支承构件都由木材制成，如今这些笨重的木制构件，则大都已改为钢或钢筋混凝土结构，而且新的建筑材料还产生了新颖奇特的屋顶形式。钢筋混凝土薄壳能制作厚度仅 76 毫米而覆盖广大空间的穹顶或拱顶，用来建造体育馆及大剧场的屋盖。还可以用固定在高塔或高架上的钢索，把预制的混凝土薄壳悬吊起来，以建造巨大的悬挑式屋顶。**网格球形穹顶**（**geodesic dome**）则是穹顶结构的一种现代化变体。

屋顶必须防止雨水浸入建筑物。有两类主要的屋面材料：一类是防水的薄膜涂层，例如涂刷油毡用的柏油；另一类是片状的防水材料，用一定的方式覆盖在屋顶上，使雨水不能从它们的缝隙中漏下去，这类材料包括瓦片以及用钢、铝、铜或锌等制成的波纹状薄板。平屋顶面层通常为油毡涂刷柏油，而坡屋顶一般用瓦片或波纹状金属薄板。

roof pendant　顶垂体　围岩插进侵入体顶面向下延伸的部分。最经常有顶垂体的侵入体是浅成的岩株或岩基；顶垂体作为围岩的孤立碎块出现在侵入岩体内。通常受到接触变质作用而被强烈变质，在变质过程中来自侵入体的热和流体使被包围的岩石重新改组。其存在表明所见的火成岩体已经接近顶面了，它是由于上覆岩石被侵蚀掉而暴露出来的。对它的研究，可确定发生侵入时存在的某些条件，如岩浆的温度和流体成分。

rook（*Corvus frugilegus*）　**秃鼻乌鸦**　数量最丰富的欧亚大陆鸟，属于雀形目**鸦科**（**Corvidae**）。其大小（45 厘米）和黑色色泽似食腐乌鸦，但成鸟的尖嘴基部的皮肤常色白且光秃，大腿羽毛蓬松。秃鼻乌鸦从英国断续地分布到伊朗和中国东北。有迁徙性。在高树上（有时在城镇内）筑成大群鸟巢。巢结实，用树枝和泥土筑成，使用多年。每产 3 ～ 5 枚浅绿色多斑点的卵，幼雏孵出后一个月即会飞。在草地和耕地里挖掘蛴螬和蠕虫，有时会刨出马铃薯和谷物种子。

秃鼻乌鸦（*Corvus frugilegus*）
供图：Eric Hosking

Roon, Albrecht Theodor Emil, Graf von　罗恩（1803-04-30，波美拉尼亚科尔贝格附近普勒沙根［今波兰科沃布热格］～ 1879-02-23，柏林）　普鲁士军官，与俾斯麦首相和毛奇将军共同建立德意志帝国，并使德意志成为欧洲大陆的主要强国。普鲁士军官之子。1821 年任军官，1824 ～ 1827 年在柏林军事学院工作。1832 年调到驻克雷费尔德的军团司令部，他觉察到普鲁士军队的素质不高，需要改组。不久以后出版 3 卷集《自然、民族、政治地理学原理》。1848 年革命时期，他协助王储（后来的威廉一世皇帝）镇压巴登起义。1850 年晋升少将，1859年为中将兼军队改组委员会委员，任陆军部长，1861 年任海军部长。在陆军部长任内，他改革普鲁士的军制，以普遍的 3 年兵役制保持“举国皆兵”，规定在正规军作战时由后备军保卫国家。他的改革使普鲁士在七周战争（1866）中迅速击败奥地利，并取得 1871 年普法战争的胜利，使德意志成为欧洲的主要强国。1871 年受封伯爵。同年 12 月继俾斯麦之后成为普鲁士内阁首相，1872 年因健康不佳而辞职。

供图：Bildarchiv Preussischer Kulturbesitz, Berlin

Rooney, Mickey　鲁尼（1920-09-23，美国纽约布鲁克林～　　）　原名 Joe Yule, Jr.。美国电影演员。2 岁起便与家人一起在他们的歌舞剧团演出并于 1926 年的电影处女秀中饰演一名侏儒。他在雷电华电影公司的 50 部喜剧短片如《米奇·麦圭尔》（1927 ～ 1933）中担任主角，并以扮演《仲夏夜之梦》（1935）及《孤儿乐园》（1938）中的角色获奖。1937 年开始他经常与 J. 嘉兰共同在一系列受欢迎的电影中出演牛仔，如扮演狂妄、精力充沛的安迪·哈代。其后成功的电影作品还包括《人间喜剧》（1943）、《玉女神驹》（1944）、《娃娃脸尼尔森》（1957）以及《黑神驹》（1979）。1979 年他以《蜜糖甜心》在百老汇首演成功，1983 年荣获奥斯卡荣誉奖。

Roos, S(joerd) H(endrik) de 德·鲁斯（1877-09-14，荷兰德拉赫滕～1962-04-02，哈勒姆） 荷兰装帧及字体设计家，荷兰私人出版运动的重要人物。曾在阿姆斯特丹皇家艺术学院学习平版印刷术。早年曾设计家具和罐头包封。他设计的第一本书《艺术与社会》(1903)是英国诗人兼装帧设计家W.莫里斯作品的荷兰文译本，莫里斯创办的凯尔姆斯科特出版社是英国私人出版运动的开端。德·鲁斯于1907年加入阿姆斯特丹铸字厂，直至1942年退休。1928年前后他在希尔弗瑟姆建立了荷兰第二所私营出版社山岚出版社，并为它设计了一套山楂花体活字。山岚出版社印行的4种作品中，以D.G.罗塞蒂的《手与脑》(1929)一书的版本最为精美。他设计的铅字有：中古荷兰体(1912)、白银体(1915)、埃格蒙特体(1933)和德·鲁斯罗马体(1947)。

Roosa, Stuart Allen 鲁萨（1933-08-16，美国科罗拉多杜兰戈～1994-12-12，弗吉尼亚福尔斯彻奇） 美国航天员，"阿波罗14"号飞行任务(1971-01-31～02-09)的参加者。这次飞行考察了弗拉-毛罗环形山以北24千米的月

美国国家航空和航天局供图

球山区。他乘指令舱在月球上空作轨道飞行时，指令长A.B.谢泼德和E.D.米切尔登上月球。鲁萨在俄克拉何马农机学院学习2年后于1953年加入美国空军。2年后再入科罗拉多大学学习并获航空工程学理学士学位。曾驾驶制式及试验型飞机，1966年成为航天员。1976年退出航天计划，后在希腊和美国的一些私人企业中担任行政管理职务。

Roosendaal 罗森达尔 荷兰西南部北布拉班特省城市。靠近比利时边境。早期经济活动为采掘泥炭。现为鹿特丹—安特卫普铁路线上的交轨点，有铁路修配厂；为生产荧光灯配件、造纸和印刷机器及家具等的工业中心。人口约62 115(1993)。

Roosevelt, (Anna) Eleanor 罗斯福(夫人)（1884-10-11，美国纽约州纽约～1962-11-07，纽约） 联合国外交家、人道主义者、富兰克林·罗斯福总统的夫人、当时世界上最受人敬佩的妇女之一。她是西奥多·罗斯福(1901～1909任总统)的侄女。曾在英格兰求学。1905年与远房堂兄富兰克林结婚。1921年以后帮助并鼓励丈夫同小儿麻痹症的后遗症下肢瘫痪作斗争。她根据医嘱，积极参加社会活动，以重新燃起并激发丈夫对政治的兴趣。在1933～1945年作为第一夫人的12年内，她的社会活动空前广泛，几乎同丈夫一样成为有争议的人物。她首次创立了白宫为女记者定期举行记者招待会的制度。为照顾丈夫，她充当了总统的"耳目"，在全国进行广泛

布朗兄弟公司供图

的旅行，向他汇报情况、工作计划与公众舆论。从1936年起，她多年为报业辛迪加每日专栏《我的一天》撰写文章。她还特别关心新政所举办的多种人道主义事业。第二次世界大战期间，她访问了英国和南太平洋地区以及美国军事基地，以鼓舞士气。1945年罗斯福总统去世后，杜鲁门总统任命她为美国驻联合国代表(1945，1949～1952，1961)。作为联合国人权委员会主席(1946～1951)，她对世界人权宣言(1948)的起草和通过起了重要作用。她是一位不知疲倦的旅行家，曾数次环游世界，访问过几十个国家，会见了世界上的大部分领袖。

Roosevelt, Franklin D(elano) 罗斯福（1882-01-30，美国纽约海德公园村～1945-04-12，佐治亚沃姆斯普林斯） 别名FDR，美国第32任总统，于1933～1945年"新政"时期和第二次世界大战期间任职。美国政府对其国内和国际政策所起的现代作用，应归之于罗斯福所促使发生的变化。为遏制30年代的"大萧条"，他借助于联邦政府的权力促进美国人民的经济福利。他是第二次世界大战期间同盟国反对轴心国战斗中的一位领袖，为美国在世界安全方面继续发挥作用铺平道路。他是唯一蝉联三届的总统。

早年生活和政治成长

罗斯福是詹姆斯和萨拉·德拉诺·罗斯福夫妇的独生子。罗斯福一家过着上流社会的但并不夸耀的豪华生活，往返于哈得孙河谷和欧洲休养地之间。夫妇俩常常携带年轻的富兰克林去欧洲；他在家中接受私人教育，并被培养成为对那些不幸的人抱有责任感的上等人。14岁时，腼腆的罗斯福进入格罗顿学校(位于马萨诸塞州的格罗顿)读书，这是一所以英国著名公立学校为样板而建立的学校，富家子弟在那里被教导在公共事务中用基督教的精神进行治理。

富兰克林·罗斯福1900年进入哈佛大学后，投身于大学本科生活动。他需用全力应付课外活动，使他没有多少时间花在课程的学习上，因此他的学习成绩并不出色。但他受到经济学教授们的影响，这些教授修正了传统的放任主义学说，主张政府对经济活动进行调节，但使他受到更多影响的是令他着迷的远房亲戚，进步的西奥多·罗斯福总统。

在哈佛的最后一年，富兰克林·罗斯福与西奥多·罗斯福的侄女埃莉诺·罗斯福订婚，她那时正在纽约市忙于城市救济工作。他们于1905年3月17日结婚。埃莉诺帮助年轻的罗斯福打开眼界，使他看到了城市贫民窟中那些毫无权利的人们的悲惨生活状况。

罗斯福对纽约的社会生活比他对在哥伦比亚大学法学院的学习更感兴趣。在参加纽约律师考试及格后，他中止了学业。他的这种对律师职业缺乏兴趣的态度，在他在华尔街著名的卡特-莱迪亚德-米尔本律师事务所当职员的岁月里始终如此。

早期政治活动 他对西奥多的钦佩，导致他倾向于政治，因为西奥多一直在号召富家子弟进入政界。1910年他的机会来到了，纽约州达奇斯县的民主党领袖们劝说他竞选州参议员，虽然这场竞选看来难以取胜。在罗斯福家族中，他的这一支一直是民主党人，在确信他的那位杰出的共和党亲戚不会出来讲话反对他时，他就不再犹豫了。

州参议员 他非常艰苦地进行竞选，借助于共和党的分裂和他的名望，他赢得了这次选举。还不满29岁的罗斯福，由于领导了一小群反抗的民主党人拒绝投票支持纽约市党组织——坦曼尼协会——提名的候选人而名闻全州，甚至赢得全国的一些注意。他使这些反抗分子坚持了3个月，直至坦曼尼调换候选人为止。

罗斯福在纽约州参议院里成为替该州北部农民说话的主要人物，在这一过程中，他变得愈来愈相信进步改革的全部纲领。他从他早先蔑视、现在继续与之斗争的纽约市议员那里学到了不少政治上互相让步的做法。这些人中有后来成为纽约市长的J.J.沃克、美国主要参议员的R.F.瓦格纳，以及后来成为纽约州长的A.E.史密斯。罗斯福逐渐克服了他的贵族习气和优越感。

1911年底之前，罗斯福支持民主党进步领袖、新泽西州长W.威尔逊的竞选总统活动。虽然一场伤寒症使罗斯福不能参加1912年的竞选活动，他甚至没有在公开场合露过一次面，但仍重新当选为州参议员。这是因为奥尔巴尼市的一个名叫L.豪的新闻记者替他作了广泛的宣传，这位记者认为这位身材修长、英俊潇洒的年轻人是一位很有前途的政治家。在他一生的其余时间里，豪一直都忠实地、小心翼翼地为罗斯福效劳。

海军部助理部长 作为对他效劳于威尔逊的酬报，他于1913年3月被任命为海军部助理部长，海军部长是J.丹尼尔斯。罗斯福热爱海洋，也热爱海军的传统，他对这些传统的了解胜过他的上司，因此常常对他的上司表示不耐烦。罗斯福在由他管辖的海军船坞中试行改革，获得了部分的成功；与此同时，他还学习了如何与文职雇员的工会组织进行谈判。欧战爆发后，罗斯福成为主张做好战备工作的激烈的辩护者；美国参战后，他树立了一个有效率的行政管理者的声誉。1918夏，他作了一次长途旅行，视察美国在海外的海军基地和战场。在他担任助理部长的7年期间，许多时候他对丹尼尔斯并不支持，但最后他对他的上司与南方的国会议员们打交道的手腕，以及作为一名行政管理者的真正价

值表示欣赏。

患麻痹症 在1920年的民主党全国代表大会上，罗斯福被提名为副总统候选人。他和总统候选人J.M.考克斯一起，有力地进行了竞选活动，主张美国加入国际联盟。在

合众国际社供图

共和党获得压倒性胜利之后，罗斯福成为一家担保公司——马里兰忠实保险和存款公司——的副总经理，参与许多商业活动(有的具有投机性质)，并继续活跃于民主党政坛。1921年8月，罗斯福在加拿大新不伦瑞克省的坎波贝洛岛度假期间，突患严重的脊髓灰质炎(小儿麻痹症)。他受到很大的痛苦，全身一度几乎完全瘫痪，但很快就开始预言(如他在一些年里所预言的那样)他不久将恢复两腿的正常运用。他的母亲要他退休回海德公园村，但他的妻子和秘书L.豪却认为，让他继续积极从事他的事业及政治活动，对保持他的士气是至为重要的。由于罗斯福不能亲自去参加政治集会，他的妻子代他参加，充当他的耳目(在他一生的其余时间里，她常常为他起这种作用)。在豪的指导下，她克服了羞怯，成为一个能干的政治工作者和演说家。由于他暂时还不能竞选公职，因此他可以有效地起到一种早熟的"政治元老"的作用，致力于促进民主党城市和乡村两翼之间的团结。他本人是一个乡村派民主党人，但却在1924年和1928年的民主党全国代表大会上，两度提名城市派的宠儿、纽约州长A.史密斯为总统候选人。

1928年史密斯敦促罗斯福竞选纽约州长，以加强民主党候选人的阵容。罗斯福对此表示犹豫，因他还不能离开支架和别人的帮助而独立行走。自1921年以来，他连续数年试图恢复运用两腿，有几个冬天一直在佛罗里达的温水中游泳，并于1924年开始在佐治亚州的沃姆斯普林斯的炭酸水中游泳。为使其他人也能分享到温水的疗效和进行有系统的治疗，罗斯福于1927年成立了沃姆斯普林斯基金会，这是一个治疗小儿麻痹症患者的非营利机构。他希望进一步开发沃姆斯普林斯，继续进行治疗，以期完全恢复两腿的运用。

纽约州长 尽管有这些事情要做，并且意识到，对民主党候选人来说，1928年并不是一个吉祥的年头，罗斯福还是屈从于强有力的劝说，接受了竞选纽约州长的提名。当他开始坐着汽车进行竞选活动时，他证实了他依旧保留着年轻人的朝气和活力，并显示他已经成熟，成为一个更加严肃和更富有人情味的人。对手们提出了他的健康问题，但他的有力的竞选活动，有效地排除了这一疑问。总统选举结果是，H.胡佛获压倒性胜利，史密斯被击败了，他甚至没有赢得纽约州的多数票，而罗斯福以2.5万张选票的多数获胜。

接替史密斯成为州长后，罗斯福决定，他必须树立他自己的行政管理风格。他没有留用史密斯最亲密的顾问，也没有依靠史密斯的意见。由于竞选总统失败而受到刺激的史密斯，感到受了伤害和冷落。鉴于史密斯以行政改革而著称，罗斯福乃致力于推行减免农民税款和提供消费者更廉价的公用事业服务的施政纲领。这一施政纲领在纽约州北部颇得人心，再加上日益严重的经济萧条的影响，使罗斯福在1930年的州长选举中，以72.5万张选票的压倒多数再次当选。

在他担任州长的第一个任期内，罗斯福的各项政策除了权限问题外，并不比在华盛顿的胡佛总统更左一些。但在罗斯福的第2个任期内，由于经济萧条的灾难性影响更加深重，他采取行动将州政府的机构动员起来，以支持经济。1931年秋，他取得州立法同意，建立了临时紧急救济署，这是州的第一个救济机构。在整个4年的任期内，他同共和党控制的州议会作过许多次斗争，他大多数获胜，这加强了他的才能，后被证实对他的未来是必不可少的。1928年11月就开始有一些猜测，后来又有了更多的议论，说他是1932年民主党总统候选人最可能的人选。在1930年获得惊人的胜利之后，他成为共和党和敌对的民主党候选人明显的攻击目标，这使他除了立即悄悄地争取在全国代表大会上获得支持外，别无其他选择。由于当时在民主党全国代表大会上提名总统候选人，需要有2/3的票数，因此要阻止一个主要的竞争者是比较容易的。不久就看得很清楚，反对罗斯福的最强大的力量来自城市派和仍忠于史密斯的保守的东部民主党人；他的最强大的支持则在南方和西部。

进步人士和知识分子认为，罗斯福全面的政治纲领具有吸引力，但许多人担心，由于他回避共和党发起的驱逐纽约市腐败的民主党官员的挑战，因此他的地位虚弱。当众议院议长，得克萨斯的J.N.加纳在加利福尼亚州的初选中获胜时，反对罗斯福的力量变得更为强大。

担任总统

在1932年的全国代表大会上，罗斯福最初拥有多数代表，但史密斯和加纳两派势力的联合，似将阻止他获提名。在第3轮投票表决时，加纳同意他的代表们转向罗斯福；作为回报，加纳被提名为副总统候选人。

第一个任期 在1932年的竞选活动中，经济萧条问题是唯一重要的问题。微笑着、满怀信心的罗斯福到全国各地开展竞选活动，大体上勾画出一个恢复经济和实行改革的施政纲领。这就是后来人们所谓的"新政"。在通常称为"智囊团"的一批撰稿人精心准备的一系列演说稿中，他作出许诺：帮助农业生产者，由公家开发电力资源，平衡国家预算，以及由政府管制没有责任心的经济势力。他在旧金山发表的一篇最著名的演说中宣称："私人经济势力……也是受公众的委托。"他的纲领吸引了数以百万计的名义上的共和党人，特别是西部的进步分子。在大选中，罗斯福获得了2 282.2万张选民选票，胡佛获得1 576.2万张；选举团票是472张对59张。民主党并在国会两院赢得了很大的多数。

就任总统 罗斯福于1933年3月4日就任总统。在大选之后，胡佛总统曾寻求罗斯福的合作，以阻止日益加深的经济危机，这一危机在1933年2月因几个州的银行纷纷倒闭而达到顶点。但罗斯福既拒绝不附带权力而承担责任，也不在胡佛使企业恢复信心的建议书上签名，胡佛自己承认，他的建议意味着"放弃90%的所谓'新政'"。

罗斯福上任时，全国大多数银行倒闭，工业生产下降至1929年水平的56%，有1 300万人或更多的人失业，农民处在绝望挣扎的困境之中，甚至国会领导人也震惊不已，准备着暂时遵从罗斯福的建议。

罗斯福在就职演说中，答应采取迅速的、决定性的行动，并借此机会将他自己的不可动摇的自信心向全国传播。他断言，"这个伟大的国家将会坚持下去，正像它已经坚持的那样，它将会复兴，会繁荣昌盛，……我们唯一需要害怕的事情是害怕本身。"此时此刻，抱有各种各样政治见解的人，都成了他的支持者。他迅速行动，促使国会通过美国历史和平时期范围最广泛的立法纲领。

一百天 通过采取一连串大量的措施，罗斯福首先致力于迅速恢复经济，接着对他认为是造成崩溃原因的某些经济制度进行改革。他设法帮助美国经济的各主要利益集团，而当民主党是少数政党时，他努力获得先前的共和党人的支持。他对内阁人员的选择，表明他极力保持意见的一致，这一选择做到了地理上和政治上的平衡，自由派民主党人和保守派民主党人兼容并蓄，并吸收3位共和党人参加，以及首次任命一位妇女F.珀金斯，担任劳工部长。

他还指引他的立法纲领面向广大的选民。作为前奏，他制定了几项保守措施，以激发工商界人士和银行界人士的信心。首先，罗斯福命令银行一律停业，以制止存款者向银行挤兑；然后在3月9日召开的国会特别会议上通过一项审慎的办法，让财务状况健全的银行恢复营业(罗斯福还强烈主张对银行进行改革，但这在以后才实现)。3月，罗斯福履行了他在竞选时所作的最重要的保证之一，提出了一项激烈的政府经济纲领。他对国民经济抱有坚定的信心，但他并不是一个凯恩斯主义的信奉者，虽然他常常被认为是这样。银行和经济的紧急法案，使他获得了绝大多数选民的热烈支持；但他同时指出，这些对经济的真正恢复所起的作用并不大。

罗斯福准备了一系列咨文和法案草案，并很快将这些文件提交国会，这就构成了早期"新政"的行动方案。他首先从国会获得了救济人们苦难的联邦资金。国会建立了联邦紧急救济署，向各州的救济机构拨款，由它们直接进行救济。该机构还成立了地方资源养护队，最多时雇用50万青年，从事重新植林

和防汛工作，这是罗斯福最喜爱的一项计划，在整个“新政”时期一直受到人们的欢迎。他用抵押救济的办法帮助了其他数百万人，包括农业生产者和住房所有者。“新政”时期主要的贷款机构是原先的复兴金融公司，其权力经过扩大后，不仅能够给大企业而且也能给小企业提供贷款。虽然罗斯福当时并未设想促进公共消费将是这些救济机构所能起到的一项主要的作用，但这些机构向全国经济投放了这么多的资金，以致在数年内刺激了经济的恢复。

复兴措施 “新政”的两项主要的复兴措施是，恢复农业繁荣的法案和刺激工商企业的法案。前一个法案于1933年设立了农业调整署，旨在提高农产品价格和增加国民收入中分配给农民的份额。所采取的主要办法是对7种基本商品的生产者给予补贴，作为对他们愿意减少生产的回报。这些补贴从这些商品的加工税中支付。罗斯福接受了这一方案作为暂时的权宜之计，由于大多数农业机构的领导人都赞成这一方案，国会为此而制定了法律。罗斯福还希望通过温和的通货膨胀来提高农产品价格。他还设想，在农业恢复之后，制定一项大规模的农村计划方案，将农民从得不偿失的贫瘠的土地迁移至肥沃的地方，并吸引大城市的一些失业者到农村过乡村生活。1935年罗斯福成立了重新安置署，给予生产规模较小的农民和较贫穷的农民以某些帮助。当最高法院于1936年判定加工税无效后，他将农业调整署的方案改变成一项土壤保护方案。不管怎样，在整个“新政”时期，农业领导人和国会在维持一项重点提高农产品价格的农业方案上获得了成功。由于这一立法，加上连年干旱，生产下降了，农业收入逐渐得到了改善。但直到1941年才恢复到1929年本来就不够高的水平。

由于工商业者需要政府出来稳定局面，以及工人要求缩短工作时间，罗斯福乃向国会提出1933年《国家工业复兴法》。这是一个双管齐下的方案。一方面，拨款33亿美元用于公共工程。如果这笔钱能够迅速投入国民经济，那将很可能有助于经济的恢复，但罗斯福希望能有把握将这笔钱通过公共工程署正确地用于具有自行清偿能力的公共工程上。由于精心计划需要时间，公共工程署直到“新政”后期才成为一个重要的代理机构。《国家工业复兴法》的另一方面是，设立国家复兴署来执行各个产业部门内部确保正当经营的法规。起初根据“总法规”，接着根据由各企业和劳工代表商定的特别法规，在企业内部确定最低工资、最长劳动时间和正当的贸易经营。这些法规是按照稳定生产、提高价格及保护劳工和消费者的需要而制定的。不过消费者获得的保护甚少，但劳工在工资和劳动时间上得到了保证，并获得了集体谈判的权利。1933夏，出现过短期经济迅速恢复的现象，各厂家预期在法规实施后，能以较高的价格出售产品。但到秋天，这一繁荣就消失了，因为价格上涨的速度超过了购买能力。

到1934年2月，制定法规的工作结束，但法规制定得太多了——有557种基本法规和208种补充法规——其中包括无数难以执行的条款。当初工商界要求设立国家复兴署，但到1935年，对它的希望已经破灭，并把它的不起作用归咎于罗斯福。5月，最高法院在谢克特家禽公司一案的判决中，宣告整个法规系统无效。但是，尽管有缺点，国家复兴署还是帮助了诸如纺织业等几种竞争激烈的行业，推行了改革，并重新制定了其他立法：联邦工资和工时条例、集体谈判保证和在州际贸易中废除童工。

1933年秋，罗斯福转而采取其他一些权宜办法来支撑经济。他试行“管理货币”，降低美元的含金量，同时用大量收购白银的办法，把银价提高3倍。这些努力在国内仅使物价有些许提高，但由于美元在国外的行市下跌，这就改善了美国在对外贸易中的地位。1934年1月，罗斯福把美元的含金量稳定于原先水平的59.06%。管理货币虽然在当时对恢复经济并没有起到多大作用，但创造了一个颇有意义的先例。

总体说来，到1934年秋，罗斯福的施政纲领已使经济得到了有限度的恢复，但却因此而疏远了保守派，包括许多工商界人士。他们争辩说，纲领的许多部分是违反宪法的，造成了企业的不稳定状态，从而阻碍了经济的恢复。他们还争辩说，降低美元的含金量，这就使得美元持有者失去了政府公正地偿还他们的保证。与此同时，下层社会的许多人仍处在严重的困难之中，认为“新政”做得还不够。他们对那些以许诺更多好处来煽动人心的领袖们的话很听得进去。在1934年的国会中期选举中，他们以压倒多数投票选举民主党议员候选人，但存在着一种危险，在1936年的总统选举中，他们可能投票选举罗斯福左翼的第3党候选人。

改革措施 为了对付来自左的方面的威胁，罗斯福在1935年1月给国会的年度咨文中，把重点放在改革上。这与其说是从第1期“新政”转到第2期“新政”，毋宁说是制定罗斯福长期以来一直在计划着的改革措施的一种突破。1933年他设立了田纳西河流域管理局，为一个贫穷地区提供防汛、廉价水电和区域性规划。也是在他的建议下，国会制定了两项保护投资人的法律：1933年的《证券如实登记法》和1934年建立一个起着管制作用的证券交易委员会的立法。

1935年的进一步立法，在削弱蛊惑家们对贫苦阶层的吸引力方面很起作用，特别是《社会保险法》，它包括失业保险和老年保险。为了救济仍在失业中的工人，国会建立了工程进度管理署（WPA），用既不使他们失去手艺又不使他们失去自尊的办法，向他们提供救济（1935～1941年间，工程进度管理署平均雇用210万工人；它通过将数十亿美元投入国民经济，到1935年底，就已经促使经济有了明显的恢复）。对在职工人来说，迟迟才为罗斯福接受的《国家劳工关系法》（《瓦格纳法》），加强了政府对集体谈判的保证，并设立全国劳工关系局来裁定劳资纠纷。1935年还通过了《公用事业控股公司法》，就控股公司对实际经营业务的公用事业公司的控制进行调整。1935年实施一项新的征税措施，它加重了对高收入的个人和大公司的课税，成为重新分配美国收入的一个重要因素。反对它的人称之为“向富人敲竹杠”的课税。

第二个任期 这些措施有效地削弱了左翼对罗斯福的反对，但却进一步疏远了保守派。1936年他竞选连任时，得到了农民、工人和贫苦阶层的坚定支持，极右派对他的咒骂反而促使他的追随者更加团结。共和党总统候选人，堪萨斯州长A.M.兰登是一个温和派，他对阻挡罗斯福的潮流无能为力。罗斯福获得了2 775.2万张选票，兰登获1 668万张，除了缅因和佛蒙特两州外，罗斯福在其他各州均获胜。

与最高法院的斗争 保守派把阻挠“新政”的唯一希望寄托在最高法院宣告“新政”的主要措施为无效上。继《谢克特案件》判决之后，最高法院又在1936年否决了农业调整署的加工税，向《社会保障法》和《瓦格纳法》提出质问的案件也正在审议之中。受选民的重托开始其第2个任期的罗斯福，决心消除这一威胁。由于坚信这些措施完全在宪法所容许的范围之内、法官的推理过时并且是错误的，罗斯福于1937年初建议改组最高法院，包括任命6名新法官。这一被反对者称之为“填塞法院”的方案，触发了一场激烈的辩论，在这场辩论中，罗斯福原先在国会内外的许多支持者表明了他们的反对态度。与此同时，1937年春，最高法院作出裁决，支持《瓦格纳法》和《社会保障法》。这样，改组法院的方案就失去了必要性，到了夏天，反对者们就设法挫败了它。虽然法院作出的这些新的裁决为政府几乎可以无限制地调节经济扫清了道路，但这却是对罗斯福的一个严重的政治打击。

反对势力日益增长 1937年夏，钢铁、汽车和其他大规模生产的产业部门中的工会组织运动，使劳资纠纷大增，很大一部分公众把因此而造成的困难归咎于罗斯福，使他的威望进一步下降。工会在《瓦格纳法》的保护下举行罢工。这些罢工常常导致暴力行动。罗斯福本人主张通过家长式的政府干预来帮助所有的工人，例如通过1938年的《合理劳动标准法》来保证一定的工资和工时。到1941年，当工会会员跃升至950万人时，中产阶级的大部分人就重又回到了共和党一边。

1937年秋的严重经济衰退增加了罗斯福的困难。到1937年，经济本已有了相当程度的恢复，但罗斯福为了平衡预算，大幅度削减政府开支，致使经济直线下降，退回至1932的水平。工商界人士谴责“新政”的消费政策；罗斯福则谴责工商界人士，提出反垄断方案。1937年10月，大量的政府支出重又开始，到1938年6月，危机结束。

从1938年开始，许多领导国会主要委员会的南方保守的民主党人公开反对“新政”。1938年，罗斯福试图在初选中打败他们中间的某些人，但未获成功，反而遭致猛烈的抨击，被痛骂为企图进行“清洗”的独裁者。民主党虽赢得了11月的大选，但共和党在众议院增加了80个席位，在参议院增加了7个席位，使得有可能组成共和党人和保守的民主党人的联盟，以挫败总统。

虽然如此，第2届罗斯福政府还是通过了一些值得注意的改革法案，扩大和改进了以前的立法，并进入某些新的领域。在这几年中,防止土壤流失的水土保持工作有所发展,在公共工程方面也进行了大规模的建设项目,包括建筑公共住宅和清除贫民窟。许多"新政"的创举,如社会保障、农业计划、田纳西河流域管理局和证券交易委员会等,现在已被公认为联邦政府的永久性职能。

对外政策 到1939年,美国对外政策的重要性超过了国内政策。早在罗斯福出任总统之前,他对胡佛拒绝承认日本对"满州"的征服表示赞同。他的政府刚一成立,他就深深地卷入对外政策的问题之中,这些问题大部分与经济萧条有关。1933年初夏,他在伦敦经济会议上拒绝支持国际通货稳定办法,但到1934年,他已使美元保持稳定,并已开始帮助法国和英国,使它们的通货不受独裁国家的破坏。1933年11月,罗斯福承认苏联政府,错误地希望这一行动将促进贸易。在同许多国家谈判互惠贸易协定——这项计划于1935年即已开始——和同拉丁美洲国家建立更加友好的关系方面,似存在着更多的机会。在他的第一篇总统就职演说中,罗斯福保证实行"睦邻政策"。国务卿C.赫尔对此解释说,这意味着美国不单方面干预拉丁美洲的事务。渐渐地,当欧洲战争日益逼近时,"睦邻政策"导致制订了集体安全和共同防御协定。

在"新政"的最初几年中,罗斯福不仅奉行经济上的民族主义的一套做法,并且像大多数美国人一样,力求使美国置身于任何可能发生的战争之外。为此,他对1935年8月的《中立法》和随后的一系列保持中立的立法,都加以支持。当日本大举进攻中国华北时,罗斯福于1937年开始转向一种新的政策。10月,他在芝加哥发表演说,建议爱好和平的国家作出一致的努力,把侵略者孤立起来。他似乎并没有想要采取比断绝外交关系更为激烈的行动,但这一建议却在全国造成惊慌,使他在此后的几个月中,不得不放慢发展集体安全立场的步伐。1937年12月美国炮舰"潘内"号在长江被击沉,他很快就接受了日本的道歉。美日关系逐渐恶化,而德国希特勒对欧洲的迅速控制则形成了更大的威胁。

大战爆发 当第二次世界大战于1939年9月在欧洲爆发时,罗斯福要求国会召开特别会议,修改《中立法》,允许参战国在"现购自运"的基础上购买军火。随着1940年春和初夏希特勒的进攻和法国的陷落,罗斯福和国会转向防务准备工作,并"用参战以外的一切办法,全力援助"英国。罗斯福甚至送给英国50艘超龄驱逐舰,以换取西半球的8个基地。孤立主义者害怕美国卷入战争,同那些认为为了美国自己的民族利益需要援助英国的人展开了激烈的争论。

第3个和第4个任期 在1940年的总统竞选中,共和党提名W.L.威尔基为总统候选人,他同意罗斯福的对外政策。两党候选人都保证不使美国参加外国的战争,但孤立主义者倾向于支持威尔基,而主张对希特勒采取强硬政策的人则倒向罗斯福,罗斯福以较之过去要接近一些的票数——2 724.4万张对2 230.5万张选民选票、449张对82张选举团票——破例地第3次当选为总统。

1941年一年中,美国逐步朝着实际上同德国开战的方向前进。经过了一场激烈的辩论之后,罗斯福终于使国会于1941年3月通过了《租借法》,使美国得以在财务上援助英国及其盟国。为使运往欧洲的物资不致在中途遭到潜艇击沉,美国海军采取了愈来愈强烈的保护措施,秋天罗斯福授权海军对德国潜艇"见了就打"。与此同时,罗斯福于8月在纽芬兰近海的一艘战舰上与英国首相丘吉尔会晤,双方签署了一项联合新闻公报,宣布《大西洋宪章》,规定实现民族自决,提供更多的经济机会,免于恐惧和匮乏,保持公海自由和裁军。

美国参战 然而,战争却在太平洋降临美国。同德国和意大利签订盟约组成所谓轴心国的日本,在东亚扩大它的帝国。有鉴于这些行动是轴心国在全世界进行侵略的一部分,罗斯福开始拒绝向日本供应作战所需的物资。在1941年一年内,美国一直在同日本谈判,但各方提出的建议都不能令对方感到满意。罗斯福在1941年秋无意于同日本打仗,但他估计错误,以为日本只是在虚张声势。到11月底,他得知日本舰队和运输船只已经出海,战争逼近,似乎日本很可能向东南亚以及菲律宾发动进攻。使罗斯福感到愤怒而又意外的是,日本人于1941年12月7日突然袭击了位于夏威夷的珍珠港。12月8日,在罗斯福的要求下,国会仅在4小时内就通过了宣战决议;12月11日,德国和意大利对美国宣战。

罗斯福向国会中的保守分子作了让步,以求得对作战的支持。有几个"新政"机构被取消了。他在一次记者招待会上强调说:"新政博士已经让位给求胜博士",但这仅仅是在战争期间如此。他还机智地同通货膨胀的压力进行斗争,虽然并不总是成功。

珍珠港事变后立即遇到的问题之一是大量增加生产以满足战争的需要。早在1939年罗斯福即已着手试办各种机构把经济动员起来,最后终于形成一个有效的机构。珍珠港事变时,美国的军工生产就已经接近德国和日本的总和,到1944年达到了全部轴心国总数的两倍。

与盟国的关系 战争期间,罗斯福集中精力于战略问题、与盟国的协商和对和平的规划。从一开始,他就带头把所有与轴心国作战的国家组成一个大联盟。

罗斯福在几次战时会议上与丘吉尔会晤,在会上,双方分歧得到了友好的解决。在起初的几次会议上,辩论集中于在法国登陆的问题。由于英国的主张,登陆一再推迟,直到1944年6月才最后发动对诺曼底的大规模进攻。同时,在1942年11月进攻北非、1943年7月进攻西西里和1943年9月进攻意大利的历次战役中,美国都遵从英国的创议。1943年1月在摩洛哥的卡萨布兰卡举行的会议,是最有意义的会议之一,罗斯福在与丘吉尔磋商之后,于会上宣布了关于轴心国无条件投降的原则。看来他是想要避免同盟国之间的意见分歧和德国可能产生的误解,这类分歧和误解曾在1918年第一次世界大战停战时造成麻烦。没有确实的证据证明,这一原则使得战争有任何延长。

与苏联的关系是罗斯福面临的一个困难的问题。整个战争期间,苏联接受了大量的租借物资,但很少透露它的军事计划,或与西方盟国协调行动。罗斯福感到,维持战后的和平有赖于与苏联的友好关系,因此希望能赢得斯大林的信任。1943年11月,他和丘吉尔在伊朗的德黑兰与斯大林首次会晤,他似乎与这位苏联领导人相处得不错。由于他们的乐观想法,罗斯福和丘吉尔似乎没有现实地看到,德黑兰会议上所预示的那种和平,将会使苏联在欧洲处于统治地位。

与此同时,轴心国在欧洲和太平洋遭到严重的失败。到1945年2月,当三巨头在克里米亚的雅尔塔再次会晤时,欧洲的战争看来已快要结束。至于日本,美国预期将会有一阵最后的抵抗,可能还需要再战斗18个月或更长时间。制造原子弹的工作已大有进展,但人们当时预期它所具有的威力只是后来它所实际展示的威力的一小部分。因此,罗斯福及其军事顾问们急于想要在亚洲得到苏联的帮助;作为对斯大林许诺对日作战的回报,罗斯福和丘吉尔在远东作了让步。至于东欧,早先的决定得到了批准,并为各民主政府的建立制定了计划。如果斯大林能以罗斯福和丘吉尔所期望的态度遵从为东欧作出的安排,这是无懈可击的。但达成的谅解不够明确,苏联对它们作出不同的解释。3月中旬,由于苏联对美国作出不真实的指责,罗斯福给斯大林发去了一份措辞尖锐的电报。

健康恶化与去世 罗斯福希望,联合国这一有效的国际组织的建立,能为未来维持和平。他计划出席于1945年4月25日在旧金山开幕的有50个国家参加的会议,以起草联合国宪章。但自1944年1月以来,他的健康一直在衰退。当他在1944年的总统选举中竞选第4任时,他的政治对手们曾就此大做文章,竞选对手是纽约州长T.E.杜威。罗斯福精力的最后一次涌现,看来驳斥了这方面的谣言。罗斯福以2 560.2万张对2 200.6万张选民选票、432张对99张选举团票获胜。但当他从雅尔塔回来向国会发表讲话时,他已不得不坐下来讲。他前往沃姆斯普林斯休养,于1945年4月12日因大量脑溢血逝世。

评价

在罗斯福担任总统的年月里,他过私人生活的时间是比较少的。他继续对他在海德公园村的土地感兴趣。他对驾驶帆船的热爱,以及对集邮和收集海军书籍和图片的兴趣始终不减。他那排得紧紧的工作日程表和作为总统不断公开露面,使他能给予他的妻和他的5个孩子的时间受到限制,他妻子凭自己的能力成为重要人物。他的5个孩子是:安娜·埃莉诺、詹姆斯、埃利奥特、小富兰克林·D和约翰·A。作为一个政界人士,他是美国历史上最受人敬爱,同时又是最被人憎恨的人之一。反对他的人说他浅薄、无能、狡猾而具有独裁的野心。拥护他的人颂扬他是国民经济的救星,并且不仅是美国的,也是全世界的民主捍卫者。一般公认,作为一个政治领袖,他在赢得并保持群众支持和把不同观点的领袖们留在他的政府中任职等方面,无人能与之匹敌。许多专家表示了这样的看法，认为他的政府，尽管间或有混乱和职权重叠的现象，其效力之高却非同一般。作为总统，他的贡献甚至还不止这一点。他在 1932 年说过，并在和平和战争的年代里一直坚持着这一观点："总统府……应是最突出地发挥道德领导作用的地方。"

Roosevelt, Theodore　罗斯福（1858-10-27，纽约市～1919-01-06，美国纽约奥伊斯特贝）美国第 26 任总统（1901 ～ 1909）、作家、探险家、战士。他扩大了总统和联邦政府的权力，

美国国会图书馆供图

使美国参与亚洲和欧洲事务，因调停日俄战争获 1906 年诺贝尔和平奖，推动了巴拿马运河的开凿（1904 ～ 1914）。曾在哈佛学院学习，1880年进哥伦比亚大学法学院。但他热心历史和政治活动，不愿以法律工作为终身职业。23 岁参加纽约州议会，成为共和党领袖之一。后在麦金利总统任内任海军副部长，力主对西班牙开战。1898 年战争爆发后，他辞去职务，率志愿骑兵队赴古巴作战。1900 年任副总统。1901 年麦金利遇刺身亡，他继任总统，立即在白宫实行新的作风：邀请客人的名单扩大到包括牛仔、拳击手、探险家和知名艺术家；任用受过高等教育的年轻人担任行政职务。1902 年他要求国会批准设立有权审查一切从事州际商业的公司的帐目的公司管理局。同年 2 月因控北方证券公司案获胜重新使《谢尔曼反托拉斯法》生效。同年秋干预煤矿工人罢工，创联邦政府调停劳资纠纷的先例。1904 年罗斯福连续当选为总统，要求国会授权由他规定州际间铁路运费。1906 年要求国会通过食物、肉类、药品检验法，为现代实行消费品保护奠定了基础。鉴于联邦土地迅速减少，国会曾授权总统将剩余土地转为国有森林。但其前任三位总统在职期间转为国有的土地仅为 1 600 万公顷。罗斯福用 7 年时间转变了 7 800 万公顷土地，为后代保存了公园、矿藏、石油、煤田和水力资源。外交方面，他信奉弱肉强食理论，还认为以武力为主时期将代替前一段和平时期。他每年要求国会为海军增加拨款，离职时已为美国建成一支强大海军。欧洲列强为讨还债务曾数度威胁要对委内瑞拉和多米尼加实行武装干涉，对此，罗斯福提出一项政策声明，美国禁止其他国家干涉拉丁美洲事务，并警戒该地区，以保证拉美国家履行其义务。1905 年迫使多米尼加接受美国派驻的"经济顾问"实际成为该国财政部长。一次他借用非洲谚语说，在处理外交事务要"说话和气，但手持大棒"。1903 年美国从哥伦比亚攫得巴拿马运河区，1906 年在古巴组织临时政府，以及阿拉斯加与加拿大边界争端均系罗斯福使用大棒外交的结果。他对小国态度粗鲁，但对大国则谨慎从事。日本实力的增强使他调整了称霸太平洋的政策，他调停日俄战争（1904 ～ 1905）实际上是要在东亚建立均势，保护美国利益。为了缓和加利福尼亚州人民的反日情绪，1907 年与日订立君子协定，限制日本向美移民。另外还与日本达成非正式协议，日本承认美国在菲律宾的地位，美国认可日本吞并朝鲜。罗斯福执政末期，他的一些政策在国内引起争议，1907 年的财政危机加深了他与国会间的矛盾，而共和党内部保守派与进步派之纠纷又连续不断。1909 年罗斯福卸任后，曾赴非洲狩猎并游历欧洲。

Roosevelt Island　罗斯福岛　在南极洲罗斯属地（新西兰）罗斯陆缘冰的东北部，位于爱德华七世地岸外鲸湾的南部。长 145 千米，宽 56 千米，绝对平均高度逾 500 米。全岛为冰层覆盖，冰层厚 400 ～ 900 米不等。1934 年由美国探险家 R.E. 伯德发现，他在第二次南极探险期间（1933 ～ 1935）对冰盖的最初地震学研究表明，该陆缘冰西北的大部分（罗斯福岛）实际在陆地上，而不是漂浮的。

Roosevelt Island　罗斯福岛　美国纽约市曼哈顿区与昆斯区之间的伊斯特河岛屿。属曼哈顿区。岛长 2.5 千米，宽 200 米，面积 56 公顷。1673 年由荷兰地方官员 W. 范特维勒从印第安人手中买下。1828 年划归纽约市。原称布莱克韦尔岛，1921 年改名韦尔费尔岛，1973 年为纪念罗斯福总统改为现名。昆斯博罗大桥将该岛与曼哈顿区及昆斯区连接。20 世纪 70 年代该岛与曼哈顿区之间建起高架有轨电车道。岛上还建有商店和中等收入者住宅区。

root　根　植物的一种器官，一般位于地下。主要功能为固持植物体，吸收水分和溶于水中的矿物质，将水与矿物质输导到茎，以及储藏养分。许多植物的地下构造事实上为特化的茎（如球茎、块茎），根与之不同之处主要在于缺少叶痕与芽，具有根冠，分枝由内部组织产生而非由芽形成。

胚根（初生根）是种子萌芽后首先出现的器官，胚根向下生长深入土壤而固持幼苗。裸子植物与双子叶植物的胚根日后发育成主根；主根向下生长；侧根或次生根则侧出，这类型的根系称为主根系统。有些植物（如胡萝卜与芜菁）的主根为贮藏器官，因内含养分而膨大。禾草类与其他单子叶植物则具有须根系统，其特征是一群根的直径大约相等；此根系非由主根分枝生成，而是由从茎的基部长出且大量分枝的根组成。

根的增长仅发生于根的末端，根尖处有针箍形的根冠保护。根冠后方为顶端分生组织（一群分裂旺盛的细胞），该组织所产生的细胞小部分加于根冠，大部分则加入分生区上方的延长区（根的增长在此发生）；延长区上方为成熟区（根的初生组织在此成熟，开始于分生区上方的细胞分化过程在此完成）。根的初生组织由外而内依序为表皮、皮层与维管柱。表皮由薄壁细胞组成，通常只有一层细胞厚。水分及溶于水的矿物质由表皮吸收。大部分陆生植物均具根毛（表皮细胞壁向外突起的细管状物，仅见于成熟区），致吸收作用大为增强。水分的吸收主要靠渗透作用，渗透作用的发生是因为：①土壤中水分浓度较表皮细胞者为高（因为后者含有盐类、糖类及其他溶解的有机物质）；②表皮细胞膜只允许水分而不允许溶于细胞液内的许多其他物质透过，这种情况造成了渗透压梯度，使水分得以流入表皮细胞。此流动产生的压力称为根压，可使水分在根内流动。根压于水分在植物体内的上升运动中起部分作用，但仅此并不能解释水分是如何运输到高大乔木顶端的。

皮层负责将水分与溶于水的矿物质由表皮横向输送到维管柱，再由维管柱转运至植物体其他部位。皮层还贮存由叶经维管组织向下运送来的养料。皮层的最内层通常是一层排列紧密的细胞，称作内皮层，可调节皮层与维管组织间物质的流动。

维管柱位于内皮层内侧，为中柱鞘（一层可长出侧根的细胞）所包围。维管柱的输导组织通常排成星状。木质部负责输导水分及溶于水中的矿物质，组成星状体的核心；韧皮部负责输导养分，在星状体各芒间形成小群。

木本植物较老的根会生成次生组织使根加粗。次生组织由维管形成层与木栓形成层所生成。维管形成层源于初生木质部与初生韧皮部间的分生细胞，发育成一环，围绕初生维管柱；维管形成层经细胞分裂向内产生次生木质部，向外产生次生韧皮部。次生维管组织的生长将中柱鞘外推，致皮层与表皮撕裂。中柱鞘于是变成木栓形成层，产生木栓细胞（外树皮）以取代皮层与表皮。

有些根源于根以外的组织（通常为茎，有时为叶），尤多见于地下茎，称为不定根。许多植物因能形成不定根，故可借茎插或叶插行营养繁殖。根不一定都长在地下，从茎部长出的根在空气中通过一段距离才着地，或一直悬在空中，称为气根，常见于玉米、旋叶松及榕树，最后有助于固持植株。

root　根　数学中，方程的一个解，通常表示成一个数或一个代数式。它有几个相关的意思。9 世纪阿拉伯人把一个数的相等的因子中的一个叫作根，中世纪人把这个概念译成拉丁文 radix。如果 a 是正实数，n 是正整数，则存在唯一的正实数 x 使得 $x^n = a$。这个数被称为 a 的 n 次方（主）根，记作 $\sqrt[n]{a}$，整数 n 称为根指数。当 $n = 2$，这个根称为 a 的平方根，记作 $\sqrt{a}$。根 $\sqrt[3]{a}$ 称为 a 的立方根。如果 a 是负数，n 是奇数，则 a 有唯一的负的 n 次方根，称为主根。

如果一个整数有一个有理的 n 次方根（即能被写成普通分数），则这个根必定是整数。于是 5 没有有理平方根，这是因为 2^2 小于 5，而 3^2 大于 5。方程 $x^n = 1$ 恰有 n 个复根，称为 n 次单位复根。如果在一个中心位于原点的单位圆内画出一个正 n 边形，使得

它的一个顶点位于 x 轴的正半轴上，则从原点到 n 个顶点的半径是表示 n 个 n 次单位复根的向量，如果把向量和 x 轴的正方向形成最小正角的那个根用 ω 表示，用 $\omega, \omega^2, \omega^3, \cdots, \omega^n = 1$ 组成所有 n 次单位根。例如 3 次单位根是：$\omega = -\frac{1}{2} + \frac{1}{2}\sqrt{3}\mathrm{i}, \omega^2 = -\frac{1}{2} - \frac{1}{2}\sqrt{3}\mathrm{i}, \omega^3 = 1$。任一根 ε，如果它具有性质：$\varepsilon, \varepsilon^2, \cdots, \varepsilon^n = 1$ 给出所有 n 次单位根，则 ε 称为本原根。显然，找 n 次单位根的问题等价于在一个圆内作出正 n 边形的问题。对于每一个整数 n，n 次单位根能够由有理运算和根式所确定；但是仅当 n 是形如 $2^h + 1$ 的不同的素数的乘积，或这种乘积的 2^k 倍，或者是形如 2^k 时，正 n 边形才能用直尺和圆规作出，也就是 n 次单位根才能由有理运算和平方根所确定。如果 a 是一个非零复数，则方程 $x^n = a$ 恰有 n 个根。a 的所有 n 次方根是其中的任意一个与所有 n 次单位根的乘积。“根”这个词已经从方程 $x^n = a$ 推广到所有多项式方程，因而方程 $f(x) = a_0 x^n + a_1 x^{n-1} + \cdots\cdots + a_{n-1} x + a_n = 0 (a_0 \neq 0)$ 的一个解也称为这个方程的一个根。如果方程的系数是复数，则一个 n 次方程恰有 n 个（不必是不同的）复根。如果系数是实数，并且 n 是奇数，则 n 次方程至少有一个实根。但是一个方程在它的系数所在的域里不总是有根。例如 $x^2 - 5 = 0$ 没有有理根。

Root, Elihu　鲁特（1845-02-15，美国纽约克林顿～1937-02-07，纽约市）　美国律师、政治家，1912 年诺贝尔和平奖获得者。1867 年在纽约大学获法学学位。在麦金利总统时代任

美国国会图书馆供图

陆军部长，曾经改组陆军，规定军官要轮流担任参谋和带兵的工作。1901 年创办陆军作战学院。1905～1909 年任国务卿。1906 年游说拉丁美洲各国参加第 2 届海牙和平会议。他与日本谈判，迫使日本控制向美国的移民和尊重在中国的门户开放政策。另外还与 20 多个国家签订仲裁条约。后来在海牙法庭担任美国首席法律顾问，解决美英两国在北大西洋沿海渔业问题上的纠纷。由于他对世界和平做出的贡献，被授予诺贝尔和平奖。1909～1915 年任共和党参议员。第一次世界大战爆发后公开支持协约国，谴责威尔逊总统的中立政策。他是共和党中支持国际联盟的首要人物，曾任国际联盟法律委员会委员。哈定总统任命他为美国出席国际限制军备会议（1921～1922）的代表。晚年与 A. 卡内基共同制定国际和平与发展科学计划。

Root, John Wellborn　鲁特（1850-01-10，美国佐治亚兰普金～1891-01-15，芝加哥）　美国芝加哥学派著名建筑师。擅长设计商业建筑，对早期的摩天楼在高度和功能上的艺术表现有卓越的贡献。美国南北战争期间（1861～1865）曾到英国入牛津大学学习一年，1866 年返美。1869 年获纽约大学土木工程学位。毕业后当过绘图员（1871～1873），后与 D. H. 伯纳姆合组事务所，是美国当时最著名的事务所之一。他们最早的重要商业建筑是蒙托克大厦（1882，1902 年拆毁）。为了在芝加哥的软土地基上建造这座 10 层大厦，鲁特将钢轨纵横排列在基础中，使荷载分布在整片地基上；另一革新是在楼板中采用平砖拱，以防火灾。他设计了两座芝加哥学派最为精美的建筑——鲁克雷大厦（1884～1886）和莫纳德诺克大厦（1889～1891）。后者的北半部高 16 层，是世界上最高的承重墙结构办公大楼。在参加芝加哥世界哥伦布博览会设计工作时患肺炎去世。著有许多论述芝加哥新建筑运动的文章。

Root-Takahira Agreement　《鲁特-高平协定》（1908-11-30）　美日两国签订的协定，旨在协调某些国际政策和划分双方在太平洋地区的势力范围。不利于加利福尼亚州日本劳工的歧视性立法已经由于 1907 年《*君子协定*》（**Gentlemen's Agreement**）的签订而得到改正。但是，日本在日俄战争（1904～1905）以后在中国狡黠地破坏*门户开放政策*（**Open Door policy**），依然使美国感到不安。T. 罗斯福总统的外交政策的一项基本原则就是同日本保持良好的关系。因此，在美国的一支令人瞩目的舰队于 1908 年访问东京港口以后，美国国务卿 E. 鲁特立刻在华盛顿会晤日本驻美国大使高平小五郎。美日双方经过会谈而签订的协定强调了两国政府的如下愿望：保持太平洋地区的现状，维护门户开放政策，维护中国的独立和完整。此后，双方决定发展它们在远东的商业，并尊重对方在远东所占有的领土。尽管《鲁特-高平协定》承认日本兼并朝鲜的权利以及在中国东北所享有的特殊地位，但是一般仍认为缔结这项协定是美国的一次外交胜利，它避免了一场战争。

Ropar　罗巴尔　又称鲁布讷加尔。印度西北部旁遮普邦罗巴尔县县府、城市。临苏特莱杰河。是一铁路支线终点。为农产品市场，有小规模织布和炼铁业。市内有一学院。罗巴尔县面积 2 086 平方千米，地处泛滥平原。人口：市 25 165；县 716 662（1981）。

rope　绳索　由纤维、细丝或金属丝以加捻或编织的方式组成的长而柔顺的线状物。金属丝的绳索常称为钢丝*缆绳*（**cable**）。对绳索性能方面的基本要求是当它被折弯、扭歪和拉伸时仍能维持坚实和结构上的稳定。抗拉强度是绳索的主要性质。绳索的质地与性质决定于所用纤维或细丝的颜色、纤度、硬挺性、强度与拉伸性。例如，棉绳比马尼拉麻绳或剑麻绳柔软且强度低，但拉伸性则较好。同样尺寸的马尼拉麻绳比大麻绳或黄麻绳强度高。由于短纤维都可纺成长而柔顺的纱线，实际上任何纤维都可制成绳索。由延性金属或是合成聚合物丝制成的绳索，因组成绳索的任何一根细丝都贯穿绳索的全长而与

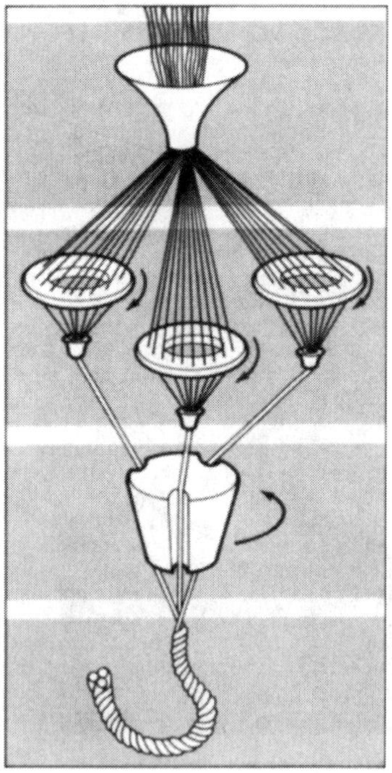

绳索捻合过程图示

天然纤维绳索不同。就同一材料的细丝或金属丝而言，粗的比细的硬挺；组成相同纤度的绳索时，用前者制成的比用后者制成的硬挺。基本的拧绞绳索结构为并合的两股依两步交替以相反的捻向加捻以获得扭转稳定性。绳索下垂时，当它的捻向看来是向右上方盘旋的称为右捻（Z 捻）绳，若是向左上方盘旋的，则为左捻（S 捻）绳。编织的绳索结构是将绳索的股线交叉或再交叉而编成五朔节花柱式样，以取得扭转平衡。天然纤维、人造纤维长丝与金属丝等绳索的直径通常约 5 毫米以上。直径较小的绳索称为小线，相似的集合但不注重扭转平衡的称为合股线或纱线。缆绳是由数条绳索捻合在一起形成的，属扭转平衡结构。与有机纤维的绳索比较，钢丝绳比较结实、硬挺，也比较重，但延伸率较小。人造纤维长丝绳索比天然纤维绳索坚实，且延伸率较大。

制造过程　绳索的制造分为四个阶段：①准备好要纺成（捻成）纱线的纤维或细丝；②将纤维或细丝纺成或聚束成纱线，在制造人造纤维长丝绳索时将纱线纺成小线；③将许多纱线捻成股线（成股过程）；④将三根或更多股线拧成绳索（即编绞过程）。

纤维先经精梳或梳理，然后用纺织工业的方法制成条子并纺成纱线。股线由纱线或小线捻合而成。捻合的机器称作捻线机，依容纳股线长度的能力、生产速率与锭翼速度的不同而有不同的尺寸与型式。拧绞绳索通常是由三股 S 捻股线以相反方向（Z 捻）捻合而成。最普通的三股绳索，亦称普通或三股九花绳；四股绳索则被称为单绳芯四股绳。绳索加捻操作须用与捻线机相似的机器。在筒管上的股线被拉过一个压缩管，再经过旋转的锭翼捻合成绳索。捻合时，绳索卷绕在

一个重的钢筒管上,随着锭翼转动。绳索捻合机的三个组件是以水平位置串联排列的,包括绳股预捻锭翼(回转的股线筒管)、曳引锭翼(拉线的机构)与接收锭翼(绳索捻合与储存的筒管机构)。这种捻合机所制出绳索的长度依接收锭翼的尺寸而定。

在另一种水平式的绳索捻合机中,股线筒管串排在锭翼内。股线由筒管拉出后已受强捻,遂与相邻的股线合并成绳索。这种机器不需要锭翼内的接收筒管,绳索直接被卷绕成卷轴形状。因此,绳索的长度依股线长度而定。为减少占地面积,这类机器的组件可以设计成水平或垂直排列。制绳走廊是一长而矮的建筑,在某些地区现仍可见,在该建筑内用手动器具制作绳索。绳索(指未经拼接者)的长度依制绳走廊的长度而定。最长的制绳走廊长达 370 米,所制拧绞绳长达 210 米。约公元前 1500 年的埃及古墓图画绘有人们边走边制绳索的情景。早期的制绳走廊设在露天的平地上,每隔一定间隔设立支柱以支持连续制出的长绳索。较晚的制绳走廊则添加屋顶或设在完全封闭的厂房中。全世界目前正广泛使用着以制绳走廊为基础的机械化制绳法。除了加捻结构外,还有由四组股线(其中每组各由一左捻股线和一右捻股线并合而成)制成的八股编织绳索,直径为 2.5 ～ 12.7 厘米。另一种编织绳索结构为双线编织绳,它以一层强捻纱线编织在一组粗的编织绳芯线外面,将它包围起来,在需要绳索具有柔顺性与扭转平衡性时使用最为有利,但它的制作需要专门的机器。

应用 一种纤维或细丝在绳索与股线中的捻度是最能影响绳索强度的结构因素;捻度愈高,强度愈低。不足以拉断绳的重复的张力负荷,对于绳的强度没有不利影响。事实上,若张力负荷不足以拉断内层股线,则重复的负荷可导致断裂强度增高,因为绳索重复被拉伸时会改善纱线和股线张力的相互适应。天然纤维绳索最易因纤维发霉、降解而变质。人造长丝绳索暴露于日光、高温下,或破坏性化学药品中时,都会因长丝加速分解而变质。绳索扭结或是股线扭结(起皱),起因于绳索处理不当所导致的结构不平衡的加捻关系。船用绳索的用户所耗用的绳索最多,他们早先喜欢用强捻的马尼拉麻绳,但现在发现尼龙绳或聚丙烯绳强度较高,重量较轻。若拉伸与柔顺性也列为重要考虑因素,则复合长丝绳索或编织结构较受欢迎。以上标准也适用于特种用途的绳索结构。例如,滑水用绳通常由聚丙烯编织而成,可浮于水面并可抗扭结;登山绳由尼龙制成,强度高并且坚实;帆船绳则由聚酯(较短的长丝)纺纱,再编织或捻合而成,以降低拉伸性。

Roper, Elmo (Burns, Jr.)　罗珀(1900-07-31,美国内布拉斯加希伯伦～ 1971-09-30,宾夕法尼亚西雷丁)　美国民意测验者。首先运用科学的民意测验预测政治。3 次预测出 F.D.罗斯福总统的再次当选(1936, 1940, 1944)。求学于明尼苏达大学和爱丁堡大学,未获学位。曾经营珠宝商店,当过推销员。1933 年与销售专家 P.T.彻林顿和作家 R.伍德一起开办销售调查商行。1938 年起独自经营罗珀调查公司。1935 年为出版商 H.卢斯从事《幸福》杂志的民意调查,持续达 15 年。1936 年因对总统选举作出极为准确的预测,开始引起全国注意。除了从事各种民意调查外,还为一家辛迪加报纸的专栏撰稿,并且是流行杂志《星期六评论》的特聘编辑。

Roper River　罗珀河　在澳大利亚北部地方。由沃特豪斯河和贝西克河在马塔兰卡以东汇成,东流注入卡奔塔尼亚湾的利门湾。全长 400 千米。流域面积 60 860 平方千米。夏季流域面积增大。河口以上 160 千米河段可通航。主要支流为斯特兰韦斯、霍奇森、威尔顿等河。河口以上 105 千米的罗珀里弗镇有土著学校,还出产多种农产品和牛。河口以北"阿纳姆地废墟城"为一沙岩地区,因砂岩经风化形成建筑状废墟而得名。

Rops, Félicien　罗普斯(1833-07-07,比利时那慕尔～ 1898-08-22,法国埃索讷)　比利时油画家和版画家,以铜版画知名。曾在布鲁塞尔大学学习。他在学生刊物上的早期作品引起了出版商的注意。1859～1860年为讽刺杂志《曲镜》画过一些出色的石版画。1860年左右到巴黎 H.-A.雅克马尔画室工作。回布鲁塞尔后建立国际版画家学会。1865 年创作著名的《喝艾酒的人》,1871 年创作《女人与木偶》。1874 年后定居巴黎。除主要从事书籍插图外,还发表了《博忠诚市民一笑的百幅

罗普斯 1895 年的系列画《波尔诺克拉茨》之一
供图:Marcel Mabille, Rhode St. Genese, Belgium

素描》。所作插图的著名书籍有:C.德·科斯特的《佛兰芒传说故事集》、T.戈蒂埃的《年轻的法兰西》、B.多雷维利的《神秘的女人》、伏尔泰的《查第格》和 S.马拉梅的诗集。他曾参加 1884 年在布鲁塞尔组织的革命艺术社团"二十人画派"。其作品格调不高,大多描绘下层社会的颓废生活。尽管如此,他仍是一位技艺高超、富有想象力的版画家。

Ropshin, V. (Russian novelist)　**罗普申**　参阅 **Savinkov, Boris Viktorovich** 萨文科夫。

roque(game)　参阅 **croquet** 槌球。

Roquefort　罗克福尔干酪　羊奶制作的上等蓝色干酪,是公认为法国最好的干酪之一。罗克福尔商标受法国法律保护。正宗的罗克福尔干酪以其独特的浓烈气味、略咸的味道和光滑细腻的质地见称。20 世纪某些经认证的罗克福尔干酪在科西嘉岛制作,但全部都在罗克福尔的石灰石地窖进行最后熟化。地窖在法国南部图卢兹附近,当地环境阴凉潮湿,宜于青霉菌芽胞的生长。罗克福尔干酪一般为圆柱形,重 5 磅(2.3 千克),直径 7 英寸(18 厘米),厚 4 英寸。内部白色膏体中有大理石般的蓝色霉纹,干酪用薄膜包扎,按传统印有一只红羊标志。

roquette (*Eruca vesicaria sativa*)　**芝麻菜**　又作 rocket salad, garden rocket, rugula or arugula。十字花科一年生草本植物,原产地中海地区,已在北美部分地区归化。植株高约70

芝麻菜(*Eruca vesicaria sativa*)
供图:G. R. Roberts

厘米,花着生于花茎顶端,四瓣,白色,有紫色脉。角果质厚,喙扁,紧贴其下方的茎,与无柄的深裂叶片相间而生。基生叶较大,有柄,嫩时用于沙拉,当作调料,有辛辣味,似胡椒。种子可提炼一种医药用油。

Roraima　罗赖马　巴西北部一州。西北与委内瑞拉接壤,东北与圭亚那为邻。原为亚马孙州的一部分,1943 年根据法令设立为地区,1962 年被命名为里奥布朗库。1990 年成为一个州。布朗库河从北至南流贯其225 017 平方千米的面积。该河为内格罗河的一条支流。大部地区人口稀少,多覆盖有雨林,但在州首府**博阿维斯塔**(**Boa Vista**)四周有大片用作牧场的热带林间草原。溪流中发现有少量金矿和金刚石。20 世纪 70 年代,北部划为保留区供约 5 000 名亚诺曼诺印第安人居住,他们是巴西现存最大的与世隔绝的部族。人口约 215 790(1991)。

Roraima, Mount　罗赖马山　帕卡赖马山脉中一座巨大的平顶山,位于巴西、委内瑞拉和圭亚那的边界结合处。长约 14 千米,海拔 2 772 米,是圭亚那许多河流及亚马孙河系、奥里诺科河系发源地。

Rorik (Varangian prince)　参阅 **Rurik** 留里克。

Rorke's Drift, Battle of　罗克渡口战役(1879)　参阅 **Isandhlwana and Rorke's Drift, Battles of** 伊散德尔瓦纳和罗克渡口战役。

rorqual　鳁鲸　鳁鲸科鳁鲸属（*Balaenoptera*）5种哺乳动物的通称。包括有经济价值的蓝鲸（**blue whale**）、鳍鲸（**fin whale**）、鳕鲸（**sei whale**）、布赖德氏鲸及小鳁鲸。英语中rorqual一词常亦包括驼背鲸（**humpback whale** 该科中除了鳁鲸属种类外唯一的另外一种）。

Rorschach, Hermann　罗尔沙赫（1884-11-08，苏黎世～1922-04-02，黑里绍）　瑞士精神病学家。因设计广泛应用于精神病临床诊断的墨迹测验而著名。是美术教师的长子，本想成为美术家，但却选择了医学。中学时代他喜爱素描，获绰号"墨迹"。1912年获苏黎世大学医学博士学位，到俄国工作一年后，回瑞士行医。数年来一直对精神分析有浓厚兴趣，并在瑞士医学界中积极推行精神分析技术。1919年被选为瑞士精神分析学会副主席。1917年发现了S.亨斯用墨迹卡片测试幻想的研究工作。1918年他用15种任意的墨迹图开始自己的实验，他向患者出示墨迹图，并问"这可能是什么？"患者的主观反应使他能够根据其知觉能力、智力及情绪特征，对他们的精神状态和心理特征作出判断。罗尔沙赫氏测验是一种投射测验，根据人们对一个模棱两可的东西（本测验是墨迹图）常常有不同的解释和感受，从这种表现中可以发现受试者个性深层的内容，测试医生越有经验，结论越深刻。他在《心理诊断学》（1921）一书中，发表了他对300名精神病患者和100名正常被试者的研究结果。该书未引起人们的注意。次年，罗尔沙赫逝世，但他的方法作为一种心理学工具从此被广泛应用。

Rorschach Test　罗夏测验　曾译罗尔沙赫氏测验。一种投射测验，请被试者描述所看到的10张墨迹图（包括黑色的、灰色的、彩色的）。按照被试者所看到的物体在墨迹上的

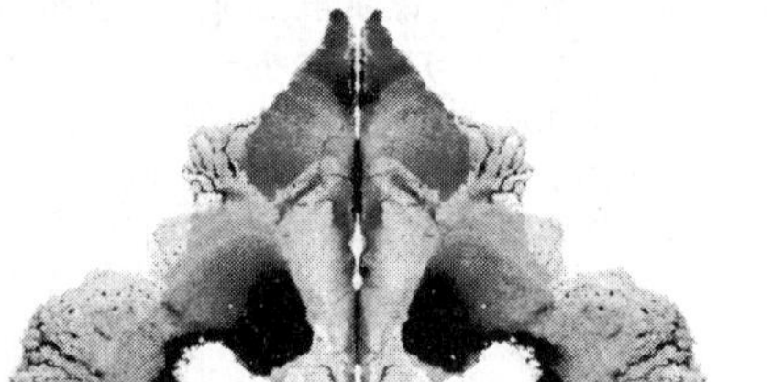

与罗夏测验相似的墨迹图
美国不列颠百科全书公司供图

部位、重点描述的刺激特征的种类（如形状或颜色）、感知的内容（如动物）等反应而计分。测验者将这些分数跟常模比较，对受测试者的人格进行描述（精神状态和心理特征）。此法用得很广，常用于作诊断及估计预后，但还没有一个十分标准化的解释，因而有人认为它并不可靠。自从1921年瑞士精神病学家H.罗夏（又译罗尔沙赫）介绍本测验以来，人们又设计了多种相似的测验，其中以美国心理学家W.H.霍尔茨曼的方法（用各45张的两套图片）较为著名。

Rörstrand faience　罗尔斯特兰德彩陶　瑞典最早的一种锡釉陶器，产于斯德哥尔摩附近的罗尔斯特兰德陶瓷厂。该厂于1725年建立。罗尔斯特兰德彩陶或是以单一的蓝色

约1770年的罗尔斯特兰德彩陶盘
伦敦维多利亚和艾伯特博物馆供图

装饰或是摹拟意大利的白色堆饰，有时也用少量紫色点缀。至1758年才开始使用多色装饰以便与设在马里贝里的一家瑞典彩陶厂相竞争。这时，才有了粉彩图案、花卉装饰以及某些马里贝里彩陶的仿制品。后来马里贝里工厂本身也于1782年被罗尔斯特兰德陶瓷厂收购。

Rorty, Richard (McKay)　罗蒂（1931-10-04，美国纽约州纽约～　　）　美国哲学家。曾分别在普林斯顿大学（1961～1982）和弗吉尼亚大学（1982年起）任教，以提倡融合分析哲学和大陆哲学而闻名。他的《哲学与自然之镜》（1979）是对表象论的批判，在书中他宣称自R.笛卡儿开始在哲学领域上即贯彻着无疑的假想，并以由实用主义启发的立场取代表象论。他对表象论的反对意味着再也没有任何偏向传统认识论的课题能建立起与我们的理念和现实相符的准则。最近的著作为《偶然、反讽与团结》（1988）。

Rory O'Connor　**罗里（奥康纳）**　参阅**Roderic O'Connor** 罗德里克（奥康纳）。

Rosa, João Guimarães　罗萨　参阅**Guimarães Rosa, João** 吉马朗埃斯·罗萨。

Rosa, Monte（Pennine Alps）　参阅**Monte Rosa** 罗莎峰。

Rosa, Salvator　罗萨（1615-06-20，西班牙哈布斯堡领地西西里阿雷内利亚［今在意大利］～1673-03-15，教皇国罗马［意大利］）　意大利巴罗克画家和那不勒斯画派蚀刻画家，以极其浪漫主义的或"壮丽的"风景画、海洋画和战斗画为人们所怀念。也是一位有造诣的诗人、讽刺作家、演员和音乐家。罗萨在那不勒斯学绘画，受西班牙画家和雕刻家里贝拉的影响。1635年到罗马学习，但不久患疟疾。回到那不勒斯后，创作了多幅战斗画和海洋画，并形成了风景画的独特风格——在自然界如画的荒野景象中点缀着牧人、海员、士兵或强盗——整个画面注入了浪漫主义诗意。成名后于1639年回到罗马。已是著名的艺术家，还成了受人欢迎的滑稽演员。在1639年狂欢节期间，由于轻率地讽刺了著名建筑师和雕刻家G.L.贝尔尼尼，而给自己树敌。其后的几年，佛罗伦萨的环境对他来说比罗马的环境更舒适。在佛罗伦萨，他得到枢机主教梅迪契的资助。他的住宅成了文学、音乐和艺术界的活动中心，被称作佩尔科西学会。1649年回到罗马定居。这时的罗萨仅将风景画看成是消遣，而不再是严肃的艺术，绘画主题转向宗教画和历史画。1660年开始作蚀刻版画，完成了几幅很成功的作品。1710年出版了他的讽刺遗作。

Rosales　蔷薇目　显花植物的一目，属于双子叶植物纲。24科，约320属，6 700种。包括许多温带地区著名的观赏植物和果树，如玫瑰、绣球花、绣线菊、山楂、苹果、桃、樱桃、梨、李、草莓、悬钩子、茶藨子和醋栗等。蔷薇科（Rosaceae）包括本目约45%的种类。其他重要的科有虎耳草科（Saxifragaceae）、绣球花科（八仙花科，Hydrangeaceae）、醋栗科（Grossulariaceae）和景天科（Crassulaceae）。其余各科的种数多不到10种，有Crossosomataceae科、Neuradaceae科、Chrysobalanaceae科、牛栓藤科（Connaraceae）、海桐花科（Pittosporaceae）、Rhabdodendraceae科、Brunelliaceae科、Cunoniaceae科、Gryiaceae科、Bruniaceae科、Cephalota-

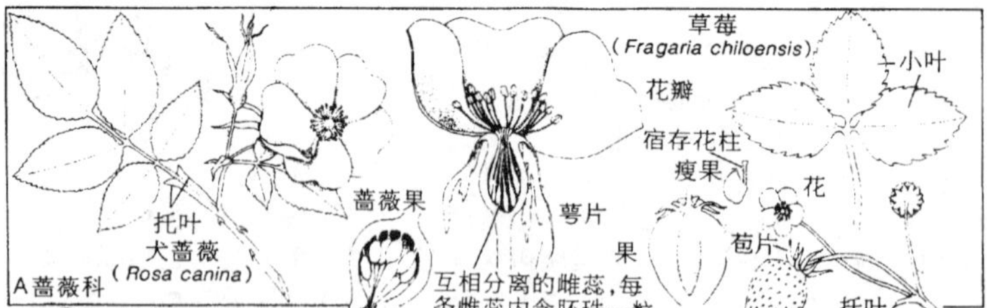

蔷薇目3个科的植物

ceae 科、Davidsoniaceae 科、Byblidaceae 科、Alseuosmiaceae 科等。大部分蔷薇目种类分布于旧大陆和新大陆北温带地区，在东亚、欧洲和北美尤为丰富。本目种类千差万别，从小型草本到灌木和木质攀缘植物到小型至大型乔木均有。其生境从海平面到高山草甸，许多种类的分布与人类的活动有关。蔷薇科的栽培果树在排水良好的土壤中生长繁盛，商业性的果园见于多小山的或起伏不平的乡间。蔷薇科含约 3 000 种小型到中型乔木、灌木和多年生草本，绝大多数为木本。蔷薇属（*Rosa*）的种类可能是最为人们熟知和受到普遍欢迎的观赏花卉。在各种类型的环境中已育成数以百计的品种，许多杂种是通过杂交育成。绣线菊属（*Spiraea*）和委陵菜属（*Potentilla*）种类也是受欢迎的庭园花卉。山楂属（*Crataegus*）、花楸属（*Sorbus*）和李属（*Prunus*）种类可栽作观赏树。蔷薇目最重要的果树属于蔷薇科。苹果（苹果属[*Malus*]）和桃（李属）构成世界各地一些地区的经济基础。属于此类的还有草莓属（*Fragaria*）的草莓，梨属（*Pyrus*）的梨，李属的樱桃、李子、杏和巴旦杏，榅桲属（*Cydonia*）的榅桲，悬钩子属（*Rubus*）的黑莓和悬钩子等。黑樱桃（*Prunus serotina*）和欧洲野樱桃（*Prunus avium*）的木材可制高级家具，梨木价值亦高。蔷薇目一些种含危险的氰化物。桃核、苦杏仁和几种野樱桃对人和动物有毒。北美沙果（*Prunus virginiana*）、野生黑樱桃和野山桃花心木（*Cercocarpus* 属）的叶对草食性动物有毒。

虎耳草科种类通常见于山区和极地，以能在暴露的多岩石的险崖和岩石的缝隙中生长繁盛而著名。景天科种类集中分布于非洲南部、南亚和地中海地区，能在干燥的气候条件下生长，某些种可作盆栽花卉或栽于岩石花园或肉质植物园。茶藨子和醋栗为灌木，属于醋栗科茶藨子属（*Ribes*）。绣球花科绣球花属（*Hydrangea*）种类的株型从灌木到小乔木，其花甚受欢迎。

蔷薇目有 7 个科的种类多仅分布于南半球温带和亚热带地区。Cunoniaceae 科为乔木和灌木，主要分布于澳大利亚和新几内亚，延伸到南美。Chrysobalanaceae 科小得多，分布于整个热带地区，主要是南美的亚马孙地区。

蔷薇目形态多种多样，从小型的匍匐草本到木质坚硬的巨大乔木均有。许多种类，尤其是蔷薇科者，具有棘刺。本目植物多具单叶，但几个小科具复叶。蔷薇科种类的叶形差异最大，有单叶、浅裂叶、羽状复叶等。大多数蔷薇科种类的叶互生，但其他科种类的叶可为对生。多有托叶。蔷薇目植物的花通常颇为扁平或为浅杯状。花多鲜艳，通常具 4～5 枚萼片和花瓣，呈辐射对称，萼片常结合成杯状。花为两性，雄蕊数多。果为干果或肉质果，某些果具坚硬的核。种子具胚而无胚乳。蔷薇目植物的花鲜艳或芳香，借以吸引昆虫；花粉数多，由昆虫传播。种子散布的方式决定于果实的类型。有些果实为肉质，可食，可吸引鸟类或其他动物来食，不能消化的种子被排出。某些科植物的种子小而轻，或大而具翅，借风力传播。另一些种类的果实具刺或倒钩，可依附在动物的皮毛或人类的衣服上，被带到别处。但并非所有种类均借种子繁殖，草莓和悬钩子可行营养繁殖，却保存生成种子的能力。

Rosamond　罗莎蒙德（约1140～约1176）　英格兰国王亨利二世的情妇。她是许多传奇和故事的主题。据认为是菲茨-庞斯家族的沃尔特·德·克利福德的女儿。她给亨利二世当了几年的秘密情妇，一直到亨利的妻子阿基坦的埃莉亚诺由于鼓励自己的儿子们在 1173～1174 年进行叛乱而被监禁时，她的地位才得到亨利的公开承认。她在 1176 年或 1176 年左右去世，葬在戈德斯托女隐修院教堂中的高圣坛前面。1191 年林肯主教圣休下令将她的遗体移出，似乎又重新安葬在牧师会礼堂中。关于她被王后埃莉亚诺毒死的传说最初出现于 14 世纪法文的伦敦编年史中。至于她在伍德斯托克迷宫中的风流韵事和把国王亨利二世引入她的闺房的轶闻，都是后代小说作者的杜撰。也没有证据足以说明她是亨利的私生子索尔兹伯里伯爵威廉·朗斯沃德的生母。

Rosario　罗萨里奥　阿根廷第三大城市和河港。在圣菲省东南部巴拉那河西岸。1731 年建造的教堂成为城市的中心。在阿根廷争取独立的斗争中，该城历经艰难并遭受破坏。1819 年革命支持者巴尔卡斯将军将罗萨里奥全部烧毁。1829 年该城又被军舰摧毁。1852 年正式设市。后缓慢重建得以发展。1860 年罗萨里奥建成河港后发展迅速。中央铁路 1863 年建成，将该城与科尔多瓦连接，开始繁荣。19 世纪末到 20 世纪初，港口由法国投资进行改建，至 20 世纪 40 年代一直是阿根廷主要河港，也是世界上主要谷物港口。1942 年阿根廷政府接管港口设施。由于政府强调经济要全面发展和国内各港口间的竞争，进出口业务稍有下降。但仍然是谷物、其他农产品、肉和木材的主要输出港。作为工业城市，生产钢材、冷冻设备、汽车、农机和多种出口产品。旅游业也很重要。1976 年玻利维亚在沿河建一很大的自由港区，使玻利维亚这一内陆国家获得一个出海口。设有国立滨河大学经济学院（1919）、国立罗萨里奥大学（1968），建有省历史博物馆（1939）、市装饰艺术展览馆（1968）、市美术馆（1937）和纪念贝尔格拉诺将军升起第一面阿根廷旗帜的旗帜纪念馆（1957）。名胜建筑有文艺复兴式大教堂和城市宫（1896）。经公路、铁路与阿根廷各地沟通。当地现代化机场是国内航空枢纽。人口：约 1 000 000（1999）；大罗萨里奥 1 178 905（1991）。

rosary　玫瑰经　祈祷者数一串念珠或绳结诵经的宗教仪式，该念珠或绳也可称为玫瑰经。类似的习俗普遍见于基督教、印度教、佛教和伊斯兰教。在基督教，此习俗为东派教会修士在 3 世纪采用而发展为几种形式。它在天主教成为公共和个人祈祷的普通方式。最普遍的玫瑰经是《蒙福圣母玫瑰经》，诵时数念珠。念珠分为 5 节，每 10 颗珠为一节，两节之间用大珠分隔。念珠串两端由一细绳连接，其上系有苦像、两颗大珠和三颗小珠。《蒙福圣母玫瑰经》念时一般数全串念珠三遍。念的内容有 15 遍《圣母经》，每念一遍执一颗小珠。每十遍之前先执大珠念《主祷文》再念《荣耀颂》，一面念一面默思“十五端”。十五端是耶稣和马利亚的生平、死亡和享受荣耀的事件，分为三组：“欢喜五端”、“痛苦五端”和“荣福五端”。《玫瑰经》的开头和结尾祷词不一。在东正教，念《玫瑰经》基本上仅限于隐修院内。希腊和土耳其境内东正教徒所用的念珠串共有 100 珠，大小相等。俄罗斯正教徒用的念珠串共有珠 103 颗，用 4 颗大珠分成长短不一的几段，连在一起，排成平行线，形如梯。在罗马尼亚教会，修士每次祷告前后都要深深鞠躬。在伊斯兰教，数念珠念经是一种功课。每次数 33 颗念珠三遍，每一颗珠代表《古兰经》中所载“安拉的 99 种至美之名”之一。

rosary pea　念珠豆　参阅 **jequirity bean** 相思子。

Rosas, Juan Manuel de　罗萨斯（1793-03-30，布宜诺斯艾利斯～1877-03-14，英国汉普郡南安普敦）　阿根廷军事和政治领导人，1835～1852 年布宜诺斯艾利斯省的独裁统治者。出身于拥有几处最大养牛场的富裕家庭。在布宜诺斯艾利斯受初等教育。青年时期大部分在乡村度过，他在布宜诺斯艾利斯省萨拉多河以南地区获得大量土地。1820 年布宜诺斯艾利斯省省长多雷戈上校任命他为省民兵司令。1828 年多雷戈被推翻，罗萨斯举兵与拉瓦列领导的起义者作战，并击败对手。后当选为省长，作为联邦党领袖受到集权派的反对。他的主要支持者为加乌乔人和布宜诺斯艾利斯的城市工人阶级。他虽有可能在 3 年任满后继任，但为了去南方与印第安人作战而决定离职。这使他声望大增。1835 年应召重新担任省长，他的条件是必须享有独裁统治权。他自称联邦主义者，但 17 年间推行的实为集权统治，以通过专制手段推行法律和维持秩序闻名。密探和秘密警察使所有反对派感到畏惧，因此到 1840 年几乎无人敢于反对他。他将自己的肖像挂在公共场所和教堂，以显示其至高无上的地位。在他的统治下，阿根廷社会的一些方面受到影响：教育不景气，许多学校被迫关闭；外交事务每况愈下，与法国的争执导致法英舰队封锁布宜诺斯艾利斯，使阿根廷的贸易受到严重打击。1852 年 2 月 3 日他在卡塞罗斯战役中被巴西人、乌拉圭人、法国人和阿根廷土著组成的联军击溃，被迫逃往英国。

Roscelin　洛色林（约1050，法国贡比涅～约1125）　拉丁语作 Rucellinus。法兰西哲学家、神学家、极端唯名论的创始人。唯名论认为所有的共相只不过是语言的表达方式。他的唯一传世之作看来只是给法国哲学家阿伯拉尔（此人在贝桑松曾从他学习）的一封信。从其他方面了解到的极为有限的有关洛色林学说的材料则来自圣安塞尔姆和阿伯拉尔的著作以及未署名的作品《论共相与殊相》。当 1092 年索瓦松宗教会议宣布洛色林关于三位一体教义的理论为异端时，他被迫收回这一学说。

Roscius **罗西乌斯**（？～公元前62） 全名昆图斯·罗西乌斯·加卢斯（Quintus Roscius Gallus）。罗马喜剧演员。由于名气很大，其名字成为特别成功的演员的一种荣誉性称号。出生于索罗尼乌姆的一个奴隶家庭。其舞台演出的名望使独裁者苏拉解除了他的奴隶契约并授予他象征骑士等级的金环。他以认真排练每一角色的重点部分而著称，但也有即兴表演的天才。据说，他曾向西塞罗讲授过雄辩术，而后者在一次法律诉讼中为这位演员所作的演说《为喜剧演员罗西乌斯一辩》流传至今。曾获荣誉性"罗西乌斯"称号的人有英国儿童明星W.贝蒂（1791～1874），世称"小罗西乌斯"；另一人则是美国出生的黑人悲剧演员I.奥尔德里奇（1807～1867），又名"非洲的罗西乌斯"。

Roscius, The Young（English actor） **小罗西乌斯** 参阅 **Betty, William Henry West** 贝蒂。

Roscommon **罗斯康芒** 爱尔兰康诺特省的郡。面积2 463平方千米。大部处在香农河和其主要支流萨克河之间。香农河畔的阿斯隆为该郡的主要人口港，其北面有里湖及上游更远的博芬湖和博德格湖。沿河有大片水草地，称作低湿牧场。香农河和萨克河之间有石灰岩泥炭沼泽和水草地，其间冰碛蛇形丘上有采石场。这个地区内有养羊和养牛业，尤其在石灰岩牧场上饲养业更为兴旺，燕麦、饲草和马铃薯为主要作物。郡首府为罗斯康芒镇，每年举行羊毛、山羊、绵羊集市。该地区3/4为农田，余下为泥炭沼泽。地方经济以农业为主，工业正在发展。城镇零售业与每月集市贸易很发达。阿里格纳有煤矿。人口51 897（1991）。

Roscommon **罗斯康芒** 爱尔兰罗斯康芒郡首府、集镇。位于都柏林西北。7世纪时在原址建有隐修院和学校；1253年建有多明我会隐修院，1269年建有诺曼人城堡。近代建天主教大教堂以镶嵌装饰和彩色玻璃窗引人瞩目。1282年向圣科曼隐修院院长颁特许状，准许每星期六举行一次集市，一直延至今日。该城镇每月举行一次的展销会在爱尔兰亦很闻名。1959年以来还举办牲畜合作市场。当地工业有镶嵌工艺、纺织机械、塑料、铸件和皮革制品等制造业。从都柏林通往韦斯特波特的铁路干线经过这里。人口1 432（2002）。

罗斯康芒镇的圣心教堂
供图：James Fraher

rose **蔷薇** 蔷薇科（Rosaceae）蔷薇属（*Rosa*）植物。约100种，多年生灌木或藤本。近世界性分布，多原产于亚洲。很多栽培种花芳香而美丽，常为白色、黄色、橙色、粉红色或红色；野生蔷薇花单生或成小簇；花瓣通常5

玫瑰（*R. rugosa*）

枚，栽培种常重瓣。蔷薇为直立、攀缘或蔓生灌木。茎通常具多数形状大小不同的刺。羽状复叶，互生，小叶近卵形，具锐齿。果为假果，由花托发育而成，肉质，浆果状，称蔷薇果，有的可食。蔷薇主要原产于北半球温暖地区。大部分原产于亚洲，小部分原产于北美，极少数种类原产于从欧洲到非洲西北部一带。来自世界不同地区的蔷薇容易杂交，从而产生与亲本具有某些共同特征的类型，因此要确定其基本种数很不容易。在100多种蔷薇中，只有不到10种（多原产于亚洲）用来杂交，育成今天种类甚多的植于庭园的蔷薇。栽种于庭园的蔷薇有几个重要的类群。最著名、种植最广泛的类群为杂交茶蔷薇，占温室及花园中种植的蔷薇和花店中出售的蔷薇的大部分。蔷薇的所有颜色在杂交茶蔷薇中都能见到，而且杂交茶蔷薇花大，对称。茶蔷薇开花频繁，但脆弱，将它与茁壮的四季开花的杂交四季蔷薇进行杂交繁育，即育成杂交茶蔷薇。杂交四季蔷薇原来极受欢迎，直至20世纪初为杂交茶蔷薇所取代。多花蔷薇（polyantha rose）是一类耐寒，花小而密生成串的蔷薇。丰花蔷薇（floribund rose）耐寒，是杂交茶蔷薇与多花蔷薇杂交繁育而成。大花蔷薇（grandiflora rose）是较新的一类杂交蔷薇，由杂交茶蔷薇与丰花蔷薇杂交繁育而成，为高大、耐寒的灌木，花大而多。其他的现代蔷薇种类有：攀缘蔷薇，茎细长，可爬上棚架

草原蔷薇（*Rosa setigera*）
供图：John H. Gerard

生长；灌木蔷薇，生长成大灌丛；微型蔷薇，株型极小，花小。以上各类型的蔷薇已鉴定约13 000个品种。没有别的花像蔷薇这样为人们熟知和喜爱。蔷薇花的颜色多种多样，从白色到不同色调的黄色、粉红色直到深绯红色或紫酱色。已育成许多美容的混合多种颜色的品种。蔷薇花的大小不等，从直径1.25厘米的微型蔷薇到直径17.5厘米的大型花朵都有。蔷薇花的香味十分好闻，其香味因品种及气候条件而不同。蔷薇可感染许多疾病，其中大部分由真菌引起，白粉病表现为幼叶、嫩茎表面的浅灰白色的霉状菌丝束。黑斑病为真菌所致，表现为叶上明显的黑斑，这样的叶容易脱落。锈病也是蔷薇常见的病害。蔷薇香精油提炼自蔷薇，尤其是大马士革蔷薇（*R. damascena*）的花，可用于制造香水。蔷薇的果实蔷薇果，尤其是玫瑰（*R. rugosa*）的果实，可提取维生素C，有时还用以制蜜饯。

Rose of Lima, Saint **萝丝（利马的），圣**（1586-04-20或30，秘鲁总督辖区利马［今在秘鲁］～1617-08-24，利马） 原名弗洛里斯。秘鲁和南美洲的主保圣人。出身富有家庭，酷爱虔修。她坚持其贞洁愿，并为此与想要她结婚的母亲争执了10年。1606年其母终于让步，允许她加入多明我第三会隐修。她在自家园中一小屋内苦修，屡见异象，尤其是魔鬼的真形。

Rose, Billy **罗斯**（1899-09-06，美国纽约布朗克斯～1966-02-10，牙买加蒙特哥贝） 原名威廉·塞缪尔·罗森伯格。美国剧团经理和50多首流行歌曲的作曲者。20年代开始创作歌曲，共写了大约400首歌曲，其中包括《巴尼古哥》、《我的那伙老搭档》、《这仅仅是一只纸制的月亮》、《我和我的影子》以及《一支歌也没有》。作为剧院演出人，获得成功的戏包括《奇怪的被子》（1931）、铺张的马戏团音乐喜剧《庞然大物》（1935）以及根据歌剧《卡门》改编的、全由黑人扮演的音乐喜剧《卡门·琼斯》（1943）。他拥有几家夜总会，其他事业还包括他对地产和证券市场的精明投

卡尔弗图片公司供图

资、艺术品收集以及大肆宣扬的慈善事业。

Rose, Ernestine 罗斯(1810-01-13,俄属波兰特里布纳斯奇彼得库夫～1892-08-04,英国布赖顿) 婚前名 Ernestine Louise Potowski。美国改革家和女权主义者,是 19 世纪女权、反对奴隶制和节欲运动活动家。出生于波兰犹太人区,父为城镇拉比。她所受的教育和享有的自由均优于当时当地典型的犹太女孩。父亲教她阅读希伯来文,但她无法接受父亲信仰的教条。14 岁时声明放弃置妇女于低下地位的犹太法律和习俗。16 岁丧母,继承一大笔财产。但未经与她商量,父亲即安排将她嫁给年龄若父的男子,并把她继承的遗产作为嫁妆。她为自己的遗产继承上告至波

美国不列颠百科全书公司供图

兰法庭,赢得法律支持。次年离开波兰,将继承的遗产大部分留给了父亲。其后两年她在柏林生活,后去荷兰和巴黎,21 岁时定居英国。1836 年与 W.E.罗斯结婚。婚后不久即移民美国。在美国她带头为妇女争取平等权利。强烈反对当时剥夺已婚妇女控制其婚前财产权利的法律,并于 19 世纪 40 年代在纽约州领导取消该项法律的运动。1848 年州议会制订措施允许已婚妇女保有其单身时已有的财产。至 1850 年,她已经成为两年前在纽约州塞尼卡福尔斯举行的塞尼卡福尔斯大会发起的新的妇女权利运动的一员。她口齿伶俐,不但提倡妇女权利,而且宣传废除奴隶制度和禁止制造酒精饮料。1869 年,她与 S.B.安东尼和 E.C.斯坦顿共同创建全国妇女选举权协会,其主要目的就是修改宪法给予妇女选举权。当时她的健康已每况愈下。她与丈夫去欧洲休假一年,后定居英国,并不时发表演说。1873 年短期返美,曾在全国妇女选举权协会的一次大会上发表演讲。

Rose, Hugh Henry, Baron Strathnairn of Strathairn and of Jhānst 罗斯(1801-04-06,普鲁士柏林[德国]～1885-10-16,法国巴黎) 英国陆军元帅,在 1857 年印军哗变期间,他是英军得力指挥官之一。外交家乔治·罗斯爵

供图:Mansell Collection

士之子,曾在柏林受教育并接受军训,1820 年进入英国陆军。1841～1848 年任驻叙利亚总领事。克里米亚战争中任驻法军总部英军联络官,参加了历次战役。1854 年晋升为少将。印度兵变开始时,他担任中央印度军司令官,指挥几次最困难的战斗。在取得一系列胜利后,又围攻敌方主要堡垒占西,1858 年 4 月粉粹驻军的顽强抵抗,其后,又取得多次胜利。1860 年作为驻印英军总司令,接管了孟买省军队的指挥权。1865 年回国,任爱尔兰驻军总司令(1865～1870),他维持了爱尔兰的和平,控制住了闹独立的芬尼安分子。1855 年受封爵士,1866 年成为贵族,1877 年晋升陆军元帅。

rose, otto of 参阅 **attar of roses** 玫瑰油。

Rose, Pete 罗斯(1942-04-14,美国俄亥俄辛辛那提～) 原名 Peter Edward Rose。美国职业棒球运动员,以技术全面与为人热情而著称。1985 年,他超过 T.科布在全部运动生涯中完成 4 191 个安打的纪录,成为安打数最多的棒球运动员。罗斯幼年在父亲引导下参加体育活动,8 岁开始参加有组织的少年棒球运动。在父亲的坚持下,罗斯 10 岁即成为左、右手都能打的击球员。他在辛辛那提西山中学担任二垒手,18 岁时签约在全国棒球联盟辛辛那提印第安人队打球。在小联盟打了 3 个赛季之后,罗斯于 1963 年加入印第安人队,其后 9 年间(1965～1973)击球率一直在 0.300 以上。他曾担任二垒手、外场手和三垒手,1980 年后专任一垒手。他的防守能力在 1970、1974、1976 和 1980 年的全国棒球联盟中处领先地位。1971 年在大、小两个联盟均居首位。1979 年加盟费城菲力士队。至 1984 年,罗斯先后共参加过 17 个赛季,上场击球 600 余次,共击出 3 990 个安打。赛季过后,他退出菲力士队。1984 年赛季中,他效力蒙特利尔博览会队,但他是在 1985 年以辛辛那提印第安人队队员兼经理的身份创下他的安打纪录的。1986 年他作为运动员退役时,全部棒球生涯的安打纪录已达 4 256。他创下的其他纪录为:参加了 3 562 场比赛;上场击球 14 053 次;有 10 个赛季每季击出 200 个以上的安打。他一生的平均击球率为 0.303。1989 年,罗斯接受职业棒球行政管理人的调查,因为有报道说他在 20 世纪 80 年代中期曾屡次对大联盟棒球队下赌注,其中包括他自己的辛辛那提印第安人队。同年 8 月被终身逐出大联盟,因此他无法入选棒球名人堂。1990 年,因提交虚假的纳税申报表被处以 5 万美元罚款,并在联邦监狱服刑 5 个月。

Rose Bowl **玫瑰碗橄榄球赛** 美国历史最悠久的赛季后大学橄榄球赛,每年元旦在加利福尼亚州帕萨迪纳举行。玫瑰节比赛之前举行玫瑰花游行,它是世界上最华丽而

玫瑰花游行中的马戏表演彩车

供图:Pasadena Tournament of Roses

有名的年度游行。第一次玫瑰碗橄榄球赛(在密歇根大学和斯坦福大学之间进行)于 1902 年进行,1916 年举办第二次,以后逐年举办。玫瑰碗球场于 1922 年开放,为 1923 年比赛作准备。

rose fever 玫瑰热 参阅 **hay fever** 枯草热。

rose moss (*Rhodobryum roseum*) **蔷薇藓** 即蔷薇大叶藓。一种真藓目植物。分布世界大部分地区,生于林地或荫蔽多草的地方。拟茎体直立,顶端有一丛深绿色拟叶体,如蔷薇花状,直径约—厘米。很少形成孢蒴,主要以匍匐茎繁殖。其学名旧用 *Bryum roseum*。

rose of Jericho (*Anastatica hierochuntica*) **含生草** 又称 resurrection plant(还魂草)。十字花科含生草属唯一的一种。原产亚洲西部。在旱季,其枝条及角果向内卷曲成球状,可随风滚动如广布苋,可贮存数年之久,常作为珍奇品出售。遇潮湿又展开,形似蕨

含生草(*Anastatica hierochuntica*)

供图:V-DIA—SCALA from Art Resource/美国不列颠百科全书公司

类植物，直径达 30 厘米。植株形小，灰色，开白色小花。

rose of Sharon（*Hibiscus syriacus*，or *Althaea syriaca*） **木槿** 又作 shrub althaea。又称沙伦玫瑰、灌木蜀葵、叙利亚木槿或叙利亚蜀葵。锦葵科灌木或小乔木。原产于亚洲东部，花艳丽，作为观赏植物被广泛栽种。高可达 3 米，通常低分枝，植株呈塔形。花似锦葵，白色、粉紫色到紫色，基部一般呈深红色。某些品种有重瓣花。

rose oil 参阅 **attar of roses** 玫瑰油。

rose quartz **蔷薇石英** 硅氧矿物石英的非常粗粒的变种。半透明，通常是混浊的。浅到深的粉红色的蔷薇石英被人们珍视，这种颜色或许是由于含钛形成的。自古以来蔷薇石英就已被用于雕刻。并被琢磨成翻光面而提供出具很好异彩的宝石。它的乳状外貌是由于有细针状金红石包裹体的缘故，当包裹体转到特定方向时，蔷薇石英的抛光面便

产自巴西的蔷薇石英
供图：B. M. Shaub

出现星芒（星状图形的光学现象），就像在蓝宝石中出现的那样，但不如蓝宝石那样明显和强烈。蔷薇石英出产于巴西、瑞典、纳米比亚、美国的加利福尼亚州和缅因州。其物理性质与石英相同。参阅 **silica mineral**（表）。

Rose Theatre **玫瑰剧院** 由 P. 亨斯洛建立的伦敦剧场，从 1587～约 1605 年一直频繁上演剧目。亨斯洛与他的合伙人约翰·乔姆利将该剧场建造在租借的泰晤士河南岸玫瑰园内，建筑呈八角形，系砖木灰泥结构，部分为草屋顶。剧场的早年经营情况不得而知。1592 年斯特兰治公爵供奉剧团住进玫瑰剧院，随之住进的有海军上将供奉剧团部分演员和名演员爱德华·艾莱恩。他们在这里演出了罗伯特·格林的《僧人培根与僧人邦格》，托马斯·基德的《西班牙悲剧》、克里斯托弗·马洛的《马耳他的犹太人》和莎士比亚的《亨利六世》上篇。1593～1594 年苏塞克斯公爵供奉剧团占用玫瑰剧院，首次演出了莎士比亚的《泰特斯·安德洛尼克斯》。与亨斯洛继女结婚的艾莱恩于 1594 年又带领海军上将供奉剧团返回玫瑰剧院。由于玫瑰剧院失修并面临新开张的寰球剧院的竞争，1600 年亨斯洛又在伦敦城北部建造新剧院命运剧院，海军上将供奉剧团随即迁入该院。直到 1605 年亨斯洛的租约期满之前，玫瑰剧院不时仍有演出，此后不久该剧院被拆掉。1989 年在一项工程中发现了伦敦玫瑰剧院的建筑地基。从这些废墟的残存物上，人们计算出玫瑰剧院建筑的直径约为 21 米，拥有大约 2 200 个座位。剧院地基随后被作为一处非正式的历史遗迹而受到保护。

rose window **圆花窗** 又称车轮窗、玫瑰形窗。哥特式建筑中装饰富丽的圆窗，窗上常装有彩色玻璃。罗马式时期装饰性圆形窗的例子，已散见各地，但直到 12 世纪中叶，华丽的圆窗才被用作装饰主题而流行起来，成为

法国兰斯大教堂南耳堂的圆花窗，始建于 1211 年
供图：SCALA—Art Resource/美国不列颠百科全书公司

早期哥特式教堂的明显特征，主要用在中堂的西端和耳堂的两端。13 世纪棂条花格的发展促进了圆花窗的设计。一般的方式都是由若干个放射形的图形组成，每个图形的顶端成尖拱状，与窗的外缘相接。这些图形之间的棂条与窗中央的一个空圈相交，而每个图形本身又由若干小花格窗组成，各有其小的窗棂做成拱形和叶形。哥特式盛期的圆花窗在法国最为普遍，而兰斯、亚眠的大教堂和巴黎圣母院（均建于 13 世纪）的圆花窗特别值得注意。火焰纹式窗棂的盛行改变了法国圆花窗的特点。放射形的窗棂由火焰纹的双曲线棂条组成复杂的网络，产生新的几何图形，同时增加了斜撑，加强了结构的强度。16 世纪早期博韦的大教堂耳堂的圆花窗即是一例。圆花窗在发展初期即已传遍全欧，各地教堂中都有这种圆花窗。

Roseau **罗索** 加勒比海独立的岛国多米尼加联邦的首都和主要城市。其港口为一开阔锚地。输出酸橙、酸橙汁、精油、热带蔬菜和香料。主要建筑物有天主教堂、圣乔治英国圣公会教堂、政府大厦、维多利亚纪念博物馆以及几座植物园。市郊有瀑布和温泉。1805 年曾被法国人焚毁。1979 年遭飓风袭击，几乎成为废墟。人口 8 300（1981）。

Rosebery **罗斯伯里** 澳大利亚塔斯马尼亚州西部城镇。临皮曼河。1893 年罗斯伯里溪发现黄金，附近里德山发现有铅，遂于 1900 年前后建此镇。20 世纪 70 年代估计铅储藏量为 900 万吨。铅矿石中还含有金、银和镉等。大量矿石运往镇内精炼厂。锌矿石和铅用火车运至伯尼。前者运往里斯登，后者出口至美国。附近有蒙特祖马瀑布和克雷德尔山-圣克莱尔湖国家公园。人口 2 675（1981）。

Rosebery, Archibald Philip Primrose, 5th earl of **罗斯伯里伯爵（第五）**（1847-05-07，伦敦～1929-05-21，英国萨里埃普瑟姆） 即 A.P. 普里姆罗斯。英国首相（1894～1895）。面对内阁分裂和上院的不合作，他在任期内很少建树。早年继承爵位，热心政治，倾向自由主义。1879～1880 年协助 W.E. 格莱斯顿赢得 1880 年大选中自由党的大胜。1881～1883 年任内政部次官，专门负责苏格兰事务。1885 年 3～6 月任掌玺大臣。1889 年成为伦敦郡议会第一任主席。1886 年 2～7 月和 1892 年 8 月至 1894 年 3 月任外交大臣。出于对俄国和法国的不信任，他继续奉行索尔兹伯里与德国、奥匈帝国和意大利秘密合作的政策。1894 年使乌干达成为保护国。1894 年接替因反对扩大海军而下台的格莱斯顿，继任首

爱丁堡苏格兰国家肖像画陈列馆供图

相，主张建立强大的舰队。他未能处理好自由党内的冲突，保守的上院又对自由党提出的一切立法均持否决态度，当他的政府在一个次要问题上经下院投票反对后，他立即辞职。1896 年 10 月他又辞去自由党领袖职务。

Roseburg **罗斯堡** 美国俄勒冈州西南部城市，道格拉斯县县城（1854）。在海岸山岭和喀斯喀特岭之间，临南安普夸河。1851 年始有人定居。1854 年规划。1872 年设市。经济以林业为主，有锯木厂和各种木材工业。农业以养羊为主。也有些镍矿开采和冶炼。设有安普夸国家森林管理处，又是通往火山口湖国家公园和避暑山区的门户，旅游业为该市收入的重要来源。安普夸社区学院设在该市。人口20 017（2000）。

Rosecrans, William S(tarke) **罗斯克兰斯**（1819-09-06，美国俄亥俄金斯顿乡～1898-03-11，加利福尼亚雷东多章克申） 美国南北战争（1861～1865）初期的联邦军将领、杰出的战略家，在奇克莫加战役落败后被解职。

1842年在西点军校毕业。1854年辞去军职，在俄亥俄和弗吉尼亚州当建筑师和土木工程师。南北战争爆发后复归现役，屡被擢升。1862年指挥密西西比艾尤卡战役和科林斯战

美国国会国书馆供图

役获胜，继任坎伯兰方面军司令。他在斯通河战役（1862-12-31～1863-01-02）中也取得胜绩。然而，此后他过分谨慎小心，失去了早期的大胆进取精神。1863年9月19～20日在与南部邦联军将领B.布雷格进行奇克莫加战役时，因指挥失度，被南军突破阵线，几乎全军溃退，困守查塔努加城。前往解救该城的U.S.格兰特将军立即解除其职务。他于1867年辞去军职，任驻墨西哥公使。两年后代表加利福尼亚州进入众议院（1881～1885）。1885～1893年任财政部注册局长。

rosefinch 朱雀 金翅科金翅属（*Carpodacus*）约21种鸣禽的统称，有时列入新大陆雀科（Fringillidae）。长约15厘米，多呈灰或淡褐色；雄鸟的头、胸和腰红色。欧亚大陆的普通朱雀（猩红朱雀、猩红大嘴鸟，*C. erythrinus*）和在北美洲北部繁殖的紫朱雀（*C. purpureus*）相似，头部全红，下体实际无条纹。家朱雀（*C. mexicanus*）的额有红色带斑，下体有条纹，是遍布北美西部的庭园鸟；常称为赤胸朱顶雀；1940年已引入纽约长岛并沿大西洋海岸扩布；亦定居于夏威夷。玫瑰胸朱雀（*C. puniceus*）在喜马拉雅地区的5 500米高处繁殖，可能比任何其他鸣禽的分布都高。

Rosegger, Peter 罗泽格尔（1843-07-31，奥地利阿尔普尔～1918-06-26，克里格拉赫） 奥地利作家，以描写地方生活的小说著称。农民之子，做过流动裁缝。后在林茨一所商业学校学习。最早发表的作品（1869）是一本用方言写的诗集，但不久即开始写略带说教色彩的故事，以及关于故乡施蒂里亚的风土人情的长篇小说。所著最著名的小说是《森林之乡》（1877）和《林中教师杂记》（1875）。他一向关心社会改革，尤其热心赞助乡村教育。其自述和宗教论著流传很广，包括《寻找上帝的人》（1883）和《我的世俗生活》（1898）。

rosella 玫瑰鹦鹉 几种常见的笼养鸟类，特指某些澳大利亚的长尾鹦鹉种类。参阅**parakeet**。

roselle（*Hibiscus sabdariffa*） **玫瑰茄** 又作rosella，又称Jamaican sorrel（牙买加楂棕）或Java jute（爪哇黄麻）。锦葵科植物，其纤维为韧皮纤维（**bast fibre**）的一种，可能原产于西非，包括*H. sabdariffa* var. *altissima*（栽种以取其纤维）及*H. s.* var. *sabdariffa*（栽种以食用其花萼）。早在16世纪西印度群岛的居民已知此种植物，到17世纪玫瑰茄在亚洲已有栽培。20世纪20年代，荷属东印度（现印度尼西亚）在政府资助下广泛种植玫瑰茄，以生产纤维制造食糖包装袋。玫瑰茄是多年生植物，但通常当作一年生作物栽种，以种子繁殖。适宜于生长在排水良好的壤土中，主要在热带地区，整个生长季节需要每月平均降雨量约25厘米。茎和叶的颜色从深绿到浅红，花朵呈奶油色或淡黄色。供纤维用的作物密集播种，植株高3～5米，分枝很少。当花蕾出现时割下茎杆，浸沤后剥下麻皮或经捶打使纤维分离。在某些地区浸沤时间缩短，仅浸透其茎皮及紧附于其上的纤维。供食用的作物植株间距较大，分枝多，植株较矮，花萼在肥大和肉质多时采摘。纤维束长1～1.5米，由单个纤维细胞组成。颜色从奶油色到银白色，富有光泽，强度中等，常与黄麻混纺制成包装用织物和绳索。主要产地为印度、爪哇和菲律宾。在某些热带地区，*H. sabdariffa* var, *altissima*红而稍带酸味的花萼，在当地用作饮料、调味汁、果子冻、蜜饯和酸辣酱，叶和茎用来做沙拉或煮食或调味咖喱菜肴菜；在非洲，其含油的种籽供食用。

Roselle and Roselle Park 罗塞尔与罗塞尔帕克 美国新泽西州东北尤宁县二自治镇（城镇）。西邻伊丽莎白城。独立战争前罗塞尔已有居民，1894年设镇；罗塞尔帕克1901年设镇。两镇主要为纽约市郊住宅区，也有些工业，包括纸浆、纸制品、塑料、工具、火警、机械、金属产品。托马斯·爱迪生曾在罗塞尔做电光源方面的实验。那里是第一个街道有电灯照明的社区，罗塞尔帕克有无线电发明人G.马可尼于1913年建立的生产通讯器材的工厂，他的KDY电台是最早的商业电台之一，1921年开始广播。人口：罗塞尔21 274；罗塞尔帕克13 281（2000）。

rosemary（*Rosmarinus officinalis*） **迷迭香** 唇形科多年生常绿小灌木。叶带有茶香，味

迷迭香（*Rosmarinus officinalis*）
供图：Dorothea W. Woodruff—美国不列颠百科全书公司

辛辣、微苦。少量干叶或新鲜叶片用于食物调料，特别用于羔羊、鸭、鸡、香肠、海味、填馅、炖菜、汤、马铃薯、番茄、萝卜、其他蔬菜及饮料。因味甚浓，在食前取出。古代认为迷迭香能增强记忆，在文学作品和民间传说中，它是纪念和忠诚的象征。迷迭香稍带刺激性，在传统医学中是补药和搽剂中常用的芳香成分。现在，其芳香油是味美思酒和多种化妆品的配料。迷迭香原产于地中海地区，已在美洲温带地区和欧洲归化。在美国温暖地区和英国广泛栽培于花园，在英国的花园中流传着一句话："哪里盛开迷迭香的鲜花，哪儿的主妇都当家。"迷迭香主茎高约一米（有时达二米余）；叶线形，长约1厘米，形似弯曲的松针，深绿色，上面光亮，下面白色，叶缘向叶背卷曲；花蓝色，成小簇生于叶腋，特别招惹蜜蜂。香精油含量0.3%～2%，以蒸馏法获取，主要成分为2-莰醇。

Rosemeyer, Bernd 罗泽迈尔（1909-10-14，德国林根～1938-01-28，默费尔登附近） 德国汽车运动员。是1935～1937年三个赛车季节世界上最杰出的汽车驾驶员之一。罗泽迈尔开始是摩托车队队员，后改为赛车队员。1935年获马萨克大奖赛冠军。1936年分别在德国、瑞士和意大利大奖赛中获胜，成为欧洲冠军。德国大奖赛冠军是在雾中取得的，故绰号"雾中开车能手"。在环德国比赛中创每小时276.38千米的纪录。在法兰克福—达姆施塔特公路上高速驶车，企图创一个公里最高时速纪录，因车轮脱落，车撞桥致死。

Rosenbach, A(braham) S(imon) W(olf) 罗森巴赫（1876-07-22，费城～1952-07-01，费城） 美国书籍和手稿收藏家、书商，他既有渊博的学识，又有敏锐的商业头脑。1901年获宾夕法尼亚大学哲学博士，在校时就酷爱古书。1903年与其弟菲利普创办罗森巴赫公司，经营图书（菲利普经营古董）。很快该公司已发展到有能力购下整座的图书馆。他的顾客中包括在加州圣马力诺建立亨·廷顿图书馆的H.E.亨廷顿和在纽约创建摩根图书馆的J.P.摩根。在古书拍卖会上他经常能喊出惊人的高价。1947年曾以11.5万美元的高价购进《海湾圣诗》，创古书拍卖的纪录。据估计他购书总值超过7 500万美元。他不但藏有丰富的英美图书，还收购了一整套儿童读物，后来捐给了费城免费图书馆。他购得8部古登堡版《圣经》，30多部莎士比亚第一版对开本。他发表了大量目录学和图书馆学的文章。他的《美国早期儿童读物》（1933）成为标准的参考书。1930年他在宾夕法尼亚大学设立罗森巴赫目录学奖学金，立遗嘱把全部财产捐出，于1950年建立了罗森巴赫基金会，以鼓励对图书、绘画及艺术的兴趣。其他著作还有《未发表的回忆录》（1917）和《猎书人的假日》（1936）等。

Rosenberg, Alfred 罗森贝格（1893-01-12，爱沙尼亚雷瓦尔～1946-10-16，纽伦堡） 德国纳粹主义理论家。鞋匠之子。1917年革命前曾在莫斯科攻读建筑学。1919年赴慕尼黑，在新生的纳粹党内与希特勒、勒姆、赫斯等为

伍。他任党的《人民观察家报》主编。希特勒因慕尼黑啤酒店暴动失败被捕后，指派罗森贝格为党的领袖。在《德国外交政策未来的方向》(1927)一书中，他要求征服波兰和俄

供图：Camera Press

国。《20世纪的神话》(1934)是对日耳曼人种族纯洁性的冗长的阐述。他认为日耳曼人应该主宰欧洲。其敌人是"俄罗斯鞑靼人"和"闪米特人"。后者包括犹太人、拉丁民族、基督教，特别是天主教。他的反犹主义和"北欧日耳曼民族"扩张主义使希特勒本人的疯狂偏见有了条理和依据。第二次世界大战初期，罗森贝格拉拢挪威的法西斯分子吉斯林与希特勒进行接触，讨论在挪威发动纳粹政变的可能性。法国失陷后，他负责将劫掠的艺术品运往德国。1941年7月以后，他在东部占领地区任无权的帝国部长。纽伦堡审判中被定为战争罪犯，判处绞刑。他的文章和演讲合编为《鲜血与荣誉》一书出版(1934～1941)。

Rosenberg, Harold　罗森堡(1906-02-02，纽约市～1978-07-11，纽约市)　美国作家、教育家和哲学家，以对20世纪视觉艺术的独特见解而知名。曾在纽约城市学院和布鲁克林法学院受教育。1939～1942年为公共事业振兴署工作并写了《美国导游》一书。出版的著作包括《街头漫步》(1942，诗集)、《新的传统》(1959)、《渴望的东西》(1964)、《艺术的再定义》(1972)和论述阿希尔·高尔基、威廉·德·库宁、索尔·施泰因贝格和巴尼特·纽曼等人的专著。他在全美各学院、大学讲学，作报告，并为《党派评论》、《艺术新闻》写过多篇关于文学艺术的文章。从1967年到去世一直是《纽约人》的艺术评论家，罗森堡关于J.波洛克、H.霍夫曼、M.罗思科和P.格斯顿等艺术家的许多著作有助于澄清关于各种抽象绘画的概念并回答关于抽象绘画各组成部分的问题。他对提高公众对20世纪40年代在纽约出现的抽象表现主义艺术运动的认识产生了影响。现在通用的名词"行动绘画"就是他最初用来形容该运动某一方面的用语。

Rosenberg, Isaac　罗森堡(1890-11-25，英格兰格洛斯特郡布里斯托尔～1918-04，法国)　英国诗人和画家。第一次世界大战中阵亡。早年学习绘画，在伦敦斯莱德美术学校时曾数次获奖。1915年参加英国军队，以他在1916～1918年间所写的"战壕诗歌"闻名，这些作品表现了他丰富的想象力和独特的意象。其《作品集》最初于1937年出版。

Rosenberg, Julius and Ethel　罗森堡夫妇(朱利叶斯，1918-05-12，美国纽约州纽约～1953-06-19，奥西宁；埃塞尔，1915-09-28，美国纽约州纽约～1953-06-19，奥西宁)　因间谍罪最早被处死的美国文职官员。罗森堡于1939年获得电气工程学博士学位，当时已是一个活跃的共产党员。1940年，任美国陆军通信兵工程师，企图利用职权与其妻子埃塞尔把军事秘密送给苏联。埃塞尔的兄弟D.格林格拉斯中士参与过原子弹研制工作，向罗森堡夫妇提供了原子武器的资料。这项情报后来转给苏联驻纽约市副领事。不久事发，罗森堡夫妇和格林格拉斯被捕。格林格拉斯因证明罗森堡夫妇的罪行被判刑15年。罗森堡夫妇于1953年在纽约被执行死刑。在罗森堡夫妇死后，发生了关于两人是否有罪的大辩论。两人经常被认为是愤世嫉俗、报复心切的联邦调查局官员的牺牲品。90年代初苏联解体，苏联情报的公开确认了罗森堡夫妇的确从事过间谍活动。

Rosenberg, William Samuel(U.S. theatre figure)　**罗森伯格**　参阅 **Rose, Billy** 罗斯。

Rosenbusch, Karl Heinrich Ferdinand　罗森布施(1836-06-24，德国汉诺威艾恩贝克～1914-01-20，海德堡)　又名Harry Rosenbusch。德国地质学家。奠定了显微岩石学(根据组分矿物颗粒光学性质研究岩石薄片)的基础。1873年任斯特拉斯堡大学岩石学教授。1878年任海德堡大学矿物学教授。1888～1907年任巴登地质调查局局长。在19世纪，对矿物光学特性的研究还处于萌芽状态时，他的研究是奠基性的。其巨著《岩石中重要矿物的微观特征》(1873)概述了根据组成岩石的矿物的形态特征、物理和化学性质鉴定岩石的实用方法。还记述了研究矿物光性的新仪器和新技术。他利用岩石学研究的新方法和新成果，写出了《块状岩石的微观特征》(1877)，提出了岩石分类的方案。这两部著作都是对矿物学和岩石学的经典性的贡献。还著有《岩石学原理》(1898)。

Rosenfeld, Lev Borisovich　罗森费尔德　参阅 **Kamenev, Lev Borisovich** 加米涅夫。

Rosenfeld, Otto(psychologist)　**罗森菲尔德**　参阅 **Rank, Otto** 兰克。

Rosenheim　罗森海姆　德国东南部拜恩州城市。在因河与芒法尔河交汇处，慕尼黑东南，靠近德奥边界。中世纪是意大利—北欧通道上的重要商业城镇。1864年建制。为拜恩州下阿尔卑地区一个行政、经济、交通中心。仍保存有中世纪的广场和旧房屋。15世纪的教区教堂于1881重建。该市伐木业重要，有林业技术学校。人口约54 304(1989)。

Rosenwald, Julius　罗森沃德(1862-08-12，美国伊利诺伊斯普林菲尔德～1932-01-06，芝加哥)　美国商人和慈善家。尤以资助黑人的教育而著称。在纽约市(1879～1885)和芝加哥(1885～1895)经营服装业务取得相当成功后，购买了西尔斯-娄巴克公司的四分之一股权。1910年继西尔斯为总经理，1925年被任命为公司董事长。与该公司司库A.H.洛布一起建立了职工储蓄与分红制。在罗森沃德

芝加哥大学供图

领导下，该公司开始制造自己销售的产品，并制订出顾客不满意可保证退款的方针。早自20世纪初，就很关心美国黑人的福利，1917年建立了罗森沃德基金会，主要目的是用以改良黑人教育。加以当地的税收和某些私人馈赠，基金数额有所增加，拨款为南方15个州建立了5 000余所学校。在芝加哥，他建立了科学与工业博物馆(1929)，为芝加哥大学提供巨额捐款，在许多公立学校里设立了牙科诊室。

Rosenzweig, Franz　罗森茨维格(1886-12-25，德国卡塞尔～1929-12-10，美因河畔法兰克福)　德国犹太人宗教存在主义者、现代最有影响的犹太教神学家。他先在格丁根、慕

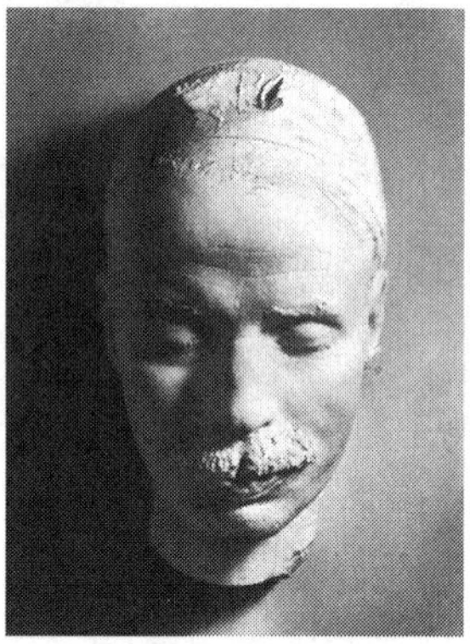

罗森茨维格的遗容面模
供图：N. N. Glatzer

尼黑和弗赖堡等大学学医，几学期后即因兴趣不合而转学，先后在柏林和弗赖堡大学学习现代历史和哲学。1910年开始研究黑格尔的政治理论。1912年获博士学位，当时作为考核内容的论文后来收入数年后完成的巨著《黑格尔和国家》一书。通过深入研究，他认为黑格尔过分强调历史的重要性，而且，黑格尔认为个人生活与"整体"无关，这也是值得怀疑的。罗森茨维格批驳黑格尔也就是反对通称德国唯心主义的哲学运动，这种哲学企图通过抽象的概念理解现实。于是他逐渐趋向于主张从具体个人的经验和兴趣出发观察事物的存在主义。他的几位友人，特别是法学家、历史学家罗森斯托克-胡埃锡，与他同样不满当时的经院哲学，提出要解决人类的问题必须依靠宗教信仰特别是基督教，必须建立人与上帝之间的对话关系。经过激烈内

心斗争，罗森茨维格于1913年决定放弃他本人本来理解不多的犹太教传统，接受友人的劝告，承认现代基督教是存在主义的、建立神人对话关系的宗教，并准备受洗礼。正在这个关键时刻，他在柏林一处具有悠久历史的犹太教小会堂参加赎罪日礼拜。这个礼拜仪式的主题是表示人类有罪而上帝宽恕，人生在世就是面对上帝，上帝独一无二，上帝怜爱世人。他深深为这种礼仪内容所动。本来他以为只能在基督教会中找到为世人指明方向的信仰，现在却在犹太教会堂中发现，遂决心继续保持犹太教信仰，以毕生精力研究、宣讲并实行犹太教义。第一次世界大战爆发后，罗森茨维格参军。1918年在波兰华沙附近德军占领区内某地受军官训练期间，趁机体验东欧犹太人的生活习俗。回到战地以后，决心提出一种存在主义宗教哲学，说明上帝、人、世界三者之间的关系。这种"新思想"以人的经验、常识以及语言与对话的实际为根据。1921年发表结构谨严的著作《救赎之星》，阐述上述思想，其核心是上帝的"启示"，即上帝出于爱心而垂顾于人，使人自觉"自我"的存在。1920年与柏林籍的哈恩女士结婚，并著《教育与无尽》，概要提出成立犹太教成人教育中心的计划。同年这一中心在美因河畔法兰克福成立。称自由犹太教讲习所，由他任所长。该所鼓励学员学习古典希伯来文典籍，搜集有关重要资料。尔后德国其他许多地方也设有这种学校。1922年患肌萎缩性（脊髓）侧索硬化，不能继续主持这些学校。此后依靠同夫人用手式传意，利用特制打字机从事著述，撰写重要论文多篇，编注中世纪诗人犹大·哈列维的希伯来文诗歌。从1925年起与德籍犹太哲学家、《圣经》注释家布贝尔合作，编译希伯来文《圣经旧约》的新德文译本。

roseola infantum　幼儿急疹　又作exanthem subitum。幼儿的急性病毒性传染病。传染性不大，症状为体温骤升达41 °C，持续约三天，然后降到正常，热退后数小时躯干、颈及耳后出现微痒的皮疹，两天后迅速消退。治疗为对症治疗。应注意与麻疹相区别。本病致病微生物为滤过性病毒，接触性传染。

roses, attar of　参阅 **attar of roses 玫瑰油**。

Roses, Wars of the　玫瑰战争（1455～1485）　在英国史上，指都铎王朝产生前王室间的一系列内讧。兰开斯特家族和约克家族为了争夺王位，不断发生战争。双方各佩有标记：红玫瑰代表兰开斯特家族，白玫瑰代表约克家族。两个家族都因是爱德华三世的后嗣而要求继承王位。1422年亨利五世去世，国家就长期落入亨利六世的小宗派手中。大贵族拥有私人军队控制着乡村。法制不得伸张，课税十分繁重。亨利六世懦弱无能，时犯疯病，对王后安茹的玛格丽特唯命是从，听任英格兰在法国的地位每况愈下。1453年亨利六世完全发疯，由沃里克伯爵巴里查德·内维尔支持的一个贵族集团立约克公爵理查为摄政王。1455年亨利康复，玛格丽特集团重又抬头，约克用武装来保卫自己。5月22日在圣奥尔本斯发生首次战役，约克家族取得胜利。此后休战4年。1459年重新开战。9月23日，约克家族在布洛尔希思获胜，但10月12日在卢德福桥的遭遇战中大败。沃里克伯爵到法国重整军队，1460年6月回国，7月10日在北安普敦的决定性战役中大败兰开斯特军。于是，约克家族取得在亨利死后继承王位的权利。然而，玛格丽特王后并不甘心。她在北英格兰积聚力量，12月奇袭韦克菲尔德，杀死约克公爵。在南下伦敦时发生第二次圣奥尔本斯战役（1461-02-17），大败沃里克。与此同时，约克公爵的长子爱德华于2月2日在莫蒂默斯克罗斯打败兰开斯特军队，2月26日先于玛格丽特到达伦敦。3月4日，小约克公爵加冕，称爱德华四世。此后，爱德华又率军向北追赶玛格丽特至陶顿。在这场伤亡最惨重的激战中，约克家族大获全胜。亨利、玛格丽特和儿子逃往苏格兰。玫瑰战争的第一阶段至此结束。

战争的第二阶段是由约克家族的内讧引起的。沃里克一伙在朝廷中愈来愈不受重视，沃里克与国王在外交问题上也有分歧。1469年沃里克和克拉伦斯公爵在北方起事。7月，他们在埃奇科特击败爱德华的支持者，不久生擒国王。1470年3月，爱德华重新得势，沃里克和克拉伦斯逃往法国，与路易十一和宿敌玛格丽特结成联盟。9月回国后，又废黜爱德华，把王冠还给亨利六世。爱德华逃往尼德兰求援，1471年3月在勃艮第人援助下回国。爱德华施用谋略，4月14日在巴尼特彻底打败沃里克。玛格丽特同日在韦茅斯登陆。她得悉沃里克大败之后，就向西进军，企图到达威尔士的安全地带。但爱德华抢先赶到塞文河，5月4日在蒂克斯伯里一战中生俘玛格丽特并杀死其子。不久以后，亨利六世也在伦敦塔被暗杀。这样，爱德华得以稳居王位，直至1483年死去。他死后，兄弟理查三世篡夺幼主爱德华五世的继承权。约克家族众叛亲离。他们把希望寄托在兰开斯特家族的亨利·都铎（后为亨利七世）身上。在法国和约克家族降兵降将的帮助下，1485年8月22日亨利在博斯沃思原野杀死理查，结束了这场战争。1486年，他与约克家族爱德华四世的女儿伊丽莎白结婚，解决了两个家族的长期纷争。1487年6月6日亨利又粉碎了觊觎王位的兰伯特·西姆内尔的支持者的一次叛乱，所以有些历史学家也将这个时期作为战争结束的时间。

Roset, Michel　罗塞（1534-06-15，日内瓦～1613-08-28，日内瓦）　瑞士政界人物，1564年宗教改革家约翰·加尔文死后，他在日内瓦的事务中起最重要的作用。他拥护神权政治，反对反加尔文的自由党。1568～1612年间14次当选日内瓦市长，实行归附瑞士联邦、抵制萨伏依的影响的政策。1584年与苏黎世和伯尔尼结为永久性同盟。在与萨伏依断续作战多年（1589～1603）之后，他主持了第二次圣于连条约（1603-07-27）的议和。他在日内瓦政治中举足轻重，曾代表日内瓦城出使100次以上。他去世时，被市议会授以国父称号。

Rosetta　罗塞塔　阿拉伯语作Rashīd（拉希德）。下埃及布海拉省城镇。位于尼罗河三角洲西北部。建于公元800年左右。17和18世纪前为商埠，地位重要。亚历山大兴起后衰落，法国拿破仑军队一军官1799年曾在城北圣于连堡附近发现著名的罗塞塔石碑。这块石碑使法国学者商博良在1822年成功地破译了埃及的家族文字。该城原为英属东印度公司的商港，现仍从事沿海贸易，也有稻米加工业和渔业。有公路和铁路通亚历山大和达曼胡尔。人口约47 200（1983）。

Rosetta Stone　罗塞塔石碑　古埃及石碑，由于其所载铭文的解读成功，使人们读懂象形文字。这是一座形状不规则的黑色玄武岩石碑，长114厘米，宽72厘米。在古代即已

罗塞塔石碑
不列颠博物馆供图

折断，1799年8月发现于亚历山大城东北56千米的罗塞塔镇附近，现藏不列颠博物馆。铭文撰于托勒密五世（公元前205～前180）在位第九年，志其践位庆典，显然出自祭司手笔。碑文用埃及和希腊两种语言和3种文字体系——象形文字、通俗文字（埃及象形文字的草写体）和希腊文字——雕刻而成，为解读古埃及象形文字提供了线索。碑文的释读主要是由英国物理学家T.杨（**Young, Thomas**）和法国的J.-F.商博良（**Champollion, Jean-François**）完成的。罗塞塔石碑的象形文碑铭中含有6个同样的象形字加椭圆圈符号。杨考释其为托勒密的名字，并证实了长期以来的一个设想，即其他铭文中所见的椭圆圈字符都是王室成员的名字。通过检验石碑上鸟和动物所朝的方向，杨还发现了象形文字符号的读法。1821～1822年商博良在杨的基础上继续进行释读工作，在研究罗塞塔石碑之后，发表了关于释读僧侣体和象形文字的专题论文，并且编纂一整套与希腊文相对应的符号表。在埃及学学者中他第一个意识到有些符号是字母，有些是音节，有些则是义符，用以表示前面表达过的整个思想或事物。他还证实罗塞塔石碑上刻的那段象形文字碑铭是译自希腊文的，而不是像过去所认为的那样，希腊语是译文。

Roseville　罗斯维尔　美国密歇根州东南部马科姆县城市。位于底特律东北。邻近圣克莱尔湖。1843年随爱尔兰和德国移民大量迁

人而发展起来。1926年设村。1958年设市。现在主要为住宅区,有轻工业。人口51 412(1990)。

Rosewall, Ken **罗斯沃尔**(1934-11-02,悉尼～) 澳大利亚网球运动员,参加重大比赛25年共获18次四大比赛冠军。他身材瘦小羸弱,但称霸球坛比其他强手时间长得多,从未严重受伤。1953年首次获温布尔登双打冠军和法国单打冠军。1956年罗斯沃尔转为职业运动员,于1963、1965和1971年夺走美国职业单打冠军。然而他真正的成就从1968年网球公开赛开始之后才取得。1970年,即战胜霍德获美国锦标赛冠军14年之后,击败罗奇而再次荣获此项冠军。1972年,即首次获澳大利亚单打冠军19年之后,又获此项赛事冠军。1973年为澳大利亚夺得戴维斯杯。

rosewood **黄檀木** 又称花梨木。产于巴西、洪都拉斯、牙买加、非洲、印度等地的热带树种,可作装饰木材。黄檀木呈深红褐至紫褐色,多条纹,夹有黑色的树脂层,可以抛光,但它的油脂性不利于加工。心材虽然很粗大,但不能成方材或板材,因为这种树在达到成熟年龄以前,心材就开始腐朽,致使中心部分出现空洞。家具和钢琴制造业曾一度大量需求黄檀木,至今制造木琴仍然选用此种木材,不过由于产量减少而受到限制。巴西、牙买加及洪都拉斯以前都曾出口黄檀木。

Rosh **罗什** 参阅**Asher ben Jehiel** 亚设(本·约希勒)。

Rosh Hashana **岁首节** 又称纪念节。犹太教重大节日,在提市黎月初一(公历9、10月间),即犹太教历新年的开始。教历新年年初10天为自省悔罪之期,因此岁首节又称周年审判日。礼仪中的独特内容是按照《圣经·民数记》(29:1)的教导吹角。岁首节的第一夜要准备美味食品,象征吉祥。次夜品尝蘸蜜的面包和水果并诵祝词。

Rosh Ḥodesh(Judaism) 参阅**New Moon** 新月节。

Rosicrucian **玫瑰十字会** 又译蔷薇十字会。散见于世界各地的秘密结社。其成员声称有古传秘术。该会以玫瑰花和十字架图案为标志,故名。该会信仰是融合不同宗教的奥秘教义而成。该会起源不详,现存最早的有关史料是1614年初版的《兄弟会的传说》,该书可能对玫瑰十字会的形成有促进作用。书中记述基督教徒罗森克洛兹的旅行经历,据说此人就是玫瑰十字会的创始人,生于1378年,在世共106岁。现在一般人认为其人并不存在,仅是象征性人物。

Rosidae **蔷薇亚纲** 双子叶显花植物的一个亚纲,木本或草本。本亚纲含18个目,绝大多数种类分布于五个目中:豆目、桃金娘目、大戟目、蔷薇目和无患子目。本亚纲共有114科,近60 000种。多数种类的花有明显的花瓣,罕见连合形成分裂的花冠。雄蕊螺旋状排列,通常为多数。雌蕊由一心皮或多个离生心皮构成。蔷薇目被认为是本亚纲中历史最悠久的目,也是本亚纲其他各目的祖先。本亚纲其余各目为山龙眼目、河苔草目、小二仙草目、红树目(Rhizophorales)、山茱萸目、檀香目、大花草目、卫矛目、鼠李目、亚麻目、远志目、牻牛儿苗目和芹目(Apiales)。

rosin **松香** 又作colophony或colophonium。用于制作清漆和多种产品的半透明脆而易碎的树脂。受热时变黏并且略带松树气味。树胶松香是将松脂蒸馏而得的残余物(挥发性成分是松节油精)。木松香是用溶剂浸提树桩得到的物质,颜色较暗。松香及其化学衍生物主要用作制造肥皂、清漆、封蜡、印刷油墨、催干剂、纸张胶料、胶黏剂、黏合剂、焊剂、绘画上光油、木桶沥青封剂,还有小提琴弓和其他弦乐乐器用松香。松香还可用作舞鞋和舞台地板的防滑剂。欧洲松香主要产自海岸松和广泛种植在法国吉伦特和朗德地区的南欧海松。北欧松香产自欧洲赤松。欧洲各国的地方松香则产自于各种松树。美国松香产自南大西洋各州和东海湾地区各州的长叶松和火炬松。

Roskilde **罗斯基勒** 丹麦西兰岛东部罗斯基勒州的城市和首府。位于罗斯基勒峡湾顶端,曾是丹麦国王驻地(约1020～1416)和丹麦首都(至1443),以及最重要的宗教中心。现为西兰岛最大的铁路枢纽和交通中心。市内有制革、酿酒、熏肉等工厂。附近的里瑟半岛有原子能发电厂和研究所。该市的大教堂约1170年动工,1464年落成,兼有罗马式和哥特式两种建筑风格。北欧海盗遗物博物馆展有1 000年以前的长艇。罗斯基勒州1970年设立,面积891平方千米。该州与哥本哈根市关系密切。罗斯基勒和克格是主要的都市中心。1972年建立罗斯基勒大学中心。人口:市43 753;城市区约53 472;州约236 151(2003)。

Rosmead, Hercules (George Robert) Robinson, 1st Baron **罗斯米德男爵(第一)** 参阅 **Robinson, Sir Hercules (George Robert)** 鲁宾逊。

Rosmini-Serbati, Antonio **罗斯米尼-塞尔巴蒂**(1797-03-24,奥地利蒂罗尔州罗韦雷托[今在意大利]～1855-07-01,伦巴第斯特雷萨[意大利]) 意大利宗教哲学家、仁爱学会的

供图:Brogi—Alinari from Art Resource

创始人,仁爱学会又称罗斯米尼学会,是致力于教育和慈善事业的天主教宗教机构。罗斯米尼出身贵族,在帕多瓦大学专修哲学,1821年受祝圣。他撰文著述并从事活动,声援意大利的民族主义运动,并与其他人一道,复兴意大利哲学,这种哲学复兴在意大利国外没有发生什么影响,但在当时有重要意义。罗斯米尼受仁爱女儿会创办人玛德莱娜的影响,于1828年在多莫多索拉组成仁爱学会。该会于1839年由教皇格列高利十六世批准。罗斯米尼的第一部哲学著作是《理念的根源》(3卷,1830),自此即开始了终身的神学争论生涯。他的哲学试图融合天主教神学与现代政治及社会思想。他的哲学体系的中心是关于理想存在的概念:理想存在是上帝在人类中间的反映;它参与永恒真理,因而在通过感官而获得一切知识的过程中是不可缺少的,理想存在一方面是测断逻辑中的真理与必然性的至高标准,另一方面,也是在法律及政治方面人格尊严观念的依据。罗斯米尼欢迎意大利民族主义运动,但是强烈批评这个运动的反教会、反天主教倾向。1848年,他与教皇庇护九世建立密切联系,罗马爆发革命之后,他于1848年11月陪同教皇流亡。但是,在1849年,罗斯米尼的两部鼓吹教会改革的著作被列在《禁书目录》上。罗斯米尼屈服于教皇的权威,隐退于斯特雷萨。

Ross, Betsy **罗斯(夫人)**(1752-01-01,宾夕法尼亚州费城[美国]～1836-01-30,费城) 母家姓Griscom。传说她是创制第一面美国国旗的女裁缝。作为一名费城少女,她表现出相当出色的缝纫天资。1773年与家具商J.罗斯结婚,即在其店内工作。1776年丈夫参加民兵战死,她便继承店务。根据她的外孙W.坎比1870年提出的一份文件所述:1776年6月G.华盛顿、R.莫里斯和她已故丈夫之叔G.罗斯曾经访问罗斯夫人,请她为定于下月宣告独立的新国家制作一面旗帜。在向她征求对国旗草图的意见后,华盛顿重新绘制了图案。相传她就在后厅里缝制了这面国旗。人们均知罗斯夫人曾为宾夕凡尼亚的海军制作军旗,但对流传甚广的有关国旗的故事则尚缺乏确实的证据。1777年6月14日,大陆会议决定采用星条旗作为美国国旗。罗斯夫人曾两次守寡,后在7个女儿之一的家中度过晚年。

Ross, Sir David **罗斯**(1877-04-15,苏格兰凯斯内斯瑟索～1971-05-05) 全名William David Ross。苏格兰理性主义道德哲学家和功利主义的批评者。提出一种建立在直观知识而不是"自然主义"之上的"认识的非决定主义"。其观点与康德哲学的区别在于他主张的义务伦理学更多地依赖于直接的知识和信念而不是依赖客观的绝对。他主张责任是直观的,因而提出"善"和"正义"不能看作是一回事。"善"属于动机,"正义"则属于行为。此二者既难以确切解释,也不能混为一谈。罗斯曾在牛津大学巴利奥尔学院和爱丁堡大学接受古典著作的训练,编辑了亚里士多德著作的牛津英译本(1908～1931),翻译过《形而上学》(1908)和《尼各马可伦理学》(1925),

因而被公认为研究亚里士多德哲学的学者。他的主要学术经历和公务经历如下：1902～1947年在奥里尔学院先任讲师，后升为院长；1941～1944年为牛津大学副校长；1947年为国际学术联合会主席；1936～1952年为几个政府委员会的主席；1947～1949年为皇家出版委员会主席。由于他在第一次世界大战时期出色的军需工作而于1938年受封为爵士。罗斯的著作有《亚里士多德》(1923)、《正义和善》(1930)、《伦理学基础》(1939)、《柏拉图的理念论》(1951)和《康德的伦理理论》(1954)等。

Ross, Edward A. **罗斯**(1866-12-12，美国伊利诺伊弗登～1951-07-22，威斯康星麦迪逊) 全称 Edward Alsworth Ross。美国社会学奠基人、综合社会学理论的前驱，也是多产作家。

威斯康星大学供图

他善于写作群众喜闻乐见的题材，大有助于激发人们对社会科学研究的兴趣。他提倡改良论的社会学，极力使社会学用于社会改革。1893年任加利福尼亚州斯坦福大学行政管理学与财政学教授，但对社会学更感兴趣，认为社会学是实行社会改革的一种工具。由于其政治观点(鼓吹美国政治中的平民党政策)与大学创办人的遗孀利兰·斯坦福夫人大相径庭，1900年被解聘。1906～1937年在威斯康星大学执教。他的《社会控制》(1901)一书阐述对个人实行社会限制的理由和办法，长期以来被认为是一部经典著作。他的《社会心理学》(1908)是美国此类论著的早期名作之一，读者很多。《罪恶与社会》(1907)是他对社会法理学的研究成果。《社会学原理》(1920)多年来一直是一部标准教科书。

Ross, Harold W. **罗斯**(1892-11-06，美国科罗拉多阿斯彭～1951-12-06，马萨诸塞波士顿) 全名为 Harold Wallace Ross。美国报刊编辑。创办并发展了《纽约人》周刊。该刊自1925年问世起，即对美国的幽默作品、小说及报道产生了影响。罗斯没有上完中学便去当了记者，第一次世界大战期间任驻在法国的美国军人报纸《星条旗报》的编辑。1925年，得到一位富有朋友弗莱施曼的赞助，创办了《纽约人》，很快便将更著名的杂志《名利场》的一些知名作家拉了过来。有才华的年轻作家和艺术家为该杂志创新的文风及罗斯的鼓励所吸引，纷纷支持该刊。罗斯主办的《纽约人》对作家不论有名无名，均一视同仁。编辑寻求的是好作品，而不是作者的名声。怀特、瑟伯和吉布斯等作家定期为该杂志撰稿，从而树立了自己的名望。漫画家霍金森、阿诺、亚当斯和佩蒂等人对此同样作出贡献。尽管罗斯在1951年去世前已把主编的许多职责交给肖恩，但仍在《纽约人》杂志保持影响力达25年之久。

Ross, Sir James Clark **罗斯**(1800-04-15，英格兰伦敦～1862-04-03，白金汉郡艾尔斯伯里) 英国海军军官，曾在北极和南极洲进行过重要的磁力测量，发现了南极洲的罗斯海

伦敦国立肖像画陈列馆供图

和维多利亚地。1819～1827年曾参加W.E.巴里的北极航行。在参加其叔父的第二次北极航行时，他于1831年6月1日测定了北极的位置。1839年～1843年他进行南极航行时进行了磁观测并到达南极点。在指挥"厄列贝斯"号和"特罗尔"号航行时，于1841年发现了罗斯海。在向被测定为磁极的位置航行时，又发现了维多利亚地。他在塔斯马尼亚的霍巴特过冬之后，于1841年11月再次航行去南极洲，测绘了格雷厄姆地部分海岸的海图，并围绕威德尔海冰区航行。1843年返回英国后受封爵士。

Ross, John **罗斯**(1790-10-03，美国北卡罗来纳西区卢考特山附近～1866-08-01，华盛顿[哥伦比亚特区]) 印第安名 Tsan-Usdi(桑犹兹地)。美国切罗基族印第安人酋长，毕生为

美国国会图书馆供图

反抗美国夺取佐治亚州印第安人土地而斗争。父为苏格兰人，母亲有切罗基人血统，他蓝眼白肤。虽曾在田纳西州金斯敦中学受过教育，但后来作为印第安人长大。19世纪初他成为切罗基族抵抗白人夺取其生息数百年之久的11.1万平方千米保管土地的领袖。1819～1826年任切罗基部落会议主席。切罗基族当时已成为一个定居的民族，有优良的牧场、学校和代议制政府。1823年罗斯揭露联邦官员企图向他行贿以骗买切罗基族土地的行为。5年后，他成为切罗基部落的主要首领，并主持起草了该部落的宪法。罗斯利用战争以外的各种手段英勇保卫切罗基族的自由和财产，本人曾被监禁，家产也被充公。1830年5月美国国会通过《印第安人移居法》，以武力胁迫切罗基族放弃世代居住的肥沃土地迁往陌生的西部草原。1838～1839年，罗斯被迫率领他的人民踏上凄惨的"眼泪之路"，前往密西西比河以西的保留地。在西部，罗斯主持制订了部落《宪法》(1839)，并被选为新政府的首脑。

Ross, Sir John **罗斯**(1777-06-24，苏格兰威格敦郡巴尔萨罗奇～1856-08-30，英格兰伦敦) 英国海军军官。在其为找寻连接大西洋和太平洋的北美水道——西北通道——的第二次北极探险中测定了北磁极。在对现今是加拿大北极地区的地域进行的第二次探险中(1829～1833)，发现了布西亚半岛、威廉王岛和布西亚湾，并进行了测量。他在1831年乘雪橇考察时，他的侄子詹姆斯测定了磁极位置。次年，探险队的船只在冰块中被挤破。他和队员们在1833年夏被一只捕鲸船救起，返回英国。1839～1846年任英国驻斯德哥尔摩总领事。他在1850年进行了去美洲北极地区的第三次航行，想寻找失踪的探险家富兰克林，但未成功。1834年被授予爵士位。1851年晋升海军少将。

Ross, Martin(19th-20th-century Irish novelist) **罗斯** 参阅 **Somerville and Ross 萨默维尔和罗斯**。

Ross, Nellie Tayloe **罗斯(夫人)**(1876-11-29，美国密苏里圣约瑟夫～1977-12-20，华盛顿) 母家姓温斯。美国第一位女州长、第一位女造币局局长。其夫民主党人W.B.罗斯原为怀俄明州州长，在任期届满而选举即将举行之际去世，罗斯夫人遂被选为州长，接替其夫之职。1926年她以甚微差距败于共和党州长候选人，改任民主党全国委员会副主席。1933年罗斯福总统任命罗斯为造币局局长，在任20年。

Ross, Sir Ronald **罗斯**(1857-05-13，印度阿尔莫拉～1932-09-16，英格兰伦敦帕特尼希思) 英国细菌学家，因其对疟疾的工作而获1902年诺贝尔生理学或医学奖。他在按蚊属(*Anopheles*)蚊虫胃肠道中发现疟原虫，这使人们认识到疟疾是由按蚊传播的；他的发现奠定了疟疾防治工作的基础。1879年获医学

伦敦国立肖像画陈列馆供图

学位后进印度医务署任职，并曾参加1885年第三次英缅战争。1888～1889年间于度假期中至伦敦学习细菌学，后返印在P.曼森的指导和帮助下于1892年开始研究疟疾。1897年在按蚊中发现疟原虫。利用患疟疾的病号，他很快就弄清疟原虫的生活史，包括在蚊虫唾液腺中找到疟原虫。他证明了疟疾是通过蚊虫叮咬而由病鸟传给健康鸟，这个发现启示人类间的传染也是如此。1899年罗斯回英并参加利物浦热带医学校，后又至利物浦大学。1911年受封为爵士。1912年任伦敦国王学院附属医院的热带病医生，后出任为他建立的罗斯研究所及罗斯热带病医院的主任。除数学论文、诗歌、小说外，曾著《疟疾的预防》(1910)一书。

Ross and Cromarty 罗斯-克罗默蒂 原为苏格兰北部的一个郡。1975年重划行政区时划归**高地**(**Highlands**)行政区**罗斯-克罗默蒂**(**Ross and Cromarty**)区。原郡东起北海西至大西洋横跨整个苏格兰，包括现为**西部群岛**(**Western Isles**)一部分的外赫布里底群岛中的刘易斯岛。居民原为讲盖尔语的皮克特人，公元6～7世纪，圣科伦巴的信徒使皮克特人改信基督教。此后3个世纪中，该地居民不断受到斯堪的纳维亚海盗的骚扰。12世纪，苏格兰国王大卫一世为了打击当地凯尔特人的力量，向该地迁入盎格鲁-诺曼人。与此同时，出现了罗斯伯爵领地。至16世纪，整个地区为不同家族所占有，主要有罗斯、芒罗、麦克劳德、麦克唐纳和麦肯齐家族。这些世代结仇家族之间有时发生一些冲突，除此之外，该郡只发生过两次战争：一次是因弗卡伦战争(1650年)，在这次战争中，詹姆斯·格雷厄姆·蒙特罗斯的保王党军队被阿奇伯尔德·斯特罗恩上校的议会军队打垮；另一次是格伦希尔战争(1719)，约瑟夫·怀特曼将军打败了由西福斯伯爵领导的詹姆斯党的一次小规模起义。1661年罗斯郡建立，1685年和1698年克罗默蒂成为郡。克罗默蒂郡在东部的克罗默蒂湾周围，面积较小。其余部分为罗斯郡，向西延伸至大西洋。1889年两郡合并。

Ross and Cromarty 罗斯-克罗默蒂 苏格兰北部的一个历史地区。由原罗斯-克罗默蒂郡2个历史郡组成。横贯苏格兰北部，西起崎岖不平、凹凸不齐的大西洋岸，东至北海的马里湾。主要为高地古岩石区，丘陵地带为开析台地表层，有冰川峡谷，沿东部海岸的低地区有肥沃的冰川沉积土壤。西部壮观的山峰和大西洋沿岸风光与东部田园风光形成鲜明对照。西部气候温暖潮湿，东部则较为干燥。东部土层厚、土壤肥沃、日照时间长，有许多大型农场，主要种植谷物和马铃薯等，饲养大量的牛羊。西部高地土质贫瘠，佃农或自耕农从事传统的自给农业，还有一些大羊圈和林场。西部沿海居民从事捕鱼业，主要出产鲱鱼和鲑科鱼。传统工业有酿造威士忌和一些农产品加工。20世纪60年代引进大工业，在因弗戈登建起一座铝冶炼厂。自从过去10年发现和开发北海油田以来，克罗默蒂湾沿海的工业迅猛发展。在临近北海油田的沿岸有背风的深水区，这使与石油有关的工业，如尼格和因弗戈登的钻井平台装配厂和海底油管加工厂发展起来。然而，工业的发展主要是以克罗默蒂湾沿岸为中心。在边远地区，农村人口仍不断减少。该区没有大城镇，区首府丁沃尔、因弗戈登和克罗默蒂均位于较为繁荣的东部沿海地区。西部仍为分散的自耕农乡镇和渔村。

Ross Ice Shelf 罗斯陆缘冰 世界最大的浮动冰原。位于南太平洋**罗斯海**(**Ross Sea**)顶端，深入南极大陆海岸，约在西经155°～东经160°，南纬78°～86°。面积约496 000～540 000平方千米。1841年英国南极探险家罗斯首先发现陆缘冰前缘是雄伟壮观的白色障壁，高50米或60米，从西面的罗斯岛延伸至东面的爱德华七世半岛，长约800千米。广阔而起伏平缓的冰面向南延伸约950千米，直抵南极大陆中心区，成为深入南极腹地的通道。美国和挪威等国先后在此建科学观测站。有一系列大冰川流入陆缘冰，将南极洲东部高处的冰层带到该处。该陆缘冰状如一巨大的三角冰筏，因冰层相对单薄和活动，与陆地联接不紧密。冰障后产生巨大缝隙，并不时完全断裂而产生大量典型的南极海上巨型平顶冰山。结果，该陆缘冰表面上静止不动，实际上是向北移动中不断切割、融化。在南纬79°线冰层厚度约为330米，沿西经168°向南递增到700米。估计在距冰障160～300千米处，每年因底部结冰而增厚380～500毫米，净增质量约为1.8×10^{13}千克。

Ross Island 罗斯岛 罗斯海西部的火山岛。位于南极洲维多利亚地岸外，罗斯陆缘冰的北缘。为新西兰属地。岛上有埃里伯斯活火山(12 450英尺[3 800米])和特罗尔山(10 750英尺)。1979年在埃里伯斯山发生航空事故，257名南极观光和摄影者丧生。岛上的美国基地麦克默多站位于最南端的阿米塔吉角以北。其南约1英里是新西兰的斯科特站，两站之间有一个名为瞭望山的陡峭金字塔形岩石。英国的E.H.沙克尔顿和R.F.斯科特均在岛上建有营地。

Ross-on-Wye 瓦伊河畔罗斯 英格兰赫里福德-伍斯特郡南赫里福德区一堂区(城镇)。为古老的市场集镇和风景优美的瓦伊河谷地区的中心，以其风景的全貌闻名，因而吸引许多旅游者。也是附近高产农业区的中心。人口约7 182(1981)。

Ross Sea 罗斯海 南太平洋伸入南极大陆海岸形成的海域。位于维多利亚地阿代尔角(西)与爱德华七世半岛的科尔贝克角(东)之间，中心大约在西经175°、南纬75°处。面积370 000平方英里(960 000平方千米)。北界相当于大陆架外缘，南界为巨大冰障构成的罗斯陆缘冰前缘。海水较浅，大部不到3 000英尺，广大西部浅海区水深不足1 000英尺，是南极地区浮冰较少、最容易接近的边缘海之一，为探险船舶进入南极大陆的传统航路。1841年1月5日英国人詹姆斯·罗斯率领两艘船首先到达这一海域。嗣后，英国、挪威、日本、美国、新西兰等相继在罗斯陆缘冰上设站，进行考察调查。海岸地区至少已进行过地质草测，维多利亚地南部麦克默多湾附近陆地业经彻底勘察。罗斯海在强大的沿岸东风漂流影响下，形成大规模的顺时针环流，下层海水随之上涌。表层海流沿冰障前缘向西流动，然后沿维多利亚地北流，与西风漂流汇合。深度在1 000英尺以内的最低水温为－2.1°C。表层水温在麦克默多湾平均为－1.8°C。海水富含养料，浮游生物极其丰富，为鱼类、鲸、海豹、鸟类提供丰富食料。有大量阿德利企鹅和帝企鹅群栖息在罗斯海周围地区。

Ross seal(*Ommatophoca rossi*) **罗斯氏海豹** 海豹科南极哺乳动物。面部短，眼大，毛粗糙。体背面浅绿灰色，两侧有浅黄色条纹，腹面色较浅。体长约2.3米，体重约150～215千克。以头足纲动物、鱼类和浮游生物为食。通常独栖。人们对其所知甚少。

Rossby, Carl-Gustaf Arvid 罗斯比(1898-12-28，斯德哥尔摩～1957-08-19，斯德哥尔摩) 又译罗斯贝。瑞典-美国气象学家，在研究大尺度空气运动方面的创新和对大气运动方程的采用方面，大大加速了气象科学的发展。1926年移居美国华盛顿(哥伦比亚特区)，成为美国气象局的美国-斯堪的纳维亚研究基金会特别会员。1928年任麻省理工学院气象系(美国大学第一个气象系)教授兼主任。在那里，他对气团和大气湍流中热量交换的认识做出了重大贡献，还探讨了海洋学，研究洋流之间的关系及其对大气的影响。1938年加入美国国籍，翌年任气象局局长助理，主管研究和教育工作，并开始研究大气环流。1941年任芝加哥大学气象系主任。他在研究中确认了高空西风带气流中的正弦长波即现在通称的**罗斯比波**(**Rossby wave**)，并提出了它们的运动理论。他还以确认了急流并提出阐明急流特性的主要理论而闻名。他研究天气预报的数学模式，并引进罗斯比方程。1950年用该方程和先进的电子计算机来预报天气。1950年回到瑞典，在他同斯德哥尔摩大学共同创办的气象研究所工作。1954～1957年，他在提高人们对大气化学的兴趣，以及对空中化学物质同陆地和海洋的相互作用的兴趣等方面发挥了一定的作用。

Rossby wave 罗斯比波 又称罗斯贝波。在气象学中，发生在急流轴中并分隔极地冷气团和热带暖气团的大型对称波动，为纪念C.-G.A.罗斯比命名为罗斯比波。他最先鉴别出这种波，并解释它的运动。罗斯比波是在热带空气向极地移动，而极地空气同时向赤道移动时形成的。赤道和两极由于获得的太阳辐射量不同而产生温度差异，热量趋向于从低纬度流向高纬度，这种热量输送中一部分将由上述空气运动来完成。热带空气向极地输送热量，极地气团在向赤道移动过程中吸收热量。当波动变得很明显时，冷暖气团闭合成环，彼此分开，这些封闭的气团变成低气压单体(气旋)和高气压单体(反气旋)，对中纬度气候的形成是重要的。

Rosse, William Parsons, 3rd earl of 罗斯 (1800-06-17, 英格兰约克～1867-10-31, 爱尔兰科克郡芒克斯顿) 爱尔兰天文学家，19世纪最大反射望远镜的制造者。1821年被选入下院。1834年辞去下院席位，1841年继承了他父亲的伯爵爵位。罗斯一心想制作一个真正的大望远镜，他花了5年时间想找到一种适合于制作反射镜的合金。他第一个36英寸直径的反射镜是由16块薄玻璃板焊接在一个铜架上构成的。这个望远镜的适度（中等）成功促使他成功地铸造和冷却了一面36英寸的实心反射镜，没有出现裂纹。1842年他开始制作一面72英寸直径的反射镜。3年后，4吨重的盘架安装完毕。罗斯的54英尺长的望远镜主要是在气候条件许可时用来观察星云的。但用他的望远镜发现了许多具显著螺旋形的天体，当时都被归入星云，而现在则被判明是独立的星系。他研究并命名了巨蟹座星云。他还对猎户座大星云进行了广泛而详尽的观察。1908年他的望远镜被拆除，直到1917年才在威尔逊山天文台安装了一台更大的100英寸反射望远镜。

Rossellini, Roberto 罗塞里尼 (1906-05-08, 罗马～1977-06-03, 罗马) 第二次世界大战后最著名的意大利导演之一。他的影片《罗马，不设防城市》(1945)和《游击队》(1946)引起了全世界对意大利电影新现实主义运动的注意。他是一位有成就的雕塑家兼建筑师的儿子。他导演的故事片《白色的船》(1941)，由于海军官员反对其中的反战调子，将他的名字从影片上抹去，因此是在没有署制作者姓氏的情况下上映的。在第二次世界大战期间，他导演一些为政府作宣传的短片，但同时又与秘密纪录抵抗活动的地下电影运动有联系。《罗马，不设防城市》成段收进这种战争时期纪录片镜头，为战后意大利影片在运用自然背景和描绘德国占领时期意大利真实生活图景方面树立一种新风。这部影片由A.马尼亚尼主演，公认为战后时期最杰出的影片之一，也为他赢得新现实主义"创造人"的称号。《游击队》(由有关联的六个意大利战争插曲组成)也得到全世界的承认。在《圣方济各》(1950)中明显地表现出对宗教的关注，其中有描绘关于圣方济各的一系列轶事。《斯特隆波里火山》(1949)和《意大利旅行》(1953)是探索自由的涵义的许多影片中的杰出者。两片均由女演员I.褒曼主演。后来的影片《罗威莱将军》(1959)、《意大利万岁》(1960)、《罗马之夜》(1960)以及《凡尼娜·凡尼尼》(1961)等表明他又重新回到爱国主义题材。在50年代和60年代中还导演许多舞台剧。1956年第一次执导电视片。从1964年开始，专门导演电视片，其中包括传记片《苏格拉底》(1970)。他的现实主义风格强烈地影响意大利电影制作人才的发展，如50年代脱颖而出的F.费里尼就是其中之一。

Rossellino, Antonio 罗塞利诺 (1427, 佛罗伦萨共和国塞蒂纳诺[意大利]～1479, 佛罗伦萨) 意大利文艺复兴时期著名的多产雕刻家。是建筑师兼雕刻家B.罗塞利诺最小的弟弟。大概是受教于兄，曾协助其兄完成许多订购的作品。N.卡波尼陵墓(1457以后)是两兄弟的重要作品。他精于半身像，这体现在G.切利尼胸像(1456)和M.帕尔米里胸像(1468)上。可能是按照人面模具进行雕刻，他能刻画出精细的外貌，获得极为逼真的肖像。A.罗塞利诺最杰出的作品是佛罗伦萨郊外圣米尼亚托教堂里葡萄牙枢机主教的小礼拜堂。这是一个精心设计，装饰华美的建筑与造形雕刻的完美结合。他按照其兄和狄赛德里奥创立的传统工作，并发展了自己的风格，使其人物形像有动人的神态和突出的个性。其精妙的圆雕和浮雕体现了安详高雅的情趣。他的著名作品中有许多以圣母为题材(如《圣母子》，1478)，那是一个时常出现的文艺复兴主题。其他作品有《玛克利诺·达·弗利的圣坛》(1458)和F.拉扎利的纪念碑(1464)。

Rossellino, Bernardo 罗塞利诺 (1409, 佛罗伦萨共和国塞蒂纳诺[意大利]～1464-09-23, 佛罗伦萨) 意大利文艺复兴早期有影响的建筑师和雕刻家。受教于F.布鲁内莱斯基，并受到L.德拉·罗比亚和L.吉贝尔蒂的影响。其风格属含蓄的古典主义。其杰作佛罗伦萨圣十字教堂的L.布鲁尼陵墓(1444～1450)开创了一种新的纪念碑雕刻类型，被视为文艺复兴初期雕刻的最杰出成就之一。这件作品确立了雕塑和建筑、人像和装饰的完美均衡，成为当时最典型的壁上纪念碑。其他重要作品包括佛罗伦萨圣母领报教堂的奥兰多·德·梅迪契陵墓(1456～1457)和佛罗伦萨新圣马利亚教堂的维兰纳·德勒·博特陵墓(1451～1452)。曾以建筑家身份为教皇尼古拉五世工作，1451～1453年间营造罗马圣彼得大教堂。还为教皇庇护二世的故乡皮恩扎城进行重建工程。大教堂和皮科洛米尼宫(1460～1463)是他的两件最驰名的作品。

Rossendale 罗塞恩达尔 英格兰兰开夏行政、历史郡的区和自治市。在大曼彻斯特北面。面积138平方千米。有伊尔韦尔河流经市内。18和19世纪棉纺织业发展时，区内城镇也随之发展。传统纺织业和制鞋业仍很重要。新兴工业有轻型机械、制毡、塑料和阀门等制造业。奔宁高沼地有山区农业。罗坦斯托尔是该区最大的城镇和行政中心。人口约64 300(1998)。

Rossetti, Christina 罗塞蒂 (1830-12-05, 英格兰伦敦～1894-12-29,, 伦敦) 英国诗人，在题材范围和作品质量方面均为最重要的英国女诗人之一。擅长写幻想小说、儿童诗、宗教诗，是画家-诗人但丁·加布里埃尔·罗塞蒂之妹。早期诗作已显露其诗歌天赋。1850年，她以埃伦·艾莱恩为笔名将七首诗投寄拉斐尔前派刊物《萌芽》。她是一个坚定的高教会派英国圣公会教徒，1850年解除与美术家J.柯林森的婚约，因后者已成为天主教徒。1864年，她因同样原因拒绝了C.B.凯莱的求婚。1862年出版《妖怪集市及其他诗》，1866年出版《王子的历程及其他诗》。这两部诗集收入她的大部分最佳诗作，确立了她在当代诗人中的地位。她第一部散文作品《平常事及其他故事》(1870)价值不大，但《摇篮曲集》(1872；增订版，1893)在19世纪的儿童读物中享有很高声誉。1871年患格雷夫斯氏病(一种甲状腺疾病)，使她面部变形并危及生命。在宗教信仰的鼓舞下，她以勇气和达观面对

供图：Harold Rossetti

疾病，继续发表作品。1875年出版一部诗集，1881年出版《庆典和其他诗》。但自病发后，她主要专注于写宗教散文作品。《光阴似箭》(1885)是一部诗文混杂的读书日记，是这些作品中最涉及个人的一部。她曾被视为桂冠诗人A.L.丁尼生的可能继任人，但她1891年患致命的癌症。由其兄出版的《新诗》(1896)包括她未出版和先前未收入诗集的诗。尽管她苦苦追求一种要求自我否定的精神纯洁，在某些方面她与其兄相似，因为在她的谦恭、献身精神和单调、圣人般的生活之下，存在一种热烈、敏感的气质，一种敏锐的批判眼光和生动的幽默感。物质事物的短暂是在她的所有诗中反复出现的主题，而不幸爱情的听天由命和激烈的悲伤则常常是一个重要特色。

Rossetti, Dante Gabriel 罗塞蒂 (1828-05-12, 英格兰伦敦～1882-04-09, 肯特海上伯青顿) 原名Gabriel Charles Dante Rossetti。英国画家及诗人。曾参加创立拉斐尔前派兄弟会。他是罗塞蒂家族中最负盛名者。在国王学院初级部受普通教育(1836～1841)后，曾

罗塞蒂绘《贝塔·比阿特丽斯》(1872)
芝加哥美术学院供图

为选择当诗人或画家而犹豫不决。14岁入布卢姆斯伯里(伦敦中部)一家老式绘画学校就读。1845年入皇家学院美术学校学习,成为正式学生。同时他广泛阅读,深为美国作家E.A.坡的作品所吸引。1847年他购得一卷W.布莱克的散文与韵文的纲要和作品,发现这位18世纪的英格兰画家、诗人兼奇想家。布莱克的艺术批评鼓舞他写作讽刺诗文,反对维多利亚时代初期以轶事为题材的陈腐、琐碎画作。20岁时,他已完成许多意大利诗的翻译工作,也写了若干富有创意的诗篇,并经常出入艺术家的工作室,短期师事画家F.M.布朗,并师承布朗对德国的"拉斐尔前派"的一些钦慕之情。当时,英国还没有开展类似的改革运动。主要在罗塞蒂的努力

罗塞蒂绘《阿斯塔尔特·西里亚卡》(1877)
曼彻斯特市美术陈列馆供图

下,英国的拉斐尔前派兄弟会于1848年成立,共有七名会员,除W.M.罗塞蒂外,均为皇家学院的学生。他们提倡"忠于自然",主张用笔工细和户外写生。罗塞蒂更将诗、绘画和社会理想主义结合起来。他最初的两幅油画《少女时代的马利亚》和《主的宣告》风格简朴,但有象征意义。他的诗作《神女》情感丰富,文字极美,发表于1850年拉斐尔前派杂志《萌芽》的创刊号上。《主的宣告》于1850年展出,但受到严厉的批评,于是罗塞蒂放弃传统的宗教题材,转而从莎士比亚、R.布朗宁和但丁的作品中取材。

19世纪50年代是罗塞蒂一生中的重要岁月,发生了几件大事。首先是他结识模特儿E.西德尔,两人于1860年结婚。1854年他获得艺术评论家J.罗斯金的大力支持。此时拉斐尔前派兄弟会已经因成员兴趣各异而解散。1856年他为牛津和剑桥的杂志撰稿,结识当时的牛津大学学生E.柏恩-琼斯和W.莫里斯。他和这两位年轻的门徒开启拉斐尔前派运动的第二阶段。他们注重传说中的浪漫热情,而非现实主义的"忠于自然",同时致力改造应用设计艺术。罗塞蒂为A.L.丁尼生的《诗集》(1857)所作的插图,预示了书籍装饰新时代的来临。1856年他为兰达夫大教堂绘制三联画《大卫子孙》。

1862年其妻西德尔去世,罗塞蒂在悲痛中把自己唯一完整的诗集手稿陪葬墓中。他的生活与艺术此时急遽转变。他迁居切尔西,受斯温伯恩和美国画家J.M.惠斯勒的影响,对艺术采取更注重美学与感官的态度。他以世俗之美的画面取代文学题材,并以绚丽的装饰和他前所未有的圆熟油彩技巧作画,这些作品很受欢迎。19世纪60年代末期,他的视力逐渐衰退,迫使他暂时放弃作画,他再度转向诗的创作,并于1869年掘出旧稿。1870年他的《诗集》问世,颇受读者欢迎。但新闻记者兼评论家R.布坎南发表以《肉体派的诗》为题的文章攻击罗塞蒂,罗塞蒂也以一篇《鬼鬼祟祟的评论派》文章进行反击。这次攻击加上他因失眠而服用多量麻醉剂与酒精,导致他于1872年心力崩溃,后虽恢复到可以绘画与写作,但生命的最后10年是在半虚弱的隐遁状态中度过的。1881年出版修订《诗集》和《民谣及十四行诗集》。同年健康恶化,翌年春天逝世。

Rossetti, Gabriele 罗塞蒂(1783-02-28,那不勒斯王国瓦斯托[意大利]～1854-04-24,英国伦敦) 全名Gabriele Pasquale Giuseppe Rossetti。意大利诗人、革命家和学者,以政治难民身份避居英国。以对但丁诗作的深奥难解的诠释著称,但在更大程度上以生有多名才华横溢的子女而闻名。生为铁匠之子,但资质聪颖,得以入那不勒斯大学就读。1807年任那不勒斯圣卡洛歌剧院脚本作者,后获任卡波迪蒙特宫国家博物馆古代大理石及青铜器馆馆长。他不时写诗攻击时政,其中一首愤慨抨击了那不勒斯的暴君国王斐迪南二世,加以他参加革命组织烧炭党,因而被判处死刑。他在藏匿一段时日后,于1824年逃到英国,以教授意大利语为生。1831年获任伦敦国王学院意大利语教授,直到1847年视力严重受损时为止。他任教授时期,接待流亡同胞,鼓吹自由化的统一的意大利,并潜心研究但丁的作品,演绎出一套关于但丁诗作精深的象征意义的理论:《但丁的贝雅特里齐》(1842)。他对意大利诗歌的爱,尤其是对但丁的《新生》及《神曲》的推崇,感染了他的子女。罗塞蒂于1826年与意裔女子F.M.L.波利多里结婚,生有4个子女:玛丽亚·法兰西丝卡(1827-02-17～1876-11-24);加布里耶尔·查理·但丁(后自称为但丁·加布里耶尔);威廉·迈克尔;克里斯蒂娜·乔芝娜。4人均在伦敦出生,在英国国教会受洗。罗塞蒂家族每个成员都有非凡的天资,且有异乎寻常的创造才情,并熟谙英国和意大利的语言和文学传统。

Rossetti, William Michael 罗塞蒂(1829-09-25,英国伦敦～1919-02-05,伦敦) 英国艺术评论家、文学编辑及文学家。他在儿时就在多方面与好出风头的兄长但丁·加布里埃尔成一对比,例如他性情沉静,崇尚理性,理财审慎,不以自我为中心。16岁时任职税务署(后为国内税务局),年薪80镑,成为罗塞蒂全家的主要依靠。1850年被聘为《旁观者》杂志艺术评论家,其后在公职上稍有晋升,使他得以在1854年为双亲及两位姊妹安置一个较前舒适的家。1874年与画家F.M.布朗之女爱玛·露西结婚。1894年从国内税务局退休。与比他更有天赋的兄长一样,他也有广

伦敦国立肖像画陈列馆供图

泛的文学兴趣,为拉斐尔前派兄弟会的早期成员及其刊物《萌芽》的编辑。编有克里斯蒂娜(1904)和但丁·加布里埃尔(1911)的作品集,并著有《D.G.罗塞蒂:回忆录及家书》(1895)。他认真整理全家的大量信件及与拉斐尔前派风格和他兄弟在该运动中的地位的材料,出版了《拉斐尔前派画家书信和日记集》(1900)和《罗斯金、罗塞蒂、拉斐尔前派风格:1854～1862年论文集》(1899),证明他是一位重要的编年史家。他同时是一位敏锐、有独立见解的评论家。他称赞W.惠特曼有争议的《草叶集》(1855)为天才之作,并在1868年发表惠特曼的诗选,将其介绍给英国读者。他还是W.布莱克早期的赞赏者,1874年曾出版其《诗作》。他还出版有研究但丁和其他意大利和英国中世纪诗人的著作。

Rössing 勒辛 全世界最大(就面积而言)的露天铀矿,位于纳米比亚极端干旱的纳米布沙漠,在大西洋的一个小海港斯瓦科普蒙德东北约40千米。20世纪60年代进行勘探,确定有开采前途后,即由英国、南非、法国及加拿大共同出资建矿。1976年开始生产。仅此一矿就使纳米比亚成为全世界最大的铀生产者(以吨位计)之一。矿区尚未建立城镇,工人住在斯瓦科普蒙德。

Rossini, Gioacchino (Antonio) 罗西尼(1792-02-29,教皇国佩萨罗[意大利]～1868-11-13,法国巴黎附近帕西) 意大利作曲家,以所作歌剧,特别是喜歌剧著称,最知名的是《塞维利亚理发师》(1816)、《灰姑娘》(1817)和《塞米拉米德》(1823)。后来的大型戏剧性歌剧中演出最多的是《威廉·退尔》(1829)。

早年 父为穷困潦倒的小号手,母为唱配角的歌剧演员,因此他整个童年均在剧院中度过。虽生性懒散,学习唱歌和演戏却轻而易举。14岁入博洛尼亚爱乐学校,15岁已学会小提琴、圆号和拨弦键琴,并常公开演唱(甚至在剧院里)以谋生。嗓子变音后改事伴奏和指挥。此时他已意识到德意志作曲学派的重要性,并领悟了海顿和莫扎特用以丰富音乐的那些新的因素。这些影响可见之于他

为爱乐学校所作的早期康塔塔（1808 年演出）。

意大利时期 先是出于兴趣，然后又由于职责要求，罗西尼致力于当时流行的体裁喜歌剧的创作。第一部喜歌剧《结婚证书》（1810）在威尼斯演出，获得一定成功，尽管他的与众不同的配器使歌手们大为恼火。返回

供图：George Eastman House Collection

博洛尼亚后发表康塔塔《迪多之死》（1811），然后两幕歌剧《离奇的误会》（1811）一炮打响。翌年又有两部喜歌剧在威尼斯公演。这时罗西尼已经突破喜歌剧的传统形式：他美化旋律（他是美声唱法的真正创造者），赋予重唱和终场音乐以勃勃生机，采用不寻常的节奏，恢复管弦乐队的应有地位，使歌手服从于音乐。1812 年罗西尼被推荐给米兰拉斯卡拉歌剧院的董事会，《试金石》（1812）一剧就是同该院签约而作的；这也是他的初露头角的天才的一块试金石。在其终场中罗西尼第一次采用了他后来一味滥用的"渐强"效果。有了七部歌剧和几部康塔塔的经验，再加上和剧院的频繁交往，罗西尼积累了深厚的专业知识；现在他已准备就绪，可以从事他的主要作品的写作了。威尼斯将为他提供真正的荣誉。在喜歌剧《布鲁斯基诺先生》（1813）之后他创作了他的第一部正歌剧《坦克雷迪》（1813）；他尝试改革 18 世纪的那种俗套层出不穷的正歌剧，写了一部真正富于戏剧性的总谱。作品生气蓬勃，旋律优美，一炮打响。接着《意大利女郎在阿尔及尔》又取得成功，展示出他对喜歌剧的更加精细的改革。这两次成功为他敞开了拉斯卡拉歌剧院的大门。

罗西尼的声誉很快传到那不勒斯，当地巨富和剧院经理巴尔巴亚亲往博洛尼亚，提出和他签约。有感于合同的条件（每年两部歌剧）有保障，罗西尼欣然应命。第一部歌剧《英国女王伊丽莎白》（1815）一举告捷，促使罗马方面邀请他参加 1816 年的狂欢节。为罗马写的第一部歌剧没有成功，第二部《阿尔玛维瓦》（不久即易名为《塞维利亚理发师》，1816）亦然如此。罗马人熟悉并喜爱帕伊西埃洛为博马舍的戏剧所作配乐，对这部新的配乐不感兴趣，但是它在意大利其他地方的演出却受到极大欢迎。此剧仅用 16 天时间写成，写来灵气风发，富于创新，至今一直很受歌剧爱好者的喜欢。接着是《灰姑娘》（1817），像在《理发师》中一样，它的女主人公也由女低音演唱，与前剧同样成功。在这两部喜剧之间还创作了一部取材于莎士比亚同名剧的《奥瑟罗》（1816）。《贼鹊》（1817）是一部半正剧性的作品，在米兰一炮打响。大歌剧《阿尔米达》问世于 1817 年，其中要求一组两名男高音和一名戏剧女高音的三重唱。根据司各特的同名诗而写的《湖泊女郎》在 1819 年首演时反应不佳，但不久便得到观众青睐。在几部还算成功的作品之后，他带着新婚的妻子歌唱家科尔布兰离开那不勒斯赴维也纳，急于想和贝多芬见面。后返回威尼斯，打算以《塞米拉米德》（1823）一剧为他的意大利生涯划上一个圆满的句号。可是守旧的威尼斯人并不理解他的这部最长、最雄心勃勃的惊人之作，因此他下决心不再为他的同胞写一个音符，然后便弃意大利而去。

巴黎时期 1823 年 11 月罗西尼抵达巴黎，受到法国首都的热烈欢迎。年底访问伦敦，指挥演出并和妻子一起在音乐会演唱，还朝见了英王乔治四世。后又重返巴黎。在上演了他的几部作品后，为查理十世加冕创作康塔塔《兰斯之旅》。有很长时间罗西尼一直想改变自己的风格：以激昂慷慨高亢入云的歌唱取代华丽的歌剧花腔女高音的做作和冷漠。为此他还得改革管弦乐队并给予合唱队更加重要的地位。《科林斯之围》（1826）就是以这样的面貌出现的。其后是《摩西》（1827）和《奥里伯爵》（1828）。他的最后一部歌剧《威廉·退尔》的主题是民族主义和自由，罗西尼的音乐与这一崇高主题相得益彰。《威廉·退尔》本应该是他为歌剧院写的五部歌剧中的第一部，但 1830 年革命后成立的新政府取消了原订的合同。此后，37 岁的他决定不再为剧院写作。1832 和 1864 年分别写作《圣母悼歌》和《小庄严弥撒》等宗教题材的作品。在许多年中，罗西尼基本上只以《塞维利亚理发师》闻名，《威廉·退尔》偶尔有那么一次恢复演出。但自 20 世纪 50 年代以来，他的歌剧越来越多地重新流行，特别是在联欢节上，而且几乎总是得到观众和舆论界好评。

Rossland 罗斯兰 加拿大不列颠哥伦比亚省东南部城市，位于特雷尔河河谷一端。1890 ～ 1916 年间曾为兴旺的淘金城镇，现主要为居民区。该市的红山和花岗石山为滑雪胜地。1897 年建市。人口 3 557（1991）。

Rosso 罗索 毛里塔尼亚西南部城镇，特拉扎行政区首府。临塞内加尔河。通公路，为生产阿拉伯树胶、小米、玉米、豆、瓜和牲畜的农业区的中心。人口 27 783（1988）。

Rosso, Giovanni Battista di Jacopo 罗索（1495-03-08，佛罗伦萨～1540-11-14，巴黎） 意大利画家和装饰家，早期风格主义或佛罗伦萨风格主义的代表人物，枫丹白露画派的奠基人之一。罗索最早的作品把米开朗琪罗的影响与北欧哥特式版画的影响汇成一种新的风格，背离文艺复兴盛期的艺术原则，具有感情高度奔放的特点。1523 年罗索在罗马接触到米开朗琪罗的西斯廷礼拜堂天顶画、拉斐尔的后期艺术以及帕米贾尼诺的作品，导致风格的根本改变。1530 年他应邀到法国，其现存主要作品是枫丹白露宫弗兰西斯一世

罗索绘《下十字架》（1521）

供图：SCALA—Art Resource/美国不列颠百科全书公司

画廊的装饰（约 1534 ～ 1537），发展了一种影响全北欧的装饰风格。他为版画设计的众多画稿对意大利与北欧的装饰艺术产生广泛影响。

Rosso, Medardo 罗索（1858-06-20，意大利都灵～1928-03-31，米兰） 19 世纪意大利雕刻家，和罗丹一起将印象主义的技法引入雕刻。罗索的作品自二次世界大战以来为许多雕刻家所学习，这些雕刻家对其自由、优美的造型和微妙的形式发生浓厚的兴起。罗索年轻时就反对学院派艺术，1884 年因其对学生们的造反影响而被布雷拉美术学院开除。正如他同时代的印象主义画家一样，他追求瞬时的、难以捕捉的光的变化和运动，忽略细节，着重结构、联想和气氛，其肖像的容貌呈现在光影之中，如《带面纱的女人》（1893）。参加 1889 年巴黎举办的万国博览会后，他的成功日趋稳固。他和罗丹由于彼此攻击对方利用了自己的改革，导致早年友谊的破裂。他对意大利未来派和布朗库西的影响是很明显的。罗索的社会意识明显地体现在他的世俗肖像作品中，如《一辆公共汽车的印象》（1883 ～ 1884，已毁）。

Rostand, Edmond 罗斯丹（1868-04-01，马赛～1918-12-02，巴黎） 第一次世界大战前获得杰出成就的法国戏剧家。他的戏剧可以视为法国浪漫主义戏剧的最后一个范例。罗

供图：Harlingue—H. Roger-Viollet

斯丹的姓名同他最受欢迎和最能持久的剧本《西哈诺·德·贝尔热拉克》紧密相连。《西哈诺》于1897年在巴黎首演，在法国以及整个欧洲和美国均给人留下很深的印象。罗斯丹的历史剧使人回肠荡气，其色彩丰富的诗句令人思绪缭乱，喜剧气氛和悲怆哀婉巧妙地混合在一起，剧情发展迅速，不同于自然主义者和象征主义者的冷酷戏剧，而以鲜明的轮廓受人称道。罗斯丹为戏剧写过许多作品，1900年创作的《雏鹰》一直留在人们记忆中，此剧还为女演员S. 贝因哈特提供了一个极好的机会。

Rostock 罗斯托克 德国东北部梅克伦堡-西波美拉尼亚州城市。位于瓦尔诺河三角洲顶端。12世纪为文德人居民地，1218年为日耳曼人自治市。14世纪为汉萨同盟主要成员。有几座著名的哥特式教堂。这里的船厂从中世纪起直至1851年均在制造木船，1851年建造了德国第一艘蒸汽轮船。罗斯托克威廉·皮克大学(1419)曾经是基督教路德宗的坚强堡垒。市政厅是15世纪建筑物。14～16世纪旧城的部分城墙和城门现仍存在。罗斯托克人民剧院全国闻名。第二次世界大战后发展为东德主要海港，也是重要的渔业和造船中心。有鱼类加工、金属加工、柴油机、机械、化工、火柴、家具等制造业。四周地区种植裸麦、燕麦和甜菜。养牛也很普遍，近海有捕鱼业。沿岸有悬崖和沙丘，是旅游胜地。该城以航海和文化方面的博物馆闻名。人口约198 303(2003)。

Rostopchin, Fyodor Vasilyevich, Graf 罗斯托普钦伯爵(1763-03-12[新历03-23]，俄罗斯利夫内～1826-01-18[01-30]，莫斯科) 俄国军官和政治家，拿破仑入侵莫斯科期间(1812)任莫斯科军政长官。鞑靼血统的古老贵族家庭出身。1785年参加军队。1796年保罗一世登基，他晋升陆军少将，为保罗一世的侍卫长。1798年任外交大臣。据说，他应该对火烧莫斯科负责。那场大火发生在拿破仑占领莫斯科的最初几天中(1812-09)，烧毁了莫斯科的3/4，也摧毁了本来足以支持法军在莫斯科度过严冬的一切供应物资。拿破仑失败后，罗斯托普钦伯爵陪同亚力山大出席维也纳会议。但不久之后失宠，直至1825年才返回俄国。

Rostov 罗斯托夫 俄罗斯西南部的一个州，面积100 800平方千米。顿河(下游)及马内奇河横贯境内。西部有顿涅茨山，北部有顿山，但大部分是波状低平原间的宽阔的河流泛滥冲积平原。土地肥沃，天然草原植被几乎完全开垦为耕地。泛滥平原有草甸、沼泽和零星树丛。在顿河和马内奇河建有大水库，齐姆良还建有水电站。北部(1954～1957年曾为卡缅斯克州)是顿涅茨煤田的东端，有丰富的无烟煤矿，重工业城市主要有沙赫特、卡缅斯克-沙赫京斯基和新沙赫京斯克等，从事采煤、炼钢、机械制造和化工生产。伏尔加顿斯克有生产原子能反应堆的大型工厂。交通运输繁忙。伏尔加河-顿河运河、铁路、石油、天然气管道经过该州，将高加索与俄罗斯中西部沟通。州首府顿河畔罗斯托夫和塔甘罗格是主要港口。农业高度发达，谷物种植面积占耕地面积的2/3。齐姆良水库用于灌溉顿河下游的葡萄园和市场园艺地区，1950年后有所扩大。人口约4 347 800(1991)。

Rostov 罗斯托夫 12～17世纪称大罗斯托夫。俄罗斯西北部雅罗斯拉夫尔州城市。濒临涅罗湖。位于莫斯科—雅罗斯拉夫尔铁路线上。862年首见记载。中世纪初期曾是俄罗斯著名的城市。1207年成为大公国首府，14～15世纪仍属鞑靼人统治。1474年归属莫斯科公国。16世纪末作为莫斯科-白海大道的贸易中心而日益重要。保留有13～17世纪的古建筑。现在仍生产传统的珐琅手工艺品。人口约36 400(1991)。

Rostov-na-Donu 顿河畔罗斯托夫 俄罗斯西南部罗斯托夫州城市和行政中心。位于顿河下游，距亚速海50千米。1749年设关卡，称捷美尔尼卡(当时顿河河口仍在土耳其人手中)。后成为繁荣的贸易中心，1761～1763年建要塞。后在顿河畔纳希切万亚美尼亚人居民点附近围绕该要塞扩展，1797年设镇。1806年取名顿河畔罗斯托夫。因地理位置重要成为运输中心和港口。随19世纪俄国殖民地的开拓和北高加索地区的发展，以及外高加索的征服，该城日益发展。1952年伏尔加河-顿河运河通航，将该城与整个伏尔加流域联系起来。还有一运河通海。现为俄国欧洲部分和高加索地区之间公路、铁路、石油管道和天然气管道枢纽。建有两个俄罗斯最大农机厂。还生产滚珠轴承、电器、供暖设备、筑路设备、工业机械和日用消费品。有船舶和机车修配厂。该地设有国立罗斯托夫大学(1917)等高等学校和科研机构。人口约1 027 600(1991)。

Rostovtsev, Iakov Ivanovich 罗斯托夫采夫(1804-01-09，俄罗斯圣彼得堡～1860-02-18) 制定解放俄国农奴法规的领袖。俄国职业军人。1825年十二月党人起义时为一青年军官，曾向沙皇告密，说南方军队中将会发生暴乱。19世纪40～50年代在军事教育机关任职。1857年俄国政府准备改革农奴制度时，他参加研究改革方案，后任起草委员会主席，领导该委员会制定政府对农民的新政策。

Rostovtzeff, Michael Ivanovich 罗斯托夫采夫(1870-11-10，俄罗斯帝国乌克兰基辅附近～1952-10-20，美国康涅狄格纽黑文) 俄国出生的考古学家，20世纪最有影响的古希腊和罗马史权威，尤其精通希腊罗马经济及社会问题。1898～1918年为圣彼得堡大学拉丁语教授，因对俄国革命不满，先去英国牛津大学，后转往美国。在麦迪逊威斯康星大学(1920～1925)及耶鲁大学(1925～1944)执教之际，发表名著《罗马帝国社会经济史》(1926)、《古代世界史》(2卷，1926～1928)及《希腊化世界社会经济史》(1941)。1928～1937年领导发掘叙利亚的希腊化时期城市，发表著作《杜拉欧罗普斯遗址及其艺术》(1938)。罗斯托夫采夫亦以南俄罗斯艺术和考古方面的著作闻名于世。

Rostropovich, Mstislav (Leopoldovich) 罗斯特罗波维奇(1927-03-27，阿塞拜疆苏维埃社会主义共和国巴库～2007-04-27，莫斯科) 苏联指挥家、钢琴家，20世纪最著名大提琴家之一。双亲分别为大提琴家与钢琴家，自幼在双亲指导下学习。1943～1948年就读于莫斯科音乐学院，1951年获斯大林奖，1956年成为莫斯科音乐学院大提琴教授。50年代开始到国外巡回演出。亦以钢琴家身份与妻子、女高音歌唱家G. P. 维什涅夫斯卡娅一起举办音乐会。1968年作为指挥家首次登台。1970年罗斯特罗波维奇支持持不同政见的苏联作家A. 索尔仁尼琴，其后政府即大大削减他演出和旅行的机会。1974年他和妻子被批准出国两年；1975年他们宣布决定不回苏联；苏联政府于1978年取消他们的国籍。1977年他就任华盛顿(哥伦比亚特区)国家交响乐团音乐总监。苏联政府于1990年恢复罗斯特罗波维奇夫妇国籍。虽然有时因其过于浓艳的浪漫主义色彩而受到批评，但他的高度音乐修养(无论是处理现代作品还是已有定论的音乐会曲目)却备受赞誉。他发掘大提琴的音调潜力取得优异成果。为他谱写作品的作曲家有俄罗斯的A. 哈恰图良、S. 普罗科菲耶夫和D. 肖斯塔科维奇，英国的B. 布里顿和美国的L. 佛斯。曾获多项荣誉。1987年被授予总统自由勋章。

Roswell 罗斯韦尔 美国新墨西哥州东南部城市，沙维什县县城(1889)。离佩科斯河不远，临洪多河。1871年建为贸易点，后成为农牧业区中心。1891年设市。沃克空军基地的建立(1941)和石油、天然气的发现(20世纪50年代)，促进了经济发展。市内有新墨西哥军事学院和市博物馆。市东有州立"无底湖"公园，市西有林肯国家森林。有人相信1947年在该地发生了外太空飞船坠毁，现在每年7月都吸引数千名游客参加飞碟遭遇节。人口45 293(2000)。

Roswitha(Germanpoet) 参阅**Hrosvitha 赫罗斯维塔**。

Rosyth 罗赛斯 苏格兰法夫政务会辖区和历史郡的城镇和海军基地。在佛斯湾北岸。在两次世界大战中，作为军舰修理地和干坞均发挥了重要作用。第二次世界大战期间，军舰修造所大为扩建，在此得到修理和重新装配的军舰有3 000多艘。现在是英国唯一的核动力潜艇修理基地。人口10 061(1981)。

rot 腐烂病 又作decay。又称腐朽病。由几百种土携细菌或真菌引致的植物病害。特征是植物解体腐败。腐朽可以是硬腐、干腐、海绵状的、多水的、粥糜状或黏性的，可影响植物的任何部位。根腐由许多真菌，特别是密环菌(*Armillaria mellea*)、易逝杯伞(*Clitocybe tabescens*)及腐霉属(*Pythium*)、疫霉属(*Phytophthora*)、丝囊霉属(*Aphanomyces*)和镰孢霉属(*Fusarium*)所引致。病株失去活力，变得

引起桦树腐烂病的桦多孔菌(*Polyporus betulinus*)
供图:William D. Griffin

矮小、发黄,可能会枯萎、顶死或脱落一些叶片。病树渐渐死亡;根部腐朽并以霉层或称为根状菌索的黑色线状束覆盖(密环菌属、杯伞属)。预防措施为选排水良好而有机质含量高的良好土壤种植无病植株及抗病品种,轮作一年生及两年生作物,避免过密,避免根部或冠部损伤,合理施肥、灌水、修剪、中耕以保持活力,防治鼠、昆虫、线虫和杂草。小面积的花卉、灌木及树木苗床可用杀真菌剂。苗床或盆钵中所用土壤可用热力或化学处理。木材腐朽每年造成的木材损失多于火灾造成的损失;在美国即造成200亿板英尺的损失。木材腐朽由迷孔菌属(*Daedalea*)、层孔菌属(*Fomes*)、革裥菌属(*Lenzites*)、多孔菌属(*Polyporus*)、卧孔菌属(*Poria*)及韧革菌属(*Stereum*)等几百种真菌所引致。受侵木材常变色或着色,质轻,软腐易碎或呈粉状。损害缓慢,常经多年。侵染几乎都经伤口发生。马蹄形及层架形子实体沿着树干及枝发育,或在树干基部或伤口处形成蕈伞。子实体或蕈伞从表明已发生广泛的腐朽病。避免木材腐烂病可去除死亡的及濒死的树枝,茎部修剪注意贴合无缝(不留下残端使真菌进入)。为防治携带致病真菌的钻蛀虫应包扎幼树。但包扎树木伤口预防腐烂病的效果可疑。

Rota　罗塔岛　又称萨尔潘岛。西太平洋美国北马里亚纳群岛联合邦一火山岛。在关岛以北51千米。陆地总面积85平方千米。第二次世界大战前受日本管辖,为产糖中心。现主要经济活动为蔬菜栽培和旅游业。有国际机场。岛上的马里亚纳人依然保持着查莫罗族的文化传统。人口2 295(1990)。

罗塔岛上的古代石柱
美国不列颠百科全书公司供图

rotary engine　旋转式发动机　燃烧室和气缸同从动轴一起绕附加有活塞的固定控制轴旋转并由燃烧室产生气体压强直接使轴旋转的内燃机。其中一些发动机有在环形气缸内滑动的活塞;另一些则有单叶或多叶形的转子。早期的旋转式发动机用于第一次世界大战中的飞机上。由于发动机存在各种缺点,而在战后停止使用。第二次世界大战后,汪克尔发动机是研制得最完善、应用得最广泛的旋转式发动机。在汪克尔发动机中,等边三角形的转子在特殊形状的缸体中绕轨道运行,在转子边和缸体曲线壁之间形成旋转的月牙形燃烧室。转子的三个顶端装有弹簧密封片,后者与缸体内凹面永远保持滑动接触。燃烧室的容积随着转子的旋转而依次增大和减小,从化油器经进气口进入燃烧室的可燃混合气,当转子旋转使燃烧室容积减小时而被压缩,并在适当的时候由火花塞点火。汪克尔发动机于1956年首次试用于汽车上。此后,在其他工业中也有应用,如在需要体积小、重量轻、结构简单的高速发动机的场合用以驱动空气压缩机。参阅 **gasoline engine**。

Rotary International　扶轮国际　群众性服务社团。1905年由芝加哥的P.P.哈里斯律师创建。宗旨是:培养"服务精神"以作为企业经营的基础;鼓励商业及各种行业中的高尚道德标准;促进世界范围内商业人员及各种行业人员的联谊活动。1905年哈里斯开始有此计划时,也考虑到社团分类原则的制订,即对每一社团吸收商业或专门职业人员的数目要有定额。采用"扶轮"一名,是因为各次会议要轮流在各个成员的事务机构举行。1912年,改名为国际扶轮社,而现在的名称"扶轮国际"则是1922年起开始使用的。扶轮国际除兴办一般性的社区服务项目之外,也拟有开展国际服务项目的宏伟计划;它还设有一个基金会,为大学毕业生在国外攻读或研究工作提供研究经费和奖学金。扶轮国际的成员遍及大约150个国家,总部设在美国伊利诺伊州埃文斯顿市。

rotary press　轮转印刷机　纸张通过印版滚筒和压印滚筒之间进行印刷的印刷机。主要用于由卷筒纸高速给纸的印刷中,例如报纸印刷。有些大型轮转印刷机不但一次能印出四种颜色,而且采用自动化流水作业,还能同时进行裁切、折叠、装订和上封面。印刷速度每小时可印卷筒纸近30千米,大型印刷机每小时能印128面标准开本的书籍60 000册以上。最简单的轮转印刷机有两个向相反方向旋转的滚筒,一个滚筒的表面装有弧形的印版,另一个为压印滚筒。当纸张从两个滚筒之间通过时,压印滚筒将纸张压在着墨的印版上。简单的两色轮转印刷机相继使用两只装有各自的印版和油墨系统的滚筒,当纸张通过印刷机时,在其一面相继印上两种不同颜色的图文。采用不同组合的印版滚筒和压印滚筒,即可进行双面印刷以及三色、四色甚至五种颜色的印刷。高度自动化卷筒给纸的大型轮转印刷机能极大地提高印刷速度,这种印刷机滚筒的圆周很大,能装上两块或两块以上多达八块印版,这样滚筒每旋转一周,即可印出两张或两张以上多达八张相同的印张。

rotational stress　旋转性应激反应　身体在翻滚和旋转时,因受强烈的回转力或离心力作用而发生的生理变化。驾驶员在从飞行着的飞机中被弹射出时,出现翻滚和旋转是很危险的。人对于旋转性应激反应的耐受程度取决于身体哪一部位作为旋转中心以及应激持续时间的长短。当心脏作为旋转中心且旋转速度为169转/分时,仅需3～10秒即可使人丧失知觉,若持续2分钟则可致死。通常旋转速度高于400转/分时也可致命。在旋转速度达150转/分时,血压骤降使心脏输出趋于停滞,眼、脑、窦腔和中耳出血,还可出现恶心、呕吐、四肢郁血、定向力消失及视力模糊。全身疼痛和严重头痛也会出现并持续数日。

Rotblat, Sir Joseph　罗特布拉特爵士　(1908-11-04,俄罗斯帝国波兰华沙[今在波兰]～2005-08-31,英国伦敦)　波兰出生的英国物理学家,以反对核武器著称,他是帕格沃什科学与世界事务会议的发起人之一(1957),并历任该会议的总书记(1957～1973)和主席(1988～1997)。帕格沃什会议是总部设在伦敦的一个世界性组织,主要由学者组成,目的在于寻求解决各国发展和国际安全中的问题。1995年,罗特布拉特与该组织因长期呼吁禁止核武器尤其是发起美国与前苏联科学家之间的讨论而同时获得诺贝尔和平奖。

罗特布拉特曾就读于华沙的波兰自由大学(硕士,1932)和华沙大学(博士,1938)。1939年他在英国的利物浦大学得到一个研究员职位,1949年之前他一直与该大学保持关系。1944年他曾前往美国,在新墨西哥州的洛斯阿拉莫斯参与曼哈顿工程,但在得知纳粹德国并未建造相应的原子弹后于同年返回英国。战后他的研究转向医学物理。1950年他成为伦敦大学圣巴多罗买医院医学院的物理教授。1955年罗特布拉特与包括爱因斯坦在内的一批著名科学家一起签署了由B.罗素起草的一份宣言,批评核武器扩散。这份宣言导致帕格沃什会议的设立,它是以工业家和慈善家C.伊顿在加拿大新斯科舍省当地的帕格沃什村命名的,1957年这批科学家曾首次在此聚会。历届的会议聚集了来自许多国家的科学家,并在世界各地定期举行。罗特布拉特就帕格沃什运动、核物理学和世界和平等发表过一些著作。1998年获封爵士。

rote(musical instrument)　参阅 **rotta** 罗塔琴。

Roth, Henry　罗斯(1906-02-08,奥匈帝国加利西亚蒂斯门尼卡[今在乌克兰]～1995-10-

13，美国新墨西哥阿尔伯克基） 美国教师、农夫、机械师和偶有作品问世的作家。其小说《就叫它作睡眠吧》(1934)是20世纪30年代美国文学的未受重视的杰作之一。罗斯的父母为犹太移民，本人1928年毕业于纽约市立学院，其后多次更换职业。小说《就叫它作睡眠吧》出版于1934年，当时评论界颇有赞辞，但售出4 000本后即告绝版，此后显然被人遗忘。迨至50年代后期与60年代，A.卡津、I.豪及其他美国文学界人士重新唤起了美国读者对这部作品的兴趣，使之成为一部公认的犹太美国文学的经典之作以及30年代一部重要的无产阶级小说。罗斯本人在该小说问世以后30年间实际上停止了写作，而满足于他的私人教师和在一农场饲养水禽的工作以维持一家生计。60年代后期，他又开始写作。他的第二部作品《移易不定的环境：1925～1987年间一项合成的记录》是一本短篇小说与随笔集，出版于1987年。他的小说《一条汹涌溪流的善行：照耀在莫里斯山公园上空的星辰》是计划中的六卷作品的第一卷，小说又回到《就叫它作睡眠吧》的主题。第二卷《哈得孙河上的潜礁》出版于1995年。《就叫它作睡眠吧》集中描写一个少年的性格及其对环境的观察和认识。少年的父母为讲意第绪语、生活在纽约贫民区的犹太移民。罗斯运用意识流的手法来表现少年的心理发展，刻画他对自己的家庭及周围世界的认识。小说有力地表达了孩子由于与父亲的关系不洽而经受的种种恐惧和担心，真切地描绘了他一家居住的城市贫民区的恶劣环境。

Roth, Joseph　罗特(1894-09-02，奥匈帝国加利西亚布罗迪[今在乌克兰]～1939-05-27，法国巴黎） 新闻记者和地区性小说家。在他后期小说中，悲叹一个稳定年代的逝去，认为奥匈帝国哈布斯堡王朝在第一次世界大战前最后年代就代表了这样一个稳定的年代。他的早年生活、宗教信仰和个人生活的细节很少为人所知。仅知他曾在伦贝格和维也纳求学，1916～1918年在奥地利军队服役。战后在维也纳和柏林当新闻记者，是《法兰克福报》(1923～1932)的长期撰稿人。在这一时期，他写了若干部小说，包括被认为是他最优秀的小说《拉德茨基进行曲》(1932)，出色地描述帝国的末日。他强调有道德的个人在颓废和传统沦丧时代的两难选择，他的情节常涉及父与子的关系的难题。1933年，他逃亡到巴黎，在那里度过余年。在生命的最后几年，他怀着日益增长的怀旧情绪回顾往日，这一感情明显地表现在他流亡时期的六部小说中。《嘉布遣修士墓室》(1938)便是一例。《哑先知》(1966)描写一个遭到失败的革命者的故事，写于1929年。

Roth, Philip　罗斯(1933-03-19，美国新泽西纽瓦克） 美国长、短篇小说家。其特点是擅长写对话，熟悉犹太中产阶级的生活，关注男女两性间与家庭成员之间痛苦的感情纠葛。他的另一些作品以讽刺手法写政治和性的问题。罗斯取得芝加哥大学文学硕士学位后即在该大学和其他学校教课。1959年，他出版了短篇小说集《再见，哥伦布》而一举成名，用作书名的短篇小说坦率地描写了一个住在郊区的犹太中产阶级家庭的粗俗的、追求物质生活的心态和行为。他的第一部长篇小说名《放手》(1962)，第二部名《当她正经的时候》(1967)，但反响不如第一部。直到1969年《波特诺伊的抱怨》问世，他才又得到评论界的赞誉。这部新作为一个犹太男子绘了一幅大胆的讽刺画像，他不满母亲之专横独断，同时又沉溺于自己的性生活。在发表了几部次要的作品如《胸脯》(1972)、《我的男子生活》(1974)和《欲望教授》(1977)之后，罗斯写出了他最重要的作品之一：《捉刀文人》(1979)，其主人公奈桑·朱克曼是一个有事业心的青年作家。随后的两部长篇小说：《朱克曼得解放》(1981)和《解剖学课》(1983)连续写这位作家主人公后来的生活与事业。这三部长篇小说后来重新出版，和中篇小说《布拉格的狂欢酒宴》(The Prague Orgy)合在一起，总名《朱克曼被绑》(Zuckerman Bound, 1985)。第四部系列长篇小说《对抗生涯》于1993年问世。

Rothaar Hills　罗塔尔山　德语作 Rothaargebirge。德国中部偏西的北莱茵-威斯特伐利亚州东南部中莱茵高地绍尔兰最南端的山区。山区的山顶呈圆形，最高处为卡尔阿斯滕，海拔841米，其上石南灌木丛生。北部和西部连接伦讷和锡格河谷的山坡陡峭，林木茂密。西南面山坡平缓，有黑森州的兰河和埃德尔河流经该处。此地雨量大，冬季长而冷，不利耕作。经济以林业、畜牧业和旅游业为主。有疗养地和度假地，如温特贝格为主要的冬季运动中心，还有施马伦贝格。

Rothe, Richard　罗特(1799-01-28，普鲁士波森[今波兰波兹南]～1867-08-20，巴登海德堡[德国]） 基督教信义宗理想派神学家。该派认为，现实是精神的，不是物质的，要想辨认现实必须研究观念而不是研究事物本身。他在1837年发表《基督教会的起源及其体制》，论教会和政府的关系。他说，政府需要教会来揭示日常道德行为。他相信，政府各级机构终将达到完美，于是教会和政府融为一体，教会消亡，让位给基督教国家；这种国家既是宗教组织，也是道德组织。罗特又说，全部人类历史的最终目的就在于把全人类提高到近乎上帝生活的灵性境界。他这种信念集中体现他的理想主义。

Rothenburg ob der Tauber　陶伯河上游罗滕堡　德国中南部拜恩州城市。位于陶伯河深谷，维尔茨堡与巴伐利亚阿尔卑斯山之间的"传奇之路"上。9世纪首见记载。1274～1803年为帝国自由城市。三十年战争期间被天主教联盟军围攻并占领(1631)。据说当时有一位市民接受敌人挑战，一口气喝下三夸脱酒，使城市得到赦免。每年降灵节都要通过演剧纪念此事。中世纪的城墙和城楼犹存。当地著名的古建筑有哥特式和文艺复兴式的市政厅连同一个巴罗克式拱廊，以及圣雅各教堂(1373～1528)。工业生产机械、塑料、厨柜，也有出版业。人口约11 764(1999)。

Rother　罗瑟　英格兰东萨塞克斯行政郡的一个区。属萨塞克斯历史郡。面积510平方千米。沿英吉利海峡延伸34千米，包括温奇尔西和拉伊两个古代港口及黑斯廷斯战役(1066)的战场。贝克斯希尔是区行政中心。人口约91 400(1998)。

Rother, König　罗特尔王　中世纪日耳曼传奇故事(约1160)，是吟游诗人所传播的那种大众消遣文学的最早记录。它把日耳曼英雄文学的成分和起源于十字军的东方风格结合起来。年轻的罗特尔王派12位使者去君士坦丁堡向皇帝的女儿求婚。使者一抵达，就被皇帝投入监狱，于是罗特尔冒名狄德里希亲自前往。狄德里希向皇帝诉说自己被罗特尔所放逐。他设法见到公主，发现她只愿嫁给罗特尔王，于是披露出自己的真正身份。公主说服父亲将挨饿的囚犯释放三天，而罗特尔以弹竖琴暗示自己已到。他搭救了他们，并拐走公主。但是她父亲派了一个狡猾的吟游诗人追赶他们，把公主骗回。为了重新得到她，罗特尔又只好再次冒险。

Rotherham　罗瑟勒姆　英格兰南约克都会自治都会市和城镇。属约克历史郡，位于唐河和罗瑟河汇合处。面积308平方千米。1746年建立炼铁厂后迅速发展起来。19世纪成为唐河谷地工业带之一部。钢厂和工程业对当地经济仍然很重要，但轻工业、研发和服务业为经济发展提供了多样化的因素。人口约254 400(1998)。

Rothermere (of Hemsted), Harold Sidney Harmsworth, 1st Viscount　罗瑟米尔子爵(第一)(1868-04-26，英国伦敦汉普斯特德～1940-11-26，百慕大） 即H.S.哈姆斯沃斯。英国报业主。与其兄诺思克利夫子爵共建了英国历史上最成功的报业王国，开创了英国通俗报业的道路。罗瑟米尔生性羞怯，故让其兄经管报社的公共关系和采访事务，他则极其干练地处理财务问题。他在经商上极端狡黠，但对慈善事业却非常慷慨。罗瑟米尔早年辍学，曾充税务局小职员，1888年参加其兄的杂志出版公司。1894年购入伦敦《新闻晚报》；1896年出版《每日邮报》；1914年接办《每日镜报》，并增辟《星期日画刊》，是伦敦最早出现的画刊报纸。他们的报纸以广大市民为对象，文章简短，语言生动，登载一些耸人听闻的消息，并附有许多图片。由于办报成功，兄弟二人均成巨富。他于1914年封男爵。第一次世界大战期间任空军部长，政绩卓著，战后晋为子爵(1919)，同年辞去官职，重返报界。1922年其兄去世，从此由他独力经营全部报刊，有得有失。30年代他支持英国重新武装，对墨索里尼与希特勒表示同情，有若干论外交之著作。1940年受比弗布鲁克勋爵指派衔命去美国，病发死于百慕大。

Rothesay　罗斯西　苏格兰阿盖尔-比特政务会辖区比特岛主要城镇。属比特历史郡。在岛的东岸。现成为克莱德湾入口附近的游览胜地。市中心有一座11世纪城堡遗迹。罗斯西棉纺厂是苏格兰第一家棉纺厂。现在,优质苏格兰呢制造业十分重要。当地避风湾是潜艇分队的司令部和乘船游览的胜地。人口 5 264(1991)。

Rothko, Mark　罗思科(1903-09-25,俄罗斯德文斯克～1970-02-25,纽约市)　美国画家。其作品对第二次世界大战后的抽象表现主义有较大影响。他以颜色为唯一表现手段,这种技巧成为日后大色域绘画的先声。1913 年全家由俄国移居美国。青年时曾热衷政治和社会问题。1921 年进耶鲁大学学习,两年后辍学。1925 年定居纽约市,开始作画,靠自学成名。30 年代后期的作品有《地下铁路》组画,这些画表现城市居民的孤寂感。40 年代初趋向半抽象画风,如《洗礼情景》(1945,纽约市惠特尼美国艺术博物馆藏)。1948 年在抽象表现主义方面发展了具有个性的风格。1958～1966 年期间,作了 14 幅特大的油画(最大的约 3 米 × 5 米),放在得克萨斯州休斯敦的一所教堂内,这个教堂在他死后命名罗思科教堂。这些画都是单色画,有深棕色、栗色、红色和黑色等单色。这些阴暗的色彩表明罗思科晚年深受神秘主义影响。后因体衰多病,厌世自杀。

Rothschild FAMILY　罗思柴尔德家族　又译罗斯蔡尔家族。欧洲最著名的银行世家,对欧洲经济史并间接对欧洲政治历史产生影响达 200年之久。家族的创始人为迈耶·阿姆

迈耶·阿姆谢尔·罗思柴尔德

供图:Historisches Museum, Frankfurt am Main

阿姆谢尔·迈耶·罗思柴尔德

供图:Osterreichische Nationalbibliothek, Vienna

谢尔·罗思柴尔德(1744-02-23,美因河畔法兰克福～1812-09-19,法兰克福)及其五个儿子——阿姆谢尔·迈耶(1773-06-12,法兰克福～1855-12-06,法兰克福)、萨洛蒙·迈耶

萨洛蒙·迈耶·罗思柴尔德

供图:Osterreichische Nationalbibliothek, Vienna

内森·迈耶·罗思柴尔德

供图:Osterreichische Nationalbibliothek, Vienna

(1774-09-09～1855-07-27,维也纳)、内森·迈耶(1777-09-16～1836-07-28,法兰克福)、卡尔·迈耶(1788-04-24～1885-03-10,那不勒斯)和詹姆斯或雅各布(1792-05-15～1868-11-15,巴黎)。迈耶早年丧父,在一家银行当学徒。迈耶父子在美因河畔法兰克福经营一家银行,发展而成为国际银行家。法国大革命和拿破仑战争(1792～1815)给他家带来发财致富的良机。迈耶及长子阿姆谢尔·迈耶坐阵在法兰克福,而内森·迈耶1804年在伦敦建立分行,詹姆斯 1811 年在巴黎扎根,萨洛蒙和卡尔于 19 世纪 20 年代分别在维也纳和那不勒斯建立办事机构。在战争年代他们向交战国的王公贵族提供贷款,贩卖与走私棉、麦、军火等主要物资,办理不列颠群岛与欧洲大陆之间的国际汇兑。战后该银行集团除继续国际业务往来外,逐渐卷入经营政府有价证券及保险、工业企业的股票。他们就这样成功地适应了欧洲的工业革命,以铁路、煤炭、钢铁、金属器材等方面投资促进了欧洲经济的发展。19 世纪 50 年代以后,该集团业务仍有发展,特别在石油及有色金属领域占有重要地位。但因英、法、德等国家新的股份银行及商业银行相继兴起,开始打破了其垄断局面。至 19 世纪后期欧美财团资金雄厚,财势日盛,影响超过了罗思柴尔德集团。值得提出的是迈耶·阿姆谢尔为其家族企业制订的"联合经营各类业务"及"不追求额外利润"两条指导原则,世代相传,对保持其企业长期不衰起了很大作用。罗思柴尔德家族第一代

卡尔·迈耶·罗思柴尔德

供图:Osterreichische Nationalbibliothek, Vienna

詹姆斯·罗思柴尔德

供图:Osterreichische Nationalbibliothek, Vienna

以异乡人出现于各国,在语言不通、不谙地方习俗的情况下,排除当地金融界的猜忌与竞争,终于取得显要地位。第二代(五弟兄的子侄)恪守家世传统,事业更加兴旺。他们对所在国家的政治经济都具有很大影响。罗思柴尔德家族常在堂表亲属之间通婚,双方大都是犹太人,极少例外,其结果,尽管支脉庞多,世系后嗣始终保持团结一致,特别是在纳粹时期,他们协力适应风暴,克服困难,极为显著。他们一家享有崇高荣誉,迈耶的五个儿子均被授予奥地利帝国男爵勋位。该家族在英法的成员,多以科学家或慈善家著称。

Rothschild (of Tring), Lionel Walter Rothschild, 2nd Baron　罗思柴尔德(1868-02-08,伦敦～1937-08-27,英格兰白金汉郡特灵)　英国动物学家,杰出的收藏家,罗思柴尔德自然博物馆的建立者。内森·迈耶·罗思柴尔德(罗思柴尔德男爵一世)的长子。1915年于其父逝世后继承爵位。先于波恩大学求学,后赴剑桥马格达伦学院,在著名动物学家 A. 牛顿的影响下,对动物学产生兴趣并有志于此。童年时代他爱采集昆虫标本,后来又采集鸟类和哺乳动物。采集品都保管在其父于

特灵的产业中。自任职N.M.罗思柴尔德父子银行后，即无暇顾及博物馆的发展，只好雇人代劳。该博物馆于1892年起对外开放。1899～1910年他任保守党议员。他同情犹太复国主义，在英籍犹太人团体中居显要地位。他曾收到当时任英国外交大臣A.J.贝尔福（后任首相）的信，信中表明英国有兴趣在巴勒斯坦为犹太人建立一个家园，此信后来被称为贝尔福宣言。他又是许多科学团体

供图：BBC Hulton Picture Library

的成员，曾独自或与人合作发表多篇生物学论文及专题著作。他的博物馆是私人采集标本量最大的自然博物馆，1932年由于经费短缺，他把鸟类采集品卖给纽约的美国自然博物馆。根据遗嘱，他的博物馆及所属杰出图书馆捐献给他任理事的伦敦不列颠博物馆。

Rothschild, Louis-Georges 罗思柴尔德 参阅 **Mandel, Georges** 芒代尔。

Rothstein, Arnold 罗思坦（1882或1883，纽约市～1928-11-06，纽约市） 20世纪20年代美国控制纽约州小贩生意的大赌徒、私酒犯。与政界和商界要人过从甚密。他是F.S.菲茨杰拉德的小说《伟大的盖茨贝》中那个名叫迈尔·沃尔斯海姆的人物的原型。“该人曾是决定1919年棒球赛最终胜负的操纵者”，据说罗思坦就是制造与此有关的黑袜队行贿丑闻的幕后人物。罗思坦生于纽约东坡一个犹太中产阶级家庭，十多岁就卷入赌博和放高利贷活动。20年代他在政客、商人和犯罪头子之间大肆活动，充当头号掮客，撮合市政当局与商人之间的合同交易，代人说项免遭逮捕，谋求非法开私酒馆和做其他犯罪行业的许可，还有其他种种向政客和警察行贿的勾当。罗思坦也是贩运私酒和其他非法企业的老板。1928年11月4日晚上，罗思坦在纽约市公园中心饭店打高额赌注扑克时，被人枪击，两天后死于医院。凶手不明。H.麦克马纳斯曾因凶手嫌疑受审，但以无罪释放。

Roti Island 罗地岛 印度尼西亚东努沙登加拉省岛屿。位于帝汶西南约16千米处，其间隔有狭窄的罗地海峡。西为印度洋，东临帝汶海。岛西南-东北长80千米，宽约23千米，面积1 210平方千米。岛一般是平地，中部丘陵覆盖着硬木森林。雨量充沛，气候温和潮湿，有利于种植水稻、玉米、水果和蔬菜。饲养牛和马，渔业也重要。人口稠密，主要信仰伊斯兰教。西北海岸的巴阿是主要居民区和港口，有公路通该岛南端的嫩布腊拉。通过船运，主要与附近的帝汶进行贸易。

rotifer 轮虫 又作wheel animalcule。袋形动物轮虫纲（Rotifera或Rotaria）微小无脊椎动物，近2 000种。体前端有纤毛，排列成环形，形似转轮，故名。虽在各大陆的淡水中常见，

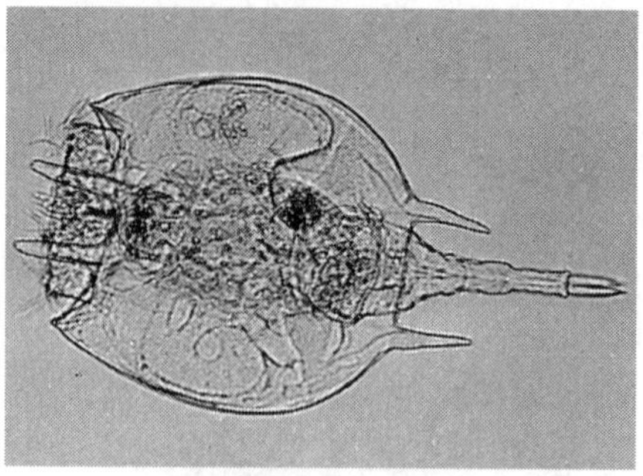

四角平甲轮虫（*Platyias quadricornis*）
供图：Runk/Schoenberger from Grant Heilman—美国不列颠百科全书公司

但亦见于咸水或半咸水、潮湿苔藓或地衣中。多数自由游泳，有些寄生。单个或群体生活。多数长0.1～0.5毫米。体呈球形，扁平，袋状或蠕虫状。体壁为薄表皮。前端有成簇的纤毛组成纤毛冠，用于取食和运动。纤毛冠造成水流，其中小生物被吸取作为食物。也吃其他轮虫、甲壳类等较大的生物以及藻类。有口和消化道。肌质的咽（咀嚼囊）有微小而硬的颚。除游泳的种类外，有的种类，如蛭态目（Bdelloidea）种类在池底以头端和尾端交替吸附前进；有的则以管或胶质的鞘固定在水底。各个种有一定数目的细胞。多数雌虫产两类卵，即需精卵和非需精卵（孤雌生殖）。

Rotimi, Ola 罗特米（1938-04-13，尼日利亚萨佩莱～2000-08-18，伊莱-伊费） Emmanuel Gladstone Olawale Rotimi的别名。尼日利亚学者、剧作家和导演。其作品常常表现出文化的多样性。1959年进入美国波士顿大学，1963年获美术学士学位，又到耶鲁大学戏剧学院，主攻戏剧创作，1966年获硕士学位。20世纪60年代回到尼日利亚，在伊费大学（今奥巴费米·阿沃洛沃大学）和哈科特港大学执教。90年代，由于尼日利亚的政治状况和其他一些原因，主要住在加勒比海地区，并在美国明尼苏达州圣保罗的麦卡莱斯特学院执教。2000年回到伊莱-伊费，在奥巴费米·阿沃洛沃大学教书。经常在作品中审视尼日利亚的历史和民族传统。其早期作品《惊扰铁神》（1963年创作）和《我们的丈夫又疯了》（1966年创作，1977年出版）分别在波士顿大学和耶鲁大学的戏剧学院上演。他的其他剧作还有《不要归咎于神》（1968年创作，1971年出版）、为第二届伊费艺术节创作的《库伦米和浪子》（1969年创作，1971年出版）、《贝宁王国最后一个君主》（1974）和《谈话》（1979）。后期作品《被统治者的悲剧》（1983）和《活死人的希望》（1988）都在哈科特港大学首演。1987年电台播出了他的广播剧《人人都有自己的问题》。其《非洲戏剧文学》一书于1991年出版。

rotogravure printing 轮转凹版印刷 把印版凹痕内的油墨转移到纸张上面的一种印刷术。这是一个凹雕过程，名称由来是因为把要印的图案蚀刻或雕刻在印版表面之下。在凹版印刷过程开始时，印版上满版涂上油墨，然后把表面上的油墨刮净。把纸张压在涂过油墨的印版上，纸张略微渗透入凹坑，吸取油墨。在轮转凹版印刷中，所有的承印品（有待翻印或印刷的材料）都应是正片。然后准备一个铜制的凹版印版，用凹版网屏接受照相制版转移；这是由密集交叉的线条组成的字格，在印版上可制造出数以千计的小方格，在印版通过正片曝光后，小方格对于蚀刻定影液产生不同的反应。蚀刻的小格深度不同，因而决定了印出的图像的明暗度，深格中的油墨比浅格中的多，因而印的颜色就较深；浅格也许未着油墨，故其色极淡。在印刷过程中，带印版的滚筒在滚动时通常经过一个槽，槽内装有速干油墨稀溶剂，或在滚筒上喷涂油墨。一个很薄的钢片（称医生刀片）刮过滚筒，把版面的油墨刮去，只留下小格凹痕内的油墨。然后纸张通过印版滚筒，吸出印版凹痕内的油墨。在彩色轮转凹版印刷中，每种颜色用一个滚筒。由于不同深度的小格容纳的油墨量不同，轮转凹版印刷过程可以印出丰富的、色调明暗不同的图文，对于大量复制相片和其他连续色调的承印品是很理想的。因而广泛使用轮转凹刻来印刷报纸增刊（如彩色杂志版）、目录、画报、有插图的书、广告、日历等。也用于印刷胶膜上的标签和包装纸及类似的材料。轮转凹刻是一种高速的印刷过程，适合印刷有黑白或彩色插图的大量材料。

Rotorua 罗托鲁阿 新西兰北岛中北部城市。在罗托鲁阿湖西南端，北岛温泉带中心的火山高原上。始建于19世纪70年代初。至1883年成为特别城区。20世纪60年代成

罗托鲁阿市的温泉疗养地
供图：G.R.Roberts

为市。周围有著名温泉、沸泥潭和喷泉。现为该地区游览和会议中心，并日益发展成羊、乳肉牛和乳品产区的商业中心。1970年起进行土地集约开发。地方工业生产水泥制品、建筑构件、农药、机械制品、黄油。有大片树林，供给锯木厂、纸浆和造纸厂，并设有森林研究所。居民以毛利人居多。人口：城市区约53 700（1992）；区65 096（1991）。

Rotorua, Lake 罗托鲁阿湖 新西兰北岛中北部湖泊。为由约20个湖泊（包括以前称为热湖的罗托伊蒂湖和塔拉韦拉湖）组成的湖群中的最大湖。湖呈梨形，长12千米，宽9.5千米，面积80平方千米。可能是火山爆

发后留下的火山口。深 26 米。西南面的罗托鲁阿市为矿泉疗养地。流域面积 526 平方千米，经奥豪河流入罗托伊蒂湖。湖面下的热活动使有些地方湖水变色。湖中莫科亚火山岛是阿拉瓦毛利人的圣地。

Rotrou, Jean de　罗特鲁(1609-08-21受洗，法国德勒～1650-06-28，德勒)　17 世纪上半叶法国新古典主义主要剧作家之一。如同高乃依，使当时巴黎的剧院逐渐享有崇高威望。20 岁前已创作出第一部喜剧《忧郁者》。他很快获得红衣主教黎塞留的庇护，成为布尔戈涅宫这一巴黎最重要剧院的驻院剧作家。最佳剧作大都具有生机勃勃和感情洋溢的特色，属悲喜剧传统，这是 17 世纪 30 年代最受欢迎的戏剧形式。其悲剧和高乃依的一样，喜欢写剧中人物必须解决内心道德冲突的故事，这类剧作具有构思严密和修辞富有强大感染力的特色。但在《真正的圣热内斯》(1647)中，则显示了他对幻觉和突然的剧烈变化的兴趣，这是典型的巴罗克式戏剧的特点。他最广为人知的悲剧有《旺塞斯拉》(1648)和《科斯罗埃》(1649)。

rotta　罗塔琴　又拼rote。中世纪欧洲弦乐器。此名称常指有直边或压腰边的箱形里尔琴，常见于中世纪的乐器插图中。大概源于爱尔兰，原名克罗伊特琴，后传到欧洲大陆。其爱尔兰原名与威尔士的弓弦乐器克鲁斯琴有渊源关系。

rotten borough　腐败选区　19世纪初英国议会改革者首先使用的专名词，指那些人口已减少，但靠王命或恩赐而保留其在下议院所控制的席位的选区。在 1832 年改革法案通过之前，658 个议会席位中有 140 多个席位控制在腐败选区手中，其中有 50 个腐败选区的选民不足 50 人。参阅 **pocket borough**。

Rotterdam　鹿特丹　欧洲主要港口和荷兰第二大城市。在南荷兰省，距北海约 30 千米，名为新水道的运河使之与北海相通。位于莱茵河北部支流新马斯河两岸。鹿特丹一名首见于 1283 年，当时为鹿特河(莱茵河三角洲的另一条河汊)河口的一小块围垦地。鹿特丹从一个渔村发展起来，1328 年成为自治市。1340 年该城获准挖掘一条通向斯希的运河，并成为该省的主要港口。17 世纪通向东印度群岛航线的发现极大地刺激了荷兰的商业和航运业，鹿特丹扩建了沿马斯河的港口和旅店。至 17 世纪末，它已成为荷兰继阿姆斯特丹后的第二商业城市。自 1795 年至 1815 年拿破仑失败时为止鹿特丹被法国占领；在此期间鹿特丹中止了许多贸易。此后，鹿特丹进行调整以适应变化了的情况。转运贸易逐渐重要。1866 ～ 1872 年开挖从鹿特丹至北海的新水道，使之适于大轮船通航。1877 年，修筑横跨马斯河的铁路，将该城与荷兰南部连接起来。与此同时修建的横跨马斯河的大桥，更开发了马斯河南岸地区，这一地区在 1892 ～ 1898 年间新建许多大型港口设施，并向西延伸。1906 ～ 1930 年间兴建瓦尔港。该港现在是世界上最大的疏浚而成的港口。第二次世界大战期间，鹿特丹市中心区和 1/3 以上的港口设施被德国人破坏。仅有少数几处公共建筑逃过劫难，其中包括市政厅(1918)、邮政总局(1923)和股票交易所。建于 15 世纪的圣劳伦斯教堂于 1940 年被焚毁，后又修复。实际上，鹿特丹是在第二次世界大战中轰炸后的废墟上重建起来的。按照设计图纸建起了一个全新的内城区，宽敞的和功能齐全的建筑朝向马斯河。在整个城市的设计中进行了一系列试验，不但引起了专家的兴趣，也博得了游客的赞赏。只准游人步行的里建巴购物中心成为欧美同类购物中心的典范。鹿特丹的经济仍然几乎完全以航运(主要是海运)为基础。其港口位于伦敦、巴黎和德国鲁尔区构成的人口稠密和工业发达的三角区中心，并且处在两条重要河流(莱茵河和马斯河)的河口处，然而它也向世界上航运最繁忙的北海开放。经鹿特丹港及其外港厄罗波特海运货物的数量位列世界前几名，其中大部分为原油或石油产品。鹿特丹也是欧洲大陆上最大的谷物和一般货物港口之一。它是欧洲内陆货物的主要转运港，莱茵河上的驳船载来的成千上万吨货物都使用其港口设施转运。从 20 世纪 40 年代后期开始，鹿特丹的石油加工工业或石油化工工业变得很重要。该市现有几座大型炼油厂。输送管道将经海路运来的原油、精炼产品、乙烯和天然气以及石脑油从鹿特丹送到阿姆斯特丹、林堡省、泽兰南部岛区、比利时的安特卫普和德国。鹿特丹西北的泽斯蒂恩霍芬机场为其提供空中交通服务。鹿特丹有以声音效果完美而著称的道伦音乐厅(1966)等建筑。博伊曼斯-范伯宁根市博物馆收藏有大量的荷兰和佛兰芒大师们的画作。其他博物馆有地理和人种志博物馆、亨利王子海洋博物馆和历史博物馆。还有依拉斯谟大学。*鹿特丹动物园*(**Royal Rotterdam Zoological Garden Foundation**)是一座著名的动物园。人口：市约596 023；都会区约1 069 356(1993)。

Rotterdam　鹿特丹　美国纽约州东部斯克内克塔迪县城镇。濒临莫霍克河，靠近斯克内克塔迪市。镇内的扬·马比楼(1671)是早期荷兰移民建立的。1821 年建镇。近郊社区鹿特丹江克欣村位于阿迪朗达克山麓，1883 ～1931 年间该城镇为伊利运河和铁路的重要联运点。该镇基本为住宅区，亦有电器厂、油漆厂等企业。面积 93 平方千米。人口约 28 316(2000)。

Rotterdam Zoological Garden　参阅 **Royal Rotterdam Zoological Garden Foundation** *鹿特丹动物园*。

Rottnest Island　罗特内斯特岛　澳大利亚岛屿。位于印度洋，在西澳大利亚州斯旺河口的弗里曼特尔西北 19 千米处。面积10.5 千米 × 5.5 千米。地势较低，有沙丘和盐湖。岛上有短尾矮袋鼠、稀有的袋鼹鼠、袋鼬等稀有动物，现为野生动物保护区。1839 年始有人定居。曾为弗里曼特尔的领航站。现为珀斯都会区的游览地。有轮船和飞机通珀斯。

Rottweiler　罗特韦尔狗　一个使役狗品种。德国罗特韦尔地方古罗马兵团留下的牧牛狗的后代。从中世纪到 1900 年左右一直伴随当地的屠户外出买牛，颈上携带一个钱

罗特韦尔狗
供图：Sally Anne Thompson—美国不列颠百科全书公司

包到市场去。也用于守卫、驱赶牲畜、拖曳或充警犬。体粗壮，体高接近 56 ～ 69 厘米，体重36 ～ 57 千克。被毛黑色，短而粗糙，头、胸、腿有棕褐色斑纹。

Rotuma　罗图马　斐济的属地，位于南太平洋。在首都苏瓦西北偏北 710 千米处。由主岛火山岛、罗图马和 8 个小岛组成。1881 年归属斐济。出口椰干和席子。罗图马人为波利尼西亚人与其他民族的混血人种，20 世纪 80 年代初近 5 000 罗图马人迁居斐济其他地方。主要村庄为阿豪。人口 2 688(1986)。

rotunda　圆形建筑　又称圆形大厅。古典和新古典建筑中，平面为圆形或椭圆形，覆有穹顶的建筑或大厅。圆形大厅的前身是古希腊的一种圆形建筑，但其上部一般作蜂窝状。

纽约市格兰特墓地处的圆形建筑
供图：David W. Corson from A. Devaney, New York

古罗马的万神庙(约建于 124 年)亦为圆形建筑。维琴察的罗通达(卡普拉)别墅(1550 年始建)是意大利文艺复兴时期的一例，由 A. 帕拉弟奥设计，其圆形的中央大厅用一平缓的穹顶覆盖。这种形式后来为英国文艺复兴

时期的建筑师所仿效，如伦敦的奇西克别墅（1725 年始建）。美国首都华盛顿国会大厦及杰斐逊纪念堂，都是在雄伟的公共建筑中应用圆形大厅的例子。

Rouault, Georges(-Henri)　鲁奥（1871-05-27，巴黎～1958-02-13，巴黎）　法国画家、版画家、陶艺家、彩色玻璃制作师，从法国中世纪大师处汲取灵感，将宗教的和自文艺复兴

鲁奥绘《基督徒夜曲》（1952）
中国大百科全书出版社供图

时期分离出的非宗教的传统相结合。细木工之子，1885 年在巴黎装饰艺术学校夜班学习。1885～1890 年在玻璃作坊当学徒。风格受到他从事修复的中世纪玻璃窗彩画的影响。1891 年进入美术学院，不久即成为象征派画家 G.莫罗的得意门生。莫罗死后，任陈列莫罗作品的小型博物馆的馆长。初期画风是学院式。1898 年以后受凡·高、高庚和塞尚影响，导致他在 1905 年成为野兽派的同路人。1895 年左右成为虔诚的天主教徒。他经常出入巴黎地方法院，仔细观察那些失去上帝恩宠的人们。丑陋的妓女、落网的歹徒、毫无怜悯之心的法官，成为他常画的人物。原多作水彩画，1914年以后更多地采用油画，色层浑

鲁奥自画像，1925 年
供图：Giraudon—Art Resource/美国不列颠百科全书公司

厚丰富，给人以美感，形体简化而有庞大感，色彩和粗的黑线令人想起玻璃窗彩画。题材更加具有宗教性。例如《耶稣遭受士兵们的嘲笑》、《圣容》、《耶稣和大祭司》等。这一时期他还经常改画早期作品，例如《年老的国王》的制作年代即为 1916～1936 年。在两次世界大战之间，他用很多时间为《贫穷和战争》、波德莱尔的《恶之花》等书作版画插图。1929 年，为普罗科菲耶夫的芭蕾舞剧《浪子》设计布景和服装。1937 年还为不少挂毯作画稿。1947 年把自己认为不是代表作品的 315 幅画公开烧毁。晚年，他增添了过去所不用的几种绿色和黄色，画了几幅几乎不可理解的风景画，如《基督徒夜曲》（1952）。

Roubaix　鲁贝　法国北部北加来海峡大区北部省工业城镇。位于里尔东北，比利时边界附近的佛兰德平原上，鲁贝运河畔。北与图尔宽相连。15 世纪获制造业特许状。在 18 世纪下半叶经过长期的斗争，获得了与里尔同样的权利使用所有英国生产的纺织原料进行制造加工。在 19 世纪上半叶，人口增为 3 倍达 25 000 人，第一次世界大战前已超过 122 000 人。两次世界大战中均被德国人占领。鲁贝、图尔宽及其郊区现成为里尔城市联合体的一部分。纺织业发达，是法国最重要的制造业中心之一。有 200 多天然和人造纤维纺织工厂，产品以羊毛线最为重要。也有化工业，为一个重要的邮购销售中心。人口 101 488（1982）。

Roubiliac, Louis-François　鲁比利亚克（约 1695 或 1702 或 1705，法国里昂～1762-01-11，伦敦）　英国 18 世纪最重要的晚期巴罗克雕刻家。曾在象牙、陶瓷雕刻家 B.佩尔莫塞处

鲁比利亚克的《伊丽莎白·奈廷格尔夫人纪念像》（1761）
伦敦沃伯格学院供图

当学徒，后成为法国巴罗克雕刻家 N.库斯图的助手。约 1732 年移居伦敦。第一件独立承担的作品是 1737 年为沃克斯霍尔公园制作的韩德尔雕像。1 年后自设工作室。1746 年作威斯敏斯特教堂的《阿盖尔公爵纪念像》，为其最重要的作品之一。其《伊丽莎白·奈廷格尔夫人纪念像》（1761）更为著名。他擅长制作胸像，有几件是为切尔西陶器工厂制作的赤陶胸像（约 1750），W.贺加斯和 A.蒲柏的胸像是其中的两个。肖像技艺杰出，并以观察敏锐和表现性格精到受到称赞。

Rouen　鲁昂　法国西北部上诺曼底大区滨海塞纳省省会和港口城市。位于巴黎西北，塞纳河畔。罗马人称之为罗托马居斯。公元 3 世纪当地第一任主教圣梅隆传入基督教，城镇随之重要起来。公元 876 年被诺曼人侵占。1066 年诺曼人征服英国后，附属于英国王室。1204 年被法国占领，百年战争（1337～1453）前城市一直很繁荣。1419 年英王亨利五世占领鲁昂。1430 年法国圣女贞德被囚禁在鲁昂一座城塔（至今仍存，以她的名字命名）里，贞德受到审讯，并以异端邪说罪于 1431 年被英国人烧死在鲁昂马尔什广场火刑柱上。1449 年被法国收复。之后 100 年间，鲁昂为法国主要文化中心之一。在宗教战争中，城市备受磨难，1685 年后有一半居民外迁。于是在 19 世纪之前，该城市一直处于衰落状态。19 世纪的纺织品贸易才使它重新繁荣起来。1870 年的普法战争中，鲁昂被德国人占领。旧城位于河右岸，四周为山丘环绕，城内古老建筑物众多，有“博物馆城”之称。左岸市区在第二次世界大战中几乎全部被毁，战后重建。原为巴黎外港。码头经改建沿塞纳河延伸 18 千米。因邻近巴黎和建有港口，鲁昂成为一扩大中工业区的中心。为传统棉花贸易中心和服装业中心。当地造纸厂为全国提供新闻纸。其他工业项目有化工、机械、汽车和飞机零件制造等。鲁昂大教堂被认为是法国最出色的哥特式教堂之一。市内伯勒钟楼有由 55 个钟组成的钟琴。市中心灯塔有 19 世纪末建的尖塔，是法国最高的教堂楼塔（151 米）。其他名胜古迹有大主教宫、圣马克洛教堂、哥特式法院和 16 世纪建的布特鲁尔德大厦等。美术和陶瓷陈列馆展有 17～18 世纪法国绘画和鲁昂产瓷器。还有 17 世纪法国戏剧诗人高乃依纪念馆。19 世纪法国小说家福楼拜在此出生。人口 100 696（1982）。

Rouen ware　鲁昂陶瓷器　法国主要的陶瓷中心鲁昂生产的彩陶（锡釉陶器）和瓷器。16 世纪时，彩陶是当作建筑中的一种装饰和药剂师的瓶、罐使用的。鲁昂陶工埃德美·波德拉于 1647 年在鲁昂开设了一家工厂。据说他还是法国软质瓷的发明者，并率先使用了辐射状垂花饰。这种装饰虽早已流行于若干其他领域，在制陶工业中则还是一种新技艺。鲁昂陶瓷还以其刺绣风格的装饰而获得赞赏；这种风格在 18 世纪的最初 25 年间曾风靡一时。在法国的鲁昂和讷韦尔，彩陶是按照荷兰-中国的样式制作的，采用单色装饰，而以细腻的奶白色作底。最初仅用蓝色装饰，后来又增加了红和黄色，生产出多彩陶瓷器。更加珍稀的一类鲁昂彩陶，是在黄色或棕色的底釉上，绘饰黑、蓝两色的图案，其生产年代约在 1725 年前后；蓝底红花者则尤为罕见。18 世纪后半叶，鲁昂彩陶另一令人瞩目的品类问世，这是具有高度创造性的东

方风格陶瓷制品，其制造者借鉴了中国的粉彩和绿彩风格以及日本的柿右卫门风格，把二者的某些特点融成了一体。与讷韦尔一样，鲁昂也制作较廉价而更加大众化的喻意彩陶类制品，饰以讽刺样式的场面，包括现在被人们当作有关 18 世纪流行歌曲信息来源而争相寻索的音乐盘碟。鲁昂和讷韦尔也都生产可随地摆置的大型塑像。但是这两座城市的陶瓷生产都衰落了。1798 年，鲁昂的彩陶厂减少到只剩下 10 家。鲁昂瓷器虽属半透明并用单一的蓝色装饰，但还略带淡绿色。埃德美·波德拉研制成软质瓷，意在效仿代尔夫特瓷器；其子路易斯·波德拉经皇室恩准自

约 1695 年的鲁昂软质陶瓷装饰性花盆
鲁昂美术博物馆供图

1673 年开始独家生产鲁昂瓷器，直至 1696 年路易斯怀着这种瓷器的生产奥秘谢世。该时期的产品是小花瓶、脂粉罐和调味品容器，现在存世者极少。一些这类器物往往被混同于名气更大的圣克卢瓷器。1743 年，尼古拉斯·莱瓦瓦索埃曾试图在鲁昂恢复瓷器生产，但其产品质量低劣。

Rouergue　鲁埃格　法国中南部旧省名，相当于今阿韦龙和塔恩-加龙两省的大部，北接奥弗涅，南和西南邻朗格多克，东以热沃当和塞文山脉为界，西与凯尔西毗连。以高卢的鲁特尼部落而得名。法国大革命期间建省制时(1790)，它不再为一个单独实体。

Rouge et Noir(card game)　**红与黑**　参阅 **Trente et Quarante** 三十到四十牌。

Rouget de Lisle, Claude-Joseph　鲁日·德·李尔(1760-05-10，法国隆勒索涅～1836-06-26，舒瓦西勒鲁瓦)　法国国歌《马赛曲》的作者。原为低级军官和温和共和党人。1792 年驻斯特拉斯堡时为他的战友作此曲(写词并作曲)，原名《莱茵军战歌》，法国大革命期间，普罗旺斯地区的志愿兵从马赛进军巴黎途中采用此歌，才得《马赛曲》名。

Rough Rider　莽骑兵　美西战争中的第一志愿骑兵团，亦即 T.罗斯福所招募的美国志愿骑兵团，由牧童、矿工、执法官员及大学运动员等组成。他们的出色战绩，在美国的报刊上受到广泛的宣传。L.伍德上校辞去白宫医生的职务，担任该团的指挥官；罗斯福辞去海军助理部长的职位，出任该团的副指挥官。这个团是一支名噪一时的部队，在美西战争中，特别是在古巴圣胡安山战役(1898-

T.罗斯福(中左戴眼镜者)与莽骑兵们，1898 年 7 月
美国国会图书馆供图

07-01)中向山顶发动的攻势，比任何其他部队更为驰名。

Rouher, Eugène　鲁埃(1814-11-30，法国里永～1884-02-03，巴黎)　法国国务活动家，第二帝国时期为保守派大臣，第三共和国时期为波拿巴主义者的领袖。1848 年被选入国民议会，1849 年任司法部长。他支持路易-拿破仑，压制左翼反对派。1850年5月提出取消

供图：H. Roger-Viollet

普遍选举的法案，1852 年负责起草第二帝国宪法，任国务会议副主席。1855 年任农业、公共工程和商业大臣，大力提倡私人企业和自由贸易，曾与英国(1860)、比利时(1861)和意大利(1863)签订贸易协定。1863 年起任国务大臣，号称"副皇帝"，千方百计镇压自由运动。自由运动最后获胜后，1869 年他被迫辞职，改任参议院议长。1870 年第二帝国垮台后任国民议会和众议院议员(1872～1882)，为波拿巴主义者的领袖。

Roulers(Belgium)　**鲁莱斯**　参阅 **Roeselare** 鲁瑟拉勒。

Roulette　轮盘赌　法语，原意为"小轮"。一种赌场赌博方式。起源于法国，在欧洲、南北美洲、亚洲和非洲的赌场或娱乐场所普遍流行。轮盘赌有一庄主，所有赌注都押给庄家或赌场主。一些历史学家认为，1655 年法国科学家 B.帕斯卡在隐修院清修时期发明了这种赌博，并在巴黎的临时赌场首次表演。也有人指出，轮盘赌起源于古代中国，这种赌法要求把 37 个动物小塑像排列在一个有 666 个格的魔方里。这种赌法后来传到中国西藏，尔后又传给法国修士，他们把塑像改为数字(0～36)，并且放置在一个转动的轮盘边沿上。轮盘赌到 19 世纪初才在欧洲的娱乐场流行，并且在很长时间内与蒙特卡洛的赌场联系在一起。轮盘赌台由转轮和赌注图案两部分组成。式样有两种，一种只有一个赌注图案，轮盘设于其一端；另一种是转轮在中间，两边各设一图案。庄主宣布开赌后，参加者开始下赌注，下赌的位置由自己选择。转轮向逆时针方向转动，然后掌盘人把一个象牙球或塑料球放在微凸的轮盘面上以顺时针方向旋动，在这个过程中，赌博者可不断下赌，待小球转速下降，落入轮盘上任何两个金属间隔之间，其上标志着赌赢的号码、颜色等，掌盘人把输掉的赌注收起来，按规定付给获胜者。根据每次赌博的结局，赌博掌盘人或赌场主都可以获得一定份额的酬金。在美国和欧洲、亚洲、非洲和南美洲，赌场主抽取酬金的方式各不相同；尽管轮盘赌博有各种规则，例如"加倍"是最古老最普遍的规则，但不论采取什么规则，都无法去掉赌场主的利润。

round　《轮唱歌》　在音乐中，指一种复调声乐作品，其中的 3 或 4 个声部按卡农方式以同度或八度依次进入。参阅 **canon**；**catch**。

Round, Henry Joseph　朗德(1881-06-02，英格兰斯塔福德郡金斯温福德～1966-08-18，苏塞克斯博格诺里吉斯)　英国电子工程师，他的一系列发明促进了无线电通信的发展。1902～1914 年他为马可尼无线电报公司工作，改进了无线电收音机的调谐元件并建造早期的无线电测向台和无线电话。他参加马可尼领导的研究小组，被派往爱尔兰克利夫登和巴西去提高无线电发射机的性能。返回英国后从事真空管放大器的实验。第一次世界大战期间为了搜集军事情报，他沿西部前线和在英国本土建立了无线电测向网，为英国海军部提供了德国舰队于 1916 年 5 月 30 日离开威廉港的警报，次日英国海军对德国舰队进行截击因而发生了日德兰海战。战后他重返马可尼公司，设计并安装了几部重要的发射台。其中一部设在爱尔兰的巴利巴宁，首次实现了横越大西洋的无线电话通信；另外两部用来在英国建立第一批广播电台；另一部设在卡那封，它发射的无线电信号在澳大利亚被接收到。他还设计了船舶用的无线电收报机、发报机、唱机和电影胶片录声装置以及扩音系统。第二次世界大战期间，任英国海军部顾问，从事潜艇探测设备的研制，后来还为马可尼公司研制出几种实用的回声探测装置。

Round Table　圆桌　指亚瑟王传奇中不列颠国王亚瑟的桌子，最先在泽西的瓦斯所著《布鲁特传奇》(1155)中提到。该书叙述亚瑟王命人制作一张大圆桌，使他的贵族们就坐时免于尊卑高下之争。在罗贝尔·德·博隆的诗作《阿利马太的约瑟》(约 1200)中，英雄帕尔齐法尔寻找的圣杯，被认为就是基督在最后晚餐时所用的器皿。约瑟受命为纪念最后

的晚餐制作一张桌子，并留有一个空席，象征出卖基督的犹大之位。这个席位名为"危险席"，只有取得圣杯的英雄占有才无危险。13世纪时，散文圣杯故事组和后散文圣杯故事中的圣杯主题与亚瑟王传奇完全融为一体，圆桌系顾问墨林为亚瑟之父尤瑟·潘德拉贡制作的说法已被确认。圆桌后来落入卡梅里德的利奥德格伦国王手中，国王把它赠予亚瑟，作为其女圭尼维尔嫁给亚瑟的嫁妆。只有最勇敢的武士才能加入圆桌骑士团，其中"危险席"则空着，等待加拉哈，那位寻获圣杯和最后结束亚瑟王国奇迹的圣洁骑士的到来。在温切斯特城有一个大厅，厅内可看到所谓亚瑟王的圆桌陈设在墙边。该桌直径5.5米，是13世纪的产物，被重新漆成亨利七世统治时期的都铎色（绿色和白色）。

Round Table Conference 圆桌会议（1930～1932） 英国政府为研究制订印度未来的宪法而召开的一系列会议。1927年成立西蒙委员会，对1919年的《印度法》的实施情况进行调查，1930年公布了该委员会的报告。这就是圆桌会议的由来。会议在伦敦举行，共三次。第一次会议（1930-11-12～1931-01-19），印度所有土邦和政党都有代表参加，共73名，但印度国大党由于正举行反政府的不合作运动而未参加。其主要成果是坚持以议会制政府——包括各土邦主在内，一改同意联邦制原则——和以取得自治领地位为目标。第二次会议（1931-09～12），甘地代表国大党参加。会议不论就宪政问题，还是在教派代表权问题上均未达成协议。第三次会议（1932-11-17～12-24），国大党和英国工党均没有参加。几次会议产生的结果是制订1935年印度政府法案，建立地方自治和联邦制度，但始终未实行。

Round Table Conference Agreement 《圆桌会议协定》（1949） 参阅 **Hague Agreement** *《海牙协定》*。

roundelay 回旋诗 叠句频繁重复出现或在固定间隔重复出现的诗体，如小回旋诗。该词也可泛指任何一种广泛使用叠句、有固定形式的诗歌（如回旋诗体、小回旋诗和英国式回旋体诗）。

rounders 圆场棒球 曾经流行于英格兰的一种球戏。从未成为正式比赛项目，但可能是棒球的前身。1744年出版的《袖珍小画册》刊印一幅版画，绘有儿童玩棒球的场面，该书同时也提到圆场棒球，这是有关这种运动的最早史料。使用重2.5～3盎司的硬球。球的圆周为7.5英寸；木质圆棒最粗部分不超过6.25英寸，长不到18英寸，重量不超过13盎司。全国圆场棒球协会成立于1943年。场地为不规则五边形。投手投出的球通过击球区时，必须低于对方击球员头部，高于他的膝部。投来的如是好球，击球员必须击打，不管击中与否，然后都要按逆时针方向沿1、2、3垒跑至4垒即本垒，也可在前3垒中任1垒停留。投球手如连续投3个坏球，对方击球员即可自由跑2个垒。击球员击出的球如被对方在空中接住，或守垒员在击球员未跑到垒之前用球触垒或用球触及击球员，则应判击球员出局。击球员可向任何方向击球，但如球飞向击球区后方，则击球员在球被抛回之前只能跑至1垒。每队9人，9人均出局为一局结束，每场打2局。守方人员一般包括投手、接手、4名守垒员和3名外场球员。有2名裁判员。目前圆场棒球仅在英国小学低年级生中流行。

Roundhead 圆颅党 英国内战（1642～1651）和战后时期的议会派分子。许多清教徒剪短头发，与查理一世宫廷中流行的长发形成鲜明对比。1641年末，当议会讨论主教除名法案时引起骚乱，出现了这个嘲笑的称呼。据拉什沃思在《历史汇编》中说，1641年12月27日退职军官海德第一次使用圆颅党一词，他曾挥舞着剑叫嚷"把对主教狂吠的那些圆颅狗的喉管割断"。但据巴克斯特讲，此词源出H.玛丽亚王后，她在审判斯特拉福德伯爵温特沃思（1641-03～04）时曾指着议会领袖皮姆问："那个圆颅的人是谁？"

rounding 圆唇 又称labialization（圆唇化）。语音学术语，系以圆唇方式发出语音。元音、半元音和某些辅音都可能是圆唇音。英语中note（记录）中的 *o* 音，look（看）中的 *oo* 音，rule（规则）和 boot（长统靴）中的 *u* 音都是圆唇元音，well（井，好）中的 *w* 音是圆唇半元音。非圆唇与圆唇相对立。发非圆唇音时，嘴唇放松或往后收缩，如发 meet（遇见）中的 *ee* 音时那样。一般说，前元音多是非圆唇的，而后元音则多是圆唇的。这种趋势在元音分类中已得到公认。然而，法语 *tu*（你）中的 *u* 音，是一个前高圆唇元音，与 tout（完全）中的 *ou* 音形成对应；而日语则有后高非圆唇元音。

roundworm（parasitic invertebrate） **圆虫** 参阅 **nematode** *线虫*。

Rourke, Constance Mayfield 鲁尔克（1885-11-14，克利夫兰～1941-03-23，美国密歇根大急流城） 美国历史学家，研究美国文化和民族特性的先驱。1907年在瓦瑟学院取得学士学位后，又在巴黎大学学习，然后在瓦瑟学院教授英文。1915年辞职，成为历史学研究员及自由作家。1931年发表《美国的幽默：民族性研究》，使其享有盛名。该书被认为学术名著，对通俗文化及优秀文化均进行研究。鲁尔克之著作包括许多杂志上发表的文章及论美国文化史的5篇专题文章。其未发表之手稿由V.W.布鲁克斯编辑后于1942年出版，书名为《美国文化之根源》。

Rouruo language 柔若语 中国怒族使用的语言之一。属汉藏语系藏缅语族彝语支。主要分布在云南省怒江傈僳族自治州的兰坪、泸水2县。使用人口约2 000左右。柔若语（兰坪）的语音特点是：有23个声母，其中包括双唇、舌尖中、舌根塞音，分清和清送气两套，有喉门塞音；舌尖前、舌面前塞擦音，也分清和清送气；双唇、舌尖前、舌根擦音分清、浊，有舌面前清擦音；有双唇、舌尖中、舌面前、舌根鼻音和边音各1个。有单元音韵母29个，分普通元音10个，紧元音9个，鼻化元音7个，鼻化紧元音3个，此外还有1个舌根鼻音自成音节的韵母；有复元音韵母50个，其中后响的37个，前响的7个，三合的6个。有6个声调（高平、中平、高降、低降、高升、低升）。词类有名词、数词、量词、代词、动词、形容词、副词、助词、连词、语气词、叹词11类，虚词和语序是表达语法范畴的主要手段，有少量屈折形态手段。量词十分丰富，除了表量外，还有定指和类别作用；指示代词分一般指示代词和处所指示代词，每一类又分近指和远指，远指代词又分上方、下方和水平方，每个方位又分一般指和更远指；动词有体（将行体、进行体、已行体、完成体、曾行体）、式（命令式、祈求式、疑问式）、态（自动态、使动态、互动态）等语法范畴。句子主语在前，谓语在后，宾语和状语在主语之后、谓语之前；名词、代词作修饰语在中心词前，形容词、数量词组作修饰语在中心词后。词汇里有一定数量的汉语、傈僳语、白语借词。

Rous, (Francis) Peyton 劳斯（1879-10-05，巴尔的摩～1970-02-16，纽约） 美国病理学家，因发现致癌病毒而闻名。1910年，他发现不仅将鸡肉瘤细胞移植，而且将普通显微镜见不到的鸡肉瘤提取物注入近亲系鸡体内，也可产生肉瘤。由此产生了病毒致癌说。尽管他的研究当时受到嘲笑，但他的论点被以后的实验证实，1966年与C.B.哈金斯共获诺贝尔生理学或医学奖。除了癌症外，还研究过肝、胆生理学和血液保存技术，从而使第一个血库得以诞生。

Roussé（Bulgaria） 参阅 **Ruse** *鲁塞*。

Rousseau, Henri 卢梭（1844-05-21，法国拉瓦勒～1910-09-02，巴黎） 又译罗稣。法国画家，在现代派艺术中自成一家。白铁匠之子，幼时喜爱绘画，自学成才。曾入伍服役4年，服役期间结识一些去过墨西哥的士兵，听他们讲异国风情，都成为其以后创作的题材。1868年到巴黎定居，当收税员，经常抽时间作素描和油画。1884年到罗浮宫临摹油画，1886年首次展示作品《狂欢节之夜》，风格质朴，毫无夸张，树枝描画精细，云朵奇丽，服装工致，十分富有诗意。1889年巴黎举办万国博览会在他的生活中颇为重要。展览中塞内加尔与东京湾的建设，以及塔希提岛的风景给他留下深刻印象，直接影响到后期绘画。1894年，油画《战争》在"独立沙龙"展出，其大部分重要作品都是在这一时期创作的，如著名的《睡着的吉普赛女郎》，气氛十分神秘，画风朴实，富有装饰性，甚至有些抽象。1905年，油画《饿狮》在半官方的秋季沙龙展出，同时展出作品的还有野兽派画家马蒂斯、德兰等人，色彩的单纯与缺乏写实传统的特点是共同的。作品在生前不为官方赏识，却被一些先锋派画家（其中包括毕加索）所推崇。晚年，多画异国情调的风景。1910年逝世前不久，画了一批丛林风景油画，如《亚狄维亚之梦》等。主要作品有：《我自己：肖像风景》（1890，布拉格现代艺术博物馆藏）、《战争》

卢梭绘《我自己：肖像风景》(1890)

供图：Giraudon—Art Resource/美国不列颠百科全书公司

(1894，罗浮宫博物馆藏)、《睡着的吉普赛女郎》(1897，纽约现代艺术博物馆藏)、《饿狮》(1905，瑞士私人收藏)、《缪斯女神给诗人灵感》(1909，莫斯科国立普希金美术博物馆藏)、《亚狄维亚之梦》(1910，纽约现代艺术博物馆藏)、《瀑布》(1910，芝加哥美术学院藏)、《风景》(1910，莫斯科国立普希金美术博物馆藏)等。死后声誉日隆。一方面激发了20世纪对稚拙派艺术的兴趣，另一方面又影响了超现实主义艺术家的创作。

Rousseau, Jean-Baptiste　卢梭(1671-04-06，巴黎～1741-03-17，布鲁塞尔)　法国戏剧家和诗人。在当时情趣横溢但却颓废的巴黎社会中极受推崇。他是一个贫穷的补靴匠之子，

供图：H. Roger-Viollet

年轻时即已显出写讽刺诗的才华，后来他尝试创作几部剧本。1712年由于一首他否认是他写的讽刺诗(很可能是他写的)而被指控犯有诽谤罪。他被流放国外后在欧洲各地流浪，经过29年的流放生活之后极端贫困。其作品一般以当时的重大事件和人物为题材，但在形式和风格上却是古典的。最佳之作为那些愤世嫉俗的讽刺短诗。

Rousseau, Jean-Jacques　卢梭(1712-06-28，日内瓦～1778-07-02，法国埃默农维尔)　让-雅克·卢梭，近代哲学家中最少学究气者，在诸多方面最具影响。他的思想标志着理性时代的终结和浪漫主义的诞生。他把政治思维和伦理思维推向新的方向。他的种种变革，首先是在音乐上，然后是在其他艺术上的变革都具有革命性的意味。他对人们的生活方式有着一种深远的影响，他教导父母们对待其孩子要不拘陈规，因材施教；他深化了友谊和爱情中的情感表现而不是拘谨礼让的束缚。他在那些业已摒弃了宗教教条的人们中间引入了宗教情感的狂热崇拜。他使人们睁开双眼，面对自然的绚丽多姿，亦使自由成为一个几乎是人们普遍渴望的目标。

成长岁月　卢梭的出生地日内瓦也是加尔文诞生的城市。其母殁于分娩，由其父哺养，父亲曾教育他相信他所出生的城市是像斯巴达和古罗马一样辉煌的共和国。老卢梭自命不凡，婚后他曾以一个钟表制造者的卑微身份，佩带上等阶层的佩剑以炫耀而开罪市政当局，不得不离开日内瓦以逃避监禁。那时，小卢梭作为一个穷亲戚已在其娘舅家勉强生活了6年之久，受人庇护也受尽屈辱，直至他16岁为止，他也逃离了日内瓦而在撒丁王国和法兰西王国过着一种冒险者和罗马天主教的皈依者的生活。

卢梭在萨伏依省幸运地遇到了一个名叫瓦朗男爵夫人的捐助人，她给他提供了家庭庇护并雇用他当管家。她还让其深造，使这位来到她府前时还结结巴巴也从未入学就读过的小厮发展成为了一位哲学家、文学家和音乐家。

瓦朗夫人将这位冒险者改变成了一位哲学家，而她本人也是一位冒险者——一位皈依天主教的瑞士人，在她和园丁的儿子一起逃到萨伏依并使她自己成为一名专门从事年轻男性新教徒的皈依转化工作的天主教传教士之前，她便剥夺了其丈夫的钱财。她的道德使卢梭感到痛苦，甚至在他成为其恋人时也是如此。但是，她是一个颇有情趣、聪慧而又能干的女人，她在卢梭身上培育出了在伏尔泰使激进观念成为巴黎时尚这样一个时期征服巴黎所需要的各种才能。

卢梭到达巴黎时正值而立之年，并极为幸运地遇到了另一位从外省来首都巴黎寻求文学声望的年轻人狄德罗。俩人很快便获得极大成功并成了一群知识分子——或"哲学分子"的中心，这群知识分子会聚在强大的法国《百科全书》周围，狄德罗被指定为该书的编辑。《百科全书》是一个重要的激进舆论和反教权舆论机构，其撰稿者大多是哲学家，也是积极变革，甚至是抨击传统观念的小册子的作者。在他们当中，卢梭的思想最富独创性，其写作风格也最为雄辩有力，因之很快成为他们中最引人注目的佼佼者。他创作音乐，也撰写散文，他的歌剧之一《乡村卜者》(1752，英译《圆滑者》)颇获国王和宫廷赏识，以致于他本可以作为一位时髦的作曲家而享受一种安逸的生活，但在他这位加尔文主义者的血液里却存有与这种世俗荣耀格格不入的东西。的确，当37岁的卢梭徒步前往樊尚去探望狄德罗时，他便有了他称之为一种"照亮"的感受，其时，狄德罗因其反宗教作品而被监禁在樊尚。在他晚期所写的《忏悔录》一书中，卢梭谈到，那时候他心里掠过一道"可怖的闪光"，使他意识到现代进步并非人的完善，而是人的堕落。他继续撰写他的第一部重要著作，即一篇应第戎学院征稿而获奖的论文《论科学与艺术》(1750)，在这篇文章中，他提出人的世俗生活史乃是一部衰败史。

这篇论文绝非卢梭的最佳作品，但它的中心主题却已披露了他尔后的几乎所有其他作品的思想。纵观卢梭的一生可以发现，他始终以这样一种思想为归宿：即认为人天性

美国联合通讯社供图

为善，但由于社会和文明而败坏了。他的意思并不是说社会和文明天生为恶，而毋宁是说两者都误入了一个错误的发展方向，并随着它们越来越成熟而变得越发有害了。在卢梭发表其《论科学与艺术》时，这种观念本身并不陌生。许多罗马天主教作家都在探讨中世纪以后欧洲文化所取的发展方向。他们对进步也抱有卢梭所表达的这种敌视见解。所不同的是，他们并不抱有卢梭的人天性为善的信念。然而，正是这种对人的本性之善的信念成为了卢梭论证的基石。

卢梭很可能从瓦朗夫人身上汲取了滋生这一信念的灵感，因为，尽管这位不同寻常的女人成了罗马天主教会的一位联络使者，但是，她依旧保留了——且传染了卢梭——很多对人类纯洁性的乐观主义情感，她本人在孩提时代便为那些神秘的新教虔信派教徒身上所表现出的这种人类纯洁性所吸引，这些教徒曾是她在伯尔尼州时的老师。不论怎样，人天性为善这一观念随着卢梭对它的不断发展终使他与保守派和激进派都分道扬镳了。即令如此，在他发表其《论科学与艺术》以后的好些年里，依然与狄德罗的根本进步性事业《百科全书》保持着密切的合作者的关系，仍是该书的一位积极撰稿人。在这里，他的专长是音乐，也正是在这一领域他首先确立了他作为变革者的影响。

与拉莫的争论　1752年，意大利歌剧团来到巴黎表演由佩戈莱西、斯卡拉蒂、文奇、莱奥和其他类似的作曲家创作的滑稽歌剧，立刻使法国的音乐爱好公众分为两个活跃的阵营，一方是新意大利歌剧的支持者，一方是传统法国歌剧的支持者。《百科全书》的哲学家们——其中包括达朗伯、狄德罗和霍尔巴——加入为意大利音乐辩护的斗士行列，但是，卢梭这位曾经安排佩戈莱西的音乐作品在巴黎公开发表，并在他出任1743～1744

年期间法国驻威尼斯大使馆秘书时对威尼斯的数家歌剧院进行数月访问后已比绝大多数法国人更为了解这一主题的哲学家，却是作为最有力而又有效的反对派斗士而出现的。他是唯一将其矛头坚定地指向法国歌剧音乐的在世首领拉莫的哲学家。

卢梭与拉莫在这个时代必定成为一场关于音乐的争论中似乎是力量对比悬殊的一对论辩对手。其时，拉莫已是70高龄，他不仅是一位多产而成功的作曲家，而且，作为著名的《论和谐》(1722)一书和其他技术性著作的作者，他也是欧洲居领先地位的音乐研究家。与之对照，卢梭比他小30岁，一个音乐的初学者，没有受过任何职业训练，在其声誉方面仅有一部成功的歌剧。他为音乐所设计的一种新的记谱法已遭科学院否定，而他为狄德罗的《百科全书》所撰写的音乐辞条绝大部分尚未发表。然而这场争论不单是音乐的争论，而且也是哲学的争论，拉莫所面对的是一个比他所意识到的更为可怕的对手。卢梭依据旋律必须先于和谐的原则，来论证其意大利音乐优于法国音乐的观点，而拉莫则把他的观点建立在和谐必须先于旋律这一断言的基础之上。由于卢梭为旋律辩护，他引入了后来逐渐被人们认识到是代表浪漫主义之特征的那种观念，即认为在艺术中，创造精神之自由表现要比严格遵守各种形式规则和传统程序更为重要。而由于拉莫是为和谐辩护，他便重新确认了法国古典主义的第一原则，即认为遵守合理地可理解的规则乃是艺术的一个必要条件，其目的乃是给人类经验的混沌无序以秩序。

在音乐上，卢梭是一位解放者。他为音乐自由辩护，并把这些意大利的作曲家们作为可资仿效的楷模。如此一来，他便比拉莫获得了更大的成功，他改变了人们的态度。格鲁克这位继拉莫之后法国最重要的歌剧作曲家也承认他得益于卢梭的教诲，而莫扎特在写独幕喜歌剧《巴斯蒂安与巴斯蒂安娜》时则是依据卢梭的《乡村卜者》而作的。欧洲的音乐发生了新的转向。但是，卢梭本人却从此不再写歌剧。尽管《乡村卜者》取得了成功，或者无宁说是由于该剧的成功，但卢梭觉得他不能让自己继续为戏院工作，作为一个道德学家他已经决定与各种尘世的价值决裂。他决定此后致力于文学和哲学。

主要的政治哲学作品 作为卢梭称之为其"变革"或其自身性格之改善的一部分，是他开始回顾他儿时在日内瓦的加尔文主义教徒那里所学到的某些严厉的原则。确实，他决定重返这座城市，与其天主教信仰决裂，去寻求新教教会的重新接纳。与此同时，他也得到了一个情妇，一个名叫莱瓦索的文盲洗衣妇。使他的朋友们感到吃惊的是，他竟然把她带回了日内瓦，把她当作一位保姆。尽管她的出现招致了某些私下议论，但卢梭却很轻易地为加尔文教教派重新接纳，他的文学声望使他在这座既以道德又以文化自豪的城市极受欢迎。

这一时期，卢梭为了回应第戎学院提出的"人们之间的不平等起源是什么？这种不平等能为自然法证明是正当的吗？"这一问题，他完成了他的第二篇论文。在回应这一挑战时，他写出了一部思辩人类学的杰作。其论证遵循着他的第一篇论文的论点，并拓展为这样一种主张，即认为自然人是善良的，然后，经过诸多连续发展的阶段，人便从原始的淳朴向堕落的圆滑世故退化。

卢梭的《论不平等的起源》(1755)一书从区分两种不平等开始，即自然的不平等与人为的不平等，第一种不平等源于力量、智力等等的差异，第二种不平等则源自支配各社会的种种风俗习惯。他先解释了后一种不平等。他采用了他认为是真正"科学的"探考渊源的方法，试图重建人的世俗生活经验的最早阶段。他提出，原始的人并不是一种社会性存在，而完全是离群索居的存在，在这一范围内他同意霍布斯关于自然状态的解释。但是，与这位英国悲观主义者认为人在此状态下必定是"卑劣的、粗陋的、野蛮的和浅薄的"观点形成鲜明对照的是，卢梭宣称，尽管原始的人被公认为是离群索居的，但他们是健康的、愉快的、善良的、自由的。他认为，人的罪恶起自人们组成各种社会的时候。

卢梭因此而免除自然产生罪恶的责任，又因罪恶的产生而谴责社会。他说，那些产生罪恶的激情在自然状态中几乎不存在，但随着人们组成各种社会很快便开始蔓延。卢梭继续指出，当人们营造他们最初的巢穴时社会便开始出现，因而有了促使男女同居的进展，而这一发展又依次产生了家庭生活和邻里联系的习惯。正如卢梭所称的这种"初生的社会"在其延伸时是好的，它确实是人类历史的"黄金时代"，只是它未能持久，在这种社会里，温柔的爱情也会滋生毁灭性的忌妒之情。邻里之间开始相互攀比他们各自的能力和成就，而这便是"走向不平等同时也是走向罪恶的第一步之标志"。人们开始要求受人关切和尊敬，随着每一个人都想过得比其他人更好，他们淳朴的自爱变成了应受到指责的傲慢。

财产的引入标志着人类进一步走向不平等，因为它使得为保护财产而制定法律、组建政府成为人们的必需。卢梭在其著作的更为雄辩的一页论述中为财产这一"决定人类命运的"概念而悲叹不已，并描述道，这些"恐怖"乃是人们与一种地球不属于任何一个人的状态分道扬镳所导致的结果。他的《论不平等的起源》中的这些论述刺激了诸如马克思、列宁这样后来的革命者，但卢梭本人认为，这种过去不可能以任何方式而使之终结，在人们身上没有任何重返黄金时代之梦的迹象。

诚如卢梭所描述的，市民社会的存在服务于两个目的：即给每一个人提供和平并确保让所有人都能足够幸运地拥有财富的财产权。因此它对于每个人来说都有某种好处，但最主要是有利于富人，因为它实际上是把他们的所有变成了正当的所有，而使穷人遭受剥夺。正是一种多少有点欺骗性的社会契约产生了政府，因为穷人从社会中所得到的远远不如富人的所得多。即便如此，富人在市民社会中也绝不比穷人过得快活，因为社会的人是永远无法满足的。在人们的利益发生冲突的情况下，社会便引导人们相互仇恨，而他们力所能及者便是将他们的敌对性隐藏在一种谦谦君子的假面具背后。因此，卢梭并不把人们之间的不平等视为一种分离问题，而是视为人们从自然和天真中异化出去的漫长过程的特点之一。

为了将《论不平等的起源》一书呈献给日内瓦共和国，卢梭为该书写了一篇献词，然而在献词中他却赞扬了那个城邦在"自然为人们之间建立的平等与人们在他们自己中间所规定的不平等"之间取得了理想的平衡。他发觉日内瓦城邦的安置便是一种市民选择最优秀者进入最高权威地位的安置。和柏拉图一样，卢梭总是相信一个公正的社会乃是一个大家都各安其位的社会。而且在撰写了《论不平等的起源》来解释人们过去是如何失去自由的之后，他又继续写另一部著作《社会契约论》(1762)，提出他们可以如何在未来恢复其自由。日内瓦成了楷模，但不是1754年卢梭重返那里恢复其公民权利的日内瓦，而是曾经有过的日内瓦，即由加尔文所设计的日内瓦。

《社会契约论》以动人的语句开篇：人生来是自由的，但却处处受到束缚，并一开始就谈到人们不需要锁链。若民众的社会或国家能建立在与《论不平等的起源》中所描述的欺骗性社会契约相反的一种真正的社会契约之基础上，则人们就会以其独立自主换取更大的自由，即真正政治上的或共和制的自由。这种自由服从于一种自制的法律。

卢梭关于政治自由的界定提出一个明显的难题。因为当人们欣然同意如果个体只服从自我设定的规则他才是自由时，乃是因为个体是具有独立意志的个人。与之相对社会却是具有多重个体意志的人们之组合，各分离意志间的冲突是人们普遍经验到的事实。卢梭对此作出的回答是，把他的民众社会界定为由普遍意志联合起来的法人团体，使社会形成的社会契约成为一项誓约，社会作为立约的团体而存在。卢梭的共和国是普遍意志的产物——该意志绝不为推进公众的、共同的或国家的利益而在任一成员中发生动摇，即令如此，它也会时时与个人利益发生冲突。

当卢梭谈及在人们借以进入民众社会的契约下每个人都完全把自身及其一切权利转让给整个社会时，他颇似霍布斯。然而卢梭却将这种行为表述为权利之交换形式，人们以此放弃自然权利而得到公民权。这场交易是合算的，因为人们所交出的是价值暧昧的权利，这些权利的实现仅靠个人自己的力量，而他们以此换得的却是既合法又由社会之集体力量给予强化的权利。

《社会契约论》中最让人难以忘怀的是谈论"迫使人自由"的那一段。有些批评家把卢梭视为现代极权主义的先驱，用他们那种方式来解释卢梭的那些话是错误的。他并非主张迫使整个社会自由，而只是说可借助外力使得特殊情形下受激情操纵而违反法律的个人重新服从内心普遍意志的呼声。依卢梭所见，由于违反法律而受到社会强制的人是被唤醒而重新意识到自己的真正利益的。

在卢梭看来，真正的道德与实际的道德之间存在一种截然的两分。实际的法律如他在《论不平等的起源》中描述的那样只保护现状，而真正的法律则如他在《社会契约论》里描述的那样乃公正的法律，而保证其公正的正是这样一个事实：即它是由作为主权者的民众以集体能力制定的，也同样是由这些人作为臣民以个人能力来遵守的。卢梭确信这种法律不会不公正，因为人们无法想象任何民众会制定对自己不公正的法律。

然而，民众中的大多数并不必然代表最有才智的公民，这一事实令卢梭苦恼。确实，他赞同柏拉图的观点，认为大多数人都是愚蠢的。因此道德上总是正当的普遍意志有时却是错误的。由是，卢梭认为民众需要一位立法者——像梭伦、利库尔戈斯或加尔文那样的伟大思想家——来制定一个宪法和法律系统。他甚至建议，这样的立法者需要声称具有神圣之启示，以便能说服愚昧的民众接受并认可所给予他们的法律。

这一建议使人回想起马基雅弗利类似的主张，马基雅弗利是卢梭极为崇拜的政治理论家，卢梭和他一样热爱共和政府。我们可在卢梭论述市民宗教的那章中看出马基雅弗利对卢梭更为明显的影响。在此章中他论辩道，基督教尽管有其真理性，但由于指向彼岸世界而不教导公民服务国家所需的美德，即勇气、气魄和爱国心，因而作为共和国的宗教它是无用的。卢梭不及马基雅弗利走得那么远，以致主张回复异教崇拜，但他确实主张一种拥有最低限度之神学内容的市民宗教，用以增强而不是阻碍(像基督教那样)尚武美德的培养。因日内瓦权威当局笃信其小共和国的国家教会同时也是真正之基督教教会，是培养爱国主义的园地，因而他们对卢梭《社会契约论》中的这一章作出愤怒的反应就不难理解了。

然而至 1762 年，当《社会契约论》出版时，卢梭却放弃了留居日内瓦的念头。1754 年恢复其公民权后，他却回到了巴黎，回到了百科全书派的朋友们那里。但他在这种世俗社会里日益感到心神不宁，开始与其哲学同伴们发生争执。一篇在伏尔泰唆使下由达朗伯为《百科全书》撰写的关于日内瓦主题的文章使卢梭颇感不快，这部分是由于该文认为日内瓦城的主教已经由加尔文教徒的严厉滑向唯一神教派的松弛；部分则由于该文建议在那里建一座戏院。卢梭火速发表文章为主教们的加尔文正教辩护，并尽情地攻击了戏院机构，认为这只会有害于像日内瓦这样清白纯洁的城市共同体。

退隐与流亡岁月 《关于戏院致达朗伯先生的信》(1758)发表之时，卢梭已离开巴黎，在其朋友埃皮奈夫人靠近蒙莫朗西的乡村庄园里追求更亲近自然的生活。当埃皮奈夫人的殷情后来招致形成像巴黎那样的社交圈子时，他又隐退到附近叫蒙路易的农舍，受到马雷夏尔·德·卢森堡的荫庇。但是，即便是这位地位显赫的朋友也无法在卢梭 1762 年出版论教育的《爱弥儿》一书时解救他，该书惹怒了法国最高法院中虔诚的詹森教派教徒，一如《社会契约论》触怒了日内瓦加尔文教派的教徒一样。在巴黎，一如在日内瓦，他们下令焚书、逮捕作者，卢森堡力所能及者只是预备马车让卢梭逃离法国。卢梭像亡命徒一样度过了余生，从一个避难处到另一个避难处的颠沛流离。

蒙莫朗西的日子是他文字生涯中最富成果的时期，除《社会契约论》、《爱弥儿》之外，《朱莉》或《新爱洛绮思》(1761)也在 12 个月内出版，这 3 部作品都有深远的重要性。因《新爱洛绮思》为小说，便逃避了另两部书所受的检查，确实在卢梭的所有作品中，该书在其有生之年得到了最广泛的阅读和最普遍的赞誉。它发展了浪漫主义，而浪漫主义早已渗透于他关于音乐的作品之中。这本书可能比其他任何文学作品都更多地影响了其时代精神，至少它使作者在读者中有了许多朋友，尤其在有教养的妇女们中间；就像《社会契约论》和《爱弥儿》使他在大臣和教士们中间树了许多敌人一样。如果说这本书也未使他免受迫害的话，至少保证使人们都了解到了他所受的迫害。崇拜他的上流社会妇女不时介入其中来帮助他，故而卢梭实际上从没有像伏尔泰和狄德罗那样遭受监禁。

《新爱洛绮思》的主题与《社会契约论》的主题形成鲜明对比。它讲的是人们在与公共生活不同的家庭生活中、在与国家相对的家庭中寻找幸福的故事。主人公圣普罗伊克斯是一位中产阶级的教师，他爱上了自己的学生、身处上层阶级的朱莉。她报答了他的爱情，答应了他的求爱，但阶级的差异使他们之间的婚姻化为泡影。朱莉的父亲德坦热男爵确实已将她许配给贵族青年沃尔马，朱莉乃孝顺之女，她嫁给了沃尔马，圣普罗伊克斯只得出走和一名英国贵族波姆斯顿漂游世界，从波姆斯顿那里，他获得了一些斯多葛主义的观念。朱莉终于忘却了自己对圣普罗伊克斯的感情，在作妻子、母亲、女主人的生活中找到了幸福。约 6 年后，圣普罗伊克斯结束旅行返回，应聘为沃尔马的孩子们的教师。大家和谐地生活在一起，圣普罗伊克斯与朱莉间的往事已只有淡弱的余音。这个由朱莉主宰的小小团体表明卢梭的一条政治原则：男子应统治公共生活中的世界，女人应统治私人生活中的男子。在《新爱洛绮思》的结尾处，当朱莉为救自己落水的孩子而病倒时，她才面对她自身真实的情感：她对圣普罗伊克斯的爱情从未泯灭。

显而易见，这部小说的灵感来自卢梭自己与索菲·德·霍德托——一位贵族妇女，住在蒙莫朗西离卢梭很近的地方——之间的奇特关系，一种既充满激情、又充满柏拉图式精神的关系。他本人在《忏悔录》(1781～1788)中声称，他是被"一种从未能满足的、感到自己被吞没的爱的愿望"所引导来写这部书的。圣普罗伊克斯遭受阶级律法禁止的爱情经历反映了卢梭自身的经历，然而我们却不能说《新爱洛绮思》是对那些法律的攻击，正好相反，卢梭几乎赋予了它们近乎自然法则的地位。沃尔马家庭的成员被描绘成按照贵族理想在生活中寻找幸福。他们欣赏乡村生活的节律，陶醉在瑞士和萨伏依高山的美丽之中。但是，尽管承认了这种社会秩序，这部小说还是具有革命性的。它那极为自由的情感表达、极端的感伤情调都深深打动了大批读者，也深刻地影响了文学的发展。

《爱弥儿》似乎是一部投合《社会契约论》之共和伦理和《新爱洛绮思》之贵族伦理的作品，也是一部介乎小说与说教文之间的作品。作者声称是一部论述教育的作品，但不是关于学校教育的，而是讲一名导师对一位富人子弟的教育，导师对学生有着不受限制的权威。同时，这本书还着手探讨了对共和国公民实行教育的可能性。诚如卢梭自己所言，该书的基本论点是：邪恶和过错不是儿童的天性，而是由外在力量侵染所致，因此，导师的工作必须总是通过操纵与自然天性一致的压力而不是相反的压力来阻止那些外在力量。卢梭用大量篇幅解释导师必须运用的方法。这些方法中包括引人注目的欺骗方法，而且，虽然肉体的惩罚未被见容，但心理的严酷却是准许的。

《社会契约论》所关注的是获得自由的问题，而《爱弥儿》所关注的是获得幸福和智慧的问题。在此不同背景下，宗教发挥着不同的作用。卢梭在此勾划出一种可代替市民宗教的个人宗教，个人宗教看来是一种简化了的基督教，既不包括启示，也不含有人们所熟悉的教会教条。假借《萨瓦牧师的信仰自白》(1765)一书，卢梭发表了可以看作是他自己的宗教观的见解，因为该书证实了他私人信件中有关这一问题的观点。卢梭从来不能接受对上帝存在或灵魂不死的怀疑。他甚至感到一种强烈的情感力量促使他走向对上帝的崇拜，他强烈地感到上帝存在于自然之中，尤其是在人类未加染指的山峦、森林之中。他也赋予良心——"人类灵魂中的神圣呼声"——以显赫的重要性，把它与理性主义伦理学中毫无血性的种种范畴以及圣经权威冷酷的教条对立起来。

这一最起码的信条使卢梭与教会的正统教徒以及巴黎公开的无神论哲学家们见解相左。因此，尽管他的一些作品，尤其是《新爱洛绮思》在读者中激起了热情，卢梭还是感到自己日益孤独、苦恼、遭人追踪。他被逐出法国后，在瑞士的各州之间颠沛流离。在日内瓦，他在题为《山谷来音》(1764)的小册子中指控城邦政体，以回击对《社会契约论》的压制。日内瓦不再像《论不平等的起源》中那样被描绘成共和政体的典范，而是受"25 个暴君"统治的政体；与日内瓦暴政下的牺牲品相比，英国国王的臣民被说成是自由人。

卢梭被逐出伯尔尼州之后，在英国找到了避难所。苏格兰哲学家休谟接纳了他，而且保证乔治三世国王提供给他一份津贴。但是，一到英国，卢梭就意识到有些英国知识分子在取笑他，而且，他怀疑休谟参与了这种嘲弄。种种妄想狂症状开始在卢梭身上表现出来，他化名回到了法国。他相信苔莱瓦索是自己唯一可以信赖的人，终于在 1768 年与她结婚，其时，他已 56 岁了。

最后十年 在生命的最后 10 年里，卢梭主要是撰写自传，基本用意是反驳对手的非难，为自己辩护。最重要的是他的《忏悔录》，该书摹仿圣·奥古斯丁的同名著作，并且达到了某种同样经典的地位。他也写了《卢梭，对让-雅克的审判》(1780)以回击敌人的特别指控，还写了《孤独漫步者的遐想》(1782)，这是他的作品中极为感人的一部，在该书中，优雅的抒情和宁静代替了早期作品中的强烈激情。确实，卢梭似乎在他最后的岁月里恢复了心神的安宁，那时，他再次在法国大贵族的庄园里寻求庇护，先是在孔蒂亲王的庄园里，然后又在吉拉尔丹侯爵的庄园里。1778 年 7 月 2 日，卢梭在吉拉尔丹的埃默农维尔的公园里溘然辞世。

Rousseau, (Pierre-Étienne-) Théodore　卢梭（1812-04-15，法国巴黎～1867-12-22，巴比松）法国巴比松画派（**Barbizon school**）风景画家的领袖，以直接观察自然的方法去开辟风

卢梭绘《桦树下的黄昏》（1842～1844）
托莱多艺术博物馆供图

景画领域的重要人物。14 岁时开始临摹作品，19 世纪 20 年代开始对自然写生。他的老师大都按新古典主义传统作画，卢梭却向 17 世纪荷兰风景画家和英国当代画家如波宁顿、康斯太布尔等人的作品学习。早期风景画把自然表现为一种野性的和难以制服的力量。1831 年开始定期在法国沙龙展出作品。从 1836 年起，七年之间沙龙都拒绝展出他的作品，但他的声誉却继续不断地增长。19 世纪 40 年代定居巴比松村，与米勒、迪普雷、迪亚兹和杜比尼等风景画家一起作画。他们的艺术目标相似，以巴比松画派闻名于世。在这期间，卢梭创作了像《桦树下的黄昏》（1842～1844，俄亥俄州托莱多艺术博物馆）这样宁静的田园风景画，反映了康斯太布尔对他的影响。1848 年革命后，官方终于承认其为法国风景画的主要人物。1855 年他的作品在国际博览会上陈列，他成为 1867 年博览会的美术作品评委会主席。

Roussel, Albert (-Charles-Paul-Marie)　鲁塞尔（1869-04-05，法国图尔宽～1937-08-23，鲁瓦扬）　法国作曲家，以各种风格创作，作品以奔放的热情、严谨的技巧和大胆的和声著

供图：Cauboue—Ziolo

称。18 岁参加法国海军，后多次去东南亚旅行，在后来创作的管弦乐曲和戏剧音乐中再现了这些旅行留下的异国风情的印象。25 岁在巴黎的圣歌合唱学校随 V. 丹第学习。1902～1914 年在该校教作曲。学生有 E. 萨蒂和 E. 瓦雷兹。1909～1910 年再次去东南亚和印度旅行。第一次世界大战期间随红十字会在前线工作。健康受损，1918 年退休到布列塔尼，此后投身于作曲。从他的早期作品第一交响乐《森林之诗》（1904～1906）可以看出受 C. 德彪西印象派风格和 C. 弗兰克的影响。受东方知识的启发，写了 3 首由独唱、合唱与管弦乐队演出的《召唤》（1912）和歌剧-芭蕾舞剧《帕德马瓦蒂》（1914～1918 年创作，1923 年演出）。其他著名戏剧作品有：独幕歌剧《里尔琴的诞生》（1925）、芭蕾舞剧《蜘蛛之宴》（1912）和《巴克斯和阿里阿涅》（1931）。接着转向新古典主义风格，在《F 大调组曲》（1927）和《弦乐小交响曲》（1934）中采用现代技巧。他的 4 首交响乐中，第三首（G 小调）特别引人注目，管弦乐《为了春天的节日》亦是如此。他还创作室内乐作品、少量的钢琴作品和歌曲。著名大型合唱作品是为英文《诗篇》第 80 首所谱音乐（合唱与管弦乐队，1928）。他的成熟风格既运用东方音乐的调式和声，又采用现代乐汇中的不协和手法，成为既反对法国印象派，也反对弗兰克的半音体系的一种反潮流力量。评论家认为他是一位借鉴 I. 斯特拉文斯基的大胆和声风格，并把 J.-P. 拉莫的古老法国传统加以复兴的人。

Roussillon　鲁西永　法国历史和文化大区。包括法国南部的东比利牛斯省。面积相当于前鲁西永省。主要城市一直为佩皮尼昂。公元前 7～前 3 世纪末，在鲁斯奇诺（佩皮尼昂附近）居住着与伊比利亚人有密切血缘关系的民族。那时，该地区处于高卢人的控制之下。公元前 2 世纪，该地被罗马人征服。至公元 462 年，归西哥特人所有，约 720 年前后，归阿拉伯人，至 8 世纪 50 年代方属法国加洛林王朝。

865 年北部的塞帕提马尼亚（为日后朗格多克省一部分）与南部的西班牙边区（法兰克的加泰罗尼亚）最终分裂，鲁西永被划入西班牙边区。此后，在 9 世纪，封建主义使该地区出现了世代相传的伯爵爵位。鲁西永的大部分为当时巴塞罗那诸伯爵的亲属所拥有。1172 年巴塞罗那王朝取得对该地的直接所有权，鲁西永遂成为亚拉冈的一部分，当时，巴塞罗那诸伯爵也已经取得了对亚拉冈的所有权。从 10 世纪开始，鲁西永出现了许多修道院，因此现在有大量的罗马式建筑遗址。巴塞罗那-亚拉冈家族给予该地区的城镇以特权，商业也由于鲁西永与其南面相邻的加泰罗尼亚合并而受益。13 世纪詹姆斯一世将亚拉冈与马霍卡合并，成立马霍卡王国，鲁西永成为该王国的中心。亚拉冈家族对鲁西永的统治一直持续到 17 世纪 40 年代，其时，在三十年战争中，法国占领了比利牛斯山以北的西班牙土地。1642 年，佩皮尼昂城落入法国之手。1659 年，根据《比利牛斯条约》，西班牙正式将鲁西永割让给法国。鲁西永地区地处法国比利牛斯山脉东端，临近地中海沿岸低地。人口集中于平原灌溉区。居民的绝大多数信奉天主教。佩皮尼昂的新教徒多为移民。鲁西永有许多从阿尔及利亚遣返的犹太人，亦有许多加泰罗尼亚吉普赛人家族。居民普遍讲加泰罗尼亚语，操法语时带浓厚的加泰罗尼亚口音。当地烹调主要用橄榄油。“奥拉达”（或称乌伊拉德）是用厚锅炖的牛肉；“卡高拉达”为一道蜗牛菜。该地区的滨海巴纽尔斯、里沃萨尔特和莫里出产名酒。

Roussy-Levy syndrome（medicine）　**鲁西-莱维二氏综合征**　参阅 **Levy-Roussy syndrome** 莱维-鲁西二氏综合征。

router　移动式成形铣　木器和家具制造中使用的轻便电动工具，由电动机、机座、两个捏手和一组刀头（切削刀具）组成。垂直装在机座上的电动机有一夹头，用以夹持刀头。电动机能沿机座升降，以调节刀头的切削深度，并使刀头超出机座范围。有些刀头还具有非切削导销，该销延伸到切削刃下面，在铣削侧面时用以控制侧向切削深度。刀头有一个直柄和 3 个或 4 个切削刃，其形状随工件而异。有些刀头的形状最好用它们的轮廓来加以描述。例如，铣桌子的斜边或 V 形槽，则要一个轮廓呈 V 形的旋转铣刀；铣半圆形槽时，刀具的轮廓应是一个直径与刀柄垂直的半圆形等等。由于刀头转速很高，机座应做成使操作者握住两个捏手能把刀头导向工件。移动式成形铣是一种多用途电动工具；除了用于细木工作外，还可做许多普通的工作，如切削搁板的精致棱边，风雨窗和挡雨条的开槽，加工圆形和椭圆形的光滑边缘，以及各种类型的圆角等。电动移动式成形铣及其类似的台式装置（纺锭成形机）已大部取代了像刨（**plane**）一样推或像双柄拉刨一样拉的手动成形铣。这是以前木工开槽和刨棱时常用的办法。

Rouvier, Maurice　鲁维埃（1842-04-17，法国普罗旺斯地区艾克斯～1911-06-07，讷伊）法国国务活动家，7 次任财政部长，2 次任总理，在平衡预算方面有所成就。他是甘必大

供图：Giraudon—Art Resource/美国不列颠百科全书公司

的支持者，于 1870 年创办共和派报纸《平等报》，1871～1902 年任国民议会议员。他是财政专家，曾参加预算委员会工作，并担任主席，1881～1882 年任商业和殖民部部长，1884～1885 年任商业部部长。在温和共和党人支持下，曾于 1887 年 5～11 月任总理。1889 年起任财政部长，被牵连进巴拿马运河公司丑闻，他虽未从中牟利，但 1892 年被迫辞职。1902～1905 年任财政部长，1905～1906 年任总理兼财政部长。1905 年 6 月接任

外交部长。因政府采取决断措施实行政教分离引起问题而于 1906 年 3 月倒台。

Rouvroy, Louis de　鲁弗鲁瓦　参阅 **Saint-Simon, Louis de Rouvroy, Duke de 圣西门公爵**。

Roux, (Pierre-Paul-) Émile　鲁（1853-12-17，法国夏朗德孔福朗～1933-11-03，巴黎）　法国细菌学家，因研究白喉而著名。他和瑞士细菌学家亚历山大·耶尔森首次证明白喉

供图：Harlingue—H. Roger-Viollet

的致病因素是一种毒素；后来贝林又发现白喉杆菌能刺激机体产生抗毒素，这都促进了白喉免疫及白喉血清疗法的发展。鲁曾在巴斯德的研究室工作多年，1904～1933 年间任巴斯德研究所所长。他与巴斯德一道发现：如果将减毒炭疽杆菌接种入牛、羊体内，即可使它们对以后注入的毒型炭疽杆菌产生免疫。

Roux, Jacques　鲁（?～1794-01-20，巴黎附近）　天主教司铎，法国大革命期间极端民主分子"忿激派"的首领。1789 年革命爆发时，他是巴黎一个堂区的司铎。不久，他就开始向巴黎的无套裤汉群众宣扬民主理想。1791 年选入巴黎公社，曾要求处死囤积居奇者。1793 年 2 月，他领导巴黎的抢粮运动。同年 6 月 24 日，他猛烈抨击国民公会不能制止囤积者和发战争财者。次日巴黎发生抢肥皂事件，他为此受到指责。同年 7 月 28 日，雅各宾派首脑罗伯斯比尔攻击他是外国特务和反革命。此后不久，鲁就被逐出公社和科德利埃俱乐部。国民公会为争取鲁的拥护者，对垄断者和囤积者采取行动，并为巴黎民众征用粮食供应品（1793-07～08）。忿激派的纲领为埃贝尔领导下的左翼雅各宾派所继承。同年 9 月 5 日，鲁被逮捕。几个月后他在比塞特尔监狱自杀。

Roux, Wilhelm　鲁（1850-06-09，萨克森耶拿～1924-09-15，德国哈雷）　德国动物学家，因试图揭示受精时如何分派器官和组织的结构形式与功能而成为实验胚胎学的创始人。是 E. 海克尔的学生，曾在耶拿、柏林及斯特拉斯堡求学。1879～1886 年在莱比锡卫生研究所任职，后任布雷斯劳（1886～1889）、因斯布鲁克（1889）及哈雷（1895～1921）等大学教授。相信受精卵细胞的有丝分裂是决定发育中的机体未来各部分形成的机制。19 世纪 80 年代开始使用蛙卵做实验。他破坏蛙二细胞期胚胎的一个分裂球，所剩的一个细胞便发育成半个胚胎，由此得出结论：未来的各部分及其功能已在二细胞期决定，并且每一个分裂球早已获得形成半个胚胎所需的决定因素。但后来 H. 德里施用海胆卵做实验，从两个分裂球都获得形小而发育完全的胚胎，于是他的理论被否定。1894 年鲁创办首份实验胚胎学杂志《生物发育机制文献》。

Rouyn-Noranda　鲁安-诺兰达　加拿大魁北克省西部阿伯蒂比-特米斯卡曼克区城市。位于奥西斯科湖西岸，蒙特利尔市西北 507 千米。20 世纪 20 年代该地首次发现金、铜矿石，鲁安及其孪生城市诺兰达遂开始兴建。鲁安以圣福瓦战役（1760）中的英雄鲁安的名字命名，后成为魁北克西部整个矿区的行政、商业和工业中心。以炼铜企业诺兰达矿产公司驰名的诺兰达于 1986 年与鲁安合并。鲁安-诺兰达的经济以铜和金的开采与精炼为主，其他工业有伐木、乳品加工。该市的人口

鲁安-诺兰达市的铜矿

供图：Department of Tourism, Fish and Game, Que.

中大部分（约 80%）为法裔加拿大人，其余分属30多个不同民族。加拿大国家铁路及两条主要公路和一座机场使该城市与北美大陆各地相通。建有一所学院。人口 26 448（1991）。

Rovaniemi　罗瓦涅米　芬兰北部拉皮省省会。位于凯米河和欧纳斯河汇合处，在托尔尼奥东北，北极圈上。1929 年建市。1939 年成为拉皮省行政中心。整个地区工业发达，市区与芬兰南部及俄罗斯有铁路连接，是拉普兰区的木材和毛皮贸易中心。该市是冬季旅游区的重要中心，每年 3 月举行的欧纳斯瓦拉运动会是斯堪的纳维亚北部的主要冬季运动比赛。人口约 34 438（1994）。

rove beetle　隐翅虫　鞘翅目隐翅虫科昆虫，20 000 多种，分布广。常见于腐烂的动植物周围，以食腐昆虫为食。多数细长，体小，一般不到 3 毫米，最大不超过 24 毫米。鞘翅短而厚，后翅发达，飞时能迅速从鞘翅下展开，飞行后靠腹部和足的帮助叠好，重新藏在鞘翅下面。受惊时，举起腹端，向敌害射出难闻的雾液。幼虫无翅，形似成虫。有些大型种类有美丽的黑色和黄色，似黄蜂；有的外形和行为均像兵蚁。欧洲的 *Lomechusa* 属和 *Atemeles* 属，以及北美的 *Xenodusa* 属，生活在蚁或白蚁巢内。它们分泌一种液体给蚁食用，而蚁喂养它们作为回报。

rove-over　转接韵诗　诗的一行尾部韵律之外的音节与第二行第一音节构成一个音步韵。该词被用来形容一种跳韵诗歌，G. M. 霍普金斯的跳韵方法只计算一行诗中的重读音节数。因此，一首诗的格律由长短不一的音步决定，但第一音节总为重读。霍普金斯的《春与秋》一诗中的第三、第四行（为简洁起见，此处没有加上霍普金斯自己的重音记号）即为转接韵诗之一例：

Leaves, like the things of man, you
With your fresh thoughts care for, can you?

Rovenky　罗韦尼基　俄语作 Rovenki。乌克兰东南部卢汉斯克州城市。位于杰巴利采沃-利霍夫斯基铁路线上，卢汉斯克南 60 千米处。1934 年建市。地处煤矿区，有选煤厂，加工食品、木材及石料。设有矿业技术学校和地方历史博物馆。人口约 59 000（1991）。

Rovere, Francesco della（pope）　**罗维雷**　参阅 **Sixtus IV 西克斯图斯四世**。

Rovere, Giuliano della（pope）　**朱利亚诺·德拉·罗韦莱**　参阅 **Julius II 尤里乌斯二世**。

Rovereto　罗韦雷托　意大利北部特伦蒂诺-上阿迪杰区特伦托省城镇。位于拉加里纳河谷，莱诺河滨，在布伦纳-维罗纳铁路线上的特伦托南面。建于 14 世纪的城堡现为军事博物馆，城堡内有纪念第一次世界大战结束的大钟（现被置于圣地米拉瓦莱山上）。新区街道宽阔，多 18 世纪建筑。为农产品集散地及旅游业和工业中心，有机械、纺织、冶金等工业。郊区萨科有一重要的烟草厂。人口：城市区约33 123（1993）。

Rovigo　罗维戈　意大利东北部威尼托区罗维戈省省会、城市。838 年首见记载。1866 年归并意大利。著名历史建筑有八边形索科尔索福佑童贞教堂（1594，称为圆形教堂，内收藏有 14～18 世纪威尼斯派绘画）、10 世纪埃斯滕塞城堡遗迹和几座文艺复兴式的宫殿，著名的有隆卡莱宫（1555）。市美术馆收藏有威尼斯名画家小霍尔拜因和丢勒的作品。为铁路交通枢纽、重要的农产品集散地（谷物、甜菜、亚麻和大麻）和波河平原的重要商业中心。人口：城市区约52 137（1993）。

roving　依次射靶　射箭运动中的一种训练和比赛形式。早在 16 世纪，荣誉炮兵连在伦敦附近的芬斯伯里射击场曾用来训练士兵。射击场上设置许多靶标，射手依次射击；像高尔夫球比赛一样，用最少的箭支射完全局者为优胜。现代的多位多靶射箭（野外射箭）同这种方法相似，故有时也称为依次射靶。

Rovuma, Rio（East Africa）　参阅 **Ruvuma River 鲁伍马河**。

rowan（*Sorbus aucuparia*）　**红果花楸**　又作 European mountain ash 或 quickbeam。又称欧洲花楸或活树。即引鸟花楸。蔷薇科花楸属落叶乔木。参阅 **mountain ash**。

Rowan, Andrew Summers　罗恩（1857-04-23，美国弗吉尼亚加普米尔斯～1943-01-10，

加利福尼亚旧金山） 美国陆军军官，《致加西亚的一封信》的带信人。罗恩1881年毕业于西点军校。1898年美西战争爆发时，他被派往古巴起义领袖卡利斯托·加西亚-伊尼格斯将军处，判断起义军实力大小并取得其合作。完成任务后荣膺优异服务十字勋章。罗恩此次所建功勋在E.哈伯德所著屡次再版的文章《致加西亚的一封信》(1899)中略有描述，但颇富想象性。

Rowan, Carl 罗恩(1925-08-11，美国田纳西雷文斯克罗夫特～2000-09-23，华盛顿[哥伦比亚特区]） 全名Carl Thomas Rowan。美国新闻记者、作家、电台和电视台评论员，是第二次世界大战时美国海军首批非洲裔军官之一。在海军服役任通讯官之后，获得俄亥俄州奥柏林学院数学学士学位（1947），并在明尼苏达大学攻读新闻学（1948年获文学硕士）。后加入《明尼苏达论坛报》任编辑部主任。1950年成为美国主要日报的第一批非洲裔美国记者之一。1954年参加美国国务院主办的教育交流计划，前往印度、巴基斯坦和东南亚讲学。罗恩打破了肤色界限，在J.F.肯尼迪总统任内出任助理国务卿帮办（1961～1963）和驻芬兰大使（1963～1964），以及美国新闻署署长（1964～1965）。1965年起开始撰写报纸专栏，通常是有关民族关系问题，每周三次通过辛迪加发给60家报纸。他还是每周电视栏目《华盛顿内情》专题小组成员。除此之外，罗恩还编著了6本书，包括《自由的南方》(1952)，这是他对民权运动前几年美国南方生活的反思；《等到明年：杰克·鲁宾逊的一生》(1960)；以及《梦的编织者和粉碎者：大法官马歇尔的世界》(1993)——一部美国最高法院第一位非洲裔美国法官的传记。

rowboat 划艇 单用桨划行的小船。这可能是在城市滨水地区周围以及大多数内陆水域的渔场和码头中最常见的船种。划艇或轻划艇很容易在水中前进，特别是在两次划桨之间的滑行更是如此。划船的方法有两种：一种是桨手面向船尾而坐，用臂和腰向后拉桨；另一种是面向船头，利用体重向前推桨。有的划艇用一支尾橹划行。有一种特殊的、仅用于竞赛的划艇，即单桨、双桨或八桨赛艇，设有特殊的坐位，使桨手的桨每一划都能发挥最大的力量。

Rowe, Nicholas 罗(1674-06-20，英格兰贝德福德郡小巴福德～1718-12-06，伦敦） 英国作家，第一个试编莎士比亚作品校勘本的人。1715年继N.塔特成为桂冠诗人，也是18世纪英国主要的悲剧作家，为促进家庭悲剧（其中的主角是中产阶级而不是贵族）做了大量工作。1696年取得律师资格，作为热心的辉格党人，后做过小官吏。早期剧作《有野心的继母》(1700)和《帖木儿》(1702)，其壮观和喧嚣使人联想起德莱顿的英雄剧，但里面有些成分预示了伤感的精神，具有《美貌的忏悔人》(1703)和以后作品的特点。后一剧作有一定的文学意义，其主角洛萨里奥，除了为英语增加了一个迷人浪子的新词而外，还分明是塞缪尔·理查森小说《克拉丽莎》里的主角洛夫莱斯的原型。罗模仿莎士比亚的风格写有《简·肖尔的悲剧》(1714)及《简·格雷夫人的悲剧》(1715)。他唯一的喜剧《骗子》(1704)不成功。在《莎士比亚先生的作品，校勘和修订》（6卷集，1709；9卷集包括诗，1714）里，他宣称比较了"几个版本"，才勘订出这个版本。可是他主要是以1685年的四开本版为依据。不过他的确在《哈姆雷特》、《罗密欧与朱丽叶》、《亨利五世》和《李尔王》里恢复了几段早期版本里的原文。他放弃难看的对开本形式，作出剧中人物表，试把场和幕分开，并加上一篇莎士比亚传。他本人的诗作包括应时颂歌和一些翻译作品。他以英雄偶句诗体翻译的罗马诗人卢卡的《法萨利亚》在他死后于1718年出版，在整个18世纪极受推崇。

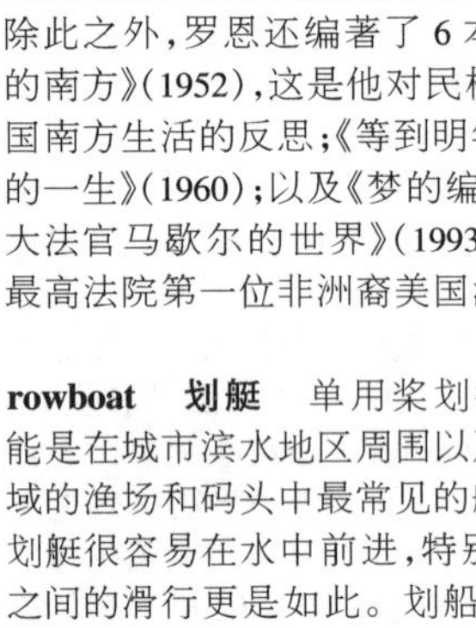

伦敦国立肖像画陈列馆供图

Rowell, Newton Wesley 罗威尔（1867-11-01，加拿大安大略米德尔塞克斯县～1941-11-22，安大略多伦多） 加拿大政治家和法学家。1891年获得律师资格，1902年成为皇家律师。1911年任安大略省立法会议议员，在野的自由党领袖。1917年进入自治领众议院，并任政务会议主席。曾任内阁战时委员会主席和帝国战时内阁成员。他代表加拿大参加1919年在华盛顿（哥伦比亚特区）召开的国际劳工会议和1920年国际联盟第一届大会。回国后，他建立了联邦卫生部。同年离开内阁，次年离开议会。1932～1934年任加拿大律师协会会长，1936年任安大略省首席法官。1937年任皇家自治领各省关系委员会主席，1938年因病辞去一切职务。

上加拿大法律学会供图

rowing 赛艇运动 用桨推动艇前进的运动。赛艇运动包括使用8支桨推进的赛艇(shells)和使用双桨或4桨的小赛艇(sculls)，主要在内陆河流和湖泊中进行比赛。rowing一词表示用双手抓住单桨操作，而sculling一词则表示双手各抓一支桨操作。

八桨赛艇

供图：Ewing Galloway

在竞赛性的划船中，oar一词表示一头是圆柄另一头是桨叶的木棒，它通常由两半合成，中间挖空，粘在一起以减轻重量，增加弹性。桨叶薄而宽，呈扁平形或在边缘处和顶端稍稍弯曲，以便能更好地抓住水。桨杆，即桨的中段，插在凹口或桨叉上，或者架在艇舷边（顶部边缘）的桨栓上，作为桨的支点。为保护桨杆接触面免遭磨损，杆上加一截短的护桨皮或塑料套。桨上装有卡箍（卡扣），用固定皮革或可调整位置的金属或塑料制成，以防止桨滑出舷外。单人双桨赛艇中的桨称为短桨。对桨或短桨都没有长度限制，但前者一般长度为3.6～3.9米，后者为2.9米。

早期的艇身是木质的，很笨重。后来使用较轻的材料，用冷铸程序制造出来的艇比较轻，外壳厚度约3.2毫米。对艇的大小没有什么限制，少年项目用的艇除外，8人赛艇长16～18米，4人和双人赛艇则短些。单人双桨赛艇一般长7.6米。这两种艇靠划桨推动，在水中滑行比较轻快。

历史 划船最初是一种运输手段。从公元前25世纪到公元4世纪，有一种使用两排桨的大木船作为战舰和国家船只流行于古埃及（在尼罗河上），后来又流行于罗马帝国（在地中海上）。盎格鲁-撒克逊人、丹麦人和挪威人在水域进行军事掠夺时，船艇也是重要的航行工具。早在13世纪，在英国泰晤士河上就有小船和驳船航行，后来一帮船工就在伦敦或伦敦附近的泰晤士河上往返载客或把过往行人运载过河。到了16世纪，乘坐不同船艇的旅客互相打赌，后来发展成为划船比赛，起初只是即兴的，后来变成有组织的比赛。到18世纪初期，已有4万多名穿制服的船工。一项名叫**多格特上衣和徽章赛**(**Doggett's Coat and Badge**)的有组织的船工赛从1715年起每年举行一次，船工们当然是职业的。在整个18世纪举行的赛艇会、赛艇活动也都是职业的。19世纪初期，美国的轮渡船工创办了类似形式的赛艇活动。

此时，6桨艇和8桨艇比赛作为俱乐部和学校业余活动开始在英国兴起，稍晚些时候美国也搞起这样的比赛。19世纪20年代，牛津大学和剑桥大学开始进行有组织的赛艇比赛。1839年举行的亨利赛艇大会1851年起改名为**亨利皇家赛船会**(**Henley Royal Regatta**)达到了高潮。这项活动一直延续至今。作为一项体育运动，赛艇从19世纪30年代到60年代在澳大利亚和加拿大得到发展，并在同一时期盛行于欧洲和美国。在整个19世纪，职业单人双桨赛艇是一项为人喜爱的运动。

这时期成立了一些地方性和全国性的组织，有业余的也有职业的。1892年国际赛艇联合会成立，设立了一些赛艇项目，如8人、4人和双人赛以及单人双桨赛等。在8人、4人和有些双人赛艇比赛中，还出现了坐在船尾的舵手，他把握航向，呼喊划桨口令，通常还要指挥比赛的战略。从1900年起，奥林匹克运动会开始举办男子赛艇项目，1976年起设女子项目。

水道与设备　按照国际赛艇联合会规则，所有比赛都在2 000米长的静水直道中进行，每只艇分别在有浮标隔开的水道上运行。赛艇船身长度为：8人艇18米、4人艇13米、双人艇10米、单人艇8米。对重量无专门规定，依所用的不同材料而异，从9千克重的单人艇到109千克或更重的8人艇不等。桨的大小、形状和重量也无具体规定，但一般桨长4米，重3.6千克。

划桨动作与训练方式　赛艇的划桨动作从桨叶入水（抓水）开始，接着在水下进行，然后桨叶出水（回桨）。开始回桨时把桨柄往下压从而把桨叶举出水面。同时用手腕动作把桨翻转至水平位置，这叫做平桨。桨驱动艇在水中前进后抽出桨叶称为划桨结束动作。把桨叶从水平位置转动成垂直位置以准备抓水的动作称为斜桨。

早期固定座位的划船使用英国式的划桨动作：主要力量靠摆动身体来产生，手臂的主要作用在于把身体的重量转送到桨上。随着滑座的采用（1857年在美国，1871年在英国），增加了蹬腿动作。1881年S.费尔贝恩对划桨方式作了改动，更加重视蹬腿和用臂拉桨。德国教练K.亚当在50年代采用新的训练方法创造出好成绩，这些方法是根据原先用于训练赛跑运动员的任意变速跑和间歇训练（短跑冲刺同长跑交替使用）而制定的。参阅 **Sporting Record**：Rowing；**Olympic Games**。

Rowland, F. Sherwood　**罗兰**（1927-06-28，美国俄亥俄特拉华～2012-03-10，加利福尼亚科罗纳德尔玛）　美国化学家。因对地球臭氧层耗损的研究而和化学家M.莫利纳以及R.克鲁岑共同获得1995年诺贝尔化学奖。罗兰与莫利纳合作，发现人工制作的含氯氟烃推进剂会加快臭氧层的分解，而臭氧层保护着地球不受太阳紫外线辐射。他们的发现最终带来了化学工业的国际性变革。罗兰在其家乡俄亥俄卫斯理大学获学士学位（1948），其后在芝加哥大学获硕士（1951）和博士（1952）学位。他先后在普林斯顿大学（1952～1956）和堪萨斯大学（1956～1964）任教，1964年成为欧文加利福尼亚大学的化学教授。70年代初他在欧文开始与莫利纳合作，1978年罗兰被选入全国科学院。罗兰和莫利纳的理论认为，含氯氟烃气体在太阳光线的照射下会在平流层分解，，释放出氯原子和一氧化氯，单个的氯和一氧化氯足以摧毁大量的臭氧分子。他们的研究成果最早发表在1974年的《自然》杂志上，导致联邦政府对此问题的调查。1976年全国科学院认可了他们的看法，1978年以含氯氟烃为基础的气雾剂在美国被禁止使用。80年代中期，南极地区上空的臭氧层发现空洞，他们的理论得到了进一步证实。1987年，联合国在蒙特利尔开会讨论一项国际协议，禁止耗损臭氧层的气体的生产。

Rowland, Henry Augustus　**罗兰**（1848-11-27，美国宾夕法尼亚洪斯代尔～1901-04-16，马里兰巴尔的摩）　美国物理学家，发明凹衍射光栅（在多种应用中代替了棱镜和平面光栅），从而革新了光谱分析。1872年在伦斯勒工业学院任物理学讲师。4年后被选为新成立的约翰斯·霍普金斯大学物理学教授。1876年证明运动的电荷与电流有相同的磁性作用，3年后用改进的计温法和量热法重新测定热功当量；还重新测定了电阻的标准值——欧姆。1885年，他制成一种机器，能在1厘米内刻出近8 000道线供衍射光栅用。后来又在凹球面上刻栅（这样在分光计中就不需要另加透镜和镜面），用于发展精密的光谱测定术。所制《正常太阳光谱照相图》（1888），其长度超过11米。他的太阳光谱波长表包括数万条太阳谱线（《天体物理学报》，1～6卷，1895～1897），多年间是标准参考文献。他是美国物理学会第一任会长（1899～1901），1899年被选为伦敦皇家学会外国会员。

Rowlandson, Mary　**罗兰森**（约1635，英格兰～约1678，康涅狄格韦瑟斯菲尔德［美国］）　英裔美国殖民地作家，著有描写17世纪印第安人生活和清教徒与印第安人在早期新英格兰的冲突的作品，是最优秀的第一手记述之一。她是约翰·怀特之女，约1656年与罗兰森结婚。1676年2月10日在菲利普王战争中被印第安人掳去，拘留11个星期。同年5月2日被赎回。次年，全家移居康涅狄格韦瑟斯菲尔德。所著《罗兰森夫人被俘和生还记》生动地记述了她被俘的经历，这部极受欢迎的作品1682年在马萨诸塞的剑桥和伦敦出版。

Rowlandson, Thomas　**罗兰森**（1756-07，英格兰伦敦旧犹太人居住区～1827-04-22，伦敦）　英国油画家、讽刺画家，描绘18世纪的英国生活，创造了人们熟悉的社会典型人物的滑稽形象，其中有古物收藏者、老处女、酒吧女招待和格拉布街的雇用文人，有的矫揉造作，高傲可笑，有的悲怆沮丧。原是商人之子，曾入皇家学院，16岁游学巴黎。曾开设肖像画室，开始画讽刺画，并成为他的主要兴趣。组画《教师出游记》，由库姆配诗，发表于出版商阿克曼创办的《诗刊》（1809～1811），三人继续合作，出版辛特克斯博士组画，颇受欢迎，组画包括辛特克斯博士《初次出游寻求美景》、《再次出游寻求安慰》、《三次出游寻求贤妻》。三人还出了《英国的死亡之舞》和《生命之舞》。罗兰森也为斯摩莱特、戈德史密斯和斯特恩的作品画过插图。其画通常以芦苇笔勾出轮廓，着以淡彩，由他本人制成蚀刻铜版画，再以凹版腐蚀制版法复制，印图最后以手工着色。晚年创作多拙劣，有损声誉。但鼎盛时期作品，则以轮廓富有生命力，勇于评论人类弱点而著称。

Rowley, William　**罗利**（1585？英格兰伦敦～1642？）　英国剧作家、演员。与詹姆斯一世时期的许多知名剧作家合作过。1610年前当演员。大约1614年与T.米德尔顿会面，但在1612～1613年间即为他的剧团写剧本。本人所写及与他人合写的剧本约50部，现存寥寥无几。最重要的自写剧本《贪色一场空》（1619年演出，1633年出版）是一部浪漫悲剧，道德色彩强烈，诗句粗犷有力。其他尚存的都是喜剧：《新发现的奇迹——一个永不烦恼的女人》（约1610，1632年出版）、《午夜角逐》（约1607，1633年出版）和《鞋匠绅士》（约1608，1638年出版）。与他人合写的剧本有《旧法》（约1615年演出）、《君子之争》（约1616）、《傻子》（1622）、《埃德蒙顿的巫婆》（1621）、《磨坊少女》（1623）、《墨林的出生》（又名《孩子找到了父亲》，1662）等。

Rowling, J. K.　**罗琳**（1965-07-31，美国布里斯托尔附近奇平索德伯里～　　）　英国作家，创造了受欢迎及赞赏的哈利·波特系列。预计出版7集的哈利·波特系列第一集《哈利·波特与哲人之石》（美国版书名为《哈利·波特与魔法石》），出版于1997年。通过栩栩如生的描述及富想象力的情节，讲述一个未必是英雄的孤独的孤儿发现自己拥有魔法并进入霍格华兹魔法学校学习巫术的故事。这本书一推出就大获成功，同时吸引了儿童（预期的读者）及成人。续集——《哈利·波特与密室》（1998）、《哈利·波特与阿兹卡班的囚徒》（1999）以及《哈利·波特与火焰酒杯》（2000）都成为畅销书籍，根据第一集改编成的电影于2001年上映。罗琳因对重新唤起儿童阅

罗兰森绘《教区委员会》（1784）

伦敦维多利亚和艾伯特博物馆供图

美国不列颠百科全书公司供图

读兴趣的贡献，而于2001年3月委任为“英帝国勋位军官”。

Rowling, Sir Wallace Edward **罗林**（1927-11-15，新西兰莫图伊卡～1995-10-31，尼尔森）新西兰教育家和政治人物，总理诺曼·柯克逝世后被选为总理（1974～1975）。在进入政界时为经济学讲师。历任议员（1962）和工党主席（1970～1972）。被选为工党已故总理的继任人时，任财政部长（1972）。他的政府努力复苏经济，但由于1975年国民党取得压倒性的胜利而告终。他继续担任工党领袖，但后两次大选均以失败告终。1983年起不再担任该党领袖，同年获封爵士。1985～1988年担任驻美大使。

Rowntree, B(enjamin) Seebohm **朗特里**（1871-07-07，英格兰约克郡约克城～1954-10-07，白金汉郡海威科姆） 英国社会学家及慈善家，因对贫穷和福利有研究及作为进步雇主而闻名。就读于约克城基督教公谊会学校，后入曼彻斯特市欧文斯学院专攻化学。1889年进入自家经营的朗特里公司，促使该公司于1906年建立年金制，1919年实行每周五日工作制，1923年实行雇员分红制。朗特里是D.劳合·乔治首相的密友，曾担任军需部福利局局长（1915～1918）及建设委员会委员（1917）。他出于对穷人的关心，在1897～1898年对约克城的工人家庭进行了一次调查，并将结果发表在《穷困：有关城镇生活之研究》（1901）一书中，此书成为经验主义社会学中的名著。1936年他进行第二次调查，发表调查报告名为《穷困和进步》（1941）。《穷困和福利国家》（1951）一书是对约克城进行第三次调查后的报告。他还在调解劳资纠纷中发挥积极作用。

Rowse, A(lfred) L(eslie) **罗斯**（1903-12-04，英格兰康沃尔奥斯特尔～ ） 英国历史学家和作家。他成为20世纪研究伊丽莎白时代的英国最杰出的权威之一。他是一位工人的儿子，学习成绩突出，1922年获牛津大学基督堂学院奖学金。他在该院专攻近代史。1925年毕业后不久即被选拔为牛津大学万灵学院研究员，此后49年，他作为教师和历史学家一直在那里生活和工作。他的硕士学位（1929）和博士学位（1953）也是在牛津大学努力取得的。

罗斯的第一部引人注目的著作《复仇号军舰的格伦维尔》（1937）是英国女王伊丽莎白一世（1558～1603）时代一位海军司令的传记。随后出版的一部书是《都铎王朝时期的康沃尔郡》（1941），文笔生动，非常细致地描绘了16世纪康沃尔郡的社会情况。罗斯的一卷本英国通史《英国历史真谛》（1943）也评价很高。但是，他的最重要著作是历史三部曲《伊丽莎白时代》（1950～1972）。此书三卷，各有题名，即《伊丽莎白统治下的英国》（1950）、《伊丽莎白时代英国的扩张》（1955）和《伊丽莎白时代的文艺复兴》（1971～1972），分别讲述伊丽莎白在位时期英国的社会结构、海外探险以及文化的形态和成就。罗斯以所著的传记《莎士比亚其人》（1973）和注释本莎翁全集（1978）而成为一位莎士比亚学者，但世间褒贬不一。他还著有几部英国历史人物和女人的传记，著名的是两卷本对丘吉尔家族的研究（1956，1958）。在他另外的许多历史著作中，有对伦敦塔的研究和对伊丽莎白时代的性行为的研究。他又是一位多产的诗人，并有几卷自传问世，第一卷为《在康沃尔郡的童年时代》（1942）。

Rowson, Susanna **罗森（夫人）**（约1762，英格兰汉普郡朴次茅斯～1824-03-02，美国马萨诸塞波士顿） 美国女演员、教育家及美国第一部畅销书《夏洛特·坦普尔》（1791）的作者。这部小说受到广泛欢迎，再版达200次以上。1792年她与其丈夫W.罗森从事舞台生涯，先后在苏格兰、费城、巴尔的摩及波士顿演出。她还写了很多剧本和音乐喜剧，促进美国表演艺术的发展。1797年她在波士顿开办青年女子学院，这是美国第一批超过初等水平的女子学校之一。其他作品有小说《丽贝卡》（1792）；剧本《阿尔及尔的奴隶们》（1794）；教科书《拼音辞典》（1807）等。

Roxana **罗克桑娜**（？～约公元前310，色雷斯安菲波利斯） 亚历山大大帝之妃。原为大厦酋长奥克夏尔特的女儿，公元前327年亚历山大远征亚洲时被俘，嫁给了亚历山大。亚历山大死后，她派人杀死亚历山大的第二个妻子斯塔蒂拉。她在巴比伦生下的儿子，由马其顿的将军们立为国王，即亚历山大四世，同弱智的腓力三世（亚历山大大帝异母兄弟）共同执政。公元前319年，罗克桑娜到伊庇鲁斯，与亚历山大的母亲奥林匹娅斯住在一起。公元前316年为后来自立为马其顿国王的卡山得所俘。卡山得把她囚禁在安菲波利斯，随即把她和亚历山大四世一同处死。

Roxas **罗哈斯** 菲律宾班乃岛北部城市。位于班乃河三角洲。外港卡皮斯港为岛际交通中心。罗哈斯是伊洛伊洛为起点的贯穿全岛铁路的北部终点，亦为富庶农业区产品的集散地，将多余的大米出口至附近岛屿。市内有一机场。东南5千米处为旧城址，曾是西班牙人在菲律宾的第二个定居地。1951年设市。人口约101 468（1989）。

Roxas (y Acuna), Manuel **罗哈斯**（1892-01-01，菲律宾卡皮斯～1948-04-15，邦板牙省克拉克菲尔德） 菲律宾政治领袖，菲律宾独立后第一任总统。曾在菲律宾大学学法律。1917年步入政界，任卡皮斯市议会议员。1919～1921年任卡皮斯省长。后被选入菲律宾众议院，曾任众议院议长和国务会议委员。1923年，当美国总督伍德否决菲律宾议会通过的法案时，他与参议院议长奎松辞去国务会议职务以示抗议。1932年与国民党领袖奥斯梅纳率菲律宾独立使团去华盛顿，对《黑尔-霍斯-卡廷法案》的通过起了一定作用。1934年为宪法会议委员。1938～1940年在自治领政府中任财政部长。第二次世界大战期间在劳雷尔的亲日政府中任职，曾为日军搜刮大米。虽然菲律宾在战后成立审讯通敌分子的法庭，但因麦克阿瑟将军为其撑腰，他逃避了罪责。1946年当选为自治领政府总统。同年7月4日菲律宾宣布独立时，他成为新共和国第一任总统。他从美国弄到一些复兴基金，但必须租让23个军事基地（租期99年），在贸易方面对菲律宾公民实行限制，并给美国资本家提供特权。他领导的政府贪污腐化，滥用地方军事警察，结果使胡克运动在农村地区风起云涌。他以残酷手段镇压胡克，更引起农民的普遍不满。

Roxburgh **罗克斯堡** 又称罗克斯堡郡。苏格兰东南部历史郡。位于苏格兰边境政务会辖区内。古迹很多，包括山谷中的要塞、罗马人后期建造的营地、要塞、烽火台和从英格兰通向北方的地利大道。罗马人撤走后被斯特拉斯克莱德的不列颠人占据，后并入诺森伯里亚达4个世纪。1018年让与苏格兰。戴维一世时设罗克斯堡郡，1460年城堡被毁，苏格兰詹姆斯二世被杀，该城遭遗弃，由凯尔索替代。当地的其他城镇在苏格兰人与英格兰人的边界战争中反复遭到焚毁，1544～1545年，杰德堡、凯尔索和梅尔罗斯的教堂被毁。梅尔罗斯附近的阿伯茨福德是19世纪小说家W.司各特最后的居住地，周围地区被称为“司各特乡”。早期经济依赖于畜牧业，18和19世纪的毛纺织业促进了当地的经济发展。

Roxburgh **罗克斯堡** 苏格兰南部博德斯行政区的一个分区。1975年区划改组时设置。范围包括前**罗克斯堡**（**Roxburqh**）郡大部与前贝里克郡之一小部分。首府霍伊克。面积1 540平方千米。该分区包括整个蒂维厄特河流域。蒂维厄特河向东北流，至凯尔索与特威德河汇合。绵延的草地包围着深谷地的农田，区内大部分土地为草地。霍伊克以西主要用于高地牧羊，低地农牧场放养牛羊。边境城镇经济以贸易、纺织、旅游为主。首府霍伊克以织袜和针织业著称。人口约35 133（1987）。

Roxbury **罗克斯伯里** 美国马萨诸塞州波士顿市南郊住宅区。1639年为清教徒移民创建。原为诺福克县一镇，在波士顿与多切斯特之间。1868年并入波士顿市。

Roxy Music **罗克西音乐乐队** 20世纪70年代的英国艺术摇滚乐队。其音乐风格结合了华丽摇滚乐的曲风，复杂的、实验性的音乐技巧，顽皮幽默的态度和厌世的浪漫精神。主要成员为B.费里和B.伊诺等。1971年由创作歌手费里组建。1972发行的首张同名专辑和单曲《弗吉尼亚平原》以及1973年推出的《为了你的快乐》在英国都获成功，和谐统一的嗓音和豪华的配器使他们与主流摇滚乐有所区别。伊诺单飞后，费里成为乐队的核心人物。1973年的《搁浅》和1974年的《乡村生活》在英国都很成功。1975年的专辑《女妖》和单曲《爱情是毒品》则在美国成为热门。乐队经过解散、重组、再解散，70年代末和80年代初推出的唱片获得商业成功，但评价均不如早期唱片。

Roy, (Joseph) Camille 鲁瓦（1870-10-22，加拿大魁北克贝捷-昂-巴～1943-06-24，魁北克） 加拿大评论家、文学史家，是研究加拿大法语文学发展史的权威。1894年被任命为天主教牧师，1900年获得巴黎天主教大学博士学位。1900～1926年在魁北克拉伐尔大学讲授法国文学，随后任加拿大文学教授。著有《我们的文学起源》（1909）、《加拿大法语文学史手册》（1918；1945年第10版）。他还协助建立了讲法语协会。

Roy, Gabrielle 鲁瓦（1909-03-25，加拿大马尼托巴省圣博尼法斯～1983-07-13，魁北克） 加拿大法语女小说家，以擅长描写穷人的希望和挫折而受到赞扬。一度任教师，1937～1939年在欧洲学戏剧，后返回加拿大，开始写作生涯。她研究城市贫困的劳动人民的作品，包括《转手的幸福》（1945）及《出纳员亚历山大·谢内韦尔》（1954）。她的一些小说，如

供图：McClelland & Stewart Ltd.

《小水鸡》（1950）和《德尚博街》（1955），写马尼托巴与世隔绝的田园生活。此外，还著有半自传性质的故事集《阿尔塔蒙之路》（1966）和根据她的教师经历写成的小说《我生活中的孩子们》（1977）。

Roy, Manabendra Nath 罗伊（1887-02-22，印度阿尔比利亚～1954-01-25，台拉登） 原名Narendranath Bhattacharya。1947年印度独立前的印度共产党领袖。罗伊对各种社会和政治问题均感兴趣，终于导致其参加企图以恐怖手段推翻英国殖民统治的各种印度团体。1915年参与了孟加拉革命党人偷运武器至印度的计划。这一计划失败后，他到东亚及东南亚各国寻求所需的武器，均无结果。1916年到达旧金山，在该地改名罗伊。俄国布尔什维克革命后不久，罗伊前往墨西哥，帮助建立墨西哥共产党。在莫斯科，他得到列宁的赏识，进入了共产国际执行委员会。1929年他因斯大林的政策与共产国际决裂，企图秘密返回印度，但为英国人逮捕下狱。几年后获释，参加了印度国民大会党。由于他主张应主要考虑挫败法西斯主义而不是印度的独立，因而对国大党在第二次世界大战期间迟迟不向英国人提供援助表示反对。1947年印度获得独立后，罗伊放弃了共产主义而成为激进人道主义的一个创始人，激进人道主义是社会主义与自由人道主义思想的混合体。

Roy, Ram Mohun 罗伊（1772-05-22，印度孟加拉拉塔诺格尔～1833-09-27，英格兰格洛斯特郡布里斯托尔） Ram Mohun又拼Rammohan。印度宗教哲学家、社会改革家、学者、教

新德里尼赫鲁纪念博物馆和图书馆供图

育家。有时被称为现代印度之父。出身于一个富有的婆罗门家庭，早年生活和教育不详。20岁时掌握了波斯语、阿拉伯语、梵文和英语。1804～1814年在英属东印度公司任职。后在加尔各答定居，以宗教改革者知名。在此期间他继续研究宗教；1803年撰写小册子，抨击印度的各种宗教纷争的现象和迷信。针对这些弊端他主张提倡一神印度教，教导信徒通过理性理解“万教之根，万有的绝对本原”。他以《奥义书》和《吠陀》为宗教信仰的依据，把这些古梵文文献译成孟加拉语、印地语和英语，并为这些文献写摘要和评论。罗伊认为，这些文献的中心主题是，崇拜维持宇宙而非人类所能理解的至高神。1824年法兰西亚洲学会为了表彰他的翻译工作，选举他为荣誉会员。1828年罗伊创立梵社（**Brahmo Samaj**）——印度教的一个改革派别，它吸收上帝一位论及基督教其他自由化派别的一些内容；梵社在19世纪曾发挥重要作用。1829年罗伊以徒有虚名的德里国王之代表的身份访问英格兰，受到主要是上帝一位论派和国王威廉四世的款待。

Royal Academy of Arts 皇家艺术学院 英国国家艺术学院。1768年由乔治三世创立。1768～1792年间第一任会长是J.雷诺兹。成员由会员和准会员选举确定，人数固定在40位。成员的名字前往往加上皇家学会会员的大写首字母R.A.。陈列室中有过去的会员如T.庚斯博罗和J.M.W.特纳的作品。1991年学院开了新的边厅萨克勒陈列室。

Royal Academy of Dramatic Art（RADA）**皇家戏剧艺术学院** 伦敦一所由国家资助的最古老的英国戏剧学校。1904年由演员兼导演赫伯特·比尔博姆·特里爵士创建，于1905年迁入高尔大街，取名戏剧艺术学院。由主要演员参加管理。肯尼思·巴恩斯爵士从1909年起直至他1957年去世，一直担任该院院长，从而保证了学院取得成功。1924年起，该院接受政府年度津贴，这为以后的戏剧学校开了先例。

Royal Air Force, The（RAF） **英国皇家空军** 英国武装力量三军种中最年轻的军种，负责联合王国防空，并承担国际防务义务。1903年首次动力飞行的8年后，在英军中组建了第一支航空部队。1911年4月，组建了一个皇家工兵航空营，该营有一个气球连和一个飞机连。1911年12月，英国海军部在肯特郡伊斯特彻奇的皇家航空俱乐部组建了第一所海军飞行学校。1912年5月，在索尔兹伯里平原的阿佩文组建联合的皇家飞行队，下辖海军和陆军联队及中央飞行学校。然而，海军对航空的特殊要求显然使之单独组建更为合适，1914年7月1日，皇家飞行队的海军联队成为皇家海军航空勤务队（RNAS），陆军联队则保留皇家飞行队的名称。1914年8月第一次世界大战爆发时，拥有179架飞机的皇家飞行队派出4个中队到法国。1918年4月1日，皇家海军航空勤务队和皇家飞行队合并组建皇家空军（RAF），它是与英国海军和陆军平等的独立军种，并建立空军部，由空军大臣领导。1918年11月，皇家空军的实力达到近29.7万名官兵，拥有200个作战中队以及几乎数量相等的训练中队，飞机总数达到22 647架。为训练皇家空军飞行部队的职业军官，1920年在林肯郡的克伦威尔成立一所军校；1922年在汉普郡安多弗成立皇家空军参谋学院。1939年9月第二次世界大战爆发时，皇家空军在联合王国的一线兵力约为2 000架飞机。皇家空军的战斗机飞行员在战争初期的不列颠之战中抗击数量上占优势的德国空军时建立了功勋。到战争结束时，皇家空军的实力为96.3万人。不过1945年战时部队复员时，皇家空军的数量削减至约15万人。20世纪80年代大致保留此数。皇家空军由3部分组成：在联合王国的打击部队（Strike Command）和空中支援部队（Air Support Command），以及皇家空军驻德国部队。1964年，皇家空军、海军部和陆军部置于国防部领导之下，其本土和海外部队目前由空军委员会管理。

Royal Air Force Museum 皇家空军博物馆 英国国家博物馆。专门收藏航空和空战史料。1972年开馆，馆址设在伦敦西北的亨登机场，馆舍由第一次世界大战时期的两个飞机库组成。馆藏包括从世界各地找到的80余架飞行器，其中有早期的著名飞机和第二次世界大战中所有英、德主要飞机，以及若干原型机和当代的军用飞机。有关航空及航空史上重要人物的纪念藏品颇丰，包括制服、勋章和战利品。设于什罗普郡科斯福德的分馆收藏有大量的飞机。保留品则收藏在贝德福德郡卡丁顿。亨登机场展出的独特飞机表明航空和空战的轶事。增设的不列颠之战馆和轰炸机司令部馆，着重强调英国皇家空军战斗机和轰炸机在第二次世界大战中的作用。此外，还有些早期装备、个人资料、立体布景、模型和复制品。参观者可亲身体验的展品有

英国皇家空军的旋风式喷气战斗机飞行模拟器和森德兰·马克V型水上飞机机舱。

Royal Albert Hall 皇家艾伯特大厅 全称Royal Albert Hall of Arts and Sciences(皇家艾伯特艺术和科学厅)。伦敦威斯敏斯特城的音乐厅。英国最主要的音乐厅和重要地标之一。为纪念维多利亚女王的丈夫艾伯特王子,这座巨大的椭圆形建筑建于1867～1871年。G.G.斯科特爵士于19世纪60年代初完成建筑设计,但由于资金短缺而未动工。艺术协会主席亨利·科尔爵士后来筹措到资金,F.福克的新设计于1865年得到批准。福克在同年去世后由H.D.斯科特任建筑总监,1867年正式动工。大厅因音效特别是回音不佳而长期声名不佳,20世纪60年代得到改进。观众席超过5 000个,用于举办古典和流行音乐会、体育赛事、舞会和节日庆典。现为英国皇家爱乐乐团在伦敦的本部。

Royal and Ancient Golf Club of St. Andrews 圣安德鲁斯皇家古老高尔夫球俱乐部 别称R.and A.。世界上历史最悠久、最有影响的高尔夫球运动组织之一。1754年由22位"贵族绅士"在苏格兰法夫圣安德鲁斯建立,时称圣安德鲁斯高尔夫球运动协会。1834年经英国国王威廉四世批准改用今名。在高尔夫运动发展早期起了重要作用。19世纪后期该俱乐部成为英国和英联邦国家的唯一高尔夫球规则权威。1919年接管英国公开赛和各种业余锦标赛,并主办几个国际比赛,包括沃克杯赛和柯蒂斯杯赛。该组织与美国高尔夫球协会和其他国家高尔夫球联合会保持着密切联系。

royal antelope (*Neotragus pygmaeus*) **侏儒岛羚** 偶蹄目牛科动物,一种小羚羊。单独或成对栖息在浓密的西非森林。是羚羊中最小的一种,肩高25厘米,毛浅红褐色,腹部

侏儒岛羚(*Neotragus pygmaeus*)
绘图:Richard Ellis

白色。雄体有短而尖的角。一跃能跳约2.8米。其近缘种贝茨氏侏儒岛羚(*Neotragus batesi*)体略大,栖息在非洲中部森林。

Royal Armouries 皇家军械博物馆 又称国家兵器和盔甲博物馆(National Museum of Arms and Armour)。英国博物馆,专门收藏原存于伦敦塔白塔内的兵器和盔甲。原为英国皇家军械库,11世纪征服者威廉一世下令建造伦敦塔,皇家军械库即成为伦敦塔的组成部分。16世纪末起允许公众入内参观。查理二世统治时期辟为博物馆,公众须交费进馆。当时,参观者可观看特别准备的展品,诸如由无敌舰队著名兵器和刑具构成的"西班牙军械库"。另有展示历代君主盔甲的"历代君王"。该馆全部馆藏是比较研究世界兵器与盔甲的主要资源。大部分馆藏现展于利兹的皇家军械博物馆(1996年开馆)和朴次茅斯附近费勒姆的纳尔逊堡皇家军械博物馆火炮馆(1988年开馆)。白塔内的展品自1997年开始更换,用以说明白塔要塞史话及英国皇家军械博物馆和其他相关政府机构的沿革。除英格兰国王的盔甲外,还有过去1 000年来所制造的一些最精美的武器和盔甲。

Royal Astronomical Society(RAS) **皇家天文学会** 英国促进天文科研事业的科学学会。创建于1820年,总部设在伦敦。初定名为伦敦天文学会,1831年钦定为皇家天文学会(RAS)。初创时的会员中有C.巴贝奇和J.赫歇尔等知名科学家。学会的宗旨包括收集、整理和出版观测资料和天文数表,筹办有会刊《文集》。1827年又兴办期刊《月报》。学会设立的"金质奖"已被公认为国际天文界的最高荣誉奖项。学会一直定期举行学术集会,报告、交流和研讨最新的天文进展。19世纪末～20世纪初和英国皇家学会协作,多次组建日食远征观测队,取得举世公认的建树。和英国其他学会一样,学会谢绝女性。尽管女天文学家C.赫歇尔于1828年获得金质奖,但直到1835年才被接受为荣誉会员。1916年终于破除禁令,开始接受女性为正式会员。学会有2 700多名正式会员、青少年会员和外国会员。在学会成立之初,会员中有许多天文爱好者,19世纪末之后,会员中的专业和专职的天文学家人数激增。

Royal Ballet 皇家芭蕾舞团 英国芭蕾舞团,并附设舞蹈学校。1956年经英国女王伊丽莎白二世批准,由萨德勒的韦尔斯芭蕾舞团与其姊妹机构萨德勒的韦尔斯剧院芭蕾舞团和萨德勒的韦尔斯舞蹈学校合并建成。萨德勒的韦尔斯芭蕾舞团的创办人是L.贝利斯和N.德·瓦卢娃。1926年德·瓦卢娃在伦敦创办一所芭蕾舞学校。同年,老维克剧团的团长贝利斯聘请她为一些歌剧和戏剧配演一些舞段。1931年贝利斯在伦敦接任萨德勒的韦尔斯剧院院长时,她便和德·瓦卢娃在伦敦共同组建了维克-韦尔斯芭蕾舞团。因该舞团整个30年代都在老维克剧团和萨德勒的韦尔斯剧院演出,所以又称为维克-韦尔斯舞团。后来该团名为萨德勒的韦尔斯芭蕾舞团。1933年A.玛尔科娃成为该团第一任首席芭蕾舞女演员。1935年她离开该舞团后,其表演的许多角色由年仅16岁的M.芳廷担任。芳廷后来舞艺成熟后,成为20世纪最伟大的芭蕾舞女演员之一。R.赫尔普曼1933年加入该舞团,为主要男舞蹈演员。30年代该舞团首演了一些由德·瓦卢娃和F.阿什顿编导的、重要的新芭蕾舞剧。40年代和50年代,舞蹈家和舞蹈编导L.马辛曾与当时的萨德勒的韦尔斯芭蕾舞团合作。1949年该团首次赴美国巡回演出,获得成功。当时该舞团规模已甚大,有附设舞蹈学校和一姊妹舞团萨德勒的韦尔斯剧院芭蕾舞团,后者于1946年创办,到国外以及本国各地作巡回演出。1956年萨德勒的韦尔斯舞团经女王批准易名为皇家芭蕾舞团。所属两个舞团逐步合并,1959年合并工作完成。皇家芭蕾舞团自1956年成立以来,以上演阿什顿、K.麦克米伦、B.尼任斯卡亚和G.巴兰钦编导的舞蹈为特色,并进行了广泛的巡回演出活动。

Royal Bank of Scotland Group(RBS) **苏格兰皇家银行集团** 英国的银行和金融服务公司。2000年并购国民威斯敏斯特银行后成为欧洲最大银行之一。总部设在苏格兰的爱丁堡。是英国提供商业、公司及私人金融服务的最主要银行之一。该集团还通过其他金融机构,如美国东北部的公民金融集团和爱尔兰的阿尔斯特银行开展业务。

Royal Botanic Garden(India) **皇家植物园** 参阅 **Indian Botanic Garden 印度植物园**。

Royal Botanic Garden 皇家植物园 位于英国爱丁堡的一座植物园,以风景秀丽闻名于世。面积25公顷,有植物35 000种。以培植特殊品种杜鹃花和许多亚洲属的种类著称。植物标本有150万件。该园于1670年成立,由政府经营。

Royal Botanic Gardens (England) **皇家植物园** 参阅 **Kew Gardens 基尤植物园**。

Royal Botanic Gardens and National Herbarium 皇家植物园和国家植物标本室 澳大利亚墨尔本的一所植物园,世界上设计得最好的植物园之一。1845年建立,占地35公顷,位于穿过墨尔本的亚拉河畔。有20 000多种当地和外来植物,种植于温室和露天的地方,种类有棕榈、杜鹃花、山茶、栎、仙人掌、肉质植物、凤梨、蕨类和澳大利亚本地树种。该植物园有十分完善的研究设备,包括一个国家标本室,遂已成为重要的分类学研究中心。标本室是著名的植物学家F.米勒(**Mueller, Sir Ferdinand von**)于1857年建立,他在任期内(1857～1873)大大增加了植物园的藏品数量。标本室藏有近150万号参照标本,澳大利亚当地的品种几乎应有尽有,还有世界其他地方的许多种类。

Royal Canadian Mounted Police (RCMP) **皇家加拿大骑警队** 加拿大联邦警察部队,也是除安大略省和魁北克省之外的其他各省的刑事警察队,育空地区和西北地区的唯一警察力量。负责加拿大国内安全。1873年建立时,称为"西北骑枪手",由于美国对一支武装部队巡逻边境有反应,因而改称为"西北骑警"。最初这支部队有300人,奉命对付一些用廉价的威士忌酒换取牛皮的美国商人在印第安人中所造成的混乱不安。机智的骑警经过坚持不懈的努力,终于将这些商人赶出边界,使印第安人得到安宁。作为边境地区的唯一行政部门,这支队伍负有广泛的职责,在其监督之下,加拿大太平洋铁路的西段于1885年竣工。由于预见到1898年的淘金热

潮,骑警比第一批探矿者抢先进入育空地区。20世纪初,约有30万移民涌入加拿大,骑警给那些没有经验的人在荒野上生活帮了大忙。1904年,在骑警名称冠上了"皇家"二字;1920年,成为全加拿大联邦警察队伍后,采用了现名,而且总部从里贾纳迁到渥太华。30年代,这支队伍增设了水上和空中分队、警犬小组和一个刑事侦察化验室。加拿大皇家骑警的刑事侦察化验室和身份鉴定部门的全国性警务设施,可供所有经批准的警察队伍使用。骑警主办的加拿大警察学院招收经过挑选的骑警和非骑警人员。皇家加拿大骑警是国际刑事警察组织(Interpol)的成员。

Royal Copenhagen porcelain 哥本哈根皇家瓷器 哥本哈根皇家瓷厂自1775年至今生产的瓷器。化学家弗朗茨·海因里希·缪勒创立该厂,并被授予50年的垄断权。该厂于

根据1775年式样制作的哥本哈根皇家瓷盘
哥本哈根皇家瓷厂供图

1775年采用三条上下叠置的波纹线为其标志。1779年丹麦国王承担财政责任之后,该厂被命名为皇家瓷厂。该厂生产了许多精美的瓷器,特别是以钴蓝装饰的瓷器,一种表面带有槽纹(马塞尔花纹)和上面饰有传统花卉的瓷器曾风行一时。该厂还生产著名的塑像,既有施釉的,也有素瓷(未上釉瓷器)。该厂最著名的产品是名为"丹麦植物志"的大型成套餐具(除少数几件外,现均收藏在哥本哈根的罗森伯格城堡)。作为赠给俄国叶卡捷琳娜二世的礼品,这套餐具于1789年开始制作,至1797年,其数量已达2 528件,其中包括蛋杯等小件制品,以及精美绝伦的汤碗和盘碟。这套餐具是试图展示丹麦王国各种野生植物。釉下彩绘蓝瓷器在哥本哈根皇家瓷厂当时生产的大量产品中所占比例最大。

Royal Courts of Justice 皇家法院 又称法庭(Law Courts)。伦敦市主要审理民事(非刑事)诉讼的法庭、审判厅和办公室的综合建筑。位于大伦敦威斯敏斯特自治市。上诉法院,高等法院和皇室法院均在此开庭。1882年建成之前,民事案件都是在威斯敏斯特大厅和其他地方审判。该法院中哥特式的维多利亚建筑有几个塔楼,1 000多个房间,装饰与设备均极华丽。主要的门上方都装有基督、所罗门王、阿尔弗烈德大王和摩西等人的雕像。主厅约长73米,高24米。1911和1968年两次扩建。

Royal Danish Ballet 丹麦皇家芭蕾舞团 哥本哈根皇家剧院的一个固定性芭蕾舞团,创建于1748年。它主要由舞剧编导P.劳伦特(他在1771年创办舞团附属学校)、V.加莱奥蒂(1775～1816年任团长,为舞团建立了戏剧芭蕾舞剧目)和A.布农维尔(1829～1877年主持该团,现今舞团仍继承他的古典风格)扶植而成。经历了19世纪末20世纪初的衰落时期后,丹麦皇家芭蕾舞团在H.兰德(1932～1951年任团长)领导下恢复兴旺。培养出一批具有国际水平的独舞家,其中包括E.布鲁恩、H.克龙斯塔姆、P.马丁斯和P.绍富斯。该团上演了许多由外国艺术家设计创作的当代舞蹈作品,其中包括G.巴兰钦、弗雷德里克·阿什顿爵士和B.卡尔贝格的作品。1953年后,该团在兰德的继任者们(包括1978年被任命为艺术指导的克龙斯塔姆在内)的领导下,多次出国演出,并建立了国际声誉。

Royal Dutch Airlines 参阅**KLM荷兰皇家航空公司**。

Royal Dutch/Shell Group 英荷壳牌石油公司 世界最大的销售公司之一,分公司遍布于100多个国家。其股权为海牙荷兰皇家石油有限公司及伦敦壳牌运输与贸易公司所有。在这两家母公司之下,设有两家持股公司,它们股票的60%为荷兰皇家石油有限公司所有,40%为壳牌运输与贸易公司所有。这两家持股公司又拥有并管理分布于全世界的经营具体业务的子公司。各子公司从事石油、石化和有关工业的业务,从研究、勘探到生产、销售,无所不包。有几家子公司还经营五金、原子能、太阳能、煤和消费品。19世纪末两家母公司荷兰皇家石油公司和壳牌运输与贸易公司原为竞争对手,1907年联合组织英荷壳牌石油公司。1913年,两家母公司又合并其他一些公司,收购了罗马尼亚、俄国、伊拉克、埃及、委内瑞拉、墨西哥、加利福尼亚、俄克拉何马等国家和地区的产油公司,并扩大了欧洲、亚洲、澳大利亚、非洲和南北美洲的销售机构,因此在世界石油公司中占显著地位。该集团主要的美国子公司为壳牌石油公司,成立于1922年。

Royal Exchange 皇家交易所 伦敦城从前的金融机构。是伦敦商贸人士的交易场所,以前他们都在街道上或拥挤的店铺中从事买卖。该交易所1939年关闭,原址现改为办公室和展览场地。位于市中心金融区英格兰银行和证券交易所附近,由威廉·泰特爵士设计,1844年启用。建筑有很大内院,大多数交易均在此进行。庭院四壁绘有伦敦历史景观,巨大的科林斯式廊柱上面刻有许多浮雕。是伦敦建造的第三个交易所。第一个交易所1570年开业,毁于1666年的伦敦大火。第二个交易所1669年开业,许多办公室都出租给了私人商号,地下室用于贮存东印度公司运来的胡椒。1838年毁于大火。

Royal Geographical Society (RGS) 皇家地理学会 成立于1830年的英国伦敦地理学会,该学会源于雷利旅行俱乐部(1827成立),1859年注册,改用现名。成立不久便把1788年成立的非洲学会吸收进去。19世纪时学会推动了考察英属圭亚那(由R.朔姆布尔克领导)、澳大利亚和非洲(成员有D.利文斯敦、R.伯顿、J.斯皮克、J.A.格兰特和J.汤姆森)、北极(成员有J.富兰克林和G.纳尔斯)等各项活动。20世纪时,在许多考察之中较著名的有:R.F.斯科特的首次南极探险;E.沙克尔顿的帝国南极探险;连续几次的珠穆朗玛峰探险(1953年E.希拉里终于成功地攀登上珠峰的顶点);挪威-英国-瑞典南极探险(1949～1952);V.富克斯领导的英联邦南极探险(1957～1958),以及几次热带地区的探险。学会的目的是通过讲座和刊物(《地理日志》和《地理学报》)、通过讲授探险勘测知识和对探险研究工作提供支援以及通过图书馆和公共地图阅览室,来提高地理知识。该学会还曾仲裁秘鲁与玻利维亚之间的边界纠纷(1911～1913)。英王每年都给该学会推荐的探险活动颁奖。总部设在威斯敏斯特。1995年兼并了英国地理学家学会。20世纪90年代末约有13 000名会员。

Royal Greenwich Observatory 格林尼治天文台 英国最古老的天文机构,为英皇查理二世于1675年创立,目的在于协助解决海上经度测量的问题。它当时的主要业务是实用天文方面的,如航海、守时、恒星方位和天文历书的出版等。1767年,天文台开始出版以格林尼治时间为标准的《航海天文年历》。由于这本年历在航海人员中广泛流传,格林尼治子午线遂于1884年被采纳为世界本初子午线并作为国际时区系统的计算起点。1948～1958年,天文台的设备仍继续使用,而天文台则迁往萨塞克斯的赫斯特蒙苏堡。从1948年起开始选择晴夜更多的台址,同时考虑到和大学更密切的合作的需要,于1990年迁至剑桥大学天文研究所。在格林尼治的老天文台以及它的一些古仪器,现已成为国立航海博物馆的一部分。

Royal Leamington Spa 皇家利明顿矿泉市 英格兰沃里克行政、历史郡沃里克区城镇。临利姆河。城东3千米处的米德兰橡树已有900年树龄,传统上被认为是英格兰的中心。18世纪80年代前一直是个乡居民点,后建为疗养城镇。1838年,维多利亚女王曾驾临这里的矿泉疗养地并准于该镇名前冠以"皇家"一词。该镇自19世纪70年代以来一直举行网球比赛,故有草地网球之乡的美名。现为住宅和疗养城镇。与考文垂工业区和西米德兰各城镇间交通便利。人口约55 396(1991)。

royal moth 参阅 **regal moth 角蠋蛾**。

Royal National Theatre 皇家国立剧院 1962～1988年称国家剧院。英国的一家剧院剧团综合体。部分由国家资助,组建于1962年,直至1976年才在伦敦泰晤士河南岸有了固定院址。1988年女王伊丽莎白二世准许在剧团名称前面加上"皇家"字样。大不列颠缺少一座国家剧院成为20世纪初戏剧界人士关心的问题。1914年爆发的第一次世界大战和随后的1939年的第二次世界大战,使筹措资金以建设这样一所剧院的多次尝试受

到阻碍。第二次世界大战之后，泰晤士河南岸被选为拟议中的国家剧院院址。1949年国会立案，批准该剧院的成立设想。1951年剧院建筑奠基，但却未能筹集到建造资金。到1962年，国家剧院剧团终于建立起来。1963年起由演员L.奥利弗担任该剧团团长，并由老维克剧团提供骨干演员，国家剧院还把老维克剧院当作临时院址。1963年10月22日开幕式上演出了《哈姆雷特》。剧院的常演剧目包括古典剧目和现代剧作，由英国和外国的杰出导演执导演出，包括G.德维因、P.伍德、P.布鲁克、F.泽菲雷利和J.卡龙这样一些导演，从而使国家剧院很快在世界剧坛上声誉卓著。1976年2月，国家剧院剧团在老维克剧院举行最后一次演出，同年晚些时候即迁至泰晤士河南岸的新址，这是一座有3个剧场的综合剧院。剧团领导先后由L.奥利弗(1963～1973)、P.霍尔(1973～1988)、R.埃尔(1988～1997)、T.纳恩(1997～2003)和N.希特纳(2003年起)担任。

Royal Navy, The　英国皇家海军　联合王国的海军组织，负责海上国防、保护航运、履行国际军事协定。在英国，首次使用有建制的海上力量的人是韦塞克斯的阿尔弗烈德大王(Alfred the Great of Wessex)，他派遣舰只抵御北欧海盗的入侵。海军的行动一直是地方性的、防御性的和暂时的，直到13世纪法国人占领了诺曼底，贸易活动扩展到西班牙和葡萄牙为止，那时开始用船来输送步兵投入陆上作战。但在1340年斯勒伊斯战役(Battle of Sluis)中，英海军已从事海上作战。亨利八世组建了一支装备大型火炮的舰队，并建立了海军行政机构。在伊丽莎白一世的领导下，海军发展成为英国主要的防御力量，并成为英帝国全球扩张的手段。查理二世将海上力量定名为皇家海军，虽然在英国内战期间(1642～1651)，军队是由议会控制的。18世纪中，皇家海军与法国海军为争夺海上霸权进行了漫长的斗争，1688～1763年间经过4次战争，英国战胜了法国。在英国抵御拿破仑的战争中，皇家海军起到了关键作用，1805年赢得特拉法尔加角海战(Battle of Trafalgar)胜利之后，皇家海军再未遇到法国的挑战。这一时期，纳尔逊勋爵可能是历史上最伟大的海军上将。在19世纪剩余的岁月里，皇家海军有助于维持所谓英国式的和平，即由于主要欧洲国家间力量平衡而出现的长期相对和平局面，这完全取决于使用英国的海上霸权。进入20世纪后，皇家海军依然是世界上最强大的海军。第一次世界大战中，其主要任务是保护海运不遭潜艇袭击，战争期间英国建立了海军航空兵。1937年，所有舰载飞机由舰队航空兵管辖。第二次世界大战后，皇家海军在规模上仅次于美国海军居世界第二位，依然是海上作战，特别是反潜作战方面领先的国家。20世纪后期，皇家海军规模缩小，在美国海军和苏联海军之后居世界海军第三位。1964年，海军委员会并入国防部，1967年以后海军的行政事务由海军政务次官负责。皇家海军的编制机构包括：舰队司令、海军本土部队、海军航空兵和皇家海军陆战队。虽然从20世纪60年代起皇家海军的规模缩小了，但它于1969年承担了核威慑任务，仍保持着一支装备核武器的潜艇部队。

Royal Oak　罗亚尔欧克　美国密歇根州东南部奥克兰县城市，底特律北郊住宅区。1819年始拓居。1891年设村。1921年设市。市内有底特律动物园。人口65 410(1990)。

Royal Ontario Museum　皇家安大略博物馆　位于多伦多的艺术收藏馆。1912年建立，1914年对外开放。以收藏中国和古埃及艺术品、美洲人种学文物和加拿大的工艺美术品而闻名。还有生命科学和地球科学陈列品。博物馆与多伦多大学建立了关系，偏重研究，也对公众开展教育活动。

royal poinciana(*Delonix regia*)　**凤凰木**　又作flamboyant tree或peacock tree。又称红楹、火树。一种豆科乔木。原产马达加斯加。株高6～12米，速生。多荫。叶羽状分裂，长30～60厘米。花艳丽，猩红色至橙色。已广泛引种到世界各地的无霜地区。

Royal Road　御道　参阅**Persian Royal Road** 波斯御道。

Royal Rotterdam Zoological Garden Foundation　鹿特丹动物园　别称布利伊多普动物园(Blijdorp Zoo)。荷兰鹿特丹的一所动物园，开放于1887年，由一家私立的动物学会主办，基本上是从两位铁路员工个人豢养的动物发展而来的，这两个人业余爱好饲养异国动物。为了扩展需要，该园于1938年迁至目前的位于鹿特丹市内布利伊多普区面积为17公顷的园内。动物园的中心建筑物是里菲拉馆。馆的正厅收容各种小哺乳动物、鱼和鸟，其他部分则展出象、大型类人猿和热带鸟，包括世界上最好的一组极乐鸟。该园特别注重南亚物种，迄今已繁殖出500多头孟加拉虎、苏门答腊虎和西伯利亚虎，为其他任何动物园所不及。还拥有第一群在人工饲养条件下能正常繁殖的猩猩。

Royal Shakespeare Company　皇家莎士比亚剧团　英国重要的轮演保留剧目剧团，以埃文河畔斯特拉特福镇和伦敦为演出基地。1961年之前名称为莎士比亚纪念剧团。以斯特拉特福镇为基地的分团，其轮演剧目包括莎士比亚和伊丽莎白及詹姆斯时代其他剧作家的作品；而以伦敦为基地的分团则主要上演现代剧作和莎剧之外的古典作品。剧团原附属于莎士比亚纪念剧院，剧院是经过查尔斯·爱德华·弗劳尔的努力在莎士比亚诞生地斯特拉特福镇建造的。1879年剧院开始使用，作为每年一度的莎士比亚戏剧节的场所，而常驻该院的季节性演出团即被称做“莎士比亚纪念剧团”。1925年剧团荣获皇家特许状，成为英国最负盛名的剧团之一。1961年该团团长彼得·霍尔对剧团加以改组，署名为皇家莎士比亚剧团，并将其分为两部分，一部分在斯特拉特福演出，另一部分则以伦敦为基地。这些变革使剧团得以发展为全年演出的专业团体。斯特拉特福的莎士比亚纪念剧院也相应地更名为皇家莎士比亚剧院。伦敦分团于1982年从其旧址奥尔德威奇剧院迁入新址巴比堪艺术联合企业。皇家莎士比亚剧团也进行国际性巡回演出。

Royal Society　皇家学会　英文全名为Royal Society of London for the Promotion of Natural Knowledge。大不列颠最早的科学学会，也是欧洲最早的学会之一。成立于1660年。它始于一些小型的非正式团体，其成员定期聚会，讨论科学课题。伦敦和牛津的这种“无形学院”于1645年举行第一次会议。1662年，新复位的查理二世颁发成立英国皇家学会的特许状，并将英格兰的许多小型学会并入该会。皇家学会主要由清教徒同情者和培根的信徒组成，皇家的支持仅是道义上的。这不像欧洲大陆上的科学院，欧陆科学院由国家建立，成员有薪金收入，但失去了他们的独立性。在英国，言论自由成为科学思想和科学发展的动力。在18世纪，皇家学会的成就已享誉于国际。1665年起，它的出版物《哲学会刊》是西方最早的期刊之一。皇家学会的创办人和早期会员有科学家B.J.威尔金斯、哲学家J.格兰维尔、数学家J.沃利斯、发明家兼显微镜专家R.胡克、建筑师G.雷恩，学会特许状的序言即由雷恩撰写。1671年牛顿被选入皇家学会，天文学家E.哈雷于1678年被选入该会。1768年学会发起了由J.库克领导的第一次太平洋科学考察；1919年，学会派遣的一支考察队于5月29日在几内亚湾的普林西比岛拍摄的日蚀照片，验证了爱因斯坦的广义相对论，使爱因斯坦出了名。皇家学会每年颁发一次的奖章有五种：科普利奖章、两种皇家奖章、戴维奖章和休斯奖章；两年颁发一次的有拉姆福德奖章和达尔文奖章；三年颁发一次的有西尔维斯特奖章；五年颁发一次的有布坎南奖章。科普利奖章源自G.科普利(1709)的遗赠，是英国荣誉最高的科学奖。皇家学会继续在其《哲学会刊》上发表科学论文；论文的文摘登载在《会议录》上。学会的成员称为会员。皇家学会的会员候选人必须有几位会员的推荐，他们能为候选人的科学成就提供个人证明。学会也有一些国外会员。20世纪后期，皇家学会会员人数超过1 000人，还有90位外籍会员。

royal tennis(sport)　参阅**real tennis** 庭院网球。

Royal Tunbridge Wells(England)　**皇家坦布里奇韦尔斯**　参阅**Tunbridge Wells** 坦布里奇韦尔斯。

Royal Ulster Constabulary(RUC)　**北爱兰尔皇家警察**　北爱尔兰的国家警察部队，1922年建立。1970年以前具有准军事组织性质，1970年按照英国警察部队的模式改组，并与英国陆军、北爱尔兰防卫团共同负责北爱尔兰的治安。人们经常对北爱尔兰皇家警察虐待可疑分子和犯人的行为表示不满，现在情况已有所改变，如在审问室中安装了闭路监视器。根据《贝尔法斯特协议》(1998)，于2001年更名为北爱尔兰警察局。

Royal Victorian Order 维多利亚皇家勋位 英国维多利亚女王于1896年设置的一项爵士勋位,奖励对王室有贡献者。由于属王室赠勋的性质,故这项荣衔之颁给完全由英王自行决定。与英国其他勋章不同的是,受勋的人数没有限制。在位时期短暂的爱德华八世(1936)曾将妇女纳入受勋者之列。这是英国勋位之中第一个包括多于3种等级者,由高至低依序为维多利亚一等爵士或女爵士(G.C.V.O.)、维多利亚二等爵士或女爵士(K.C.V.O.或D.C.V.O.)、维多利亚三等爵士(C.V.O.),以及维多利亚四等和五等下级爵士(M.V.O.)。最高两种等级之颁给还包括授予爵位。外籍人士也可成为荣誉得主。颁勋日是6月20日,即维多利亚女王登基纪念日。自1938年起,伦敦的萨伏依女王教堂便是这个荣衔受勋者的教堂,其中设有王室人员以及维多利亚一等爵士及女爵士的纹章铭牌。该勋章的形状为一马耳他十字,上有铭文"维多利亚"、V.R.I.三字母和一座王冠。与这项勋章同时另颁一种皇家维多利亚奖章,颁给对王室有军功的人员。

Royal Winnipeg Ballet 皇家温尼伯芭蕾舞团 加拿大著名芭蕾舞团,1953年在英联邦国家中第一个荣获"皇家"荣誉称号。它的前身是温尼伯芭蕾舞俱乐部(1938年由G.劳埃德和B.法雷利创办),该团1939年上演第一部作品,10年后改为专业团体。该团作为第一届加拿大芭蕾联欢节(1948)的赞助人,对本地区芭蕾联欢节活动起过重要推动作用。上演作品兼有古典芭蕾舞剧和根据加拿大题材编成的新作,如《大草原上的幽灵》(1952)、《罗丝·拉丘利普》(1966)。

Royall, Anne Newport 罗亚尔(夫人)(1769-06-11,马里兰新巴尔的摩[美国]～1854-10-01,华盛顿[哥伦比亚特区]) 美国旅行家和作家,被普遍认为是第一位美国女记者。50多岁时开始游历全国。从1826～1831年,发表了10部游记。这些著作至今仍是有价值的社会史资料。罗亚尔是一个古怪和尖刻的女人,1829年因敌视当地长老会被指控为"使四邻不安的泼妇"而在首都华盛顿受审并被判有罪。1831年开始在华盛顿出版报纸《好奇者》,是后来的《女猎人》(1836～1854)的前身。在这些报纸中,她攻击政府的腐败和无能,并倡议加强各州权利、开展星期日邮务以及对天主教徒和共济会成员实行宽容政策。她以其坦率并常常引起争论的观点而闻名。除游记外,她还写过一部小说《田纳西人》(1827)和一个剧本《密室》(1832)。

royalty 权利使用费 法律上指某些类型的权利所有人允许他人使用其权利而收受的费用。这些权利包括文学、音乐和艺术作品的版权,发明设计的专利权,以及矿床(包括原油、天然气)的所有权。该名词起源于英国,许多世纪以来金矿与银矿皆为英国王室的财产,这种"皇家"金属只有在向国王付出权利使用费用后才可以开采。书籍作者本人难以充分利用他的著作,他需要出版机构的资源。剧作家也同样需要戏剧管理部门及演员来演出他的戏剧,而且需要出版商来出版和推销他的剧本。音乐作曲家必须安排演奏他的作品,销售他的乐曲,以及制作演奏的录音。画家若想获得比所绘之画原价值更高的利益,他就必须安排转载和复制,以便在书籍中刊载及制成复制品。发明家因无资金或工厂,他必须委托他人来制造其发明物。权利所有人作出安排,使他人利用其权利时,他所换得的报酬常以使用费的方式交付,其多寡通常是以权利利用的实际程度为依据。智力及才艺等所产生的成果绝不同于矿床。以上所提及的各种权利,通常都由他人付出使用费后加以利用,而非由权利所有人本人使用。

Royce, Sir (Frederick) Henry 罗伊斯(1863-03-27,英国亨廷顿郡阿尔瓦尔登～1933-04-22,萨塞克斯西惠特灵) 英国罗尔斯-罗伊斯汽车公司创办人之一。1882年设计利物浦

供图:BBC Hulton Picture Library

第一个街道照明系统的主要电气工程师。1884年他在曼彻斯特开办工厂,制造电动起重机、发电机和发动机。1904年他设计试制3辆汽车,由于性能优异,引起发动机商人G. S.罗尔斯的注意。1906年两人合伙成立罗尔斯-罗伊斯汽车公司;所属的发动机制造厂于1908年迁到德比。

Royce, Josiah 罗伊斯(1855-11-20,美国加利福尼亚格拉斯瓦利～1916-09-14,马萨诸塞剑桥) 美国多才多艺的唯心主义哲学家和教师。他强调个性与意志而不强调智力,这种主张对美国20世纪哲学影响很大。在加利福尼亚大学学习工程时,接触到地质学家约瑟夫·勒贡特和诗人爱德华·劳兰·西尔的学说;1875年毕业时,便转而研究哲学。在德国学习之后,返回美国,在巴尔的摩的约翰斯·霍普金斯大学从哲学家威廉·詹姆斯和查尔斯·桑德斯·皮尔斯学习。在加利福尼亚大学教4年英语后,詹姆斯介绍他入哈佛大学任教,从此一直留在该校。1914年继乔治·赫伯特·帕尔默担任阿尔佛德讲座教授。他自认是借助于黑格尔思想的绝对唯心主义者,因此强调人的思想同外部世界的一致性。其学说的中心是他的绝对真理的观点;认为每一个人必然会同意这样一个意见,即绝对真理是存在的,因为甚至那些否定绝对真理的怀疑论者也会自动地证实它的存在。否定绝对真理也就会证实某些"真实的"陈述是可能的。因此,怀疑论者对于"真理"的可能存在就陷入了一种自相矛盾的立场。罗伊斯的唯心主义也涉及伦理学和宗教。宗教的基础据说是人的忠诚。这一"忠诚的宗教"则为一种伦理体系所补充(这个体系表明他强调人的意志)。他认为最高的善是由"一个人对一项事业的自动的、实际的和彻底的献身精神来完成的"。他对心理学、社会伦理学、文学评论、历史和形而上学所做的贡献使人们认为他是一位有多方面才能的思想家。他所写的许多书和论文中包括:《哲学的宗教方面》(1885)、《现代哲学的精神》(1892)、《善与恶之研究》(1898)、《世界与个人》(2卷,1900～1901)、《忠诚的哲学》(1908)。

Royer-Collard, Pierre-Paul 鲁瓦耶-科拉尔(1763-06-21,法国松皮～1845-09-04,沙托维厄) 法国政治家和哲学家,正统主义君主立宪制和现实主义的"感知哲学"的倡导者。1787年开始执律师业,支持初起的法国大革命,1790～1792年任巴黎公社秘书,1793年温和的吉伦特派被推翻后,他退隐到松皮。迄1803年,他一直参加秘密的王政会议,并给路易十八递送会议记录。此后10年,他主要从事哲学研究。1811年任巴黎大学哲学史教授。为了驳斥哲学家孔迪亚克的唯物主义和怀疑主义,他发展了自己的"感知哲学"。在第一次和第二次复辟时期,路易十八任命他为新闻出版总监和负责公共教育的国务参议。1815～1842年为代表马恩省的众议员,1828年任众议院议长。1830年七月革命后,仍留在众议院。由于属于波旁正统派,他不能同情国王路易-菲力普的新政权,遂不再过问政治。

Royster, Vermont (Connecticut) 罗伊斯特(1914-04-30,美国北卡罗来纳罗利～1996-07-22,罗利) 美国新闻工作者,《华尔街日报》主编,该报发行公司道·琼斯公司董事长(1960～1971)。以写作社论闻名。1953年获普利策奖,说他具有"察觉潜在道德问题的能力,而对我国人民充满深切的信念和信心"。大多数普利策奖是奖给一篇政论的,而这次是对他全部工作的评价。他曾在田纳西大学预备学校和北卡罗来纳大学攻读。在大学主修英国文学,1935年毕业,曾主编校刊,并被选入全国大学优秀生荣誉组织。1936年进纽约市新闻局当记者,同年进《华尔街日报》,在该报华盛顿分社工作。1941年应召参加海军,战后重返《华尔街日报》,连续任该报驻华盛顿记者、社论作者、专栏作家、副主编(1948～1951)、高级副主编(1951～1958)和主编(1958～1971)。1971年成为特邀主编和专栏作家。曾任美国报纸主编协会会长,并在北卡罗来纳大学任凯南新闻学和公共事务教授以及普利策评选委员会成员。他的著作有:《在苏联旅行》(1962)和《偏见的骄傲》(1967)。

Royston, Philip Yorke, Viscount 罗伊斯顿子爵 参阅Hardwicke, Philip Yorke, 1st earl of哈德威克伯爵(第一)。

Rozanov, Vasily Vasilyevich 罗扎诺夫(1856-05-02,俄罗斯韦特卢加～1919-02-05,莫斯科) 俄罗斯作家。出身于中产阶级家庭。在莫斯科大学主修历史。1880年与陀斯妥耶夫斯基过去的情妇苏斯洛娃结婚。1890

年因发表关于《卡拉马佐夫兄弟》的研究论文而引人注目。19 世纪 80 年代住在圣彼得堡，写过许多评论宗教问题的文章。他反对基督教的禁欲主义，提倡一种自然主义的关于两性和生育的宗教。1899 年开始为保守派报纸《新时代》撰稿。由于版面有限，他创造了一种短小精悍的特殊风格。他热烈支持夭折的 1905 年革命，曾用笔名在进步报刊上发表文章。1912 年发表最主要作品《孤独》。1917 年革命后不久，他离开彼得格勒，定居于莫斯科附近的一座隐修院里，最后在贫困中死去。

Rozelle, Pete　罗泽尔(1926-03-01，美国加利福尼亚林伍德～1996-12-06，加利福尼亚圣塔费)　原名 Alvin Ray Rozelle。美国全国职业橄榄球联盟(NFL)主任(1960 ～ 1989)，是最具实力的职业运动管理人员之一。从旧金山大学毕业后，于 1950 ～ 1952 年任该校的体育主任助理。1952 ～ 1955 年任全国橄榄球联盟洛杉矶公羊队宣传主任；1955 ～ 1957 年与人合伙在旧金山经营一家公共关系公司；1957 ～ 1960 年任公羊队总经理。1960 年 1 月当选为全国橄榄球联盟主任。作为管理人，他目睹联盟从 12 个队发展到 14 个队(1960 ～ 1961)乃至 28 个队。经他撮合，全国橄榄球联盟与其竞争对手美国橄榄球联盟(AFL)于 1970 年实行合并。为了推翻法院所作的所谓违犯反托拉斯法的裁决，罗泽尔于 1961 年率领一批人去国会游说，促使国会通过联邦立法，准许全国橄榄球联盟把联盟各场比赛的电视广播权卖给一家电视网。早在 1962 年，他就采取有力行动反对运动员参加赌博；他还促使全国橄榄球联盟努力同酗酒和滥用药物进行斗争。1985 年罗泽尔入选职业橄榄球名人堂。1989 年辞去主任一职，当时联盟中已有 28 支球队，平均每场比赛拥有观众 65 000 人。

Różewicz, Tadeusz　鲁热维奇(1921-10-09，波兰拉多姆斯科～　　)　具有创新精神的波兰诗人、小说家、剧作家。其作品兼有先锋派和荒诞派戏剧的成分。第二次世界大战期间参加波兰地下军队，后根据其经历写了两本诗集：《焦虑》(1947)和《红手套》(1948)。这些诗作以其没有传统的写诗手法如格律、诗节和韵脚而引人注意。20 世纪 60 年代，他开始探索戏剧的形式，主要剧作有《卡片》(1960)、《见证人》(又名《我们的小稳定》1962)、《老太婆孵卵》(1968)。他还著有长、短篇小说和非小说类作品。

Roztocze　罗兹托切　波兰中东部丘陵地带。从卢布林高地向东南越境延伸至乌克兰境内，蜿蜒 160 千米。最高峰罗加蒂古拉伊海拔 390 米。罗兹托切地带森林茂密、沟壑深幽、溪流奔腾，风景十分优美。有几座小村落位于山间。1974 年在当地建国家公园。

Rozwi　罗兹维　原非洲南部的卡兰加帝国，可能由钱加米雷·东博一世(1684 ～ 1695)建立。17 世纪 90 年代，东博一世征服一些土地肥沃和矿藏丰富的地区，把葡萄牙人从赞比亚河流域的各市场赶走。钱加米雷是 18 世纪南非中部最强大的统治者之一，他和马塔帕帝国及其他南非王国的关系不详。罗兹维的统治区域很不稳定，其范围包括今津巴布韦的大部分地区，可能西至博茨瓦纳，南至德兰士瓦。在津巴布韦西南部核心地点的一些罗兹维遗址发现有彩陶和石造建筑物。19 世纪初期，罗兹维帝国瓦解。

Ṛṣabhanātha　勒舍婆那陀　又拼 Rishabhanātha。印度耆那教二十四代教祖中的第一代，是最初传布耆那教义的人，又称阿底那陀(Ādinātha；始主)。有子 100 人，各身高 500 箭程，其中最著名的是第一代转轮王婆罗多。勒舍婆那陀制定婚姻制度。他的画像肤色金黄，天衣派则画为黄色。他的象征物是公牛。参阅 **Tirthankara**。

RU-486　RU-486　米非司酮的第一个商品名。一种合成的类固醇药物，主要用于妊娠早期的流产。这个名字是法国罗素-优克福制药公司和其药品序号的缩写。1988 年获准在法国上市，随即遭到反堕胎组织的强烈反对，但同时也得到堕胎权利组织的大力拥护。双方都认为，像这样的"流产药丸"会很快被推广使用，这将使得怀孕女性可以在早期相对舒适和隐秘地终止妊娠，多数情况下并不需要外科手术干预，并发症也较少，从而会改变女性流产的动力。1995 年罗素-优克福公司的管理者成立了埃克塞尔吉恩公司，并获得了此药的专利权。该药在 1991 年获准在英国上市，1999 年获准在德国上市，商品名为 Mifegyne(美服锭)。2000 年获准在美国上市，商品名为 Mifeprex。

Ru kiln　汝窑　中国宋代(960～1279)瓷窑。窑址在河南宝丰县境内，宋代属汝州。釉色天青而有细密片纹(俗称梨皮纹)，色泽柔和滋润。汝瓷传世不多，宋人叶真《坦斋笔

北宋汝窑瓷碟杯

供图：Percival David Foundation of Chinese Art, London

衡》中已有"近尤难得"的说法。现世上所存不过百件左右。汝瓷的特征是通体满釉，碗足也用釉包裹，以耐火土作支具烧成，故多在底部留有支烧痕。通称此种制作方法为"裹足支烧"，后世仿者多不能做到这一点。即在制瓷技术高峰的清乾隆时期的仿品，行家也讥为"仿汝不似汝"。

Ru Shui (China)　濡水　参阅 **Luan He** 滦河。

Ruacana　鲁阿卡纳　鲁阿卡纳瀑布上一重要水力发电站和分洪坝的所在地。位于安哥拉和纳米比亚界河库内内河上。根据计划，该水力发电站与上游的卡卢埃凯水坝(1976 年建成)一起为安哥拉南部和纳米比亚北部地区提供灌溉用水，并向纳米比亚大部地区供电。鲁阿卡纳工程根据葡属安哥拉政府和南非之间 1969 年签订的协议而建。1973 年由南非开工。20 世纪 70 年代后期，因最近独立的安哥拉的政府不许南非工程师进入北岸地区，工程屡次停工。至 80 年代初，电站虽未能发挥全部能力，但满足了纳米比亚大部电力需求。在 80 年代，西南非人民组织的成员反抗南非的势力，经常破坏电力的输送。

Ruaha National Park　鲁阿哈国家公园　在坦桑尼亚中南部，位于伊林加镇以西。海拔 750 ～1 900米，面积12 950平方千米。原为伦瓜野生动物保护区之一部分，1964 年辟为国家公园。地处大鲁阿哈河东岸，境内有连绵不断的平原，有棕榈丛和开阔草原，北部植被有零星的猴面包树和灌木丛林。当地野生动物包括狮、豹、猎豹、象、斑马、黑犀、灰棕色白斑羚、南非羚羊、水牛、红色和深褐色羚羊、麋羚，河中有鳄鱼。

Ruaidhri Ua Conchubair　参阅 **Roderic O'Connor 罗德里克(奥康纳)**。

Ruan Ji　阮籍(210～263)　又拼 Juan Chi。中国三国魏诗人、思想家，竹林七贤(**Seven Sages of the Bamboo Grove**)之一。字嗣宗。陈留尉氏(今属河南)人。曾任步兵校尉，世

中国大百科全书出版社供图

称阮步兵。早年有济世之志，因时势险恶，不得不佯狂自保。崇尚老庄，提倡自然，鄙视礼俗。长于五言诗。代表作《咏怀诗》82 首多抒写忧生伤时的苦闷，为后世传诵。为免遭不测，他的诗意比较隐晦、含蓄，但情调慷慨激昂，往往悲喜哀乐交融，形成独特的风格。散文《大人先生传》表现了倜傥性格和愤世嫉俗思想。《乐论》、《达庄论》、《通易论》等则阐述哲学及社会伦理观念，反映所受儒、道的双重影响。有《阮步兵集》。近人黄节有《阮步兵咏怀诗注》(1957)。

Ruan Yuan　阮元(1764-02-21～1849-11-27)　又拼 Juan Yuan。中国清代学者。字伯元，号芸台。江苏仪征人。乾隆进士。历任各部大

臣和湖广、两广、云贵总督，晚年为体仁阁大学士。他是鸦片战争前十年中清王朝主管与西方贸易的大员，在政治上是折衷派，即既不让英国予取予求，又不准备革新政局。长于经学，对金石、音韵、天文、地理、数学等颇有研究。曾在杭州创诂经精舍，在广州建学海堂。参与编纂《石渠宝笈》，主持撰修、校刻《十三经注疏》，主编《经籍纂诂》，汇刻《皇清经解》等。又曾重修浙江、广东两省《通志》，为时人推重。著有《儒林传》、《文苑传》及《畴人传》，专为历代天文、历法、数学等科技方面人物立传，附录西方来华传教士 37 人，在当时颇有影响。

Ruanda（East African country） 参阅 **Rwanda 卢旺达**。

Ruanda language 参阅 **Rwanda language 卢旺达语**。

Ruanda-Urundi 卢旺达-乌隆迪 1922～1962 年间由比利时统治的东非中部的两块土地。1962 年后成为**卢旺达（Rwanda）**和**布隆迪（Burundi）**两个独立国家。1922 年，前德属东非的一小片土地由比利时管理。1924 年成为国际联盟的卢旺达-乌隆迪托管地。第二次世界大战结束后，这两块土地在 1946 年成为联合国托管地。在历史上，这两块土地曾一直为比属刚果的一部分，由一名副总督管辖。

Ruapehu, Mount 鲁阿佩胡山 新西兰北岛活火山和最高峰。海拔 2 797 米。在汤加里罗国家公园中陶波高原上。最近一次喷发在 1945～1946 年。终年雪线以下有林木，以上有冰川自峰顶下流。火山口内有一湖泊，湖水流入旺阿伊胡河。鲁阿佩胡山是公园内各大火山锥中最南端的一个。这些火山构成新西兰主要滑雪游乐场之一的中心。

Ru'ays, ar-（United Arab Emirates） 参阅 **Ruways, ar- 鲁韦斯**。

Rubʿ al-Khali 鲁卜哈利沙漠 阿拉伯半岛南部的大沙漠。面积约 65 万平方千米，主要在沙特阿拉伯境内，小部分在也门、阿曼和阿拉伯联合酋长国境内。为世界上连续沙漠地区中最大者，占沙特阿拉伯领土的 1/4 以上。地形多样。西部海拔 610 米，沙粒细软；东部海拔 183 米，有沙丘、盐沼和小沙原，是世界上最干燥地区之一，几乎无人居住并未经考察。1975 年在此发现世界上最大油田之一盖瓦尔。为方便起见，人们以城镇名称为油田中的不同地点命名。

rubāʿī 参阅 **robāʿī 四行诗**。

rubato 自由节奏 指音乐表演中细腻的节奏处理与变化。表演者为取得较大音乐表现力可以对某些拍子、小节及乐句拖长，而对其他压缩。这种技巧很少在乐谱上标示，但可以由表演者斟酌采用。自由节奏可以只应用于旋律（如在爵士乐中），也可应用于全部音乐织体之中。在使用自由节奏时，并非对记谱的音符时值置之不顾，表演者最终将返回至原先的严格节奏上去。

rubber 橡胶 一种具有弹性的物质，来自某些热带植物（天然橡胶）或石油和酒精（合成橡胶）。1736 年法国的 C.-M.德·拉·孔达米纳和 F.弗雷诺到南美探险后最先科学地描述了橡胶。英格兰化学家 J.普里斯特利发现此物质能擦去铅笔写下的痕迹，就将其命名为 rubber（原义为擦子）。只有在 19 世纪 40 年代早期 C.古德伊尔（固特异）发明**硫化（vulcanization）**法之后，橡胶才在商业上取得极大的成就。天然橡胶产自多种植物，但主要得自大戟科的巴西橡胶树（*Hevea brasiliensis*）；这是一种高大的乔木，木材质软，原产于巴西；在巴西，人们仍割取其乳状汁液（胶乳），但在该处建立种植园的努力大部分归于失败。现代世界上大部分天然橡胶来自移植到印度尼西亚、斯里兰卡和马来西亚的橡胶树，以及从经挑选的种子或插穗育成的橡胶树。胶乳含于巴西橡胶树的内层树皮，用割开树皮或用快刀削刮树皮的方式获取，然后凝固。最古老的胶乳凝固技术是在火上熏蒸；变稠的胶乳慢慢倾倒在一根棍或搅拌棒上，胶乳在上面积聚形成球状或饼状。现代的种植园橡胶是加入化学物质使之凝固的，如加入乙酸后使橡胶在液体表面形成一层薄片，再用辊子将其中的水分挤压出。生胶乳亦可喷进热空气流中，热空气将液体蒸发，留下橡胶颗粒。橡胶在夏天会变软，在冬天会变得又硬又脆，遇溶剂会变黏。古德伊尔经过几年的实验，使橡胶与硫和铅白混合，将混合物加热以克服这些缺点。到 20 世纪初期，有机化学加速剂和抗氧化剂被采用，使橡胶硫化更快，在老化时也能抗脆变；于是他的硫化法得到改进。以后又发现，碳黑之类的增强剂能有效地增加橡胶的强度和耐久性。尽管面临合成橡胶的竞争，天然橡胶仍继续占有一个重要的位置；天然橡胶对热积聚有抵抗力，故适于制造赛车、卡车、公共汽车和飞机的轮胎。人们研究了天然橡胶的化学特性后，在 19 世纪游离出异戊二烯，经聚合过程可以再转变为橡胶样物质。在 20 世纪初人们继续研究这个可借以创造长链状分子的过程；在第一次世界大战期间德国科学家制造了2 300公吨有实用价值的合成橡胶。在 30 年代和第二次世界大战期间，德国、苏联、英国和美国发明了多种聚合过程。最重要的合成橡胶包括：丁苯橡胶；各种丁二烯共聚体；氯丁二烯聚合物（氯丁橡胶）；多硫聚合物（聚硫橡胶）；异丁烯聚合物（异丁橡胶）；将硅酮与天然橡胶和合成橡胶混合制成的硅氧橡胶；可塑氯乙烯和乙烯基乙酸盐聚合体和共聚体。某些合成橡胶与天然橡胶极为相似，而另一些则具有很不相同的物理性质。合成橡胶也和天然橡胶一样，可用硫化法变得更坚韧，也可以为了特别的目的加入其他增强物质使之变性。参阅 **gutta-percha**。

Rubbia, Carlo 鲁比亚（1934-03-31，意大利戈里齐亚～ ） 意大利物理学家，1984 年与 S.范德米尔因发现重的短寿命亚原子粒子 W 与 Z 而共获诺贝尔物理学奖。这两种粒子是原子核放射性衰变中所谓的弱相互作用（下称弱力）的载体，它们的存在有力地证实 70 年代提出的温伯格-萨拉姆弱电统一理论的正确性。鲁比亚于 1957 年获比萨大学博士学位，在该校任教两年后转任哥伦比亚大学研究员。1960 年在罗马大学任教。1962 年受聘为日内瓦的欧洲核研究委员会（CERN，即今欧洲核研究组织）的高级物理学研究员。1970 年任哈佛大学物理学教授，从此身兼哈佛大学和欧洲核研究组织两处职位。

鲁比亚于 1973 年指导一个研究组，通过对于中性弱流（不在有关的粒子间传送电荷的弱相互作用）的观测，提出导致系统论述电弱理论的实验线索之一。这些相互作用与过去所观测到的不同，而与电磁相互作用正好相似。温伯格-萨拉姆理论使弱力能经由所谓中间矢量玻色子的三个粒子中的任一个传送的观念得以具体化，并且进一步指出，这些粒子（W^+、W^- 与 Z^0）的质量应为质子质量的约 100 倍。鲁比亚因而建议改装欧洲核研究组织的同步加速器，使加速的质子和反质子束可迎面碰撞而放出大量能量以形成弱玻色子。1983 年碰撞束装置的实验证明了确实能产生 W 和 Z 粒子，其性质也与理论预测的符合。对于 1983 年实验结果的进一步分析，使鲁比亚得到了一项结论，即在 W^+ 粒子的某种衰变中找到了早先预言的第六种夸克（称顶夸克）存在的证据。

rubbing 拓印 一种最普遍最古老的纸上印刷技法。只需将纸在雕刻好的表面上仔细地来回按抹，使纸上所印上的与印版的各处相吻合便成拓本。这样，纸便拓上黑色，即凸

新罕布什尔州牛津市约 1777 年墓碑的拓本

供图：Edmund V. Gillon, Jr.

起部分呈黑色而凹痕地方仍保持白色。东亚采用专门的墨汁涂抹，西方则用称为墨垫的蜡和碳黑混合物在纸上打拓。拓本一般用来复制他人雕刻的作品而非摹拓本人的雕刻，故拓本不是创作版画。拓印术可能起源于东亚，它有许多实际用途。例如，数世纪以来日本渔民就采用摹拓的方法来记录所捕鱼类的尺寸。人们所知最早的拓本是公元 8 世纪在日本拓印佛经的木刻拓本。但是，有证据表

明中国早在公元2世纪就已应用拓印术。当时在中国的拓印是用来传播刻于碑石上孔子的著述。这些碑文及其拓本不仅具有资料的价值，而且具有书法的价值。即使应用了木刻和石刻印刷之后，拓印仍是复制孔子著述最通行的方法。宋代（960～1279），文物研究盛行，于是此法又用于拓印古代的浮雕物品。在西方，摹拓技法应用得较迟。在美国，拓印术大都用于复制墓碑上的浮雕，以在殖民时期及19世纪初最为盛行。在欧洲，它几乎只用来拓印铜器纪念品及镶嵌在大石板上的铜纪念板等。参阅 **frottage**。

rubble masonry　毛石工程　又作 rubble-work。用未经修琢的毛石砌筑的砌体，一般用于墙体。有一种是用乱毛石干砌，不用灰浆。另一种是用粗琢石以灰浆逐层砌筑。乱毛石工程是用大小不同的粗琢石不分层砌筑，中间的空隙用小石块填塞。使用毛石的主要原因在于节省修琢劳动。常用于细琢石面层的内部或基础等不外露的地方，有时有意取其粗糙效果。在两面琢石面层之间常用毛石灌浆填充，这种做法对墙体的强度作用不大，甚至还会因灰浆不良或受潮而使强度降低，但仍为中世纪的许多大教堂采用。毛石墙在古代即已被砖墙代替，而在现代则改用钢筋混凝土。

Rubcovsk（Russia）　参阅 **Rubtsovsk** *鲁布佐夫斯克*。

rubella　风疹　一种病情较轻的流行性病毒性传染病。潜伏期较麻疹长，并发症少见。19世纪在德国曾对该病的流行进行过详细研究，故俗名德国麻疹。传播方式为与患者直接接触，传染性弱于麻疹。幼儿亦可发病，但更多见于年长儿及青年。发病后终生免疫，但与麻疹之间无交叉免疫。许多所谓第二次麻疹发病，实际上是风疹病例。风疹潜伏期10～20日，通常17日或18日。皮疹常为第一个引人注意的体症，其颜色浅于麻疹，但也融合成片，发展迅速，常于一天内出齐，两天后又迅速消退。无科普立克氏斑，卡他症状轻。发热持续仅两三天，高热少见，常无发热。颈部、耳后或有时身体其他部位淋巴结肿大，是为该病特征。并发症少见，偶并发脑炎。多数病例只需卧床休息一两日，进清淡饮食并大量饮水。孕妇感染风疹后对母体影响不大，但对胎儿有影响。1941年澳大利亚眼科专家 N.M.格雷格发现，妊娠早期感染风疹可引起胎儿畸形，尤其是眼和心脏的畸形。1964年美国风疹大流行后出生的婴儿，可患活动性风疹、眼畸形、心脏畸形、发育迟缓、脑炎、青光眼、肝脾肿大、黄疸、血小板减少性紫癜、长骨病损等。事实证明风疹几乎对婴儿身体任一器官均可造成损害；患婴尸解时曾从骨、肺、肝和心分离出风疹病毒。因此妊娠早期应特别小心避免与风疹患者接触。有人主张应对未怀孕的育龄妇女用减毒风疹活疫苗进行自动免疫。

rubellite　红电气石　*电气石*（**tourmaline**）族中的一种粉红色矿物。

Rubenist　鲁本斯主义者　指在色彩与素描的争论中主张色彩较之构图与素描更为重要的画家和批评家。争论发生于1671年巴黎法国皇家绘画雕刻学院（参阅 **Poussinist**）。鲁本斯主义者的观点是，绘画的目的在于通过创造性地摹拟生活或自然界，并通过运用色彩以达到视觉的效果。他们认为鲁本斯的艺术成就乃是以摹写自然为主，而对古典艺术的模拟则属其次。

Rubens, Peter Paul　鲁本斯（1577-06-28，威斯特伐利亚拿骚锡根［德国］～1640-05-30，西班牙属尼德兰安特卫普［今在比利时］）　佛兰德画家，巴罗克绘画艺术生动、激情、雄浑

鲁本斯自画像，约1639年
供图：Kunsthistorisches Museum, Vienna

富丽的杰出代表。他的作品将佛兰德斯写实主义画风与意大利文艺复兴风格中的古典倾向融为一体。尽管其杰作包括肖像画和风景画，但恐怕最为人称道的还是宗教和神话题材的作品。出身于富裕的市民家庭，但他的艺术植根于佛兰德人民的土壤。10岁时被送到安特卫普一所拉丁语学校学习，后因家庭生活拮据，学习中断，又被送到贵族圈子中充当少年侍卫，这为他后来活跃于上层社会，包括从事外交事业，打下了基础。开始学画于重要的风格主义风景画家 T.维霍克特，随后跟 A.范·诺尔德和 O.范·文学习，并在后者的画室中呆了4年多。范·文继承了文艺复兴佛罗伦萨－罗马艺术的传统，鲁本斯的早期作品具有与他相类似的风格。1600年，也就是鲁本斯获得安特卫普圣卢克公会大师称号两年之后，他来到了意大利。先到威尼斯，后给曼图亚公爵贡扎加的温琴佐一世当过宫廷画家，公爵大量的意大利艺术藏品大开鲁本斯眼界。1601～1602年来到罗马，盛期文艺复兴大师达·芬奇、拉斐尔、米开朗琪罗的作品使他领悟到崇高与充满活力的艺术。通过对丁托列托、韦罗内塞和提香的作品的研究，他吸收了威尼斯画派的色彩、光线和松快自由的表现手法。因其母去世，1608年回到安特卫普。1609年与人文主义学者、律师的女儿伊莎贝拉结婚。这时他不仅是宫廷肖像画家，也是宗教题材画家，画了大型的巴罗克风格的祭坛画《升起十字架》、《基督下十字架》和《圣贝沃的奇迹》，确立了他作为佛兰德，而且也是欧洲当时最重要的画家的地位。大批定货使他应接不暇，很多作品都由学生或助手代笔，而他只画关键部分。1621～1630年间，鲁本斯作为外交官的活动日益频繁，他充当腓力二世的女儿伊莎贝拉公主的顾问，为佛兰德的利益奔走于荷兰、西班牙和英国。在他的外交活动中包括促成西班牙和英国之间的和约签订，从而使英国在荷兰与佛兰德战争中不再是荷兰的盟友。由于鲁本斯兼有著名画家的声望，每到一处都留下了一些王公显贵的肖像画。在英国，查理一世授予鲁本斯骑士称号，他也为查理一世设计了皇家宴会厅的天顶画，这组由9幅大型油画组成的天顶画在1634年完成。1630年回到佛兰德，专心从事艺术事业。在他的妻子去世4年之后，他和叶莲娜·弗尔曼结婚。美丽动人的叶莲娜经常成为他后期肖像画的题材。晚年，大部分精力都从事风景画创作。早年在罗马时对素描风景的兴趣，已经发展为壮丽的富于浪漫主义感情的风景画，如《有虹的风景》（1636，伦敦，华莱士藏），1640年5月鲁本斯因痛风在安特卫普逝世。鲁本斯的艺术成就是将佛兰德风格主义传统与阿尔卑斯山南北两面伟大的文艺复兴传统结合在一起，将欧洲艺术发展到一个新的高峰。他的艺术不仅在当时影响广泛，名声远扬，同时在欧洲艺术发展的每个历史阶段都反映出他那充满激情、才气横溢的艺术风格的影响。他是西方艺术史上的著名人物之一。

鲁本斯绘《猎河马》
（约1615～1616）
供图：Alte Pinakothek, Munich

rubeola　参阅 **measles** *麻疹*。

Rubezhnoye　鲁别日诺耶　乌克兰东部卢汉斯克州城市。在顿涅茨河畔。18世纪有人定居，1934年建市。有机器制造业。现生产苯胺染料，为乌克兰最重要的化工中心之一。该城化学工业始于第一次世界大战。有各种工艺学院和哈尔科夫工学院分校。人口

约 75 100(1991)。

Rubiaceae 茜草科 龙胆目的一科。约500属 6 500 多种,草本、灌木或乔木,主要分布在热带。叶对生或轮生,叶缘整齐,叶柄基部有托叶。热带种的叶通常较大而常绿,温带种

十字草(*Crucianella*)
供图:G.E.Hyde from the Natural History Photographic Agency

落叶,沙漠种叶针状或鳞片状。花单生或多数小花簇生。果为浆果、蒴果或坚果状,后者裂为二半,各含一粒种子。有重要经济价值的有金鸡纳树属(*Cinchona*,生产奎宁)、咖啡属(*Coffea*,产咖啡)、头九节属(*Cephaëlis* 生产吐根)、儿茶钩藤(*Uncaria gambir*,提取棕儿茶)等。一些乔木提供用材。还有的是栽培观赏植物,如栀子属(*Gardenia*)、龙船花属(*Ixora*)、长柱花属(*Crucianella*)、薄柱草属(*Nertera*)、风箱树属(*Cephalanthus*)、豪斯顿氏花属(*Houstonia*)、布瓦尔氏木属(*Bouvardia*)等。普通茜草(染料茜草,*Rubia tinctorum*)曾栽培用其根部提取红色染料(茜素)。十字草(长柱花属)的根亦含红色染料,从前供药用。熟知的猪殃殃属(*Galium*)是低矮草本植物,花小,茎方形,原产温带。蔓虎刺属(*Mitchella*),亦为低矮草本,原产温带,在枝端成对开花,每花具四枚花瓣。*Myrmecodia* 属茎膨大,内有多数空腔,为蚁所栖。蚁类亦栖于乌檀属(*Nauclea*)、*Duroia* 属及 *Hydnophytum* 属茎中空处。

Rubicon 鲁比孔河 在罗马共和国时代,山南高卢与意大利的分界线。公元前 49 年凯撒率部跨过此河进入意大利。这一行动违背了将军不得领兵越出他所派驻的行省的法律。凯撒的行动等于向罗马元老院宣战,结果引起三年内战,凯撒从此称雄于罗马世界。"跨过鲁比孔河"(Crossing the Rubicon)一语现指下定决心投身于某一行动而采取的步骤。

rubidium 铷(Rb) 周期表Ia族碱金属族化学元素,是第二个最活泼的金属,很软,具有银白色光泽。1861 年 R.本生和 G.基尔霍夫通过光谱法发现了铷且根据它的光谱的两条明显红线而命名。铷以化合态存在于锂云母、铯榴石和光卤石等矿物中。小量铷可在锂云母提取锂后,从所剩碱金属碳酸盐混合物中得到。铷在空气中自燃,与水猛烈反应,生成氢氧化铷(RbOH)溶液和爆鸣燃烧的氢气,因此铷须保存于干燥的矿物油或氢气中。铷用于光电池,也用作电子管中的吸气剂以清除密封后残存的痕量气体。现已制成铷原子钟或铷标准频率计,但不如铯原子钟精确。铷还拟用作外层空间探测器的等离子体推进器的工作流体。天然铷约占地壳组成的 0.01%,以两种同位素混合物形式存在:铷 85 (72.15%)和放射性铷 87(27.85%)。已经人工合成出铷的 15 种放射性同位素(从铷 79 到铷 95)。太阳系年龄为 46 亿年就是根据陨石中铷 87 和锶 87 的比率计算的。铷易失去它的单个价电子而不易失去其他电子,因而其化合价为 1。铷原子序数 37。原子量 85.47。熔点 38.9℃。沸点 688℃。比重 1.53 (20℃)。化合价 1。电子组态 2,8,18,8,1 或 $(Kr)5s^1$。

rubidium-strontium dating 铷-锶测年法 根据岩石形成时所含不稳定同位素铷 87 衰变形成的稳定同位素锶 87 的含量测值,估算岩石、矿物、陨石年代的方法。铷 87 在铷元素全部原子丰度中占 27.85%,而在锶的四种同位素中,只有锶 87 是由铷 87 衰变而成。此法适用于非常古老的岩石,因为铷-锶的转化非常缓慢,半衰期(原始铷含量消失一半所需时间)大约为 500 亿年。大多数的矿物含有铷也含有一些在矿物形成时混进去的锶,因此必须对锶的原始含量加以校准,以获得由放射产生的增加量(也就是由于铷 87 衰变增加的量)。

Rubini, Giovanni Battista 鲁比尼(1794-04-07,威尼斯共和国罗马诺[意大利]~ 1854-03-03,罗马诺) 意大利男高音歌唱家,V.贝利尼和 G.唐尼采蒂浪漫主义风格的早期主要演唱者。12 岁时已表现出音乐的才华,并受聘于贝加莫市里卡地剧院,任小提琴手与合唱队员。1814 年在帕维亚作职业性的首次演出,随后在那不勒斯的一些小型喜歌剧院中演唱达 10 年之久。1825 年在巴黎演唱 G.罗西尼的《灰姑娘》和《奥瑟罗》等歌剧的主要角色,为自己树立了主要男高音的地位。翌年参加贝利尼的《比安卡和费尔南多》在那不勒斯的首演,这是他第一次演唱贝利尼的角色。他还演唱了贝利尼的《海盗》(1827)、《梦游女》(1831)和《清教徒》(1835)等剧中的男高音主角。在《清教徒》首演时与他同台演出的有女高音 G.格里西、男中音 A.唐贝利尼,另外再加上 L.拉布拉凯,这 4 位名演员被人誉为"清教徒四重唱"。所参加的唐尼采蒂歌剧首演包括《埃尔维达》(1826)、《加莱的贾尼》(1828)、《安娜·波莲娜》(1830)等。1831 ~ 1843 年,往返演出于巴黎和伦敦之间。1843 年与 F.李斯特在荷兰和德国巡回演出,同年又赴俄国圣彼得堡演出,沙皇尼古拉一世任命他为歌唱指挥和帝国音乐厅上校。两年后返回出生地退隐,买了一座大厦,他故世后这座大厦就成为鲁比尼博物馆。

Rubin's test 鲁宾氏试验 用于确定输卵管是否阻塞的一种诊断方法,有助于说明某些女性不育症的原因。方法是将二氧化碳气体注入子宫,若输卵管通畅,则气体逸入腹腔,引起肩部牵涉性痛(是谓试验阳性)。逸入腹腔的气体亦可通过 X 线检查证实。吹气术通常在气压低于 120 毫米汞柱的情况下进行。吹气后测压计读数若低于 100 时,则表明输卵管通畅;若在 120 ~ 130 之间,表明输卵管有部分狭窄;若高出 200,则表明输卵管已发生阻塞。

Rubinstein, Anton Grigoryevich 鲁宾斯坦(1829-11-28,俄国波多利亚省维赫瓦蒂奈茨~1894-11-20,彼得霍夫) 俄国作曲家、19世纪最伟大的钢琴家之一。幼随母学习钢琴,后师从 A.维洛因。1839 年在莫斯科举行首次公开独奏会。翌年随维洛因到国外巡回演出 3 年。在巴黎、伦敦、荷兰、德国和瑞典的演出引起了肖邦、李斯特的注意。1844 ~ 1846年在柏林学习音乐理论。此后两年又在

伦敦皇家音乐学院供图

维也纳学习钢琴和作曲。1848 年返回俄国,定居圣彼得堡。1852 年他的第一部歌剧《季米特里·顿斯科伊》上演。1853 年,另两部歌剧《傻瓜福姆卡》和《西伯利亚的猎人们》在圣彼得堡上演。1854 ~ 1858 年在国外度过。在大公夫人巴甫洛夫娜资助下于 1859 年创立俄罗斯音乐协会,任该协会管弦乐音乐会指挥。1862 年创立帝国音乐学院(或称圣彼得堡音乐学院),自任院长。1867 年辞去院长职务,又于 1887 年重新担任该职至 1891 年。1871 ~ 1872 年指挥维也纳爱乐乐团的音乐会。翌年在美国巡回演出。所写歌剧还有《恶魔》(1875,圣彼得堡)、《马加比家族》(1875,柏林)和《商人卡拉什尼科夫》(1880,圣彼得堡)等。还写有 6 部交响曲、清唱剧《巴别塔》(1870,柯尼斯堡)、5 部钢琴协奏曲,以及歌曲和大量的室内乐作品。自传于 1889 年出版。

Rubinstein, Artur 鲁宾斯坦(1887-01-28,俄罗斯帝国波兰罗兹~1982-12-20,日内瓦) 钢琴演奏家,被许多人认为是 20 世纪第一流的钢琴曲目演奏者。鲁宾斯坦 3 岁开始学钢琴,8 岁入华沙音乐学院。翌年在柏林师事 H.巴尔特。第一次公开演奏时年仅 6 岁,13 岁在柏林首次演出。1906 年到美国与费城管弦乐团合作在卡内基音乐厅首演,反应冷淡。第一次世界大战期间,精通 8 国语言的鲁宾斯坦在伦敦担任军事译员,并与小提琴家 E.伊萨依联袂演出。1916 年访问西班牙,因演奏 M.德·法里雅和 E.格拉纳多斯的作品而引起轰动。20 年代他成为一位世界性社会名流,但 1928 年与他未来的妻子 A.姆利纳斯

基相识后，开始认真分析自己的艺术才华，重新献身于音乐。在此后的演出生涯中鲁宾斯坦艺术名声与日俱增，演出曲目包括贝多芬、莫扎特、阿尔贝尼斯、拉威尔、斯特拉文斯基和肖邦的作品，并被公认为演奏肖邦音乐的大师。第二次世界大战期间移居美国，1946年取得美国国籍。鲁宾斯坦共录制200余张唱片。1976年荣获美国自由勋章。著有自传《我的年轻时代》(1973)和《我的许多年月》(1980)。

Rubinstein, Helena　鲁宾斯坦(1870-12-25，奥匈帝国波兰克拉科夫～1965-04-01，纽约市)　美国化妆品制造商、企业领导人和慈善家。世界上最有成就的妇女之一。她所创建的海伦娜·鲁宾斯坦公司，为妇女化妆品的主要生产商和经销商。波兰出生。1902年在澳大利亚墨尔本开办美容院。随后将营业移至欧洲，1908、1912年先后在伦敦、巴黎开起美容院。由于第一次世界大战爆发，她迁居美国，在纽约市及其他城市开办美容院。1917年她开始经营化妆品批发业务，后来化妆品的制造和批发竟成为她的企业所经营的主要项目。她聘请化学家和研究人员，研制出数以百计的、新的、更好的美容用品。第二次世界大战后，她在五大洲都建有制造厂。个人名下财产约有1亿美元，世界许多城市有住宅，知名于国际社会。1953年建立鲁宾斯坦基金会，对博物馆、大学、救济机构，特别是对妇女儿童均有捐赠。

Rubinstein, Ida　鲁宾斯坦(1885，俄罗斯圣彼得堡～1960-09-20，法国旺斯)　美貌绝伦的女舞蹈家、演员兼表演艺术赞助人。鲁宾斯坦年轻时学过哑剧和朗诵，是美国舞蹈家I.邓肯的热烈仰慕者。她超凡脱俗的美貌使她的舞蹈才华相形见绌。M.福金把她推荐给S.佳吉列夫，让她在《克莉奥佩特拉》中饰主角，此次演出成为1909年俄国芭蕾舞首次巴黎演出季的揭幕舞剧，其他演出成员有A.巴甫洛娃和V.尼任斯基等。1911年鲁宾斯坦离开佳吉列夫的舞团而组建自己的舞团。她所选择的许多剧目反映了她对伟大的艺术具有高雅的情趣和眼力，如M.拉威尔的《波莱罗》(1911)和《圆舞曲》(舞蹈设计均为福金)，G.邓南遮的《圣塞巴斯蒂安之殉难》(1911，C.德彪西谱曲，她任主角)，《仙女之吻》(1928，I.斯特拉文斯基谱曲，B.尼任斯卡舞蹈设计)，《佩塞芬尼》(1934，斯特拉文斯基谱曲，K.约斯舞蹈设计)等。1924年，她在巴黎歌剧院表演了L.斯塔茨的《埃斯塔尔》。这一期间，她转向严肃戏剧，扮演小仲马《茶花女》中的主角等。1928～1929年的演出季期间，她的剧团影响最大。1931年和1934年她虽曾两度使剧团振兴，但1935年却完全把它放弃，退居于法国的里维埃拉并在此一直住到1960年。她的舞团里出现过许多著名舞蹈家，有F.阿什顿、R.雅辛斯基、D.里钦、N.韦尔奇尼娜等。

ruble　卢布　俄罗斯(前苏联)以及白俄罗斯基本货币单位。1卢布等于100戈比。从13世纪起，卢布用作白银的重量单位名称。1704年彼得大帝首先用银正式铸造卢布。18世纪卢布成色降低，19世纪中期后，迅速贬值的纸币充斥俄国流通领域。1897年金质卢布取代银质卢布作为单一金属币制的新单位。第一次世界大战初期，金币已从流通领域消失，而纸币又不能兑换。在革命战争和国内战争期间，天文数字的通货膨胀使卢布真正一文不值。1922～1923年期间进行了币制改革，重新确立了一个有规则的币制，采用切尔逢涅茨为货币本位。第二次世界大战后，1947年币制改革中，废除了切尔逢涅茨，又重新恢复卢布作为货币本位。苏联解体后，俄罗斯卢布代替了苏联卢布。20世纪90年代卢布遭受严重的通货膨胀的冲击。90年代末旧卢布以1 000:1的比例被新卢布取代。1992年白俄罗斯卢布代替俄罗斯卢布作为国家的官方货币。后俄罗斯与白俄罗斯签署了建立“卢布区”的协议，俄罗斯卢布再次成为白俄罗斯的货币，但在1994年，白俄罗斯卢布再度成为该国的单一货币。

Rublyov, Andrey　鲁勃廖夫(约1360或1370～约1430)　俄国中世纪最伟大的画家之一，其杰作是《三圣像》(现藏莫斯科国立特列季亚科夫画廊)。生平不详。只知早年曾是希腊画家狄奥凡的助手。晚年当了修士。受拜占廷传统教育，认为艺术的精神实质比真实景物更重要；但其作品具有真正俄国的特色，不同于其拜占廷先辈的作品。在艺术手法和题材处理方面后世俄国画家没有一个能同他相比。参阅 **Moscow school**。

rubrication　红字写印　在书法中和印刷工艺中，指在一页上使用不同颜色的笔迹或活字书写或印制。起源于用红色衬托宗教仪式领仪书或法令标题的习惯作法。红字写印尤

8世纪的红字写印
巴黎国家图书馆供图

其多用于每日祈祷书，祈祷书和弥撒书中提出的举行宗教仪式的教规。此词源于拉丁语rubricare，意谓“染红”，故红色是传统颜色，但此词也泛指其他颜色和各种不同颜色的墨水(或油墨)，无论手写体或印刷体均可包括在内。以手稿形式成书时，结尾由专门人员着色。

Rubtsovsk　鲁布佐夫斯克　又拼Rubcovsk。俄罗斯中西部阿尔泰边疆区城市。临阿列伊河，位于土耳其—西伯利亚铁路线上。为一个重要的有色金属矿区的中心。制造农业机械，如柴油拖拉机及其电气设备。还有面粉业和食品业。人口约172 500(1991)。

ruby　红宝石　由透明红刚玉(**corundum**)组成的宝石，是铝的氧化物AL_2O_3的一种矿物形式。其颜色为深胭脂红至淡玫瑰红，在某些情况下具有紫色色调；最有价值的呈鸽

具有刻面的和磨成圆和椭圆形(下方左和右)的红宝石，产自斯里兰卡
供图：Joseph and Helen Guetterman

子血红色。红色是由于少量铬原子交代铝原子(1/5 000)所造成的。特别是具高折射率，在琢磨和抛光后，红宝石是一种发亮的宝石，但由于色散弱，缺乏火彩。当置于高温下，可变成绿色，但冷却后恢复其原色。遭受辐射线照射时，发出带有鲜红光辉的磷光。红宝石是一种分布很有限的矿物，最有名的产地是在曼德勒东北的上缅甸，产于与花岗质岩石及片麻质岩石伴生的结晶灰岩的条带中。红宝石产于泰国的某些地区，与蓝宝石及尖晶石伴生；一般是深色的，多趋于呈深红褐色。在斯里兰卡宝石砾石层中发现的红宝石，颜色不像缅甸宝石那样美好。上述宝石有时称为东方红宝石以区别于其他红色宝石。如好望角红宝石、澳大利亚红宝石和美国亚利桑那红宝石是优质的石榴子石；西伯利亚红宝石是红锂电气石；而玫红尖晶石是红色尖晶石。虽然在《旧约全书》的英文译文中用了红宝石这个词，但古希伯来人未必就知道红宝石。人工生产红宝石曾获得很大成功。曾有一时期是把天然宝石小碎块熔化在一起。此法后来让位于从纯净的氨矾及少量铬矾中制取人工红宝石的韦尔讷伊法。含有2.5%铬的氧化物的人造红宝石，具有珍贵的鸽子血红色。人造红宝石具有天然刚玉的物理特性，但是通常具有显微气泡及条纹。

ruby glass　宝石红玻璃　加氯化金生成的深红色玻璃。古代曾制成宝石红玻璃，后长期失传。欧洲的炼金术士和玻璃工匠相信它能治病，一直在努力重新掌握这项工艺。1676年汉堡医生A.卡修斯宣布发现氯化金溶液具有红色的性质，以后称这种颜色为“卡修斯紫”。约1679年，它终于被波茨坦化学家和玻璃工艺学家J.K.冯·洛温斯特恩研制成功。生产宝石红玻璃的关键在于：最初玻璃是深灰色的，须经再次加热才能变为红色。

对此，洛温斯特恩秘而不宣。直至 19 世纪末，这个秘密才被埃伦费尔德一家玻璃厂发现。与此同时，波希米亚的玻璃工人用铜生产了宝石红的色调，在玻璃制品上覆以一层极薄的宝石红玻璃膜，成为 19 世纪波希米亚玻璃制品的特点。

ruby silver　红银矿　淡红银矿（**proustite**）和浓红银矿（**pyrargyrite**）的通称。

ruby spinel　红尖晶石　天然的或人造的宝石级的尖晶石（**spinel**），与红宝石相似。这两种天然宝石往往一起出现于含宝石的砾石层中，以至尖晶石曾被称为红宝石之母。历史上的许多红宝石很可能都是尖晶石；英国皇冠上的蒂默红宝石就是这种宝石。尖晶石与红宝石的区别在于其硬度较小和重量较轻。纯尖晶石无色，宝石级尖晶石具有色彩是由于含有少量非镁铝金属离子的缘故。红尖晶石是尖晶石中具有血红色的变种；玫红尖晶石是具粉红色的变种；贵榴石是具紫色的变种；而橙尖晶石是具黄色至橙红色的变种。这些宝石石料大多数产出于斯里兰卡、缅甸和泰国的砂矿床中。

ruby-tailed wasp　参阅 **cuckoo wasp** 青蜂。

Rucelinus（French philosopher）　参阅 **Roscelin** 洛色林。

Rucellai, Palazzo　卢彻来府邸　佛罗伦萨文艺复兴早期的府邸建筑，约 1445 ～ 1470 年由 L.B.阿尔贝蒂为富商卢彻来家族建造。从对称的建筑立面处理中，可以看到设计者对比例和平衡的苦心经营，以三层古典柱式的叠用表示向上感觉，这种手法源自罗马大斗兽场的启示。这座府邸对后来建筑很有影响。

Ruche, La（artists' settlement）　参阅 **Beehive, The** 蜂窝。

Ruckers, Hans THE ELDER　**吕克斯（大）**（约 1555，勃艮第梅赫伦～约 1623，安特卫普）　最著名的拨弦键琴制造家，佛兰德斯乐器制造业奠基人，所制拨弦键琴为后来北欧的制作师提供了重要的模型。生平不详。1581 年，他最早的双层维金纳琴（一种含有两层键盘、两套琴弦的方形拨弦键琴）问世。该琴现存纽约市。现存的他的最后一架乐器制作于 1620 年。其子小汉斯和安德烈亚斯，以及孙子小安德烈亚斯均为著名乐器制造家。吕克斯作坊所制拨弦键琴和维金纳琴主要有 9 种型号，现在完全或部分保存的有 100 余件。吕氏乐器异常名贵，18 及 20 世纪中多被重新改装或仿制。

Rückert, Friedrich　吕克特（1788-05-16，萨克森-科堡-哥达公国施宛因富特～ 1866-01-31，科堡附近诺伊塞斯）　笔名弗里德里希·赖马尔。德国多产诗人，以娴熟地运用许多不同的诗体而著名。他自学东方语言，通过对东方文学的翻译和模仿，把他的读者引入阿拉伯、波斯、印度和中国的神话和诗歌中。1826 年起在埃朗根和柏林大学教授东方语言学，1848 年前往诺伊塞斯，全力以赴从事学术研究和写作。发表过一些叙事诗和历史剧，但使他获得成功和声誉的却是抒情诗，特别是《爱情的春天》（1844）。这些诗是他向 L.维特豪斯求爱时所写。他最著名的作品之一是战斗诗篇《顶盔戴甲的十四行诗》（1814），激励普鲁士人参加摆脱拿破仑统治的解放战争（1813 ～ 1815），感人至深。《孩子们的死亡之歌》写于 1834 年，描写他两个孩子的死，1872 年在他死后发表；1902 年 G.马勒为这些诗谱曲使之成为组歌。

Ruda Śląska　鲁达希隆斯卡　波兰中南部西里西亚省城市。在戈尔内·希隆斯克（上西里西亚）煤矿区中央。为工业古镇，中世纪铁矿开采地，第二次世界大战后组成公司。有波兰第一座煤矿（1751）。人口约 150 595（2002）。

Rūdakī　鲁达基（约859，呼罗珊鲁达克～940 或 941，鲁达克？）　原名艾布·阿卜杜拉·加法尔·伊本·穆罕默德。第一个用阿拉伯字母拼写的新波斯文写诗的著名诗人，被誉为波斯诗歌之父。能诗善琴。曾在布哈拉任萨曼王朝纳斯尔二世（914 ～ 943）的宫廷诗人，937 年失宠，晚年极度贫困。归于他名下的诗多达 10 万对句，但大半散佚，现存不足 1 000 对句，散见于大量诗文集和传记作品之中。他的诗歌清丽简洁，乐观可爱，晚年略带消沉忧郁之感。除部分诗集外，他在文学上最重要的贡献是将源出印度的寓言集《卡里来和笛木乃》由阿拉伯文译成新波斯文。后世得以重述这些寓言，主要归功于他这一现已丢失的译本。它使鲁达基名垂波斯-伊斯兰文学史册。

rudd（*Scardinius erythrophthalmus*）　**红眼鱼**　鲤科体粗壮的淡水游钓鱼类。形似有亲缘关系的拟鲤，但体色更显金黄，眼橙黄，鳍深红，腹缘锐。广布于欧洲和小亚细亚，后引入美国，在该处称美国拟鲤或珍珠拟鲤。群游，生活于水生植物茂密的湖泊以及缓流的江河。以植物、小动物及昆虫为食。体长最大可达约 35 ～ 40 厘米，重 1 ～ 2 千克。

红眼鱼（*Scardinius erythrophthalmus*）
供图：W.S.Pitt—Eric Hosking

Rudd, Steele　拉德（1868-11-14，澳大利亚昆士兰德累顿～ 1935-10-11，昆士兰布里斯班）原名亚瑟·霍伊·戴维斯。澳大利亚小说家、剧作家。所写喜剧人物是澳大利亚文学遗产中尽人皆知的形象。在所著 20 多部小说中描写了昆士兰州南部达令草原地区的农场生活。早期作品往往是现实主义和悲剧性的，后来描写农村生活的讽刺作品获得很大成功，并被改编成连环漫画、广播节目和电影。父亲是一位铁匠。他本人曾做过驯马师、牧场饲养员、牲畜商和职员，后为地方报刊写诗和短文。第一部作品《关于我们的选择》（1899）主要是自传性的，继而出版了同样性质的《桑迪的选择》（1904）。后来他将《关于我们的选择》改写成剧本，获得成功，并在伦敦演出。此后又写有 6 部剧作。1904 年拉德创办不定期出版的通俗刊物《斯蒂尔·拉德杂志》。作为澳大利亚文学创作的提倡者，他发表过许多不知名作家的作品，他们后来都成为知名人士。

rudder　舵　船上操纵机构的一部分，它固定在船身的外面，通常在船尾。最普通的形状是一块平滑的木板或金属板，其前缘与艉柱铰接。舵的工作原理是基于两边水压不同，当舵转动时，流过舵面的水使舵的一面受到的水压较另一面为大，船尾就被推向一边，船亦偏离原来的航向。在小船上，通过舵柄或舵轮用人力来操纵舵。在大船上，舵要用液压、蒸汽或电动机械来转动。舵的最初形式是用来拨转船尾的桨，后来演变为固定在船尾附近的加宽桨叶，并加有舵柄。古希腊和古罗马船只常用两组这样的桨。自威廉一世（征服者）之后，固定于艉柱的舵才开始流行。在多螺旋桨的船中，有时在每个螺旋桨正后方都有舵。特殊类型的舵采取不同的形状以提高操纵效果。平衡舵或半平衡舵的形状是使流过舵面的水的力在转轴两边保持平衡或部分平衡，以减轻操纵机构上的压力。举升舵的下沿是弯曲的，当舵碰到某种物体或海底时，舵就升起，以避免发生危险。

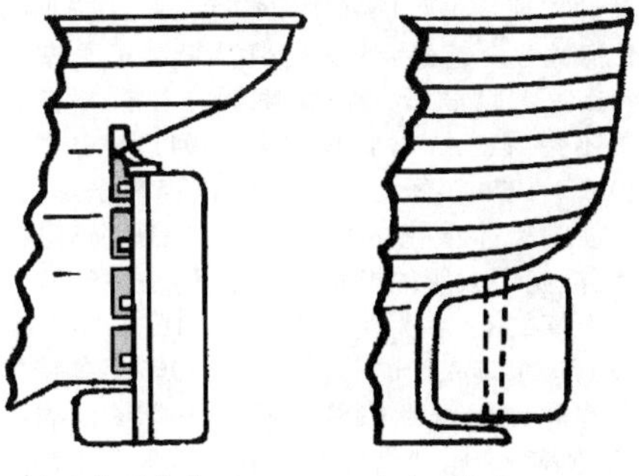

（A）半平衡舵　　（B）平衡舵

ruddy turnstone　红翻石鹬　翻石鹬属（*Arenaria*）海滨鸟类。参阅 **turnstone**。

Rude, François　吕德（1784-01-04，法国第戎～ 1855-11-03，巴黎）　法国雕刻家，以创作公共纪念碑而闻名，如《1792 年义勇军出征》，俗称《马赛曲》（1833 ～ 1836，巴黎凯旋门）。摈弃 18 世纪末和 19 世纪初法国雕刻界流行的形式主义，提倡富于动势和激情的风格，50 多年间一直受官方委托工作。曾在其父的金属加工厂当助手，后到巴黎，决心精通雕刻艺术。1812 年获罗马奖金，但因拿破仑战争之故，未去罗马。他是一名热情的波拿巴主义者。第一座引起公众注意的作品是《系飞鞋的墨丘利》（1828，巴黎罗浮宫），遵循了法国新古典主义雕刻的风格。但他不愿受古典规范的束缚，堪称浪漫-现实主义的艺术家。所作《那不勒斯渔童玩龟》（1834，罗浮宫），人像张口,姿态奇特。巴黎天文台广场的内伊元师雕像,也是张口,持剑高举过头,都打破了新古典派的传统。凯旋门上的1792年革命义勇军出征群像,虽然在细节上符合古典传统,但在感情上却是浪漫豪放的。对拿破仑·波拿巴的过分推崇,使他所作的第戎附近菲克桑的纪念碑《波拿巴永垂不朽》(1847,其石膏模型展于罗浮宫)失于夸张而美中不足。晚年恢复了早期的古典风格,但成就不大。

Rudel, Julius　鲁德尔(1921-03-06,维也纳～　)　奥地利出生的美国指挥家和歌剧院音乐总监。1944～1979年任纽约市立歌剧院指挥、院长。曾在维也纳音乐学院学习,1938年移居美国后,在纽约曼内斯音乐学校学习。1943年在纽约市立歌剧院任排练钢琴师和辅导员。1944年纽约市立歌剧院上演J.施特劳斯的《吉普赛男爵》,鲁德尔首次登台指挥。以后多年在该院担任指挥。鲁德尔还指导三号街音乐学校(1945～1952)。1957～1979年任纽约市立歌剧院音乐总监,把歌剧集体演出的精神灌输到这个演出团体,演出了大胆的剧目,其中值得注意的有首次上演的C.弗洛伊德、R.沃德、D.穆尔和H.威斯加尔等人作的美国歌剧。1956年鲁德尔在维也纳民族歌剧院指挥C.波特的《吻我吧,凯蒂》取得值得纪念的成功。鲁德尔是美国首都华盛顿肯尼迪表演艺术中心的第一任音乐总监(1971～1974)。1979年起担任布法罗爱乐乐团音乐总监。

Rüdesheim　吕德斯海姆　德国西部黑森州城镇。位于莱茵高地区陶努斯山麓。为莱茵葡萄酒行业主要中心。864年首见记载。有半露木架结构房屋、狭窄街道、古老客栈,城镇呈现中世纪的风情。在尼德森林山顶建有纪念1871年德意志帝国成立的纪念碑。每年9月庆祝葡萄酒节。人口约9 243(1989)。

Rudinì, Antonio Starabba, marchese di　鲁迪尼侯爵(1839-04-16,两西西里王国[今在意大利]西西里巴勒莫～1908-08-07,意大利罗马)　意大利政治家、首相(1891～1892,1896～1898)。西西里自由派贵族世家出身。曾参加1860年革命。1864年任巴勒莫市长,被反对国家统一的人囚于市政厅内一周,终未屈服。作为奖赏,被提升为地方长官,负责镇压西西里西部的土匪。1869年一度任内政大臣。后在议会中成为右派首领。1891年出任首相,与左派组成联合政府。1896年3月意大利军队在埃塞俄比亚战败后,他再度出任首相(兼内政大臣)。为了满足反殖民党的要求,他缔结和约,将卡萨拉割让给英国。这引起了公众的反对,他的政府于6月倒台。

Rudnicki, Adolf　鲁德尼茨基(1912-02-19,俄罗斯帝国波兰华沙[今在波兰]～1990-11-14,华沙)　波兰小说家和散文家。以写犹太人生活以及在第二次世界大战期间纳粹统治下遭到毁灭的惨象而知名。他出身于一个犹太家庭,在华沙受教育,后任银行职员。他初登文坛时写社会问题小说。在《群鼠》(1932)中,他描写了许多波兰犹太人聚居的外省小城镇的黯淡乏味的日常生活。小说《士兵们》(1933)是一幅军营生活的阴暗的自然主义的写照。《不为人爱》(1936)和短篇小说《夏天》(1938)促使批评界把他归入心理小说家。1939年,他被征召入波兰军队,在参加九月战役作战中为德军所俘。他后来逃出监禁,越界进入波兰苏联占领区的利沃夫,为共产党刊物《新地平线》撰稿。1941年德军占领利沃夫后,他返回华沙,改名换姓,为抵抗运动工作,参加了1944年华沙起义。战后他在罗兹定居,参加马克思主义文艺团体"熔炉社"。他着手写作长篇巨著《死海和活海》(1952),这是一部感人至深的"波兰犹太人民族"的生存和被灭绝的记录。1953年以后,鲁德尼茨基开始在文艺刊物上发表每周随笔,陆续编集出版,书名为《蓝页》。

Rudny　鲁德内　哈萨克斯坦北部库斯塔奈州城市。濒临托博尔河。建于1955年。附近的大型选矿联合企业开采和加工索洛科夫卡和萨尔拜的铁矿。托博尔河上有一水库为城市和联合企业供水。有电气铁路与乌拉尔各城市相连接。人口约128 800(1991)。

Rudolf　鲁道夫　统治者之名,按国别分列于后,并各以●为标记。

与此字相等之外语:

捷克语	Rudolf
法语	Rodolphe, or Raoul
德语	Rudolf
匈牙利语	Rudolf 或 Rezső

勃艮第

● Rudolf I　鲁道夫一世(?～912-10-25)　上勃艮第第一代国王(888～912)。欧塞尔伯爵康拉德之子,属韦尔夫家族。885或886年继勃艮第公爵位,888年1月加冕为国王。他很快把统治范围扩展到洛林和阿尔萨斯的大部地区。但在德意志的阿努尔夫的进攻下,他只好放弃这些新领土,以换取阿努尔夫承认勃艮第王国。

● Rudolf II　鲁道夫二世(?～937-07-11)　勃艮第国王(912～937),在加洛林王朝纷乱的末期统治意大利近4年(923～926)。他是上勃艮第王国(普罗旺斯北部勃艮第的一部分)创建者鲁道夫一世之子,韦尔夫家族的后裔。意大利贵族因对他们的国王贝伦加尔不满而拥立他为国王。922年在帕维亚加冕,次年在皮亚琴察附近击败贝伦加尔。贝伦加尔被谋杀(924)后,鲁道夫兼治上勃艮第与意大利,在两个王国轮流居住。926年意大利贵族对他的统治心怀不满,向普罗旺斯的实际领主于格提出要他担任国王的建议。鲁道夫意识到自己势力孤单,遂返回勃艮第。于格成为意大利国王。当意大利诸领袖提议召回鲁道夫担任国王时,于格与鲁道夫缔约(931?),把普罗旺斯让给鲁道夫,要鲁道夫放弃对意大利王国的一切要求。鲁道夫因而统一了整个勃艮第。

● Rudolf III　鲁道夫三世(?～1032-09-06)　独立的勃艮第王国的末代国王(993～1032)。他无力控制贵族势力的日益强大及贝桑松伯爵奥托-威廉和德意志的亨利二世皇帝的侵扰。1016年被迫指定亨利二世为继承人。1024年亨利死后,德意志新王康拉德二世也提出同样的要求。鲁道夫无嗣,康拉德二世在他死后将勃艮第王国并入德意志的版图。

法　国

● Rudolf　鲁道夫(?～936-01-14或15,法国欧塞尔)　勃艮第公爵(921～936),后为法国国王(923～936)。他所处时代的特征是政治局面不稳定,而他经过动荡纷乱的统治后,终于在死前不久巩固了自己的权力。他是法国国王罗贝尔一世的女婿,922年曾与罗贝尔一起举行叛乱,驱逐傻瓜查理三世。次年,罗贝尔在战斗中阵亡,鲁道夫被选为国王,在苏瓦松加冕。他在位时期经历了一系列无休无止的战争。开始时多数权贵不承认他,他又面临诺曼人的进攻。925年失去洛林,928年又被迫割让拉昂,直到929年查理去世后,他的地位才显著改善。然而在他迫使其他敌人投降后不久,自己也因病去世。

德意志/神圣罗马帝国

● Rudolf　鲁道夫(?～1080-10-15,德意志梅泽堡)　别名莱茵费尔登的鲁道夫或士瓦本的鲁道夫。德意志僭王,亨利四世的对手。1057年授封士瓦本公国,1059年任勃艮第王国执政官。他起初支持亨利四世,1075年在温斯特鲁特河战役中打败萨克森人。次年,教皇格列高利七世开除亨利的教籍,鲁道夫于是转过来反对亨利。1077年3月,他被反对亨利的邦君选举为国王,5月在美因茨加冕。但美因茨人同情亨利,起来造反,鲁道夫被迫逃往萨克森。亨利于1077年5月底侵入鲁道夫的士瓦本公国,并宣布鲁道夫叛国,剥夺他的公爵领地。鲁道夫与亨利作战,相持不下(1078、1080)。1080年初,教皇格列高利七世承认鲁道夫为国王。同年10月15日,他在埃尔斯特河战役中打败亨利,但因负重伤致死。

● Rudolf I　鲁道夫一世(1218-05-01,布赖斯高地区林堡[德意志]～1291-07-15,施派尔河)　又称哈布斯堡的鲁道夫。哈布斯堡王朝第一代德意志国王。哈布斯堡伯爵阿尔贝特四世之子。其父去世(约1239)后,他继承了上阿尔萨斯、阿尔高和布赖斯高诸领地。他支持霍亨斯陶芬王朝的皇帝腓特烈二世及其子康拉德四世。他通过侵占那些支持教皇反对霍亨斯陶芬王朝的诸侯的领地而扩大自己的领地。1254年他协助条顿骑士团,参加在普鲁士的讨伐。诸选侯为了排斥权势日增的非日耳曼出身的竞选者波希米亚的鄂图卡二世,在法兰克福选举鲁道夫为德意志国王,1273年10月24日在亚琛加冕。次年9月,教皇格列高利十世承认鲁道夫,并说服卡斯蒂利亚国王阿方索十世(1257年4月被一些德意志选侯选为国王)放弃王位的要求。与此同时,鄂图卡二世已控制奥地利、施蒂里亚、卡林西亚和卡尼奥拉。1274年鄂图卡拒绝出席帝国议会,鲁道夫率军进入奥地利,1276年击败鄂图卡。1278年8月26日鄂图卡侵入奥地利,在迪恩克鲁特战役中阵亡。

供图:Bildarchiv Preussischer Kulturbesitz BPK, Berlin

1282 年,鲁道夫将得自鄂图卡的土地分授诸子,同年 12 月将奥地利和施蒂里亚授予两子阿尔贝特和鲁道夫,构成了未来哈布斯堡王朝领土的核心。在西部边界,他与法国的扩张主义政策进行斗争。鲁道夫与各领地的诸侯共同努力,维护德意志的安定,1274 年重申向各城邦征税的王权。1287 ～ 1291 年,他几次欲使其长子阿尔贝特当选为德意志国王或罗马人的国王,但终未成功。

● **Rudolf II** **鲁道夫二世**(1552-07-18,哈布斯堡领地维也纳[今在奥地利]～ 1612-01-20,波希米亚布拉格[今在捷克共和国]) 神圣罗马帝国皇帝(1576～1612)。他的健康情况

供图:Kunsthistorisches Museum, Vienna

和不得人心使他未能抑制宗教分歧,终于引发三十年战争(1618 ～ 1648)。马克西米连二世皇帝之子。1572 年成为匈牙利国王(称鲁道夫),1575 年成为波希米亚国王(称鲁道夫二世)。1576年10月12日继承其父为皇帝和奥地利大公位(称鲁道夫五世)。即位不久即因病退隐布拉格,涉猎艺术和科学。1605 年,对他在政治上的无能早已心怀不满的哈布斯堡家族诸大公强迫他委托他的兄弟马蒂亚斯主持匈牙利的事务。1606 年,他们承认马蒂亚斯是他们的首领和继承鲁道夫的人选。两年后,鲁道夫被迫把匈牙利、奥地利和摩拉维亚让给马蒂亚斯,并许诺马蒂亚斯继承波希米亚王位。1611 年 5 月,他终于把波希米亚交给了马蒂亚斯。

匈 牙 利

● **Rudolf** **鲁道夫** 参阅 **Rudolf II**(Germany/Holy Roman Empire)鲁道夫二世(德意志/神圣罗马帝国)。

意 大 利

Rudolf, Archduke and Crown Prince of Austria **鲁道夫**(1858-08-21,奥地利维也纳附近施洛斯拉克森堡～ 1889-01-30,维也纳附近施洛斯迈耶林) 奥匈帝国皇储,其改良主义的

供图:Bild-Archiv, Osterreichische Nationalbibliothek, Vienna

和开明的思想遭到他的保守的父亲的扼杀,最后自杀。弗兰西斯·约瑟夫皇帝的独生子。曾受过良好教育,并周游各地。在政治上急于解决哈布斯堡君主国各民族问题,厌恶俄罗斯帝国主义,并有开明的反教权主义观点,使他同父皇和首相疏远,皇帝不允许他参与朝政。1881 年 10 月他受新闻记者斯采普斯的影响,曾在激进的《新维也纳日报》上发表匿名文章。他还刊印过两本自己的旅行记。与此同时,他还有意成为匈牙利国王,并恢复波兰王国。由于不能如愿,且对婚姻不满,他陷入悲观失望。1887 年 10 月与女男爵玛丽·费采拉开始交往。这个 17 岁的姑娘竟然接受了他提出的自杀协定。1889 年 1 月 30 日晨,在迈尔林猎人小屋发现他们已被枪打死。皇帝及其顾问们笨拙地掩盖事实,反而引起许多谣言。反对哈布斯堡宫廷的人则妄加解释。除了精神失常外,鲁道夫此举貌似可信的解释,是他自己内心有一种政治孤立感。

Rudolf of Habsburg **鲁道夫(哈布斯堡的)** 参阅 **Rudolf**(Germany/Holy Roman Empire)鲁道夫(德意志/神圣罗马帝国)项下的 **Rudolf I** 鲁道夫一世。

Rudolf of Rheinfelden **鲁道夫(莱茵费尔登的)** 参阅 **Rudolf**(Germany/Holy Roman Empire)鲁道夫(德意志/神圣罗马帝国)项下的 **Rudolf** 鲁道夫。

Rudolf of Swabia **鲁道夫(士瓦本的)** 参阅 **Rudolf**(Germany/Holy Roman Empire)鲁道夫(德意志/神圣罗马帝国)项下的 **Rudolf** 鲁道夫。

Rudolf von Ems **鲁道夫(埃姆斯的)**(约 1200,士瓦本霍恩埃姆斯[今在奥地利]～约 1254,意大利) 多产和才华横溢的中古高地德语诗人。写过 5 首叙事长诗,共 93 000 多行。他那位于康斯坦茨湖(即博登湖)畔的霍恩埃姆斯城堡至今犹存。虽然早期宫廷叙事诗大师的影响在他的作品中显而易见,他的诗在题材方面仍表现出很大的独创性。现存最早的诗《善良的格哈德》是关于一个科隆商人的故事。主人公的行业虽然并不高贵,但具有像亚瑟王骑士那样的高雅品质,他的仁慈和谦虚终于使他被拥立为英格兰国王,但他拒绝了。《巴拉姆和约萨法特》是佛陀传奇的一种基督教写法;三部史诗是《亚历山大》、《奥尔良的威廉》和《世界纪年》,后者是世界编年史,尚未完成,仅写到所罗门之死。

Rudolf, Lake **鲁道夫湖** 又称图尔卡纳湖,为东非第四大湖泊。位于东非大裂谷东岔内。北端从肯尼亚延伸到埃塞俄比亚境内。面积6 405 平方千米,海拔 375 米。鲁道夫湖曾和巴林戈湖(南面)构成一个较大水域,经索巴特河注入尼罗河。更新世时期(160 万至 1 万年前)由于地壳运动,形成一较小的独立内陆湖。火山爆发造成东、南多岩的湖岸。较低的西、北湖岸由沙丘、沙坑和泥滩构成。湖中 3 个主要岛屿(北岛、中岛和南岛)都是火成岛。湖长(248 千米)而狭窄(16 ～32 千米);湖水较浅,记录最大深度 73 米。水位和水面积不定,唯一的长年支流是流自埃塞俄比亚的奥莫河。湖无出口,水中含盐。常有突发的风暴,使航行危险。鲁道夫湖被认为是一个鱼产极其丰富的渔场,盛产尖吻鲈、虎鱼、多鳍鱼和各种罗非鱼。鳄鱼和河马也时有所见。候鸟和留鸟有红鹳、鸬鹚和翠鸟等。沿湖种植少量高粱。近沙漠丛林的居民大部分为游牧民。1888 年泰莱基伯爵和路德维希·冯·赫纳中尉到达此湖,以奥地利王储的名字为之命名。在肯尼亚该湖被称为图尔卡纳湖。

Rudolph, Paul (Marvin) **鲁道夫**(1918-10-23,美国肯塔基埃尔克顿～) 第二次世界大战后美国最杰出的建筑师之一。他的建筑物以富有创造性及匪夷所思的设计强烈震撼人心而驰名。1940 年在亚拉巴马工业学院获得建筑学士学位,后在哈佛大学师从 W. 格罗皮厄斯获硕士学位。第二次世界大战期间,在美国海军服役(1943 ～ 1946),任布鲁克林海军造船厂船体结构部门监工。20 世纪 40 年代末和 50 年代初,鲁道夫在佛罗里达州的萨拉索塔从事建筑工作,先在特威切尔-鲁道夫公司负责设计私人住宅,后来独自开业。他的初期设计采用国际风格的玻璃墙和严格的几何图形,但以精巧的结构和柔顺的线条而引人注目。他后来认为:一个建筑物的形式应该由它的用途和结构发展而来并与之密切结合。从这一理念出发,他把一个建筑物的主体划分成几个十分明确的单元,无论从外部或从内部看,都令人感到很有兴味。他最初取的不同单元的组合,如为韦尔斯利学院营造的朱厄特艺术中心(1955 ～ 1958),不但等边等角,甚至是对称的。1958～1965 年,鲁道夫任耶鲁大学建筑学系主任。他所设计的耶鲁大学艺术和建筑学院(1958 ～ 1963)采取连锁造型和多种表面纹理的复杂组合,这是他的成熟营造法式的代表作,富于想象、技巧精湛。他设计的波士顿市政府服

鲁道夫设计的耶鲁大学艺术和建筑学院，1963年建成
供图：© Ezra Stoller(ESTO)

务中心(1963)和纽约州加登城的恩多实验室(1962～1964)继续趋向错综复杂、轮廓不规则和雄劲有力的结构，其中包括各不相同但是完全协调的形状和表面。1965年，鲁道夫离开耶鲁，在纽约市开业。他的业务规模和数量不断增大，既包括一些主要市政工程的规划，也包括设计学校、办公楼以及私人住宅。其他重要作品有：纽约东菲什基尔的国际商业机器公司综合建筑(1962，与W.基德尔合作)以及北卡罗来纳州达勒姆的巴勒斯-韦尔科姆公司总部和三角形研究公园(1969)。

Rudolph, Wilma　鲁道夫(1940-06-23，美国田纳西克拉克斯维尔附近圣伯利恒～1994-11-12，田纳西布伦特伍德)　全名Wilma Glodean Rudolph。在奥运会上一次赢得3块

供图：AP/Wide World Photos

田径金牌的第一位美国女子短跑运动员。她幼年多病，11岁前必须穿矫正鞋子才能走路。然而，她参赛的决心使她在中学时即成为一名明星篮球选手和短跑运动员。1957～1961年就学于田纳西州立大学。16岁时参加1956年墨尔本奥运会的4×100米接力赛，所在队获铜牌。在1960年，即罗马奥运会举办之前，创200米世界纪录，成绩为22.9秒。在奥运会上获100米(平11.3秒的世界纪录)和200米金牌；她所参加的4×100米接力队在半决赛中以44.4秒的成绩创世界纪录。1961年由她跑最后一棒的另一支美国接力队又打破此项纪录，成绩为44.3秒。1959～1962年为美国业余体育联盟联赛100码冠军。1974年入选美国全国田径名人堂。

Rudolphine Tables　《鲁道夫星表》　拉丁语作Tabulae Rudolphinae。J.开普勒于1627年主要根据第谷的观测资料编制的行星表和恒星星表。它是望远镜出现以前最好的一本星表，其中包含1 005颗恒星(开普勒把第谷的777颗增加到此数)的位置和确定行星方位的表，精度达几角分。这是一本载有大气折射改正和对数表的星表。它以开普勒和第谷的保护人鲁道夫二世皇帝的姓氏命名。

Rudolphi's rorqual　鲁道菲氏鳁鲸　参阅sei whale鳕鲸。

Rudra　楼陀罗　梵文，意为"吼者"；印度吠陀经籍所介绍的较为次要的神，又是后世印度教所尊崇的湿婆大神的别名之一。人们相信，湿婆化自楼陀罗，两神都是可怖、喜怒无常而性喜破坏。在《吠陀》中，楼陀罗是神射手，中其箭者非死即病，人们必须祈求他切勿发怒杀人伤人。他也有善的一面，掌握1 000种疗法。他还是众暴风雨神之父。

rue　芸香　芸香科芸香属(*Ruta*)40种多年生灌木或草本植物的统称。原产欧亚及加那

普通芸香(*R. graveolens*)
供图：Shunji Watari—美国不列颠百科全书公司

利群岛。普通芸香(*R. graveolens*)是一种庭园小灌木；叶常绿，花暗黄成簇；叶片密布腺点，半透明。数世纪来就用作香料及药物。草甸芸香(meadow rue)则为毛茛科唐松草属(*Thalictrum*)植物。

Rueda, Lope de　鲁埃达(约1510，塞维利亚～1565，科尔多瓦)　西班牙戏剧发展初期的杰出人物，致力于戏剧的大众化，为洛佩·德·维加开辟了道路。由于受意大利巡回演员团的吸引而走上舞台演出道路。曾组织巡回剧团，自编戏剧，或任编剧兼经理，在西班牙各地演出，很受欢迎。塞万提斯曾看过他的作品，称赞他既是位演员又是位诗剧作家。他对西班牙早期戏剧最重要的贡献是他创造的"街头剧"，一种取材于日常生活事件的滑稽表演，作为在正剧幕间松弛气氛之用，或者直接插入正剧，作为取乐的插曲。这种"街头剧"用散文写成，把傻瓜和主人等普通人物的自然语言搬上舞台。

Rueil-Malmaison　吕埃-马迈松　巴黎大区上塞纳省城市，巴黎西郊工业和住宅区。沿公路距巴黎8.5千米。最初称为罗图安吕姆，是墨洛温王朝的国王们的游乐地。1346年被英王爱德华三世之子烧毁。1622年，巴黎议会议员C.佩罗在当地一称马迈松的地方为自己建造了别墅，1799年拿破仑的第一个妻子，后来的法国王后约瑟芬·波拿巴买下这所别墅并进行了扩建；1815年拿破仑曾在此小住。别墅现为博物馆。郊区工业有汽车零件、摄影胶片和医药等制造业，也是雕刻和酿酒中心。人口63 310(1982)。

ruff(*Philomachus pugnax*)　流苏鹬　旧大陆鹬科滨鹬亚科(Calidritinae)鸟类，以婚羽和求偶行为特殊而著名。春天，体长30厘米的雄鸟生出一对冠和一个领；每个个体所具有的

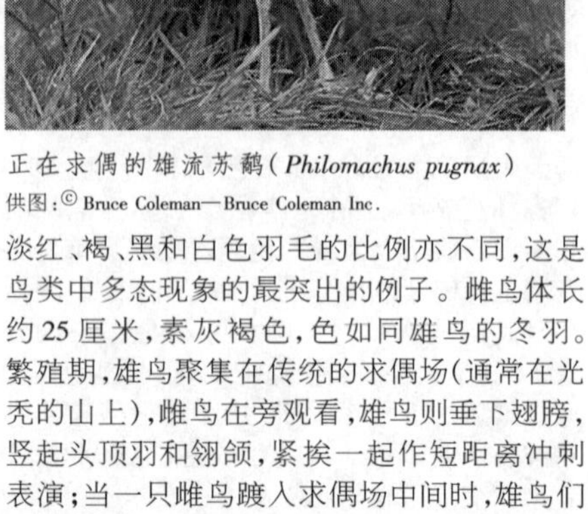

正在求偶的雄流苏鹬(*Philomachus pugnax*)
供图：© Bruce Coleman—Bruce Coleman Inc.

淡红、褐、黑和白色羽毛的比例亦不同，这是鸟类中多态现象的最突出的例子。雌鸟体长约25厘米，素灰褐色，色如同雄鸟的冬羽。繁殖期，雄鸟聚集在传统的求偶场(通常在光秃的山上)，雌鸟在旁观看，雄鸟则垂下翅膀，竖起头顶羽和翎颌，紧挨一起作短距离冲刺表演；当一只雌鸟踱入求偶场中间时，雄鸟们瘫倒在地，混身颤抖，以喙触地，然后雌鸟选中其中之一。雌鸟独自筑巢、孵卵和照料幼雏。甚至在集群时雌雄也不在一起(这是本

种极端的雌雄二态现象的进一步证据)。这类鸟繁殖于北欧至西伯利亚的河边草甸和岸边沼泽地。受农耕的影响,目前数量已经下降。在北海到南非和南亚的部分地带,它们于宽广的泥滩上越冬。有记录表明,在北美其出生频率正在增加。

ruff　飞边　宽大蓬松皱褶的衣领或饰边。16世纪中叶起至17世纪时,欧洲男女服装都使用。初期,飞边皱褶要用金属丝支撑,后只需上浆就行。多为白色。16世纪末,皱褶领

B.布勒因(小)绘《瓦瓦苏家族一女子肖像》(约1570)中戴飞边的女子
多伦多安大略美术陈列馆供图

被其他衣领取代。19世纪早期,一种改良型的皱褶领再度风行,成为妇女白天穿着的新颖款式。

ruffed grouse　流苏松鸡　一种北美狩猎鸟类,亦称山鹑。参阅 **grouse**。

Ruffin, Edmund　拉芬(1794-01-05,美国弗吉尼亚乔治王子县～1865-06-18,弗吉尼亚阿米利亚县)　美国土壤化学之父,他说明了如何使贫瘠的东南方种植园恢复肥沃。他还是美国南北战争之前数十年的主要分离主义者。出身于弗吉尼亚种植园主家庭,在家中受到许多教育。1813年接管他刚去世的父亲的烟草种植园。像其他有潮水域地区的农田一样,由于单一作物、土地使用过度和耕种方法落后,产量下降。尽管缺乏科学的农业基础知识,他仍然开始研究土地贫瘠的原因和补救办法,发现南部土壤酸性过重,无法保持肥料。1818年他提交了一篇短文,1821年扩展成一篇文章在《美国农民》上发表,最后编成一本颇有影响的书《论钙质肥料》(1832),说明如何应用石灰土(泥灰岩)来降低土壤酸度。更有说服力的是按照他有关使土地肥沃、耕作、播种、轮流种植和排水的指导可提高谷物和小麦的产量。1833～1842年出版农业杂志《农民记事》并写了大量文章,1852年担任弗吉尼亚州农业协会主席,在19世纪20、30和40年代发表了大量关于南方科学种植益处的文章、小册子和演说。19世纪50年代南北关系逐渐紧张,他从种族立场出发,注意力越来越转向捍卫奴隶制度。1857年发表《奴隶制度的政治经济》,其中对比了他赞成的南方的奴役和北方的自由劳动。1860年他发表的《未来的期望》鼓吹分离主义和预言一个幸福、繁荣、独立的南方。1861年在萨姆特堡他是首先开火射击者之一。在南北战争期间,随着他长期的梦想被联邦军所粉碎,他的失望日益增长。在阿波马托克斯战役两个月后,他留下一张便条,上面写有"我不能比我的国家的自由活得更长",然后自杀。

Ruffin, Josephine St. Pierre　拉芬(1842-08-31,美国马萨诸塞波士顿～1924-03-13,波士顿)　婚前名 Josephine st. Pierre。美国社区领袖。积极参与女权运动,特别是围绕城市和文化发展问题,组织非洲裔美国妇女。其祖先为混合种族,在塞勒姆和波士顿的学校受过有限教育。16岁时与乔治·刘易斯·拉芬结婚,后来拉芬成为波士顿的第一位非洲裔美国市法官。除养育子女外(他们后来都事业有成),她积极参与社会事业,包括妇女选举权和黑人妇女的促进事业。是马萨诸塞州学校选举权协会的成员,与J.W.豪等一些妇女运动领袖相识。1894年她和她的女儿组织了女子时代俱乐部,这是一个非洲裔美国妇女的市民协会,近十年时间都是由她担任主席,并有几年主编这个组织的月刊。于1895年在波士顿召开其他俱乐部的代表会议,成立了美国黑人妇女全国联合会。次年该联合会与华盛顿有色人种妇女联盟合并,她出任新组成的全国有色人种妇女联合会第一任副主席。后来她协助创建全国有色人种促进协会波士顿分会。

Ruffini, Paolo　鲁菲尼(1765-09-22,教皇国瓦伦塔诺～1822-05-09,摩德纳公爵领地摩德纳)　意大利数学家和医生。研究了预示群的代数理论的方程,被认为是力图证明一般五次方程没有代数解的第一个人。1787年任摩德纳大学数学教授,1799年任临床医学和应用数学教授,后在摩德纳军事学院讲授应用数学7年。1814年又任摩德纳大学校长。1799年完成了上述对一般五次方程的证明,但因为不够严密而受到严厉批评。后来由N.H.阿贝尔在1824年作了改进的证明,但是也有不够完善之处。鲁菲尼对群的了解所作的贡献为以后的E.伽罗瓦和A.-L.柯西在群论方面的才华横溢的工作奠定了基础。

Ruffini ending　鲁菲尼氏终柱　无包膜的感觉神经末梢,可能是压觉的辅助结构。位于韧带、关节及皮下组织内。为19～20世纪意大利解剖学家A.鲁菲尼首先记述,并因此得名。参阅 **Meissner corpuscle; pacinian corpuscle**。

Ruffo, Fabrizio　鲁福(1744-09-16,那不勒斯王国卡拉布里亚圣卢奇多～1827-12-13,那不勒斯)　罗马枢机主教和政客。曾任教廷总司库,兼管军事。1791年任枢机主教。1798年法国军队进犯那不勒斯,他陪同那不勒斯王族前往巴勒莫。1799年1月25日他被任命为教区主教代理。2月8日他率领不多的人在拉科尔托纳登陆,与匪首魔鬼大哥合作,成立所谓"信德军"。他轻而易举地推翻了法兰西人所树立的共和政府,6月进取那不勒斯。但是,由于他对共和派显得手软,因而失宠于国王斐迪南四世,遂辞去教区主教代理之职。在1822年革命动乱时期,国王征求他的建议,甚至一度让他作为"保王"之臣。

Rufiji River　鲁菲吉河　坦桑尼亚最大河流,流经坦桑尼亚南部大部分地区。由基隆贝罗河和卢韦古河汇合而成,向东北转东流,注入印度洋。全长175英里,有60英里(100千米)可通航。水力资源丰富。主要支流为大鲁阿哈河。

Rufinus　鲁菲努斯(?～395-11-27,君士坦丁堡)　东罗马皇帝阿卡狄乌斯(383～408在位)的大臣,西部帝国的实际统治者斯提利科将军的敌手,两人不和成为东西罗马帝国正式分裂的因素之一。高卢人出身,后升任军事执政官。395年,统治罗马帝国全境的皇帝狄奥多西一世临终前指定他作皇子阿卡狄乌斯的保护人,同时又指定斯提利科为另一皇子,已在名义上被立为帝国西部君主的霍诺留的保护人。这两个摄政王立即成为敌人。斯提利科占有军事优势,原来由狄奥多西一世派往西部镇压叛乱的东部军队也归他统率。鲁菲努斯为加强自己的政治地位,企图把女儿嫁给阿卡狄乌斯,由于首相欧特罗庇乌斯的反对,没有成功。395年斯提利科率军去希腊剿平东哥特人叛乱时,派盖纳斯率所部去君士坦丁堡,表面上是为了执行阿卡狄乌斯(由鲁菲努斯授意的)一项命令。但是这支军队在是年11月末到达君士坦丁堡后,出其不意地把鲁菲努斯杀死。

Rufinus, Tyrannius　鲁菲努斯(约345,意大利阿奎莱亚附近康科迪亚～410或411,西西里墨西拿?)　罗马基督教教士,将希腊文神学著作译为拉丁文。在罗马求学时与西派教会学者哲罗姆结成莫逆。后来入阿奎莱亚隐修院。约在373年开始研究奥利金著作。4世纪90年代初期和哲罗姆一起卷入关于当时已为正统神学家所怀疑的奥利金学说的论战。393年两人都被指责有奥利金派倾向,他拒绝公开承认错误,而哲罗姆则立即表示悔过。到397年两人之间的不和一度缓解。后来鲁菲努斯在罗马发表奥利金所著《论原理》的译本,在序言中声称哲罗姆仰慕奥利金,于是两人再次发生激烈争吵。鲁菲努斯后来被迫写悔过书呈教皇阿纳斯塔修斯。此后致力于著译,除翻译奥利金的多种圣经注释和证道文及其他著作外,著有《使徒信经》注释。

Rufisque　吕菲斯克　塞内加尔城镇和港口。位于佛得角半岛东南端。靠近首都达喀尔,促进了轻工业的发展。有纺织、榨油、石灰、制鞋、水泥等工厂。附近有天然气矿藏。有达喀尔—尼日尔和达喀尔—圣路易的铁路线通过,是繁忙的交通枢纽。人口约49 800(1976)。

Rufus, Lucius Verginius　鲁富斯　参阅 **Verginius Rufus, Lucius 维基尼乌斯·鲁富斯**。

Rufus, Marcus Caelius　鲁富斯　参阅 **Caelius Rufus, Marcus** 凯利乌斯·鲁富斯。

Rufus, Publius Sulpicius　鲁富斯　参阅 **Sulpicius Rufus, Publius** 苏尔皮西乌斯·鲁富斯。

Rufus, Servius Sulpicius　参阅 **Sulpicius Rufus, Servius** 苏尔皮西乌斯·鲁富斯。

rug and carpet　地毯　用较厚原料制成的通常用作铺地用品的装饰性织物。自从机织地毯出现后，几乎专指用来覆盖地板的织物。地毯的图案结构分为大地纹样图案和边饰图案。边饰图案包括大边和里外小边。最常见的大地纹样图案有：满地花纹图样、嵌花组合图案和团花图案。图案既可凭艺人的构思用手直接织出，也可以按照画在纸上的图样织出。19世纪开始采用苯胺合成染料，先后流行于欧洲和东方，色调及耐用性均不及天然染料，但近年来，人工染料已有所改善。地毯的原料主要是羊毛，也有用其他兽毛以及丝

开塞利地毯
美国不列颠百科全书公司供图

和亚麻制作的。织毯的主要工艺是编结，将绒线编结在经线上的方法很多，主要有土耳其式、波斯式和西班牙式三种。土耳其式是最早的编结方法，主要用于小亚细亚地区、高加索、伊朗和欧洲。波斯式主要用于伊朗、印度、中国和埃及。西班牙式用于西班牙。所采用的编结方式直接影响地毯的美观和编织的紧密度。采用织锦工艺可以增强绒线的色调。在编织过程中平编金、银丝，可以产生一种浅浮雕立体感。但由于金属丝易磨损和退色，不适于用作地毯，只能作挂毯。装饰图案主要分三大类：几何图案、传统图案和自然图案。几何图案主要是由回纹、多边形、十字形和星形等互相变化和组合而成。16、17世纪时波斯地毯所使用的基本的传统图案中有一种叫阿拉伯图案，采用错综交织的涡卷藤蔓结构。常见的一种波斯装饰图案是由两组

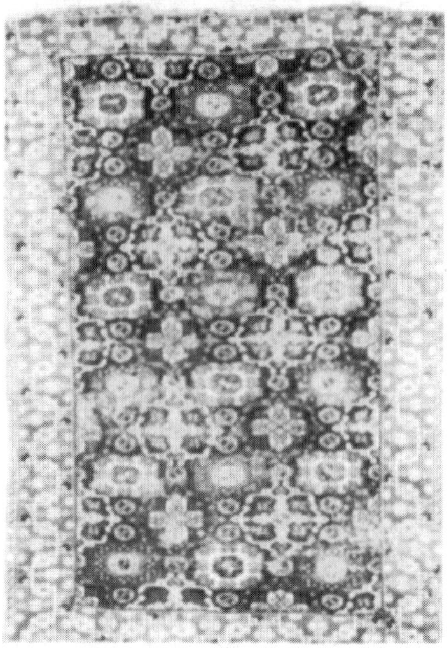

霍尔拜因地毯
美国不列颠百科全书公司供图

不对称的图案以锐角相交形成一朵百合花，然后沿相反方向成曲线继续组成下一个图案系列。这种独特的形式起源于中国的西周（公元前600）。自然图案中最主要的题材来源于园林和狩猎，如鸣禽、凤凰、孔雀、狮、虎、鹿、龙、麒麟等。东方和欧洲在地毯图案设计方面的区别在于：东方常注重于平铺直叙，简单明了的图案，而欧洲则趋向于表现油画的意境，常用明暗法和组画式，以及插入某些建筑装饰图案甚至人物肖像图案。除了每个单独的图案具有其本身的寓意外，由这些单个图案组成的地毯整体图案也具有丰富的象征意义。13～15世纪小亚细亚和高加索曾制作一种质地粗糙，色彩鲜艳，饰以多边形和星状图案的地毯，现存伊斯坦布尔土耳其和伊斯兰艺术博物馆。在安纳托利亚省科尼亚的阿拉·亚丁清真寺里发现的7块地毯碎片就是这种地毯的主要代表，这7块碎片由不规则的、重复的几何图案构成，以红、黄、蓝形成鲜明的色彩。关于15世纪前制作的波斯地毯已很少为人所知，虽然当时其织毯艺术已接近全盛时期。现存的12张波斯地毯是世界上最著名的艺术珍品，其中两张更是出类拔萃，一张现存英国维多利亚和艾伯特博物馆，另一张在美国洛杉矶县立艺术博物馆。其图案富丽堂皇，美妙绝伦，在耀眼的藏青色天鹅绒衬底上繁花似锦，整个图案以一枚结构复杂而精致的奎心为中心。16世纪后，土耳其地毯不是仿效波斯图案就是因袭其民族传统图案。最能代表土耳其风格的是产自位于安纳托利亚西部乌沙克的地毯。大红的衬底上以金、黄和深蓝三种颜色织成中央奎心图案。发展到17世纪，又编织出以植物类题材构成似鸟形图案的“鸟毯”。现存最早的土耳其斯坦式中国地毯也许是17世纪的作品。其多数都以丝质绒头、金属丝和镀金丝线编织成植物类图案，虽受波斯毯影响，但表现出明显的中国工艺风格。从18世纪的实样看，趋于浓暗色彩，到19世纪变得十分鲜艳。中国的地毯具有鲜明的民族风格，毛毯厚实，表面光滑，有浮雕感，使其图案的轮廓外沿形成沟纹。主色调采用黄色，也常用蓝、白两种颜色，而红、棕、绿则十分罕见。北美印第安人许多部落自很早以来就一直生产平织地毯和毡子。其传统的抽象图案有条带形图案、锯齿图案和几何形图案。颜色有黑、白、黄、蓝、茶褐和红几种，但常以红色为主。

Rugby　拉格比　英格兰沃里克郡一个城镇和自治市（区）。面积356平方千米。19世纪通铁路后成为铁路枢纽，发展起多种工业，特别是电器生产。拉格比学校是著名的公立学校，1567年建的男童校，1828～1842年在T.阿诺德主持下，办得十分活跃成功，后成为英国公立学校的典范。该校也是英式橄榄球的发源地。是T.休斯小说《汤姆·布朗的学生时代》一书中的场景地。人口：城镇61 106（1991）；自治市约87 800（1998）。

rugby　英式橄榄球　各由13人（职业赛）或15人（业余赛）组成的两队用一只椭圆形球进行比赛的橄榄球运动。它类似足球和美式橄榄球，但是比赛不中断地进行，不许替换队员。队员之间可踢、带或扔球，但不得向前

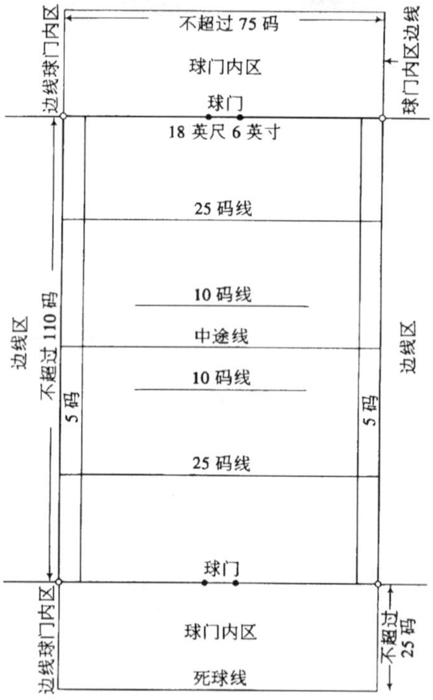

英式橄榄球场地图示

传球；其特点是侧传、抱人截球和密集争球。橄榄球的目的是射门得分，或底线得分，或者在对方球门线后面带球或踢球。橄榄球于1823年起源于英格兰。当时有一名足球运动员带着球跑而不是踢球。这种新式足球被1863年成立的足球协会排除在外，可是它却在中学之间继续盛行。1871年英式橄榄球联合会（现管理英格兰业余橄榄球）成立并把规则标准化，于是橄榄球迅速风靡整个不列颠群岛和英联邦各国。1934年国际业余橄榄球联合会（FIRA）成立，管辖国际间的业余比赛。职业橄榄球运动于1895年组

织起来。当时英格兰北部22个俱乐部从英式橄榄球联合会退出，成立了新组织。该组织从1922年起称作英式橄榄球联盟（RFL）。它主要管职业橄榄球，而英式橄榄球联合会则全属业余性质。两者的比赛规则各有不同。联盟主要在英格兰北部、澳大利亚、新西兰和法国有影响。世界杯赛是职业赛的高级阶段。

Rugby Football League 英式橄榄球联盟 英格兰职业英式橄榄球运动的管理机构，成立于1895年。原名北方英式橄榄球联合会，1922年改现名。总部设在西约克郡利兹，每年出版年鉴。

Rugby Football Union 英式橄榄球联合会 英格兰业余英式橄榄球运动的管理组织，成立于1871年。联合会的主要活动为召开会议，组织国际比赛，培训运动员和工作人员，出版橄榄球运动手册、教练员指南等书刊。总部设在米德尔塞克斯郡特威克纳姆。

Rügen 吕根 德国最大岛屿。位于波罗的海，与施特拉尔松德隔海相望，与本土隔有施特雷拉海峡和博登海峡。行政上为梅克伦堡-西波美拉尼亚州的一部分。岛南北长51

吕根岛的白垩峭壁
供图：ZEFA/Mehlig

千米，东西最宽处40千米，面积926平方千米。海岸线不规则。西岸一般低平，东岸多白垩峭壁，最高点海拔161米。岛上有很多史前文物，包括旧石器时代遗物、新石器时代遗迹以及青铜器时代的许格尔格拉贝尔文化。居民原为日耳曼族，公元前500年左右被斯拉夫族的文德人取代。1168年丹麦占领该岛，1648年归属瑞典，1815年又划归普鲁士。该岛土地肥沃，适于甜菜、燕麦、裸麦和马铃薯生长。主要行业是捕捞鲱鱼和开采白垩土，旅游业也很发达，诸如洛默、宾茨、塞林和劳特巴赫-普特布斯均为旅游胜地。贝尔根为行政中心，萨斯尼茨是深海捕鱼基地，有通往瑞典的渡船。1936年建成长2.4千米的大堤，与本土跨海相连。

Ruggles, Carl 拉格尔斯（1876-03-11，美国马萨诸塞马里恩～1971-10-24，佛蒙特本宁顿） 重要的美国新英格兰作曲家。作品为数很少，以高度不协和、无节拍的旋律线、力度变化幅度大和丰富的色彩为特点。9岁时曾为美国总统克利夫兰演奏小提琴；虽然与C.艾甫斯和E.瓦雷兹等具有影响的革新作曲家过从甚密，但他除在哈佛大学学过一点音乐外，主要靠自学成才。1912年后，在明尼苏达州的威诺纳建立了一支管弦乐队并任指挥达5年之久。他在纽约（1923～1933）的作曲家组织中活动积极，并在佛罗里达教授作曲（1937）。早期作品多被本人销毁，仅以剩余作品获得作曲家的名声。1954年被选入全国艺术和文学学会，1966年在缅因州的鲍登学院举行了一次拉格尔斯音乐节。作品以管弦乐《踩着太阳的人》（1927～1932）最长、最重要。对神秘主义的诗歌情有独钟的拉格尔斯追求的是崇高的、印象主义的效果；这一做法导致某些评论家抨击他的作品，说它们是模糊而不明确的。其他作品有《玩具》（1919，声部与钢琴）、《人和天使》（1920，1939，铜管）、《人与山》（1924，1936，管弦乐队）和其他为管弦乐队与钢琴所作的曲，以及赞美诗《兴高采烈》（1958）。

Ruggles-Brise, Sir Evelyn (John) 拉格尔斯-布赖斯（1857-12-06，英格兰埃塞克斯芬兴菲尔德～1935-08-18，萨里皮斯莱克） 英国监狱管理工作改革者。曾在英国建立并推广博斯塔尔少年感化制度。1895年担任英国监狱管理委员会主任，负责实施格拉德斯通委员会之各项建议，建议提出：凡年龄在16～21岁之间的罪犯，不应与那些年纪较大而不易悔改的罪犯受到同样严厉的惩罚性待遇，而应当在感化院中接受知识及技能训练，感化院由一部分合格的管理人员进行管理。拉格尔斯-布赖斯于1897年访美，考察美国各州感化院制度。回英后，将一群少年犯集中安置在肯特郡博斯塔尔监狱中，1902年开始实施一项改造计划。1908年议会通过议案，建立博斯塔尔制度，允许地方法官可将“博斯塔尔拘役”作为对青少年犯的一种单独刑事处分。1902年拉格尔斯-布赖斯被授予爵士。

Rugi 鲁吉人 日耳曼部落，约公元100年时由挪威西南部迁往波美拉尼亚地区，然后由此移往多瑙河流域。他们曾在阿提拉（卒于453）生前与之结盟，后定居在今天的奥地利境内。488～493年间，鲁吉人参加西奥多里克领导的东哥特军队去攻占意大利。在482年前，鲁吉人即已信奉基督教阿里乌派教义；在487年被意大利国王奥多亚塞在维也纳击溃。残存鲁吉人跟随西奥多里克复仇。但是在东哥特人的国家里，鲁吉人也保持独立，有自己的行政长官，不与哥特人通婚。随着东哥特人国家的倾覆，鲁吉人亦告消亡。

Ruguru（people） 参阅 **Luguru** *卢古鲁人*。

Ruhengeri 鲁亨盖里 卢旺达北部省份。北部与刚果（金）和乌干达接壤。面积680平方英里（1 760平方千米），高度变化很大。中部地区海拔4 900英尺（1 500米），西北部升至8 200英尺（2 497米）以上。大部分为农田和牧场。马铃薯、香蕉、高粱、咖啡、茶叶产量很大。工业有除虫菊加工厂和面粉厂。布莱拉湖和卢杭多湖附近的恩塔鲁卡地方有水电站，年发电量3 000万千瓦小时。有公路通往基加利市、吉塞尼、吉塔拉马等城镇和邻国乌干达。省会鲁亨盖里城有现代化医院和简易机场。人口约766 112（1991）。

Ruhmkorff, Heinrich Daniel 伦可夫（1803-01-15，汉诺威省汉诺威～1877-12-20，巴黎） 德国机械师，伦可夫感应线圈的发明者。这种感应圈产生的火花长度超过30厘米。在德国当过学徒，之后在英国与水压机的发明者J.布拉马一起工作。1855年伦可夫在巴黎开设了自己的车间，以生产优质的电器闻名远近。在这车间里他制作了多种改进的感应圈，包括1851年所发明的一种，这种感应圈获得1858年拿破仑第三颁发的电学应用的最重要发明奖（奖金为50 000法郎）。这种在次级电枢绕组内感生高压电流的伦可夫感应圈，用于盖斯勒管、克鲁克斯管及起爆器件。伦可夫双绕组感应圈后来发展成交流变压器。

Ruhr 鲁尔 德国西部北莱茵-威斯特法伦州河流和主要工业区。鲁尔河是莱茵河下游重要支流。源出温特贝格山北坡，向西流，经埃森和米尔海姆，在杜伊斯堡注入莱茵河。全长235千米。沿河多水坝拦成的湖泊、水库，为鲁尔区供水。以该河命名的鲁尔区是世界最大工业区之一。虽不是严格的行政实体，却有一定的地理范围：西起莱茵河左岸，东到哈姆，南起鲁尔河，北达利珀河；广义讲还包括莱茵河沿岸杜塞尔多夫和哈根之间城市地带。为德国人口最稠密地区。鲁尔煤田是世界最大煤田之一，生产德国烟煤的大部分。钢铁和各种化工业也是当地的基础工业。有广泛的内陆水系和欧洲最密集的铁路网。早在旧石器时代，当地就已出现村落。煤的开采始于中世纪之前。直到19世纪初，克虏伯和蒂森公司开始大规模开采煤和生产钢铁后，才发展成为重要的工业区。该地区的资源和重工业对德国准备发动第二次世界大战确实起了重要的作用。因而大战中成为盟国主要轰炸目标，75%的地区遭到破坏，1/3以上煤矿停产或破坏严重。战后，盟国对鲁尔区的地位和工矿业所有权等问题发生争执。最初建议拆除鲁尔区工业设施和打破经济力量的高度集中，以防止德国军国主义复活和侵略。1947年后政治形势的变化证明这一建议不现实。1949年成立鲁尔区国际管理委员会，1952年代之以欧洲煤钢联营（ECSC）。1954年主权归属德意志联邦共和国，结束了盟军对德国工业的控制，但仍保留欧洲煤钢联营及后来的欧洲经济共同体对该区的一些限制。1946年莱茵兰省和威斯特伐利亚省合并为北莱茵-威斯特法伦州，使鲁尔区工业更加一体化。50年代后西德经济的发展带来了鲁尔区工业的增长和鲁尔企业家的外向投资。

Ruijin 瑞金 中国江西省县级市。位于省境东南边境贡水上游，东与福建省长汀接壤。为武夷山西麓的一个红土层盆地，盆地内低山丘陵连绵。汉为雩都县地。唐天祐元年（904）置瑞金监，五代南唐保大十一年（953）

置县。1931～1934年曾是中国共产党领导的中华苏维埃共和国临时中央政府所在地，有“瑞京”之称。1994撤县设市。由赣州市代管。面积2 448平方千米。农业生产以种植水

瑞金古塔
中国大百科全书出版社供图

稻为主，经济作物主要有烟叶、山药、甘蔗、花生等。林产以杉、松、毛竹及柑橘等为大宗。境内地下资源有煤、钨、石灰石、瓷土、萤石等。工业部门有冶金、建材、机械、化工、造纸、制药、制糖等。所产封严绳、导电索，填补了中国航空制造业的空白。交通以公路为主，是闽赣南部公路交通枢纽，206、319、323国道过境。市区有中华苏维埃共和国临时中央政府旧址和红军烈士纪念塔等。名胜古迹有龙珠塔、龙峰和凤鸣塔。人口610 000(2005)。

Ruisdael, Jacob (Isaakszoon) van 雷斯达尔（1628或1629，荷兰哈勒姆～1682-03-14入葬，阿姆斯特丹） 巴罗克画家，被认为是荷兰最伟大的风景画家。早期作品，例如《沙

雷斯达尔绘《麦田》(约1670)
纽约大都会艺术博物馆供图

丘》(约1647)，反映出他特别喜爱树木。以前的荷兰美术家把树木作为画面点缀，他却以树为主题，并赋予强烈的个性。描绘精细，厚涂颜料，因而树干和叶簇有深度、有性格。他还受到埃弗丁恩作品中瀑布的影响。风景画《本泰伊姆城堡》(1653)的画面开阔，色彩耀眼，构图紧凑。名画《犹太人墓地》(约1660)是其最卓越的作品之一。1656年后作品画面更为广阔，色调愈趋鲜亮。后期作品往往只是展现平坦的荷兰乡村全貌，地平线低远，并为茫茫的云空所笼罩。

Ruiz, José Martínez 鲁伊斯 参阅**Azorín 阿索林**。

Ruiz, Juan 鲁伊斯（约1283，西班牙阿尔卡拉～约1350） 又名伊塔大祭司。西班牙诗人。杰作《真爱诗集》写成于1330年，1343年加以扩展，也许是中世纪西班牙最重要的长诗。它包括12首叙事诗，每首描述一个爱情故事。诗集的名字表明作者要把“真爱”和“肉欲”区分开来。但他在故事里训诫式地高赞精神恋爱的同时，却细致描绘男子企图勾引妇女满足性欲的事。书中还有一篇讽刺性的布道词和其他反教会的讽刺诗和几首情歌。它以讽刺性地反映西班牙中世纪生活面貌著称，生动地描写出下层社会的一些典型人物，包括西班牙文学中最早的滑稽角色之一，鸨母特罗塔康文托斯。

Ruiz, Mount 鲁伊斯雪山 在哥伦比亚中西部，为安第斯山中央山系内的活火山。以1985年11月13日发生的两次有史以来最具毁灭性的爆发而著名。在波哥大以西约130千米，是散布于中央山系的20多个活火山中最北的一座，高达海拔5 400米。虽然鲁伊斯雪山爆发次数不多，但地质证据显示，1595年的一次大爆发危及的范围从哥伦比亚中部往北，直至巴拿马南界。1845年的一次爆发引起泥流洪泛滥，造成1 000人死亡。1985年的灾害前，先在火山颈中生成高黏度的岩浆。两次爆发都发生在山的东北侧。向外喷出的岩浆融解了覆盖在山顶的冰雪。泥、灰及水的混合物以4.5～15米高的洪峰，沿着阿苏弗拉多及拉古尼亚两条河的河道从东侧山坡往下奔流。汹涌的泥流将距火山48千米的拉古尼亚河畔的阿尔梅罗镇几乎全部淹没，估计有25 000人罹难。泥浆也涌入了邻近的瓜利河而造成泛滥。在山的西侧，又一次泥流使克拉鲁河畔的金鸡纳镇上约1 000人罹难。

Ruiz de Alarcón (y Mendoza), Juan 鲁伊斯·德·阿拉尔孔（约1581，墨西哥塔斯科～1639-08-04，马德里） 殖民地时期西班牙籍墨西哥戏剧家。继洛佩·德·维加和蒂尔索·德·莫利纳之后17世纪早期西班牙的主要戏剧家。出身于墨西哥一个富裕家庭，1600年去西班牙，进萨拉曼卡大学学习，约于1602年毕业。随后去墨西哥大学深造，约在1611年定居西班牙，曾在几个政府机构任职。他写剧本更多是出于爱好，曾写过约25个剧本，大多发表在1628年和1634年出版的集子里。所著剧本以卓越的结构，对心理的洞察和伦理的教导而著称。他以马德里生活为题材的喜剧，总是围绕着人们性格中的一种缺陷而展开，如《可疑的真理》研究难以改正的撒谎习惯；《隔墙有耳》描写造谣诽谤；《允诺的证据》攻击知恩不报。

Rukai 鲁凯族 中国台湾土著民族之一。人口约7 800(1993)。语言属南岛语系印度尼西亚语族台湾语支。居住在高雄县茂林乡的鲁凯族属于下三社系统，在历史传承上，似乎与居住在屏东县雾台乡的鲁凯族部落及台东县卑南乡的鲁凯族部落彼此没有关联，虽然三者在风俗上有许多相似之处。鲁凯族与排湾族、卑南族同样是重“长”的社会。因为重“长”，出生次序就影响其社会地位，形成社会阶层：酋长控制资源，贵族有些特权，平民纳税及寻求保护。鲁凯族与排湾、卑南两族相异之处，在于对性别的重视不同。排湾族仅重出生次序而忽视性别；鲁凯族重视长男；卑南族重视长女。由于“长”的区分都以婚姻为单位，从而淡化了三者之间的差异，在决定“长”时父母双方都发挥了作用。同时“长”不

鲁凯族少女
台湾中华书局供图

但对父母重要，而且对同胞也很重要，“长”的义务与权利亦及于同父同母的同胞，而显示出其出生家庭的意义。因为在鲁凯、排湾、卑南族的社会中，只有父母均同的同胞才出生在同一家庭。

Rukai language 鲁凯语 中国台湾省土著民族使用的语言之一。属南岛语系印度尼西亚语族台湾语支。主要分布在阿里山以南、大武山以北的高雄、屏东、台东等县的部分地区。使用人口约6 000。分大南、雾台、大武、茂林、多纳、万山6个方言，方言之间差别较大。鲁凯语(台东县卑南)的语音特点是有21个辅音音位，塞音分清、浊；有卷舌浊塞音和边音；塞擦音不丰富，除p、v外，所有辅音均可出现在词首、词中和词末；有i、e、a、u 4个元音音位；有重音，一般落在多音节词的最末一个音节；有丰富的语音变化现象，如交替、减音、脱落等。多音节词为词汇的主要组成部分。有非常丰富的构词前缀、中缀和后缀。词类有名词、代词、数词、动词、形容词、副词、连词、介词、助词等9类。名词和代词有“格”语法范畴；名词有主格和宾格(属格同形)，代词有单数和复数，各有主格、属格和宾格。指示代词分近指和远指，远指又分看得见与看不见两类。动词有“体”、“时”、“态”、“式”等语法范畴；体分常行、进行和完成3种；时有现在、过去、将来、过去进行、将来进行、过去完成、将来完成等形式；态分主动和被动；式有直陈和命令，均用黏附性词缀的方式表达。助词有格助词和感叹助词两类。句子的基本语序是谓语在前，主语和宾语在后，定语根据不同性质在中心词的前后均可。

Rukeyser, Muriel 鲁凯泽（1913-12-15，纽约市～1980-02-12，纽约市） 美国女诗人。她的诗描写社会问题和政治问题。在大学期间，她写了一些抒发个人感情的诗，投寄《诗歌》杂志。后来，她列席了斯科茨博罗审讯案，并目睹西班牙内战最初的事件，眼界大为开阔，写诗的范围相应扩大。《美国1》(1938)描写了工业高度发达的大西洋沿岸受压迫的

穷人。该书包括《死者篇》,描写死于矽肺的西弗吉尼亚的矿工,被认为是她最佳作品之一。《鲁凯泽诗选》1978 年问世。《美国天才威拉德·吉布斯》(1942)是对这位富于想象力和爱探索的数学家和物理学家作了生动的描述的传记,颇获好评。

rukh(legendary bird)　参阅 **roc** 大鹏。

Rukwa, Lake　鲁夸湖　坦桑尼亚西南部湖泊。面积约 2 600 平方千米。该湖位于坦噶尼喀和尼亚萨两湖之间,海拔约 800 米,平均水深 3 米,湖盆面积达 80 000 平方千米。该湖无出水口,有时完全干涸。1929 年缩小到长约 50 千米,10 年后扩展到长 130 千米,宽 40 千米左右。湖水微咸,西南端附近有盐田。湖中多鱼,有鳄鱼和河马生息。

rules of order　议事规则　参阅 **parliamentary procedure** 议事程序。

Rulfo, Juan (Perez)　鲁尔福(1918-05-16,墨西哥萨尤拉～1986-01-07,墨西哥城)　墨西哥小说家。在拉丁美洲"魔幻现实主义"派小说发展中占有重要地位。在农村长大,目睹了 1926～1929 年克里斯特洛暴动的恐怖。他的富裕庄园主家庭败落后,全家迁往墨西哥城,在一家橡胶公司工作并写电影脚本。他的许多短篇故事最初发表于《面包》杂志中,后来结集为《平原上的烈火》(1953)。作者在这里所创用的内心独白、意识流、倒叙和观点上的变换运用等叙事技巧,为日后拉丁美洲新小说派采纳。《佩德罗·帕拉莫》(1955)以虚构的科马拉地方为背景,描绘了一个沉默寡言的地方政治要人的身心堕落。科马拉实为一个人间地狱。那里居住的死人不断地为他们生前的罪恶所折磨。1933 年以后鲁尔福居住在墨西哥城,后任全国土著居民研究所出版处处长,兼任墨西哥作家中心青年作家顾问。

Rulhière, Claude-Carloman de　吕利耶尔(1734-06-12,法国邦迪～1791-01-30,邦迪)　法国作家和俄国史和波兰史专家,其所著历史主张恢复普法友谊与联盟而不惜牺牲对俄关系。贵族出身。大学毕业后参军,在黎塞留公爵手下当副官。1762 年随法国驻俄国公使去圣彼得堡,时逢彼得三世逝世和叶卡捷琳娜二世登基。1768 年根据个人的仔细记录,写完《1762 年俄国革命史》的第一章。1773 年写完第二章,受到企图禁止该书流行的巴黎俄国人的骚扰。1776 年漫游德、奥等国后撰写《波兰史》(4 卷,1807)。此书虽然评价不高,但作为法国大革命时期未曾销毁的少数可贵资料,颇为重要。除历史著作外,尚著有几本诗集,是文学界知名人士。1787 年成为法兰西学院院士。

Rulin Waishi　《儒林外史》　参阅 **Wu Jingzi** 吴敬梓。

rum　朗姆酒　又译罗姆酒。由甘蔗产品制得的蒸馏酒,通常是制糖过程的副产品,有清淡柔和(古巴或波多黎各型)和厚重浓烈(牙买加型)之分。起源于西印度群岛,在巴巴多斯的文献中第一次提到这种酒(约 1650),曾称为避邪酒(rumbullion),1667 年起简称为朗姆酒。朗姆酒在美洲殖民地的奴隶贸易中很有名:将奴隶从非洲运到西印度群岛交换糖蜜;在新英格兰将糖蜜制成朗姆酒;然后用朗姆酒在非洲交换更多的奴隶。从 18 世纪至 1970 年按定量向英国水手分发朗姆酒。大部分朗姆酒用甘蔗汁中蔗糖结晶后的残余物糖蜜酿制,含糖量约 5%。某些国家进口糖蜜用于生产朗姆酒。低质烈性的塔菲亚酒是用劣等糖蜜与甘蔗的余渣制成,并非真正的朗姆酒。与大多数烈性酒相比,朗姆酒更具有原料的风味。各种朗姆酒的独特风味取决于发酵时的酵母种类、蒸馏方法、陈酿及勾兑条件。深色浓烈的朗姆酒具有强烈的糖蜜味,是历史最悠久的品种。原产牙买加、巴巴多斯及圭亚那的德梅拉拉,这种酒由空气中的酵母孢子引起缓慢的自然发酵,产生出一种浓郁的香气。用简单的蒸馏锅蒸馏两次,无色的蒸馏液在橡木桶中经陈酿转变为金黄色,再添加焦糖使酒色变深。牙买加朗姆酒往往在勾兑后再陈酿 5～7 年,含酒精 43%～49%(容量),相当于 86～98 美国标准度。新英格兰朗姆酒香味强烈、酒精度高,在美国已有 300 多年历史。印尼爪哇生产烈性的巴塔维亚朗姆酒。清淡柔和的朗姆干酒起源于 19 世纪末,主要产地为波多黎各及维尔京群岛,用人工培养的酵母发酵,在新式的连续蒸馏器内蒸馏,勾兑后一般陈酿 1～4 年。白牌朗姆酒色淡味柔,黄牌朗姆酒因长期陈酿并添加焦糖调色,甜味较重,呈琥珀色。纯朗姆酒是生产朗姆酒国家的流行饮料。其他地区常用朗姆酒配制混合饮料,浅色朗姆酒适宜配制鸡尾酒,深色朗姆酒常用来配制高杯饮料。朗姆酒还可用作糕点香料或烟草香料。

Rum Rebellion　朗姆酒叛乱(1808-01-26)　澳大利亚历史上新南威尔士军团军官发动的叛乱,主要由于总督禁止贩卖朗姆酒而引发,故名。新南威尔士总督 W.布莱(1806～1808 任职,原为著名的"邦蒂"号兵变受害者)因指责新南威尔士军团官兵腐败无能而与之结怨。1808 年 1 月布莱以违反港口管理条例而逮捕该军团前军官、该殖民地主要商人 J.麦克阿瑟,成为导火线。1808 年 1 月 26 日,军队冲进总督府,逮捕布莱,接管了总督的权力。直到 1809 年 12 月 L.麦夸里总督到任,1810 年军团调回英格兰,布莱被宣布无罪,叛乱方告平息。但布莱直至 1817 年才敢返回新南威尔士。

Rumantsch language　参阅 **Romansh language** 罗曼什语。

rumba　伦巴舞　又拼 rhumba。舞厅舞的一种。原为古巴黑人民间舞,20 世纪初叶流行于全球。舞蹈者上身挺直,臀部微微左右扭摆,基本步法为每一小节跳三步:向旁两个快步,向前一个慢步。音乐 4/4 拍子,有显著切分音。舞会上的伦巴舞以古巴的嵩舞为基础,后者为力度较小的、喧闹的古巴伦巴舞,常在酒店及类似场所表演。"伦巴"一词偶尔也泛指其他有同样节奏的古巴舞蹈。

C.隆巴尔德和 G.拉夫特在影片《伦巴舞》(1935)中跳伦巴舞的剧照

供图:MCA, Inc.

Rumbek　伦拜克　苏丹城镇和湖泊省省会。海拔 423 米。为木薯、高粱、豆类、谷物和牲畜产区的中心。家庭手工业有制革、锯木、木工等。有公路通往通季,建有国内机场。为伦拜克和莱凯斯区农村委员会所在地。人口19 399(1983)。

Rumelia　鲁梅利亚　原奥斯曼帝国在巴尔干的领地。"鲁梅利亚"意为"罗马人(即拜占廷人)的土地"。14 世纪中期,土耳其人开始征服巴尔干。这片领地被分成大小不等的采邑,由骑兵军官统治;改信伊斯兰教的当地贵族也分享管理权。1864 年设省,先后建立多瑙省(1864)、约阿尼纳省和萨洛尼卡省(1867)。根据《柏林条约》(1878),多瑙省变成在奥斯曼宗主权下的独立国家保加利亚,南保加利亚组成东鲁梅利亚自治省,省府在菲利普波利斯(普罗夫迪夫),西鲁梅利亚分为埃迪尔内、萨洛尼卡和莫纳斯提尔诸省。1885 年保加利亚兼并东鲁梅利亚。根据布加勒斯特条约(1913),莫纳斯提尔割给塞尔维亚,萨洛尼卡割给希腊,只有埃迪尔内仍归奥斯曼人统治。在 15 和 16 世纪,往往从鲁梅利亚征召基督教男青年当兵,他们常在奥斯曼任军政要职;该地也是奥斯曼人伊斯兰文化的一个中心。

Rumford　拉姆福德　美国缅因州西部牛津县城镇。东南距波特兰 121 千米。地处牛津山中,有埃利斯等 3 条河流注入安德罗斯科金河,形成瀑布,极为壮观。18 世纪 70 年代始有人定居。1892 年建镇。现在工业几乎仅限于造纸业。当地有世界最大的造纸厂之一牛津造纸公司造纸厂,该厂即以瀑布为动力。该地以冬季运动闻名。附近有韦布湖、州立青山公园和安多弗地面卫星通信站。面积 178 平方千米。人口6 472(2000)。

Rumford, Sir Benjamin Thompson, Graf von (Count of) **朗福德伯爵** 参阅 **Thompson, Sir Benjamin** 汤普森。

Rumiantsev, Nikolay Petrovich 参阅 **Rumyantsev, Nikolay Petrovich** 鲁勉采夫。

Rumiantsev, Pyotr Aleksandrovich 参阅 **Rumyantsev, Pyotr Aleksandrovich** 鲁勉采夫。

ruminant 反刍动物 偶蹄目反刍亚目动物的统称。包括叉角羚、长颈鹿、獾加狓、鹿、麝鹿、骆驼、羊驼、牛、羚羊、绵羊和山羊。大多数反刍动物的胃有四室,脚具二趾。上门牙退化或缺无。骆驼和麝鹿的胃为三室,并保留四趾。反刍动物进食快,将大量植物储存在胃的第一室(瘤胃)里,使食物软化。休息时把软化了的食物反回口中作进一步咀嚼,进一步分解难以消化的纤维素成分(反刍)。经过咀嚼的食物直接送到其他胃室(网胃、重瓣胃、皱胃),食物在此处借助于生活在胃里的微生物而进一步消化。

rummy 拉米纸牌游戏 纸牌游戏中一大类,由于有五花八门的玩法而成为最有名、最流行的纸牌游戏。基本玩法是形成三四张同点的套牌(如 4 个 8,3 个 6 等),或者形成不少于 3 张的同花顺(如方块 6-5-4-3 等)。17 世纪兴起于欧洲的许多牌戏都包含形成同点或同花顺套牌的内容。中国古代的麻将牌可以说是拉米牌戏的远祖,但是现代拉米牌却自 19 世纪后半叶才流行于墨西哥,称康奎安牌。拉米牌无正式规则,通常打法是:2 ～ 6 人玩,用一副标准的 52 张牌,百搭牌可有可无。K 为最大点,以下顺序为 Q、J、10、9 等,最低点为 A。除个别玩法外,一般不允许 A-K-Q 成顺。从发牌人左手边起按顺时针方向发牌,两人玩时每人发 10 张,三四人玩时每人发 7 张,五六人玩时每人发 6 张,牌面朝下。余下的作底牌,牌面也朝下,但最上一张底牌要翻转,牌面朝上另置,以后打出的牌依次置于其上。玩时,可从底牌或垫牌堆中补牌,然后将已形成的套牌摊在桌上,或者将自己手中一张或更多的牌附入他家已摊开的成套的牌中。最后还要打出一张垫牌。手中的牌都已成套或已将牌附到别人的成套牌时即退出牌局。手中满把牌一下子都成套牌时加倍计分。某一家已达到预定指标(如 100 分)时一盘终了,结算计分。拉米纸牌游戏每盘胜者的得分数是其余各家手中所有牌的总点数。K、Q、J 各计 10 分,A 按事先协议计 1 分或 11 分,百搭牌如用上计 15 分,其余按牌面点数计分。底牌吃完时手中未成套牌点数最低者胜。

Rumoi 留萌 日本北海道西北部城市。位于留萌河口,濒临日本海。当地天然港曾为渔业中心,直至第二次世界大战后沿海鲱鱼绝迹。现转运内地所产木材和煤炭。人口 35 542(1985)。

Rumor, Mariano 鲁莫尔(1915-06-16,意大利维琴察～ 1990-01-22,维琴察) 意大利天主教民主党领袖,1968 ～ 1974 年多次出任政府总理。在帕多瓦大学毕业后,鲁莫尔当过教师。第二次世界大战期间,以军官身份在炮兵服役。1943 年参加游击队,同法西斯分子及德国军队作战。1945 年加入天主教民主党,一年后被维罗纳区推举为代表,参加负责制定新共和宪法的立宪会议。1948 年进入议会。在 A.德·加斯贝利和 G.佩拉两届政府中担任农业部副部长后,于 1954 年当选为天主教民主党副书记。1959 ～ 1963 年,他接连在 A.塞尼、F.塔姆布罗尼和 A.范范尼各届政府中出任农业部长,而他的名字总与在意大利发展农业的所谓“绿色计划”联在一起。在上阿迪杰(南蒂罗尔)恐怖主义猖獗及发生死亡超过 1 500 人的瓦伊翁特水坝惨剧的困难时期,他曾于 1963 ～ 1964 年在利昂纳手下当过 5 个月的内政部长。后当选为党的总书记和政治书记,于 1968 年第一次出任总理,起初仅得到天主教民主党一个党的支持,后来又得到中间偏左联盟的各党派支持。鲁莫尔于 1968 ～ 1974 年之间曾在 5 届政府出任意大利总理,他必须应付当时在意大利日益上升的经济危机和工人骚乱以及政治极端主义。1974 ～ 1976 年任外交部长。

Rump Parliament 残余议会 指英国共和时期,1648 年驱逐叛军所不接受的 121 名议员以后的**长期议会(Long Parliament)**。

Rumyantsev, Nikolay Petrovich, Graf (Count) **鲁勉采夫**(1754-04-14～1826-01-15,俄国圣彼得堡) Rumyantsev 又拼 Rumiantsev。俄国政治家和外交家,同时也是藏书家、历史研究和地理探险的赞助者。收藏他的藏书、珍贵手稿和地图的圣彼得堡鲁勉采夫博物馆成为现今列宁图书馆的基础。陆军元帅彼得·亚力山大罗维奇·鲁勉采夫之子。在保罗一世统治时期任枢密官。在亚力山大一世统治时期任水运长官、商业大臣和国务会议主席。在外交方面,他曾任俄国派往莱茵巴拉丁选侯和派往德意志国会的特使。1808 年任外交大臣,曾争取与法国建立友好关系。但是,拿破仑入侵俄国的消息使他惊患中风,失去听觉。1814 年引退。

Rumyantsev, Pyotr Aleksandrovich, Count (Graf) Zadunaysky **鲁勉采夫**(1725-01-15,俄罗斯莫斯科～ 1796-12-19,塔尚) Rumyantsev 又拼 Rumiantsev。俄国陆军将领,在对抗普鲁士的七年战争(1756～1763)中和俄土战争

供图:Novosti Press Agency

(1768 ～ 1774)中战功卓著。在七年战争中,1757 年参加格罗斯耶格斯多夫战役,1759 年参加库奈斯多夫战役,1761 年攻克港口城市和要塞科尔贝格。在俄土战争中,1770 年在摩尔达维亚对拉尔加河和卡古拉河一带的强大敌军取得决定性的胜利。后又渡过多瑙河,长驱直入保加利亚,赢得科兹鲁扎战役(1774)的胜利,迫使土耳其求和。1775 年晋升陆军元帅,后受封伯爵。

Run-D.M.C. Run-D.M.C.乐队 使嘻哈乐进入音乐和文化主流的美国说唱乐队。1982 年成立于纽约昆斯区以中产阶级非洲裔美国人为主的霍利斯。1983 年推出的上榜单曲《就像那样》,以简洁有力的节奏配合重叠的歌唱。其后迅速走红,究其原因,除了独特的嗓音之外,还得益于服饰的选择:圆顶礼帽、黑皮茄克、没有带子的运动鞋和黑色的粗斜纹裤。这种随便的服饰后来成为当时说唱乐队通常的舞台着装,也成为市区赶时髦少年喜爱的打扮。他们以同名专辑成为第一个获得金唱片奖的说唱乐手,也是第一个在音乐电视上演出的说唱乐队。他们那些融合硬核嬉哈与尖声吉他独奏的《摇滚盒》(1984)和《走这条路》(1986)等歌曲,通过电视的有线频道在大量白人听众中深受欢迎。其他热门歌曲还有《摇滚王》(1985)、《我的阿迪达斯》(1986)和《狡猾》(1987)。20 世纪 90 年代,乐队虽然没有正式解散,但新唱片及演唱会的数量都大为减少。2002 年一个乐队成员在录音棚遭枪击毙命。

runabout (vehicle) 参阅 **bike wagon** 轻轮马车。

Runcie, Robert 伦西(1921-10-02,英国利物浦～ 2000-07-11,圣奥尔本斯) 全名 Robert Alexander Kennedy Runcie, Baron Runcie of Cuddesdon。坎特伯雷大主教、世界安立甘宗名义首脑(1980 ～ 1991)。伦西先就学于苏格兰地方议会所立学校和克罗斯比的麦钱特·泰勒斯公学,后入牛津大学布拉塞诺斯学院,入学一年后因第二次世界大战爆发而辍学,在苏格兰卫队任坦克士官。战后返牛津大学,获甲级荣誉学位,1951 年受按立为牧师。历任多项职务,主要是学术性职务,1970 年任圣奥尔本斯主教。曾任安立甘宗-东正教联合教义委员会联合主席(1973 ～ 1980)。著作有《圣灵的季节》(1983)、《一个世界,一个光明》(1988)和《我们所寻求的合一》(1989)。伦西于 1991 年被授予终身贵族称号。

Runcorn 朗科恩 英格兰柴郡历史郡霍尔顿单一政区城镇。位于默西河南岸 24 千米。工业以化工为主。成立该新城镇主要是为了接纳利物浦和曼彻斯特等都市区的过剩人口。与威德尼斯有铁路和公路桥相通。人口 64 154(1991)。

Runcorn, Stanley Keith 朗科恩(1922-11-19,英国兰开夏绍斯波特～ 1995-12-05,美国加利福尼亚圣迭戈) 英国地球物理学家。他对古地磁学的开创性研究提供了支持大陆

漂移的早期证据。就读于剑桥大学(1944 年获文学士,1948 年获文学硕士)和曼彻斯特大学(1949 年获哲学博士)。1950 ～ 1955 年在剑桥任地球物理研究主任助理;1956 ～ 1988 年在国王学院任物理学教授和物理学系主任,该学院原为达勒姆大学的一部分,1963 年成为诺森伯兰泰森河畔的纽卡斯尔大学。20 世纪 40 年代末和 50 年代参与建立了古地磁学领域,即对古岩石中明显存在的剩余磁化强度的研究。这种岩石保存了它们形成当时地球磁场方向的化石遗迹。朗科恩对欧洲岩石的分析所提供的证据说明,在地质时期中地球磁场有周期性的倒转(地磁极倒转)。另外,他的资料还表明,在亿万年间,地球的磁北极有大幅度游移。朗科恩最初的解释是地球的地理极本身移动了,但是这与美洲岩石所给出的证据相矛盾:美洲岩石与欧洲岩石所表明的磁极移动不同。不过如果假设欧、美两大陆从前连在一起,后来才漂离到它们现在的位置,则欧、美两洲岩石的磁曲线可以协调起来。在这一结果的影响下,朗科恩成为大陆漂移理论的早期倡议者,他和另一些研究人员所得到的古地磁数据最终提供了一些最强有力的证据支持这一理论。

Rundstedt, Gerd von　伦德施泰特(1875-12-12,普鲁士马格德堡附近阿舍斯莱本[今在德国]～ 1953-02-24,德国汉诺威)　德国陆军元帅。第二次世界大战期间希特勒麾下最能干的军事将领,曾在东、西两线指挥德军作战,在 1940 年打败法国以及 1944 年在西线扼制盟军攻势中起到主要作用。1893 年起任陆军军官,第一次世界大战期间任军参谋长,并协助土耳其重建其总参谋部。战后,他继续留

供图:Ullstein, Berlin

在军中,在希特勒上台前后,他积极参加重新武装德国的工作。1938 年以陆军高级指挥官的资格退役。第二次世界大战爆发时,他又重返军界参加波兰战役,负责指挥一个集团军群。1940 年参加西线击败法军的战役,指挥 B 集团军群突破法军防线,决定了法国的失败命运。但因下令德军装甲部队停止前进,使英军得以从敦刻尔克撤退而受到指责。在德军进攻苏联期间(1941-06-22 开始),他指挥南翼部队。因孤军深入,经苏军反攻之后撤退,被希特勒解职。1942 年 7 月东山再起,担任西线总司令,并负责在法国构筑防线抵御盟军进攻。1944 年因未能阻止英美联军登陆,于 7 月去职,但 9 月又指挥阿登攻势(突围之役),把盟军的进军时间表打乱达数月之久。他拒绝参加暗杀希特勒的阴谋。1945 年 3 月他第三次被解除军职,5 月被美军俘获,但以健康状况不佳而获释。即使是伦德施泰特的对手也承认他杰出的军事天才。艾森豪威尔将军称他为第二次世界大战中德国最有才能的将领。

Rundu　伦杜　纳米比亚东北端市镇,位于奥卡万戈河南岸。此河以北属安哥拉,以南属纳米比亚,是两国间的界河。伦杜是卡万戈区的主要居民点,此区构成纳米比亚东北部,并以当地的卡万戈民族而得名。伦杜是周围地区的服务中心,有一家医院。周围地区养牛。人口约15 000(1990)。

Runeberg, Johan Ludvig　鲁内贝里(1804-02-05,瑞典属芬兰雅各布斯塔德[今芬兰皮耶塔尔萨里]～ 1877-05-06,俄属芬兰博尔戈[今芬兰波尔沃])　通常被认为是芬兰最伟

供图:Studio Littre

大的诗人。他的作品表达了芬兰人的爱国精神,由于作品用瑞典文写成,故对瑞典文学产生巨大影响。他在奥布(图尔库)大学学习时,受到浪漫民族主义的影响。他深居芬兰内地乡村,听到一些关于芬兰过去可歌可泣的传说,他用这些传说作题材,写出他最好的作品。1830 年回到大学,1831 年任拉丁语言和文学讲师。同年他描写芬兰生活的诗体传奇《在佩尔霍的坟墓》获瑞典科学院金质奖章。1837 年他迁到博尔戈,任古典文学讲师直到 1857 年。在他生命最后的 13 年里,因局部瘫痪不能写作。1830 年,他的第一本诗集风格清新,气势磅礴,表达了对芬兰农民的同情。他的两本叙事诗《麋鹿猎者》(1832)和《汉娜》(1836)在瑞典文学中为他赢得仅次于泰格奈尔的声誉。1844 年他发表了《孔·弗亚拉尔》。他的《军旗手斯托尔的故事》(两辑,1848、1860)是爱国诗篇,写一个老兵追叙 1808 年独立战争中的经历,获得读者的交口赞赏。其中第一篇《我们的国土》为芬兰国歌。鲁内贝里的作品意境高尚,诗风纯正,说明他受到古典文学及歌德的影响。他的诗作独特之处在于他善于把这种古典主义与浪漫主义感情结合起来,以及说明他对农民生活及性格的理解所持的现实主义态度。

Runge, Friedlieb Ferdinand　龙格(1795-02-08,汉堡[德国]～ 1867-03-25,普鲁士奥拉宁堡[德国])　德国化学家,被推崇为得到广泛应用的纸色谱分析技术的创始人。龙格 1819 年取得耶拿大学的医学学位,1822 年取得柏林大学的化学博士学位。他先任布雷斯劳大学(今波兰弗罗茨瓦夫大学)教授,1831 年在奥拉宁堡的一个化工厂任化学师。他在研究合成染料的过程中,分离出并命名了煤焦油的若干重要成分,其中有石炭酸(现称苯酚)、吡咯、玫红酸(金精)和苯胺。但是,他未分析这些化合物。龙格在 1850 年出版的两本书中描述了他应用纸色谱法的开拓性工作。

Rungu(people)　参阅 **Tabwa 塔布瓦人**。

runic alphabet　如尼字母　又称富托克字母,是北欧、英国、斯堪的纳维亚和冰岛各日耳曼民族的文字体系,其起源不明,通用于约公元 3 世纪至 16 或 17 世纪。如尼文字在文字发展史中出现较晚,它显然是由地中海地区诸字母中的一种派生而来。由其角形字母形式以及早期铭文一如最古老字母之自右向左书写,约可推定如尼文字属于一种比较古老的文字体系。学者们曾试图论证:如尼字母在公元前 6 世纪至公元前 5 世纪之间由希腊字母或拉丁字母派生而来,其大写体及草写体均如此。比较可信的说法是,如尼字母为哥特人所创,由埃特鲁斯坎字母发展而成,并可能在公元前 2 世纪至公元前 1 世纪之间受过拉丁字母的影响。在内高和马利亚萨勒堡出土的两块用埃特鲁斯坎文字书写的日耳曼语的碑铭(分别属于公元前 2 和前 1 世纪)对如尼文字源于埃特鲁斯坎字母的理论给予有力证明。如尼字母至少有三种主要类型:早期如尼字母或共同日耳曼如尼(条顿)字母,约公元 800 年前用于欧洲北部;盎格鲁-撒克逊如尼字母或盎格鲁如尼字母,公元 5 或 6 世纪至公元 12 世纪使用于英国;北欧如尼字母或斯堪的纳维亚如尼字母,公元 8 ～ 12 或 13 世纪通用于斯堪的纳维亚半岛和冰岛。12 世纪后如尼字母主要通行于斯堪的纳维亚半岛,直至 16 或 17 世纪。共同日耳曼如尼文字有 24 个字母,共分为 3 组,每组 8 个,前 6 个字母发音分别为 *f*, *u*, *th*, *a*, *r* 和 *k*,富托克字母表这一名称即由此而来。盎格鲁-撒克逊如尼字母在富托克字母的基础上有所增加,以表示古英语所独有的一些语音,共有 28 个字母,到公元 900 年后增至 33 个字母;此外,其字母的外形亦稍有不同。斯堪的纳维亚诸语言的语音甚至比古英语还多,但是北欧如尼字母的使用者们不是在富托克字母之外另增字母以表示特有的语音,而是增加字母的音值,即用同一字母来代表更多的音,例如用同一个字母代表 *k* 和 *g*,同一个字母代表 *a*、*æ* 和 *o*。结果富托克字母减少至 16 个。如尼字母的另外一些类型是**海尔辛兰如尼文字(Hälsinge Runes)**、曼克斯如尼文字和斯顿纳如尼文字或圆点如尼文字,都是北欧如尼文字的变体。有 4 000 多件古代如尼文字铭文和一些手稿流传至今,约2 500块来自瑞典,其余的来自挪威、丹麦和石勒苏益格、英国、冰岛、不列颠及斯堪的纳维亚沿岸各岛屿以及欧洲其他国家如法国、德国、前苏联。

Runjit Singh(Sikh maharaja)　参阅 **Ranjit Singh 兰季特·辛格**。

running 赛跑 几乎世世代代所有地方都是最普遍的一种体育运动。现代竞技赛跑从要求持续高速的短跑到要求巨大耐力的长跑与马拉松，种类甚多。参阅 **athletics; cross-country; hurdling; long-distance running; marathon; middle-distance running; relay race; sprint; steeplechase**。关于各赛跑项目的比赛结果和纪录，参阅 **Sporting Record**: Track-and-Field sports。关于竞走，参阅 **walking**。跑步也是一种流行的非竞赛性娱乐活动，对身体能产生重要的益处。参阅 **jogging**。

running-dog pattern 波形涡卷纹 古典建筑中，类似波浪形的连续涡卷纹样，涡卷纹样可以朝上或朝下，可以阳刻、阴刻或绘在平面上，常用于檐壁上。有时称为维特鲁威涡卷饰，或称为波形线脚。波形涡卷之内尚可加以其他图形。多用于古典建筑、文艺复兴式建筑的组合柱式中。常用强烈的黑白对比的颜色，有时还作家具和小日用品的装饰。

A.帕拉弟奥设计的意大利马赛尔市巴尔巴罗别墅中装饰线（顶部）上的波形涡卷纹

供图：© Richard Bryant/Arcaid

Runnymede 兰尼米德 英格兰萨里行政、历史郡西北部一个区和自治市。在伦敦的西面，临泰晤士河。面积78平方千米。大部为乡村。有温莎大公园之一部和河畔的兰尼米德草地。该草地现为国家托管会的财产。有纪念第二次世界大战阵亡飞行员的纪念碑和美国总统肯尼迪的纪念碑，后者于 1965 年揭幕。人口约 76 400(1998)。

兰尼米德市的大宪章签署纪念碑

供图：Jean Moss

runoff 径流量 在水文学中，指地表水流的流量。径流不仅包括地面上流动的水以及通过槽道而进入河流的水，而且包括层间流，也就是渗入土壤表面后靠重力流向河道（这河道总是在主要地下水面之上）并最终汇入河道的水，还包括流入河道的地下水。完全由地下水构成的水流叫做基本径流，或叫做晴天径流，当河道切过地下水位时就出现这种径流。总径流量等于总降水量减去蒸发损失（由土壤表面和植物叶面损失到大气圈中的）、蓄水量（如暂时性水塘中的）以及其他这样的退流。径流量分布见表。

径流量的分布

大陆和岛屿	河水径流		
	层厚*（毫米）	体积（立方千米）	占总数（%）
欧洲	299	2 920	7.05
亚洲	259	10 560	25.4
北美洲	296	5 950	14.3
南美洲	534	9 420	22.7
非洲	148	4 360	10.5
澳大利亚	42	320	0.8
南极洲	80	1 060	2.6
岛屿群		6 930	16.7
总体	281	41 500	100.0

* 表示每个特指的陆地面积会被所列的水体积覆盖的深度（例如欧洲的面积就会被2 920立方千米体积的水覆盖达 299 毫米深）

Runyon, (Alfred) Damon 鲁尼恩（1884-10-04，美国堪萨斯曼哈顿～1946-12-10，纽约州纽约） 美国记者、短篇小说家。以用地方俚语写成的《少男少女》著称，该书亦成为他的标志。14 岁时参加美军，美西战争期间被派到菲律宾。战后，他给西部一些报纸撰稿，历时 10 年。虽然作为政治和特写记者已经成名，但他更热爱运动。1911 年移居纽约市，成为《纽约美国人》的记者。他报道纽约各棒球俱乐部及其他各项运动赛事多年，并同时形成了他的风格；着重于人的兴趣而不是精确地报道事实。他开始写关于百老汇的一个具有特色的侧面的故事，后来这些故事被收入《少男少女》(1931)。这部作品用当地习语的夸张形式刻画了一个特定阶层的人物——赌徒、推销商、拳击经纪人、赛马赌博经纪人和其他街上的常客，代表了他的风格。30 年代，他开始写专栏文章。他受欢迎的特写专栏《我的看法》由报业辛迪加发给赫斯特系各报转载。30 年代，他声名鼎盛，成为纽约最多产的和高收入的作家之一。

Ruo River 鲁奥河 马拉维和莫桑比克南部的希雷河最大支流。发源于姆兰杰山脉坡地上。南流至姆兰杰镇折向西南，形成马拉维和莫桑比克之间 130 千米长边界，在奇罗莫注入希雷河。流域面积 4 900 平方千米。有时发洪水。

rūpa-loka 色界 又作 rūpa-dhātu。佛教所列世俗世界三界之一，即有形质（质碍）之域。参阅 **arūpa-loka**。

Rupat Island 鲁帕岛 印尼语作 Pulau Rupat（又拼 Roepat）。印度尼西亚廖内省的马六甲海峡岛屿。位于苏门答腊岛东岸外，在 3 英里（5 千米）宽的海峡的另一侧，与马来西亚的马六甲遥遥相对。地势低洼，土质湿软。岛为圆形，直径约 30 英里。气候炎热而潮湿，雨量充沛，几乎全年下雨。人口稀少。由于无法控制季节性泛滥，实际上不能耕作。可居住地区局限于低洼而干燥的沿海地带。唯一的重要居民区是西南海岸的巴都潘姜。

rupee 卢比 16世纪穆斯林印度的货币单位，现印度、巴基斯坦和斯里兰卡仍用它作货币单位。在印度和巴基斯坦 1 卢比等于 100 派沙；在斯里兰卡 1 卢比等于 100 分。1671 年英国东印度公司按当地货币形式铸造硬币，沿称卢比；而卢比的价值却因地而异，直至 1835 年，卢比才按法律规定统一铸造。印度独立后，沿用卢比，并于 1955 年实行十进位制。巴基斯坦于 1948 年开始建立其独立货币，并于 1961 年采用十进制。锡兰（现为斯里兰卡）以印度卢比为基础，于 1872 年采用十进制货币，1949 年采取独立币制。

Rupelian Stage 鲁珀尔阶 又称吕珀尔阶。鲁珀尔期（3 660万年前至 3 000 万年前）全世界范围内沉积的所有岩层。鲁珀尔阶比渐新统的两个阶要早，它构成下渐新统。它的阶名来源于比利时斯海尔德河的一条支流鲁珀尔河沿岸研究过的露头。这个区域以前是作为本阶的典型地区。鲁珀尔阶的基底之全球性层型剖面和层型点（GSSP）现在建立在意大利的马尔基贾诺盆地。作为这个阶标准化石的有孔虫包括 *Pseudohastigerina micra* 和 *Cassigerinella chipolensis*。放射虫和钙质超微化石的某些种也用来对比各不同地点这个阶的存在。鲁珀尔阶为夏特阶所覆盖。

Rupert 鲁佩特（1352-05-05，莱茵巴拉丁领地安贝格～1410-05-18，莱茵巴拉丁领地奥彭海姆） 1400 年起为德意志国王（称鲁佩特三世），1398 年起为莱茵巴拉丁选侯。维特尔斯巴赫王族成员，1400 年 8 月 22 日被德意志教会选侯择为德意志国王以接替日前被废黜的文策斯劳斯。1401 年 1 月 6 日在科隆加冕，然后赴意大利，希望得到教皇卜尼法斯九世的加冕。他与佛罗伦萨城结盟，进攻米兰公爵维斯孔蒂。1401 年 10 月 14 日在布雷西亚城外被击败，返回德意志。1403 年 10 月 1 日终于得到教皇的承认。

Rupert, Prince 鲁珀特亲王（1619-12-17，布拉格～1682-11-29，伦敦） 英国内战时期最有才能的保王派指挥官。胆略过人。在战争初期取得多次胜利，但他的军队最后被纪律严明的议会军战胜。父为巴拉丁选侯兼波希米亚国王腓特烈五世，母为英王詹姆斯一世之女伊丽莎白·斯图亚特。他在尼德兰联省共和国长大。1636年去英格兰,深受舅父查理一世的喜爱。三十年战争期间,他曾与神圣罗马帝国的军队作战,但在威悉河畔被俘,

伦敦国立肖像画陈列馆供图

囚禁于奥地利3年。获释后立即去英格兰。1642年参加查理一世的军队,23岁时任骑兵司令。在1643年和1644年初保王军的进攻中,他取得一系列辉煌的胜利:1643年7月攻克布里斯托尔,1644年2月解纽瓦克之围,6月占领兰开夏大部地区。但7月2日在马斯顿荒原遭O.克伦威尔重挫。1644年1月被封为坎伯兰公爵和霍尔德内斯伯爵,11月任保王军总司令。1645年5月攻克莱斯特,但6月14日在北安普敦郡内斯比受到严重打击。9月弃守布里斯托尔,立即被查理一世撤去司令职务。1646年7月国王向苏格兰人投降,鲁珀特被议会逐出英格兰。1648年任保王军舰队司令。他被议会军舰队司令布莱克赶入地中海。1651～1652年他在亚速尔群岛和西印度群岛进行海盗活动。1653年回到法国。1660年王政复辟后,查理二世任命他为枢密官。在第2和第3次荷兰战争中指挥海军。晚年对科学试验发生兴趣,并将网线金属版印刷术介绍到英格兰。

Rupert House(Canada) **鲁珀特豪斯** 参阅 **Fort-Rupert** 鲁珀特堡。

Rupert River **鲁珀特河** 加拿大魁北克省西部河流。源出魁北克省中部的米斯塔西尼湖,大致向西流,经过一系列湖泊,注入鲁珀特湾。全长610千米。

Rupert's Land **鲁珀特兰德** 又称鲁珀特王子地。加拿大北部和西部的一个历史地区,指英王查理二世1670年授予哈得孙湾公司的领地,包括整个哈得孙湾流域。查理二世的堂兄弟鲁珀特王子为该公司第一任总督,故以其名命名。1869年成为加拿大自治领的一部分。

rupiah **卢比** 印度尼西亚货币单位。印度尼西亚共和国中央银行是唯一有权在印尼发行纸币和铸币的银行。铸币面值由25～1 000卢比不等。流通的纸币面值由100～100 000卢比不等。纸币正面一般印有该国历史上的重要人物肖像,如塔曼西斯哇(意为“学生的花园”)学校系统创始人得万托罗(20 000卢比纸币),20世纪初反抗荷兰殖民主义的迪恩(10 000卢比纸币),和19世纪头10年在马六甲领导起义反抗荷兰人的马图勒斯(1 000卢比纸币)。背面印有各种图像,包括印尼风景、传统活动(如纺织)或学校教室。1949年卢比成为印尼法定货币,用以取代印尼荷属东印度盾。由于20世纪50年代货币贬值严重,1965年又发行新卢比,每1 000老卢比可兑换1新卢比。

Rūpnagar(India) **鲁布讷加尔** 参阅 **Ropar** 罗巴尔。

Rūpnārāyan River **鲁布纳拉扬河** 印度东北部西孟加拉邦河流。上游称托莱索里河,源出布鲁利亚东北面的焦达纳格布尔高原山麓。该河向东南流经布德万县,至班古拉称达尔盖索尔河,在卡达尔镇附近接纳锡莱河,以后称鲁布纳拉扬河;最后注入胡格利河。全长240千米。鲁布纳拉扬河过去为恒河出水口之一,有灌溉之利。它全段受海潮影响,使胡格利河沙洲淤塞,对航行构成危险。

Rupp, Adolph (Frederick) **鲁普**(1901-09-02,美国堪萨斯霍尔斯特德～1977-12-10,肯塔基列克星敦) 美国大学篮球队教练。他所训练的球队共胜879场,获胜率0.821。在艾奥瓦州和伊利诺伊州任中学篮球教练5年,后任肯塔基大学教练直至1972年退休。在其任教练期间,肯塔基大学获24次东南联合会冠军和4次全国大学生体育协会冠军(1948～1949、1951、1958)。参与培训美国奥林匹克队,该队在1948年奥运会上获金牌。鲁普言语坦率,约束队员甚严,强调固定进攻法和人盯人防守。1961年任全国大学生体育协会规则委员会委员。从教练职务退下来后,任美国篮协孟菲斯塔姆斯队主席。1969年入选美国篮球名人堂。

Rüppell, (Wilhelm Peter) Eduard (Simon) **吕佩尔**(1794-11-20,美因河畔法兰克福[德国]～1884-12-10,美因河畔法兰克福) 德国博物学家和东北非探险家,曾收集动物学和人种学标本,带回欧洲。初于1817年前往非洲,沿尼罗河上行至第一瀑布。1822～1827年从努比亚沙漠向南进入苏丹中部的科尔多凡,穿越苏丹。1830～1834年从东到西跨越埃塞俄比亚,经阿杜瓦废墟到塔纳湖,首次绘制该地的地图。归来时在当时的埃塞俄比亚首都贡德尔逗留,整理所收集的标本,并汇编一本古埃塞俄比亚手稿的选集。

rural electrification **农村电气化** 美国在1926～1950年间农村电气化管理局(REA)执行的规划,目的是提高农村生活水平,减缓美国大批农村居民向城市流入的速度;根据该计划,向98%以上的美国农场供了电。农村电气化管理局是实施新政期间于1935年建立的联邦机构。为了在农村地区修建发电厂和架设电线,REA向农场合作组织提供了低息贷款。农村电气化给人口密度低的农村地区带来了原来仅见于城市的现代化设备(如电灯和收音机),并使许多农场作业能实行自动化。农村电气化确实为缩小城乡生活的差距作出了贡献,但未能制止农场工人进入城市。技术革新的实际作用,提高了每人每小时工作的生产率,并用自动化和机械化代替了手工劳动。

Rural Free Delivery(RFD) **农村免费投递** 美国在1896年开始将邮件直接送到农家的邮递服务。在此之前农村居民必须自己到邮局去取邮件,或者付费由私营捷邮公司投递。1863年城市实行免费投递后,全国农业保护者协会花了20多年的时间激烈辩论农村免费投递问题。佐治亚州国会议员T.E.沃森于1893年力促通过建立农村免费投递制度的立法。店主们担心邮购销售的竞争,设法阻止开通邮路,直至1896年10月西弗吉尼亚才开辟5条骑马送信的邮路。此后农村投递迅速发展起来。邮政局官员于1898年宣布,任何地区的农民只要向他们的国会议员提出请求,都可享受免费投递。到1905年邮局已开辟了3.2万条农村免费投递路线。1913年又扩大到包裹邮递,邮购商因此利润大增;亿万农村家庭不再与世隔绝,现代观念和风尚从此遍及农村。

rural society **农村社会** 人口相对开垦土地的比率低、最重要的经济活动为生产食物、纤维和原料的社会。这样的地区难以确切地界定。虽然在非工业化国家从城市到农村的过渡通常十分明显,但在工业化社会里这种过渡是逐渐的,因此很难精确地确定农村地区的范围。与之相关的第二个问题是,世界各国政府对农村人口和城市人口所用的统计标准不一样;例如,在日本,少于3万人的聚居人群被认为是农村人口,而在阿尔巴尼亚,居民超过400人的群体被认为是城市人口。

在过去,典型的农村社会以从事耕作为生活方式。这种人群并不重视目标或成绩,其成员不图剩余,只求维持生计。农业社会的特点是崇尚亲情和传统价值观,常是由亲属关系习惯和礼规来进行管理,特别是肥沃土地的所有权和照管受到传统的严格保护。这些特征总起来往往被称做礼俗社会,这种说法是德国社会学家F.特尼斯提出的。特尼斯用法理社会一词描述与此相反的城市生活的性质,法理社会是一种以不受个人感情影响的行政机制、合理的专业化和机械化为特征的状态。法理社会通常与现代工业相联系,人们受雇来合理而有效地履行特定的、有目标的职责,这与传统的接近自然的生活方式恰恰相反。农村居民与他们熟悉的人一起劳动,习惯于小范围与亲密的关系,而城市居住者互相了解的面很狭窄,与家庭和友谊并无多少关系。特尼斯及其后的社会学家认为,所有的社会都是法理社会和礼俗社会的混合体;美国连农业都几乎完全机械化了,接近社会类型排列中法理社会之一端,而农业为主的印度仍严重地受传统引导,是礼俗社会的标本。

在历史上,农业社会比城市社会的出生率高;其人口也往往较年轻,生活在较大的家庭里,男性的百分比略大。这些现象是互相关联的:子女多,特别是男性多,对农民有利;男性年幼时可以在地里劳动,长大后可以赡

养父母。但是，通常孩子长大后不是所有人有足够的肥沃土地供养自己的家，于是有些人便移居城里。正是这样，城市一向吸收农村的过多人口。随着20世纪医疗条件的改善，婴儿死亡率下降，存活的子女越来越多，移居城市的人数膨胀起来。

在工业化国家，农村人口有时实际上在下降，例如1970年美国从业人员中只有6.7%从事农、渔和林业。结果是全球性的城市化进程加快，而这又在许多城市中心造成大片贫民窟。为制止或扭转这一进程，农业发展专家们提出了提高生产率而不使大批农业劳动者离开土地的办法。他们的建议包括改进土壤技术和改变灌溉、种子储备和排水；他们建议不要进一步大规模机械化。发达国家习惯把自己的农业经验应用于最终未必受益的某些情况，现在人们逐渐相信每个地区都应发展适合自己的技术。

Rurales　乡警　墨西哥总统胡亚雷斯为了打击威胁墨西哥全境的旅行和商业的盗匪活动，在1861年5月6日组成的乡村警察部队，负责巡逻公路和铁路，支援军队，保护水上运输货物和金银，在地方选举时维持治安。在迪亚斯总统时期（1876～1911），乡警职权更加扩大：监禁囚犯，保卫公共建筑，镇压反对派，担任禁卫军的任务。到迪亚斯统治末期，乡警的数目约为2 700人。1914年解散。1926年建立了一支新的乡村警卫队，它是由20世纪20年代为了地方自卫发展起来的一些志愿队伍组成的。这支警卫队现在仍然作为陆军的后备队存在，队员不领薪水，但在国家有紧急状况时必须应召入伍。这支乡警在1975年时的人数是12万。到21世纪初，仅剩不到1.5万。

Rurik　留里克　（？～约879）　又拼Rorik或Hrorekr。俄语作Ryurik。基辅罗斯留里克王朝的半神话式创立者。留里克是斯堪的纳维亚或瓦兰吉亚王公。在俄国12世纪的编年史中有记载，但现代史学者不接受那些说法。据传诺夫哥罗德人民厌烦混乱的政治局面，862年请瓦兰吉亚人前去建立一个稳定的政府。于是留里克带领两个兄弟和大批扈从到达诺夫哥罗德，成为该城及其周围地区的统治者。有些历史学家则认为留里克来自斯堪的纳维亚半岛或日德兰（丹麦），他先夺得拉多加城，建立据点（约855），然后沿沃尔霍夫河南下，攻占诺夫哥罗德。另一种可能是留里克及其雇佣军被雇来守卫沃尔霍夫-第聂伯水道，后来他们转而反对其雇主。留里克同族人奥列格创建基辅大公国。奥列格的继承人伊戈尔，据说是留里克的儿子，被认为是俄国王室的真正创建者。

Rurik DYNASTY　**留里克王朝**　基辅罗斯和后来莫斯科大公国的王族，据传为瓦兰吉亚王公留里克的后裔，留里克受诺夫哥罗德人之邀治理该城（约862）。留里克王朝对基辅罗斯和后来的莫斯科大公国的统治一直持续到1598年。留里克的继承人奥列格（912卒）征服基辅（约882）并控制了从诺夫哥罗德沿第聂伯河至黑海的商路。伊戈尔（据传为留里克之子，912～945在位）及其继承者、妻子圣奥尔加（945～969摄政）和他们的儿子斯维亚托斯拉夫（945～972在位）进一步扩大了其领土。斯维亚托斯拉夫之子弗拉基米尔一世（约980～1015在位）巩固了留里克王朝的统治。弗拉基米尔编撰了基辅罗斯第一部法典并将基督教传入该国。他还通过把主要城市分配给他的儿子，将基辅罗斯的国土组成有凝聚力的邦联；长子为基辅大公，其他兄弟互相继承，按城市等级的顺序向基辅升迁以填补因年长兄弟升迁或死亡而出现的空缺。若身为大公的是最小的兄弟，则由父亲曾为大公的最大的侄子继承。这种继位方式在斯维亚托波尔克（1015～1019）、智者雅罗斯拉夫（1019～1054）、他的儿子伊兹雅斯拉夫（1054～1068，1069～1073，1077～1078）、斯维亚托斯拉夫（1073～1076）和符谢沃洛德（1078～1093），以及斯维亚托波尔克二世（伊兹雅斯拉夫之子，1093～1113）在位期间基本得到遵循。但继承是在不断的内战中完成的。在王公们不愿遵循这一继承方式而代之以武力夺取其地位时，以及每当一个城市不接受指定的王公的统治时，这一制度便遭到破坏。这一制度也因王公们倾向于定居在其统治的地区而不愿为了成为基辅大公从一个城市迁到另一个城市而遭到破坏。1097年，基辅罗斯全体王公聚集在柳别奇（切尔尼戈夫西北），决定将其领地分割为世袭的财产。但大公的继承仍按代代相传的方式进行，因此，弗拉基米尔·莫诺马赫继承其堂兄斯维亚托波尔克二世成为基辅大公。在其统治期间（1113～1125），弗拉基米尔力图恢复基辅罗斯全国的团结，最后，由其子继承，尽管在12世纪40年代曾遇到一些动乱。他们是：姆斯季斯拉夫（1125～1132在位）、雅罗波尔克（1132～1139在位）、维亚切斯拉夫（1139在位）和尤里·多尔戈鲁基（1149～1157在位）。王朝不同支系各自在基辅以外的国家重要中心——哈利茨、诺夫哥罗德和苏兹达尔——建立起自己的统治。这些地区的王公为争夺基辅的控制权而互相角逐，但当苏兹达尔的安德烈·博戈柳勃斯基最后征服并洗劫该城（1169）后，他返回弗拉基米尔（苏兹达尔公国一城市）而将大公国都城迁至弗拉基米尔。博戈柳勃斯基之弟符谢沃洛德三世继其之后成为弗拉基米尔大公（1176～1212在位），符谢沃洛德由其儿子尤里（1212～1238在位）、雅罗斯拉夫（1238～1246在位）、斯维亚托斯拉夫（1246～1247在位）及孙子安德烈（1247～1252在位）继承。亚历山大·涅夫斯基（1252～1263在位）继承其兄安德烈，而亚历山大由其兄弟和儿子们继承。但是，分裂倾向进一步加剧，无一人迁往弗拉基米尔，而是留在各自地方的王都并巩固了他们的地方公国王朝。于是，亚历山大之弟雅罗斯拉夫（弗拉基米尔大公，1264～1271在位）建立了特维尔王朝，而亚历山大的儿子达尼埃尔建立了莫斯科王朝。蒙古入侵（1240）之后，俄罗斯王公们必须获得蒙古汗的委任状才能以大公身份进行统治。公国王朝之间，特别是特维尔和莫斯科公国之间，发生了争夺委任状和弗拉基米尔大公国的领导权的竞争。莫斯科的王公们逐渐占据上风，建立起莫斯科大公国，他们的统治持续至1598年其男系绝传时。

附表：留里克王朝，见453页。

Rus　罗斯人　又拼Ros。古代民族，俄罗斯这片土地即以这个民族命名。关于他们的起源以及他们跟哪一民族是同一民族，人们有不同的看法。西方学者认为，他们原是斯堪的纳维亚的维金人（北欧海盗），为瓦兰吉亚人的一支，从波罗的海沿岸向南迁徙，以基辅为中心建立了第一个巩固的东方斯拉夫人国家。苏联学者与一些西方人士则认为，罗斯人是一个东南方斯拉夫部落，曾组成部落联盟；而且确信基辅国家为斯拉夫人所缔造，只在短时期内被瓦兰吉亚人攻击和占领过。维金人或“诺曼人”之说是18世纪德国历史学家-语言学家G.S.拜尔（1694～1738）和A.L.冯·施勒策尔（1735～1809）提出的；拜尔曾是圣彼得堡科学院早期成员。这两人根据12世纪写成的一部包括852～1110年史实的著作《古代俄罗斯纪年》，提出其说法。《纪年》曾载明罗斯人是一支诺曼民族，最初受诺夫格罗德居民之请，到该地平息其相互间的仇杀。后来罗斯人将其统治范围扩展至基辅，并以基辅为其防御重镇。这一学说在19世纪由丹麦语言学家V.汤姆森（1842～1927）及德裔俄罗斯历史学家-语言学家E.E.库尼克（1814～1899）加以发扬，得到推广。应该注意的是，早期阿拉伯作家已经描述过罗斯人地区是一处林木与沼泽遍布的岛屿；对9～10世纪古坟的考古发掘证明，在诸如伊尔门湖（位于古代诺夫格罗德城附近）和拉多加湖（涅瓦河发源地）的周围这类地区曾出现古代斯堪的纳维亚武士的遗迹。这些波罗的海区域似乎就是罗斯人的发祥地。苏联学者认为《古代俄罗斯纪年》材料不足信，坚持瓦兰吉亚人进入这里之前，东方斯拉夫人早已发展为一个先进的封建国家，足以与西方的加洛林帝国相比。罗斯人不过是住在罗斯河流域的一个南方斯拉夫部落。

rusalka　鲁萨尔卡　斯拉夫神话中一个未受洗礼就死去的儿童的灵魂，或一个被淹死的处女的灵魂，住在湖中。不同地区的斯拉夫人对鲁萨尔卡赋予不同的身份。在多瑙河一带，鲁萨尔卡被称作维拉，是富有魅力的美貌女子，身着轻似薄雾的长袍，对过路人唱着令人陶醉的悦耳歌曲。俄国北部的鲁萨尔卡则形象丑恶，总是赤裸着身子，喜欢在隐蔽处埋伏，伺机袭击凡人。在鲁萨尔卡周期间，即初夏，这些女子从水中显现，爬上垂柳和白桦，隐身其中，晚间在月光下围成圆圈，翩翩起舞。任何与她们同舞的人都要不停地舞蹈直至死去。鲁萨尔卡周后，在她们踩踏过的地方，草长得更加浓密。

Ruse　鲁塞　保加利亚北部城市，濒临多瑙河，在鲁塞洛姆河河口附近。为工业城市和重要河港，又是公路与铁路的运输中心，有多瑙河定期航班，有机场。工业有炼油、火车车厢与机车、纺织、食品加工、农机、皮革、陶瓷以及其他消费品等。公元前1世纪为古罗马防卫港口。7世纪被异族摧毁。土耳其人在此建立了新城，在其统治下鲁塞成为设有要

留里克王朝

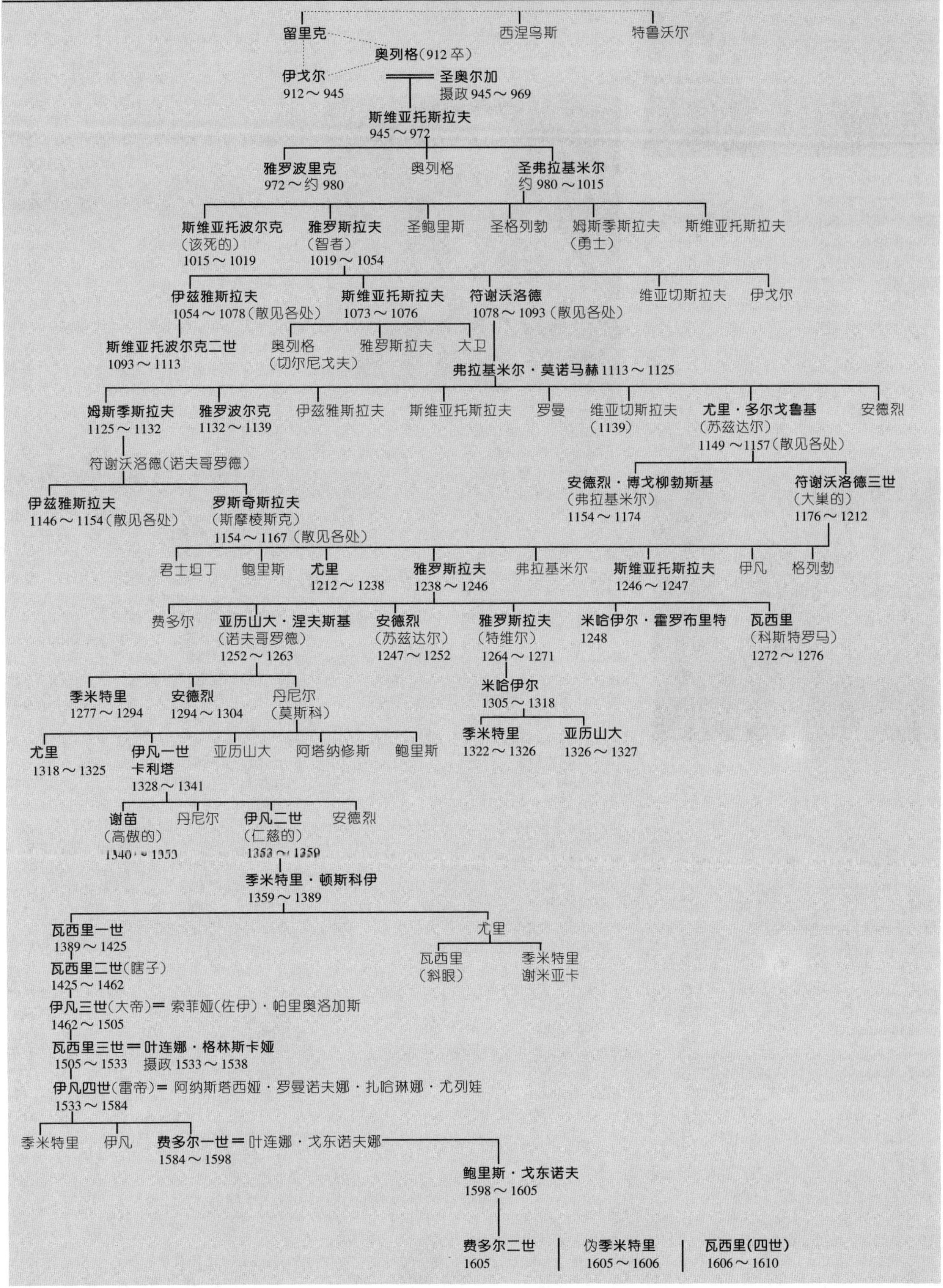
留里克
西涅乌斯
特鲁沃尔
奥列格（912 卒）
伊戈尔
912～945
圣奥尔加
摄政 945～969
斯维亚托斯拉夫
945～972
雅罗波里克
972～约 980
奥列格
圣弗拉基米尔
约 980～1015
斯维亚托波尔克
（该死的）
1015～1019
雅罗斯拉夫
（智者）
1019～1054
圣鲍里斯
圣格列勃
姆斯季斯拉夫
（勇士）
斯维亚托斯拉夫
伊兹雅斯拉夫
1054～1078（散见各处）
斯维亚托斯拉夫
1073～1076
符谢沃洛德
1078～1093（散见各处）
维亚切斯拉夫
伊戈尔
斯维亚托波尔克二世
1093～1113
奥列格
（切尔尼戈夫）
雅罗斯拉夫
大卫
弗拉基米尔·莫诺马赫 1113～1125
姆斯季斯拉夫
1125～1132
雅罗波尔克
1132～1139
伊兹雅斯拉夫
斯维亚托斯拉夫
罗曼
维亚切斯拉夫
（1139）
尤里·多尔戈鲁基
（苏兹达尔）
1149～1157（散见各处）
安德烈
符谢沃洛德（诺夫哥罗德）
伊兹雅斯拉夫
1146～1154（散见各处）
罗斯奇斯拉夫
（斯摩棱斯克）
1154～1167（散见各处）
安德烈·博戈柳勃斯基
（弗拉基米尔）
1154～1174
符谢沃洛德三世
（大巢的）
1176～1212
君士坦丁
鲍里斯
尤里
1212～1238
雅罗斯拉夫
1238～1246
弗拉基米尔
斯维亚托斯拉夫
1246～1247
伊凡
格列勃
费多尔
亚历山大·涅夫斯基
（诺夫哥罗德）
1252～1263
安德烈
（苏兹达尔）
1247～1252
雅罗斯拉夫
（特维尔）
1264～1271
米哈伊尔·霍罗布里特
1248
瓦西里
（科斯特罗马）
1272～1276
季米特里
1277～1294
安德烈
1294～1304
丹尼尔
（莫斯科）
米哈伊尔
1305～1318
季米特里
1322～1326
亚历山大
1326～1327
尤里
1318～1325
伊凡一世
卡利塔
1328～1341
亚历山大
阿塔纳修斯
鲍里斯
谢苗
（高傲的）
1340～1353
丹尼尔
伊凡二世
（仁慈的）
1353～1359
安德烈
季米特里·顿斯科伊
1359～1389
瓦西里一世
1389～1425
尤里
瓦西里
（斜眼）
季米特里
谢米亚卡
瓦西里二世（瞎子）
1425～1462
伊凡三世（大帝）＝索菲娅（佐伊）·帕里奥洛加斯
1462～1505
瓦西里三世＝叶连娜·格林斯卡娅
1505～1533
摄政 1533～1538
伊凡四世（雷帝）＝阿纳斯塔西娅·罗曼诺夫娜·扎哈琳娜·尤列娃
1533～1584
季米特里
伊凡
费多尔一世＝叶连娜·戈东诺夫娜
1584～1598
鲍里斯·戈东诺夫
1598～1605
费多尔二世
1605
伪季米特里
1605～1606
瓦西里（四世）
1606～1610

鲁塞市跨多瑙河的桥梁

供图：Harrison Forman

塞的大型军事基地和基础巩固的贸易中心。1866年鲁塞—瓦尔纳铁路的兴建，进一步加速了当地的发展。1877年割让给保加利亚。现设有农学院、歌剧院、国立交响乐团、博物馆和美术展览馆。附近有国有牲畜养殖场。人口约186 428(1987)。

rush　灯心草　几种有圆柱形柄或空心、秆茎状叶的有花植物的通称。见于温带地区，尤其是潮湿或遮阴的地方。灯心草科(Juncaceae)含灯心草属(*Juncus*，普通灯心草)和地杨梅属(*Luzula*，木灯心草)。普通灯心草在许

软灯心草(*Juncus effusus*)

供图：A to Z Botanical Collection

多地方用于编入椅子的座面、席及篮筐，其髓用作油灯的灯心和蜡烛(灯心草蜡烛)的芯。软灯心草(疏展灯心草，*J. effusus*)用以编织日本铺席。水烛(美洲灯心草、宽叶香蒲，*Typha angustifolia*)为香蒲科(Typhaceae)林地植物，其茎叶在北印度用来搓绳、编席及篮筐。木贼属(*Equisetum*)植物也叫荷兰灯心草或除垢灯心草(其茎含硅质，可用以除去金属或其他硬质表面的污垢)。开花灯心草指花蔺科(Butomaceae)的伞形花序花蔺(*Butomus umbellatus*)。甜灯心草指天南星科的甜菖蒲(*Acorus calamus*)。

Rush, Benjamin　拉什(1746-01-04，费城附近拜伯里～1813-04-19，费城)　美国医师、医学教育家、爱国者、改革家。美国建国时期的多才多艺、有影响的人物之一。1768年从爱丁堡大学学医毕业，不久回美洲，任费城学院化学教授。著作甚丰，涉及医学、化学，从军事卫生、精神病至"折骨热"。1770年发表《化学大纲》——美国第一本化学课本。先后教过3 000名学生。他推测所有的疾病事实上只是一种，即血管受刺激过度所致的热病；治疗方法即为放血及通便，病情越重治疗措施应越"激烈"。曾在费城医院工作，认为精神病常从躯体病发展而来，对躯体病的疗法对精神病也会生效，主张精神病患者应受人道主义对待。1812年发表《精神疾病的研究及观察》，这是美国第一部精神病学专著。拉什曾

供图：Independence National Historical Park Collection，Philadelphia

参加大陆会议，参加过《独立宣言》的签署，并在大陆军中任军医。曾反对华盛顿，此举有损其声誉。1797年后任造币厂司库。他早年即著文反对奴隶制，美国独立后又著文反对吸烟、饮酒、战争、宣誓、对罪犯的公开处罚、死刑，主张公立中学免费、女孩受教育、建立国立大学和救生组织。曾与许多政界人士通信，文笔优美，曾通过书信使二位前总统J.亚当斯及T.杰斐逊和解。他在一篇随笔中对自己的描绘简单而恰切："他用心良善。"

Rush, Richard　拉什(1780-08-29，费城～1859-07-30，费城)　美国政治家，1817年与英国议订《拉什-巴戈特协定》，规定1812年战争结束后在五大湖区解除武装。著名医生B.拉什之子，1797年毕业于普林斯顿大学，1800年获律师资格，历任宾夕法尼亚州司法部长(1811)、联邦司法部长(1814～1817)、财政部长(1825～1829)。签订《拉什-巴戈特协定》时拉什为美国代理国务卿(1817-03-09)，巴戈特为英国驻美国公使。拉什于1817～1825年任驻英国公使，他与美国驻法国公使加勒廷合作，1818年与英国签订以北纬49度线为美国和加拿大边界的协定。这一协定规定在10年内美国公民和英国臣民可在俄勒冈准州定居，而不损害双方政府中任何一方对该地区提出要求的权利。拉什还同英国外相(后任首相)坎宁举行关于拉丁美洲事务的谈判，结果导致1823年宣布门罗主义。1836年代表美国赴伦敦接受史密森遗产(104 960英镑)，在首都华盛顿创建史密森学会。

Rush, William　拉什(1756-07-04，费城～1833-01-17，费城)　美国雕刻家和木雕师，被认为是第一位有成就的民族雕刻家。作过船头装饰匠人，参过军，美国独立战争结束后，在费城开业。是宾夕法尼亚美术学院(1805)创始人之一，并任费城市议会议员多年。他的一些木雕保存在费城各种机构中，其中最杰出的有《自雕像》(宾夕法尼亚美术学院)、《水上仙女与鹭鸶》(费尔芒特公园)、寓意性雕像《喜剧》和《悲剧》(费城博物馆)和乔治·华盛顿雕像(独立厅)。

Rush-Bagot Agreement　《拉什-巴戈特协定》(1817)　美国代理国务卿R.拉什与英国驻美公使C.巴戈特关于限制两国在五大湖上的海军力量的换文。其中规定每个国家的舰艇数目应为：在香普兰湖不超过1艘，在安大略湖1艘，在北面几个湖两艘；船只的最大载重量不超过100吨，配置1门发射18磅重炮弹的大炮。经过一些修改，该协定至今仍然有效，并构成美加间和平边界关系的基础。

Rushcliffe　拉什克利夫　英格兰中部诺丁汉行政、历史郡一区(自治市)。面积410平方千米。位于诺丁汉市的东南面。南部是高地，北部和东北部有宽阔平坦的特伦特河谷和贝尔瓦谷地。为农业区，生产大麦、小麦、燕麦和甜菜，饲养奶牛、菜牛和羊。郡和区首府西布里奇福德为轻工业中心，有国内著名的板球运动场。该区中部的科特格雷夫有现代化煤矿，西南部的索尔河畔拉特克利夫有大型热电厂。人口约105 900(1998)。

Rushdie, Salman　拉什迪(1947-06-19，印度孟买～　)　英籍印度小说家。1989年，伊朗伊斯兰教领袖声称其小说《撒旦的诗篇》侮谩伊斯兰教而判其以死刑，此举一时成为国际争议的中心。拉什迪之父为一印度穆斯林富商。他曾在剑桥大学受教育。1968年获历史学硕士学位。70年代大部分时间在伦敦以写作广告文字为业。他的第1部小说《格里慕斯》于1975年问世。第2部作品《午夜的儿女》(1981)是一部讽喻现代印度的作品，在批评界和读者中受到意料之外的赞赏，为他赢得了国际声誉。《午夜的儿女》以及随后出版的小说同为寓言性质的故事，通过一些超现实的人物，沉郁的幽默，用一种热情洋溢、追求戏剧效果的文字风格来探讨一些历史和哲理问题。根据巴基斯坦当代政治现实写出的小说《羞耻》(1983)也颇受欢迎，但是拉什迪的第3部小说《撒旦的诗篇》的命运却大不相同。书中一些令人骇异的情节涉及一个以先知穆罕默德为原型的人物。他以疑信参半的笔调描绘这一人物以及他誊录《古兰经》的情形。1988年夏，小说出版后，激起了英国穆斯林社团领袖的愤怒，斥之为有渎圣明。1989年1月，声讨此书的群众示威游行蔓延至巴基斯坦。2月14日，伊朗革命的宗教领袖霍梅尼公开谴责此书，并号召他的全世界穆斯林同宗将其作者"处死"。不久，霍梅尼属下的伊朗神职人员悬赏600万美元翦除拉什迪。此时，拉什迪已在伦敦警察厅保护之下，于英国某地隐匿不出。欧洲共同体各国则纷纷谴责霍梅尼发出的处死拉什迪的威胁，暂时召回它们驻德黑兰的大使，表示抗议。然而伊朗的宗教领袖拒绝撤销处死拉什迪的判决，使其面临随时可能遇刺的危险，因而被迫继续隐藏。拉什迪在隐匿中仍继续出版作品：《假想中的祖国》(1991)是一部随笔和评论文集，《东方，西方》(1994)是一部短篇小说集。

Rushmoor　拉什莫尔　英格兰南部汉普行政、历史郡的区和自治市。面积36平方千

米，在郡的极东北角，泰晤士河流域南缘，其农区为沙质的石南丛生地。南接北部丘陵，有贝辛斯托克运河流经。拉什莫尔为英国军事设施中心之一。1854～1855年在奥尔德肖特镇建造的军营是该国最大永久性军事基地。区首府法恩伯勒附近有全国航空研究和实验中心。奥尔德肖特和法恩伯勒于20世纪60～70年代发展起来，生产纸制品、缆索和合成橡胶。人口约87 200(1998)。

Rushmore, Mount(South Dakota, U.S.) **拉什莫尔山** 参阅 **Mount Rushmore National Memorial** 拉什莫尔山国家纪念碑。

Rushworth, John 拉什沃思(约1612，英格兰诺森伯兰？～1690-05-12，伦敦附近萨瑟克) 英国历史学家，所著《历史汇编》(1～7卷，1659～1701；第8卷，1721)包括1618～1649年间英国的政治事件，依然是了解英国内战起因及内战期间事件的宝贵资料来源。他大概在牛津大学学习法律，1638年成为出庭律师，1640年入林肯律师学院，1647年取得正式律师资格。他对政治的兴趣始终比对普通法的兴趣要大。对出席各种法院的重要政治和司法案件的审理都作了记录。1640～1642年他在下议院任助理秘书。英国内战爆发后，他成为议会与其在牛津和约克的委员会之间的联络员。他出版过一些时事小报。1645～1650年任新模范军将军托马斯·费尔法克斯爵士的秘书，并曾在国务会议和议会任职。王政复辟后，1667年成为掌玺大臣的秘书，后任驻马萨诸塞殖民地代理人。他的《历史汇编》是采撷自己的笔记和一些出版的资料编成的，真实可靠。其中关于斯特拉福德伯爵审判案、内兹比战役、1644～1645年议会军的战斗等亲眼目睹事件的记录最有参考价值。

Rusk, (David) Dean 腊斯克(1909-02-09，美国佐治亚切罗基～1994-12-20，佐治亚阿森斯) 美国肯尼迪和约翰逊政府的国务卿，因积极主张美国投入越南战争而成为反战运动攻击的对象。1931年从戴维森学院毕业，后在牛津大学圣约翰学院获硕士学位。1938年任加利福尼亚州米尔斯大学政治系主任。第二次世界大战期间在史迪威将军手下任中印缅战区副参谋长。1950年3月任负责远东事务的助理国务卿，支持朝鲜战争，但不同意麦克阿瑟将军把战事扩大到中国的主张。1952～1960年任洛克菲勒基金会主席。1961年任肯尼迪政府的国务卿。1964～1968年一贯为美国在越南的行动辩护。因长期反对承认中华人民共和国而确立了坚定的冷战战士的形象。1969年退休，但后来又应佐治亚大学之请任国际法教授，1984年隐退。

Ruska, Ernst (August Friedrich) 鲁斯卡(1906-12-25，德国海德堡～1988-05-27，西柏林) 德国电机工程师，发明电子显微镜。获1986年诺贝尔物理学奖金的一半(另一半颁予H.罗雷尔与G.宾尼希)。鲁斯卡1925～1927年就读于慕尼黑工科大学，后进入柏林工科大学。他在这时期开始的研究导致他日后发明电子显微镜。光学显微镜对高倍放大后物体细节的分辨能力，受到观察此物体所用光束波长的限制；电子显微镜解决了这个问题。人们在20世纪20年代已确切知道电子具有波动的性质，其波长约为光波的$1/10^5$。鲁斯卡断定，假如电子能像光线那样聚焦于一个物体上，则电子在一种极高倍数的放大作用下，能比一般光学显微镜分辨出更微小的细节(即具有更高的分辨能力)。鲁斯卡在1931年制成了第一具电子透镜，即一个能使一束电子聚焦的电磁体，就像透镜能使光束聚焦一样。1933年他将数个这种透镜串联起来，发明了第一具电子显微镜。在这套仪器中，电子穿透所研究物体极薄的薄片，然后折射至照相软片或荧光屏上，就会产生高度放大的影像。1937年鲁斯卡进入西门子-赖尼格公司，任研究工程师。这家公司在1939年以鲁斯卡的发明为基础，生产出它的第一台商用电子显微镜。鲁斯卡在西门子的研究工作持续到1955年；1955～1972年成为弗里茨·哈伯研究所电子显微镜研究所的所长。鲁斯卡也是西柏林工科大学的长期教授。

Ruskin, John 罗斯金(1819-02-08，英格兰伦敦～1900-01-20，兰开夏郡科尼斯顿) 英国作家、评论家和艺术家。在建筑和装饰艺术方面拥护哥特复兴式运动，对维多利亚时代英国公众的审美观有重大影响。

青年时代 罗斯金幼年时期父母便注意到他早熟的危险及不稳定的天赋，因此他们避免让他与现实社会接触。父亲约翰·詹姆斯·罗斯金是个殷实的酒商。罗斯金4岁时全家迁居伦敦南郊的赫恩丘，20岁时又迁到不远处达利奇附近的丹麦丘。他天生对绘画的爱好在达利奇学院画廊得到满足。这个画廊展出的绘画作品一直是他艺术思想的基础。

伦敦皇家美术学院供图

罗斯金所受过的教育中最有价值的部分是参观达利奇画廊、在家里读书和父亲对他卓越的写作和绘画才能给予的鼓励。他还向水彩画画家C.菲尔丁学习素描。他14岁时，全家开始在欧洲各处旅行。在阿尔卑斯山他发现了自己想象力所需要的美和壮丽。

17岁时与父亲的西班牙合伙人的女儿A.多梅克恋爱。他在这段恋情上受到的挫折似乎是他在感情上永远不成熟的直接原因。1836年罗斯金入牛津大学基督堂学院。他学习的东西很杂乱，他的社交生活也因母亲住在附近的公寓里而受到妨碍，然而他从郊区摆脱出来，而且还交了一些朋友，这些人后来一直丰富着他的生活。1839年他获纽迪盖特诗歌奖。由于获得父亲的慷慨赠款，他能开始收藏J.M.W.透纳的画。

首次意大利之行 1840年春罗斯金突然患出血病，医生认为是肺结核病所致，因此他中断了在牛津大学的学习。医生建议他去国外过冬，全家人遂离开英国去意大利。在漫长悠闲的旅途上，他作了许多素描。但是，在罗马他开始对业余和职业绘画的区别有了更为清楚的认识。他们又去那不勒斯，在那里他再一次病倒。但在由威尼斯经瑞士的回国途中，他重新有了精力和希望。他感到自己能够看到自然的各种美——从雄伟的高山到微小的草木——都具有新的活力，他开始致力于以艺术手法来描绘自然美。

秋季罗斯金回到牛津，1842年春毕业。他开始计划写一本书，为受到批评家嘲笑的透纳晚期绘画风格辩护。罗斯金回到在丹麦丘的新居后，开始在国立美术馆和达利奇认真工作，撰写了后来成为《现代画家》第1卷的初稿。在着手研究著名风景画大师们如何“忠实于大自然”时，心中总是充满对透纳的赞美之情。他还以优美的文笔描述意大利和阿尔卑斯山的风景。1843年5月罗斯金刚满24岁，该书出版，并获得极大成功。

第二次意大利之行 1845年4月，罗斯金开始作另一次旅行，这次旅行在他成长过程中标志着一个新的阶段。这次他未与父母同行，而是与一名男仆和一名上年纪的山地向导游历了意大利北部。他从那里的中世纪建筑和雕刻中发现了自己以前从不知道的浪漫主义的美。他的素描达到了自己前所未有的水平。他所见到的事物永远印在他的记忆中。

回到丹麦丘后完成《现代画家》第2卷，并于1846年4月出版。随后即与父母一同去意大利，领他们去看他不久前发现的美景。但是，这次旅行令人沮丧，使他在精神上受到打击。回国以后他开始考虑自己的婚姻，后与苏格兰友人的漂亮女儿E.C.(埃菲)格雷订婚，但他父母对此事并不热心支持。1848年4月两人结婚。罗斯金完全以自我为中心，且极有天赋，而他妻子则苛求别人，而且天生是一个力求挤进上流社会的人，因此他们婚姻(从未同床)的失败并不令人感到意外。

8月夫妇俩去法国北方旅行，因为罗斯金打算写一本关于哥特式建筑的书。至次年4月，《建筑艺术的七种源泉》完稿。这本书以中世纪一代艺术家的劳动成果为例，找出它们的共同基础和精神特色，文字极为优美。1849年秋，年轻的罗斯金夫妇去威尼斯过冬。罗斯金希望将《建筑艺术的七种源泉》一书中归纳的普遍原则应用于威尼斯的建筑，用它们去解释由于精神力量的作用所造成的威尼斯建筑的兴衰。他努力工作，于1851年就出版了《威尼斯之石》第一卷。在这一年中，他依人劝说为前拉斐尔兄弟会辩护。这是一个英国青年艺术家组织，反对当时的学院派绘画。罗斯金并不是因为崇拜他们才为他们辩护，而是觉得评论家对他们不公平。他像朋友一样对待画家和诗人D.G.罗塞蒂，但罗塞蒂却不喜欢他。他与艺术家E.伯恩-琼斯建立起持久的友好关系，并且培养与J.E.密莱司的友情，但结果密莱司却与埃菲堕入情网。密莱司获选皇家学会成员后未来生活有了保证，埃菲立即离开了罗斯金。1854年7月，埃菲取消了婚约，几个月后与密莱司结婚。

回到丹麦丘 罗斯金又回到丹麦丘从前狭小的圈子里。他完成了《现代画家》第3卷和第4卷，语气越来越武断。他的主要兴趣是在他牛津的老朋友H.艾克兰的主持下，按照他自己的哥特式审美原则建造牛津自然历史博物馆。他主动承担对透纳遗赠给伦敦国家画廊的大批画稿进行分类和整理的工作。自1857年2月开始，大约有一年时间，他主要是做这件事。

1858年，他在意大利都灵度过了6个星期，这次仍然孤身一人，只有一名男仆和一名老向导陪伴。从P.韦罗内塞的绘画中他又一次体会到成熟的文艺复兴艺术的魅力所在。1858～1859年冬季，他写作了《现代画家》第5卷(1860)，这卷书受到他这些体会的很大影响。该书内容极不连贯，事实上，罗斯金的智力在逐渐衰退。他爱上了罗丝·拉图什，一位出身名门的歇斯底里的爱尔兰姑娘。罗斯金第一次认识这个姑娘时，她还是个10岁的孩子。她16岁时，罗斯金对父母说明了自己的想法，他们感到很吃惊。不久以后，罗丝身心交瘁，这段恋情在悲伤和病痛中拖了很久，直至1875年罗丝去世为止。在这些年里，罗斯金成了设在柴郡温宁顿由贝尔小姐所办的女子学校的常客。与孩子们在一起给他以安慰。他后来所著的一些书，如著名的《尘埃的伦理学》(1866)，就是在他给学生们演讲的基础上整理而成的。这一时期他唯一重要的作品是1860年所著的关于财富性质的一批短论。他主张社会正义，其见解在某种程度上接近社会主义改革家欧文，但与当时流行的自由放任主义学说完全抵触。这种自由放任主义理论源自功利主义的哲学家J.边沁的学说。《康希尔杂志》开始发表这些文章，但遭到读者强烈反对，以致该杂志的编辑W.M.萨克雷决定不再继续发表。罗斯金将这些文章汇集成书出版，名为《给那后来的》(1862)。

由于身体虚弱他几乎病倒，因此到日内瓦附近的莫尼克斯小住。1864年3月回到伦敦，他父亲最后一次生病，随即去世。他继续与年迈的母亲一同住在丹麦丘。罗斯金得到父亲留下的12万英镑、各种财产和一批珍贵的绘画收藏，但是他父亲未给他留下心绪平静和意志力量。

最后的年代 1869年罗斯金获选任牛津大学第一位斯莱德美术教授，讲课取得很大成功。他赠给牛津大学一批印刷品、照片和素描供学生研习，并为他们开办了一个美术学校。他迫切地要对与自己不同的另一个知识阶层的人发表自己的见解，因而为工人写了两套书信集：《时与潮》(1867)和另一套更长的《坚强保管人》(1871～1884)。《坚强保管人》是圣乔治公司的刊物。罗斯金于1871年出资1万英镑开办了这家公司，企图贯彻他的经济理论。由公司每一位"成员"各出收入的十分之一来参与，罗斯金自己坚持这样做了许多年。公司的经营经常在判断上失误，因此常常失败，而唯有设在设菲尔德的一所艺术博物馆最为成功。由于时常发病，罗斯金中断了在牛津大学的工作。1871年他母亲去世之后，罗斯金卖掉了丹麦丘的房子，并买下了布兰特伍德一所难看的住所，位于湖区美丽的科尼斯顿湖畔。罗斯金在这里度过了许多时光，他的一位已婚表姐为他管家。他开始为关于正在到处玷污自然美的"风暴云和瘟疫风"的想法所烦扰，并在1878年患了严重的躁狂症。这场病持续了几个月。1879年初，他辞去了教授的工作，理由是他对画家J.M.惠斯勒的一幅《夜景画》的激烈批评使惠斯勒以诽谤罪对他提起诉讼并胜诉。

罗斯金的知识生活结束了。1880～1881年，他有些好转，甚至重新去牛津大学上班。但是，此后几年他不时发作躁狂症。然而，正是在这些年里，他撰写了自己最出色的一部著作——他的自传《时至今日》(1885～1889)。写作这部书为他提供了一个逃避现实的机会。由于他一生大部分时间都记日记，他有写作的素材。这本书没有写完。1889年夏天他第6次发狂之后，在自己生命的最后几个月中除了签名以外已经不能再写任何东西了。

评价 一般认为罗斯金是维多利亚时代英国典型的知名人物，具有英国艺术家的良知，他坚持认为哥特风格卓越超凡，并要求在建筑和装饰中采用哥特风格。但是，公众并未立即把罗斯金看作是艺术中的先知。尽管他的纯艺术批评的绝大部分是在35岁以前写成的，但直至50多岁，他始终被认为是一位有钱的业余艺术爱好者。这时，始于18世纪晚期的哥特复兴式运动已经作为一种领导潮流的风格建立起来，这与罗斯金的提倡没有关系。到19世纪的最后25年，罗斯金关于艺术的观点几乎被认为一贯正确；但是，19世纪60年代以后，他自己对为艺术批评而艺术批评失去了兴趣，而在政治和社会经济方面，他的创造性思想却非常积极有力。在享受他那份不劳而获的财富时，他那清教主义的良心从未得到安宁。起初他试图从理论上找到享受美的根据，但是后来当这再也不能满足他的时候，他转向经济和社会问题。

罗斯金过着内心痛苦的孤独生活，经常为精神失常所困扰。他兴趣广泛，包括艺术、自然科学、政治科学以及经济和社会研究等各个方面。然而，随着时间的推移，广泛的兴趣亦需要越来越集中于某一方面，这使他时常抛弃一种研究而去开始另一种研究。他的艺术批评亦是如此，尽管影响很大且范围很广，但却不系统，而且都是以他个人为出发点。他的这些显而易见的局限性部分是由于他那个时代造成的。当时艺术批评和艺术史仍是很少为人触及的领域，而他自己写的文章则是这些方面的主要动力。除文艺复兴时期意大利和英国的艺术以外，他对其他艺术缺乏知识和鉴赏力。他对与他同时期的印象派运动也并不赞成。

但是，罗斯金是一位有真知灼见的人。他极端诚实，有强烈的求知欲。作为有钱人的儿子，他可以随心所欲地去研究他想研究的问题，随随便便地写他所感兴趣的东西。这种业余爱好者的本质给他众多的评论增添了特有的活力和风趣。他独到的见解和智力上的任性与他心理上的虚弱交织在一起。但是，尽管有这些弱点(有时正是由于这些弱点)，他还是能够以强烈的感受去审美，以令人难忘的散文去表达他的感受，有时还辅以自己的绘画和素描，使其更具说服力，因为他是一位出色的业余画家。

那么，罗斯金对艺术和社会的基本观点是什么呢？如何概括这些观点？首先必须注意罗斯金在热爱自然方面是诗人W.华兹华斯的追随者。在风景画方面，他的审美原则建立在真实地反映自然上。在《近代画家》中，他试图通过对比19世纪上半叶英国伟大风景画家透纳在反映自然真实性方面感知的精确性与17世纪法国伟大风景画家C.洛林的传统的泛化法之间的差异来证明自己的观点。后来他在哥特式建筑上又发现了同样的、但带有宗教感性的真实性。他仔细观察了这种由一群无名工匠以微妙的不夸张手法雕刻出来的装饰的自然形式。罗斯金认为，巴罗克式及其装饰品，如瓮、漩涡形装饰和方尖塔这种在自然界中找不到的形式，所传达的意义是不自然的和虚假的，因此他认为是不好的艺术。他认为好的艺术是自然真实性的宝库，而自然真实性则是它的源泉。这种见解导致他将手工艺人理想化，认为他们是具有献身精神的人，他们只有通过目的正确的工作才能得到满足。社会正义要求为所有的人提供条件，让他们与具有创造性的艺术家一起分享这种工作机会，但是这种条件一般难以找到。因此，这导致他从艺术的批评和解释转向对社会福利的关心。但是事实上，他仍然是在艺术世界百世流芳。

Ruspinum(Tunisia) 参阅**Munastīr, Al-莫纳斯提尔**。

Russe(Bulgaria) 参阅**Ruse鲁塞**。

Russell 拉塞尔 新西兰北岛东北部城镇。在群岛湾东南岸。1840年曾被选定为新西兰的首都。1841年迁都至奥克兰。不久，拉塞尔毁于火灾。1846年在科罗拉里卡村址上重建。现为游览胜地。有公路通奥克兰。深水港湾停泊游乐、捕鱼和捕牡蛎的船队。人口1 052(1986)。

Russell FAMILY 罗素家族 英格兰著名的辉格党家族，这个家族从1694年起拥有贝德福德公爵的称号。约翰·罗素(卒于1555)因1549年参加镇压反对爱德华四世新教革新的叛乱而被封为贝德福德伯爵。内战期间该家族站在议会党一边。其子威廉是著名的辉格党人，支持剥夺詹姆斯二世的继位权，1683年因叛国罪被处死。这个家族最著名的成员也许是约翰·罗素勋爵(后为第1代罗素伯爵)，他曾提出议会改革计划，在19世纪中叶两次出任首相。到20世纪，这个家族最著名的成员是约翰·罗素勋爵的孙子、哲学家伯特兰·罗素(第3代罗素伯爵)。

Russell, Bertrand 罗素(1872-05-18,英格兰蒙茅斯郡特雷莱克～1970-02-02,威尔士梅里奥尼斯彭林德雷斯附近) 20世纪声誉卓著、影响深远的思想家之一。在其漫长的一

英国广播公司供图

生中,完成了40余部著作,涉及哲学、数学、科学、伦理学、社会学、教育、历史、宗教以及政治等各个方面。他的首要事业和建树是在数学和逻辑领域,对西方哲学产生了深刻影响。中年时期的有关道德、政治、教育、和平主义等方面的著述,激励和启发了富于进取精神的人。晚年在积极反对制造核武器和反对越南战争的斗争中,成为全世界有理想青年的鼓舞者。他出身于英国贵族家庭。早在11岁时就产生了对宗教的怀疑。这种情况决定了罗素哲学生涯的风格和目标,即以怀疑主义和谨慎的风格,探究"我们能知道多少以及具有何种程度的确定性和可疑性"。1890年考入剑桥三一学院,在麦克塔格特影响下成为绝对唯心主义者。1898年参加了穆尔领导的对绝对唯心主义的反叛运动,从此转变成为经验主义者、实证主义者和物理实在主义者。他认为科学的世界观点大都是正确的观点,在这一基本前提下,确定其哲学事业的3项目标。最根本的是把人类认识上的虚荣、矫饰减少到最低限度并用最简单的表达方式。这一目标体现在他的《意义与真理的探究》(1940)和后期主要著作《人类的知识:它的范围和界限》(1948)。第二个目标是建立逻辑和数学之间的联系。《数学原理》(1903)就是要表明数学可以从极少数逻辑原则推演出来。第三个目标是分析的,假设从语言可以推论它所描述的世界。这一目标出现在其摹状词理论、逻辑原子主义以及《物的分析》(1927)、《心的分析》(1921)两部著作中。这两部著作的中心论题是:心和物是相同"中立要素"的不同"构造"。1910～1913年间与哲学家和数学家怀特海共同完成了3卷本的《数学原理》。尽管他们承认并没有彻底完成从自明的逻辑原理推导出数学系统的目的,但这部著作对于逻辑学家的影响却是巨大的。自从《数学原理》出版后,罗素的哲学工作主要是分析方面的,成为哲学分析运动的鼓舞者之一。1950年获诺贝尔文学奖。50年代以后他的注意力从哲学转移到国际政治方面。1954年谴责比基尼氢弹试验,随后又发表罗素-爱因斯坦声明;1958年发起禁止核武器的示威运动。60年代后期,猛烈攻击美国的越南政策,并与法国存在主义者J.-P.萨特等人组织了国际战争罪犯审判法庭。60年代的最后3年他的3卷本的自传出版,这是他的最佳作品。

Russell, Bill 拉塞尔(1934-02-12,美国路易斯安那门罗～) 原名William Felton Russell。美国篮球运动员,当时被认为是篮球史上最优秀的防守中锋。他身高6英尺10英寸,成为衡量特高身材运动员的标准。1966年4月18日任波士顿凯尔特人队教练,成为美国高级职业篮球队中第一个黑人教练员。拉塞尔在加利福尼亚州奥克兰长大。在他带领下,旧金山大学队在接连两个赛季(1954～1955,1955～1956)中获得全国大学体育协会(NCAA)锦标赛冠军。1956年奥林匹克篮球锦标赛在墨尔本举行。他参加了美国队,夺得了冠军。之后,他参加全国篮球协

迪克·拉斐尔供图

会波士顿凯尔特人队,打中锋。该队在13个赛季中11次获得全国篮球协会锦标赛冠军。在最后两次锦标赛上拉塞尔在队里当教练,1969年退休。拉塞尔曾5次当选为全国篮球协会最有价值队员。1967年被美联社列为20年间全美大学代表队5名最佳队员之一;后来该通讯社又选他为60年代杰出的职业篮球运动员。他曾任西雅图超音速篮球队教练兼总经理(1973～1977)。他的自传《第二次呼吸:一个固执己见的人的传记》于1979年出版。拉塞尔自篮球界退休之后,在一个信息网络任体育评论员,给报界写专栏稿,并在电视上发表新闻评论。

Russell (of Killowen), Charles Russell, Baron 拉塞尔(1832-11-10,爱尔兰唐郡纽里～1900-08-10,英格兰伦敦) 从1894年6月到他去世为止一直担任英格兰高等法院首席法官。在法庭上他是个令人难以对付的辩护人,是一位坚强而又稳健的法官,广泛受到人们的称赞。1854年起在爱尔兰和1859年起在英格兰(通常在利物浦)执律师业。1872年被任命为王室律师。1880～1894年任自由党的下议院议员。1886年担任总检察长,1892～1894年再度担任该职。1888～1890年期间,他在巴涅尔案调查委员会上担任主要辩护律师时,由于否定了很多不利于爱尔兰民族主义领袖C.S.巴涅尔的证据,特别是那些根据一个记者伪造的一封信而来的证据,因而赢得了声誉。1894年5月,被任命为上诉法院法官,然后又被任命为英格兰高等法院首席法官。由于他主持审判了对南非德兰士瓦的布尔人国家入侵失败(1895-12～

伦敦国立肖像画陈列馆供图

1896-01)的詹姆森和其他英国臣民,从而获得了伟大法官的好名声。1899年参加委内瑞拉与英属圭亚那之间的边界争端仲裁,取得成功,那次争端很有可能导致英国与美国之间的开战。

Russell, Charles Taze 拉塞尔(1852-02-16,美国宾夕法尼亚匹兹堡～1916-10-31,得克萨斯潘帕) 耶和华见证会的前身国际圣经学者协进会的创立人。拉塞尔20岁时已先后脱离长老会和公理会,因为他不能接受既有上帝仁慈又有永世的地狱的说法。他偶遇一些基督复临派人士,他们对他说,可以利用《圣经》预言上帝的救世计划,特别是关于世界末日的计划。拉塞尔请教师,学会了利用希伯来文词典和希腊文词典研究《圣经》。1872年,他放弃了自己经营的男士服饰商业,创办第一批圣经班。他经过对经文的复杂运算,自1877年起宣讲基督已于1874年"隐形复临",异教世界将于1914年结束,然后资本主义与共产主义或社会主义开战,再往后就是上帝之国,由基督统治世界。1879年开始主编研究《圣经》的报纸,日后称为《守望塔报》;1884年开办的守望塔圣经和书刊社,日后成为兴旺的出版机关。拉塞尔的预言落了空,他又经历了分居和各种诉讼,但是他所发起的运动却存留了下来。

Russell, Francis 拉塞尔 参阅**Bedford, Francis Russell, 5th Duke of** 贝德福德公爵(第五)。

Russell, George William 拉塞尔 参阅A E文。

Russell, Henry Norris 罗素(1877-10-25,美国纽约奥伊斯特贝～1957-02-18,新泽西普林斯顿) 美国天文学家和天体物理学家。他发现恒星亮度及其光谱型之间的关系(通常称为"赫-罗图")并设计出一种计算双星距离的方法。他对20世纪天文学的发展影响深远,无论在美国和其他国家都不例外。

罗素生于一长老会牧师家庭。1882年,也就是在他5岁时,父母让他看了一罕见的天象——金星凌日,使他对天文开始发生了

兴趣。12 岁前他一直在家中受教育,12 岁后往普林斯顿,先是上大学预科,后来进大学就读。1897年以空前优异的成绩毕业于普林斯顿大学并在该校天文系C. A. 扬指导下工作。

普林斯顿大学供图

他发现扬是一位"良师和大天文学家"。1900 年罗素因设计出一种确定双星彼此绕转轨道的新方法以及在行星方面的某些研究成果而获博士学位。

随后离开普林斯顿到剑桥大学天文台工作。他在该台与 A. R. 欣克斯一起用照相法测定恒星的距离。这项技术当时刚处于起步阶段。他保持着对双星研究的兴趣,发表了另一种确定双星轨道的方法,但这一次不是针对能直接观测到的双星,而是需要对光线进行光谱分析才能知道它们是彼此环绕的双星,现在称这种双星为分光双星。1905 年他回到普林斯顿任天文学讲师,3 年后升任副教授并结了婚。1911 年又升任教授和天文台台长。从 1921 年起还担任威尔逊山天文台兼职研究员。

在普林斯顿,罗素继续从事终生感兴趣的双星研究,设计出一种根据双星轨道参数推算双星质量并由此计算出它们距离的方法。他也是研究蚀变星的先驱。蚀变星也是双星,只是因为它们轨道位置特殊,导致彼此互相遮掩而使亮度发生周期性变化。他最后一篇科学论文也是有关双星的,可见他终生对这一研究项目的执着追求。所不同的是,最后这篇论文不再是两个星体,而是距离我们星系不远的两个被称为大、小麦哲伦云的小星系。

在早年研究恒星距离时,罗素就认为恒星分两个主要类型,其中一类比另一类亮得多。丹麦天文学家 E. 赫茨普龙也持同样观点,他发现两类恒星的光谱相似。通过将恒星光度和光谱型画在一张图上,罗素发现恒星的实际亮度和光谱型有确定的关系。1913 年 12 月他公布这一研究成果并在翌年正式发表这一重要的"赫-罗图"。图上所表示的关系吸引罗素提出自己的恒星演化理论。这一理论强调,恒星随着时间的推移,其光谱型、质量和光度都在变化。1929 年他在《不列颠百科全书》中以《恒星演化》为题综述观点,提出恒星的一生开始于低温的红巨星,随后体积不断收缩,使温度不断升高,颜色也随之由红变为黄、白和蓝,最后变成小而冷的红矮星。这一理论当时被广为接受,但随着后来观测资料的增多,它已被摒弃。

罗素为把实验室技术应用于研究恒星情况,而对光谱分析进行了深入研究。这一研究使他提出被其他天体物理学家普遍承认的关于恒星成分的假设——即所谓"罗素混合物"。该假设认为恒星的主要成分和起重要作用的是氢。第一次世界大战时,他从事飞机导航工作,而其职业生涯则是天文方面的,他在普林斯顿工作并在许多美国天文台当顾问。广泛的爱好还促使他研究宇宙演化这一范围更大的哲学课题。他的《太阳系及其起源》(1935)一书就是研究这一课题的一本好的入门书。他认真从事天文教育工作。他和两位同事合著了两卷本教科书《天文学》(1927)。该书有关天体物理和恒星天文学的篇幅甚多,使天文学这一学科的教育重点发生了变化。他还是一位有成就的科普工作者,经常撰写高质量的文章,论述天文学的一般进展。

罗素虽持自然决定论的观点,但他承认人的自由意志是一种实在的东西。他想象人的不朽是一个精神不断发展的过程。他在许多讲义中论述了他的这一看法并发表了《命运与自由》(1927)一书。多所大学和科学院授予他多种荣誉头衔和奖章。正如与他同时代的一位学者言:罗素是"美国天文学家的泰斗"。

Russell(of Kingston Russell),John Russell, 1st Earl 罗素(1792-08-18,英格兰伦敦~1878-05-28,萨里里士满公园彭布罗克住区) 英国首相(1846~1852,1865~1866)。第6代

伦敦国立肖像画陈列馆供图

贝德福德公爵 J. 罗素之子。在爱丁堡大学学习时,曾如饥似渴地钻研苏格兰的哲学。1813 年成为议会议员。1819 年 12 月开始从事国会改革。1830 年辉格党上台执政,他参加起草改革法案委员会。1831 年 3 月 31 日将此法案提交下院,一夜之间闻名全国。19 世纪 30 ~ 40 年代,他是辉格党内促进自由改革的主要人物。30 年代前半期任军需大臣,倡宗教自由。30 年代后半期任内政国务秘书,努力使各大城市的行政民主化,减少刑事犯死刑的数量,建立国家检查系统,支持公共教育。1841 ~ 1846 年间,成为 R. 皮尔的反对派,主张彻底的自由贸易。皮尔下台后由辉格党人组阁,罗素成为首相。在这届政府(1846 ~ 1852)中,他规定各工厂采取 10 小时工作日,创立了全国公共卫生委员会。但是由于党内分裂和领导不力,未能使城市工人获得选举权。他第 2 次任首相(1865 ~ 1866)时,亦因扩大选举权问题倒台。在英国首相中,很少有人像罗素那样大量写作,他的著作有传记、历史和诗歌。1861 年受封伯爵。

Russell,John Scott 拉塞尔(1808-05-08,苏格兰格拉斯哥~1882-06-08,英格兰怀特岛文特诺) 英国土木工程师,以研究船舶设计闻名。他设计了第一艘全部铁壳的远洋战舰。16 岁毕业于格拉斯哥大学;1832 年成为爱丁堡大学自然哲学教授,在此他开始研究水波的特性及其对船壳的影响。后来他受雇于苏格兰造船厂,根据他的研究设计新型船身。1844 年移居伦敦,成为泰晤士河一带的造船技师,单独或与他人联合设计了许多船只,包括"大东方"号(1856)和世界上第一艘全部铁壳的战舰——英国皇家海军的"勇士"号(1860)。他的著作有:《论蒸汽的本质、特性和应用及蒸汽航海》(1841)和《现代造船学体系》(3 卷,1864 ~ 1865)。

Russell,Ken 拉塞尔(1927-07-03,英格兰汉普郡南安普敦~2011-11-27,汉普郡利明顿) 英国电影导演。他的令人震惊和耸人听闻的手法在评论界毁誉参半。起初在英国广播公司任纪录片导演,在该公司任职期间拍摄的两部故事片《法国时装》(1963)和《亿万头脑》(1967),均获成功,但使他获得大导演声誉的则是根据 D. H. 劳伦斯的小说拍摄的影片《恋爱中的女人》(1969)。这部影片的优美画面和对性爱场面的优雅处理,得到观众与评论界两方面的好评。他的下一部影片《音乐爱好者》(1970)以夸张的耸人听闻的风格描写柴可夫斯基的苦闷生活,引起观众的愤怒。《群魔》(1971)描写一个女修道院中群体的性歇斯底里,招来了更加严厉的批评。在拍摄了《男友》(1971)和《野蛮的救世主》(1972)之后,他据摇滚乐歌剧拍摄的《汤米》(1975)重又获商业上的成功。他后期的影片有《李斯特狂热》(1975)、《虹》(1989)等。

Russell,Lillian 拉塞尔(1861-12-04,美国艾奥瓦克林顿~1922-06-06,宾夕法尼亚匹兹堡) 海伦·路易丝·伦纳德的艺名。美国轻喜剧女歌唱演员,代表了她那一代妇女的理想。其奢华的私生活与其容貌和歌喉同样闻名。1879 年初登舞台,在吉尔伯特和沙利文的《皇家海军舰艇围裙号》中参加合唱。1880

美国不列颠百科全书公司供图

年被艺人兼经理T.帕斯特授以艺名,并经常在他的百老汇杂耍剧院中演出。在E.奥德朗的《莫卧儿大帝》一剧中扮演女主角(1881)。后因在J.奥芬巴赫的《盖罗尔施泰因的大公夫人》中的演出而受到赞扬(1890)。1899～1904年,随同J.韦伯和L.菲尔兹滑稽歌舞剧团在英国和美国演出。1912年撰写在多家报纸同时发表的关于保健、美容和爱情的专栏文章,还在歌舞杂耍表演观众面前就上述题材发表演讲。

Russell, Morgan 拉塞尔(1886,美国纽约州纽约～1953-05-29,宾夕法尼亚费城附近) 美国画家,抽象画的早期倡导者。曾在纽约市受业于R.亨利。1906年赴巴黎,在那里生活了40年。1913～1914年与S.麦克唐纳-赖特一起创立作为一种先锋派运动的同步主义(Synchromism)。他们在慕尼黑、巴黎和纽约市共同发表宣言,举办展览。拉塞尔将自己的绘画称作"色彩同步画",说明他为了表现空间与情感上的深度而对色彩的依赖。他是为追求艺术表现力而探索科学的色彩理论的早期美国画家之一。

拉塞尔绘《四部色彩同步,第7号》(1914～1915)
纽约惠特尼美国艺术博物馆供图

Russell, Pee Wee 拉塞尔(1906-03-27,美国密苏里州普尔伍德～1969-02-15,弗吉尼亚亚历山德里亚) 原名查尔斯·埃尔斯沃思。美国爵士乐单簧管演奏家。童年勉为其难学习小提琴,同时涉猎钢琴与鼓,最后选定单簧管而成为风格独具的演奏大师。发展一种古怪的"碰运气"的风格,所奏音色往往凄婉哀怨,并间以咆哮声、吱吱声和气喘嘘嘘的嘟哝声。20世纪20年代初在圣路易斯与H.伯杰的旅馆乐队合作作首次职业性公演,因身材矮小而得到"小不点儿"的诨名,后移居得克萨斯州休斯敦,参加P.凯利重奏团,并与长号演奏家J.蒂加登相识。回圣路易斯后参与爵士乐先驱者F.特朗博尔和B.贝德贝克所在的乐队。1927年迁居纽约,与红尼科尔斯的五便士乐队录制首批唱片。整个30年代中广泛从事演奏和录音活动,大多与C.霍金斯和E.康顿合作,40年代经常在纽约格林尼治村与尼克乐队合作演出。1950年因患胰腺炎在旧金山几乎丧命,但到1952年他又东山再起,重新演奏,这次是与T.蒙克和D.埃林顿等人搭班,演奏现代作品。拉塞尔不愿被归入迪克西兰音乐家一类,而这些现代作品恰好能成为他摆脱迪克西兰的标志。拉塞尔是单簧管演奏史中的过渡人物;他扩大了单簧管的传统语汇,成为后摇摆音乐时期第一位现代主义单簧管演奏家。

Russell, Rosalind 拉塞尔(1911-06-04,美国康涅狄格沃特伯里～1976-11-28,加利福尼亚贝弗利希尔斯) 美国女演员。在电影和舞台上以塑造机智、自信、独立的女性而著称。早年在美国戏剧艺术学院学习,1930年首次在百老汇演出。四年后与米高梅电影公司签约,拍摄第一部影片《伊夫琳·普伦蒂斯》。20世纪30年代还与其他影片公司合作,而在米高梅公司饰演的经常是J.克劳馥或M.洛伊拒演的角色。她最著名的影片是《女友礼拜五》(1940,舞台剧《满城风雨》的电影版),在片中饰演王牌记者希尔迪,与C.格兰特演对手戏,展示出她的喜剧才华。该角色非常成功,自此经常饰演伶牙俐齿、独立而时髦的职业妇女。50年代,她厌倦了职业妇女的角色,重返百老汇舞台。1953年在《大城小调》(又名《美妙小镇》)中的表演获得托尼奖。最令人难忘的角色是在《玛咪姑妈》(1956)和该剧的电影版中饰演的玛咪姑妈,该剧轰动一时,经久不衰。50、60年代扮演各种类型的角色,在《野宴》(1956)、《玫瑰舞后》(1962)和《麻烦天使》(1966)等片中都有出色表演。

Russell, William Russell, Lord 罗素(1639-09-29～1683-07-21,英格兰伦敦) 一译拉塞尔。英格兰辉格党政治人物。贝德福德伯爵之子。查理在位期间,他一直任下院议员。约1673年参加反对查理亲法政策的派别。1680年在下院领导反对詹姆斯继位的斗争。1681年退出政界。然而,1683年有人控告他参与杀害查理二世的密谋,不久被斩首。辉格党人奉他为烈士。

供图:Earl of Bradford

Russell Cave National Monument 拉塞尔洞窟国家保护区 美国亚拉巴马州东北部一个大山洞的一部分,东南距布里奇波特10千米,在亚拉巴马州和田纳西州交界处的正南方。该洞窟在1953年左右被发现,长约64米,宽33米,高8米,是一个大约5千米长的大山洞的一部分。该保护区保留了至少可以远溯到公元前7000年的几乎不间断的人类居住的纪录。1958年全国地理学会将该洞窟交给国家公园管理局,1961年被划定为国家保护区。

Rüsselsheim 吕塞尔斯海姆 德国中西部黑森州城市。在美因河左岸,美因茨和美因河畔法兰克福之间。1437年设建制。市政厅建于1604年。有一座博物馆和一所技术学校。主要工业企业为奥佩尔汽车制造厂。人口约59 430(1991)。

Russia 俄罗斯 又称俄罗斯联邦。世界最大的国家,地跨欧洲东部及亚洲北部广大地区,领土几乎是美国或中国的两倍。俄罗斯1721～1917年是俄罗斯帝国的政治中心,1917～1991年又成为**苏维埃社会主义共和国联盟**(**Union of Soviet Socialist Republics**)的政治中心。在苏联时期,它的正式名称是俄罗斯苏维埃联邦社会主义共和国。俄罗斯人口的绝大部分为俄罗斯人,此外还有大约60个其他民族。俄罗斯按人口计算居世界第6位。

俄罗斯西与芬兰、爱沙尼亚、拉脱维亚、立陶宛、白俄罗斯和乌克兰(西部飞地加里宁格勒州紧靠波兰)交界,南与格鲁吉亚、阿塞拜疆、哈萨克斯坦、蒙古、中国和朝鲜相邻。西濒波罗的海和黑海,北临北冰洋及其相连各海,东临太平洋及其相连各海。首都莫斯科。面积17 075 400平方千米。人口约148 000 000(1993)。

土地 俄罗斯的地形和环境多种多样。主要地区自西向东包括:俄罗斯(东欧)平原、乌拉尔山区、西西伯利亚平原、中西伯利亚高原和远东地区。俄罗斯平原地处俄罗斯的西北部或欧洲部分,为一系列低矮起伏的高地和宽广的河流流域。平原的北半部原为冰川所覆盖,河谷间遍布湖泊和沼泽,而南半部则为较高的分水岭,但被一些河谷切断形成沟壑。俄罗斯平原有该国经济上最重要的一些河流流经,其中最主要的为顿河和伏尔加河。俄罗斯平原南面以横亘于黑海与里海之间的高加索山脉为界。

乌拉尔山脉形成俄罗斯平原的东界,也是欧洲与亚洲的传统分界线,从北向南逶迤约2 100千米。最高峰纳罗达峰,高达1 895米,其他诸峰在海拔900～1 500米之间,乌拉尔山隘口多,并没有造成运输上的障碍。

乌拉尔山脉以东即为世界最广阔的低地——西西伯利亚平原,有鄂毕河与叶尼塞河穿流其间。西西伯利亚平原东缘没入中西伯利亚高原,中西伯利亚高原位于叶尼塞河流域与勒拿河流域之间,高度在300～700米之间。高原南边有以贝加尔湖为中心的小山岭为界。俄罗斯最东端部分濒临太平洋,周边有许多山脉。远东地区还包括堪察加半岛和楚科奇半岛以及千岛群岛和萨哈林岛。

俄罗斯的气候极具大陆性特征,冬季寒冷,夏季温暖(但温度因高度变化而异)。北部地区由于冬季寒冷、漫长,几乎无法居住。大陆性的极端天气越向东越明显,尤以东西

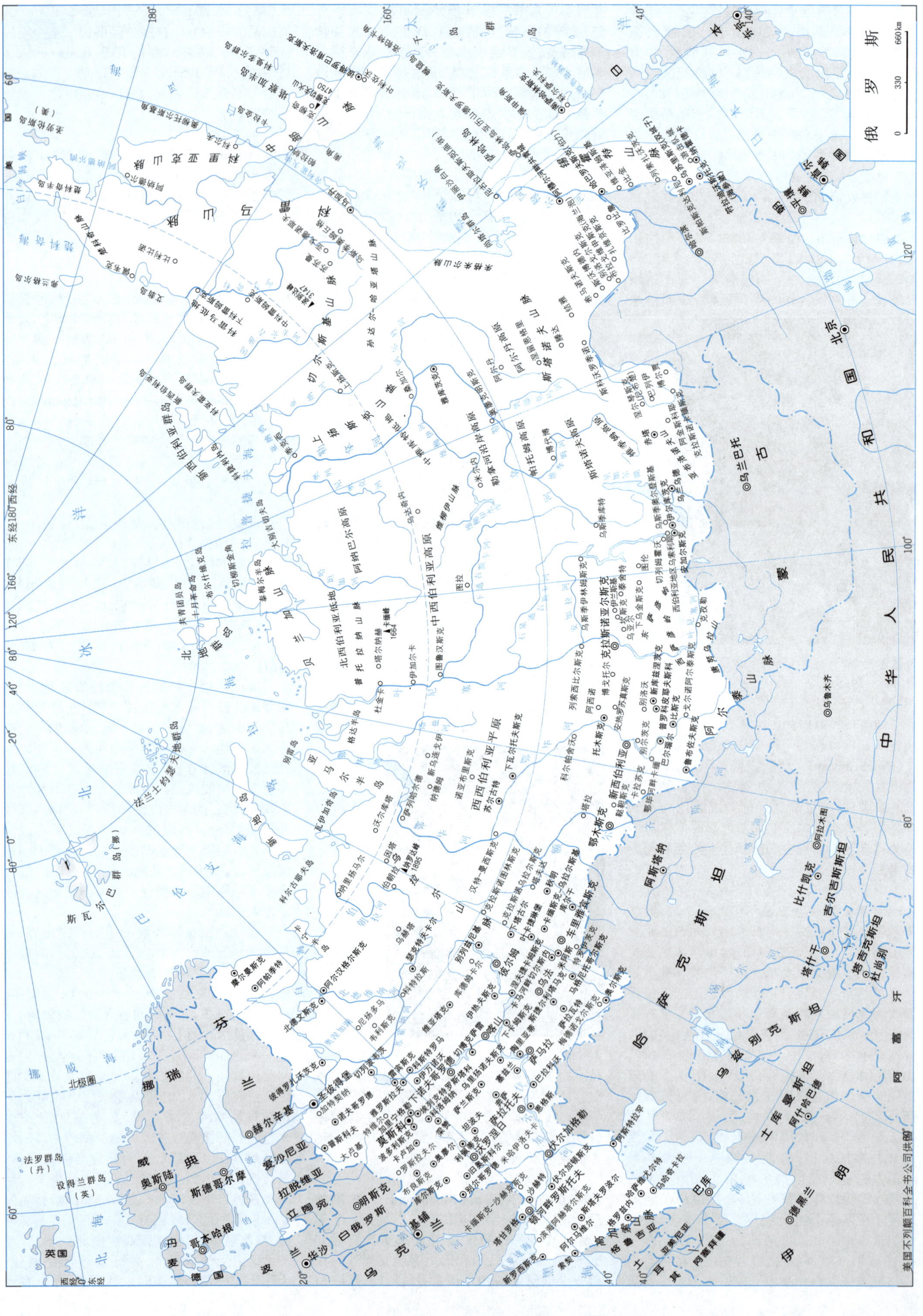
俄罗斯
0 330 660 km
美国不列颠百科全书公司供图
中华人民共和国
蒙古
哈萨克斯坦
日本
北京
乌兰巴托
莫斯科
圣彼得堡
新西伯利亚
克拉斯诺亚尔斯克
北冰洋
太平洋
东经180°西经
北极圈

伯利亚地区最为显著，冬季酷寒。俄罗斯降水量的特点是可满足需要但并不充沛，西伯利亚一带的降水量自西向东逐渐减少。

俄罗斯的植被反映出该国不同纬度的气候状态。整个北冰洋沿岸为一片无树的冻土带，只生长地衣、苔藓和野草。这一区域的南面为泰加林——即生长在沼泽地上的大面积针叶林。泰加林是俄罗斯最普遍的自然地带，占国土面积的一半以上。在俄罗斯的欧洲部分，泰加林以南为混合的针叶林和落叶林所取代，但这样的林带往东即因降水量减少及冬季严寒而逐渐稀少。在俄罗斯南部，落叶林逐渐转为森林-干草原混合带，并最终被真正的干草原所取代，这里禾草遍地，几乎没有树木。

人民 俄罗斯人占俄罗斯总人口的4/5，数世纪以来一直在俄罗斯帝国及苏联的政治、经济和文化生活中扮演着主要角色。他们所讲的语言属于斯拉夫语族的东支。另有60多个种族集团的成员亦生活在俄罗斯，约有25个少数民族在俄罗斯联邦有自己的自治共和国。该国人口可大致分为①斯拉夫族，主要由俄罗斯人、乌克兰人和白俄罗斯人组成，大多居住在该国西部，但在全国各地亦有分布；②阿尔泰族，主要讲突厥语，通古斯满语和蒙古语，大都居住在中亚细亚；③乌拉尔族，讲乌拉尔诸语言，分布在整个欧亚森林及泰加林带；④高加索族，讲各种语言，居住在俄罗斯的北高加索地区；⑤古西伯利亚族，讲各种语言，居住在西伯利亚最东部地区。宗教亦呈多样化，斯拉夫人大多信奉东正教（尤其是俄罗斯正教），讲突厥语的居民大多为穆斯林，而蒙古族人则多为佛教徒。

俄罗斯的人口分布颇不均衡，主要居住在该国的欧洲部分。相比之下，西伯利亚尽管于20世纪下半叶在苏联政权统治下经济发展迅速，却是人烟稀少。俄罗斯约有3/4的人口属城市居民。至20世纪90年代，全国约有160个城镇的人口在10万以上。俄罗斯最重要的城市为莫斯科和圣彼得堡（前列宁格勒）。

经济 虽然俄罗斯与整个苏联自1917年以来，尤其是自1945年以来，在工业上取得了长足的进步，但到80年代，经济严重衰退。苏联解体后，俄罗斯政府于1992年下令进行一系列彻底的改革，包括废除多项物价管制，旨在逐渐由中央计划经济向市场经济转变。工业和农业开始对旧的国有企业实行私有化，产生出一批新的私营企业。由于政府开始允许由市场力量来支配效率低下的国有重工业向私人所有的工商企业转变，一般平民大众因而经历了一段十分艰苦的生活。

俄罗斯拥有世界最丰富的矿产资源，煤、石油和天然气以及铁、铜、锌、铅、镍、铝和锡的产量均在世界居最高之列。俄罗斯的重工业尤其发达，生产出该国的大部钢材和各种重型机械，如蒸汽锅炉、谷物联合收割机、汽车、铁路机车和机床等。俄罗斯的化学工业亦同样发达，该国广大的森林能保证其所有木制品和纸制品的生产。电力生产大都依靠火力发电厂，使用该国储量丰富的矿物燃料。轻工业主要生产纺织品。

俄罗斯的恶劣气候条件限制了可耕地的数量，国土总面积仅有约1/7为耕地，其中3/5左右用于种植作物，其余为牧场和草原。主要产品有谷物（主要是小麦、裸麦、大麦和燕麦），也有草茎、苜蓿、块根作物和玉米等饲料作物，葵花籽、甜菜和亚麻等经济作物和马铃薯、蔬菜等消费作物。

俄罗斯因接近太平洋和大西洋，捕鱼业极为重要。俄罗斯渔船队不仅在俄罗斯周围海域作业，并前往北美和西非大陆以外的渔场捕捞。另外该国内陆的湖泊、河流亦有一些重要捕渔区（上等鱼子酱产自里海的鲟鱼）。

该国货运量的90%由铁路承担。横跨西伯利亚的铁路及其支线久负盛名。除连接各主要城市的几条公路外，公路网极不发达，所承担的货运量不足2%。水路运输（包括海洋运输及河流和运河航运）甚为重要。俄罗斯民航总局就其飞机数量和航线的数量而论居世界最大航空公司之列，但就飞机的质量和服务质量而言则属世界最差之列。

一般来说，销售渠道的不畅已成为货物快速可靠地从工厂或农场送到消费者手中的主要障碍。

政体与社会状况 苏联解体之前，苏联共产党集所有权力于一身，以主席和立法机构最高苏维埃为首的正式政府只不过是共产党权力的工具。1988年之前，各级选举都只根据一个单一候选人名单，其中绝大部分候选人事实上是由共产党选定的。80年代后期，党和政府的体制发生了戏剧性变化。1988年原最高苏维埃设立了一个新的立法机构——苏联人民代表大会，各加盟共和国也均设立了相应的机构。在1989年举行的各地代表大会选举中，选民们第一次可以对候选人进行选择，其中还包括了非共产党人士。1991年俄罗斯设立了一个新的职位——总统，叶利钦在赢得总统职位后，成为苏联历史上第一位由普选产生的行政首脑。同年，共产党解散，苏联和平解体，一个独立的俄罗斯和另外14个新的主权国家成立。俄罗斯总统和俄罗斯经选举产生的人民代表大会遂分别负责管理新独立的俄罗斯政府的行政和立法部门。然而，政府这两个部门的确切宪法权力尚未得到明确划分，因而导致两者之间在俄罗斯的后共产党时期不断发生冲突。叶利钦和人民代表大会之间的权力斗争愈演愈烈，1993年俄罗斯的选民批准了一部叶利钦支持的新宪法。根据1993年宪法，当选总统的任期为4年，他有权任命总理、内阁成员和强力部门负责人。总统可以推翻，必要时甚至可以解散国家议会——称联邦会议，由联邦委员会（上院）和国家杜马（下院）组成。

俄罗斯几乎没有文盲。各级学校均实行免费，7～17岁未成年人须接受义务教育。

莫斯科大公国、俄罗斯、俄罗斯帝国和苏联的领袖

莫斯科大公国王公及大公：达尼洛维奇王朝*	
丹尼尔（亚历山大·涅夫斯基之子）	约1276～1303
尤里	1303～1325
伊凡一世	1325～1340
谢苗	1340～1353
伊凡二世	1353～1359
季米特里·顿斯科伊	1359～1389
瓦西里一世	1389～1425
瓦西里二世	1425～1462
伊凡三世	1462～1505
瓦西里三世	1505～1533
伊凡四世	1533～1547
俄罗斯沙皇：达尼洛维奇王朝	
伊凡四世	1547～1584
费多尔一世	1584～1598
俄罗斯沙皇：混乱时期	
鲍里斯·戈东诺夫	1598～1605
费多尔二世	1605
伪季米特里	1605～1606
瓦西里（四世）	1606～1610
空位期	1610～1612
俄罗斯沙皇及女皇和俄罗斯帝国：罗曼诺夫王朝†	
米哈伊尔三世	1613～1645
阿列克谢	1645～1676
费多尔三世	1676～1682
彼得一世（伊凡五世并立1682～1696）	1682～1725
叶卡捷琳娜一世	1725～1727
彼得二世	1727～1730
安娜	1730～1740
伊凡六世	1740～1741
伊丽莎白	1741～1761（旧历）
彼得三世‡	1761～1762（旧历）
叶卡捷琳娜二世	1762～1796
保罗	1796～1801
亚历山大一世	1801～1825
尼古拉一世	1825～1855
亚历山大二世	1855～1881
亚历山大三世	1881～1894
尼古拉二世	1894～1917
临时政府	1917
苏联共产党总书记（或第一书记）	
列宁	1917～1924
斯大林	1924～1953
马林科夫	1953
赫鲁晓夫	1953～1964
勃列日涅夫	1964～1982
安德罗波夫	1982～1984
契尔年科	1984～1985
戈尔巴乔夫	1985～1991
俄罗斯总统	
叶利钦	1990～1999
普京	1999～

*达尼洛维奇王朝是留里克王朝后期的分支，名从先辈丹尼尔。†1727年10月22日（旧历）彼得大帝一世加"皇帝"称号，认为它是比俄罗斯"沙皇"更大和更带有欧洲意味的称号。但是尽管有这一正式称号，传统用法却与此有别。每一个男性君主通常继续称作沙皇（其配偶称沙皇皇后），但每一个女性君主习惯上则称女皇。‡罗曼诺夫王朝直系于1761年伊丽莎白（彼得一世之女）死后绝嗣，然而此后的"荷尔斯泰因-戈托普王朝"历代君王均因袭罗曼诺夫家族之名（第一位君王彼得三世是荷尔斯泰因-戈托普公爵查理·腓特烈与彼得一世之女安娜之子）。

教育体制包括 3 年制初等学校和普通、技术或职业中学。大学生则通过竞争考试录取。

在这个苏维埃国家的整个历史中，新闻媒体一直受到政府和共产党的控制。然而，20 世纪 90 年代实行民主化以来，俄罗斯的媒体成为较自由的媒体。

文化生活 文学、音乐和舞蹈历来在俄罗斯文化生活中占有最重要的地位。该国最著名的作家包括 19 世纪和 20 世纪初的普希金、果戈理、屠格涅夫、托尔斯泰、陀思妥耶夫斯基、契诃夫和高尔基，他们的影响遍及全球。

最伟大的俄罗斯作曲家包括鲍罗丁、穆索尔斯基、里姆斯基-科萨科夫和柴可夫斯基。他们的表现技法在更为现代的音乐中仍然显著，特别是在拉赫马尼诺夫、斯特拉文斯基、普罗科菲耶夫和肖斯塔科维奇等人的作品中。

俄罗斯现实主义戏剧的传统以莫斯科艺术剧院的斯坦尼斯拉夫斯基的作品为代表。主要的芭蕾舞剧团有莫斯科大剧院芭蕾舞团（建于 1776）和圣彼得堡的基洛夫芭蕾舞团（建于 1735）。俄罗斯芭蕾舞团通过佳吉列夫和尼任斯基等人的努力，对西方舞蹈的形成起到一定作用。

历史 俄罗斯的欧洲部分在公元前 2 千纪即有印欧语系的人和乌拉尔阿尔泰语族的人居住。公元 8～9 世纪时，罗斯文化（俄罗斯和乌克兰的祖先）沿伏尔加河北段渐渐出现，并向南扩展到拜占廷帝国的边界。10 世纪中叶和末叶，基辅大公斯维亚托斯拉夫开始统一罗斯的疆土；其子弗拉基米尔继续其统一大业，并于 988 年在拜占廷教堂受洗后，建立了传诸后世的俄罗斯正教。

约 1240 年俄罗斯大部分领土被蒙古人征服，之后，诺夫哥罗德公国等继续兴盛，莫斯科公国和特维尔公国成为重要的中心，另外一些公国则趋于衰败。

14 世纪莫斯科的国势逐渐达到鼎盛，至 15 世纪中叶，瓦西里二世（瞎子瓦西里）为其子伊凡三世（大帝，1462～1505 在位）取得了大俄罗斯的王位。伊凡四世（雷帝，1533～1584 在位）是俄罗斯的第一位沙皇（1547），他对鞑靼人的征讨又使帝国增加了一些非斯拉夫族的邦国。伊凡死后，其子费多尔一世（1584～1598）继位，此人头脑鲁钝，不理朝政，国家实际上由其姻兄戈东诺夫统治。费多尔一世死后，戈东诺夫即沙皇位（1598～1605）。但其后的 15 年，王朝危机四伏，称为"混乱时期"，终以推选罗曼诺夫为沙皇始告结束，该家族从此一直统治着俄罗斯直至 1917 年革命爆发。

罗曼诺夫王朝初期的杰出沙皇为彼得大帝一世（1689～1725 在位）。他推行了一些西方式的改革，拨出资金建设波罗的海各州和里海沿岸地区，将俄罗斯建成一个正统的欧洲强国。他于 1721 年称皇帝，这就在事实和名义上宣布一个新的俄罗斯帝国已经成立。彼得的许多改革措施在伊丽莎白女皇（1741～1762 在位）和叶卡捷琳娜二世（大帝，1762～1796）统治期间得到巩固。叶卡捷琳娜在位时为帝国疆土增加了克里米亚和乌克兰以及原属波兰的一些领土。

拿破仑战争迫使亚历山大一世（1801～1825 在位）放弃改革，将注意力转向国防和军事。反对农奴制的运动兴起于叶卡捷琳娜二世（大帝）时代，她本来也希望能将农奴制废止，但迫于形势只好使其延续。这项制度终被亚历山大二世（1855～1881 在位）所废除，但这位"沙皇解放者"于 1881 年遭到革命党人的暗杀。

俄罗斯在 1904～1905 年的日俄战争中失败，与此同时国内罢工和暴乱的浪潮迭起，迫使沙皇尼古拉二世同意组成国家杜马（议会）。1906～1917 年间的几届杜马，常常是左翼形成多数，于是选出又遭解散，但改革也取得一些进展。

俄罗斯参加第一次世界大战对国家来说是一场灾难。到 1915 年秋，俄罗斯已损失 100 万人以上。1917 年 2 月，罗曼诺夫王朝被推翻，一个民主的临时政府宣告成立。但到 10 月（新历 11 月），一个由列宁领导的布尔什维克革命组织夺取了政权，将沙皇及其家族处决。俄罗斯退出第一次世界大战。布尔什维克在内战（1918～1920）中打败了他们的对手，组成苏维埃社会主义共和国联盟（1922 年 12 月 30 日定名，1923 年 7 月 6 日正式生效）。俄罗斯苏维埃联邦社会主义共和国成为苏联最大的和最重要的组成部分，以莫斯科为首府。实际上，新的苏联是旧日俄罗斯帝国的一个翻版，仅在名称和形式上有所变化。

列宁死后（1924），斯大林挫败几名对手夺得政治领导权。在斯大林统治时期，苏联经历了快速的工业化；农业被迫实行集体化，斯大林为巩固权力进行了多次政治清洗。苏联发展成为一个世界大国，在第二次世界大战打败德国的过程中发挥了重要作用。战后，苏联在东欧居于支配地位，并影响着中国共产党。斯大林死后（1953），赫鲁晓夫不久即当权，并试图放松某些对苏联社会的严格控制，而另一方面又与美国在国际事务上进行对抗。苏联在中国的影响也大为降低。

1964 年，由勃列日涅夫为首的集体领导班子撤换了赫鲁晓夫，掌握了国家政权，重新实施严格控制。60～70 年代期间，苏联力图直接或通过古巴那样的代理国，扩大其在全世界的影响。1982 年勃列日涅夫死后，苏联的数位领导人曾试图消除官僚体制中存在的无能和腐败，但均无建树。

1985 年戈尔巴乔夫上台，发出了苏联社会开始新变化的信号——主要侧重于改革国家的政治和经济体制，以及对公开讨论、辩论和文化表达实行新的开放。到 90 年代，改革运动已使共产党在国内和东欧的大权独揽成为过去。1991 年 8 月 19～21 日共产党强硬派的一次政变彻底失败，具有讽刺意味的是，这次政变反而推动了政治多元化和民主制度的进一步发展——在俄罗斯，即以 1991 年 6 月的民选总统叶利钦为先锋。

苏维埃社会主义共和国联盟于 1991 年 12 月 25 日正式取消，其大多数加盟共和国则在此前已经脱离。俄罗斯苏维埃联邦社会主义共和国正式重新命名为俄罗斯，或俄罗斯联邦。不久，赞成迅速过渡到市场经济的叶利钦和谋求在工业和农业中推迟私有化进程的人民代表大会之间发生了冲突。1993 年一部新宪法正式通过，该宪法大大增强了叶利钦总统的权力，并创设了一个新的两院制议会。叶利钦于 1996 年再次当选为俄罗斯总统。从 1994 年起一直到 21 世纪初，俄罗斯几次采用粗暴的武力保持对车臣共和国的控制。同时，俄罗斯经济仍不见起色。叶利钦在腐败丑闻中于 1999 年 12 月 31 日辞职。普京担任总统，经济有所恢复，但也加强了对媒体的控制。

Russia Company（English merchants） **俄罗斯公司** 参阅 **Muscovy Company 莫斯科公司**。

Russian-American Company 俄美公司 俄国的贸易垄断公司。19 世纪它在北美（主要在加利福尼亚和阿拉斯加）建立了若干殖民地。1781 年成立了以商人 G.I.舍列科夫和 I.I.戈利科夫为首的东北公司，在北美沿岸建立殖民地和进行毛皮贸易。1795 年舍列科夫去世后，这家公司和另外 3 家合并组成联合美洲公司。为了更有效地与外国的活动抗衡，俄皇保罗一世批准组成垄断公司，所有其他的公司就都被并入联合美洲公司。在舍列科夫的女婿、贵族 N.P.列扎诺夫的支持下，该公司于 1799 年获得为期 20 年的特许状，并改名为俄美公司。俄皇曾授予该公司在北纬 55°以北的北美地区的贸易垄断权，并指定其负责管理上述地区内的俄国殖民地。1791 年起一直到 1804 年在新阿昌盖尔（现为锡特卡）建立新总公司前，A.A.巴拉诺夫从美国的基克塔克（现为科迪亚克岛）指挥公司的运营。1812 年在今天的加利福尼亚州的罗斯堡建了一个公司前哨基地。和美国、西班牙及英国签订的协议（约 1824）确认了该公司控制北纬 54°40′以北的北美领土。但是，在与英国的商业和政治竞争加剧以及从这些殖民地获取的收入减少后，俄国决定出售在美洲的财产，便拒绝将该公司的特许状展期，特许状于 1862 年期满作废。

Russian Association of Proletarian Writers 俄罗斯无产阶级作家联合会 参阅 **RAPP 拉普**。

Russian Blue 俄罗斯蓝猫 一个家猫品种，以毛短而似长毛绒著称。性安详温顺；毛蓝灰色；眼圆，绿色；毛皮有丝绸光泽，质地似海豹皮。骨骼纤细，躯体苗条，腿细长，尾长，从尾根向尾尖渐细。头楔形。耳大，基部宽，尖端尖细。

Russian Catholic church 俄罗斯公教会 东仪天主教会之一。1900 年前后少数俄罗斯正教徒改奉天主教，但保持东正教礼仪。1917 年俄国革命爆发之前不久，罗马教廷任命费奥多罗夫为督主教主持该教会。费奥多罗夫于 1921 年入狱，督主教区被共产党解散。俄罗斯公教会信徒约 2 500 人逃往西欧定居。现俄罗斯公教会有一位主教驻在罗马，法国布洛涅-比扬库尔有多明我会办的俄罗斯学学会。

Russian Civil War 俄国内战（1918～1920）红军击败俄国的形形色色反布尔什维克军队而保卫住新成立的布尔什维克政权的一场斗争。《布列斯特-里托夫斯克和约》的签订引起共产党人和左派社会革命党人之间的分裂，社会革命党人遂退出联合政府。此后几个月中，俄国反列宁分子的两大集团很明显地向一起靠拢。一个集团是由于列宁解散立宪会议而同列宁分道扬镳的非布尔什维克左派；另一个集团是以库班草原上的志愿军为主的极右白俄。库班的志愿军从1918年4月起由邓尼金将军指挥，这时，虽然人数不多，却是一个劲旅。1918年春，德国展开新的进攻，西方协约国招架不住，就急欲重整一部分俄国军队，在东方开辟另一个战场。1918年3月，英国的一小批军队在摩尔曼斯克登陆。4月5日日本军队在海参崴登陆。另外还有一个由一些从奥匈帝国陆军中逃出来的捷克人和斯洛伐克人组成的捷克斯洛伐克军团。1918年3月，共产党政府同意这些军队经由远东离开俄国。但是在5月撤退时不断发生暴力事件，5月29日，陆海军人民委员托洛茨基命令他们缴械投降。他们拒绝缴械，抵制地方苏维埃解除他们的武装，并且占据了西伯利亚大铁路。这时出现了两个反布尔什维克的政权，一是以鄂木斯克为中心的"西西伯利亚人民委员部"；另一是以萨马拉为中心的由社会革命党人组成的"立宪会议委员会"。这些事件促使莫斯科政府彻底取缔非布尔什维克的社会党人，把孟什维克和社会革命党的代表从各级苏维埃驱逐出去，并禁止他们进行任何有组织的政治活动。1918年夏末，红军收复了欧俄东部的大部分地区。在成为反共中心的鄂木斯克，海军上将高尔察克在英美军事使团的支援下，加紧训练一支新军。1918年11月18日，高尔察克建立他自己的独裁统治。1919年初红军进入乌克兰。以彼特留拉为首的社会革命党军队的残部向西撤退，他们与前奥地利加利西亚的乌克兰民族部队汇合。此后几个月中，彼特留拉-加利西亚混合部队占领乌克兰的部分地区；其他地区则由马赫诺的无政府主义匪帮盘据；共产党人只控制一些大城市。德国的战败给协约国敞开了黑海，1918年12月中旬，由法国统率的一些混合部队在敖德萨、塞瓦斯托波尔、赫尔松和尼古拉耶夫登陆。1919年1月，在美国的倡议下，协约国提出俄国交战各方在马尔马拉海的普林基波岛上举行停战谈判。共产党人虽然同意，但白卫分子却表示拒绝。同年3月美国外交官布利特去莫斯科，从共产党人那里带回和平方案，但协约国没有接受。此后，协约国不再试图同共产党人妥协，不断增加对高尔察克和邓尼金的援助。1919年上半年，主要战争是在东方进行。高尔察克进入乌拉尔，到4月取得极大的胜利。4月28日红军开始反攻。6月乌法陷落，高尔察克军队从西伯利亚撤退。夏末，白军的撤退已变成溃散。11月高尔察克在伊尔库茨克成立政府，但12月就被社会革命党人推翻。1920年1月高尔察克被引渡给共产党人，2月7日被枪决。1919年夏末，邓尼金在俄国欧洲部分进行最后挣扎。8月末，乌克兰大部分地区在白卫军手中。9月白卫军从乌克兰向北移动，自伏尔加河下游直指莫斯科。10月13日占领奥廖尔。与此同时，尤登尼奇将军从爱沙尼亚向彼得格勒（圣彼得堡）外围进军。但是，这两个城市都在红军的反攻下得到了解放。尤登尼奇退回爱沙尼亚，邓尼金也被赶出了奥廖尔。1920年在克里米亚另有一支由弗兰格尔将军统率的有组织的白卫部队，他们一度占领乌克兰的部分地区和库班。红军猛攻弗兰格尔的军队。最后，在克里米亚有15万白军和平民由海上撤走，11月内战结束。

Russian Formalism（literary criticism） **俄国形式主义** 参阅 **Formalism** *形式主义*。

Russian language 俄语 俄语拉丁字母转写作 Russki yazyk。俄罗斯主要的国家和文化语言。与乌克兰语和白俄罗斯语共同组成斯拉夫语族东斯拉夫语支。俄语是绝大多数俄罗斯人的第一语言，也是前苏联各共和国通行的第二语言。20世纪后半叶，在苏联影响下的各国，特别是在东欧，也广泛教授俄语。俄语方言分为北部方言群（从圣彼得堡到整个西伯利亚）、南部方言群（俄罗斯中部大片地区和其南部）、中部方言群（位于南北之间）。俄语当代文学语言以莫斯科方言为基础而形成。该城市原处于北部方言区。南北影响交汇，创造出新的中部方言，莫斯科即在中部。它主要具有北部方言的辅音系统和南部方言的元音系统。不过这3种方言的差别比起大多数欧洲其他语言诸方言之间的差别要小。从13世纪至16世纪，俄语和其他东斯拉夫语言（乌克兰语、白俄罗斯语）彼此间并无显著分歧。此前，古俄语这一名词通常用于称呼东斯拉夫共同语。俄语曾受教堂斯拉夫语强烈影响，沙皇彼得大帝推行西方化政策使西欧诸语言对之也产生影响，俄语从这些语言借用大量语词。19世纪诗人A.普希金的著作对俄语持续发展产生极大影响。他以民间口语和教堂斯拉夫语相结合的文体，结束了过去那种因文体取舍莫衷一是而产生的争辩。现代俄语名词和形容词通常有单复数6个格（主格、属格、与格、宾格、工具格、方位格）。动词分完成体和未完成体。俄语语音系统有相当多咝辅音和辅音丛以及一系列腭化辅音及与之对应的非腭化辅音（腭化辅音发音时舌面触及硬腭或向前的动作，同时伴有 *y* 音渡，常称之为软辅音）。斯拉夫原始母语的弱化元音 *ĭ* 和 *ŭ* 很早以前在俄语非重读音节中即已消失。

Russian literature 俄罗斯文学 公元10世纪末基辅罗斯皈依基督教以来用俄罗斯语创作的作品。基辅时期的著作一般只是用来传教或用于其他实用目的，且许多是从希腊文翻译来的。被看作是俄罗斯中世纪文学中的第一部伟大作品是《伊戈尔远征记》（约1185～1187）。13世纪30年代，鞑靼人的入侵征服了俄罗斯大片土地，结束了基辅罗斯的统治，直到15世纪末和16世纪莫斯科兴起之后，俄罗斯民族文学才开始出现复兴迹象。对这个时期的大部分"文学"主要感兴趣的是学者，尤其是历史学家。俄罗斯文学中第一本有真正人情味的主要作品是17世纪末大司铎阿瓦库姆·彼得罗维奇的自传。然而直到一个世纪之后，随着罗蒙诺索夫及杰尔查文的颂诗和拉季舍夫及卡拉姆津的纪实性散文的出现，俄罗斯才有了自身的文学。

尽管存在着政府的审查制度和官方的刁难，俄罗斯文学在19世纪仍获得了世界性声誉。普希金作品的出现开始了俄罗斯文学的黄金时代。他的诗体小说《叶甫盖尼·奥涅金》（1833）的丰富多彩、优美动听、简明朴素和新颖别致以及他的无与伦比的抒情诗，产生了重大的影响。而紧随其后的莱蒙托夫及其小说《当代英雄》（1840）对散文体文学也有着同样的影响。1840年后，散文，尤其是长篇小说，成了最普遍的表现手段。第一位主要的散文作家是果戈理，他的超群的喜剧天赋在舞台喜剧杰作《钦差大臣》（1836）和长篇小说《死魂灵》（1842）中有着出色表现。第一位主要的长篇小说作家是屠格涅夫，他的成名作是描写农奴境况的《猎人笔记》（1852），但现在他的名声主要建立在描写知识分子境况的中篇小说，尤其是《父与子》（1862）上。陀斯妥耶夫斯基和托尔斯泰现在是公认的俄国最伟大的长篇小说作家。陀斯妥耶夫斯基开始写作是在19世纪40年代，由于被流放到西伯利亚，他的文学事业推迟了，直到60年代末，才开始写作那些杰出的长篇心理小说：《罪与罚》（1866）、《白痴》（1868～1869）、《群魔》（1872）以及其杰作《卡拉玛佐夫兄弟》（1879～1880）。托尔斯泰的声望是建立在描写拿破仑入侵俄国的长篇历史巨著《战争与和平》（1865～1869）和他对罗曼蒂克的爱情进行探讨的《安娜·卡列尼娜》（1875～1877）上。其他知名长篇小说作家有冈察洛夫和萨尔蒂科夫。19世纪末，契诃夫的悲喜剧式的短篇小说和深刻的创新戏剧，描绘了俄国土地贵族的没落，而同情工人阶级的高尔基声称需要革命性变革，他后来成了共产党人的英雄。

20世纪是以勃洛克在其中占有支配地位的诗歌复兴为开端的。1917年的革命开始了一个虽然短暂但却是文学蓬勃发展的时期，马雅可夫斯基、曼杰利什塔姆和帕斯捷尔纳克的诗歌是其标志。阿赫马托娃是20世纪俄罗斯诗人中最重要的诗人之一。散文也出现了繁荣，但是在1932年将社会主义现实主义定为苏联文学的正式教条后，散文的写作水平普遍下降了。1953年斯大林逝世后出现的短暂的文学"解冻"为新的镇压所取代，并产生了文艺界人士移居国外的新的浪潮，索尔仁尼琴和J.勃洛茨基便是其中的两人。前者于1970年获诺贝尔文学奖，并以其长篇小说《第一圈》（1968）及描述苏联警察国家的《古拉格群岛》（1973～1975）成了俄罗斯的主要作家。总的说来，从1917年到1991年间出现的最有力和最有独创性的俄罗斯文学作品，都是由不受苏联政权管束或遭受苏联政权频繁迫害的作家和诗人创作的。苏联的解体戏剧性地改变了文学的场景。流亡者文学和苏联时期未能出版的文学能够到达读者手中，正在转变着俄罗斯人对自己文化遗产的认识。

Russ 俄罗斯族 中国少数民族。主要分布于新疆、内蒙古和黑龙江的部分地区。人口15 609(2000)。语言属印欧语系斯拉夫语族。通用俄语。中国的俄罗斯族最初是在18世纪末从沙皇俄国迁入。俄国十月革命及第二次世界大战前后有更多的俄罗斯族陆续迁入新疆、内蒙古和黑龙江等地，被称为“归化族”，中华人民共和国建立后，改称俄罗斯族。中国的俄罗斯族生活习俗与俄罗斯人基本相同，信仰东正教。

俄罗斯族姑娘
中国大百科全书出版社供图

Russian olive(small tree) **俄罗斯油橄榄** 参阅 **oleaster** 胡颓子。

Russian Orthodox church 俄罗斯正教会 东正教中世界上规模最大的自主教会，其信徒估计有4 000万～8 000万人。

基督教显然是在9世纪由希腊传教士自拜占廷传入基辅罗斯的。现已知，早在10世纪前半叶，基辅即已有有组织的基督教徒群体，957年基辅执政奥尔加在君士坦丁堡受洗；988年，奥尔加的孙子、基辅大公弗拉基米尔受洗后定基督教为国教。一直到1448年，俄罗斯教会在弗拉基米尔的继承者的统治下都以基辅都主教(1328年后移驻莫斯科)为首脑，成为拜占廷牧首管辖下的都主教区。

从13世纪到15世纪末，俄罗斯处在蒙古统治之下，其时俄罗斯教会享受优惠，1270年特许免税。修道院事业在此期间大为发展。先是，11世纪中叶修行家圣安东尼和圣狄奥多西创办的基辅洞穴修道院是最重要的宗教中心，后来则被拉多涅兹的圣塞尔吉乌斯于14世纪中叶创办的圣三一修道院(在今扎戈尔斯克)所取代，塞尔吉乌斯以及圣彼得(1308～1326)和圣亚历克赛(1354～1378)两位都主教都拥护权势日盛的莫斯科大公国。最后，俄罗斯的主教们于1448年不经君士坦丁堡方面同意自行选出牧首，俄罗斯教会自此即成为自主教会。1589年，莫斯科都主教约夫经过君士坦丁堡方面批准晋级为牧首，位次排在君士坦丁堡、亚历山大、安提阿和耶路撒冷牧首之后，居第五。

在17世纪中叶，俄罗斯正教牧首尼康与俄皇阿列克谢发生激烈冲突。尼康追求神权国家的理想，力图使正教教会凌驾于俄罗斯国家之上，并且着手彻底改革俄罗斯正教会的礼文和礼仪，使之与东正教其他派别一致，尼康于1666年被废黜，但是俄罗斯教会保留了他所倡导的改革，谴责坚持反对这种改革的人；这些人称为旧礼仪派，成为俄罗斯正教中强大的异见派，活动了两个世纪之久。

1721年，彼得大帝撤销莫斯科牧首区，代之以圣主教公会，宗法瑞典和普鲁士的由国家控制的信义宗教会，对之实行严格的国家管制。圣主教公会的首脑是在俗官员，在19世纪前半叶位居大臣一级，对教会行政事务实行有效的管制，一直到1917年。高级神职人员大多在政治上唯命是从，使得这种控制更为顺利，尤其是在大保守派人士波别特诺斯采夫担任首脑期间(1880～1905)。

沙皇政府倒台后，俄罗斯正教会于1917年11月举行会议，恢复牧首制，选举都主教吉洪为牧首。但是，苏维埃政府成立以后不久即宣布政教分离，将教会地产全部收归国有。继这种行政措施之后，政府又实行残暴的迫害，大批教堂被毁，众多神职人员或被逮捕或被处死。受苏联政府支持的改革派“革新教会”于1922年从吉洪所领导的教会分化出来，另立圣主教公会，分裂神职人员及在俗信徒，进一步削弱了俄罗斯正教会。

吉洪死(1925)后，政府不许举行牧首选举。1927年，都主教塞尔吉乌斯为了使教会得以生存，正式表示“忠”于苏联政府，自此不以任何方式批评政府。但是，这种“忠”的表态却使教会自身进一步分化：在俄罗斯内部，一些信徒反对塞尔吉乌斯，而在国外，美洲和西欧的俄罗斯正教都主教区纷纷与莫斯科断绝关系。后来，在1943年斯大林突然改变对宗教的政策，俄罗斯正教会得惠于此，经历了重要的复兴：选举新牧首、开办神学院、几千个教会开始活动。从1945～1959年，教会的正式机构大有发展，但还时有神职人员被捕或被驱逐之事。开放教会总数达到25 000。在赫鲁晓夫和勃列日涅夫当政期间，又普遍发生了迫害教会的事件。在戈尔巴乔夫当政期间，从20世纪80年代末期开始，有了新的政治自由和社会自由，于是许多教会建筑物交还教会，重归各地信徒使用。1991年苏联解体，宗教事业进一步得到发展。

由于1917年俄国的革命，俄罗斯正教会中的许多部分——在美洲、日本、中国东北地区的各主教区以及逃亡在欧洲各地的信徒——与母会断绝了联系。逃离俄境的一批主教在南斯拉夫境内斯雷姆斯基卡尔洛夫齐开会，采取明确的君主主义的政治立场。这个组织进而自称是全俄罗斯“自由”教会的主教大会，它至今仍代表迁居国外的俄国人中很大一部分，但曾于1922年被吉洪牧首解散，吉洪随后任命普拉东都主教和埃夫洛基都主教分别为美洲和欧洲的主任主教。这两位都主教都断断续续地与卡尔洛夫齐的主教大会保持关系，但都不承认它为合法权威。

在第二次世界大战之后，莫斯科牧首区屡次试图控制这两个组织而未果。1970年，莫斯科牧首区承认美洲的一个俄罗斯正教会为自主教会，从而不再坚持它对美国和加拿大的俄罗斯正教会的权利要求；同年，它还承认了在日本成立的俄罗斯正教会为自主教会。

Russian Orthodox Greek Catholic Church of America 美洲俄罗斯正教和希腊公教教会 参阅 **Orthodox Church in America** 美洲正教会。

Russian Plain 俄罗斯平原 又称东欧平原，包括东欧(俄罗斯西部在内的)广阔平原和江河流域。面积约400万平方千米。平均高度约170米。按地貌划分为瓦尔代山地、中俄罗斯高地、伏尔加高原及第聂伯河、黑海和里海低地等地区。

Russian Primary Chronicle 《俄罗斯编年史》 俄文译名《编年纪事》。基辅罗斯中世纪编年史，对12世纪第二个10年以前的东斯拉夫早期历史有详细的记载。该书取材于拜占廷编年史、西部和南部斯拉夫文学著作、官方文件及口头传说。约于1112年在基辅编成，现存最早手稿为1377年抄本。

Russian Revolution of 1905 俄国1905年革命 俄国人民反对沙皇尼古拉二世专制独裁的行动。在1905年前几年，各种社会集团都显示出对俄国社会和政治制度的不满。日俄战争使不满情绪日益增长。俄国人民以各种形式表示抗议。当沙俄政府在流血星期日(**Bloody Sunday**, 1905-01-09)屠杀和平示威群众时，人民的愤怒已经达到了顶点。随后，在首都以及其他大工业中心纷纷举行大罢工。2月尼古拉宣布他打算建立一个选举产生的咨询性机构。他的意图没有满足罢工工人、农民、甚至地方政府和专业人士中的开明派。到4月已发出召开制宪会议的呼声。起义的烽火还扩展到非俄罗斯人地区，特别在波兰、芬兰、波罗的海沿岸各省和格鲁吉亚，声势极为浩大。军队也参加了起义，西伯利亚大铁路沿线的部队发生暴动，6月“波将金”号战舰的水兵也在敖德萨港举行兵变。8月6日沙俄政府宣布关于咨询会议选举程序的法令，激起更大的抗议。9月，反抗情绪日益增长。10～11月，起义达到高潮。10月7日开始的铁路罢工在许多大城市里迅速发展成为总罢工。在伊万诺沃-沃斯涅先斯克成立第一个工人代表会议(或称苏维埃)，起着罢工委员会的作用。随后在圣彼得堡、莫斯科、敖德萨和其他城市也都成立了苏维埃。声势浩大的罢工终于迫使尼古拉采取行动。他在S.Y.维特建议下，发布《十月宣言》(**October Manifesto**, 1905-10-17)，许诺颁布宪法和建立立法机构——杜马，同时任命维特为新的国务会议主席(总理大臣)。这些让步虽未使革命者屈服，但温和派得到了满足，许多工人把《宣言》视为胜利而停止罢工。总之，它破坏了反政府的联盟，削弱了圣彼得堡苏维埃。11月底，沙俄政府逮捕圣彼得堡苏维埃主席、孟什维克赫鲁斯塔利夫-诺萨里，12月3日占领苏维埃办公大楼，逮捕主要领导人托洛茨基等。然而，在莫斯科又发生了新的总罢工，工人筑起街垒，进行巷战。沙俄政府向波兰、波罗的海沿岸各省和格鲁吉亚派出讨伐队，血腥镇压人民起义。1906年初，政府重新控制西伯利亚大铁路和军队，这次革命基本结束。这次革命虽然失败，但却迫使帝国政府实行一些改革，其中最重要的就是制定了起宪法作用的《基本法》(1906)，产生了杜马，促进了合法政治活动和政党的发展。

Russian Revolution of 1917 俄国 1917 年革命 指两次革命：第一次发生在3月(旧历2月)，结果推翻了沙皇的统治；第二次发生在11月(旧历10月)，结果布尔什维克夺取了政权。到1917年，沙皇与俄国人民之间的关系已经破裂。每个人都能够看清政府的腐败和无能。即便是温和的人也对政府的反动政策(如解散杜马)不满。俄罗斯帝国内的许多少数民族日益反对被俄罗斯人统治。在第一次世界大战中，装备不良和指挥无力使俄国人遭受惨重的损失，俄国的经济完全破产，因此，革命已经不可避免。1917年3月8日，首都彼得格勒(今圣彼得堡)由于缺少粮食而发生骚乱，当大部分卫戍部队转向叛乱后，沙皇尼古拉二世于3月15日被迫退位。当他的兄弟米哈伊尔大公拒绝登基时，300年古老的罗曼诺夫王朝遂告终结。杜马任命一个临时政府。但是，这个政府面临由工兵代表组成的彼得格勒苏维埃这样一个对手。这个苏维埃的2 500名代表是由彼得格勒及其周围地区的工厂和军队中选出的。3月14日苏维埃发布著名的第一号命令，指示军队只能听从苏维埃的命令，而不得听从临时政府的命令。临时政府无力禁止这一命令。后来在一个时期内，苏维埃与临时政府在某种程度上合作，但到最后完全分裂。在3～10月期间，临时政府改组了4次。第一届政府完全由自由主义派的部长们组成，只有社会革命党人A.克伦斯基是个例外。此后的3届政府都是联合政府。但是，它们均未能适当地解决当时俄国所面临的重大问题，如分配土地给农民、非俄罗斯人地区的民族独立运动以及前线上军队的士气涣散等。同时，在全国的城市、大镇以及前线部队中，都成立了以彼得格勒苏维埃为榜样的苏维埃。在这些苏维埃中，主张俄军无条件退出战争的“失败主义”情绪日益增长。在6月16日召开的全俄苏维埃代表大会中，社会革命党人形成最大的集团，其次是孟什维克和布尔什维克。7月，克伦斯基成为政府的首脑，但是他越来越无力阻止俄国滑进政治、经济和军事混乱的旋涡。苏维埃的权力日益增长，布尔什维克在各苏维埃内的影响也越来越大。到9月，列宁领导的布尔什维克及其盟友左派社会革命党已经压倒社会革命党人和孟什维克，在彼得格勒苏维埃和莫斯科苏维埃中成为多数派。同年秋，布尔什维克的“和平、土地和面包”纲领赢得了饥饿的城市工人和成群开小差的士兵们的拥护。11月6～7日，布尔什维克发动一场几乎不流血的政变，占领了政府大厦、电报局和其他战略据点。克伦斯基未能成功地组织与布尔什维克的对抗，于是逃出了俄国。在彼得格勒召开的第二次全俄苏维埃代表大会同意这次政变，并批准建立一个主要由布尔什维克代表组成的新政府。

Russian Social-Democratic Workers' Party 俄国社会民主工党 马克思主义的革命政党，即苏联共产党的前身。1898年在明斯克建立。该党认为俄国只有发展拥有城市无产阶级的资本主义社会，才能达到社会主义。他们反对民粹派关于以农民公社为基础、可以不经过资本主义阶段而进入社会主义社会的想法。大多数在建党代表大会上当选的领导人很快就被捕。该党的第二次代表大会是1903年7～8月在布鲁塞尔和伦敦举行的。会上，列宁领导的布尔什维克派和马尔托夫领导的孟什维克派就列宁关于由有纪律的职业革命家组成党的建议进行了激烈的辩论。俄罗斯马克思主义奠基人之一的普列汉诺夫持中间立场。这场争论支配着党内的生活。该党党员在1905年不成功的俄国革命中起了重要的作用。党的领导人之一托洛茨基当选为圣彼得堡苏维埃主席。1917年，布尔什维克与孟什维克最后决裂，1917年十月革命后，改名为俄国共产党(布)。俄国内战结束后，孟什维克被镇压。

Russian Soviet Federated Socialist Republic 俄罗斯苏维埃联邦社会主义共和国 参阅 **Russia 俄罗斯**。

Russian State Museum 俄罗斯国立博物馆 位于圣彼得堡，于1898年开放，是俄国艺术与生活的中央博物馆。设在K.I.罗西设计的原米哈伊尔宫(1819～1825)里，1896～1897年改为博物馆。1917年俄国革命后，由于将没收的许多私人藏品也转到俄罗斯国立博物馆，使馆藏得到相当大的扩充。中央大楼藏有自10世纪到革命时期的艺术品，包括一个18～19世纪油画与雕刻的综合收藏馆和一个拥有12～14世纪的精美圣像画的早期俄罗斯艺术珍品收藏馆。此外，还有19世纪末和20世纪初的绘画、肖像画和实用艺术的展品，以及一个人种志博物馆。

Russo-Finnish War 苏芬战争 (1939-11-30～1940-03-12) 又称冬季战争。第二次世界大战初，苏德互不侵犯条约签订(1939-08-23)后，苏联对芬兰发动的战争。1939年秋，芬兰拒绝了苏联要其转让一个海军基地并租借其他地域的要求，苏联约100万军队从数个方向向芬兰发起进攻。但是，数量占有很大优势的芬兰人擅长冬季作战，进行了有效的防御，红军进展甚慢。1940年2月，苏军采取大规模炮火轰击突破了曼勒海姆防线(芬兰南部横跨卡累利阿地峡的防御工事)，尔后跨越地峡北上直趋芬兰城市维普里(维堡)。由于无法得到英国和法国的援助，力量消耗殆尽的芬兰于1940年3月12日按苏联的条件媾和，同意割让卡累利阿西部，并在汉科半岛修建一个苏联海军基地。

Russo-Japanese War 日俄战争 (1904～1905) 一场日本获胜并迫使俄国放弃远东扩张政策的军事冲突，这场冲突是现代史上亚洲强国第一次击败欧洲强国。

日俄战争起源于俄国与日本争夺在朝鲜和中国东北的统治权。1898年，俄国强迫中国租借位于东北地区南部辽东半岛顶端具有战略意义的重要港口旅顺口，进而占领了辽东半岛，虽然此举系与其他欧洲强国采取一致步骤，迫使日本放弃1894～1895年中日战争中日本取得决定性胜利后获得的权利。此外，1896年，俄国与中国结盟反对日本，在此过程中俄取得了修建穿过中国东北到俄国海港符拉迪沃斯托克(海参崴)的横贯西伯利亚的铁路(中东铁路)的权利，进而控制了中国东北的重要地带。

虽然俄国已于1891年至1904年修建了横贯西伯利亚的铁路，但为其在中国东北为数有限的武装部队补充足够的人员和给养，仍缺乏必要的运输工具。相反，日本自1894年对中国开战以来，一直在扩军，到1904年，驻远东的地面部队对俄国已经占有明显的数量优势。因此1903年俄国违约未从中国东北撤军时，日本就认为发起进攻的时机已经到来。

战争于1904年2月8日爆发，日本舰队主力对旅顺口的俄国海军分舰队发起突然袭击并加以包围。

日军在3月登陆朝鲜，迅速征服该国。5月，另一支日军在辽东半岛登陆；5月26日，该部切断旅顺口要塞守军同驻中国东北的俄军主力部队的联系。接着日军北上，俄军在阜新之战(6月14日)和辽阳之战(8月25日)失利后，撤回沈阳。10月，俄军由西伯利亚铁路获得增援，借以发起反攻，但是由于军事领导无能，进攻没有取得决定性结果。

日军在付出沉重代价屡攻不下后，对旅顺口进行了长期围困。由于要塞的军事领导意见不一致，1905年1月2日，颟顸腐败的旅顺口俄军司令未与下属军官商量即向日军投降，而当时要塞中还有3个月的给养和充足的弹药。

1905年2月底和3月初，在沈阳进行了陆上作战的最后一次战役，俄军投入兵力为33万，日军为27万。经过漫长艰苦的战斗，双方伤亡严重，俄军司令A.N.库罗帕特金将军停止战斗，率军从沈阳北撤，使该城落入日军手中。是役损失十分惨重，俄军伤亡约为8.9万人，日军为7.1万人。

对马海峡之战最终使日军赢得了战争主动权。日军一直无法夺得陆上战役所依赖的全面制海权，旅顺口和符拉迪沃斯托克的俄军舰队仍能发挥一定的作用。但在1905年5月27日至29日对马海峡的战役中，日本海军大将东乡平八郎的海军主力舰队歼灭了俄海军波罗的海舰队，这支舰队由Z.P.罗热斯特文斯基海军上将指挥，于1904年10月从波罗的海利耶帕亚港启航，增援旅顺口的部队，海战发生时该舰队正试图驶往符拉迪沃斯托克(参阅 **Tsushima, Battle of**)。日本此时亦财政枯竭，但它在对马取得了决定性的海战胜利，而这场战争在俄国国内本不得人心，致使其内部政治动乱愈演愈烈，最终使俄国政府走到谈判桌上。

和平会议于1905年8月9日至9月5日在美国新罕布什尔州朴茨茅斯举行，美国总统T.罗斯福为调停人。在最后签署的《朴茨茅斯和约》中，日本获得了辽东半岛(和旅顺口)和中东铁路(通往旅顺口)，以及萨哈林岛(库页岛)一半地域的控制权(参阅 **Ports-**

mouth, Treaty of)。俄国同意撤出辽东半岛，将其归还中国，并承认日本控制朝鲜。在条约签字的两个月内，俄国发生了一场革命，迫使沙皇尼古拉二世发表了相当于宪章的《十月宣言》。

Russo-Polish War 俄波战争(1919～1920) 苏俄和波兰为争夺乌克兰而进行的一次军事冲突，导致俄波边界的确立，这条边界一直维持到1939年。1919年两国已经处于敌对状态，当波兰国家元首毕苏斯基和乌克兰民族主义者领袖彼特留拉建立同盟(1920-04-21)，其联军席卷乌克兰，并占领基辅(05-07)时，俄波两国开始冲突。6月，红军反攻，7月底抵达原波兰边界。在革命激情的洪流中，红军深入波兰，8月初到达华沙郊外。西欧国家担心俄国人会在波兰建立一个苏维埃政府，遂派遣以法国魏刚将军为首的军事使团前来，为波兰军队出谋划策。8月中，波兰人反攻，迫使俄国人退却。1920年10月，双方签订停战协定。1921年3月18日签订《里加条约》，规定乌克兰绝大部分地区仍归苏维埃共和国，而白俄罗斯和乌克兰的相当一部分则划给波兰。

Russo-Turkish wars 俄土战争 17～19世纪俄国和奥斯曼帝国的一系列冲突，反映了奥斯曼帝国的衰落和俄罗斯逐步扩大边疆及在奥斯曼领土范围内影响的增加。战争发生在1676～1681，1687，1689，1695～1696，1710～1712(北方战争的一部分)，1735～1739，1768～1774，1787～1791，1806～1812，1828～1829，1853～1856(克里米亚战争的一部分)和1877～1878。初期的俄土战争，主要限于两国之间的角逐，一般发生在巴尔干、克里米亚和高加索一带。但到了19世纪，战争日益吸引欧洲国家的兴趣。这些国家以各种方式进行干预，最后为了支持奥斯曼帝国，参加克里米亚战争(1853～1856)，并在1877～1878年冲突之后施加强大外交压力，以致俄国的战果受到严格限制。尽管如此，俄土战争的结局是，俄国扩大了疆域，国界线伸到黑海、欧洲的普鲁特河以及越过亚洲的高加索山脉；1877～1878年战争结束时，俄国还为塞尔维亚和罗马尼亚从奥斯曼帝国获得独立作了很大贡献，并且成为在政治上统治这些国家和奥斯曼帝国在巴尔干的剩余领土的主要竞争者。

rust 锈病 由4 000种以上真菌引致的几千种重要经济植物和杂草的病害。锈菌在生活环中可寄生于一种植物(单主寄生)或两种不同植物(转主寄生)。禾杆锈菌(*Puccinia graminis*)生活环中具5种孢子型，为转主寄生锈菌寄生于小麦或其他禾谷类和禾草上。其他转主寄生锈菌以桧属作为一种寄主，以苹果、日本榅桲、山楂、蔷薇以及有关植物作为另一种寄主；白松锈菌以五针松作为一种寄主，以茶藨子及鹅莓(茶藨子属)作为另一种寄主；另一种锈菌以黄杉作为一种寄主，以杨作为另一寄主。单主寄生锈菌如侵袭石刁柏、豆类、菊花、咖啡、蜀葵、金鱼草、甘蔗及向日葵的锈菌。锈菌一般在叶、嫩茎及果实上产生黄色、橙色、红色、锈色、褐色或黑色粉霉状疱状突起。受染植株的生长及产量受影响，有的植株凋萎或顶死。防治法包括种植抗病品种及无锈病植株；在一种转主寄生植物数百米范围之内消灭另一种转主寄生植物；严格执行卫生措施；每隔7～10天用杀真菌剂喷粉或喷雾，在锈病出现前两周开始施行。由几种白锈菌属(*Albugo*)真菌引致的白锈病与真正的锈病不同，它不需转主寄生。它侵袭许多草本植物，病株叶上出现浅黄色部分，叶下表面及其他地上部分带有白垩色蜡质，以后变成粉霉状，最后变成深暗色的疱状突起。叶片凋萎，早期死亡，茎及花器膨胀变形，植株矮化。防治法包括采用无病植株及抗病品种，消灭植株受侵部分、杂草和收获后的残株，实施三年轮作制，疾病常发季节每隔10～14天用杀真菌剂喷雾数次。

Rustamid kingdom 鲁斯泰梅(761～909) 古阿尔及利亚北部高原的一个伊斯兰国家。是反对阿拔斯王朝的几个王国之一。由该国创建者、波斯人鲁斯泰梅后裔的伊玛目统治。这个国家在穿越撒哈拉沙漠的贸易方面十分活跃。909年其首都塔哈尔特(在今提赫尔特附近)为法蒂玛王朝占领，鲁斯泰梅王国消亡。

Rustaveli, Shota 鲁斯塔维里(约1172～约1216) 格鲁吉亚诗人。据格鲁吉亚传说，他自幼父母双亡，由一个当修士的舅舅扶养。他写了许多诗，歌颂格鲁吉亚处于政权和文化鼎盛时期的统治者塔玛拉女王(约1160～约1210)。作为对他的颂诗的奖赏，女王任命他为宫廷司库。根据叙事长诗《虎皮武士》，一些学者称他为格鲁吉亚文学语言的奠基人。中国、波斯和古希腊的哲学，包括柏拉图的语录，在他的诗中均有反映。

Rustavi 鲁斯塔维 格鲁吉亚东南部库拉河旁的城市。第二次世界大战以后在此建立了一座巨大的钢铁厂，为整个外高加索地区供应轧制钢材和钢管，使该城有了很大发展。城市人口比原计划可容纳的人口增加了一倍多。有规模很大的化学工业，生产化肥和合成纤维。人口约161 900(1991)。

Rustebeuf(medieval poet) 参阅**Rutebeuf 吕特伯夫**。

Rustenburg 勒斯滕堡 南非德兰士瓦省城镇。建于1850年。在19世纪中期和末期，该镇在德兰士瓦政治事务中有重要地位。北面是1883～1902年任南非总统的克留格尔的故居(现已修复)。四周为烟草、小麦和水果产区；东面13千米处有世界最大的白金矿，亦开采铬、镍和花岗石。人口：城市区37 712(1985)。

rustication 粗面石工 一种建筑上用于装饰的石工技术。做法是将石块表面沿边削平，中央部分留作粗糙面或显著突出。粗面石工可使外墙表面呈华美粗豪状。在许多建筑风格中，粗面石工只用于墙壁接合处的隅石或石墩的角，使之与墙壁其余平滑部分形成鲜明对照。粗面石工最早发现于公元前560年波斯帕萨尔加德居鲁士大帝二世陵墓平台上，亦常用于希腊和希腊式的挡土墙与石阶上。罗马人也有类似用法，他们将此种石工用于一些实用的建筑物上，如法国尼姆的加尔桥和西班牙的塞哥维亚输水道。但罗马人亦深知此种石工的纯装饰性用途，乃用之于如罗马的马焦雷门(公元1世纪)等建筑物上作装饰。马焦雷门上的粗面石工较为粗糙，法国维埃纳的奥古斯都神庙上的粗面石工则刻得极为精细。意大利文艺复兴初期的建筑家进一步发展了粗面石工的传统，在15世纪时用之于装饰宫殿，效果很好。因此，在佛罗伦萨的皮蒂宫(1458)、梅迪契-里卡迪宫(1444～1459)和斯特罗齐宫(约1489)上精心设计的粗面石工是建筑物上主要的装饰部件。在风格主义和巴罗克风格盛行的时期，粗面石工在园林和别墅的建筑设计上起十分重要的作用。石块突出部分的表面形状光怪陆离，如模仿被虫蛀的木材形状在表面上刻出蜿蜒弯曲的凹槽或刻成钟乳石状、类似滴水落入石灰石中形成的形状。有时石块的四面刻成斜面，中央呈锐角形或尖脊形。I.琼斯将粗面石工技术引入英国，在17、18世纪中，此种技术成为许多英国石方工程最重要的特征。

米开罗佐设计的佛罗伦萨梅迪契-里卡迪宫(1444～1459)的粗面石工装饰
美国不列颠百科全书公司供图

Rustin, Bayard 拉斯廷(1910-03-17，美国宾夕法尼亚西切斯特～1987-08-24，纽约州纽约) 美国黑人民权活动家。拉斯廷读完中学后，打过零工，作过广泛的旅行，在纽约市立学院和其他学院接受5年的大学教育，未得学位。他是种族隔离的反对者和不抵抗运动的终身信徒。1941～1953年在非教派宗教组织和好会工作，并于1941年组织另一改良主义团体种族平等会议纽约分会。50年代拉斯廷成为民权运动领袖马丁·路德·金的亲密顾问，并是金的南方基督教领袖会议的主要组织者。他也是1963年8月向华盛顿进军的主要组织者，这一进军是为使在国会里悬而未决的民权法案重新得到支持而举行的大规模示威活动。1964年他指挥了对纽约市公立学校进行一天的学生抵制活动，以反对该系统内的种族不平衡现象。拉斯廷随后于1966～1979年任纽约市民权组织A.菲利普·伦道夫协会会长。

rutabaga 芜菁甘蓝 与芜菁(**turnip**)近缘的一种根用疏菜。

Rutaceae 芸香科 显花植物无患子目的一科，许多种结的果实可食或本身为珍贵的观赏植物。多为灌木或乔木，少数种为多年生草本。150属，900种。世界性分布，尤见于

芸香科植物麻绞叶(*Murraya koenigii*)
供图：Walter Dawn

暖温带及热带地区。非洲及澳大利亚数量最多，常分布于半干旱的林地。花通常为完全花，少数为单性花，聚生成花序，便于昆虫(如小型蝇类及蜂类)传粉。花朵色彩鲜艳，或气味芬芳，或具花蜜，用以吸引昆虫。果实种类甚多，如芸香属(*Ruta*)为蒴果，花椒属(*Zanthoxylum*)为蓇葖果，脂檀属(*Amyris*)为核果，臭橘属(*Triphasia*)为浆果，榆橘属(*Ptelea*)为翅果，*Helietta* 属为分果。柑橘属的果实实为变形的浆果。芸香科包含许多重要的经济果树。柑橘属(*Citrus*)的果树有柠檬(*C. limon*)、酸橙(*C. aurantium*)、甜橙(*C. sinensis*)、来姆橙(*C. aurantifolia*)、柑和橘(*C. reticulata*)、葡萄柚(*C. paradisi*)和香橼(*C. medica*)。种植这些树的目的是提供水果，但果皮还可提取油。其他具有地区重要性的果树有金橘属(*Fortunella*)、木橘属(*Aegle*)、象苹果(*Limonia acidissima*)和日本胡椒(胡椒品花椒，*Zanthoxylum piperitum*)。用于观赏的芸香科植物有：枳属(*Poncirus*)种类，为温带地区多刺的树篱灌木；日本茵芋(*Skimmia japonica*)和中国茵芋(里夫斯氏茵芋，*S. reevesiana*)具鲜艳的白花和红色浆果。也许最不寻常的种类就是火烧树(*Dictamnus albus*)，又称白花白鲜，为多年生草本，有毒；花白色，美观；具油腺，经挤压即将所含油质释入空气中，可用火柴点着。

Rutebeuf 吕特伯夫(活动时期1245～1285) 又拼 Rustebeuf。法国诗人和吟游诗人。他对社会各个阶层的尖锐评论被视为法国文学中民意的最早表现。有关他的生平是从他的一些诗歌中发现的：例如在《吕特伯夫的婚姻》中，他记述了1261年1月21日他和一位既无魅力又无嫁妆的老丑妇结婚。从《吕特伯夫怨歌行》中可以得知，他如何在一系列不幸中濒于贫困境地。但是他似乎也并非没有保护人。他写过一些挽歌，似是悼念当时死去的要人。他还创作诗歌劝说平民和王侯参加十字军。然而，作为一个诗人，吕特伯夫并未真正致力于写庄严的官场诗歌，而是创作充满活力的尖锐讽刺诗和有趣的故事诗。这种讽刺诗的主要对象是修士，同时，他还为保卫巴黎大学而反击宗教界的攻讦。他最成功的作品如《蔬菜市场的故事》中有卖假药的江湖骗子一席滑稽独白。他还创作了流传至今的法国最早的奇迹剧之一《泰奥菲尔的奇迹》，该剧叙述一名教士向魔鬼出卖自己的灵魂，后来得救于圣母的故事。

Rutgers, The State University of New Jersey 新泽西州立拉特格斯大学 一所设在美国新泽西州的男女合校的州立高等学府。1766年由荷兰基督教新教创建，当时为私立女王学院。在美国独立战争后，该校一直为生存而挣扎，此后根据《1862年莫里尔法案》，拉特格斯学院(1825年以慈善家拉特格斯命名)于1864年成为新泽西州的赠地学院，1924年取得大学地位。1945年，新泽西州立法机构把该校所有学院和分部均命名为新泽西州立大学(State University of New Jersey)。新泽西州立拉特格斯大学在新不伦瑞克有一个很大的校园，在纽瓦克和卡姆登有两个较小的校园。新不伦瑞克校园内有下列学院：原拉特格斯学院(原为男校，20世纪70年代改为男女合校)、道格拉斯学院(建校时为女子文科学院)，库克学院(设农业和环境科学课程)、利文斯顿学院(为男女合校的文科学院)，还设有一所文科研究生院、工程学院和药学院以及教育、商业和艺术学院或研究生院。在纽瓦克和卡姆登校园内各有一所文理学院、一所研究生院和一些其他学院。

Ruth, Babe 鲁思(1895-02-06，美国马里兰巴尔的摩～1948-08-16，纽约州纽约) George Herman Ruth 的别名。美国职业棒球运动中最负众望的人物之一。他长时间保持着在一个大联赛赛季(1927)中击出60个本垒打的

合众国际社供图

纪录。他的击球技术可作为判断所有其他打远球的击球员水平的标准。鲁思出生在一个贫寒的环境。这位未来的“长距离安打苏丹王”住在巴尔的摩圣玛丽工业学校的时候就开始对体育发生兴趣。1914年他参加巴尔的摩小联盟队，从此开始了他的职业生涯。那个赛季的后期，他进入美国棒球联盟波士顿红袜队。他随红袜队参加了两个世界系列赛(1916、1918)，在比赛中创下了使他最感到骄傲的纪录：连续投了29⅔局而不让对方得分(这个纪录于1961年被福特打破)。鲁思一共胜了94场大联盟赛，只输了46场，是美国棒球联盟中使用左手的最佳投手。1918年，因为他击球有力，开始担任外场手。1920年1月，他被以12.5万美元的价钱卖给了纽约扬基队，在那里任外场手直到1934年。鲁思是一个使用左手的击球员，身高1.88米，体重98千克。他在连续3年(1919～1921)里打破了大联盟本垒打纪录，1927年在有154场比赛的赛季中他再次创60个本垒打纪录。在本垒打方面，鲁思在美国棒球联盟中领头12年；他在4个不同的赛季至少击出50个本垒打，并在11个赛季中的每个赛季至少击出40个本垒打，在22个大联盟赛季中，他一生总共击出714个本垒打，这个大联盟纪录一直保持到1974年H.阿伦击出他第715个本垒打时才被打破。鲁思创下的其他大联盟终身纪录有：2 056次四坏球自由上垒、2 211次击球得分。在10个世界系列赛(41场)中，他的平均击球率为0.326，本垒打15个。他一生的平均击球率为0.342。1925年，鲁思因“场外行为不规”被扬基队经理M.哈金斯罚款5 000美元。1930和1931年，他的年薪是当时最高的，达8万美元。1935年他参加波士顿勇士队打了最后一个赛季。1938年，他作为布鲁克林道奇队的教练结束了棒球生涯。由于他以不负责任著称，因而没有能获得他非常渴望得到的大联盟经理的职位。他是首批入选棒球名人堂的5名运动员之一(1936)。R.W.克里默所著传记《巴比》出版于1974年。

Ruth, Book of 《路得记》 《圣经·旧约》的一卷。属犹太教正典第三类克图温(圣录)部分。所记主要人物为路得，故名。摩押女子路得嫁侨居摩押的犹太人夫妇所生之子，丧夫后随婆母拿俄米迁居犹大，改嫁前夫的亲戚富人波阿斯，生俄备得。此书结尾指出俄备得是大卫的祖父。该书原本写成于公元前5世纪末或公元前4世纪，路得是大卫祖先一段是后人所附会添加。在巴比伦囚虏时期结束(公元前516)、耶路撒冷圣殿重建竣工之后，犹太教内许多人强调犹太人特别蒙上帝恩宠，此书作者显然是要纠正这种偏见。

Ruthenian 罗塞尼亚人 指曾经臣属波兰、奥地利或奥匈帝国的乌克兰人。此名是“俄罗斯人”的拉丁语形式，但罗塞尼亚人却是乌克兰人，因中世纪末期历史多变而被并入立陶宛，随后立陶宛又与波兰合并。“小俄罗斯人”一名亦曾用来称呼罗塞尼亚人。加利西亚、布科维纳及喀尔巴阡山脉一带的上层罗塞尼亚人曾被各征服民族同化，采用了

征服者的语言并接受了天主教信仰。农民则沦为赤贫，他们的东正教教士们便向罗马寻求保护。教皇接受其请，根据《布列斯特-立陶夫斯克联合协议》(1596-10-06～10)建立一种新的"正教会"，使罗塞尼亚人得以保持其斯拉夫原有的礼拜仪式及多数希腊正教的表面形式，同时承认教皇的最高精神权威。18世纪晚期波兰被瓜分，一部分罗塞尼亚人划归俄国统治。俄国人千方百计同化他们。许多人很快又改宗正教。迄1905年革命后为止，沙皇政府一直有计划地消灭他们的民族主义。加利西亚的波兰当局也是如此。第一次世界大战后，东加利西亚的罗塞尼亚人要求自决权，他们成立一个国家，但该国很快就被波兰吞并。喀尔巴阡山东北部的罗塞尼亚人划归捷克斯洛伐克。比萨拉比亚和布科维纳的罗塞尼亚人归罗马尼亚管辖。1938年10月9日，捷克斯洛伐克在今称罗塞尼亚的地方成立罗塞尼亚人的自治政府。但11月2日德意两国迫使罗塞尼亚将其南部地区(包括首府乌日霍罗德)割给匈牙利。1939年3月罗塞尼亚宣布独立，称"喀尔巴阡乌克兰国"；而一天后就被匈牙利兼并。第二次世界大战后罗塞尼亚被划归苏联，成为乌克兰苏维埃社会主义共和国的外喀尔巴阡州。由于苏联早已取得布科维纳和加利西亚的大部分，这时罗塞尼亚人绝大多数已与其他乌克兰人融为一体。苏联解体后，大部分罗塞尼亚人都生活在独立后的乌克兰。

Ruthenian Catholic Church 罗塞尼亚公教会 又称喀尔巴阡-罗塞尼亚公教会。东仪天主教会之一。自1646年《乌日哥罗德协议》签订以来与罗马教廷联合。罗塞尼亚人是乌克兰人的一支，自14世纪初起居住在喀尔巴阡山脉南麓，主要受匈牙利统治。第一次世界大战后，受捷克斯洛伐克管辖。1923年他们转向血缘比较相近的俄罗斯人，10万人改奉东正教。第二次世界大战后罗塞尼亚人重归匈牙利统治，但下喀尔巴阡地区的罗塞尼亚人终于1949年并入苏联，公教教会撤销。此前1944年罗塞尼亚天主教徒原有46.2万人。从1880年起大批罗塞尼亚人移居美国。有些罗塞尼亚人移居匈牙利，他们与罗马尼亚裔东仪天主教徒一样，已完全同化于匈牙利人。

Ruthenian language 罗塞尼亚语 参阅 **Ukrainian language** 乌克兰语。

ruthenium 钌(Ru) 化学元素，周期表Ⅷ族铂系金属，用作铂和钯的合金增硬剂。钌呈银白色，外观像铂，但比铂更稀少、更硬、更脆。1844年，俄国化学家K.K.克劳斯证实了这种稀有金属的存在，并保留了俄国G.W.奥桑早在1828年为一种对其发现当时尚无定论的铂系元素的命名。单质钌存在于铱和锇的天然合金中，在铱锇天然合金中可达14.1%，而在灰铱锇天然合金中可达18.3%。极少量钌还存在于硫化物矿和其他矿石中(如安大略镍矿区萨德伯里镍黄铁矿含有钌)，在工业上被回收。钌熔点高难于铸造，甚至在白热温度下仍然性脆，所以很难轧制或抽丝。因而，金属钌的工业应用只限于与铂和其他铂系金属组成合金。像铱能硬化铂一样，钌与铑一起可提高钯的硬度。钌硬化的铂和钯合金在制造精美的珠宝和耐磨的电气触点中比纯钯和纯铂还好。核反应堆中铀和钚裂变产物中也有钌。放射性钌106(半衰期1年)及其短寿命子体铑106在反应堆燃料的残留放射性中占了重要的比重，可以再使用1年。但由于辐射性危害和钌与钚之间的化学相似性，使这种尚未用完的可裂变物质难于回收。天然钌是7种稳定同位素组成的混合物，它包括钌96(5.51%)、钌98(1.87%)、钌99(12.72%)、钌100(12.62%)、钌101(17.07%)、钌102(13.61%)和钌104(18.58%)。钌具有4种同素异形体。常温下，金属钌在空气中不变暗，耐强酸甚至王水的腐蚀。与过氧化钠 Na_2O_2 等碱性氧化助熔剂一起熔融，可使钌变成可溶的组分。这种绿色熔体含有高钌酸根离子 RuO_4^-，溶于水后通常得到橙色含稳定钌酸根离子 RuO_4^{2-} 的溶液。易挥发的四氧化钌 RuO_4(钌呈+8氧化态)可用于钌与其他重金属的分离。钌具有0～+8氧化态，但其中最重要的是+3、+4、+6和+8氧化态。已知钌有许多配位络合物，其中包括独特的亚硝酰(NO)络合物系列。

钌原子序数44。原子量101.07。熔点2 250℃。沸点3 900℃。比重12.30(20℃)。化合价1、2、3、4、5、6、7、8。电子组态2,8,18,15,1或(Kr)$4d^7 5s^1$。

Rutherford 拉瑟福德 美国新泽西州东北部伯根县自治市(城镇)。位于帕特森东南部11千米处，近帕塞伊克河。1862年规划。1881年设镇。纸产品、工业机械、电脑软件构成该城的经济基础。设有费尔利·迪金森大学分校。美国诗人、医生W.C.威廉斯(1883～1963)诞生于该城。人口约18 110(2000)。

Rutherford, Ernest, Baron Rutherford of Nelson, of Cambridge 卢瑟福(1871-08-30，新西兰斯普林格罗夫～1937-10-19，英国剑桥郡剑桥) 核物理学家和诺贝尔奖获得者，他的名誉地位和I.牛顿、M.法拉第齐名。其实，正如把法拉第称为"电学之父"，在核能方面也可以给卢瑟福以相似的称号。他在理解放射性元素的蜕变和嬗变方面，在镭放射出的微粒子的辨认和命名方面，在识别阿尔法(α)粒子是氦原子并借它发展原子结构的核理论方面，以及在利用α粒子产生元素的第一次人工蜕变方面，都有重大贡献。在麦吉尔大学、曼彻斯特大学和剑桥大学，他带领和培育了两代物理学家，用他自己的话说，他们"把大自然揭露出来"。在卡文迪什实验室中，他的这些青年人用加速的粒子发现了中子和人工蜕变。

卢瑟福的父亲詹姆斯·卢瑟福是新西兰南岛北部纳尔逊区的布赖特沃特镇上的制轮工。他的母亲名玛泰·卢瑟福。他在父母的12个儿女中排行第四。他的父母是英国移民，为使儿女们得到良好的教育，牺牲了自己的安乐生活。1887年，卢瑟福得到纳尔逊学校的奖学金。这个学校是一所中学——和英国的公立或私立学校相似。在学校里他是一位很受爱戴的青年，他有一双灵巧的手，而且是一名热心的橄榄球员。他曾获得历史奖和语言奖，还得了数学奖。另一笔奖学金使他得以注册进入克赖斯特彻奇的坎特伯雷学院；他于1892年毕业获学士学位，1893年获硕士，并获数学和物理的一级荣誉奖状。他以部分时间从事教学以补贴自己之用，在学校的第五年又做了一年的物理研究，研究铁在高频交变磁场中的性质。他发现电磁波即使穿出砖墙也能查测到，这种电磁波就是德国物理学家H.赫兹新发现的无线电波。对这一研究，他写了两篇很有分量的科学论文，从而获得了"1851年展览会"奖学金，这个奖学金使他得以去英国进一步学习。

伦敦国立肖像画陈列馆供图

在他离开新西兰之前，他和玛丽·牛顿非正式订了婚，玛丽是他在克赖斯特彻奇房东的女儿。玛丽保存了他从英国寄来的信件；他的母亲活到92岁，也保留了他的英国来信；从这么多的书信中，可以看到他在非科学领域里许多迷人的个性。

卢瑟福是1895年到达剑桥的，他开始在剑桥大学卡文迪什实验室的实验物理学教授J.J.汤姆孙领导下工作。他继续在两英里外探测赫兹波的传播。他在剑桥的物理学会上报告了他的实验结果，他的论文发表在伦敦皇家学会《哲学汇刊》上，这使他很高兴，对于一个如此年轻的研究人员说，实在是一种无上的光荣。

卢瑟福在卡文迪什实验室的同事中留下很好的印象，但也在比较保守的同事中引起了妒忌。这从他给玛丽的信中可以看得很明白。汤姆孙教授很器重他，在1895年12月，当W.K.伦琴发明X射线时，汤姆孙曾邀卢瑟福一同研究X射线穿过气体时所造成的效应。他们发现X射线在气体中产生大量的荷电粒子，或携带正电和负电的载体，而这些载体是电离了的原子，它们也可以重新化合为中性的分子。卢瑟福接着独自研究，发展了一种能测量正负离子重新复合的速度和复合率的技术，而且测定了这种复合速度和复合率。直到现在，他的有关这一问题的论文还是公认为经典的。

1896年，法国物理学家H.贝可勒尔发现铀放出的射线可以像X射线一样使照相底片产生雾翳。卢瑟福很快发现，它们也使空气电离,但和X射线又不一样,它们包含两种不同类型的辐射,他称之为α射线和β射线。α射线对原子的电离很有威力,但也很易被吸收;β射线产生较少的辐射,但有更强的穿透能力。他认为它们一定都是物质的非常微小的颗粒。

1898年,卢瑟福受聘为蒙特利尔的麦吉尔大学的物理讲座教授,他在给玛丽的信中写道:"月薪500英镑,足够你和我开始生活了。"1900年夏天,他回到新西兰,见到了父母并和玛丽正式成婚。次年,当他的独生女爱伦降生时,他曾写信给母亲说:"我曾想叫她爱昂尼,因为我重视气体中的离子"(在英文中离子读作"爱昂")。

在19世纪末叶,许多科学家认为物理学不会再有什么新进展了。但是,还不到3年,卢瑟福就开拓出物理学的一个全新的分支,叫作放射学。他又很快发现钍和它的化合物蜕变成一种气体,这种气体又进一步蜕变成一种未知的同样有放射性的"活性淀质"。卢瑟福和一位年轻化学家索迪在一起,研究了三族放射性元素——镭、钍和锕,他们在1902年的结论是,放射性是一种元素的原子自发地蜕变成另一种完全不同的放射性元素原子的过程。这些结论遭到许多化学家的反对,这些化学家坚持物质不灭的概念,他们认为,那种认为把一些原子撕裂开来形成完全不同的物质的想法,是中世纪炼金术的残余。

虽然如此,卢瑟福的出色工作得到了皇家学会的承认,1903年把他选为会员,并在1904年授予他拉姆福特奖章。在他的著作《放射性》(1904)中,他总结了有关这一问题的研究成果。他为放射性列举了下列证据:它不受外部条件如温度和化学变化的影响,它比普通化学反应产生更多的热,新型物质的生成率和衰变率相平衡,新生物质具有完全不同的化学性质。

卢瑟福是一位非常伟大的研究工作者,他有惊人的集中注意力的能力,连续不断地取得光辉卓越的发明,而且只使用非常简单的仪器设备。例如,他证明α射线在电场和磁场中会偏转,而且从偏转的方向可以看出α射线是带正电荷的微粒子;他测定了它们的速度以及它们的电荷(*E*)与质量(*M*)的比值。这些结果是通过下面两种实验得到的:他把一堆薄金属板密集砌排起来,约有火柴匣那样大,一种实验是使每块金属板和相邻的金属板带着相反的电荷,使α粒子在两板的空隙中通过;另一种是把那堆金属板放在强磁场中重复上述实验。在每种实验中,他只需测量刚刚足以阻止α粒子从金属板堆中穿过所需的最大电场或磁场强度。

卢瑟福在麦吉尔大学的7年中共发表了80篇科学论文,还在许多场合公开露面,如1905年耶鲁大学的西利曼纪念会讲演和接受其他大学的各种讲座邀请等。1907年,他回到英国,接受了曼彻斯特大学的讲座,在那里他继续研究α粒子。他和他的助手汉斯·盖革发明了一台非常灵巧的仪器,它可以计数从一定量的铀中一个一个发射出的粒子总数,而且也可以测定收集到的总电荷,从而测出每个粒子所带的电荷量。把这一结果和卢瑟福及美国化学家B.B.博尔特伍德所测定的氦从铀中的产率放在一起,卢瑟福就能直接计算阿伏伽德罗数(它是一切物质每克分子量所含的分子数,对任何物质讲都是同一常数)。他和他的学生T.D.罗伊兹一起在1908年证明了α粒子实质上是氦原子。他们让α粒子从容器的薄玻璃管壁中逸出而进入外面套装着的真空管中,并证明这样收集到的气体的光谱是氦光谱。接着在1908年,他获得诺贝尔化学奖,以奖励他关于元素蜕变的研究。

1911年,卢瑟福的原子核理论成了他最伟大的科学贡献。他在蒙特利尔时曾观察到,快速α粒子穿过云母片时,在照相底片上留下一种漫散的像,但如果没有云母片的遮挡,则快速α粒子在照相底片上留下一个清晰的像点。他开始以为当α粒子行程靠近云母原子时,其行程会产生偏转,但经过计算证明,如果要使每秒2万千米的α粒子发生行程偏转,则至少需要每厘米1亿伏的强电场,这是一个惊人的结论。这种散射现象曾在同盖革一起作的计数实验中见到过。卢瑟福对盖革和另一学生E.马斯登建议,让他们研究一下,看看有没有什么α粒子是向后散射的,即有没有α粒子的偏转角大于90度。使他们惊奇的是,在每1万个α粒子中,竟有几个粒子是向后散射的,它们竟出现在α粒子射进去的那一侧面。经过多次计算,卢瑟福得出以下结论:如要产生这样大的α粒子偏转,需要很强大的电场,这样大的偏转只有当原子的所有正电荷都集中在很小的中心核附近才能发生,这一中心区大约只有万分之一的整个原子直径那样大;由于正电核是由质量为氦原子的α粒子所携带,所以原子核的质量也集中在称为核的中心区域。因此,原子核所携带的正电荷必由核外电子的负电荷所平衡,所以原子的核外区域一定散布着核外电子。

虽然在1904年,日本物理学家长冈繁太郎曾建议过一种原子模型,认为原子是由一个中心核和绕核转动的电子环所组成,这一模型并未受人重视,因为,根据经典电动力学,轨道中的运动电子有一个指向转动中心的向心加速度,所以要向外辐射能量,它们几乎立刻就会堕入中心核之内。这一想法和汤姆孙在1910年提出的想法完全相反。他想象所有电子都分布在一个带着均匀正电荷的直径为原子直径的球体中,在这种均匀正电荷的球体中,电子是埋置其内部的负粒子。一直到1913年,丹麦物理学家N.玻尔主张电子并不像经典电动力学所说的那样,在绕核转动时并不放射能量,而且确是作以核为中心的轨道运动,他支持了长冈和卢瑟福的观点。1914年卢瑟福被授予爵士位,他在科学中服务的业绩进一步得到公认。

在第一次世界大战中,他研究用水下声学探测潜艇的实用问题。1919年,他发现用一个α粒子碰撞一个氮原子时,氮原子可以变成一个氧原子和一个氢原子,从而得到了一个元素的首次人工蜕变。同年,他继汤姆孙任卡文迪什教授。虽然他的实验贡献已经不像早年那么多,但他对研究生的影响是巨大的。1920年他在皇家学会的第二届贝克良讲座上,预测了中子、氢原子和氦原子的同位素的存在,所有这三种粒子最后都被卡文迪什实验室的工作人员所发现。

他曾是1925～1930年的皇家学会主席,也是学术资助委员会的主席,这个委员会帮助了约1 000名从德国来的大学难民;他当主席后,所帮助的大学难民更多。只要条件许可,他仍在卡文迪什实验室工作。他鼓励学生探索事实,经常寻求简单明了的解答。1934年,当E.费米在罗马用中子成功地使许多不同的元素蜕变时,卢瑟福写信祝贺他"避开了理论物理"。

卢瑟福阅读很广,身体也很健康,他喜欢高尔夫球,也喜欢他的家庭生活和奋发工作。他善于倾听别人意见,他的判断一般是公正的,他深受许多学生的爱戴和崇拜。1931年他成为贵族,该荣誉所带来的欣慰并没有能克服他女儿去世所带来的悲伤。他短期患病后在1937年10月19日于剑桥去世,葬于伦敦威斯敏斯特教堂。

Rutherford, Dame Margaret 拉瑟福德 (1892-05-11,伦敦～1972-05-22,英格兰白金汉郡查尔芬特圣彼得) 英国女演员。20世纪30年代起在英国舞台和银幕上以扮演可

合众国际社—美国不列颠百科全书公司供图

爱而古怪的英国女人著称。从小由她两个姑妈扶养,并培育她对戏剧的兴趣。1925年入伦敦老维克学校学习戏剧。从30年代初起,经常在伦敦的舞台上出现。1934年在易卜生《建筑师》中的表演,引起了评论界的注意。她多半饰演过时而又反复无常的英国女人,到处嘲弄英国人的庸俗和保守。这类剧目有《相遇在春天》(1938)。她在《认真的重要》(1939)中扮演了普丽斯姆小姐,1952年在同名电影中饰同一角色。她以晚期的电影最出名,这些电影有《去辟姆里柯的护照》(1949)、《月亮上的老鼠》(1963),还有克里斯蒂侦探系列影片中的马尔普小姐。在《大人物们》(1963)中扮演的不从习俗的布莱顿公爵夫人一角,为她赢得奥斯卡最佳女配角奖。1967年被授予英帝国女爵士称号。

Rutherford, Mark 拉瑟福德(1831-12-22,英国贝德福德郡贝德福德～1913-03-14,萨塞克斯格鲁姆布里奇) 威廉·黑尔·怀特的笔名。英国作家,以小说家、评论家和宗教思想家知名。在学神学时,因对圣经的启示持异教观点被学校开除。曾从事新闻工作,后来一直在海军部工作。他用拉瑟福德这一笔名出版的长篇小说和其他作品,充分反映了他的内心世界。这些作品有《拉瑟福德自传》(1881)、《拉瑟福德的陈述》(1885)、《坦纳巷的

供图:Mayor and Corporation of Bedford, Bedfordshire

革命》(1887)、《米里亚姆的学校教育及其他文章》(1890)、《凯瑟琳·弗兹》(1893)和《克拉拉·霍普古德》(1896)。他的所有作品都涉及宗教问题或感情、理智和良心的折磨。

Rutherford atomic model 卢瑟福原子模型 对原子结构的一种描述,由英国物理学家 E.卢瑟福于 1911 年提出。他认为原子有一个密实的带正电的小核心,称为原子核,它聚集了几乎原子的全部质量;围绕原子核是一些轻而小的带负电组分,称为电子;电子在一定的距离外绕核运转,很像行星绕太阳转动。卢瑟福原子模型也称为核型原子或原子的行星模型。原子核微小而密实的假设是为了说明纯金箔对 α 粒子的散射现象而提出的。α 粒子从某些放射性物质以高速射出,它是带正电的粒子,质量比电子大 7 000 倍以上。它的绝大多数是直穿金箔而过;但是,也有少数是以大角度散射出去,甚至有的向放射源反弹回来。这样的强烈推斥作用,只有存在原子核那样的带正电又比较重的靶粒子,才可能解释。恰好把原子核的正电抵消的那些带负电的电子则被认为是在绕原子核的环形轨道上运行。这种行星型的原子的绝大部分是空隙,对于 α 粒子的穿过没有阻碍。完全建立在经典物理学上的卢瑟福模型几年后便被含有早期量子理论的玻尔原子模型(**Bohr atomic model**)所取代。

rutherfordium 铲 参阅 **unnilquadium** 104 号元素。

Rutherfurd, Lewis Morris 拉瑟弗德(1816-11-25,美国纽约莫里萨尼亚～1892-05-30,新泽西特兰魁里蒂) 美国天体物理学家,他制造了第一台天体照相用的望远镜。他在威廉斯学院就读时,受过科学工作训练,但后任律师,对科学继续保持兴趣,1849 年他弃业到欧洲旅行。在欧洲,他碰到了正在研究显微镜消色差的意大利天文学家 G.阿米奇。1856 年拉瑟弗德在纽约市自己家里建立了一座小型天文台;两年后,获得了最早的月球照片。他不满足于用常规的望远镜拍摄照片,又设计了一种透镜系统,把常规的望远镜改装成照相望远镜,实际是用望远镜作为透镜的照相机。1860 年他成功地试验了他的发明,从拉布拉多拍摄了日蚀照片。在兴趣转到了光谱学后,于 1863 年发表了关于星体光谱分类的最初尝试。他的分类与后来意大利 A.塞奇发表的分类基本上是吻合的。拉瑟弗德系统地拍摄天体照片,并设计了一种机器,用以测量在照相底片上的星体位置。他深信星体位置摄影记录的价值取决于稳定的照相底片,他找到了一种能增加底片稳定性的方法。他还造了一台机器,用以刻划衍射光栅,栅线密度达每厘米 6 700 线。拉瑟弗德是哥伦比亚学院(后改名哥伦比亚大学)的理事,他协助设立了大地测量和实用天文学系(1881),并于 1883 年把他的全部设备和调查研究记录赠给该学院。

Ruthven, John 鲁思文 参阅 **Gowrie, John Ruthven, 3rd Earl of** 高里伯爵(第三)。

Ruthven, Patrick Ruthven, 3rd Lord 鲁思文(约 1520～1566-06-13,英格兰诺森伯兰郡泰恩河畔纽卡斯尔) 苏格兰新教分子,在 16 世纪数次政治阴谋中扮演了重要角色。他是反对摄政洛林的玛丽的新教领袖之一。1565 年因安排苏格兰女王玛丽·斯图亚特与达恩利勋爵结婚而成为重要人物。1566 年带头谋杀女王的秘书 D.里奇奥,然后逃往英格兰,次年死于该地。

Ruthven (of Ettrick), Patrick Ruthven, Lord 鲁思文(埃特里克的)勋爵 参阅 **Forth, Patrick Ruthven, Earl of** 福思伯爵。

Ruthwell Cross 鲁斯韦尔十字碑 出自苏格兰邓弗里斯郡,上面有一段重要的用如尼字母刻成的英语铭文。十字碑是公元 8 世纪初诺森布里亚艺术的杰出代表,高逾 18 英尺(5.5 米),其上刻有福音书故事画面和盘绕着的藤蔓,还有全用如尼字母刻成的《十字架之梦》(**Dream of the Rood, The**)一诗中的 18 行诗句,全系宗教性质。铭文包括 6 个表示喉音的如尼字母符号,而斯堪的纳维亚人仅用一二个字母表示喉音,因此具有重要的语言学意义。铭文的大部分另用拉丁文镌刻。参阅 **Bewcastle Cross**。

rutile 金红石 自然产出的3种二氧化钛(TiO_2)形态中最多的一种(参阅 **anatase; brookite**)。呈细长晶体,红色至红褐色,坚硬,具亮金属光泽,常常完全被其他矿物所包

叶蜡石上的金红石,产自美国加利福尼亚州莫诺县

供图:B.M.Shaub

裹。尽管大多数二氧化钛是用钛铁矿生产的,但是金红石仍然是一种工业上重要的钛矿物。作为染色剂少量用于瓷器及玻璃制造,还用于炼制某些钢材和铜合金。也可作为宝石,但是用火焰熔融法生产的人造金红石作宝石用比天然晶体更优越。人造金红石具有黄色色调,有很高的折射率和高色散,因此,它显示出像金刚石一样的火彩和辉度。在熔化前加入适量金属氧化物,可以制造出不同颜色的人造宝石。金红石是火成岩中的一种副矿物,但在片岩及片麻岩中更常见,也出现于伟晶岩和结晶灰岩以及碎屑沉积物中。显微针状的金红石广泛分布于黏土、页岩及板岩中。在挪威的耶尔斯塔瓦特内特和韦戈尔谢地区,金红石产自磷灰石矿脉。金红石广泛分布于阿尔卑斯地区并大量产于美国阿肯色州的马格尼特科夫、弗吉尼亚中部以及北卡罗来纳的肖奥丁克里克。详细物理性质,参阅 **oxide mineral**(表)。金红石常在其他矿物中形成定向排列的显微包裹体,这些包裹体是造成某些金云母、蔷薇石英、红宝石和蓝宝石显示星彩的原因。含有长条状优美半透明针状金红石的石英称为金红石石英或网金红石石英,自古以来,它就作为饰面石料,18 世纪在英国和法国尤为受到珍视。石英中连生的网状或格状的金红石集合体称为网金红石。不包含在石英中的毛发状的金红石晶体是罕见的;石英晶体在生长过程中通过物理作用把金红石包裹在内。大多数优质的金红石石英来自巴西的米纳斯吉拉斯、马达加斯加及美国新罕布什尔州的汉诺威及佛蒙特州北部。

Rutilius Claudius Namatianus 鲁提利乌斯·克劳狄乌斯·纳马提安努斯(活动时期约 417) 罗马诗人。哀歌《归途纪事》的作者。该诗描述 417 年秋他从罗马返回故乡高卢的经过,主要由于说明了在迅速瓦解的西罗马帝国中拥有土地的非基督教徒贵族的思想状况而使人感兴趣。他是一个拥有土地的富贵家族的成员,其家族在帝国末期几乎垄断了政府中的高官。诗人本人就担任官职,414 年任罗马的行政长官。该诗叙事流畅平缓,充满个人见闻,近似日记。旅途中的地点和事件引起许多题外话,颇占篇幅,在这些题外话中,诗人及其诗友们的态度和准则表现得十分清楚。

Rutlām(India) 参阅 **Ratlām** 勒德拉姆。

Rutland 拉特兰 英格兰中东部的单一政区和历史郡。是英格兰最小的郡,面积仅为 394 平方千米。古时该地为人口稀少的橡树林地带,5 世纪和 6 世纪有撒克逊人定居于此。1159 年首次作为独立的郡见于记载,此前可能为诺丁汉郡和北安普敦郡一部分。此后该郡在英国历史上所起的作用不大。拉特兰为高地农业区。有许多村庄,奥克姆和阿平厄姆是古集镇,各有一所著名的学校。此外奥克姆有一座 14 世纪的大教堂和 12 世纪的城堡,该城堡是诺曼时期后期本地建筑艺术的最佳典范之一。拉特兰有许多古老的教堂和房屋,坚固结实,这可能是当地的砂石地层出产优质建筑用石的缘故。该地区以农业为主,也有一些工业,生产电器、水泥、塑料和服装。20 世纪 70 年代后期,在当地的中心地

区建起了英国最大的水库之一——拉特兰水库，占地 1 200 多公顷，为扩大的北安普敦和彼得伯勒市区提供用水。水库是钓鱼、观鸟和划船胜地，也是一自然保护区。奥克姆是该历史郡的首府。人口约 35 700(1998)。

Rutland　拉特兰　美国佛蒙特州中南部城市，拉特兰县县城(1784)。位于格林山和塔科尼克山之间，濒临奥特克里克河。1761 年获特许状。1784 ～ 1804 年为州首府。是该州最古老的报纸《拉特兰先驱日报》的出版地，该报自 1794 年以来连续出版。1847 年设村。因铁路的建造和大理石的开采得以发展。1880 年前后为全州最大城市。1886 年周围三个生产大理石的社区从该市划出，此后，该市规模仅次于伯灵顿，居全州第二。1892 年设市，大理石生产仍很重要。工业产品包括铸件、胶合板、机器及飞机零件。市内有圣约瑟学院(1957)和格林山区国家森林管理处。冬季运动及旅游业也是经济收入来源。西北普罗克托的大理石展览馆展出百种以上大理石和花岗石。人口 17 292(2000)。

Rutland, John James Robert Manners, 7th Duke of　拉特兰公爵(第七)(1818-12-13，英国莱斯特郡贝尔沃堡～ 1906-08-04，贝尔沃堡)　英国保守党改良派政治家，19世纪

伦敦国立肖像画陈列馆供图

40 年代英国"青年英格兰"运动领袖人物。第 5 代拉特兰公爵的幼子。曾就读于伊顿公学和剑桥大学三一学院。1841 年进入议会下院，是后来任首相的 B. 迪斯累里的门徒。曾在迪斯累里和第 3 代索尔兹伯里侯爵手下任邮政大臣(1874 ～ 1880 和 1885 ～ 1886)。在其兄死后继承公爵爵位(1888)。"青年英格兰"分子主张回到土地贵族像慈善的父母一样对待富裕而愉快的农民那样的黄金时代。他强调富人(包括原土地所有者以及新兴工业家)对佃户和雇用工人应负的责任。

Rutledge, John　拉特利奇(1739-09，南卡罗来纳查尔斯顿[美国]～1800-07-18，南卡罗来纳查尔斯顿)　美国议员，1787 年作为制宪会议代表，坚决支持维护奴隶制和成立强有力的中央政府。在英格兰求学后，返回查尔斯顿执律师业。因种植园主和商人的支持，被选为出席印花税大会(1765)和大陆会议(1774 ～ 1777，1782 ～ 1783)的代表。初任南卡罗来纳州宪法(1776)制订委员会主席，后又当选为大会主席，但当宪法经过修改而有他认为过于民主的条款时，即于 1778 年辞职。1779 年当选为州长。在制宪会议上替南方种植园主说话，支持奴隶制，并建议授予全国政府以无限的立法权力。1789～1791 年

耶鲁大学美术陈列馆供图

任美国最高法院法官，此后 4 年任南卡罗来纳州最高法院首席法官。1795 年被提名为美国最高法院首席法官，但因公开反对前一年的《杰伊条约》，没有得到参议院的批准。

Rutledge, Wiley B(lount), Jr.　拉特利奇(1894-07-20，美国肯塔基克洛弗波特～ 1949-09-10，缅因约克)　美国最高法院大法官(1943 ～ 1949)。1922 年在科罗拉多大学获得法学学位。私人开业当律师两年，然后教授法律，直至 1939 年被任命为哥伦比亚特区联邦上诉法院法官为止。1943 年罗斯福总统任命他为最高法院大法官。他几乎是立即被召来在几个重要的案件中投出决定性的一票。这些案件包括："西弗吉尼亚州教育委员会诉巴尼特"案，其中涉及耶和华派的证人是否有权拒绝向国旗行礼的问题；一个加利福尼亚州的居民因信仰共产主义被撤销归化国籍的"施奈德曼诉美国"案。在这两个案件中，他都同自由主义派一起投票。他在工作上不辞辛劳，他的意见往往显示出学识渊博。曾写过几项著名的和有争议的意见，包括他对以战争罪处决日本将军山下奉文所表示的异议。他反对在审判中使用传闻证据。由于他认为即使是战败了的敌人也有权受到公平的审判而赢得广泛的声誉。

Ruud, Birger　鲁德(1911-08-23，挪威孔斯贝格～ 1998-06-13，孔斯贝格)　挪威跳台跳雪运动员。与兄长西格蒙德都是 20 世纪 30 年代挪威主要跳雪运动员。西格蒙德曾获 1927 年跳台跳雪世界锦标赛和 1928 年奥运会银牌。他比其兄更胜一筹，除获得 1931、1935 和 1937 年世界锦标赛冠军外，还赢得 3 枚奥运会奖牌。1932 年奥运会获标准跳台跳雪金牌。在 1936 年奥运会不但获标准跳台跳雪金牌，还赢得速降滑雪第一名(奖牌直到 1948 年才颁发)，但高山混合项目只得第四名。1940 和 1944 年奥运会因第二次世界大战停办，1948 年奥运会他作为挪威跳雪队助理教练参赛。比赛前夜气候突变，他代替年轻运动员上场，赢得银牌，这与他第一次参加奥运会相隔了 16 年。

Ruusbroec, Jan van　参阅 **Ruysbroeck, Jan van** 赖斯布鲁克。

Ruvigny, Henri de Massue, marquis de　吕维尼侯爵　参阅 **Galway, Henri de Massue** 加尔韦。

Ruvo di Puglia　鲁沃迪普利亚　意大利东南部普利亚区巴里省城镇。位于巴里市西面，穆尔杰高原东坡。公元前 5 ～前 3 世纪为一希腊城镇，以生产陶器闻名。大量陶器现保存在镇内亚塔博物馆。环绕着鲁沃市中心的是现代化住宅区。中世纪风格的市中心有 13 世纪罗马式大教堂。为农产品、葡萄酒和橄榄油加工中心。人口：城市区约 24 280(1989)。

Ruvubu River　鲁武布河　源出布隆迪的布琼布拉以东的河流，向南转东北，构成布隆迪和坦桑尼亚的部分国界，在卢旺达南部汇入阿卡盖拉河。全长约 480 千米。该河最长河源鲁维隆扎河可以说是尼罗河最远的源头。

Ruvuma River　鲁伍马河　葡萄牙语作 Rio Rovuma。常年性河流。发源于坦桑尼亚东南部的马塔戈罗山脉。向东流，在德尔加杜角北面约 32 千米处注入印度洋。形成坦桑尼亚和莫桑比克之间 650 千米长的边界。全长约 760 千米。该河流经数处大瀑布，仅约 100 千米河段通小船。

Ruways, ar-　鲁韦斯　又拼 Ru'ays。阿拉伯联合酋长国阿布扎比酋长国大型工业联合体所在地。位于首都阿布扎比西面约 220 千米处的波斯湾畔。有阿布扎比国立石油公司的天然气加工厂。有小型机场。与阿布扎比市和赞奈通公路。

Ruwenzori National Park　鲁文佐里国家公园　位于乌干达西南部绵延起伏的平原和鲁文佐里山南麓丘陵，面积 1 978 平方千米。许多更新世火山口点缀其间。建于 1952 年，为乌干达最大的公园之一。西邻刚果(金)边界。植被有金合欢和常绿林。也有雨林区和稀树草原。野生动物有黑猩猩、豹、狮、象、河马、水牛和几种羚羊。鸟类众多，有多种翠鸟。

Ruwenzori Range　鲁文佐里山脉　乌干达和刚果(金)两国边界上的山脉。南北长约 130 千米，最大宽度 50 千米。位于爱德华湖和艾伯特湖之间。西坡陡峭，降至大裂谷；东坡较平缓，降至乌干达高原。与多数非洲雪峰不同，它不由火山形成，而是一巨大的地垒。最高点是斯坦利山的玛格丽塔峰(5 119 米)。大山之间隔有隘口和深河谷。河谷上游有冰川和小湖。东侧雪线海拔约 4 511 米，西侧 4 846 米。1952 年建立鲁文佐里国家公园。该山脉因有铜和钴矿藏(乌干达境内开采)在经济上有重要意义。安巴人和孔乔人住在东坡，种植豆类、甘薯和香蕉。

Ruxue　儒学　参阅 **Confucianism** 儒家。

Ruysbroeck, Jan van　赖斯布鲁克(1293，布拉班特布鲁塞尔附近赖斯布鲁克[今在比利时]～1381-12-02，布拉班特赫鲁嫩达尔)

Ruysbroeck 又拼 Ruusbroec。奥秘修行家。1317～1343 年在布鲁塞尔任圣古都尔教堂牧师，后来在赫鲁嫩达尔创办奥古斯丁会隐修院。他的全部著作，除最初的《爱上帝之人的国度》以外，都是在这个隐修院写成的。他受奥秘修行家哈德维茨的影响很大，后者认为，人的灵魂与上帝的关系类似恋人之间的关系。号称赖斯布鲁克的杰作的《属灵的配偶》一书，进一步阐明他对三一论的见解，同时又是灵修指南。

Ruysbroeck, Willem van 赖斯布鲁克 参阅 Willem van Ruysbroeck 威廉（赖斯布鲁克的）。

Ruysdael, Jacob van 参阅 Ruisdael, Jacob (Isaakszoon) van 雷斯达尔。

Ruysdael, Salomon van 雷斯达尔（约1600，联省共和国纳尔登［荷兰］～ 1670-11-01 入葬，哈勒姆） 原名萨洛蒙·德·古瓦耶。荷兰巴罗克风格风景画家，风景画家雅各布·范·雷斯达尔的叔叔。首幅作品标明日期为1627年。一生在哈勒姆度过。早期作品《冬景》是埃塞阿斯·范德费尔德传统的继续；早期风景画以 P. 莫利因的配色和构图为基础。其 17 世纪 30 年代的风景画堪与霍延媲美。1645 年后他的风景构图越发有力，一边是大树形成的主体结构，另一边则是一望无际的景色；用色较暖、透明。后来光效更加突出，装饰因素加强。这种变化可能受从意大利回来的一些荷兰画家如 J. 博特的影响。尽管 1659～1662 年期间风景画是他作品的主要特征，但他也画了一些优秀的猎物静物画。

雷斯达尔绘《伊尔河畔的景物》，17 世纪 50 年代
纽约大都会艺术博物馆供图

Ruyter, Michiel Adriaanszoon de 勒伊特（1607-03-24，联省共和国弗利辛恩［荷兰］～ 1676-04-29，西西里锡拉库萨［意大利］） 荷兰海军最伟大的舰队司令官之一，曾在第二次（1665～1667）和第三次（1672～1674）英荷战争的海战中取得的辉煌胜利使得联省共和国和英国之间的实力取得平衡。9 岁起当海员，1635 年为商船船长。1641 年作为海军少将率领舰队协助葡萄牙对西班牙作战。此后回商船队工作 10 年。第一次英荷战争期间（1652～1654），他在特塞尔岛附近取得胜利，1653 年升为海军中将。在第一次北方战争期间（1655～1660），他在波罗的海上支援丹麦同瑞典作战。1664～1665 年在非洲几内亚湾同英格兰人交战，以维护荷兰西印度公司的商业利益。1665 年回联省共和国，任荷兰省海军副帅，努力加强荷兰海军。第二次英荷战争时期，他在 1665 年 6 月的"四日战役"中取得最大的胜利。在第三次英荷战争中，他取得一生中最伟大的成就。他在索莱湾外（1672）以及在奥斯坦德和凯伊克迪因沿海（1673）击败占有优势的英法舰队，从而阻止它们从海上对荷兰共和国的入侵。1675～1676 年，他在地中海对法国人作战，在西西里岛外受重伤后死亡。

Ružička, Leopold (Stephen) 卢齐卡（1887-09-13，奥匈帝国克罗地亚武科瓦尔［今在克罗地亚］～ 1976-09-26，瑞士苏黎世） 瑞士化学家。因研究环状分子和萜烯（多种植物香精油中的一类烃），与德国人 A. 布特南特共获 1939 年诺贝尔化学奖。曾协助德国化学家 H. 施陶丁格研究除虫菊中杀虫剂的组成（1911～1916），随施陶丁格到苏黎世瑞士联邦理工学院，成为瑞士公民和该院讲师。1926 年在荷兰乌得勒支大学任有机化学教授。3 年后返瑞士到联邦理工学院任化学教授。1916 年开始研究天然香味化合物，发现对香料业有重要意义的麝香酮和灵猫酮分子是分别含 15 和 17 个碳原子的环。以前人们不知有碳原子数大于 8 的环，认为太不稳定不能存在。卢齐卡的发现大大促进了对这些化合物的研究。20 世纪 30 年代中期他发现了睾丸激素等几种雄性激素的分子结构并且合成出来。

Rwanda 卢旺达 又拼 Ruanda。全称卢旺达共和国。位于非洲中东部赤道南侧的内陆国家。西接刚果（金）和基伍湖，北邻乌干达，东与坦桑尼亚交界，南与布隆迪接壤。首都基加利。面积 25 271 平方千米。人口约 7 229 000（2000）。

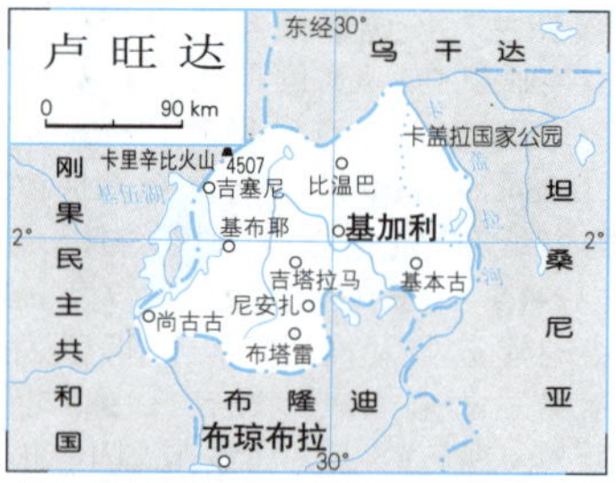

美国不列颠百科全书公司供图

土地 卢旺达大部分地区位于海拔 1 500 米以上。西部南北走向的嵯峨山脉构成刚果河和尼罗河流域的分水岭。在该国最西边缘有基伍湖，面积 2 700 平方千米。鲁济济河自基伍湖向南流动，构成该国与刚果（金）之间边界的一部分。东部的高原向东部坦桑尼亚边界附近的卡盖拉河沼泽低平原逐渐倾斜。东南部有许多湖泊散布在巨大的盆状洼地上；西北部地区以高耸的维龙加火山群为主，其中卡里辛比山海拔 4 507 米，为全国最高峰。

由于该国海拔较高，故气候凉爽，平均气温仅 21℃。年平均降雨量 1 140 毫米，其中干季（6～8 月）仅占 1/20。

可耕地占全国面积的 2/5，牧场占 1/5，饲养了大批山羊、牛和绵羊。森林约占国土面积的 1/5，大多分布在西部山区。西北部火山地区海拔较高处有竹林。其余地区则多为热带多树（东北部）或稀树草原。

境内野生动物丰富且种类繁多，有大象、狮子、黑猩猩、水牛、羚羊、疣猪和斑马。东北部的卡盖拉国家公园和穆图拉野生动物保护区保护各类动物。西北部的国家火山公园为仅存的大猩猩保护区之一。

丰富的锡（锡石）和钨（钨锰铁矿）是该国主要矿藏。

人民 境内有 3 个不同的族群：胡图人占总人口的 90%；图西人可能具有尼罗人的血统，几乎占 10%；特瓦人，属俾格米族。胡图人和图西人使用同一语言，卢旺达语（基尼亚卢旺达语），属于同一社会结构和宗教信仰。不过在卢旺达的传统社会中，图西人构成少数贵族，拥有土地和牛群，而胡图人则是处于从属地位的自耕农民。他们是受图西人束缚的奴仆和依附者，负责看管牛群和种植大蕉、粟和薯蓣类等作物。卢旺达王国的统治者姆瓦米通过图西族酋长和军事首领统治集团进行统治，而酋长和军事首领则对当地胡图族农民村落进行统治并收取纳贡。特瓦人则一直从事打猎和制陶。

图西人一直保持着对政府的控制，直至 1962 年卢旺达获得独立前不久，当时胡图人控制了政府，并掠夺了图西人大量的土地。许多图西人逃往邻近国家避难，胡图人控制着该国政治制度直到 1994 年中期；当时图西人领导的卢旺达爱国阵线通过武力接管了国家。卢旺达爱国阵线胜利后，多达 200 万的难民(大多为胡图人)纷纷逃往邻国扎伊尔(今刚果[金])。

卢旺达语和法语为官方语言,但斯瓦希里语方言也普遍使用,特别是在阿拉伯人或受阿拉伯人影响的城镇区。基督教徒(天主教徒为主)占总人口的2/3,其余多信奉伊斯兰教和传统宗教。

卢旺达年人口增长率居全世界最高之列;近1/2人口年龄不足15岁。尽管人口密度很高(居非洲首位),但主要居住模式却极为分散,有90%的人口在农村。因为艾滋病蔓延平均预期寿命较短:男性约39岁,女性约40岁。

经济 卢旺达属发展中国家,经济以自由经营为主,国民生产总值增长慢于人口增长;人均国民生产总值属世界最低之列。农业为经济的主要组成部分。

农业占国内生产总值的2/5以上,占用约9/10的劳动力。主要粮食作物有大蕉、甘薯、木薯、马铃薯、高粱、大豆和香蕉。经济作物有咖啡、茶叶、甘蔗、杀虫菊和奎宁。养有大批牛羊。林业和渔业主要是地方性经济活动。捕鱼作业全在基伍湖或江河中进行。狩猎仍然在特瓦人中盛行。砍伐的林木和灌木多用作燃料。矿产以锡和钨为主。

制造业约占国内生产总值的1/7,但占用不到2%的劳动力。主要产品包括加工食品、棉织品、水泥、油漆、药品、植物油、肥皂、火柴和家具等。电力几乎全由国内水电站供应。

长期的贸易赤字,使主要来自法国和比利时的外援成为经济发展不可缺少的条件。卢旺达政府参与金融业,但金融业控制在私人手中。

该国不到10%的道路网铺有路面。尽管河流均不适合通航,但基伍湖岸的一些港口有私营船只通往刚果(金)。基加利和卡门贝均建有国际机场。

政体与社会状况 1994年之前,卢旺达曾是仿效法国政体的多党制共和国。根据1978年宪法(1991年修改),总统任命总理,总理则任命部长会议作为总统的内阁。总统和名为国民发展议会的立法机构共同行使立法权;议员由成人普选产生,任期5年。1994年,获胜的、由图西人控制的卢旺达爱国阵线成立了一个有广泛基础的联合政府,其中包括温和的胡图人。

卢旺达的医疗卫生条件普遍很差。许多人仍患有疟疾、性病、肠疾、呼吸器官疾病和寄生虫病等,而且普遍营养不良。该国婴儿死亡率属中非各国最高之列。该国与热带非洲大多数国家一样,医生严重短缺。

卢旺达政府对7～15岁未成年人实行免费义务教育,但只约有2/3的学龄儿童进入小学就读。教育体系包括公立学校和由宗教组织设立的其他学校。卢旺达国立大学于1963年创办于布塔雷。

历史 卢旺达最早的居民是从事狩猎和制陶的俾格米特瓦人。胡图人到达当地的确切时间不详,但当图西人于14世纪出现时,他们已在此定居。以畜牧为主的图西人凭借其先进的军事技术和一系列土地和牛群契约而得以支配胡图族农民。15世纪,图西族领袖鲁甘祖·布温巴在基加利附近建立起一个王国。16世纪,该王国吞并了今卢旺达中部地区,17世纪,鲁甘祖·恩多里国王征服了周边的胡图人聚居地区。19世纪末期,基盖里·鲁瓦布吉里将卢旺达王国的版图扩大,被视为卢旺达最伟大的国王。到20世纪初,卢旺达成为中央集权军事体制的统一国家。

从1890年起,德国人宣布卢旺达为德属东非的一部分,但他们自己极少来此地。1916年,比利时人顺利占领卢旺达;1923年,国际联盟设立卢旺达-乌隆迪托管地,由比利时管辖。

比利时人通过世袭的图西族诸国王进行统治,并保留了传统的封建体制,进而使图西人在该国社会中保持支配地位。然而,比利时人逐渐寻求建立一个较为民主的氛围,这种作法鼓励了胡图族下层社会起来反抗。

1959年,图西和胡图两族之间的内战爆发,国王基盖里五世连同许许多多图西人被迫流亡。1961年1月,卢旺达宣布成立共和国;次年独立,由胡图族新领导人统治。

独立后,大批图西人被迫离境。1963年,图西流亡者自布隆迪发动袭击,使卢旺达境内的图西人遭到严重的报复性劫掠。1973年,哈比亚利马纳发动军事政变。新政府决心结束部族的敌对状态;但胡图族仍独揽大权。1978年实行新宪法。1981年举行的选举是1973年军事政变以来第一次立法机构选举。

80年代末期,由于世界咖啡价格下跌和国内严重的旱灾导致作物歉收,卢旺达的经济急剧恶化。1990年10月,反政府的卢旺达爱国阵线军队从乌干达入侵,士兵中大部分是60年代和1973年为逃避部族暴乱而流亡的图西人。1992年,政府开始与卢旺达爱国阵线举行谈判,1993年8月,双方在坦桑尼亚阿鲁沙签署和平协议。《阿鲁沙协议》要求在1993年底之前成立包括卢旺达爱国阵线成员在内的、基础广泛的过渡政府。但胡图族极端主义领导人拒绝分享权力,过渡政府因此未能建立。

1994年4月6日,哈比亚利马纳总统和布隆迪总统西普里安·恩塔利亚米拉因飞机在基加利附近失事而罹难(显然是被击落);反对分享权力的卢旺达总统卫队照常履行职责。同年4月7日,许多温和的胡图族政治家,其中包括代理总理,均遭杀害;在随后数月内估计有20万～50万平民(主要为图西人)惨遭军队、总统卫队和极端主义的胡图族民兵杀害。作为回应,卢旺达爱国阵线恢复军事行动。数十万平民(其中既有胡图人也有图西人)逃往邻近国家。到7月底,卢旺达爱国阵线宣布停火并宣告胜利时,估计已有难民200万以上,其中一半以上在刚果(金)。1996年末到1997年初,大部分难民返回卢旺达。上万名胡图族人以种族灭绝罪被捕。

Rwanda language 卢旺达语 Rwanda又拼Ruanda。又称肯尼亚卢旺达语。主要通行于卢旺达境内的班图族语言,卢旺达有800万人使用卢旺达语,在班图诸语言中使用人数最多。亦通行于布隆迪、刚果(金)、乌干达及坦桑尼亚各国的少数地区(班图诸语言构成尼日尔-刚果语系贝努埃-刚果语族的一个亚族)。与布隆迪境内的隆迪语亲缘关系最近。

rya rug 里雅地毯 瑞典和芬兰采用类似东方制毯技术手工制作的铺地用品。毯面栽绒非常长,富有柔性。瑞典有一种里雅毯是在开梭口织布机上织制的,用吉奥德结(每结套在两根经纱上,以相邻经纱和上下纬纱

18世纪的瑞典里雅地毯

供图:Rohsska Konstslojdmuseet, Goteborg, Swed

将结夹紧)制作栽绒。早期产品当床罩用,毯面绒圈不剪开,有的两面都有栽绒,用以保暖。有的里雅毯在毛绺栽到毯面时采用了不同织法,或改变各道栽绒之间纬线区域的织法或改变其颜色。早期的里雅地毯似乎没有图案或条纹组织,以后采用比较复杂的、具有民间美术特色的设计,近来织法又趋简化,并更多地强调产品的质地。

Ryabushinsky FAMILY 里亚布申斯基家族 又拼Riabushinskii。俄国富有的实业家家族。这个家族是农民的后裔,19世纪至20世纪初因经营纺织业、土地和银行而发大财。1917年俄国革命之前的知名的自由派政治家。家族成员米哈伊尔于1844年在莫斯科购买布店,两年后开办织布厂。他的儿子帕维尔和瓦西里扩大营业,1869年在上沃洛乔克附近开设大型纺织厂。1900年帕维尔的7个儿子控制哈尔科夫土地银行,1902年自设银行,其分支机构遍布俄罗斯北方和西部地区,1912年改组为莫斯科银行。20世纪初,里亚布申斯基家族在许多工商业机构中占有突出地位。他们反对政府,是进步党的领袖,并出版《俄罗斯晨报》。1916年帕维尔(1871～1924)在莫斯科开办第一家俄国汽车制造厂。第一次世界大战期间,他坚决支持俄国参战而反对布尔什维克。苏联历史学家说他曾参加策划1917年的科尔尼洛夫叛乱以及其他一些反对苏维埃的军事暴乱。

Ryan, Nolan 瑞安(1947-01-31,美国得克萨斯里菲吉奥～) 全名Lynn Nolan Ryan, Jr.。美国职业棒球运动员,右手投手。1983年率先打破W.约翰逊于1927年创下的使对

方三击不中出局 3 508 次的纪录。瑞安跟自己的哥哥学打棒球。1965 年与全国棒球联盟纽约梅茨队签约前,是得克萨斯州阿尔文中学的投手,那时他的投球缺乏控制但速度很快。1965 ～ 1967 年他参加小联盟队任投手。除了在军队服役的一段时间外,他在整个 1971 年赛季经常代表梅茨队参加比赛,后来被交换到美国棒球联盟加利福尼亚天使队,这之后开始真正大显身手。他在天使队的 8 年间有 7 年(1972 ～ 1974、1976、1977 ～ 1979)在使对方三击不中出局方面居全联盟之首。1980 年他作为自由代理人转到全国棒球联盟休斯敦阿斯特罗斯队,1989 年又转到得克萨斯突击队。瑞安的运动寿命特别长,当年过 40 的时候仍是一名出类拔萃的好投手。1989 年他使第 5 000 个击球员三击不中出局。他还保持了 1973 年一个赛季内 383 次使对方三击不中出局的纪录。他还曾在 5 场比赛中使对方未击出一个安打球。在使对方三击不中出局方面,他先后 10 次在美国联盟中居首位,而且他是创造这一成绩年龄最大的投手(1989 年他 42 岁时)。1991 年,他投出了自己的第 7 个无安打比赛,创造了又一个纪录。1993 年退休。1999 年入选棒球名人堂。

Ryan,T. Claude　瑞安(1898-01-03,美国堪萨斯帕森斯～ 1982-09-11,加利福尼亚圣迭戈)　美国民航企业家和飞机制造家,林白所驾驶的"圣路易斯精神"号就是根据他的设计制造的。他 1917 年学飞行,在美国航空森林巡逻队工作。1922 年创办飞行学校,并经营环游圣迭戈的飞行观光业务。后改称瑞安航空公司,经营圣迭戈和洛杉矶之间的客运业务(1925 ～ 1927)。这家公司发展为设计和制造飞机(包括 M-1 型航空邮政飞机)的公司。他 1926 年脱离该公司,1929 年另组新厂,设计出瑞安 S－T 型飞机,该机被陆军用作初级教练机,即 PT-22 型飞机。他又和陆军签订合同,为陆军培训数千名飞行员,故在第二次世界大战期间,他的公司迅速扩大。1969 年他把该公司转让给别人,另组瑞桑设计公司,制造带动力装置的滑翔机和遥控飞机。传记《航空家瑞安》(1971)是他的同事 W. 瓦格纳所著。

Ryan,Thomas Fortune　瑞安(1851-10-17,美国弗吉尼亚拉温斯顿～ 1928-11-23,纽约州纽约)　美国大金融家。在 19 世纪末和 20 世纪初,他对许多公司的合并与改组(如创建都市有轨电车公司和美国烟草公司的组织活动)起了关键作用。瑞安出身贫苦,14 岁即成为孤儿,21 岁来到纽约,1874 年加入纽约证券交易所。后来他同著名的金融巨擘 W. C.惠特尼等人交往,开始参加纽约等地的公用事业公司的合并。1892 年瑞安组建都市有轨电车公司,该公司为纽约市一家庞大的公共运输业辛迪加,现在普遍认为其控股公司——都市公共运输业公司是美国第一家控股公司。该辛迪加最终于 1905 年与贝尔蒙特的区际快运公司合并。通过一系列的兼并,19 世纪 90 年代组建的美国烟草公司在 1911 年联邦政府命令其解散之前,已掌握有美国烟草市场的实际垄断权。瑞安对铁路、焦炭、煤、比属刚果的金刚石、石油、橡胶、铅等行业也拥有股权。他大半生对其经营活动都严守秘密,外界对他不甚了解,直至 1905 年他购买摇摇欲坠的公平人寿保险公司的控制股时,引起保险客户的抗议。后来,他将该公司移交给受托人。1908 年他被控犯有不法经营行为,可是大陪审团的调查却未能证实任何指控得以成立。他逝世时留下 2 亿多美元的财产。

Ryazan　梁赞　12～16世纪初叶的中世纪俄罗斯公国。12 世纪初,在基辅大公斯维亚托斯拉夫之子雅罗斯拉夫的领导下成为独立的公国。首都是奥卡河畔的旧梁赞,位于莫斯科东南约 240 千米处。在此后的一个世纪,该公国经常同弗拉基米尔公国发生冲突,弗拉基米尔公国随后被莫斯科吞并。1237 年,由拔都汗率领的金帐汗国的蒙古军队袭击并夷平了旧梁赞,此后重建的公国首都设在奥卡河畔上游 48 千米左右的佩列亚斯拉夫尔-梁赞斯基。梁赞大公抗御了莫斯科,甚至在 14 世纪末在金帐汗国支持下短时期扩展了领土。15 世纪初,梁赞在政治上依赖于莫斯科。1521 年被莫斯科正式吞并。

Ryazan　梁赞　俄罗斯西部一州。面积 3.96 万平方千米,位于奥卡河中游。奥卡河以南依次是中俄罗斯高地北端、奥卡-顿平原和顿河流域上游。奥卡河以北是梅晓拉低地,多沼泽和混交林(橡树、云杉、松树和白桦)。19 世纪 70 年代后大力开垦沼泽地,但迄今当地人口仍然稀少。奥卡河以南的森林和森林草原几乎都已开垦。小镇经济以农业和农产品加工为主。主要种植谷物,北部种植亚麻和大麻,南部有甜菜和烟草种植业。蔬菜种植业在奥卡河沿岸也很重要。工业集中在首府梁赞市。人口约 1 348 000(1990)。

Ryazan　梁赞　俄罗斯西部梁赞州城市和首府。濒临奥卡河。位于莫斯科东南 193 千米的佩列亚斯拉夫尔-梁赞斯基古镇原址。1095 年首见记载。原位于普罗尼亚河下游汇流处。古时为梁赞公国所在地。1237 年为蒙古人所毁。13 世纪梁赞主教区迁至此。1371 年被莫斯科公国占领,1372 年和 1378 年被鞑靼人占领,15 世纪成为梁赞公国都城。1521 年并入莫斯科公国,1778 年改名为梁赞。现主要工业有机械制造、石油化工和石油提炼。1959 ～ 1975 年期间人口增加近一倍。人口约 515 000(1989)。

Rybachye(Kyrgyzstan)　**雷巴奇耶**　参阅**Issyk-Kul** *伊塞克*。

Rybinsk　雷宾斯克　1946～1957年称谢尔巴科夫,1984 ～ 1988 年称安德罗波夫。俄罗斯西北部雅罗斯拉夫尔州城市。濒临伏尔加河。12 世纪称雷布纳亚村,1777 年成为雷宾斯克镇。1810 年连接伏尔加河和波罗的海的马林斯克航道通航,1964 年又改建为伏尔加-波罗的海深水航道,河港繁荣。生产多种机械和其他产品。1941 年在该市附近伏尔加河上建成一座大坝和水电站。人口约 252 000(1989)。

Rybinsk Reservoir　雷宾斯克水库　俄罗斯西北部、伏尔加河上游的大型水库,由伏尔加河及其支流舍克斯纳河上的两座堤坝构成。1935 年规划,1941 年建成人工湖,1947 年完工。面积 4 580 平方千米,最大宽度 60 千米,平均水深 5.6 米。当时是世界最大的人工湖。其作用是控制伏尔加河的流量,向莫斯科及其他城市提供电力,并且是伏尔加-波罗的海水道的组成部分。

Rybnik　雷布尼克　波兰南部西里西亚省西南部城市。濒临纳齐纳河。位于外喀尔巴阡山谷地上西里西亚煤田林区,有采煤和金属加工业。设有几所职业学校。10 世纪时为一渔村。1282 年为拉齐布日公国首都。1532 年成为波希米亚一部分。1742 年被普鲁士占领,1921 年归还波兰。人口约 142 731(2002)。

Rydberg,Johannes Robert　里德伯(1854-11-08,瑞典哈尔姆斯塔德～ 1919-12-28,隆德)　又译雷德贝里。瑞典物理学家,光谱学中的里德伯常量因他的贡献而命名。1875 年,他在隆德大学获学士学位,1879 年获数学博士学位。1882 年成为该校讲师,1892 年为物理研究所助理。1901 年起,他是该校的终身教授,直到 1919 年退休。里德伯以他对光谱线系的理论研究最为著名。在他的计算中用波数代替波长,使化学元素的各条谱线能用一较简单的公式来表述。该公式所含的常量项后称为里德伯常量。里德伯的主要论文《化学元素光谱发射结构的研究》发表于 1890 年。

Rydberg,Viktor　雷德贝里(1828-12-18,瑞典延雪平～ 1895-09-21,于什霍尔姆)　瑞典浪漫派作家。他的多方面的成就对瑞典文化生活有很大影响。少年时因家境贫困中途辍学。1855 年开始为自由派报纸《哥德堡商业和海运报》撰稿。1859 年在该报发表连载小说《最后一个雅典人》,一举成名。小说写古雅典异教与基督教的冲突,表达了他对基督教排斥异教和维护正统教义的不满。在《圣经中关于基督的教诲》(1862)一书中,他认为基督不是上帝,由此引起一场与教会人士的论战。19 世纪 70 年代,雷德贝里一度进入瑞典议会,主张进行语言改革,以减少从德语中借用的词数。1874 年前往罗马,回来后写成《在罗马的日子》(1877),表达了他对古典文化的成熟见解。他经多年努力后于 1876 年完成翻译歌德的《浮士德》第一卷的工作。1882 年他的《诗集》出版后,立即成为瑞典最优秀的抒情诗人之一。1877 年,他被授予乌普萨拉大学名誉博士学位,1878 年被选入瑞典文学院,1884 年任斯德哥尔摩大学教授。80 年代,他从事神话研究,发表过两卷本的《日耳曼神话研究》(1881 ～ 1889)。1891 年出版了两部文学作品:《铠甲匠》描写瑞典宗教改革时期的生活状况;另一部是诗集《新洞穴之歌》,对社会现状进行了有力的控诉。

Rydberg constant 里德伯常量 又译雷德贝里常量。原子物理学的基本常量，符号为 R_∞，出现在瑞典物理学家J.R.里德伯(1890)推导的公式中。它描述各种光谱线系(例如氢原子发射的光谱线系)中光的波长或频率。常量值建立的前提是辐射光线的原子的核比单个轨道电子大得多(所以有无穷大符号∞)。里德伯常量 R_∞ 数值是1.097 373 177 × 10^7 米$^{-1}$，或109 737.31 厘米$^{-1}$。当把这个值用在描述光谱线系的数学式中时，就得出每单位长度中的波数。波数乘光速就得出谱线的频率。

Ryde 赖德 英格兰汉普历史郡怀特岛郡东北岸城镇。与主岛的朴茨茅斯隔海相望。原为小渔村。1868 年设建制。现为度假胜地。有轮渡通英国主岛。人口 20 502(1991)。

Ryder, Albert Pinkham 赖德(1847-03-19，美国马萨诸塞新贝德福德～1917-03-28，纽约埃尔姆赫斯特) 美国油画家，以创作有个人特色的海景和有神秘感的寓意性作品知名。是富于想象、有独特风貌的画家，一生创作约150 件油画。其中，《海上辛苦工作的人》表现出对海的迷恋及人在自然面前无能为力的

赖德绘《海上辛苦工作的人》(1884 前)
纽约大都会艺术博物馆供图

观念。《约拿》题材取自《圣经》；而《麦克白与三巫女》、《上帝的圣殿》、《齐格弗里德与莱茵河的少女们》等取材于莎士比亚、E.A.坡和R.瓦格纳的作品。其画面上笼罩着厚重的黄色的光(一般是月光)，用以加强不安定的情绪(如《跑道》或《灰马上的死亡》)，常省略不重要的细节，代之以概括的形体和大面积的色块，并常常用调色刀造成宽阔、厚重的色彩层次。

Ryder Cup 赖德杯 两年一次的职业高尔夫球团体赛，开创于 1927 年。直到 1979 年前，由英美两国职业高尔夫球队参加。但是到 1979 年及以后，从全欧洲各国挑选运动员同美国比赛。奖杯由英国种子商赖德捐赠。比赛交替在美国和英国进行。选手分别由两国职业高尔夫球协会选派。关于赖德杯赛成绩，参阅 **Sporting Record**: Golf。

Rye 拉伊 英格兰东萨塞克斯行政郡罗瑟区一城镇(教区)，在罗瑟河畔一座山上。属

拉伊镇的亚普雷斯塔
供图：Kenneth Scowen

萨塞克斯历史郡。城内卵石路和木结构的乔治王朝时期风格的房屋吸引众多游客。拉伊原为一海港，1289 年设建制，约 1350 年成为五港同盟(英吉利海峡沿岸诸港专为王室提供战船和水手的同盟)的正式成员。爱德华三世在城四周筑造城墙，但 14 世纪建造的三座城门中，现只存兰德门和 12 世纪建造的亚普雷斯塔。其他名胜有默迈德客栈(1420)和小说家亨利·詹姆斯于其中度晚年的、建于18 世纪的故居。15 世纪以后，因淤泥侵积(现该城已离海 3 千米)，港口业务衰落，镇周围面积几乎和中世纪时一样，没有扩大。人口 3 708(1991)。

Rye 拉伊 美国纽约州东南部长岛海峡上的城市和城镇。属韦斯特切斯特县。原镇址在彭定哥内克，首先来此定居(1660)的是康涅狄格格林尼治的一群人，1665 年以英格兰苏塞克斯郡的拉伊命名。拉伊村于 1904 年单独注册时已是闻名的海滨胜地，后迅速发展为纽约市郊区住宅区(在市西南 39 千米处)，并出现了有轨电车和市郊往返列车。1942 年特准设市。市内的四方楼(约 1731 年时曾名为哈维兰客栈)是旧波士顿驿道上的停息站。拉伊镇在拉伊市周围，但不包括该市，却包括切斯特港村(1868 年注册)和马马罗内克(1895)的一部分。切斯特港附近有漫画艺术博物馆，陈列漫画发展历史。人口：市 14 955；城镇 43 880(2000)。

rye (*Secale cereale*) **黑麦** 早熟禾科一种谷类作物，株高达 1 ～ 2 米，穗状花序，小穗 2 至多个，果含一粒种子。黑麦栽培可能在公元前 6500 年源于西南亚，以后向西经巴尔干半岛遍及欧洲。现广泛种植于欧洲、亚洲和北美。黑麦适应于其他谷类不适宜的气候和土壤条件，在气温太凉、冬小麦不能适应的地方种作冬季作物，在高海拔地区生长良好。在所有小粒谷物中，其抗寒力最强，生长范围可至北极圈。黑麦碳水化合物含量高，含少量蛋白质、钾和 B 族维生素。主要用做面包，以及作为饲料和牧草。除小麦外，黑麦是唯一适合做面包的谷类，但缺乏弹性，常同小麦粉混合使用。因黑麦粉颜色发黑，全部用黑麦粉做的面包称黑面包。欧洲和美国常见的颜色较浅的黑麦面包用黑麦粉加上小麦粉以及其他谷物粉制成。裸麦粗面包纯用不经筛过的黑麦粉制成，许多世纪以来是中欧及东欧的主要食物。黑麦也用来制造黑麦威士忌。用饲牲畜时常与其他饲料合用。其坚韧的纤维质秸秆很少用作饲草，多用作垫草，以及作为屋顶、床垫、草帽和造纸原料。黑麦也栽培作为绿肥，被犁入土壤中以增加肥力。俄罗斯及乌克兰两国的黑麦产量占世界产量的 1/3。其他主产国是波兰、德国、阿根廷、土耳其和美国。

Rye House Plot 麦酒店密谋案(1683) 英国历史上据称是辉格党因反对国王查理二世的亲天主教政策而策划的企图进行暗杀或举行暴动的阴谋。他们在赫特福德郡霍兹顿的一家麦酒店附近的小路上等待查理二世通过，以便行刺。根据官方的说法，因国王提前动身，使密谋化为泡影。1683 年 6 月 1 日，政府根据告密者的揭发材料进行调查。案件真相至今仍在迷雾中。但参加密谋的颇有一些知名人士，如蒙茅斯公爵 J.斯科特、埃塞克斯伯爵卡佩尔、威廉·罗素勋爵、A.西德尼、托马斯·阿姆斯特朗爵士、弗格森和霍华德勋爵。据说这些人经常在一个伦敦酒商谢泼德家和他们自己家中聚会，商讨推翻查理二世或阻止天主教徒詹姆斯二世继位的各种办法。麦酒店密谋案不过是所讨论的计划之一。事发后，埃塞克斯伯爵被禁，死于伦敦塔监狱，可能系自杀。罗素、西德尼和阿姆斯特朗以叛逆罪被斩首。其余人逃脱。

rye whiskey 黑麦威士忌酒 主要以黑麦芽浆蒸馏而成的威士忌酒(**whiskey**)。

Ryedale 拉伊代尔 英格兰北约克行政郡一区。属约克历史郡。大部分是乡村。面积 1 510 平方千米，范围包括皮克灵谷和谷地四周的高地。高原沼地海拔 370 米以上，中有许多深谷，均在北约克高原沼地国家公园内，其中约 1/3 在拉伊代尔区。中世纪，皮克灵、柯比穆尔赛德、赫尔姆斯利等城堡镇出现市

场。宗教团体也在当地建立住所，修士们将沼泽排干，低地农业繁荣起来。现高沼地仍用于牧羊，丘陵和低谷中有综合性农业。皮克灵附近有针叶树林和石灰岩开采业。轻工业也有所发展。旅游业亦很重要。人口约485 000（1998）。

ryegrass 黑麦草 早熟禾科黑麦草属（*Lolium*）植物，10种，包括欧亚大陆温带地区的饲草和草场禾草及一些有毒杂草，如毒麦（*L. temulentum*）。黑麦草高约0.3～1米，叶坚韧，深绿色。小穗长在"之"字形花轴上。多年生黑麦（*L. perenne*）和意大利黑麦（*L. multiflorum*）萌芽早，为牧场和草地所收草籽中的重要成分。毒麦（毒黑麦、稗麦）常为有毒真菌侵染，其种子还含有麻醉性有毒成分，二者对于草场动物十分危险。现代的扬谷技术能将毒麦种子与黑麦种子分开，但从前此种污染的黑麦粉对健康有危害。

Ryerson,（Adolphus）Egerton 赖尔森（1803-03-24，上加拿大诺福克县维多利亚附近［安大略］～1882-12-19，多伦多） 在今加拿大安大略省所在地建立公立教育制度的加拿大地方教育家。在自己所在地接受教育后，一度在一所邻近学校任教。在哈密尔顿进修，后成为循道宗巡回牧师，再后成为向印第安人讲道的传教士。1836年他得到皇家特许在加拿大科堡创建第一所非英国国教的学校——上加拿大专科学校。1841年该校重新命名为维多利亚学院，他任该学院院长。1844～1876年任上加拿大公立学校监督。为了教师的职业培训，他负责在多伦多创建了一所省立师范学校。还负责建立地方教育用品供应处，分配统编教科书和实行有效的学校视察制度。任职初期，曾漫游欧洲，研究各种学校体制。在考察报告（1846）中有许多建议，其中有些由1846和1850年的公立学校法案转换成为法律。

Rykov, Aleksey Ivanovich 李可夫（1881-02-25，俄国萨拉托夫～1938-03-14，莫斯科） 布尔什维克领袖，俄国革命（1917-10）后著名的苏维埃官员，20世纪20年代末期为斯大林的主要反对者之一。李可夫18岁参加俄国社会民主工党，是该党布尔什维克派的成员，在国内外从事革命活动，曾参加俄国1905年革命。可是在1907年与布尔什维克领袖列宁对立，他谋求社会民主工党内所有各派和解。旅居巴黎两年（1910～1911）后返回俄国，但不久被捕，流放西伯利亚。二月革命（1917）后，李可夫返回莫斯科，鼓吹组成一个包括所有社会主义政党的联合政府，从而再次同列宁发生冲突，后者决心由布尔什维克夺取政权并单独执政。尽管如此，他仍参加了十月革命，并担任了第一届布尔什维克政府的内务人民委员。他后来不顾自己的政治观点，接受并支持了布尔什维克专政，1918～1921年担任最高国民经济委员会主席。他是人民委员会副主席，并在列宁1924年1月去世后任主席（即总理）。他从1922年起任党的政治局委员，直至1929～1930年被剥夺了一切职务。李可夫是新经济政策的坚定支持者，他对集体化和由中央制定计划的优点持怀疑态度。列宁去世后，斯大林联合李可夫提倡一种能促进农业繁荣发展的经济政策，以便为逐步的工业化提供资金。因此在1926～1928年间，李可夫协助斯大林击败了托洛茨基、季诺维也夫和加米涅夫。但是，斯大林一旦击败这些主张从集体化农民那里吸取财富以作为加速工业化资金的左翼对手后，便采纳了他们的经济政策，并对李可夫和他的右翼朋友布哈林和托姆斯基进行攻击。1930年李可夫及其这些众所周知的"右翼反对派"同事遭到了怀疑。1929年11月李可夫被迫公开放弃自己的观点，并被免除他的最重要的职务。1936和1937年，他被大清洗的头两次公开审判中的被告卷进虚构的叛国阴谋案，早在1937年就被捕并被开除出党。1938年3月他在第3次公开审判中被判犯有叛国罪，并被处决。

Ryle, Gilbert 赖尔（1900-08-19，英国萨塞克斯布赖顿～1976-10-06，北约克郡惠特比） 英国哲学家、"牛津哲学"或"普通语言"运动的领导人物。曾在牛津大学女王学院获得最优等生荣誉，1924年任基督堂学院讲师。一生主要在牛津大学度过。在他担任韦恩弗利特讲座教授讲授形而上学哲学时（1945～1968），在他的文章著作中，以及在他担任期刊《精神》的主编时（1948～1971），都试图消除由误用语言而引起的混乱。他的第一部书《精神的概念》（1949）被认为是一本现代名著。在此书中，他反对笛卡儿所作的肉体和精神之间的传统区分。赖尔说，传统的笛卡儿二元论在制造严重的混乱，因为当它把视线转到存在于空间并受机械规律支配的人体之外时，将精神看作一种既无法观察、又不受机械规律支配的附加神秘物，而不是身体的一种形态或主要组成部分。他把自己所认为的笛卡儿主义的那种在逻辑上毫不连贯的教条叫做"机器里出鬼"的学说。在《困境》（1954）一书中，赖尔分析一些似乎不可调和的命题，例如，自由意志就同认为未来特定事件均不可避免的宿命论观点相对立。他认为这些看来为相互矛盾的命题所造成的两难状况，只有当作逻辑语言和事件语言之间在概念上混乱的结果，才能得到澄清。他的名著还有《哲学辩论》（1945）、《一个理性动物》（1962）、《柏拉图的进步》（1966）、《思想分析》（1968）等。

Ryle, Sir Martin 赖尔（1918-09-27，英国萨塞克斯布赖顿～1984-10-14，剑桥郡剑桥） 英国射电天文学家。他改进了射电望远镜并用它来精确测定微弱射电源的位置。他用改进后的设备观测宇宙中已知最遥远的星系。赖尔和A.休伊什一起荣获1974年诺贝尔物理学奖，这是首次颁发给天文研究的诺贝尔奖。赖尔是哲学家吉柏特·赖尔的侄子。1939年获牛津大学物理学学位后，赖尔在第二次世界大战时在无线电通讯研究所设计雷达装置。战后他进剑桥大学卡文迪什实验室工作。他在该室成为研究地外射电源的第一人，并用雷达原理发展高级射电望远镜。1948～1959年在剑桥大学任物理学讲师，还担任马拉德射电天文台台长（1957），后来又成为射电天文学教授（1959）。1952年当选为英国皇家学会会员，1966年被封为爵士，1972～1982年继R.伍利任皇家天文学家。赖尔早期工作主要集中在研究来自太阳、太阳黑子和少数几个近距恒星的射电波。他领导剑桥射电天文组人员编制了射电源表。所编的《剑桥第三星表》导致第一颗类星体的发现。为了绘制像类星体这样遥远的射电源图，赖尔开发出一种称为综合孔径的技术。通过使用两架可改变距离的射电望远镜并借助电子计算机分析技术，他获得分辨率极高的资料。60年代中期，他将两架射电望远镜分别安置在可移动的轨道上，使望远镜之间的最大距离达1.6千米，得到的结果同直径1.6千米的单个射电望远镜得到的不相上下。这架望远镜曾被用来定位第一颗脉冲星——由剑桥射电组的休伊什和J.贝尔于1967年发现的天体。

Ryleyev, Kondraty Fyodorovich 雷列耶夫（1795-09-29，俄罗斯巴托沃～1826-07-25，圣彼得堡） Ryleyev又拼Ryleev。俄国诗人和革命家。1825年十二月党人起义的一个领袖。雷列耶夫出身于没落贵族家庭，曾在军队中服役，去过德国、瑞士和法国。回到俄国后，去沃罗涅日省居住，他的国外印象同周围的生活形成鲜明的对照。父亲去世后，他前往圣彼得堡，并开始文学生涯。他的有些诗作采取历史题材，富有爱国思想。不过，他的最优秀的诗歌多半是那些在他的革命精神激励下创作的。1823年，雷列耶夫被吸收为北方协会的成员，不久便成为该秘密组织内激进一翼的领导。他领导了十二月党人在圣彼得堡的秘密行动，并在12月14日试图为该城持不同政见的部队寻找支持，但未能成功。这次暴动很快被镇压下去，雷列耶夫当天晚上即被逮捕和关押。1826年在彼得-保罗要塞中被处绞刑。直到十二月党人起义前几天，他还写了一些慷慨激昂的革命诗篇。

Rymer, Thomas 赖默（1643?，英格兰约克郡诺萨勒顿附近～1713-12-14，伦敦） 英国文学评论家。他把法国形式主义者的新古典主义批评的原理介绍给英格兰。作为皇家史官，还编有一本对中世纪史研究者很有价值的条约集。未获学位便离开剑桥大学而到伦敦格雷律师学院攻读法律。1673年成为律师，但将注意力转向文学批评。1674年翻译了R.拉潘的《对亚里士多德诗论的思考》。1678年所著《上一时代的悲剧》一书，批判了詹姆士一世时期的剧作家鲍蒙特和弗莱彻的剧本不遵循古典悲剧的原则。1693年发表的《对悲剧的浅见》表现出他的新古典主义的极端狭隘性（其中，他批评莎士比亚的《奥瑟罗》是"一部……血腥的闹剧，既无风趣又无特色"）。他在该书中还反对所有近代戏剧，鼓吹回到埃斯库罗斯的希腊悲剧中去。赖默在18世纪颇具影响，但在19世纪受到嘲笑，被T.B.麦考利称为"有史以来最差的评论家"。赖默1692年被任命为皇家史官。当威廉三世政府决定首次出版英国过去缔结的所有条约时，他被任命为总编辑。尽管该书有其不足之处，但仍不失为一项重大和有价值的成就。

Ryōbu Shintō　两部神道　又称真言神道。日本神道教一派，源起于平安时代（794～1185）后期或镰仓时代（1192～1333）。该派吸收佛教真言宗关于佛的金刚界和胎藏界的观念，宣称神道教的神与佛教的佛最终将合而为一，毗卢遮那（光明遍照佛）即天照大神。

Ryōkan　良宽（1758，日本出云崎～1831-02-18，越后）　日本德川时代（1603～1867）晚期的禅僧，著名诗人和书法家。原名山本荣藏。乡村头人的长子。17岁出家，法名大愚良宽。21岁时遇见游方僧国仙和尚，随国仙去备中玉岛的圆通寺，在该寺修行12年。国仙圆寂后，良宽云游日本各地。到年老时，回到故乡越后，研究《万叶集》和古代书法。他与青年尼姑贞心尼发生亲密的师徒关系。逝世后，贞心尼把他的俳句和和歌编为一集，名《莲之露》（1835）。他还有许多书法作品，笔法优美，为人珍重。

Rysbrack, John Michael　赖斯布雷克（1694-06-27，西班牙属尼德兰安特卫普［今在比利时］～1770-01-08，英国伦敦）　英国18世纪主要雕刻家和设计家。曾在安特卫普学习，大概在M.范德沃特的作坊学习艺术。1720年在伦敦开业，后一直住在伦敦。奉行古典的、有时带折衷主义色彩的风格，作品包括伦敦威斯敏斯特大教堂的16座纪念碑，格洛斯特郡布里斯托尔的雄伟的威廉三世骑马雕像，英国各教区教堂里的许多墓碑以及无数的胸像。其墓碑雕刻一般采用角锥体结构并精心选择材料。

Rysdyk's Hambletonian（harness racehorse）　参阅 **Hambletonian** 汉布尔顿。

Ryswick（The Netherlands）　参阅 **Rijswijk** 赖斯韦克。

Ryukyu Islands　琉球群岛　日本的群岛。从日本南部的九州向西南延伸至台湾北端，分布在长约1 100千米的海域中。1972年划为日本冲绳县。总陆地面积2 254平方千米。由55个岛屿组成，由北向南分为奄美、冲绳、先岛三大群岛。较大岛一般为火山岛，岛上多山。较小岛大部由珊瑚礁构成，地势较平。属亚热带气候，每年都有台风侵袭。居民多为史前移居岛上的日本人和东南亚人的后裔，体形近似日本人，语言与日语属同一语系，岛民大多数讲日语。文化兼受日本和中国影响。古代琉球群岛为一独立的王国。14～19世纪先后由中国和日本统治。1879年成为日本领土。第二次世界大战后被美国占领。1972年全部归还日本。现美国在冲绳岛上仍有驻军数千人，设有88处军事设施。群岛大部为乡村，经济以农业为主，出产甘薯、稻米等，糖和菠萝罐头为当地主要出口产品。渔业日益重要。传统工业有漆器和陶器的生产，新兴企业生产工业部件。旅游业是经济的主要组成部分之一。冲绳岛上建有冲绳大学、国际大学和琉球大学。

Ryukyu Trench　琉球海沟　又称西南海沟。沿日本琉球群岛东缘向北延伸的深海沟。位于中国台湾和日本列岛之间的菲律宾海中。以冲绳岛南约90千米处最深，达7 507米。长2 250千米，平均宽度约60千米。沟底面积约135 000平方千米，大多被红色黏土覆盖。

Ryurik（Varangian prince）　参阅 **Rurik** 留里克。

Ryzhkov, Nikolay　雷日科夫（1929-09-28～　）　苏联总理（1985～1991）。雷日科夫的早年生涯鲜为人知。似乎出身矿工，1950年起在乌拉尔山区乌拉尔重型机械制造厂任轮班工长，后升为工厂厂长和副经理。1956年加入共产党，1959年毕业于基洛夫乌拉尔山区工业学院，因而使他得以于1965年成为乌拉尔重型机械制造厂总工程师，最后于1970年成为乌拉尔重型机械联合企业总裁。1975年雷日科夫被任命为重型机械与运输机械制造部第一副部长，1979年成为苏联国家计划委员会第一副主席，1981年任共产党中央委员会委员，1982年任该委员会经济部门主管。1985年9月，出任苏联总理（即部长会议主席）。雷日科夫极为认同戈尔巴乔夫的政策，即设法通过先进技术及分权计划的措施重振苏联经济。然而他对采用市场类型的定价方式和其他机制进行了抵制，到了1990年，他的领导受到来自各方面的强烈批评。1990年12月心脏病发作，他遂于1991年1月放弃了总理职务。

Rzeszów　热舒夫　波兰东南部省份。1975年设立。面积4 397平方千米。省会热舒夫市。北部是桑多梅日盆地，南部为西喀尔巴阡山区。桑河、维斯沃克河和维斯图拉河流经境内。平原地区出产小麦、黑麦、甜菜和马铃薯。山区有天然气和石油开采业。经济以食品加工、纺织、制材和农机制造业为主，亦生产建筑材料、瓷器、玻璃和化工品。大城镇有梅莱茨、万楚特和莱扎伊斯克。人口约717 400（1990）。

Rzeszów　热舒夫　波兰东南部喀尔巴阡山省城市，热舒夫省省会。濒临维斯沃克河，位于克拉科夫—利沃夫（乌克兰）公路和铁路干线上。第二次世界大战后经济有很大发展。现有几家波兰最大的金属加工厂，也有纺织厂和食品加工厂。14世纪建于通往匈牙利的商道上，17世纪饱尝战乱之苦，1772年被奥地利占领，1918年归还波兰。市内的地区博物馆藏有杰出的人种学文物。人口约160 376（2002）。

Rzhev　勒热夫　俄罗斯西北部特维尔州城市。濒临伏尔加河上游，位于莫斯科—里加、圣彼得堡—布良斯克铁路干线的交叉处。1216年作为独立的公国首见记载，一向为扼守莫斯科西部通道的要冲。曾受控于特维尔大公和斯摩棱斯克大公。1356年起被立陶宛占领两年。1390年归属莫斯科公国。1610年为波兰所占。现有轻型机械制造业和农产品加工业。人口约70 900（1991）。

S

S&P 500 标准普尔500指数 Standard and Poor's 500 的缩写。在美国,跟踪公开交易的500家国内公司的股票市场指数。许多投资者认为该指数最全面地反映出美国股市运作情况。标准普尔指数(也编有其他市场指数)源于1860年H.V.普尔开办的投资信息服务。1941年,普尔出版公司与标准统计公司(成立于1906年的标准统计局)合并,取名标准普尔公司,成为金融信息和分析的提供商。标准普尔500指数(以前称做综合指数,后来称做标准普尔综合指数)是1923年小规模推出的。1926年它开始跟踪90种股票,1957年扩大至500种。与道-琼斯平均指数不同,标准普尔500指数是计算构成指数股票的加权平均。因此,有较大市场价值的股票更能影响整个指数。列入标准普尔500指数的公司代表美国产业的名人录,其增加和减少常常显示出市场趋势。指数中权重高的公司包括通用电气公司、微软公司、花旗银行集团和埃克森美孚公司。控股公司和房地产公司的股票均不列入。1966年该公司被麦格劳希尔公司收购。

S Doradus 剑鱼座S 大麦哲伦云中一颗光度有变化的超巨星,大麦哲伦云是银河系两个伴星系之一。剑鱼座S(和大麦哲伦云)位于南半球的观测者能看到的剑鱼座中,是已知光度最大的恒星之一,辐射能量几乎是太阳的100万倍。

's-Gravenhage (The Netherlands) 参阅 **Hague, The** 海牙。

's Hertogenbosch 斯海托亨博斯 又称登博斯(Den Bosch)。法语作Bois-le-Duc(布瓦勒杜)。荷兰中南部北布拉班特省省会。位于多默尔河和阿河汇合处,濒临南威廉斯运河。1185年建市。中世纪时曾为重要毛纺中心。1559年成为主教管区。因地处天主教与新教两教派势力分界线上,为战略要地,历史上多次遭围攻。1794～1814年由法国统治。名胜有市政厅(1671)和荷兰最大天主教教堂圣约翰大教堂(1419～1520)。现为铁路枢纽和重要的牛市场。有食品加工业,生产金属制品、鞋和雪茄。人口:市约93 171;都会区约199 924(1992)。

SA 冲锋队 德语Sturmabteilung的缩写。英语作Storm Troopers。别名褐衫队。德国纳粹党的准军事组织,其暴力威胁办法对希特勒上台起了关键作用。1921年希特勒在慕尼黑建立。队员为参加初期纳粹运动的无赖。他们身穿褐衫,保卫纳粹党召开会议,在纳粹党大会上列队行进,袭击政敌。从1931年1月起由E.勒姆领导,其成员由大萧条时期的失业队伍扩充,1932年增至40万人,到1933年希特勒上台时或许为200万人。在纳粹政权初期,冲锋队大肆制造反犹太人和迫害政敌的公开暴力事件。德国正规军和大工业家对冲锋队怀有戒心,而希特勒却正要得到这两类人的支持。1934年6月30日,希特勒利用党卫军对冲锋队头目进行"血的清洗"。勒姆等10多人被处决。此后冲锋队势力大减,在纳粹事务中不再起大的政治作用。

Ṣā al-Ḥajar (Egypt) **萨哈杰尔** 参阅 **Sais** 赛斯。

Sá-Carneiro, Mário de 萨-卡内罗(1890-05-19,葡萄牙里斯本～1916-04-26,法国巴黎) 葡萄牙诗人、小说家。葡萄牙现代主义运动中最有创造性和最复杂的人物之一。萨-卡内罗曾在法国巴黎大学求学。他的第一批诗作《散布》写于巴黎,1914年出版。同年发表小说《卢西奥的忏悔》。1915年回到葡萄牙,与佩索阿共同创办《奥尔甫斯》杂志。萨-卡内罗回巴黎后,精神受挫,经济拮据,放弃学业,与父亲争吵不休并沉湎于放荡的文人生活。1916年自杀身死。死前,把未发表的诗歌交给佩索阿。这些诗于1937年出版,题为《黄金的印记》。

Sá da Bandeira (Angola) **萨达班代拉** 参阅 **Lubango** 卢班戈。

Sá de Miranda, Francisco de 萨·德·米兰达(1481?-08-28,葡萄牙科英布拉～1558-05?,塔帕达) 葡萄牙文艺复兴时期的第一位诗人。1521年以前主要居住在里斯本,经常出入宫廷,参加即兴诗会。1521～1526年在意大利,熟悉了意大利诗人彼特拉克、但丁、阿里奥斯托、桑纳扎罗等人的诗体。但他并没有放弃本国的短格律诗体,在诗体信简中使之更趋于完美。他的剧本《外国人》(1527)是葡萄牙第一部古典体裁的散文体喜剧,《克娄巴特拉》(约1550)大概是葡萄牙第一部古典悲剧,现仅存十多行。他的十四行诗使他获得葡萄牙文艺复兴先驱的声誉。1530年左右退居家乡,作牧歌《巴斯托》、《书简集》及针砭时弊、特别是针对正在滋长的物质享受的讽刺诗。

Sa Dec 沙沥 越南南部位于湄公河三角洲的城镇。在胡志明市西南140千米。为河港、农产品贸易中心和小船转运站。有公路经龙川到达泰国湾的迪石。有水道东西横穿沙沥连通湄公河的两条支流。人口约50 733(1989)。

Sa-skya-pa 萨迦派 中国藏传佛教宗派。因其祖师贡却杰布(1034～1102)于1073年在萨迦建寺传法而得名。萨迦派教义传自著名译师卓弥('Brog-mi,992～1072)。他还把印度的道果教法传入西藏。萨迦派护法神为畏怖护法喜金刚。萨迦寺的住持可娶妻,其职位由父子或叔侄相传。贡却杰布之子贡噶宁布(1092～1158)住持萨迦寺48年,被称为"萨钦"(萨迦派大师),并尊为"萨迦五祖"的初祖。贡噶宁布之孙萨班·贡噶坚赞(1182～1251)为第四代祖师,为西藏宗教领袖与蒙古王室建立政治联系之第一人。萨班·贡噶坚赞之侄八思巴(1235～1280)为第五代祖师,也是元朝第一代帝师。从1247年起,萨迦寺历代住持曾被蒙古汗王及元帝室授予管理西藏政务的权力,元朝灭亡后萨迦派权势随之消失。

Saab Aktiebolag 萨布公司 瑞典高科技公司,涉及国防、航空、航天多个产业。产品包括飞机、导弹、电子产品、电脑。总部设在林雪平。该公司于1937年组成,名为瑞典飞机工业公司。1965年改名为萨布公司,1969年,与卡车制造商斯坎尼亚-瓦比斯公司合并,组成萨布-斯坎尼亚公司。公司以生产萨布牌汽车和斯坎尼亚牌卡车与公共汽车最为知名,这些车辆出口到世界各地。它还生产斯坎尼亚牌船用与工业用柴油机。其他产品有导弹、航空电子设备、计算机系统、医疗设备、控制与检测仪器系统,以及包括有阀门、锅炉与管道系统的发电设备。公司在斯堪的纳维亚、美国、南美洲、法国和德国皆设有重要附属机构,经销网遍布全世界。1990年,萨布的汽车产业得到重组,成为一独立公司。2000年,萨布汽车公司成为通用汽车的全资子公司。1995年萨布-斯坎尼亚解散,萨布公司取得独立地位。2000年,萨布收购军工产品制造商摄式集团,加强了在国防领域的地位。

Saada (Yemen) 参阅 **Ṣaʿdah** 萨达。

Saʿādah, Anṭūn 萨阿达(1904,巴西～1949-07-09,黎巴嫩贝鲁特) 叙利亚政治鼓动家,致力于把他认为真正属于叙利亚的邻近地区与叙利亚统一起来。20世纪初他的父亲移居拉丁美洲,创办杂志社。萨阿达早年就在这家杂志社当记者。20年代他去大马士革,进入《天天报》工作。不久又去贝鲁特,参加贝鲁特美国大学学生的社会活动。1932年他组织秘密团体,迄1935年会员已发展到数千名。后来定名为叙利亚国民党。同年12月法国当局把他投入狱中。他可能创立了第一个纯阿拉伯人的青年组织,这个组织强调纪律、斗争和服务,是对法国殖民当局表示不满的喉舌。他巧妙利用法庭作为论坛,不久获释。1938年末他短期访问意大利和德国。第二次世界大战爆发前去南美。1947年回贝鲁特,重新鼓吹叙利亚的统一。1949年6月萨阿达派与另一准军事组织发生武装冲突,他被迫逃离叙利亚。但叙利亚当局终于将他引渡给黎巴嫩政府。贝鲁特军事法庭当即以叛国罪将他处死。

Saʿadia ben Joseph 萨阿迪亚·本·约瑟(882,埃及法尤姆迪拉兹～942-09,巴比伦尼亚苏拉） 阿拉伯名赛义德·伊本·优素福·法优密。中世纪犹太评注家、哲学家。他是精通希伯来文和阿拉伯文的辩论文作家和文体批评家，将犹太学术和犹太社会的各个方面引入一个新的时代。约23岁时离开埃及，移居巴勒斯坦。在此之前他已编成一部希伯来文-阿拉伯文辞典。他认为巴勒斯坦学术水准太低，迁居巴比伦王国。当时巴比伦存在着异端卡拉派和二元神学的诺斯替派，波斯犹太书籍如希维·巴勒希的作品十分风行。他运用卓越的才能保卫宗教和犹太传统，使用与希维同样的形式写成希伯来文韵文驳斥希维的观点。接着又写了《驳卡拉派创立人阿南》。921年在学术上已经成名，他引导巴比伦的犹太学者与曾对犹太历法进行修改的巴勒斯坦学者艾伦·本·迈尔开展争论。928年完成《辨别》一书，为传统犹太历法辩护。这年5月22日巴比伦犹太人首领大卫·本·撒该任命他为苏拉学院院长。任期内系统地整理塔木德法典，写成《遗产继承法》、《存储法》、《关于见证和文献》、《关于禁肉》和《西都尔》（祈祷文的完整次序排列及其规则）等。他因有些成就而更加自负。有些朋友对他疏远，并引起撒该的妒忌。932年他拒绝同意撒该对一次诉讼的判决，二人公开决裂。撒该促使穆斯林统治者将他撤职。隐居期间，专心写作，成为他文学生涯最有成就的年代，主要哲学著作《信仰和评价》即在此期间完成。该书旨在调和启示与理性，其结构和内容显然受希腊哲学和伊斯兰唯理派穆尔太齐赖神学的影响。语言学方面最重要的著作有《语法》和《70个独见词的解释》。他还为评注《圣经》作出巨大贡献，将全部《摩西五经》译成阿拉伯文，详细评注《创世记 1～28》、《出埃及记》、《利未记》。他对《以赛亚书》、《箴言》、《约伯记》和《诗篇》的译文和评注留存至今。

Saale Glacial Stage 萨勒冰期 北欧更新世的年代和地层划分单元（更新世始于约250万年前，止于约1万年前）。位于霍尔斯特间冰期之后，埃姆间冰期之前。两次间冰期都是温和气候期。萨勒冰期堆积广泛而复杂，可与英国的吉平冰期和欧洲阿尔卑斯区的里斯冰期相对比。与北美的伊利诺伊冰期大略同时。萨勒冰期可能是复杂的，至少可分为德伦特、特伦恩和瓦尔特3个亚期。德伦特和瓦尔特亚期代表最大冰进时期，特伦恩亚期代表德伦特亚期早期与瓦尔特亚期晚期之间冰退的间冰期。在中欧，萨勒冰期表现为3次最大冰进、隔以两个气候温和的小间冰期。萨勒冰期以德国易北河的一条支流而得名。

Saale River 萨勒河 易北河左岸支流。源出德国南部巴伐利亚高原地区的菲希特尔山，北流，过霍夫、耶拿、哈雷，在巴尔比与易北河汇合。全长426千米，流域面积23 737平方千米。先是流过树木茂密的山丘，然后越过图林根州，进入有风景如画的城堡的深谷。下游土地肥沃，产小麦、大麦和甜菜。200吨驳船可通至瑙姆堡，1 000吨船可达哈雷。上游有两座大水坝供水力发电，也吸引游客。主要支流有伊尔姆河、温斯特鲁特河（西）和白河、埃尔斯特河（东）。

Saalfeld 萨尔费尔德 德国中东部图林根州城市，位于图林根林山东北边缘，魏玛南面，濒萨勒河。899年初见记载，为一皇宫，1071年建成本笃会隐修院。现在的城镇始自1200年。著名建筑物有高建筑群、两座12～13世纪城堡高塔、原公爵城堡（1677～1726）、市政厅（1526～1537）、圣约翰教堂（1389～1456）、方济各隐修院教堂（1275，现改为博物馆）。有钢铁厂和机械制造、染料和巧克力工厂。附近农村地区开采板岩。人口约36 489（1998）。

Saalfelden 萨尔费尔登 奥地利中部偏西的萨尔茨堡州城镇。位于萨尔茨堡西南，濒萨拉赫河，在石海山脉西南麓。原为集镇。现为避暑和冬季旅游胜地。产皮革制品和啤酒。附近有几座城堡。人口11 436（1981）。

Saanen 萨嫩奶山羊 一个受欢迎的乳用山羊品种，起源于瑞士萨嫩山谷。皮毛精细色淡，白色者较受欢迎。体型似吐根堡山羊，骨架略小，脸部直或凹形，耳直立。像其他山羊一样，其奶色较白，且较牛奶容易消化。其产奶量稳定且时间持久，在欧洲和美国受到高度评价。

Saar River 萨尔河 摩泽尔河右岸一支流，流经法国东北部后进入德国。全长246千米，流域面积7 300平方千米。源出孚日山脉北部多农山麓，向北流至孔茨汇入摩泽尔河。在德国境内流经萨尔煤田。主要支流左有尼德河，右有布利斯河和普里姆斯河。河谷北部是葡萄种植区，中游地区为重工业中心。上游可通航至萨拉尔布，有39英里长的运河与莱茵-马恩运河相接。

Saarbrücken 萨尔布吕肯 德国西南部萨尔州首府（1959）、城市。濒临萨尔河和苏尔茨河口，是一边境站，与法国的福尔巴克市隔边境相望。附近有凯尔特人和古罗马人居民点。1321年设建制。1919年成为萨尔地区首府。1909年由原萨尔布吕肯和布尔巴赫-马尔斯塔特、圣约翰以及圣阿努阿尔等地合并组成现在的城市。第二次世界大战期间曾遭猛烈轰炸，战后进行了重建。古建筑现有旧市政厅（1750）、巴罗克式的路德维希教堂（1762～1775）、哥特式圣阿努阿尔隐修院教堂（约1270～1330）、萨尔河上的古桥（1546）和15世纪的城堡教堂等。该市是萨尔煤矿区的工业、商业和文化中心。有萨尔大学（1948）和几所专业技术学院、州立史前和早期历史博物馆等。工业以钢铁工业为主。亦生产啤酒、食品、机械、光学仪器、纸张、肥皂、石灰和水泥等。还有印刷厂。每年举办萨尔国际博览会。为重要的铁路和公路枢纽。市东建有飞机场。人口：市181 860；大都会区953 870（2003）。

Saaremaa 萨雷马 俄语作Sarema。德语和瑞典语作Öse（厄塞尔）。爱沙尼亚穆胡群岛的最大岛屿。介于波罗的海和里加湾之间。地势低洼，主要由石灰岩和白云岩构成。一些地区多石，有稀疏灌丛和草地以及零星松林，主要用作天然牧场。北部和西部多小山和丘陵；东部和南部地势较低，土地肥沃。主要城市库雷萨雷（金吉谢普）在岛的南岸。萨雷马有堤道与邻近的穆胡岛连接。有农业、畜牧业和渔业。岛面积2 674平方千米。人口：县约36 000（2000）。

Saarinen, Eero 沙里宁（1910-08-20，芬兰基尔科努米～1961-09-01，美国密歇根州安阿伯） 芬兰出生的美国建筑师，20世纪50年代美国建筑设计探索和实验倾向的倡导人之

沙里宁坐在自己设计的椅子里
供图：© Arnold Newman

一。父为著名建筑师。幼年随家庭移居美国，后在耶鲁大学学建筑，1938年后数度与其父及其他建筑师合作。在其父去世（1950）后至他去世前的11年中，设计了一系列非常独特新奇的作品，表现了丰富多彩的建筑语汇。他对于早期现代建筑中的习惯思维表示怀疑，而引入了前所未有的雕塑式造型。他独自设计的第一项工程为密歇根州沃伦市的通用汽车公司技术中心（1948～1956），占地130公顷，包括五个主要建筑群，围绕着一个9公顷的水池。低矮的建筑，精细的符合模数的韵律，宏伟的规模，壮丽的景色，可喻为20世纪的凡尔赛。他采用的幕墙（在铝框架中嵌以金属镶板和玻璃）为他人广泛仿效。1953年设计的麻省理工学院的克雷斯吉礼堂和小礼拜堂均于1955年建成。前者采用八分之一球面体的穹顶，支承在三个支点上，整个礼堂就设在这个简单而令人注目的形体下。后者用清水红砖建造，为圆柱体形，由顶部采光。虽然有些评论家认为这些设计是牵强而武断的，但确实表现了他对公共建筑的新形式所作的努力探求。他有时在建筑中采用直线的形式，如伦敦的美国大使馆（1955～1960），芝加哥大学法学院（1956～1960）等。但他的自由的雕塑式的设计更加引人注目。1956年设计的两件作品可认为是他的代表作。其一是康涅狄格州纽黑文市的耶鲁大学曲棍球场，采用类似帐篷的形式，悬索的一端

系在纵向弯曲的钢筋混凝土大梁上,另一端锚固在椭圆形的周边上。其二是纽约市肯尼迪国际机场的候机楼,表现了他对内外呼应的雕塑效果所作的深入探求,平面为对称式,两个大型的悬臂式混凝土薄壳顶向外飞展,宛如双翼,内部雕塑式的支座和曲线形的楼梯具有一种动态,整个建筑表现出飞行的象征。后来,他又设计了位于首都华盛顿附近的杜勒斯国际机场(1958～1962),用斜撑的构件支承巨大的悬挂式屋顶。他主要致力于教育与工业建筑的设计。他只建造过一幢摩天楼,即纽约市的哥伦比亚广播公司总部大厦(1960～1964)。他于1948年获设计竞赛大奖的圣路易斯市杰斐逊国家开发纪念馆,于1964年落成。这是用不锈钢建造的状如长虹的巨大拱圈,跨度与高度为190米。他还擅长家具设计,特别是椅子,也采用雕塑式的造型。

Saarinen,(Gottlieb) Eliel　沙里宁(1873-08-20,芬兰兰塔萨尔米～1950-07-01,美国密歇根布卢姆菲尔德希尔斯)　建筑师,对美国的现代建筑,特别是对摩天楼和教堂建筑

沙里宁获芝加哥论坛报大厦设计竞赛奖的设计透视图样

克兰布鲁克档案馆供图

具有较大影响。他的儿子埃罗·沙里宁也是杰出的建筑师。他在1923年移居美国之前,已是芬兰著名建筑师,因设计赫尔辛基火车站(1904～1914)和爱沙尼亚的雷瓦尔市(今塔林)及澳大利亚首都堪培拉城市规划而享誉欧洲。1922年获芝加哥论坛报大厦设计竞赛二等奖,他的方案对后来的摩天楼设计影响很大。1932～1948年任克兰布鲁克艺术学院院长,去世前还任该校建筑和城市规划系主任。他曾设计布卢姆菲尔德希尔斯的一群建筑物,其中包括克兰布鲁克男生学校(1925～1930)、金斯伍德女生学校(1929～1 930)、科学学院(1931～1933)及艺术学院(1926～1941)。1947年他们父子合作的首都华盛顿史密森学会扩建设计获美国建筑师学会的最高奖。他设计了颇为著名的两座教堂:印第安纳州哥伦布的第一基督教教堂(1940～1942)及明尼苏达州明尼阿波利斯的路德宗教堂(1949～1950),上述建筑为其最后的也是设计得最好的作品。著有《城市的生长、衰亡和未来》(1943)、《形式的探索》(1948)等书。

Saarland　萨尔　德国西南部的一州,面积2 569平方千米。南邻法国,西邻卢森堡,北、东两面与莱茵兰-普法尔茨州相接。首府萨尔布吕肯位于萨尔河畔。最早居民为凯尔特人和日耳曼法兰克人,该地区后成为加洛林帝国和东法兰克帝国的一部分。1684年成为法国一个省。1697年法国又被迫将萨尔交出(只萨尔路易一个城镇除外)。该地区历史上曾为德、法两国长期争夺的目标。1957年1月1日萨尔终于成为联邦德国的一个州。州中心部分为森林覆盖的低山。萨尔河自东南流向西北,布利斯河和普里姆斯河为其支流。州内最高点(695米)在魏斯基希尔高地。大部分地区气候具有显著的大陆性,但海洋影响也很明显,夏季不太热,冬季温和。年平均降水量为800毫米。人口稠密区位于萨尔河谷及其正北由萨尔布吕肯、迪林根、诺因基兴组成的三角地带。萨尔布吕肯除了是州首府外,还是最大的城市。州居民多为天主教徒,官方语言为德语,但也说法语。近一个世纪来,开采煤炭和生产钢铁成为主要经济活动后,人口增至4倍。萨尔工业高度发达,工业和矿业占经济主导地位,其次是服务业、贸易、交通和农业。煤藏丰富,煤区西起萨尔路易,东至诺因基兴,绵延约32千米。19世纪以来,烟煤炼焦与富磷铁矿的精炼促进了该地钢铁工业的发展。出口产品主要运往法国,包括型铁、铸铁、薄金属板、工具、电线、煤、焦炭和陶瓷器。从法国进口的有肉类、汽车、薄金属板和铁矿石。萨尔有发达的公路网,高速公路通往莱茵-美因地区,其他公路连接巴黎、卢森堡、卡尔斯鲁厄和科隆。铁路也很发达,主要铁路已电气化。有水路运输线。在萨尔布吕肯-恩斯海姆的机场经管国内、国际航线。教育体系齐全,有一系列科技学校和萨尔大学,还有许多博物馆和美术馆。有许多歌唱、音乐、戏剧团体。人口约1 054 142(1989)。

Saarlouis　萨尔路易　德国西南部萨尔州城市。跨萨尔河两岸。近法国边境,位于萨尔布吕肯西北面。1680年由法国国王路易十四建立和命名。1680～1686年设城防工事,成为法国萨尔省首府。1815年被割让给普鲁士。第二次世界大战中大部分遭到破坏,后重建。位于萨尔煤田边缘,有重要的钢铁厂。人口约37 662(1989)。

Saavedra(Ramírez de Baquendano),Ángel de,duque de Rivas　萨维德拉(1791-03-10,西班牙科尔多瓦～1865-06-22,马德里)　西班牙诗人、戏剧家、政治家。他的声誉主要在于剧本《堂阿尔瓦罗,又名命运的力量》。该剧是西班牙浪漫主义戏剧胜利的标志。进入政界后,1823年因极端自由派观点被判死刑。逃往伦敦,后住在意大利、马耳他和法国。1833年大赦回国,受封里瓦斯公爵。1835年3月22日上演的《堂阿尔瓦罗》在西班牙戏剧史上的地位,堪与雨果的《爱尔那尼》在法国的地位相媲美。意大利作曲家威尔地将这部作品改编成歌剧《命运的力量》。

Saavedra Fajardo,Diego de　萨维德拉·法哈多(1584-05-06,西班牙阿尔赫萨雷斯～1648-08-24,马德里)　西班牙外交家、文学家,以其所著反对马基雅弗利观点的寓意诗画集《一位基督教政治家王子的思想》(1640)而闻名。该书呼吁恢复传统的美德,以挽救国家的衰落。他为西班牙政治势力和政治威望的每况愈下而痛苦,于是写出此书,以劝谏西班牙的统治者。他还以如下两部作品闻名:《文学共和国》(1655),是一本关于西班牙文学的有趣概况;《哥特王冠》(1646),是哥特人统治下的西班牙历史。

Saavedra Lamas,Carlos　萨维德拉·拉马斯(1878-11-01,阿根廷布宜诺斯艾利斯～1959-05-05,布宜诺斯艾利斯)　阿根廷法学家。因对结束玻利维亚和巴拉圭之间为争夺大查科地区北部特别是其油田而进行的查科战争(1932～1935)作出贡献,于1936年被授予诺贝尔和平奖。他早年攻读法律,后在国立拉普拉塔大学和布宜诺斯艾利斯大学任教,1941～1943年任布宜诺斯艾利斯大学校长。1915年任阿根廷司法和公共教育部长。1932～1938年任外交部长。萨维德拉曾先后担任国际劳工会议主席(1928)、泛美会议主席(1936)和国联大会主席(1936)。1933年10月和1934年6月间美国、意大利以及14个拉丁美洲国家签署了一项由萨维德拉起草的反战条约。他还写了几部有关国际法、维护和平、经济和教育的著作。

Saba'　赛伯伊　又拼Sheba。伊斯兰教以前阿拉伯半岛西南部的王国。《圣经》中常常提及。首府马里卜(**Ma'rib**)。第二大城是锡尔瓦赫。赛伯伊人属闪族,不知何年从北方进入阿拉伯半岛南部,把闪族文化带给土著居民。赛伯伊盛产香料和农产品,陆海贸易皆极兴盛。赛伯伊王国控制通入红海的曼德海峡几百年,并在非洲海岸建立许多殖民地。3世纪末,国势最强,领有阿拉伯半岛整个西南部。4世纪中叶一度衰微。后被波斯人和穆斯林阿拉伯人不断骚扰,赛伯伊人大概完全绝迹。

Saba　萨巴岛　加勒比海荷属安的列斯群岛的岛屿,在圣尤斯特歇斯岛西北26千米。它和圣尤斯特歇斯岛一起形成小安的列斯群岛内火山弧的西北终点。萨巴岛(面积13平方千米)实际上是一座死火山的山峰即齐纳

萨巴岛主要居民点博托姆村

供图:Arthur Griffin—美国不列颠百科全书公司

丽峰,高 860 米,周围有海岸环绕。向着东北信风,年降雨量约 1 125 毫米。荷兰人 1632 年在萨巴岛定居,由于交通不便,道路崎岖,经济一直没有发展,往往是海盗的出没之地。1828 年同圣尤斯特歇斯岛组成荷属西印度群岛,1845 年归属荷属安的列斯群岛。通用英语,居民主要信天主教。人口以白人为主,从事饲养牲畜和种植蔬菜,特别是输出到邻近各岛的马铃薯。人口约 1 133(1989)。

Sabacon(Cushite king of Egypt) 参阅**Shabaka 沙巴卡**。

Sabadell 萨瓦德尔 西班牙东北部加泰罗尼亚自治区巴塞罗那省城市。在巴塞罗那北面。原为伊比利亚人和罗马人居住地,中世纪时为阿拉奥纳堡的属地。1373 年成为阿拉贡王国王家自治村。19 世纪因是纺织业中心而升为市。其他工业有冶金、化工、电器和革制品等。人口 184 943(1981)。

Sabae 鲭江 日本本州福井县城市。位于武生盆地北端。最初围绕佛寺形成,1720 年后为驿镇,19 世纪末成为地方行政中心。现生产蚕丝、合成纤维、眼镜框和瓦。人口约 61 452(1985)。

Sabaean 赛伯伊人 伊斯兰教以前时期,阿拉伯半岛南部的一个民族,赛伯伊(**Saba'**)王国(《圣经》作示巴)的缔造者。

Sabah 沙巴 东马来西亚一区。形成大岛婆罗洲的北部。南与印度尼西亚婆罗洲接壤。陆地面积 73 620 平方千米。首府哥打基纳巴卢(**Kota Kinabalu**)。海岸线曲折,长1 290～

沙巴的干阑式民居
供图:Harrison Forman

1 450 千米。境内多山,基纳巴卢山为最高点(4 101 米)。在克罗克山脉和西海岸之间是一片人口众多广阔的沿海平原。其他平原则在山地之间。第二次世界大战期间被日军占领。1946 年为英国直辖殖民地。1963 年加入马来西亚。农业(烟草、椰子和油棕榈)种植园始于 20 世纪初。西岸平原产稻米和橡胶。但大半仍须从泰国进口。出口木材、橡胶、椰干和马尼拉麻。哥打基纳巴卢、维多利亚、古达、山打根和斗湖有深水港。有建筑材料(石头、珊瑚沙和黏土)、金矿、近海石油、锯木和橡胶制品工业。当地居民以马来人、卡达山人、华人、巴曹人和穆鲁特人为主。基纳巴唐岸河是通航内陆的唯一河流。有小型公路网,主要港口镇设有机场。首府至古达有公路干线。有一条铁路自首府到丹南(187 千米)。人口约 1 176 400(1984)。

Ṣabāḥ, Sheikh Jābir al-Aḥmad al-Jābir as- 萨巴赫(1926-06-29,科威特科威特城～2006-01-15,科威特) 科威特统治家族成员,1977 年出任埃米尔。谢赫·艾哈迈德·贾比尔·萨巴赫(1921～1950 年统治科威特)的第三子,20 世纪 40 年代末开始在政府财政和经济事务等部门担任要职。1961 年伊拉克宣布对新独立的科威特拥有主权后,曾率代表团赴阿拉伯联盟磋商解决方案。1965 年 11 月任首相,次年被正式指定为王储。70 年代初,埃米尔因健康不佳,将大部分行政权交给他。1977 年 12 月 31 日埃米尔去世,他即位。在其统治初期,强调阿拉伯国家团结,但不久发现其政策受两伊战争双面夹击。同时还不得不应付内部异议,尤其是国内什叶派和国民议会的反对。1986 年解散议会,实行新闻检查,因而招致对萨巴赫家族政治经济权力的不断抗议。1990 年 8 月伊拉克军队入侵科威特,他逃往沙特阿拉伯。1991 年 3 月结束流亡返国。国内要求改革的压力依旧,而且反对派在 1992 年 10 月的选举中赢得议会多数席位。在 1996 年选举中亲政府力量夺回一些席位,然而他 1999 年 5 月再次解散议会。虽然同年 7 月间新选出的议会中反政府情绪高涨,但反对派出现分裂,他继续当政直到 2006 年去世。

Sabang 沙璜 印度尼西亚亚齐特区城市、自由港。位于苏门答腊岛以北的韦岛东北岸,地处马六甲海峡北口,是来自西方的船只在马来群岛停泊的第一站。港口建于 1887 年,不受印度洋猛烈风浪的袭击。有一机场。第二次世界大战时为日军占领,用作燃料供应站。人口 23 821(1980)。

Sabará 萨巴拉 巴西米纳斯吉拉斯州中东部城市。临韦利亚斯河。在首府贝洛奥里藏特以东,海拔 705 米。1711 年为城市区所在地,1838 年升为市。市内有鹅卵石街道、殖民时代建筑和采金博物馆。纺织厂等工业企业为城市经济支柱。铁矿开采和冶金业日益重要。人口约22 883(1980)。

Sabas, SAINT 撒巴斯,圣(439-01,小亚细亚卡帕多西亚穆塔拉斯凯～532-12-05,耶路撒冷附近) 又拼 Sabbas。巴勒斯坦基督教修士。他曾在卡帕多西亚隐修院受教育,457 年到巴勒斯坦朝圣,定居耶路撒冷附近基德隆谷地。他在巴勒斯坦南部设立 14 所隐修院和 4 处朝圣者招待所。他反对基督一性论,曾到君士坦丁堡皇宫控告这种异端。

Sabas, Saint(Serbian monk) 参阅**Sava, Saint 萨瓦,圣**。

Sabasṭiyah(ancient town, Palestine) **萨巴斯提亚赫** 参阅 **Samaria 撒马利亚**。

Sabatier, (Louis-) Auguste 萨巴提埃(1839-10-22,法国瓦隆～1901-04-12,巴黎) 法国基督教新教神学家和教育家。运用历史考证法促进解经学的革新,将基督教教义解释为宗教情感的象征,从而增进自由主义神学和天主教现代主义运动的发展。

Sabatier, Paul 萨巴蒂埃(1854-11-05,法国卡尔卡松～1941-08-14,图卢兹) 有机化学家。因研究催化有机合成,特别是发现加氢(氢加成于碳化合物的分子上)用的镍催化剂,与 V. 格利雅共获 1912 年诺贝尔化学奖。萨巴蒂埃在高等师范学校学习,并在法兰西学院的 P. E. M. 贝特洛的指导下获博士学位(1880)。在波尔多大学工作一年之后,1882 年萨巴蒂埃迁往图卢兹大学,成为该大学的教授(1884)和教务长(1905),直留在该校到退休(1930)。萨巴蒂埃的许多发现奠定了人造黄油、油脂加氢、合成甲醇工业以及许多实验室合成的基础。他几乎探索了有机化学催化合成的所有领域,研究了几百个加氢和脱氢反应,指出除镍外其他若干金属均具有催化活性,但活性较镍低。萨巴蒂埃还研究了催化水合和脱水,不但检验了特定反应的可行性而且检验了各种催化剂的一般活性。

Sabatier, Paul 萨巴蒂埃(1858-08-03,法国圣米歇尔-德沙布里阿努[阿尔代什省]～1928-03-04,斯特拉斯堡) 法国历史学家兼教育家,因其所著《阿西西的圣方济各传记》而闻名于世。出身于加尔文教派家庭,1880 年前往巴黎新教神学院研读,1885 年成为斯特拉斯堡圣尼古拉地方的牧师。后因拒绝成为德国臣民于 1889 年被逐出阿尔萨斯,虽被分派到塞文山区当牧师,但因健康状况不佳,不得不退休。从此埋首史学研究。1919 年起担任斯特拉斯堡新教神学教授直至去世。所著《阿西西的圣方济各传记》(1893)虽缺乏历史客观性,但一出版即获得成功,在萨巴蒂埃生前已重版 40 余次。

Sábato, Ernesto 萨瓦托(1911-06-24,阿根廷罗哈斯～2011-04-30,布宜诺斯艾利斯) 阿根廷小说家、记者、散文家。曾就读于国立拉普拉塔大学(1929～1936),攻读物理学和

供图:AP/World Wide Photos

数学,1937 年获物理学博士学位。后在巴黎居里实验室(1938),继而在美国麻省理工学院学习。1940～1945 年在国立拉普拉塔大学和布宜诺斯艾利斯一所师范学校教理论物理。1945 年,因反对庇隆政府被逐出教室。《一人和宇宙》(1945)是萨瓦托在文学创作上的首次成功。这是一组有关哲学、社会与政治等多方面内容的格言、论述和个人观感的汇编。是个典型的存在主义人物,无法和任何人交流思想。面对这荒谬的人类社会状态,萨瓦托只能龟缩在自我之

中。1955年庇隆垮台后，他发表了《庇隆主义的另一副嘴脸》(1956)，试图研究在庇隆统治下发生暴力和动乱的历史原因和政治原因。他的第二部小说《英雄与坟墓》(1961)，是对人类心理所做的一次透彻的研究，其中交织着他过去文章中论述过的哲学思想和观察所得。《三条通向当代文学之路》(1968)评论罗伯-格里耶、博尔赫斯和萨特的作品。小说《毁灭者阿巴丹》(1978)，含有他就文学、艺术、哲学所作的讥评和过度的唯理主义，表现出他的作品的特色。1984年荣获塞万提斯文学奖。

Sabbas, Saint (Palestinian monk) 参阅 **Sabas, Saint** 撒巴斯，圣。

Sabbatai Zebi (Jewish false messiah) 参阅 **Shabbetai Tzevi** 沙贝塔伊·泽维。

Sabbatarianism 安息日论 基督教某些派别所坚持的教义，主张遵照《旧约全书》十诫中的第四诫，把星期日当作安息日，尊为圣日，禁止一切工作。规定星期日不可以做什么事的立法，可以追溯到古罗马皇帝君士坦丁时代，他于321年颁发律例，禁止在星期日从事劳动。但是，最严格的安息日论却始于苏格兰和英格兰的宗教改革家，特别是诺克斯。苏格兰长老宗信徒以及清教徒把自己的观点带到美洲殖民地，在这些地方严格执行"蓝色法规"，禁止星期日从事劳动。在英格兰，这种法律后来虽然有所减少，但是仍然风行。在美国也有一些仍在生效的州法律和地方法律，禁止在星期日进行某些业务活动和体育比赛。基督教中主张以星期六为圣日而不以星期日为圣日的各派，如基督复临安息日会，有时也被称为安息日论者。

Sabbath 安息日 希伯来语作Shabbat。犹太教称星期六为安息日，是圣日和休息日，其时间从星期五日落起到星期六日落止。这种划分是根据《圣经》中的创世故事中的提法："有晚上，有早晨，这是一日"(《创世记》1:5)。尊安息日为圣日的传统，自古维持了犹太民族统一，使犹太人欣然铭记他们与上帝之间的永久盟约。在马加比家族领导以色列人时代(公元前2世纪)犹太人严守安息日，甚至当天听任敌人杀害也不拿起武器自卫。后来他们意识到不能束手待毙，就商定，在安息日遭到攻击，也应迎战。这项决定后来受到《塔木德》的追认，《塔木德》并列出原属禁止范围的39类活动可以变通，以保全生命或维护健康，理由是："上帝将安息日赐给人，而不是将人赐给安息日。"在安息日，会堂里要在上午礼拜中诵读一段律法书，然后吟咏先知书选段。安息日的礼仪中也包括咏唱《诗篇》。在前一周内满13周岁的犹太男童，要在安息日上午礼拜中行受诫礼，成为成年信徒，可以咏唱先知书选段。现代正统派犹太教力图保持安息日的严肃性。保守派意见不一，其中有人主张加以变通，比如允许旅行。改革派中甚至有人主张废除老传统，改在星期日举行会堂礼拜。宗教改革运动后涌现出来的基督教若干会派，如基督复临安息日会，也在星期六停止工作举行礼拜。犹太教历上有一批安息日不同于一般。亚达月初一以前的安息日称舍克勒安息日，与赋税有关，要诵读《出埃及记》第30章11～16节。此外，怀念安息日要读《申命记》第25章17～19节，纪念犹太

1662年阿姆斯特丹一木版画中的安息日礼仪
纽约犹太博物馆供图

人出埃及后在旷野受亚玛利人攻击的事。红牛安息日要根据《民数记》第19章1～22节的教导，为即将到来的逾越节进行准备。月份安息日在逾越节前不久，经文是《出埃及记》第12章1～20节。逾越节前的最近的安息日称大安息日。

Sabbath River 安息日河 犹太教传说中的河流，"失踪的以色列十支派"就是被赶过这条河而不得归还的。参阅 **Sambation**。

Sabbatini, Nicola 萨巴蒂尼(1574，意大利佩萨罗～1654-12-25，佩萨罗) 意大利建筑师和工程师，舞台灯光技术的先驱。曾在佩萨罗设计了索莱剧院。在其重要而又最为不朽的著作《剧院布景和机械制造手册》(1638)中，详述了同时代的舞台技术，特别是用于产生戏剧效果的舞台灯光技术。其他有影响的观点还有涉及到侧面布景的滑动装置、舞台沟槽内的布景安插及模拟火光和波浪的方法等。尽管所述的大部分舞台机械可能并非他的发明，但却为文艺复兴时期的舞台技术实践留下了文献记载。

śabda 声量 梵语原意为"声音"。印度哲学中的言词证据，一种获取知识的手段。在正统的印度哲学体系中，声量等于吠陀(最古的经典)权威，是唯一的可靠证据，因为吠陀被认为是永恒的、无作者的和无矛盾的。声量对于注释性的弥曼差派尤其重要。弥曼差规定只有经典言论才具有权威性，它们提示有目的的行动，它们的功效不能通过其他知识手段得知。吠檀多派将这种权威性扩展到超感觉的对象，即梵(终极实在)。正理派把言词证据(神的和人的)看作知识的有效手段，但指出唯独神圣的吠陀知识是可靠的。佛教和耆那教的非正统体系反对吠陀的权威，但事实上也依从他们自己圣典的声量。

Sabellianism 撒伯里乌主义 基督教的一种异端，是提高了的模态神格唯一论(参阅 **Monarchianism**)。倡导人撒伯里乌(活动时期约217～约220)可能曾任罗马教会长老。他主张上帝是单一的而有3种功能：创造天地为圣父，救赎罪人为圣子，使人成圣为圣灵。教皇加里斯都一世起先赞同这种说法，后来予以谴责并判处撒伯里乌以绝罚。30年后这种异端又兴起于利比亚，受到狄奥尼修斯(亚历山大的)的批判。375年新凯撒里亚又发现撒伯里乌主义。在西班牙，普里西利安在宣讲上帝为一体的教义时似乎也采用撒伯里乌的说法。在宗教改革运动时期，西班牙神学家、医学家塞尔维特将撒伯里乌的说法改头换面，重新提出，他说，基督和圣灵无非是上帝的表征。18世纪瑞典神秘主义哲学家斯维登堡一派人也鼓吹此说，他们后来创立基督教新教会。

Sabellic dialects 萨贝里诸方言 通行于意大利中部和南部的一组意大利语小方言，与**奥斯坎语(Oscan language)**关系密切。帕埃利尼人、马鲁西尼人、维斯蒂尼人所用方言常划为北奥斯坎方言，而沃尔希人、马尔西人、阿埃奎人、萨比尼人所用方言则有时叫做拉丁文言。中意大利东部发现的碑铭常被认为用萨贝里语或古萨贝里语所写，同奥斯坎语的关系虽然同源，但并不密切，最好称为中亚德里亚语。这些中亚德里亚语碑铭是意大利所发现的最古书面文献，至少可追溯至公元前6世纪。

SABENA 比利时航空公司 比利时航空运输公司，1923年5月成立。最初的客运、货运航线是从布鲁塞尔到荷兰阿姆斯特丹、法国斯特拉斯堡、瑞士巴塞尔。到20世纪末，航线已遍及低地国家和欧洲各大城市及旅游胜地，并远达海外的美国、加拿大、墨西哥、非洲、中东、印度、东南亚、菲律宾和日本。1960年前，公司的股权大约公私各半，以后经过调整资本，比利时政府所持股权约占90%。总公司设在布鲁塞尔。

saber 参阅 **sabre** 佩剑。

Saberht 萨伯赫特(?～616或617) 又拼Saeberht或Sebert。约在604年前登位的东撒克逊(即埃塞克斯)的第一个信奉基督教的国王。他依附其伯父肯特国王艾特尔伯赫特，随后者改奉基督教。据传他在当时东撒克逊首邑伦敦建立了威斯敏斯特教堂，但并不可信。后由几个儿子继位，他们全是异教徒，全国便重奉异教。

Sabhā 塞卜哈 又拼Sebha。利比亚西南部城镇。在撒哈拉绿洲中。11世纪以来就

塞卜哈镇附近山上的埃勒纳要塞
供图：J. Allan Cash—美国不列颠百科全书公司

是商队中心，现在是商业与运输中心，为从突尼斯和乍得来的汽车队服务。有公路和航班通地中海海岸。有椰枣包装厂、手工业、师范学院和国家博物馆。当地所需食物和水的大部分从其他绿洲输入。政府的农业发展计划在邻近绿洲上引入农业和改进灌溉。人口约35 000（1979）。

sabha　萨波　印地文与梵文作sabhā，意为“集会”，印度社会的重要自治机构。基本上是具有共同利益的一群人所组成的社团形式，例如同一族内婚群体的成员，不过也可能是种姓间的集团（例如莫兹杜尔萨波，即劳动者协会）。萨波与潘查耶特（五人长老会）不同之处在于其范围大得多，不审理个人案件，而讨论有关整体利益事项。典型的是吠舍的大萨波即吠舍议事会的执行机构，其任务是普及教育、进行社会改革以及减缩成员结婚和节日所需的开支，其成员属于各种不同的商人和工匠种姓。印度议会的两院均以萨波名之：洛克萨波即“人民院”，拉贾萨波即“联邦院”。

Sabi River　萨比河　又称萨韦河。非洲东南部河流，流经津巴布韦和莫桑比克境内。发源于哈拉雷（前索尔兹伯里）南50英里，从津巴布韦高原流向东南与奥济河汇流，然后

萨比河上的伯奇纳夫桥
供图：Eric Carle—Shostal/美国不列颠百科全书公司

折向南流，直落为奇维里拉瀑布。在莫桑比克边境与伦迪河汇合为萨韦河；萨韦河向东北东流至印度洋莫桑比克海峡，于曼博内附近入海。萨比河全长400英里。它流经肥沃的地区，至津巴布韦低地时，建有综合灌溉系统萨比-林波波工程（1965年开工），灌溉约15万公顷的土地。最初种植甘蔗，后种植小麦、稻米、棉花和柑橘。在与代武雷河汇合处以北建有横跨萨比河的329米长的伯奇纳夫桥。自河口向上100英里可航行轻便小船。

Sabin, Albert Bruce　萨宾（1906-08-26，俄罗斯帝国波兰比亚韦斯托克［今波兰］～1993-03-03，华盛顿［哥伦比亚特区］）　美籍波兰裔医师、微生物学家。以研制成脊髓灰质炎口服疫苗而著名，又以对人类的病毒性疾病、弓形体病及癌症的研究而为人称道。出生于俄国占领的比亚韦斯托克，1921年移居美国，9年后入美籍。1931年获纽约大学医学博士学位，并在该校开始研究人类脊髓灰质炎。1935年入纽约市洛克菲勒医学研究所，在此首次证明人类神经组织中的脊髓灰质炎病毒能在人体外生长。1939年到辛辛那提大学医学院工作，证明脊髓灰质炎非呼吸道传染病，而是胃肠道传染病。又认为口服减毒的活病毒后产生的免疫力，维持时间长于注射死病毒。1957年分离出无致病力但保持免疫原性的所有三型脊髓灰质炎病毒，并与墨西哥、荷兰、苏联的科学家合作，研究口服活疫苗。给大量儿童进行接种后证明该疫苗效果甚佳。1960年美国批准应用萨宾氏脊髓灰质炎口服疫苗。萨宾又分离了B病毒；研究了白蛉热及登革热疫苗、对病毒免疫力的机制、感染神经系统的病毒、病毒与癌症的关系等。曾接受过多种奖励。

Sabin, Florence Rena　萨宾（1871-11-09，美国科罗拉多森特勒尔城～1953-10-03，科罗拉多丹佛）　淋巴系统解剖学者及研究人员，美国主要女科学家之一。1893年在马萨诸塞州诺思安普敦史密斯学院获理学士学位，1896年在巴尔的摩的约翰斯·霍普金斯大学获医学博士学位。她在该校因建造一个脑模型而出名；模型刊印成书，题名为《延髓和中脑图谱》（1901），成为受欢迎的医学教科书。1917年任教授，1925年被选为纽约市洛克菲勒医学研究所第一位女研究员，同年，还当选为全国科学院第一位妇女终身院士。以对于血细胞及淋巴管的研究而最为闻名，曾证明淋巴管直接由静脉产生，而不是像过去所说的由末梢组织产生。还研究了血管的成长过程，发展了检查活细胞的方法，发现了各人身体内白细胞计数的变异性，并在细胞免疫及肺结核病的研究方面作出贡献。

Sabine　萨宾人　古意大利部落，定居台伯河东岸山岳地区，以其特殊宗教信仰和习俗著称。普鲁塔克所述罗马城创建者罗慕洛斯曾邀请萨宾人赴宴，然后掳走（强奸）其妇女，仅属传说。另说萨宾人于公元前5世纪前半期一度攻陷罗马城，亦不可信。相反，罗马人却曾多次与萨宾人发生小冲突，萨宾人最后于公元前449年曾为罗马所败，至公元前290年为罗马所灭，被授予无选举权的罗马公民权，公元前268年又获完全公民权。萨宾人可能操奥斯坎语，但其方言铭刻未曾保存下来，只有许多单词被罗马作家认定为萨宾人方言的单词。传说萨宾人为萨谟奈人（**Samnite**）祖先，此说可能正确。

Sabine, Sir Edward　赛宾（1788-10-14，都柏林～1883-06-26，英格兰萨里东希恩）　英国天文学家和测地学家。因在测定地球形状方面的实验以及对地球磁场的研究而知名。他曾在皇家炮兵部队服役，并被委任为1818年

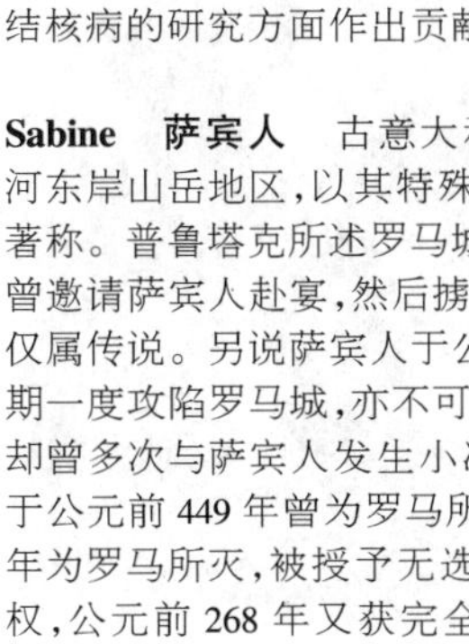

伦敦国立肖像画陈列馆供图

J.罗斯和1819年W.帕里两位爵士开拓西北航道北极探险队的天文学家。1821年开始在非洲和北美的海岸以及在北极区进行实验，通过观测摆的摆动情况而更精确地测定地球的形状。1825年发表了这一研究的最初成果，3年后又在巴黎和伦敦继续研究。他主持在全世界建立许多地磁观测台，1852年发现太阳黑子的周期性变化与地磁扰动的某种变化有关，证明了这两种现象之间的关系。1861～1871年任伦敦皇家学会主席。1869年获得巴斯勋位。

Sabine, Wallace Clement (Ware)　赛宾（1868-06-13，美国俄亥俄里奇伍德～1919-01-10，马萨诸塞剑桥）　美国物理学家，创立了建筑声学。1886年从俄亥俄州立大学毕业后，为哈佛大学研究生，后在该校任教。他有才华，喜教学，不求博士学位。他的论文数量不多，但内容精彩。1895年哈佛大学开放福格艺术博物馆时，因礼堂过度的混响造成严重的音质缺欠，请他寻求补求方法。他发现混响时间和房屋总吸收率的乘积，与房屋的体积成比例，后称赛宾定律。吸声率的单位赛宾，即以他的姓氏命名。按照他所创的原理设计的第一座建筑物是波士顿交响音乐厅，于1900年开放，证明在声学上是个巨大的成功。他历任劳伦斯理学院院长（1906～1908）和哈佛大学应用科学研究生院院长（1908～1915）。第一次世界大战时，以飞机仪表专家身份在作战部担任重要文职。他的《声学论文集》于1922年由哈佛大学出版社出版。

Sabine River　萨宾河　美国西南部河流。源出得克萨斯州东北部，先东南流，后向南，至河口附近变宽，形成萨宾湖，后经可通航的萨宾运河注入墨西哥湾。全长930千米。流域面积26 950平方千米。萨宾-内奇斯水道（海湾沿岸航道一部分）为深水航道，通往博蒙特、奥兰治。

Sabinian　萨比尼安（?，托斯卡纳～606-02-22，罗马）　教皇（604～606）。他为人大概拘谨守旧，后世传说他生性吝啬，可能是由于他掌管教廷粮仓过严。在位短短两年，教廷所在地区发生饥馑，同时又遭伦巴第人侵扰。

Sabinio　萨比尼奥　又称萨比尼奥火山。非洲中东部维龙加山脉的死火山（3 505米）。位于基伍湖东北、刚果（金）的鲁丘鲁东南偏南。顶峰是刚果（金）-卢旺达-乌干达三国边界的交接点。为维龙加国家公园的一部分，园中栖息有大猩猩。

Sabinyo, Volcan (East Africa)　**萨比尼奥火山**　参阅**Sabinio** *萨比尼奥*。

sabkhah　盐沼　又拼sebkha（阿拉伯语）。盐滩或盐壳洼地。多见于北非和沙特阿拉伯海岸。盐沼通常以沙丘为界，由于周期性泛滥和蒸发，底部松软未胶结，但不透水。海水浓缩和地下水毛细排水导致石膏、方解石和文石的沉积。一般认为大多数盐沼一度是小

的海湾，类似于过去地质时期形成蒸发岩的盆地。

sable（*Martes zibellina*） **紫貂** 鼬科体形优美的食肉动物，栖于亚洲北部的森林，毛皮极为名贵。体长约32～51厘米，尾长13～18厘米，体重0.9～1.8千克。皮褐色到近

紫貂（*Martes zibellina*）
绘图：Richard Ellis

乎黑色，有时有暗黑色至鲑肉色的喉斑。独居，习于树栖生活，以小动物和鸟卵为食。妊娠期极长，为约250～300天，这是由于受精卵延迟植入子宫所致。一窝1～4仔。英语sable一词有时指与其有亲缘关系的欧洲及亚洲种及美洲貂。

Sable, Jean-Baptist-Point du **萨布尔** 参阅 **Du Sable, Jean-Baptist-Point** 杜萨布尔。

sable antelope（*Hippotragus niger*） **貂羚** 偶蹄目牛科动物。成群栖息在非洲南部森林。与其亲缘动物马羚（*H. equinus*）一样，体态优美，鬃毛直立，耳长，喉部有长毛，角

貂羚（*Hippotragus niger*）
供图：Leonard Lee Rue Ⅲ

长，镰刀形，平行排列。肩高137厘米。雄体全身黑色发亮，面部黑白相间，腹部白色。雌体浅褐到黑色。

Sable Island **塞布尔岛** 大西洋一沙洲，在加拿大新斯科舍省沿海，坎索角东南110英里处。长约20英里，宽约1英里。沿岸线微曲，岛上无树。岛面逐渐缩小，并缓慢东移。附近水极浅。船舶失事甚多，有"大西洋墓地"之称。自1873年修建两座灯塔和一所巡逻站后，遇险次数大大减少。现属新斯科舍省管辖，岛上仅有几户居民和数百匹野生矮种马。

sabora（Jewish scholar） 参阅 **savora** 萨沃拉。

sabot **木鞋** 欧洲农民特别是法国和低地国家的农民所穿的一种笨重的工作鞋。这种鞋有两种：一种是用整块木头雕成（荷兰人称之为克隆彭[klompen]）；另一种是装有木鞋底的厚实皮鞋。20世纪后半期，各式各样的木鞋（木底皮帮或绒面革[即仿鹿皮]帮）很流行。在第一次世界大战期间穿的一种用木料和皮革凑成的鞋子，也属于木鞋一类。

J.-F.米勒绘《挖土的农民》（约1855）中穿木鞋的农民
供图：Graphische Sammlung Allbertira, Vienna

sabotage **破坏活动** 为了破坏一个企业或经济体系，或者在国家处于紧急状态时为削弱政府或国家而故意毁坏财产或怠工等活动。据说，这个名词的起源可以追溯到1910年法国铁路工人罢工。当时，工人破坏固定铁轨的制动铁鞋（sabots）。几年以后，在美国人们也以怠工形式进行破坏活动，尤其是由于雇用季节性临时工而使罢工无法坚持时更是如此。第二次世界大战期间，欧洲尤其是苏联的反德抵抗运动和游击队运动对工厂、军事设施、铁路、桥梁等进行了有效的破坏。战后，搞破坏活动在亚洲、拉丁美洲和非洲成了许多与反殖民主义运动、独立运动和得到共产党支持的运动有联系的反叛组织的基本战术。还有心怀不满的雇员进行纯经济性的破坏活动，这往往是一种片面行为。在某些共产党国家里，有意降低工作效率以及自觉或不自觉抵制完成国家计划的行为，不论是否出于反革命目的，都被认为是经济破坏活动。

Sabratha **萨布拉塔** 古的黎波里斯3座城市中最西边的一座，在今利比亚的黎波里以

萨布拉塔市的古剧场遗址
供图：RayManely — Shostal/美国不列颠百科全书公司

西的塞卜拉泰镇附近。迦太基人建为商站。公元前4世纪始有永久性居民。有一天然港，后经罗马人改建，成为撒哈拉商队的出口港。公元前146年迦太基陷落后，曾有过一段半独立时期，随后由罗马人统治。约公元365年遭奥斯图里阿尼的洗劫。后虽重建，但5世纪汪达尔人暴政下迅速衰落。拜占廷统治下复兴，其规模大为缩小。643年阿拉伯人征服后不久，该城不复存在。考古挖掘工作发现了古城的大部分地区，内有港口设施、居住区、剧场和教堂。

sabre **佩剑** 又拼saber。刃长而剑身弯曲的一种重型军用剑。18世纪由自东方引进的匈牙利马刀发展而来。另外，19世纪开始流行于意大利的用于决斗的轻型击剑武器也称佩剑。到了20世纪，军用剑降为礼仪用剑，而击剑用的佩剑成为体育上标准武器之一。现代击剑用的佩剑重量低于花剑，不超过500克，较花剑略短，全长105厘米，刃长88厘米，刃坚利，但剑身平而有韧性。护手盘向后弯曲至圆头，保护指关节。比赛规则与花剑基本相同，只是以腰部以上的任何部位为有效部位。用剑刃或剑尖刺中均得分。完全由裁判来判得分与否，不用电子器械。刺中5次决胜负。后退超过10米即判对方得分。佩剑为奥运会和其他国际比赛的项目。参阅 **Sporting Record**：Fencing。

sabre-toothed cat **剑齿虎** 猫科剑齿虎亚科（Machairodontinae）一些绝灭的食肉动物的统称。因上颚有一对剑形犬牙而得名。从渐新世一直生存到更新世末。在整个中新世和上新世栖息在北美洲和欧洲；于上新世已扩展到亚洲和非洲；在更新世存在于南美洲。最有名的剑齿虎是更新世的美洲剑齿虎属

（*Smilodon*），剑齿最发达；是北美和南美的短腿大型猫科动物，比现代狮粗大得多；上犬牙巨大，长达20厘米，可能用来攻击柱牙象之类的大型草食动物。美洲剑齿虎的下述几种

在加利福尼亚拉布雷亚大牧场找到的剑齿虎（*Smilodon*），C.R.奈特所绘
芝加哥菲尔德自然史博物馆供图

身体适应性变化使人推想到可能存在这样的狩猎技能：颅骨能附着强健的颈肌以利低头动作；下犬牙退化；颌能张开到约90°角，使上犬牙能不受限制地活动。磨牙形成剪刀状，而无磨研表面的痕迹。这一属许多成员的骨头曾在加利福尼亚州洛杉矶拉布雷亚大牧场的沥青坑里找到，显然是剑齿虎捕食大型草食动物时两者同时陷入沥青中。美洲剑齿虎的祖先古剑齿虎属（*Hoplophoneus*），是北美渐新世的中等大小的猫科动物，身上已具备基本的剑齿虎特征，但还未充分发展。剑齿虎的绝灭与柱牙象的绝灭紧密相关。上新世晚期在旧大陆这种大型象形动物逐步绝灭，剑齿虎也随之绝灭。在北美和南美因为柱牙象存在于整个更新世，剑齿虎类动物也得以继续存在到更新世末期。剑齿虎是高度特化的猫科动物，至少自渐新世以后便形成一个与现代猫科动物的进化完全不同的进化系。一些早期类型的分类地位不明，不同权威将其分别列为短剑齿虎亚科（Machairodontinae）、假剑齿虎亚科（宁录剑齿虎亚科，Nimravinae）或猫亚科（Felinae）。北美洲渐新世的恐齿猫属（*Dinictis*）有相当发达的剑形齿，但没有真剑齿虎的其他特化性状。有人认为形似恐齿猫属的动物属于发展至猫亚科的进化系。

sabrebill（bird）　**马刀嘴鸟**　参阅 **scythebill** *镰嘴鸟*。

Sabzevārī, ʿAbd al-Aʿlā al-Mūsawī al-　萨卜泽瓦里（1910-12-21，伊朗萨卜泽瓦尔～1993-08-16，伊拉克纳杰夫）　生于伊朗的穆斯林学者，1992～1993年是伊斯兰圣城纳杰夫的大阿亚图拉（伊斯兰教什叶派高级教职人员的职衔和荣誉称号，阿拉伯语音译，意为"真主最伟大的迹象"），成为伊拉克数百万什叶派穆斯林的精神领袖。他在伊朗完成基础教育后，赴纳杰夫深入研究哲学和宗教法，师从著名的穆智泰希德（伊斯兰教对有创制教法能力和资格的权威学者的称谓）穆罕默德·侯赛因·纳依尼。作为一名虔诚的穆斯林学者，他著述甚多，包括11集的《古兰经》注释和30多部有关伊斯兰教法的著作。1991年之前，他过着平静的生活，从事教学、写作和慈善事业。伊拉克在海湾战争（1990～1991）失败后，据传他曾参与1991年什叶派反对萨达姆政权的那场未成功的起义。1992年8月大阿亚图拉艾卜·卡斯姆·阿勒·胡去世，巴格达考虑提升自己的候选人来填补空缺，防止萨卜泽瓦里成为艾卜·卡斯姆·阿勒·胡的继承人。然而，伊拉克的什叶派穆斯林却拒绝接受政府推举的候选人。萨卜泽瓦里1993年去世后，政府禁止举办任何与其相关的纪念活动。

Sabzevārī, Hājjī Hādī　萨卜泽瓦里（1797或1798，伊朗萨卜泽瓦尔～1878，萨卜泽瓦尔）　伊朗教师、哲学家，他充实了伊斯兰智慧派哲学。他理论中杂有诺斯（真知）、哲学、天启种种成分，阐明穆拉·萨德拉的哲学概念，但他不同于前人而以知识为人的灵魂的一种本质而不是它的外部属性。他在萨卜泽瓦尔度过童年，在麦什德和伊斯法罕受教育。学成后返回故乡办学，一生培养学生1000多人。曾应国王的要求撰写《智慧的奥秘》，此书连同他的阿拉伯文论文《诗韵逻辑》，至今仍为研究伊朗智慧派教义的基本资料。还曾注释伊斯兰教神秘主义诗人加拉鲁丁·鲁米的诗歌《玛斯纳维》。

Sac（people）　参阅 **Sauk** *索克人*。

sac spider　管巢蛛　又作 two-clawed hunting spider。又称二爪猎蛛。蜘蛛目管巢蛛科动物。较为常见，分布广泛。体长3～15毫米。在石块下、叶丛中或草丛中筑一丝管。

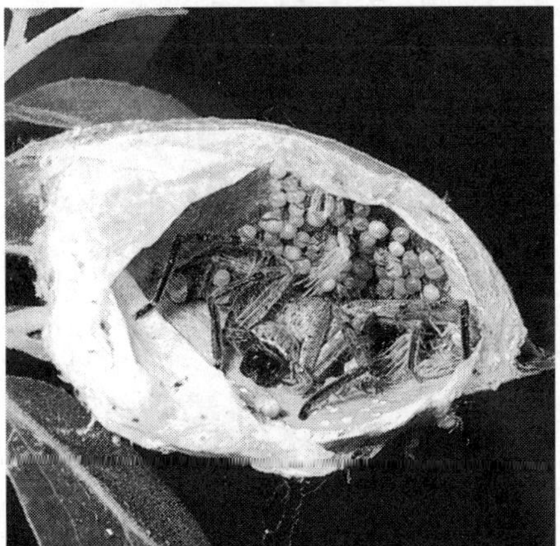

一种红螯蛛（*Chiracanthium*）及其幼蛛
供图：© Steve Robinson/NHPA

遍布美国的幽禁红螯蛛（*Chiracanthium inclusum*）体淡绿白色，长约8毫米，对人体有毒。

sac-winged bat　囊翼蝠　参阅 **sheath-tailed bat** *鞘尾蝠*。

Sacajawea　萨卡加维亚（约1786，大概在美国爱达荷今莱姆哈伊附近～1812-12-12，达科他准州密苏里河畔曼努埃尔堡？）　又名鸟女。肖肖尼印第安妇女，曾背负幼儿，随刘易斯和克拉克远征队跋涉蛮荒，历数千英里抵太平洋西北岸地区（1804～1806）。12岁时为敌部落捕获，辗转售予法裔加拿大皮货商夏博诺为妻。与夏博诺（受雇为远征队翻译）同随远征队西行。1805年8月远征队于今蒙大拿州阿姆斯特德附近与萨卡加维亚之兄卡米亚韦特所率肖肖尼部相遇。兄妹团圆后的融洽气氛促成购买马匹和雇用向导的谈判顺利解决，使几陷绝境的远征队重逢生路。其他印第安人部落的猜疑也因远征队中有一妇女及婴儿而得到缓解。萨卡加维亚不避艰难险阻的顽强毅力富有传奇色彩。为她树立了许多纪念碑像。但是把她的生平史实从大量的民间传说中筛选出来却是一个使历史学家感到棘手的难题。死后葬于怀俄明的兰德。

Sacasa, Juan Bautista　萨卡萨（1874-12-21，尼加拉瓜莱昂～1946-04-17，洛杉矶）　尼加拉瓜政治家、总统（1932～1936）。1889～1901年在美国读书，曾获哥伦比亚大学医学博士学位。1924年作为自由党领袖当选联合

美国国会图书馆供图

政府副总统。次年发生政变，E.C.巴尔加斯出任总统，他被迫流亡。1926年查莫罗被A.迪亚斯取代。萨卡萨即回国要求继任总统。墨西哥对此表示支持。但美国却支持迪亚斯。在为总统人选争执不下的动乱时期，美国政府于1927年4月派海军陆战队到尼加拉瓜维持秩序。萨卡萨被迫接受美国提出的折衷方案，放弃对总统职位的要求。1932年他当选总统，但权力又旁落到他的副手C.A.桑地诺和A.索摩查将军之手。1936年6月终于被索摩查赶下台。

Sacatepéquez　萨卡特佩克斯　危地马拉西南部一省。全国最小省份。面积只有465平方千米。在中央高地。最高点为阿瓜（意为"水"）和富埃戈（意为"火"）火山。全国主要咖啡产地之一。其他作物有玉米、豆类、干草。有许多菜牛牧场。省会*旧危地马拉*（**Antigua Guatemala**）曾为国家首都，后因经常发生地震，1776年首都迁至危地马拉城。1976年的地震使许多建筑物被毁，1 500余人罹难。通泛美公路及其相连公路。人口约137 815（1982）。

saccharin　糖精　又称邻磺酰苯甲酰亚胺。一种用作无营养甜味剂的有机化合物，以不可溶的形式或其盐类（主要是钠盐和钙盐）而存在。比砂糖甜200～700倍，余味稍苦和有金属气味。以1/4、1/2和1格令的片装出售。1/4格令的一片即相当于一平茶匙糖。糖精是1879年化学家I.雷姆森和C.法尔伯格在作邻甲苯磺酰胺的氧化试验时发现的，

是最早成为商品的人造甜味剂。迄今仍采用使邻甲苯磺酰胺氧化的方法生产，也可由邻苯二甲酸酐制取。不溶性糖精为白色晶体，溶点 228.8 ～ 229.7 ℃。糖精的钠盐和钙盐为白色晶粉，极易溶于水；在 2 ～ 7 的 pH 值范围和达 150 ℃的温度下稳定。它没有热量，不会加速牙齿的衰退，不参与人体新陈代谢而被原状排泄出去。广泛用于为糖尿病患者或其他须避免摄入糖的人制作饮食，以及制作软饮料和其他低热量食品；还可用于加糖会引起酸败的食品和药物中。毒理学研究表明，饲料中含高比例糖精（饮食的 5% ～ 7.5%）的试验鼠易患膀胱癌。同时，流行病学研究则未能证明人类膀胱癌与使用正常量的糖精有关。世界多数国家都准许在食品中加入甜味剂。

Saccharomyces　酵母属　内孢霉目（Endomycetales）真菌的一属，有一个突出的特征：能借酶的作用将糖转化为二氧化碳和酒精。在制造烘烤食品、啤酒、葡萄酒、蒸馏烈酒和工业用酒精时，用来发酵糖类的酵母都是该属一个种——酿酒酵母（*S. cerevisiae*）的品系。一个酵母菌细胞在一小时内能发酵重量几乎与自身相等的葡萄糖。参阅 **yeast**。

Sacchetti, Franco　萨凯蒂（1330或1335，佛罗伦萨或拉古萨～ 1400-08-15?，佛罗伦萨附近圣米尼阿托）　意大利诗人和故事作者。出身于佛罗伦萨贵族家庭。当过商人和政府官员，遍游各地。在所写书信、诗歌以及《福音阐释》中，表达了他对政治和道德的见解。他为谱曲而写的一些小诗成为 14 世纪诗歌中最优秀的作品。此外，还写了 300 篇小说，传世的只有 223 篇，大多是口头留传故事中的轶事和笑话。

Sacchi, Andrea　萨基（1599，教皇国内图诺～ 1661-06-21，罗马）　意大利画家，17 世纪罗马绘画古典风格的主要代表。在博洛尼亚随 F. 阿尔巴尼学画时，开始倾向古典主义并注重色彩。天顶壁画《神智的寓言》（1629 ～1633）是一件严肃的、静态的作品，其构思显然受了拉斐尔的影响。此后的重要作品是描绘施洗约翰生平的 8 幅油画组画（1639 ～ 1645，罗马圣约翰教堂藏）。他的作品主要为宗教题材，肖像画甚少。

Sacco-Vanzetti case　萨柯-万泽蒂案　美国马萨诸塞州延续了 7 年（1920 ～ 1927）有争议的谋杀罪审判案件，结果被告萨柯和万泽蒂被处死。该案的审判是 1920 年 4 月 15 日在马萨诸塞州南布伦特里发生的因谋杀一个鞋厂出纳员帕门特及其保镖贝拉德利以夺取他们所携带的待发放工资而引起的。5 月 5 日，这两个 1908 年移居美国的意大利无政府主义者萨柯和万泽蒂（一个是鞋匠，另一个是卖鱼的小商贩）因谋杀罪而被捕。1921 年 5 月 31 日由马萨诸塞州高等法院塞耶法官主办此案，7 月 14 日经陪审团裁决这两人有罪。社会党人和激进分子抗议说：这两人无辜。许多人认为：审判不很公平，定罪是出于被告人激进的无政府主义信念而不是他们所受审判的罪行。但以伪证为由要求重新审判的努力全归失败。1925 年 11 月 8 日有一名叫马德洛斯的人（已因另一谋杀案定罪）就谋杀案的判决主动交待说：他和莫雷利帮徒参与了此犯罪。州最高法院拒绝推翻原定罪判决，因为当时的审判法官有因得到追加证据而重作审判的最后权力。结果，被告人萨柯和万泽蒂两人于 1927 年 4 月 9 日被判处死刑。全国掀起了民众集会表示抗议。富勒州长任命了包括哈佛大学校长洛威尔、麻省理工学院院长斯特拉顿和前法官格兰特在内的独立咨询委员会。1927 年 8 月 3 日州长拒绝行使其从宽的权力，并得到其咨询委员会的同意。世界许多城市不断发生示威，纽约市和费城有人扔掷炸弹。一直坚持自身无罪的萨柯和万泽蒂于 1927 年 8 月 23 日被处决。他们是否犯有被指控的罪或是否只是在有偏见的法律制度下受到错误审判的无辜受害者，舆论对此一直有不同的看法。有的作家认为：萨柯有罪，而万泽蒂无罪。但一般认为：鉴于审判有重大缺陷，这两人应予以再次审判。

Saccopastore skulls　萨科帕斯托颅骨　1929 和 1935 年在罗马城外台伯河一条小支流的岸边河相沉积物中出土的两具人科化石颅骨。据测定这两具颅骨的年代为 7 万～ 10 万年前，代表西欧尼安德特人发展的一个初期阶段。萨科帕斯托颅骨眉嵴突出（估计其外貌是眉毛浓密突出），头顶低平，下颌骨硕大，而牙齿较小，所有这些都是尼安德特人的特征。但是这两具颅骨还有一些特征与现代人相似，因此估计他们在进化序列中处于过渡的位置。

Sachalin Island（eastern Russia）　参阅 **Sakhalin Island** ***萨哈林岛（库页岛）***。

Sacheverell, Henry　萨谢弗雷尔（1674？～ 1724-06-05，英国伦敦）　英格兰高教会派传教士。辉格党人对他的指控，导致 1710 年托利党人对政府的控制。他虽是一个无足轻重、有些荒谬可笑的人物，但由于人们普遍厌倦辉格党领导的对法战争（西班牙王位继承战争），使他深得人们的支持。安妮女王在位初期，他开始通过讲道和发放小册子猛烈攻击辉格党、不从国教者和托利党温和派。1709 年 11 月对伦敦市长和市参议员讲道时，曾攻击权倾一时的辉格党大臣戈多尔芬和 1688 年光荣革命的各项原则。戈多尔芬以煽动叛乱的罪名把萨谢弗雷尔交付议会上院审判，但伦敦市民举行暴动以表示对被告的同情。1710 年 3 月，他被判 3 年之内禁止讲道。托利党人依靠他们这位受害者的名声，在 1710 年 10 月大选中大获全胜。处罚期刚满，安妮女王就赐给他伦敦的一个富庶教区。

Sachs, Curt　萨克斯（1881-06-29，德国柏林～ 1959-02-05，美国纽约州纽约）　著名德国音乐学家、教师和乐器学专家。年轻时学习钢琴、音乐理论和作曲。在柏林大学获艺术史博士学位（1904）后，从事艺术评论与历史研究数年，在此期间曾协助编辑《艺术科学文献月刊》，并任职于柏林艺术与工艺美术博物馆。后决心完全投身音乐事业，这一计划因第一次世界大战服兵役而中断；战后回到柏林，1919 年任国立乐器博物馆馆长，把许多乐器修复以供使用，并开始在柏林大学任教。1928 年任国立音乐学院教授。因系犹太人，1933 年将其所有学术性职位解雇，并被迫离开德国。先去巴黎，在人种学博物馆（现在的人类博物馆）中与 A. 舍费纳尔合作，并且任巴黎大学客座教授。翌年开始录制一套名为《音响资料选集》的唱片，是非常宝贵的早期原始音响资料。1937 年迁居美国，任纽约大学教授（1937 ～ 1953）和纽约公共图书馆顾问。作为现代乐器学的奠基者之一，他和霍恩博斯特尔合作创立一种乐器分类法，为现代乐器分类的标准指南。他的《乐器实像汇编》（1913 年出版，1962 年再版）是权威性的乐器历史著作。其他著作有《世界舞蹈史》（1937）、《古代音乐的起源》（1943）和《艺术的共性：美术、音乐和舞蹈的风格》（1946）。

Sachs, Hans　萨克斯（1494-11-05，德国纽伦堡～ 1576-01-19，纽伦堡）　德国诗人、作曲家。瓦格纳的《纽伦堡的工匠歌手》（原译《纽伦堡名歌手》）对他做了理想化的描写。裁缝之子，曾在拉丁文学校读书，当过学徒，约于 1519 年成为鞋匠师傅。约于 1520 年成为纽伦堡歌咏学校的教师。1514 年开始写曲，有些作品是宗教性的。他是早期赞助路德事业的先锋战士之一，写过一首寓言诗《维滕贝格的夜莺》（1523），该诗立即远近驰名，促进了纽伦堡的宗教改革。他的 6 000 首诗中包括 200 出诗剧，其中有许多是亲切朴实的喜剧，专供参加忏悔节狂欢活动的群众观看。他从事艺术活动时，仍然继续当鞋匠。他先后失去 7 个孩子，1560 年妻子又去世，使他悲伤不已。死后为人所遗忘。两个世纪后为歌德重新发现。他的某些戏剧，如《天堂中的漫游学者》，现仍上演。

Sachs, (Ferdinand Gustav) Julius von　萨克斯（1832-10-02，德国布雷斯劳［今波兰弗罗茨瓦夫］～ 1897-05-29，德国维尔茨堡）　德国植物学家。研究了植物的营养、向性和水的蒸腾作用，大大提高了 19 世纪下半叶人们对植物生理的认识。曾在布拉格大学任生理学家 J. E. 普尔基涅的助手，1856年获博士学位。

供图：Archiv fur Kunst und Geschichte, Berlin

1859 年任萨克森塔兰特农业科学院生理学助理研究员。2 年后任波恩附近波珀尔斯多夫农业科学院院长。1867 年接受布赖斯高地区弗赖堡大学的植物学教授职位，翌年起任维尔茨堡大学植物学教授直至去世。他对植物中水分的运动极感兴趣。在《实验植物生理学手册》(1865) 一书中，他探讨了根毛如何从土壤中吸收水分和把水分输送给根中的其他细胞。1874 年提出其吸涨作用理论的第一部分，指出植物在吸收水分时，无需活细胞参与，吸收的水分就能在植物壁的管子中而不是在细胞腔中运动。1865 年他证明叶绿素并非弥散在植物所有的组织中，而是仅存在于细胞中的某些特化实体中（这种结构后称叶绿体）。1862 和 1864 年他证明叶绿体中的淀粉是吸收二氧化碳后产生的，并确认淀粉是光合作用的第一个可见的产物。他还研究了树的年轮的形成过程、组织张力对促进器官生长的重要性以及光和重力对确定植物年轮和对称性的影响等。为进行以上研究，他发明一种可测量光和重力等外界条件对植物生长影响的仪器——回转器。他的许多研究结果都收录在《植物学课本》(1868) 一书中。该书也是对当时植物学知识的总结。他的《植物学史，16 世纪～ 1860》(1875) 一书对于植物学史，对于植物生理学作为独立学科出现的最初阶段至今仍是必不可少的指南。

Sachs, Nelly (Leonie)　萨克斯(1891-12-10，德国柏林～1970-05-12，瑞典斯德哥尔摩)　德国女诗人、戏剧家。纳粹统治时期的经历使她从一个艺术爱好者转变成犹太同胞的代言人，沉痛地陈述了他们的悲哀和渴望。1966 年与阿格农同获诺贝尔文学奖。她是一个殷实的制造商和发明家的女儿，在柏林成长。17 岁开始写诗。20 年代的诗作带有浪漫主义色彩和流于俗套的倾向，曾在报纸上发表过，但多为自娱之作。纳粹上台使她的生活变得愁闷起来，只得从古犹太著作中寻找安慰。1940 年，她获悉将被送入强制劳动营，于是在她的文友、瑞典女小说家拉格洛夫帮助下逃往瑞典。她的抒情诗既简朴精炼，又充满种种温柔、朴素、冷酷或神秘的意境。她的名诗《啊！烟囱》，描写犹太人的尸体化作清烟从纳粹的死亡营里飘走。她最有名的剧本《艾利：以色列苦难的奇迹剧》(1951) 在多特蒙德市的剧院演出过。曾获 1965 年德国出版商的和平奖金。

合众国际社供图

Sachsen (*Land* , Germany)　参阅 **Saxony** *萨克森*。

Sachsen-Anhalt (Germany)　参阅 **Saxony-Anhalt** *萨克森-安哈尔特*。

Sachsenhausen　萨克森豪森　德国主要的纳粹集中营之一，位于柏林西北奥拉宁堡以北 3 千米的萨克森豪森村附近。1936 年为用于关押德国北部的犯人而建，是包括中部的布痕瓦尔德和南部的达豪的集中营网的一部分。1938 年纳粹在柏林、汉堡、梅克伦堡和波美拉尼亚大肆搜捕犹太人达 1 万人，该营开始收容大批犯人。第二次世界大战中该营关押 2 万～3.5 万人。拘于该营的总人数前后约 20 万，其中 10 万人死于疾病、处决和在附近军火工厂的过度劳动。

Sachsenspiegel　《撒克逊明镜法》　英语作 Saxon Mirror。指中世纪撒克逊习惯法最重要的汇编。它是 13 世纪初期由一位爵士爱克·冯·拉普可搜集，用本地语写成的。其中很少显示罗马法的影响，主要因为罗马法尚未渗入日耳曼法，而罗马法实际上还无人知晓的缘故。《撒克逊明镜法》可分为两部分：第一部分为国土法(Landrecht)，相当于现在的所谓的宪法，也包括刑法、民法及程序法。第二部分为领地法(Lehnrecht)，由封建法规构成。《撒克逊明镜法》曾被很多城镇用作为他们宪法及法典的模式。被称为马格德堡人的法律的《马格德堡法典》，曾被日耳曼及东欧的许多城市所模仿。

Šacht'orsk (Ukraine)　参阅 **Shakhtyorsk** *沙赫乔尔斯克*。

Šachty (Russia)　参阅 **Shakhty** *沙赫特*。

sackbut　拉推号　长号的前身，15世纪可能在法国勃艮第省发明。管壁比现代长号厚，音色比较柔和，喇叭口较小。拉推管符合当时作曲家所需求的低音小号音色。其套入的滑动伸缩装置继续保留在现代的长号上。

Sackville　萨克维尔　加拿大新不伦瑞克省东南部威斯特摩兰县城镇。位于同新斯科舍省交界处。约 1720 年法国人在此建 3 个村落，1761 年新英格兰移民重建居民点，后发展为四周农区的贸易中心。有轻工业和蒙特·艾利森大学。附近有加拿大广播公司海外短波发射台。1903 年建镇。人口 5 494(1991)。

Sackville (of Drayton), George Sackville-Germain, 1st Viscount　萨克维尔子爵（第一）(1716-01-26，英格兰伦敦～1785-08-26，苏塞克斯威锡厄姆附近斯通兰洛奇)　又称乔治·热尔曼勋爵。英国军人和政治家。第一代多塞特公爵的第三子。都柏林三一学院毕业。1737 年成为军官，在奥地利王位继承战争中英勇作战。1745 年在丰特努瓦战役中因率兵深入法军阵地被俘。后为步兵上校，在苏格兰和爱尔兰服役。1755 年晋升陆军少将。七年战争中，1758 年指挥圣马洛进攻战失败。1758 年 10 月起在德意志指挥联盟军的英国分遣队。1759 年 8 月 1 日明登战役中，在英国和汉威诺步兵已经击溃法军中心主力的骑兵之后，他没有执行联盟军司令不伦瑞克公爵斐迪南关于乘胜追击的命令，因而受到军法审判，被撤职。1765 年又受重用。1775 年任殖民地大臣负责全面领导对北美殖民者的战争。因未能很好协调英军从加拿大和纽约两方面进行的作战行动，结果 J. 伯戈因将军指挥的英军在第二次萨拉托加战役(1777-10-17)中投降，因此萨克维尔受到指责。1781 年康华理在约克敦投降后，萨克维尔是内阁中唯一主张继续作战的大臣，但被免职。1782 年受封博尔布鲁克男爵和萨克维尔子爵。

供图：Lord Sackville

Sackville, Thomas　萨克维尔(1536，英格兰萨塞克斯巴克赫斯特～1608-04-19，伦敦)　英国政治家、诗人、剧作家，主要因其在发展伊丽莎白时代的诗歌和戏剧方面所取得的两项重要成果而为人们所铭记。一是诗选《法官宝鉴》(1563)，其中《序诗》最著名，描写诗人访问阴曹地府。二是与 T. 诺顿合作的《戈尔伯德克的悲剧》(1561)，是英国最早的一部无韵诗剧。曾任议会议员、大使、枢密院顾问、财政大臣和牛津大学校长。1567 年被封为骑士和男爵，1604 年受封为多塞特伯爵。

Sackville-West, V(ictoria Mary)　萨克维尔-韦斯特(1892-03-09，英格兰肯特诺尔～1962-06-02，肯特锡辛赫斯特堡)　英国女小说家和诗人。婚后名维多利亚·玛丽·尼科尔森。作品主要描写肯特地区的乡村生活，她一生大部分时间在那里度过。她是萨克维尔男爵第三之女、西班牙舞蹈家佩皮塔的孙女，曾在《佩皮塔》(1937) 一书中叙述了她祖母的生平故事。1913 年与外交家、作家 H. 尼科尔森结婚。长诗《土地》(1926) 发表后，她被认为具有唤起人们对英格兰乡村美景的想象的诗才。最著名的小说有《爱德华时代的人们》(1930) 和《激情耗尽》(1931)。还写过传记和一些园艺书籍。V. 吴尔夫在其小说《奥尔兰多》中，以她为主要原型塑造了主人公奥尔兰多这一人物。1948 年被授予荣誉勋位。

Saco　索科　美国缅因州西南部约克县城市。在索科河口。1631 年建立。1718 ～ 1762 年间称比迪福德(**Biddeford**)，1805 年重称索科。1867 年设市。经营伐木业和港口贸易。早期经济以炼铁和棉纺为主。现有多种制造业，生产汽车零件、鞋、工业和医用气体及电子元件。市内约克学院博物馆展有殖民时期和印第安人的文物。人口 16 822(2000)。

sacra rappresentazione 圣剧 15世纪意大利宗教剧的一种形式，与法国、英国的神秘剧，西班牙的圣礼剧相仿。这些宗教剧起源于佛罗伦萨并盛行于该地，所演内容均取自《新约》和《旧约》、宗教传说以及圣徒事迹。剧情具有训诫性质，其对话取材于《圣经》，给观众以从善的教育。圣剧的起源可上溯到中世纪，当时意大利戏剧与天主教会联系密切。教士表演宗教剧，作为礼拜的一部分，用的是拉丁语，而不是通俗语言。圣剧也从 13 世纪的圣歌和佛罗伦萨的节庆活动中汲取灵感。虽然"演出"在意大利各地都有，但是，佛罗伦萨的圣剧却是唯一真正的戏剧，其他都是哑剧，只有很少解释性说明。参阅 **mystery play**。

sacrament 圣事 宗教上的象征性礼仪，尤指基督教会所奉行者，该教认为，神圣力量亦即属灵的力量是通过被认为上帝施恩之渠道的物质要素传输的。在古代社会，人们一般认为，日常生活秩序的维持和中断都是神力或神圣力量在冥冥中作用所致。在早期的务农和畜牧的人们中间，土壤的肥力、风调雨顺、季节正常交替是各种圣事的中心主题，各种圣事的目的是要维持这些条件，例如春礼和庆丰收节。个人的生活周期被认为反映自然秩序，因而，人们举行典礼，以促进人从一种地位顺利进入另一种地位。关于圣事的原理，是一种历史悠久而广为流传的观念，但是它在基督教却具有独特的意义。根据基督教教义，圣事是一种具有根本性的制度，其宗旨是通过教会的有形组织和机构(教会被认为基督的神妙身体)维持上帝藉着耶稣基督与人之间的联合。据《新约》载，耶稣曾设立并主持几种惯例，诸如洗礼、共餐、洗脚、抹油和赶鬼。关于这些礼仪和惯例产生了许多想法，终于有了"圣事"这个概念，但是，究竟圣事如何定义，圣事应当有几项，1 000 多年来在教会里一直变化无常。据说，经过 P. 隆巴德提出、托马斯·阿奎那整理而由特伦托会议颁布的圣事共有 7 项，即洗礼、坚振礼、圣餐、补赎、终傅、授圣职礼、婚配。宗教改革运动对中世纪的虔敬表示、礼拜仪式和神职人员职务中运用圣事的方法提出质疑。

圣事作为象征 柏拉图派的神学家原来就认为整个外部世界无非是精神世界的"表记"或曰"象征"，因而照此类推，把洗礼、圣餐等解释为体现上帝灵验临在的象征。虽然原因很不相同，但是，反对传统上认为圣事是传输恩宠的媒介的观念的新教激进派却也面临这个问题，即如何从质的方面区分圣事与其他象征，例如十字架。奥古斯丁本来具有新柏拉图主义倾向，后来他超越自己的观念，提出关于象征与圣事的理论，谓圣事是"不可见的恩宠的可见形式"。即使是很激进的新教人士也极其严肃地对待洗礼和圣餐。自从宗教改革运动以来，天主教的圣事神学一方面坚守传统，强调圣事是传输恩宠的媒介，另一方面则进一步阐明这种强调与关于圣事的"魔法"效果的说法之间的区别。在圣事问题上，基督教人士之间的分歧目前仍然是深刻的。

基督设立圣事 关于一种圣事的解释，基本上都必须讲它是"基督所设立"。在东正教和天主教所承认的 7 件圣事中，只有两件尚能在《新约》中找出根据确为基督设立，无争议，即洗礼和圣餐(圣体圣事)。在 16、17 世纪的争论中，有人说婚配、授神职等确是耶稣所设立的圣事，另有些人说根本不可能是他所设立。新教的《圣经》学者最终才认识到，即使是关于基督设立圣餐的叙述，起码就其现行形式来说，也是早期基督教会的口传，并不是历史上的耶稣的言论的逐字记录。天主教神学家也不再坚持要在耶稣言论中找出有关 7 件圣事中每一件的明确历史证据，转而集中精力去阐发天主教会的教义本身的含义：在神学上说是基督设立的各项圣事，然而无法证明历史上的耶稣确乎采取了设立这些圣事的历史行动。

Sacramento 萨克拉门托 美国加利福尼亚州首府，萨克拉门托县县城(1850)。位于中央谷地，萨克拉门托和亚美利加两河汇合处。1839 年建立居民点，为农业中心及开拓者之家。现城市规划于 1848 年。1850 年设市。1848 年当地发现黄金，城市随金矿开采业迅速发展起来。1854 年定为州首府。曾遭受洪灾和火灾。为内河航运中心。曾为第一条加利福尼亚铁路的终点站。1963 年建成通圣弗朗西斯科湾的运河后，成为连接内地转运点的深水港。现为农产品(乳品、菜牛、水果、小麦、稻米和蔬菜)贸易中心。食品加工、印刷、航天工业和附近军事设施为城市经济支柱。市内有罗马金色圆顶科林斯式州议会大厦

萨克拉门托市州立历史公园内的萨特要塞
供图：Hans Hannau from Rapho/Photo Researchers—美国不列颠百科全书公司

(1869 ～ 1874)、萨克拉门托加利福尼亚州立大学(1947)、萨克拉门托市立学院(1916)、亚美利加河学院(1955)和克瑟姆纳斯河学院(1970)。每年举办加利福尼亚州博览会和山茶花节。1965 年合并北萨克拉门托。人口：市 407 018；都会统计区 1 796 857(2000)。

Sacramento Mountains 萨克拉门托山 落基山南段的一部分。从美国新墨西哥州中南部向南延伸至得克萨斯州西部，绵亘 260 千米。平均海拔 2 400 ～ 3 000 米，最高峰谢拉布兰卡 3 650 米。瓜达卢普峰(2 630 米)为得克萨斯州最高峰。境内有国家公园、国有森林、印第安人保留地以及牧场和矿场。

Sacramento River 萨克拉门托河 美国加利福尼亚州最大河流。源出该州北部的克拉马斯山脉。西南流，穿过喀斯喀特和内华达两山脉，流经中央谷地北段，与圣华金河汇合成三角洲后注入圣弗朗西斯科湾北汊。全长 615 千米，流域面积 70 200 平方千米。平均年流量为 2.7×10^{10} 立方米。中央谷地一段多水坝。412 千米河段可通航。远洋轮可上行至萨克拉门托市。主要支流有皮特河、麦克劳德河、费瑟河和亚美利加河。流域有世界最富庶农区之一。河港处生活有数百种鱼类。萨克拉门托河国家野生生物保护区分为几个部分，保护着多个生态系统。

sacred baboon 圣狒狒 参阅 **hamadryas** 阿拉伯狒狒。

sacred clown 神丑 在全世界许多无文字民族的或古代的宗教活动中普遍存在的一种角色，代表正常秩序的颠倒，又代表创世之前的混沌状态的再现。神丑的主要活动场合是新年庆祝活动。在有些传统习俗中，神丑在

墨西哥帕斯科拉扮作神丑的基亚人
墨西哥城国家人类学博物馆供图

祛邪礼上活动，其作用是吸引恶魔注意他事，使肃穆的宗教仪式不受干扰。神丑有时也用来考验接受受戒礼的人们，受考验者必须忍受神丑的嘲弄和侮辱，才能合格。许多学者都曾试图从宗教活动中探索世俗丑角的起源，美洲印第安人的假面丑角在宗教活动中的作用最值得注意，其中又以普韦布洛人的舞蹈丑角最为重要。他们在重大宗教典礼中突然出现，或大肆猥亵渎神，或扮作横行于创世之前的精灵，或嘲讽某些人不利于社会的行为，起社会监督作用。

sacred cow 圣牛 英语对印度教义一切生命(包括动物生命，特别是受到一致尊崇的母牛生命)崇拜的公式化表述。参阅 **cow, sanctity of the**。

Sacred Heart 圣心 天主教名词。指作为崇拜对象的耶稣肉身的心脏。圣心崇拜是由

加尔都西会和耶稣会的一批司铎所倡导，圣方济各·撒肋爵加以促进，并在17世纪末法兰西圣母往见会修女阿拉柯克获得天主启示之事被公开后得到普及。阿拉柯克建议设置特别节日以崇拜耶稣圣心。1856年教皇庇护九世宣布设立耶稣圣心节，定在圣灵降临节后第三周的星期五，这个节日的纪念活动包括祝福和敬拜圣心像。圣心像多为带伤痕的心脏，周围饰以荆棘冠冕和光芒。

Sacred Heart, Society of the (R.S.C.J.) **圣心会** 天主教女修会，1800年由修女M.S.巴拉创立于法国。该会第一所女修院于1801年成立于亚眠。自开办第一所贫民子女免费学校起一直重视贫民子女教育，但一向以开办教育富贵人家出身青年妇女的学校闻名。巴拉死于1865年，当时该会已从法国发展到欧洲11个国家以及阿尔及利亚和南北美洲等地。

sacred kingship 神圣王权 一种宗教-政治概念，认为统治者为上帝或神（超宇宙或超自然界）的化身、显现、中间人或代理人。这一概念起源于史前时代，直至近代仍可看出它的影响。在所谓的原始文化，以及古代的中东和远东、希腊化和欧洲等文化形态中，在哥伦布发现新大陆以前的中美和南美洲，曾经流行过各种各样神圣王权的类型。虽然可以说出这些神圣王权的传统在形式、功能和典仪方面共有的特点，但是对于每一个个别的传统则只有根据它特有的社会、历史和宗教渊源才能正确地理解。

神圣的君王有三种基本类型：①超自然权力或神权的具有者；②神性的或半神性的统治者；③上帝的代理人或中间人。在文字产生以前的社会里，第一种类型比较普遍，那些社会认为统治者或者酋长是公社的不可思议的权力的继承人。统治者的权力可以降福也可以致祸，据信它在公社生活的各个方面都是非有不可的，特别是在农业中，统治者可以使风调雨顺、土地肥沃，以保证维持生命所必要的丰收。酋长的超自然的权力也可以保护公社免遭灾害和敌人骚扰，以维持幸福和秩序。然而，在神圣王权这一概念中，统治者的超自然的权力是由他自己的生命力来维持的，或者说与后者等同，而生命力会随着时间的推移而衰减，为了公社的利益，上年纪的统治者就必须让位于一位比较年轻的继承人。

在另外一些社会，特别是古代中国、中东和南美的社会里，把统治者与一位特定的神等同起来，或者认为他本身就是神（神圣君王的第二种类型）。古代埃及和波斯的国王以及赫梯人的统治者被认为是太阳神的化身；埃及国王，也像中国的皇帝一样，被视为与天神等同。神-王一般认为是一位不依附于所有其他诸神的独立的神，但是还有另外一种常见的神王类型，即被视为某一个神的儿子。这一观念见于日本、秘鲁（印加人）、美索不达米亚的文化以及更广大的希腊、罗马文化的地区。于是，太后便可视为神的母亲，虽然未来的神圣国王可能由在位的君主所立，但并不一定是他所生。最后，一位国王或统治者死后可能被奉祀为神，但是，这种转化与其说是类似神圣王权，不如说是类似祖先崇拜。

神圣君王的第三种类型，是把统治者当做一位神的中间人或者代理人。在这种形式中，君王制度比某一个统治者更具有神圣的标志。神仍然是真正的君主，国王只是在国家中实现这位神的意图。国王是神与人、精神与物质中间的纽带。

所有各类神圣王权都承担若干基本职能，君王必须去完成它，并视社会和文化的不同而有程度上的差异。在有文字之前的各种文化形态中，君王的作用是具有不可思议的权力，特别是对气候、土地肥力和健康状态发生影响；而在其他许多文化中，君王被认为是良好的牧人，他饲养和照看他的羊群。许多神圣君王还有一个极为重要的职能，就是保护国家不受敌人的骚扰，他们像大将军一样，试图运用作为神的智慧和权力制订战略决策，并且成功地执行作战方针。

宗教的义务往往与神圣王权联系在一起，君王常兼为先知或祭司。这种祭司的职能在把君王看做中人或神意执行者的那些公社里尤为重要，他们相信，君王所得到的神谕、所作的异梦和所说的预言都包含着神的命令。然而，在许多文化形态中，祭司的职务和仪式可以委托给一个特殊的祭司阶级，不过神圣君王很少被排除在该阶级之外。既然人们相信君王通神，公社一般都承认他在司法上的权威。统治者可以调解纠纷，保护个人的权利，制定法律以保证公社内权力持久的平衡。君王维持社会秩序的能力有时被推广到宇宙秩序，人们认为宇宙秩序受神圣君王在大地上的行动的影响。与此相反，君王也有可能要对扰乱宇宙，从而酿成自然灾害和不幸负责。神圣君王的另一个礼仪方面的职能，是成为崇拜的中心。这种"统治者崇拜"有助于君王团结人民，从而巩固他的政权。这种崇拜多半出于政治的动机。统治者崇拜见于古代埃及，而在整个希腊、罗马世界特别广泛流行。

神圣王权的比较重要的礼仪是关于继承、授权和加冕的典礼。一位君王可以根据某些标准来选定，包括出身、立嗣、预兆和占卜。新君王可以在前任死去以后或以前执政。新君王通常是用如下几种方法使他的统治权合法化：宣布他当选为君王；掌握王权的象征物，如王冠和权杖；登基典礼。新统治者往往要选择一个王号，宣布一个新年号。神圣君王也参加公社的宗教仪式，特别是参加大的庆祝典礼和崇拜礼仪，有时为公社赎罪，但更常见的是保证土地肥沃、人间和美、社会和宇宙秩序井然。

虽然神圣王权的生命力在现代的、比较非宗教性的世界中日益减退，但是它的遗风仍可以见之于现存的君主国家及各种教会和国家的典仪中。

sacred pipe 神烟袋 别称"和平烟袋"或"凯路米特"。美洲印第安文化中举行礼仪时用的主要器物之一。虽然吸它是为了休息和松弛一会，但它主要是用以表达深切崇敬的的器物，只在各种礼仪场合才吸。由于烟草的麻醉作用和缭绕的烟雾用作神灵的传统性象征表示，烟袋被看作是沟通上天和人的主要媒介。烟袋本身被视为一个微观的宇宙。它的装潢的各个部分，据信是同宇宙的各主要部分相对应的。不仅在集体仪式中，个人做祷告时也吸这种烟袋，烟就成为传达吸烟者思想的一种手段。通常用于对天地六方的祈祷。在有些部落中，逐步形成了复杂的烟袋舞，以代表部落向大神敬烟。

美洲印第安人的凯路米特（和平烟袋）
纽约美洲印第安人博物馆供图

sacred scripture 参阅 **scripture** 经籍。

sacrifice 祭献 向神（或其他超自然体）献上物品而使之成为神之所有，成为神圣。在一定意义上说，在祭献中所献的，总是不同形式的生命。祭献是纪念生命，是承认生命的神圣而不灭的性质。在祭献中，祭品的生命一经祝圣即释放出来成为神圣的力量，在献祭者与受祭者之间建立联系。通过祭献，生命返回它的具有神性的木源，再生这一本源的能力（即生命）；以生养生。古代罗马宗教的献祭人向神祷告："愿您因这宗祭品而增长"，所据即是此理。但是，增长的是神圣的能力，它最终利在献祭人。可以说，祭献就是促进和保证神的生命力在它的源头和表现形式之间往返流通。祭献的行动往往包含毁灭祭品，其方法有焚烧、宰杀等，但毁灭祭品本身并不是祭献（祭献是使之成圣）。宰杀动物是手段，是要使动物经过祝圣的生命"释放"出来，使神享用；而在祭坛上焚毁食物也是手段，使神领受祭品（靠品味，不靠消化）。祭献是整个献祭过程而不是献祭的方式。纵观各种宗派的全部历史，无不有祭献礼仪，方式不同，用意各异，但是其根本意义都是要同神圣能力建立必要而有效验的关系，并使人类和人类世界在神界有其地位。祭献是人对于神圣实在的体验，其根源在于人的宗教感。因此，研究它的来源，正如研究宗教本身的来源一样，都是思辨上的问题，不是可以核证的历史调查或现象调查。有人曾试图找到祭献的起源，这种研究当然有助于更好地了解祭献，却没有求得定论。对于祭献，可以根据祭品的材料、献祭的方式、举行的频率和礼仪的具体意图进行粗略的分类。但是，这种分类往往互相交叉重叠。

sacrilege 渎圣 原意为"盗窃圣物"，但是，早自公元前1世纪起这个拉丁词即指损伤、冒犯或亵渎圣物。在古代以色列人的《利未法典》中即有制裁这种行为的规定。以色列人有许多戒律，保护神圣物品或经过祝圣的物品，如有人违犯这种戒律（特别是有关圣殿的律法），往往会激起暴乱。在古希腊，渎圣接近于叛国：庙堂公认为护国神灵所居，因此盗窃其中器物是反对国家的罪行。古罗马的种种崇拜形式受许多禁忌的保护，在罗马法律中，没有 sacrilege 一词的确切相当词。早期基督徒主要取此词的狭义，即盗窃神圣器物；但是到了 4 世纪中则已取其广义。在东罗马帝国的《狄奥多西法典》（公元 438 颁布）中，“渎圣”指叛教（叛离基督教）、异端、分裂教会、犹太教、异教、侵犯教会和神职人员的豁免权或教会法庭的特权、不尊重圣事和不守安息日。中世纪法兰克王国的历次宗教会议重视攫夺教会财产罪。渎圣罪中最严重者是亵渎圣餐所用的饼与酒，犯者须受酷刑乃至死刑。在宗教改革运动中，渎圣问题引起天主教会和新教之间的深仇大恨。当代的新教人士一般不承认任何器物固有神圣，基本上不注意“渎圣”的含义。在天主教，教会法典有专条论渎圣，其范围包括人与物。

sacristan　圣器保管员　基督教会职务，指**教堂司事（sexton）**，但主要指负责管理圣器库和圣器（包括器皿和服装）的人员。圣器保管员可能是任圣职的人员，也可能是在俗人员。

sacristy　圣器室　又作 vestry。基督教教堂内收藏礼服和圣器的房间，牧师、辅祭儿童及唱诗班成员在此穿着礼服。在早期的基督教教堂中，后堂旁的执事室及圣餐准备室作此用。16 世纪在教堂建筑中才开始专设房间，在十字形教堂中常设在祭坛或唱诗班席之北。后来无特定的位置，只要从祭坛和中殿以及外界都能入内即可。在现代的基督教新教教堂中，其大小和位置不一，常设在教堂和牧师住所之间。

sacroiliac　骶髂关节　负重的滑液关节。该关节在脊柱底部连接髋骨和骶骨（愈合为一整体的 5 块骶椎）。坚强的韧带围绕着关节，用以加固关节使其能支撑上身的重量。关节的活动范围因骶骨表面不整齐而受到限制。骶骨与髂骨紧密相连（三块骨头的最上部分组成半边骨盆）。骶髂关节的活动范围极小或根本没有。实际上该关节是在骶骨左右侧与髂骨连接处的一条狭窄的垂直裂口。在骶骨和髋骨之间的间隙，有一个充满滑液和纤维软骨的小腔，滑液可以缓冲关节内的压力。影响骶髂关节最常见的疾病是退行性病变，如关节炎或强直性脊柱炎。多数成人（特别是男性）的骶髂关节常有些退行性变化；年老时关节明显缩窄或消失。妇女妊娠期间产生的激素，可使骨盆的韧带变得柔软和松弛，因此在分娩时韧带可以拉长，并且多少可以延缓退行性变化的进程。

sacrum　骶骨　脊柱末端的楔形三角骨，位于尾椎之上，与骨盆相接。人有五块骶椎，在成年初期愈合。第一骶椎的底与末节腰椎椎体相接。头三块骶椎的横突愈合成宽的侧翼（骶翼），骶骨侧部的耳状面与髂骨翼中后部的耳状面相接，构成骶髂关节，从而形成完整的骨性环——骨盆。骶髂关节由复杂的韧带网固定。两块骶骨横突愈合处每侧有 4 个骶孔，骶神经血管由此通过。通过骶骨中心的骶管代表椎管末端，有功能的脊髓终止于第一骶椎水平，但终丝继续穿过骶骨直到第一尾椎。参阅 **vertebral column**。

Saʿd Zaghlūl Pasha ibn Ibrāhīm（Egyptian statesman）　**萨德·扎格卢勒·帕夏·伊本·易卜拉欣**　参阅 **Zaghlūl, Saʿd 扎格卢勒**。

Ṣaʿdah　萨达　又拼 Saada。也门西北部城镇。地处多山的也门高原。原为也门栽德王朝（860 ～ 1962）的都城。17 世纪后，栽德王朝迁都萨那，萨达的地位虽有下降，但一直为也门北部的主要行政中心。当地传统工业品有皮革制品和存放食物的石缸。人口 11 709（1986）。

Sādāt, (Muḥammad) Anwar el-　萨达特（1918-12-25，埃及米努夫省阿布库姆村～1981-10-06，开罗）　埃及陆军军官和政治家，从 1970 年起任埃及总统直至去世。1938 年毕业于开罗军事学院。在第二次世界大战期间，他策划借助德国人把英国人赶出埃及而于 1942 年被捕入狱，但却越狱逃脱。1950 年加入纳赛尔的自由军官组织，1952 年参加该组织发动的反对埃及君主制度的武装政变。1956年支持纳赛尔当选总统。1964～1966年和1969 ～1970 年任副总统。1970 年 9 月 28 日纳赛尔去世，任代理总统，10 月 15 日当选总统。他的国内政策包括地方分权、经济多样化和放松埃及的政治结构。他在外交方面采取了一些惊人的步骤。他认为在埃以对抗中，苏联没有给予足够的支持。他于 1972 年把数以千计的苏联技术人员和顾问驱逐出埃及。翌年联合叙利亚进攻以色列，开始了 1973 年 10 月的阿以战争。埃及陆军进攻以色列占领的

供图：© Rene Burri—Magnum

西奈半岛，成为一次战术上的惊人之举。虽然以色列人反攻成功，但萨达特成为真正从以色列手中收复了领土的第一位阿拉伯领袖，威望大增。战后，萨达特致力于中东和平。1977 年 11 月 19 ～ 20 日，他对以色列进行了一次历史性的访问，前往耶路撒冷，向以色列议会提出和平解决的计划。此后，他不顾许多阿拉伯国家和苏联的反对，继续了一系列的外交努力。1978 年与以色列总理 M. 贝京共同获得诺贝尔和平奖。1979 年 3 月 26 日，埃及同以色列签署了和平条约，这是以色列同阿拉伯国家签署的第一个条约。萨达特在西方的威望提高，但在国内却威信扫地，因为国内反对此条约、经济危机日益恶化和萨达特对群众不满进行压制。在纪念 1973 年 10 月的阿以战争的阅兵式上，他被穆斯林极端分子杀害。

Sādāt, Madīnat as-　萨达特城　埃及布海拉省工业城市。在奈特伦洼地和尼罗河三角洲西缘之间。20 世纪 80 年代初开始建设，以当时总统萨达特的名字命名，此为从开罗市和尼罗河河谷农业区迁移人口和工业的埃及政府计划的一部分。在开罗西北 94 千米处的旷野内，面积 48 平方千米，附近有开罗—亚历山大公路和通向尼罗河河谷的公路。

Saddam, Hussein　萨达姆·侯赛因（1937-04-28，伊拉克提克里特～2006-12-30，巴格达）　全名 Saddam Hussein at-Tikrītī。1979 ～ 2003 年任伊拉克总统，对邻国进行耗资巨大的几次

美国不列颠百科全书公司供图

战争，均未能成功。1957 年加入社会复兴党。曾参与复兴党人谋刺伊拉克总理卡塞姆的行动，失败后逃往叙利亚，后转赴埃及，1962 ～ 1963 年进入开罗法学院。1963 年复兴党在伊拉克执政后，继续在巴格达法学院学习。同年复兴党政权被推翻，萨达姆在伊拉克入狱达数年之久。随后他再度逃出，成为复兴党的一名领导人，对使该党于 1968 年重掌大权的政变贡献良多。此后实际上与该国国家元首贝克尔共同执掌政权。1972 年主持了伊拉克石油工业的国有化。1979 年萨达姆开始公开控制政府，同年贝克尔辞职后成为总统。此后除其他职务外，还出任革命指导委员会主席及总理。他利用庞大的秘密警察机构镇压内部对他的统治的反对，并把自己塑造成伊拉克民众普遍崇拜的偶像。作为总统，他的目标是，取代埃及领导阿拉伯世界，取得波斯湾地区的霸权，利用石油收入提高国民生活水准。萨达姆于 1980 年 9 月发动对伊朗油田的入侵，但这次征战使他陷入了一场消耗战。战争的花费和伊拉克石油输出的中断使萨达姆不得不缩小他的雄心勃勃的经济发展计划。两伊战争拖成僵局，直到 1988 年，双方才接受了一项停火协议，从而结束了这场战争。尽管在战争结束时伊拉克已负有大量外债，萨达姆仍继续进行他的军队建设。1990 年 8 月，他的军队突然进攻邻国科威特。萨达姆显然是想利用科威特的大量石油收入来增强伊拉克的经济，但他对科威特的占领很快便引发了一场全球性的对伊拉克贸易禁运。尽管在美国领导下已有大量军队在沙特阿拉伯境内集结，联合国也通过了决议谴责这一占领行动，并批准使用武力加以制止，但萨达姆全不理睬要他从科威特撤军的呼吁。1991 年 1 月 16 日开始，在一场为时 6 周的战争中，美国领导的军事联合行动将伊拉克的军队赶出了科威特。在这次大溃败之后，萨达姆

面临着国内什叶派和库尔德族两方面的反叛，但他都设法将他们的起义镇压下去，仍然牢牢地掌握着政权。根据与联合国达成的停火协议，禁止伊拉克从事制造和加工生化武器和核武器的活动。同时在多方面对该国实施制裁，国家经济因此遭到严重打击。萨达姆拒绝与联合国武器核查人员合作，导致1998年底美英两国对伊进行了为期4天的空袭(沙漠之狐行动)。萨达姆无视来自美英的倒萨压力，坚持将联合国武器核查小组拒之门外。萨达姆还表露出要在两个儿子乌代和库赛中间选择一个接班人。同时，进一步巩固其对内统治，不时发表反美言论。尽管国内恐慌日益加剧，但在阿拉伯世界许多人的眼中，萨达姆无疑是位敢于与美国抗衡的地区领袖。

9·11事件后，美国政府认为萨达姆可能为恐怖组织提供生化武器，因此要求其再次裁军。2002年11月，萨达姆同意联合国武器核查人员重返伊拉克，但他对调查活动并不十分合作的态度最终导致美英两国与其断交。2003年3月17日，美国总统布什下令萨达姆在48小时内下台，并离开伊拉克。布什还表示即使萨达姆离开伊拉克，美军仍需稳定新政府，搜查大规模杀伤性武器。3月20日，萨达姆拒绝撤离后，美国及其盟军对伊拉克发动袭击。美军针对萨达姆接连进行的攻击表明消灭萨达姆是此次行动的主要目标。萨达姆以其一贯的强硬态度号召伊拉克人民对抗美英军队，但抵抗行动很快被粉碎，4月9日美军占领巴格达，萨达姆携大量钱财逃亡。起初成功躲过美军搜查。7月22日，其子乌代和库赛被美军击毙，12月13日萨达姆最终在其家乡提克里特附近一个地窖里被驻伊美军抓获。2004年6月，他被移交给新的伊拉克政府。2006年12月30日被处绞刑。

saddhā　信心　巴利文，梵文作śraddhā。佛教用语，指人在获得正确的认识与思维以前初步信受佛陀教义之心。佛法不以超自然权威或佛陀言教为依据，号称可以实验证明，但人必须先承认佛、法、僧三宝才能进而实行八正道。有些解经学家分信心为三种，即至诚心、深心和回向发愿心。

sāddhu (holy man)　**娑度**　参阅 **sādhu and swāmī** 娑度、士伐明。

saddle　鞍　置于牲畜背上供乘骑用的坐垫，最常见的是马鞍。以前骑马时直接骑在马背上，或用布或毯子作坐垫。公元前3世纪至公元1世纪皮鞍的发展使马的潜力得到充分利用，特别是在战争中，因有鞍的马更便于驰骋。鞍大概起源于亚洲大草原，在中世纪的欧洲，尤其是法国，成为封建时代骑士格斗时不可缺少的马具，马鞍有了很大的发展。骆驼鞍也是一种古老的器具，制造时必须使其适合于驼峰的形状。象的鞍相应地比较大，形状像亭子，通常称为象轿。现代马鞍大致分为两类，一类是西部式马鞍，有时称为摩尔式马鞍，这种马鞍在乘骑人前面的前桥上有一个高的鞍头，用来固定套索，而在骑马人身后有一个大的弓起部分，使骑马人在套牛时不易摔下。另一类是英式马鞍或称匈牙利式马鞍，它较轻也较平，并加有软衬，用于体育和娱乐。

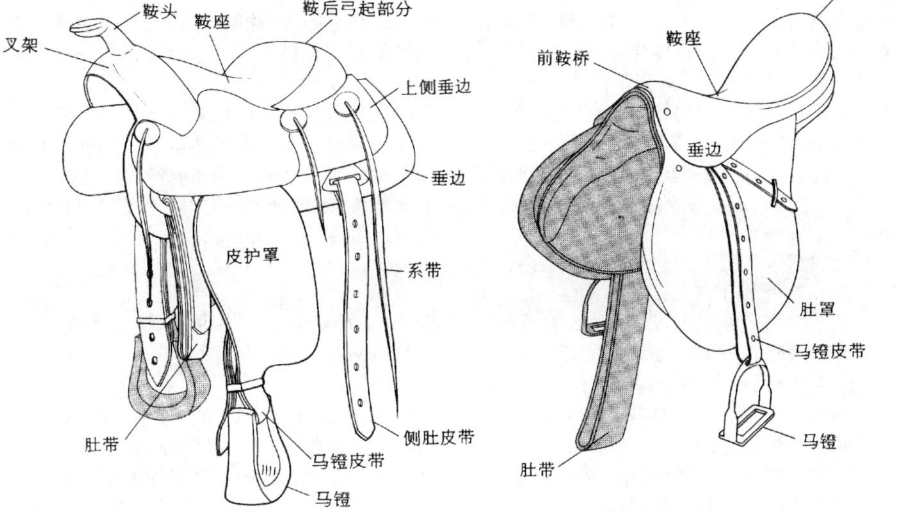

(左)西部式马鞍；(右)英式马鞍

saddle bronc-riding　骑有鞍野马　骑马牧者竞技项目。要求牧者在规定时间内(8或10秒)骑在低头弓背狂跳的马背上。马备有鞍、镫和缰，但骑者只许一手握缰。被马摔下、脱镫、脱缰、缰缠手、不握缰手触马身或缰，都属失误。裁判员对牧者的技巧打分，并对马所制造的难度打分。两者合计得分最高者获胜。

骑有鞍野马竞技
供图：E. W. Marugg Photography

saddle cheek chair　参阅 **wing chair** 翼式安乐椅。

saddle oyster　鞍牡蛎　参阅 **jingle shell** 不等蛤。

saddleback　参阅 **harp seal** 竖琴海豹。

saddleback (*Creadion*, sometimes *Philesturnus*, *carunculatus*)　**鞍背鸦**　又作tieke。雀形目垂耳鸦科(**Callaeidae**)一种稀有的鸣禽，今存于新西兰附近几个小岛。体长25厘米，全身黑色，背红褐色，似鞍状。嘴角有黄色或橙色肉垂。

Sadducee　撒都该人　希伯来语作Tzedoq。犹太教撒都该派信徒，该派在耶路撒冷第二圣殿被毁(公元70年)前曾流行近200年。其准确的来源及历史所知甚少，但其名称和与贵族的关系可说明与所罗门王在位时大祭司扎多克的联系。撒都该人与法利赛人不仅是在礼仪和律法的种种细节上，而主要是在上帝对犹太人启示的内容及其程度上经常各执一词，互相攻讦。撒都该人只承认书面传世的托拉(《旧约》的首五卷)，因此不同于法利赛人，不承认灵魂不灭、躯体死后复活和天使神灵的存在。他们蔑视口传律法，认为不足为凭。而法利赛人与之相反，虽也同样崇敬托拉，但进而又称口传律法是摩西律法的部分内容。撒都该人在教内是保守派，但他们富足多金、举止傲慢，对罗马统治者妥协让步，因而引起百姓的憎恨。他们主张维持现状，恐惧基督教的兴起，因而显然曾经参与审判并处死耶稣。此派的存在离不开崇拜圣殿的习俗，公元70年罗马军队摧毁耶路撒冷，其后撒都该人遂不见于史册。

《福音书》手稿插图画，内容为法利赛人和撒都该人请耶稣从天上显个神迹以试探之
供图：Biblioteca Medicea Laurenziana, Florence

Sade, Marquis de　萨德(1740-06-02，法国巴黎～1814-12-02，巴黎附近的沙朗通)　法国色情文学作家，Sadism(性虐待狂)一词即由其名而来。因多次对妇女进行性虐待而多次被关入监狱。在监狱中他克服了厌烦和怒火开始写色情小说，1782年完成《牧师和死囚犯之

间的谈话》,书中自称为无神论者。他写给律师和妻子的信中透露出一种透彻的智慧和刻骨的仇恨情绪。1784 年 2 月 27 日萨德被转送至巴黎巴士底狱。1787 年在狱中写了他的著名作品《美德的厄运》,翌年写了一些中短篇小说,后来以《激情的罪恶》为名汇集出版。法国革命者在 1789 年 7 月 14 日摧毁巴士底监狱的前几天,萨德在窗口喊道:“他们在屠杀犯人,你们一定要来救救他们。”萨德遂从巴士底狱被转至一精神病院。1790 年 4 月 2 日出院后写了几部剧本和两部长篇小说:《朱斯蒂娜或美德的不幸》及《朱莉埃特》。1792 年他成为巴黎革命纠察队的秘书,被派往访问巴黎各医院,还写了几篇爱国演讲稿。在恐怖统治年代,他还救了他岳父的命。萨德的作品被一些人看成是体现了绝对的邪恶,这种邪恶鼓吹本能的放纵,直至达到罪恶的程度。另一些人则将萨德看成是鼓吹人们通过各种形式欲念的满足而获致彻底解放的战士。他的作品在法国虽被法院明令查禁,但在 19 世纪仍广泛流传(当然是不公开的),特别是在作家和艺术家中间。20 世纪初,法国诗人阿波里耐帮助确立了萨德在文化领域中的地位。他的作品在今日标志着文学史上的一个重要阶段,因为他是现代“被诅咒的作家”(又译“厄运作家”)的先驱。

Sadeddin, Hoca　萨德丁(1536,奥斯曼帝国君士坦丁堡[今土耳其伊斯坦布尔]～1599-10-02,君士坦丁堡)　土耳其历史学家。所著《史冕》记述从奥斯曼帝国的起源至谢里姆一世统治结束(1520)这一时期的历史。他是穆拉德亲王(马尼萨总督)的教师,当穆拉德成为苏丹穆拉德三世的时候,他追随至君士坦丁堡,成为宫廷中的显赫人物。后又随穆拉德之子穆罕默德远征匈牙利,为埃劳战役的胜利做出贡献。1598 年成为伊斯兰舍赫。他的《史冕》是根据早期著作写成的。此书所以享有盛誉,一则因为文笔典雅,二则因为作者家族在朝廷权势显赫,几达百年之久。

Sadeler, Egidius, II　萨德勒(约 1570～1575,西班牙属尼德兰安特卫普[今在比利时]～1629,奥地利哈布斯堡领地波希米亚布拉格[今在捷克共和国])　佛兰德斯雕版师、

萨德勒的雕版画《贡萨加家族的西吉斯蒙德》
阿姆斯特丹国家博物馆供图

版画商和画家,以复制文艺复兴时期和风格主义绘画的雕版最为著名。出身于知名的雕版师家庭。杨·萨德勒和拉斐尔·萨德勒大概是其叔伯父。1585 年他曾师从于杨·萨德勒。1590～1597 年间活动于慕尼黑(德国)和意大利(主要在罗马)。1600 年被任命为鲁道夫二世及其继位人的宫廷雕版师。他复制的版画主要是布拉格的风格主义画家的作品以及丁托列托、提香、拉斐尔和 A. 卡拉齐的作品。他本人也雕刻了一些布拉格城景观的出色的版画。

Ṣādeq-e Hedāyat　萨迪克·赫达雅特　参阅 **Hedāyat, Ṣādeq** *赫达雅特*。

sadhana　成就法　印度教与佛教密宗用语,指人召请本尊,与其融为一体,并将其并入自身之法。这是藏传佛教(密宗)的基本修炼法。此法需要身结手印,口诵咒语,心想神圣的图形。成就法载录了如何观想本尊形像、念诵什么咒语的教诲,对于大多数本尊都有这种成就法,其中《成就法鬘》可能是在5～11 世纪陆续编纂而成,收成就法约 300 条。

sadhu and swami　娑度、士伐明　又拼 Saddhu and Swamy。印度人对宗教界人士的称呼。娑度不仅包括不同宗教的真正圣人,而且包括出家修炼的男女、林居隐士、术士和

一位娑度
供图:J. Allan Cash

宗教倾向不同的占卜家。士伐明通常指经过入法礼加入某教团的虔修者,近来尤指罗摩克里希纳教会会士。娑度可以聚居于通常属于某一教团的隐修院,可以单独或三两成群云游全国,也可以独居斗室或岩穴。他们一般都许绝财和绝色愿,靠在家信徒施舍为生。他们的服饰因教派而不同,通常穿赭色袍(也有穿白袍者)。他们或剃光头,或长发披肩,或盘发于顶,通常轻装上路,只带一杖、一罐、一钵、一串念珠,偶尔还有一件备换外衣或一把火钳。

Saʿdī　萨阿迪(约1213,伊朗设拉子～1291-12-09,设拉子)　穆沙里弗·奥丁·穆斯利赫·奥丁的别名。波斯诗人,波斯古典文坛最伟大的人物之一。幼年丧父,后被送进巴格达有名的尼扎米耶神学院学习传统的伊斯兰经学。蒙古人入侵波斯后,兵荒马乱,他被迫浪迹异国,走遍安纳托里亚、叙利亚、埃及和伊拉克。其作品涉及印度和中亚的旅行,但未能得到印证。在北非被法兰克人俘虏,送往的黎波里要塞充当苦役,重返故乡设拉子时已进入中年。他的后半生大概是在设拉子度

不列颠图书馆供图

过的。最著名作品有《果园》(1257)和《蔷薇园》(1258)。前者全由诗句写成,故事恰如其分地阐述穆斯林应有的道德标准(正义、行善、谦逊、知足长乐等)。后者主要为散文,内有故事和个人奇闻轶事,正文中穿插点缀着各式短诗,包括格言、忠告、幽默小品等。《蔷薇园》中宣扬的道德近似权术,例如善意的谎言较之煽动性的真理更为可取。萨阿迪想要证实一种奥妙的认识,即人类的存在是荒谬的。那些把自己的命运寄托在帝王喜怒无常的情绪上的人与穆斯林教徒的自由形成鲜明对照。《果园》和《蔷薇园》很吸引西方的学生。萨阿迪还是伟大的颂诗和抒情诗人,写了大量描绘人生,尤其是对公元 1258 年蒙古人入侵巴格达后产生的哀痛之情的颂诗。他的抒情诗收集在《情诗集》,颂诗收集在《颂诗集》。他的一些阿拉伯语作品也很有名。人类的慈爱、讥诮、幽默和忍让都糅合在他的作品中,而不流于极端,使他成为伊朗文化界最典型和最令人喜爱的作家。

sadism　施虐狂　通过使他人遭受痛苦来满足性冲动的性心理障碍。此词为德国心理学家里夏德·冯·克拉夫特-埃宾于 19 世纪后期所创造,来源于 18 世纪法国贵族德·萨德之名,萨德曾记述自己通过给别人造成痛苦来满足性欲的经历。施虐狂与*受虐狂*(**masochism**)常在同一患者身上并存。然而,施虐狂者常寻找非受虐狂患者作为施虐对象,这是由于某些性感是从被虐待者的不情愿中得来的。施虐狂的虐待行为程度和范围显著不同,从仅仅在抚爱动作中故意制造轻微疼痛到极端的暴虐行为,有时甚至会招致对方受到严重伤害甚至死亡。施虐狂者并非从对方所遭受的实际的肉体痛苦中,而是从对对方精神上的折磨中获得性的满足。但在某些情况下,攻击性冲动表现得十分突出,施虐狂者进而采取更激烈的手段来达到其凶暴意图。施虐狂可能是构成某些暴力犯罪,特别是强奸和凶杀案的一个因素。施虐狂一词偶亦用于与性无关的情况,描写某些人肆意表现残酷或在某些社会情境中靠羞辱他人或对人颐指气使,从中得到乐趣。在这种含义上,某些较轻微的施虐方式,如用侮辱性的嘲讽来作为谈话方式,倒还能为

社会所容忍。

Sadji, Abdoulaye 萨吉(1910,塞内加尔吕非斯克～1961-12-25,达喀尔) 塞内加尔作家、教育家,非洲用法语写小说的创始人之一。父亲是伊斯兰教圣者。萨吉曾就学于古兰经学校,后入殖民地学校体系。1929年毕业于威廉-庞蒂师范学院,3年后获学士学位。早期作品于20世纪40年代在地方上问世。《通卡,非洲故事集》是他的短篇小说集,出版于1965年。《野兔洛伊克的光辉历史》(1953)是与C.桑戈尔合著,表现了保存传统口头传说的决心。小说《玛伊慕娜》(1953)和《妮妮:塞内加尔的混血女人》(1954)集中描述女主人公如何成为城市社会的牺牲品,充满敏锐的观察,以及作者对非洲同胞的热切同情。最后一篇长50页的小说《毛杜-法提姆》(1960)被许多人认为是他的最佳作品,描绘了一个不得不在旱季离开故土前往达喀尔工作的农民的惨境。

Sadki Na grades 禄田制(1454) 泰国大城国王特莱洛(1448～1488在位)所制定的土地占有规则,旨在规定个人可占有的土地数量。禄田制实行前,个人占有土地的数量因个人地位而异,特莱洛改革旧制度,规定了不同地位的标准和个人可以占有的土地数量。禄田制确定人的等级和地位。最高一级为最高级官员,可占有1 000～4 000英亩土地;由国家高级官员任命的中等官员可占有160～1 000英亩土地;最低一级为普通人,可占有10～160英亩土地。这个制度实际上给最低阶级至少10英亩土地,用意在于保证人人有饭吃。同样,它也规定了政府官员的收入。在19世纪薪金制出现以前,政府官员一直靠该制度所规定的土地数量生活。禄田制的实行,使暹罗具有稳定且开放的经济、社会秩序。

Sadler, Sir Michael Ernest 塞德勒(1861-07-03,英格兰约克郡巴恩斯利～1943-10-14,牛津郡牛津) 世界闻名的中等教育权威人士及英国公共教育制度的坚定支持者。是一位医生的长子,曾就学于拉格比和牛津大学三一学院。在三一学院时,古典语文成绩出类拔萃。1885～1895年间任牛津大学附设教学部秘书,1886～1895年任牛津基督教教堂管理员。在他领导下,大学附设教学部有了巨大发展,向英国全国提供了400种课程。但他认识到大学附设教学部的发展由于中学水平低而受到阻碍,因此说服牛津大学在1893年召开了一次讨论中等教育问题的会议。此后不久,在调查和汇报中等教育的皇家委员会供职。1895年离开牛津大学,任政府教育部专门调查和汇报处的主任。任职期间,集结了关于比较教育学的大量文献,并几乎是单枪匹马地创造了一个新的教育研究分支机构。他还极大地加强了教育部的图书馆,并使他的办公室成为对英国人和非英国人一视同仁的教育信息来源地。1903年辞职时,他已是世界闻名的教育事务专家。以后8年从事教学、写作和设法改善中等教育。1911年任利兹大学副校长,增强了该校师生地位和学术地位。1919年受封为爵士。1923年任牛津大学的大学学院院长。1934年退休后仍进行英国教育史的研究并经常作报告。

Sadler, Michael Thomas 萨德勒(1780-01-03,英格兰德比郡斯内尔斯顿～1835-07-29,爱尔兰阿尔斯特贝尔法斯特) 英国激进政治家,关心慈善事业的商人,工厂改革运动领袖。19世纪30年代末开始其活动,为后来通称宪章运动的工人阶级改革者的先驱。萨德勒为约克郡里兹进口爱尔兰麻布的商人。1829～1830年和1831～1832年任下院托利党议员,其后在1832年12月谋求为里兹新设的议会席位。他虽然得到工人阶级相当大的支持,但被历史学家(后来为男爵)T.B.麦考利击败。麦考利批评萨德勒所著《人口法则》(1830)是一部攻击经济学家及人口学家T.R.马尔萨斯的悲观理论的巨著。萨德勒主张政府干预以使工厂的各项条件,特别是儿童的工作时间规范化,因此吸引了里兹劳工的选票。他领导了下院争取工厂里年龄不满18岁的人工作时间每天不超过10小时的运动。1831年他部分受改革家R.奥斯特勒影响,提出了一项工厂改革议案,后来任有关该议案的委员会主席。该委员会(最后有37名成员)开过40多次会议,询问多名证人,其中有在工厂事故中伤残的儿童,有许多成年人(一些人因作证而被解雇),还有几位著名医生。他们全都赞成缩短工作日及其他改革。萨德勒离开议会后通过的《1833年工厂法》,将纺织厂的工作日时限制为13～17岁的人12小时,9～12岁的人8小时。萨德勒去世后,他的友人A.A.库珀(即阿什利勋爵,后来的沙夫茨伯里的第七位伯爵)继任劳工改革运动的议会领袖。

Sado 佐渡 日本的岛屿。东距本州岛51千米,属新潟县。面积857平方千米。为全国第五大岛。岛上有两条平行山脉,多悬崖、沟谷、山泉和湖泊。佐渡曾长期作为流放地,

佐渡岛加茂湖畔的稻田
供图:Hirai—Shostal

顺德天皇(1197～1242)及佛教高僧日莲(1222～1282)均曾放逐于此。现经济以水稻种植和捕鱼业为主。该岛为理想的旅游地,并以地方民谣和民间舞蹈闻名日本。两津为该岛唯一城市,它是渔业、行政中心及新潟的外港。相川是西海岸最大的镇,明治时期(1868～1912)此处曾出现采金热。人口63 694(1980)。

sadō 参阅 **tea ceremony** 茶道。

Sadovsky, Prov 萨多夫斯基(1818-10-23,俄国奥廖尔省利夫内～1872-07-28,莫斯科) 原名Prov Mikhailovich Yermilov。俄国性格演员和一个3代戏剧世家的家长,人们认为他是A.奥斯特洛夫斯基剧作的最伟大的表演者,并在一定程度上维护了奥斯特洛夫斯基的声誉。萨多夫斯基小时候受其在外省当演员的舅父的供养和训练。14岁时在图拉首次登台演出。1839年谢普金邀请他加入莫斯科小剧院。萨多夫斯基天赋的才华对于该剧院所采用的现实主义表演风格极为合适,因此,特别适于表演奥斯特洛夫斯基的戏剧。萨多夫斯基对这些剧作的再创造使这位剧作家成为全国闻名的人物。其子米哈伊尔·萨多夫斯基(1847～1910)于1869年加入莫斯科小剧院,在戏剧上也取得成功,但不及其父那样重要。米哈伊尔的妻子奥尔加·奥西波夫娜·萨多夫斯卡娅(1850～1919)、女儿伊丽莎维塔(1870～1934)和儿子普罗夫(1874～1947)将萨多夫斯基家族与莫斯科小剧院的联系以及其熟练而现实主义的演技名声一直保持到20世纪。

Sadowa, Battle of 萨多瓦战役 参阅 **Königgrätz, Battle of** 克尼格雷茨战役。

Ṣadr ad-Dīn ash-Shīrāzī (Iranian philosopher) **萨德鲁丁·艾什·设拉子** 参阅 **Mullā Ṣadrā** 穆拉·萨德拉。

Ṣadr Dīwānī ʿAdālat 最高民事法庭 莫卧儿帝国时期和英属印度时期民事案件的终审法庭。1772年由英国总督W.黑斯廷斯设于加尔各答。法庭由总督和两名参议组成。当孟加拉政府与执行英国法律的加尔各答最高法院发生冲突时,黑斯廷斯试图通过说服首席法官伊莱贾·英比爵士同时担任最高民事法庭庭长以解决管辖权冲突的问题。但是东印度公司否决了这一安排。这个最高民事法庭与它在刑事管辖方面的对应组织——最高刑事法庭——一样在1857～1859年印度兵变后被废除。最高民事法庭的权力和管辖权被转交给根据1861年印度高等法院法建立的新的高等法院。

Šadrinsk (Russia) 参阅 **Shadrinsk** 沙德林斯克。

Sadulgarh (India) **瑟杜尔格尔** 参阅 **Hanumāngarh** 赫努曼格尔。

Saeberht (Anglo-Saxon ruler) 参阅 **Saberht** 萨伯赫特。

Saeki (Japan) 参阅 **Saiki** 佐伯。

Saemundr Frode Sigfússon **赛门德**(1056～1133) 冰岛酋长和宗教首脑,冰岛的第一个

编年史家。他是在法国留学并用拉丁文写作的第一个冰岛人。所著拉丁文《挪威诸王史》已失传。他曾在冰岛创办奥迪学校。

Saenredam, Pieter Jansz(oon)　萨恩勒丹（1597-06-09，尼德兰阿森德尔夫特～1665-05-31入葬，哈勒姆）　Saenredam又拼Zaenredam。荷兰画家，"教堂肖像画"的先驱和荷兰第一

萨恩勒丹绘《乌得勒支多姆克尔克教堂内景》
供图：伦敦国家美术陈列馆

个放弃奇异建筑画传统，而赞成对特殊建筑采用新写实主义的艺术家。他的教堂画工整精确，并通过运用银白和灰色相间的手法达到天然光线雅淡和色调统一的效果。

Sáenz, Manuela　萨恩斯（1797-12-27，新格拉纳达基多［今在厄瓜多尔］～1856-11-23，秘鲁派塔）　南美洲解放者西蒙·玻利瓦尔的情妇，同他一道从事革命活动。1822年6月在基多同取得胜利的玻利瓦尔相遇，与之结合，并投身他为之奋斗的事业，并与玻利瓦尔兴衰与共。曾试图使秘鲁人继续支持玻利瓦尔未成，结果被逐出利马。1828年9月25日曾在波哥大将玻利瓦尔从密谋者手中解救出来。1830年得知玻利瓦尔去世，自杀未遂。1834年流亡秘鲁的派塔港口，以卖糖果和烟草为生，在一次白喉流行时去世。

Sáenz Peña, Roque　萨恩斯·培尼亚（1851-03-19，布宜诺斯艾利斯～1914-08-09，布宜诺斯艾利斯）　阿根廷总统（1910～1914）。贵族出身，保守派。他明智地顺应公众对改革选举制度的要求，1912年迫使立法机构通过法令，规定年满18岁的男子均可参加无记名

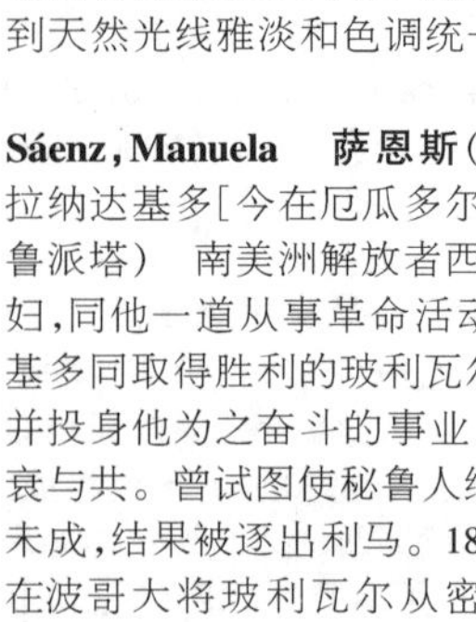

美国国会图书馆供图

投票选举。后来这项法令即以他的名字命名。他是阿根廷著名政治家路易斯·萨恩斯·培尼亚之子，曾周游欧洲。19世纪70年代进入政界，任外交部长。曾代表阿根廷出席1889～1890年在华盛顿举行的第1届美洲国家国际会议。1901年任驻西班牙大使，1907年任驻意大利大使。

Safad（Israel）　参阅**Zefat**采法特。

Ṣafāqis　斯法克斯　又拼Sfax。突尼斯中东部主要港口城镇，在加贝斯湾北岸。曾是游牧民族的贸易中心。12世纪被西西里诺曼人短期占领，16世纪又被西班牙人占领，后成为柏柏里海盗的要塞。法国人在占领突尼斯前于1881年炮轰该城镇，在第二次世界大战中该城镇曾充当轴心国基地，又遭法军轰炸。1895年开始建设现代港。现在是交通枢纽，加夫萨地区磷酸盐市场。为全国第二大城市，中部和南部地区的主要出口口岸。亦为主要渔港，生产鱼罐头。出口磷酸盐、橄榄油、北非芦苇草和海绵。9世纪城垣内的阿拉伯老城中有10世纪的清真寺和古堡。周围地区种植北非芦苇草、蔬菜和橄榄。内地有油田和输油管。人口231 911（1984）。

Šafařík, Pavel Josef　沙法日克（1795-05-13，匈牙利斯洛伐克科比里亚洛夫～1861-06-26，布拉格）　捷克民族复兴领袖，斯拉夫语文学和考古学先驱。1833年定居布拉格之前任诺维萨德城塞尔维亚正教文法学校校长。1841年，拒绝柏林大学斯拉夫语文学教授之聘，宁愿留居祖国做一名普通学者。所著有关斯拉夫历史和语言诸作，影响深远，俱见其学识渊博，融会贯通，如《斯拉夫语言史及方言文学史》（1826）、《斯拉夫古代文化》（1837）（其德语译本［1843］更为著名）、《格拉哥里字母之起源及其故乡》（1858）、《南斯拉夫文学史》（1864）等。虽然其关于斯拉夫人起源及迁徙之著作已被取代，但在当时却有极大价值，他的语文学著作至今仍适于阅读，他认为格拉哥里字母表优于西里尔字母表的见识超过其所处时代。

Ṣafavid DYNASTY　萨非王朝（1502～1736）伊朗的一个王朝，该王朝将伊斯兰教的什叶派定为伊朗国教，使一个具有不同种族和语言成分的国家出现统一的国民意识。萨非家族为沙斐仪学派苏非教团的领袖、阿尔达比勒的沙菲（1253～1334）的后裔，约在1399年改变其与逊尼派的关系而转向什叶派。萨非王朝的创建者为伊斯梅尔一世。作为阿尔达比勒苏非教团的领袖，他获得了当地土库曼人和其他不满当局的异教部族的足够支持，从一名为"白羊"的乌兹别克土库曼邦联夺得大不里士，并于1501年被立为阿塞拜疆沙（国王）。次年5月，成为伊朗沙。此后10年间，他征服了伊朗大部并吞并了伊拉克的巴格达和摩苏尔省；尽管该地区占统治地位的为逊尼教派，但他宣布什叶派为国教。1514年8月，伊斯梅尔在查尔德兰被其逊尼派敌手、奥斯曼苏丹谢里姆一世重创。此后，与逊尼派——西面的奥斯曼人和东北的乌兹别克人——持续不断的战争使萨非王朝丧失了库尔德斯坦、迪亚巴克尔和巴格达；萨非王朝的首都被迫暂时改迁伊斯法罕——约于17世纪初才定为永久首都。在伊斯梅尔的长子塔赫马斯普一世统治期间（1524～1576），伊朗明显削弱，而在其无能的继承者的统治下，土库曼人对这个国家持续不断和不受抵抗的入侵有增无减。1588年阿拔斯一世即位。他意识到军事力量有限，于1590年与奥斯曼帝国签订不平等和约，而将攻势转向乌兹别克。由于战果甚微，阿拔斯聘请（1599）英国人R.雪莉指导军队的重大改组。军队由三大部分组成（奴隶、滑膛枪手和炮手），全部按欧洲方式训练和装备，并且从王室金库开支。阿拔斯以这支军队在1603年击败土耳其人，迫使其放弃过去夺取的所有领土并攻占了巴格达。他还将16世纪初占领波斯湾内的霍尔木兹岛的葡萄牙商人赶走（1602，1622）。阿拔斯一世杰出的统治、突出的军事成就和有效的管理体系，使伊朗步入强国之列。与西方的贸易扩大，工业发展，交通改善。首都伊斯法罕成为萨非建筑成就的中心，表现在沙（国王）清真寺、洛特夫拉清真寺，以及包括阿里卡普拱门、国王觐见室和国王广场等其他建筑典范。尽管萨非人狂热地笃信什叶教派，基督教徒亦受到宽容，建有数所传道馆和教堂。阿拔斯一世死（1629）后，萨非王朝继续存在了约100年，但除阿拔斯二世在位（1642～1666）的一段时间外，这是该王朝的衰落期。1722年伊斯法罕陷入坎大哈的吉尔扎伊阿富汗人之手。7年后，塔赫马斯普二世收复伊斯法罕，登上王位。1732年又被其副官纳迪尔（后来的国王纳迪尔）废黜。

Safdie, Moshe　萨夫迪（1938-07-14，巴勒斯坦海法［今在以色列］～　）　以色列裔加拿大建筑师，1967年蒙特利尔国际博览会总体规划设计师，并展出了他所设计的"住宅

供图：Moshe Safdie

'67"。"住宅'67"为预制混凝土住宅群，其中包括三组单元式公寓群，分布在之字形构架上，状如不规则地堆积起来的建筑砌块。上述利用预制的模件装配式住宅群，当时曾引起各国建筑界的注意。在蒙特利

尔的麦吉尔大学建筑学院学习，1962 年到美国费城进入建筑师 L．I．卡恩的事务所工作。后来在蒙特利尔、耶路撒冷及波士顿自行开设事务所。他的设计有圣胡安的组合住宅体系（1968～1972）、耶路撒冷的一所犹太教拉比学院（1971～1979）、马里兰州巴尔的摩的科尔德斯普林新城（1971），以及耶路撒冷老城内的哭墙广场（1974）。1978 年任哈佛大学设计研究院城市设计中心主任、教授。

safe-conduct　安全通行证　指一个人被允许进入或离开一个管辖权范围的法定程序，本来，在正常情况下，他是会被逮捕、拘留或剥夺其他权利的。从历史上看，外交豁免权制度就是从君主授予外籍侨民以安全通行证的惯例逐渐发展起来的，而外国人在一般情况下本来是不享有侨居国法律的完全保护的。同样，颁发安全通行证以保护自由贸易是现代商业条约的先声。至于在现代，当局颁发安全通行证——例如发给一个在外国使馆受到庇护的人——是否会根据国际法或国内法构成法律上的义务，则取决于每一事件的具体情况。参阅 **asylum**；**exterritoriality**。

Safed（Israel）　参阅**Zefat** 采法特。

safety　安全　为了减少或消除可能伤害人体的危险条件而采取的各种行动。安全预防措施主要分为两类：职业安全和公共安全。职业安全涉及人们工作场所可能遇到的各种危险，如在办公室、工厂、农田、建筑工地、商业设施或零售网点等处。公共安全则针对家庭、旅途、娱乐场所及其他不属于职业安全范围的各种场合可能遇到的危险。

古代人们并不认为安全是一种公众关心的问题。当时对于意外事件认为是不可避免的或神的意志。现代的安全概念源于19 世纪，作为产业革命的副产物，当时由于工厂事故的惊人伤亡人数，引起人们对预防事故的人道主义关注。目前，重视安全已在全世界普及，并已成为地方、国家和国际间各级政府及私人部门的职责。有几个国际组织提供资金，以使各国安全机构得以交换信息和交流新思想。在这方面最著名的是国际社会安全协会（ISSA）和国际劳工组织（ILO）。自 1955 年以来，这两个组织每 3 年主办一次国际安全会议。另外每 4 年由国际公路大会常设协会再举办一次安全会议，这个常设协会是由各会员国的交通部和代表公路修筑业的各集团提供经费组成的。世界旅游和汽车组织（OTA）也每隔一年举行一次安全会议。

许多组织，包括国际劳工组织、国际社会安全协会、世界卫生组织和欧洲经济共同体在内，在日内瓦设有一处联合信息机构。以日内瓦为基地的国际标准化组织协助制订用于各发起国多种活动领域（如核能）的法规和标准。

国家级的安全组织主要是处理与所在国经济结构密切相关的一些安全问题。例如，工业不太发达的一些国家，多注重公路交通安全问题。地方级的各种安全组织则分别负责某一方面的安全保障。许多活动要由专门人员进行，他们是与安全问题有关的各岗位的工作人员，如警察、消防人员、医务人员及负责卫生保健和预防事故的其他人员。这些组织还要取得教育工作者、地方政府及官员、产业协会和工会等的合作。它们还要经常同专业安全组织保持联系，如美国的美国安全工程师学会或英国的工业安全工作者协会等。美国的地方安全委员会可以由世界上最大的安全机构国家安全委员会委任。英国的皇家事故预防协会和美国国家安全委员会的职责相同。

负责安全的个人和组织的主要活动内容有：搜集事故及伤亡数字并公布统计分析；研究危险情况和危险环境，推广安全设计、安全规程和防护物资；关于雇主、工人、司机及其他从事危险性工作的人员的安全教育计划；依靠安全工程师设计伤害危险最小的机械、工作场所及安全设备。近年来，有关安全的活动多集中在鉴定和防止电离辐射、化学药品和有害工业废物可能引起的危险。

在安全保障领域里，最大的挑战是要在立法和群众觉悟与迅速发展的技术及所带来的新危险之间保持步调一致。在工业化国家，发生在家庭、公共交通及个人出行、农田、工厂中的事故，是 35 岁以下人口死亡的最重要原因。

safety engineering　安全工程　研究伤亡事故的原因和安全技术的专业。安全工程的范围没有形成一个统一的专门学科，然而它的专业人员却已在各种各样的岗位上任职。安全工程着重于警戒设施和防护装置。安全是正常生产过程不可分割的部分。大多数事故统计分析是以事故频率和伤害程度这两个指标为基础的。前者说明，在一定的生产工时中，发生了多少次工伤；而后者是按照损失的时数与生产工时的比，指出工伤的严重程度。安全工程师的主要职责有：①识别和评价发生事故的条件和实际情况以及事故的严重程度；②改进控制事故和损失的方法、程序和措施；③将事故及其控制的信息通知直接有关人员；④测定并评价事故及其控制系统，并进行必要的改进来获得最佳成果。安全工程的最近趋势包括：增加潜在危险的预测；改变有关产品不利条件和粗心大意设计和制造的合法概念，并把研制重点放在对用户保护的方面；不仅在运输安全、生产安全和用户保护方面，而且在职业卫生和环境监控方面，拟定国家法律和国际法律并加以监督。安全工程应用有关事故起因和控制的专门知识来防止事故的发生，即：①设法消除危险和发生事故的因素；②设计好的机器和改进工艺过程，以减少危险；③规定专用设备来防止工伤或减轻伤害程度。防止周围环境中的各种能量（热能、电能、辐射能、机械能和化学能）损害人体。广泛用来分析事故环境的方法有：①识别和确定卷入事故和工作中最容易产生伤害的原料、机器和工具；②确定卷入事故的部门和职业；③指出不安全的所在；④研究检查人员的作用，并提供有关主要危害性的情况。预先分析要有下述内容：①操作工作的分析。包括调查任务的性质、工作环境、控制仪表的配置，以及操作人员完成任务的方式。②"事故函数概念"。即预测操作人员在机器上工作时可能出现的差错。③设想人的局限性。在设计一些设备时要考虑下述原则：加工范围和人员等级的规定、控制和显示系统的设计，以及环境因素对安全的影响。在制造样机时，采用典型示范法来弄清是否能有效控制，是否有足够的余地。运输设备要考虑减速或停车所需的适当距离，或设置防护装置。设计控制和显示系统时，按钮应有不同形态、颜色和大小等，以提高安全性。开关和控制仪表的表盘应有不同的大小和形状，以消除同一性引起的差错。还要采用音响信号，因为耳朵对其频率、强度和持续时间最敏感。温度、湿度、通风、噪声和振动等环境因素，也会影响安全。机器上设置防护装置的主要目的是：防止人与运动零件直接接触造成意外的伤害，防止由于设备中机械或电气故障，以及由于人的错觉或失误所造成的伤害。人工搬运材料是造成工伤的主要原因。在很多方面，在机器上设防护装置的一般原则，也适用于电气装置；要考虑所使用的材料的导电性能和适当的绝缘，还要求所有的电气装置都要接地。气密和防爆开关装置适用于易燃气体、蒸气和空气管道上。化学药品的危害性要按其生物效应来说明。一些切实可用的实践经验已得到发展，并用来运输、储存和处理有危害性的和易燃的材料。所有粒子辐射都有伤害性，其防护措施有探测、屏蔽和个人的监测。为了保护身体的有关部位不受特殊的伤害，为某些人员的保护用具（如安全带、安全鞋等）制定了性能标准。金属安全帽可吸收下落物体的能量。还设计了专门用来防护化学药品的飞溅和烟雾，屏蔽强光或有害光线的各种护目镜。手指、手掌和手臂的工伤事故，在丧失劳动能力的工伤事故中占第三位。最经常使用的防护用具是手套。有的手套从手指尖延伸到肩部。石棉手套和羊毛手套可防热。橡胶手套可用来处理化学药品。一般安全鞋的形式是脚趾部或脚的前部包以钢罩，以防止物体落下或冲撞造成事故。电工要穿绝缘鞋。安全工程师的一个重要任务是防止超过人体能忍受限度的能量转换所引起的伤害。必须确定能量的来源，并控制事故环境中人体所受到的作用力，以减少伤亡。这对于防止汽车撞车时的伤害特别重要。为了防止撞车事件，必须提供操纵性能良好的机器和可靠的控制系统，车辆的稳定性要好，黑夜和白天都要有良好的能见度，有容易辨认和操纵的控制设备，设计并建造没有碰撞危险性的公路。采用抗穿透的汽车挡风玻璃，能减小对头部及面部的伤害。

safety glass　安全玻璃　一种特殊的玻璃，当被打碎或胀裂时，常成为细小、不易伤人的碎片，而不是破损成为大的锯齿形碎块。把两张普通玻璃板中间夹一张薄的塑料板叠压在一起，或者通过热处理强化玻璃薄板可制成安全玻璃。1909年法国的美术家和化学家E.贝内迪克蒂取得了第一个成功的专利。他采用一张赛璐珞把两块玻璃胶合在一起。也曾试验过其他塑料,但在1936年发现聚乙烯醇缩丁醛具有许多理想的性能,以致它得到普遍应用。防弹玻璃通常是用好几种玻璃和塑料制成的。通过热处理(玻璃薄板首先在约650 °C下加热,接着突然冷淬),玻璃薄板的强度约增加6倍。这种玻璃破碎时,就变成不锋利的颗粒。

safety lamp　安全灯　用于矿井等处的照明灯具。在那些地方的易燃气体或尘埃有发生爆炸的危险。18世纪后期在英国产生了矿井用灯的需求,这种灯不会引燃英国煤矿中普遍存在的甲烷气。1813年前后,爱尔兰医生W.R.克兰尼发明一种灯,它里面用水封把油燃烧的火焰与大气隔开,工作时需要不断地注水。1815年英国工程师G.斯蒂芬森发明了另一种灯,它利用火焰废气的压力使爆炸性气体不进入灯内,同时高速地吸入空气,使火焰只在灯内燃烧。1815年H.戴维发明戴维灯,用两层金属网纱作罩子,使火焰在罩内燃烧,并起散热作用。20世纪初,在矿井中开始采用手提式和头盔式电灯,到20世纪中期几乎普及所有的矿井。电灯的灯头有一个保险装置,当灯泡损坏就马上切断电流。还可以用双灯丝灯泡,在一根灯丝烧断时还能继续发光。安全灯的火焰在有甲烷时会伸长,而电灯对于出现有毒气体以及缺氧却不能报警,所以在引人注目的地方还必须有始终点燃的火焰安全灯,或者经常用它或其他报警装置进行检查。

Safeway Inc.　塞夫韦公司　美国大型连锁超级市场,在美国及海外均有分店。原为S.M.斯卡格斯经营的一家小杂货店,其薄利多销的经营理念一直沿续至今。他的长子M.B.斯卡格斯将此店扩展,在10个州建起由428家商店组成的营业网。1926年组成斯卡格斯公司以收购S.西利格在加利福尼亚南部创办的有322家商店的塞夫韦连锁商店,并改名为塞夫韦公司。1931年公司的商店数目最多,在美国和加拿大共有3 527家。20世纪80年代,在美国的2 500家商店大多分布在密西西比河以西地区,但在美国东部、加拿大、欧洲及澳大利亚也有商店。1986年被美国的科尔伯格-克拉维斯-罗伯茨公司收购。经过裁员和重组后,于1990年再次成为独立的公开上市的公司。到21世纪初,塞夫韦在美国和加拿大开设有1 650家商店。公司总部设在加利福尼亚州普莱森顿。

Ṣaffārid DYNASTY　萨法尔王朝　9世纪的伊朗人王朝,统治伊朗东部大片地区。创建者耶古卜·伊本·莱斯·萨法尔("铜匠"),约866年控制了他的故乡锡斯坦省,869年把势力伸展到印度东北部,并占有喀布尔、信德、吐火罗、莫克兰、克尔曼和法尔斯。873年推翻塔希尔王朝和兼并呼罗珊,萨法尔帝国臻于鼎盛。876年耶古卜冒险进攻巴格达,遭到失败。耶古卜的继承人是他的弟弟阿姆尔。900年阿姆尔企图攻占河间地带,在巴尔赫惨败。此后萨法尔王朝虽遭受萨曼王朝、伽色尼王朝和蒙古人的征服,但仍维持残局到16世纪。

safflower (*Carthamus tinctorius*)　红花　菊科一年生草本植物,原产于亚洲、非洲部分地区,从印度中部起经中东至尼罗河上游和埃塞俄比亚。株高0.3～1.2米;花红、橙、黄或白色,干花可提取红花素(一种重要的红色纺织染料,但自合成苯胺染料问世以来,仅在西南亚部分地区继续使用)。红花还可用作调味品番红花的掺杂物。由于红花油不因久置而发黄,现用于清漆和颜料生产。红花油富含多不饱和脂肪,还具有很高的食用价值,主要供制人造黄油、色拉油、食油。炼油后的渣块可饲牲畜以补充蛋白质。红花主要产于印度,已作为油料作物引入美国、澳大利亚、以色列、土耳其和加拿大。

红花(*Carthamus tinctorius*)
供图:J.C.Allen and Son

Safford, Mary Jane　萨福德(1834-12-31,美国佛蒙特海德公园村～1891-12-08,佛罗里达塔彭斯普林斯)　美国医生。美国内战期间的护理学知识成就了她的医学事业。19世纪50年代,她和哥哥先后居住在伊利诺伊州的乔利埃特、肖尼敦和开罗。1861年4月美国南北战争爆发。由于地处俄亥俄河与密西西比河交汇处,开罗成了战略要塞。来自芝加哥的志愿军很快占领开罗,同时爆发多种传染性疾病。萨福德为军营服务,开始并不受欢迎,但不久就赢得军官和医生的尊敬,并被允许使用由美国卫生委员会募集来的各种补给。与素有"士兵母亲"之称的比克戴克夫人工作关系密切,学会不少护理知识。当年11月,萨福德在密苏里州贝尔蒙特战场上护理伤兵。次年2月,北部联邦军攻克多尼尔森堡,她与比克戴克夫人一起帮助从多尼尔森堡往开罗运送伤兵。4月,在田纳西州西南夏伊洛战役中南部联邦军败北,她当时正在"黑兹尔·戴尔"号船上医院工作。被繁重的工作累得筋疲力尽,战后为治病到欧洲旅行休养,回国后,萨福德决定学医。1869年从纽约女子医学院毕业,后又赴欧洲求学三年。在德国布雷斯劳(现为波兰城市弗罗茨瓦夫)大学,她成为第一位作卵巢手术的女医生。1872年,她在芝加哥开了一家私人诊所。次年与一个波士顿人结婚,随即迁往波士顿,并成为波士顿大学医学院的妇科教授。1886年退休。

saffron (*Crocus sativus*)　番红花　鸢尾科具鳞茎的多年生植物。其辛辣的金色柱头很名贵,干制后用于食品调味和上色,又用作染料。《圣经·雅歌》第四章14节中提到的一些香草包括番红花。番红花带有强烈的独特香气和苦味,在地中海地区和东方菜肴(尤其是米饭和鱼)以及英国、斯堪的纳维亚和巴尔干的面包中作调色和调味佐料。也是法式菜浓味炖鱼的重要成分。古代印度蒸馏番红花柱头得到一种金色水溶性布匹染料。在释迦牟尼去世后,其弟子以番红花黄色为他们法衣的正式颜色。在几种文化中,王室服装均用这种染料染色。在古希腊和罗马,番红花作为香料撒在会堂、宫廷、剧场和浴室。番红花与古希腊的艺妓关系密切。尼禄回罗马时,街道上洒满番红花。一般认为番红花原产于地中海地区、小亚细亚和伊朗,在伊朗和克什米尔早已栽种;并认为由蒙古远征军传入中国。曾经记载于中国的《本草纲目》(1552～1578)。早期主要栽培中心是西利西亚和小亚细亚。961年阿拉伯人将其栽种于西班牙。10世纪的一本英格兰医书中有记载。但可能后来在西欧消失,直至十字军又将其重新引入。在许多时期,番红花贵于同重量的黄金,今天仍是世界上最贵重的香料。现主要种植在西班牙、法国、西西里岛、意大利亚平宁山脉,以及伊朗和克什米尔。用手采摘花中的三个柱头,摊放于托盘,用炭火烤干便可用于食品调味和调色。0.45千克番红花即来自75 000朵花。香精油含量0.5%～1%,主要成分是苦藏花素。着色物质为藏花素。

番红花(*Crocus sativus*)
供图:Emil Muench—Ostman Agency

Saffron Walden　萨弗伦沃尔登　英格兰埃塞克斯行政、历史郡西北角一堂区(城镇),在乌特尔斯福区内。在一个诺曼城堡和隐修院周围发展起来,为一家庭纺织发达地区。现为乡村服务中心,有一些轻工业。人口约13 201(1991)。

Safi　萨菲　前称阿斯菲。摩洛哥西部坦西夫特区省份、省会和大西洋港市。11世纪穆斯林在该市居住。葡萄牙人在1508～1541年占领该市,建一堡垒。萨菲在16世纪末和17世纪初达繁荣之顶峰。城市内有中世纪

从葡萄牙人修筑的堡垒上俯瞰萨菲市

供图:Syndication International Ltd., London

建筑也有现代建筑。主要为渔港。有沙丁鱼罐头加工业和纺织业。市南有化工(磷酸盐)和食品加工业。另以出产陶器著称。出产谷物(大麦)和橄榄,饲养牛、羊。人口:城市区 197 309(1982)。

Ṣafī ad-Dīn 沙菲 (1253, 伊朗阿尔达比勒～1334-09-12, 阿尔达比勒) 神秘主义者、沙法维(沙菲)教团的创始人。幼年在阿尔达比勒受教育,后来在设拉子受到苏非派的影响。旅行到伊朗里海岸吉兰省,以 25 年时间从谢赫德教长受业,娶他的女儿比比·法蒂玛为妻。谢赫德教长死后沙菲率同道返回阿尔达比勒,创立沙法维教团。从种种资料判断,这个教团应属逊尼派神秘派,他们对什叶派有所容让,并没有真正接受该派教义。沙菲本人宗逊尼派中的沙斐仪学派。

Safīd Mountain Range 萨菲德山脉 又称摩伽山脉。构成巴基斯坦和阿富汗之间的天然国界,从白沙瓦山谷(巴基斯坦)向西延伸 160 千米至洛拉山谷(阿富汗)。两国边界沿山顶西行至 4 760 米高的地点转而南下。该山脉形成一条几近完整的 4 300 米的长城,耸立在周围群山之上。它将喀布尔河流域(北面,主要在阿富汗境内)同古勒姆和阿夫里迪蒂拉赫两地区(南面,主要在巴基斯坦境内)隔开。喀布尔河劈山而过向东注入印度河。除去被喀布尔河劈开的狭槽外,该山脉直接与兴都库什山系的申杜尔支脉相连。具有战略意义且历史上有名的**开伯尔山口**(**Khyber Pass**)位于山脉的东段。山脉的北部山嘴特别荒芜,但是其中交错的山谷宜于发展农业和园艺,盛产桑类植物、石榴和其他果类。山嘴的上部和主山脉被松林和雪松林所覆盖。

Safīd River 萨菲德河 伊朗北部最长的河流。源头海拔 280 米,河流穿过厄尔布尔士山,形成长 37 千米的峡谷,入吉兰平原形成三角洲,注入里海。该河及其支流克孜勒-奥赞河共长约 1 000 千米,流域面积 56 200 平方千米。峡谷上端建有水坝,以防止洪水,改进灌溉和提供电力。

Safiye Sultan 莎菲耶苏丹(?～1605或1619) 奥斯曼苏丹穆拉德三世(1574 ～ 1595 在位)王后,穆罕默德三世之母。据说她出生于阿尔巴尼亚的山间小镇赖济。1583 年努尔·巴努太后死后,她在两代苏丹的宫廷中具有很大影响。例如,她所宠幸的易卜拉欣帕夏曾三次担任首席大臣。穆拉德三世死后她即退隐。

Sag Harbor 萨格港 美国纽约州东南部萨福克县一旅游村。位于加德纳斯湾中长岛东端的南安普顿镇区。1707 年首见记载。1846 年设建制。19 世纪为一重要捕鲸港。捕鲸者旧教堂和萨福克县捕鲸博物馆藏有捕鲸业纪念物。萨格港曾为纽约州第一个通商口岸(1789)。其海关大楼亦为长岛第一家邮政局(1791)。萨格港还出版长岛最早的报纸(1791)。人口 2 313(2000)。

Saga 佐贺 日本九州北部城市和县。南北临海。面积 2 433 平方千米。农业技术先进,柑橘种植业、乳品业、养牛业均实现了机械化。佐贺平原为日本主要产稻区。石油成为工业能源之前,采煤曾为当地重要行业。佐

佐贺市街景

中国大百科全书出版社供图

贺为日本最早与亚洲大陆来往的地方。德川时代(1603 ～ 1867)末期通过长崎市受到欧洲文化的影响。县府佐贺市为工业中心,生产棉纺织品、陶器。有田镇继续出产由朝鲜陶工李参平在 16 ～ 17 世纪首创的特有瓷器,名为"伊万里烧"。1949 年建立一所大学,城市仍保持封建时代特色。人口:市约169 851;县约 881 000(1987)。

saga 萨迦 在中世纪冰岛文学中,萨迦在广义上指各种用散文记载的故事或历史,不问其叙事文字的性质或写作的目的;狭义地说,萨迦指传说的或历史的小说,其作者力求凭借想象重现过去,并按照一定美学原则来组织素材。现代学者将这一体裁划分为三大类:王室萨迦(记叙斯堪的纳维亚各统治者的生平)、传说萨迦(其主题从神话和传说中来)和冰岛人萨迦(有时又称家族萨迦)。最后一类中,以文学价值而论,最好和最重要的是那些记载所谓萨迦时代(约 930 ～ 1050)的冰岛生活并加以小说化的作品。它们写成于 1190 ～1320 年这一时期。在冰岛语中萨迦意为"所说"或"所讲"的人和事,由此可见,口头传说在萨迦发展中的重要性。事实上,过去一直有人认为冰岛人萨迦无非是一些搜集在一起的有关某些真实的人物的口头传说,在数代人口口相传后形诸文字而已。这一见解大体已被否定。今天的学者越来越倾向于将它看成与现代概念中的历史小说非常相近的作品,其中的人物与情景或真实或臆造,处理它们时压倒一切的考虑是艺术而非历史。这一看法不免要使这些萨迦失去一些作为历史记录的价值,然而无损于它们有助于理解一种过去文化的精神风尚的价值。固然,它们中关于异教时代的具体情节不能毫无批判地接受,但有时可从民族学和民间文学的角度加以核对。在冰岛人萨迦中,人的悲剧是主调。英雄气概和忠诚不二极为重要;而复仇,特别是血仇,常在故事的展开中起显著的作用。叙事时抑思虑而重行动,因而主人公的内心动机以及作者的观点远不如大多数现代小说那样经常横生枝节。人物性格通过写作技巧往往刻画得异常深刻微妙,后人常以萨迦的这一特点与一些现代作家的作品相比拟。冰岛人萨迦共有 30 部左右,其中最著名的有传为中世纪冰岛最伟大的作家斯诺里·斯图鲁松(1179 ～ 1241)所作的《埃伊尔斯萨迦》(一译《埃吉尔萨迦》)、讲一个逃亡者的故事的《吉斯拉萨迦》以及通常被认为最伟大的冰岛萨迦的《尼雅尔萨迦》。后者叙述英雄贡纳尔以及智者尼雅尔及其儿子们的命运。据信,这些作品在 1230 ～ 1290 年之间写成,因而这一时期被称为萨迦创作的黄金时代。王室萨迦讲的是挪威的一些国王,说明冰岛人始终关注他们的故国。最早的作品年代为 1200 ～ 1235 年。其中斯图鲁松的《海姆斯克林拉》(一译《挪威王列传》)是这方面的一部力作。随着 13 世纪的过去,传说萨迦越来越受欢迎,它们并不以历史真实自诩,而乐于描叙一些斯堪的纳维亚和日耳曼民族过去的神怪骇异故事。这类萨迦可以《沃尔松格萨迦》(约 1270)为代表。

Sagaing 实皆 缅甸中上部城镇。临伊洛瓦底江。在曼德西南 16 千米处。曾为缅甸首都(1760 ～ 1764),附近山上多佛塔。其中有建于1636年的圆顶塔。并有一座长1 200 米的桥梁连通东岸的阿瓦,曼德勒一密支那铁路和公路通过此桥。是棉花、芝麻、食盐和水果的集散地。亦是向西通往亲敦江上的蒙

实皆镇的王塔

供图：C. Hoffmann—Shostal/美国不列颠百科全书公司

育瓦的铁路起点。人口 46 212(1983)。

Sagamihara　相模原　日本本州神奈川县城市。位于相模原高地。20 世纪 30 年代末，四周养蚕区建立军营，将附近城镇连接成为城市，并促进了城市的发展。1955 年后工业不断发展，生产金属制品、机械、电器和食品。作为一居民卫星城，与东京-横滨都市区有铁路相通。周围地区出产稻米、小麦、烟草，饲养奶牛和猪。人口约 570 594(1995)。

Sagan, Carl (Edward)　萨根(1934-11-09，美国纽约州布鲁克林～1996-12-20，华盛顿州西雅图)　美国天文学家和科学书籍作家。1960 年萨根在芝加哥大学获博士学位，后在伯克利加利福尼亚大学和哈佛大学任教。1962～1968 年任史密森天体物理观象台的天体物理学家，把时间分别用于行星天文学和塞提计划(SETI，地外智力的探测)的工作。1968 年他成为康奈尔大学行星研究实验室主任，并参与美国发射的几艘飞往金星和火星的不载人空间探测器的工作。随着《宇宙关联：外星的透视》于 1973 年出版，萨根成为受欢迎的科学书籍作家和科学评论员，以清晰的写作和对科学的热忱而著名。1977 年出版的《伊甸园之龙：人类智力演化的推测》获普利策奖。他是 1980 年电视系列剧《宇宙》的制作人之一，也是叙事人。80 年代他参与研究核战争对环境造成的后果，有助于普及“核冬”这个用语。萨根的作品包括：《火星和金星的大气》(1961)、《行星的探测》(1970)、《布罗卡的头脑：科学浪漫曲的回映》(1979)，以及小说《接触未来》(1985)、《核冬》(1985)和《恶魔出没的世界：科学是黑暗里的烛光》(1996)等。

Sāgar　萨格尔　又称绍戈尔。印度中部中央邦中部城镇。1660 年始建，1867 年设市。为重要公路中心与农产品贸易中心。有榨油、磨面、锯木厂以及酥油、手工棉布、烟草等制造业，还有铁路和机械工厂。设有索加尔大学(1946)及其他学校。萨格尔地处广阔平原，其间有森林密茂之丘陵起伏，由索纳尔河灌溉。主要农作物有小麦、鹰嘴豆、高粱和油籽。普遍养牛。开采有砂岩、石灰石、铁矿石和石棉。附近的埃兰有考古发现的几处铭文。人口：城镇 195 346；都会区 257 119(1991)。

Sāgar Island　萨格尔岛　印度东北部西孟加拉邦恒河三角洲最西端的岛屿。该岛位于胡格利河(**Hooghly River**)河口。萨格尔岛为印度教的著名朝圣中心。每年有为期三天的沐浴节和大型交易会。该岛易遭受旋风袭击，西南岸设有灯塔，用来引导上溯胡格利河之航船。

Sagasta, Práxedes Mateo　萨加斯塔(1825-07-21，西班牙托雷西利亚-恩卡梅罗斯～1903-01-05，马德里)　西班牙 7 届首相(1871～1872，1874，1881～1883，1885～1890，1892～1895，1897～1899，1901～1902)。生于普通收入的家庭，后成为工程师。他因反对伊莎贝拉二世女王的统治而两次遭放逐。1868 年回国协助进行推翻女王的革命。萨加斯塔从 1880 年领导新的自由党，试图通过延期推出古巴自治法规和其他一些让步来博得古巴人和美国的好感，但还是未能防止灾难性的美西战争，而且西班牙人也因所订丧权辱国的和平条约而对他进行批评。

Sagaunash (Potawatomi Indian leader)　参阅 **Sauganash** 萨根纳施。

sage (*Salvia officinalis*)　**鼠尾草**　又作 common sage 或 garden sage。即药用鼠尾草，或称洋苏草、庭园鼠尾草或普通鼠尾草。唇形科多年生芳香草本植物。原产于地中海地区。

鼠尾草(*Salvia officinalis*)

供图：Ingmar Holmasen

干叶或鲜叶用作多种食物的调料，特别用于香肠、家禽和猪肉的填料。植株灌木状，高约 60 厘米。叶片广椭圆形，具短绒毛，灰绿至白绿色，粗糙或具细皱。花有紫色、粉红色、白色或红色，因品种而异。有香气，稍具刺激性。用其叶片泡的茶，很久以来一直用作补药。中世纪欧洲认为鼠尾草能增强记忆和增进智慧。香精油的含量最高可达 2.5%，基本成分是苧酮和冰片。药用鼠尾草有许多变种，在世界许多地区野生或栽培。达尔马提亚鼠尾草受到高度评价，味芬芳而有刺激性，微苦。鼠尾草属(**Salvia**)的其他一些种类也常俗称鼠尾草。

Sage, Margaret Olivia Slocum　塞奇(1828-09-08，美国纽约锡拉丘兹～1918-11-04，纽约州纽约)　婚前名 Margaret Olivia Slocum。美国慈善家。一生极为慷慨大方，尤其是对众多教育和社会事业的资助，现由其建立的塞奇基金会仍在继续这项事业。1847 年毕业于(纽约)特洛伊女子书院(今埃玛·威拉德学校)。此后 22 年中，在健康状况允许的情况下，时常在学校任教。1869 年与 R.B.塞奇结婚。她丈夫承担 40 名美国土著儿童的教育费、捐赠特洛伊女子书院一所宿舍和捐赠纽约妇女医院50 000美元之举，一般认为是受了她的影响。1906 年丈夫死后，遗留给她的财产价值超过6 300万美元。她很快跻身于当时最大的慈善家之列，显示出她长期以来的信念，即女子在道德上胜过男子，对精神文明的进步负有主要责任。1907 年，她捐赠1 000万美元成立塞奇基金会，其明确目的为促进美国已经改善的社会和生活条件，并给与基金会各董事几乎是无限制地使用其资金的权力。当时她的捐赠是有史以来最大的一宗善举。1910 年，她为埃玛·威拉德学校建造了新校舍。1916 年，在 E.凯拉斯的帮助下，又将其旧校舍改建成塞奇学院，用于妇女职业教育，最终该学院共得到她的捐赠 100 万美元。她还向哈佛大学和耶鲁大学、基督教青年会和基督教女青年会、美国海员之友协会、各博物馆和纽约市医院塞奇病理研究所赠款。1918 年逝世时，她的遗嘱指定了多项重要遗赠。她一生和死时的善款估计有7 500万～8 000万美元。

Sage, Russell　塞奇(1816-08-04，美国纽约州谢南多厄～1906-07-22，纽约州长岛劳伦斯海滩)　美国金融家。曾参与建立美国铁路及电报系统。最初在纽约州特罗伊其兄杂货铺当听差，21 岁时用所获利润买下其兄全部财产。1839 年卖掉杂货铺，开起杂货批发站，并聚资在哈得孙河上从事杂货、肉类、谷物及马匹的运输业务。1857 年他拥有威斯康星州拉克罗斯铁路的大部分股权，成为副总经理。1863 年移居纽约市，致力于经营股票及铁路。他负责铺设 5 000 英里铁轨，最后在 40 余条铁路中拥有股权并任 20 条铁路的董事或总经理。他还帮助组建大西洋及太平洋电报公司。1872 年他首创股票出售权和购买权，持有人有在一定期限内按一定市价出售或购买一定份数股票的选择权。他与合伙人古尔德通过对证券的操纵，于 1881 年控制了纽约市高架铁路。塞奇仅在 1884 年金融大恐慌时期在股票市场上有过一次失利，损失 700 万美元。此后未再做此项交易。晚年从事放债。逝世时财产估计有 7 000 万美元。他的遗孀于 1907 年设立了塞奇基金。

sagebrush　灌木蒿　菊科蒿属(*Artemisia*)的灌木种，原产北美西部半干旱平原和山坡。普通灌木蒿(三齿蒿，*A. tridentata*)高 1～2 米，多分枝；叶小，楔形，银灰色，带苦香味，顶端三齿裂。

Sager, Ruth　塞杰尔(1918-02-07，美国伊利诺伊芝加哥～1997-03-29，马萨诸塞布鲁克林)　美国遗传学家，因揭示非染色体基因的重要性而闻名。获哥伦比亚大学博士学位(1948)后，在纽约市洛克菲勒研究所(今洛克菲勒大学)进行遗传学研究；1955 年回哥伦比亚大学任副研究员，1966 年起任纽约市亨特学院生物学教授。在洛克菲勒研究所时，开始怀疑染色体基因是传递遗传信息的唯一工具这个传统信念。1953 年，发现衣滴虫属（*Chlamydomonas*）中存在着第二种遗传传递系统：位于染色体以外的一个基因。这个基因控制着细胞对链霉素的敏感性。她发现雌雄衣滴虫都能传递非染色体基因。

Saginaw　萨吉诺　美国密歇根州中部偏东城市，萨吉诺县县城（1835）。位于萨吉诺河航运线起点。东南距底特律 154 千米。1816 年建立皮毛贸易站。1855 年设村，1857 年设市。1873 年、1889 年先后合并南萨吉诺及萨吉诺城。曾是木材业中心。后经济转向农业和制造业（汽车零件）。附近有盐、煤和石油蕴藏。萨吉诺河流域出产甜菜和豆类。人口：市约70 607（1994）；萨吉诺-贝城-米德兰都会统计区约 403 572（1995）。

Saginaw Bay　萨吉诺湾　美国密歇根州休伦湖西南汊。从湾口至湾顶部的萨吉诺河口长 82 千米，宽 21 ～ 42 千米。可通萨吉诺河上的贝城。海湾地区有捕鱼和夏季旅游业。

Sagittarius　人马座　又称人马宫。在摩羯座与天蝎座之间的黄道星座，为黄道十二宫之一，位于赤经（类似于地球上经度的天球坐标）19时和南赤纬（天赤道以南的角距离）25°附近。银河系的中心位于人马座方向，该处有最密集的恒星和银河星云。冬至点（太阳在恒星之间的周年视运动的最南点）在人马

约 1475 年意大利《祈祷书》插图画中的人马座
供图：Pierpont Morgan Library，New York

座的西边界附近。人马座还包括三叶星云（M20）、礁湖星云（M8）和许多球状星团。在占星术中，人马宫是黄道第九宫，被看作是主宰11月22日至12月21日前后的命宫。人马宫的形象是一骑士张弓拉箭或引满待发的箭。早在公元前 11 世纪，巴比伦人就已把人马座看成是一位骑在马上的弓箭手。

Sagittarius A　人马座 A　来自人马座方向的最强的宇宙射电源。它已被证认为银河系的核心。绝大多数射电辐射是由同步加速机制产生的，这说明存在着自由电子和磁场。这个致密的点源被命名为人马座 A。硬 X 射线、红外和分光研究都证明该区相当小。该区还是很强的红外辐射源，据认为其中一部分是由恒星发射的，另一部分则是由星周尘埃发射的。观测表明，在半径为 1 光年的范围内可能有相当于 100 万个太阳质量的物质。也有人推测，在银核中含有以黑洞形式出现的、质量相当于 1 万～ 100 万个太阳的坍缩气体。这些特征多少显示出具有其他活动核星系（例如塞佛特星系）的某些类似情况，只是规模小得多而已。

sago　西米　由几种棕榈树干内所贮碳水化合物制做的食用淀粉。主要原料是朗夫氏西谷椰子（*Metroxylon rumphii*）和硕莪树西谷椰子（*M. sagu*）两种原产印度尼西亚群岛的西米棕榈。西米棕榈生长在低洼沼泽地，通常高 9 米，干粗。植株 15 年成熟后长出一花穗，茎髓充满淀粉。当果实形成和成熟时，便吸收淀粉，使茎干中空。树在果熟后死去。栽培的西米棕榈在花穗出现时将其茎干砍断劈开，取出含淀粉的髓磨成粉，加水在滤网上方揉捏滤去木质纤维，淀粉穿过滤网落入下方的槽中。洗涤数次后即得西米粉，在当地食用。外运的西米是加水调成糊状，而后搓磨通过大小不同的筛子，制成颗粒，根据颗粒大小分为珍珠西米或弹丸西米。西米几乎是纯淀粉，含 88% 的碳水化合物、0.5% 的蛋白质、少量脂肪及微量维生素 B 族。在太平洋西南地区，西米是主要食物，用其粗粉做汤、糕饼和布丁。在世界各地，主要的食用方法是制布丁或酱汁增稠剂。纺织工业上用作挺硬剂。在印度尼西亚婆罗洲塞兰岛，西米棕榈林面积极大。婆罗洲所产西米大量输入欧洲，由于需求量日益增加，种植面积也在扩大。其他作为西米来源的印度尼西亚棕榈有桄榔（*Arenga pinnata*）、酒假桄榔（鳌痛鱼尾葵，*Caryota urens*）和菜棕（具伞顶棕，*Corypha umbraculifera*）。南美产西米的两种棕榈是曲折毛里茨氏棕榈（*Mauritia flexuosa*）和 *Guilielma gasipaes*。

Sagoyewatha（Seneca Indian）　**萨戈耶瓦瑟**　参阅 **Red Jacket** 红外套。

Sagua la Grande　大萨瓜　古巴比亚克拉拉省中部偏北城市。为重要的港口和该地区的制造业和商业中心。该地区以甘蔗闻名，但稻米、黑豆和牲畜也很重要。有铸造、造酒、铁路、锯木等工厂。其海港拉伊莎贝拉位于大萨瓜河河口。可向上溯航行至大萨瓜。人口约 56 263（1990）。

saguaro（*Cereus giganteus*）　**萨瓜罗掌**　又拼 sahuaro。即巨山影掌。仙人掌科大型植物。原产于墨西哥及美国亚利桑那及加利福尼亚。有人将山影掌属（*Cereus*）分为数小属，则本种划归巨卡内基氏掌（*Carnegiea gigantea*）。幼株圆柱状，有肋，约高 5 米时有 5 ～ 6 个分枝。初期生长缓慢，头十年内每年仅长高 2 厘米；株高达 2 ～ 3 米后年长高约 10 厘米。株龄可达 150 ～ 200 年。成熟植株能高达 15 米余。最主要死因是被风拔起或被雨水冲倒。根系浅，分布范围宽，适于从大面积沙漠吸水，地上部分可重达 9 000 千克。生长到 50 ～75年始开花，花白色，靠近茎、枝端着

盛花的萨瓜罗掌（*Cereus giganteus*）
供图：Willis Peterson

生，夜间开放，可延续到次日白天。果红色，是印第安人的重要食物，木质化植株残骸也被利用。

Saguaro National Park　萨瓜罗国家公园　美国亚利桑那州东南部的山区和荒漠。位于图森以东 26 千米处。1933 年设立。面积 321平方千米。境内多萨瓜罗系巨型华柱形

萨瓜罗国家保护区内生长的萨瓜罗掌（*Cereus giganteus*）
供图：Sunshine Climate Club

仙人掌，高可达 15 米，树龄 150 ～ 200 年，仅生长在美国西南部和墨西哥西北部，开白花（亚利桑那州州花），果绯红色，可食用，可供鹪鹩及其他小鸟栖息。稀有植物尚有其他肉质仙人掌（乔拉、刺梨、比斯纳加）、帕洛弗德假紫荆、牧豆树及奥科蒂洛灌林等。

Saguenay River　萨格奈河　加拿大魁北克省中南部河流。源出圣让湖，在魁北克市东北约 190 千米的塔杜萨克注入圣劳伦斯河。萨格奈河流向东南，全程 168 千米，在其开始的 1/3 流程中下降 90 米，湍流奔泻。自通航起点希库蒂米以下的河谷实际为一峡湾，河流在悬崖峭壁之间穿过，平均水深 240 米。这些悬崖以特里尼蒂和埃泰尼泰两岬为最高

(533米以上)。萨格奈河上游及其支流是重要水电资源,希普肖、许特卡伦和伊勒马利涅3座水坝,发电量合计150余万千瓦,大部分供给容基耶尔规模宏大的铝冶炼厂以及希库蒂米、容基耶尔和拉贝(艾尔弗雷德港)的纸浆厂和造纸厂用电。

Saguia el Hamra 萨吉亚阿姆拉 西撒哈拉北部一区。位处博哈多尔角和法定的摩洛哥边界之间。面积82 310平方千米。1976年西班牙撤出后,为摩洛哥所管辖。主要城市是首府阿尤恩(**El Aaiún**)。气候十分干旱,有时接连数年无雨。1976年前,居民主要过游牧生活,全部为穆斯林,现在很多是内战中的难民,住在阿尔及利亚难民营。斯马拉是主要穆斯林城镇,有公路通阿尤恩。定居人口(1982):阿尤恩约50 000;斯马拉约7 280。其余为游牧人口,约40 000。

Sagunto 萨贡托 西班牙东部巴伦西亚自治区巴伦西亚省城镇。地处帕哈里托山麓,临帕兰西亚河西岸。据传为赞特来的希腊人创建。公元前约225年,罗马人为限制迦太基人在西班牙的势力,保证该镇的独立,要求迦太基人不得越过埃布罗河。公元前219年,该镇被汉尼拔攻克,遂导致第二次布匿战争的爆发,并于公元前214年复被罗马人夺取。其后恢复昔日重要地位。镇上建有罗马剧院、寺院和高架水渠等。现为东部沿海地区铁路枢纽,有轻工业,亦出口矿石和柑橘属水果。人口54 759(1981)。

Saha, Meghnad N. 萨哈(1893-10-06,印度达卡近郊塞奥拉塔利~1956-02-16,新德里)印度天体物理学家,因1920年导出热电离平衡方程而闻名。该电离方程经英国天体物理学家E.A.米尔恩改进后,在恒星大气的所有研究中一直起着根本性的作用。这一方程已被广泛用于解释恒星的光谱。恒星光谱能反映光源的化学组成。萨哈公式把光源的化学组成和光谱的形式同光源的温度联系起来,因此可用它来确定恒星的温度或所要研究的元素的相对丰度。萨哈于1923年任安拉阿巴德大学物理学教授,1927年被选为皇家学会会员。1938年到加尔各答大学工作,为创建加尔各答核物理研究所起了巨大作用,并担任该所名誉所长。晚年他把精力逐渐转向科学对社会的影响方面,1935年创办立论公正的《科学和文化》杂志。1951年,他作为无党派人士,被选为议会议员。他的专著有:《热学导论》(1958,第4版),《现代物理导论》(1934),重要论文有《太阳色球的电离》(哲学杂志,第40卷,1920)。

Ṣaḥābah (Islām) 参阅 **Companions of the Prophet** 撒哈比(圣门弟子)。

Sahak 参阅 **Isaac the Great, Saint** 以撒(伟大的),圣。

Sahaptin 萨哈普廷人 又拼Shahaptin,北美印第安部落集团,居住在现在的美国华盛顿州东南部、俄勒冈州东北部及爱达荷州中西部,居地散布在哥伦比亚河及其各支流流域;操佩纽蒂语系的萨哈普廷语。主要居民集团有卡尤斯人、莫拉拉人、帕卢斯人、内兹佩尔塞人(**Nez Percé**)、特尼诺人、乌马蒂拉人、瓦拉瓦拉人及雅基马人(**Yakima**)。萨哈普廷人是所谓高原文化区的南部成员,其区域位于落基山与喀斯喀特山两山脉之间,为半干旱地带,艾灌丛及杂草丛生,间有松树;但是,拥有世界最大鲑鱼产量的哥伦比亚河流经此地,因之即使沙漠地带的居民,也获有正常的食物来源。他们也猎鹿、采集浆果及块根。西部诸部落(莫拉拉人、特尼诺人、雅基马人)仅有一种模糊的部落团结的意识,通常只是出于共同防御的需要,才进行实际的联合,基本政治单位是自治村,自治村即是一个族群,由一群互有关系的家庭组成。东部诸部落(内兹佩尔塞人、帕卢斯人、卡尤斯人、乌马蒂拉人)受落基山以东大平原文化影响,村社具有较强部落团结意识,有部落酋长和议事会,实行部落间通婚。西部诸部落主要倾向于和睦相处。东部诸部落则是好战,采取很多大平原类型的作战方式,并采用其战功分级、勇武列等、猎取敌人头皮、举行战舞等办法。萨哈普廷人的主要敌人是肖肖尼人及派尤特人,均在其南部。信奉保护精灵,萨满教僧或巫医是颇受尊敬的宗教及社会领袖。自19世纪中叶以来,萨哈普廷人被迫迁往各个大小居留地,与不同的高原部落混杂在一起,现在已无法清楚地辨认他们的后裔。

撒哈拉沙漠中埃及杰迪代附近的流沙
供图:George Gerster—Photo Researchers

Sahara 撒哈拉沙漠 名称来自阿拉伯语 ṣaḥārā'(沙漠)。世界上最大的热带沙漠,几乎包括整个北非。西临大西洋,北接阿特拉斯山脉和地中海,东濒红海,南连萨赫勒。萨赫勒是一片半沙漠的干草原过渡地带,满布荆棘和灌木。撒哈拉包括西撒哈拉、摩洛哥、阿尔及利亚、突尼斯、利比亚、埃及、毛里塔尼亚、马里、尼日尔、乍得和苏丹11个国家的部分地区。主要的地形特点包括:季节性泛滥的浅盆地和大片绿洲低地;广阔的多石平原;布满岩石的高原;陡峭的山脉;沙滩、沙丘和沙海。最高海拔处是乍得的提贝斯提山脉中的库西山的最高峰,为3 415米;最低处是埃及的盖塔拉洼地,低于海平面133米。撒哈拉的土壤一般说来有机物质含量少,不适于生物成长。洼地的土质经常含盐。在约500万年前上新世早期(530万年前至340万年前),撒哈拉已成为气候性沙漠。此后,时而干燥,时而潮湿。目前沙漠主要分两个气候区。北部为干燥亚热带气候,其季节性气温变化和每日的温差均极大。降雨雪主要在冬季,多为降雨,有时也降雪,但在某些干燥地区,夏季常见骤发洪水。春季常有来自南方的热风,夹有沙土。夏季风少。在撒哈拉南部,稳定的大陆性亚热带气团和来自南方的不稳定海洋热带气团发生季节性相互作用,产生干燥的热带气候。白天气温的变化没有北部明显。冬季常见来自东北的风沙。撒哈拉各个地区最常见的植物包括:禾本科植物;各种草本植物;椰枣和姜果棕;柽柳属植物和刺槐树。沙漠上有特征的哺乳动物包括各种野兔、豪猪、鬣狗和瞪羚。定居的和迁徙的鸟类超过300种。变色龙和眼镜蛇常栖居在岩石和沙丘中。撒哈拉广阔地区完全没有人迹,但在有稀少植物和可靠水源的地方,分散的小群居民在十分脆弱的生态平衡中生活。居民主要是游牧民,其密度2.59平方千米(1平方英里)不足1人。只有绿洲地区有人定居生活。撒哈拉富有金属矿,如铁、铜、锰、锡、镍、铬、锌、铅、钴、银和金。然而交通不便限制了开发。也发现了大量的石油、天然气和丰富的地下水资源。主要运输大道从西至东,从大道分出的一些可认清的小路相连成网。除地面交通外,还有许多国际航线。面积8 600 000平方千米。

Saharan Atlas 撒哈拉阿特拉斯 非洲阿特拉斯山脉组成部分,从阿尔及利亚延伸至突尼斯。横越非洲北部。主要山岭从西至东有古苏尔山、阿穆尔山、奥拉德奈勒山、扎卜山、欧雷斯山和泰贝萨山。谢利亚山海拔2 328米,是阿尔及利亚北部最高峰。舍阿奈比山(1 544米)是突尼斯最高峰。温扎山附近开采铁矿,泰贝萨镇附近有大量磷酸盐矿,均在阿尔及利亚境内。

Saharan languages 撒哈拉诸语言 通行于乍得和尼日利亚东北部的非洲大语群,包括尼日利亚东北部的最重要语言卡努里语、乍得北部的特达语、与苏丹接壤的乍得中东地区的扎加瓦语。语言学家们经常把撒哈拉诸语言看作与桑海语、富尔语、科马诸语言、马巴诸语言以及沙里-尼罗诸语言一样，同属于尼罗-撒哈拉语系。

Sahāranpur　萨哈兰普尔　印度北部北方邦西北部城镇。为公路和铁路交通枢纽。有铁路工厂以及轧棉、制糖、造纸和其他制造业。农产品贸易发达。设有中央水果研究所、政府植物园、航空训练中心和几所学院。周围地区主要农作物有谷物、棉花和甘蔗。人口 295 355(1981)。

Saharsa　瑟赫尔萨　印度东北部比哈尔邦东北部城镇。为重要铁路与公路枢纽。建有电站。周围地区为一冲积平原。有戈西河及其支流灌溉。主要农作物有稻、玉米、油籽和黄麻。人口 57 580(1981)。

Sahdol (India)　参阅 **Shahdol** *沙赫多尔*。

Sahel　萨赫勒　阿拉伯语拉丁字母转写作 Sāḥil。为非洲西部和中北部自塞内加尔向东延伸到苏丹国的半干旱地区。形成北面干旱的撒哈拉(沙漠)和南面潮湿的大草原之间的过渡地带。萨赫勒从大西洋向东伸展，穿过塞内加尔北部、毛里塔尼亚南部、尼日尔河在马里境内的大河套、布基纳法索(旧称上沃尔特)、尼日尔南部、尼日利亚东北部、乍得中南部进入苏丹国。萨赫勒的半干旱草原有天然牧场，多低矮的常青小草和高大的多年生草本植物。这一地区的牲畜(骆驼、犹牛、放养的牛群和羊群)的其他饲料包括荆棘类灌木、刺槐和猢狲面包树。地面一度荆棘丛生，但现已比较开阔，汽车可以通行。这个地带主要是稀树草原型，很少持续植被，并且因家畜饲养过多和开垦过度而有转化为沙漠的危险趋势。一年中至少有 8 个月是干旱的，雨量局限于短促的雨季，平均为 100 ～ 200 毫米，大部分在 6、7、8 月内。还有一些广阔的牧草区是由尼日尔河和塞内加尔河的洪水灌溉的。在许多地区可种植小米和花生等要求条件不高的作物。在 20 世纪的后 50 年，由于人口不断增加，要求土地比以前有更多的产出，出现土壤侵蚀和沙漠化，对萨赫勒造成越来越大的危害。城镇居民和农民铲除地面的树木和灌木，用作燃料，然后种植作物，此后过多的牲畜又把余下的青草植被吃光。雨水和大风带走肥沃的表土，只剩下干旱贫瘠的荒地。萨赫勒农业和畜牧业的脆弱性在 20 世纪 70 年代早期得到明显证实。当时，自 1968 年开始的一次长期干旱使庄稼几乎全部死光，牛群损失了 50% ～ 70%。1972 年实际上全年无雨，到 1973 年，撒哈拉沙漠的一些地段已向南推进达 100 千米。死于饥饿和疾病的人数据 1973 年估计为 10 万人。1983 ～ 1985 年，严重的旱灾和饥荒再次袭击萨赫勒，尽管政府推行一些造林计划，沙漠化仍在发展。随着撒哈拉的步步进逼，萨赫勒继续向南推展，进入毗邻的大草原。在非洲北部，萨赫勒一词指的是阿尔及利亚的沿海丘陵带和突尼斯东部的类大草原滨海平原。

Sāhibdīn　萨希布丁(活动时期17世纪，印度)　印度杰出艺术家，属于拉贾斯坦绘画麦华画派(参阅 **Mewār painting**)。虽为穆斯林，但十分熟悉印度教绘画题材，画过几组宗教

萨希布丁的《音乐调式》(1628)组画之一
供图：Pramod Chandra

史诗插图。他的抽象构图色彩华丽，充满宗教热情。其重要存世作品有 1628 年所作《音乐调式》组画，其中多幅现藏印度国立博物馆；1648 年绘制经典《薄伽梵往世书》组画，现藏班达尔卡尔东方研究所；1652 年绘过印度教史诗《罗摩衍那》的第 6 卷，现藏伦敦不列颠博物馆。

Sāḥil, As-　萨赫勒　拉丁语作 Byzacium。突尼斯东部地中海沿岸的平原。位于地中海和突尼斯中部草原之间，沿海有沙滩、大海湾和潟湖。北从哈马马特湾中部沿海的奈菲代南至加贝斯湾的加贝斯镇皆属于这一地区，但萨赫勒(阿拉伯语，意为"海岸")系特指苏塞和斯法克斯之间的地带。公元前 9 世纪腓尼基人住此。东风带来充足雨量，利于灌溉。萨赫勒平原传统上种植谷物，特别是大麦和小麦。在公元前 203 年左右，汉尼拔引入橄榄树种植。工业以榨橄榄油和制皂为基础。制陶、纺织和捕鱼在经济上也占重要地位。主要城镇有苏塞、莫纳斯提尔、马赫迪耶及斯法克斯。

Sāhiwāl　萨希瓦尔　旧称蒙哥马利。巴基斯坦中部偏东旁遮普省中部偏东城市。始建于 1865 年。有铁路和公路与拉合尔相通。为重要棉花生产中心，有轧棉厂和挂毯生产。公共设施有一座医院和旁遮普大学的几所学院。萨希瓦尔位于苏特莱杰河与拉维河之间人口稠密地区。有巴里灌渠网灌溉。主要农作物有小麦、棉花、烟草、豆类和油料作物。出产棉制品和漆器。位于其西南的哈拉帕，为已知最早的印度次大陆城市文化所在。人口：市 207 388(1998)。

Sahle Miriam (Ethiopian emperor)　**萨赫勒·米里亚姆**　参阅 **Menelik II** *曼涅里克二世*。

Sahle Selassie　萨赫勒·塞拉西(1795 或 1801 ～ 1847)　埃塞俄比亚绍阿王国的统治者(1813 ～ 1847)，海尔·塞拉西一世的曾祖。出身于阿姆哈拉王族，其父被刺后，继承王位，成为封建、半独立的绍阿王国君主。他是一位坚强而仁慈的统治者，即位后开疆拓土，巩固国基。他对西方的技术感兴趣，与法国和英国签订通商友好条约。

Saho　萨霍语　又拼 Sao，Shaho，Shoho 或 Shiho。又称阿法尔-萨霍语(Afar-Saho)。它是几个民族共同使用的一种语言。这些民族大多居住在埃塞俄比亚北部厄立特里亚行政区南部沿海平原上。通常萨霍语被划分属于含米特-闪米特(非亚)语系东库希特语支。操萨霍语的诸民族，北面以提格雷人为邻，西面连接阿姆哈拉人，南和东又住有阿法尔人；阿法尔人的语言同诸民族(即操萨霍语的诸民族)的语言形成一种单一的语言。操萨霍语的人大多数为穆斯林，信奉苏非派教义(伊斯兰神秘主义)，几乎全以放牧为业，冬季驱其骆驼及羊群到沿海平原。最大群体是阿萨奥塔人，实行集约农作，全部为穆斯林。厄立特里亚区南部的米尼菲尔人，有的是基督教徒，有的则是穆斯林。伊罗布人是讲萨霍语的基督教徒，住在阿姆哈拉人地区，又为阿姆哈拉文化和语言所同化。最北部的特罗亚人是唯一拥有大量牛群的萨霍牧民。在 20 世纪末，共有 10 万萨霍牧民。

Sahpo Muxika (Indian chief)　**萨赫波·穆克希卡**　参阅 **Crowfoot** *克劳福特*。

Sahsaram (India)　参阅 **Sasarām** *瑟瑟拉姆*。

sahuaro (cactus)　参阅 **saguaro** *萨瓜罗掌*。

Sahuayo　萨瓦约　墨西哥米却肯州西北部城市。在中央高原，海拔 1 550 米。气候温和，雨量适中。因有灌溉水源，种植玉米、豆类、小麦和番茄。畜牧业也占重要地位，奶制品业发达。附近有煤矿。公路通莫雷利亚和哈利斯科州萧尔马河畔的拉巴尔卡。人口 61 100(2000)。

Sahul Shelf　莎湖陆架　从澳大利亚北岸延伸到新几内亚岛洋底的稳定构造台地。曾为高出海面的大陆架，表面仍有河流经其上流入大洋时形成的侵蚀特征。陆架受地壳作用力，已缓慢地向下挠曲。这种下沉表现为沿其 600 米深的边缘分布、由在陆地下沉时发育而成的珊瑚组成的珊瑚环礁所证明。陆架可分为以下主要部分：①阿拉弗拉浅陆架，93 万平方千米，位于阿拉弗拉海和卡奔塔利亚湾；②帝汶海莎湖陆架，31.08 万平方千米；③罗利陆架，31.08 万平方千米，位于印度洋西北部，延伸到西澳大利亚西北角。北面有较深的帝汶海槽和火山岛屿——小巽他群岛，它们是莎湖陆架与巽他陆架的分界。这个陆架的存在，早在 1845 年就为 G.W.厄尔所推断出。

Sai Ong Hue　赛·翁·顺化(?～1735)　老挝澜沧国王(1700?～1735)。在他治下，国

家分裂成两个敌对的王国:万象、琅勃拉邦。苏里亚旺萨之孙。当澜沧王位为人所篡时他流亡顺化(在今越南)多年。1698 年他攻占澜沧首都万象,赶走篡夺王位者。1700 年自立为国王。1705 年把碧玉佛由琅勃拉邦移至万象。1707 年琅勃拉邦被景基萨腊夺走。赛·翁·顺化遂投靠越南和暹罗,从此埋下祸根,使老挝饱尝近 300 年之久的依附、分裂和外侮之苦。

Ṣā'ib　萨伊卜(1601或1602,伊朗大不里士～约 1677)　全名密尔扎·穆罕默德·阿里·萨伊卜,又名大不里士的萨伊卜或伊斯法罕的萨伊卜。波斯诗人,古典阿拉伯和波斯抒情诗歌形式的最伟大的大师之一。这种抒情诗以押韵的对句为特点,称为厄扎尔。萨伊卜就学于伊斯法罕。大约在 1626 或 1627 年游历印度,被接进沙·贾汗的宫廷。他在喀布尔和克什米尔住过一段时间。在国外居留数年后回归故里。后来阿拔斯二世国王授予他“诗人之王”的称号。萨伊卜的声望主要基于其为数约 30 万的对句,包括其史诗《坎大哈之役》。他的“印度体”诗显示了一种优雅的机智以及写格言和谚语的天赋,也是对哲理与智力训练的一种敏锐鉴识。除了出色的波斯诗著之外,他还用土耳其语写诗。

Saichō　最澄(767,日本近江～822,比叡山)　谥号传教大师;日本佛教天台宗创始人。13 岁出家,804 年到中国留学,将天台宗教义传入日本。在京都附近比叡山建寺。他很快就得到天皇的赞许,得到宫廷的慷慨赞助。他要求僧众严守戒律,隐居比叡山 12 年。尊敬神道教的神祇并强调佛教的爱国义务,为日后日本佛教主流确定发展方向。

Ṣa'īd, aṣ-(Egypt)　参阅 **Upper Egypt** 上埃及(地区)。

Sa'īd ibn Sulṭān　赛义德·伊本·素丹(1791,阿曼～1856-10-19,海上)　马斯喀特和阿曼及桑给巴尔的统治者,使桑给巴尔成为东非的主要国家和西印度洋的商业中心。赛义德于 1804 年与兄弟赛里姆共同继承父亲的王位,但很快就被堂兄伯德尔赶下台。1806 年赛义德刺杀伯德尔,成为唯一的君主。即位之初面临错综复杂的家族与部族的斗争,还有英法两国在印度洋上的紧张对峙,瓦哈比穆斯林清教运动在阿拉伯半岛的扩展,以及盖沃西姆海盗的频频袭扰。他建立一支陆军和一个舰队。1824 年前往麦加朝圣。这一行动表明他已经打败国内外敌人,可以冒险离开自己的领地。非洲东部海岸的许多小国原来向阿曼称臣纳贡。但在赛义德即位时,由于阿曼国势衰微,这种藩属关系已经名存实亡。在蒙巴萨,马扎里家族甚至建立了一个实际上独立的王朝。1822 年赛义德派遣远征军将马扎里家族逐出奔巴岛。1824 ～ 1826 年英国海军不定期占领蒙巴萨。1827 年赛义德亲自出征重建他的霸权,随即展开一场与马扎里家族争夺蒙巴萨的斗争。迄 1837 年,赛义德以智谋取胜。1828 年赛义德首次巡视桑给巴尔岛。他不久得到种植丁香树的两个地区。他毕生努力使桑给巴尔岛和奔巴岛成为世界最大的丁香产地。1834 年他打算将首都从马斯喀特迁往桑给巴尔。在 19 世纪 40 年代以前,他驻跸这两个城的时间大致相等。他在东非不仅要增加税收而主要是谋求商业上的利益。从 19 世纪 20 年代起,桑给巴尔的商队就一反古老的贸易制度,改变由非洲商队将非洲产品运往沿海地区的惯例,他们积极搜寻象牙、奴隶和其他产品,建立一个远至坦噶尼喀湖和今乌干达的崭新的贸易体系。在外国建立了桑给巴尔领事馆:美国(1837)、英国(1841)、法国(1844)。除了美、英、法、德四国为直接买主外,赛义德还用自己的商船向阿拉伯半岛、印度以及欧洲和美国输出商品。至 19 世纪 40 年代,他已经使桑给巴尔成为东非首屈一指的强国。赛义德在位期间,始终受到英国的压力。1822 年与英国缔结一项合作条约,同意禁止自己的臣民向基督教国家贩卖奴隶。据报道,迄 1842 年止,赛义德每年进口奴隶 1.5 万人左右,其中一部分是为了发展丁香种植园的需要。1845 年又同英国签订一个条约禁止他的非洲国家进口或出口奴隶。他的宫廷中拥有1 000 名奴隶。他去世后,遗嘱说明解放这些奴隶,但种植园奴隶不在内。赛义德的商业帝国没有建立行政制度,基本上由他个人独裁,每天都到公共场所去解决诉讼案件。在商业中,他特别倚重印度商人,鼓励印度商人移居桑给巴尔。他的后宫嫔妃始终保持在 70 人上下,主要是切尔克斯人或埃塞俄比亚人,她们为他生育 25 个儿子和数不清的女儿。1856 年他在海上去世,遗嘱由两个儿子继承领地:马吉德统治桑给巴尔,苏韦尼领有马斯喀特和阿曼。

Sa'īd ibn Yūsuf al-Fayyūmī(Jewish philosopher)　**赛义德·伊本·优素福·法优密**　参阅 **Sa'adia ben Joseph** 萨阿迪亚·本·约瑟。

Sa'īd Pasha　赛义德帕夏(1822,开罗～1863-01-18,亚历山大)　奥斯曼帝国的埃及总督(1854 ～ 1863)。他推行发展土地个人所有制的政策,削弱了村长(族长)的影响。穆罕默德·阿里帕夏的第 4 子,曾在巴黎求学,1854 年继阿拔斯一世为总督。由于受到西方土地所有制形式的影响,同时由于西方金融家为改变埃及传统土地占有权而施加压力,赛义德于 1855 年颁布一项法令,允许农民男性后代继承其土地。3 年后,他又通过另一法令,规定只有穆斯林才有土地继承权,从而把有继承权的亲属范围缩到相当小。但在第 2 个法令中加了一项条款:农民连续占有土地达5 年并交纳土地税者,可以得到所有权以及出售、抵押或交换土地的权利。在农民获得更大财产权的同时,村长的权威随之下降。他们失掉了在农民中重新分配土地的权力。赛义德废除农村集体缴纳赋税的规定,而把税款直接分摊到个体种植者。他还没收村长占有的部分土地,并征调他们以前享受免役权的儿子入伍。赛义德还在 1861 年建立一个委员会制定埃及城市市政法规,但主要由于外国列强反对而没有取得成果。他还打算禁止从苏丹进口奴隶以结束奴隶贸易,但未成功。他最主要行动之一,就是在 1856 年批准给予一家法国公司以开凿苏伊士运河的特许权。到了 1859 年,他又反悔,但运河工程虽未得官方准许,仍断续进行。

Saïda　赛伊达　阿尔及利亚西北部城镇。位于泰勒阿特拉斯山南坡,赛伊达河右岸。奥兰—贝沙尔铁路线经此镇后,城镇发展迅速,1862 年建制。自古为军事要地。周围土肥水足。北部种植谷物(主要是小麦)、橄榄和葡萄。干旱高地上生长北非芦苇草、种植谷物和放牧山羊和绵羊。因而成为羊、毛和谷物贸易中心,亦以革制品和瓶装矿泉水著称。人口:城市区 279 526(1998)。

Saida(Lebanon)　参阅 **Sidon** 西顿。

Saidpur　赛义德布尔　孟加拉国西北部城镇。是黄麻加工和出口中心。主要铁路终点站之一,有大型铁路工厂。有拉杰沙希大学的一个学院。人口约 105 000(1991)。

Saifganj(India)　**萨夫甘杰**　参阅 **Katihār** 格蒂哈尔。

saiga(*Saiga tatarica*)　**高鼻羚羊**　偶蹄目牛科中等大小的有蹄动物。成群栖息在无树的草原。曾经是波兰到蒙古西部一带的常见动物。由于捕猎而大大减少,在东欧已不复

高鼻羚羊(*Saiga tatarica*)
供图:Cy La Tour at the Dallas Zoo

存在。1919 年俄国政府下令进行全面保护,从那时起在西伯利亚数量有所增加。突出的特点是鼻孔下吻部鼓胀。这种吻部有助于使吸入的空气加温和潮润,也与其灵敏的嗅觉有关。成年者肩高约 76 厘米。毛短,夏天淡褐色;冬季毛密,灰白色。雄体有略似竖琴的琥珀黄色的角,上有棱脊,在中国此种动物的角被视为珍贵药材,这就是高鼻羚羊被大量猎杀的主要原因。

Saigō Takamori　西乡隆盛(1827-12-07,日本九州鹿儿岛～1877-09-24,鹿儿岛)　日本著名将领,推翻德川幕府的领袖,后因看到他所帮助复兴的天皇政府软弱无能,乃起而反叛。虽然他参与维新,使其成为传奇式英雄,但令他沮丧的是,维新政府将他的武士阶级置于无所作为的地位。出身于武士家庭。身材魁伟,体格健壮,为人豪爽慷慨,好任侠,受佛教禅宗和中国哲学家王阳明思想影响颇深。他不到 40 岁便在京都统领萨摩军。1868 年 1 月 3 日黎明他同一批忠于皇室的人发动政变,推翻了从 1603 年开始的德川幕府

的统治。这就是后来开创日本新纪元的明治维新运动。从此西乡隆盛成了日本著名的民族英雄。1869 年天皇嘉奖维新运动中的有功人员,他获得最高奖赏。1871年他受命统

东京国际教育情报学社供图

领新成立的禁军(约 1 万人)。后又被任命为太政官,与木户孝允共同负责实行新政。废藩置县进展顺利,随后是遣散各藩军队。到 1871 年底政府已排除全部潜在的军事反抗。1872 年夏他被晋升为大将。当时,政府中一部分人主张采用欧洲的普遍兵役制;一部分人极力反对,因为日本自古以来征战事宜均为武士阶级所独揽。西乡隆盛私下同意前者,但不愿公开支持,因为他担心日本会因此而失去武士精神。由于朝鲜拒绝承认明治政府,三拒日本使团,西乡隆盛力主出兵征讨,但他的意见被否决。1873 年他辞官回归故里,着手办学训练武士。对政府不满的前武士,从各地聚集,人数多达 2 万(1877)。从此,县以下各级领导职务均由其门生故旧把持,形成尾大不掉的局面;中央感到棘手,但采取的某些不当措施进一步激化了这种局势。1877 年他在鹿儿岛的学生谋反,他本人被裹胁为首,向东京进军,后败退,在政府军发动的最后进攻中受重伤,命部下砍下自己的头颅。叛军投降朝廷。西乡隆盛的失败说明,普遍兵役制战胜武士阶级,朝廷再也不恐惧武士拥兵作乱了。总之,他是一个悲剧人物,尽管在开创一个日本新世纪时功勋卓著,但不能自相适应。

Saigon(Vietnam) **西贡** 参阅**Ho Chi Minh City 胡志明市**。

Saigon, Treaty of **《西贡条约》**(1862-06) 法国侵入印度支那半岛的依据,由越南沦为殖民地前的末代皇帝嗣德签订。据此,法国得到西贡和交趾支那 3 个南方省份;越南开放 3 个通商港口,允许天主教自由传教;法国对越南外交具有保护关系;越南向法国支付大批赔款。5 年后,法国吞并交趾支那的其余部分。

Saigon River **西贡河** 越南南部河流。源出柬埔寨东南部的当村附近,向南和东南部偏南流,绕胡志明市(原名西贡)东缘后注入争莱湾,全长 225 千米。在胡志明市东北 29 千米处有中部高原主要河流同奈河汇入;在该市北缘又有边葛河汇入。虽位处河口以上 72 千米,却是东南亚最重要的港口,可容纳吃水 9 米的船舶。胡志明市以下 16 千米处有油港芽皲。

Saigyō **西行**(1118,日本～1190-03-23,大阪) 日本诗僧。原名佐藤义清。最伟大的短歌(日本传统的诗歌形式之一)作家之一。他的生平和作品成了许多故事、剧本和木偶戏的主题。他最初随父亲在军中服役,但是也和当时其他人一样,看到 12 世纪下半叶平安时期辉煌的皇家宫廷生活转入内战阶段,全国遭到灾难,因而心情十分压抑。23 岁时遁入佛门,遍游日本全国各地,并定期回到京都参加宫廷里的仪典。他的诗大部分是以热爱大自然和虔信佛教为主题。他的作品很多,和歌集《山家集》和《御裳濯川歌合》是其中的两个集子。后者是他的杰作,他用自己的诗来互相对歌。他有许多和歌收录在敕选集《新古今集》里。西行对后世诗人,特别是俳句大师松尾芭蕉皆有影响。

Saijō **西条** 日本四国爱媛县城市。在加茂川三角洲。17 世纪时是以城堡为中心的城镇,后成为地方行政、商业中心。在这里建成两座大型电站后,纸浆、造纸和纺织厂迅速发展。20 世纪 80 年代初成为东爱媛工业城规划的核心城市之一。也是农产品集散地和前往石锤神社(在市南石锤国定公园内四国最高峰海拔 1 981 米的石锤山坡上)朝觐的基地。人口 56 516(1985)。

Saikaku **西鹤** 参阅**Ihara Saikaku 井原西鹤**。

Saiki **佐伯** 又拼Saeki。日本九州大分县城市。面对佐伯湾。室町时代(1338 ～1573)以城堡为中心的城镇,1601 年成为毛利家族领地。因有良港,1933 年辟为海军基地。第二次世界大战后,大部分军事设施改为民用工业,生产船舶、纸浆、水泥。自 20 世纪 50 年代起为对外贸易港口。人口 54 708(1985)。

sail **帆** 船只借以利用风力推动在水中行进的大块织物(如帆布)。最初的帆很可能是小筏或独木舟上为利用风力而使用的兽皮。其后可能是用绷在两根杆子之间的苇席等作帆。在古埃及人前王朝(约公元前 3300)时期的艺术中出现了有关布帆的描绘,其他古代地中海文明地区的船只也装备有帆。在英、法、西班牙争夺海上霸权的时期,帆布是以亚麻纤维织成的。尽管棉花已取代亚麻织出了质量更好的帆布,但是亚麻纤维仍然用于制帆。只是到了 1851 年美国赛艇"美国"号使用棉布帆大胜英国赛艇队后,棉布帆才开始流行起来。棉帆布比用亚麻、大麻、苎麻、黄麻纤维及这些麻类的混合纤维织造的帆布都要优越,因为它可以织得更紧密,故而不那么容易变形,也不会从织物孔隙间漏掉那么多的风力。然而,棉制帆布非常硬,不易操纵。如今,优质帆的使用者主要是快艇驾驶人员,他们普遍偏爱聚酯纤维涤纶(美国称 Dacron,英国称 Terylene)。这种合成织物于 1950 年开始采用,证明比任何类型的棉织物或其他合成材料都好得多。涤纶帆具有尺寸稳定性,所以无需"试用期"。它的强度较高,因此就可能使帆变得比较轻,而且保持原形多年不变。因为这种织物经过热金属辊的挤压热处理,所以其纤维扁平并且彼此交联,表面平滑而几乎无摩擦,极少孔隙。不过,由于其缝合线不能与之紧密配合,针脚凸出于表面,故缝线磨损较之其他帆布要快。

帆的基本制造步骤略述如下:①制造者研究设计方案,或测算船的帆装。②计算衍展和曲度(即表面弯曲值)。③在制帆棚的地面上按足尺将实际设计图放大样。④把布铺在图样上,给每块布标上它们的实际尺寸和形状。⑤给布编号,然后按所标尺寸剪裁。⑥把裁好的布缝到一起。缝线是用一种专门的帆线,纫好针后一面顺时针捻转帆线,一面给它打蜡。这样捻转有助于缝线与帆布紧密配合。⑦当所有的布都缝合到一起后,在折角处加贴补,在应变最大的部位——纵帆前缘和下缘——缝上阔边(边缘的包边)。⑧进行最后修整。前缘帆索缝在帆前缘的里面,以防帆被拉扯变形。纵帆前缘和下缘缝上强韧的绳索(帆边绳),并把金属滑轮、索环、收帆索、索眼圈等各种附件装到帆上。

帆有两大类:横帆和纵帆。前者一般与船的纵轴线交叉安装,后者则顺纵轴线安装。横帆仅靠帆背风压向前驱动船只,而纵帆则可利用两面风压推船前进。

帆还可分为主帆和辅帆。主帆是在平常天气提供主要推动力的帆,辅帆则是辅助主帆平衡船身和提供附加推力的帆。主帆有 6 种:方帆、斜桁帆、百慕大或马可尼艄三角帆、斜杠帆、斜桁四角帆、斜挂大三角帆。辅帆只是这些基本帆型的变种。此外,帆还常按其功能分类,如平常天气用的巡航帆,炎热天气用的夏令帆,恶劣天气用的风暴帆,以及竞赛帆等。

帆的名称常来自其安装的部位,或参考附近索具的位置,最临近的桅杆常常是第一参考点;因此,桅杆的名称和位置很重要。一条两桅杆船的两根桅杆,由船头开始,分别称为前桅和主桅;若后一桅杆小得多,则前桅称主桅,后者称为后桅。在所有三桅船上,各桅杆名称分别为前桅、主桅、后桅。

Sailer, Anton **赛勒**(1935-11-17,奥地利基茨比厄尔～2009-08-24,因斯布鲁克) 别名 Toni Sailer。奥地利高山滑雪运动员。原为一名水暖工,是赢得奥运会高山滑雪金牌的最年轻男运动员。在 1956 年意大利科尔蒂纳丹佩佐举行的冬奥会上,他先赢得大回转和小回转的金牌,滑降赛当天的天气极坏,滑行线路非常危险;有 1/3 以上的参赛者因狂风和赛道结冰未能滑完全程,8 个人需要治疗。赛勒也几乎跌倒,但勉强克服,比瑞士选手 R. 费莱快了 3″30,赢得金牌。3 块金牌表明他是高山混合项目的世界冠军。到 1958 年共获得 7 次世界冠军。自 1957 年起从事电影演员工作,没有时间参加训练,1959 年宣布退出业余比赛。后于 20 世纪 70 年代初重新参加奥地利滑雪队,担任经理。

sailfish **旗鱼** 鲈形目旗鱼科旗鱼属(*Istiophorus*)的重要食用鱼和游钓鱼,分布于全世界热、温带海域。吻延伸为长圆形,矛状。与近缘种类如枪鱼的区别是体较细长,腹鳍

旗鱼（*I. platypterus*）
供图：D. Corson—Shostal/美国不列颠百科全书公司

长，特别是背鳍宽大如帆。体深蓝色，腹侧银白，背鳍亮蓝而有斑点。体长约3.4米，重量可达90千克以上。主要以其他鱼类为食。旗鱼的分类尚无定论，可视为一个种（*I. platypterus*）或几个种。

sailing　帆船运动　驾驶帆船，或更广泛而言，驾驶任何以帆或以马达推进的大船所做的运动、航行消遣或竞赛。参阅 **yacht**。

Saimaa, Lake　塞马湖　芬兰东南部湖泊。在米凯利省和屈米省境内，靠近俄罗斯边界，在赫尔辛基东北部。面积1 147平方千米，为芬兰最大的大塞马湖系主湖，塞马湖自拉彭兰塔起向北伸展约350千米。有两支湖湾：西支至伊萨尔米，东支达努尔梅斯。约120个湖泊及湖系中的无数溪流把芬兰东南部大部分地表水经塞马湖、武奥克希河和塞马运河（1856）排入芬兰湾。木材加工、纸浆和纸张制造业是地区经济的基础。湖系为该区主要城镇的运输纽带。湖系南部，尤其是和俄罗斯毗邻的屈米省伊马特拉，有大型水力发电站。当地森林风景吸引着不少游客。

saint　圣人　据信以特殊方式与上帝、神、女神、精神力量、奥秘境界等被认为神圣实在的事物以及神圣事物（超在境界）的其他方面有关联的人士。古往今来以及许多宗教中，都有多种类型的人物或由公众公认，或由官方宣布为圣人，他们对于形形色色的宗教信徒发挥重大影响。在公元前6世纪由孔子创立于中国的儒家体系中，“圣”是最好地体现在“先代圣君”身上的道德完美状态。同样创立于公元前6世纪的中国道教提出一种玄妙的圣人，其特点是灭情无欲地接受天地之“道”。日本土著宗教神道教崇敬许多奥妙的圣人，但是认为，人类社会的一切成员，不分善恶，死后都会达到超自然的存在。根据上座部佛教教义，佛陀的弟子（特别是僧人）凡证得涅槃者即为罗汉（参阅 **arhat**；相当于圣人）。另一方面，大乘佛教认为，一切人都可成佛，自然也可成圣。许愿首先增进他人的灵性进步然后自己再成佛的人，叫做菩萨，也尊为圣人。藏传佛教密宗把圣人的范围扩而广之，众多的转世活佛也都尊为圣人。印度耆那教尊创教人大雄为一脉相承的二十四祖中最后一祖。印度的主要宗教印度教尊许多人为“娑度”（善者）和“阿跋多罗”（神的化身），其中包括其他宗教的圣人。在西方，希腊宗教所崇奉的古代英雄在许多方面与圣人相类。琐罗亚斯德教（包括印度帕西人所信者）崇敬无数的“弗拉法希”，他们是先于创世而存在的灵魂，本性善良。在希伯来《旧约》中，“圣人”（圣徒）一词指上帝的选民以色列人中的任何一员。在《新约》中，它指基督教会的任何一位教友。到了约6世纪，它才成为谥号（参阅 **canonization**）。伊斯兰教教理学不接受关于圣人的概念，但是不同时代都出现了一些“吾力”（真主之友），据说他们行神迹，有神验。

Saint　圣　作为尊号冠于人名，又冠于许多地名。此为英文形式，其他文字形式见下表：

Saint		
	男性	女性
丹麦文	sankt	sankt
荷兰文	sint	sint
法　文	saint	sainte
德　文	sankt	sankt
匈牙利文	szent	szent
意大利文	san, santo, sant’	santa, sant’
葡萄牙文	são, santo	santa
罗马尼亚文	sfintu	sfinta
西班牙文	san, santo	santa
瑞典文	sankt	sankta

Saint Abb’s Head　圣阿布斯角　苏格兰东南部苏格兰边境政务会辖区北海的海角。属贝里克历史郡。位于诺森伯兰郡特威德河畔贝里克西北19千米处，高90米。为国家自然保护区，保护海鸟筑巢及迁徙，由苏格兰全国托管协会和苏格兰野生动物托管协会管理。约1098年埃德加国王在圣阿布斯村建一小修道院，遗址尚存。现为一渔村，是避暑胜地。

Saint-Acheul　圣阿舍利　法国北部皮卡第地区索姆省亚眠附近一地区，地处索姆河谷。当地曾发现旧石器时代斧头。这些斧头很大，双刃，为卵石斧。许多人认为是直立人制造的，但很少与直立人化石在一起。后在英格兰及欧洲和非洲、亚洲其他地区亦发现此类斧头。

Saint-Affrique　圣阿夫里克　法国南部南比利牛斯地区阿韦龙省城镇。地处东南沿海贝济耶西北96千米，距以产羊干酪出名的苏尔宗河畔罗克福尔镇约10千米。该镇于6世纪发展起来，有一座15世纪桥梁，郊外有巨石群。有制革业，生产手套、羊毛制品及化工品。亦参与罗克福尔干酪交易。人口8 475（1982）。

Saint Aignan（Papua New Guinea）　**圣艾尼昂**　参阅 **Misima Island** 米西马岛。

Saint Alban, Francis Bacon, Viscount　圣奥尔本子爵　参阅 **Bacon, Francis**（1561～1626）培根。

Saint Albans　圣奥尔本斯　英格兰赫特福德行政、历史郡一区（城市和城镇）。位于伦敦西北约32千米佛河谷地。面积161平方千米。大约304年一个信奉基督教的罗马人奥尔本在佛河东岸被杀，后在其殉教地址建起隐修院，该市则在隐修院周围发展起来。圣奥尔本斯教堂建于1077年（1877年被称作大教堂）。该城及其隐修院在英国历史上扮演了十分突出的角色。1213年大宪章第一个草案曾在该隐修院向教士和贵族们宣读。玫瑰战争时期，当地发生了两次战斗。1539年该隐修院解散，圣奥尔本斯成为一个自治市，其第一个特许状为1553年颁发。隐修院所属土地归培根家族所有。17世纪中叶英国内战期间该城是埃塞克斯伯爵议会党军队总部。最重要的工业是印刷业，有最早的出版社之一，《圣奥尔本斯》是英国最早的彩色印刷典范。其他轻工业有电器和乐器制造业。人口：市约80 376（1991）；区约131 400（1998）。

赫特福德郡的圣奥尔本斯大教堂
供图：Doreen Wright—Bruce Coleman Inc./美国不列颠百科全书公司

Saint Albans　圣奥尔本斯　美国佛蒙特州西北部城市，富兰克林县县城。在伯灵顿以北39千米处。环绕该市的圣奥尔本斯镇区临尚普兰湖的圣奥尔本斯湾。1763年获准建立城镇。1859年圣奥尔本斯村划出自成建制，1897年设为市。因近加拿大边境，1807～1812年间走私猖獗。亦为"地下铁道"一站。1864年10月19日，南北战争最北部一次战斗中，约有25名南部邦联士兵袭击该镇。1866年，爱尔兰民族主义秘密社团芬尼亚派成员打算进攻加拿大，以该城作为大本营。现槭糖生产为主要行业，乳品业也重要。人口7 650(2000)。

Saint Albans, DUKES, EARLS, AND VISCOUNTS OF 圣奥尔本斯公爵、伯爵和子爵 英国封爵贵族，按年代顺序列于后，并各以● 为标记。

● Saint Albans, Francis Bacon, Viscount 圣奥尔本斯子爵 参阅**Bacon, Francis**(1561～1626)培根。

● Saint Albans, Henry Jermyn, Earl of 圣奥尔本斯伯爵(约1604～1684-01-02，伦敦) 即H.杰明。英格兰查理一世的王后亨丽埃塔·玛丽亚的宠臣，谣传查理一世被处死后，他成为她的丈夫。1625年进入议会。在亨丽埃塔·玛丽亚的宫廷中，1628年任副宫廷大臣。1639年任侍从长。1645年任宫廷大臣。内战初期为国王作战。1645年1月起任泽西岛地方长官，曾提议将海峡群岛出卖给法国以换取法国的军事援助。王政复辟(1660)前被封为伯爵，复辟后获得很多政府职位，并协助查理二世与法王路易十四谈判缔结《多佛尔条约》(1670-06-01)。1665年获得威斯敏斯特圣詹姆斯宫附近的土地，迄今仍有圣奥尔本斯街的街名。他以赌博和贪食闻名。

● Saint Albans, Charles Beauclerk, 1st Duke of 圣奥尔本斯公爵(第一)(1670-05-08，伦敦～1726-05-10，英格兰埃文巴斯) 英王查理二世的私生子。1676年封赫丁顿男爵和伯福德伯爵，1684年封圣奥尔本斯公爵。曾在丹麦女王安妮的骑兵团任上校，在利奥波德一世的帝国陆军中效力，参加过1688年围攻贝尔格莱德之役。1693年兰登战役后，英王威廉三世任命他为国王侍卫长，4年后任命为宫廷侍从长(1697～1702)。勃艮第公爵结婚时，他被任命为派往路易十四处的特命使节，据说他造成很坏印象，没有受到接见，而且借债不还。安妮女王在位时期，因他倾向辉格党人，未受重用。乔治一世即位后方再度受宠。

Saint Albans, battles of 圣奥尔本斯战役(1455-05-22和1461-02-17) 英格兰玫瑰战争中的两次战役。圣奥尔本斯在伦敦西北20英里处，为通往首都的北部要冲。第一次战役发生在1455年。约克公爵理查是国王亨利六世的堂兄，按长子继承制比国王更有继承王位的权利。约克公爵认为亨利的王后玛格丽特和兰开斯特家族的萨默塞特公爵策划打倒他，遂发生这次战役。结果萨默塞特公爵阵亡，国王被俘，从此约克家族保持了一年多的优势。1456年，玛格丽特王后重新得势，因而于1459年再启战端。此时，约克公爵理查已死。玛格丽特和约克之子爱德华为夺取伦敦，在圣奥尔本斯举行会战。约克方面的军队由沃里克伯爵指挥。由于他估计错误，侧翼一开始就受到打击，士兵纷纷倒戈。他只好从圣奥尔本斯镇撤走。玛格丽特战胜之后，允许士兵掳掠市镇和圣奥尔本斯教堂。伦敦听到这个消息后要求她保证军纪严明，否则不许入城。当她正在犹豫之际，爱德华进入伦敦，加冕为国王爱德华四世。

Saint Albans Raid 圣奥尔本斯的抢劫(1864-10-19) 美国南北战争期间南部邦联军队从加拿大进入联邦地区进行的一次抢劫，增添了原已存在的美加间的紧张关系。1864年10月19日有约25名南部邦联士兵侵入圣奥尔本斯镇，杀死1人，抢劫了3家银行，然后逃回加拿大境内。一支美国武装队伍追击抢劫者，俘获数人，但被迫交给加拿大当局处理。10月21日这些南部邦联军人的一半左右被加拿大人逮捕，但在12月13日他们又被释放，他们盗窃的20万美元被退回。开释抢劫者在美国曾引起强烈的抗议。后来，5名抢劫者重新被捕，以破坏加拿大中立罪拘留了一段时间。1872年据《华盛顿条约》成立了一个委员会，处理美国人关于进一步赔偿要求的问题。

Saint Albert 圣艾伯特 加拿大艾伯塔省中部农业混合经营区城镇。紧邻埃德蒙顿西北郊，濒斯特金河。1861年，宗教界英雄人物拉孔布神父建传教区，周围建居民点，并以他的守护神艾伯特命名。拉孔布原木质教堂至今仍保存在一砖结构建筑物内。早期定居者多为法国人与印第安人的混血后裔。1904年建镇。人口42 146(1991)。

Saint Aldwyn, Michael Edward Hicks Beach, 1st Earl 圣奥尔德温伯爵(第一) 参阅**Hicks Beach, Sir Michael Edward, 9TH BARONET** 希克斯·比奇准男爵(第九)。

Saint-Amand-les-Eaux 圣阿芒莱索 法国北部省城镇和矿泉疗养地。位于埃尔农河与斯卡尔普河交汇处。地处里尔东南35千米，在比利时边界附近瓦朗谢讷西北13千米。该镇以647年在此建本笃会修道院的通格尔主教圣阿芒命名。该修道院于882年和1340年先后被诺曼人和埃诺伯爵废弃。在当地浴池发现的罗马塑像和硬币，表明罗马人(或更早的人们)相信当地泥浴有康复作用。该镇博物馆藏有一度享有盛誉的本笃会修道院(音乐理论家于克巴尔德任院长)的复制模型，有17世纪早期巴罗克风格的82米高塔。该镇为一工业中心，以彩陶业闻名，有针织厂、铁工厂、木架厂。矿泉浴池在赖姆森林边缘。人口16 776(1990)。

Saint-Amand-les-Eaux ware 圣阿芒莱索陶瓷器 一种锡釉陶瓷器，18世纪和19世纪产于法国圣阿芒莱索镇，以镇名得名。陶瓷器厂建于1718年。彩陶色调范围广，从娇嫩的蓝白色、淡鸭蛋青色、灰蓝色直到蓝紫色。将白色釉料涂在蓝白色釉面上的技艺(称为白色堆饰)，效果良好。紫色和蓝色则主要用于勾画花卉、人物以及漩涡形纹样，有时呈"中国"风格。自1771年起该厂开始生产软质瓷。1818年之后，该厂生产过一些法国和英国瓷器的赝品。

约1765年生产的圣阿芒莱索陶瓷器——彩陶墨水瓶架
伦敦维多利亚和艾伯特博物馆供图

Saint-Amand-Montrond 圣阿芒蒙龙 法国中部中央大区谢尔省城镇。在布尔日东南约40千米。该城镇是由圣阿芒(圣高隆班的追随者)于7世纪所建寺院的周围发展起来的。该城镇具有历史意义，但其城堡和防御工事因1652年的围攻而被毁。城堡废墟位于森林覆盖的蒙龙孤山上。其他遗迹有保存完好的一所13～15世纪的西多会修道院，以及许多古罗马废墟。圣阿芒蒙龙是第二次世界大战时法国抵抗运动的中心，因而解放前遭法西斯野蛮报复。它现今是乳制品业中心并有一些轻型制造业。人口11 937(1990)。

Saint-Amant, (Marc-) Antoine Girard, sieur de 圣阿芒(约1594-09-30，法国鲁昂～1661-12-29，巴黎) 17世纪初法国最有独创精神和最有风趣的诗人之一，法兰西学院最早的院士之一。他的早期诗歌对筵席上和小酒馆里人们寻欢作乐的情景作了如实和欢畅的描写。例如，《阿尔比恩》(1643，指英格兰)就反映他和其赞助人阿尔古伯爵一起在国外长途旅行的见闻。这首滑稽地模仿英雄风格的叙事诗，记述了他的英国之行，详述了伦敦剧院的情况。他的《可笑的罗马》(1649)使滑稽诗兴盛起来，这种体裁后又被斯卡龙所发展。一度是个新教徒，后半生才转变成天主教徒。他的圣经史诗《被拯救的摩西》(1653)虽然全文质量不平衡，不太流畅，但有些段落却栩栩如生，十分动人。生前曾获得人们的好评；在他去世后却被有影响的评论家布瓦洛所嘲弄。他的作品有两百多年一直被人疏忽。当今的学者视圣阿芒为在17世纪前半叶达到全盛时期的不规则诗派诗人中最有成就的代表之一。

Saint-André, André Jeanbon 圣安德烈(1749-02-25，法国蒙托邦～1813-12-10，法兰西帝国蒙托内尔美因茨) 法国基督教新教牧师，雅各宾独裁统治时期(1793～1794)的救国委员会委员。父为商人。他在1788年任胡格诺派牧师前曾在法国商船队中任船长。约于此时，使用别名圣安德烈。他拥护1789年大革命，希望法国基督教新教徒能再被允许参加公共生活。当选为1792年9月召开的国民公会议员后，同雅各宾俱乐部选出的议员坐在一起，翌年7月10日，国民公会把他选入救国委员会。10月奉命去布雷斯特建造战舰和海军装备，准备对英作战。他敬佩罗伯斯比尔，所以未参与1794年7月罗伯斯比尔倒台事件。1798年任驻阿尔及尔领事。1799年被土耳其人俘虏，囚禁3年。1802年由拿破仑任命为美因茨区长，精明能干。后死于霍乱。

Saint-André, Jacques d'Albon, seigneur de 圣安德烈（约1505～1562-12-19，法国德勒）法国国王亨利二世的宠臣，先后被任命为枢密官、法国元帅、宫内第一侍从、里昂省总督、驻英格兰大使。1560年弗兰西斯二世死后，他同法国统帅蒙莫朗西公爵安内、吉斯公爵洛林的弗朗索瓦结成所谓三人执政集团，反对基督教新教徒和母后卡特琳·德·美第奇。但他在德勒战役（1562）中被胡格诺派所俘，后被一个因被他没收财产而心怀不满的天主教徒暗杀。

Saint Andrews 圣安德鲁斯 苏格兰自治市、大学城、高尔夫球发源地和原法夫行政区的渔港。位于北海的一个湾口，邓迪东南20千米处。曾是苏格兰的基督教会首府。有中世纪大教堂和隐修院（1127～1144）废墟，院落周围的精致围墙大部完好，大教堂附近还有城堡遗址。约1140年建成组织完好的城市区，约1160年被授予皇家自治市的大部特权，在中世纪的苏格兰发展成为最大的城镇之一。苏格兰最古老的大学圣马利亚学院建

圣安德鲁斯市大教堂围墙西门，从中远望为大教堂废墟
供图：Kenneth Scowen

于1411年。后来增建的圣萨尔瓦特学院（1450）和圣伦纳德学院（1512）在宗教改革后合并。作为苏格兰基督教会首府，该城受宗教改革的影响很大。改革者取胜后，教堂和隐修院沦为废墟，但在17世纪末以前城镇仍保持相当重要的地位。18世纪衰落，直至19世纪中期恢复成为城镇和大学中心，并发展成为度假和高尔夫球运动胜地。据信，早在15世纪这里高尔夫球运动就很活跃。这里有四片主要高尔夫球场，最著名的是旧球场。该市以宽阔漂亮的街道和有趣的16～17世纪的住宅建筑而闻名。许多建筑一直受到当地文物保护团体的保护。人口11 368（1981）。

Saint Andrews, University of 圣安德鲁斯大学 苏格兰最古老的大学。1411年建于法夫郡。大学校舍包括许多中世纪建筑如圣萨尔瓦特学院（1450）、圣伦纳德学院（1512）和詹姆斯六世于1612年重建的大学图书馆。第三所学院——圣马利亚学院（1537）一直限于神学教学（从1579年起）。1747年圣萨尔瓦特学院和圣伦纳德学院合并。位于邓迪的大学学院（1881）于1897年附设于圣安德鲁斯大学，1954年又作为女王学院并入大学高等医学院和牙科学院。1967年，女王学院被授予皇家特许状，成为邓迪大学。

Saint-Andrew's-cross（*Ascyrum hypericoides*）**金丝蝴蝶** 俗名圣安德鲁十字架。金丝桃科植物，原产北美东南部及中美洲。高75厘米，茎二棱，多分枝。叶长圆形至狭长形，宽1.5厘米。花金黄色，顶生，花瓣4枚。有时

金丝蝴蝶（*Ascyrum hypericoides*）
供图：B. M. Shaub

栽培观赏其花。类似种直立金丝蝴蝶（圣彼得草，*A. stans*）原产北美东南部，较矮，花略大，叶抱茎。

Saint Anthony 圣安东尼 加拿大纽芬兰岛北部半岛城镇。在黑尔湾入口处北岸。为古老的渔业区。有干坞和冷藏设施，设有医院和修船厂。在城北埃帕夫贝发现11世纪古诺尔斯人居民点的遗址，1978年联合国世界遗产委员会决定予以特殊保护，现在在朗索梅多国家历史公园内，1980年联合国教科文组织宣布该地区为北美洲唯一的诺尔斯人居民点。1945年建镇。人口3 164（1991）。

Saint-Arnaud, Armand-Jacques Leroy de 圣阿尔诺（1798-08-20，巴黎～1854-09-29，返法途中海上） 法国元帅，拿破仑三世统治时期

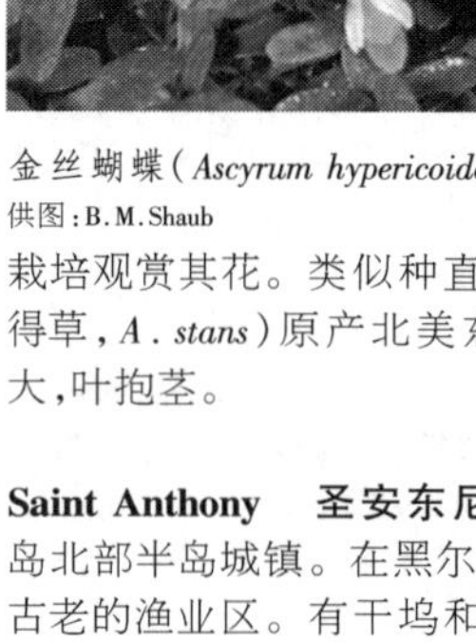

供图：Giraudon—Art Resource/美国不列颠百科全书公司

的陆军大臣，克里米亚战争中任法军总司令。1833年3月任比若将军的副官。后参加外籍军团，前往阿尔及尔（1837-01），在那里晋升很快。1848年革命爆发，他在巴黎力图挽救君主政体，但徒劳无功。1851年返回阿尔及利亚，任少将，后任君士坦丁省军区司令。1851年秋任陆军部长。他在1851年12月2日的政变中曾起决定性作用，因此拿破仑三世任命他为参议员和法国元帅作为酬劳。1854年他辞去大臣职务，不顾身患重病，任克里米亚法军司令。9月14日在埃夫帕托里亚登陆，在英军支援下赢得了阿尔马河战役（9月20日）的胜利。

Saint Asaph 圣阿瑟夫 威尔士语作Llanelwy。威尔士登比郡的大教堂村。属弗林特夏历史郡。教堂原是木结构，13世纪为英格兰人所毁，重修以后，约1402年又被威尔士的格伦道尔起义军队毁掉一大部分。现在的大教堂于1480年左右开始修建，1770年竣工，19世纪恢复旧观。为简单的十字形建筑物，带有方形钟塔，书库藏书2 000卷，有一些珍本，包括摩根主教译成威尔士文的《圣经》。这座不规则的小村庄中还有一座垂直哥特式小教堂和1678年建的几座救济院。人口3 401（1981）。

Saint Augustine 圣奥古斯丁 美国连续有人居住时间最久的城市。在佛罗里达州东北部。为圣约翰斯县县城（1821）和大西洋沿岸航道上的入口港。1513年西班牙人到此。

圣奥古斯丁市的圣马科斯堡
供图：Ray Atkeson—美国不列颠百科全书公司

1564年后建立城市。1565～1821年，除20年英国统治（1763～1783）外，一直为西班牙殖民地。1821年归属美国。当地象征西班牙统治的圣马科斯堡（1672）是美国现存最古老的城堡（现为国家保护区）。美国独立战争时期，该城为亲英分子避难所。印第安战争中，此地关押塞米诺尔印第安人俘虏（包括奥斯西奥拉）。美国内战最后3年为联邦军队占领。圣奥古斯丁有多处经过修复的西班牙殖民时期建筑和遗迹。经济以旅游为主，有商业性捕鱼和一些工业。设有佛罗里达东海岸铁路管理局和修配厂。1967年建立弗拉格勒学院。人口约11 592（2000）。

Saint Augustine grass（*Stenotaphrum secundatum*） **圣奥古斯丁草** 即紫筒草。早熟禾科多年生低矮丛生禾草，原产中美和北美东南部，在世界许多沿海地区归化。植株粗糙茁壮，在温暖季节易沿匍匐枝生根。在澳大利亚和北美南部一些地区作为草坪草种。其变种*S. s. variegatum*的叶具白色条纹，栽

圣奥古斯丁草(*Stenotaphrum secundatum*)
供图:G. R. Roberts

培供观赏。

Saint Austell 圣奥斯特尔 英格兰西南部康沃尔行政、历史郡雷斯托梅尔自治市一城镇。圣奥斯特尔最初名特伦南斯,后用一位隐士圣奥斯托尔的姓氏而命名。这个地区开采英格兰最重要的瓷土矿,然后在圣奥斯特尔加工,并从附近的福伊港装船运出。许多人从事于该工业,产品输往本地区各陶瓷厂、兰开夏和海外。该工业造成的矿渣堆大煞当地的风景。圣奥斯特尔的教堂有一座垂直式的哥特式塔楼,上有雕像和诺曼式洗礼盘等装饰。圣奥斯特尔以北的卡尔休设有瓷土工业博物馆,附近有许多具吸引力的渔港。人口 21 622(1991)。

Saint-Barthélemy 圣巴泰勒米 加勒比海中小安的列斯群岛的岛屿,位于向风群岛的北端。现建制为村,与圣马丁岛一起组成法国瓜德罗普海外省的一个专区。此岛长 17.5 千米,宽 4 千米。面积 21 平方千米。全岛多山,最高处为 400 米。土地肥沃,降雨量较少。古斯塔维亚是首府和唯一城镇,位于一个有良好屏障的港湾。1648 年被法国人占领。1784 年卖给瑞典。1877 年在公民投票后又还给法国。产热带水果、棉花、食盐、家畜,也有一些捕鱼业。有少量铅锌矿。居民大多数为欧洲人(瑞典人和法国人),讲 17 世纪的诺曼底语的一种方言。人口 5 038(1990)。

Saint Bartholomew(Vanuatu) **圣巴托罗缪** 参阅 **Malo** 马洛岛。

Saint Bartholomew's Day, Massacre of 圣巴托罗缪日惨案(1572-08-24或25) 在巴黎屠杀法兰西胡格诺派(新教)人士的惨案,策划者是卡特琳·德·美第奇,执行者是坚持天主教的贵族和其他公民。它是在 16 世纪末困扰法兰西的天主教与胡格诺派之间的一连串内战中的一次事件。因发生在圣巴托罗缪瞻礼日,故名。此次惨案的背景在于法兰西王宫中的政治和宗教斗争。胡格诺派的一位领导人海军上将科利尼主张在低地国家进行反对西班牙的战争以防止法兰西重新发生内战,1572 年夏法兰西国王查理九世拟批准他的这项方案。查理九世之母卡特琳则唯恐科利尼权势过盛,凌驾于其子之上。天主教吉斯家族早有暗杀科利尼的阴谋,因为他们认为 1563 年杀害吉斯公爵(第二)是科利尼所主使。此时卡特琳遂批准吉斯家族的阴谋。1572 年 8 月 18 日,卡特琳之女玛格丽特(瓦卢瓦的)与胡格诺派人士纳瓦拉的亨利(日后的法兰西国王亨利四世)结婚,胡格诺派贵族纷纷到巴黎参加婚礼。4 天后,暗杀科利尼的企图失败,科利尼受伤而未死。胡格诺派人士群情激昂,政府为了安抚他们而同意进行调查。卡特琳唯恐被人发现自己与此案的牵连,遂召集一帮贵族在土伊勒里宫秘密开会,密谋把仍在巴黎欢庆婚礼的胡格诺派要人斩尽杀绝。国王查理九世在劝说之下批准此项计划。8 月 23 日夜间,巴黎市政官员被召集到罗浮宫,接受命令。8 月 24 日拂晓,圣日耳曼教堂鸣钟,屠杀开始。第一批被害人中有科利尼,他在亨利(吉斯家族的)亲自监督下被杀。即使是在罗浮宫,纳瓦拉的亨利的侍从也都被害,但纳瓦拉的亨利本人和孔代亲王(第二)幸免一死。胡格诺派人士的住宅和商店被洗劫,主人遭残杀,许多尸体被投入塞纳河。8 月 25 日国王发布命令停止杀戮,但是巴黎的杀戮仍持续,而且蔓延到外省。鲁昂、里昂、布尔日、奥尔良和波尔多等地的胡格诺派人士多人惨死。动乱一直持续到 10 月初。对于动乱期间死亡人数说法不一,维护天主教的发言人说只有 2 000 人,而当时幸免一死的胡格诺派苏利公爵估计有70 000人。现代著作家估计,仅在巴黎一地即有 3 000 人。西班牙国王腓力二世得悉惨案的消息大喜,教皇格列高利十三世命人为此事铸造纪念章。新教国家震惊。法兰西国王查理九世承认为此事负责,但说胡格诺派曾阴谋反对国王。卡特琳本来希望此次屠杀使胡格诺派丧失活动力,但其结果适得其反,它重新挑起了天主教徒和胡格诺派的仇恨,使敌对行动再起。胡格诺派人士放弃了加尔文关于服从行政当局的原则,断定:在一定条件下,造反和杀暴君是正义行为。

Saint Bartholomew's Lake(Germany) **圣巴塞洛缪湖** 参阅 **Königssee** 柯尼希湖。

Saint Basil the Blessed 瓦西里·布拉仁教堂 俄语拉丁字母转写作 Svyatoy Vasily Blazhenny。又称波克罗夫斯基大教堂。俄国沙皇伊凡四世(雷帝)为了纪念征服喀山和阿斯特拉罕两汗国而于 1554 ～ 1560 年建造的教堂,位于莫斯科红场。原为奉献于圣母的教堂,后在费多尔一世(1584 ～ 1598 年在位)时因瓦西里·布拉仁(为了耶稣而甘为痴人的俄国圣徒)葬于教堂内而改今名。由俄国建筑师波斯尼克和巴尔马二人设计(实际上可能为同一人)。

Saint-Benoît-sur-Loire 卢瓦尔河畔圣伯努瓦 法国中北部的中部大区卢瓦雷省一村庄,位于卢瓦尔河右岸,奥尔良以东沿公路 40 千米处。庄严的罗马式长方形教堂是公元 651 年左右奠基的本笃会弗勒里隐修院的仅有遗物。当圣本尼狄克的遗物大约在公元 672 年从意大利的蒙泰卡西诺被迁到那里时,该隐修院由此闻名,弗勒里当时即以现名为人所知。进入此长方形教堂要通过上顶为一正方形钟楼的两层前廊,其柱顶上为罗马式柱头、科林斯式柱头和用象征形式雕刻的柱头。唱诗班席内有法国国王腓力一世(1108 年卒)的陵墓。雕刻的北正门(13 世纪初)有一横楣,显现圣本尼狄克遗物被转移到弗勒里的情景。遗物装在唱诗班席底下地下室的巨大直立石柱里(1067)。古时,弗勒里以常有古高卢的德鲁伊特司铎来往而闻名。此隐修院在中世纪时因其学派和手抄本闻名,于 1562 年遭胡格诺派掠夺。黎塞留将其修复,但在1760 ～1800 年间又被摧毁。幸免于难的隐修院教堂 1836 ～ 1923 年得到精心修复,隐修院在第二次世界大战后由本笃会修士重建。人口 1 893(1990)。

Saint Bernard 圣贝尔纳德狗 一种役用狗。300 年间在彭尼阿尔卑斯山大圣贝尔纳德山口蒙茹的圣贝尔纳德创建的救济院中担任引路和救护,有救活2 500多人的光荣纪录。可能源出由罗马人从亚洲引入欧洲的似大驯犬的狗品种;约在 17 世纪末引入该救济院,该救济院最著名的圣贝尔纳德狗名叫巴里(Barry),据记录于 19 世纪初死亡前曾救出 40 多人。圣贝尔纳德狗体壮,肌肉发达。头大而重,耳悬垂。体高至少可达 65 厘米,体重 64 ～ 77 千克。毛为红棕色和白色相间,或花白色。被毛或长或短且厚,或中等长度。在 19 世纪初与纽芬兰狗杂交育成长毛型圣贝尔纳德狗。

圣贝尔纳德狗
供图:Sally Anne Thompson—美国不列颠百科全书公司

Saint Bernard Pass(Switzerland, Italy, France) **圣贝尔纳德山口** 参阅 **Great Saint Bernard Pass** 大圣贝尔纳德山口;**Little Saint Bernard Pass** 小圣贝尔纳德山口。

Saint Boniface 圣博尼费斯 加拿大马尼托巴省南部温尼伯的历史区。位于塞纳河和雷德河汇流处。1818 年由法国传教士建立。1908 年建立大教堂后成为法裔加拿大人的天主教文化、宗教中心。有马尼托巴大学的圣博尼费斯学院(1818),还有机械化粮仓、牲畜围栏和铁路编组车场。1972 年成为大温尼伯大都市区的组成部分。

Saint-Brieuc 圣布里厄 法国西北部布列塔尼地区滨海省省会和城镇。坐落在古埃河河谷和其支流之间的一个岬角上,在英吉利海峡旁的圣布里厄湾附近。6 世纪威尔士的一名修士圣·布里奥居克在此建一祈祷室传教,城镇因此得名。1592 年受到西班牙人的劫掠,1601 年又受到瘟疫的肆虐。城北的奥布山丘上可以鸟瞰古埃河口湾和河谷全景。城镇内有美丽的公园和花园,在山谷邻近大道的有利位置,可俯瞰古埃河口湾的商港兼渔港、湾口处 14 世纪高塔废墟和圣布里厄湾。是布列塔尼北部的旅游中心,也是一个重要的集市城镇。工业有冶金和刷子制造业。人口 47 370(1990)。

Saint Catharines 圣凯瑟琳斯 加拿大安大略省东南部城市,属尼亚加拉自治区。位于安大略湖滨的韦兰运河入口处。1790 年建立的小移民点现已发展成为尼亚加拉水果产区的中心和运河上的最大城市。1961 年与邻近的梅里顿城和达尔豪西港合并,人口增长一倍多。19 世纪末圣凯瑟琳斯曾以其矿泉闻名遐迩,今日则以"花园城市"远近驰名。一年一度的"皇家加拿大汉利划船竞赛"在该市举行。也是工业中心,生产汽车零件、重型电气设备、建筑构件、五金、纺织品、针织品、纸张、木器、水果和蔬菜罐头。1845 年设镇,1876 年设市。人口:市 129 300;圣凯瑟琳斯-尼亚加拉都会区 364 552(1991)。

Saint Catherine's 圣凯瑟琳隐修院 希腊正教隐修院,位于西奈半岛穆萨山北麓海拔 1 500米以上的狭谷中。这座隐修院是东正教自主单位中规模最小的一个,常被人误称为希腊正教西奈独立教会。该院是 527 年拜占廷皇帝查士丁尼一世所创办,房屋建成于 530 年;当时常有散居隐士进入隐修院劫掠财物,于是选定西奈山麓相传当年摩西发现树丛起火之处筑垒以策安全。7 世纪伊斯兰教兴起,一些基督徒逃亡。这座隐修院收容大批难民。该院自 6 世纪一直存在下来,今天仍保有昔日景色。该院最珍贵的文物是圣像和古籍手稿,圣像中包括 8 世纪以前的作品,手稿主要是希腊文和阿拉伯文典籍,现存于 1945 年所建图书馆内。美国人类研究基金会受华盛顿国会图书馆的委托,1949 ~ 1950 年在亚历山大大学的协助下对这些手稿进行微缩摄影。这些手稿中最重要的是"叙利亚古卷",即 400 年前后抄录的古叙利亚文四福音书。另有"西奈古卷",原存于该院,现存伦敦不列颠博物馆。

Saint Charles 圣查尔斯 美国密苏里州东部城市,圣查尔斯县县城。位于密苏里河陡峭河岸上,有桥通往东南的圣路易斯。为密苏里州最早的白人定居地之一。1769 年始建,1809 年设村,1849 年设市。密苏里州第一个首府(1821 ~ 1826),当年的州议会大厦至今仍存。农产品(小麦、玉米、燕麦)集散地,并有多种制造业(电气设备、服装、啤酒、铝)。有林登伍德学院(1827)和圣心女隐修院(1818)。古迹有州属朱姆沃尔特堡和 D. 布恩的故居。人口 60 321(2000)。

Saint Christopher and Nevis 圣克里斯托弗和尼维斯 参阅 **Saint Kitts and Nevis** *圣基茨和尼维斯*。

Saint Clair, Lake 圣克莱尔湖 澳大利亚塔斯马尼亚州中西部湖泊。位于克雷德尔山-圣克莱尔湖国家公园南部边缘,塔斯马尼亚高原上,海拔 737 米。面积 28 平方千米。原为山谷,因冰川刨蚀而加深,后为冰川堰塞湖。为澳大利亚最深的湖,西部最深点约 215 米。湖水供塔勒利亚水电站发电。

Saint Clair, Lake 圣克莱尔湖 美国密歇根州和加拿大安大略省交界处的湖泊。大致呈圆形。南北长 42 千米,东西宽 39 千米。水面平均海拔 175 米。湖面 1 210 平方千米,流域面积约 19 220 平方千米。东北岸为圣克莱尔河(通休伦湖)三角洲。经底特律河与伊利湖相连。无重要港口。西岸为底特律市郊区。湖区为夏季游览胜地。

Saint Clair River 圣克莱尔河 休伦湖的出水口,美国密歇根州和加拿大安大略省的界河。南流注入圣克莱尔湖。三角洲上的南水道最小深度 8 米,可航深水轮船。河口三角洲诸岛为避暑胜地。为圣劳伦斯水道的重要一段。主要港口有休伦港(美)和萨尼亚(加)。

Saint Clair's Defeat 圣克莱尔败绩(1791-11-04) 美国军队在印第安人战争中遭到的最严重的失败。美国独立战争后,英国没有依照 1783 年条约撤除西北边境要塞,而希冀依凭英国支援以收复猎场的印第安人于1785 ~ 1787 年间结成西北印第安人联盟,其成员主要有肖尼、特拉华、渥太华、易洛魁、奇珀瓦、迈阿密和波塔瓦托米诸族。美国肯塔基边疆居民于 1788 年开始袭击印第安人村落,印第安人战争遂于次年爆发。1790 年,J. 哈马将军遭印第安人伏击。1791 年 11 月 3 日夜,A. 圣克莱尔将军率 3 000 人于莫米河南扎营,因疏于警戒,为印第安人联盟所袭,战斗到次日,美军死 600 余人。圣克莱尔败绩暂时增强了印第安人的士气,推迟了俄亥俄白人殖民的进展,至 3 年后*鹿寨战役*(**Fallen Timbers, Battle of**)始扭转形势。

Saint Clement's Island 圣克莱芒岛 又称布莱基斯通岛。美国马里兰州南部圣玛丽县波托马克河上小岛(16 公顷)。位于科尔顿角外。1634 年 3 月 25 日首批马里兰移民乘坐"方舟"号和"鸽子"号在此登陆。1934 年竖立一个大十字架,标明首次宣布这批天主教殖民者有宗教自由以及他们举行第一次弥撒的地方。殖民者的纪念物均保存于圣克莱门特和波托马克河博物馆。该地区被定为州历史保护区。人口 326(1980)。

Saint-Cloud 圣克卢 法国巴黎大区上塞纳省城市。位于塞纳河左岸,巴黎西郊住宅区。城北部与巴黎隔有隆尚赛马场和布洛涅树林;城南与巴黎之间有布洛涅郊区。城南部有圣克卢公园及其著名的人工瀑布。巴黎—诺曼底快车公路通过公园下的隧道。此地原称诺维冈蒂姆。克洛维的孙子克卢(522 ~ 560)在此建起隐修院后,城市遂以他的名字命名。虽然圣克卢是一个住宅区中心,但最近几年发展了服务业,现已有许多社会事业机构和一些工业企业(如机械、航空设备、汽车零件、化妆品制造等)。在圣克卢市内,还设有国际度量衡局和国际刑事警察组织的总部等等。人口 28 561(1982)。

Saint Cloud 圣克劳德 美国明尼苏达州中部城市和斯特恩斯县县城。位于密西西比河和索克河汇合处,周围为奶品和谷物产区。原为一毛皮贸易站。1854年始建,1856年建村,1868 年设市。1870 年起已有采石场,人称"花岗岩城"。现经济多样化,有火车车厢制造和维修,以及冷藏设备、纸张和金属品制造等工业。禽类加工、金融服务、印刷、邮购直销和仓储业对经济也很重要。设有州立圣克劳德大学(1869)、明尼苏达州立教养院(1887),附近有圣约翰大学(1857)、圣本尼狄克学院(1913)。人口:市 59 107;都会统计区 167 392(2000)。

圣克劳德市的花岗岩采石场
供图:Milt and Joan Mann from CameraMann

Saint-Cloud porcelain 圣克卢瓷器 自17 世纪的后 25 年至 1766 年产于法国圣克卢镇的一种软质瓷。这种瓷器微带黄色或奶油色,很受中国明朝后期白瓷的影响;出现了梅花纹饰的浅浮雕模塑和中国人神态的塑像。同时也有深浮雕装饰技艺和以蓝色与其他颜色绘画在白瓷上的彩绘装饰。

约 1740 年的圣克卢瓷器——软质瓷手杖柄
伦敦维多利亚和艾伯特博物馆供图

Saint Croix 圣克罗伊岛 加勒比海中美属维尔京群岛中的最大岛屿。在波多黎各东南约 105 千米,圣托马斯南 65 千米,面积 218 平方千米。岛的西部有丘陵与海岸平行,最高点为鹰山(332 米)和蓝山(334 米)。是群岛中唯一有大平原的岛屿,大部分土地已经垦殖。从前被称为"荷属西印度群岛的花园"。

稀疏的次生灌木丛已经取代了以前的季节林，这种季节林地被砍伐供种植甘蔗用。首府克里斯琴斯特德位于北海岸，但西海岸的弗雷德里克斯塔德在商业上占有更重要地位。哥伦布来到该岛时，将它起名为圣克鲁斯。圣克鲁斯和圣克罗伊均意为"神圣十字架"。英国人和荷兰人均在1643年时来此开拓殖民地，但后者在经过争吵后被逐。由于食糖生产日益有利可图，该岛增加了吸引力，至1650年英国人又被西班牙人所逐，后者依次又被法国人所征服。1651年僧侣骑士团(1530～1798年间，马耳他为其活动中心)占有该岛，1665年又将其售予法国西印度公司。1674年成为法国殖民地，但在1696～1733年间无人居住。1733年被丹麦国王购得。以后历史则与维尔京群岛同。1989年9月17～18日受飓风侵袭，岛上90%的建筑物被毁，使22 000人无家可归，后得到美国政府的大量援助才得以重振家园。旅游业是全岛的经济基石。岛上饮用水取自水井和淡化了的海水。周围海洋已开始辟为运动娱乐场和商业性捕鱼场，并且供海洋学实验研究之用。以前食糖工业曾非常发达，现仅存兰姆酒的酿造，并与其他食品一同出口。人口约51 389(1995)。

Saint Croix River　圣克罗伊河　密西西比河支流。源出美国威斯康星州西北部道格拉斯县。西南流汇入密西西比河。全长264千米。河口以上210千米河段为威斯康星和明尼苏达州分界。沿途穿经州际公园。部分河段划为国家风景区。河上有水电站向圣保罗和明尼阿波利斯供电。

Saint Croix River　圣克罗伊河　美国缅因州河流。源出希珀特内蒂库克湖群，向东南注入帕萨马阔迪湾。全长208千米，形成美国和加拿大一段分界线。河口上游16千米通航。该河对伐木业较重要。1535年由法国探险家卡尔蒂埃于圣十字架节(St. Croix Day，9月14日)发现，故名。

Saint-Cyr　圣西尔学院　全称圣西尔特种军事学院(École Spéciale Militaire de Saint-Cyr)。设于高埃特奎坦的一所法国国立军事学院。1803年由拿破仑·波拿巴在枫丹白露创办。1808年拿破仑将该学院迁至凡尔赛附近的圣西尔学院镇，设在路易十四之妻曼特农夫人17世纪创办的一所著名学校的原址。圣西尔学院校舍毁于1944年，战后学院迁至布列塔尼的高埃特奎坦，保持其著名的校名。圣西尔学院大部分时间为步兵和骑兵训练军官，也为这些部队培训参谋，而巴黎综合工科学校训练工程师、炮兵和其他技术军官。然而在第二次世界大战结束后，圣西尔学院接管了训练许多技术军官的工作。圣西尔学院为法国军队训练军官，为已获得业士学位的毕业生设二年制课程，并为经过挑选的未授军衔的军官设一年制课程。法军指挥官P.贝当和法国将军H.吉罗都曾在圣西尔学院受训。1911年以优等成绩毕业的戴高乐曾于第一次世界大战后在该院教授军事史。

Saint-Cyran, Abbé de　圣西朗隐修院院长　参阅 **Duvergier de Hauranne, Jean 迪弗吉埃**。

Saint David, Fort　圣戴维堡　印度东南海岸古德洛尔镇附近的英国要塞。北距马德拉斯约160千米。1690年东印度公司从马拉塔人手中购得。18世纪，圣戴维堡成为英国在印度南部的第二个权力中心(第一个为马德拉斯)。1758年被法国人占领，后被废弃。1782年再度被法国人占领。1785年又归还英国。后成为废墟。

Saint David's　圣戴维兹　威尔士语作Tyddewi。英国威尔士彭布鲁克历史郡和现郡的教堂市，在阿伦河谷内。地处凯尔特基督教派占重要地位的地区，圣戴维兹大教堂是中

圣戴维兹的大教堂和主教邸宅遗址
供图：S. Monro—De Wys Inc.

世纪相当重要的朝圣中心。大教堂主体建于12世纪末叶，为诺曼过渡风格，但其余建筑大多建于其后的350年间；宗教改革运动及17世纪40年代的英国内战期间，教堂均受损坏，在不同时期作过修复。19世纪又作过大规模修建。圣戴维兹教堂是威尔士最大的教堂。附近有约建于1377年的圣玛丽学院和建于14世纪初的主教邸宅。圣戴维兹有四条街，交叉于古代集市十字架广场。是英国最小的市，事实上只有一个村庄大。人口居民区 1 627(1991)。

Saint-Denis　圣但尼　西印度洋法国海外省留尼汪岛首府、城镇。位于岛北岸圣但尼河河口盆地。北临印度洋南为陡峻山岭。原是岛上主要港口，由于风与潮水不定，19世纪80年代为在其西北面修建的人工港勒波尔所取代。勒波尔和圣但尼之间有风景秀丽的海岸公路，全长20千米。圣但尼是行政中心，商业为少数民族阿拉伯人垄断。有机场、几座图书馆、自然历史博物馆和一所学习法律、经济和政治科学的大学。人口 131 557(1999)。

Saint-Denis　圣但尼　法国巴黎大区塞纳-圣但尼省城市。位于塞纳河右岸。为巴黎的北郊。原是以埋葬法国国王的著名隐修院教堂为中心的小镇，19世纪中叶才开始发展工业。该教堂在建筑史上占有重要地位。此地商品交易会和传统庆典很著名。7世纪达戈贝尔特一世国王在圣但尼墓上修建了隐修院，城镇在其周围逐渐发展起来。隐修院院长A.絮热建造了一所新的长方形教堂，将加洛林王朝时期建造的教堂的一部分并入。絮热的教堂标志着西方建筑风格从罗马式转变为哥特式。从达戈贝尔特一世(629～639在位)到路易十八(1814～1824在位)的1 200年间，几乎所有国王都葬在长方形教堂内。法国大革命期间，这些坟墓被亵渎并移走。但后来又在教堂里重建，现已成为法国墓葬雕刻的非凡珍品。在路易九世的命令下，对他以前的所有祖先的墓碑都进行了雕刻，但其中只有达戈贝尔特的墓碑上的雕刻品很生动。其他最卓越的文艺复兴时期的墓碑有路易十二(1498～1515在位)、布列塔尼的安妮、弗兰西斯一世(1515～1547在位)、法国的克劳德、亨利二世(1547～1559在位)和卡特琳等。该市由于位于巴黎北部的主要铁路线上，有圣但尼运河通过，现已成为重要工业中心。原有铁路设备、农业机械、汽车等工业，现又发展电子、化工、医药、食品加工等工业。市博物馆有展出生于该城的20世纪诗人P.艾吕雅生平的部分。人口85 832(1999)。

Saint-Denis, Charles de Marguetel de　圣但尼　参阅 **Saint-Évremond, Charles de Marguetel de Saint-Denis, seigneur de 圣埃弗勒蒙**。

Saint-Denis, Louis Juchereau de　圣但尼(1676-09-17，魁北克博波尔～1744-06-11，路易斯安那纳基托什[今在美国])　法裔加拿大探险家、军人。1714年率领探险队由法属路易斯安那准州的纳基托什出发，到格兰德河的西班牙城镇圣胡安包蒂斯塔(今比亚埃尔莫萨)，企图和西班牙人建立贸易关系。帮助西班牙人在现得克萨斯州组织四个布道团并建起一个要塞。他的本国同胞认为他太亲近西班牙人，而西班牙人又认为他是个威胁，1715年被囚于墨西哥城达数月之久。1717年再往格兰德河，但货物被抢，当他前往墨西哥城抗议货物被没收之事，再度被囚禁数月。1719年回到纳基托什，担任该地区的指挥，参加法国、西班牙之间的战斗，直至1721年停战时为止。在历史上，他是谋求与当地印第安部落及墨西哥、得克萨斯的西班牙人友好的法国人。不过他的工作持续不长。西班牙人在得克萨斯的许多定居点相继丧失，西班牙和法国继续在北美大陆争斗。

Saint-Denis, Michel　圣但尼(1897-09-13，法国博韦～1971-07-31，伦敦)　法国导演、演出人、教师和戏剧革新家。对英国戏剧的发展曾产生过40年的影响。法国著名戏剧革新家、演员和导演科波之侄。曾随科波在巴黎老鸽舍剧院工作过10年。尔后他们在勃艮第创办"科波家族戏剧工作室"，又在工作室组织剧团。于1931年重新开放老鸽舍剧院，演出奥贝的《诺亚》及其他几个获得赞誉的剧目，后又将这几个剧目带到英国进行巡回演出。1935年在英国开设一所训练学校——伦敦戏剧工作室。该学校一直十分活跃，直到第二次世界大战爆发后才开始冷落。在此期间，他还导演过《埃德蒙顿的女巫》、《麦克白》(与奥利弗共同执导)和《三姐妹》，均以风格别致、配合默契而受好评。1940～1944年在英国广播公司任广播员，后又任英国广播公司法语部主任。1945年出任老维克戏剧中心兼学校总导演，为该剧团执导《俄狄浦斯王》，

由奥利弗和理查森主演。1951年辞去老维克戏剧中心之职,返回法国领导"东方戏剧中心"。1957年后赴美,先后在林肯中心轮演剧目剧团和朱利亚德音乐学院戏剧部(纽约市,1959)以及加拿大国立戏剧艺术学校(1960)任职。1961～1966年与霍尔共同执导皇家莎士比亚剧团,后任该剧团顾问-导演,直至去世。其著作《戏剧:风格的重新发现》于1960年问世。

Saint Denis, Ruth　圣丹尼斯(1877-01-20,美国新泽西纽瓦克～1968-07-21,洛杉矶)美国当代舞蹈革新家。特别是通过和她丈夫T.肖恩1915年共同建立的丹尼斯肖恩学校

圣丹尼斯舞姿
卡尔弗图片供图

和舞团,影响几乎遍及美国舞蹈的每个方面。(参阅 **Denishawn School of Dancing and Related Arts**。)她最初表演轻歌舞剧与音乐喜剧。1904年受到香烟广告上埃及女神的启发,决心研究东方舞蹈。她在研究印度哲学和艺术之后,编出了《勒特》(1906)以及与它有关的独舞,采用了戏剧化的东方舞蹈形式和服装。她先在纽约表演,后到欧洲巡回演出(1906～1909)获得成功。她的后期作品有不少选用宗教题材,其中包括《埃及舞》(1910)等。在丹尼斯肖恩舞蹈团时期,圣丹尼斯的编舞风格有所扩展,有了一些集体舞蹈节目,有时也采用西方和东方的素材。在她的编舞革新主张中有"音乐视觉化"这个概念,它要求动作与音色、力度、音型结构以及节奏基础对应,与此相应,她还主张"同步乐队",一种类似雅克-达尔克罗兹的体态律动学的技术,要求每个舞蹈演员体现管弦乐队中每件乐器的节奏。圣丹尼斯和肖恩虽未离婚,但于1931年分居。圣丹尼斯在短期半退休之后又恢复她的独舞表演,还创办了宗教艺术团体,并将余生致力于促进舞蹈在宗教方面的应用。她常被称为"美国舞蹈第一夫人",60年代仍积极活跃于舞台。她的许多比较著名的独舞已拍成电影。圣丹尼斯在舞蹈应该属于精神范畴而不是单纯娱乐或熟练技巧的信念的指导下,又一次促使美国舞蹈强调涵义和思想的交流,她采用了从前被认为是过于哲学化的主题。虽然她从不关心为技巧而技巧,但她的广泛采用东方舞蹈形式和抽象的"音乐视觉化",都鼓励了她的学生去发展其他非芭蕾动作,即后来的现代舞蹈。她的自传出版于1939年。

Saint-Denis-du-Sig(Algeria)　**圣但尼迪锡格**　参阅 **Sig** 锡格。

Saint-Dié　圣迪耶　法国东北部洛林大区孚日省城镇。基督教主教区。位于默尔特河畔。城市在7世纪的圣德奥达图斯隐修院周围发展起来。16世纪起有印刷工业,当地印刷的瓦尔德塞弥勒的著作《宇宙导论》(1507)是第一份写有"亚美利加"一词的印刷品。是法国政治家J.费里的诞生地。人口23 670(1990)。

Saint-Dizier　圣迪济耶　法国东北部香槟-阿登大区上马恩省城镇。濒马恩河和马恩-索恩运河河岸,在特鲁瓦的东北面。该城的一座纪念碑是纪念历史上著名的弗兰西斯一世对查理五世军队的抵抗(1544)。工业以铸铁和铸青铜为主,还有其他重工业以及纺织和食品加工工业。人口35 558(1990)。

Saint Domingo apricot　参阅 **mammee apple** 曼密苹果。

Saint Edmundsbury　圣埃德门兹伯里　英格兰萨福克历史、行政郡一区(自治市)。其行政当局设在伯里圣埃德门兹。南接埃塞克斯郡,北邻诺福克郡。面积657平方千米。经济以农业为主。人口约97 200(1998)。

Saint Edward's Crown　圣爱德华王冠　英国国王和女王加冕用的王冠。在饰金嵌宝冠座上加十字架而成。这个名称初见于13世纪,于亨利三世把忏悔者爱德华的遗体移至现威斯敏斯特教堂圣祠并配以新的丧葬饰物之后。该王冠从爱德华一世到查理一世(爱德华五世除外)加冕时曾使用过。1649年,按议会的命令被拆毁。现在的这个王冠是为查理二世(1660～1685在位)设计的,显然是用原物的碎片做成的。

Saint Edward's sapphire　圣爱德华蓝宝石　呈现美丽蓝色的玫瑰花形琢型的宝石,嵌在英王王冠的顶端十字上。据1042年忏悔者爱德华冠帽资料记载,它是英国王室的最古老宝石之一。

Saint Elias, Mount　圣伊莱亚斯山　圣伊莱亚斯山脉的第二高峰(5 489米)。在美国阿拉斯加州和加拿大边界、马拉斯皮纳冰川北面。1897年7月31日阿布鲁齐公爵率队首次攀登此峰。

Saint Elias Mountains　圣伊莱亚斯山脉　太平洋沿岸山脉的一部分。从兰格尔山脉沿美国阿拉斯加-加拿大边界向东南延伸400千米,止于克罗斯海峡。多5 200米以上山峰,包括圣伊莱亚斯山、洛根山(北美第二和加拿大最高山峰)、金山和卢卡尼亚山。有时兰格尔山、楚加奇山和基奈山亦被视作其一部分。整个山脉有极地冰盖以外的世界最大冰原。南端划入冰川湾国家保护区。

Saint Elmo's fire　圣爱尔摩火　即电击发光。大气中刷形放电的辉光,通常发生在暴风雨天气里,看起来像教堂塔楼或船桅等尖状物顶端的发光现象。它通常有噼啪或嘶嘶的杂音。当飞机在干雪、冰晶中,或在雷暴附近飞行时,通常可在螺旋桨边缘、翼尖、风挡和机头部分观测到圣爱尔摩火,也即电晕放电。飞机上用机械和电器设备减少电荷的积聚,同时也采用各种飞行程序作为安全措施以预防放电或使之减至最低程度。圣爱尔摩的名称是圣伊拉斯谟的意大利语名 Sant'Ermo 的讹传。他是地中海水手的主保圣人。水手们把圣爱尔摩火看作是保佑他们的标志。

Saint-Étienne　圣艾蒂安　法国中东部罗讷-阿尔卑斯大区卢瓦尔省省会、城市。位于中央高原东北边缘。早期为坐落在煤田内的小村落,位于一座教堂周围。现为一个工业区的核心。15世纪开始发展工业,随着法国国王弗兰西斯一世的即位,国家的枪炮制造业和重要的丝绸工业在此建立。1828年法国第一条铁路(16千米)从圣艾蒂安运输煤炭到卢瓦尔的昂德雷济约,并很快伸展到里昂。拿破仑战争后,从英国引进的法国第一座钢厂很快在勒尚邦工业区落成投产。现在该城专门从事为武器和装甲车生产所需钢材。另有1886年从英国引进的自行车制造业,也是法国丝缎带、围巾和领带的主要产地。其他工业有木制品和玻璃制品以及印染工业。有法国最大的商业公司卡西诺连锁百货商店。该城与里昂连成一体,构成罗讷-阿尔卑斯经济区的大都市区的核心。人口201 569(1990)。

Saint Eulalia, Knights of(Christian order)**欧拉利亚骑士团,圣**　参阅 **Mercedarian** 慈爱圣母会会士。

Saint-Eustache　圣厄斯塔什　加拿大魁北克省南部蒙特利尔行政区城镇。临米勒岛河。为1837年起义最后一役的战场,起义爱国军被民兵击败,首领让·谢尼埃阵亡。建于1783年的城镇教堂曾遭这场战争严重破坏,现为战争纪念馆。该镇现为旅游胜地,地处蒙特利尔市以西24千米的农区。工业有乳制品和蔬菜罐头。人口37 278(1991)。

Saint Eustatius(Netherlands Antilles)　参阅 **Sint Eustatius** 圣尤斯特歇斯岛。

Saint-Évremond, Charles de Marguetel de Saint-Denis, seigneur de　圣埃弗勒蒙(1613或1614,法国圣但尼-勒-加斯～1703-09-20,

巴黎国家图书馆供图

伦敦） 即圣但尼。法国文人和道德家。在蒙田和18世纪哲学启蒙运动之间起了承上启下的作用。早年从军，在投石党运动内战期间（1648～1653），由于他对路易十四的首相马萨林的忠诚，曾获晋升。但在1661年，由于偶然的机会，他嘲弄已故马萨林签订的《比利牛斯条约》的滑稽信被公诸于众，遂被迫逃离法国。由于英国查理二世的欢迎，他余生在英国度过，只除了短期曾在荷兰居住过（1665～1670）。他的诗歌主要是为他的朋友而作，并非为了出版，但在他生前，也有部分被报刊得到。诗体喜剧《院士们》（1643），至今仍给人们以乐趣，正像他的"有英国风格的"散文体喜剧《未来的政治家先生》（1664）那样颇受欣赏。他的散文包括书信和谈话，其体裁有辛辣的讽刺作品如《隆格维尔公爵的退隐》（1649）和《多坎库尔元帅与卡纳耶神父的谈话》（1663），还有文学批评等。此外，还包括一系列有关伦理的作品。

Saint-Exupéry, Antoine(-Marie-Roger) de 圣埃克苏佩里（1900-06-29，里昂～1944-07-31，在地中海上空） 法国飞行员、作家，其作品独具风格地展现了一个飞行员和战士以诗

巴黎国家图书馆供图

人的眼光来看待冒险行动和危险事业。他出身于贫穷的贵族家庭。未能通过海军学校入学考试。在服兵役期间，于1922年获得飞行员执照。1926年在图卢兹参加拉泰科雷公司，帮助建立飞越西北非、南大西洋和南美的航邮路线。30年代任试飞员、法国空军武官及《巴黎晚报》记者。1939年虽因严重的飞行事故导致永久性的残废，仍然担任了侦察机飞行员，1940年法国失陷后，逃往美国。1943年在北非重新加入空军，在一次侦察飞行中，被击落身亡。他从飞行生活中既发现了英雄行为的源泉，也找到了一种新的文学主题。他的作品高度称颂冒险牺牲精神，认为这是完成人类使命的最高体现。第一部作品《南方信使》（1929），描写航空事业一代新人、航空邮政驾驶员J.贝尼斯死于里奥德奥罗沙漠的故事。第二部小说《夜航》（1932），是歌颂开辟航线的第一批飞行员的光荣事迹，当他们奋力完成任务时，以一种不可思议的豪迈气概面对死亡的威胁。《人们的世界》（1939）记载了他本人的飞行冒险事迹，语言明快动人，简洁有致。《战斗的飞行员》（1942）是一部个人回忆录，叙述1940年5月的一次侦察飞行，曾以牺牲精神，克服了极端不利的情况。旅居美国时著有《给人质的一封信》（1943），呼吁在法国人之间要团结一致。《小王子》（1943）是一部给成年人读的童话，提醒人们最简单的东西才是人生中最美好的事物，真正的财富就是给予他人。他对人类前途日益感到悲观失望，这种观点反映在《城堡》（1948）一书中。这部遗作揭示了圣埃克苏佩里的一种信念，认为人类作为文明价值的宝库，是人类存在唯一永恒的理由。

Saint Fergus 圣弗格斯 苏格兰东北岸阿伯丁政务会辖区和历史郡的村庄和天然气管道终端站，是苏格兰北海天然气主要上陆终点。位于彼得黑德北面8千米。弗里格油气田的天然气通过深水管道引入，经脱水和液化处理输进全国管道网。扩建后可接纳和加工布伦特油田的天然气并为一座新化工厂转运液化天然气用作该厂给料。人口611（1981）。

Saint Francis River 圣弗朗西斯河 美国河流。源出密苏里州东南部圣弗朗西斯山脉。南流进入阿肯色州汇入密西西比河。全长684千米，64千米河段为密苏里-阿肯色州界。在密苏里州韦恩县境内有瓦帕佩洛拦河坝（1941）。流域面积21 800平方千米。欧扎克高原区雨量大，使下游受洪水威胁。1960年美工程兵沿河修筑了护堤、沟渠并开凿了河口至瓦帕佩洛的运河。

Saint-Gall（Switzerland） **圣加尔** 参阅**Sankt Gallen** 圣加仑。

Saint-Gaudens, Augustus 圣-高登斯（1848-03-01，爱尔兰都柏林～1907-08-03，美国新罕布什尔科尼什） 19世纪末的美国杰出雕刻家，以叩人心弦的纪念雕像和精美的浅浮雕造型而著称。其父为法国人，其母为爱尔兰人。婴儿时期即到纽约，13岁从宝石浮雕匠学徒。当他就读于纽约的库珀联合夜校

纽约大都会艺术博物馆供图

（1861～1865）和国立设计学院（1865～1866）时期，就借此工艺为生。1867年赴巴黎，考入美术学院。1870年赴罗马，仍以宝石浮雕工艺维持生活，在那里他曾受托复制著名的古代雕像，并创作了第一批富于想象力的作品。1875年后定居于纽约，成为公认的雕刻家。他善于交游，结识了一批艺术家并同他们合作形成了美国文艺复兴的核心力量。早期最重要的成熟作品是法拉格特海军上将纪念碑（1880，纽约麦迪逊广场公园），碑基是怀特设计的。中年时期（1880～1897）以其大量名作获得巨大名声和荣誉。1881年为科尼利厄斯·范德比尔特官邸壁炉雕刻了两座女像柱（现存纽约大都会艺术博物馆）。1887年作《爱莫尔·卡里塔斯》雕像和芝加哥林肯公园的林肯全身像。首都华盛顿的罗克·克里克公墓中亨利·亚当斯夫人纪念碑被认为是他最伟大的作品，这一脸部阴暗的神秘形象通常被称之为"忧伤"。1897年在波士顿为内战时期一个黑人团的罗伯特·肖上校建纪念碑。他还创作了许多纪念章，其中包括美国钱币的图案（1907年的20美元金币和10美元金币上的头像）和相当多的肖像。

Saint George 圣乔治 百慕大群岛北部圣乔治岛南岸城镇和堂区。英国西半球最古老的殖民地之一。1612年创建。1815年以前为百慕大首府。古建筑有圣彼得教堂（1612）和州议会大厦（1619）。人口：镇1 648；堂区4 623（1991）。

Saint George 圣乔治 美国犹他州西南部城市，华盛顿县县城（1863）。临维尔京河。19世纪60年代初摩门教徒定居时为一植棉中心。1863年设建制。现为本州家禽饲养和水果蔬菜种植区的中心。邻近迪克西国家森林和宰恩国家公园（**Zion National Park**），旅游业也重要，吸引了很多退休人士和冬季度假者。市内有杨伯翰冬宫（1873）、迪克西学院（1911）和该州第一座摩门教寺院（1877）。人口49 663（2000）。

Saint George, Fort 圣乔治堡 英国东印度公司在印度马德拉斯建造的要塞。后成为英国南印度的首府。英国东印度公司在南印度的贸易站原于1611年设置在默苏利珀德姆，后迁至马德拉斯，因为这里更近纺织中心，公司由此处可买得货物运往波斯和东印度，这里于1639年获准建造要塞。1746年一度被法国人占领。1748年英国人收复后，又大加重建，使英国人得以在此抵御法国人的进攻。此堡曾两次受到海德尔·阿里的威胁（1769和1780）。此后又大事重新修筑，使之成为英国人在南印度的行政中心。

Saint George's 圣乔治 加勒比海东部岛国格林纳达的首都。位于该岛的西南岸。法国人于1650年建圣乔治居民点。该地1885～1958年为前英属向风群岛首府。现为港口，输出可可、肉豆蔻、肉豆蔻干皮和香蕉。当地的工业有制糖和酿造糖酒。卡雷纳奇内港和附近的格朗埃唐湖均位于岛中心的破火山口上。人口约7 500（1986）。

Saint Georg's Cay 圣乔治岛 加勒比海小岛，在伯利兹的伯利兹城东北14千米，为伯利兹城的一部分。19世纪曾短期作为行政首府所在地。主要人口中心是西属韦尔斯村。出产番茄、椰子、菠萝、鱼，经济自给。每年2～5月和8月海滨旅游业兴旺。

Saint George's Channel 圣乔治海峡 爱尔兰海与北大西洋之间的宽阔水道。长达160千米，康索尔角和圣戴维兹角之间为最狭窄处，宽仅76千米。

Saint George's Chapel 圣乔治小教堂 英国伯克郡温莎和梅登黑德的温莎城堡的一部

分。原设计为举行英国最高勋位——嘉德勋位——授勋仪式时使用，由爱德华四世兴建，是英国垂直式风格哥特式建筑最佳作品之一。教堂分两阶段建造，唱诗班席及侧堂完

圣乔治小教堂的西面，约 1475 ～ 1500 年
供图：A. F. Kersting

成于 1483 年，中堂完成于 1496 年，但石拱顶至1528年方竣工。教堂西面的大窗与15世纪晚期制作的彩色玻璃以及拱顶下的饰件均有特色。作为皇家陵墓，仅次于威斯敏斯特教堂，英国许多国王葬于此地。

Saint-Germain, Claude-Louis, comte de　圣日耳曼伯爵（1707-04-15，法国韦尔唐博茨堡～ 1778-01-15，巴黎）　法国将领，试图对法国陆军实行改革。早年参加法国军队，后曾离开法国，在巴拉丁选侯和巴伐利亚选侯的军队中作过战。短时期在普鲁士腓特烈大帝手下效劳。后参加了在尼德兰的萨克森元帅的军队，升为法国陆军元帅。七年战争爆发时（1756）任司令，但成为宫廷阴谋和同行妒忌的受害者。1760 年辞职，接受丹麦国王腓特烈五世的任命，成为元帅，1762 年负责整顿丹麦陆军。1766 年腓特烈去世后回到法国，在阿尔萨斯购置一小庄园，将时光消磨于宗教与耕作。1775 年 10 月路易十六任命他为陆军大臣。他试图实行改革，厉行节约，并把普鲁士军纪引进法国军队，但引起很大反抗。1777 年 9 月被迫辞职。

Saint-Germain, comte de　圣日耳曼伯爵（约 1710 ～ 1784-02-27?，石勒苏益格埃肯弗德?）　18 世纪著名冒险家。其真名、身世及出生地点，无确切材料，一般说法他是葡萄牙犹太人，几乎懂得所有欧洲语言。他是作曲家和卓越的小提琴手，历史知识渊博，在化学方面也颇有成就。据说他约在 1743 年住在伦敦，被怀疑是拥护英王詹姆斯二世复位派的间谍而被捕，后予以释放。大约在 1748 年出现在法国宫廷，一度有突出影响，路易十五曾请他执行秘密使命；由于干预了奥法之间的争执，引起了舒瓦瑟尔公爵的敌视，被迫于 1760 年 6 月迁居英格兰。1762 年在圣彼得堡，据说曾在反对俄皇彼得三世、使叶卡捷琳娜二世登上皇位的阴谋中起过重要作用。后又去德意志，据说在那里创立了共济会。1770 ～ 1774年，他又来到巴黎，后定居在石勒苏益格-荷尔斯泰因。死于 1784 年，但有人说 1789 年在巴黎还看到过他。

Saint-Germain, Treaty of　《圣日耳曼条约》（1919）　结束第一次世界大战的条约，签字一方为奥地利的代表，另一方为协约国的代表。该条约于 1919 年 9 月 10 日在巴黎近郊圣日耳曼昂莱签订，于 1920 年 7 月 16 日生效。该条约正式载明哈布斯堡帝国的解体，承认捷克斯洛伐克、波兰、匈牙利和塞尔维亚-克罗地亚-斯洛文尼亚王国的独立，割让出东加里西亚、特伦托、南蒂罗尔、的里雅斯特和伊斯特拉。由公民投票最后决定对南卡林西亚和肖普朗镇如何处置（前者后来归奥地利，后者后来归匈牙利）。国际联盟盟约全部包括在该条约之内，同时明确规定，没有联盟理事会的同意，禁止奥地利与德国合并。该条约的军事条款限制奥地利长期服役的由志愿人员组成的军队人数为 3 万人，解散奥匈舰队，交由协约国瓜分。虽然规定奥地利负有赔偿的责任，但实际上奥地利分文未付。

Saint-Germain-en-Laye　圣日耳曼昂莱　法国巴黎西郊巴黎大区伊夫林省的城镇。坐落在塞纳河左岸。16 世纪的旧城堡（建于原古城堡的旧址上）现经修复，辟为国家古文物博物馆。新城堡 16 世纪建于塞纳河上，是路易十四的诞生地。这座城堡的大部分已毁于 18 世纪末。城镇是连接巴黎地区的区铁路快车线的终点。人口 39 926（1990）。

Saint-Gobain-Pont-à-Mousson, Compagnie de　圣戈班-蓬塔穆松公司　法国主要的国营玻璃及其他建筑材料生产企业，总公司设在巴黎。该公司 1970 年由圣戈班公司和蓬塔穆松公司合并而成。圣戈班公司的起源可追溯到路易十四时期 1665 年创建的皇家玻璃工场，1692 年成为皇家玻璃厂。它除制造玻璃外，还在发展法国的化肥和制碱工业，以及发展其他化工产品（包括纯碱和氯气）制造工艺上发挥了重要作用。蓬塔穆松公司由 1856 年在蓬塔穆松创建的生铁和铸件厂发展而成。在与圣戈班公司合并之前，它已是冶金和建筑行业中的魁首。合并后的公司是控股公司，它通过 20 个国家的地区公司经营业务，向全世界出口自己的产品。它主要生产建筑材料，如玻璃、玻璃纤维制品、绝缘材料及石棉水泥制品等。在 20 世纪 80 年代，该公司收购了一家法国主要的计算机制造厂布尔机器公司的多数股权并获得了一家意大利办公用计算机制造商奥利韦蒂公司的重大股本，从而跨进了商业信息系统领域。该公司还生产大小钢管、铸件、阀门、机床、塑料加工机械、包装材料等产品，并经营建筑与土木工程。

Saint Gotthard Pass　圣哥达山口　德语作 Sankt Gotthardpass。瑞士南部勒蓬廷山脉的山口，是中欧与意大利之间重要的公路和铁路通道。山口长26千米，海拔2108米。罗马人虽然已经知道这个山口，但在 13 世纪初以前并没有广泛用作穿越阿尔卑斯山的路线。山口顶上有一座现代化旅馆。一条长而蜿蜒曲折的汽车路通过山口。山口下的圣哥达隧道（1872 ～ 1880 年建成）长 14 千米以上，最高处海拔1 150米。通过隧道的铁路（1882 年通车）连接瑞士的卢塞恩和意大利的米兰。

瑞士勒蓬廷山脉的圣哥达山口
供图：Keystone

这条线路包括在罗伊斯谷地和提契诺谷地的几个螺旋形隧道。格舍嫩和艾罗洛之间长 16 千米的圣哥达公路隧道已于 1980 年通车，每小时可通过汽车 1 500 辆以上。

Saint Helena　圣赫勒拿岛　南大西洋岛屿，英国殖民地，在非洲西南海岸以西1 950千米。面积 122 平方千米，西南至东北最长处 17 千米，最宽处 10 千米。詹姆斯敦为其首府及港口。**阿森松（Ascension）岛**和**特里斯坦-达库尼亚群岛（Tristan da Cunha）**为所属岛屿。该岛于 1502 年 5 月 21 日为葡萄牙航海家卡斯特利亚发现。东正教以该日为罗马皇帝君士坦丁之母圣海伦娜节日，故名。1588 年以前，除葡萄牙人外，无人知有此岛。1588 年英国航海家卡文迪什船长作环球航行返回英国时

圣赫勒拿岛死火山山脊的一部分——阿克特翁山
供图：Picturepoint, London

到达该岛。不久该岛便成为欧洲与东印度群岛海上航线的停靠港。约在 1645 ～ 1651 年，荷兰人可能占领过圣赫勒拿岛，但1659年，该岛归英国东印度公司所有。1673 年，荷兰人又暂时占领，但不久又属东印度公司。此时岛上居民近半数是卖在岛上的奴隶，但 1826 ～ 1836 年间，全部奴隶都得到自由。由于该岛远离欧洲，欧洲各强国用以为拿破仑放逐之所。从 1815 年 10 月起，拿破仑被囚

于岛上的朗伍德,1821 年 5 月卒于该地。在此期间,圣赫勒拿岛在英国王室管辖之下。其后归东印度公司控制,1834 年又归英王室所有。大约 1870 年前该岛一直是一个繁荣的停泊港。此后发明了蒸汽轮船,取代了帆船,1869 年苏伊士运河开通,改变了海上航道。第二次世界大战期间,圣赫勒拿岛有战略重要地位。20 世纪 60 年代初,在该岛属下的阿森松岛设一电信中心,从该岛雇用工人,使其经济发展有所恢复。1966 年颁布、1967 年 1 月生效的一项枢密令和国王敕令授予圣赫勒拿岛一定的自治权,可设地方政府和一院制议会。圣赫勒拿岛原为一火山岛,但岛上火山已成为死火山。岛的东、西、北三面都是垂直的峭壁,高达 490 ～ 700 米。岛上最高山是阿克特翁山(海拔 820 米)和迪亚纳峰(823 米),诸山在桑迪湾之北形成一个半圆形的边缘。山南有许多山上水流冲刷成的峡谷,近海处更深。岛上到处都有泉水。还有不少火山灰和巉岩怪石。该岛能登岸处只有西北面的詹姆斯湾,从该海湾有一条长 2.4 千米的狭窄河谷伸入内陆。詹姆斯敦港和城镇便坐落在此河谷中。受凉爽的南大西洋季风影响,该岛气候温和,有益于健康,夏天温暖,冬天稍凉。与海平面齐的地区年降雨量为 200 毫米,岛中央为 760 毫米以上。该岛植被可分为 3 个区:沿海地区荒凉多岩石,延伸入内陆约 1.6 千米;中间区再伸入内陆 0.4 ～ 1.6 千米,山坡上有草,区内还有荆豆、杨、柳和欧洲赤松等树木;中央区长约 5 千米,宽 3 千米,生长该岛的土产如菜棕、柳杉、桉树、竹、蕉树和橡树。岛上居民主要是欧洲人(大多为英国人),亚洲人和非洲人混血的后裔,操英语,多数属于英国圣公会教派。詹姆斯敦为岛上唯一城镇,其居民占全岛居民 1/4。耕地及可造林地不到岛面积的 1/3。主要农作物为玉米、马铃薯、绿叶蔬菜,也饲养绵羊、山羊、牛和猪。无矿藏,基本上无工业,有些本地出产的木材用于建筑以及制造精致的木制品和家具。环岛海上有捕鱼业,主要捕捞金枪鱼,大部分冷冻后贮存于附近的冷藏库,其余的在岛上晒干并腌制。产品基本上全部输出。该属地预算约2/3 由联合王国以津贴的方式提供,其余部分则来自出售邮票、征收关税和收码头使用费。输入商品有食物、燃料、汽车、电气设备、机械、服装和水泥。唯一的港口詹姆斯敦有一良好的船只停泊地,有到联合王国和南非的海上客运和货运业务。岛上有公路系统,但无机场。圣赫勒拿岛设一总督,兼任一院制议会议长。总督、政府大臣和司库以及 12 个由选举产生的成员组成一院制议会,前 3 人为当然议员。最高行政会议的成员包括总督、政府大臣、司库和各政务委员会的主席;这些主席兼任一院制议会议员,监督政府各管理部门工作。司法部门包括一个首席法官,一个地方法官和若干治安法官。有几个卫生官员和一个牙医提供医疗服务,岛上有一家小医院。5 ～ 15 岁儿童强制免费入学。人口:圣赫勒拿岛 5 644(1987)。

Saint Helens 圣海伦斯 英格兰默西赛德都会郡一都市区(自治市)。属兰开夏历史郡。位于利物浦和曼彻斯特间的工业地带中。16 世纪该地区便开采煤矿,因本地有砂矿藏,1773 年即开始的玻璃制造业长期为该自治市的主要工业,后来该地增添若干其他种类工业。区面积 133 平方千米。人口约 178 400(1998)。

Saint Helens, Mount 圣海伦斯山 美国华盛顿州西南部喀斯喀特山脉的火山峰。1980 年 5 月 18 日喷发,为北美洲有史以来最强烈的火山爆发中的一次。1857年起处于休眠状

喷发的圣海伦斯火山
合众国际社供图

态。1980 年 3 月 27 日一股蒸气爆发,随后即交替出现间歇及小规模喷发。火山内上升岩浆的压力使山顶北坡大面积开裂并不断隆起。5 月 18 日晨,地震(里氏 5.1 级)触发山北面大崩塌,崩塌中北坡坍毁,随后发生更强烈的侧面空气喷射,将一团高速炙热的火山灰石从峰顶带出 20 千米远。其后泥石流、火成碎屑物及洪水泛滥远达 27 千米,所夹带的厚泥浆及碎屑将山东面的河谷填平。崩塌同时,直射的火山灰气形成超过 19.2 千米高的烟柱,火山灰远降至蒙大拿州中部以东。5 月 18 日喷发中有 60 人及数千动物死亡,1 000万棵树木被侧面气流烧毁。喷发后火山锥已遭彻底破坏。2 950 米高的峰顶处出现一马蹄形坑,其边缘高达 2 400 米。5 月 18 日后又喷发多次,火山口内断断续续形成熔岩穹丘。

Saint Helier 圣赫利尔 英国海峡群岛中泽西(Jersey)岛的主要城市,旅游胜地、堂区和首府。临圣奥宾湾,位于泽西岛南岸,与一个名为莱利特的潮汐岛(低潮时有堤道与之相通)相对。以 555 年在当地献身的法兰克传教士圣赫利尔的名字命名。莱利特岛上的修道院是一座 12 世纪所建的礼拜堂,并且 12 世纪中期由格洛斯特的菲茨哈蒙所建的圣赫利尔教堂(后为小修道院)至今仍在供奉圣赫利尔。此地原为在堂区教堂周围发展起来的渔村,13 世纪起,国王法庭通常在此地开庭,集市亦设在此地。莱利特岛上建起伊丽莎白堡(1551 ～ 1590)后,圣赫利尔成为泽西岛政府所在地。伊丽莎白堡曾为克拉伦登伯爵的避难所(1646 ～ 1648),他在此开始写作《叛乱史》一书;1646 年和 1649 年曾为逃亡的查理二世的避难地。1700 年开始修建港口,1841 年港口已具目前规模。市场(现皇家广场)是泽西战役(1781)中法兰西战败的地方。市场四周是法院、政务厅和公共图书馆(建于 1736 年),南面是摄政王城堡(1806)。维多利亚学院建于 1852 年。圣赫利尔是泽西岛运输、商业、行政和文化活动中心,岛上约 1/3 的人口居住在此地。人口 28 123(1991)。

Saint-Hubert 圣于贝尔 比利时东南部卢森堡省城市,位于阿尔隆西北阿登林区内。8 世纪初期曾建有一座教堂,以后所建的本笃会修道院(817)长期使用到 1796 年。这座修道院以猎人的主保圣人圣于贝尔的名字命名,并埋葬着这位圣者。据说 683 年他在附近弗雷森林目睹一牡鹿两角夹一十字架。他的灵柩在一次外敌入侵(1616)时被修道院修士们藏匿,但从此再未发现。圣于贝尔修道院于 1729 年重建,1954 年以前一直用作罪犯教养所。在修道院周围发展起来的圣于贝尔市是每年来圣于贝尔教堂(1526 ～ 1568)朝圣者的目的地。教堂葬有这位圣者的遗骨。该市为旅游胜地,亦为肉猪市场。人口:城市区约 5 689(1991)。

Saint-Hubert 圣于贝尔 加拿大魁北克省蒙特利尔行政区城市。在圣劳伦斯河以东。主要是蒙特利尔市郊居民区。有皮隆和利奇菲尔德两工业区。曾为加拿大横越大西洋航线的第一座机场所在地。多瓦勒国际机场开辟后,圣于贝尔机场设施被皇家加拿大空军接管。1958 年建市。人口74 027(1991)。

Saint-Hyacinthe 圣亚森特 加拿大魁北克省南部城市。濒亚马斯卡河。在蒙特利尔市以东 48 千米处,位于加拿大国家铁路和横贯加拿大公路上,为附近农业地区的行政、文化和商业中心。制造业包括纺织品、风琴、服装、机车车轮、锅炉、纸制品、巧克力以及鞋类。圣亚森特是天主教主教区,城内有古典文学学院、乳制品职业学校、农业学校和兽医学校。1849 年设镇,1857 年设市。人口39 292(1991)。

Saint Ignace 圣伊格纳斯 美国密歇根州上半岛东南部城市,麦基诺县县城(1882)。隔麦基诺水道与麦基诺城相望,两城间有 8 000米长的麦基诺桥相连。建于 1671 年,是该州最古老城市之一。初时有毛皮贸易商和捕鱼者定居。1881 年跨海峡铁路通车。1882 年设村,1883 年设市。现经济以乳品、蔬菜、水果生产以及渔业和夏季旅游业为主。有轮渡通麦基诺岛。附近有州立海峡公园和奇珀瓦图腾村。有城市创建人、传教士 J.马克特的葬地。人口 2 568(1990)。

Saint Isaac's Cathedral 圣以撒大教堂 圣彼得堡的一座带有铁制穹顶的俄罗斯帝国风格大教堂,由 A.德·蒙斐朗设计。占地 1 公顷,建造历时 40 年,于 1858 年完成。建筑物用花岗岩及大理石砌成,平面作十字形。庞大的穹顶是用铁作为建筑材料的最早实例之一。内部装饰华丽,仿效中世纪风格。

Saint Ives 圣艾夫斯 英格兰剑桥行政郡亨廷登区一堂区(城镇)。属亨廷登历史郡。原为乌斯河北岸的村庄。1110 年时亨利一世批准举办8日一次的集市,因而得到发展,至

圣艾夫斯跨乌斯河的中世纪小礼拜堂桥
供图：A. F. Kersting

1349年因发生黑死病集市停办。有一座六拱桥（约1415）横跨乌斯河。人口10 092（1991）。

Saint Ives 圣艾夫斯 英格兰康沃尔行政、历史郡彭威思区一堂区（城镇）。1497年觊觎王位者P.沃贝克在该城码头被宣布为国王。港口四周是街道曲折而拥挤的旧城，其刷色石屋居住有渔夫、表演艺人和陶工。19世纪末叶前渔业和开采锡矿很重要。由于气候宜人并有美丽的沙滩吸引了度假者，因而经济开始以旅游业为主。1920年E.利奇在当地创立的一种陶器风格即以该城名命名。人口10 092（1991）。

Saint-Jacques, Cap（Vietnam） **圣雅克角** 参阅**Vung Tau** 头顿。

Saint James 圣詹姆斯 大伦敦威斯敏斯特自治市内居民区。位于索霍区之南、白厅以西、白金汉宫的北面和东面，以王宫和大公园闻名，一直是伦敦西区的高档居住区之一。中心是圣詹姆斯宫，为16世纪亨利八世所建。1698年白厅宫被毁后成为王室在伦敦的住处。19世纪初遭大火焚毁后重建。后王室迁往白金汉宫附近花园区，圣詹姆斯宫成为政府官员居住和工作之地。宫殿周围有18、19世纪的兰开斯特、布里奇沃特、马尔伯勒、斯宾塞等府邸。圣詹姆斯宫东南，林荫大道对面的圣詹姆斯公园（占地36公顷）是伦敦中心区皇家公园中历史最久、装饰最好的公园。原为沼泽地，查理二世时期精心规划，辟为公园。19世纪初T.纳什又重新设计。君主诞辰庆典均在此举行。北部圣詹姆斯广场建于17世纪60年代，为贵族住宅区。其中央花园周边有查塔姆宫（曾有三位首相居住）、伦敦图书馆、几个私人俱乐部和公司总部大楼。大部分为17和18世纪的建筑。

Saint-Jean, Lac 圣让湖 英语作Lake Saint John。加拿大魁北克省中南部湖泊。为断层湖盆。面积1 003平方千米，流域面积7.8万平方千米，通过两个出口流入萨格奈河。1849年始建湖畔农业居民点。与魁北克市通铁路后发展加速，被称为魁北克粮仓。20世纪，该湖若干支流上的伐木业导致湖区大型造纸厂的兴建。自1926年大、小德沙日两座水电站大坝竣工后，湖水的季节性涨落已得到控制。近年来，圣让湖已成为以垂钓鲑鱼著名的旅游中心。湖区的最大社区有阿尔马、罗贝瓦尔、多尔博、圣费利西安。

Saint-Jean-de-Luz 圣让-德吕兹 法国南部阿基坦大区比利牛斯-大西洋省比斯开湾城镇。位于尼维尔河右岸，靠近西班牙边境。城内修复的13世纪施洗者圣约翰教堂，有独特的巴斯克风格的中殿，1660年路易十四曾在此与奥地利的玛丽-泰蕾莎结婚。城内有众多的高级旅馆、夜总会、散步场所，也有广阔的沙滩，是著名的冬夏旅游胜地，也是风景如画的渔港。该城的船只首次（1520）去纽芬兰附近捕鱼。现是法国最重要的金枪鱼渔港。人口13 181（1990）。

Saint-Jean-de-Maurienne, Agreement of 《圣让-德莫里耶讷协定》（1917-04） 英法德三国为解决法意两国对安纳托利亚西南部的主权要求而在法意边境圣让-德莫里耶讷签订的条约。依据条约法国在战后可获得阿达纳地区，意大利可获得安纳托利亚西南部的其余地区，包括伊兹密尔在内。但1919年希腊在得到巴黎和会的认可后，不顾意大利的反对占领了伊兹密尔。

Saint-Jean-sur-Richelieu 黎塞留河畔圣让 又称圣让。加拿大魁北克省南部城市。在黎塞留河西岸。位于数条公路干线、尚布利运河（连接尚普兰湖和圣劳伦斯河）和加拿大第一条铁路（筑于1836年）的交汇处，为贸易中心。该铁路通往蒙特利尔附近的拉普赖里。制造业有缝纫机、缎带、木器、砖瓦、纺织品与服装、金属制品等。该市为天主教主教管区所在地，城内有一所双语军事学校和圣让神学院。人口37 607（1991）。

Saint-Jérôme 圣热罗姆 加拿大魁北克省南部城市。濒临诺尔河。为移民区中心，也是旅游、工业和森林采伐业重要中心。其他工业有纺织、鞋类、纸张、针织等。有铁路、公路和劳伦西亚收费公路与蒙特利尔相连。为通往加拿大东部最著名的旅游胜地之一的劳伦西亚高地的门户。1950年设市。人口23 384（1991）。

Saint John 圣约翰 加拿大新不伦瑞克省最大城市。在芬迪湾圣约翰河口。1758年被英国占领。1785年成为城市。1812年战争期间，为防守港口而在兰开斯特高地建的马泰洛塔，现为国家史迹。有终年不冻港，海运、造船和渔业因之兴起。1889年收纳波特兰市，1966年收纳兰开斯特市等地区，成为该省商业、制造业和运输业中心，有世界最长的干船坞之一（长320米）。有伐木、糖、油榨制、制浆、造纸、纺织和渔业。1964年建立新不伦瑞克大学圣约翰分校。河口迅猛的潮水涨落近9米，使河水每日两次向上游倒流几英里，这一"倒流瀑布"可谓当地一景。人口：市69 661；都会区122 678（2001）。

Saint John 圣约翰 美属维尔京群岛的行政区和最小的岛屿。在圣托马斯岛正东，全部面积50平方千米，不规则的海岸线上有一些美丽的港湾和小海湾，如特兰克湾。波尔多山高392米。居民主要是黑人，分别集中在两个村落——岛上西端和东南端的首府克鲁斯贝和科拉尔贝（西印度群岛中最好的避风港）。哥伦布1493年11月17日来到圣约翰。当地的加勒比印第安人被灭绝。1717年才有圣托马斯岛的人来定居。在不到20年内，甘蔗和棉花种植园布满全境。当时有208

圣约翰岛特兰克湾
供图：Arthur Griffin—美国不列颠百科全书公司

名白人，1 087名奴隶。1733年奴隶暴动，历时8个月。岛上的经济以养牛、采集月桂树叶（运到圣托马斯岛制成香水）和旅游业为主。全岛85%的面积覆盖着热带植被和次生林。1956年岛上2/3的地区划为维尔京群岛国家公园。人口3 504（1990）。

Saint John, Henry 圣约翰 参阅**Bolingbroke, Henry Saint John, 1st Viscount** 博林布鲁克子爵（第一）。

Saint John, J. Hector 圣约翰 参阅**Crèvecoeur, Michel-Guillaume-Jean de** 克雷夫科尔。

Saint John, John（Pierce） 圣约翰（1833-02-25，美国印第安纳布鲁克维尔～1916-08-31，堪萨斯奥拉西） 美国政治人物，堪萨斯州州长，禁酒运动领导人。曾参加南北战争，战后当律师。1873～1874年任州参议员，属共和党。其父嗜酒，所以他很早就主张禁酒。因禁酒主张于1878年当选堪萨斯州州长。1880年致力修改州宪法，首创禁酒的条文。1880年连任州长，但1882年拒绝第3次连任，此后致力于向全国推广禁酒运动。1884年曾被全国禁酒党提名为总统候选人。

Saint John, Lake（Canada） **圣约翰湖** 参阅**Saint-Jean, Lac** 圣让湖。

Saint John, Oliver 圣约翰（约1598～1673-12-31） 英格兰政治家，反对国王查理一世的议会派领袖。绅士阶层家庭出身。剑桥大学王后学院毕业。1626年获得律师资格。1638年因与O.克伦威尔之堂妹结婚而与克伦威尔建立亲密友谊。他是短期议会和长期议会议员，曾与贝德福德伯爵、J.皮姆和汉普登一起带头攻击查理一世征收造船费。查理一世为争取他，任命他为副检察长，但他仍不改初衷。内战时期成为独立派公认的领袖。1648年10月任高等民事法庭首席法官。1652年任英格兰和苏格兰统一委员会委员。1657年曾图拥立克伦威尔为国王。查理二世复辟后被禁止担任公职。1662年前往欧洲大陆，死于何处不详。

Saint-John Perse 圣琼·佩斯（1887-05-31，法属瓜德罗普岛圣莱热-莱弗伊尔～1975-09-20，法国日安半岛） 马里耶-勒内-奥古斯特-亚历克西·圣莱热·莱热的笔名。法国诗人、外交官。以高超的唤起人们浮想联翩的诗而荣获1960年诺贝尔文学奖。一度在波尔多大学和巴黎大学读书,1914年进入外交

供图:Harlingue—H. Roger-Viollet

界。他到过中国,并先后在上海任领事,在北京任秘书,1921年参加华盛顿裁军会议。1921～1922年任法国政治家白里安的秘书,1933年任外交部秘书长,与大使同级。1940年被维希政府免职并剥夺法国国籍。于是来到美国,任国会图书馆法国文学顾问。1957年返回法国。在他从事外交生涯前的早期诗歌有《赞歌》(1911),表现出象征主义影响。他的诗歌语言以其准确和纯粹而受到诗人们的赞美,但一般读者却不大看得懂。他的诗可与兰波媲美。早期最著名的作品是长诗《远征》(1924,T.S.艾略特曾将之译成英文)。他在流亡期间写的诗歌深切地表达了个人的情感。这些诗歌有《流放》(1942)、《风》(1946)、《岸标》(1957)、《纪事诗》(1960)和《群鸟》(1962)等。圣琼·佩斯是法国民族精神的化身,充满智慧,又极其热情,对生活的悲剧深有体会,是一个怀有艺术家要求完美和匀称的实干家。

Saint John River 圣约翰河 西非河流。源出几内亚境内宁巴山脉西北部,其上游的马尼河是几内亚-利比里亚边界的一部分,流入利比里亚的中北部,在伊代纳注入大西洋。全程长282千米,其间有许多急流。利比里亚和几内亚境内的流域面积为17 220平方千米。该河是15世纪葡萄牙航海家在圣约翰节日发现的,故名。

Saint John River 圣约翰河 源出美国缅因州西北部萨默塞特县。流向东北转东南,形成80英里(130千米)长的美国-加拿大界河,经大瀑布进入加拿大,在圣约翰注入芬迪湾。全长418英里,流域面积21 000平方英里(54 000平方千米)。在大瀑布形成落差75英尺(23米)的瀑布。在河口处,海湾强大潮涌上涨时可使河水倒流。河口以上81英里为潮路,至弗雷德里克顿一段可通航。支流有托比克、阿鲁斯图克和马达沃斯卡河。干、支流上均建有水电站。

圣约翰河河口处的河水倒流

加拿大旅游局供图

Saint John's 圣约翰斯 加拿大纽芬兰省省会和最大城市。位于阿瓦朗半岛东端大西洋一港湾陡峭的岸坡上。J.卡伯特可能在1497年的施洗圣约翰节日到达该市。最初为渔港。1583年,汉弗莱爵士(H.吉尔伯特)在岸边设置标记物,宣称该处归英国,但17世纪才建定居点。这座北美最古老和最东端的城市之一,现为省经济、文化、工商业中心,重要的远洋港口和省捕鱼船队基地,也是加拿大国

圣约翰斯市的港湾

供图:Malak Photographs Ltd.,Ottawa

家铁路、横贯加拿大公路和数条国内航空线的东部终点站。工业有造船、鱼类加工、鱼肝油和海豹油提炼、酿酒、制革、服装、金属器具、船用柴油机、油漆、家具等。有长十字式天主教教堂和哥特式圣公会教堂。联盟大厦(1850)为省政府办公楼,大厦内设有陆海军博物馆。有纪念大学(1925)和王后学院(1841)。纽芬兰博物馆陈列现已绝灭的贝奥图克人(纽芬兰的土著居民)的文物。1901年在山顶上收到发自欧洲第一份飞越大西洋的无线电报。1919年飞行家J.阿尔科克上校和A.布朗上尉从该城莱斯特机场至爱尔兰克利夫顿首次进行不着陆的横越大西洋飞行。1888年设市。人口(1991):市95 770;都会区171 859。

Saint John's 圣约翰斯 安提瓜和巴布达的首都。位于安提瓜岛的西北海岸,是一个

圣约翰斯街景

中国大百科全书出版社供图

游览地和主要海港,进出口蔗糖、棉花、粮食、机械和原木。城市东北10千米处有柯立芝机场。名胜有圣公会大教堂、政府大厦和植物园等。圣约翰斯1690和1843年发生地震,1769年发生大火,1847年又遇飓风,破坏严重。人口约22 342(1991)。

Saint John's College 圣约翰学院 美国马里兰州安纳波利斯的一所私立男女合校高等教育机构。以西方世界伟大著作为基础进行文科教学。该院由圣公会于1784年建立,而其历史可上溯至威廉王学院(1696)。一直进行常规文科教学,1937年才根据芝加哥大学校长R.M.赫钦斯的建议,对课程进行了改革。赫钦斯于1938年成为该院董事会主席。该院不设选修课,西方世界关于哲学、数学、文学、政治理论、神学、科学和历史等方面的伟大著作,都由学生与教师在研究班采取讨论的方式进行教学。课程中还设有语言学习与实验室学习,任课者包括客座教师。圣约翰学院在新墨西哥州圣费市设有分校。

Saint Johns River 圣约翰斯河 在美国佛罗里达州东北部。是该州最长的河。源出该州中东部布里瓦德县。向北流至杰克逊维尔转向东,注入大西洋,全长485千米。河水形成几个大湖泊。主要支流为奥克拉沃霍河。河口以上320千米已清淤。帕拉特卡以北为广阔河口湾,杰克逊维尔以东为沼泽。流域多沼泽、湖泊、柑橘和松树林以及农田和牧场。可通航,有运输和游乐(垂钓)之利。

Saint-John's-wort 金丝桃 俗称圣约翰草。山茶目金丝桃科(Hypericaceae)植物。8属,350种,草本或低矮灌木。或认为应并入藤黄科。金丝桃科植物单叶,对生或轮生,有

高金丝桃(*H. elatum*)

供图:G.E.Hyde from the Natural History Photographic Agency—美国不列颠百科全书公司

腺点,多全缘;花多为5瓣,以黄色为主,雄蕊多数,通常合生。金丝桃属(*Hypericum*)约300种,原产温带及热带。大萼金丝桃(沙龙玫瑰,*H. calycinum*)和金丝梅(*H. patulum*)均原产于东亚,灌木状。前者花淡黄色,雄蕊橙黄色,株高30厘米。后者花略小,深黄色,雄蕊颜色较深。原产加那利群岛的高金丝桃(*H. elatum*)果卵形,猩红色。**金丝蝴蝶(Saint-Andrew's-cross)**花黄色,为观赏植物。黄牛木

属(*Cratoxylum*)有12个亚洲热带种,其中多花黄牛木(*C. polyanthum*)是园艺植物,为芳香灌木,花粉红色,叶长圆形,纸质,种子有翅。贯叶金丝桃(*H. perforatum*)在澳大利亚南部成为难除的杂草。

Saint Johnsbury 圣约翰斯伯里 美国佛蒙特州东北部城镇,喀里多尼亚县县城(1856)。濒帕苏姆西克河和穆斯河。包括圣约翰斯伯里村。1786年J.阿诺德自罗得岛迁到该地定居。美国独立战争中的英雄E.艾伦的法国友人M.-G.J.de克雷夫科尔以圣约翰斯为笔名撰写《美洲农民来鸿》。该城即因他而得名。1853年设市。1830年T.费尔班克斯发明台秤后,该社区开始发展,台秤的改进和制造成为主要行业。其他工业有槭糖生产、乳品加工及标准预制件、工具、机器、手套和木制品生产等。当地费尔班克斯博物馆以收藏美国鸟类、古代玩具和工具为特色。槭树博物馆展示槭糖制造的全过程。圣约翰斯伯里文学协会美术馆(1873)展出的18世纪的绘画和雕塑,多以哈得孙河为题材。面积95平方千米。人口7 571(2000)。

Saint Joseph 圣约瑟夫 美国密歇根州西南部城市,贝林县县城(1894)和密歇根湖港口。临圣约瑟夫河口。1679年在此建迈阿密要塞。1834年设村。1836年与底特律通准州公路和改善港口设施后得以发展。1891年设市。其东北部于1869年分出,设为本顿港。现经济以工业(生产汽车零件、橡胶制品和家用器具)、水果加工业和旅游业为主。人口9 214(1990)。

圣约瑟夫市的港口

供图:J.Penrod—Shostal/美国不列颠百科全书公司

Saint Joseph 圣约瑟夫 又名圣乔。美国密苏里州西北部城市,布坎南县县城(1846)。濒密苏里河,南距堪萨斯市45千米。1826年建贸易点,1836年扩展后居民涌入。1843年规划。1851年设市。加利福尼亚淘金热期间(1849)航运繁忙,是西行车队的补给供应地。为汉尼拔—圣约瑟夫铁路(1859年建成)西端终点。南北战争期间为游击战场。1882年大盗詹姆斯在市内家中被打死,这幢房屋至今犹存。19世纪90年代肉类加工业曾极兴盛,后成为中西部牲畜、谷物市场。至今仍为广大农业地区贸易中心。生产结构钢、化学药品、机械、服装等多种工业品。为E.菲尔德诗作《情人小巷,圣乔》描写的地方。城内有圣约瑟夫至萨克拉门托的快马邮递驿站博物馆,另有圣约瑟夫博物馆展出美洲印第安人遗物。附近有野生动物保护区和州立刘易斯-克拉克公园。密苏里州立西部学院建于1915年。人口:市71 852;都会统计区83 083(1990)。

圣约瑟夫市的快马邮递塑像

供图:Jack Zehrt

Saint Joseph River 圣约瑟夫河 美国中北部河流。源出密歇根州中南部希尔斯代尔附近,西南流经印第安纳州北部,过埃尔克哈特、南本德,复入密歇根州,注入密歇根湖。全长340千米。圣约瑟夫河上建有水坝发展水电。此河有别于另一条同名、也源于希尔斯代尔附近河——南流160千米经密歇根及俄亥俄两州,在印第安纳州形成莫米河。

Saint-Just, Charles de Biencourt, baron de 圣茹斯特男爵 参阅**Biencourt, Charles de 比安库尔**。

Saint-Just, Louis (-Antoine-Léon) de 圣茹斯特(1767-08-25,法国德西兹~1794-07-28,巴黎) 法国大革命时期有争议的理论家,以最大激情鼓吹恐怖统治(1793~1794)。骑兵上尉之子。其母原为贵族,但具有平均主义思想,宁愿降为中产阶级。他们全家迁至农村市镇布莱朗库尔。圣茹斯特曾入苏瓦松附近的奥拉托利会学院求学,1785年与同镇的贵族女子相恋。1786年7月对方被迫嫁给一个公证人的儿子。圣茹斯特在极度气愤之下,于9月的一个夜晚逃往巴黎。他住在罗亚尔宫附近,不久即身无分文。1787年到苏瓦松给检察官当秘书。后在兰斯学习法律,1788年4月获法学学位。1789年匿名出版长诗《奥尔刚》,不久即被当局查禁。圣茹斯特避居巴黎。法国大革命爆发后返回布莱朗库尔,组织国民自卫队,任第2中队长。他在布莱朗库尔有了一定的名声。他有为穷人和农民的事业而奋斗的雄心壮志。1791年出版《法国革命与宪法的精神》。1792年9月被选入国民公会。他竭力处理财政、经济以及军事问题,并成为极左翼的领袖之一。后来任驻军队代表。1793年5月进入救国委员会。在法兰西共和历第二年期间(1793~1794),当选为国民公会主席。1794年6月26日在奥属尼德兰(今比利时)的弗勒侣斯率军进攻奥地利军,获得胜利。同一时期,他写成《共和国宪法提纲》,为公有制的平等社会奠定了理论基础。圣茹斯特比罗伯斯比尔还要残酷无情。他在国民公会中宣称:"法国大革命的航船只有通过鲜红的血海才能到达彼岸。"他又说:"我们不仅要惩罚叛国分子,而且要惩罚一切对革命无动于衷的人们。只有两类公民,即好的和坏的。对好公民,共和国应给予保护;对坏公民只有给予一死。"圣茹斯特令人生畏,他几乎完全陷于孤立的地位。1794年7月27日被捕,翌日被送上断头台。圣茹斯特时而被吹捧为法国大革命的天使长,时而成为被人憎恨的极端恐怖分子。近代的学术研究使得其真人与神话之间的界限得以划分。他的许多同时代的人承认他的才干,但也认为他是十分狂妄残忍的。后世有人认为他是爱国者,他为自己对民主政治的忠诚献出了生命。

巴黎国家图书馆供图

Saint Kilda 圣基尔达 苏格兰群岛政务会辖区西部群岛区外赫布里底群岛中3个大西洋小岛。距苏格兰大陆180千米。现在境内岩石赤露,海岸悬崖高400米。是世界上塘鹅最多的地方。1930年35名居民撤离后,人烟绝迹。该地现为自然保护区,受苏格兰国家托管会管理,鸲鹅、鼠类和一种独特的羊很著名。

Saint Kitts and Nevis 圣基茨和尼维斯 全称圣克里斯托弗和尼维斯联邦。由加勒比海东部小安的列斯群岛中两个岛屿组成的民主的主权国家。原为英国的联系邦。总面积269平方千米。首都巴斯特尔位于圣基茨岛。圣基茨和尼维斯两岛位于北面的安圭拉岛、东面的安提瓜岛及南面的蒙塞拉特岛之间。人口约43 000(1990)。

土地 圣基茨和尼维斯在地形上由一个火山脉连接起来,该山脉位于两岛的中部核心。圣基茨(长37千米,宽8千米)略呈椭圆形,其东南部为一狭长的半岛。该岛北半部最高峰为米瑟里火山(1 156米),在其森林密布的火山口有一个湖泊。3千米宽的纳罗斯海峡,将圣基茨与东南方的尼维斯岛隔开。圆形的尼维斯四面均被珊瑚礁所包围,面积约为93平方千米。该岛几乎完全由一座山峰尼维斯峰(985米)所构成,其北侧为朗德山(309米),南侧为萨德尔山(564米)。其海岸边缘为连绵的沙滩。圣基茨和尼维斯两岛有数条河流,排水十分通畅。

这两个热带岛屿均位于信风带,气候温和。年平均气温为27 °C,偶尔降至21 °C以下,升至32 °C以上。圣基茨的年平均降雨量约为1 397毫米,尼维斯约为1 219毫米。但降雨量因地区和海拔高度而有所不同。圣基茨和尼维斯地处加勒比飓风带，经常受到飓风的严重破坏。

内地山区大都草木茂密，其种类及范围亦随海拔高度而变化。较高的地方只有青草覆盖，是饲养牲畜的好地方。多草的山坡向下倾斜至树木生长区，其植物生长茂密处便形成雨林。在海拔较低的地方，人工栽培的植物取代了大量自然植被。

人民 曾从圣基茨和尼维斯两岛把比较温和的阿拉瓦克印第安人逐出的加勒比印第安人，后来也被法国及英国的殖民者从这两个岛屿逐出。现在居住岛上的4.3万人中，大部分是作为奴隶被带到圣基茨和尼维斯的非洲黑人后裔，小部分是欧洲人与非洲黑人的混血人种，还有更少数欧洲人和亚洲人。基督教新教团体安立甘宗和循道宗，是岛上主要的宗教派别，此外还有一些摩拉维亚教徒、天主教徒和巴哈派教徒。官方语言是英语。主要人口中心有首都巴斯特尔，人口约1.85万(1985)，尼维斯岛上的查尔斯敦，人口约1 700(1985)。近年来岛上人口增长率锐减(呈负增长)。由于婴儿死亡率、综合死亡率及移民出境率高，年人口增长率在该地区一直较低。

经济 尽管政府鼓励发展制造业，但圣基茨和尼维斯仍然是一个农业社会。自殖民时代以来，制糖一直是岛上经济的支柱，国家的经济状况受糖市场上下波动的影响极大。尼维斯主要种植棉花、蔬菜和椰子。种植水果、蔬菜和饲养牲畜是重要的农业活动。旅游业虽为季节性行业，但在经济收入上占有重要地位。

除制糖外，其他主要的制造业有建筑、电子、服装和饮料。糖一直是最重要的出口商品，近年来占出口收入的一半以上。其他出口商品包括糖蜜、服装、鞋袜、电机和饮料等。进口商品包括食品、燃料、化学品、机械、金属制品和建材等。主要国际贸易伙伴有美国、英国、特立尼达和多巴哥、波多黎各、荷属安的列斯及加拿大。国民生产总值的增长远远快于人口增长，但人均国民生产总值在加勒比海国家中仍然较低。

两岛的交通运输业发展良好，主要为糖贸易和旅游业服务。约2/5的公路铺有路面。全国建有两个飞机场，一个是巴斯特尔附近的戈尔登罗克机场；另一个是较小的纽卡斯尔机场，位于尼维斯岛。进出口和旅游业中心均在主要港口巴斯特尔，1981年该地增建了一个深水港，运输状况有所改善。铁路仅长约58千米，由制糖业经营。

政体和社会状况 圣基茨和尼维斯联邦是一个君主立宪制国家及英联邦的成员国之一。国家元首为英国君主，由其任命的总督作为代表。政府首脑为总理，他与其他部长一起，共同组成内阁。君主和国民议会组成国会，其中一些议员是任命的。尼维斯的代表在国民议会中的席位按规定不得少于1/3。年满18岁的公民即有选举权。尼维斯岛除在国民议会中有代表外，还有其自己的立法机构，并在联邦结构内享有一定程度的自治权。国家宪法包括尼维斯有权退出联邦的条文规定。

自解放黑奴时代(1838)以来，圣基茨岛上的劳动者很少有机会改善自己的生活。甘蔗种植园主继续占有大部分土地。周期性的失业和住房不足是这个年轻国家长期存在的问题。尼维斯的陡峭地形使种植甘蔗获利较少，1838年以后海岛棉的种植很普遍，然而到20世纪70年代，许多土地又恢复原状，取消了这种次要的种植。政府为人民提供了许多卫生设施，热带疾病实际上已被消灭。5～16岁的未成年人须接受免费义务教育。约有90%的成年人具有读写能力。

国营的电台和电视台设在圣基茨岛，两岛还有现代化的电信服务。巴斯特尔的公共图书馆收藏大量关于西印度文化的珍本，并有许多属于该岛加勒比文化时期的古文物。

历史 1493年哥伦布到达圣基茨和尼维斯时，这两个岛上已住着好战的、吃人肉的加勒比人。哥伦布按照其保护圣徒之名将该岛命名为圣克里斯托弗，但此名被1623年来自英格兰的开拓者简化为圣基茨，这些人在西海岸的旧罗德建立了第一个成功的英属西印度群岛殖民地。尼维斯名称的来由是1493年哥伦布抵达该岛时，把岛上白云笼罩的山峰比作“las nieves”，即“白雪”之意。1628年英国人定居该岛。

1627年法国人到达圣基茨岛，17世纪形成的英法抗衡持续了100多年，1782年英国人在布里姆斯通山取得对法国人的决定性胜利之后，对圣基茨岛的控制权双方再无争议。根据1783年的《凡尔赛条约》，圣基茨和尼维斯两岛全部成为英国领地。

这两个岛屿，包括附近的安圭拉，于1882年达成联合。后于1958年加入西印度联邦，并一直是该组织的成员直到1967年联邦解体。1967年2月27日，圣克里斯托弗(圣基茨)-尼维斯-安圭拉成为英国的联盟国家。这几个岛屿作为一个整体被授予内部安全自治权，英国则负责岛上的防御和外交事务。安圭拉人抱怨受圣克里斯托弗(圣基茨)的统治，遂于1967年7月宣布独立。英国人对此进行干涉，1971年7月的《安圭拉法案》把安圭拉直接置于英国控制之下。1980年安圭拉同圣克里斯托弗和尼维斯的联盟正式分离。1982年在伦敦召开立宪会议，尽管会议对有关尼维斯的特别条文争论不休，两岛仍于1983年9月19日宣告独立，正式命名为圣克里斯托弗和尼维斯联邦。1988年该名又正式改为圣基茨和尼维斯联邦。

Saint-Lambert 圣朗贝尔 加拿大魁北克省南部城市。临圣劳伦斯河，在蒙特利尔岛对岸，与该岛有维多利亚桥相连接。建于1647年，一直为农业中心，现为圣劳伦斯海上航路东端船闸所在地。船只通过该船闸，可避开拉欣急流。圣朗贝尔的多种制造业有电气机械、木材刨光、金属制品、门窗框架、钢笔等。1921年设市。人口20 976(1991)。

Saint-Laurent 圣洛朗 加拿大魁北克省南部城市。位于蒙特利尔岛中央，为蒙特利尔市西郊区。1845年建。1959年加入新成立的大蒙特利尔市。制造业有飞机、铁路车辆、铸件和其他产品。有两座机场，两条横贯大陆的国家铁路，横贯加拿大公路以及其他几条高速公路。1893年设镇，1955年设市。人口72 402(1991)。

Saint Laurent, Louis (Stephen) 圣劳伦特 (1882-02-01，加拿大魁北克康普顿～1973-07-25，魁北克魁北克) 加拿大政治家和法学家，作为自由党总理(1948～1957)，他努力维

供图：National Film Board of Canada, Phototheque

护了加拿大的统一，并推行各项改革。圣劳伦特曾在圣查尔斯学院(舍布鲁克)和拉伐尔大学(魁北克)学习。1905年取得律师资格，成为加拿大主要律师之一，曾担任两届加拿大律师协会主席。1914年被任命为拉伐尔大学法学教授。1941年应W. L. 麦肯齐·金总理之邀进入政界。

作为自由党党员，圣劳伦特于1942年代表东魁北克被选入加拿大众议院，并在此后历届选举中均重新当选，直至退休。金任命他为司法部长兼总检察长，后任外交部长(1945年为代理部长，1946年为部长)。曾于1945年任加拿大出席在旧金山举行的联合国国际会议代表团副团长，1946～1947任加拿大出席在伦敦和纽约市举行的联合国大会代表团团长。他被说服于1948年接受自由党领袖的职务，继承金任总理。在圣劳伦特的领导下，纽芬兰成为自治领的一部分；他的政府支持联合国对朝鲜(1950～1953)和对苏伊士(1956)的干涉；促使印度和巴基斯坦继续成为英联邦会员国。他平衡各省预算，扩大社会福利和大学教育，建立文艺和文学理事会，以促进国家的统一和发展。他领导他的党在1949年和1953年的大选中获得巨大胜利，但自由党却在1957年以微弱差额败北。虽然他个人仍当选为众议员，但他宣布退休，由L. B. 皮尔逊于1958年接替他担任反对党领袖。1960年他退出政界，重操律师旧业。

Saint Laurent, Yves 圣洛朗(1936-08-01，阿尔及利亚奥兰～2008-06-01，法国巴黎) 法国时装设计师，以皮革和毛皮设计，以及推广各种女裤而著名。曾短时期在时装学校学习，并在一次国际设计比赛中获得头等奖。英国《时装》月刊的负责人把他的一些设计草图给C. 迪奥尔看，随即被雇用为迪奥尔的助手。当时，他年仅17岁。迪奥尔于1957年去世后，他接任迪奥尔公司的领导职务。1962年他开设了自己的时装公司，很快就成为巴黎最有影响的设计师之一。他推广了城乡皆可穿用的女裤。在60年代末他的时装展览中突出了带金属光

泽的透明衣料。70年代他除了做女时装生意外,还扩大经营,包括各式成衣、服装配件、家用餐巾、茶巾、手巾、桌布及装饰用布、香水和男装。

Saint-Laurent-du-Maroni 圣洛朗-迪马罗尼 法属圭亚那西北部河港。在马罗尼河东岸,与苏里南的阿尔比纳隔河相望。曾是最大的监狱所在地,1944年关闭。除港口设施外,有锯木厂和修船厂。出产甘蔗。人口5 042(1990)。

Saint Lawrence, Gulf of 圣劳伦斯湾 位于圣劳伦斯河口,面积15.5万平方千米的水体。临加拿大一半省份的海岸线边缘,是进入整个北美大陆腹地的一个门户。其名不尽确切,因为鉴于水文学意义,它更应被视为北美大陆边缘的海洋,而不仅仅是一湾口。它西起圣劳伦斯河口安蒂科斯蒂岛,北至纽芬兰岛与大陆之间的贝尔岛,南以纽芬兰岛和新斯科舍半岛之间的卡伯特海峡为界。阿巴拉契亚山脉北端和加拿大地盾南部经过沉降作用之后,形成起伏不定的海湾地形。湾底地形可分为几部分。首先是深水区,东南向伸展的圣劳伦斯水道、明根水道及西南向伸展的爱斯基摩水道,它们约占该湾总面积的1/4。其次是水下台地,深度一般不足50米,其中最重要的阿卡迪亚台地,在加斯佩半岛和布雷顿角岛之间构成巨大半圆形体。该区域地势并非一律,有沙勒尔深海槽之类凹地,有布莱德尔、诺森伯兰海峡之类浅滩,还有爱德华王子岛之类水上区域。在圣劳伦斯深海槽地轴远侧有3个北向延伸的台地。台地表层多暗礁,又有雾、冰险情,大量船只因此失事。湾内水体不单依靠当地降雨补给(马格达伦群岛年降雨量900毫米),而且从3条水道得到补充:一是从河口湾注入大量淡水,每秒达1.4万立方米;二是从贝尔岛海峡流入的海水,水温变化于-2～11℃之间,含盐度27‰～34.5‰;三是通过卡伯特海峡,大西洋及极地水体大量涌入,大部分海水和流冰由此外泄。湾内海流成反时针方向环流,沿东北部台地进入河口湾,深入到蒙角,有时甚至经魁北克上溯数百英里,远及萨格奈河汇流处。此后称为加斯佩海流,在翁格多与卡伯特海峡之间分为3支。海湾中心水体可分为3个层次:深层水温3.5℃,含盐度33.5‰;中层深约50米,水温0.5℃,含盐度32.5‰;表层含盐度较低,水温随季节变化。大量浮冰是海湾突出的特点。由于水体含盐、大片湾水潜热及上游冰块移动缓慢,结冰期迟,2月中旬以前浮冰不多。解冻期一般亦迟。卡伯特海峡比贝尔岛海峡至少早一个月解冻而正常通航。

Saint Lawrence Islands National Park 圣劳伦斯群岛国家公园 加拿大安大略省东南部圣劳伦斯河区的国家公园。位于金斯顿与布罗克维尔之间。由河岸区、岛屿和许多小岛组成。小片河岸区称马洛里敦陆地,在布罗克维尔以西19千米。包括18个森林茂盛的岛屿和80个岩石小岛,它们均属"千岛区"。总面积410公顷。建于1904年。

Saint Lawrence River 圣劳伦斯河 北美洲东部的一条河,是巨大水道系统的主要段,全长4 000千米,从美国明尼苏达州的圣路易斯河源头出发经五大湖区至加拿大大陆和纽芬兰之间的卡伯特海峡,横跨美国和加拿大。该河为加拿大的第三大河,加拿大境内河1 287千米,从安大略湖东口经该国的心脏地带至圣劳伦斯海湾内圣劳伦斯河口的安蒂科斯蒂岛。上游段则从安大略湖至康沃尔城形成美国和加拿大的界河。该河由于奔流在地壳构造的凹地上,因此全长多处呈港湾地形。在其上游和中游平均宽度约1.9千米,下游约16千米,河口宽度为145千米。平均排水量每秒约14 000立方米。圣劳伦斯河流域总计面积1 424 000平方千米,可分为6个区域:国际湍流段的圣劳伦斯、魁北克低地、上游三角湾、中游三角湾、下游三角湾和海上三角湾。该河的主要支流全部在加拿大,有渥太华河、萨格奈河、黎塞留河和马尼夸根河。圣劳伦斯河流域的植被有白桦树、榆树、铁杉、枫树、栎树和云杉树;淡水河段有沙洲草,三角湾段则耐高盐性的植物非常茂盛。圣劳伦斯流域是加拿大主要农业和工业区之一,以奶制品、造纸、谷物、水果和木材而闻名。水力发电厂网更加速了该地区的经济增长。该河通过圣劳伦斯航道将五大湖与大西洋相连接。沿河主要城市在加拿大的有魁北克、蒙特利尔和金斯顿,在美国的有奥格登斯堡。

Saint Lawrence Seaway 圣劳伦斯航道 美国-加拿大航道工程,为沿上圣劳伦斯河的航道,有船闸系统,旨在连通大西洋与五大湖。航道建设始于1954年,1959年通航。该航道被认为是伟大的工程业绩。它的建设主要包括开辟圣劳伦斯河中从蒙特利尔到安大略湖之间长299千米的一条直通航道。该工程在一个由众多湖泊、河流、深水航道、船闸和长3 766千米的运河所构成的综合体中实现了关键性的连通,最终沟通了明尼苏达德卢斯与圣劳伦斯湾的前部。圣劳伦斯河系与五大湖一起提供15 285千米通航水道。整个五大湖-圣劳伦斯河系已非正式地称为圣劳伦斯航道。该航道使深水海船可到达五大湖周围的富足工业区和农业区。整个航道有从苏必利尔湖至大西洋的183米落差。只限于中等大小(根据现代的标准)的船舶使用。为航道服务的港口总计在加拿大有12个,在美国有66个。大宗货物占该航道中圣劳伦斯河这段每年货运吨位的大部分。最多的货物是谷物,从加拿大大草原和美国中西部的农场西运,这些谷物中有不少最终运往国外。另一种主要货物是铁矿石,从魁北克经运河运到外国工厂进行加工。其他重要货物是煤(来自美国各矿山)和进口的钢铁。航道的航行季节为4月初至12月中,约250天。

Saint Leger 圣莱杰赛 英格兰三王冠马赛之一,同时与德比马赛、二千畿尼赛、一千畿尼赛及奥克斯赛共为英格兰传统马赛。1776年由陆军上校圣莱杰创办,1778年用他的名字命名。每年9月在约克郡唐克斯特赛马场举行,限3龄马驹参加。1813年前赛程为3.2千米,现减至2.8千米米。圣莱杰赛优胜者参阅 **Sporting Record**:Horse racing。

Saint Leger, Sir Anthony 圣莱杰(约1496～1559-03-16,英格兰肯特阿尔科姆) 又拼Sentleger。英格兰驻爱尔兰总督(1540～1546;1553～1556)。通过保持当地有权势的部族首领的封建特权而维持了8年和平。曾就学于剑桥大学。1537年被派往爱尔兰,迫使爱尔兰议会采取亨利八世的反教皇政策。1538年成为国王私人办公厅成员,次年被封为爵士。1540年任爱尔兰总督后,采取怀柔政策,劝导著名的爱尔兰首领归服亨利八世,并与罗马教皇断绝关系。根据他的建议,爱尔兰的首领们获得了以前被禁止授与的领地封号。爱德华六世即位后他被召回。但继任者的强硬政策遭到失败,1550～1551年又短期恢复了总督职务。他最后阶段在爱尔兰实行的温和统治(1553～1556),因玛丽女王任命新总督而告终。

Saint-Léon, Arthur 圣-列翁(1821-09-17,法国巴黎～1870-09-02,巴黎) 法国舞蹈演员、编导和小提琴家。因编导古典芭蕾舞剧《葛蓓莉娅》闻名于世。14岁时已是一位舞蹈演员和小提琴手。参加过周游欧洲的巡回演出(1838～1859),知名较早。1845年和F.塞里托结婚。圣-列翁为塞里托在巴黎歌剧院的首次演出创作了他的第一个芭蕾舞《大理石少女》(1847),它的成功促使巴黎歌剧院演出他更多的作品,包括《魔鬼的小提琴》(1849)。在这一舞剧里他表演舞蹈并演奏小提琴。作为俄国圣彼得堡帝国剧院和莫斯科的芭蕾编导,圣-列翁在那里表演舞蹈、演奏小提琴,并且编排了第一部根据俄罗斯民间故事改编的芭蕾舞剧《神驼马》(1864;1960年改编)。他在整个欧洲排演过芭蕾舞剧,然后返回巴黎,在歌剧院任芭蕾教师,并在那里排演了他最著名的芭蕾舞剧《葛蓓莉娅》(1870)。圣-列翁还撰写《舞谱速记术》(1852)一书,在其中他创造了一种舞谱体系。这种舞谱体系在20世纪70年代分别被巴黎歌剧院芭蕾舞团P.拉科特和世界著名舞谱权威A.哈钦森解读,因此有可能精确地恢复上演早期圣-列翁和塞里托的一些芭蕾舞剧,包括选自《随军女贩》的舞蹈。

J.布兰达尔绘画中圣-列翁在《埃斯梅拉达》剧中的舞姿
伦敦维多利亚和艾伯特博物馆供图

Saint-Leu, Louis Bonaparte, comte de (count of) **圣勒伯爵** 参阅 **Bonaparte, Louis** 波

拿巴。

Saint-Lô 圣洛 法国西北部下诺曼底大区芒什省省会、城镇。坐落在俯瞰维尔河河谷的岬角上。高卢-罗马时期称布里奥韦拉，6世纪以库唐斯的主教名字重新定名为圣洛。中世纪时是一重要要塞，并以其编织业闻名。该城镇是重要的交通中心，地处交通要冲。第二次世界大战中，盟军于1944年6月登陆后，该城7月18日被美军攻占，几乎完全成为废墟。1948年重建，包括修复可以俯瞰维尔河谷的中世纪城堡。城镇的哥特式圣母院(14～17世纪)也同时修复。现为集市城镇，有一些轻工业，生产家庭用具，加工当地农产品。附近有大型种马场。人口22 819(1990)。

Saint-Louis 圣路易 塞内加尔海港、岛屿城市。近塞内加尔河河口。达喀尔铁路北方终点。岛与大陆间有陆桥相通。建于1659年，是西非海岸最古老的“殖民”城市，曾是法属西非毛里塔尼亚和塞内加尔领地的行政首府。自1848年参与法国政治。随着达喀尔的兴建并成为法属西非行政机关所在地，以及达喀尔—尼日尔铁路的建成，圣路易港日趋衰落。现仅是塞内加尔河河谷转运港和捕鱼中心。人口约180 000(1998)。

圣路易市的前总督府

供图：A. F. Kersting

Saint Louis 圣路易斯 美国密苏里州中东部城市，毗连圣路易斯县。位于密西西比河畔，在密西西比河与密苏里河交汇处下游16千米，有7座桥梁与对岸相通。为全州最大城市。都会统计区面积13 830平方千米。1764年建为一毛皮贸易站。1770年归西班牙，后重归法国。1803年归属美国。先后为路易斯安那准州及密苏里准州首府。1821年设镇。1823年设市。早年为通往西部门户。墨西哥战争(1846)中与西南部贸易蓬勃发展。轮船时代(1817～1870)和19世纪50年代铁路修通后为重要交通枢纽。位处五大湖至墨西哥湾水路的中心。贸易以牲畜、谷物、羊毛和木材为大宗。铁、铅、锌、铜、铝、镁等原料经济收益丰厚。工业发达，有酿酒、食品加工、飞机制造、汽车、制鞋、化工、铁路车辆、纺织和电子等部门。服务业是经济的主要组成部分，包括医疗、金融、银行业、电信、航空、教育。是多家大公司总部所在地。有多所高等院校、高级中学、神学院和中等专业学校。大学有圣路易斯大学(1818)、华盛顿大学(1853)、圣路易斯密苏里大学(1963)、圣路易斯药学院(1864)及玛丽维尔学院(1872)、韦伯斯特学院(1915)等。圣路易斯交响乐团(1880)是美国历史最久的交响乐团之一。杰斐逊国家开发纪念馆高达191.9米的不锈钢圆拱门是为纪念圣路易斯“通往西部门户”的历史作用而建。其他名胜古迹有拜占廷式圣路易斯大教堂(1831～1834)、旧法院(1839～1864，曾审理D.斯科特奴隶案)、阿洛埃广场上象征密西西比河与密苏里河汇合的C.米莱斯喷泉、诗人E.菲尔德少年时代的故居、世界上第一座钢桁架桥伊兹桥(1874)以及杰斐逊兵营遗址。这里还是枢机棒球队的发祥地。圣路易斯门会议中心落成于1978年。人口：市348 189；圣路易斯都会统计区2 603 607(2000)。

圣路易市杰斐逊国家开发纪念馆的不锈钢圆拱门

供图：© Robert Lee Ⅱ 1983

Saint Louis Post-Dispatch 《圣路易斯邮报》 密苏里州圣路易斯出版的晨报，是美国最权威的报纸之一，也是下中西部主要新闻喉舌。1878年由J.普利策创立。开办伊始，普利策即确定该报的独立自由方针和强烈反对公职人员腐败的立场，该报登载一系列揭发腐败现象的耸人听闻的消息，读者人数迅速增长。1911年普利策死后，普利策第二接手经营，1955年由普利策第三接管。在普利策第二领导时期，该报加强了国际新闻的报道，在国内问题上强调准确报道和深刻分析。在其社论中一贯支持少数民族事业和消除社会弊端的运动。

Saint Louis-San Francisco Railway Company 圣路易斯-旧金山铁路公司 别名为The Frisco。在其并入伯灵顿-北方公司之前，为贯穿美国南部和中部9个州的铁路企业。1876年成立，名为圣路易斯与旧金山铁路，但其前身可追溯到1849年。那时密苏里州议会颁发给太平洋铁路(Pacific Railroad)特许状，使其修筑一条铁路通向密苏里州西部边境，以便与任何来自太平洋海岸东行之铁路线接轨。圣路易斯与旧金山铁路成立后，收购了许多支线。它虽在1916和1947年两度破产，但作为南部与西部大铁路的连接线段，在1950～1980年的30年间运营兴旺。1967年它结束了密苏里州堪萨斯城和亚拉巴马州伯明翰之间最后两列客车的行驶，成为完全货运的铁路。当1980年并入伯灵顿-北方公司时，它已有线路大约7 240千米，从圣路易斯和堪萨斯城出发，西南通向得克萨斯州中部，东南通向亚拉巴马州莫比尔和佛罗里达州彭萨科拉。

Saint Louis Zoological Park 圣路易斯动物园 美国密苏里州圣路易斯的动物园。世界上第一个保存从死亡动物身上取下的组织以为将来科研使用的动物组织库就设在这里。该园建立在1904年世界博览会的旧址上，面积31公顷，拥有丰富的动物展品以供公众参观。1913年开放，属圣路易斯市所有，但亦得到本地动物学会的资助。该园有世界上最大的鸟槛之一，大约有125只大鸟自由飞翔。水禽湖里有90种、约450只水鸟。还有一个根据生态界而建立的爬行动物馆，其中饲养了一对新西兰产的稀有的楔齿蜥。熊类动物展品在世界上数一数二。

Saint Lucia 圣卢西亚 加勒比海东部小安的列斯群岛的岛国，位于马提尼克岛以南约39千米，圣文森特岛东北约34千米处。该岛是向风群岛中的第二大岛，面积616平方千米。首都和主要港口卡斯特里位于该岛西北岸。人口约149 621(1997)。

土地 圣卢西亚为火山运动形成的岛屿，卡利布火山和硫璜温泉(沸硫泉)在其西南部苏弗里耶尔附近；火山最后一次喷发是在1766年，但至今仍不断冒出蒸汽和各种气体。卡利布火山为该岛主要旅游景点之一，有公路相通。岛上林木茂密的山脉呈南北走向，最高点为吉米山(959米)。许多溪流从山上流下，穿过肥沃的谷地。该岛西南部的大皮通斯山(798米)和小皮通斯山(750米)，是长满林木的火山穹丘或尖峰，环绕着一个小海湾。

圣卢西亚属热带海洋性气候，雨量和温度随高度而变化。年平均降雨量从沿海的1 300毫米到内地的3 810毫米不等。平均温度约为27 °C，有些年份最高可达31 °C，最低为19 °C。总的说来，圣卢西亚比其他西印度群岛的岛屿少受飓风袭击。

该岛保留下来的繁茂天然雨林，现仅存于较难到达的高地上。在海拔较低的地方，森林经砍伐后辟为农田；再生林则生长在地力贫瘠、已不宜种植庄稼的土地上。岛北端被侵蚀的土地上，只生长一种矮小的灌木。1/4以上的土地用于农业。

人民 圣卢西亚的大多数居民为黑人。略少于1/10的人口为欧洲人与非洲黑人的混血人种，还有少量亚洲人和欧洲人。绝大部分圣卢西亚人是天主教徒，少部分人是各派新教徒。英语为官方语言，但人们也讲一种克里奥尔式法语。首都卡斯特里是主要的人口中心，人口约52 900(1986)。其他较大城镇有苏弗里耶尔和维约堡。像许多西印度群岛的岛屿一样，圣卢西亚的人口相当稠密。由于移民出境率低于一般水平，人口出生率与婴儿死亡率均高，故人口增长率在该地区一直较高。

经济 圣卢西亚的经济以农业和旅游业为基础。国民生产总值的增长快于人口增长，但作为加勒比海国家，其人均国民生产总值则较低。

大部分耕地为小块农田。圣卢西亚的农业以主要经济作物香蕉为主，它提供了出口总值的2/3。其他经济作物有可可、椰子和柑橘类水果。粮食作物有木薯、甘薯、大蕉、芒果和番木瓜。

制造业绝大部分是以农产品为基础。20世纪80年代初期岛上工业已呈多样化趋势，生产电器元件、纸板箱、服装、朗姆酒、烟草制品、椰子制品、水泥砌块与啤酒。电力全部来自热电厂。70年代后期，在屈尔德萨克湾建立了一家炼油与转运综合企业。1980年，艾伦飓风严重破坏了岛上的基本设施，也摧毁了香蕉作物，并且使旅游业变得萧条。该国的主要进口物资有食品、燃料、化学品、机械和其他制造品。主要贸易伙伴为英国、美国、特立尼达和多巴哥，以及巴巴多斯。

公路系统全长约748千米，其中4/5左右铺有路面，可通往岛内大部分地区。位于卡斯特里的主要港口已实现现代化，在维约堡和苏弗里耶尔还另有港口设施。休瓦诺拉国际机场在维约堡近郊，北距卡斯特里约80千米。维吉耶的小型机场供国内及地区航班使用。

政体与社会状况 圣卢西亚是英联邦内的立宪君主国。英国君主为该国元首，由其任命的总督作为代表。政府首脑是总理，为多数党的领袖。议会由上、下两院组成。众议院议员经选举产生，任期5年；参议院的大多数议员，由总督根据总理的推荐任命。

高失业率再加上人口的迅速增长，是政府面临的主要问题之一。这些情况连同不断增加的通货膨胀和生活费用，已成为导致该国社会不稳定的根源。政府为人民提供了保健设施。主要的医院在卡斯特里；维约堡、苏弗里耶尔和德内里也建有较小的医院。政府实行免费义务初等教育。卡斯特里设有西印度群岛大学的分校，还有一所技术学院和一所师范学院。约3/4的成年人能够识字。该岛有两家电台及一家在晚间播出、时间有限的电视台。

历史 好战的加勒比人(其考古遗迹已在该岛发现)赶走了原先居住在圣卢西亚的最早的印第安人——阿拉瓦克人。由于有关圣卢西亚的早期历史资料十分缺乏，难以确定欧洲人发现该岛的日期。欧洲人可能在1500年前后首次到达或发现该岛。1520年该岛以圣卢西亚之名出现在梵蒂冈地球仪上。英国人于1605和1638年两次企图在该岛殖民，但未获成功。法国人自1635年起也对该岛提出领土要求，1650年在此建立一移民点，并于1660年与加勒比人居民签订一项条约。从1664年开始，圣卢西亚在英法战争期间曾数度易手，最后于1814年被割让给英国，1871年成为向风群岛中的一岛。19世纪时的战争、时疫和甘蔗种植业的衰落阻碍了岛上的繁荣。尽管后来甘蔗的生产又有所恢复，但随着香蕉和可可的种植增加，甘蔗的生产终于在1964年停止。1924年的宪法规定成立代议制政府，1936年的宪法规定，在立法会议中非官方的民选代表占多数。1958～1962年，圣卢西亚是西印度群岛联邦的成员之一。1967年，根据西印度群岛法案，该岛在内部事务上完全自治，英国则仍负责防务和外交事务。1979年2月22日，该岛获得完全独立。当时掌权的统一工人党要求进行新选举，结果被圣卢西亚工党击败。但是权力之争仍继续进行，统一工人党在1982年选举中重新执政，1987年和1992年以微弱多数票再次执政。但1997年被圣卢西亚工党击败。

Saint Lucia Game Reserve 圣卢西亚野生动物保留地 南非纳塔尔省东北沿海的禁猎区。包括圣卢西亚湖在内。建于1897年。面积368平方千米。属亚热带，以植被繁茂著称，特别是野兰和开花的玉蕊属树木。有数百种鸟类和鳄鱼、河马、大蜥蜴及獴。总部在姆图巴图巴。

Saint-Malo 圣马洛 法国西北部布列塔尼大区伊勒-维莱讷省海港。位于朗斯河口湾右岸，临英吉利海峡。有城墙环绕的古城坐落在花岗岩岛上，有一条古老的堤道和一条连接内港的街道与大陆相通。6世纪时一个威尔士的修士逃到这里建立驻地，遂以他的名字命名该岛。以后岛上几乎无人居住，直至8世纪才开始有人定居。第二次世界大战期间，城镇的3/4被毁，已重建。圣马洛-圣塞尔旺港主要是与英国和斯堪的纳维亚半岛国家进行贸易，有一条长4千米的码头，有拖网船队。另有许多游船、游艇，夏季还有通往海峡群岛的定期轮渡。城堡东北角上有一座堡垒，建于14～17世纪之间，有4个大圆塔，其中一个已辟为博物馆，主要用于纪念当地出生的著名航海者，其中包括16世纪法国航海家J.卡蒂埃。1967年圣马洛和北部的圣塞尔旺，及东部的帕拉梅海岸郊区合并。渔业仍很重要，但工业雇用更多劳力，有印刷和机器制造业。人口50 697(1999)。

法国圣马洛朗斯河口湾岸边的索利多尔圆塔

供图：Toni Schneiders—Bruce Coleman Lnc.

Saint-Malo, Gulf of 圣马洛海湾 法国布列塔尼北岸英吉利海峡海湾。从布雷阿岛(西)向东延伸至诺曼底科唐坦半岛西岸。宽100千米，长32千米，有特里约、朗斯、库埃农和塞吕讷等河注入海湾。湾域包括圣布里厄湾和圣米歇尔山湾。在圣米歇尔山岩石岛上有著名的中世纪城墙、塔楼和古老隐修院。圣马洛港附近潮差一般7～8米，春秋季可达15米。沿海湾分布有众多的小型游览胜地。

Saint Mark's Basilica (Venice) 参阅 **San Marco Basilica** 圣马可教堂。

Saint Martin 圣马丁 荷兰语作Sint Maarten。加勒比海一岛屿，在小安的列斯群岛中向风群岛的北端。地形丘陵起伏，年降水量约1 140毫米。岛的南部(占全岛1/3)由荷兰管辖，北部(占2/3)由法国统治。岛名由哥伦布命名，以纪念在圣马丁节发现此岛。荷属部分(南部)的面积为34平方千米，1828年成为荷属西印度群岛一部分，1845年成为荷属安的列斯的六个岛屿之一，20世纪80年代初，与邻近的萨巴岛和圣尤斯特歇斯岛一起，组成荷属安的列斯群岛向风群岛选区，为构成荷兰王国整体的组成部分。选区首府是菲利普斯堡。由于荷兰政府积极鼓励开发岛上最有价值的自然资源——洁净的海滩和宜人的气候，经济上已经日益转到依靠旅游业。圣马丁岛的法属部分面积为52平方千米，是组成法国瓜德罗普海外省的七个岛屿之一。捕鱼是主要的行业，但旅游业发展迅速。首府马里戈特商业繁荣，大多数居民是讲英语的黑人。人口：荷属圣马丁约38 876(1998)；法属圣马丁29 079(1999)。

Saint Martinville 圣马丁维尔 美国路易斯安那州南部城市，圣马丁县县城(1811)。位于拉斐特东南特奇沼之畔16千米处。原名阿塔卡巴。约在1760年始有人定居。1765年，一群阿卡迪亚人被英国人从新斯科舍驱赶到此。这为朗费罗著名诗篇中伊万杰琳的故事提供了素材。镇外有州立朗费罗-伊凡吉林纪念区(**Longfellow-Evangeline State Commemorative Area**)。有圣马丁教堂(1832，据信伊凡吉林葬于教堂后面)。法国大革命后，许多保皇党逃亡来此；此处成为法国文化和风俗习惯的中心，故有小巴黎之称。1812年路易斯安那建州后，1817年设镇，并改现名。该镇曾为新奥尔良上流社会的河滨胜地而繁荣于一时，在南北战争后衰落。产糖、稻米、棉花、盐、木材和石油。旅游业已成为经济财源。人口约6 989(2000)。

Saint Mary's River 圣玛丽斯河 苏必利尔湖出口水道，美国密歇根州和加拿大安大略省边界的一段。流向东转南，注入休伦湖。长110千米。为圣劳伦斯航道重要的一段。苏圣玛丽急流处1.6千米内落差达6米以上，无法通航，辟有运河，为繁忙的水上运输提供通路。河中大岛将该河分成一系列湖和水道，为大湖区中最狭地段。为印第安人、早期法国探险者和传教士的天然渡口。

Saint-Maur-des-Fossés 圣莫代福赛 法国巴黎大区瓦勒德马恩省城镇。为巴黎东南郊住宅区，在马恩河河湾。地名源出一古老的隐修院。7世纪卢瓦尔河畔圣摩尔的本笃会修士逃到此地，修建了这个隐修院。1793年在法国大革命时期，隐修院被毁。该城镇与巴黎市区之间隔万塞讷树林。有地下电气化铁路通往巴黎。马恩河湾围成的半岛在19世纪30年代发展为花园区，今周围虽发展成城市，但仍保持其特色。人口77 492(1990)。

Saint-Maure, Charles de 参阅 **Montausier, Charles de Saint-Maure, duc de** 蒙托西耶公爵。

Saint-Maurice River 圣莫里斯河 加拿大魁北克省南部河流，圣劳伦斯河主要支流。源出魁北克省中南部山脉，流经古安水库，再流向东南，在三河城注入圣劳伦斯河。水域面积1 300平方千米，全长563千米，总落差400米。主流接纳了许多支流，包括马特温、马努安、弗米利恩等河。途中有拉蒂克、格朗梅尔、沙威尼根等瀑布。初为毛皮贸易水路，后发展为伐木河道，为沿河主要城镇的纸浆和造纸工厂服务。自1900年以来，圣莫里斯河又成为重要水力发电资源，8个水电站发电总量150万千瓦，促进了许多新工业，包括炼铝、塑料和化学制品的发展。

Saint Michael and Saint George, The Most Distinguished Order of 圣米迦勒和圣乔治殊勋勋位 1818年英国摄政王(后为英王乔治四世)为纪念英国对伊奥尼亚群岛和马耳他的保护关系并于1814年实行统治而设立的爵士勋位。最初获此殊荣者只限伊奥尼亚群岛和马耳他的居民，以及在地中海地区完成重要政府任务的英国公民。1879年以后，联合王国的任何公民都可以得此勋位，但是，这一荣誉主要授予殖民事务官员、外务官员和使臣以及其他在英联邦国家内履行重要职责的人。外国人可以被接纳为“荣誉成员”。威廉四世将此勋位的爵士设为3等，按上中下的次序为：大十字勋章爵士或大十字勋章夫人(G.C.M.G.)，主帅爵士(K.C.M.G.)或主帅夫人(D.C.M.G.)，一般爵士(C.M.G.)。名额：大十字勋章爵士限120人，主帅爵士限390人，一般爵士限1 775人。授予上、中两等勋位者，规定进入爵士阶级。勋位负责官员为主教、大法官、大臣、纹章院长、户籍署长和皇室礼宾官。勋位小教堂建于1906年，在伦敦圣保罗大教堂内，藏有大十字勋章爵士的旗帜和盾形纹章。勋位徽章上绘有圣米迦勒大战魔鬼图，并铭刻勋位的箴言“预示一个更美好时代的来临”；后面画有圣乔治像和一条龙。

Saint Michael's Mount 圣迈克尔山(岛) 英格兰康沃尔郡西部花岗岩岛屿。位于英吉利海峡芒特湾，距湾岸365米。低潮时自然堤道与附近马拉辛恩相连。行政上为康沃

康沃尔郡海岸外的圣迈克尔山(岛)
供图：Ace Williams—Shostal/美国不列颠百科全书公司

尔行政、历史郡彭威思区的教区。12世纪，当地的隐修院曾由蒙圣米歇尔隐修院院长贝尔纳改建。1659年该岛卖给J.圣奥宾上校，300年后其后代圣利文伯爵居住在当地城堡中。现在国家托管会承担该地产的大部维修责任。原隐修院建筑只有餐厅尚在。圣迈克尔小教堂建于15世纪。

Saint-Michel, Mont- (French islet) 参阅 **Mont-Saint-Michel** 圣米歇尔山。

Saint-Mihiel 圣米耶勒 法国东北部洛林大区默兹省城镇。位于凡尔登东南偏南35千米默兹河右岸。围绕709年建造的本笃会隐修院而发展起来。隐修院(17～18世纪)现为一所学校和图书馆。圣米歇尔和圣艾蒂安教堂藏有16世纪当地雕塑家L.里希耶的作品。第一次世界大战时曾于1914年9月被德国人占领，一直到1918年9月方被协约国夺回。人口5 367(1990)。

Saint Moritz 圣莫里茨 瑞士东南部格劳宾登州一政区。包括村落、矿泉疗养地以及苏弗雷塔和恰姆费尔两个小村，四周有壮丽的阿尔卑斯山峰。最初以治病的矿泉著名，在17世纪成为矿泉疗养地和夏季游览地。19世纪后期发展成为世界最著名的冬季运动中心之一，1928年和1948年冬季奥林匹克运动会在此举行。位于国际公路上，有铁路与国际铁路线连接，在正东北的萨梅丹有一机场，财政收入依靠旅游和旅馆业。居民讲德语和罗曼什语，大部分信基督教新教。人口5 057(1998)。

Saint-Nazaire 圣纳泽尔 法国西部卢瓦尔河地大区大西洋岸卢瓦尔省城镇和海港。位于卢瓦尔河口湾右岸，南特西北偏西61千米处。19世纪中叶前只比一个渔村大一些。此后建成海港，以停靠不能沿卢瓦尔河上溯南特的大型轮船。第二次世界大战中被德国占领。1942年码头被英军炸毁，1946年修复。战争中，城市几乎完全被摧毁，后来按照工业区和住宅区分开的新计划进行重建。是南特的外港，其造船厂制造军舰、超级油轮和远洋轮船。还有化工厂和飞机工厂。人口65 868(1999)。

Saint Nicholas Day 圣尼古拉节 俄罗斯和希腊、一些城市、海员和儿童等主保圣人圣尼古拉的节日(12月6日)。4世纪时圣尼古拉任米拉(今土耳其卡莱)主教，以慷慨闻名。1087年意大利人偷走了他的遗骸，到巴里重新安葬，在中世纪极受敬奉。宗教改革以后，在信新教的欧洲多已淡忘。但荷兰传说在他的节日，他穿戴着主教的红袍和法冠，在黑彼得的陪同下骑马来临，把礼品分配给好孩子，把煤块、马铃薯和鞭子给坏孩子。荷兰人将这个传统也带到新阿姆斯特丹(纽约市)，变成了圣诞老人。在英国则成为圣诞老爹。在欧洲北部，特别是低地国家和德语区，有一个时期还保留着圣尼古拉节，节日时给孩子们分送一些糖果、饼干和礼物。

Saint Nicholas Island (Cape Verde) 参阅 **São Nicolau Island** 圣尼古拉岛。

Saint-Nicolas, Môle (Haiti) 参阅 **Môle Saint-Nicolas** 莫勒圣尼古拉。

Saint-Omer 圣奥梅尔 法国东北部北加来海峡大区加来海峡省城镇。位于阿河畔。离比利时边境36千米。在7世纪建造的隐修院和小教堂周围发展起来。法兰克人墨洛温王朝的最后一个皇帝希尔德里克三世死于此地(755)。旧城中有一些漂亮的17～18世纪房屋。13～15世纪的圣母长方形教堂中保存着很多艺术品。桑德林博物馆收藏陶瓷器和佛兰德斯绘画作品。城市在第二次世界大战中遭到严重破坏。现为兴旺的蔬菜、花卉生产地区的贸易中心。近代工业有造纸、玻璃和纺织业。人口15 756(1999)。

Saint-Ouen 圣旺 法国巴黎大区塞纳-圣但尼省城市。为巴黎北郊工业区。西北临塞纳河，沿河有许多码头。城东南部克利格南科特地铁车站北，有别致的跳蚤市场，旅游者均喜光临。也吸引许多巴黎人到此购买价廉物美的家具、古董和古玩。郊区是制造业中心，有电气工业、汽车制造业和机床制造业等。人口39 719(1999)。

Saint Patrick's Day 圣帕特里克节 爱尔兰主保圣人圣帕特里克的节日(3月17日)。圣帕特里克生于4世纪末古罗马统治时期的不列颠，14岁被虏到爱尔兰为奴。逃走后又约于432年返回爱尔兰传教，使爱尔兰人皈依基督教。死于461年3月17日。传说他曾把蛇赶出爱尔兰，用三叶草解释三位一体。爱尔兰人以宗教仪式和盛宴庆祝他的节日。美国的爱尔兰移民把这个节日世俗化，举行

广泛的庆祝，包括盛大的游行。波士顿、纽约、芝加哥都相继实行，穿绿色服装或者在翻领上绣上爱尔兰国花三叶草，吃咸牛肉和卷心菜，甚至把啤酒染成绿色。

Saint Paul 圣保罗 美国明尼苏达州首府，拉姆西县县城。密西西比航道顶端的进口港。位于与明尼苏达河汇流处。与邻近的明尼阿波利斯组成双城都会区。1680年，方济各会传教士亨内平曾途经该地。1766年探索

圣保罗市的州议会大厦

供图：C. Mills—Shostal/美国不列颠百科全书公司

西北航道的J.卡弗探查过此地一洞穴。1805年，美国探险者和印第安人达成非正式协议，获该地所有权。1841年始称圣保罗。1849年成为明尼苏达准州首府。1854年设为市。1858年成为州首府。因临河，成为重要的商业中心。早期有毛皮贸易。1862年圣保罗—太平洋铁路开始运营。1883年建成北太平洋铁路，后为大北铁路东部终点，该市成为“通往大西北的门户”。至20世纪中叶，现圣保罗南部的牲畜市场成为世界上销售量最大的市场之一。现为重要工业和运输、金融中心。生产汽车、电子和通信设备、研磨剂、磁带、电冰箱、建筑器材、广告特制品、啤酒及食品。有炼油、铸造、印刷和化工厂。设有圣凯瑟琳学院(1905)、哈姆林大学(1854)、麦卡莱斯特学院(1874)、贝瑟尔学院和贝瑟尔神学院(1871)等多所高等院校。州议会大厦建于1904年。市政厅广场矗立着瑞典雕塑家C.米勒斯制作的13米高白色“印第安和平神”雕像。附近有州立斯内灵堡公园及滑雪场地。圣保罗冬令节是美国主要节庆之一。人口：市约272 235；明尼阿波利斯-圣保罗都会统计区约2 968 806(2000)。

Saint Paul River 圣保罗河 西非河流。源出几内亚境内马森塔东面的山地。上游(贾尼河)为几内亚-利比里亚边界的一部分。是葡萄牙航海家15世纪在圣保罗节日发现的。河流进入利比里亚北部，并向西南流经约450千米后，注入大西洋。怀特普莱恩斯附近瀑布以上29千米河道可通航。该河及其主要支流，在利比里亚和几内亚境内的流域面积为21 900平方千米。位于该河上游的咖啡山水电站建于1966年。

Saint Paul's Cathedral 圣保罗大教堂 英国圣公会教堂。旧圣保罗大教堂在1666年伦敦大火时被焚毁，现存建筑由C.雷恩设计，1675～1710年采用波特兰产石料建成。圣保罗大教堂长156米，西立面宽54.9米，两耳堂间宽69.3米。穹顶直径34米，自地面

圣保罗大教堂的西面

供图：Perfecta Publications Ltd.

至穹顶十字架高111.3米。西立面的塔楼高64.8米。和威斯敏斯特教堂一样，有许多名人在此下葬。

Saint Paul's School 圣保罗学校 设在英国伦敦哈默史密斯区的一所主要公学(由私人捐款资助)。1509年由圣保罗大教堂教长J.科利特创立。圣保罗学校同牛津大学有学术联系。其课程的目的主要是使学生能在政府中供职。圣保罗学校初创时校园设在教堂院落内，1884年迁到哈默史密斯路。英国诗人J.弥尔顿、日记作家S.佩皮斯和首任马尔博罗公爵约翰·邱吉尔都曾是该校学生。

Saint Peter Port 圣彼得港 法语作Saint-Pierre-Port(圣皮埃尔港)。英国海峡群岛中的根西(**Guernsey**)岛首府、堂区、主要城镇和游览胜地。在根西岛东海岸。13世纪在岸外

圣彼得港景色

供图：T. F. Holland—De Wys Inc.

的潮汐小岛上建有城堡。港湾修建于1853～1874年。城镇内最古老的圣彼得教堂具有13世纪后各种不同的风格。其他重要建筑有皇家法院(1799)、大市场(1822)、伊丽莎白学院和图书馆等。镇内法国作家雨果的故居(1856～1870)欧特维尔寓所现属巴黎市财产。人口16 194(1996)。

Saint Peter's Basilica 圣彼得大教堂 又称新圣彼得大教堂。罗马现存的圣彼得教堂，1506年由教皇尤利乌斯二世奠基，1615年保罗五世时完成。平面为纵长十字形，横向三跨，于十字形交叉处上覆盖穹顶，其下为高圣坛，圣彼得的圣骨匣在其地下。建造原因是由于旧圣彼得教堂(**Old Saint Peter's Basilica**)墙已倾斜，壁画污旧。D.布拉曼特的原设计为正十字形，布拉曼特死后(1514)，由教皇委任拉斐尔、F.焦孔多和G.达·桑迦洛三人继续建造，平面改为纵长十字形，横向由柱墩分隔为三跨。1527年罗马被洗劫后，教皇保罗三世(1534～1549)委任小桑迦洛为总建筑师，他恢复了布拉曼特的平面，在新教堂和仍在使用的老教堂之间建了隔墙。1546年小桑迦洛死后由年迈的米开朗琪罗继任，在他去世(1564)前基本完成了大穹顶的坐圈。穹顶的原设计经过修改，在教皇西克斯图斯五世在位时(1585～1590)完成，并在教皇格列高利十四世在位时(1590～1591)加建了穹顶小亭。教皇克莱芒八世在位时(1592～1605)拆除了旧教堂的后堂并建了新的高圣坛。教皇保罗五世(1605～1621)采纳了C.马代尔诺设计的平面，将教堂向东伸展为纵长十字形，完成了187米长的教堂主体，成为世界上最大的基督教堂。马代尔诺还完成了教堂正立面并在两端各增一开间以备支承钟楼，虽然马代尔诺已绘好钟楼的设计图。但继任的G.L.贝尔尼尼修改了钟楼设计，两座钟楼中只建起了一座(1637)。贝尔尼尼还设计了教堂前围有柱廊的椭圆形广场。

教堂内部有许多文艺复兴和巴罗克时期的艺术杰作，最著名的有雕像《圣母怜子》(米开朗琪罗)、主祭坛上的华盖(贝尔尼尼)、十字交叉处的圣龙基纳像、乌尔班八世墓和后堂内的青铜制主教座。截至1989年，圣彼得大教堂为世界最大的基督教堂，但1989年科特迪瓦亚穆苏克罗新建的长方形教堂超过了该教堂。

Saint Peter's Basilica, Old 参阅 **Old Saint Peter's Basilica** 旧圣彼得教堂。

Saint Peter's College 圣彼得学院 参阅 **Westminster School** 威斯敏斯特学校。

Saint Petersburg 圣彼得堡 1924～1991年称列宁格勒。俄罗斯西北部一州，面积85 900平方千米。包括卡累利阿地峡和芬兰湾南岸，西起纳尔瓦。沿拉多加湖南岸和斯维里河东至奥涅加湖。北部卡累利阿地峡由蜿蜒的冰碛丘陵构成，其间有湖沼洼地。中西部有圣彼得堡市。中部为广大低地。地势向东部升起。多湖泊。因地近波罗的海及受大西洋低压影响，气候相对温和湿润，变化较大。年降水量低地为450～475毫米，高地610毫米，夏季降水量最大。北部、东部和中部为沼泽林(泰加林带)，多云杉、松及白桦；西部为混交林；湿地多赤杨和白杨。泥炭沼泽与草甸沼泽到处可见。经济以圣彼得堡市

区及郊区为主。木材加工、造纸和纸浆业发达。沿芬兰湾及拉多加湖渔业很重要,以维堡和滨海地区为主要中心。辽阔的大草原为乳制品业的基础,亦饲养猪和家禽,种植蔬菜及饲料。东部及北部可耕地较少,多种植黑麦和燕麦。90%以上人口为城市居民。人口约6 705 000(1991)。

Saint Petersburg 圣彼得堡 俄语拉丁字母转写作 Sankt Peterburg。俄罗斯第二大城市和世界主要城市之一,曾为俄罗斯帝国的首都长达两个世纪,在俄罗斯历史上起过极其重要的作用。现为重要的工业和文化中心及海港。1703 年为彼得大帝一世所建,称圣彼得堡。1914 年改称彼得格勒,1924 年改称列宁格勒,1991 年恢复圣彼得堡原名。该市因 1917 年的二月革命和十月革命均在此发生以及第二次世界大战期间曾被包围并顽强抵抗而特别有名。在建筑方面,圣彼得堡可列为最辉煌壮丽和最优美和谐的欧洲城市之一。该市在俄罗斯的西北角,位于莫斯科西北约 640 千米处,在北极圈以南仅 7 纬度的地方。

自然地理和人文地理

景观 **城市位置** 圣彼得堡位于涅瓦河三角洲,在芬兰湾的顶端。该城市分布在三角洲的约 42 个岛屿以及毗邻大陆泛滥平原的若干部分上。原为沼泽的低地使该市经常遭受严重水患,尤其在秋季,强大的旋风把芬兰湾的水吹向上游,而春季冰雪消融时也是这样。1777、1824 和 1924 年曾发生过异常罕见的严重洪涝灾害,后两次创下了最高纪录并淹没了大部分城市。圣彼得堡为水道与桥梁之城,素有“北方威尼斯”之称。圣彼得堡市本身及其卫星城构成的大圣彼得堡都会区,环绕芬兰湾的端部形成马蹄形,它还包括湾中的科特林岛。北面沿海岸向西延伸近 50 英里,包括泽列诺戈尔斯克。这北部地区遍布城镇、旅游胜地、疗养所和少年营,它们坐落在针叶林中或沿美丽的海滩和沙丘上。一些有权势的人在这里亦有夏季别墅。在芬兰湾的南边,该都会区向西延伸,包括彼得宫城和罗蒙诺索夫,向东沿涅瓦河而上,直达伊万诺夫斯科耶。大圣彼得堡面积 1 355平方千米。

气候 圣彼得堡虽远处北方,但其气候因受大西洋的调节,比预想的要温和。冬季相当冷,1 月平均气温为 - 8 °C,比莫斯科暖几度。冰雪覆盖期平均持续 132 天左右。正常情况下,涅瓦河 11 月中旬开始结冰,到 12 月初冰层冻实;4 月中旬开始解冻,通常到 4 月底完全融化。破冰船延长了通航季节。夏季温暖宜人,7 月平均气温为 18 °C。年平均降水量约为 23 英寸(584 毫米),夏季雨量最大。由于圣彼得堡地处北方,冬夜漫长;但另一方面,夏初该市有举世闻名的特征之一——灰暗朦胧的“白夜”。

城市布局 圣彼得堡中部被涅瓦河的支流分成 4 个部分。涅瓦河左(南)岸一带为海军部区。涅瓦河两条主要河湾大涅瓦和小涅瓦之间是瓦西里耶夫岛。由小涅瓦及其支流大涅夫卡所环抱的一群小岛称彼得格勒区。大涅夫卡以东及涅瓦河以北则称维堡区。

①海军部区。圣彼得堡的许多历史和文化遗产都集中在海军部区。该区以海军部大厦为中心。这座大厦原为彼得大帝一世所建旧城的核心,1727 ～ 1738 年由科罗博夫改建,但保留了原来的格局;1806 ～ 1823 年又经扎哈罗夫重建,发展了这座较早时期的建筑。精美的、顶上耸立着船形风标的塔尖是这座城市的主要纪念碑。现为海军学院院址。

海军部大厦以东是巨大的冬宫广场。靠近广场中央是花岗石的亚历山大纪念石柱(1830 ～ 1843),为世界上最高的纪念石柱,重 600 吨,全靠自重稳固地立在基座上,不以任何方式粘固,高达 50 米。

冬宫广场和涅瓦河之间,矗立着巨大的长方形的冬宫——从前的沙皇就住在这里。现在的这座建筑物是第五次修建的,为拉斯特雷利的巴罗克式建筑杰作,建于 1754 ～ 1762 年。宫殿外部和内部设计光彩夺目,富丽豪华,1837 年这座宫殿毁于大火,只有毗邻的爱尔米塔什博物馆幸存下来;1839年,冬宫几乎完全按照拉斯特雷利的设计图重新建成。宫殿令人叹为观止的外表,被绿色背景衬托的白色石柱和金色装饰线条相互映照,金碧辉煌。屋顶上列有 176 尊雕像。这整座建筑群(现在名爱尔米塔什博物馆,或爱尔米塔什国家博物馆),是世界上重要艺术精品的珍宝馆,1764 年建成时原为女皇叶卡捷琳娜二世的私人收藏馆。

冬宫对面,罗西建造的雄伟的弧形总参谋部大厦(1811 ～ 1829)占据了广场的主要地位。大厦左右两翼由一巨大的凯旋拱门连接,拱门顶上是英雄群像,顶部耸立着一架战车,载着一位象征光荣之神的雕像,表示俄罗斯在 1812 年战役中的胜利。

海军部大厦西(下游)侧有一片空场,1763 年参政院搬来时,被称为参政院广场;现在叫十二月党人广场,以纪念 1825 年的起义。前参政院和正教院(现为档案馆)占据了广场西侧的主要位置,这两座大楼装饰精美的正面建于 19 世纪 30 年代,代表罗西的最后杰作。它们由一座面朝广场中心的拱门分隔开来,广场上耸立着彼得大帝一世骑着骏马的雕像“青铜骑士”,由法尔康涅创作于 1782 年。参政院和正教院大楼附近以南,是练马场(1804 ～ 1807)的古典式建筑正面;再过去,是圣伊萨克大教堂,一座俄罗斯晚期古典式建筑的重要纪念碑,由蒙费兰兴建(1818 ～1858)。圣伊萨克大教堂是世界上最大的圆顶建筑物之一,纯金镀饰约100千克

近景为停泊在大涅夫卡河中的“阿芙乐尔”号巡洋舰,中景为跨涅瓦河的三一大桥,远景(左后)为圣伊萨克大教堂圆顶

供图:Wolfgng Kaehler

圣彼得堡市彼得宫城的人工大瀑布，中为参孙雕像(M.I.科兹洛夫斯基原作的复制品)
供图：David B.A.Jones/罗伯特·哈丁图片图书馆

的金碧辉煌的穹顶高达331英尺，全圣彼得堡都看得见。现在是一座博物馆。

由海军部大厦及周围广场辐射出3条大街，其中最主要、最闻名的是涅瓦大街。这是世界上最大的大街之一，它向东南越过涅瓦河北环形成的半岛通往亚历山大·涅夫斯基修道院附近地区，并跨过较小的莫伊卡河、丰塔卡河。丰塔卡河上的阿尼奇科夫桥饰有4匹马的雕像。大街有种特别的美：建筑宏伟，建筑物优雅得体，比例匀称。涅瓦大街上有斯特罗加诺夫、舒瓦洛夫和阿尼奇科夫等家族的豪华府邸(贵族王公从前的私人住宅)以及若干座教堂，其中最著名的是圣彼得的路德教堂(1833～1838)、圣凯瑟琳的罗马天主教堂(1763～1783)和沃罗尼欣按俄国古典样式设计的喀山大教堂(1801～1811)。无疑，喀山大教堂是涅瓦大街上最精美的建筑。它内部有许多精致华美的雕塑和油画，教堂正面有宏伟的半圆形柱廊。另一座引人入胜的建筑物是百货商场(1761～1785)，原先由瓦兰-德拉莫特设计，是一个形状不规则的方形场地，通往4条街道；从前该地为商业中心。沿涅瓦大街还有许多剧院(最著名的是普希金剧院)、饭店、咖啡馆。

在涅瓦大街的东端，亚历山大·涅夫斯基广场面向通往同名大修道院的主要入口及其周围的花园。广场的主要入口稍过去，左右两边分别列有18世纪的拉扎鲁斯公墓(安葬着罗蒙诺索夫和该市的许多建筑师)和19世纪的齐赫文公墓(有陀思妥耶夫斯基、穆索尔斯基和柴可夫斯基等作家和作曲家的墓)的许多纪念碑和雕塑。后面耸立着圣母领报教堂(1720，特雷齐尼设计，现为博物馆)和圣三一大教堂(1778～1790，斯塔罗夫设计)的塔尖和穹顶。

1704年在一个岛上修建的夏园，到18世纪末拥有250多座雕像和胸像，大部分为威尼斯雕塑大师所作。彼得一世的第一座花园夏宫，由特雷齐尼按俄罗斯早期的巴罗克风格于1710～1714年建造，坐落在该岛的东北部。它的铁格栅院墙是世界上铁工艺的最佳典范，设计得如此轻盈灵巧，精美雅致，看上去似乎飘浮在空中。

中央城市最东边，在涅瓦河的急转弯内，是斯摩尔尼建筑群；包括前斯摩尔尼女修道院，由拉斯特雷利设计并于1748年开始兴建的有5个圆顶的大教堂，以及由夸伦吉建于1806～1808年的斯摩尔尼学院等古典建筑。1917年，斯摩尔尼学院是列宁的司令部。

②瓦西里耶夫岛。因其地处防御要地，是圣彼得堡最初开发的地区之一。瓦西里耶夫岛在中央城市的西北角。在海军部大厦和冬宫对面及该岛的东端，正对着涅瓦河的分叉点，是赫赫有名的斯特列尔卡建筑群。在两根高大的船首形雕饰圆柱后面和普希金广场那边，巍然屹立着前交易所大楼(托蒙，1805～1810)，大楼的外表是19世纪早期建筑风格的最佳范例，使人联想到古希腊的神庙，现在是中央海军博物馆。

再往后是12所学院大楼(特雷齐尼，1722～1742)，原拟作为彼得大帝的最高政府机关所在地，现为该市的国立大学。大楼分为12个相同但各自独立的部分，沿大楼右角通向涅瓦河堤，河堤面对着科学院、缅希科夫宫和美术研究院。离交易所大楼北面稍远，是海关大厦(现为文学博物馆和俄罗斯文学研究所，即普希金之家)，为卢基尼设计(1829～1832)。

③彼得格勒区。雄伟的彼得-保罗要塞位于彼得格勒区涅瓦河分叉点上游，隔小涅瓦河与斯特列尔卡相望。这座碉堡建于1703年，是该市的第一座防御工事，最初为土堡，不久改用岩石堆砌，高40英尺，厚12英尺，棱堡上架有300门火炮。在一排排低矮平行的要塞厚墙上方，耸立着该市金光耀眼的标志——圣彼得和圣保罗大教堂细长如箭的塔尖。这座大教堂由特雷齐尼建于1712～1733年，从彼得大帝时代起(除了彼得二世和尼古拉二世)，就是俄罗斯历代沙皇和女皇的陵墓。特雷齐尼还设计了圣彼得大门，作为通往要塞的东边入口。1787年利沃夫设计了涅瓦大门。从19世纪初开始，彼得-保罗要塞成了一座监狱，主要监禁政治犯。现为博物馆。每天正午都有一门火炮从雉堞墙上开火。

在彼得-保罗要塞正东，大涅夫卡河开始分流处，巡洋舰“阿芙乐尔”号作为博物馆停泊在该处。1917年，“阿芙乐尔”号发射空炮，作为冲击冬宫的信号。

④维保区。城市东北部地区到19世纪末已发展成工业郊区。最主要的特色之一就是隔涅瓦河正对着海军部区的芬兰铁路火车站。1917年4月，列宁就是经由此车站回到俄国的，他在车站首次宣布了引导布尔什维克夺取政权的新路程。维堡区的主要大街是卡尔·马克思大街，沿街有桑普森大教堂等建筑。

郊区 圣彼得堡市现在正从原址三角洲向北向南扩展，还有一部分沿芬兰湾向西延伸。新郊区包括用以缓和人口密度的辽阔的野外和用作建设绿带的边缘地区。然而密集着大量两三层公寓楼的各色居民区意味着这里人口密度仍然很高。和所有现代化城市一样，因需要郊区更广阔的居住空间和新鲜的空气，居民每日从住宅到工作地点往返距离很长。最值得注意的具有历史和文化价值的地方是彼得宫城、普希金市、巴甫洛斯克市和加特契纳市。

彼得宫城是环绕圣彼得堡的许多社区中最著名的一个。1944年以前称彼得霍夫，位于芬兰湾上，以其无与伦比的、一层层往上延伸的优美宫廷花园而闻名于世。彼得大帝以前的寓所大宫就坐落在第二层的边缘上；它那鲜黄的宫墙与其侧翼用雪白灰泥装饰的镀金圆顶形成鲜明的对照。这座按巴罗克建筑风格修建的宫城(1714～1728)，由拉斯特雷利在18世纪40年代至50年代中期进行了改建和扩建。在北面，可俯瞰到人工大瀑布雄伟壮丽的景色，包括一个人工岩洞，64座喷泉和两道像瀑布般落下的楼梯，通往一片庞大的半圆形凹地，凹地里有一座参孙与狮子搏斗的巨型雕像。这座象征俄罗斯军队荣誉的雕像，原为科兹洛夫斯基所作，在第二次世界大战期间被纳粹劫走，现为复制品。实际上，该市的大部分珍品当时都遭到掠夺，每当人们想起大部分珍品都是第二次世界大战以后修复的时候，这些奇观美景就变得更加引人瞩目。

普希金市1917年以前称皇村，1918～1937年称儿童村，从18世纪初兴建时起，即为历代沙皇的行宫。建于1717～1723年的凯瑟琳宫(1743～1748年由克瓦索夫和切瓦金斯基扩建；后又由拉斯特雷利于1752～1757年重建)以其宏伟巨大、富丽堂皇、气派庄严的外形和异彩纷呈的雕刻装饰而享誉全球。金光灿灿的大厅(包括玛瑙厅)，反映了俄罗斯巴罗克建筑艺术的顶峰。在这一区里还有坐落在亚历山大公园里的“中国村”(1782～1796)和以建筑师卡梅伦的名字命名的“卡梅伦画廊”，厅台上有50多座古希腊罗马历史人物的胸像。还有一所培养贵族子弟的公立中学，伟大的普希金曾在这里攻读，诗人的著名雕像就屹立在该市埃及大门的附近。该市在德国进攻期间遭到严重破坏，但已被修复。

圣彼得堡市的冬宫，前为冬宫广场上的亚历山大纪念石柱

供图：Philip Craven/罗伯特·哈丁图片图书馆

南部的巴甫洛夫斯克市有18世纪末19世纪初古典主义风格的宫殿和花园，为沙皇保罗一世的郊外行宫。市中心的大宫殿（1782～1786，卡梅伦）矗立着一个由64根圆柱支撑的穹顶。曾遭到纳粹分子的严重破坏，现已修复。

另一个城南郊区加特契纳市有里纳尔迪于1766～1781年为叶卡捷琳娜二世的宠臣奥尔洛夫伯爵修建的加特契纳宫。加特契纳公园也建于同一时期。其纪念建筑、雕塑和花园，与全圣彼得堡市的同类建筑一样，由国家维护。

人民 圣彼得堡的人口中俄罗斯人占压倒多数。革命前市内有相当大的波兰人、波罗的海人和德意志人的居民区，以及较小的鞑靼人、犹太人和华人居民区。两次世界大战之间，它继续像磁铁一样，吸引着俄国农村的劳动力，战后则更甚，新来到的人比本市出生者还多。生活在设计为文化中心的圣彼得堡市的许多人自认为是俄罗斯最有文化教养者。人口：市约4 216 000；大圣彼得堡都会区约4 801 000（1996）。

经济 *工业* 圣彼得堡是俄罗斯的大工业中心之一。半数以上的就业人口受雇于工厂和建筑行业。它的产品行销俄罗斯国内及国外。在科学和技术研究方面，该市也有重要贡献。机械工业产值占该市工业产值的一半以上。那些需要熟练技术劳动力和金属消耗较少的工程部门受到特别重视。该市原先的造船业仍很重要，它仍是俄罗斯造船业中最大的。制造破冰船、油船、运木船和渔船。其他重型制造业生产武器装备和铁路车辆。一个生产核反应堆的工厂具有全国性的重要地位。此外，还生产电器和动力装备，如蒸汽、水力和燃气涡轮机、电枢及发电机。精密工程包括工具和仪器、冰箱、收音机、电视机和其他电气和电子产品。机器制造业还为汽车厂、针织厂、食品厂生产设备。化工业仅次于制造业。它生产过磷酸钙、轮胎及其他合成橡胶产品、塑料及其制品、人造和合成纤维、油漆、药物制剂。还有生产以本市为主要市场的消费品工业。生产棉毛织品、服装、食品、香烟、啤酒等。圣彼得堡还有历史悠久规模大的印刷业。

工业用电来自沃尔霍夫河、斯维里河和武奥克萨河上的水电站，最近则多来自核电站。天然气已经由管道从俄罗斯欧洲部分的南部地区和中亚输送到圣彼得堡。

运输 圣彼得堡是俄罗斯最重要的运输中心之一。为全国最大港口，具有国际性重要意义。主要港湾有防波堤保护，从喀琅施塔得有一条疏浚的航道通到这里。进口品包括金属管、工厂设备、化工产品、食糖、棉花和水果；而大宗出口商品则是机器、木材、煤、钾盐和硫铁矿石。夏季有定期旅客班轮到斯德哥尔摩和英国的蒂尔堡。较小的海船可经由涅瓦河进入拉多加湖，再从那里进入俄罗斯欧洲部分的内陆水路。从拉多加湖经斯维里河、奥涅加湖和白海运河可通往白海和俄罗斯北冰洋沿岸。从奥涅加湖经伏尔加-波罗的海水路系统可通往伏尔加河流域和里海；经过伏尔加-顿河运河可通往黑海和亚速海。主要机场普尔科沃国际机场位于该市以南11英里处。

该市是各条铁路线路的集中点，有通往芬兰的赫尔辛基、华沙以及莫斯科和俄罗斯其他主要城市的铁路干线。有5条主要的旅客铁路终点站——莫斯科站、维捷布斯克站、华沙站、波罗的海站和芬兰站。郊区电气火车网把圣彼得堡同各郊区连结起来。市内交通由地铁系统（1955年运行）和一个完善的公共汽车、有轨电车和无轨电车交通路线网承担。

行政和社会状况 *政府* 从1931年起，圣彼得堡就被指定为"共和国直辖市"，即其市议会直属俄罗斯共和国管辖。市议会由选举产生，任期2年。该市本身划分为16个行政区。此外，在大圣彼得堡的外部5个市镇由地方政府管辖，其地位与上述行政区等同：它们是科尔皮诺市、彼得宫城、普希金市、谢斯特罗列茨克市和科特林岛上的喀琅施塔得市。另两个市——泽列诺戈尔斯克市和巴甫洛夫斯克市以及17个市区则分属各行政区议会管辖。圣彼得堡也是圣彼得堡州的行政中心。由于该市曾为首都，一些组织如全联盟的地理、化学和医学协会总部仍设在这里。

服务业与保健 该市的大部分住房在第二次世界大战期间被毁，战后实行了大规模的建房计划。结果大部分居民居住在较新的、现代的公寓内，有些住在高层建筑中。所有住宅都集中供热，有水电设施。

圣彼得堡是一个在社会保健服务方面医疗设备充分的现代化城市。有数百个门诊部提供医疗和牙科保健以及产科和护理服务。还有150多所普通医院和专科医院提供医疗服务。和全国一样，圣彼得堡的医疗是免费的。

教育 圣彼得堡是俄罗斯最重要的教育与科学研究中心之一。相当一部分的就业人口受雇于教育、艺术和科研部门。居首的教育机构是该市建于1819年的彼得堡国立大学；声誉不逊但历史更悠久的有彼得堡美术研究院（1757）、矿业学院（1773）和军事医学院（1798）。圣彼得堡还有一所工学院（1899）以及许多其他高等教育机构、普通中学、专科中学和技术中学。俄罗斯科学院（1925～1991年为苏联科学院）的图书馆为著名的研究中心。革命后科学院总部迁往莫斯科，它仍旧留在圣彼得堡。该市科学院的研究机构包括植物所、地质所、林学所和动物所以及普尔科沃天文台。该市为俄罗斯北极研究的主要中心，著名的有北极地区和南极地区研究所和永久冻土研究所。

文化生活 圣彼得堡发展成一个文化城市，它的各种文化机构在数量上和质量上都保有持久的魅力。它有许多巨大和宏伟的剧院和会堂。基洛夫国家歌剧与芭蕾舞剧院（原玛丽亚歌剧舞剧院）长期以来就享有国际声誉，它的常设剧团经常在国外巡回演出。其他重要的剧院有小剧院、高尔基剧院、普希金剧院和音乐喜剧院。还有若干座音乐厅，其中最大的是十月大音乐厅，能容纳4 000人。该市的音乐传统因里姆斯基-科萨科夫音乐学院而大为增色。著名的博物馆有爱尔米塔什博物馆和专门收藏俄罗斯绘画的俄罗斯国家博物馆。圣彼得堡是俄罗斯电影业的中心。该市拥有众多的图书馆，居首的是涅瓦大街的萨尔蒂可夫-谢德林公共图书馆，建于1795年；在俄罗斯的众多图书馆中，它仅次于莫斯科的鲁勉采夫图书馆（前列宁图书馆）。另外一些重要的专业藏书则收藏在瓦西里耶夫岛上的普希金之家文学博物馆。

圣彼得堡有许多娱乐场所，这一地区的著名体育场有基洛夫体育场，可容纳约10万观众。其他户外娱乐场所有基洛夫文化休息公园、动物园、植物园以及众多其他的小公园和花园。

历史

早期 *建城和早期发展* 公元8～9世纪，俄罗斯人就开始在芬兰湾顶端周围地区定居。当时称伊兹霍尔斯卡亚领地，或通称因格曼兰，或因格里亚。这一地区受诺夫哥罗德管辖，但长期以来人口一直稀少。15世纪时，该地区与诺夫哥罗德一起转归莫斯科大公所有。1617年，瑞典吞并了因格里亚，沿涅瓦河建立了许多要塞。第二次北方战争（1700～1721）期间，彼得大帝为谋求一条通往西方的通道，在斯维里河（该河连接奥涅加湖和拉多加湖）上建立了一支舰队，渡过拉多加湖，向诺特堡要塞（今彼得要塞，涅瓦河从此地流出拉多加湖）发起了进攻。1703年，诺特堡被彼得大帝攻占；此后，他又占领了瑞典在下涅瓦河上的尼恩尚茨要塞，从而控制了涅瓦河三角洲。

1703年5月27日（旧历5月16日），尼恩尚茨要塞攻陷后不久，彼得曾亲自为扎亚奇岛上的彼得-保罗要塞奠基。这一天就定为圣彼得堡的建城日。翌年春，彼得大帝又在芬兰湾的科特林岛修建了喀琅施洛特要塞，后称喀琅施塔得要塞，以保护三角洲。同时，他在彼得-保罗要塞对面的河边修建了海军造船厂；1706年，造船厂的第一艘战舰下水。彼得大帝开始在要塞和造船厂周围兴建一座新城，作为他的"面向欧洲的窗口"。

尽管最初的住宅是单层的木屋，但不久就出现了石砌建筑物。迄今仍存的第一座石砌宅邸（1714）是为首任总督缅希科夫亲王修建的。从一开始，这座城市就设计成一座气势宏伟的首都，有整齐均匀的街道格局，有广阔的广场和从海军部大厦辐射出去的宽阔的大街。1712年，俄罗斯首都从莫斯科迁到这里，虽然直到1721年瑞典才根据《尼斯塔德条约》正式把这片地区割让给俄罗斯。彼得大帝强迫贵族和商人阶级搬到新的首都，并为他们自己建宅邸。政府大楼和私人府邸及公馆迅速拔地而起；最早的一批建筑物中有商业交易所大楼（现为海军博物馆）、海关大厦（现为文学博物馆）、海军医院和夏宫。为排水修筑的一些运河穿过海军部区遍布沼泽的左岸，第一座架设在涅瓦河上的浮桥建于1727年；不久，又建了370多座桥梁，横跨在许多运河和河渠之上。沼泽地、易被洪水淹没的低地和恶劣的气候，使建设中大量人死亡。其后表明，圣彼得堡是建立在累累白骨之上的。

彼得大帝修建了一个港口，并采取措施减少俄罗斯以前的主要港口——白海上的阿尔汉格尔斯克的运输。因此，早在1726年，圣彼得堡就控制了俄罗斯90%的外贸。1703年瓦尔代高地上的上沃洛茨基运河工程开工，到1709年首都有了一条直通俄罗斯中部和整个伏尔加河流域的水道。不久工业开始发展。日益兴旺的原海军部造船厂为了供应自己和增长中的舰队的需要，增加了铸炮厂、弹药厂和焦油沥青厂。商船和军舰一并建造。18世纪结束前已建立起造纸厂、印刷厂、食品厂、服装和鞋厂。早在18世纪40年代建立了一个瓷器厂。1765年人口为150 300人，到该世纪末已达到220 200人，其中1/3以上在武装部队和行政机关工作。

豪华的风气　这座欣欣向荣的城市展现了在建筑风格方面的丰富多彩和匀称和谐。起初，其建筑风格简洁朴素，但相当谨严。如彼得-保罗要塞的大教堂和夏宫。18世纪中叶，该市的外貌被建筑师拉斯特雷利、切瓦金斯基和斯塔索夫按俄罗斯巴罗克建筑风格赋予了一种不可磨灭的印迹。这种风格轮廓清晰，具有严整的线条，装饰丰富，色彩绚丽。属于这一时期的建筑物有冬宫、斯摩尔尼女修道院-沃龙佐夫宫与斯特洛加诺夫宫，以及城外的彼得宫城和皇村中的几座夏宫。在以瓦兰·德拉莫特和科科里诺夫的建筑群为主的过渡期之后，到18世纪末，出现了一种以建筑师夸伦吉、罗西、沃罗尼欣和其他人为代表的纯古典样式的风格。喀山大教堂和圣伊萨克大教堂、斯摩尔尼学院、新海军部大厦、参政院和米哈伊洛夫宫（现为俄罗斯国家博物馆）都是这一时期的豪华建筑群的代表。

在这种雄伟豪华的建筑环境里，文化生活也发展繁荣起来。1773年创办了矿业学院。1819年创建了圣彼得堡大学。俄罗斯在学术、科学和艺术领域中的许多有名望的人物都与该市联系在一起：罗蒙诺索夫、门捷列夫、巴甫洛夫、普希金、托尔斯泰和陀思妥耶夫斯基等等。陀思妥耶夫斯基的《罪与罚》就是以该市为背景的，小说中描写的那些建筑物如今成了旅游的热点。早在1738年俄罗斯的第一所芭蕾舞蹈学校就在圣彼得堡开办；19世纪，在佩季帕的领导下，俄罗斯的芭蕾舞团誉满全球，并培养出了像尼任斯基、卡尔萨维娜和巴甫洛娃这样的舞蹈家。1862年，俄罗斯开办了第一所音乐学院，柴可夫斯基、里姆斯基-科萨科夫、拉赫玛尼诺夫和其他作曲家的作品在这里举行了首演。总而言之，帝国的宫廷是该市文化生活的中心和庇护者。它的铺张讲究、宏伟豪华和富丽堂皇名扬全欧。

现代城市的发展　*通往革命之路*　集中反映在沙皇专制制度上的帝国的富丽堂皇，与圣彼得堡发展的另一方面，即工业无产阶级的成长，形成鲜明的对比。19世纪时，由于交通的改善和贸易的扩大，促进了该市工业的高度增长。马里因斯基（1810）和齐赫文（1811）运河水系的通航取代了旧有的不相称的水运系统。1813年第一艘俄罗斯轮船在圣彼得堡建成；1837年，第一条俄罗斯铁路从圣彼得堡铺设到皇村（现为普希金市）的夏宫。5年后，开始修筑通往莫斯科的铁路，1851年开始通车。通往华沙的铁路建于1861～1862年。到19世纪40年代，俄罗斯的进口物资有60%以上是通过圣彼得堡输入的。1885年，挖掘了一条水道，以便让更大的海船进港。1861年俄罗斯农奴的解放促进了城市的发展和工业化。城市居民从1864年的53.94万，增加到1900年的150万；到1917年，人口已增长到约250万。

圣彼得堡的工厂环境是革命的温床。随着金属加工和工程等初级产业的发展，熟练劳动力增加。加之，约25万的产业工人（1914）集中在俄国少见的大型工厂里，普蒂洛夫（后称基洛夫）兵工厂一家就雇用了1.3万人。因此它便于革命者宣传其思想，也比俄国其他地方容易把工人组织起来。同时，城市的发展以其公共交通增长迟缓为特征，使得工人们需要住在工作地点附近，致使人口过分密集（市中心每平方英里超过18万人），肮脏、缺乏卫生设施。1917年以前，城市当局效率差，缺乏基金，公共服务（如供水）很不适应。公共场所经常暴发严重的瘟疫。

1825年12月14日（公历12月26日）圣彼得堡爆发了第一次重要的革命：十二月党人起义，其组织者主要是一些谋求建立一个开明政体并废除农奴制的自由派贵族和军官。这次起义被无情地镇压下去。在19世纪的其余年代期间，工人的革命活动和动乱风起云涌，罢工和暴动此起彼伏，日益频繁。这些革命行动最终导致了1905年1月约15万工人参加的总罢工。在闻名的"流血星期日"即1月9日（1月22日）的这一天，示威群众游行到冬宫，想把请愿书呈交给沙皇，却遭到军队的开枪射击：打死100多人，打伤几百人。这一局面发展成为遍及全俄罗斯的革命。虽然这次革命再次遭到镇压，但地下的革命活动仍继续不断。

1914年第一次世界大战的爆发，激起了以沙皇为中心的爱国热情。该市的德国式名字被改成俄罗斯式的彼得格勒。但是，战争中的军事失利和日益恶化的经济状况，重新激起并加剧了人民的不满。运输的低效率导致了食物和其他生活必需品的短缺。1917年2月26日（3月11日）发生的总罢工突然发展成骚乱。政府行动迟缓，因而完全失去了控制。2月27日（3月12日）成立了"彼得格勒工人和士兵代表苏维埃"。3月2日（3月15日）沙皇退位。成立了一个临时政府，由克伦斯基任总理。4月3日（4月16日），列宁从瑞士回到彼得格勒，立刻开始组织推翻临时政府的工作。7月的示威被镇压下去了，但10月25日（11月7日）布尔什维克领导的工人和水兵直捣冬宫，推翻了临时政府，建立了布尔什维克党的政权。

1917年的俄罗斯革命改变了历史的进程，它的先锋是彼得格勒的无产阶级和喀琅施塔得的水兵。1918年1月，在彼得格勒召开了立宪会议，但只获得少数席位的布尔什维克解散了它，并巩固了自己的权力。

苏维埃时期　1918～1920年，内战主宰了俄罗斯。在这期间，布尔什维克成功地捍卫了自己的政府，抵御了形形色色的俄罗斯的和外国的部队。1918年3月，年轻苏维埃国家的首都迁回莫斯科。革命后的内战年代给该市的经济带来了灾难性的影响。工业几近停顿。1920年，人口急剧下降到72.2万，仅为革命前的1/3。许多人死于饥饿。1924年列宁逝世之后，该市改名为列宁格勒。当1928年五年计划时代开始时，发展全国经济的最初负担中许多都落到了该市及其工厂和劳动力的肩头，特别是能源设备和机器的供应。这也促进了城市的进一步发展。到1939年它在全苏工业产量中占11%，人口超过300万。

后来，城市又一次经历了毁灭和破坏时期。第二次世界大战期间，该市是德国1941年入侵的最初打击目标之一：当年9月，德军已进抵该市郊外，并切断了该市同苏联其他地区的联系，与此同时，芬兰军队也从北面逼近。许多居民和近3/4的工厂在德军逼近前已向东撤离。剩下的居民和游击队便开始忍受后来成为举世闻名的"900日围困"的煎熬：德军的封锁实际上持续了872天，从1941年9月8日到1944年1月27日。列宁格勒面对无数次的进攻，连续不断的炮击和空中轰炸，以及骇人听闻的缺医少药和忍饥挨饿，进行了殊死的英勇抵抗。据估计死亡66万人，其中很大一部分死于坏血病和饥饿。尤其是在1941～1942年罕见的严冬，气温下降到了－40°C，处境极其艰苦。唯一的供应线是跨越拉多加湖冰面的"生命之路"，后来在湖底敷设了一条输油管和电缆。1943年1月突破了封锁，不过那还是在德军被从郊区赶走的前一年。轰炸和炮击造成了极大的破坏，而且，德国人在撤退之前，毁坏了彼得宫城和普希金市的许多宫殿。由于列宁格勒在战争中的作用,被授予"英雄城"称号(一种专门授予进行英勇防御城市的奖章)以及列宁勋章。直到60年代,该市的人口才重新达到战前约300万人的规模;到80年代,人口已超过400万。

战后苏联第一个五年计划部分地重建了城市工业和复原了它的建筑遗产。50年代后期在新郊区展开了住宅建设计划,70年代又开展了极受欢迎的内城公寓的整修。面对持续的建设和扩展,保持古城风貌和基础设施现代化成了大问题。对此,城市规划人员倡导新形式的工业管理,将城市规划为科技中心,强调保持城市无与伦比的文化遗产的必要性。

80年代末当苏联中央政府推行改革,鼓励更大的民主化和开放时,城市的政治生活发生了巨大变化。1990年3月共产党以外的全国性政党合法化在列宁格勒引起强烈反应,两个月后的市议会选举中共产党内的改革集团和共产党外的改革者获得了绝大多数议席。市议会迅速开始推行一系列自由市场措施,取消共产党在该市的财产和特权。1991年全市举行公民投票,决定恢复该市的圣彼得堡名,这表明该市已经离开了过去的共产主义。

Saint Petersburg 圣彼得斯堡 美国佛罗里达州中西部皮内拉斯县城市。近皮内拉斯半岛顶端,毗连坦帕湾。1876年始有人定居。1888年通铁路。20世纪40年代末成为该州最早鼓励旅游者退休后前往定居的城市之一。1892年设镇,1903年设市。现为一旅游地,有少量工业。有埃克德学院(1958)、圣彼得斯堡初级学院(1927)、斯特森大学法学院(1901)和美术馆(1961)。人口:市约248 232;坦帕-圣彼得斯堡-克利尔沃特都会统计区约2 395 997(2000)。

Saint Petersburg porcelain 圣彼得堡瓷器 1744年至今俄国一家主要工厂圣彼得堡的帝国瓷器厂(1925年后为M.V.罗蒙诺索夫国营瓷器厂)生产的陶瓷器皿。该厂由彼得大帝一世之女叶利扎维塔女皇资助创建。早期制品(有的为青花)仅有少量存世,如鼻烟盒、东方人像、茶具和咖啡具。1762年叶卡捷琳娜二世登上女沙皇宝座时,工厂达于巅峰。她为该厂提供年度资助金,以及能干的管事人和外国艺术家,在她的继承人们的朝代里,这些外国艺术家的各种技艺就都传授给了俄国工匠。叶卡捷琳娜二世统治时期的瓷器是新古典主义的,制品以大型壮观的成套器皿(如"阿拉伯花饰餐具",共1 000件,装60窑烧成)和素坯群像为代表。同期内,在俄国工作的法国雕塑家D.拉谢特塑制了一系列的俄国农民塑像和半身人像。在保罗一世统治时期制作了大型观赏瓶。亚历山大一世订制了绘有战斗场面的器皿。尼古拉一世时期仍继续制作以军事题材绘饰为主的瓷器,制品大多装饰豪华。受丹麦人影响的新艺术瓷器始于亚历山大三世在位时期,著名的复活节彩蛋则始于尼古拉二世朝代。20世纪20年代制作过"宣传"瓷器。现代瓷器则趋向于爱国的装饰题材,或反映如芭蕾等其他艺术。

Saint-Pierre 圣皮埃尔 圣皮埃尔岛东岸的港镇,法国海外省圣皮埃尔岛和密克隆岛的首府。17世纪有欧洲捕鱼人定居于此,19世纪发展成为当地渔业服务和供应的中心。在美国禁酒期间(1920～1933),非法贩卖给该镇带来短时期的繁荣。镇内有一机场。人口5 580(1990)。

Saint-Pierre 圣皮埃尔 法属西印度群岛马提尼克岛(位于加勒比海)的城镇和小港。1635年由法国移民建立。原为商业中心。1902年5月8日培雷火山爆发使全镇约3万居民死亡,只有关在坚固地下牢房里的一名囚犯幸免于难。城市重建工作缓慢,迄今残留着许多废墟。现在是一个甘蔗产区的中心,有一个地质研究室和一个火山学博物馆。人口5 045(1990)。

Saint-Pierre, Charles-Irénée Castel, abbé de 圣皮埃尔(1658-02-13,法国圣皮埃尔-埃格利斯～1743-04-29,巴黎) 法国时事评论家、改革理论家、最早倡议建立一个维护和平的国际组织的近代欧洲作家。1695年进入法兰西学院。1712～1714年担任乌得勒支会议的法国全权代表迈勒奇奥·德·波里尼亚克的秘书,这次会议结束了路易十四的战争。圣皮埃尔的许多改革都带有乌托邦的色彩。他的著作几乎通篇都是对政治、法律、社会机构的尖锐批评和在行政、政治与财政等方面实施改革的建议。他的《永久和平的规划》(1713)是一部主要著作,到20世纪仍有影响。他提出在乌得勒支和约的基础上建立欧洲和平。

Saint-Pierre and Miquelon 圣皮埃尔岛和密克隆岛 加拿大纽芬兰岛南岸沿海群岛,1985年起为法国海外领地。主要岛屿面积共242平方千米,密克隆岛和朗格拉德岛(一称大、小密克隆岛,有沙质朗格拉德地峡相连)即占215平方千米。圣皮埃尔岛面积仅26平方千米,而人口却占群岛总数的大部,为行政和商业中心。首府圣皮埃尔。17世纪初由法国人拓居,后在英、法间几经易手。1816年归属法国。由法国派总督管理。居民讲法语,保持法国风俗习惯和传统,为法国公民和选民,大部信奉天主教。初等教育免费。为法国在北美最后一个立足点,经济不能自给,由国家补贴。鳕鱼捕捞为主要行业。人口6 277(1990)。

Saint-Pierre-Port(Channel Islands) **圣皮埃尔港** 参阅 **Saint Peter Port** 圣彼得港。

Saint-Quentin 圣康坦 法国东北部皮卡第大区埃纳省城市。坐落在索姆河右岸山坡上,索姆河与圣康坦运河汇合处。18世纪的艺术家M.-Q.德·拉图尔出生于该城,其水粉画珍品收藏在A.莱居耶博物馆。昆虫学博物馆是欧洲收集昆虫种类最丰富的博物馆之一。中世纪以来一直是羊毛交易中心,现也生产化纤织品,其他工业有电器和机器制造业。圣康坦运河为巴黎地区运输煤、工业品和谷物。人口62 085(1990)。

Saint-Quentin, Battle of 圣康坦战役(1918) 参阅 **Somme, Second Battle of the** 第二次索姆河战役。

Saint-Quentin-en-Yvelines 圣康坦-昂伊夫林 法国伊夫林省新城镇。位于巴黎西南25千米处。1972年建立。为1965年以来建于巴黎周围的新城镇之一。有公路、铁路通巴黎。城外辟有一湖供娱乐之用。人口62 016(1975)。

Saint-Saëns, (Charles-) Camille 圣-桑(1835-10-09,法国巴黎～1921-12-16,阿尔及尔[阿尔及利亚]) 作曲家。主要因其交响诗(他是法国创作交响诗的第一人)和歌剧《参孙与

供图:Musee de Dieppe, France

达利拉》而赢得人们的永久怀念;并以在开拓法国音乐方面所作的努力为人称颂。他也是一位天才的钢琴家和管风琴家,还撰写评论、诗歌、散文和戏剧。他的协奏曲和交响乐将李斯特风格的精湛技巧用之于法国的和声与曲式传统,以《第三交响曲》演出最多。他还是一个钢琴神童。1846年11岁时举行了第一次独奏会。曾在巴黎音乐学院学习管风琴和作曲,1855年演出他的《第一交响曲》。1857年起在巴黎出任著名的圣马德莱娜教堂管风琴师达20年之久。这一时期,他结识了李斯特并建立了恒久的友谊。李斯特称他为世界上最好的管风琴家。1861～1865年他在尼德梅耶学院任钢琴教授,他的学生有G.福莱和A.梅萨热。1871年他协助建立了全国音乐学会,推动演出法国年轻一代最重要的管弦乐曲。同年上演他的第一首交响诗《奥姆法尔的纺车》,与《死之舞》一样是他4首这类作品中最经常演出的。他的歌剧《参孙与达利拉》因人们反对把圣经中的人物搬上舞台而在巴黎未被接受;1877年经李斯特倡议在德国魏玛演出。直到1890年才终于在巴黎埃登剧院上演,此后成为他最受欢迎的歌剧。1878年后,他在欧洲、美国、南美、中东和东亚进行广泛的巡回演出,演奏他的5首钢琴协奏曲和其他键盘乐器作品,并指挥他的交响乐作品。他的娴熟钢琴技巧受到瓦格纳的称赞,M.普鲁斯特把他作为研究课题。大约从1880年到去世前,他创作了数量巨大的作品,包括戏剧音乐和器乐的所有领域。1886年为怀念李斯特写的《第三交响乐》,十分精巧地使用了管风琴和两架钢琴。同年他为小型管弦乐队写了《动物狂欢节》,这是一首诙谐的幻想曲,他在世时未获演出,但后来成为年轻人的音乐会上相当流行的曲目。他最好的后期作品有《第五钢琴协奏曲》(1895)和《第二大提琴协奏曲》(1902)。虽然

他生在受瓦格纳影响的时代，却一直未受其影响，而是遵照古典规范，坚持法国音乐的保守的理想，强调精湛技艺和曲式意识。在他的散文和回忆录中，采用尖锐而且经常是讽刺的态度描述了当代音乐活动的情况。

Saint-Simon, Henri de　圣西门（1760-10-17，法国巴黎～1825-05-19，巴黎）　全名为Claude Henri de Rouvroy, Comte de Saint-Simon。法国社会理论家，基督教社会主义的主要创始人之一。在他的主要著作《新基督教》（1825）一书中，他宣称必须有工业与社会的科学组织方能实现四海一家。

供图：BBC Hulton Picture Library

生平　圣西门生于没落的贵族家庭，其祖父的堂兄曾为圣西门公爵，以其对路易十四的宫廷记述而著名。圣西门常自称为查理曼大帝的后裔。早年从家庭教师受不正规的教育。17岁时从军，参加法国支援美洲殖民地反英独立战争的军团。1781年在约克镇任炮兵上尉。

法国大革命期间他留在法国，靠朋友资助买下一些收归国有的土地。恐怖统治时期被关进卢森堡宫，获释后发现自己因革命政权货币贬值而成为巨富。生活上开始沉缅于豪华和放纵，不时在他金碧辉煌的沙龙中款待各界名流。不出几年几乎完全破产。从此潜心研究科学，就读于巴黎综合工科学校并与著名科学家有交往。

在他发表的第一部著作《一个日内瓦居民给当代人的信》（1803）中，圣西门主张应由科学家取代教士的社会地位。他认为掌握权力的财产主只有奖励知识进步才可望保住对无产者的统治。

到1808年时，圣西门已经潦倒，在他生命的最后17年，主要靠朋友们的慷慨解囊来维持生计。他后期发表的许多著作中有1814年出版的《欧洲社会的重组》和1816～1818年与孔德合作出版的《工业》。1823年一度因灰心丧气企图用手枪自杀，结果仅打穿一只眼睛。

圣西门一生都在热心于各种构想并著书立说，力图赢得人们对他的社会思想的支持。作为思想家，他缺乏系统性，逻辑不够严谨，但是他对现代思想的影响，特别是对社会科学方面的影响，却是不可否认的。除了他的社会主义学说的细节外，他的思想主要是对法国的流血大革命和拿破仑军国主义的反动。圣西门正确地预见到世界将进一步工业化，并相信科学技术会使人类的大多数问题得到解决。根据这一思想，他反对封建主义和军国主义，主张由商人和其他工业领袖来控制社会。社会的精神领导将掌握在科学家和工程师的手中，这样他们就将取代欧洲中世纪天主教会所占据的位置。换言之，圣西门所想实现的是一个由现代科学领导的工业化国家，在这个国家内，社会将由最有能力的人为生产劳动而组织起来。社会的目的将是生产对生活有用的东西。圣西门还建议欧洲各国联合起来制止战争。这些思想对哲学家孔德有重大影响。在两人发生争吵前，孔德一直与圣西门合作。

尽管圣西门并未强调社会中劳动阶级与有产阶级的对立，但已讨论了贫民的问题，而在他最著名的著作《新基督教》中，这个问题是以宗教的形式出现的。正是圣西门学说的这一发展造成了他与孔德的最终决裂。在发表《新基督教》以前，圣西门并未从事神学研究，但在这部著作中，他从信奉上帝开始，试图将基督教转化为其基督教社会主义学说的必要组成部分。他最后提出了这样的教导：宗教“应该引导所有的人达到尽快改善最贫穷阶级状况的伟大目标”。这一教导成为圣西门学说的格言。

圣西门的活动和影响　圣西门去世后的年月中，他的弟子将他的学说向各地广泛传播，使他知名于世。到1826年，开始出现一个支持他的思想的运动，1828年底，圣西门学派在巴黎和许多省城举行各种集会。1830年7月，革命为圣西门学派在法国带来了新的机会，他们发表宣言，要求实行动产共有制，取消继承权和给予妇女公民权。这个学派拥有法国一些最能干、最有前途的青年。但在后来的几年中，这个运动的领袖人物之间发生了争吵，致使运动终于分裂、解体，它的领导人都转向实务。尽管如此，圣西门学派的思想对19世纪欧洲知识分子却有着广泛的影响。英国的卡莱尔就是受圣西门或其门徒思想影响的人物之一。恩格斯发现在圣西门的思想中有“一个天才的宽广眼界”孕育着后来的社会主义者的大部分思想。圣西门对社会和经济计划的各项建议确实是超乎他的时代，他以后的马克思主义者、社会主义者和资产阶级改良主义者都在某种程度上受到他的思想影响。马卡姆说过，圣西门的思想同20世纪有着特殊的关系，当时在许多国家中社会主义观念已替代传统的宗教。

Saint-Simon, Louis de Rouvroy, Duke de　圣西门公爵（1675-01-15，巴黎～1755-03-02，巴黎）　即L. de鲁弗鲁瓦。军人和作家，法国最伟大的回忆录作者之一。他的《回忆录》是他那个时代的历史见证。1691～1702在军队中服役，并开始记日记。奥尔良公爵腓力二世于1715年为路易十五摄政时圣西门投其门下，于1721年被任命为法国驻西班牙大使，在1723年摄政王逝世后隐退。1729～1738年间他注释了唐若侯爵的《日记》，这就为他10年后开始写作的回忆录提供了一个框架。他根据自己的记忆和文件、宫廷中共事的廷臣的口头或书面证言以及其他来源写了一部综合性的记叙文。他在宫廷的生活限制了他的眼

巴黎国家图书馆供图

界，结果，他的回忆录过分注意个人和小阴谋等事，但是他毕竟描绘了路易十四最后几年和摄政时期的一幅令人难忘的画面。

Saint-Sorlin, Henri I de Savoie, Marquis de　圣索兰侯爵　参阅 **Nemours, Henri I de Savoie, Duke de 内穆尔公爵**。

Saint-Sorlin, Jacques de Savoie, Marquis de　圣索兰侯爵　参阅 **Nemours, Jacques de Savoie, Duke de 内穆尔公爵**。

Saint-Sorlin, Jean Desmarets de　圣索兰　参阅 **Desmarets de Saint-Sorlin, Jean 德马雷（圣索兰的）**。

Saint Stephen　圣斯蒂芬　加拿大新不伦瑞克省西南部城镇。临圣克罗伊河。有桥梁通对岸美国缅因州的卡利斯，并向其供应取自马克斯韦尔十字路口井中的淡水。1973年米

圣克罗伊河畔的圣斯蒂芬镇

供图：Malak, Ottawa

尔敦同圣斯蒂芬二镇合一。圣斯蒂芬曾为重要的木船制造地，现经济以伐木和种植业为主。人口4 667（2001）。

Saint Stephen's Cathedral　圣司提反大教堂　又作Stephansdom。维也纳主教座堂，创建于1147年，这座晚期罗马风格建筑在1258年焚毁，仅西立面幸存。1304～1450年重建了哥特式的中堂，并在南面耳堂上建哥特式高尖塔（1433）。彩色折线花纹屋顶是其外部特点之一。1945年4月在维也纳战役中焚毁，1952年重建。

Saint Stephen's Crown　圣斯蒂芬王冠　匈牙利王冠。过去颇受崇敬，曾为匈牙利的国

家象征，国王没有它就得不到匈牙利人的真正承认。11世纪时原是个拜占廷风格的镶宝环，12世纪初才加上拱条和上沿。王冠的两侧和后面，有一些小悬饰挂在短链上。顶

圣斯蒂芬王冠
供图：Interfoto MTI

上的十字架有点斜。该王冠历经沧桑。第二次世界大战后圣斯蒂芬王冠被美军抢救出来后，一直由美国保管在诺克斯堡，到1978年归还匈牙利。

Saint Swithin's Day 圣斯威逊节 民间传说的几个节日之一，即7月15日，人们认为往后一段时期的天气决定于这一天特有的天气特征。人们相信：如果圣斯威逊节下雨，就会下40天；如果是晴天，就会接着晴40天。圣斯威逊（大约在800年生于英国汉普郡的温切斯特附近，于862年7月2日卒）852～862年为温切斯特主教。应他的要求，被葬入教堂墓地，那里是雨水和路人足迹可到之地。据传说，971年7月15日当其遗体移入大教堂以后出现过一次大风暴。仲夏前后天气变化频繁，因而这一天影响天气的传说可能起源于古代非基督教徒的信仰。在欧洲大陆，对其他圣徒也有类似的节日（例如6月8日法国的圣梅达尔节）。

Saint Thomas 圣托马斯 加拿大安大略省东南部城市，埃尔金县县城。位于伊利湖北面，濒临凯特尔河。地处纽约州布法罗和密歇根州底特律之间及安大略省伦敦南面的铁路枢纽站，为重要的工业中心。工业产品有汽车零件、电动工具、建筑机械、采油设备、轴承和管道。人口29 990（1991）。

Saint Thomas 圣托马斯岛 加勒比海东部美属维尔京群岛的主岛。在波多黎各岛以东64千米处，面积83平方千米，最高点海拔474米。平均温度为26 °C，属半干旱气候，年平均降水量1 150毫米，大部分降水被植物吸收或蒸发掉。圣托马斯岛是一个火山岛，几乎裸露的一条连续的崎岖丘陵贯穿东西。首府为夏洛特阿马利亚（**Charlotte Amalie**）。1493年哥伦布发现此岛。此后为荷兰、丹麦殖民地。拿破仑一世战争期间该岛中立，因而成为经销贸易中心和西半球最大的奴隶贩卖港口。1801年及1807～1815年间被英国占领，后又复归丹麦。1917年美国以2 500万美元从丹（麦）属西印度群岛中购买了圣托马斯岛和其他两个岛屿作为海军基地。圣托马斯岛是一个自治区，有一个在美属维尔京群岛总督领导之下的地方立法会议。居民中80%是黑人，也有与西班牙人、葡萄牙人、苏格兰人、丹麦人、英格兰人、法国人和波多黎各人混血的居民。英语是主要的语言，也有小块地区讲法语和西班牙语。岛上没有水井，饮用水由波多黎各用驳船运来，或依靠集贮雨水与淡化海水，但供不应求。公众用水已成为发展经济的严重障碍。旅游业是主要的行业，全岛在加勒比地区中国民收入最高。蒸馏甜酒及其副产品香水和装配钟表是最重要的出口收入源泉。英属维尔京群岛有许多公民到美属维尔京群岛工作。人口约52 260（1986）。

Saint Thomas (town, U.S. Virgin Islands) **圣托马斯** 参阅**Charlotte Amalie**夏洛特阿马利亚。

Saint-Tropez, Pierre André de Suffren de 圣特罗佩 参阅 **Suffren de Saint-Tropez, Pierre André de** 叙弗朗（圣特罗佩的）。

Saint Valentine's Day Massacre 圣瓦伦廷节残杀（1929-02-14） 集体杀害美国芝加哥一群非武装的贩运私酒帮派成员的事件。它突出地表示了在禁酒时代争夺非法的私酒贩运控制权的激烈程度。1929年2月14日，艾尔·卡彭帮分子化装成警察，迫使6名莫兰帮成员和1名造访者在汽车房中靠墙排成一行，然后残忍地将其枪杀。

Saint Vincent, Cape 圣维森特角 葡萄牙语作Cabo de São Vicente。葡萄牙西南端的海角。与萨格里什角共同构成大西洋中一岬角。经济以畜牧业和渔业为主。该地区较荒

圣维森特角风光
供图：J. Allan Cash—Ostman Agency

凉，萨格里什是主要的居住区。圣维森特角附近的因凡特镇，是航海家亨利约于1420年建立航船观察站和航海学校的地方。沿海曾发生过多次海战，其中著名的一次发生于1797年，一支英国舰队战胜了兵力占优势的西班牙舰队。

Saint Vincent, Gulf 圣文森特湾 澳大利亚南澳大利亚州东南岸的印度洋三角形海湾。位于约克半岛（西）和大陆之间，长约145千米，宽73千米。接纳高勒河、托伦斯河和昂克巴林加河。沿岸多为低沙地，海水含盐度高，日晒蒸发快，在阿德莱德附近发展成为重要制盐工业基地。

Saint Vincent and the Grenadines 圣文森特和格林纳丁斯 加勒比海东部小安的列斯群岛中的岛国。圣文森特岛位于圣卢西亚西南约34千米，巴巴多斯以西约160千米。该国的其他部分由格林纳丁斯群岛北部组成，从圣文森特向南延伸至格林纳达。圣文森特长29千米，最宽处约18千米。全国总面积388平方千米，其中圣文森特占地347平方千米。首都和主要港口金斯敦，位于圣文森特西南沿海。该国在格林纳丁斯的主要岛屿有贝基亚、巴利索、卡努安、迈罗、马斯蒂克、伊勒卡特勒、小圣文森特和尤宁诸岛。人口约116 000（1990）。

土地 圣文森特与其邻近岛屿一样，系由火山岩构成。其最显著的地形特征为南北走向，森林密布的火山山脉，有许多急流小溪穿越其中。稠密的森林阻碍了穿山公路的修

圣文森特岛上的苏弗里耶尔活火山
供图：Bradley Smith, New York

建。最高峰为北部的苏弗里耶尔活火山（1 234米），该火山曾于1812、1902和1979年猛烈喷发，对该岛造成严重破坏。岛上其他值得一提的山峰还有大蓬博诺姆、里士满和圣安德鲁山。格林纳丁斯常见的自然特征是白沙滩和珊瑚礁。

圣文森特和格林纳丁斯位于东北信风带，属热带气候。金斯敦的温度最低18 °C，最高32 °C，但全年的平均温度约为27 °C。山区降雨量最大，每年约达3 810毫米。沿海地区的降雨量较为适度，每年约为1 520～2 030毫米，岛的东侧（向风面）雨量较多。飓风有时袭击该岛，但通常只在岛北面经过。圣文森特的土壤层厚、疏松、有渗透性，使原本只适宜于较干燥岛屿的棉花和竹芋可以生长。岛上的植物多种多样，有许多鲜艳夺目的植物，包括芙蓉和圣诞红。岛上也有棕榈树和多种果树。耕地分布在森林带以下，在一些地区形成梯田以防止水土流失。

人民 圣文森特和格林纳丁斯有近3/4的人民是被运来在甘蔗种植园中劳动的非洲黑奴的后裔。其中约1/5的人是穆拉托人（黑白混血种），有小部分是东亚人和欧洲人。诸岛上的最初居民加勒比印第安人所余无几，加勒比黑人也不多，他们是一群1675年遇海难的非洲奴隶的后裔，最后与圣文森特的加勒比人通婚。教会成员以新教徒最多，主要教派为安立甘宗和循道宗；也有相当数量的天主教徒。官方语言为英语，但同时亦使用一种克里奥尔式法语。大部分人民居住在沿海平原。圣文森特的主要人口中心有金斯敦和乔治敦。格林纳丁斯人口稀少。与其大多数相邻岛国一样，圣文森特的人口自然增加率相当高，是小安的列斯群岛中人口较

拥挤的岛屿之一。该国3/4的人口生活在农村，1/3以上的人口年龄不足15岁。

经济 农业一直是该国经济的支柱，占用人口多达40%。圣文森特和格林纳丁斯的国民生产总值虽然远比人口增长迅速，但比起其他加勒比海国家仍相当低。人均国民生产总值在1970～1980年间有所下降，这主要是由于苏弗里耶尔火山喷发(1979)和艾伦飓风(1980)两场自然灾害所致；但到80年代后期，人均国民生产总值再度增加。小农场约占农业土地的一半，其余则为大种植园。主要作物和最有价值的出口商品为香蕉。另一重要作物和出口品为竹芋(最早由加勒比人带到岛上)，圣文森特是世界主要竹芋生产国。其他重要农产品有块根植物、甘薯、椰子和大蕉。渔业的生产规模不大，主要供当地食用。森林的商业价值虽小，但为了加强水土保持仍受到保护。制造业在岛上经济中不大重要，主要限于农产品加工。

旅游业对该国经济的贡献，不如邻近诸岛那样大，但受到政府鼓励，在圣文森特和格林纳丁斯都有所发展。后者是快艇驾驶人和垂钓者所喜爱之地。主要的进口商品为多种基本制造品、食品、饮料、机械、运输设备、化学品及燃料。圣文森特和格林纳丁斯的主要贸易伙伴有英国、美国、特立尼达和多巴哥、圣卢西亚。

圣文森特岛的交通便利。全国1/6的公路铺有路面。具有深水港湾的金斯敦是主要港口，位于金斯敦东南3千米处的阿纳斯瓦里有一个小型国际机场。在格林纳丁斯还有供小型飞机起降的跑道。

政体与社会状况 圣文森特和格林纳丁斯是一个实行议会制政府的君主立宪国，作为英联邦的一个成员，该国元首为英国君主，由总督为其代表。总督根据文森特总理的建议而任命。立法机构为一院制议会，由15名任期5年的民选议员和6名总督任命的参议员组成。总理为议会多数党的领袖，经总督任命后领导政府。

人口的高速增长使政府拟定的旨在改善各岛生活条件的计划难以实现。政府提供的保健服务通过立法得到改善，岛上人民的健康状况一般良好。社会保险制度为岛民提供了退休、保健和死亡津贴。初等教育虽然免费，但并非义务教育，故入学率很低。岛上有少数靠政府资助的中等学校，但大多数中等学校由宗教组织管理。该国设有一所师范学院和一所技术学院。有一家电台及一份周报，各岛均有自动电话设施。主要图书馆设在金斯敦，其分馆遍布圣文森特各地。设在金斯敦图书馆的博物馆收藏有人们感兴趣的加勒比人的手工制品。文化名胜包括1765年在圣文森特建造的植物园，重要建筑有乔治时期风格的圣乔治大教堂。

历史 圣文森特的加勒比居民在哥伦布于1498年作为第一个欧洲人到达时(他可能就是该岛命名人)，即已牢固地占有该地。有关圣文森特的各种加勒比文化遗物，包括可能是当作祭坛用的雕刻大石台，都已在当地发现。欧洲人直到18世纪始能在圣文森特定居，而且必须与加勒比人签订条约。法国人与英国人为控制该岛一直争斗到1763年，最后根据《巴黎条约》将其让给英国。1773年，加勒比人根据条约承认英国的统治权，并准许由他们和英国人分占该岛。但是后来加勒比人的不满情绪逐渐上升，1795年他们在法国人的协助下进行反抗。但英国人召来大批援军，1796年加勒比人终于被征服。大多数加勒比人被放逐到洪都拉斯湾各岛，而大部分留下的加勒比人则在1812和1902年的苏弗里耶尔火山爆发时丧生。

棉花一直是岛上的主要农作物，后来英国人改种甘蔗，并运来非洲奴隶在种植园劳动。1834年的解放黑奴对该岛的经济是一次严重打击，因为原先的奴隶此刻常因工资太低而拒绝工作。19世纪末又引进了葡萄牙和东印度的劳工。19世纪后半叶食糖价格下降，造成严重经济萧条，直到19世纪末才告结束。岛民开始种植其他农作物，诸如海岛棉、竹芋，以及最后成为岛上主要农产品的香蕉。1871年，英国人使圣文森特成为其向风群岛殖民地的一部分。1956年殖民政府结束，从1958年起圣文森特一直是西印度群岛联邦的成员，直至1962年联邦解体。1969年该岛成为与英国联盟的自治邦，这种地位一直保持到1979年该国成为英联邦的一个独立成员。

Saint Vincent Island (Cape Verde) 参阅 **São Vicente Island** 圣维森特岛。

Saint Vitus' dance 圣维杜斯舞蹈病 神经病变所致**舞蹈病**(**chorea**)的一个主要临床类型。

Sainte-Anne-de-Beaupré 圣安娜-德博普雷 加拿大魁北克省南部魁北克行政区一村庄。位于圣劳伦斯河畔，圣安娜河口附近，在魁北克市东北约32千米处。约在1650年有人在此定居。据传说1658年遇难船只的法国水手在此登陆，建成第一座小教堂，此后，该地一直为罗马天主教徒朝圣中心。同年出现当地一居民的风湿病被治愈的奇迹。随后又有许多奇迹般治愈病例的报道，这块圣地遂受到了来自全加拿大和美国的各地香客的朝觐。该地现有的长方形教堂是1963年完成的；兴建于12世纪，为罗马-哥特式，能容纳9 000名礼拜者。圣安娜-德博普雷是法国赎世主会的总部，并且是他们的红衣主教团所在地。一幅描绘耶稣受难日的巨大耶路撒冷环形画是这个村庄吸引人之处。人口3 146(1991)。

圣安娜-德博普雷村大教堂
加拿大旅游局供图

Sainte-Beuve, Charles-Augustin 圣伯夫(1804-12-23，法国布洛涅～1869-10-13，巴黎) 法国文学史家和评论家，以将历史的参考结构运用到当代写作中而著称。他对法国文学从文艺复兴时代至19世纪的研究构成一幅波澜壮阔的精致画面。圣伯夫是个遗腹子，在巴黎完成古典文艺学业后开始学医，但一年后就放弃了，改入巴黎大学及其分部，于1825年参加新创办的自由派刊物《环球报》的编辑工作，在该刊发表关于雨果诗歌的论文，从此与浪漫派作家、诗人时有交往。他的第一部著作《十六世纪法国诗歌与戏剧的评论史》(1828)为浪漫派诗人找到他们在文艺复兴时期的远祖。1828年到英格兰的短期游历，加强了对华兹华斯和柯尔律治诗作的兴趣，而这两位诗人此时在欧洲大陆尚鲜为人知。这一时期发表的诗集《约瑟夫·德洛尔姆的生活、诗歌和思想》(1829)和《安慰集》(1830)以及小说《情欲》(1834)，都不太成功。他不久对社会和宗教问题发生兴趣，既拥护圣西门的观点，又受天主教社会改革家拉默内的影响。30年代，他发表了许多评论时人的文章，从当时作家的内心世界来解释其文学作品。除了《环球报》外，从1831年起，他又向另一新期刊《两个世界的评论》投稿。他将所有稿件都收集在5卷的《文学评论与文学家肖像》中(1832～1839)。他继续评论同时代的文学家将之收入《当代人物画像》(1846)中。1837年应邀至洛桑大学讲学，讲稿以《皇港修道院史》为名发表，这是一部3卷本的17世纪法国文化史。是他研究冉森教派的宗教思想和文学影响的成果。1840年在马萨林图书馆任职，1844年当选为法兰西学院院士。在此之前，他和浪漫派作家的联系已经全部中断，并对浪漫主义进行批判。1848年在比利时列日大学讲学，《夏多布里昂和他的文学集团》(1861)就是当时讲学的内容。1849年返回巴黎，开始在《宪政报》定期发表评介作品的文章，后来收在长达15卷的《月曜日漫谈》(1851～1862)中。在这些论文中，他的文化观是建立在强烈的传统意识、稳定性、分寸得体的基础上的。第二帝国时期，他最初支持拿破仑三世，被任命为法兰西公学教授，但不久即辞职，后将原定在公学讲授

供图：Musee des Beaux-Arts et d'Archeologie, de Boulogne-sur-Mer

的讲稿以《维吉尔研究》(1857)为题发表。1858年,被任命为高等师范学校教授,讲授中世纪法国文学。1861年,他放弃所有工作,专心撰写评论文章,后来结集为13卷《新月曜日》(1863～1870)。圣伯夫虽在1865年被任命为参议员,但很少参加参议院的活动。当政府在教会重压下禁止勒南的作品时,他挺身而出,维护思想自由。他研究了自文艺复兴时期至19世纪中叶的法国文学,评论作品不仅卷帙浩繁,并因其资料丰富准确而有深远影响,至今仍有史料价值。

Sainte-Claire Deville, Henri-Étienne 圣克莱尔·德维尔(1818-03-11,丹麦维尔京群岛圣托马斯～1881-07-01,法国布洛涅) 法国化学研究家,最早发明用经济的方法制铝。他出身于法国外交家家庭,1843年在巴黎获得医学学位。但他已对化学感兴趣,建立了自己的实验室,发表了对松节油的研究论文,获得理学博士学位,并于1845～1851年任贝桑松大学化学教授和理学院院长。由于他有将研究与教学紧密结合的特殊才能,在1851年被任命为巴黎高等师范学校化学教授。1859年成为巴黎大学的化学教授,直至去世。在19世纪50和60年代,培养出许多优秀的化学家。早在1849年他就对合成五氧化二氮研究做出重要贡献,这使他的注意力转向无机化学。他在几年之内研究出用钠代替昂贵的钾来处理铝化合物制取纯铝的方法,使铝第一次成为工业用金属。他在铂和其他矿物的冶金学研究中也做出了重要贡献。

Sainte-Foy 圣福瓦 加拿大魁北克省南部城市。虽然主要是魁北克市郊住宅区,但在科尔伯特工业区和让-塔伦工业区内也发展一些因地制宜的工业。最初沿用法国一村庄名,称圣母福瓦。为1760年法国战胜英国的战场。拉瓦尔大学(1852年建于魁北克市)新校舍位于市东头边界处。市内还有玛丽蒙特学院、圣劳伦斯学院和省立水族馆。圣福瓦位于国家铁路和几条主要公路的中心,又离魁北克机场不远,这个地区唯一一座横跨圣劳伦斯河的桥也在市内,因而自1950年以来工业迅速发展。1955年建市。人口71 133(1991)。

Sainte Genevieve 圣吉纳维夫 美国密苏里州东部城市,圣吉纳维夫县县城(1812)。位于密西西比河畔,与伊利诺伊州凯洛格隔河相望。为密苏里州第一个白人永久性定居地,系法属加拿大移民于1735年所建。1808年设建制。1785年水灾后迁至现今高爽地点。每年8月传统节日的庆祝活动反映了居民与法国的渊源。圣吉纳维夫市内设有展览馆,陈列着19世纪美国鸟类学家J.J.奥杜邦制作的鸟类标本。该城为谷物、牲畜贸易中心。并有石灰石开采加工业及木质窗框、门、服装等制造业。人口4 411(1990)。

Sainte-Thérèse 圣泰雷斯 加拿大魁北克省南部城市。在蒙特利尔-劳伦琴汽车公路上。圣泰雷斯教区(始于1789年)及社区是以贵族之女泰雷斯·德布兰维尔命名的,约1730年该贵族有首捐土地之举。现代经济主要依赖于制造业,生产汽车部件、农业机械、家具、塑料、胶合板。1849年设村,1916年设镇,1959年设市。人口24 158(1991)。

Saintes 桑特 法国西部普瓦图-夏朗德大区滨海夏朗德省城镇。位于夏朗德河畔,拉罗什东南76千米处。1791～1810年是下夏朗德省的行政中心。在被罗马人征服以前,是繁荣的高卢人城镇。现存最壮观的古罗马时期遗迹是一座1世纪的圆形剧场的废墟,和一座古罗马桥的拱形结构。电话设备是此地的主要产品。是周围区的集市中心,以生产科尼亚克白兰地酒闻名。人口27 546(1990)。

Saintes, Battle of the 桑特海峡战役(1782-04-12) 美国独立战争中英国海军在西印度群岛的重要胜利,从而结束了法国对该地区的英属领地的威胁。1782年4月8日法国格拉斯伯爵率舰队(35艘战舰和150艘商船)自马提尼克岛驶向牙买加途中,于多米尼加岛和瓜德罗普岛间的桑特海峡遭到英国海军上将G.罗德尼所率36艘战舰的截击。4月12日交战中因风向转变,两艘法舰偏离航道,出现突破口,英舰趁势攻入,法国舰队因而溃散。1783年9月3日两国签订《巴黎条约》,英国复得西印度群岛中大多数失去的岛屿。

Saintes-Maries-de-la-Mer 滨海圣玛丽 法国南部普罗旺斯山蓝岸大区罗讷河口省的村庄。濒地中海。据古代普罗旺斯传说,约公元40年,圣母马利亚的妹妹玛丽与圣雅各和圣约翰的母亲玛丽携仆人撒拉及其他等人神迹般地逃脱在犹太所受的迫害,乘小船在此上岸,村名由此而来。她们的遗物保存在当地小礼拜堂里。堂址上现有12世纪建教堂。每年5月和10月为当地朝圣季节,世界各地的吉普赛人到此聚集向他们的主保圣人萨拉表示敬意。人口1 207(1982)。

Saintonge 圣通日 法国西部旧省,占有今夏朗德滨海省大部。首府桑特。圣通日原为高卢部落桑通人所居。在整个中世纪,同毗连的吉耶纳和普瓦图共政治命运。1375年并入法国,在1789年大革命以前,法国君主制的最后100年里,它和昂古穆瓦组成为法国一行政区。

saints, communion of 圣徒相通 基督教神学名词,指通过洗礼与耶稣基督合成一体的全体信徒之间的团契。此词希腊原文有两种含意:一为信徒共享教会成员的惠益,一为与众圣徒交通。二者均符合《新约》所述受洗信徒与基督合为一体、基督与信徒共有人性、信徒要与基督同享荣耀的教义。中世纪西方教会认为,已在天堂的圣徒为在世的信徒代求,因此在世信徒受惠良多。新教主要派别不承认圣徒能为他人代求,把圣徒相通仅解释为全体信徒。

saint's play 圣迹剧 参阅miracle play奇迹剧。

Saintsbury, George (Edward Bateman) 圣茨伯里(1845-10-23,英国汉普南安普敦～1933-01-28,萨默塞特巴斯) 20世纪初最有影响的英国文学史家、批评家。1868年获牛津大学默顿学院硕士学位。曾在一中学任教达10年之久,同时开始研究法国文学,并为《学园》杂志撰写评论。1875年,在《双周评论》上发表论波德莱尔的文章,受到文学界重视。1876年他所执教的中学关闭后,决定以写作为生。曾为《不列颠百科全书》(第九版,1875～1889)撰写过35条人物传记条目和法国文学条目。1881年发表的《德莱顿》(《英国文学家丛书》)是他广泛论述英国文学的第一部作品。此后《从马洛礼到麦考莱的英国散文风格选读》(1885)、《伊丽莎白时代文学史》(1887)也相继问世。1895年被任命为爱丁堡大学修辞学和英国文学钦定讲座教授。1915年辞去教授职退休。此后,一直继续写作。

Saionji Kimmochi KŌSHAKU 西园寺公望(1849-12-07,日本京都～1940-11-24,兴津) 明治维新(1868)后统治日本的寡头政权存在时期最长的成员。作为首相和元老,他试图节制在日本不断增长的军国主义势力。旧宫廷贵族家庭出身。曾留学法国,1881年回国,创办旨在普及民主思想的报纸《东洋自由新闻》。但是人们认为,对于一位宫廷贵族来说,从事新闻工作是一个可耻的行业。于是,他的同僚们说服天皇,迫使西园寺离开报界,参加政府工作,他很快升为高官。他是当时日本的主要政党立宪政友会的主要组织者之一,1903年成为总裁。1901～1902、1906～1908、1911～1912年出任内阁总理大臣。执政期间,他试图削减军费、推行政党内阁。1912年退出政党政治和政府工作,但于1919年率日本代表团出席结束第一次世界大战的凡尔赛和会。西园寺一生的最后25年为元老,这是只有参加过明治维新和担任过总理大臣的少数领袖才能享受的荣誉。作为元老,他是天皇亲密的、受信任的顾问。由于他节制第二次世界大战前日本的极端民族主义和军国主义倾向,因此20世纪30年代中,狂热的右翼分子曾多次企图暗杀他。

Saipan 塞班岛 西太平洋美国北马里亚纳群岛联合邦一岛。1962～1986年间是由美国管理的联合国太平洋岛屿托管地首府。面积122平方千米。多丘陵,最高点塔波乔山海

塞班岛的自杀崖

供图:Milt and Joan Mann—CameraMann

拔466米。1565～1899年受西班牙统治。1899～1914年属德国。1920年归日本。1944年被美军占领,成为重要的空军基地。1953～

1962年由美国海军管辖。自给农业种植薯类、面包果、香蕉等作物，主要出产椰干。建有设商船码头和国际机场。人口约17 840(1985)。

Saʻiqah, as- 闪电突击队 由叙利亚政府支持的叙利亚恐怖主义突击队，它的目的是促进叙利亚复兴党的巴勒斯坦支部的利益。"闪电"由复兴党掌权的政府于1967年建立，奉行社会主义意识形态。从叙利亚军队的上层挑选来的"闪电"队员认为"闪电"突击队将取代巴勒斯坦解放组织。"闪电"向巴勒斯坦解放组织最高权力提出过挑战，但没有成功。后来在军事行动上与法塔赫进行防卫合作。

Sais 赛斯 阿拉伯语称萨哈杰尔。埃及西部省古城。位于尼罗河三角洲，濒临卡诺匹克(罗塞塔)河。战争和织布女神尼斯的主神殿设在该城。公元前8世纪末，利比亚的一位赛斯亲王同库施王朝争夺下埃及的控制权。公元前713～前712年败给埃及第25王朝创建人沙巴卡。公元前671年，亚述王国打败库施，臣服亚述的赛斯亲王再度控制了尼罗河三角洲。赛斯总督萨姆提克一世(公元前664～前609)在公元前656年左右逐出亚述人后征服了整个埃及。赛斯成为萨姆提克一世及其第26王朝继承人的首都。赛斯国王因地中海贸易和非洲贸易而富足起来，曾花费许多财富建造庙宇和宫殿，并在附近修造陵墓。现此巨大陵园尚极少探查，而且实际上在商博良1818年第一次描绘了之后已被盗墓者抢掠一空。现在的居住区主要生产棉花。

Saisiyat 赛夏族 中国台湾现存土著民族之一。分布在台湾北部中央山脉西侧浅山地区。人口约4 200(1993)。语言属南岛语系印度尼西亚语族台湾语支。北部群属于山地行

赛夏族首长
台湾中华书局供图

政体系，与泰耶尔族杂居(五峰乡)；南部群属于普通行政体系，与客家人杂居(南庄乡)。由于这种特殊现象，可以看出赛夏族受外来文化的影响：其服饰形式与脸部刺青深受泰耶尔族的影响，宗教观念上深受客家人的影响；从语言现象看，则该族的语言几乎行将消失，目前北部群以泰耶尔语为主，南部群以客家语为主。虽然赛夏族在文化的认同上存在严重危机，但该族两年一度的矮灵祭仍加强了上述两群的认同。矮灵祭是赛夏族特有的宗教仪式。根据传说，这个仪式也是与外界接触后的产物。矮人虽非赛夏族的同类，但常造访该族部落，并传授农业技术，使其族人获益。但因矮人好色，常调戏赛夏族妇女，在族人的爱恨交织下，乃设计杀害矮人。矮人罹难后，该族妇女虽免于骚扰，农作物却因歉收而酿成饥荒。在祈求矮人谅解的心情下，遂发展为矮灵祭。矮灵祭由南群先举行，再由北群接着举行。赛夏族善用仪式加强人际关系，家庭、氏族、村落、地方群、整个民族群的成员均通过不同的仪式得以凝聚。

Saisiyat language 赛夏语 又名萨斯特语，中国台湾省高山族使用的语言之一。主要分布在阿里山和五峰山一带的新竹、苗栗两县的部分乡镇，使用人口约2 000。分大隘和东河两个方言，其中东河方言将消亡。赛夏语(新竹大隘)的语音特点是：有17个辅音音位，均可出现在词首、词中和词末；只有一套清塞音，无塞擦音和浊塞音。有6个元音音位，基本上不出现在词首，少数出现在词末，绝大多数出现在词中。有重音，一般落在多音节词的最末一个音节。双音节和多音节词是词汇的主要组成部分，构词的主要方式是在词干上加黏附性前缀、中缀和后缀，重叠也是能产的构词方式；借词主要来源于汉语闽南话。词类有名词、代词、数词、动词、形容词、副词、连词、助词等8类。名词和代词有"格"语法范畴，分主格、属格和宾格。第一人称代词复数有包括式和排除式的区别；指示代词分近指、远指和更远指3种。动词有"时"、"态"、"式"等语法范畴，时有现在、过去、将来3种形式；态分主动和被动；式有陈述和命令，均有黏附性词缀表达。形容词重叠再加黏附性后缀-an表示性质、程度的加重或加深。助词分格助词、结构助词和感叹助词3类，有较强的语法功能。句子的基本语序为谓语在前，主语在后；宾语因为带有格标记，放在主语前后均可；定语一般在中心词的前面。

Saisset, Bernard 赛塞(约1232～1311-12?，法国帕米耶?) 法国南部帕米耶的第一任主教。为人锋芒外露而直率，他的活动加剧了教皇卜尼法斯八世与法国国王美男子腓力四世之间的争执。他出身于图卢兹贵族家庭，后成为奥古斯丁会的司铎，1267年当选为帕米耶圣安东隐修院院长。1295年成为帕米耶主教，1301年他被控犯有叛国、买卖圣职、信奉异端等罪，腓力四世将控诉转致教皇。卜尼法斯命令腓力将他释放，听候教会审理。1302年2月被逐出法国，前往罗马，但后于1305年底又返回帕米耶。

Śaiśunāga DYNASTY 赛宋纳伽王朝 约公元前5世纪中期至公元前4世纪中期的古印度摩揭陀王国的统治家族。创始人苏宋纳伽又称西宋纳伽，出身不详。可能原为摩揭陀国迦尸(瓦腊纳西)总督，曾重建吠舍离城。他即位后迅速扩大摩揭陀国的版图，曾征服阿槃提伐弹那，兼并阿槃提。其子卡拉索卡统治时期做了两件大事：一是在吠舍离举行第二次佛教集结大会，二是把都城迁至华氏城。赛宋纳伽王朝结局如何不详。据传卡拉索卡有10个儿子。但他遭杀害后这一王朝即告终止。

Saitama 埼玉 日本本州的县。位于东京大都市区北缘。面积3 797平方千米。种植水果、蔬菜、鲜花供应东京市场。还生产绿茶。该县的机械和纺织工业是从以前的铸造

埼玉县秩父附近的印染品浸洗
供图：Imperial Press—FPG/美国不列颠百科全书公司

和蚕丝行业发展而成的。南部城市埼玉市、川越构成京滨工业区北端。埼玉市是2001年由浦和、大宫与野三市合并而成。县城浦和市设有埼玉大学(1949)。县西南秩父多摩国立公园内的秩父町每年12月举行地方节庆，有精心制作的大型彩车在街上游行。人口7 001 000(2002)。

Saitama 埼玉 日本本州中东部埼玉县首府。位于该县东南部。2001年由浦和、与野、大宫三市合并而成。在京滨都会区北部边界附近，南距东京市中心约32千米，地处平缓起伏的关东平原，流向东南的荒雄川构成其西部边界。大宫原为首府，现在是埼玉市的北部，而浦和则成为新城市的南部。两地在德川时期均为大阪与江户(东京)间中山道上的驿镇。20世纪，尤其在第二次世界大战以后发展迅速。与野很小，地处二者之间，战后才开始都市化。三市合并之事，在20世纪90年代初开始认真商讨，持续10年，最终达成协议。现分为9个行政区，大宫与浦和均为原城市中心地区。埼玉兼有东京市郊商业和居住的特色，工业也日益发展。制造业有运输设备、机械、金属制品和食品加工。长期以来一直是地区运输枢纽，建有大型铁路维修厂和调车场。市内有埼玉大学。大宫的冰川神社传说建于公元5世纪。神社及附近埼玉县博物馆所在的公园用地以春季樱花盛开闻名。浦和行政区内的埼玉现代艺术博物馆以及大宫区的许多盆景苗圃也享有盛名。浦和

附近有野报春花花园和苍鹭禁猎区。埼玉体育场曾是主办2002年世界杯足球赛的决赛场地。人口约1 029 327(2002)。

Saite DYNASTY **赛斯王朝**(公元前664～前525) 古埃及的第26王朝,介于库施王朝(或埃塞俄比亚人)和阿契美尼德王朝(波斯人)之间的本地人王朝。由埃及人萨姆提克一世创建。他本是赛斯和孟斐斯的王公,后来确立了对整个三角洲的统治。他使埃及迅速恢复繁荣,并派遣三支大军守卫边疆。晚年曾派军援助亚述人反对米底人和巴比伦人的入侵,但未能取胜。他临朝54年,死后由子尼科二世(公元前610～前595)继位。他曾派军支援在叙利亚的亚述残部反对巴比伦人,但大败而归。尼科曾派腓尼基水手环绕非洲航行。他还企图开凿一条沟通地中海和红海的运河。下一代国王萨姆提克二世(公元前595～前585)访问了叙利亚或腓尼基,派出一支有雇佣军参加的埃及军队进攻南方的库施人。据希罗多德所记,在阿普里斯统治时期(公元前589～前570)埃及极为繁荣。雅赫摩斯二世(公元前570～前526)的政权曾受到尼布甲尼撒二世的威胁。后来他加入反居鲁士的联盟。他去世后不久,冈比西斯二世率波斯大军入侵埃及,废黜其子萨姆提克三世。

Saitō Makoto 斋藤实(子爵)(1858-11-13,日本水泽～1936-02-26,东京) 日本海军将领、政治家,曾任首相(1932～1934),两度出任朝鲜总督。1879年毕业于日本海军学校,1884年去美国留学,后任海军武官在美数年。回国后曾任海军省次官、海军大臣(1906～1914)。1912年成为海军大将。1919～1927年任朝鲜总督。1925年受封子爵。1927年出席日内瓦裁军会议。回国后任枢密顾问官。1929～1931年再次任朝鲜总督。1932年犬养毅被暗杀后,他继任首相。承认日本控制下的"满洲国",并使日本退出国际联盟。后因财政丑闻迫使斋藤及其内阁辞职,他成为掌玺大臣。在1936年2月26日的流产政变中,被一群右翼青年军官暗杀。

Śaiva-siddhānta 湿婆悉檀多 又作Siddhānta school。南印度的一种宗教哲学体系,以湿婆作为最高神祇予以崇拜。湿婆悉檀多哲学体系强调实在论和二元论,与主张理念论和一元论的*克什米尔湿婆派*(**Kashmir Śaivism**)相对立。湿婆悉檀多派的重要文献是泰米尔奉献诗篇,出自5～9世纪的若干湿婆教圣者的手笔。此派第一位系统论述其学说的哲人是梅坎达德瓦(13世纪)。

Śaivism 湿婆教 又拼Shaivism。现代印度教三大派之一,崇奉湿婆,另外两大派是毗湿奴教和性力教。湿婆教内部支派纷杂,包括讲究哲理的湿婆悉檀多派、别具特色而不合时流的林伽派以及商羯罗派和其他虔修派别与民间派别。现代湿婆教教义内容也很复杂,从多元实在论到绝对一元论,不一而足,但各派都一致承认以下三个信仰要素,即天(神)、灵魂和尘世羁绊。灵魂要摆脱种种羁绊而达到湿婆之性。要达到这个目的,必须虔敬礼拜神明,进行禅思,取得智慧。湿婆教和其他教派都曾传到东南亚其他地方,如爪哇、巴厘岛、印度支那和柬埔寨。

saivo 赛沃 拉普人所称的冥府之一。死人(称为"赛沃尔马克"),在赛沃世界与其家庭及祖先过着快乐的生活;搭起帐篷,进行渔、猎,一如其在人间的活动。在挪威,赛沃世界据说在深山,而在芬兰,又常常说成是在一个特殊的双底湖的下面,湖的双底则由一小洞相接。赛沃所在之地被人们视为圣地,也是力量之源,这种力量只有萨满教僧(称"挪亚德")可以呼唤。挪亚德意欲进入昏迷状态以降神时,就请求来自赛沃的保护精灵、赛沃驯鹿、赛沃鱼及赛沃鸟来帮助他。赛沃世界应与其他的拉普人冥府即"亚布米埃莫"相区别,例如亚布米埃莫要用黑色动物作祭品,而且通常认为亚布米埃莫远不及赛沃舒适愉快。

Sajan Mountains(Russia) 参阅 **Sayan Mountains** *萨彦岭*。

Śaka SATRAP **塞迦督军王朝** 指印度西北部代表帕拉瓦宗主实行独立统治的两个督军王朝中的任何一个。印度文献称这两个家族均为赛迦,大多数西方史学家则称沙特罗巴。第一个为短命的沙哈拉达王朝。该王朝有两个名传后世的统治者,即普默卡和纳赫巴纳。据记载,纳赫巴纳曾统治印度西部坎贝湾周围的大部地区,但为时极短。第二个王朝是杰什德纳在公元78年建立的,统治约200～300年,印度史称塞迦王时代。据托勒密记载,杰什德纳的在位时期可能是公元78～110年,他曾大肆扩张领土,与安度罗人长期进行战争。这一王朝最伟大的统治者是杰什德纳的孙子鲁陀罗达曼一世(130年后在位)。304～305年间维斯沃塞纳去世后,杰什德纳的直系后嗣便从此断绝。

Sakai 萨凯人 对马来半岛上各个非基督教民族的通称和贬称,尤指*塞诺伊人*(**Senoi**)和*贾昆人*(**Jakun**)。此名源自马来语。

Sakai 堺 日本本州大阪府城市。濒临大阪湾。该地区有许多大型土塚,说明该市历史久远。仁德天皇陵高35米,长486米,为日本最大古代陵墓。14世纪中叶至17世纪中叶该市为重要港口和商业中心。该地富商曾同中国、朝鲜、琉球群岛及欧洲进行贸易。1639年实行锁国政策及18世纪初大和川改道使其港口淤塞后,其重要性衰落。大阪工商业崛起后该市地位下降。与大阪通铁路后,该市成为阪神工业区内大阪的工业卫星城而得以复兴。现生产钢、铁、船舶、机械、自行车、汽车零件和化工品。主要工业带在沿岸填海造地,居住区散布在内陆高地上。人口约806 263(1993)。

Sakai Hōitsu 酒井抱一(1761-08-01,日本江户～1829-01-03,江户) 原名酒井忠因。日本德川时期(1603～1867)末画家与诗人。他是封建贵族子弟,多才艺,1797年因多病人西本愿寺为僧。1809年退居江户(现东京)根岸,向各派大师学画,特别受到尾形光琳装饰风格影响。他为纪念光琳逝世一百周年,出版《光琳百图》和《尾形流略印谱》。这对光琳遗作的发扬光大起到很大作用。《夏秋草图屏风》是其杰作。

酒井抱一绘《夏草图》,19世纪
东京国家博物馆供图

Sakai languages 萨凯诸语言 参阅 **Senoic languages** *塞诺伊诸语言*。

Sakai Toshihiko 堺利彦(1871-11-25,日本福冈～1933-01-23,东京) 笔名枯川。社会主义领袖、日本共产党创始人之一。原是中学教员,后来成为记者。1903年同幸德秋水一起创办了《平民新闻》周刊。日俄战争(1904～1905)爆发前夕,堺利彦由于拥护和平主义被捕,战后被释放。1906年参与筹建日本社会党,同时创办几种小型刊物。1917年俄国布尔什维克革命胜利使堺利彦开始对马克思主义产生兴趣。因参与筹建日本共产党,1923年再次被捕。晚年,在故乡创办了一所农业学校。

Sakaida FAMILY **酒井田家族** 又称柿右卫门家族。日本著名的陶工家族,创始人为酒井田喜三右卫门(1596～1666)。为了表彰他在瓷器中研制出精美的柿子红色和柿子纹理的装饰效果,被赐予"柿右卫门"的名字。参阅 **Kakiemon ware**。

Sakaide 坂出 日本四国香川县城市。濒临濑户内海。从17世纪初起就成为产盐地中心。第二次世界大战后工业大有发展。除盐外,还生产化学制品、石油化工品和机械。商业港口有大型船坞。市东白峰山顶有崇德天皇(1119～1164)陵。人口63 878(1990)。

Sakākah 塞卡凯 沙特阿拉伯西北部北方区焦夫省的绿洲和省会。位于从地中海海岸到阿拉伯半岛中部和南部的古代商队的通道上。地处内夫得沙漠以北和焦夫绿洲的东北。政府已制订畜牧规划以改善当地的农业条件。主要产品有海枣和乳制品。

sakaki 榊 即日本红淡比(*Cleyera japonica*,或金莲木状红淡比[*C. ochnacea*])。树冠大、枝条低垂的常绿乔木,在神道中用以装饰神圣的场所或栽种于这些地方的边界处。生长于日本列岛、朝鲜、中国大陆和台湾等温暖地区。高可达10米。春季开白色下垂的花朵。其枝条用以装饰神宫或节庆场所;游行队伍甚至携带连根挖出的整株树木。

Sakakura Junzō 坂仓准三(1904-05-29,日本岐阜县～1969-09-01,东京) 日本建筑师,将20世纪的欧洲建筑形式与日本传统风格相结合的先驱之一。成名作是1937年巴黎世界博览会的日本馆。曾随科比西埃工作8年,是科比西埃风格在日本的主要倡导者。他回到日本后,1937～1945年被卷入战争活动,直至50年代才从事建筑设计。著名作品有:镰仓现代艺术博物馆(1951)、岐阜日岛市政厅(1959)、校冈市政厅(1964)、横滨的神奈川县办公楼(1966)以及东京新宿车站广场和小田急百货公司(1967)。

坂仓准三设计的东京新宿车站广场的西广场,1964～1967年

供图:Nobuyuki Masaki

Sakalava 萨卡拉瓦人 马达加斯加民族,居住在马达加斯加岛的西部,占全岛三分之一的土地,有广阔的平原、草地和起伏不平的山麓、丘陵,人口稀少。萨卡拉瓦人建成第一个重要的马达加斯加王国,16世纪末沿西南海岸不断发展。17世纪中叶分成两个结盟的王国,18世纪势力达到顶峰。其统治地区几乎占有全岛的一半。18世纪末期国势衰落,霸主地位为梅里纳王国所取代。19世纪90年代法国人征服这两个王国,把萨卡拉瓦人并入新建的法国殖民区。萨卡拉瓦人主要为半游动的牧民,兼营原始农业,在河床种植水稻。

Sakamoto Ryōma 坂本龙马(1836-01-03,日本旧土佐国高知～1867-12-10,京都) 日本著名的皇权主义者,他努力推动萨摩藩与长州藩结盟(1866),为明治维新作了重要的准备。出身于低级武士家庭,很早便以剑术闻名。他受到忠君思想的影响后,便开始策划使天皇重获权力。由于进行鼓动,他被迫离乡出走。他帮助胜海舟建立海军操练所,后去萨摩藩避难。他认为只要倒幕力量一致行动,维新便会成功。在他的斡旋和安排下,萨摩藩与长州藩尽弃前嫌,结成联盟。当幕府将军试图封锁长州藩与外国的贸易时,萨摩藩帮助长州藩得到英国的武器。坂本龙马还建立了海运船队,后扩展为小型海军。他重归土佐藩后,推动藩主劝说幕府将军把大政奉还天皇,并开始计划组成一个新政权。明治维新前夕,他被幕府武士杀害。

Sakarya 萨卡里亚 土耳其西北部一省。自黑海沿萨卡里亚河两岸向南延伸。面积5 015平方千米。省名来自萨卡里亚河,该河全程约790千米,在卡拉苏注入黑海。北部为低洼平原,有湖泊和沼泽,土地肥沃,深耕密植,产小麦、玉米、豆类和马铃薯。南部高地栽种葡萄。该省为全国主要甜菜产区之一。省会阿达帕扎勒有大型制糖厂。20世纪有大批移民涌入,乡村人口相当稠密。人口约579 000(1983)。

Sakata 酒田 日本本州山形县城市。濒临最上川。室町时代(1338～1573)为商业和渔业港口,后发展成沿日本海岸装运稻米的海港。1926年在这里建造了大型的国家粮库。1940年引进化学工业。现生产锰矿石、磷肥和铁合金。20世纪70年代,市北建起港口和一个工业联合体。周围地区的农产品有稻米、马铃薯、甘薯和水果。市内有艺术博物馆。人口约100 663(1994)。

酒田市的本间艺术博物馆

供图:World Photo—Shostal/美国不列颠百科全书公司

Sakcagöz 萨克贾格聚 又拼Sakjegozu。土耳其加济安泰普省内安蒂托罗斯山中的村庄。1907～1911年间开掘村边的废墟,发现有赫梯王国晚期的宫殿。城墙厚4米,有角楼。通往宫殿的柱廊上有许多深受亚述人影响的雕刻。宫殿建造的确切日期因无文字记载难以查考,但根据测深约在公元前第5千年纪～前第4千年纪早期。

Sakdal Uprising 萨克达尔起义 1935年5月2～3日夜在菲律宾吕宋岛中部发生的农民起义。萨克达尔(他加禄文:控诉)运动是1930年由原政府职员B.拉莫斯发起的。运动主张减免贫农捐税和实行激进的土地改革;反对国民党逐步独立的主张,要求菲律宾立即与美国断绝一切联系。30年代初期萨克达尔派受印度甘地的不合作运动启发,号召不参加政府、抵制选举和拒绝纳税。1933年他们改变策略,按照政党的方式组织起来。1934年菲律宾大选时他们得票很多。因此受到鼓舞,谋求起义。次年5月2日夜萨克达尔派领导半武装群众占领14个城镇的政厅。翌日遭到镇压,约100人被害。拉莫斯逃往东京,萨克达尔派也被解散。但农村状况依旧潜伏着矛盾和不安定因素,由此又引发出其他类似的农民暴动。

sake 清酒 又拼saki。色淡味甜、未充碳酸气的日本烈性米酒,含酒精量可达18%。将稻米蒸熟,用米曲霉制曲,霉菌将米淀粉转化为发酵性糖。将曲种与水及蒸饭混合,用手揉捏成平滑的饭坯,在发酵槽中与更多的水及米饭混合,发酵4个星期即成为酒母,含酒精约11%。然后添加更多的曲种、蒸饭与水,开始第二次发酵,约7天,再成熟约7天,即可过滤装瓶。清酒是日本的民族饮料,用在各种庆典上。饭前往往烫热,用小瓷杯啜饮。有时,酒杯上带有一个装置,呷酒时空气通过会发出哨声。在装瓶一年内饮用口味最佳。

Sakel, Manfred J(oshua) 扎克尔(1900-06-06,奥匈帝国纳德沃尔纳～1957-12-02,纽约) 维也纳神经生理学家和精神病学家,创用胰岛素休克疗法治疗精神分裂症。曾在维也纳大学学医,1925年毕业,后在维也纳和柏林开业。1933年在维也纳大学神经精神科诊所任研究助理。1936年被迫逃避纳粹,在美国哈勒姆谷州立医院完成其工作,1938年在《精神分裂症的药理学休克治疗》一书中公布了他的研究结果。曾对有吗啡瘾者进行脱瘾时用胰岛素使之镇静。1927年一位吗啡瘾者因偶然接受过量的胰岛素而昏迷,他发现病人恢复后精神状态有所改善。便设想胰岛素引起的抽搐可能会对精神分裂症产生同样效果。他的最初研究发现胰岛素休克对88%病人有治疗效果,这方法曾短期广泛应用,随访结果说明长期效果尚不满意。胰岛素休克治疗多被其他新疗法所代替。

Saker, Alfred 塞克(1814-07-21,英格兰肯特郡鲁特姆～1880-03-12,伦敦佩卡姆) 海外传教士。被认为是西非最重要的英格兰传教士。他于1844年随传教团到达西非几内亚湾费尔南多波岛,1845年在今喀麦隆境内杜阿拉附近建立传教点。原曾从事体力劳动,因此能够向沿海部族居民传授木工和耕作。1858年西班牙政府驱逐费尔南多波岛上的新教传教士,塞克便着手在维多利亚建立永久传教据点。他将《圣经》译成杜阿拉文。1872年亲自在维多利亚印刷。1876年离开非洲。

Sakha(people) 萨哈人 参阅 **Yakut** 雅库特人。

Sakhalin 萨哈林州 俄罗斯远东一州。包括萨哈林岛(库页岛)和千岛群岛,面积87 100平方千米。南萨哈林和千岛群岛从日本并入苏联版图后,于1947年设州。经济以渔业、木材加工业、采煤业和北萨哈林的石油开采业为主。人口约681 000(1995)。

Sakhalin Island 萨哈林岛 Sakhalin又拼Sachalin。又译库页岛。俄罗斯远东的岛屿。位于鞑靼海峡与鄂霍茨克海之间。与千岛群岛一起组成萨哈林州。从19世纪中叶起，俄国和日本之间长期争夺其所有权。第二次世界大战末期(1945)，萨哈林岛南半部和千岛群岛被苏联控制。该岛南北长948千米，宽约160千米，面积76 400平方千米。大部为山地，洛帕京山海拔1 609米。北部植被为森林(白桦和柳树)和冻原；南部为茂密的落叶林。沿岸的渔业(蟹、鲱、鳕和鲑)，北部的石油和天然气，以及采煤和木材加工业，包括造纸，均为经济基础。居民多为俄罗斯人。20世纪60年代人口曾大量外流。主要居民点为萨哈林州首府南萨哈林斯克。1995年5月28日发生大地震，摧毁了涅夫捷戈尔斯克镇，造成约2 000人死亡。人口约681 000(1994)。

Sakharov, Andrey Dmitriyevich　萨哈罗夫(1921-05-21，俄罗斯联邦莫斯科～1989-12-14，莫斯科)苏联核物理学家，在苏联公开鼓吹实行人权、公民自由、改革以及与非共产党

供图：S. Zal—Sygma

国家建立友好关系。1975年获得诺贝尔和平奖。他早年就显露出科学才能，26岁获博士学位，32岁为苏联科学院院士。此时他已为研制苏联第一枚氢弹与理论物理学家塔姆共同从事研究工作数年，后又与塔姆一起制定了可控核聚变的理论基础。1961年由于担心试验后的放射性尘埃将造成广泛的恶果，他公开反对赫鲁晓夫关于在大气层试验一亿吨当量氢弹的计划。3年后，他发动人们反对其时尚有影响的斯大林时代生物学家T.李森科的伪科学。1968年在西方发表《进步、共处与思想自由》一文，要求裁减核武器，预言共产主义制度和资本主义制度最后合而为一，成为民主的社会主义，并批评苏联日益加紧迫害持不同政见者。1971年与人权活动家E.波奈尔结婚，继续对抗苏联政府。1979年12月他谴责苏联入侵阿富汗，呼吁全世界抵制莫斯科奥运会。1980年1月苏联政府将他流放到高尔基城，剥夺他一切奖励和荣誉。1986年12月戈尔巴乔夫领导的苏联政府解除对他的流放。1989年当选为人民代表大会代表，并恢复一切荣誉称号。

Sakhmet (Egyptian goddess)　参阅 **Sekhmet 塞赫迈特**。

Saki　萨基　参阅 **Munro, H.H. 芒罗**。

Saki (Nigeria)　参阅 **Shaki 沙基**。

saki　萨基猴　卷尾猴科僧面猴属(*Pithecia*)和红背僧面猴属(*Chiropotes*)长尾树栖的南美猴类的统称。僧面猴属的萨基猴体长约30～50厘米，尾多毛，向尖端逐渐变细，长

白头僧面猴(*P. pithecia*)

供图：Root—Okapia

25～55厘米。体毛长而粗，头上的被毛似头巾状，肩上的被毛斗篷状。黑僧面猴(白头僧面猴，*P. pithecia*)黑色，但雄体深色的吻部周围绕以带白色的毛。僧萨基猴(*P. monachus*)灰白色。僧面猴属动物为昼行性，成对或小群活动，食果实，也可能食小动物。每胎生一仔，幼仔起初抱在母猴怀里，后来带在母猴背上。僧萨基猴捕获后很驯服，但神经质，难以长期饲养。对于有须萨基猴(红背僧面猴属)还很少了解。仅知有两种，体长约40～45厘米，尾毛厚密，尾长35～40厘米。被毛长而浓密，多为黑色。与其他僧面猴的不同处是尾圆，头部的毛从中央分开，面部两侧的毛生长浓密，面颊的毛似须状。昼行性，通常成小群活动，以果实为食。

saki (Japanese rice beer)　参阅 **sake 清酒**。

Sakjegozu (Turkey)　参阅 **Sakcagöz 萨克贯格聚**。

Sakkara (Egypt)　参阅 **Şaqqārah 塞加拉**。

Sakmann, Bert　萨克曼(1942-06-12，德国斯图加特～　)　德国医师、研究人员，与德国物理学家E.内尔因对基本细胞功能的研究及共同发明膜片钳位技术而共获1991年诺贝尔生理学或医学奖。该技术是一种广泛用于细胞生物学及神经科学研究的方法，可借以检测小至一万亿分之一安培的通过细胞膜的电流。1969～1970年，萨克曼在马克斯·普朗克精神病学研究所神经生理学研究室任研究助理，然后在伦敦的大学学院生物物理学系完成其博士后研究。1974年获格丁根大学医学学位后到马克斯·普朗克生物物理化学研究所神经生物学研究室工作，与内尔同在一个实验室。他们一道最终确认了细胞膜上离子通道的存在，离子通道是一些具特征性的机制，有的仅允许阳离子通过，有的仅允许阴离子通过。接着，他们研究了多种细胞功能，终于发现离子通道在糖尿病、癫痫、某些心血管病、某些神经肌肉疾病中所起的作用。这些发现使研究新的更为特异性的药物疗法成为可能。1979年萨克曼任马克斯·普朗克研究所膜生物学组的副研究员。1983年任膜生理学研究组组长，2年后任该研究所细胞生理学研究室主任。

Sakonnet River　萨康尼特河　美国大西洋岸海湾。长约23千米。通美国罗得岛东南的芒特霍普湾。虽称为河，实则为一海峡，将罗得岛与大陆分开。Sakonnet为印第安语，意指“野鹅出没之地”。河口东侧、大陆半岛南端为萨康尼特角及萨康尼特度假村。

Śāktism (Hinduism)　参阅 **Shaktism 性力教**。

Sakuma Zōzan　佐久间象山(1811-03-10，日本旧信浓国松代～1864-08-02，京都)　原名佐久间国忠。日本有影响的早期西洋化倡导者，所提出的“东洋道德、西洋科学”的口号，成为19世纪后半期日本近代化的准则。佐久间的思想是明治维新的主要精神动力之一。在接受了传统的儒家思想教育之后，佐久间作了幕府将军幕僚班子成员真田幸贯最信任的顾问。他热衷于西学研究，学习当时唯一同日本有联系的西方国家荷兰的语言，并自学铸造武器和制造玻璃制品，努力改进他家乡松代藩的军队装备和农业。他的成功吸引了许多门徒，其中有些人后来在新政府中任要职。1854年，佐久间为了增加对西方的了解，鼓励他的学生吉田松阴乘美国舰队司令官M.C.佩里的船偷渡出国，不料事泄，吉田和佐久间一起被关进监狱，但被赦免死刑。佐久间获释后仍受一年监管。1858年日美签署修好通商条约，佐久间成为新的开国政策最坚定的辩护者。但另一些人认为条约破坏了日本的传统，发起推翻幕府将军和还政于天皇的运动。佐久间认为国内的分裂将带来灾难，便担负起调解幕府将军与天皇之间关系的使命，正当这时，他被极端民族主义武士暗杀。

Sakurada Jisuke I　樱田治助(初世)(1734，江户[今东京]～1806，江户)　日本歌舞伎剧作家。一生创作有脚本120多部和舞剧100多部。1762年，迁到京都，为该地一个剧团写剧。回到江户3年后，便成为森田座剧团的主要编剧。其剧作《江户的“花房向曾我”》1769年由市村座剧团上演，获得成功，使他一举成名。尔后40年，成为江户的主要剧作家，主要为演员市川团十郎三世和五世及松本幸四郎五世编剧。其剧作的最大特色是很有风趣。他极善讽刺，擅于写“世话物”(当时的市民剧)。其雕琢优雅的诗歌也很有名气，世称“樱田体”。

Śākyamuni　释迦牟尼　梵语，意为“释迦族的圣人”。佛陀乔答摩的称号。参阅 **Buddha**。

Sakyamuni Pagoda of Fogong Temple　应县木塔　中国现存最古的楼阁式木结构佛塔。在山西省应县城佛宫寺内，又称佛宫寺释迦塔。佛宫寺原名宝宫寺，约于明代改为现名。释迦塔建成于辽清宁二年(1056)，主体为木

结构,金明昌二年至六年(1191～1195)大修,至今保存完好。1961年定为全国重点文物保护单位。塔为平面八角形五层六檐楼阁式,塔底层直径30米。全塔自地面至刹尖总高67.31米。塔身矗立在砖石基座上,基座分两层,下层方形,上层八角形。塔每层间内设暗层,使塔身实为9层。各层柱头上施斗栱悬挑塔檐,上覆盖布筒板瓦,顶层为八角攒尖屋面。铁制塔刹雄伟壮观,瑰丽精巧。塔内各层均有塑像,各像比例适度,面相俊逸。释迦塔在建筑结构、技术、艺术方面的成就,使其成为研究中国古代建筑史的重要对象。

Sakyapa(Buddhist sect) 参阅**Sa-skya-pa** *萨迦派*。

sal ammoniac 硇砂 参阅**ammonium chloride** *氯化铵*。

Sal Island 萨尔岛 佛得角东北端岛屿。位于大西洋。面积216平方千米。海拔406米。以佩德拉卢梅和圣玛丽亚(岛上主要城镇)附近的盐场闻名。埃斯帕尔戈镇设有国际机场。人口约7 998(1990)。

Salaberry-de-Valleyfield 萨勒伯里-德-瓦利菲尔德 加拿大魁北克省南部城市和港口。在圣劳伦斯河南岸。水源丰足,发电能力强大,位于圣劳伦斯海上航线博阿努瓦运河段起点,因而在19世纪末期发展成为棉纺工业中心。其他工业产品有药品、化学制品、纸张、青铜、罐头食品、木制品和轮胎。该市为天主教主教辖区所在地,又是该地区的行政、文化和商业中心。市内有两所学院。人口27 598(1991)。

salad 沙拉 泛指不同品种的凉盘菜。可归纳为以下几类:青菜沙拉,蔬菜沙拉,用面食、豆类或谷物作的沙拉,拌有肉、禽肉或海味的混合沙拉,水果沙拉。除了像德国马铃薯沙拉之类热吃外,大多数沙拉传统上都是凉吃。

青菜沙拉的滋补作用自古就很有名,希腊谚语说:"吃水芹,长智慧。"最早的沙拉是野青菜和香菜沙拉,因这些菜是春季最早收获的蔬菜,作为冬季乏味饮食之后的一种开胃食品。凡能生吃的青菜都能入料:如各种莴苣、独行菜、水芹、苦苣、卷心菜、菠菜和鲜香菜等。其他生、熟蔬菜如番茄、洋葱、黄瓜、辣椒、甜菜等等,多用作饰菜以增色。在法国,有时用搽有大蒜的干面包块拌入沙拉提味。凯撒沙拉是20世纪20年代墨西哥蒂华纳地方发明的长叶莴苣青菜沙拉,用捣碎的浓味鳀鱼、橄榄油、柠檬汁、蛋、帕尔梅森干酪等佐料调味,并用油煎碎面包片装饰。蔬菜沙拉是生的或熟的腌渍的泡菜,通常以番茄、青豆、黄瓜、甜菜和蘑菇为主。卷心菜沙拉是用切碎的卷心菜浇醋或用蛋黄酱调味。中东地区的沙拉用剁成泥状的黄瓜、茄子或鹰嘴豆与调味芝麻酱或酸牛奶混合。俄式沙拉用煮熟的各种蔬菜或马铃薯搅碎后加上蛋黄酱制成。以米饭、面食、马铃薯、干豆子、去壳小麦或其他淀粉类为基料的沙拉,也能如此制作。

混合沙拉是青菜、蔬菜和淀粉类沙拉更加丰盛的变体,添加肉、禽肉、海味、蛋或干酪等配料,作为一道副菜食用。美国公众喜爱的菜肉丝沙拉是一种青菜沙拉,用酪丝、鸡丝、火腿丝、牛肉丝和蔬菜丝调味装饰而成。法国的一种混合沙拉用莴苣与马铃薯、青豆、橄榄、金枪鱼、番茄和鳀鱼配制,用橄榄油、醋作调料。斯堪的纳维亚的鲱鱼沙拉,用剁碎的渍鲱鱼、马铃薯、甜菜根、冷肉(如口条、烤内脏)、洋葱及苹果制成,颇具特色。用甜味浇头调味的水果沙拉常当做甜食吃。青菜沙拉中也可加入水果;食用油腻的肉类如猪肉、鸭子时,加葡萄柚、鳄梨、橘子最合适。以纽约市沃尔多夫饭店命名的沃尔多夫沙拉用苹果、胡桃、芹菜加蛋黄酱制成。各种水果或蔬菜沙拉中常用明胶。

最简单的沙拉浇头是橄榄油和醋(一般是3比1加盐、辣椒、香菜,并常用第戎芥末调味的混合物。在法国,有时在浇头里要加一汤匙烤肉汁。奶油型的浇头以蛋黄酱、甜或酸的鲜奶油或用鸡蛋、面粉、牛奶或鲜奶油制作的调味汁作基础。其中青女神浇头往往用蓝干酪屑、青葱、大蒜、鳀鱼酱、茵陈蒿和荷兰芹提味;千岛浇头以调味酱、洋葱末、橄榄、洋葱、荷兰芹和蛋配制。商品化生产的"法式"浇头,是一种甜而辛辣的混合物,用番茄和醋提味。

Saladin 萨拉丁(1137或1138,美索不达米亚塔克里特[今在伊拉克]～1193-03-04,大马士革[今在叙利亚]) 又名马利克·纳西尔·萨拉丁·优素福一世。中世纪埃及、叙利亚、也门和巴勒斯坦的苏丹,阿尤布王朝的开国君主,最著名的穆斯林英雄。在反对基督徒十字军的战争中,他完成了最终占领耶路撒冷的胜利(1187),从而结束了法兰克人对该城的88年的占领。他的军事才能还使第3次十字军的巨大进攻陷入僵局。出生于一个显赫的库尔德人家庭。在他降临人世的那个夜晚,其父纳季姆丁·阿尤布为了到叙利亚北部最有权势的突厥人总督伊马杜丁·赞吉·伊本·亚格萨奎尔的衙门中任职,携全家迁往阿勒颇。萨拉丁在巴勒贝克和大马士革长大成人,他的阿拉伯姓名是萨拉丁·优素福·伊本·阿尤布。最初在其叔艾塞杜丁·希尔库赫(埃米尔·努尔丁麾下的一员大将)手下任职。为了防止埃及并入第一次十字军建立的拉丁-基督教国家,希尔库赫率兵3次远征埃及。结果,在耶路撒冷的拉丁国王阿马里克一世、埃及法蒂玛王朝哈里发的首相沙韦尔和希尔库赫之间展开一场三方角逐的复杂斗争。希尔库赫死后,沙韦尔也被刺杀。1169年,31岁的萨拉丁任叙利亚军总司令和埃及首相。可以肯定,他所以能够如此青云直上,不仅是由于他的库尔德族血统关系,而且还由于他本人显露出来的才华。作为埃及首相,他接受马利克(国王)的称号,但一般称他为苏丹。1171年萨拉丁废黜什叶派法蒂玛王朝的哈里发,宣布在埃及恢复逊尼派的教义,这使萨拉丁的地位进一步提高。他很快就成为埃及的唯一主宰。萨拉丁利用埃及富庶的农业资源作为他的财政基础,不久即率领一支人数不多但纪律严明的军队开进叙利亚。1174～1186年间,他始终努力将叙利亚、美索不达米亚北部、巴勒斯坦、埃及的所有穆斯林领土统一在他自己的旗帜之下。他依靠灵活的外交手腕,而必要时迅速而果断地运用武力,终于实现了这个愿望。他作为仁厚、公正和坚强的统治者,名望愈来愈高。萨拉丁的基本政策是促进伊斯兰教的发展和传播。他款待伊斯兰教的学者和阿訇,为他们修建学院和清真寺,委托他们撰写解释伊斯兰教义的著作。萨拉丁通过整编、加强军纪、采用新的军事技术,大大加强了自己的军队。1187年他以全部力量与十字军作战,他的兵员人数等于各国十字军人数的总和。1187年7月4日,萨拉丁在巴勒斯坦北部城镇太巴列附近的海廷设下埋伏,全歼一支精疲力竭、被干渴折磨得几乎发狂的十字军。十字军的实力在这次战斗中损失惨重,以致穆斯林很快就席卷了几乎整个耶路撒冷王国。在3个月之内,阿卡、托伦、贝鲁特、西顿、拿撒勒、凯撒里亚、纳布卢斯、雅法、阿什凯隆相继陷落。1187年10月2日萨拉丁对整个十字军给予最致命的打击,取得极为辉煌的胜利。这一天,被法兰克人占领了88年的耶路撒冷向萨拉丁的军队投降。当年基督教徒征服耶路撒冷时,对城内居民进行野蛮的大屠杀,使圣城化成一片血海。而萨拉丁的军队入城后极为文明,对百姓彬彬有礼。到1189年,十字军占据的城市只剩下3座,萨拉丁以未能攻克提尔为憾事。溃败下来的十字军拥入这个沿海要塞,在这里重整旗鼓。欧洲各国召集一次新的十字军。除了许多大贵族和著名骑士参加外,这次(第三次)十字军还有3个国家的国王投入战斗。狮心理查一世有出类拔萃的军事天才,但这次十字军仍然一无所获。萨拉丁的最伟大的成就正在于此。萨拉丁的不屈不挠的意志使自己能够与基督教世界最伟大的对手打成平局。1192年10月理查一世回国,战斗随即结束。萨拉丁回到他的首都大马士革,翌年3月去世。

Salado Formation 萨拉多组 得克萨斯州西部瓜达卢普山区的蒸发岩沉积,世界重要钾盐资源。在特拉华盆地它的厚度最大,约720米。该组是上二叠统奥乔阿阶的一个岩石地层单位(形成于2.56亿～2.48亿年前),它位于卡斯蒂尔组之上,在拉斯特莱组之下。萨拉多的蒸发岩是具有钾盐(钾石盐、光卤石、杂卤石)透镜体夹层的岩盐。这个组以得克萨斯州拉温县境内的萨拉多(西班牙语是"盐"之意)冲沟出露的地层命名。

Salado River 萨拉多河 在阿根廷布宜诺斯艾利斯省东北部。源出查尼亚尔湖。海拔40米。大致向东南流,注入大西洋。全长约640千米。下游的渠道网改善了该河的排水系统。1800年以前,该河为东北面的西属殖民地和西南面的土著印第安人之间的界河。

Salado River 萨拉多河 墨西哥东北部河流。源出科阿韦拉州东马德雷山脉,向东北偏东流约280千米,入唐马丁水库,流出后,有萨维纳斯河汇入,向东南流穿过新莱昂州北部和塔毛利帕斯州西北部，经 175 千米后注入格兰德河的福尔肯水库。该河对经济发展十分重要，河水用于灌溉，有利棉花生长。

Ṣalāh ad-Dīn　萨拉赫丁　伊拉克中北部一省。面积 29 004 平方千米。大部分地区干旱，仅中部有底格里斯河自南至北流经，沿河一些灌溉地区种植棕榈树、葡萄和其他果树。首府提克里特在首都巴格达以北 150 千米，1971 年空军附属学院和航空学校从拉希德空军基地迁此，1977 年设立阿拉伯湾海军学院。人口 363 819(1977)。

Ṣalāḥ ad-Dīn Yūsuf ibn Ayyūb（Muslim sultan）　**萨拉丁·优素福·伊本·阿尤布**　参阅 **Saladin** 萨拉丁。

Sălaj　瑟拉日　罗马尼亚西北部一县。面积 3 850 平方千米。西喀尔巴阡山包括俯瞰谷地居民区的塞斯山脉。索梅什河及其支流西北向流经该县。县首府扎勒乌(**Zalău**)及希姆莱乌锡尔瓦涅伊产金属制品、建筑材料、木材、食品等。舍尔默沙格、博博塔和伊普有褐煤矿。其他城镇有日博乌、切胡锡尔瓦涅伊、希姆莱乌锡尔瓦涅伊和格尔格乌。全县有畜牧业、谷物和葡萄种植业。扎勒乌有考古博物馆。大城镇之间通公路，铁路东西向贯穿全县。人口约264 448(1994)。

śalākāpuruṣa（religion）　**舍罗加布路沙**　参阅 **mahāpuruṣa** 大士。

Ṣalālah　塞拉莱　阿曼南部城镇。濒临阿拉伯海。为佐法尔历史名城，古代以盛产乳香闻名，13 世纪马可波罗称之为繁荣的城市。嗣后数百年一蹶不振。20 世纪 70 年代中期政府谋求振兴塞拉莱，所完成的工程项目有一座现代化医院和一家旅馆。飞机场已改建以达到国际标准，80 年代政府还铺设了塞拉莱通往北方的公路。为周围沿海平原农产品的贸易中心。港口位于城西南的赖苏特。

Salam, Abdus　萨拉姆(1926-01-29，巴基斯坦旁遮普章马吉亚纳～　　)　巴基斯坦核物理学家。与 S.温伯格和 S.L.格拉肖共获 1979 年诺贝尔物理学奖。他们的研究阐明了包括基本粒子的电磁相互作用和弱相互作用在内的理论(参阅 **fundamental interaction**)。他是第一个获得诺贝尔奖的巴基斯坦人。萨拉姆曾就读于拉合尔公立学院。1952 年在剑桥大学获数学和物理学博士学位。1951～1954 年回到公立学院当数学教授，然后又返回剑桥大学当数学讲师。1957 年成为伦敦帝国理工学院的理论物理学教授。1964 年出任意大利的里雅斯特国际理论物理中心主任。

Salamá　萨拉马　危地马拉中部城市。农牧业腹地的商业和制造业中心。1976 年遭地震严重破坏。有公路通危地马拉城。附近圣赫罗尼莫有机场。人口约 13 289(1994)。

Salama, Abba　萨拉马，阿巴　参阅 **Frumentius, Saint** 弗鲁孟提乌斯，圣。

Salamanca　萨拉曼卡　墨西哥瓜纳华托州中南部城市。临莱尔马河。海拔 1 721 米。重要农工商中心。气候温和，盛产小麦、玉米、豆类、水果。有炼油、面粉、纺织、制革、化工和陶器等工厂。为交通枢纽，通墨西哥城—华雷斯铁路和公路。人口 123 190(1990)。

Salamanca　萨拉曼卡　西班牙卡斯蒂莱-莱昂自治区一省。西邻葡萄牙，北为萨莫拉与巴利阿多利德两省，东靠阿维拉省，南接卡塞雷斯省，北与葡萄牙以杜罗河为界。面积 12 336平方千米。大部分在中央高地。多林的南部隆起佩尼亚-德弗朗西亚山脉最高点佩尼亚-德弗朗西亚峰(1 723 米)。境内气候干旱，出产甜菜和谷物，尤其是小麦，饲养牲畜和斗牛。工业不发达。主要城市有萨拉曼卡(旧省会)、罗德里戈城和贝哈尔(纺织业闻名)。人口约 354 602(1994)。

Salamanca　萨拉曼卡　西班牙中西部卡斯蒂莱-莱昂自治区萨拉曼卡省省会，全国最著名的历史名城和艺术中心之一。位于托尔梅斯河北岸，海拔778米。原为伊比利亚人重要居民点。公元前 217 年遭汉尼拔所率迦太基军队的洗劫。后由罗马人建为城镇。7 世纪时成为主教教座。8～11 世纪为基督徒与摩尔人之间的争夺地。1087～1102 年间，基督教徒重新聚集。1178 年莱昂国王费迪南德二世在此召集国会，并特许建市。1218 年在阿方索九世在位时建萨拉曼卡大学。1936～1939 年内战期间，市内的主教堂为佛朗哥将军的驻地。现为农业中心(谷物)，有少数工厂，旅游业是其经济支柱。市内名胜有罗马式旧大教堂(约 1140)、新大教堂(1513)、20 世纪学者兼作家 M.德·乌纳穆诺的故居及其图书馆、新古典式阿纳亚学院(1760～1768)、丰塞卡学院(1527～1578)、萨拉曼卡大学法学院、医学院和宗座大学、意大利式的奥古斯丁会女隐修院教堂(1636～1687)、多明我会女隐修院、圣埃斯特万教堂(1524～1610)、12 世纪的圣马丁教堂、围有连拱廊的马约尔广场(1729～1733)、市政厅、罗马古桥、丁香塔和 16 世纪的贝壳宫等。市东的马塔坎设有军用机场。人口约 167 382(1994)。

萨拉曼卡市的新大教堂和罗马式旧大教堂
供图：Paul Almasy

Salamanca, University of　萨拉曼卡大学　设在西班牙萨拉曼卡的一所国立高等学府。该校于 1218 年在阿方索九世统治期间创办，但到 1254 年才真正开学。这一年该校设立宗教法规的三个教授职位以及文法、人文学科和物理学的各一个教授职位。从那时起到 16 世纪末，萨拉曼卡大学是欧洲主要学术中心之一，与巴黎大学、博洛尼亚大学和牛津大学齐名。1584 年该大学达到鼎盛时期，学生人数近 7 000 人。16 世纪末开始衰落，1875 年时学生人数下跌至 391 人。19 世纪初，在拿破仑战败，法国人对西班牙的占领结束之时，萨拉曼卡包括许多大学校舍在内的占四分之一的市区被摧毁(关于目前校舍，参阅 **Salamanca**)。1835 年之前该大学一直是基督教会性质的学校，此后被强行世俗化。现在这所大学包括哲学和文学、法律、自然科学、医学和药学等学院。

salamander　蝾螈　有尾目(Urodela，or Caudata)两栖动物，约320种。本目含9科，包括蝾螈科的水栖蝾螈和蝾螈，以及阿勒格尼隐鳃鲵、泥小狗、无肺蝾螈等。蝾螈常见于淡水及潮湿的林地，主要分布于北半球温带地区。蝾螈通常身体短，皮肤潮湿，具 4 条肢体。体长约 10～15 厘米。身体颜色常鲜明或具明显的斑纹。体型最大的是日本的巨蝾螈(*Andrias japonicus*)，身长可达 180 厘米，体重 25 千克。典型的蝾螈生活史中经过一个幼体阶段，此阶段持续数天至数年。幼体具外鳃，上下颌均有牙，无眼睑。幼体特征可持续保存至性成熟后，这种现象称为幼态持续。幼态持续常见于北美东部的泥小狗(*Necturus maculosus*)和墨西哥中部的美西螈(*Ambystoma mexicanum*)。蝾螈食昆虫、蠕虫、螺类及其他小动物，包括自己的同类。与其他两栖动物一样，蝾螈通过皮肤吸收水分，并要求潮湿的生境。在温度低于冰点的地区常冬眠。多数蝾螈的成体日间隐状，夜出活动。有些隐伏于地下直至繁殖季节，或仅于湿度和温度合适时方出现。许多种，尤其是无肺螈科的种类，为严格陆栖，从不进入池塘及溪流。原始的种类，如隐鳃鲵亚目进行体外受精。较高等的种类，则通常进行体内受精；雄体常产生精荚，雌体将精荚通过泄殖腔口置入自己体内。生殖活动常在水中进行，但蝾螈科的某些种类及无肺螈科的大部分种类在陆上进行生殖活动。

陆栖蝾螈(*Salamandra terrestris*)
供图：Jacques Six

Salamanes Hermeios Sozomenos　参阅 **Sozomen** 索佐门。

Salamis　萨拉米斯　塞浦路斯古代主要城市，在岛的东部海岸，今法马古斯塔以北。据荷马史诗记载城市是在特洛伊战争后由弓箭手陶瑟建立。后来因有良港而发展起来，成为塞浦路斯对腓尼基、埃及和西利西亚出口贸易的主要港口。古代多次毁于地震，经基督教徒皇帝君士坦丁二世(337～361在位)完全重建。命名为康斯坦蒂亚。约648年为阿拉伯人所毁。嗣后遂被废弃。

Salamis 萨拉米斯 希腊阿蒂卡州岛屿和城镇。岛屿位于爱琴海萨罗尼克湾内，比雷埃夫斯市西面。城镇为岛西岸港口。人口：镇20 437；岛28 574(1981)。

Salamis, Battle of 萨拉米斯之战(公元前480) 希腊-波斯战争中的一次战役，此战希腊舰队在萨拉米斯海峡萨拉米斯岛和比雷埃夫斯的雅典港口城市之间击败比它大得多的波斯海军。公元前480年时，波斯王薛西斯率军队已攻陷希腊大部分领土，他的约800艘桨帆战船的舰队把较小的由370艘三层桨战船组成的希腊舰队围困在萨罗尼克湾。希腊指挥官地米斯托克利把波斯舰队诱到萨拉米斯附近海峡的狭窄水域，密集的波斯战船很难机动。于是希腊三层战船向波斯船猛烈攻击，撞坏或撞沉波斯船多艘，并在其他船上强行登船。希腊击沉约300艘波斯船，自身仅损失40艘战船。波斯舰队其余战船溃散，结果薛西斯不得不将他计划的陆上进攻推迟了一年，这一推迟使希腊各城邦有时间联合起来对付薛西斯。萨拉米斯之战是历史上第一次大规模的海战。

Salan, Raoul(-Albin-Louis) 萨兰(1899-06-10，法国罗克库尔布～1984-07-03，巴黎) 法国军官，曾竭力阻止阿尔及利亚脱离法国独立。1961～1962年间领导过一个右翼极端主义组织“秘密军队组织”(OAS)，在法国和阿尔及利亚开展反对戴高乐政府的恐怖活动，后遭到逮捕、审判和监禁。萨兰为医生之子，1917～1918年在圣西尔军事学院学习，第一次世界大战中曾短期服役，获军功章(在军事生涯终了时，他是法军中获得勋章最多的人)。两次大战之间，他以不同身份隶属于殖民部，1941～1943年，他在法属西非的自由法国军队中服役。曾参加1944年盟军进攻法国战役，1945年去印度支那，1952～1953年在该处任法军总司令。1956年他奉派去阿尔及利亚。1958年成为反对第四共和国的右翼军政集团中的一员，拥护戴高乐上台，从而建立了第五共和国。当戴高乐逐渐倾向于让阿尔及利亚独立时，他感到被出卖，成为领导1961年4月22日阿尔及利亚未遂军事政变的4名将领之一。政变于4天后失败，萨兰到处躲藏，并指挥“秘密军队组织”在法国和阿尔及利亚进行恐怖活动和破坏，直到一年后的1962年4月20日才为法国当局捕获。是年5月他以叛国罪受审，被判终身监禁。1968年大赦获释。1982年法国总统密特朗恢复了他的全部军衔和养老金。

Salandra, Antonio 萨兰德拉(1853-08-13，两西西里王国普利亚特罗亚[意大利]～1931-12-09，罗马) 意大利政治人物，第一次世界大战开始时任首相(1914～1916)。曾受法学教育，步入政界前在罗马大学教授行政管理学。出身于富有家庭，属保守派。1899年任农业大臣，1906和1909～1910年任财政大臣。1914年3月出任首相。同年7月第一次世界大战爆发后，他以奥地利人在进攻塞尔维亚之前未与意大利政府磋商为合法根据，选择中立。后与交战双方讨价还价，在许诺其兼并奥匈帝国领土后，才使意大利参加协约国一边作战。1916年因军事上日益困难而被迫辞职。第一次世界大战后，他支持墨索里尼和法西斯主义，1928年当参议员。

Salar 撒拉族 中国少数民族。分布在青海东部循化撒拉族自治县，部分在甘肃临夏。人口约8.76万(1990)。语言属阿尔泰语系突厥语族西匈语支。多兼通汉语文，部分会藏语。其祖先与突厥有渊源关系，元时称“沙剌簇”、“撒喇”、“撒拉回”。元、明、清在其地

撒拉族姑娘
中国大百科全书出版社供图

实行土司制度。清雍正8年置循化营进行直接统治。信奉伊斯兰教，生活习俗遵伊斯兰教规。以小麦、青稞、荞麦为主食。妇女在上衣外罩黑色坎肩，戴盖头。男子多戴黑色或白色平顶无沿圆帽。住平顶草房，院墙四角放白色石头，系受藏族习俗影响。1954年在聚居区建立青海循化撒拉族自治县，1981年在甘肃成立积石山保安族东乡族撒拉族自治县，农业和园艺业较发达。

Salar language 撒拉语 中国撒拉族语言。属阿尔泰语系突厥语族西匈语支。主要分布在中国青海省东部循化撒拉族自治县、化隆县甘都、甘肃省临夏的大河家。使用人口约5万。内部无方言差别，只有街子和孟达两种土语。撒拉语(街子)语音特点：有30个辅音音位，其中包括双唇、舌尖中、舌根、小舌塞音分清、清送两套共8个；卷舌、舌叶塞擦分清、清送气两套共4个；唇齿、舌尖前、卷舌、舌根小舌擦音分清浊两套，舌叶、喉门清擦音各1个，共12个；双唇、舌尖中、舌根鼻音、边音、颤音、舌面半元音各1个。有8个元音音位，8个复合元音。元音的和谐主要表现为部位和谐。词类有名词、形容词、数词、代词、量词、副词、动词、后置词、连词、语气词、叹词、拟声词12类，有较丰富的形态变化。名词有数(单数、多数)、格(主格、领格、与格、宾格、位格、从格)、领属性人称；形容词有级(原级、比较级、最高级)；动词有态(交互态、反身态、被动态、使动态)、式(陈述式、祈使式)、时(普通过去时、曾经过去时、现在时、将来时)；句子主语在前，谓语在后；宾语在主语之后，谓语之前，修饰语一般在中心词前。

salat 礼拜 指全体穆斯林必须进行的每日祈祷，是伊斯兰教五功之一。对伊斯兰教圣典——《古兰经》中关于祈祷的某些章节是否与礼拜真正有关，伊斯兰学者之间存在着不

巴基斯坦白沙瓦市马哈巴特汗清真寺前作晨礼礼拜的穆斯林
供图：Robert Harding/罗伯特·哈丁图片图书馆

同意见。穆罕默德在世时，穆斯林就每日礼拜5次，即晨礼(日升前)、晌礼(正午后)、晡礼(下午)、昏礼(日落后)和宵礼(夜晚)。每次礼拜前要实行净礼。在患病、旅途、战争等特殊情况下，允许对上述礼拜仪式作某些改变或作有限度的推迟。尽管个人可以单独做礼拜，但在清真寺举行聚礼是特别的善功。礼拜者面朝麦加克尔白圣殿的方向，在伊玛目或领祷者身后列成横排，跟着后者进行祈祷(背诵《古兰经》经文并伴随着身体的一系列动作)。每星期五，替代平时正午后的晌礼举行聚礼，包括从布道坛上举行的2次讲道。在两个宗教节日的上午要举行特殊的聚礼(即会礼)，一是在斋月(即赖买丹月)结束时(即开斋节)；另一个是在朝觐结束时(即古尔邦节)。个人虔诚的礼拜特别是宵礼，虽然不是必尽的义务，但受到重视。在虔诚的穆斯林中，则是普遍的习惯。

Salatiga 沙拉笛加 印度尼西亚爪哇岛爪哇省城市。位于日惹东北偏北56千米默巴布山麓。城市海拔584米，规划有序；四周有高地环绕，种植果树和蔬菜。附近丘陵遍布橡胶和咖啡种植园，远处有稻田绵延。居民大多为爪哇人，也有经商的华人和印度人。为稻米、玉米、橡胶、木薯、咖啡、可可和金鸡纳的贸易和转运中心。工业有碾米、锯木、咖啡与橡胶加工、机床与农业机具、纺织品制造业等。手工业有木雕、编织、蜡染印花、竹工、篮筐编织等。设有瑟蒂亚·瓦扎纳基督大学，前身是一所私立师范学院(1956)。人口98 072(1990)。

Salatis(king of Egypt) 参阅**Salitis 萨利提斯**。

Salavat 萨拉瓦特 俄罗斯西部巴什基尔城市。位于别拉亚河畔。1948年建为伏尔加-乌拉尔油田的主要石油工业中心，萨拉瓦特有一大型炼油厂及石油化工厂，亦生产石油工业机械和工艺玻璃。采油区有石油管道网通向萨拉瓦特。人口约152 000(1992)。

Salayar（Indonesia） 参阅 **Selayar** 塞拉亚。

Salazar, António de Oliveira 萨拉查（1889-04-28，葡萄牙维米埃鲁～1970-07-27，里斯本） 经济学家，作为总理，统治葡萄牙达36年（1932～1968）。萨拉查是圣孔巴当一个地

美国不列颠百科全书公司供图

产经理之子，先就读于维塞乌的神学院，后入科英布拉大学学法律，1914年毕业，在该校任经济学教授。1921年参加建立天主教中心党，并被选入议会，但一届终了之后即行辞去，返回大学。1926年5月军队推翻葡萄牙的代议制政府后，请他入阁担任财政部长，但他未能得到所要求的条件。1928年卡尔莫纳将军任总统时，请他掌管财政部，允他全权控制政府的收支，他方同意任职。作为财政部长，他扭转了百年来一贯出现赤字的局面，使预算有了盈余，创出了政绩，并把这些盈余投入一系列的发展计划。萨拉查权力大增后，1932年7月5日由卡尔莫纳任命为总理，从此成为葡萄牙的强有力人物。他起草了一部新宪法，本着极权主义的路线改组了葡萄牙的政治体制。萨拉查将他在葡萄牙建立的新秩序称为"新国家"。国家议会全由政府的拥护者组成，萨拉查自己挑选他的部长，并密切监督他们的工作，这样一来政治自由在葡萄牙受到限制，注意力全都集中于经济的恢复。由于西班牙内战和第二次世界大战引发的危机，萨拉查除任总理外，还担任陆军部长（1936～1944）和外交部长（1936～1947）的职务。他对弗朗哥是友好的，并于1938年承认西班牙的民族主义政府，但在第二次世界大战中，他使葡萄牙保持中立，并在1949年领导该国加入北大西洋公约组织。战后，葡萄牙的铁路、公路运输及商船队均重新装备，并开辟了国家航空线。计划在全国实行电气化，并发展了农村学校。但其他欧洲国家在非洲的殖民帝国均遭解体时，他却坚持保留葡萄牙的非洲殖民地，因此困难重重。1968年9月萨拉查患中风症，无法继续任职，遂由卡埃塔诺接替总理职务，但这一改变从未告诉已残废的萨拉查。他于两年后死去。萨拉查生活俭朴，不愿张扬，很少公开露面，亦从未离开过葡萄牙。

Salcedo 萨尔塞多 多米尼加共和国北部城市。为农业腹地的商业中心。产可可、咖啡、玉米。通二级公路。人口10 651（1981）。

Salchow, (Karl Emil Julius) Ulrich 萨尔肖（1877-08-07～1949-04-19，瑞典斯德哥尔摩） 瑞典花样滑冰运动员。曾创造了10次获男子花样滑冰世界冠军（1901～1905，1907～1911）的纪录。在1908年伦敦奥运会上获第一块男子花样滑冰金牌。他首创的萨尔肖跳跃成为自由花样滑冰比赛中常用的一种姿式。萨尔肖跳跃的基本动作是单脚冰刀后内刃跳起，空中旋转一周再用另只冰刀后外刃着冰后滑。1925～1937年任国际滑冰联盟（ISU）主席。

Salcillo, Francisco 参阅 **Salzillo（y Alcaraz）, Francisco** 萨尔西略（-阿尔卡拉斯）。

Saldanha, João Carlos de Saldanha, duque de（duke of） **萨尔达尼亚公爵**（1790-11-17，葡萄牙阿济尼亚加～1876-11-21，英格兰伦敦） 葡萄牙将军和政治家，自由主义政坛的重要人物，主宰动荡的政坛达半个世纪之久。早年参加军队，1808～1814年在半岛战争中作过战。1821年任巴西南里奥格兰德省督，1823年从巴西回国。他支持佩德罗四世反对米格尔。1825年任波尔图督军。1827年受封为伯爵。当米格尔出任摄政并被拥立为王（1828）时，他在国外领导反对米格尔的活动。1833年他回国参加反对米格尔的战争。迫其退位后，1834年成为侯爵。女王玛丽亚二世即位（1834年9月）后，他任政府首脑（1835）。1847年受封公爵，又领导1847～1849及1851～1856两届政府。1862～1869年间，他曾担任各种外交工作。1870年发动政变再度上台。后任驻英大使。

Saldanha Bay 萨尔达尼亚湾 南非西南海岸的小海湾。为避风的天然港。比东南偏南的桌湾更大更安全。以前有大量海豹、鱼类和鸟粪肥，是法国人、英国人和荷兰人长期争夺的目标，但因缺淡水，利用受到限制。海港工程于1976年启用，主要出口高品位铁矿石。附近有空军、海军基地及国家的军事学院。附近的大西洋水面中商业捕鱼很重要。

Sale 塞尔 澳大利亚维多利亚州东南沿海城市，靠近汤姆森河与麦卡利斯特河交汇处，为东吉普斯兰（农业和家畜饲养之灌溉区）的主要地区中心。1845年创建，以在印度作战的英国将军塞尔之名命名。早期为一河港，1863年为自治镇，1924年设镇，1950年设市。有铁路通其西185千米处的墨尔本，并位于吉普斯兰和普林斯公路上。工业有铸造业、细木工业、塑料及其他制造业及一座天然气吸收厂（由巴斯海峡气田供气，有管道通墨尔本）。该市近吉普斯兰潟湖及南部沿海的九十英里滩。收入亦靠旅游业。为一教育中心并为圣公会及罗马天主教主教辖区。人口约13 800（1989）。

Salé 塞拉 阿拉伯语作Sla。摩洛哥古城，临布赖格赖格河口，与拉巴特隔河相望。建于10世纪，为中世纪商港。1627年后，塞拉连同拉巴特一起成为布赖格赖格海盗共和国。是柏柏尔海盗中最臭名昭著的一支——塞拉海盗的基地。因而经常遭到欧洲海军的炮击。在布赖格赖格河右岸淤塞和港口封闭以前，两地共同发展。多清真寺和陵墓。有著名的哈桑墓。人口504 420（1994）。

塞拉市一角

供图：De Wys Inc.

Salekhard 萨列哈尔德 1933年以前称鄂毕多尔斯克。俄罗斯秋明州亚马尔-涅涅茨自治区城市和首府。位于西伯利亚西北部波卢伊河与鄂毕河汇流处。建于1595年。1938年设市。经济以鱼罐头加工和锯木业为主，是西西伯利亚北部天然气田的基地。设师范学院和医学院。人口约32 700（2000）。

Salem 塞勒姆 印度东南部泰米尔纳德邦中北部城镇。濒临蒂鲁马尼穆塔尔河，马德拉斯西南332千米处，为公路交叉点。以棉、丝手工纺织业著称，现已发展为大型工业中心，有电器、化工、工具和轧铜等厂。设有马德拉斯大学的多所附属学院。塞勒姆地区东部为一系列丘陵，西部属高韦里河河谷。经济以农业为主，专门生产水果、咖啡、棉花和花生。矿产有铁矿石、铝土矿和锰矿。1937年建成梅杜尔水坝后，尤其在塞勒姆镇，大型工业有所发展。人口：城镇约363 934；都会

区约 693 236(2001)。

Salem 塞勒姆 美国伊利诺伊州中南部城市,马里恩县县城(1823)。1813 年创建。1837 年设建制。现经济以附近油田和农业(玉米、大豆和苹果)为主,也生产工具、研磨料、烤炉和睡袋等。律师和政治家 W.J.布赖恩在此出生,其故居被辟为陈列馆,布赖恩纪念公园内有布赖恩雕像。人口 7 909(2000)。

Salem 塞勒姆 美国马萨诸塞州东北部城市,埃塞克斯县城市。临塞勒姆湾。地处波士顿东北26千米处。1626年创建。1629年成立美国第一个公理会。1630年设镇。1836

塞勒姆市的海关办公楼

供图:Arthur Griffin

年设市。18、19 世纪发展为新英格兰主要海运和造船业中心之一。独立战争和 1812 年战争中其港口为武装民船基地。对外贸易因港浅而萧条后,转而生产纺织品、皮革和鞋靴。现经济主要依靠医疗、金融服务、旅游业、零售贸易和高等教育。多样化的轻工业也很重要。1804 年小说家 N.霍桑生于该市,其小说《带有七个尖角阁的房子》便是以此地为背景的。1846 ～ 1849 年霍桑曾任口岸稽查,并在海关工作。霍桑的出生地、故居、他工作过的海关和旧码头均被列为国家历史遗址。该市多殖民地和南北战争时期的建筑。有约翰·沃德大厦(1684)、巫术之家(1642)、皮克林大厦(1651)及“塞勒姆市建筑师”S.麦金太尔 (**McIntire, Samuel**)设计的皮尔斯住宅(1783)等。州立塞勒姆学院建于 1854 年,有美术馆、天文台和 50 幅一组的《塞勒姆纪年》壁画。该市的开拓者村为仿照塞勒姆早期样子建造的。人口:市 38 091(1990);塞勒姆-格洛斯特主要都会统计区40 407(2000)。

Salem 塞勒姆 美国密苏里州中部东南城市,登特县县城(1851)。位于柯伦特河和梅勒梅克河之间的欧扎克山区。1845 年创建。1881 年设市。内战时,该镇政府和监狱毁于战火,1871 年重建,1972 年定为国家重点文物保护单位。19 世纪 70 年代铁矿开采业不断发展。1872 年圣路易斯-塞勒姆至小石城铁路修通后,城市日益发展。经济活动主要有开采铅、锌、铜矿,伐木,生产木炭,饲养牲畜,制鞋和服装业。旅游业(州属森林、州立蒙托克公园及马克·吐温国家森林一部分)也重要。人口 4 486(1990)。

Salem 塞勒姆 美国新罕布什尔州东南部罗金厄姆县城镇。在马萨诸塞州黑弗里尔西面。1725 年从黑弗里尔分离出来。1741 年马萨诸塞州-新罕布什尔州边界穿镇而过,新罕布什尔州部分于 1750 年设建制,称现名。现该城制造业生产电脑、印刷线路板和包装材料。附近有米斯特里山(史前石建筑考古地)、卡诺比湖公园和罗金厄姆公园赛马场。面积 64 平方千米。人口 28 112(2000)。

Salem 塞勒姆 美国新泽西州西南部城市,塞勒姆县县城(1694)。濒塞勒姆河,靠近该河与特拉华河汇合处。东北距费城 55 千米。建于 1675 年。1695 年设村。1858 年设市。公谊会(贵格会)信徒墓地有一棵称为塞勒姆的古橡树(据说树龄已有 500 余年),芬威克同伦尼·莱纳普印第安人曾在树下签订协议。A.格兰特大厦(1721)现为塞勒姆县历史学会总部。州立莫特堡公园与芬斯波因特国家公墓在特拉华河对岸的西北郊。工业生产玻璃器皿、服装、地板敷料和罐装食品等。人口 5 857(2000)。

Salem (North Carolina , U . S .) **塞勒姆** 参阅 **Winston-Salem** 温斯顿-塞勒姆。

Salem 塞勒姆 美国俄亥俄州东北部哥伦比亚纳县城市。东北距扬斯敦 32 千米。1801 年贵格会教徒在此定居。建于 1806 年,1830年设镇,1887 年设市。南北战争前,是帮助逃亡奴隶的秘密组织“地下铁道”的联络站,也是西部反奴隶制会社总部。工业制品有家用器具、工具、模具、水泵和轧钢机等。设有州立肯特大学塞勒姆分校(1962)。人口 12 233(1990)。

Salem 塞勒姆 美国俄勒冈州首府,马里恩县县城(1849)。东北距波特兰 69 千米,在威拉米特河畔。1840 年卫理公会传教士在此定居,将其印第安语名称凯米克塔改成《圣经》上的地名塞勒姆(希伯来语“和平”之意)。1848 年规划。传教士卖房资助俄勒冈学院(1842,印第安人宗教学校,后为威拉梅特大学)。大量移民的迁人使塞勒姆日趋繁荣,1851 年成为俄勒冈准州首府。1860 年设市。塞勒姆早期是内河港口,因 19 世纪 70 年代通铁路而迅速发展。地处乳品、水果和蔬菜

塞勒姆市的威拉梅特大学校园

供图:Ray Atkeson—美国不列百科全书公司

富饶产区而发展为食品加工中心;木材、金属和织布工业也有所发展。1937 年建成州议会大厦。设有几处州立疗养所和服刑机构。凯米克塔社区学院建于 1969 年。现为马里恩和波克两县综合城区的中心。人口:市 136 924;塞勒姆都会统计区 347 214;波特兰-塞勒姆都会统计区 2 265 223(2000)。

Salem witch trials 塞勒姆女巫审判(1692-05 ～ 1692-10) 美国历史上发生在马萨诸塞湾殖民地塞勒姆镇的一系列调查与迫害,使 19 名被宣告有罪的“女巫”被处绞刑,另外许多嫌疑者被处监禁。有几名少女受一个西印度群岛奴隶提土巴所讲巫毒教故事的蛊惑,声称她们被魔鬼缠身,然后控诉包括提土巴在内的 3 名塞勒姆妇女施行巫术。由于提土巴和其他被指控的人受到逼迫,并继而以伪供控诉他人,在整个马萨诸塞掀起了对巫术威胁的公众歇斯底里。民事法官在牧师的怂恿下,在塞勒姆镇设立了一个特别法庭审判被控施行巫术者,并选派休厄尔、哈索恩和斯托顿为推事。被告名单不断扩大(甚至总督费普斯的妻子也被牵连在内),直至 150 人被关押候审。但到 9 月份,群众的歇斯底里气氛开始缓和,公众舆论先是制止,继而谴责这些审讯。10 月,费普斯总督解散了特别法庭,释放了剩余的羁押犯。马萨诸塞州议会撤销了对这些女巫审判的有罪判决并给予被处死者的家属以赔偿。

Salerno 萨莱诺 意大利南部城市,坎帕尼亚区萨莱诺省省会。濒临萨莱诺湾,在伊尔诺河口处。位于那不勒斯东南。建于公元前 197年。曾是伦巴第公国的首府,后并入那不

萨莱诺市的圣马太大教堂

供图:SCALA—Art Resource/美国不列颠百科全书公司

勒斯王国。因有欧洲最早的医科学校,在历史上占有重要地位。11、12 世纪是该校全盛期,接收欧洲、亚洲和北非的学生,学校至今尚存。1943 年 9 月 8 日～ 18 日盟国登陆部队和德军曾在该市沿岸激战。该市主要史迹是圣马太大教堂(845 建,1076 ～ 1085 重建)。教堂地下室有圣马太的墓穴,教堂内有教皇格列高利七世的坟墓。现为第勒尼安海的繁华海港。在那不勒斯—雷焦卡拉布里亚铁路线上。主要生产和输出食品、建筑材料、纺织品、机械、陶瓷、锻铁制品等。人口:城市区约 153 807(1988)。

Salerno, University of 萨莱诺大学 意大利语作 Università Degli Studi di Salerno。设于意大利萨莱诺的高等学府。这所大学的历史意义源于一所中世纪创办最早、规模最大的医科学校。事实上,有些学者把这所学校叫做中世纪欧洲第一所大学。早在 10 世纪,该校即以培养医生著名;到 11 世纪,该校吸引

了来自全欧洲以至亚洲和非洲的学生。1221年,由于神圣罗马皇帝腓特烈二世的命令,意大利王国中的医生必须在该校获得毕业证书,否则不得合法行医。现在的萨莱诺大学建于1970年,颇有声望。设有文学与哲学、师范、数学与科学、法律和经济学等系。

sales tax 营业税 对销售货物和销售劳务所征收的税。对特定商品的制造、购买、销售或消费所征收的营业税,则称为货物税。自古以来就有货物税。一般的营业税是比较新近创设的税种。营业税通常按照业务活动的环节(即生产、批发或零售)而分类。货物税常因课税的商品被认为是必需品或非必需品而有所变更。对货物在生产和分配过程中一个以上环节所征收的多重营业税,有时被称为转手税(周转税)。这种税经常是按照营业总收入而征收的;因此每个阶段应税价值都包含有以前各阶段所已缴纳的税款。为了避免这种税上加税,可以采用另一税种增值税,即按照营业净收入(总销售额减去开支)征税。在美国,单一阶段营业税占多数州税收岁入的重要部分。许多地方政府在零售环节上征税。在加拿大,联邦政府向制造商收税,而差不多所有各省要征收零售营业税。多数拉丁美洲国家严重依赖货物税和营业税。西欧各国却常见增值税。一般认为,营业税和货物税皆由消费者负担。甚至转手税,人们也认为其负担可能要以提高价格的形式转移到最后的买主身上。至于负担是完全转移,还是部分转移,这要看某一商品的需求对加价的灵敏度如何而定。在许多情况下,供应商和消费者要以降低利润和提高价格的形式来分担此税务负担。由于营业税在零售环节征收,它具有很大的累退性——即低收入的人们将收入花费在纳税商品上的比重,较高收入的人们为大,所以某些种类的必需品如食物、衣服或药品,有时要免纳这种税。货物税,累退性虽不及营业税大,却也有累退性;其累退性之所以不很大,部分是由于消费者能够选择不购买那些被课以货物税的特定的商品。另外,货物税还可以如此分配,使其负担落在享受税款支出好处的人们身上,例如汽车燃油税是用于公路建设或维修。

Salesbury, William 索尔兹伯里(约1520,威尔士登拜郡兰萨南开都[今在克卢伊德郡]~约1584,登拜郡兰卢斯特[今在圭内斯郡]) Salesbury 又拼 Salisbury。威尔士辞典编纂家、翻译家,以编纂《威尔士语-英语词典》和把《新约》译成威尔士语而闻名。索尔兹伯里一生大部分时间在兰卢斯特度过,从事古物、植物学和文学研究。约1546年辑成《威尔士谚语集》,可能是用威尔士语出版的第一本书。其《威尔士语-英语词典》(1547),亦为这类词典的第一部,于1877年刊出摹写本。1567年与卡马森郡圣大卫教区主教R.戴维斯合作,据希腊语译本将《新约全书》译成威尔士语。

Salesian 撒肋爵会 又译慈幼会。天主教修会,一为男修会,一为女修会。男修会1859年由意大利青年司铎D.鲍斯高所创,旨在接近、教育并救济贫苦男童。该会初开办时仅有会士17名,待到30年后即鲍斯高去世时,已有会士1 000多名,在意大利、西班牙、法国、英格兰、乌拉圭、巴西等地建有57处机构。其后发展迅速,工作范围也扩大到职业学校、农业学校和正规学校以及神学院,并在大城市主办文娱活动中心、青年俱乐部和夏令营,承担堂区教务以及国外传教。撒肋爵女修会在1872年由J.鲍斯高和修女M.马扎雷洛成立于意大利莫尔内塞,工作性质与男修会同,但对象为女童。

Salford 索尔福德 英国英格兰大曼彻斯特都会郡中西部一城市,紧靠曼彻斯特市的西面,占地97平方千米。属兰开夏历史郡。佛兰芒纺织工最初约于1360年定居此地,该城镇便成为家庭纺织品生产中心。从18世纪末叶开始,家庭工业发展为工厂生产,索尔福德迅速成为一个重要的棉纺业城镇。煤矿开采和重工业也很重要。在现代索尔福德市区内的埃克尔斯是另一棉纺织业城镇,同时有机床和机车制造业;沃斯利是重要的产煤地。曾居住在沃斯利古宅邸的布里奇沃特公爵(第三)聘用工程师J.布林德利于1761年挖通布里奇沃特运河,是为英格兰第一条真正的运河。布里奇沃特公爵把他在沃斯利的煤矿开采出的煤从运河廉价运往曼彻斯特。1894年曼彻斯特运河开通后,极大地促进了索尔福德的贸易,因索尔福德有沿运河最大的码头。19世纪中,索尔福德人口迅速增加,致使大面积地区的房屋密集,质量低劣。此问题直至20世纪仍未能解决。第二次世界大战以来,该城传统工业缩减,因而行业的种类增多,现有众多的制造业,如化工产品、塑料制品、电子设备和轻工业产品等。但20世纪下半叶,该市人口锐减。索尔福德唯一的古建筑物是建于1350年的奥德索尔宅邸,为拉德克利夫家族的古宅。索尔福德大学前身是皇家技术学院,建于1896年,1967年改为大学,设有规模很大的工程和技术方面的系。人口225 900(1998)。

Salgado, Sebastião 萨尔加多(1944-02-08,巴西艾莫雷斯~) 全名 Sebastião Ribeiro Salgado。巴西摄影记者。他的作品有力地表现了无家可归和受压迫者的苦难。曾在圣保罗大学攻读经济,1968年获得硕士学位。1968～1969年在财政部担任经济专家时,参加了反对巴西军人政府的群众运动。被视为政治激进分子,1969年8月遭到放逐。偕妻子逃亡到法国,继续在巴黎大学学习。1971年于卢旺达以国际咖啡组织经济专家的身份执行任务时,第一次拍摄照片。1973年成为一名自由摄影记者。后来的十年中,他拍摄了题材广泛的照片,包括尼日尔的饥荒和莫桑比克的内战。1979年加入享有盛名的摄影记者"巨照"合作社,两年后在美国因抓拍到J.欣克利欲暗杀R.里根总统的照片而名声大振。20世纪中期开始专门从事长期项目,以系列影像叙述一个故事。此时他已树立了自己的风格:充满激情,极具美感和思想性,赋予那些经常受压迫的拍摄对象以一种高尚感。第一本影集,记录拉丁美洲农民日常生活的照片集《另外的美洲》(1986),获得了巴黎市/柯达奖。接下来有描述1984～1985年非洲萨赫勒地区饥荒的影集《萨赫勒:受难的人》(1986)以及《说不准的魅力》(1990,其中有一组表现巴西金矿满身污泥矿工的出色照片)。1993年,他的回顾展"略尽人事"在东京国立现代艺术博物馆展出,确立了他的国际地位,这是日本国立博物馆有史以来第一次展出摄影家个人作品。同年他出版了工人阶级的史诗般写照《工人们》。四年后的《土地:无土地人们的挣扎》也备受赞扬。这些摄于1980～1996年的黑白照片记录了巴西苦难工人的困境;影集有葡萄牙小说家J.萨拉马哥的序言及巴西创作歌手C.布阿尔克的诗篇。20世纪90年代,他记录了35个以上国家人民的流离失所,这一时期的摄影作品都收入在《迁徙:转移中的人类》(2000)中。

Salghurid DYNASTY 塞尔古里王朝(1148～1270) 伊朗人王朝,相继作为塞尔柱、花剌子模和伊儿汗王朝的封臣,统治伊朗西南部的法尔斯。塞尔古里人原属萨洛尔突厥部落,12世纪初迁居法尔斯。王朝创立者为穆宰费尔丁·松古尔(1148～1161在位)。第五代统治者伊兹丁·萨阿德(1203～1231在位)被迫向花剌子模沙称臣纳贡。花剌子模王朝崩溃后,塞尔古里王朝又隶属伊儿汗。最后一代女统治者阿比什·哈通(1265～1270在位)嫁给伊儿汗王子。1270年哈通去世,伊儿汗王朝便直接统治法尔斯。

Salgótarján 绍尔戈陶尔扬 匈牙利中北部城镇,诺格拉德州首府。位于群山环绕的陶尔扬河河谷,邻近斯洛伐克边界。由于褐煤藏量丰富,19世纪后期工业开始发展。煤矿的发展使匈牙利劳工运动赋有战斗性的传统。工业有铸铁、玻璃、农业机械及消费品生产等。城内许多狭窄的古街上有建于17～18世纪的著名宅邸。位于玄武岩锥峰(高2 050英尺)上的13世纪绍尔戈城堡废墟俯瞰全城。人口约44 404(1999)。

Salian DYNASTY 萨利安王朝 德意志帝王世家。1024年,德意志诸王和神圣罗马帝国诸皇帝的萨克森王朝绝嗣,士瓦本的康拉德(萨利安法兰克人)当选为德意志国王,于是建立萨利安王朝。康拉德(康拉德二世)于1027年加冕为神圣罗马帝国皇帝,取得对勃艮第王国的宗主权,并在意大利重建德意志势力。其子及继承人亨利三世(1039～1356在位)继承了5个公爵领地中的3个,建立了中世纪德意志帝国史上最强大的中央政府。亨利之子6岁即位,称亨利四世(1056～1106在位)。他与教皇格列高利七世(1073～1085在位)关于教会职务任命控制权的争端开始了教廷与帝国之间将近两个世纪的激烈斗争。1076年,教皇开除亨利教籍,并废其帝位。亨利被迫在卡诺萨向教皇格列高利七世屈服(1077-01)。亨利四世穷于应付德意志诸侯的叛乱,而最后一次(1105)由其子领导。其子即位后称亨利五世(1106～1125)。当政期间亨利五世与教廷和好,死后无嗣,萨利安王朝遂绝。

Salic Law **《萨利克法》** 拉丁语作Lex Salica。指5世纪时征服高卢的萨利克人的法典。虽然它不是条顿法律(蛮族法律)中最古老的但却是最重要的法律。该法典是西欧墨洛温王朝的创始人克洛维统治后期(约507～511)颁布的。它在克洛维的后继人统治时期曾两度被重新颁布,而在加洛林王朝(查理大帝及其后继人)统治时期又经反复修改和系统化,并被译成古高地德语。《萨利克法》主要是一部刑法典和程序法典,有一个很长的清单列举对各种违法犯罪应科处的罚金(赔偿金)。但它也包括一些民法的法令,其中有一章宣布女儿不得继承土地。虽然这一部分并没有被用来作为排除路易十世、腓力五世和查理四世各自的女儿继承王位的依据,但在瓦罗亚王朝后期(16世纪)它却具有极端的重要性,当时被错误地引来作为妇女不能继承王位这一现行法律推定的权威依据。就这一法典的最初形式而论,它在结构上属于基督教以前的时期,是唯一现存的这类法典。其他日耳曼法律(如《西哥特法》、《勃艮第法》)可能在时间上更早,但可以看到基督教方面的影响。尽管《萨利克法》(在经过一段长时间的口头传述之后)最初是用拉丁文写成的,但它并未受罗马法的多大影响。作为法兰克人早期的法律和习俗的记录,《萨利克法》提供了关于原始的日耳曼人生活和社会情况的线索。

Salic Law of Succession **《萨利克继承法》** 古代一些君主专制朝代的一条法规。根据该法规,凡是只从女方溯源和已故君主发生血缘关系的后裔均不能继承王位。该法规逐渐形成于法国,由《萨利克法》(参阅 **Salic Law**)而得名。从休·卡佩(996年卒)到腓力四世(1314年卒),卡佩王朝没有发生任何法国王位继承问题,因为每个国王都有个儿子能够继承他的王位。只是到了14世纪初,卡佩王朝结束时才确立了不准妇女继承法国王位的原则。就在同一个时期内,终于接受了推论原则,即法国国王女儿的后裔不得要求继承王位。在14世纪和15世纪,曾试图为不准女子继承王位提供法律根据;每件案子都把习惯列为主要根据,也引证了罗马法和王位的教士身份。在这个期间,才第一次提到了《萨利克法》。16世纪的政治家和王权论的阐述者采纳了《萨利克法》的全文,他们把它提升为该王国的根本法。在1593年,明确地诉诸《萨利克法》的权威来取消西班牙伊沙贝拉公主(法国亨利二世的外孙女,他的女儿与西班牙腓力二世结婚)的法国王位继承候选人的资格,虽然当时巴黎占统治地位的一派亲西班牙的态度十分强烈。自此之后,即使并非经常举《萨利克法》作为不准女子继承王位的理由,却一直承认它是该王国的一项根本法。英格兰、斯堪的纳维亚与安茹帝国所属的那不勒斯(1265～1442)并不反对没有儿子就由女儿继承的原则。同样地,西班牙在腓力五世即位以前,也没有这样的原则。腓力五世是来自法国波旁王朝的第一个西班牙国王,在1713年经他亲自同意引进了《萨利克法》。

Salicaceae **杨柳科** 杨柳目唯一的科,包括杨属和柳属。灌木或乔木,集中分布于北温带。单叶互生;柔荑花序,花单性,多雌雄异株。雄花有一至多枚雄蕊;雌花有一个单室子房,胚珠数个至许多个。果实通常为蒴果,成熟时会裂开散出种子。种子的一端长有丝状毛。

Salicales **杨柳目** 显花植物的一目。仅杨柳科(Salicaceae)一科,两属:杨属(*Populus*,约30种)和柳属(*Salix*,约320种)。多数种广布北半球寒温带,只有少数种分布至热带。在所处生境中常占优势,杨树有时形成大片森林。两属均为环极分布。杨属的分布范围从近北极圈的亚北极树线向南,在北美洲至墨西哥北部和下加利福尼亚,在旧大陆至北非和喜马拉雅山脉南坡、欧洲都有分布。柳属在北温带有4个分布中心:白令海周围地区、中欧、喜马拉雅山地区、北美太平洋区,此外在菲律宾、马达加斯加、南美(南至智利)有局限性分布。喜潮湿的生境,如河滩、河岸或河漫地,沙质土至黏土均能生长,地下水位于地表下数英尺的土壤中生长最快。常与桦、桤木等混生作为下木。一般喜光和不耐阴,故杨属一些种常成为先锋植物生长于因采伐、火灾、风倒或其他重大灾害造成的无树地段。蒴果成熟后释出多细小具柔毛的种子,种子飘飞很远,在自然条件下常1或2天即迅速萌发,幼苗生长快,几年内就可达生殖成熟。在冬季无叶的地上部分需要维持一定湿度,有效率高的保水机制,茎上有木栓细胞,冬芽有芽鳞(变态的叶),其上常覆以香膏状树脂质。冻原或山顶的矮灌丛则紧伏地面,避免干燥或风吹来的冰晶的为害。有些杨树茎皮中含较多绿色素,在落叶季节可行光合作用,因此能适应分布区内比较寒冷和生长季短的特点,故在常绿针叶树分布地带也能繁茂生长。多种杨、柳再生能力很强,可从根部大量萌生根出条。有些种小枝易脱落,并从其上产生不定根,进行营养繁殖。本目植物均为木本、乔木或灌木。木材甚为特化,与原始的木兰目植物及杨柳目的热带近缘植物大不相同。单叶,叶缘锯齿状,有托叶,螺旋状排列,入冬脱落。花小而简化,单性,雌雄异株,穗状花序(柳属)或柔荑花序(杨属)。雄花有一(柳属)至多数(杨属)雄蕊及退化的雌蕊。雌花有一雌蕊而无退化的雄蕊。柱头2,2或3～4心皮,子房上位,一室,杨属雄花的雄蕊50～60枚,贴生于一个杯状花盘(变态的花被)的外壁上,一种热带柳属植物也有杯状花盘。柳属多数种雌雄花均无杯状花盘而具产生花蜜的腺体,雄蕊1枚。杨属的雌花也具杯状花盘,着生于雌蕊下面。杨属为风媒花,花粉粒表面纹饰丧失。柳属为虫媒传粉,其花粉粒有纹饰,主要的传粉媒介为地蜂属(*Andrena*)以及其他蜂、蝶及蝇类。一些种是合点受精(花粉管从胚珠基部而非珠孔进入胚中)。蒴果,壁稍呈革质,成熟后裂成数瓣(瓣数同心皮数)。种子多数,细小,基部具柔毛,无胚乳,胚直生。

本目缺乏化石证据以表明其进化起源。柳属和杨属在白垩纪就已生长于欧洲和北美。杨柳目植物无草本种,木材特化;花单性而简化,这是进化的特征,但其祖先及近亲不详。或认为本目与柽柳科或大风子科有亲缘关系,或谓与石竹目或罂粟目近缘,或谓通过金缕梅目与桦木目-山毛榉目复合体有亲缘关系,但证据均不足。但可肯定,杨柳目不能与其他具柔荑花序的植物组合成人为的所谓柔荑花序植物(Amentiferae)。本目最主要经济价值是材用。北美的大齿杨(*Populus grandidentata*)及欧洲山杨(*P. tremula*)的木材可

杨柳科代表植物

制高级纸浆，欧洲山杨的木材主要用制火柴及火柴盒。多种柳条的枝在北半球用以编篮筐。英国人用白柳天蓝色变种（*Salix alba* var. *caerulea*）的木材制板球棍，美洲的黑柳用制木炭，用于黑色火药制造。因黑柳木材轻，易弯曲而不断裂，故可制假肢、木履等。民间用柳树皮为退热药，1827 年分离出水杨苷，1838 年制备出具止痛退热作用的水杨酸，阿斯匹林即其衍生物。杨、柳广泛用作荫蔽树及风景树，垂柳（*Salix babylonica*）及钻天杨（*P. nigra* var. *italica*）等是欧美常见的行道树。北半球的原始民族于饥荒时期曾用杨树内层树皮代粮，杨的幼嫩枝条等地上部分为鹿所喜食。杨亦为河狸的食料，许多狩猎鸟类以杨和柳的芽为重要食物来源，柳类灌丛又为它们提供栖息场所。

Saliceto, William of　萨利切托（1210，伦巴第皮亚琴察萨利切托［意大利］～约1277）　意大利医师、牧师，公认是 13 世纪欧洲杰出的外科医生。在他逝世差不多整整一个世纪后，人们仍能感觉到他对西欧外科学所带来的影响。萨利切托在伦巴第省的一些主要城镇行医；1270 年任博洛尼亚大学外科学教授。4 年后辞职到维罗纳行医，1275 年在此撰写了《外科学》，该书比所有中世纪早期外科学方面的论著都更为广泛和深入。他可能是第一个论述外科解剖学的人，对人体解剖学有一定的经验，他不同意把外科诊断方法与内科截然分开的论点，这正说明他一贯的主张，即内科与外科应为一体。他还描述了神经切断后的缝合方法，区分开动脉出血和静脉出血，并报道了以混浊尿为特征的肾病性水肿。

salicylic acid　水杨酸　又称邻羟基苯甲酸。一种主要用于制取阿斯匹林和其他医药品的白色晶体。在自然界中游离水杨酸少量存在于多种植物中，特别是在各种绣线菊属植物中。水杨酸甲酯也广泛存在于自然界，为冬青油的主要组分。1838 年意大利化学家 R. 皮里亚首次从水杨醛制得水杨酸。1860 年，德国化学家 H. 科尔贝和 E. 劳特曼发现由酚和二氧化碳的合成法。现在这种化合物是由无水苯酚钠与二氧化碳制成。工业上大部分水杨酸用于与乙酸酐反应以生产阿斯匹林。大量的水杨酸经甲醇酯化制取水杨酸甲酯（合成的冬青油），用于医药和香料。一部分水杨酸用于制取水杨酸苯酯，用于防晒膏和包有肠溶衣的药片，并制取用作杀菌剂和防霉剂的水杨酰苯胺。水杨酸是治疗疣、鸡眼、胼胝和各种皮肤病药物的组分。水杨酸的钠盐用作退热药和止痛药。大量粗制水杨酸用于某些染料的生产。纯水杨酸从热水中结晶成白色针状晶体，155 °C以上升华而不分解，159 °C熔化，200 °C以上则分解为酚和二氧化碳。

Salientia（amphibian order）　参阅 **Anura 无尾目**。

Salieri, Antonio　萨利埃里（1750-08-18，威尼斯共和国莱尼亚诺［意大利］～1825-05-07，奥地利维也纳）　意大利作曲家。所作歌剧在 18 世纪晚期誉满欧洲。16 岁时由宫廷作曲家兼乐长 F. L. 加斯曼携往维也纳，并向皇帝约瑟夫二世引见。第一部歌剧《女学者》于1770年在维也纳的城堡剧院首演。4年后

供图：J. P. Ziolo

皇帝任命他为宫廷作曲家，1788 年起任宫廷乐长达 36 年之久。在担任官职期间不仅为奥地利的剧院，亦为法国和意大利的剧团创作歌剧。最著名作品是法语歌剧《风车》（1787），译成意大利语后改名《阿克苏尔，奥穆斯之王》。该剧深受维也纳观众喜爱，甚于莫扎特的《唐·乔凡尼》。萨利埃里的最后一部歌剧首演于 1804 年，其后即悉心创作圣乐。终其一生萨利埃里与海顿和贝多芬一直保持友好关系，他曾教授贝多芬对位法，贝多芬则将《小提琴奏鸣曲 3 首》（作品第 12 号，1797）题献给他。萨利埃里与莫扎特的关系曾有诸多猜测，事实上莫扎特本人曾在信函中提到萨利埃里对《魔笛》的好评。传说萨利埃里企图毒死莫扎特，是毫无根据的，但里姆斯基-科萨科夫的歌剧《莫扎特与萨利埃里》（1898）却是以这一传说为题材而作。在 P. 谢弗的《阿马迪乌斯》（1979，1984 拍成电影）剧中两位作曲家的关系又得到进一步的推测性描述。

Ṣālīf, aṣ-　塞利夫　也门西部沿海村庄。位于红海卡马兰湾南岸的海角小湾。因岩盐矿藏丰富而地位重要。岩盐质地纯净异常，现由国营公司开采。塞利夫港的大规模扩建工程已于 1976 年完成。人口约 2 574（1975）。

Ṣāliḥ　撒利哈人　古代阿拉比亚信奉基督教的一个部落。原居阿拉比亚南部，约于 400 年开始北移，最后定居在大马士革东南地区。相传他们是在叙利亚建立王国的最初的阿拉伯人。其历代国王得到拜占廷皇帝的承认。5 世纪末与加萨尼人发生冲突，加萨尼人最后控制局面，成为叙利亚阿拉伯人的统治者，但撒利哈人仍留在叙利亚直到约 635 年。

Ṣāliḥ, ʿAli ʿAbd Allāh　萨利赫（1942，北也门萨那省拜特艾哈迈尔～　　）　也门军官、总统。16 岁人伍，4 年后，即 1962 年 9 月 26 日领导一场军事政变，推翻北也门伊斯兰君主。1974 年发动政变帮助哈姆迪上台执政，1977 年哈姆迪遭暗杀，翌年其继任人加什米也遭暗杀，国家陷入动乱。1978 年 7 月 17 日被人民委员会推选为总统。同年末在一次未遂政变中幸免于难。1983 年再次当选总统。萨利赫从一开始就力促南北也门统一，1990 年 5 月 22 日实现统一。1993 年 4 月在统一后的首次选举中其全国人民大会党在议会中赢得绝大多数席位。1994 年 5 月 5 日南北双方军队爆发全面内战，7 月 7 日战斗结束时，他仍稳操大权。在 1997 年选举中，全国人民大会党对议会的控制得到巩固，总统地位进一步加强。1999 年 9 月举行首次总统直选，尽管大多数反对者抵制投票，但萨利赫还是赢得了 96% 以上的选票。

Ṣāliḥ, aṭ-Ṭayyib　萨利赫（1929，苏丹北部省～2009-02-18，英国伦敦）　阿拉伯语长、短篇小说家。曾在喀土穆和伦敦上大学，一生多半在广播电台工作，任英国广播公司阿拉伯语部戏剧组负责人多年。出生于小农和正统宗教教师所在的农村，试图在作品中使过去的传统与"有阅历的人"的世故协调起来。所谓"有阅历的人"，指留学归来的非洲人。他的小说《北徙时节》（1966）是一部散文诗，反映了现代非洲传统、常识与教育、农村与城市、男人与女人、特殊与一般等多种冲突。他的散文具有多重节奏，读后令人难以忘怀。还著有《蔡恩的婚礼及其他故事》（1969）。这些故事再现了苏丹阿拉伯人传统生活中的温馨、同情、诙谐和悲伤。

Ṣāliḥ Ayyūb, aṣ-　萨利赫·阿尤布（？～1249）　埃及阿尤布王朝最后一个统治者（1239，1245 ～ 1249 在位）。他掀起联合花剌子模人反对耶路撒冷十字军王国的战役（1244），激起由法王路易九世率领的第 7 次十字军东征。萨利赫在路易后来入侵埃及期间去世。他给予马木路克雇佣军很大权力。这些雇佣军在 1250 年将其王朝推翻。

Salii　舞蹈祭司　古代意大利的祭司，多参与崇拜战神马尔斯的礼仪。他们都是出身贵族而经常是双亲健在的青年男子。他们还常因就任高官而辞去祭司之职，余缺由新成员补充。他们着古罗马军装。他们的主要节期是夏季出征季节的开始与结尾，即 3 月与 10 月。

Salimbene di Adam　萨林贝内（1221-10-09，帕尔马［意大利］～约 1290）　意大利方济各会隐修士和历史学家，所著《编年史》是研究 13 世纪意大利以及在较小的程度上法国历史的重要资料。富裕家庭出身。1238 年加入方济各会。后游历各地，遍访隐修院，拜见名人并成为许多历史事件的目击者。1282 年开始撰写《编年史》，记述 1168 ～ 1288 年意大利政治与宗教史实。

salimeter　参阅 **salinometer 盐液密度计**。

Sālimīyah　萨里姆派　伊斯兰教教义学派别，由学者和神秘主义者赛海勒·杜斯塔里（？～896）创立。此派名称源自赛海勒的弟子穆罕默德·伊本·萨里姆（？～909）。尽管严格地讲，萨里姆派不属苏非派，但他们在其教义中使用了苏非派的许多术语和观念。根据此

派学说，真主将在最后审判日以人的形象显现，一切受造万物都会看见他。其时，真主的光辉照亮一切，世人万物都将得救。人沉思默想，悟彻自我本性，即可与真主融为一体。

Salina　萨莱纳　美国堪萨斯州中部城市，萨林县县城(1859)。位于斯莫基希尔河畔。建于 1858 年。1867 年通联合太平洋铁路，城镇得以发展。1870 年设市。1903 年毁坏性水灾后重建。现为广大小麦产区的贸易中心，碾谷为主要工业。有堪萨斯卫斯理大学(1886)、马丽蒙特学院(1922)、堪萨斯工学院(1966)和圣约翰军事学校(1887)。萨莱纳市东有一块史前期印第安人墓地。人口约 45 679(2000)。

salina　参阅 **alkali flat** 盐碱滩。

Salina Island　萨利纳岛　拉丁语称迪迪米岛。利帕里群岛的第二大岛和最高岛屿。位于意大利西西里岛东北第勒尼安海中，隶属意大利西西里区墨西拿省。面积 26 平方千米，海拔 962 米。输出白葡萄酒、葡萄干、无花果和橄榄。有渔业。人口约 2 346(1988)。

Salinas　萨利纳斯　美国加利福尼亚州西部城市，蒙特雷县县城(1872)。地处蒙特雷湾东面萨利纳斯谷地。1856 年始有人定居。1874 年设建制。1868 年通南太平洋铁路促进当地农业的发展。制造业对该城的经济也很重要。小说家 J. 斯坦贝克出生在此且葬于此城。其小说《伊甸园以东》多次提及此城。设有哈特内尔社区学院(1920)。每年举办加利福尼亚牧人竞技会。人口：市约 151 060；萨林纳斯-锡赛德-蒙特雷都会统计区约 401 762(2000)。

Salinas de Gortari, Carlos　萨利纳斯·德戈塔里(1948-04-03，墨西哥墨西哥城～　)　经济学家及政府官员，墨西哥总统(1988～1994)。墨西哥一参议员之子，18 岁时加入革命制度党，在墨西哥国立自治大学及哈佛大学攻读经济学，1978 年获哲学博士学位。自 1971 年起，他连续在政府较为重要的经济事务岗位上任职，受到马德里的提拔。马德里是他在国立自治大学时的教授之一。1982 年马德里任墨西哥总统时，任命萨利纳斯为计划和预算部部长。1987 年马德里提名他为接班人，作为 1988 年革命制度党的总统候选人。过去 60 年间革命制度党的总统候选人在选民投票中的得票数从未低于 70%。然而，在 1988 年 7 月的选举中，按照官方的统计，萨利纳斯仅获得 50.4% 的选票，反对党坚称，如果革命制度党不在选举中营私舞弊，萨利纳斯的得票数还要更少。萨利纳斯担任总统期间，继续实施马德里的经济紧缩和私有化计划，出售数所效率很低的国有企业，并实行开放政策，鼓励外商投资和竞争。1991～1992 年他的政府参加《北美自由贸易协定》的谈判，该协定已于 1994 年生效。

Salinas y Serrano, Pedro　萨利纳斯-塞拉诺(1891-11-27，西班牙马德里～1951-12-04，美国马萨诸塞波士顿)　西班牙诗人、学者、戏剧家、散文家。一群有影响的西班牙诗人所组成的“二七年一代”的杰出作家之一。曾在巴黎大学学习，并执教 3 年(1914～1917)。后执教于剑桥大学。西班牙内战爆发(1936)后，移居美国，在马萨诸塞州韦尔斯利学院以及巴尔的摩市约翰斯·霍普金斯大学任教。早期诗歌在文学杂志《普罗米修斯》上发表。诗集有《预兆》(1923)、《厄运必临》(1929)、《为你歌唱》(1934)和《明朗些与其他的诗》(1949)。他也是一位受人尊敬的学者，以研究 15 世纪西班牙诗人 J. 曼里克、尼加拉瓜诗人 R. 达里奥，及今译《熙德之歌》而著名。

Salinger, J(erome) D(avid)　塞林格(1919-01-01，纽约市～2010-01-27，新罕布什尔科尼什)　美国作家，所写小说《麦田里的守望者》(1951)赢得评论界的赞扬和读者，尤其是第二次世界大战后的大学生的推崇。出版的全部著作有 1 部长篇小说和 13 部短篇小说，均写于 1948～1959 年期间。其父是犹太人，其母是基督教徒。他在纽约长大，在公立学校和军校读过书。一度在纽约大学和哥伦比亚大学学习，以后完全投身于写作。1940 年开始在杂志上发表短篇小说。1942～1946 年在美国陆军服役，复员后他的名字和写作风格就日益同《纽约人》杂志联系在一起。后来所写小说几乎都在该杂志上发表。《麦田里的守望者》中的主人公是一个敏感的、富有叛逆精神的少年，他用真正的少年词汇叙述了自己怎样逃出“虚伪”的成人世界，怎样寻找纯洁与真理，最后又怎样躺倒在一个精神病医生的诊床上。这本小说的语言幽默且丰富多彩，继承了马克·吐温的《哈克贝利·费恩历险记》和 R. 拉德纳的短篇小说的传统，但它的主人公像塞林格笔下的大多数孩子一样，以早熟的自我意识看待生活。他最优秀的短篇小说集《九个故事》(1953)使他获得了更高的声誉。晚年的隐居生活使得他的崇拜者对他的个人生活只好自行猜测，而他为数不多的文学作品则成了评论家争论的话题。《弗兰尼和佐伊》(1961)收集了他早期在《纽约人》杂志上发表的两篇故事，像收入《木匠们，把屋梁升高；西摩，一个介绍》(1963)中的两个故事一样，都是描写格拉斯一家的。

salinometer　盐液密度计　又作 salinimeter 或 salimeter。用以测定溶液中盐浓度的仪器。常为一种比重计，业经专门校准，可读出溶液中的含盐百分数。因为海水中氯化物的浓度已证明与盐浓度成正比，所以在海洋学中广泛用硝酸银滴定氯化物来测定盐浓度。国际海洋考察理事会 1937 年规定每 1 000 份海水中含有 19.381 份氯作为海水标准，供在世界范围内作比较用。

Salis, Johann Gaudenz, Freiherr von (count of) Salis-Seewis　萨利斯(1762-12-26，瑞士马兰斯～1834-01-29，马兰斯)　瑞士诗人。他的作品缠绵悱恻，有时哀婉，歌颂友谊、人道和大自然的安谧宁静。有些诗歌，如《异乡农夫之歌》已经成为诗选中的篇章。1779 年在巴黎任瑞士侍卫队军官，但是他支持法国大革命的理想，自愿留在巴黎至 1793 年。1799 年任瑞士民兵参谋长，参加了苏黎世之役，后来担任过一些公职。

Salisbury　索尔兹伯里　英格兰威尔特行政、历史郡最南端的区。中心为历史名城索尔兹伯里。面积 1 005 平方千米。绝大部分为农村，饲养牛和种植农作物。国防部占有该区大部分土地，并设立许多兵营。史前期遗迹甚多，有史前巨石群、新石器时代墓葬地、铁器时代要塞等。人口约 113 900(1998)。

Salisbury　索尔兹伯里　旧称新塞勒姆(New Sarum)。英格兰威尔特郡索尔兹伯里区城市。位于埃文河与威利河汇合处。历史上一直是该郡主要城镇和英国圣公会主教区

索尔兹伯里市的大教堂
供图：Kenneth Scowen

中心。该城起源于旧塞勒姆，为一座被古罗马人占领的早期铁器时代要塞。在撒克逊统治下，它成为一重要城镇，到 11 世纪还拥有一家造币厂。诺曼人在小山上建造一座城堡。旧塞勒姆于 1075 年成为主教管区。现存大教堂于 1220 年建在邻近的谷地上，新城市在教堂周围迅速发展起来。服装和羊毛业在中世纪十分繁荣，刀具制作亦引人注目。现是旅游和集市中心。主要有牛和家禽市场以及机械、酿酒、皮革和印刷等工业。人口约 35 355(1981)。

Salisbury　索尔兹伯里　美国马里兰州东南部城市，威科米科县县城(1867)。位于威科米科河上源，德尔马瓦半岛中南部。建于 1732 年。以英国威尔特郡的同名城市命名。殖民时代的建筑物有老格林山教堂和众圣教堂，波普勒希尔大厦和彭伯顿大厅。城西北 11 千米处有 1763 年所立梅森-狄克森线奠基石。现为德尔马瓦半岛的商业和运输中心，马里兰州第二大港。经济以农业为基础并有轻工业(石油相关设备、电子产品、医药、塑料膜、预制房屋)和旅游业(猎野鸭、钓鱼等)。每年 2 月举行全国室内网球赛。州立索尔兹伯里学院创办于 1925 年。附近有州属威科米科森林。人口 23 743(2000)。

Salisbury　索尔兹伯里　美国北卡罗来纳州中西部城市，罗恩县县城(1755)。濒海罗克湖。与温斯顿塞勒姆、格林斯伯勒和夏洛特组成皮德蒙特工业三角区。1753 年始有居民。1755年设市。1787年A. 杰克逊在完成法律学

业后,成为索尔兹伯里的律师。1781 年 2 月吉尔福德郡府战役前,康华里勋爵所率英军曾在此追击 N.格林将军所率的美军。索尔兹伯里国家公墓内有约 11 700 名北部联邦士兵的坟墓。设有美国退伍军人管理局医院(1953)、卡托巴学院(1852)、利文斯通学院(1879)和罗恩工学院(1962)。人口 26 462(2000)。

Salisbury (capital city , Zimbabwe)　**索尔兹伯里**　参阅 **Harare** 哈拉雷。

Salisbury, EARLS AND MARQUESSES OF　**索尔兹伯里伯爵和侯爵**　英国封爵贵族,按年代顺序分列于后,并各以●为标记。

● **Salisbury, William Longsword, 3rd earl of 索尔兹伯里伯爵(第三)**(?～1226-03-07,英格兰威尔特郡索尔兹伯里)　英王亨利二世的私生子。约翰和亨利三世统治时期杰出的贵族、军人和行政官员。他从理查一世获得领地和称号。理查于 1196 年将索尔兹伯里伯爵威廉之女、女继承人伊拉(或称伊莎贝尔)许配给他。约翰在位期间,他在英格兰担任过许多官职。曾奉派出使法国(1202)和德意志(1209)。1213 ～ 1214 年组织约翰与弗兰德同盟,曾在达默参加歼灭法国舰队的战斗。1214 年 7 月 27 日在布维讷被俘。1215 年 5 月被交换回英格兰,约翰叫他视察王室城堡的防务,并在西南与反叛者作战。1216 年 5 月法王路易登陆后,他背离了国王。但次年 3 月又回来效忠王室,在林肯和桑威奇作战,签订了《金斯敦条约》(9 月)。亨利三世未成年期间,他担任各种不同的职务。1223 年在同威尔士、1225 年在同加斯科涅作战时服役。他是兴建索尔兹伯里大教堂的捐款人,并于 1220 年为这座新大教堂奠基。

● **Salisbury, Thomas de Montagu, 4th earl of 索尔兹伯里伯爵(第四)**(1388～1428-11-03,法国默恩)　亨利四世、亨利五世和亨利六世统治时期的英格兰军队司令。其父第三代伯爵因支持理查二世而于 1400 年被处死。他于 1409 年进入议会。曾参加 1415 年阿让库尔战役和 1416 年的阿夫勒尔海战。1420 年在曼恩担任总司令。次年亨利五世回国时留驻法国,给克拉伦斯公爵托马斯当副手。3 月 21 日公爵在博热败绩,索尔兹伯里灵活撤退,避免了进一步损失。亨利五世死后,索尔兹伯里在以后的作战中完全征服了香槟。1428 年任驻法国英军总司令,同年 10 月 12 日开始围攻奥尔良,10 月 27 日在城堡的窗口眺望该城市时被炮弹击伤,数日后死去。

● **Salisbury, Richard Neville, 2nd (or 6th) earl of　索尔兹伯里伯爵(第二或第六)**　参阅 **Warwick, Richard Neville, 1st earl of** 沃里克伯爵(第一)。

● **Salisbury, Robert Cecil, 1st earl of　索尔兹伯里伯爵(第一)**(1563-06-01,伦敦～1612-05-24,英格兰威尔特郡莫尔伯勒)　即 R.塞西尔。英格兰政治家。1598年继其父威廉·塞西尔任伊丽莎白一世女王的首席大臣,在詹姆斯一世在位头 9 年领导政府,使英格兰由都铎王朝转入斯图亚特王朝。1584 年进入下院。1588 年去国外执行外交使命。1596 年7月任国务秘书。1601年开始同苏格兰国

伦敦国立肖像画陈列馆供图

王詹姆斯六世秘密通信,建议他设法获得伊丽莎白的欢心。由于他努力的结果,伊丽莎白逝世之后,詹姆斯平安地继承了王位。詹姆斯即位后,仍让他任国务秘书。1604 年受封克兰伯恩子爵。1605 年受封伯爵。为了执行伊丽莎白女王制定的政策,他遵循一条温和的反天主教、反西班牙和反清教的路线。1604 年与西班牙缔结和约,结束两国之间历时 19 年的战争。但是,他支持荷兰人反对西班牙人。1608 年被任命为财政大臣着手减少王室日益增加的债务,但既未能减少詹姆斯的挥霍,也未能使詹姆斯接受他由下院规定王室每年固定经费的建议,即 1610 年的大契约。

● **Salisbury, Robert Arthur Talbot Gascoyne-Cecil, 3rd marquess of　索尔兹伯里侯爵(第三)**(1830-02-03,英国赫特福德郡哈特菲尔德～1903-08-22,哈特菲尔德)　即R.加斯

供图:BBC Hulton Picture Library—Globe

科因-塞西尔。英国保守党领袖。3 次出任首相(1885 ～ 1886,1886 ～ 1892,1895 ～ 1902),4 次担任外相(1878,1885 ～ 1886,1886 ～ 1892,1895 ～ 1900),在职期间使大不列颠殖民帝国广为扩张。第二代伯爵存活的次子。1868 年承袭父爵。曾求学于伊顿公学,18 岁进牛津基督堂学院。1853 年当选下院议员。1866 年 7 月～ 1867 年 3 月短期任印度事务大臣。因不满保守党支持议会改革和不信任保守党新的领袖 B.迪斯累里而退出政府。经常为《星期六评论》和《每季评论》撰写政论,并对科学,特别是植物学和电磁学感兴趣。1874 年迪斯累里邀请他再次担任原职,共事 7 载,尽弃前嫌。1878 年就任外相。其时英国在控制君士坦丁堡问题上与俄龃龉。他以高明手腕促使俄国参加柏林会议,终于达成妥协,首相和他为此获得嘉德勋章。1881 年迪斯累里去世,他继任保守党领袖,曾三次组阁,大部分期间兼任外相。瓜分非洲是第二届内阁遇到的主要问题,也是英法尖锐冲突的根源,直到 1898 年法绍达危机后法国承认英国在尼罗河流域的支配地位,方告解决。他是个帝国主义者,相信落后人种的进步必须经过受欧洲人,特别是英国人统治的阶段,不惜以武力保持这种统治。他的外交政策的目的是保卫和扩大不列颠帝国。19 世纪最后 10 年,主要国家纷纷结盟,他认为英国不需要同盟国,不支持张伯伦与德国缔结盟约的主张。在他执政的最后两年(1900 年秋至 1902 年夏),由于年迈体弱,不得不放弃外相职务。他的不结盟方针由于外相兰斯多恩在 1902 年与日本结盟而被放弃。索尔兹伯里是最后一个主持英国政府的贵族政治家。

● **Salisbury, James Edward Hubert Gascoyne-Cecil, 4th Marquess of　索尔兹伯里侯爵(第四)**(1861-10-23,伦敦～1947-04-04,伦敦)　即 J.E.H.加斯科因-塞西尔。英国保守党政治家。他关于防务问题的主张,成为迄至第二次世界大战后英国军事组织的基础。曾就学于伊顿公学和牛津大学大学学院。1885 ～ 1892 和 1893 ～ 1903 年任下院议员。1903 年 8 月承袭侯爵爵位,10 月任掌玺大臣。第一次世界大战期间去职。1918 年后逐渐成为保守党的非正式领袖。1922 ～ 1923 年任枢密院院长。在鲍德温第 2 届内阁(1924 ～ 1929)中任掌玺大臣。1925 ～ 1929 年为上院领袖。因逐渐与鲍德温的"自由主义"格格不入,1931 年 6 月辞去保守党贵族领袖的职务,未参加 8 月组成的国民联合政府,而致力于加强上院和反对印度自治,虽未取得结果,但他与丘吉尔一道组织抵抗纳粹德国的国防比较成功。1942 ～ 1945 年任全国保守党和联合主义者协会联盟主席。

Salisbury, Harrison E.　索尔兹伯里(1908-11-14,美国明尼苏达明尼阿波利斯～1993-07-05,罗得岛普罗维登斯附近)　美国作家、记者。作为驻国外记者,在向美国读者介绍苏联方面起过重要作用。1955 年因国际新闻报道获普利策奖。在明尼苏达大学求学时,曾任《明尼阿波利斯日报》通讯员两年。1930 年毕业后进合众社,在圣保罗分社工作。1930 ～1948 年期间曾被派往芝加哥、华盛顿、纽约、伦敦和莫斯科(1944)等地工作。1949 年进《纽约时报》国外部,任该报驻莫斯科记者和分社社长,历时 5 年。1954 年下半年回纽约,1964 年被任命为该报助理总编辑。1972 ～1974 年任副主编,1970 ～ 1973 年任专栏版主编。他是美国艺术和文学学会会员,1975 ～1976 年为该学会会长。1958 年和 1967 年两次获乔治·波尔克纪念新闻学奖,还获得过其他各种奖和荣誉。写有 29 部著作,包括:《俄国在途中》(1946)、《战线后方——河内》(1967)、《列宁格勒被围的 900 天》(1969)、《黑夜,白雪——俄国的革命

(1905 ～ 1917)》、(1978)、《没有恐惧或偏爱：纽约时报和它的时代》(1980)、《中国：百年革命》(1983)和《新皇帝们：毛邓时代的中国》(1992)。

Salisbury, William (Welsh scholar) 参阅 **Salesbury, William** 索尔兹伯里。

Salisbury Plain 索尔兹伯里平原 英国最著名的开阔平坦地区之一。在英格兰威尔特郡。面积 775 平方千米。大部为无树地带。多史前遗迹，其中最著名的是巨石群。平原大部分用于军事训练，当地军营是英国最大的军营之一，1902 年建于提德沃尔斯。

Salish 萨利什人 北美印第安部落集团，操萨利什诸语言，住在今加拿大不列颠哥伦比亚省和美国华盛顿州北部、爱达荷州北部、蒙大拿州西部，地当哥伦比亚河、弗雷塞河上游及其支流流域。萨利什人通常被称作内地萨利什人，以别于沿海萨利什人(**Coast Salish**)，后者住在西北太平洋海岸。萨利什人包括克尔达伦人、哥伦比亚人、考利茨人、弗拉塞德人、卡利斯佩尔人、拉克人、利卢埃特人、内斯佩林人、奥卡纳贡人、桑波伊尔人、舒斯瓦普人、辛凯特克人(南奥卡纳贡人)、斯波坎人、汤普逊印第安人、韦纳哥人。萨利什人这一名称原来是弗拉塞德人(**Flathead**)的别名，为当地人所使用；但现在已用作整个部落集团的名字。萨利什人是所谓高原文化区的主要成员，其区域位于落基山脉与沿海山脉之间，为一半干旱地带，草地、森林间河流交错，盛产鲑鱼及其他鱼类。

大多数萨利什人分为若干松散组织起来的自治宗族，宗族由互有亲戚关系的家庭组成，有自己的首领和土地。冬天，每一宗族即占据一河边村落；夏天则生活游动，住于露营地，捕鱼，采集浆果及块根。接近这一文化区中心地带的诸部落如桑波伊尔人等，似乎不需要更为复杂的社会组织，几乎不知战争，对外贸易亦不重要。但在文化区的边缘地带，环境就大为不同。最西部的萨利什部落诸如利卢埃特人及西舒斯瓦普人，都与沿海民族进行贸易，吸取了一些他们的文化特征。例如：利卢埃特人就有仿照沿海地区的组织健全的氏族制度。西面的舒斯瓦普人既有氏族，又有社会等级，包括贵族、平民及奴隶。另一方面，极东部的萨利什部落如弗拉塞德人，是骑手、猎人和战士，拥有颇为发达的部落领袖制及议事会制，一如落基山东的草原印第安人。尽管典型的萨利什人或拥有独木舟，或拥有树皮船，但因河流湍急，他们多徒步旅行。典型住所为泥土或草席覆盖的房子，有时为半地下室(弗拉塞德人使用草原印第安人的圆锥形帐篷，利卢埃特人居住木柱木板搭成的海岸印第安人的房子)。大多数萨利什人穿着草原印第安人的服饰：男人有围腰布，女人穿束腰外衣，还有护腿、皮鞋，均以熟好的兽皮制成。宗教方面信奉保护精灵，萨满教僧或巫医能疗病也能致病。现在萨利什人大都住在美国的几个小块保留地上，或生活于加拿大一些欧化的杂居社区里；他们绝大多数是农民或劳工。

salite 次透辉石 成分介于透辉石(**diopside**)和钙铁辉石之间的过渡性的硅酸盐矿物。

Salitis 萨利提斯 又拼 Salatis。又称沙利克(Shalik)。第一个喜克索埃及国王，第 15 王朝创建人。喜克索人是青铜器中期时代巴勒斯坦入侵者，他们逐渐侵袭埃及，强占王位。传说，萨利提斯蹂躏了全埃及，但他实际统治范围可能不超过中埃及，而埃及其余部分则是由其诸侯来统治。传说他在尼罗河三角洲东北部的阿瓦里斯设立了要塞。

saliva 唾液 经常存在于人和其他脊椎动物口腔内的一种黏稠、无色、透明的液体。由水、黏液、蛋白质、矿物盐及淀粉酶等组成。在口腔内流动，对食物碎屑进行初步消化，破坏细菌细胞和白细胞等。人每日分泌唾液约 1 000 ～ 2 000 毫升。大的唾液腺(**salivary gland**)有 3 对，还有许多较小的唾液腺分散在颊、唇、舌及腭部。口腔内经常有小量唾液，当进食、闻到食物香味乃至想到食物时，唾液分泌就会增多。唾液有多方面的功能。能湿润口腔，有助于言语功能，又能将食物变成流体或半流体以便于辨味及吞咽。唾液又帮助调节体内水的平衡，身体缺水时唾液腺停止分泌，口腔变得干燥，使人口渴欲饮。唾液能除去食物碎屑、死亡的细胞、细菌和白细胞，有助于减少龋齿及预防感染。唾液内亦含少量淀粉酶，可使碳水化合物分解。

salivary gland 唾液腺 脊椎动物口腔内分泌唾液的器官。分泌浆液性、黏液性或混合性液体。黏液是一种浓厚、清亮、稍黏滑的液体。浆液性分泌物是一种流动性较强的透明

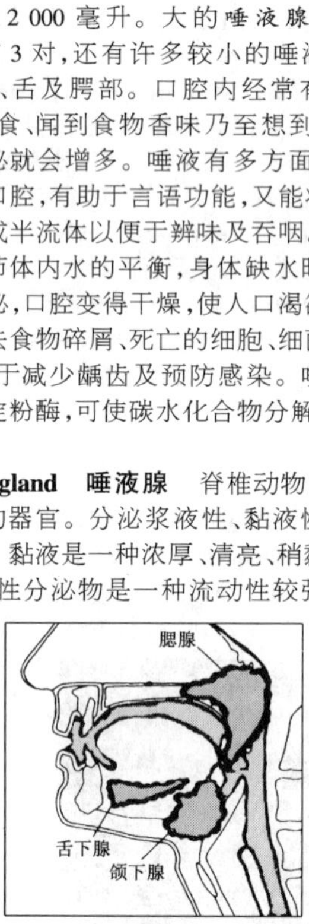

唾液腺

液体，由水、蛋白质及一些消化酶组成。唾液分泌的调节是神经反射性的，发热、脱水及焦虑状态均可抑制唾液分泌。进食、想到或闻到食物及受温热刺激时，唾液分泌增加。人类除了位于舌、腭、唇和颊部的许多小唾液腺外，还有 3 对大唾液腺，腺管开口于口腔。腮腺最大，位于耳及下颌骨升支之间，腮腺外被纤维包膜，由脂肪组织及主要分泌浆液的细胞组成；其主导管(斯坦森氏管)开口于口腔后部靠近上第 2 磨牙处。颌下腺位于下颌骨边沿；外被纤维包膜，分泌混合性液体，以浆液为主；其主导管(沃顿氏管)开口于舌前部与口腔底部相接触处。舌下腺位于口腔底部黏膜下方，靠近颏部；无包膜覆盖，而散布在四周组织中；导管(里维纳斯氏管)数多，开口于靠近舌与口腔底部联合处，部分导管联合形成巴尔托林氏管，开口于颌下腺导管内或其附近；舌下腺分泌混合液体，以黏液为主。参阅 **saliva**。

Salix 柳属 杨柳科的一属，灌木或乔木，其种类称为柳(**willow**)。

Salk, Jonas Edward 索尔克(1914-10-28，美国纽约～1995-06-23，加利福尼亚乔拉) 美国医生、医学研究人员，第一个安全、有效的脊髓灰质炎疫苗的发明者。1939 年获纽约州立大学医学院博士学位，并在该校和小弗朗西斯合作进行灭活病毒免疫活性问题的研究。1942 年他们二人在密歇根大学公共卫生学院再度携手，成为流感免疫研究组的成员。1947 年索尔克出任匹兹堡大学医学院细菌学副教授、病毒研究室主任，并开始研究脊髓灰质炎问题。他和来自其他大学的科学家们合作，审视脊髓灰质炎病毒的亚株分型问题，索尔克再次确认了脊髓灰质炎三个不同的亚株在分类学上的位置。接着，他以猴为模型动物用实验证明：此三个亚株的灭活病毒已无致病活性，但却有抗原活性，能刺激抗体形成。1952 年，他把脊髓灰质炎灭活疫苗投入二期临床实验，先是对已痊愈的脊髓灰质炎患者，而后是无该病病史的儿童，均获成功。二期临床的结果表明：①两组受试者血液中的抗体水平均有明显升高；②该疫苗无致病活性。次年，此项研究成果在《美国医学会杂志》上发表。1954 年，小弗朗西斯将此疫苗制成针剂投入三期临床，结果证明了此疫苗的确切的安全、有效性。1955 年 4 月 12 日，索尔克疫苗在美国正式投入临床实用。在匹兹堡大学，索尔克是位成功的细菌学教授、预防医学家和实验医学家。1963 年，他出任加利福尼亚州圣地亚哥生物学研究所研究员兼所长；后来，这家研究所便以他的名字命名为索尔克研究所。他的荣誉甚多，其中最重要的是 1977 年度总统自由金奖。

Salkey, (Felix) Andrew (Alexander) 索尔基(1928-01-30，巴拿马科隆～1995-04-28，马萨诸塞安默斯特) 加勒比地区作家。在牙买加长大和受教育，1952 年到伦敦大学学习。后成为自由作家和新闻记者，经常为英国广播公司撰稿。他的第一部小说《暴力的一种特性》(1959)，描述 1900 年前后牙买加的一个穷乡僻壤，在那里，长久的干旱导致基督徒转向陈腐而“黑暗的”巫术。他写的儿童读物如《飓风》(1964)和《骚乱》(1967)，描绘牙买加想象中的事件。

Sallārid DYNASTY **萨拉尔王朝** 参阅 **Mosāferīd dynasty** 莫萨法尔王朝。

Sallé, Marie 莎莱(1707～1756-07-27，巴黎) 法国一位富有革新精神的女舞蹈演员和编导。在炫耀娴熟技巧更为受人欢迎的时期，她表演了表情丰富的戏剧性舞蹈。她是第一位自编自演的妇女。曾把音乐、服装和舞蹈风格与舞蹈题材融为一体，是 18 世纪末诺维尔改革的先行者。莎莱童年时代在英国登台，以后从 F. 普雷沃学舞蹈，1721 年在巴黎歌剧院首次演出。早在 1729 年表演双人舞《性格舞蹈》时，她就和男舞伴取下沿用的

莎莱在《忒耳西科瑞》剧中的舞姿

供图：BBC Hulton Picture Library

面具(它大约直到1770年才正式废止)，以便显示演员的面部表情。1734年，在伦敦创作了独舞《爱情的性格舞》和芭蕾舞剧《巴克科斯和阿里阿德涅》，显示了她作为悲剧演员的非凡才能。她在革新的《皮格马利翁》(1734)中扮演维纳斯，摒弃了18世纪芭蕾繁琐复杂、限制动作的服装，改用希腊式的薄纱服，头发不加装饰，松散披在背后。次年她表演了许多韩德尔歌剧中的插舞。在卡玛戈暂时隐退期间她返回巴黎，1737年在《卡斯特尔和波勒克斯》中饰演青春女神，得到很大荣誉。1740年她退出歌剧舞台，但继续在法国宫廷表演直到1752年。由于她的创造性和才智以及她的典雅和表现力，莎莱至今仍为人们所怀念。

Salle, René-Robert Cavelier, sieur de La (French explorer) **萨尔** 参阅 **La Salle, René-Robert Cavelier, sieur de** 拉萨尔。

Sallisaw 萨利索 美国俄克拉何马州东部城市，塞阔雅县县城(1907)。位近阿肯色州界。19世纪80年代始有人定居，以附近萨利索小溪命名。早期为贸易站，现为游览、农业(棉花、菠菜、大豆、牛)区服务中心。有轻型制造业。城东北11千米的德怀特传道会建于1828年，为南北战争前印第安准州最重要的教育机构。胜地有州重点文物古迹印第安人文字缔造者塞阔雅(创造切罗基字母表)所建圆木屋。人口7 989(2000)。

Sallust 萨卢斯特(约公元前86，萨谟莱阿米特努姆[今意大利阿奎拉附近圣维托尼诺]～前35或前34) 罗马历史学家和伟大的拉丁语文学文体家之一，以他的描述政治人物、腐败和党派斗争的记事作品而闻名于世。

萨卢斯特的家庭大概属于地方贵族，但他是家族中有记载的曾在罗马元老院供职的唯一成员，因此，他是以一名"新人"的身份开始投身于政治生涯的，也就是说，他不是出身于统治阶级，这是对其历史判断的调门和内容两方面都产生了影响的一个因素。早年情况不详，他或许有一些军事经历，也许于公元前70～前60年在东方服军役。他于公元前52年获得的第一个政治官职是保民官。该项官职的设置意在代表下层阶级，但到萨卢斯特时代已经发展成为最有权势的地方行政官职位之一。据说他在公元前55年左右还担任过审计官这一财政方面的管理职位，但这一说法的证据不可信。

由于公元前53年发生选举动乱，除了保民官外再没有其他固定形式的政府官员。翌年年初，动乱发展成暴力形式，这导致臭名昭著的政治煽动家和保民官候选人克洛狄乌斯被米洛带领的一帮人杀害(保民官的地位低于执政官)。米洛是执政官候选人，在随后举行的审判中，西塞罗为米洛辩护。而萨卢斯特和他的几位同事则在攻击西塞罗的演讲中慷慨陈词。虽然这些事件并不具有长久的重要意义，但萨卢斯特参与那一年政治斗争的体验却为他日后的写作提供了一个重要的主题。

公元前50年，萨卢斯特因所谓"道德败坏"而被逐出元老院。翌年，他投奔尤里乌斯·凯撒寻求庇护，凯撒与庞培间的内战于同年爆发后，他受命指挥凯撒的一个军团。他唯一有史可查的军事行动是不成功的。两年后，他被任命为保民官，被派去镇压凯撒军队中的一次兵变，并再一次失败。公元前41年他参加了凯撒的非洲战役(获得有限的成功)，当罗马在努米底亚人的领土上(今阿尔及利亚)建立起新阿非利加行省后，他成为其第一任总督；一直任职到公元前45年或前44年初。一回到罗马，他即被指控曾在其行省横征暴敛，但是经过凯撒干预，他从未受过审讯。有证据表明萨卢斯特自身的行为人品和那些苛刻评论世风腐败的著作形成鲜明的对比，这种证据也暗示了他用以建造华丽的萨卢斯特花园的不义之财的来源。关于萨卢斯特人品的传说似乎来自当时若干低级下流的流言蜚语，也似乎是因为人们把他和他养子混淆起来了，后者是奥古斯都大帝的重臣萨卢斯蒂乌斯·克里斯普斯，是一位拥有巨大财富和骄奢淫逸的人物。萨卢斯特的政治生涯在他返回罗马后不久即告结束。他的退休可能是他自愿的，正如他自己坚持说的那样；也可能是由于他在凯撒面前已经失宠，或者甚至是由于凯撒于公元前44年遇刺身亡而不得不退隐的。

萨卢斯特很可能是在三巨头统治于公元前43年年底建立起来之前就已经开始写作。他生于一个内战频仍的时代。在他长大成人期间，对外战争和政治斗争十分常见，因此他的作品中充斥着暴力也就不足为奇。他的第1部专著《喀提林战争》(公元前43～前42)以追溯喀提林阴谋的笔法揭示了罗马政治的腐败。喀提林是一个生性残忍和野心勃勃的贵族，在他的贵族同仁对他产生怀疑，而且民众对他日益失去信任，因此他不能合法地取得政权以后，遂于公元前63年试图以武力夺权。喀提林得到某些或受野心驱使、或者想通过他的上台来解决自身财政问题的上层阶级成员的支持。他也受到了意大利不满意的老兵、贫困潦倒的农民和负担过重的债务人的拥护。在萨卢斯特看来，喀提林的罪行和他具有的危害性都是空前未有的。诚然，感到惊恐的那个时代的人可能有些夸张了这次事件的影响；然而，假设政府不曾像它实际所做的那样采取果断行动的话，一场大灾难就可能会发生。萨卢斯特记述了阴谋的全过程以及元老院和当时担任执政官的西塞罗采取的对策。他以公元前63年12月5日元老院就处理阴谋分子问题所进行的辩论为其全书的高潮。萨卢斯特认为凯撒和加图是公民美德的代表，在辩论中是重要的发言人；他把阴谋分子的被处死看做是共和国历史上一个时代的结束。这部书中的一段插话表明萨卢斯特把党派斗争视为共和国瓦解的一个重要因素。

在萨卢斯特的第2部专著《朱古达战争》(公元前41～前40)中，他更加详尽地探讨了在讨伐朱古达的战争爆发时在罗马产生的党派斗争的起源。朱古达是努米底亚国王，他在公元前2世纪快结束时起兵反对罗马。这场战争为盖尤斯·马略升到执政官的高位提供了一个机会。像萨卢斯特和西塞罗一样，马略也是一个"新人"。他的执掌大权体现了对传统的排外性罗马政治贵族进行的一次成功的冲击，但是也引起了在萨卢斯特看来必然会导致战争与灾难的那种政治冲突。萨卢斯特认为罗马从初期就对这场战争处理失当是"少数权势人物"的错误，他们为各自的贪欲和排斥异己而牺牲了共同的利益。在罗马共和国晚期，罗马的政治动乱固然有其社会和经济原因(萨卢斯特没有忽视这一点)，但它主要体现为控制着元老院的贵族集团和获得民众支持对寡头政治提出挑战的那些元老们之间的权力斗争。这就是萨卢斯特对那一时期的种种事件作纲要性分析的基础框架——贵族或元老院与民众或平民之间的冲突。萨卢斯特的《历史》只有一些残篇存留，该书叙述了公元前78～前67年的罗马历史。在这部书中，萨卢斯特涉及的主题在范围上更加广泛，但是党派冲突和对政治权势人物的攻击仍然是全书的中心内容。萨卢斯特对三巨头统治持敌对立场的蛛丝马迹，在《朱古达战争》和《历史》两书中时有流露。两封《致凯撒书》和一篇《斥西塞罗》的文章具有萨卢斯特的写作风格，因而经常被认为是萨卢斯特的作品，虽然很可能并非是事实。

萨卢斯特的影响遍及以后罗马的历史传记写作，不论是反对他的人如李维(公元前59～公元17)，或者是倾心研究他并把他的风格与观点进一步加以改进的人如塔西佗(约56～约120)，他们都深受他的影响。萨卢斯特的著作在记叙中穿插演讲、性格描写和评论,并以高超的技巧把古风与时新写法加以融合,因而文笔显得十分生动活泼,从而创造出了一种具有经典地位的风格。使道德家们高兴的是,他揭露了罗马的政治并不都像官方修辞学家所描述的那样美好。萨卢斯特并不是一个十全十美的历史学家,他的著作中有许多时代误植、不够准确和观点偏颇之处。《朱古达战争》中涉及地理的描述反映出作者本人对北非很不熟悉,他把公元前146年的夷平迦太基之举视为罗马危机的开端,其实罗马共和国的恶兆在此以前早就清楚地显示出来了。他仅仅满足于哲学上的老生常谈,因而也不是一个深刻的思想家。萨卢斯特对罗马的国家政权结构未置一词,他的道德和政治价值观都恪守传统,这些观点往往都以怀念往昔来抨击当代。但是萨卢斯特本人的从政经验已经渗透进他的分析文风,使它们具有了能引起读者注意的一种力度和激情。

Salluste, Guillaume de　萨吕斯特　参阅 **Bartas, Guillaume de Salluste, seigneur du** 巴尔塔斯。

Salmān al-Fārisī　赛尔曼(活动时期7世纪,生于伊朗伊斯法罕附近)　伊斯兰教传说中受欢迎的人物,伊朗民族英雄,自幼信奉基督教,离家到叙利亚和阿拉伯中部寻找能复兴亚伯拉罕(易卜拉欣)的宗教的先知。途中被卖为奴,偶至麦地那,遇见穆罕默德,受穆罕默德之助赎身。有关赛尔曼的最重要事件是627年的壕沟之战,据传,当时麦加人将穆罕默德包围在麦地那,赛尔曼建议掘壕卫城。此举使穆罕默德成功地进行了一次防卫战。温和的什叶派因为赛尔曼接近先知而对他特别崇敬,极端的什叶派则认为他是受真主之光照射的圣人之一。

Salmasius, Claudius　萨尔马修斯(1588-04-15,法国瑟米尔-昂诺克西奥～1653-09-03,斯帕[今在比利时])　条头原文为拉丁语名,法语作 Claude de Saumaise。法国古典学者。他因一部价值极小的著作(为英王查理一世写的辩护词)而闻名。由于他的学问和见识,他在当时成为一位很有影响的人物。曾在巴黎学习(1604～1606),并在该地成为加尔文派教徒;随后又在海德堡学习(1606～1609),发现希腊诗集的巴拉丁抄本。1610年任第戎最高法院律师。1629年发表为罗马语法学家索利努斯的《述异记》作的极为出色的注解。他的学识渊博,特别表现在语文学方面,除希腊语和拉丁语之外,他还会希伯来语、阿拉伯语、古叙利亚语、波斯语和科普特语,因而受到几所大学邀请。1631年任莱顿大学教授。尽管他在那里受到忌妒,又由于气候不佳,身体衰弱,以及多次有人煽动他回法国,但他还是长期留了下来(除1650～1651年在瑞典宫廷)。从1640年宣告他写成《论教皇的特权》一书(附有14世纪的两篇反教皇的文章),到1645年此书出版这一段期间,几次有人提出交换条件要他撤回此书,都被他拒绝,表现出他的独立不倚的精神。在英国内战(1642～1651)期间,他被人认为是长老派信徒和议会党人的联盟者。处决查理一世时,他正在应苏格兰人之请写了一篇抨击独立派的文章。无法断定谁唆使他写出了这篇为查理一世辩护的文章(1649年11月匿名发表)。可以肯定的是,查理二世为之支付了印刷费用。文章攻击了独立派,并且一反他过去的观点,竟然为教皇的统治和专制君主政体进行辩护。这篇文章引起J.弥尔顿(当时是共和政体的外文秘书)在1651年写了《为英国人民辩护》作为回答。他在为高利贷辩护的文章里,劝说荷兰教会允许高利贷者参加圣礼,也引起了争论。

Salmo　鲑属　鱼类的一属,包括大西洋鲑(**Atlantic salmon**)、褐鳟(**brown trout**)、切喉鳟(**cutthroat trout**)和虹鳟(**rainbow trout**)等受欢迎的食用及游钓鱼。参阅 **salmon**。

salmon　鲑　原指一种大型的鲑科(Salmonidae)鱼类,通常称为大西洋鲑(*Salmo salar*),但后来泛指一切鲑科鱼类,尤指构成大麻哈鱼属(*Oncorhynchus*)的太平洋鲑。大麻哈鱼属有6个种,统称太平洋鲑。红鲑(*O. nerka*)分布范围从白令海北部到日本及美洲西北部的哥伦比亚河。银鲑(*O. kisutch*)分布范围从白令海到日本及蒙特雷湾的萨利纳斯河。大麻哈鱼(狗鲑,*O. keta*)分布范围从北极南部的马更些河及勒拿河,向南至日本及罗格河。王鲑(春鲑、奇努克鲑、大鳞大麻哈鱼,*O. tshawytscha*)分布范围自育空河至中国及萨克拉门托河。粉红鲑(驼背鲑、细鳞大麻哈鱼,*O. gorbuscha*)分布范围自北极至日本及克拉马斯河。樱桃鲑(*O. masu*)产于日本沿海。大西洋鲑原产于北大西洋东西两岸的河流。成年的大西洋鲑体重平均约4.5千克,而王鲑平均可达约10千克,重达22～36千克的也不少见。大麻哈鱼平均重约4.5～5.5千克。银鲑重约3～4.5千克。红鲑重约2～3千克。粉红鲑重1.3～2.7千克。太平洋鲑一生的大部分时间生活于海洋中,但成年后回到孵出的溪流中产卵。雌鱼在溪流的沙砾中挖一坑,产卵于其中,雄鱼同时排出精液,然后雌鱼用沙砾将卵掩埋。成年的太平洋鲑产卵后很快死亡,但许多大西洋鲑可返回海洋生活1～2年后又来产卵,有的可产卵3～4次。

大多数鲑于夏末或秋天产卵,卵通常于晚冬孵出幼鱼。孵化期决定于温度,需60～200天。幼鱼孵出后,先从附于身上的一个囊中吸取卵黄为营养来源,然后在沙砾中扭动,并钻出觅食。粉红鲑的幼鱼几乎立即进入海洋,而大麻哈鱼的幼鱼孵出后数周方进入海洋。银鲑则在溪流中停留终年,而王鲑及大西洋鲑的幼鱼可在溪流中觅食达1～3年乃至更久。红鲑的幼鱼在湖泊中生活1～5年方进入海洋。

鲑在海洋中为银白色,但生殖季节则体色发生变化,不同的种体色的变化亦异。此时雄鱼通常出现钩状的颌。太平洋鲑的体色变化十分明显。成年的鱼于春季或秋季溯江河而上,一路并不觅食,但也会吞食鱼饵。产卵场可能离海不远,但王鲑及大麻哈鱼需游3 200千米以上到育空河河源去产卵。洄游的鲑为本能所驱使,抗激流,跃过高水头,最后才达到产卵场。即使内陆河中的鲑在水深的湖中成熟后,也要上溯支流的河溪去产卵。虽然在某些地区人们对大西洋鲑进行商业性捕捞,但大西洋鲑主要被视为贵重的游钓鱼。王鲑及银鲑在太平洋沿岸的大河地区是珍贵的游钓鱼。太平洋鲑的商业性捕捞每年捕获数百万磅,其中近半数为粉红鲑,1/3为大麻哈鱼,余下的部分多为红鲑。参阅 **chum salmon; coho; king salmon; pink salmon; sockeye salmon**。

Salmon, Lucy Maynard　萨蒙(1853-07-27,美国纽约富尔顿～1927-02-14,纽约波基普西)　美国历史学家。1876年毕业于密歇根大学,其后五年间在艾奥瓦州麦格雷戈尔担任中学助理校长及校长。1883年回密歇根大学,获历史学硕士学位。在特雷霍特的印第安纳州立师范学校(今印第安纳州立大学)执教三年,后获奖学金,到布林莫尔学院攻读美国历史研究生课程一年。1887年任瓦瑟大学首名历史教师,1889年升正教授。除1898～1900年请假赴欧洲学习和旅游外,终生在瓦瑟大学任教。在她的影响下,该校的历史课程不断增加,同时长期推动创建瓦瑟大学学术图书馆。她在教学中敢于创新,结合反映日常现实生活的资料研究历史,并非仅仅依赖官方文件和正式公告。由于创造性地使用统计报告,其专著《国内服务》(1897)对历史学和历史编纂有重大贡献。1903年成立美国中部各州及马里兰历史教师协会,并担任首届主席。1915～1919年成为美国历史学会执委会首位女委员。

Salmon River　萨蒙河　美国河流。源出爱达荷州中部卡斯特县南部索图斯和萨蒙河山脉。东北流,经萨蒙市与莱姆哈伊河汇合,折向西北汇入斯内克河。全长676千米。沿途

流经博伊西国家森林的萨蒙河

供图:Ray Manley—Shostal Assoc./美国不列颠百科全书公司.

穿经一个广袤的国家森林野生动物区。为斯内克河最大支流。自萨蒙市至其与斯内克河汇合处一段一度不能逆行,故称"无返之河"。下游有一峡谷。

salmon trout　鲑鳟　参阅 **lake trout** 湖鳟。

salmonberry　鲑莓　参阅**cloudberry**云莓。

Salmonella　沙门氏菌属　肠杆菌科中一类革兰氏染色阴性兼性厌氧的杆状细菌。它们主要生存于人类及其他动物的肠道。有些种栖于动物体内并不造成任何症状；另一些则为人类严重疾病的病原体。沙门氏菌造成的各种轻重不等的感染统称沙门氏菌病（salmonellosis）。伤寒沙门氏菌（*Salmonella typhi*）造成人类伤寒（**typhoid**）；副伤寒沙门氏菌（*S. parathyphi*）、薛氏沙门氏菌（*S. schottmuelleri*）和希氏沙门氏菌（*S. hirschfeldii*）则引起副伤寒（**paratyphoid fever**），这几个种有时能视为肠炎沙门氏菌（*S. enteritidis*）的变种。冷冻可阻止细菌繁殖却不能杀死它们。因此，沙门氏菌可在食物中孳生，食入时即可致胃肠炎。猪霍乱沙门氏菌（*S. choleraesuis*）可在人类造成严重的败血症；鸡沙门氏菌（*S. gallinarum*）则造成家禽伤寒病；亚利桑那沙门氏菌（*S. arizonae*）则于美国西南部的爬行动物中分离出。

salmonellosis　沙门氏菌病　某些沙门氏菌引起的急性肠道传染病。沙门氏菌是人类食物中毒及家禽、家畜多种疾病的重要病原菌。沙门氏菌病一词常指人类两种主要的胃肠道疾病：肠热症（包括伤寒、副伤寒）及胃肠炎。后者主要由鼠伤寒沙门氏菌及肠炎沙门氏菌引起，通过污染的食物、饮料、手和其他途径传播。污染来源主要有二：一是食用病禽、病畜；一是干净的食品接触了有传染性的粪便等物质而被污染（如在食品储存过程中为鼠类接触，或加工过程中为脏手所污染）。该病起病急、有时很严重，有恶心、呕吐、腹泻、虚脱及低热。多数病例于数天内恢复，且可获得不同程度的免疫。家禽、家畜的沙门氏菌病表现各异：从潜伏性（不显性）感染到病势险恶甚至死亡，死亡在幼禽幼畜中尤为常见。症状多变，但一般都包括衰弱、虚脱、发热及腹泻。怀胎的母畜可能流产或早产。病牛可能发生惊厥。鼠伤寒沙门氏菌可使马、牛及羊致病；猪霍乱沙门氏菌引起一部分猪发生败血症，但另一些猪可表现为潜伏性感染，从而成为带菌者。显然，通过一些与人密切接触的健康的玩赏动物如狗、猫、雏鸠等，也能把该病传播给人。沙门氏菌病的传播环节很复杂，传染源亦难追查。卫生状况改善及宿主免疫力的提高，已使人畜严重爆发的次数大为减少。

salmoniform　鲑形类　约1 000种分布于淡水和海水的鱼类，包括红点鲑、大麻哈鱼、狗鱼及某些栖于海洋深水的鱼类。鲑科的红点鲑、大麻哈鱼、白鲑和茴鱼为研究较多的鱼类。肉质鲜美，经济价值高。多为食肉性，以鱼类和大型无脊椎动物为食。太平洋哲罗鱼和多瑙哲罗鱼体最大，重可达50千克。北美狗鱼体重近50千克。多数种类较小。深海种类体长一般不超过150毫米，许多种类的成体仅25～50毫米。最大的海生鲑鱼体长达2.1米。分布于各大洲的海洋。红点鲑、狗鱼和胡瓜鱼科的许多种类产于北半球淡水水域。鲑科鱼类栖于北美寒冷水域，从北冰洋的支流到墨西哥西北部加利福尼亚海湾的支流。欧洲和亚洲的分布区域与北美相似，从北冰洋至北非的阿特拉斯山脉和中国台湾省。红点鲑分布于北方淡水。欧洲、亚洲及北美洲的白斑狗鱼分布极广。香鱼和胡瓜鱼科为该地区的小型鱼类，有的种类生活于淡水。北半球远东地区的香鱼科和银鱼科种类较多。南非、南美洲南部、澳大利亚、新西兰和塔斯马尼亚皆有分布。鲑类中有25科约800种鱼类完全营海洋生活，是典型的中深度和深海鱼类。代表种类见于所有海洋不同深度的水域。在温带和热带多分布在200～2 000米深的水域。鲑类的生活周期不同，有的终生生活于小池塘或小河，有的则从江河迁至几千千米外的海洋，再返回江河。某些种类的幼体出壳后即独立寻食，大多数深海种类经历幼体阶段，幼体形态明显不同于成体。大多数雌雄异体，少数深海类群雌雄同体。有些种类溯河洄游，在淡水中产卵，产卵后回到海洋。有的种类由江河到海洋降河洄游，在海洋中产卵，幼鱼游到淡水中生长发育。海生鲑类终生在海洋度过。所有种类都是卵生，体外受精。鲑鱼类喜居清洁的冷水中。红点鲑和大麻哈鱼经历几千千米艰辛的洄游到达海洋，生活1～3年后，仍回到原出生的河流产卵。狗鱼凶猛贪食。许多深海种类夜间到食物丰富的海面取食。底栖种类吃海面沉下的食物。鲑科体呈流线型，左右对称。体鳞细小而光滑。鳃耙发达，侧线明显。有脂鳍，位于背鳍与尾鳍之间，呈屈指状。背鳍起点距吻端较距尾鳍基近。臀鳍位于肛门之后。胸鳍低，远离腹鳍基部。腹鳍起点在背鳍起点下方。尾鳍呈叉状。口较大，上下颌及口内其他骨块均有齿。成体红点鲑能捕食相当于其体四分之一长的动物。也可用鳃弓内缘的鳃耙滤过几毫米长的无脊椎动物。狗鱼体长、头大、上下颌和锄骨有锥形锐齿，背鳍位于后部，接近尾鳍，无脂鳍。鲑类侧线器官发达，多数种类有鳔，红点鲑的鳔有鳔

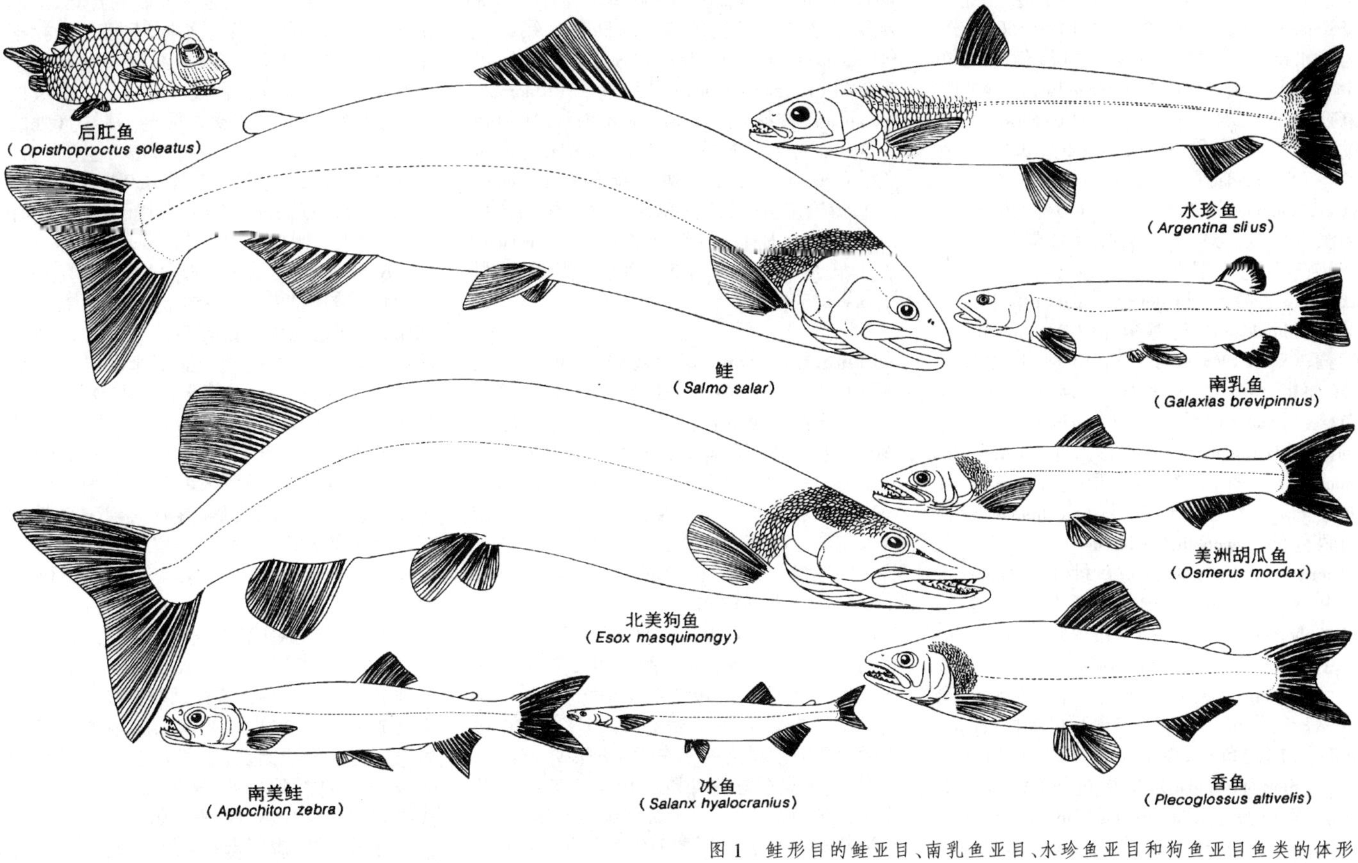

图1　鲑形目的鲑亚目、南乳鱼亚目、水珍鱼亚目和狗鱼亚目鱼类的体形

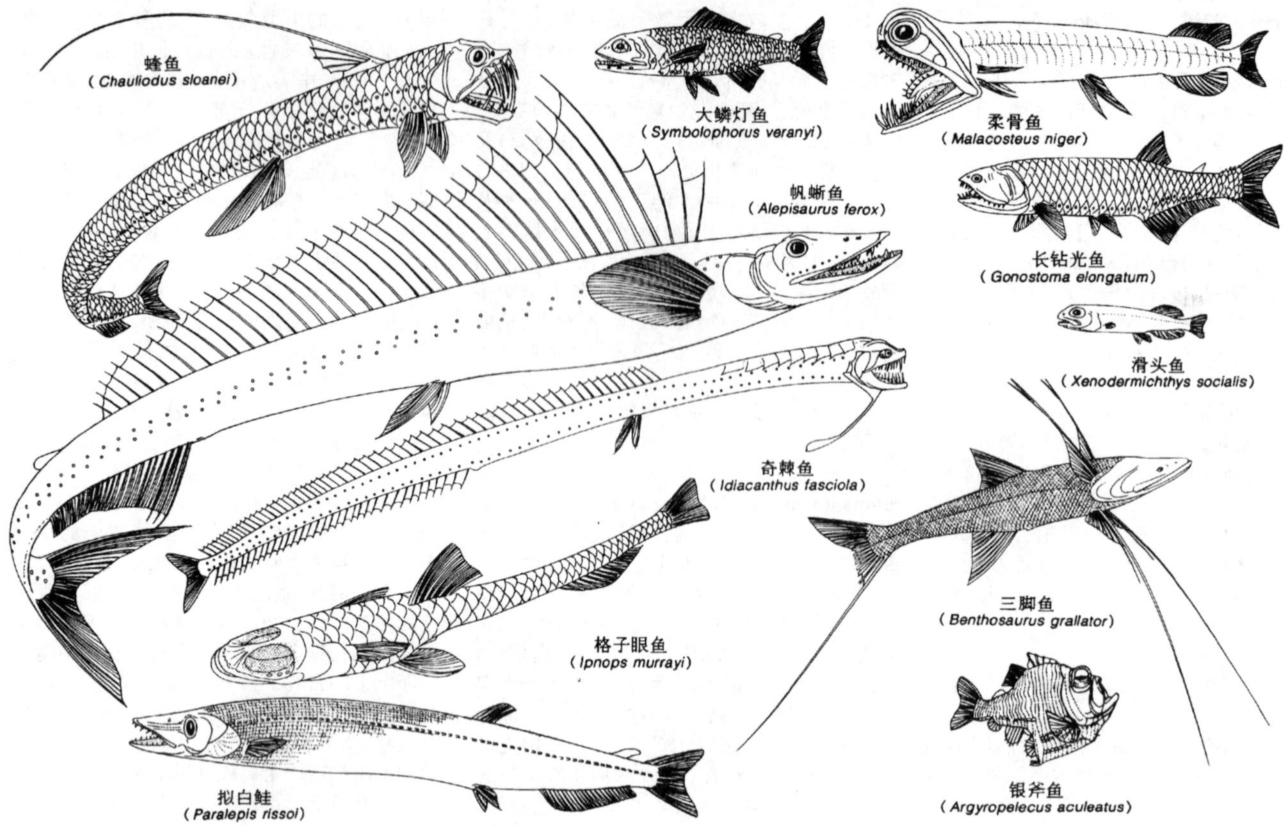

图 2 鲑形目的巨口鱼亚目、平头鱼亚目、七星鱼亚目鱼类的体形

管，属原始型。许多种类的鳔无管。少数深海种类无鳔。某些海生种类具发光器。鲑形目是具有嵌镶式原始特征的类群。纺锤形或长体形的捕食性鱼类。常有脂鳍；背鳍与腹鳍一般位于体中部；鳍无真正鳍棘；胸鳍常位于腹侧。化石种类始于白垩纪。①鲑亚目(Salmonoidei)，约 100 种，长达 10 ～ 150 厘米，为淡水鱼、溯河产卵洄游鱼类或海鱼类，分布于北半球。包含鲑科(Salmonidae)，如鲑类、麻哈鱼类、斑鲑类；胡瓜鱼科(Osmeridae)，如胡瓜鱼类；香鱼科(Plecoglossidae)，如香鱼；银鱼科(Salangidae)，如银鱼类。②乳鱼亚目(Galaxioidei)，约 50 种，长达 7.5 ～ 40 厘米，为淡水鱼类、溯河产卵洄游鱼类或降河产卵洄游鱼类，分布于南半球。包含乳鱼科(Galaxiidae)；后鳍鲑科(Retropinnidae)；单甲鲑科(Aplochitonidae)；鞘颌鲑科(Prototroctidae)。③狗鱼亚目(Esocoidei)，有 10 种，长达 5 ～ 150 厘米，淡水鱼类，分布于北半球。包含狗鱼科(Esocidae)；泥狗鱼科(Umbridae，包括黑狗鱼科[Dalliidae])。④水珍鱼亚目(Argentinoidei)，有 50 种，长 3 ～ 40 厘米，海产鱼类，分布于全球。包含水珍鱼科(Argentinidae，或称奇眼鱼科[Xenophthalmichthidae]，或小口鱼科[Microstomatidae])；深海兔鱼科(Bathylagidae)；后肛鱼科(Opisthoproctidae，或称长鳍鱼科[Dolichopterygidae]，包括大鳍鱼科[Macropinnidae]及温特尔鱼科[Winteridae])。⑤巨口鱼亚目(Stomiatoidei)，约 350 种，长2.5 ～45 厘米，海产，分布于全球。包含巨口鱼科(Stomiatidae)；钻光鱼科(Gonostomatidae)；胸褶星光鱼科(Sternoptychidae)；噬星鱼科(Astronesthidae)；黑口鱼科(Melanostomiatidae)；蝰鱼科(Chauliodontidae)；黑龙鱼科(Idiacanthidae)。⑥黑裸头鱼亚目(Alepocephaloidei)，约 120 种，长 3 ～ 700 厘米，海产，全球性分布。包含黑裸头鱼科(Alepocephalidae)；骨喉鱼科(Bathylaconidae)；管肩鱼科(Searsiidae)；深海锯鱼科(Bathyprionidae)。⑦灯笼鱼亚目(Myctophoidei)，约 470 种，长 2.5 ～ 200 厘米，海产，全球分布。包含灯笼鱼科(Myctophidae)；线鳍鱼科(Aulopodidae)；狗母鱼科(Synodontidae)；龙头鱼科(Harpadontidae)；绿眼鱼科(Chlorophthalmidae)；蜘蛛鱼科(Bathypteroidae)；灯眼鱼科(Ipnopidae)；拟鲟鱼科(Paralepididae)；肩刺鱼科(Omosudidae)；黑裸蜥鱼科(Alepisauridae)；标枪鱼科(Anotopteridae)；埃弗曼氏鱼科(Evermannellidae)；岩蜥鱼科(Scopelosauridae)；新灯笼鱼科(Neoscopelidae)；古灯笼鱼科(Scopelarchidae)。

Salmuth, Hans von 萨尔穆特(1888-11-11，德国梅茨～ 1962-01-01，西德海德堡) 第二次世界大战时期的德国陆军参谋、战地司令。1907 年加入德国陆军，第一次世界大战中升任上尉。战后留在部队。1937 年晋升准将，1938 年任第二集团军参谋长。1939 年 9 月德国入侵波兰时任北方集团军司令 F.冯·博克将军的参谋长。冯·博克的 B 集团军群 1940 年 5 月入侵比利时和荷兰时仍为其参谋长。1941 年德国入侵苏联时已晋升中将，任第 30 军团司令，在克里米亚作战。1942 年 7 月任第二集团军司令。1943 年 1 月升为上将，8 月奉命调往法国指挥第 15 集团军，所属 17 个师负责守卫勒阿弗尔东北至斯海尔德河口沿岸，抵御盟军进攻西欧。1944 年 6 月 6 日盟军在诺曼底登陆，由于希特勒判断错误，直到 7 月末才下令萨尔穆特的步兵师和装甲师开往西线解救被围困的第 7 集团军。第二次世界大战结束时被美军俘获，1948 年被判 20 年监禁。1953 年获释。

Salome 撒罗米(活动时期1世纪) 据犹太史学家约瑟夫斯说，她是希罗底的女儿、罗马帝国任命的加利利(今巴勒斯坦地区)分封王希律安提帕的继女。在《圣经》中，她是直接陷害施洗约翰而使他被处决的人。约瑟夫斯说，她两次嫁人，第一次嫁分封王腓力(她的父亲希律的异母兄弟，又是希律一世[大帝]的儿子)，第二次嫁阿里斯托布卢斯(希律[哈尔基斯的]的儿子)。希律一世(大帝)有一姊妹，也名撒罗米，两人不可相混。据《马可福音》(6:14-29)和《马太福音》(14:1-12)记载，安提帕同与他的异母兄弟离异的女人希罗底结婚，受到施洗约翰的指责。安提帕囚禁施洗约翰，但不敢处死他。撒罗米在宴会上跳舞，得安提帕欢心。撒罗米在希罗底唆使下，趁机向安提帕索要施洗约翰的人头，安提帕只好照办。撒罗米托着装有约翰的头的盘子，交给她母亲。撒罗米的故事从很早就成为基督教艺术作品的热门题材，到了文艺复兴时期尤其风行，意大利画家马索利诺曾以之作画。19 世纪法国画家莫罗和英国画家比尔兹利所画的撒罗米也十分引人注目。英国剧作家王尔德作独幕剧《莎乐美》(1893 出版，1895 初演；莎乐美即 Salome 的另译)，后来奥地利作曲家施特劳斯根据拉赫曼的德文译本谱成独幕歌剧(1905 初演)，剧中希律想在撒罗米身上发泄肉欲；撒罗米垂青于施洗约翰，却遭施洗约翰冷遇，最后，撒罗米手捧施洗约翰的头，吻他的唇，满足她自己腐朽的欲望。这样一来，撒罗米在艺术上就成了色情的象征；在施特劳斯的歌剧里，撒罗米曾表演《七层面纱舞》，大概因此，后来大多数人一想起她的名字就想起《七层面纱舞》，而《圣经》上根本没有提这种舞。

Salomon, Alice　萨洛蒙（1872-04-19，柏林～1948-08-30，纽约市）　世界最早社会福利学校之一的美籍创办人，国际杰出的女权主义者。1906年获柏林大学哲学博士学位，是早期获得此项学位的妇女之一，其博士论文即研讨男女同工不同酬问题。早在1899年，她曾筹组社会福利工作人员训练班，后改为德国第一所社会福利学校，担任校长，迄于1928年，同时兼任德国社会福利学校联谊会主席。1904年参与筹备国际妇女大会，1920年当选为该会副主席。她因热心于公共卫生事业，1932年获得柏林大学名誉医学博士学位。5年后，她从纳粹德国流亡到美国，讲授有关社会福利行政方面的课程。

Salomon, Erich　萨洛蒙（1886-04-28，柏林～1944-07-07，波兰奥斯威辛）　德国摄影家，新闻摄影报道的创始人之一，以采用抓拍手法拍摄政治家和名人照片而著名。1928年，他买了一架最早的小型照相机，上面装有极大口径的镜头，使他能在微弱光线下拍摄，从此开始了他作为一个自由摄影家的生涯。他曾把照相机藏在公文包里，偷偷地拍下一个轰动一时的谋杀案的审判场面。这些照片销路很好，使他成了一名职业摄影记者。他开始专门拍摄国家首脑会议和他们的社交集会。他的目的是想表现世界领袖人物的性格，那时，这些领袖人物一直被拍成呆板的毫无生气的正规肖像。他悄悄地进行拍摄，当他捕捉到他们疲劳、快乐或憎恶表情的一瞬间时，他就特别高兴。他有一种对付各种限制的本领，所以，法国总理A.白里安曾说，一个会议，如果萨洛蒙不给它拍照，就没有人相信它

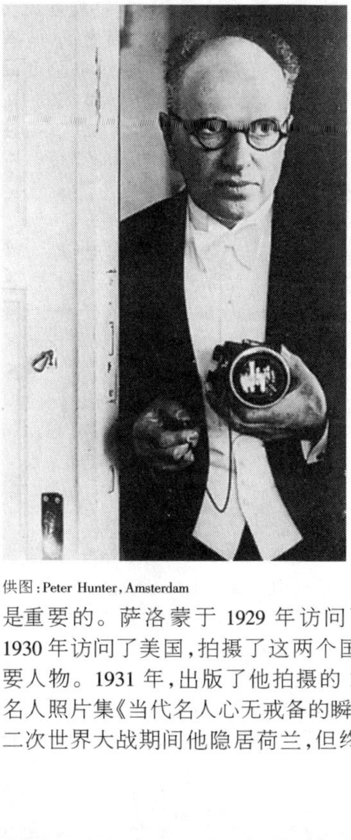

供图：Peter Hunter, Amsterdam

是重要的。萨洛蒙于1929年访问了英国，1930年访问了美国，拍摄了这两个国家的重要人物。1931年，出版了他拍摄的170多位名人照片集《当代名人心无戒备的瞬间》。第二次世界大战期间他隐居荷兰，但终被荷兰的纳粹出卖，于1944年5月被押往奥斯威辛集中营。

Salomon, Haym　萨洛蒙（1740，波兰利萨～1785-01-06，费城）　美国爱国主义者、美国建国初期的主要金融家、费城第一座犹太会堂的创建者。1772年可能因从事争取波兰自由的革命活动逃至纽约市，经营代理商业务，迅速发迹，并资助美国革命。曾被英国殖民当局两次逮捕，备受折磨。1778年越狱赴费城，开办经纪事务所，义务充当法国财政代理人，竭力促进《法美同盟条约》。热心殖民地独立事业，认购巨额政府公债，签付期票，厚赏兵员并以私蓄装备了几支部队。1781～1784年的财政总监R.莫里斯（任命萨洛蒙为其官署公债经纪人）曾于日记中记载，1781～1784年萨洛蒙共贷款20万美元以上。此外，还贷款（无息）给J.麦迪逊、T.杰斐逊、J.门罗等著名政治家。政府欠他的债款总计60万美元以上。

salomónica　缆绳形柱　又称绞绳形柱、螺旋状柱子。扭曲如缆绳形的柱子（参阅**column**）。罗马老圣彼得教堂中有这样的柱子，传说系由耶路撒冷的所罗门神殿中移来，G.

巴黎瓦勒德格拉斯教堂内由缆绳形柱支撑的华盖，F.芒萨尔1645年设计，G.勒杜克1665年完成

供图：Giraudon/Art Resource, NY

L.贝尔尼尼设计的新圣彼得教堂中，支承圣坛华盖的柱子沿用了这种形式。在西班牙巴罗克风格中较为流行，是建筑师丘里格拉三兄弟作品的最明显特征，西班牙萨拉曼卡的圣埃斯特万教堂圣坛后的缆绳形柱（J.B.丘里格拉设计）尤为后人所仿效，直到18世纪。

Salon　沙龙　法国政府主办的官方艺术展览会。创始于1667年，当时路易十四主办了一个皇家绘画雕塑学院院士的作品展览活动。由于作品陈列在巴黎罗浮宫内的阿波罗沙龙（阿波罗厅），故袭用了沙龙这个名称。1737年之后，沙龙艺术展览会定为每年举行一次，改变了不定期展出的办法。1748年起选择作品实行评定制度。法国大革命期间，虽然学院派仍然左右着19世纪所举办的绝大多数展览会，但沙龙却第一次面向法国的所有画家。1881年法国艺术家协会成立后，沙龙展览改由该协会负责举办；其后先锋派艺术家作品独立展出，日益受到重视，沙龙的影响和声誉即趋衰落。

Salon d'Automne　秋季沙龙　自1903年起，每年秋季在巴黎举行的青年画家作品展览。当时，现代派青年画家遭到保守的官方美术家协会的拒绝，遂决定建立他们自己的组织。首届秋季沙龙于1903年10月31日在小宫举行。在最初几年，秋季沙龙展出过H.马蒂斯、D.德·塞贡扎克、G.鲁奥、J.维隆和一些印象派画家的作品。展览直至20世纪70年代仍在举行。

Salon-de-Provence　普罗旺斯地区萨隆　法国东南部普罗旺斯山-蓝岸大区罗讷河口省城镇。位于马赛西北。建于前古罗马时代，曾为勒萨洛恩的城堡。中世纪是重要的橄榄油贸易中心。是16世纪占星学家诺斯特拉达穆斯的家乡，现仍保存其故居。其坟墓在14世纪的圣洛伦教会内。其他著名建筑还有设防的恩佩利城堡（12～13世纪）、12世纪罗马式圣米歇尔教堂和1630年的钟塔等。现仍生产橄榄油，但石油润滑油更重要。1936年起为法国空军学院所在地。也是一个重要空军基地。人口34 054（1990）。

Salon des Indépendants　独立沙龙　独立美术家协会自1884年起在巴黎举行的年度展览会。19世纪下半叶，在法国现代绘画的革命性发展过程中，艺术家和公众对官方沙龙的僵硬排外政策日益不满。1884年，独立美术家协会成立，在巴黎搭起帐篷举行了首次展览，展出了O.雷东、H.-E.克罗斯、P.西涅克、P.塞尚、P.高庚、土鲁斯-劳特累克、凡·高和G.修拉的作品。独立沙龙展自1950年以来改在巴黎的大宫举行。现有成员约3 000人，其中不少人以在先锋派艺术运动中所起的作用而闻名。

Salon des Refusés　落选者沙龙　1863年经拿破仑三世批准，为被官方沙龙评选委员会拒绝接受作品的艺术家在巴黎举办的美术展览。参加展览的画家有P.塞尚、C.毕沙罗、A.吉约曼、J.戎金、H.方丹-拉图尔、J.惠斯勒，以及E.马奈。其中马奈的著名油画《草地上的午餐》被认为是对审美意趣的有意侮辱和公然冒犯。

Salonga National Park　萨隆加国家公园　刚果（金）最大自然保护区。位于与首都金沙萨和基桑加尼等距离之地区。面积3.6万平方千米。建于1970年，分为南北两部分。管理处在蒙科托。有茂密的赤道森林，为鹦鹉、象、羚羊和各种猿猴（包括当地特有的侏黑猩猩）的栖息地。游客可乘机动船沿河观赏动物。公园禁止狩猎。

Salonika（Greece）　**萨洛尼卡**　参阅**Thessaloníki** 塞萨洛尼基。

Salop（England）　**萨洛普**　参阅**Shropshire** 什罗普郡。

Salor rug 萨洛尔地毯 土库曼斯坦的萨洛尔土库曼人制作的手工铺地用品。大部分为佐瓦图案，即大猎囊的囊面画。该部落特有的图案中心为八角花饰，四周饰以小三角

19世纪的佐瓦图案萨洛尔地毯

供图：Louise W. Mackie

凸花；上述图案间的小花饰常是若干组对角格子，每个格子中有一个小星。佐瓦花饰多采用各种茜红色，并经常使用红色或粉红丝线。这类地毯的各种红色常常偏紫，20世纪的制品的衬底有白色的。萨洛尔地毯均用绵羊毛或山羊毛制作，拴波斯生纳扣。佐瓦地毯织制最为精细，毯面不厚，与特克地毯相差无几。

salp 樽海鞘 尾索动物亚门樽海鞘纲纽鳃樽科和海樽科的一类小型远海胶质无脊椎动物。见于暖海，南半球常见。体桶状，透明，有环状肌带，两端开口。滤食微小的浮游生物。生活史复杂，有性和无性时期交替。无性时期许多个体连成长链。许多种能发光。

Salpausselkä ridges 萨尔珀垅岗 西起芬兰湾口的汉科，东至俄罗斯边界附近皮海塞尔凯湖畔约恩苏，横贯芬兰南部的3条平行垅岗。对其意义和成因有很大争论。垅岗呈弧形（针形），有时宽度超过2千米，高达100米。此垅岗构成两条突出的弧形，称为萨尔珀Ⅰ和萨尔珀Ⅱ；有些地区可以辩认出第3条弧形，称为萨尔珀Ⅲ，尽管它分布较局限。垅岗特点是窄而呈平台状，由冰碛物和可能是冰下河流搬运的物质所组成。有些权威人士认为垅岗是在冰川冰主要停顿时期堆积在冰盖边缘以外的。其形态和结构受到波浪作用的改造，从而使垅岗呈平顶。因此，垅岗提供了与冰川消退过程同时发生的海面复杂变化的信息，也可提供纹泥年代学的证据，也就是为对在受冰川影响的盆地中沉积的粉砂和黏土之薄薄的地层进行测量与计数提供证据。

salsa 萨尔萨 以古巴黑人音乐为基础、吸收了其他拉美音乐成分的混合音乐形式。起源于20世纪40和50年代的纽约市，直到60年代与西班牙文化的传播相结合，才命名为萨尔萨（西班牙语，意为“调味汁”）。以古巴的传统“颂乐”为基础，结合了西班牙的吉他演奏传统和非洲音乐的复杂节奏与应答轮唱方式。颂乐起源于古巴东部农村地区，在20世纪的前几十年传播到哈瓦那。萨尔萨中的大量切分音产生了独特的节奏感。在乐队队长A.罗德里格斯的开拓下，古巴的传统颂乐融入了各种风格的古巴黑人舞曲，从博莱罗到康茄，从伦巴到曼波。古巴黑人音乐遍布整个拉丁美洲，尤其是墨西哥。然而，在40年代，古巴流亡者马奇托的交响乐团将古巴黑人音乐与爵士乐和大乐队的演奏方法融合起来，使纽约市成为古巴黑人音乐转化为萨尔萨的基地。在一些小型合唱团和乐队指挥T.罗德里格斯、T.普恩特和E.帕尔米耶里等许多波多黎各音乐家的努力下，古巴黑人音乐转变成了萨尔萨，另外一个古巴流亡者C.克鲁斯，成为60年代古巴黑人舞曲的歌后。萨尔萨通常节奏较快，即“节奏强劲”；吸收了各种音乐元素和歌手，从巴拿马创作歌手R.布莱兹到墨西哥裔美国摇滚歌手C.桑塔纳。其国际声誉在70年代达到顶峰，进入21世纪，仍具有一定影响力。

salsify（*Tragopogon porrifolius*） **蒜叶婆罗门参** 又作oyster plant或vegetable oyster。又称牡蛎草或蔬菜牡蛎。菊科二年生草本植

草地婆罗门参（*T. pratensis*）的花（上）和籽（下）

供图：（上）Louise K. Broman from Root Resources—美国不列颠百科全书公司；（下）A. J. Dignan—Bruce Coleman Inc.

物。原产地中海地区。直根粗壮，白色，可作菜肴，味如牡蛎。花紫色；叶窄，通常翻转，基部抱茎。草地婆罗门参（*T. pratensis*）为欧洲杂草，在北美归化；其头状花序大，为黄色；偶然作为观赏植物栽培，其根部及叶部可做沙拉。

salt 盐 化学术语。酸和碱反应生成的物质。盐由碱的正离子和酸的负离子组成。酸碱之间的反应称为中和反应。盐也可专指食盐或氯化钠。在溶液中或熔融状态下的大多数盐完全离解成带正、负电荷的离子，因而是强电解质。

salt 盐 又称氯化钠（化学式$NaCl$）、普通盐或食盐。自然界储量丰富的一种结晶化合物，广泛用于食品调味或防腐。普通盐是人类必需的最基本的物质之一，其组分钠离子和氯离子是重要的营养物质。此外，咸味是4种基本味觉之一。由于它具有防腐和调味的性能，故属于最宝贵的矿物资源之列。盐往往与最基本的食品即面包相提并论，常具有宗教的含义。例如，希伯来圣经中包含这样的引文：“……作为永远的盐约”（《圣经·民数记》18:19）和“……一切的供物都要配盐而献”（《圣经·利未记》2:13）。与此相似，希腊成语中有“不许冒犯盐”，阿拉伯有“友情如盐”，波斯有“缺乏盐的忠诚”。以上都在不同程度上表达了盐与誓约间的联系以及神与人或人与人之间不可分离的关系。与向新婚夫妇献酒、盐和面包的习惯同出一辙，世界上许多地区还保留着当客人进门时献上面包和盐的习俗。盐在许多社会十分宝贵，被用作货币。现代英语中的salary一词，源出拉丁语salarium，原指付给罗马士兵购买盐的报酬。

特性和存在 氯化钠为立方晶体，视纯度不同可为无色、透明或半透明。盐具吸湿性，即在正常条件下吸收空气中的水分；其对水的亲和性更表现为易溶于水。在温度20 °C下，100克水可溶解36克盐；水温愈高，溶解的盐也愈多。水在溶解盐的过程中温度降低，如将36克盐溶解于温度为15.5 °C的100克水中，溶液将下降约3.3～5.5 °C。盐在427 °C下熔化，在温度略高于熔点时蒸发。在0 °C下，盐的比重为2.165（即重量为水的2.165倍）。

海水中含盐丰富，平均含盐量约为35‰。溶解的盐绝大部分由氯化钠构成，占77%以上，其余为氯化镁、硫酸镁、硫酸钙、氯化钾以及微量溴化镁和碳酸钙。天然卤水的含盐浓度很高，在死海以及美国、英国、德国、法国、奥地利和印度等国的各地均有发现。许多地区的卤水，特别是死海的卤水，呈超饱和状态，向其中加进的盐不再被溶解。盐也以固态晶体的形式存在于自然界，如古代海水蒸发形成的卤化物矿床或岩盐矿。

生产 在理想条件下，通过钠与干氢气和氯作用可制取纯氯化钠。商业生产采用两种基本方法：从海水或卤水中提取和采掘岩盐矿。

蒸发海水或卤水生产盐也许是最简便易行的方法，任何产区均可采用，它要求具备的最基本的条件是：盐水资源、空气中的湿度低

以及蒸发水分所需的阳光。这种方法仍被世界各国所采用,包括美国、非洲国家和印度,产量占全部盐产量的10%。将蒸发后比重为1.21的卤水经导管送进一组(3个或4个)结晶池,卤水在池中浓度逐渐提高。将每个池中结晶出来的盐收集起来,用饱和卤水溶液清洗,再用清水清洗,干燥后出售。在不适于用阳光蒸发的地区,须采用其他加热的方法。在开式结晶法或粒化法中先用石灰和烧碱对卤水进行处理,使钙、镁化合物沉淀出来。然后将处理后的卤水送入一个周围装有蒸汽加热盘管的长槽形蒸发器中。当卤水蒸发时,便形成结晶盐,可通过脱水法或离心法在槽的末端回收结晶盐。为了使生产持续进行,按蒸发速度同步地向蒸发器内补充卤水。在多效真空蒸发法中,采用一组真空度逐渐提高的蒸发室,通过室内的真空作用,卤水被蒸发,所生成的结晶盐,按照开式结晶法加以处理。

岩盐矿也是盐的重要来源,露天或浅表岩盐矿床可完全用开采其他矿物的方法采掘。高品质的岩盐可经过碾碎、筛选后直接出售;如果岩盐的纯度不符合要求,可先用稀盐酸将其溶解或浸沥,再依次用卤水和清水清洗后干燥碾碎。如盐矿离地面太深,不便采掘,可用泵将水压入地下,溶解岩盐,然后将生成的卤水收集起来,用阳光或人工方法蒸发。盐生产的统计资料参阅 **mining**(表)。

用途 盐广泛用于调味和防腐,并用来加工泡菜、乳酪以及保存并腌制鱼、肉等食品。动物皮毛在制成皮革前先用盐浸渍。生产盐酸、氢氧化钠和碳酸氢钠等基本化学制剂也离不开盐,作为原料它在工业上还有各种其他用途。卤水广泛用于致冷及冷却作业。冬天常在道路上洒盐以溶化冰雪。硬水软化器内的水加盐后,可使钙、镁离子被钠离子所置换。

SALT 参阅 **Strategic Arms Limitation Talks** 限制战略武器会谈。

Salṭ, as- 萨勒特 又拼Es-Salt。约旦中西部拜勒加省省会。位于由安曼至耶路撒冷的萨勒特公路线上。地处拜勒加高地(海拔790～840米),城镇建在两座小山上。其中之一有13世纪堡垒遗址。拜占廷时期为居民点和主教辖区。后被蒙古人摧毁。复经马木路克苏丹拜巴尔斯(1260～1277在位)重建。19世纪30年代埃及总督易卜拉欣帕夏在对巴勒斯坦作战时炸毁该城。第一次世界大战后,英国驻巴勒斯坦和外约旦高级专员赫伯特·塞缪尔于1920年8月在此宣布英国同意外约旦自治。该城为四周农产品的贸易集市和一行政中心,附近主要农作物为葡萄和谷物。有苏莫鞣料制造业。1966年建成制药厂,产品在国内销售并出口其他阿拉伯国家。人口约187 014(1994)。

salt dome 盐丘 一种大型的地下地质构造,由埋藏在水平或倾斜岩层中的垂直柱状盐体(包括石盐和其他蒸发岩)构成。盐体直径1千米或更大些。广义上,这一术语既包括盐核,也包括其周围被"穹起"的岩层。以盐为主要成分的类似构造还有盐枕、盐墙和盐背斜。盐枕和盐墙与盐丘的发育形成有关,而盐背斜实质上就是被向上流动的盐侵入的褶皱岩。其他物质,如石膏和页岩,构成

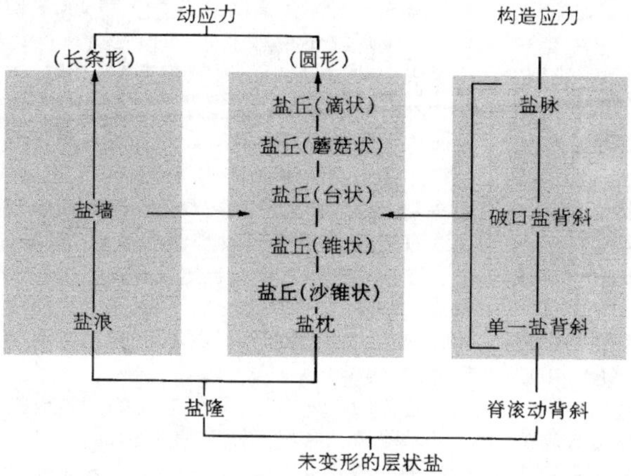

图1 盐构造的相互关系

类似的地质构造的核心。而包括盐丘在内的所有这类构造统称为挤入构造或挤入,该名称源于希腊语 diapeirein("戳入")。各种情况下被埋藏的物质似乎已戳入周围的岩石。物质向上流动据信是由以下诸因素引起的:重力作用。由此被覆盖在较重岩石下的较轻岩石像浆一样向地表上升;大地构造应力作用。由此运动的物质(不一定是较轻的物质)受到那些相对而言较少运动的物质的横向挤压力的紧密挤压而向上运动;或是上述两种力的共同作用。

包含盐丘在内的若干种盐构造的相互关系如图1所示。典型的盐丘是仅在重力作用下由盐层直接形成的。但盐丘也可能从盐墙和盐背斜发展而来。在后一种情况下,重力应力叠加于最初由大地构造应力发育形成的盐群之上;致使盐丘发育形成。

物理特性 盐丘由盐核和围岩包壳组成。在某些地区,除盐以外,盐丘核内还可能包含"盖岩"和"鞘岩"。

典型盐丘(包括盖岩和鞘岩)的大小相差很大,直径通常为1千米或1千米以上,甚至可达10千米以上。典型盐丘的高度(在地表下)至少为2千米,有些可超过10千米。

在北美墨西哥湾海岸,盐丘核实际上是由含少量硬石膏(硫酸钙)和微量的其他矿物的纯石盐(氯化钠)组成的。白色纯石盐层与黑色石盐和硬石膏层作间层分布。在德国,盐丘核成分包括石盐、钾石盐和其他钾碱矿石。在伊朗,盐丘中的石盐混存于硬石膏、泥灰岩(泥质的石灰岩)、大块的石灰岩和火成岩中。

盐-硬石膏层和盐-钾碱层的互层完全褶皱了;而在盐丘外缘,褶皱呈垂直方向。在德国的盐丘中,如果各内层的相对年代能辨认清楚,通常较老的物质位于盐体中心,较年轻的物质位于边缘。对墨西哥湾某些盐丘中的石盐晶粒进行的研究表明,其排列方向的模式十分复杂,在垂直方向和水平方向上都有变化。里海地区的一个盐丘,其中心的矿物质颗粒是垂直排列的,而在边缘的矿物质颗粒则是水平排列的。

盖岩为石灰岩-硬石膏的盖,其特征是厚100米,但厚度变化范围为0～300米。在许多情况下,尤其是在墨西哥海湾的盐丘,其顶盖可划分为大致水平的3个带:上部为方解石带,中部为过渡带(特征是出现石膏和硫磺),下部为硬石膏带。这3个带的分布不规则,通常相互间有个渐变的过程。但有时石膏带和硬石膏带间的界限也可能非常清楚。一般认为盖岩是由盐丘核顶部的盐溶解形成的,而不溶解的硬石膏的残余物则后来转变为石膏、方解石和硫磺。据推测,溶解发生在

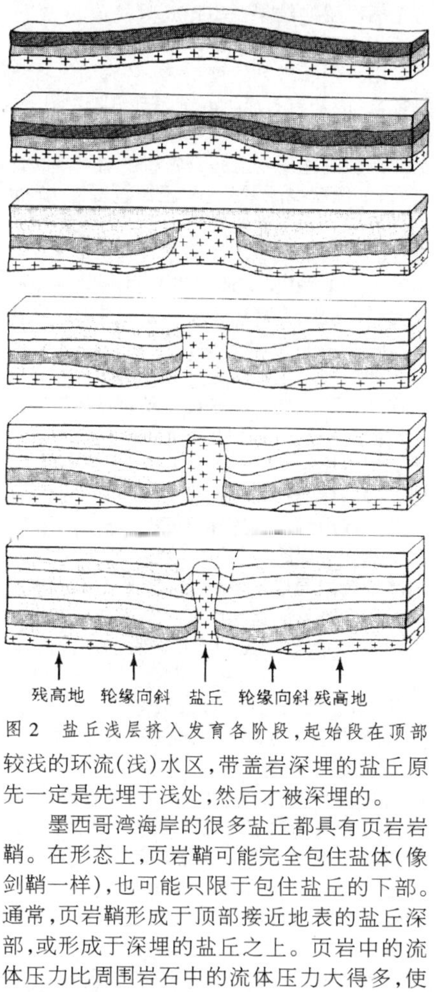

图2 盐丘浅层挤入发育各阶段,起始段在顶部

较浅的环流(浅)水区,带盖岩深埋的盐丘原先一定是先埋于浅处,然后才被深埋的。

墨西哥湾海岸的很多盐丘都具有页岩鞘。在形态上,页岩鞘可能完全包住盐体(像剑鞘一样),也可能只限于包住盐丘的下部。通常,页岩鞘形成于顶部接近地表的盐丘深部,或形成于深埋的盐丘之上。页岩中的流体压力比周围岩石中的流体压力大得多,使得页岩的层理(分层平面)变了形。页岩中的化石比周围沉积物中的化石年代久远,说明页岩来自年代更早、埋藏更深的岩层。

盐核周围的岩层可能以3种方式受到影响:可能被提升、可能被降下、也可能不受影响,而周围的岩层则相对下降。上升的岩层

具有盐丘或盐背斜的构造特点。其特征是：它们在盐核(包括盖岩和鞘岩，如果有的话)的上方或四周(或既在上方又在四周)隆起，然后沉陷到周围的向斜中。隆起的岩层通常受到断层的破坏，断层从环形盐丘中的盐体向外辐射；但在狭长形盐丘或背斜上主要只有一个或一组断层时，断层可能更呈直线型。下降的岩层发育成为向斜，一个称作轮缘向斜的环形下沉区可能围绕或几乎围绕住丘状的隆起岩层。未受影响的岩层发育成为被四周低地环绕着的高地，称作残高地(remnant highs)或龟背高地(turtleback highs)。它们不像分布其中的盐丘有那么多垂直的起伏。盐丘周围的现代岩层构造不一定在一切情况下都与盐的现在位置一致，这种偏差说明了后期上升的盐丘和先期上升的盐丘相比，中心发生了偏移。

盐丘的起源　总的说来，伴有褶皱现象的盐构造与产生这种褶皱的诸力之间存在着联系。然而有些有盐构造的地区并没有明显的褶皱现象，这使早期的地质学家们困惑不解。他们提出了种种互相混淆的假说。目前，一般都认为盐构造(和挤入构造)的形成是重力或大地构造力作用，或两者同时或两者先后作用的结果。不论是哪种情况，挤入构造的发育都要求有岩石流动。

由于岩石移动速度缓慢，其流动过程难以觉察，但是岩石流动的结果却清晰可见：石砌工程下沉；矿井和隧道口闭合；带着冰川冰全部特性的冰川岩盐移到山腰。如果时间很长，由于埋藏很深，温度和压力也很高，像盐这样具有一定塑性的物质就可能产生明显的运动。譬如，1年移动1毫米，那么，过100万年就移动1 000米。最常见的可流动岩石有石盐、钾石盐、石膏和经受高压的页岩。这些岩石的密度也低于砂岩那样业已压实的岩石。如果被埋在砂岩之下，由于重力作用，它们将非常不稳定。这些可流动岩石都是经过正常的沉积作用过程沉积而成的，广泛分布于沉积岩层中。

对自然的盐构造及模式的研究导致盐丘发育过程中层序的重建，如图2所示。首先，厚层的盐被更密的沉积岩层埋在其下，盐层与其上覆岩层变得不稳定，盐便开始从未变形层流向圆形的盐枕中心。盐不断地流进盐枕中心，并穹起上覆岩层。同时，盐流出的地区便发生沉陷，形成轮缘向斜。盐的上覆各岩层，由于都向四面伸展，很容易导致张力，产生断裂(断层)。最后，盐层在隆起地区的中心断裂，在隆起、上翘和挤入的岩层中心形成岩颈状的盐群。盐群向上发育，直趋地表，而附加岩层则向下沉积。盐群往往留在地表或接近地表处。成长中的盐丘在其发育过程中如果盐的补给枯竭了，盐丘的发育不论到达哪一阶段，也就随之停止。盐丘就被埋在地下。

盐构造的分布　盐丘可存在于巨厚沉积岩系下有厚大盐沉积物的沉积盆地中；也可存在于受构造应力作用的沉积盆地中；也可存在于这两种情况兼而有之的沉积盆地中。除地盾区外，盐构造分布十分广泛。由于它们的独特性质，仅因重力的不稳定性造成的典型的盐丘只存在于大地构造应力不强的地区。然而也有一些出现在大地构造应力强的地区。全世界有3个有代表性的盐构造分布区：北美墨西哥湾地区、欧洲的北德-北海地区、中东的伊拉克-伊朗-阿拉伯半岛地区。

盐丘的经济价值　因为盐丘周围的沉积岩层向上隆起而底部闭合，所以造就了烃类资源极好的储藏地。美国、墨西哥、北海、德国和罗马尼亚等国的大型油气积聚都与盐丘隆起构造联系。在得克萨斯州和路易斯安那州的墨西哥湾沿岸平原，在未来若干年里，盐丘将是烃类资源的重要来源。在路易斯安那州近海的盐丘地区已发现有巨大储量的石油。这一地区有几个盐丘据信有5亿桶石油储量。德国北部的盐丘已产油多年。在北海，对盐丘石油的勘探已将石油开采扩展到近海地区。

在墨西哥湾海岸，薄层盐丘的盖岩含有大量单晶硫。在墨西哥湾海岸和德国，盐丘是盐和钾碱的主要来源；通过地下开采石盐和提炼卤水，从盐丘中分离出石盐和钾盐。

盐丘还可作地下贮藏液态丙烷气用。往盐丘中钻孔，然后将其溶解，形成一空穴，便可作贮藏"桶"。这样的空穴具有不渗透性，人们已考虑将盐丘作为处置放射性废料的场所。

salt flat　参阅 **alkali flat** 盐碱滩。

salt glaze　**盐釉**　一种橘皮样釉。这是在烧成达到最高温度时，向窑内撒入普通的盐，从而在炻器上形成的一种釉。盐中的钠和黏土中的二氧化硅结合，形成玻璃质硅酸钠涂层。这层釉可以是无色的，也可带有棕色(氧化铁着色)、蓝色(氧化钴着色)或紫色(氧化锰着色)等各种色调。

salt grass (genus *Spartina*)　参阅 **cordgrass** 网茅。

salt karst　**盐喀斯特**　因地下水的作用而产生的岩盐溶解现象。岩盐在水中的溶解度虽然比形成岩溶地形的方解石大得多，但岩盐不透水，溶解作用只发生于外表。溶解初期形成的盐水在更进一步溶解发生之前，就被地下水带走。盐喀斯特落水洞、洞穴和裂隙都可能形成，取决于盐体的厚度。由于水能下渗至潜水面，在具有厚盐壳的干盐湖表面可能形成较浅的岩溶形态。

Salt Lake City　**盐湖城**　美国犹他州中北部盐湖县县城(1849)及州首府。位于约旦河畔，近大盐湖东南端。市东和市北有沃萨奇-卡什国家森林。为后期圣徒教会(摩门教)国际总部驻地(影响该州及爱达荷、内华达和怀俄明州人民的社会、经济、政治和文化生活)。1847年B.扬和148名摩门教徒为躲避宗教迫害而创建。1868年前称大盐湖城，摩门教徒从东方和欧洲云集至此。1848年签订《瓜达卢佩伊达尔戈和约》后犹他归属美国，1850年成立准州。1851年设建制。1856～1896年(1858年的一段时间除外)为准州首府。1896年为州首府。摩门教徒与美国官员之间的冲突曾导致1857～1858年的犹他战争。100年来摩门教徒与非摩门教徒之间的摩擦一直影响该市的生活。矿藏的开发(1862)和犹他中央铁路的建成(1870)使该市成为兴旺的西部商业中心。现为矿区(铜、银、铅、锌、煤和铁)商业中心。有多种制造业(计算机和采矿设备、钢板、石油和纺织品)。是附近农区贸易、加工和运输中心。设有犹他大学(1850)、威斯敏斯特学院(1875)和犹他工学院(1947)。古建筑有摩门教堂(1867)、神殿(1893)、希古尔纪念碑(1913)、比希夫大厦、莱恩大厦、州议会大厦(1916，有展览厅)和B.扬墓，市郊有道格拉斯堡(1862)。人口：市181 743；盐湖城-奥格登都会统计区1 333 914(2000)。

salt marsh　**盐沼**　地势低平、排水不良、日常或偶遭盐水或微咸水淹灌，表面覆盖着茂密的草皮或芦苇和灯心草之类草本植物的地区。盐沼通常是沿着低海岸，分布于海滨沙滩和沙洲内侧以及入海河口和三角洲处；在偶尔遭受高盐分水淹灌的沙漠和其他干旱地区也有广泛分布。沿海盐沼常向内陆延伸数英里，并受潮汐作用不同影响；内陆微咸沼泽常出现在冲积和湖积的矿物基层上。

salt nucleus　**盐核**　大气中由固体盐或盐的水溶液所组成的微粒。能促使水凝结，因而是凝结核(**condensation nucleus**)的一种。

Salt Range　**盐岭**　巴基斯坦旁遮普地区北部印度河和杰卢姆河之间的一列丘陵和低山。由于岩盐广泛沉积，成为世界最丰富的盐田之一。盐岭东西长约300千米，中部和东部宽8～30千米，平均高度660米，最高点在萨克萨尔山，为1 522米。由两条被纵谷隔开的不对称的平行山脊组成。两条山脊都是南坡陡峻，北坡平缓。印度河在卡拉巴格穿过山岭，奔流于悬崖峭壁之间。构造上，盐岭位于印度地台(地盾)西北部，是沿其南部断裂带抬升的地块，岩层向北倾斜，中部岩层倾角约为10°，西部、东部和北部达45°。含盐岩层为先寒武纪沉积层，厚度一般超过492米。盐岭地区的气候为热带和亚热带大陆性气候，十分干燥。由于土壤贫瘠和缺乏灌溉用水，农业不多。山坡上小片地块及纵向谷中的梯田，利用湖池及泉水浇灌，谷地里主要实行旱作农业。植被有非洲-阿拉伯型及地中海型两种成分。在失去天然植被以前，该区南部覆盖着稀疏的旱生林，北部主要是稀树草原。现仅东南部保存一小片疏林，树种主要为金合欢、松、野生橄榄等。在盐岭南坡，分布着巴基斯坦最大的老盐矿。岩盐、煤和石灰石是该地区最重要矿产。西部曾发现含油的灰岩和砂岩沉积层。东部的含盐层中发现有沥青页岩、白云岩和铝土矿。杰拉勒布尔附近有高质量的石膏与硬石膏的大量沉积，以及一个重要的钙矿。杰卢姆是该地区唯一较大居民中心，其他小城镇大多数是为矿山服务的。

Salt River　**索尔特河**　美国亚利桑那州中东部河流，希拉河支流。由布莱克河和怀特河汇合而成，西流320千米，于菲尼克斯西南

偏西24千米处注入希拉河。与其主要支流弗尔德河同属科罗拉多水系。沿河灌溉工程包括罗斯福、霍斯梅萨、摩门弗拉特、斯图尔

亚利桑那州的索尔特河峡谷

供图:Herb and Dorothy McLaughlin

特山等水坝。哥伦布到达美洲以前,霍霍卡姆印第安人已在此间耕耘并开凿灌渠。

Salta 萨尔塔 阿根廷西北部一省。面积154 775平方千米。西南与智利、北与玻利维亚、东北和巴拉圭接壤。西南部有高山谷地和大查科低地平原。有数条小河流入大查科区。高原上有一些科利亚印第安人聚居地。北部有埃尔雷伊国家公园。铁路、公路和航空线通往全国。也与玻利维亚和智利通铁路。省会为萨尔塔(**Salta**)。贝尔梅霍河上游河谷有重要炼油厂,萨尔塔西部地区有硼砂盐,还有少量的金、银和铁矿。随地势高度种植不同农作物,莱尔马河谷主要种植烟草、葡萄和玉米。经济以多种经营的农业和矿业为主。胡拉门托河上建有大型水力发电工程。人口约1 044 973(1999)。

Salta 萨尔塔 阿根廷萨尔塔省省会。位于安第斯山莱尔马谷地。1582年建立。阿根廷独立战争(1813)中西班牙军在此被击败。

萨尔塔市奇迹节中的圣像

供图:Juan Carlos Franceschini

尽管因地震遭到破坏,仍保存有包括大教堂在内的许多殖民时期建筑。每年9月举行奇迹节,纪念1692年一次特别严重的地震的结束。殖民时期该市商业地位重要。现经济以多种经营的农业、伐木业、畜牧业和采矿业为主。为旅游中心。附近有温泉。也为对印加和其他哥伦布以前的印第安人文化进行研究的重要中心。市内萨尔塔公教大学建于1967年。人口457 223(1999)。

Saltaire 索尔泰尔 英格兰西约克都会郡艾尔谷布雷德福附近的早期工业居民点,在现在的西约克郡大都市地区布雷德福大都市区(市)内。属约克历史郡。建于1853年,是工业家T.索尔特为其工人建造的模范村,索尔特是一位羊驼毛纤维制造商。该村即建在利兹河与利物浦运河沿岸的大型毛纺厂附近。该村布局严整,现仍有一排排紧密相连的房屋。布雷德福城的工业和居住郊区希普利是距该地最近的大型现代社区。

saltarello 萨尔塔列洛舞 中世纪和文艺复兴时期的宫廷舞,也是现今罗马的一种民间舞。14世纪时为埃斯唐皮舞的后舞。15世纪时为低舞的后舞,有时亦称"帕索·德·勃拉

B.皮内利1815年绘画中的萨尔塔列洛舞

伦敦维多利亚和艾伯特博物馆供图

邦德"。舞蹈轻快、欢乐,音乐为三拍子(9/8或3/4)。16世纪时加利亚德舞吸收并取代了它。民间萨尔塔列洛舞由成对男女舞蹈者表演,音乐为3/4或6/8拍子。

Saltash 索尔塔什 英格兰康沃尔行政、历史郡卡拉顿区一教区(城镇)。位于英吉利海峡海岸附近泰马河河口湾西岸,对岸为普利茅斯。索尔塔什由皇家阿尔贝特桥(1859年建成)与普利茅斯相通。这座桥是英国工程师I.K.布律内尔一生设计的最后一座铁路桥,是他临终前设计的。大桥横跨河口湾,下有19座桥拱,长683米。索尔塔什是康沃尔郡中最古老的自治市,于《末日审判书》(1086)中有记载。人口14 139(1991)。

saltbox 坡盖盐盒式住宅 又称斜盖盐箱形房屋。流行于北美新英格兰殖民地的一种住宅,前部二层,后部一层,双坡屋顶,后坡较长。移民们最初的木板墙住宅是围绕着中央一个巨大烟囱建造的,底层有两大间,作为厅堂和起居室,楼上为卧室。当经济富裕及人口增多时,将厨房自厅堂内移出而在屋后加建披屋,其屋顶即由原来屋顶的后部延长,产生了后房顶长的特殊形式。至17世纪晚期,后部加建的披屋往往成为住宅设计的一部

康涅狄格州吉尔福德约1670年的坡盖盐盒式住宅

供图:Wayne Andrews

分。新英格兰尚存有很多完整的例子。

saltcellar 盐罐 餐桌上盛盐用的容器,通常由金属或玻璃制造。用小匙从其中取盐。中世纪和文艺复兴时期餐桌中央放置一个常为银制的立式精巧的大盐罐作为装饰品。中

英格兰1592～1593年的镀银盐罐

伦敦维多利亚和艾伯特博物馆供图

世纪的财产清单上记载着呈人形和动物形的珍奇的盐罐,一些后期实物留存至今。世界上最著名的盐罐属于这种类型,它是意大利金匠B.切利尼用黄金和珐琅制造的。现存的最早标准式样有15世纪后期的线轴形的砂漏式盐罐,16世纪时这种盐罐被座式盐罐或鼓形盐罐所代替。16世纪后期英国的小型铃状盐罐反映出盐罐向小型方向发展的趋势。到17世纪后期制作出供单个人使用的低矮的馒头形或多角的盘状盐罐。18世纪盐罐为碗状且有腿,18世纪后期盐罐有穿孔并以蓝色玻璃垫片封严。最后盐罐由现代的振盐瓶替代。

Salten, Felix 扎尔滕(1869-09-06,布达佩斯～1945-10-08,苏黎世) 原名西格蒙德·萨尔茨曼。奥地利小说家、新闻记者,儿童读物名著和成年人读物寓言《班比》的作者,此书是描写一只野鹿生活的主观故事,叙述得很有感情。他住在维也纳,直到因为是犹太人

被迫于1939年逃亡时为止,后定居瑞士。他是一个自学成才的青年作家,得到过H.冯·霍夫曼斯塔尔、A.施尼茨勒和H.巴尔的扶助。18岁时已成为新闻记者,一个有影响的戏剧评论家。《小鹿班比》(1923)一书给他带来国际声誉,以现实和人格化的手法叙述一只鹿在森林中以机智、坚忍的老居民的姿态,终生为了生存毅然同它的主要敌人——猎人作斗争的故事。1934年,扎尔滕出版了另一本很受欢迎的儿童读物《皇帝的种马弗洛里安》,讲的是一匹骄傲的利皮扎马在第一次世界大战后沦落到拉车地步的故事。

Saltillo 萨尔蒂约 墨西哥科阿韦拉州首府。位处中央高原北缘。海拔1 599米。气候干爽宜人的避暑胜地。1575年始建。为西班牙人居民点。殖民时期建筑物不多。其18世纪大教堂是墨西哥北部这种教堂的最佳典范。1824～1836年为一个大省的省会,该省包括今美国西南部得克萨斯州及其他地方。墨西哥战争中的布埃纳维斯塔战役(1847)的战场在萨尔蒂约以南。现为商业和制造业中心和交通枢纽。生产毛织品、针织品和面粉。其细羊毛披肩久负盛名。附近有金、银、铅、锌、铜、铁和煤矿。1957年设科阿韦拉自治大学。通彼德拉斯内格拉斯—蒙特雷—墨西哥城铁路和公路。人口284 937(1980)。

salting 掺沙子 美国工会所使用的组织策略。首先鼓励一些工会会员到无工会的公司就业。这些"沙子"受雇后开始在公司内组织未参加工会的工人,让该公司的工人投票支持工会的提议。在组织阶段,工会给予这些"沙子"额外的补贴,使他们的收入与工会的工资相当。20世纪80年代由于法规的限制,工会的组织工作十分困难,掺"沙子"日益普遍。

Salto 萨尔托 乌拉圭西北部城市。全国第二大城市(仅次于蒙得维的亚)。在乌拉圭河左岸。为乌拉圭西北部和巴西南里奥格兰德州部分地区物资供应港。工业中葡萄酒、橘汁饮料及肉类加工业颇著名。北郊新普韦布洛有大型船厂。市内有国立大学农学院分院。有很好的牧场。广泛饲养牛羊。也种植玉米、小麦、向日葵、番茄等。设有电视台。有铁路、公路、航空及河运通达其他沿河城市以及塔夸伦博和蒙得维的亚。人口约77 400(1985)。

Salto del Guairá 萨尔托德尔瓜伊拉 巴拉圭东部城镇,位于巴拉那河右岸,全国最早的殖民地之一。现为国际贸易中心,与巴西瓜伊拉市有桥梁相接。经济以种植马黛茶(巴拉圭茶)和采伐硬木为主。附近伊泰普坝的就业机会在1977年后吸引来许多新的居民。人口7 181(1982)。

Salton Sea 索尔顿湖 美国科罗拉多沙漠中的咸水湖。在加利福尼亚州南部。原为一盐渍覆盖的低洼地(低于海平面85米),1905～1906年科罗拉多河分洪道决口,河水涌入洼地形成湖泊。当时湖长60千米,宽21千米,面积1 000平方千米。后因蒸发水位降低,因皮里尔和科切拉谷地灌溉排水经纽河、阿拉莫河和圣菲力普河流入该湖,湖水增加,湖面稳定,当前规模——长48千米,宽16千米、深20米。湖面低于海平面72米,面积890平方千米。湖水含盐量约与海水相等。该湖为州游乐区的中心,有游泳、划船和野营设施。该湖的一部分已被指定为国家野生动物保护地。

Saltoposuchus 跳龙属 槽齿类的一个较进化的属,已绝种;恐龙类、飞行的爬行类和鸟类均由这一类群进化而来。为三叠纪(始于2.25亿年前,延续3 500万年)后期的二足动

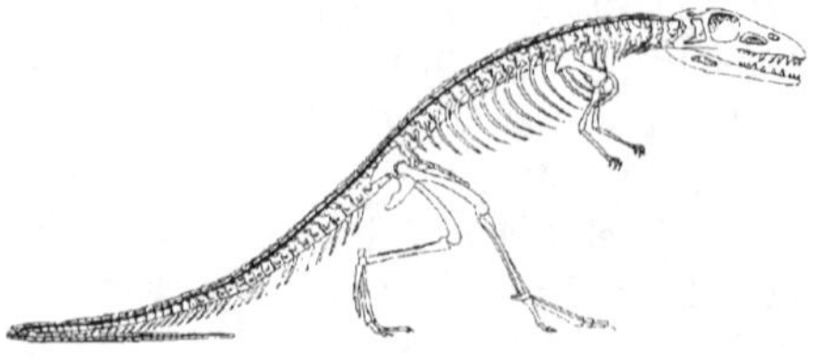

跳龙属(*Saltoposuchus*)

物,身体结构轻巧,约1.1米长,后肢远比前肢发达。尾长,用于保持身体平衡。头颅大,上有无数开孔和许多利齿。

saltpetre 硝石 又拼saltpeter,又作nitre或niter。下列3种天然存在的硝酸盐之一:①普通硝石或硝酸钾(KNO_3);②智利硝石、钠硝石或硝酸钠($NaNO_3$);③石灰硝、墙硝或硝酸钙[$Ca(NO_3)_2$]。这3种硝酸盐通常是含氮物质在碱和碱土存在下氧化生成的风化产物。

普通硝石 硝酸钾作为地表的地壳,存在于岩基壁和岩石上,以及洞穴中;或存在于西班牙、意大利、埃及、伊朗和印度的某些土壤中。美国肯塔基、弗吉尼亚和印第安纳等州的巨大石灰岩洞中的矿床,可能来自覆盖的土壤,为渗漏水堆积而成。过去,需要硝石作为火药的成分,从而形成了硝石农场或硝石床,常见于法国、德国和其他国家;将腐烂的有机物堆与碱(石灰等)混合起来,暴露于大气作用下,以模拟自然条件。有一时期,硝酸钾曾用于治疗许多不同的病症,特别是气喘;但是现在很少将它用于医疗,除非是用作利尿剂。它的所谓能抑制性要求的药用价值,纯粹是虚构的。硝酸钾白色,溶于水,具有玻璃般光泽、凉感和咸味。

智利硝石 硝酸钠存在于与普通硝石相同的条件下,矿床分布于南美洲广大区域,尤其是智利的塔拉帕卡和安托法加斯塔两区富有这种矿床。智利硝石主要用于硝酸工业,个别用作肥料。

石灰硝 硝酸钙一度常取自厩壁的风化层,现在则由大气中的氮来生产。主要用作肥料和用于硝酸工业。

Saltus, Edgar Evertson 萨尔图斯(1855-10-08,纽约市～1921-07-31,纽约市) 美国作家。是少数奉行欧洲颓废派矫揉造作的愤世嫉俗、为艺术而艺术及其他独特风格的小说家之一。在当时,他的小说因语言诙谐以及令人震惊的情爱插曲而颇受欢迎。曾在耶鲁大学和国外学习,1880年在哥伦比亚学院获法学学位,但从未当过律师。他写过有关罗马皇帝的通俗历史书《皇位》(1893)和关于俄国沙皇的《沙皇的欢宴》(1920)。此外,他还写过有关巴尔扎克和叔本华的书以及研究自古以来的无神论哲学思想的《否定的剖析》(1886)。

Saltykov, Mikhail Yevgrafovich, Graf 萨尔蒂科夫(1826-01-27[旧历01-15],俄罗斯斯帕斯乌戈尔～1889-05-10[旧历04-28],圣彼得堡) 俄国小说家和俄国最伟大的讽刺作家之一。笔名N.谢德林。他是一个敏感的儿童,对其母虐待农民的行为深感愤慨,后来在其最重要的作品之一《波谢洪尼耶遗风》(1887～1889)中描写了当时的所见。1838年被送进皇村中学读书,在那里开始创作和发表诗歌。他参加了圣彼得堡的革命团体,反对官僚统治,并与批评家V.别林斯基结识。1847年在激进刊物《现代人》和《祖国纪事》当书评作家。由于在中篇小说《错综复杂的事件》(1848)中表示同情法国空想社会主义者,被流放到维亚特卡。1855年返回圣彼得堡,发表了第一部成功的作品《外省散记》(1856～1857),讽刺维亚特卡的官吏。1857年写成他唯一的一部喜剧《帕祖兴之死》,以俄国商人为题材,于1893年首演。1858年起历任梁赞省副省长、特维尔省副省长,奔萨、图拉、梁赞省的税务署署长。1862年辞去政府职务,专事文学。曾主编《现代人》杂志,后又与N.涅克拉索夫合编《祖国纪事》,涅克拉索夫逝世后,任主编。主要作品有《一个城市的历史》(1869～1870)、《庞巴杜尔先生和庞巴杜尔夫人》(1863～1874),辛辣地讽刺了俄国上层官僚。晚期作品有描写地主家庭衰败情况的长篇小说《戈洛夫略夫一家》(1876)和对社会进行犀利抨击的《寓言集》(1880～1885)。

Saluda River 萨卢达河 美国河流,发源于南卡罗来纳州中西部兰岭山脉。由南北两支流于格林维尔西北约16千米处汇合而成。干流向东南流经佩尔泽,流程约232千米,在哥伦比亚与布罗德河汇合后形成康加里河。萨卢达大坝(1930)在哥伦比亚上游,形成默里湖;巴扎德鲁斯特大坝(1940)形成格林伍德湖,均用于水力发电。

Saluki 萨卢基狗 又拼Sloughi。一个古老的猎狗品种,其祖先可追溯到公元前7000～前6000年。古埃及人视之为神圣,称为"埃

萨卢基狗

供图:Sally Anne Thompson—美国不列颠百科全书公司

及的忠诚狗”,用于猎取瞪羚。体型美,视觉灵敏,耐劳。体细长似灵猩。耳长,被毛光亮。有一个变种是在耳、腿和尾上毛较长。白色、淡棕褐色、红棕色、黑色和黄褐色相间,也有黑黄褐和白色混杂者。体高 58 ～ 71 厘米,体重 20 ～ 27 千克。

Salus 萨罗斯 古罗马宗教所信奉的女神,司掌安全幸福。后来被人们等同于希腊女神**许革亚(Hygieia)**,而许革亚专司健康。萨罗斯的庙在罗马的基林诺丘,建于公元前 302 年,当时每年 8 月 5 日有祭祀活动。在钱币铸像上萨罗斯即是许革亚,手执敞口盂饮蛇,有时执嘉禾谷穗。

Salut, Îles du 萨吕群岛 法属圭亚那的岛群。位于库鲁东北 13 千米的大西洋中。主要岛屿为罗亚尔、圣约瑟夫和魔岛(1852 ～ 1953 年为流放地,故名)。18 世纪 60 年代法国殖民者到此拓居。曾长期充作首都卡宴的外港,供不能在卡宴停泊的大船使用。现大力发展旅游业,罗亚尔岛上的旅馆原为监狱看守的食堂。

Salutati, (Lino) Coluccio (di Piero) 萨卢塔蒂(1331-02-16,托斯卡纳地区斯蒂尼亚诺～ 1406-05-04,佛罗伦萨) 意大利人文学家、佛罗伦萨执政官。青年时曾在博洛尼亚学习法律,不久即以法律不合自己气质而放弃。后来父亲去世使他重新振作起来,从一书记为徒。博洛尼亚的佩波利家族倒台(1351)之后,萨卢塔蒂返回故里斯蒂尼亚诺,其后先后任托迪(在罗马以北)自治市执政官(1367)、卢卡自治市执政官(1371)和维泰博教廷辖区执政官。他于 1375 年任佛罗伦萨执政官,向该市元老院负责,在任 31 年直至去世,参与该市及意大利全境的复杂动乱的政治活动。他用拉丁文写给其他城邦的书信具有强大说服力,经常受他嘲讽的无道的米兰公爵曾说,佛罗伦萨一千骑兵的破坏力不如萨卢塔蒂的书信。萨卢塔蒂一生忙于政治及行政事务,但对人文学科有浓厚兴趣。写出论文和私人信件,讨论哲学问题,进行文学评论和考证,影响并赞助一些门生,包括布鲁尼兄弟。萨卢塔蒂主动结识拜占廷学者 M.赫里索洛拉斯,并欢迎他的到来,赫里索洛拉斯于 1396 年到达佛罗伦萨,是文艺复兴时期的大事之一,它唤起大家重新注意希腊文。萨卢塔蒂年迈仍开始学习希腊文。他还是藏书家和“佚失”手稿搜集家;他藏有大量古拉丁文著作和中世纪著作,其中一部分转归佛罗伦萨圣马可教堂所有。

Saluzzo 萨卢佐 意大利西北部皮埃蒙特区库内奥省城镇和主教区。位于都灵西南的阿尔卑斯山麓。著名建筑有 13 世纪的萨卢佐侯爵城堡、圣乔凡尼教堂等。为铁路枢纽。以修复古式家具著名。也是栗子主要集散地。有纺织和食品加工业。18 世纪的印刷商和印刷专家 G.博多尼和 19 世纪的剧作家 S.佩利科均出生于此。人口:城市区约16 812(1981)。

Salvador 萨尔瓦多 又称圣萨尔瓦多或巴伊亚。巴西巴伊亚州主要港口和首府(1889 年后)。巴西第三大城市。建于 1549 年,原为葡属巴西殖民地首府。因蔗糖贸易兴隆,

萨尔瓦多市港湾风光
供图:Reflejo—美国不列颠百科全书公司

多有海盗出没。1823 年前由葡萄牙控制。1763 年首府迁里约热内卢后,政治和经济地位下降。殖民时期为非洲奴隶贸易的主要中心。现仍为该国黑人和黑白混血人最集中的地方之一,居民风俗和饮食习惯多样化。20 世纪 70 年代初,附近建成阿拉图工业中心和卡马萨里石油化工联合企业(与该市通公路)。当地为巴西最优良港口之一。深水港设施 1975 年启用。主要输入工业品,输出可可、烟草、蔗糖、剑麻、皮革、蓖麻籽、金刚石、铝、铁矿石、硬木和附近坎德亚斯油田出产的石油等。主要工业项目有食品、卷烟、纺织、陶瓷、汽车、化工、冶金、木工、制革和修造船等。城市分下城和上城,主要商业区、政府机关和主要住宅区在上城。两部分通过弯曲的爬坡公路、一条缆索铁道和几部升降机连接起来。通国内和国际航海和航空线。有公路和铁路通巴西中部和南部。多历史名胜,有优美的海滩,旅游业发达。该地保存有殖民时代精美的巴罗克式教堂。市内有巴伊亚联邦大学(1946)、萨尔瓦多公教大学(1961)和几座博物馆。人口:市约2 555 400,都会区 3 183 327(2003)。

salvage 海难救助 在海商法上,指在通航水道上把船只或所载货物救出危险,而如果没有救助者的支援,财产就会受到损失或破坏。根据某些规定,飞机也可以是救助的对象。除了根据合同进行的救助以外,救助者必须是自愿救助,没有任何法定的义务要求他这样做,但有一般的义务去援助在海上遇险的人,或者在船只碰撞之后停滞不动。只要船主或其代理人仍在船上,任何不需要的救助建议都可能遭到拒绝。然而,一艘无主船——由于没有希望或不想修复而被完全放弃了的船——就是任何偶然发现它的人都可获得的猎物。典型的海难救助,包括帮助因搁浅或触礁的船只脱险,打捞沉船(或所载货物),扑灭火灾等等。一般认为,救助者成为被救助的财产的所有者(特别是当原来的所有者放弃了它或者它是无主时)的想法是错误的。船主可以付出救助费用,要求收回自己的财产。救助者则对被救助的财产(按照国内法或惯例法确定的数额)享有海上留置权,在他提的要求没有得到满足以前,可以不把财产归还原主。不愿收回财产的原主不承担支付救助费用的义务。许多海难救助都是根据契约由专业救助船来进行,它们只有在救助行动有一定成效时才能取得报酬。

Salvaleón de Higüey (Dominican Republic) **萨尔瓦莱昂-德伊圭** 参阅 **Higüey** 伊圭。

salvation 救恩 又称救赎。宗教名词,指拯救人类脱离根本的负面的、受残害的处境(如痛苦、邪恶、限制和死亡),在有些宗教则又指使自然世界恢复或升高到更高的境界或状态。救恩或救赎是一个普遍的宗教概念,尤其是基督教的特色。基督教所讲的救恩谓上帝在人类历史范围内采取行动,通过耶稣基督的生、死和复活拯救人类脱离罪和死。基督教神学强调:基督是自愿而出于爱心地牺牲自己的;这种拯救不需要人付出任何代价;基督代表人、代替人作了人自己办不到的事;人必须以信心、崇拜和重生回应上帝通过基督所采取的主动。在《圣经》中,“救赎”的含义范围更窄。据《新约》说:“我们借着这爱子的血得蒙救赎,过犯得以赦免,乃是照他丰富的恩典”(《以弗所书》1:7)。《圣经》取作比拟的是赎地或奴隶的赎身。根据通俗的基督教义,受这种救赎的是各个灵魂,有些派别认为是通过各人自愿的信心,另一些派别认为是通过上帝的抉择。犹太教讲的是全体以色列人的集体得救。《旧约》往往把救赎说成是摆脱物质灾殃,但是《诗篇》第 130 篇说:上帝“必救赎以色列脱离一切的罪孽”。犹太教认为,神圣的国家恢复,犹太人在最后审判时被证明为上帝的选民,这就是人类历史上救赎事业的终极。在起源于中东的其他宗教中,伊斯兰教认为,穆斯林应以顺从安拉而得救,脱离将来的惩罚为目标。琐罗亚斯德教和袄教认为,善最终必胜恶,使普世人类得救。东方宗教一般认为,人可以通过个人修习和守戒而得救或解脱生死羁绊,但是也讲神的干预。在大乘佛教,阿弥陀佛的作用就是重要的实例。

Salvation Army 救世军 国际基督教宗教和慈善组织,其组织形式与活动采用军队形式。救世军在 80 多个国家设有 1.6 万所福音堂,用约 112 种语言传播基督教义,并开办 3 000 多个社会福利机构、医院、学校和事务所。救世军的国际总部设在伦敦。救世军的缔造者是循道会牧师布斯。他从 1865 年开始在伦敦东区传道,创立一些救济所,向穷人提供饭食和住所。1878 年他把自己建立的组织易名为“救世军”。他和他的儿子逐步将救世军改成了军队的形式,老布斯终生担任救世军的最高司令。这个组织迅速发展到全英格兰、苏格兰和威尔士,然后又传到国外。救世军的最基层是团队,由军衔最小为中尉最大为准将的一名军官指挥,这位军官属师部领导,若干个师组成军(通常在一个国家只有一个军,但在美国却有 4 个军)。希望加入救世军的信徒必须在“军队法规”上签字,并自愿提供服务。救世军的军官相当于其他基督教会的牧师。每个军官必须在一所教会学校

住宿攻读两年，然后再进修5年。女教徒享有与男教徒完全平等的权利。尽管救世军并不介入教派间的论战，它的教义中却包括着大多数福音派新教会所信奉的基本原则。布斯认为拯救灵魂并不需要行圣礼。他努力在宗教活动中造成一种不拘礼节的气氛，让新入教的信徒不感到拘束。教徒们可以愉快地歌唱、用乐器演奏音乐、鼓掌、作见证、自由祈祷、公开认罪。这些都是救世军宗教活动的特点。

Salvelinus　红点鲑属　鱼类的一属，包括红点鲑（char）、溪鳟（brook trout）、湖鳟（lake trout）和多利·瓦登鳟（Dolly Varden trout）等受欢迎的食用及游钓鱼。

Salvi, Niccolò　萨尔维（1697-08-06，罗马[意大利]～1751-02-08，罗马）　意大利雕刻家，其晚期罗马巴罗克风格的杰作是特雷维喷泉。1732年争取承作罗马拉特兰圣乔瓦尼大教堂的正面而未成功，但同年为特雷维喷泉的设计胜过大批竞争者而被选中。此喷泉于1762年完成。其宫殿正面与喷泉相结合的设想袭承了P.达科尔托纳的设计，但中央拱门及其神话和寓言人物雕像、自然岩石，以及喷出的泉水则系他的杰作。还作了一些教堂的小型作品，并和L.万维泰利一起扩大了G.L.贝尔尼尼的奥德斯卡契宫。

Salvia　鼠尾草属　唇形目唇形科的一属，约700种，草本或木本。一些种是重要调味香料植物。药用鼠尾草（*S. officinalis*）高达0.6米，木本，多年生，叶芳香。可烹食（参阅**sage**）。南欧丹参（*S. sclarea*）植株较高，二年

南欧丹参（*S. sclarea*）
供图：A to Z Botanical Collection—美国不列颠百科全书公司

生草本；叶心形，有茸毛，味浓郁，花白色，花与花下的叶状苞片均带粉红或紫罗兰色调。这两种均原产于欧洲南部，叶均可用于调味。美洲热带山区有许多种，最引人注意的是瓦格纳氏鼠尾草（*S. wagneri*），为乔木状灌木，原产于危地马拉山间的湖畔。高逾4米；花穗三棱形，长30厘米，花瓣合生，绵毛状，绯红色，萼片合生，洋红色。蓝花鼠尾草（一串蓝，*S. farinacea*）产北美西南丘陵，灌木状，下雨之后开鲜蓝色花。西洋红（一串红，*S. splendens*）可能是该属最著名的一种，原产巴西，一年生，穗状花序大红，与深绿色的广椭圆形叶映衬鲜明，广为栽培。

Salviati, Antonio　萨尔维亚蒂（1816-03-18，奥地利帝国维琴察韦内蒂亚[今在意大利]～1890-01-25，意大利威尼斯）　意大利玻璃制作师，参与将穆拉诺重建为意大利的玻璃制品生产中心，并在使欧洲对意大利鲜艳华丽的玻璃产生兴趣中发挥作用。19世纪由萨尔维亚蒂和其他艺匠将传统的熟练技艺运用于现代玻璃的制造过程，使穆拉诺的玻璃业重获新生。在萨尔维亚蒂商行的协助下，使玻璃成为物美价廉的艺术品，并鼓励公众搜集玻璃装饰品和餐具。1859年他与人合伙开设了第一个商行，几年内即开始从国外接受大宗定货。约1876年撤股自建另一商行。他是意大利第一位雇用大量熟练工人，大批生产主要为出口而设计的玻璃品的现代工厂主。他的工厂设计的产品在全欧洲的展览会上都可见到，其精美的设计在维多利亚时代备受欢迎。从前艺术玻璃品是一种珍稀昂贵的商品，专供富人使用，通过萨尔维亚蒂和其他制造商的努力，到19世纪后期，大多数家庭的客厅至少已有一件彩色玻璃制品。

Salviati, Francesco　萨尔维亚蒂（1510，佛罗伦萨[意大利]～1563-11-11，罗马）　原名F.德罗西，又称切奇诺。画家及设计师，佛罗伦萨-罗马画派主要的风格主义壁画家之一。曾与A.德尔·萨尔托共同学习和工作，1531年左右受主教G.萨尔维亚蒂资助而改从其姓。后来曾为佛罗伦萨、威尼斯、博洛尼亚、罗马的若干教会和贵族赞助者工作。其最著名的壁画是佛罗伦萨韦基奥宫大厅内的壁画群（1544～1548）和罗马法尔内塞宫里的壁画群（1555）。他吸收了米开朗琪罗作品中人物体魄雄伟、肌肉发达的艺术语言。其历史画和寓言画场景的标志是华丽的装饰帷幔和古代的饰物。萨尔维亚蒂是典型的风格主义画家，他所描绘的人物服饰繁琐，虽也传神，但姿态造作。

Salviniales　槐叶蘋目　一类小型浮水蕨类植物，仅槐叶蘋科（Salviniaceae）和满江红科（Azollaceae）两个单属科。槐叶蘋属（*Salvinia*）

槐叶蘋属（*Salvinia*）植物
供图：G.R.Roberts

10种，无根，叶三片轮生，其中2片圆形叶突出水面，另一片沉水叶细裂，有根的作用。满江红属（*Azolla*）6种，有根，具2行二裂叶。该属和能固氮的满江红鱼腥藻（*Anabaena azollae*，一种蓝藻）共生，为之提供生境。这些种分布广泛，尤其在温暖地区。因为它们雅致精美，常用于装饰水族箱和庭园水塘等。

Salween River　萨尔温江　中国称怒江。长约2 400千米，为东南亚主要河流和缅甸最长的河。源出中国西藏东部唐古拉山脉，南流经云南流入缅甸，在毛淡棉注入安达曼海的马达班海湾。下游构成缅甸和泰国间约130千米国界线。上游风景秀丽，流经高山峡谷。中缅公路横跨江上。部分河段通小船。因有急流险滩，难以成为重要水道。主要用途为由缅甸东南部流放柚木木排出海。其右侧支流比卢河被用以发展水电。萨尔温江湍流亦有发展电力及用于灌溉的潜力。下游通航里程不足160千米。

Salyut　“礼炮”号航天站　苏联航天站系列。它是“联盟”号飞船上的航天员在绕地球轨道上进行科学实验和生活起居的基地。“联盟”号飞船和“进步”号运货飞船按时与“礼炮”号会合并对接，将航天员和物资送上航天站，“礼炮”号上乘员组也定期更换，以便能长年累月在站上居留。1971年4月19日发射的“礼炮”1号是世界第一个航天站。“礼炮”2号发射后不久解体。“礼炮”3号和5号是军用航天站，“礼炮”4号和6号则基本上是民用的。1977年9月29日发射的“礼炮”6号和1982年发射的“礼炮”7号是两端都可和其他飞船对接的航天站，采用新型燃料加注系统，起居环境更加舒适。

Salzburg　萨尔茨堡　奥地利中西部一州。西、北与德国巴伐利亚交界。北、东为上奥地利州，东接施泰尔马克州，南邻克恩滕州，南、西连蒂罗尔州。萨尔察赫河、恩斯河、穆尔河流经州内。面积7 154平方千米，90%属阿尔卑斯山区。境内山川秀丽，风景优美。萨尔察赫与恩斯两河上游形成分水岭，南面是陶恩山脉，北面是基茨比厄尔山，更北是萨尔茨堡莱姆斯通山，风景奇异而多洞穴，其中滕嫩山冰洞群最为出名。因矿藏丰富，史前即有人居住。青铜器时代开采铜矿，铁器时代开采矿盐。铁器时代后期由凯尔特人居住，公元15年起罗马人来此定居。约公元50年时，萨尔茨堡成为罗马人的城镇。5世纪日耳曼人入侵，大部分地区由巴尤瓦伦人占据。约1278年由萨尔茨堡（**Salzburg**）城枢机主教管辖。此后，萨尔茨堡的领土有所丧失，但至拿破仑战争期间1803年脱离教会管辖时，其领土仍较今日的州为大。1816年归属奥地利时，又丧失部分领土。1850年以前为上奥地利的一个行政区，至1850年成为公爵领地及哈布斯堡王室领地。1918年成为州，1938～1945年并入德国时称赖希专区。战后1945年恢复原有州的地位。第二次世界大战后，人口大量增加，但人口密度仍为全国最低的州。约90%居民信奉天主教。主要城镇有萨尔茨堡（首府）、哈莱因（**Hallein**）、巴德加施

泰因(**Badgastein**)、萨尔费尔登(**Saalfelden**)、湖畔采尔(Zell am See)、圣约翰等。农田约占土地的一半,森林约占1/3。牲畜及奶牛饲养甚为普遍,萨尔察赫河上游河谷地带饲养马匹。阿尔卑斯山前地区生产小麦、黑麦及水果。木材、木制品、纸张等为萨尔茨堡出口大宗。迪尔恩贝的盐矿和比绍夫斯霍芬附近的铜矿现仍为最重要的矿产资源。伦德有大型铝厂,莱奥冈开采菱镁矿。陶恩山谷中的几个水库用以发电。工业主要集中于萨尔茨堡盆地,出产啤酒、纺织品、服装、皮革及风琴等。旅游业是主要收入来源之一,旅游中心有萨尔茨堡市、巴德加施泰因和湖畔采尔。公路、铁路交通便利。人口约442 301(1988)。

Salzburg 萨尔茨堡 奥地利中北部城市,萨尔茨堡州首府。位于阿尔卑斯山北麓,在萨尔察赫河谷盆地,与德国巴伐利亚州毗邻。最初为凯尔特人定居点,后为罗马人城镇。

萨尔茨堡城貌,山顶为霍亨萨尔茨堡大要塞
供图:Shostal Assoc.—美国不列颠百科全书公司

739年成为主教管区,798年升格为大主教管区,1278年为枢机主教驻所。阿尔卑斯山的秀丽风光与丰富多彩的建筑艺术浑然一体,精美绝伦,使萨尔茨堡誉为全世界最美丽的城市之一。萨尔察赫河左岸老城的中心为大主教府邸,其对面为新楼(1592～1602)。1614～1628年修建的大教堂是在德国领土上的第一座意大利式教堂建筑。靠近门希斯贝格有一林木茂密的山岭,为本笃会圣彼得隐修院所在地。隐修院北面有方济各会教堂。门希斯贝格山巅有霍亨萨尔茨堡大要塞(1077)、圣乔治教堂(1501)及嫩贝格女隐修院。在萨尔察赫河右岸的新城中,名胜古迹有圣塞巴斯蒂安教堂(1505～1512)、圣三一教堂(1694～1702),莫扎特纪念馆(1910～1914)内有音乐学会、音乐厅和有关莫扎特生平的文物。市郊有卡普欣隐修院(1599～1602)、利奥波德斯克龙城堡(1736)和黑尔布鲁恩城堡(1613～1619)。萨尔茨堡大学于1964年重建。几百年来,萨尔茨堡一直是一个音乐中心。由于是莫扎特的出生地,更享有盛誉。莫扎特出生的格特赖代加瑟街9号,现辟为博物馆,一年一度的萨尔茨堡狂欢节在此举行。萨尔茨堡为奥地利西北门户,铁路、公路的重要枢纽,附近马克斯格兰有国际机场,并为奥地利旅游胜地之一以及国际会议中心。有大型酿酒厂,并生产乐器、五金、纺织品、皮革等。1945～1956年该地为驻奥美军总部驻地。人口约137 833(1986)。

Salzgitter 萨尔茨吉特 德国中北部下萨克森州城市。位于不伦瑞克西南面的哈茨山麓,该地区有全国最大的铁矿藏。1937年戈林帝国铁矿开采和冶炼公司成立。1942年合并毗邻的27个村庄,成立了目前的自治市,在1951年前名作瓦腾施泰德-萨尔茨吉特。1938～1940年和第二次世界大战后,莱本施泰特、萨尔茨吉特-巴特等区发展为现代化的住宅区。含铁量较少的铁矿石则在萨尔茨吉特岭和萨尔茨吉特-巴特开采。除焦炭、钢铁、轧钢厂外,还生产火车车厢、卡车、机械和药物等。许多土地为农田,种植小麦、甜菜,饲养牲畜。萨尔茨吉特-巴特区是著名矿泉疗养地。莱本施泰特是市政府所在地。人口约111 674(1989)。

Salzillo (y Alcaraz), Francisco 萨尔西略(-阿尔卡拉斯)(1707-05,西班牙穆尔西亚～1783-03-02,穆尔西亚) Salzillo又拼Salcillo,Zarcillo。西班牙雕刻家。有些权威人士认为他是18世纪西班牙最伟大的雕刻家,而另一些人则认为他不过是个杰出的民间艺术家。他在穆尔西亚长大,从其父学艺。其父是那不勒斯雕刻家,开有一间制造宗教雕像的工作室。他青年时入多明我会隐修院。1727年其父去世后离开隐修院,经管家庭工作室。

萨尔西略(-阿尔卡拉斯)的木雕《最后的晚餐》(约1780)
供图:Photo Yan, Toulouse

一生住在穆尔西亚,在兄妹帮助下制造了大量彩饰宗教雕像。其作品中的圣像高度人性化,深受欢迎。其最佳作品大都收藏在穆尔西亚萨尔西略博物馆。

Salzkammergut 萨尔茨卡默古特 奥地利中北部一地区。包括上奥地利州、施泰尔马克州和萨尔茨堡州的部分地区,主要由特劳恩河盆地构成,以湖光山色、风景秀丽著称。湖泊有30多个,如阿特湖、特劳恩湖、蒙德湖、沃尔夫冈湖和哈尔施塔特湖等,称奥地利"湖区"。南面是奥地利最高山脉达赫施泰因,海拔2 995米。另有托特斯和瓦尔谢内克山脉。萨尔茨卡默古特(意为盐穴宝藏)因哈尔施塔特、巴特伊施尔、巴特奥塞的盐矿得名。上述盐矿早在铁器时代即已开采。这一区域盛产木材,为建筑业、造纸以及纤维制品工业提供原料。牲畜饲养、牛奶业、湖水水力发电、水泥、陶瓷等工业均有重要经济意义。但主要收入来源于旅游业,旅游胜地有格蒙登(**Gmunden**)、巴特伊施尔(**Bad Ischl**)、圣沃尔夫冈(**Sankt Wolfgang**)和巴特奥塞。

Salzmann, Siegmund (Austrian writer) **萨尔茨曼** 参阅 **Salten, Felix** 扎尔滕。

Sam Saen Thai 桑森泰(1356～1417) 老挝澜沧国王。原名温亨。澜沧国创建者法昂的长子。1373年即位。他治国有方,1376年曾进行人口普查,查明全国有壮丁30万名,故死后谥桑森,即30万之意。他在位时国家和平、稳定、繁荣,他大兴土木,建立中央集权的政府,委派几个儿子治理王国内各大城市,并与周围的小侯国联姻修好。

samāʿ 聆听 伊斯兰教神秘主义苏非派用语。指该派运用聆听吟唱以加强狂喜出神境界。该派认为旋律和节奏会使灵魂易于理解神界事物和欣赏神界音乐,音乐像其他美好事物一样,会使修行者更加接近安拉。

samadhi 等持 梵语samādhi,意为完全的自我集中。在印度教和佛教哲学中,指一个人在尚受肉体束缚时所能达到的最高的精神集中状态。此刻使他与最高实在相结合。"等持"是一种犹如昏迷的纯意识状态,完全沉浸于绝对的思索,不受欲望、愤怒和思想倾向的干扰。它是一种快乐的平静状态,同时却保持思想的敏捷与灵活。印度教和佛教将其看作一切精神活动和理智活动的顶峰。"等持"的力量是从轮回中解脱出来的先决条件。因此,具有这种力量的人的死亡也被认为是"等持"。推而广之,具有这种力量的人的火化场所也称为"等持"。因此,圣雄甘地在德里的火化场所也正式名为甘地的"等持"。

Samain (Celtic festival) 参阅 **Samhain** 夏末节。

Samal 萨马尔人 菲律宾穆斯林文化-语言群体,20世纪末人口约36万,住在棉兰老西南的苏禄群岛南部,主要在塔威塔威群岛。他们重视亲族关系,已婚子女多住于女方父母家或其附近。土地为氏族所有,并由称作"达图斯"的地方领袖进行管理。婚姻及家庭习惯均遵循伊斯兰教教旨。全部穆斯林群体的语言都与菲律宾中部的语言密切相关。后者属澳斯特罗尼西亚(马来-波利尼西亚)语系。苏禄穆斯林务农,种植稻谷、可可、水果、木薯和薯蓣。手工业也很重要,有木工、金工、纺织;也有小型造船业。

Samal (ancient Hittite city-state) **撒马勒** 参阅 **Zincirli Höyük** 津吉尔利许于克。

Samaná 萨马纳 全称圣巴巴拉-德萨马纳。多米尼加共和国东北部城市。在萨马纳半岛南岸。1756年由西班牙人建立。1825年大批黑人从美国涌入。为内地的商业和制造业中心。产木材、可可、椰子、稻米和大理石。制革业为重要经济活动。有各种港口设施。海滩为游览胜地。人口5 023(1981)。

Samaná Bay 萨马纳湾 多米尼加共和国东北部小海湾。北边为萨马纳半岛。东西长65千米,南北宽25千米。为西印度群岛天然良港之一。为渔业和旅游区。

Samana Cay 萨马纳岛 巴哈马群岛东部的岛屿,位于阿克林岛东北35千米处。外以礁石为界,长约16千米,宽近3千米,绿茵满布,久无人居。但在20世纪80年代中期所发现的小雕像、陶器碎片以及其他人工制品,被认为应是哥伦布航海时期居住在该岛上的卢卡扬印第安人的遗物。1986年10月美国国家地理学会发表一项为期5年的研究成果,声称1492年10月12日哥伦布在新大陆首次登陆的地点是萨马纳岛,而非圣萨尔瓦多岛(华特林岛)或是其他传统所认定的上岸处所。该协会提出哥伦布横越大西洋经过巴哈马途径航向的电脑分析,同时也援引哥伦布日志中的风景描述和其他证据。

Sāmānid DYNASTY **萨曼王朝** (819～999) 伊朗自从穆斯林阿拉伯人征服以后兴起的第一个本国人的王朝。创立者为萨曼-胡达。他的孙子努赫领有撒马尔罕,艾哈迈德领有费尔干纳,叶海亚领有沙什,埃利亚斯领有赫拉特。875年,艾哈迈德之子纳斯尔任河间地带总督。其弟伊斯梅尔一世(892～907在位)在河间地带和呼罗珊建立起半独立的政权,以布哈拉为都城。在萨曼王朝统治下,河间地带和呼罗珊日趋繁荣,工商业大有发展。主要城市撒马尔罕和布哈拉成为学术和文艺的中心。内沙布尔和撒马尔罕制作的陶器是这一时期对伊斯兰艺术的最重要贡献。建筑物现存有伊斯梅尔(907卒)王陵(在布哈拉)。10世纪中叶开始,萨曼王朝渐趋衰落。后来,突厥族的喀喇汗人占领了呼罗珊。999年,布哈拉陷落,1005年萨曼王朝最后一代统治者伊斯梅尔二世被杀。

Samaniego, Félix María 萨马尼埃戈 (1745-10-12,西班牙拉瓜迪亚～1801-08-11,拉瓜迪亚) 西班牙诗人。所写儿童寓言诗优美简朴,成为西班牙儿童在学校里首先诵读的诗歌。出身于巴斯克贵族家庭。早年在法国旅游时,受到法国百科全书派的影响。回国以后,参加了巴斯克学会,在该学会办的学校任教。为学生创作的《道德寓言》(1781)出版后获得极大成功,很快就成为西班牙学校课程的组成部分。

Samantabhadra-caryā-praṇidhāna (Buddhist text) **《普贤行愿品》** 参阅 **Bhadracaryā-praṇidhāna**《行愿品》。

Samar 萨马 菲律宾第3大岛,仅次于吕宋和棉兰老。属米沙鄢群岛,位于菲律宾中东部,面积13 080平方千米,在萨马海与菲律宾海之间,北以圣贝纳迪诺海峡与吕宋岛比科尔半岛相望,西南有横跨圣胡安尼科海峡大桥与莱特岛相连。无高山峻岭,多丘陵,一般高150～300米,最高点卡波端山海拔846米。海滨地带、小河流域和三角洲为低地。河川短小,分散入海。夏末和秋季常有台风,造成极大灾害。内地人口稀少,居民从事轮种。永久居民点多在沿海一带。萨马人在菲律宾少数民族中居第6位,亦见于莱特岛东部,多数信奉天主教。以种植水稻、块根植物为主。主要经济作物为椰子和马尼拉麻。萨马与主要的岛运路线隔绝,其大部分内部贸易都要由沿岸的大船运送。东南部出产铁矿石经麦克阿瑟港出口。亦有煤、磷酸盐和铬酸盐等矿藏。森林遍布全岛,东海岸的多洛雷斯镇、塔夫脱镇、博龙岸镇、奥拉斯镇都有木材工业和锯木业。卡塔曼是北部海岸的首镇。主要商业中心卡巴洛干和甲描育市为西部海岸重要港口和渔业中心。人口1 200 592(1980)。

Samara 萨马拉 1935～1991年称古比雪夫。俄罗斯西部一州。位于伏尔加河中游地区。面积53 600平方千米。伏尔加河在该州绕日古利山(海拔370米)而形成一个大河湾。该山森林茂密,有很深的沟谷。土地大部位于伏尔加河左岸。地形平坦。几乎全部开垦。主要农作物是春小麦、玉米、粟和向日葵。有周期干旱,灌溉设施不足。首府萨马拉市附近主要种植蔬菜。伏尔加河右岸产水果。由于第二次世界大战和许多地区有石油和天然气资源,石油加工业和石油化学工业特别发达。伏尔加河沿岸城镇有多种机械制造业。陶里亚蒂市的大汽车厂1970年开始生产汽车。1950～1957年在伏尔加河沿岸的日古廖夫斯克建大型水电站。人口约3 289 600(1991)。

Samara 萨马拉 1935～1991年称古比雪夫。俄罗斯西部萨马拉州城市和行政中心。位于伏尔加河与萨马拉河汇流处。1586年建为伏尔加河贸易通道上的要塞。不久成为贸易中心和行政中心。1935年改名,以纪念杰出的布尔什维克V. V.古比雪夫(1888～1935)。因地处内地,第二次世界大战期间当莫斯科受到德国威胁时,许多政府机构迁到该地,因而加速其发展。战后,伏尔加-乌拉尔油田的开发亦促进其发展。1991年恢复原名。现为俄罗斯最大的工业城市之一和管道运输中心,拥有大型石油加工和石油化工企业(尤其是在卫星城新古比雪夫斯克)。大型机械制造厂生产石油装备、机器、滚珠轴承、电缆和精密机床。还有许多建筑材料和消费品工业。电力由1957年建成的日古廖夫斯克水电站提供。有伏尔加河航道和铁路通向俄罗斯欧洲部分、西伯利亚和中亚细亚。设有许多文化和科研机构及数所高等院校。人口约1 257 300(1991)。

Samara River 萨马拉河 又称萨马尔卡河。俄罗斯伏尔加河左岸支流。位于俄罗斯西部奥伦堡州及萨马拉州境内。源出乌拉尔山南部,巴甫洛夫卡的西北,长594千米,流向西北偏西,在萨马拉市注入伏尔加河。流域面积46 500平方千米。

Samaran 萨马人 又称萨马雷诺人(Samareño)、瓦赖-瓦赖人(Waray-Waray),菲律宾的大文化语言群体,住在萨马岛、莱特岛东部和比利兰岛。20世纪末,人口约有284万,操澳斯特罗尼西亚(马来-波利尼西亚)语系的比萨扬语。萨马人多系农民,住在路旁、河滨或沿海地区的小村中。其亲属系统和家庭结构虽和其他信奉基督教的菲律宾群体相似,但保留不少前基督教时期的宗教信仰和民间传说。

Samaranch, Juan António, marques de Samaranch 萨马兰奇 (1920-07-17,西班牙巴塞罗那～2010-04-21,巴塞罗那) 西班牙企业家,1980～2001年担任国际奥林匹克委员会的第7任主席。纺织富商之子,西班牙内战(1936～1939)后加入家族企业,后来在房地产开发和银行界工作。从早年开始,即参与拳击和旱冰球比赛,曾参与举办1951年巴塞罗那的国际旱冰球锦标赛。1954年加入西班牙奥林匹克委员会。1977～1980年任西班牙驻苏联大使。1966年当选为国际奥林匹克委员会委员,1980年当选主席。1992年胡安·卡洛斯国王册封他为萨马兰奇侯爵。为了落实国际奥委会前任主席爱尔兰的基拉宁勋爵的政策,萨马兰奇积极开展多元化经营(从电视合约到商标授权计划)以广辟财源。他也欢迎职业运动员参与网球、篮球等奥林匹克运动。他是位娴于社交的政治家,在莫斯科(1980)和洛杉矶奥运会(1984)的抵制事件之后,他在苏联集团和北约集团国家之间搭起桥梁,作出妥协而准许中国和中国台湾分别组队,1992年允许后苏联体育队伍参赛。1993年在瑞士洛桑建立奥林匹克博物馆。在批评者眼中,他傲慢而独断。1998年12月他可说是面临了生平最大的挑战。当时有人指控国际奥委会成员普遍腐化,说他们接受候选主办城市贿赂。委员会中有几名成员被开除,有些人辞职,并有要萨马兰奇下台的呼声。但他还是成功地通过了一套50点的改革方案。

Samarang (Pacific Ocean) **萨马朗** 参阅 **Palmyra Atoll** 巴尔米拉环礁。

Samaria 撒马利亚 希伯来语作Shomron(舒姆龙)。古代巴勒斯坦的中心地区。南北长65千米,东西宽56千米。北邻加利利,南接犹太;西濒地中海,东临约旦河。以色列人征服巴勒斯坦时撒马利亚地区的一些战略地点为迦南人所掌握。虽然以色列人夺取了一些山地立足点,邻近的平原和谷地的一些迦南关键要塞却坚持抵抗到大卫王时代(公元前10世纪)。所罗门王死(公元前10世纪)后,北方诸部落(包括撒马利亚)建立了独立的以色列王国。都城初为得撒,从暗利时代(公元前876～前869)起迁到撒马利亚城。这一王国虽比南方的犹太强大,经济也较发达,但仍于公元前722年被亚述摧毁,大部分居民被俘。在《新约全书》时代撒马利亚被罗马控制,并在某种程度上成为希腊化的文化中心。

Samaria 撒马利亚 又称塞巴斯泰,即今萨巴斯提亚赫。巴勒斯坦中部古城镇,在今以色列盖里济姆山与以巴路山之间通路西北的一座小山上。几次考古发掘(1908～1910;1931～1933;1935)表明,公元前4000年后期这里已经有人偶然居住。公元前880～前879年建镇,此后一直为以色列北部希伯来王国的都城。公元前 722 年被亚述摧毁。《新约全书》时代希律大帝(公元前 37 ～前 4)曾加以重建并大规模扩建,更名为塞巴斯泰,以纪念罗马皇帝奥古斯都(希腊语称塞巴斯

萨巴斯提亚赫 12 世纪的教堂,撒马利亚古城遗址现为农村

供图:Willem van de Poll—Bavaria-Verlag

托斯);城中有一座祀奉奥古斯都的圣堂,一些坚固的堡垒和许多希腊化建筑。以色列时期的重要遗物有宝贵的象牙雕刻品(可能出自亚哈王宫庭)及一系列耶罗波安二世(公元前 8 世纪)时期的碑铭、陶片。

Samarinda 三马林达 印度尼西亚婆罗洲东南部城市,东加里曼丹省省会。濒临马哈坎河。位于河口三角洲望加锡海峡以北 48 千米处。是东加里曼丹木材和伐木业的中心,也是重要的地区贸易中心,有公路连接南方的巴厘巴板港。东加里曼丹大学创建于此(1962)。人口 335 016(1990)。

Samaritan 撒马利亚人 犹太人的一支,现在几乎已不存在。他们自称与古代撒马利亚境内的犹太人有血缘关系,公元前 722 年亚述灭以色列王国,大部分犹太人被迫离乡背井,但撒马利亚的犹太人继续留居故土。《塔木德》称撒马利亚人为库提人,可见他们可能是在亚述人占领撒马利亚后自美索不达米亚迁入境内的库塔人的后裔。20 世纪 70 年代中期,撒马利亚人约有 500 人。其中约 250 人住在纳布卢斯(祭司长也住此);另约 250 人住在特拉维夫附近的霍隆,有会堂一处。撒马利亚人几乎与世隔绝,不与外人通婚。祈祷用希伯来语,自 636 年被穆斯林征服后,在生活中采用阿拉伯语。

samarium 钐(Sm) 化学元素,周期表Ⅲb 族过渡稀土金属,银白色,在空气中较稳定。P.-E.勒科克·德·布瓦博德朗于 1879 年分离得到它的不纯氧化物,并用光谱法鉴定为一种新元素。虽然许多稀土矿中均含钐,但钐几乎全是从独居石中提取的。核裂变产物中也有钐。工业上用离子交换法分离和提纯钐。用金属镧热还原钐的氧化物 Sm_2O_3,然后将金属钐蒸出可方便地得到金属钐。钐是稀土元素中挥发性最强的一种。钐有几种同素异形体(结构形式),在室温下为三角晶系结构。钐的热中子吸收截面很大,已建议可用于核反应堆控制棒和中子防护屏。此外还可用于特殊发光玻璃和能吸收红外线的玻璃、无机和有机催化反应、陶瓷和电子工业。钐是混合稀土金属(用于铁合金和有色合金的铈和其他稀土金属的混合物)的次要组分。钐有 7 个天然存在的同位素,即钐 144(3.1%)、钐 147(15.0%)、钐 148(11.3%)、钐 149(13.8%)、钐 150(7.4%)、钐 152(26.7%)和钐 154(22.7%)。钐 144、钐 150、钐 152 和钐 154 为稳定同位素,但其他 3 个天然存在的同位素均为 α 放射体。钐和大多数稀土元素不同,不但有较稳定的三价态还有二价氧化态。Sm^{2+} 离子为强还原剂,能和氧气、水或氢离子迅速反应。Sm^{2+} 稳定,可沉淀为极难溶的硫酸盐 $SmSO_4$。其他钐(Ⅱ)盐尚有 $SmCO_3$、$SmCl_2$、$SmBr_2$ 和 $Sm(OH)_2$,它们都为红棕色。三价钐具有典型稀土元素的化学性质,在溶液中形成一系列黄色的盐。钐原子序数 62。原子量 150.36。熔点 1 074 °C。沸点 1 794 °C。比重 7.520(25 °C)。化合价 2、3。电子组态 2,8,18,24,8,2 或(Xe)$4f^6 5d^0 6s^2$。

Samarka River(Russia) **萨马尔卡河** 参阅 **Samara River** *萨马拉河*。

Samarkand 撒马尔罕 乌兹别克斯坦中部一州。面积 16 400 平方千米。包括南部的泽拉夫尚河中游和泽拉夫尚河谷以北的努拉套山脉、阿克套山脉,和西南部的卡尔纳布丘尔干旷草原,东南部的泽拉夫尚山脉西端。大陆性气候,冬季不太冷,夏季炎热干燥。经济以农业为主。棉花为泽拉夫尚流域灌区的主要作物,亦产水果、葡萄和烟草。旱田种植小麦。沙漠、山丘坡地和山间牧场饲养卡拉库尔羊和其他牲畜,养蚕业占重要地位。工业主要为轻工业,集中在首府撒马尔罕市。其他城市有卡塔库尔干、阿克塔什、朱马、赤卫军城和乌尔古特等城。农村人口占多数。乌兹别克人占人口总数的 3/4 以上。余为俄罗斯人、鞑靼人和塔吉克人。人口约 2 386 200(1991)。

Samarkand 撒马尔罕 乌兹别克斯坦撒马尔罕州的城市和行政中心,是中亚最古老的城市之一。公元前 4 世纪名为马拉坎达,系粟特的首都。公元 329 年被亚历山大大帝攻占。在为花剌子模王国合并(13 世纪)前,该城先后曾被中亚的突厥人(6 世纪)、阿拉伯人(8 世纪)、伊朗萨曼王朝(9 ～ 10 世纪)和突厥诸民族(11 ～ 13 世纪)统治,而后被蒙古征服者成吉思汗所摧毁(1220 年)。撒马尔罕爆发反抗蒙古人统治的起义((1365)后,成为帖木儿帝国的首都。帖木儿使它成为中亚最重要的经济和文化中心。1500 年,撒马尔罕被乌兹别克人征服,成为布哈拉汗国的一部分。到 18 世纪,逐渐衰落。18 世纪 20 ～ 70 年代成为无人居住的废墟。1887 年成为俄罗斯帝国的一个省会和铁路中心后,经济方才恢复。1924 ～ 1930 年为乌兹别克苏维埃社会主义共和国的首都。1938 年起成为撒马尔罕州行政中心。撒马尔罕由两部分组成,老城建于中世纪,新城乃 19 世纪俄罗斯人征服此地后所建。老城城墙建于 11 世纪,长 8 千米,有 6 座城门,有大道通向城中心。俄罗斯人占领此地后,城墙和城门被毁,但中世纪城区的总轮廓却保留下来。老城中有 14 ～ 20 世纪中亚建筑史上最精美的建筑,其中若干建筑始建于撒马尔罕成为帖木儿帝国首都之际。后期的建筑包括为帖木儿宠幸的汉族妻子修建的比比卡农清真寺(1399 ～ 1404),以及 1405 年前后修建的帖木儿本人的陵墓古尔·艾米尔陵。15 世纪后半叶的建筑有阿克萨拉墓,墓中有巧夺天工的壁画。老城的公共广场里吉斯坦广场亦给人深刻印象。广场前面有几所伊斯兰教学校,包括帖木儿之孙、天文学家兀鲁伯就读的学校(1417 ～ 1420),希尔达尔的学校(1619 ～ 1635 或 1636)和提拉卡利的学校(17 世纪中叶),这几所学校构成了广场的三边。撒马尔罕另有几所 15 ～ 17 世纪的陵墓、伊斯兰教学校和清真寺,但不如帖木儿时代的建筑有影响。撒马尔罕古建筑的主要特点在其雄伟的大门,巨大的彩色穹窿,以及用花饰陶器、马赛克、大理石和黄金制作的精美绝伦的外部装饰。新城为俄罗斯人所建,始于 1871 年,在苏维埃时期得到大规模扩展,有公共建筑、住宅和公园等。市内有乌兹别克和俄罗斯剧院,一所大学(1933 年创办)以及农学院、医学院、贸易学院等高等教育机构。

撒马尔罕地处通往中国和印度的贸易大道的交会点,早在古代和中世纪在商业上即很重要。但在 17 和 18 世纪时,它在商业上的重要性有所减弱,到 1896 年铁路完成后,重要性开始增加,成为出口葡萄酒、干果、鲜果、棉花、稻米、丝绸和皮革的重要中心。现

撒马尔罕市的帖木儿陵

供图:Society for Cultural Relations with the U.S.S.R., London

在,工业主要以农业为基础(有轧棉厂,丝绸纺织厂,水果罐头厂,葡萄酒厂,服装厂,皮革厂,制鞋厂和烟草厂等)。拖拉机和汽车零件以及电影器械等制造业也占重要地位。人口约 370 500(1991)。

Samarkand rug 撒马尔罕地毯 一度经乌兹别克斯坦的撒马尔罕古城推销的手织铺地用品,由吉尔吉斯或乌兹别克部落妇女织造。中国新疆沿古丝绸之路的和田、喀什和莎车,也生产这种地毯。除了配色是近东风格

19 世纪的撒马尔罕地毯
纽约大都会艺术博物馆供图

以外，这种地毯在其他各方面更富于中国风格。参阅 **Kashgar rug; Khotan rug**。

Samaroff, Olga　萨马罗夫（1882-08-08，美国得克萨斯圣安东尼奥～1948-05-17，纽约州纽约）　母家姓 Hickenlooper。美国女钢琴家，教育家。在巴黎音乐学院师承 E.德拉博德（她是第一个获该院奖学金的女学生），在柏林师承 E.耶德利奇卡和 E.哈森。1905 年在纽约市首演，从此开始其长达 20 年的音乐会生涯，在专业上达到登峰造极的境地。后在朱利亚德音乐学院（1924～1928）和费城音乐学院执教（至 1938）。1911～1923 年与指挥家 L.斯托科夫斯基结为伉俪。

Sāmarrā'　萨迈拉　伊拉克中部城镇。濒临底格里斯河。3～7 世纪建城。836 年穆阿台绥姆哈里发撤离巴格达时，选萨迈拉为新都。建造宫殿和园林。使该城沿底格里斯河伸展 32 千米。892 年都城迁回巴格达后，逐渐衰落，至1300年大部变为废墟。现已重建、复兴，为什叶派穆斯林朝觐中心，建于 9 世纪的大星期五清真寺和附近的阿布杜拉夫清真寺均已成废墟，但寺院大宣礼塔仍然耸立。人口约 214 100（2004）。

萨迈拉镇的大宣礼塔及大星期五清真寺废墟
供图：Pier Giorgio Sclarandis—《黑星》杂志社

Samāstipur　瑟马斯蒂布尔　印度东北部比哈尔邦北部城市。位于布里根德格河南岸。为铁路中心，设有铁路工厂。有农产品贸易，制糖为主要工业。市内设有医院及结核病诊疗所，每年有 3 次宗教集市。人口 47 363（1991）。

Samāwah, as-　塞马沃　伊拉克南部城市。位于首都巴格达南约 266 千米，濒临幼发拉底河。该城市为当地农产品集散中心，有葡萄园和果园，还有大型水泥厂。人口约75 293（1985）。

samba　桑巴　源于巴西的舞厅舞，20世纪40 年代初流行于西欧和美国。特征为简单的向前向后舞步，身体侧倾，摇摆等；伴奏音乐 4/4拍，有切分音节奏。男女舞蹈者成对按一般交际舞姿势原地、或绕舞厅而舞，也可两人分开，跳各种舞步。该舞主要来自约 1870～1914年间颇为时髦的**马克西克斯舞**（**maxixe**）。在巴西还有一种更古老的、充满非洲气息的桑巴舞，有时称巴图克舞。这是一种舞厅外的集体舞，舞蹈者围成圆形，并有一个独舞者，也可排成双行。

桑巴舞
卡尔弗图片公司供图

sambal　辣虾酱　印度尼西亚和马来西亚食谱中一种有香辛味的调味品，用作配菜。基本配料为新鲜红辣椒、虾酱、酸橙汁、糖和盐。大多数不上火烹调，但也有用油炸的。加入各种不同的蔬菜、水果、肉类和佐料，特别是一种带甜味的加香酱油，可以配制出多种风味的辣虾酱。

Sambalpur　森伯尔布尔　印度东部奥里萨邦西北部城镇。濒临默哈讷迪河。为商业中心和铁路终点，有一些工业，如碾米、纺织和金属加工等。森伯尔布尔县有数所学院，一座毗湿奴教圣庙和一座已毁要塞。1957 年在森伯尔布尔以上13千米的默哈讷迪河上建成希拉库德水坝。人口：城镇 131 138；都会区 193 297（1991）。

森伯尔布尔镇的希拉库德水坝
供图：H. Miller—Shostal/美国不列颠百科全书公司

sambar（*Cervus unicolor*）　**水鹿**　偶蹄目鹿科动物，广泛分布于印度和尼泊尔向东到东南亚一带。栖于森林中，独栖或成小群。尾长，肩高 1.2～1.4 米。体毛在颈周围形成皱领状，深褐色，无斑点。雄体有分三叉的长角。有几个亚种，其中有体型较大的印度水鹿（*C. u. niger*）和体型较小的马来亚水鹿（*C. u. equinus*）。

Sambation　安息日河　又拼 Sanbation。犹太教传说中的河流。据说“失踪的以色列十个支派”就是被亚述国王撒缦以色赶过这条河而不得归还的。这条河水流湍急，一说河中所流不是水而是乱石，只有在安息日才断流，可以渡过，但犹太人遵守诫命不得在安息日行动。关于这条河有许多传说见诸文字，成为阿拉伯文学和基督教文学的资料。东欧犹太人以这条河的名字称呼淘气儿童。

Sambhal　森珀尔　印度北部北方邦西北部城镇，位于莫拉达巴德镇西南。为铁路终点和农产品贸易中心。工业有制糖、手工纺织和棉布印花。每年有穆斯林和印度教庙会。人口 150 869（1991）。

Sāmbhar Salt Lake　桑珀尔盐湖　印度最大的盐湖。位于印度拉贾斯坦邦中东部。面积约 230 平方千米，为阿拉瓦利山的凹陷部分。每年汛期由河水带来含钠的物质，暑热时期湖水干涸见底，有盐片覆盖，远视白如冰雪。东岸有晒盐田和制盐厂。

sambo　桑勃式摔跤　20世纪30年代在苏联兴起的一种综合苏联几个地区摔跤形式的摔跤运动。在日本和保加利亚也练这种摔跤，1964 年获国际业余摔跤联合会承认。桑勃式摔跤与柔道及自由式摔跤相似，勒颈、脚踢、指抓等动作在禁止之列。

Samborombón Bay　桑博龙邦湾　南大西洋海湾，临拉普拉塔河。接纳来自西北的桑博龙邦河和来自西方的萨拉多河。还有几条灌溉内陆低地的水渠也注入该湾。此处是湿热的潘帕草原（肥沃平原区）的一部分，以乳品业闻名。

Sambucuccio D' ALANDO　桑布库奇奥（阿兰多的）（？～约1370）　科西嘉的革命者，曾与热那亚合作领导一次反对封建的奇纳尔卡家族及其大君主阿拉贡的詹姆斯（四世）的起义。出身不详，后从军。由于领导1356年科西嘉人民反抗亲阿拉贡的贵族起事而被任命为总督。摧毁领主城堡后，他参加一个代表团前往热那亚，请求热那亚治理科西嘉。14世纪60年代，科西嘉发生暴乱，桑布库奇奥再赴热那亚求援。1370年以后从政治舞台上消失，可能死于流行的黑死病。

Samch' ŏnp'o　三千浦　韩国南部庆尚南道城市。深水港湾，湾外有青山岛、新西岛等为屏障。经济向以渔业和鱼加工为主，20世纪70年代经济开始多样化。附近有丰富的高岭土用于发展陶器和瓷砖的制造。养殖朝鲜人主要水产食品之一的裙带菜。市西南的三鹤岛栖息有数以千计的仙鹤。人口62 831(1990)。

Samhain　夏末节　又拼Samain。凯尔特历法每年11月1日为夏末节，是重要而具有恐怖气氛的节日。据说届时世人可以看见诸神所居之处，而诸神则捉弄世人，因此在此节日人人心怀恐怖，谨防神灵作怪。

Samil Independence Movement（Korea）　**三一独立运动**　参阅 **March First Movement** 三一运动。

samisen　三味线　又拼shamisen。长颈、无品位的日本三弦诗琴。方形琴体背腹张有猫皮，有一个背部弯曲的轸斗，两边装有琴轸。它源自中国三弦。16世纪，三弦的琉球变种

三味线演奏
供图：Kokusai Bunka Shinkokai，Tokyo

传到日本，在民间和艺术音乐中广泛使用，作为抒情歌曲和叙事歌曲的伴奏乐器，亦用于歌舞伎乐队中。三味线的标准定弦为c-f-b♭，c-f-c′或c-g-c′（相对音高，按歌唱者的音域调定）。用大的拨子演奏，不同的拨子产生特定类型音乐所需要的不同音色。

samizdat　秘密出版物　源出俄语sam（自己的）和izdatelstvo（出版社）。指在苏联秘密写作、复印和流传的刊物，其内容通常是对苏联政府工作的批评。秘密出版物在1953年斯大林死后开始出现，主要是作为对官方限制苏联重要持不同政见作家的言论自由的一种反抗。1964年赫鲁晓夫被赶下台后，秘密出版物的关注焦点也从言论自由扩大为对苏联官方政策与活动的多方面批评，批评的层面遍及意识形态、文化、法律、经济政策、史料编纂以及对宗教和少数民族的政策。由于政府严密地垄断了印刷、影印和其他这一类设备，秘密出版物一般都是以打字复写稿的方式出版，并在读者中间私下流传。秘密出版物的主要类型包括：持不同政见者的活动及受官方新闻媒介封锁的消息之报道、对统治当局的抗议、政治审讯的记录、社会经济及文化问题的分析乃至色情文学等。最初，秘密出版物主要是莫斯科及列宁格勒两地知识分子的作品。但很快地，同类型的地下刊物也在苏联各加盟共和国及其许多少数民族中间流行开来。秘密出版物及其撰稿者从一开始就备受克格勃（秘密警察）的监视和侵扰。20世纪70年代初正是秘密出版物活动的高峰，镇压活动也急遽加强。镇压活动的高潮见于1973年8月对P.亚基尔和V.克拉辛的审判，政府的这次攻击使秘密出版运动受到伤害。虽然它的数量有所减少，也失去了许多领袖，但却生存了下来。80年代中期，由于苏联领导人M.戈尔巴乔夫的开放政策，秘密出版物再度活跃起来，克格勃的侵扰也几乎停止，结果，虽然读者群仍然很小但各式各样独立刊物却大量出现。80年代末，苏联政府非正式地接受了秘密出版物的存在，虽然它仍垄断印刷业和所有其他传播媒介。90年代初，随着苏联解体，出版和其他新闻媒介不再受政府的管辖后，秘密出版物几乎全部消失。

Saṃkhyā　数论派　又拼Sankhyā，梵语Sāṃkhya，意谓"计算"或"数"。印度六派正统哲学体系之一。数论派持一种前后一贯的物质（原质）和灵魂或自我（原人）的二元论。这两者最初是分离的，但在进化过程中，"原人"错误地与"原质"的某些方面混同。正确的知识即是"原人"区别自己与"原质"的能力。早期经文常常涉及这一体系，但它的经典著作是自在黑（约公元3世纪）的《数论颂》。维加纳比柯苏在16世纪写了另一部重要的数论著作。数论派认为存在无数相似而独立的"原人"（自我），它们之间不分高低。"原人"和"原质"足以解释宇宙，无须以神的存在作前提。"原人"是无处不在、无所不思、无孔不入、不动、不变、无形的和无愿望的。"原质"是普遍的和微妙的（即不显露的）物质或性质，因此，它仅仅是由时间和空间决定的。

Sammartini, Giovanni Battista　萨马尔蒂尼（1700或1701，米兰［意大利］～1775-01-15，米兰）　Sammartini又拼San Martini。意大利作曲家。对前古典主义交响乐的形成及后来由海顿和莫扎特发展起来的古典主义风格有重要影响。其父是法国双簧管演奏家A.圣-马丹。萨马尔蒂尼的一生大部时间在米兰度过。曾任几座教堂管风琴师，1730～1770年任圣玛丽亚·玛达莱纳女隐修院管风琴师。他首先以宗教音乐作曲家出名，但早在1734年就创作了一首4乐章的交响乐。他是最早为音乐会演出创作交响曲的作曲家之一。当他的管弦乐和室内乐闻名国外时，许多学

中国大百科全书出版社供图

生前来米兰学习，C.格鲁克就是其中之一。萨马尔蒂尼是一位多产作曲家。据估计共有作品2 000首，但很难确定哪些作品真正出于他的手笔。

Sammatīya　正量部　古代印度佛教部派，该派认为个人虽然不能离开五蕴而独立存在，但同时又比组成他的各种成分的总和更胜一筹。据中国僧人玄奘说，该派当时是四大部派之一。一说犊子部是正量部的母体。

Sammu-ramat　萨穆-拉玛特（活动时期公元前9世纪晚期）　希腊语作Semiramis。亚述王后。生前为伟人，死后成为传奇般的英雄。她是亚述国王阿达德尼拉里三世（公元前810～前783在位）之母，沙姆希·阿达德五世（公元前823～前811在位）之妻。其夫死后她曾统治国家。历史学家希罗多德曾提到过她。根据历史学家狄奥多罗斯（西西里的）的描述，她是女神所生。原先嫁给一个亚述军官，后来国王尼努斯被其美貌倾倒，遂成王后；尼努斯不久死去，她掌握大权，亲政多年。曾修筑巴比伦城，并征服了许多远方的土地。

Samnān（Iran）　参阅 **Semnān** 塞姆南。

Samnite　萨谟奈人　古代居住在意大利南部山区中心诸好战部落之一。这些部落操奥斯卡语，可能属萨宾人一旁系。萨谟奈人一词的奥斯卡语，用拉丁字母写出即是萨宾人（**Sabine**）。赫彼奈、考迪尼、卡拉切尼和彭特里等4城镇联合组成萨谟奈联盟。公元前354年，萨谟奈人与罗马结盟，共同抵御高卢人，不久一连3次卷入反抗罗马人的战争（公元前343～前341、公元前316～前304、公元前298～前290），终被击败。公元前90年参加同盟者战争，后又参加内战反对L.C.苏拉，在科林门战役（公元前82）中败于苏拉。

Samoa　萨摩亚　太平洋中南部小国，位于新西兰东北约2 900千米处，东邻美属萨摩亚群岛。首都阿皮亚，位于乌波卢岛。人口约179 000(2000)。

萨摩亚与美属萨摩亚共同拥有萨摩亚群岛。萨摩亚由西经171°以西的9个岛屿组成，其中的乌波卢、萨瓦伊、马诺诺和阿波利

马为有人居住的岛屿，法努阿塔普、纳穆阿、努泰尔、努拉阿和努萨菲为无人居住的岛屿。（子午线以东的6个萨摩亚岛屿属于美属萨摩亚。）该国总面积小于美国的罗得岛州。

土地 最大岛屿萨瓦伊岛面积为1 707平方千米，最高峰西利西利山（海拔1 858米）是该岛中部的一个火山。乌波卢岛是另一个大岛，在阿波利马海峡以东16千米处，形状比萨瓦伊岛更细长、更崎岖，平均海拔也较低。该岛面积1 119平方千米，包括5个近海岸小岛，最高峰菲托山海拔1 100米。马诺诺和阿波利马是位于这两个主要岛屿之间海峡的较小岛屿。

该国所有河流都很浅，流域有限，从中部高地呈辐射状直接流入大海。这些岛屿多岩石，是过去700万年中从东到西不断进行的火山运动形成的。岛屿边沿为珊瑚礁和浅潟湖，除了有些地方的海岸熔岩流形成的峭壁。萨瓦伊岛上的马塔瓦努山在1905～1911年间最后一次间歇性喷发。萨摩亚的火山土壤非常适合种植蔬菜，但也极易被岛上的径流侵蚀。

岛上气候炎热、潮湿。降水量分布不均，北部和西部海岸为2 540毫米以上，内陆为7 620毫米。气温变化不大，平均温度27℃，全年温度在23～30℃之间。经常刮东南信风，在雨季（11月或12月至次年4月）由于可能会出现强烈的暴风雨，信风有时会向北偏移。台风有时会造成大面积的破坏。

萨摩亚长势茂盛的植被包括热带雨林和云雾笼罩的密林。大部分海岸种植芋头和椰树。岛上动物的数量有限，但已发现有50多种鸟，其中有16种为岛上所独有，包括罕见的齿喙鸽。当地仅有的几种哺乳动物是狐蝠（现已濒临灭绝）和几种较小的蝙蝠。鼠、野牛和猪都是外来品种。在萨摩亚发现的较小动物包括蜥蜴、蛇、倍足纲节肢动物、蝎子和蜘蛛，以及种类繁多的昆虫。

奥利普普皮尤国家公园是萨摩亚的第一个国家公园，占地大约28平方千米，位于乌波卢岛的中南部。萨摩亚的许多地方对自然资源的保护力度一直不够。由于开垦陡坡和砍伐林木造成的土壤侵蚀形成径流，破坏了萨摩亚的许多潟湖和珊瑚礁。首都阿皮亚及周边地区的工业污染和生活垃圾已经成为一个令人忧虑的问题。1998年的野火是农民整理耕地引起的，萨瓦伊岛上几乎1/4的森林被烧毁。

人民 萨摩亚人主要为波利尼西亚人的后裔，大约9/10的人口是当地的萨摩亚人。其余大部分是欧洲-波利尼西亚混血种人，此外还有少量的纯欧洲人后裔。

萨摩亚的语言被认为是最古老的波利尼西亚语之一，与毛利语、塔希提语、夏威夷语和汤加语非常接近。萨摩亚语的大部分词汇反映出海上生活的习俗，包括洋流、风、地貌和方向的名称。有些动词形式表示出物体的相对位置，包括接近和离开讲话者的运动方向。英语作为第二语言在当地很流行。

萨摩亚人的传统宗教信仰是泛神论的，宗教仪式主要是由家庭的长者主持；他们显然没有专职的神职人员。由于与欧洲人的接触，他们欣然接受了基督教教义，甚至在最偏远的村庄也建有教堂，这些建筑通常都很高大宽敞。萨摩亚的基督教公理会在当地的主导地位一直持续到20世纪末，但此后大部分信徒转入摩门教教会。摩门教教徒和公理会教徒现在大约各占人口的1/4。约1/5的萨摩亚人是天主教教徒，约1/9是循道宗信徒。五旬节派教会、基督复临安息日会以及其他宗教团体的成员人数有限。

自从该地区有人定居以来，大多数萨摩亚人一直居住在沿海岸而建的村庄里，约有4/5的人口至今仍住在农村。乌波卢岛北岸的阿皮亚，是该国唯一的城镇，也是主要港口和服务业、贸易的中心。该城镇的居民约占萨摩亚总人口的1/5。

20世纪50年代萨摩亚人口已近80 000人口，此后人口出生率一直很高。尽管到20世纪90年代中期人口数量又增加了一倍，但人口增长率仍明显低于世界平均水平，主要是有数以万计的萨摩亚人移居到了新西兰、美国、澳大利亚以及世界其他地方。平均预期寿命男性为67岁，女性为72岁。约有2/5的萨摩亚人年龄不足15岁。

经济 村庄内传统的近亲关系使得萨摩亚人不得不生活在一个集体主义制度的社会里，但是在与欧洲人往来之后货币经济得以发展，主要是基于当地的农业出口。20世纪50年代以后，旅游业、服务业和轻工制造在当地愈加重要。其他主要资本来源于居住在海外的萨摩亚人的汇款（主要来自美国和新西兰），这笔钱占到家庭收入的1/6，以及美国、联合国、英联邦国家和其他外国实体的赠款。

农业约占萨摩亚国内生产总值（GDP）的2/5，并占用了近2/3的劳动力。然而，产量仍无法满足当地需求，大量食品依靠进口。主要作物包括椰子、芋头、菠萝、芒果等。20世纪90年代的台风对当地几种农作物造成极大损失，包括芋头。饲养牛、猪和家禽供当地消费。林业对经济的贡献不断增加，部分原因是由于政府的补种计划。萨摩亚的渔业规模依然很小，主要是靠在独木舟上打捞。

萨摩亚除了农田、周围的水域、宜人的景色和气候外，几乎没有其他自然资源，几乎有一半的面积被森林所覆盖。水电站提供了该国绝大部分的能源需求；其余部分由燃油的热电厂提供。

萨摩亚多元化的轻工生产包括啤酒、香烟、椰子产品、咸牛肉、香皂、油漆、软饮料和果汁，以及手工艺品。多数产品供应国内市场。一家日本人开办的电子产品装配厂在20世纪90年代开始生产，是萨摩亚仅次于政府部门的第二大雇主。

萨摩亚的货币为塔拉，1塔拉等于100分。1984年成立的萨摩亚中央银行控制和调节货币供应。此外，还有多家商业银行。银行业和金融业能够提供的工作岗位很少，尽管自1988年启动国外银行业务以来，有许多公司在萨摩亚注册。

萨摩亚的贸易持续逆差。主要贸易伙伴包括新西兰、澳大利亚、斐济、美国、日本和美属萨摩亚。进口产品主要包括食品、工业用品、机械、消费品和石油产品。出口产品主要有椰子产品、椰干、可可豆和啤酒。

政府（包括教育）和旅游业是萨摩亚服务业的主要支撑。旅游业一直是外汇增长的主要来源，因为有来自美属萨摩亚的稳定客源，以及不断增加的新西兰、澳大利亚、美国和欧洲的游客。旅游热点除了萨摩亚的银滩之外，还包括穆利努，这里有议会、传统的聚会场所和安葬地；富伊皮西阿瀑布，落差约有55米；瓦伊利马，19世纪苏格兰作家斯蒂文森晚年的住所，现为国家元首居住地。

近2/3的萨摩亚人是农场主或农业工人。约1/5的人口在政府部门、旅游业或其他服务业部门工作，中央政府是萨摩亚最大的雇主。萨摩亚有多个工会组织，但加入工会的工人比例很小。该国的劳动力主要是男性，但女性也开始扮演越来越重要的角色。1991年成立妇女事务管理部，以鼓励和促进妇女就业。政府收入的一半以上来自税收，近1/3来自财产转让。1994年对商品和服务业开征附加税，尽管此举引发强烈抗议。

国际航班把该国与美属萨摩亚、斐济、新西兰、澳大利亚和日本连接起来。定期海运服务与国外许多港口相连，包括东北方向的夏威夷和加利福尼亚港口，西南方向的新西兰和澳大利亚港口。近2/5的道路铺有路面，包括许多条沿海高速路和阿皮亚的主要街道。当地无铁路。

萨摩亚拥有电话数千部，以及多条通过海底电缆和卫星连接的国际电话通讯线。手机的使用数量自20世纪90年代中期以来迅猛增长。

政体与社会状况 1962年萨摩亚颁布了它作为太平洋地区第一个独立小国的宪法，并于1970年加入英联邦。萨摩亚为议会制政府，具有萨摩亚人和新西兰人的特色。宪法最初规定该国为君主立宪制，国家元首由两位皇族族长联合担任，如果其中一位去世（如1963年发生的那样），另一人将继续作为君主终身担任国家元首，此后未来的国家元首将由议会选举产生，任期5年。总理由议会选出，负责组阁。议会有成员49名。2人由该国的非萨摩亚人和混血族群直接选举产生，其余47人从萨摩亚族长候选人中直接选出。

萨摩亚的地方政府负责管理11个行政区里的360多个村庄，其中5个行政区位于乌波卢岛，6个在萨瓦伊岛。萨摩亚有数千个大家庭，每个大家庭至少要有一名族长作

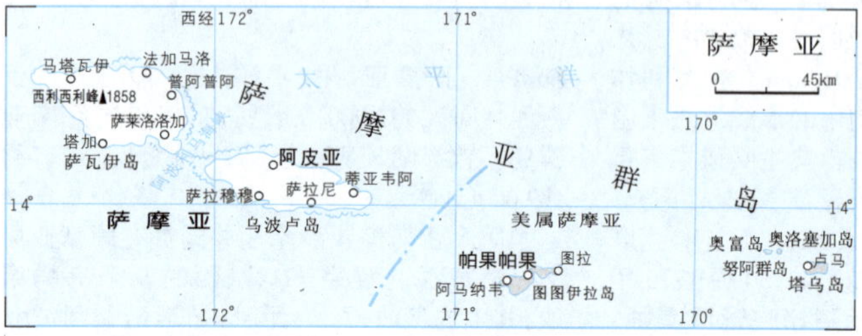

美国不列颠百科全书公司供图

为代表，族长负责召开村委会管理地方事务。

司法机构受最高法院领导，首席大法官由国家元首根据总理的提议任命。最高法院法官还主持上诉法院。级别较低的法院包括治安法庭，负责审理刑事案件；土地与所有权法庭，负责处理民事纠纷。萨摩亚拥有一支警察部队，但是没有常备军。新西兰与该国签有协议，在需要时可提供军事援助。

1990年萨摩亚规定本国21岁以上公民享有普选权。20世纪70年代末萨摩亚开始有了政治党派，到21世纪初已有党派5个以上。主要党派包括人权保护党（HRPP）和萨摩亚民族发展党（SNDP）。妇女参与政府工作，但几乎无人能够当选官员。

20世纪末以来实行的免疫计划极大地减少了疾病发生率，尤其是在儿童当中；然而，该国缺少医生，医院的治疗水平也有限。肥胖症和饮食不均衡是最主要的健康问题。死亡的主要原因是充血性心力衰竭、癌症、脑血管疾病、交通事故、肺炎和败血症。由于这个岛国的土壤渗水，集水区有限，缺水现象十分普遍。对许多农村人口来说，水井和蓄水器是仅有的水源。

几乎所有的萨摩亚人都有读写能力。国家对5～14岁的儿童实行义务教育，但仅有很少一部分人完成了中等教育。优选生在政府或教会办的中学、职业学校或师范学校接受更高层次的教育。南太平洋大学在靠近阿皮亚的阿拉福亚设有农学院。有些学生进入萨摩亚国立大学（1984年创办）和阿弗利学院（1924年创办），但多数学生报考国外院校，如新西兰的威灵顿维多利亚大学、夏威夷大学、布里格姆·扬大学。

文化生活 尽管有些萨摩亚人在欧洲人到来之后明显改变了他们的价值观和生活习惯，特别是在阿皮亚，但萨摩亚人一直在努力保留他们自己的生活方式，因此，乡村生活的许多传统和外在的特征实际上依然没有改变。

萨摩亚的多数村庄建有教堂和聚会堂，后者还兼作文化中心。在村镇公用绿地周围建有几个法勒（fale），即当地传统的椭圆形房屋，四周没有墙，几个木头柱子支撑着一个茅草屋顶或瓦楞铁屋顶。卷起的棕榈叶草垫可以从每个房屋的顶上放下，起到遮挡风雨的作用。现在许多法勒已被带墙和窗户的长方形木屋或水泥砖屋所替代。厨房通常位于一个完全独立的房屋里。

主要食物依靠本地种植和捕捞，包括芋头、山药、面包果、鱼和有壳的水生动物。当地人也吃鸡肉和猪肉。进口食品现在越来越多，包括亚洲稻米、冻肉，以及从世界其他地方进口的饮料和包装食品。卡瓦（kava）是一种传统的不含酒精、能产生兴奋作用的饮料，原料源自一种热带香辛植物，主要供族长在社交聚会时享用。在饮用之前和之后，族长会泼洒少量饮料在地上。相关的习俗包括要先盘腿坐在屋里，然后再与主人交谈；当在外面行走或站在屋内时，不可以吃东西。

音乐、舞蹈、文身刺花和口述文学是萨摩亚的重要艺术形式。男性在12或13岁时要请一位当地文身师在自己的腰部和膝盖之间文身刺花，这是一个耗费时间并且痛苦的过程。19世纪的基督教传教士认为文身刺花有悖于圣经中的教义，取缔了波利尼西亚许多岛屿上的这种风俗；然而，萨摩亚人保留了这一传统，并在20世纪末帮助塔希提人和其他族群恢复了这种艺术形式。早期的树皮布艺术作品、编篮筐技艺和羽毛作品基本没有流传下来，现在只有少部分人还在制作手工艺品。

音乐对萨摩亚人的生活一直非常重要，声乐在宗教仪式和社交聚会中均占主导地位，并有有节奏的打击乐器和管乐器伴奏。为游客表演的舞蹈包括坐舞和肢体舞。

萨摩亚的口述文学可追溯到最早的有人定居时期。宗谱、传说、吟颂和咒语都经过了世代相传并不断改进。如今，在村委会和其他重要场合族长总要发表有押韵和富有诗意的演讲。19世纪以来许多口传文学已被转变成文字形式。

除了农业学院、萨摩亚国民大学和阿弗利学院以外，萨摩亚几乎没有重要的文化机构。R.L.斯蒂文森博物馆（1990）和纳尔逊公共纪念图书馆（1959）均位于阿皮亚。

主要节日包括独立日（通常庆祝3天，6月1日至3日）、圣诞节、除夕和元旦。尽管萨摩亚人的音乐和舞蹈形式依然很受欢迎，但电台经常播放从夏威夷和其他波利尼西亚岛国引进的音乐，包括摇滚乐。当地经常放映美国电影和中国电影，后者配以英文字幕。

英式橄榄球是萨摩亚人所喜爱的体育运动，曾长期代表新西兰和萨摩亚国家队参赛。澳大利亚式橄榄球也越来越受欢迎。有时整个社区一起玩基里基提（kirikiti），这是一种近似于板球的运动，但是参赛队伍不限人数；游戏既是社交活动也是健身运动，观众在场边尽情歌唱并为队员呐喊助威，主办赛事的村庄敞开供应食物和饮料。萨摩亚人和其他波利尼西亚人从最初在岛上建立定居点起，就一直使用独木舟。现在多数独木舟只在潟湖使用，但也有许多用于海上划船比赛。竞走、斗鸡、投飞镖和投标枪也是传统的萨摩亚人体育活动。另有队员参加网球、高尔夫球、保龄球和其他比赛。萨摩亚从1984年开始参加奥运会。

该国的报纸包括《萨摩亚观察家报》、《萨摩亚新闻报》、《萨摩亚周刊》，每个刊物的发行量都很少，从数百份到数千份不等。萨摩亚拥有3个广播电台。该国1993年首次全天播放电视，提供本地制作的节目和国外卫星传输的节目。

历史 约在公元前1000年波利尼西亚人乘独木舟来到萨摩亚群岛。萨摩亚语言的特点表明定居者可能是来自汤加。当地的陶器制造约于公元200年停止，此时萨摩亚对波利尼西亚东部的多数居民已经变得非常重要。萨摩亚人、汤加人和斐济人之间的接触仍在继续，并通过口述文学记载在数百个世代流传下来的传说和宗谱中。萨摩亚人精于航海、造船和捕鱼；他们的社会在每一方面都与海上生活有着某种联系。基础农业也得到了发展，包括种植芋头、山药、面包果、香蕉、甘蔗和椰子。绝大多数萨摩亚人居住在乡村，由族长组成的村委会管理。许多由30多个房屋构成的有防御功能的村落沿海岸而建。广泛的血亲关系把几个家庭和村落与想要夺取最高统治权的几个主要家庭联系起来，这使得岛上经常发生武装冲突。

欧洲航海家1722年开始来到萨摩亚，起初因他们带来的技术和食品受到欢迎。J.威廉斯是英国传教会的成员，1830年来此建立了一个基督教教区。他使刚刚征服整个萨摩亚的马列托阿·瓦伊努波改变了信仰，其他人不久也紧随其后。到19世纪50年代，在阿皮亚港周围已建有一个外国人居住区。为争夺最高统治权，萨摩亚的最高酋长们由在外国人提供武器装备并出谋划策的情况下，互相残杀（1848～1873），直至1873年经美国特工人员斯坦伯格上校斡旋方始获得和解。斯坦伯格帮助起草了一部欧洲式的宪法（1875），自任首相，但实际上是独裁者，1876年英国人将其逮捕，放逐岛外。当酋长们之间的战争重新爆发时，英国人建立了具有统治权的阿皮亚市政府（1879）。族长内部不断的冲突因英、德、美三国互相争夺势力范围而加剧，却于1889年3月16日在阿皮亚发生的一场天灾中结束。当时3艘德国军舰和3艘美国军舰被台风困在阿皮亚港，有的搁浅，有的沉没。这场灾难促使了1889年《柏林条约》的签订，三国在《柏林条约》中同意萨摩亚独立并保持中立。当萨摩亚国王与诸族长之间的冲突重又爆发后，三国于1899年再次举行会议，废除了1889年的《柏林条约》，兼并萨摩亚群岛，德国获得西萨摩亚。

萨摩亚人为德国人的统治所激怒，组成总部设在萨瓦伊岛的马乌抵抗运动组织（1908）。1914年第一次世界大战爆发时，新西兰派兵占领了西萨摩亚。在军事统治时期，1918～1919年的流感大爆发使8 500名萨摩亚人（占总人口的1/5以上）丧生。1920年西萨摩亚作为一个托管地由国际联盟交给新西兰管理，马乌抵抗运动继续活动，在1929年展开了一场激烈的战斗。从1936年起，新西兰政府一直力主和解，但因第二次世界大战爆发而中断。美国军队在乌波卢岛建立起机场和公路，推动了当地的发展。战后西萨摩亚成为联合国托管地，仍由新西兰管理。随着国务委员会和议会的建立（1947），西萨摩亚展开了争取独立的运动。1961年议会通过宪法草案，接着在联合国监督下岛上又举行了公民投票，以压倒多数批准宪法，同时还通过独立决议。1962年1月1日西萨摩亚宣告独立。马列托亚·塔努马菲利第二殿下成为国家元首，为终身元首。同年晚些时候又与新西兰签订友好条约，授权新西兰在西萨摩亚提出请求时，作为其对外关系的代理人。图伊拉埃帕·萨伊莱莱·马利埃莱额奥伊1998年11月就任总理，2001年3月连任。20世纪末萨摩亚的宗教组成明显改变，许多人加入了摩门教会。旅游业收入在同期迅猛增长，部分是由于乌波卢岛基础设施的改善。1990年的公民复决规定了普选权，1997年议会将该国名称从西萨摩亚改为萨摩亚，尽管附近的美属萨摩亚对此表示抗议。在21世纪初该国仍面临着经济和社会的多种挑战。

Samoa 萨摩亚 太平洋中南部大小岛屿组成的波利尼西亚岛群，西南距新西兰2 600千米。**美属萨摩亚群岛（American Samoa）**是美国的属地，包括西经171°以东的图图伊拉等6

个岛屿。西萨摩亚是1962年独立的国家，由西经171°以西的乌波卢、萨瓦伊等9个岛屿组成。1997年，该国改名为萨摩亚（Samoa）。

Samory　萨摩利（约1830，上几内亚萨朗科附近［今在几内亚］～1900-06-02，法属刚果加蓬［今加蓬］）　全名萨摩利·杜尔。穆斯林改革家和军事冒险家。在西非建立一个强大的王国，在19世纪末反抗法国殖民侵略。属于曼丁哥部族，1868年宣称自己为宗教首领，率一帮斗士在几内亚康康区建一强大酋长国。19世纪80年代初极盛时，其疆土自上沃尔特区向西绵延达富塔贾隆。萨摩利反对法国人在西非建立帝国的野心。1883年法国人占领尼日尔河畔巴马科时他第一次与之交战。法国人1886年发动进攻取胜后，萨摩利接受其保护，以尼日尔河为界。19世纪80年代末东征锡卡索（今科特迪瓦境内）国王失败后，于1891年与法国重开战端。其军队被法军分遣队逐出苏丹时，他拟建其王国于象牙海岸殖民地北部，劫掠了孔城（1895）和邦杜库（1898）。他被法军追击，于1898年9月29日在卡瓦利河上游被俘。死于流放中。

Samos　萨摩斯　爱琴海中距小亚细亚大陆最近的希腊岛屿。与大陆隔狭窄的萨摩斯海峡。面积476平方千米。多树木、山峦，最高峰克尔克托斯（1 433米）在岛西端。东岸多呈锯齿状，南岸除蒂加尼外，为宽广平原。与伊卡里亚和富尔尼岛组成萨摩斯州，首府瓦西在该岛北部深水湾顶。最早居民种族不详。新石器时代早期，南岸蒂加尼附近已有人居住。约公元前11世纪爱奥尼亚人到达。至7世纪已成为希腊主要商业中心之一，与黑海海岸、埃及、昔兰尼（利比亚）、科林斯和哈尔基斯有贸易往来。曾先后被波斯、雅典、拜占廷、土耳其统治。1912年归属希腊。为一富庶岛屿，出产葡萄、橄榄、水果、棉花和烟草。酿制葡萄酒输往西欧。发掘有公元前5世纪末赫拉神庙和殿堂的遗迹。哲学和数学家毕达哥拉斯在此出生，曾为一雕塑家流派活动中心。人口42 000（1991）。

Samos Tunnel　萨摩斯隧道　公元前6世纪在爱琴海萨摩斯岛开凿的隧洞，以引来卡斯特罗山另一侧的泉水。据希罗多德记载，工程由迈加拉的尤帕利努斯工程师负责。隧洞直径2米，长900米以上，由奴隶用手锤和凿钎开凿，从山两侧分头凿进。但没有精确地接通成一直线，中部作U形弯曲。

Samosata（Turkey）　**萨莫萨塔**　参阅**Samsat** *萨姆萨特*。

Samosir　沙摩西　印度尼西亚北苏门答腊省多巴湖中岛屿。面积近520平方千米，约占湖面的1/2，有一地峡连接湖西岸，地峡上有该岛主要城镇邦古鲁兰。岛的东部海拔1 630米，湖面海拔911米。地峡上的多洛普苏武吉山被认为是第一批巴达克人的故乡。当地居民大多为巴达克人，他们种植水稻，饲养牲畜，捕鱼，种植葱蒜出售。主要信奉基督教，对祖先崇拜亦占重要地位。岛上有许多

多巴湖中的沙摩西岛
供图：Don Nonrth—Nancy Palmer Agency

古代巨石文物，岛的东侧旅游业日益重要。

Samothrace　萨莫色雷斯　希腊岛屿，位于爱琴海北部，在色雷斯南面，属埃夫罗斯州。面积178平方千米。地质构造复杂。北岸附近有温泉。中部芬加里峰（1 600米）是爱琴海最高峰。约公元前700年，希腊人到此并建造了一座众神殿（1856年被发掘）。公元前约425年加入提洛同盟，340年起在马其顿控制下，约170年后被罗马人定为自由邦。大部分遗迹为公元前4～前2世纪古希腊建筑。1863年发现著名的萨莫色雷斯有翼胜利

萨莫色雷斯岛上帕里奥波利斯遗址的考古挖掘
供图：Jim Goodwin—Photo Researchers

女神像。1457年前该岛曾被法兰克人和热那亚人控制，后由土耳其人统治。第一次世界大战后归属希腊。人口：岛2 871（1981）。

samovar　俄国式茶炊　金属茶壶，通常是黄铜的，靠近底部有一个龙头，在俄罗斯、蒙古、埃及、土耳其和伊朗用于煮茶。壶当中有

20世纪初叶的俄国式茶炊
供图：Garl Purcell

一直立管，管内燃烧木炭以加热茶水。灌满水的茶壶被装在烟管顶部以浸泡茶叶。从龙头把茶水注入茶杯，在茶杯中另外加水，可以得到较淡的饮料。这种茶炊是18世纪中叶俄国人发明的，现代已成为颇受人们赞赏的工艺品。手把、壶嘴和支座都雕有花卉、动植物图案以及制造厂的商标、勋章和徽章。现代茶炊用煤油作燃料，或用电加热。

Samoyed　萨莫耶德狗　在西伯利亚培育的一种役用狗。萨莫耶德人饲养以拉雪橇，用作伴侣狗，也用于放牧驯鹿。体壮。耳直立；眼杏仁形，色深；面带一种"笑容"。被毛长而

萨莫耶德狗
供图：Sally Anne Thompson—美国不列颠百科全书公司

厚，呈白色、奶油色、灰黄色（饼干色）或白和淡褐色相间。体高48～60厘米，体重16～30千克。萨莫耶德狗性驯顺，伶俐，可用于守卫，是良好的伴侣。

Samoyedic languages　萨莫耶德诸语言　通行于西伯利亚和俄罗斯北极地区的语言，与芬兰-乌戈尔诸语言共同组成乌拉尔语系（参阅**Uralic languages**）。萨莫耶德语有5种语言，可以分为两组：北萨莫耶德语，包括涅涅茨语（尤拉克语）、叶尼茨语（叶尼塞语）及恩干纳桑语（塔乌基语）；南萨莫耶德语，包括塞尔库普语及实际上已消亡的卡马斯语。1930年以前这些语言都没有文字，现在它们只偶尔用于初等教育中。

Samoyeds（people）　**萨莫耶德人**　参阅**Nenets** *涅涅茨人*。

sampan　舢板　中国水域最普通的小船，具有多种式样。有的艏部是尖的，几乎所有的舢板都有一个大的艉部，舷缘及甲板的后半部稍高。通常都有帆具，有时有两根桅，否则

舢板
布朗兄弟公司供图

就用长桨划行。它们一般都是敞开的，或只有部分甲板，船尾有一篷。在日本、夏威夷和台湾，还在传统的日本式舢板的基础上发展了一种中段为平底的机动小艇。